自由人（十四）

自由人總目錄

一
民國四十年三月七日～民國四十一年六月二十八日
二
民國四十一年七月二日～民國四十二年六月二十七日
三
民國四十二年七月一日～民國四十三年六月三十日
四
民國四十三年七月三日～民國四十四年六月二十九日
五
民國四十四年七月二日～民國四十五年六月三十日
六
民國四十五年七月四日～民國四十六年六月二十九日
七
民國四十六年七月三日～民國四十七年六月二十八日
八
民國四十七年七月二日～民國四十八年六月二十七日
九
民國四十八年七月一日～民國四十九年十二月三十一日

十
民國五十年一月四日～民國五十年十二月三十日
十一
民國五十一年一月三日～民國五十一年十二月二十九日
十二
民國五十二年一月二日～民國五十二年十二月二十八日
十三
民國五十三年一月一日～民國五十三年十二月三十日
十四
民國五十四年一月二日～民國五十四年十二月二十九日
十五
民國五十五年一月一日～民國五十五年十二月二十八日
十六
民國五十六年一月一日～民國五十六年十二月十六日
十七
民國五十七年一月十三日～民國五十七年十二月二十八日
十八
民國五十八年一月一日～民國五十八年十二月三十一日
十九
民國五十九年一月三日～民國五十九年十二月三十日
二十
民國六十年一月二日～民國六十年十一月十三日

動盪時代的印記——《自由人》三日刊始末

陳正茂（北台灣科學技術學院通識教育中心教授）

一、前言：《自由人》三日刊創刊之背景

民國三十八年是中國歷史上驚天動地的一年，隨著戡亂戰局的逆轉，中共席捲大陸，國府敗退遷台，真是國命如絲風雨飄搖的危急存亡之秋。處此動盪時代中，除大批軍民同胞隨政府播遷來台外；尚有一部分人士選擇避難香江，南下港九一隅，這些人當中，有不少是失意政客和知識份子。基本上，當年選擇避秦來港的知識份子，其心態上有兩種，一則對國、共兩黨均感不滿；再則係看上香港為自由民主之地，較能有揮灑發展的空間。此情勢考量，誠如雷嘯岑所言：「在一九四九－五〇年之間，因大陸淪陷，香港乃成了反共非共的中國人士望門投止的逋逃之藪」。

這些投奔港九的政治難民，以高級知識份子居多；兼以香港時為英屬自由之地，所以只要不違背港府法令，一般而言從事任何活動是百無禁忌，相當自由的。不僅可以高談政治問題，甚至於從事政治活動亦不加以限制。於是，「從大陸流亡到港九的高級知識份子群，乃相率呼朋引類，常舉行座談會，交換對國事意見，而美國國務院的巡迴大使吉塞普（Philip Jessup），斯時亦在香港鼓勵中國人組織『第三勢力』運動，目的以反共為主。」在此背景下，港九地區的自由民主人士，在美國幕後撐腰下，「各種座談會風起雲湧，熱鬧非凡；而諸多以反共為職志的大小刊物，更是應運而興，琳瑯滿目了。」[1]所以，《自由人》三日刊，就是在此大時代氛圍下孕育而生的。

二、《自由人》三日刊誕生之經過

《自由人》三日刊醞釀誕生之經過，最早鼓吹者，一般而言，說法有二，一為由王雲五號召發起。據其《岫廬八十自述》書中提及：「自民國三十九年開始以來，由於中共匪幫建立偽政權，並先後獲得蘇俄、緬甸、印度、巴基斯坦及英國的承認，於是匪幫的勢力在香港突然大振，不少反共分子漸呈動搖態度。旅港有識之士深感囂風日長，漸使全港華人隨而動搖，乃相與集議挽救之道。我因在港主辦一個小規模出版事業（按：即華國出版社），尤以一貫堅持反共方針，遂由多數參加集議人士推任領導。由臨時的集會，變為固定的座談；其地點經常利用國民黨在銅鑼灣某街所租賃之四樓房屋一層。每次參

1 馬五，〈「自由人」之產生與夭折〉，見馬五（雷嘯岑）著，《政海人物面面觀》（香港：風屋書店出版，一九八六年十二月初版），頁二一二。又此種座談會多在週末舉行，也有人稱之為「週末座談會」或「星期六座談會」。見馬五先生著，《我的生活史》（台北：自由太平洋文化事業公司出版，民國五十四年三月一日初版），頁一六一。

加座談者，多至三十餘人，少亦一二十人，皆為文化界人士，或為舊日與政治有關係者，各政黨及無黨派人士皆有之。後來我以香港政府最忌政治性的集會，凡參加人數較多，尤易引起猜疑，動輒干涉。加以如此散漫的座談，亦未必能持久，因於某次座談中提議創辦一小型之定期刊物，每週或半週出版一次，既可藉此刊物益鞏固反共人士之維繫，且刊物一經向港政府註冊，則在刊物辦公處所舉行的座談，皆可諉稱編輯會議，可免港政府之干涉。此議一出，諸人咸表贊同，遂計劃如何組織與籌款。結果決辦三日刊，定名為自由人，其資金由參加坐談人士各自量力提供。我首先代表華國出版社提供港幣一千五百元，此外各發起人分別擔任，或一千，或五百不等；並經決定撰文者一律用真姓名，以明責任。其後，又決定委託香港時報代為印刷發行。因是，籌備進行益力，發起人等每星期至少集會一次，間或二次，一切進行甚為順利。」[2]

二為眾人集議，早有志於此，雷嘯岑即主此說。雷言：「這時候，即有原在大陸上服務新聞界的報人成舍我、陶百川、程滄波，協同青年黨人左舜生、民社黨人金侯成，以及國民黨人阮毅成、無黨無派的王雲五，外加香港時報社長許孝炎、新聞天地雜誌社社長卜少夫一干人等，於每週末午後在香港高士威道某號住宅中，舉行文化座談會。大家談來談去，得到一項結論，要辦一份刊物，以闡揚民主自由思想，在文化上進行反共鬥爭。……適韓戰爆發，預料東亞局勢將有變化，刊物必須及時問世，刊物取名「自由人」，由程滄波書寫報頭兼撰〈發刊詞〉，標題是〈我們要做自由人〉。」[3]

2 王雲五，《岫廬八十自述》（台北：商務版，民國五十六年七月一日初版），頁一〇四～一〇五。

3 馬五，〈「自由人」之產生與夭折〉，同註一，頁二一二～二一三。

然由當事人之一的阮毅成事後追記，似乎《自由人》三日刊能草創成功，仍是由王雲五一手主導的。阮說：「民國三十九年十二月二十日，雲五先生在香港高士威道約大家茶敘，其中特別提及『今日我約諸位來，是想創辦一份反共的刊物，以正海外的視聽。間接幫助臺灣，說幾句公道話。我們讀書人，今日所能為國家效力的，也只有此途。』」[4]由阮之記載，合理推論，《自由人》三日刊能順利催生問世，王氏為登高呼籲之首倡者，可能性是很高的！

但就在王氏積極創辦《自由人》三日刊之際，突發一件暗殺事件，則頗值得一述；且對後來《自由人》三日刊的發展不無影響。事緣於三十九年十二月下旬，王氏在《自由人》三日刊諸人集會散會後，在香港寓所遭遇暗殺，幸子彈未命中，逃過一劫，這突如其來之舉，使王氏決定立即離港赴台定居。此事來台後，王氏曾將真相告訴繼我而來的成舍我。王氏謂：「到臺以後，除將此次提前來臺的秘密暗中告知兒女外，他人皆不使知。後來事過境遷，才漸漸透露給若干至好的朋友，首先是對於不久繼我而來的成舍我君；因為他覺得我向

又見馬之驌，《雷震與蔣介石》（台北：自立晚報社文化出版部出版，一九九三年十一月一版），頁八一。

4 阮毅成，〈王雲五先生與自由人三日刊〉，見蔣復璁等著，《王雲五先生與近代中國》（台北：商務版，民國七十六年六月初版），頁三〇～三一。有關《自由人》之發起，另有一說為萬麗鵑博士論文所言：「《自由人》為『自由中國協會』成員所辦之三日刊。」見萬麗鵑，〈一九五〇年代的中國第三勢力運動〉（台北：國立政治大學歷史研究所博士論文，民國九十年七月），頁一六四。但根據「自由人」社發起人之一的雷嘯岑回憶說：「『自由中國協會』為當時在美國的胡適、蔣廷黻、曾琦等人所發起，胡、蔣、曾諸氏希望以『自由人』全體發起人為主幹，先在香港成立總會，台灣暨歐美各省都設立分會。嗣經提出座談會詳細研討，大家認為總會以設在台灣為妥，香港亦只設分會，庶合體制。結果不知如何，這個會沒有成立，終於流產了。」馬五，〈「自由人」之產生與夭折〉，同註一，頁二一四～二一六。故萬氏此說，恐不確。

來很少患病，在約定聯合宴客之日，我竟稱病缺席，舍我不免將信將疑。其後到我家探病，見我毫無病容，更不免懷疑。及我不別而赴臺，他懷疑益甚，所以在他來臺後，偶爾和我詳談及此，我也就不好意思對朋友有所隱瞞了。」[5]

上述言及之十二月下旬，實際上是民國三十九年十二月三十一日，除夕。阮氏說：是日「王雲五先生約在高士威道午餐，我應約前往，王臨時以腹瀉未到，由成舍我兄代作主人，謂『自由人』籌備事，大致已妥。」而四十年的元月三日，阮氏也說到是日，「應卜少夫、程滄波二兄之約，到高士威道二十二號四樓午膳。據滄波兄言，是日原應由王雲五先生作東，而王於當天上午，離港飛台，臨行前以電話托其代為主人。」[6]

王氏的不告而別倉促離港赴台，也使得後續有不少參與「自由人」社同仁跟進，紛紛來台，這對於原本人力吃緊資金短絀的《自由人》三日刊之發展，當然有不小的影響。至於《自由人》三日刊籌組的經過梗概，雖在王氏離港來台後，仍按部就班的進行。四十年元月十日下午，阮毅成與程滄波及左舜生又約至高士威道聚談。關於創辦刊物事，左舜生主張宜立即出版，卜少夫則以須現款收有相當數目，方能創刊。是月三十一日，雷震自台灣來，亦參加「自由人」社活動。會中大家一致決定《自由人》三日刊，於農曆年後出版。並在職務安排上初步有了規劃，即推程滄波撰〈發刊詞〉，以辦報經驗豐富的成舍我任總編輯，陶百川為副總編輯。又另推編輯委員十四人，分別是劉百閔、雷嘯岑、陶百川、彭昭賢、程滄波、陳石孚、許孝炎、張丕介、吳俊升、金侯城、成舍我、左舜生、王雲五、卜少夫。[7]

四十年二月九日，內定為總編輯的成舍我自香港致函王雲五，說到：「自由人半週刊已將登記手續辦妥，『館主』係由少夫出名，因渠後來未再提出不能兼任之困難，……編輯人經由弟以本名登記。股款雖交者仍不太多，但讀者則頗踴躍。……據弟觀察，維持六個月，在經濟上當可辦到。惟編輯方面，則危機太大，因主力軍如我兄及秋原兄均不在此，其他如滄波兄等不久亦將赴臺，（即弟本身亦恐將於三月間來臺）稿件來源，異常枯涸，然既已決定辦，弟亦只有勉力一試。」[8]尚未正式創刊，但資金人才捉襟見肘的窘境，已被成氏料中，這對好事多磨的《自由人》三日刊日後之發展，已埋下艱困之伏筆。

二月十四日，成舍我向雷震、洪蘭友等人報告，《自由人》三日刊已得港府核准登記，一俟台灣方面准予內銷，即行出版。二十八日，成舍我向「自由人」社同仁報告：台灣內銷事已辦好，《自由人》三日刊即將出版，並出示創刊號大樣。因與會者多係辦報老手，提供不少意見，而成舍我也很有風度，博採眾議，為慎重起見，同意改遲數日出版，以便從容改正，並呼籲社員踴躍撰稿以光篇幅。[9]可見在王氏離港後，《自由人》三日刊真正之台柱角色，已責無旁貸的落到成舍我肩上。

5 王壽南編，《王雲五先生年譜初稿》第二冊（台北：商務版，民國七十六年六月初版），頁七四三。
6 阮毅成，〈「自由人」參加記〉，《傳記文學》第四十三卷第六期（民國七十二年十二月），頁一四～一五。
7 見《自由人》創刊號（民國四十年三月七日）第一版的編輯委員會名單。《自由報二十年合集》（一）（香港：自由報社出版，民國六十年十月十日）。阮毅成說為十六人，疑有誤。見阮毅成，〈「自由人」參加記〉，同上註。
8 〈成舍我致王雲五函〉，同註五，頁七四六。
9 阮毅成，〈「自由人」參加記〉，同註六，頁一五。

三月七日，《自由人》三日刊正式創刊，社址位於香港德輔道中一四九號四樓。目前所知參與的發起人有王雲五、王新衡、王聿修、端木愷、程滄波、胡秋原、吳俊升、黃雪村、閻奉璋、樓桐孫、陳石孚、陳訓畬、陶百川、雷震、阮毅成、劉百閔、左舜生、雷嘯岑、徐道鄰、徐佛觀、陳克文、成舍我、金侯城、張丕界、彭昭賢、許孝炎、卜少夫、卜青茂、范爭波、陳方、張純鷗、張萬里、丁文淵等三十餘人。[10]

發刊後，一紙風行，各方咸予重視，發行之初，每期印八千份。為打開台灣銷路市場，內容安排方面，特別增加一些軟性文字，勿使論文過多，淪為說教。雷嘯岑即言：「『自由人』的作者確實很自由，各人所寫的文字題材雖相同，而見解不必一致，祇要不違背民主憲政與反共抗俄的大前提，儘可各抒己見，言人人殊，真有百家爭鳴，百花齊放的景象，……首任的『自由人』主編是成舍我兄，他包辦大陸通訊版，把大陸上的共報消息，參以陸續從國內逃到香港的難民所述情形，寫成有系統的通訊稿，可謂費苦心。」[11]

誠然如是，由於文章精彩，見解深入，內容多元，析論入理，所以出版後不久，南洋各地僑報即紛紛轉載《自由人》文章。故在香港一隅辦一刊物，無形中等於在數地辦了幾個刊物，影響所及，至為廣大。不僅如此，有關《自由人》所發揮的影響力，可以曾任該刊主編雷嘯岑之回憶為證，雷說：「自由人半週刊，頗受台灣以及海外；尤其是美國一般華僑的注意，原有的每週座談會照常舉行，參加的人亦陸續增多了，風聲所播，國際人士來到香港的，亦來參加我們的座談會，交換政治意見，如美聯社遠東特派員竇定，南韓內閣總理李範，日本工商與新聞界人士前來訪談者尤多，……唯有駐在香港鼓勵華人組織『第三勢力』的美國巡迴大使吉塞普，始終沒有接觸過，大概是他認為『自由人』半週刊這些人，多數係國民黨員，氣味不相投，我們亦以對『第三勢力』之說，不感興趣，因而絕交息游，毫無來往。」[12]

雷氏這段記載很重要，不只說明了《自由人》發刊後之影響力；也道出了《自由人》與「第三勢力」毫無瓜葛，這對坊間有不少人一直以為《自由人》是「第三勢力」刊物有澄清作用。《自由人》三日刊甫發行，負責盡職之成舍我隨即寫信給王雲五提到：「連日為自由人半週刊事，頭昏腦暈，尊函稽答，至為罪歉。現半週刊已於今日出版，附奉一份，即希鑒察。大著分兩期刊佈，並盼源源見賜。今後應如何改進之處，統希指示為荷。」[13]另針對其後外界對《自由人》諸多揣測，如與「自由中國協會」之關係等等，「自由人」社也在三月二十一日的高士威道聚會中也做出決議，大家皆一致表示，「自由人」應獨立組織，以別於其他團體，乃推定董事九人，以左舜生為董事長。監事三人，為金侯城、王雲五、雷儆寰。成舍我為社長兼總編輯，卜少夫為總經理。[14]

---

10 「自由人」社成員，據筆者統計為此三十餘人，且各會員加入時間先後不一，有關會員名單散見於雷嘯岑、阮毅成等人之回憶文章及《雷震日記》中。

11 馬五先生著，《我的生活史》，同註一，頁一六一。

12 馬五，〈「自由人」之產生與夭折〉，見其著，《政海人物面面觀》，同註一，頁二一三～二一四。另萬麗鵑博士論文也提到，為打擊「第三勢力」運動，「國民黨亦透過黨報如《香港時報》、新加坡《中興日報》、美國《美洲日報》，及其所資助的報刊如《自由人》報、《民主評論》等，展開對第三勢力的文宣戰，此即是《香港時報》社長許孝炎所說的以『與論對與論』的鬥爭。」萬麗鵑，〈一九五〇年代的中國第三勢力運動〉，同註四，頁一六四～一六五。又見〈許孝炎意見〉，《總裁批簽》，台（四一）央秘字第〇〇八五號（一九五二年二月二十二日），黨史會藏。

13 〈成舍我致王雲五函〉，同註五，頁七四七。

14 阮毅成，〈「自由人」參加記〉，同註六，頁一五。至於《自由人》與「自由中國協會」之關係，馬五在〈「自由人」之產生與夭折〉已言之甚為了稿源，三月二十二日總編輯成舍我又致函王雲五拉稿，其中說到：「自由人在香港銷路尚好，一般觀感亦不錯。惟共匪刊物正以全力抨擊，弟等亦一反過去自由派刊物置之不理的辦法，強烈反攻。臺灣發行未辦好，少夫兄不日來臺，或能有所改進。同人撰稿，此間仍不太踴躍，盼公能以日撰五千字之精神，多寫數篇，並乞即賜惠寄，無任感幸。又此間稿酬，公議千字港幣十元，前稿之款，已送託香港書局轉交。此數雖微細不足道，然吾輩合力創業，知識勞動之所獲，在道德標準上說，固遠勝於以吃人為業之共匪萬萬矣。盼尊稿如望歲，望即賜寄，以慰饑渴。」[15]除簡略報告社務外，重點仍是稿源問題，而此問題也是《自由人》三日刊以後長期揮之不去的夢魘。

三、《自由人》之命名與經費及發刊宗旨

華路藍縷，創業維艱，有關《自由人》之命名，似乎是由阮毅成所起。原本成舍我欲名為《自由中國》，因與台灣雷震負責的《自由中國》半月刊同名而不獲採納。故阮毅成認為可參考台灣趙君豪所辦之《自由談》，而稍改其為《自由人》，卒獲大家一致同意，名稱問題因此而敲定。[16]其實若從五〇年代的背景去觀察，刊物取名為《自由人》並不足為奇。蓋彼時海外正刮起一陣「自由中國反共運動」浪潮，其中尤以香港地區為最。為壯大「自由中國反共運動」，於是乎，海內外的一些知識份子刻意以「自由」二字為雜誌刊物名稱，以凸顯有別於大陸的獨裁極權。職係之故，各種以「自由」為名之刊物如《自由中國》、《自由陣線》、《自由談》、《自由世界》等雜誌，如雨後春筍般紛紛出籠，《自由人》三日刊之命名，應該是在此時代背景下而正名的，且的確有其時空的特殊意義存在。[17]

至於現實的經費來源問題，早在三十九年十二月二十日的聚會中，王雲五即定調說：「我要先與諸位約定，這是一份自由的刊物，所以，一不能接受外國的幫助，二不能接受政府的支援。同仁不但要寫稿，還要負擔經費。」[18]王氏之所以要如此約法三章，是要避免外界將《自由人》視為拿美國人錢所辦的「第三勢力」之刊物的疑慮或揣測；另外，不接受政府支援，也是想以獨立身分之姿，能在言論上暢所欲言，而不受政府掣肘，更不想貼上政府刊物之標籤。揆之《自由人》草創之初，因經費來源由各會員出資，確實能夠如此。例如在籌備階段，王雲五首捐港幣三千元，各會員至少認捐港幣一千元，所以誠如雷嘯岑言：「大家分途進行，未到一個月，即籌募到港幣一萬七千元了。」[19]

創刊經費有著落，但接下來長期的經費支出，恐怕就不是由會員認捐可解決。到最後仍不得不仰賴台灣國府的金錢支助，在《雷震日記》中即披露不少箇中內幕，茲舉日記一則為證。民國四十年五月二十五日：「雪公（按：指王世杰（字雪艇），時任總統府秘書長）

詳，同註一。

15 〈成舍我致王雲五函〉，同註五，頁七四七～七四八。為稿源及素質起見，成舍我亦曾寫信向阮毅成拉稿，信上提到：「在臺同人寫稿，原約每期供給八千字。希望以兄之熱忱毅力，催請同人，公誼私交，達此標準。」又說：「自由人聲譽，雖日有增進。惟經濟及稿件，均危機太大。現此間已只臏左（舜生）、許（孝炎）、雷（嘯岑），及弟共四人，稿荒萬分。如濫用一般投稿，則水準即無法維持。」阮毅成，〈「自由人」參加記〉，同註六，頁一六。可見身為主編的成舍我，為稿源及《自由人》之內容水準，真是心力交瘁，煞費苦心。

16 同註六，頁一四。

17 馬之驌，《雷震與蔣介石》，同註三。

18 同註六，頁一四。

19 同註一二，頁二一三。

來電話，可助《自由人》三千港幣，但不可明言，因《新聞天地》一再要求援助而未允許也。……《自由人》因經費困難，而負責又無專人，致有停頓之可能，由予（雷震）約集雲五、滄波、孝炎、毅成、端木愷、少夫諸君會商，由予等籌款接濟，每月假定虧二千五百元，至年底約為一萬七千五百港元，改組組織，推定成舍我為社長，左舜生代理董事長，予負臺北催稿及催款之責，總統府之三千元，由予負責，予另外再籌五百元。」[20]由《雷震日記》可知，創刊才二月餘之《自由人》，經費已拮据如此，而不得不靠政府補貼，在此情況下，其日後之文章言論，就頗受台灣國府當局之制約影響了。

另有關《自由人》之創刊宗旨，其實早在刊物出版以前，對於未來言論與編輯方針，「自由人」社同仁即做了幾點規約：（一）、發揚民主自由主義；（二）、發起人按期撰寫頭條論文，且須署出真姓名；（三）、文責各人自負，但須不違背民主自由思想暨反共救國的大原則；同時將全體發起人的姓名亦在報頭下面，表示集體責任。[21]創刊後，首由程滄波撰發刊詞，題為〈我們要做自由人〉，擲地有聲的強調：「我們今天大膽向全世界人類提出一個問題：便是世界人類，現在與將來，要不要做人？如果想做人，從什麼地方去著手奮鬥？……今天世界人類只有兩個壁壘，一個是『人的社會』之壁壘，一個是「非人社會」之壁壘。這兩個社會的磨擦，今天已到了白熱化的程度。『人的社會』中每一個人，是有人性，有人格，根據人性與人格，發揮其個性，以增加社會之幸福與個人之生活水準，從而增進世界的和平與人類的文明。反觀『一個非人社會』中，人除了具備人的形態外，沒有思想與靈魂。『非人社會』中，人只是一群動物，既不許其有人性，亦不讓其有人格，他們是奴隸、是機器。」

程滄波言：很不幸的，今天的中國大陸，全大陸數萬萬同胞一年來，即陷入共匪的非人社會中。因此我們和全世界愛好和平民主的人們，要發動正義的呼聲，救自己，救同胞，救人類。我們要揹著自由的大纛，叫著「做人」的口號，開始「自由人」的運動。爭自由，爭人性，發動全人類自由人性的力量，去打倒與剷除共產帝國主義反人性的非人社會。不殘殺，不掠奪，在不流血革命的原則下，使人人有飯吃。本此目的，以建立新中國新世界。所以，「從今天起，根據以上主張，我們謹以此小小刊物『自由人』，貢獻於全世界凡是不願做奴隸的人們，也就是我們這一群人，決心獻身於這一運動的開始。全世界和平民主的人士：我們要做人，我們要做自由人。每個人爭取了自由，世界才有民主和平，人類才有幸福與光明。」[22]我們要做人，我們要做自由人，起來，不願做奴隸的人們！程滄波這篇發刊詞，簡直是一篇慷慨激昂的宣示詞，代表全世界不願在「非人社會」生活下的自由人，向共產專制極權政權，發出堅決的怒吼。[23]

《自由人》三日刊，每星期出兩次，每次十六開一張。主編人規定由原先的「座談會」同仁輪流擔任，一年一換，為義務職，故內部人事組織極為簡單，只有一主編，一助理員和事務員，共三人而已。

20 《雷震日記》（民國四十年五月二十五日），見傅正主編，《雷震全集》（三三）（台北：桂冠版，一九八九年八月初版），頁一〇〇～一〇一。

21 同註一二，頁二一三。吳相湘，〈成舍我為新聞自由奮鬥〉，見其著，《民國百人傳》第四冊（台北：傳記文學出版社印行，民國六十年元月初版），頁二七五。

22 程滄波，〈「自由人」發刊詞〉，見其著，《滄波文存》（台北：傳記文學出版社印行，民國七十二年三月十五日初版），頁一五七～一六〇。

23 阮毅成也說到，這是一篇代表知識份子愛國反共心聲的大文章，義正辭嚴，擲地有聲。同註六，頁一五。

該刊內容，第一版分「專論」、「時局漫談」、「自由談」各欄；第二版刊大陸共區消息；三版則記述港、台的社會新聞；四版是「副刊」。「專論」亦由座談會同仁分別撰寫，或徵用外界志同道合人士之作品；唯「時局漫談」和「自由談」二專欄，係由左舜生與雷嘯岑二氏負責包辦。《自由人》三日刊，因撰寫團隊堅強，且作者大多具有清望，故在海隅香港頗有號召力，銷路亦不壞；又可以銷台灣，雖無廣告收入，仍可勉強維持下去，在五〇年代的香港，可謂雜誌期刊界之奇葩。[24]

四、《自由人》的艱苦經營

平情言，《自由人》三日刊從四十年三月七日發行，到四十八年九月十三日停刊，維持約八年餘。這八年多的歲月，可謂艱辛撐持，多災多難。

首先為組織渙散不健全，於是才有民國四十年下半年的重組之舉。此中最大原因為「自由人」社大多數同仁均已離港在台，分別有：王雲五、王新衡、端木愷、程滄波、胡秋原、吳俊升、黃雪村、閻奉璋、樓桐孫、陳石孚、陶百川、陳訓悆、雷震，及阮毅成，幾乎佔了一半以上；而在港的僅有左舜生、金侯城、許孝炎、成舍我、劉百閔、卜少夫、雷嘯岑等人。其後在台參加的，又增加徐道鄰，共二十二人。為連絡方便起見，在台同仁乃公推王雲五為董事長，但又因刊物在港出版，故推左舜生為在港之代理董事長，就近處理刊物，成舍我則為社長。[25]

24 雷嘯岑：《憂患餘生之自述》（台北：傳記文學出版社印行，民國七十一年十月十五日初版），頁一七六。

25 同註二三，頁一六。

然因「自由人」社未有組織章程，也未在台辦理社團登記，所以才有民國四十一年一月十日，在台同仁在王新衡家為此商議之事。時適值端木愷甫自香港返台，報告港方同仁最近決定取消社長制，亦推左舜生代董事長，成舍我為總經理，劉百閔為總編輯。此事，在台「自由人」社同仁有不同意見，在三月七日及十五日的兩次餐敘商討論中，均決定仍採社長制，並仍推成舍我兄任社長。只是一個三十餘人的「自由人」社，就為了區區的刊物人事組織問題，港、台同仁即不同調，其他之事就可想而知了。所幸意見儘管有異，但同仁感情尚佳，阮毅成即言：「自由人在香港創辦之初，同仁常有餐會，交換意見。在臺同仁，於民國四十年七月十二日起，舉行聚餐或茶會，由同仁輪流作東，平均每兩週一次。除談自由人社各事外，亦泛論時局，交換見聞。」[26]

民國四十一年二月九日，「自由人」社在台同仁餐敘時，有鑒於《自由人》三日刊創刊已近一年，但組織與人事及編輯立論之困擾問題仍在，因此大家有必要提出意見交換，以尋求解決之道。席間程滄波首次提出編輯態度問題，但遭雷震反對。程又謂：「劉百閔不宜任總編輯，上次，此間同仁推成舍我任社長，何以改變？此間皆未知悉。」雷震與陶百川又認為，台方不宜干涉港方人事，雙方爭論甚久。最後由阮毅成提出折衷解決方案為：（一）、自由人本係超黨派立場。只知民主、自由、反共，不知其他。此後仍須守定此項立場。（二）、港方報刊如對台灣中華民國政府，有惡意攻訐，或無理批評，自由人不可自守中立，須起而加以駁斥。（三）、人事問題，另函在港之許孝炎查詢，不作決議。

26 同上註，頁一七。

眾皆贊成阮毅成之方法，並請其起草一函，致在香港之左舜生、許孝炎、成舍我、劉百閔、雷嘯岑諸人。阮函送各人簽名後發出，信中報告：「弟等今午聚餐，談及自由人編輯態度。回溯創辦之初，原屬超於黨派之外。……兄等在港主持，辛勞至佩，自亦必贊同弟等態度也。邇後港方報刊如對於臺灣中華民國政府惡意攻訐，或無理批評，自由人似不便自居中立，宜即加以駁斥。如有中國之聲作者來稿，希勿予以刊登，以嚴立場。再則，此間對第三方面各事，多持私人消息。語多片斷，難窺全貌。斯後尚懇時將各方動態，擇要見示。既可為撰稿時之參考，亦為知彼知己之一道。自由人素以民主反共為宗旨。署名：王雲五、程滄波、黃雪村、王新衡、樓桐孫、吳俊升、陳石孚、陶百川、雷震、阮毅成。」[27]

民國四十一年三月十五日，《自由人》創刊已屆滿一年，留台「自由人」社舉行全體會議。會議主席推王雲五擔任，其中：

（一）報告事項：（甲）、經費小組許孝炎報告——擬募集港幣三萬元（其中成舍我、許孝炎約洪蘭友，被分配擬向各紗廠募台幣一萬元）。（乙）、編輯小組成舍我報告：1、組織擬仍採現制，並請加推一人為必要時接替編務工作之用。2、發行擬請先行籌集基金以期達到日後之自給自足。3、編輯方針方面：積極在倡導民主自由，消極在反共抗俄，至對於台灣態度應仍許有批評，但不可損及自由中國之根本。4、在台同人集體意見推定專人執筆寄港，決登載第一版，並不易一字，如係個人稿件，在編輯方面擬請仍保有斟酌之權。5、每期需要稿件二萬四千字，在港同人無多未能盡任，在台同人時惠稿件。

（二）討論事項：（甲）、《自由人》三日刊社是否仍採社長制案。決議：仍採社長制，成舍我擔任社長。（乙）、《自由人》三日刊社費應如何加募案。決議：1、經費小組在進行籌募之港幣三萬元，於兩個月內籌足，作為基金，備日後擴充發行之用。2、另由經費小組加募港幣一萬元，作為最近數月經常費不足之需，在未募起前由許孝炎、成舍我負責維持現狀。3、加推樓桐孫、程滄波參加經費小組，並以王董事長雲五兼經費小組召集人。（丙）、《自由人》立論態度應如何確定案。決議：1、除積極的主張民主自由，消極的反共抗俄外，並須維護現行憲法倡導議會政治。2、凡外界對台灣有惡意攻擊影響國本時，應予駁斥，立場務須堅定，態度務須明確。3、除專門問題研究外，宜多載通訊及趣味性文字，理論文字及新聞性宜各佔三分之一。[28]此次會議至關重要，它為已紛擾年餘的《自由人》定調，但此為台方同仁之共識，港方同仁只是被動告知，並不見得完全同意，所以日後港、台雙方仍存有歧見。

其次更嚴重的是經費短絀，入不敷出，以至於時有停刊之議。這棘手問題其實打從創刊起即已浮現，只是苦撐待變，能維持多久算多久，但情況並沒改善且持續惡化中。四十一年六月十四日，王雲五、阮毅成與程滄波等聚會，商議如何應付《自由人》三日刊之困難。王雲五謂得左舜生與成舍我二君信，信上，成舍我堅辭社長，又每月不足港幣二千元。如無法解決，則自本月十八日起停刊。劉百閔則說香

27 〈阮毅成致左舜生諸氏函〉，見王壽南編，《王雲五先生年譜初稿》第二冊，同註五，頁七六八。

28 同註五，頁七七〇～七七一。

港紙價日跌，印刷係由《香港時報》代辦，印費可以欠付。以往亦每月虧空，並不自今日始。

對此，王雲五建議是否能改為月刊，移台出版，但眾意覺得移台出版，則《自由人》功用全失，仍宜繼續在港發行。最後決定由王雲五函復，請成舍我維持至七月底止。[29]是年十二月二日，「自由人」社同仁又再行會商，由王雲五主持，會中卜少夫表示願接辦，至少可免招致停刊命運。然未幾（十二月六日），卜少夫以有人表示異議，乃謂其《新聞天地社》同仁不贊成其再兼辦另一刊物，打消原意。王雲五即席宣布仍在港出版，推成舍我兄回港主持，並改為給職。[30]

29 同註五，頁七七四。《自由人》經費之窘困，自創刊伊始至結束均如此，阮毅成即言：「我只記得在創刊第一年中，就賠去了港幣參萬參仟元。時歷八年半，為數甚為可觀。這尚是距今三十多年前的幣值，如以現在幣值計算，則更為巨大。」阮毅成，〈王雲五先生與自由人三日刊〉，同註四，頁三四。到《自由人》停刊止，其經費仍入不敷出，茲舉結束前致王雲五等人之二信函為證。四十八年九月十一日許孝炎自港來信王雲五，報告「自由人」結束時經費情況。「雲五先生並轉鑄秋舍我儆寰滄波新衡秋原佩蘭少夫諸兄惠鑒：關於自由人停刊事，前經兄等決定函達克文。兄弟回港後，復經再三磋商，始於前日由在港各有關友人舉行特別會議議決定停刊，並於本月十三日起實行。茲將會議紀錄抄奉敬祈鑒察。」「預計自由人可能收入之款（連登記費在內）約為乙萬四千餘元，支出除舊欠稿費約乙萬三千元；及克文兄之欠薪近九千三百元暫不計入外，此外薪工紙張印刷房租，今年稿費應退報費及空運費等，共計約為二萬乙千餘元，不敷之數約為七千餘元。倘預計可能收入之款有一部分不能收入時則虧欠之數將必更多，如何籌還以資結束頗費周章。而有把握之登記費乙萬元則尚待少夫兄回港簽字後始能提出備用。」又十二日社長陳克文亦致函王雲五。「岫公賜鑒：茲奉上『自由人』在港同人特別會議紀錄一份，請　察閱。『自由人』經濟情形截至本年九月十二日止，共欠債務三萬餘元，除登記費一萬元外，尚可能收回之款二千餘元，結束用費約五百餘元，並此奉告，統請轉知在台各位同人為禱。」見王壽南編，《王雲五先生年譜初稿》第三冊（台北：商務版，民國七十六年六月初版），頁一〇五二～一〇五三。

30 同註五，頁七七九。《自由人》主編是不支薪的，可見其艱困於一般。同為主編的雷嘯岑曾說：「首任主編人成舍我兄苦幹了一年之後，因為準備移家台灣，不能繼續盡義務了——主編人不支薪——大家公推下走承其乏，因係義務職，唯有接受而已。」馬五，〈「自由人」之產生與夭折〉，同註一，頁二一六。

成謙辭未果，旋即表示接受。後當場推定王雲五、程滄波、樓桐孫、胡秋原、陶百川、黃雪村為在臺撰述委員，程為召集人。另推成舍我、程滄波、胡秋原三人起草言論方針。王雲五、端木愷、王新衡為財務委員。香港方面撰稿委員，由成到港後約定人員擔任。事後，當事者之一的阮毅成，對是晚之會的結果表示很滿意，還稱為是《自由人》中興之會，同仁莫不興奮。但其後，主要的重點之一，《自由人》未來的言論方針並未草成。[31]四十二年三月十四日下午，「自由人」社同仁聚集在成舍我處，參加茶會。會中，成舍我出示香港許孝炎來信，謂自由人又不能維持。因已積欠《香港時報》印刷費港幣六千元，稿費十一期。且人力亦明顯不足，雷嘯岑將來台灣，左舜生又將赴日本旅行，主持無人，不如停刊。經同仁交換意見，仍認為不能停辦，並催成舍我兄速赴港負責。

因茲事體大，三月二十一日，「自由人」社另一要角阮毅成，也在家中約集在台同仁茶敘。會上，成舍我表示其有困難不願赴港，而港方近日來函，支持為難。眾意乾脆移台編印，仍推成舍我主持。[32]二十五日下午阮氏親訪成舍我，成表示三點立場：（一）、決不去香港。（二）、《自由人》如移台出版，願意主持。（三）、未移台前，可先在台編輯，寄港印行。同月二十八日下午，以《自由人》問

31 同註五，頁七七九。

32 雷震日記當天即記載：「下午三時半至《自由人》座談會，阮毅成提議《自由人》表面在港，實際遷台，無一人反對。我內心不贊成，但不願表示，因《自由人》遷台完全失去效用。今日雲五未到，他們囑我報告。」《雷震日記》（民國四十二年三月二十一日），見傅正主編，《雷震全集》（三五）（台北：桂冠版，一九九〇年七月二十日初版），頁四八。

題緊迫，急待解決。「自由人」社同仁乃在端木愷家中餐敘。對《自由人》前途，共有四種主張：（一）、停刊。（二）、移台出版。（三）、在台編輯，寄港印行。（四）、推成舍我赴港主持。討論結果，決定用第四法，成亦首肯。然成謂：《自由人》除發行收入外，每月須虧四千元，此問題亟需解決。[33]

四月十八日，因港方同仁頻頻催促速做決定，眾議又思移台編印，王雲五亦同意移台出版，但謂須改為半月刊或月刊。三十日下午，成舍我與端木愷、阮毅成、王新衡、程滄波等人，又應王雲五約茶敘。時端木愷甫自港返，謂港方「自由人」社已無現款，勢不能繼續。因以由今日到會者商定：（一）、香港方面自五月十日起停刊。（二）、在台登記改為月刊，推王雲老為發行人，成舍我兄為總編輯。[34]然不久，港方同仁又變掛，五月十一日，阮毅成訪成舍我，成即謂卜少夫前日到台，攜有左舜生致王雲五函，主張《自由人》仍在港出版。

此事經緯，雷震在其日記亦提到：「見到雷嘯岑來函，對我們囑香港停刊，決議移臺辦月刊則大不以為然，來信措詞甚劣，決定去電並去函說明，以免誤會。」[35]雷嘯岑甚至為此來函欲辭去社長職務。

33 雷震日記載：「下午四時，在端木愷處討論《自由人》移台問題，王雲五、徐佛觀、端木愷及我均不贊成，程滄波、阮毅成、成舍我願移台，最後決定請成舍我至港辦至六月再說，因行政院之款發至六月底止，如停刊或移台亦須至六月底再說。」《雷震日記》（民國四十二年三月二十八日），見傅正主編，《雷震全集》（三五），同上註，頁五二。

34 這問題一直延伸至四十三年依舊如此。雷震日記：「《自由人》在港不易維持，決遷台辦週刊，由成舍我任社長，王雲五任發行人。」《雷震日記》（民國四十三年八月七日），見傅正主編，《雷震全集》（三五），同上註，頁三一四。

35 《雷震日記》（民國四十二年五月九日），見傅正主編，《雷震全集》（三五），同上註，頁七四。

《雷震日記》記載：「今日午間約來臺之《自由人》報有關各位來鄉午膳，除端木鑄秋、阮毅成、吳俊升、胡秋原外，到有十五人，即王新衡、樓桐孫、陶百川、張純鷗、陳訓悆、卜少夫、卜青茂、程滄波、范爭波、王雲五、成舍我、黃雪村、閻奉璋等及另約陳方。飯後討論雷嘯岑來函辭去社長職務一事，經決議慰留。」為此事，雷震感慨的說：「《自由人》發起人在臺者，不過十餘人，港方不過數人，兩方意見不合，終會扯垮。民主自由人士之不易合作，於此可見一班。」[36]

由於雷嘯岑堅決辭社長職務，八月一日，《自由人》在台同仁藉由茶敘機會，聽取甫自香港來台之劉百閔報告，劉謂：在港同仁意見為（一）、必須在港繼續出版。（二）、改推陳克文任社長。（三）、每月不足港幣八百元，在港有辦法可以籌得。王雲五說：「左舜生有信來，克文係其物色，本人絕對贊同。」眾亦皆表示贊成。但成舍我認為每月八百元之說，計算必有錯誤，至少每月亦需賠二千五百元，所以決定請王雲五再去函新社長，請重為估計。其實《自由人》經費之短絀，可由總其事的總編輯都不支薪一事更可看出，四十三年七月十日，左舜生自香港致函王雲五即說到：「弟意，自由人編輯者，原規定每月可支三百元，以舍我、百閔兩兄任編輯時，未支此款，後任編輯一年，亦即未支。」[37]如此窘境，要不是有台灣國府當局在幕後經費贊助，《自由人》三日刊能支撐八年餘，根本是不可能的。[38]

36 《雷震日記》（民國四十二年六月二日），見傅正主編，《雷震全集》（三五），同上註，頁八五。

37 〈左舜生致王雲五函〉，同註五，頁八二四。

38 雷震日記：「王雲五約『自由人』社在台同仁晚餐，以「自由人」在港經濟困難，重申移台出版，由成舍我任編輯之議。」《雷震日記》（民國最後為文章之尺度問題，除上述言及《自由人》三日刊甫創刊即面臨稿源不濟的困難外，更麻煩的為自從接受政府補助後，基本上，《自由人》的言論立場在相當程度上已受政府箝制。以至於在很多議題上，不僅不能秉公立論、暢所欲言；且須為政府妝抹門面，極力辯解。稍一不慎，隨即惹禍，遭致抗議。如民國四十一年六月一日，「自由人」社王新衡即訪阮毅成，談話重點就說到，《自由人》最近兩期，刊載左舜生〈論中國未來的政黨〉一文，有人表示不滿。[39]為避免誤會，乃一起同訪王雲五，請其以董事長身份，致函香港總編輯成舍我，請其勿再刊出此類文字。[40]

雖係如此，但言論自由乃是知識份子的普世價值觀，用強制力約束是沒用的。果然到民國四十四年又發生更嚴重的文字賈禍事件，差一點讓《自由人》無法在台銷售。事緣於是年三月二十三日，王雲五即接到司法行政部部長谷鳳翔來函，表示《自由人》三日刊，登載雷嘯岑文章，影響政府信譽，要求王雲五代向該社方面解釋。全函內容為：「頃閱本月二十三日自由人刊載『自由談』及『半週展望』雷嘯岑先生文內謂，揚子公司貪污案牽涉本部，曷勝駭異，此種無稽之詞，殊足影響政府信譽，茲特寄上函稿二份，送請 察閱，並祈賜檢一份轉致雷君查明更正，仍乞代向該報社方面照拂解釋為幸。」[41]

由於《自由人》所刊文章得罪當道，引起了國民黨中央黨部對《自由人》言論的不滿。三月二十六日，時任《中央日報》社長，亦是「自由人」社同仁的阮毅成至中央黨部參加宣傳政策指導小組會議時，即受到中央黨部秘書長張厲生的警告：「香港《自由人》三日刊，近日言論記載，愈益離奇，須採取停止進口處分。」幸阮毅成趕快緩頰，除報告《自由人》艱難創辦經過外，並謂：「現在台北各同仁，久未與聞港事。王雲老曾去函港方，請以後勿再刊載不妥文字。又以所載台省情形，與事實相距甚遠，曾通知港方，以後遇有記載台省情形稿件，先行寄台複閱。認為可用者，方予刊布，亦未承照辦。惟自由人參加者，多為各方知名之人。如忽予停止進口，恐反而使海外人士，對政府有所批評。不如一面先採取警告程序，依照出版法，由內政部為之。一面通知在台之董事長王雲五氏，促其改組。如再有違反政府法令之事發生，則採取停止進口處分。」[42]

為此，是晚十時，阮氏尚先訪成舍我，說明會議經過；再與成同訪王雲五，報告此事。王雲五似乎對此頗為不悅，乃決定於三月三十日下午五時，在端木愷家中，約集「自由人」社在台全體同仁會商。在三月三十日的決議中，提到《自由人》的現實問題，「本刊如不能銷台，勢必停刊。為避免使政府蒙受摧殘言論之嫌，希望政府妥慎處理，使其能繼續出版。在台同仁，願意退出。惟在港同仁意見如何，亦盼政府遲與洽商。」並推阮毅成與許孝炎二人將此項決議，轉達黃少谷，另函告在港同仁。[43]

四十三年七月十一日），見傅正主編，《雷震全集》（三五），同註三二，頁三〇二。有關國民黨高層提供《自由人》之經費支援，尚可參閱〈對港澳政治活動之指示〉，見中國國民黨中央改造委員會第一六五次會議紀錄（一九五一年七月四日——附件），黨史會藏。

39 左舜生〈中國未來的政黨〉（上）、〈中國未來的政黨〉（下）二文分別發表在《自由人》第一二九期（民國四十一年五月二十八日）、《自由人》第一三〇期（民國四十一年五月三十一日）。

40 同註五，頁七七三。

41 雷嘯岑，〈半週展望〉，《自由人》第四二三期（民國四十四年三月二十三日）。雷文所寫之論揚子公司案，因涉及上海時期之揚子公司，對孔祥熙有所批評，遂奉命查辦。又〈谷鳳翔致王雲五函〉，同註五，頁八四七。

42 同註五，頁八四七～八四八。

43 同上註，頁八四九。

換言之，針對當局對《自由人》的不滿，「自由人」社在台同仁採取了委曲求全的態度，一方面願意退出，此舉可能有兩層深意，一為逼香港「自由人」社同仁，小心謹慎，莫再刊登批評政府之文章，否則與渠無關，二為多少有向政府交心之意，明哲保身，不想惹禍上身；再方面亦有請政府介入之意，希望儘量保留能讓《自由人》繼續在台銷售。[44]果然如此，四月七日，王雲五即致函總統府秘書長張群，說明「自由人」之情形，並建議將「自由人」社改組，由政府指定負責主持言論之人實行接辦。信的內容為：「惟是該刊經費本奇絀，全恃內銷而維持，一旦停止內銷，勢必停止刊行，外間不察，或不免對政府妄加揣測，弟愛護政府，耿耿此心，竊認為消極制裁，不如積極輔導，將該刊改組，由政府指定負責主持言論之人實行接辦，可變無用為有用，弟當力勸原發起各人，本擁護政府之初衷，竭誠合作。」[45]

一週後，以國民黨並無接手之意，在恐不能銷台的情況下，成舍我與王雲五、陶百川、徐道鄰、陳訓悆、程滄波、胡秋原、吳俊升、端木愷、黃雪村、阮毅成等決議：「茲因環境困難，經濟無法支持，決議停刊，由主席（王雲五）根據本決議徵求在港同人意見。」其後，在台同仁復在成舍我宅聚餐，決定在台同仁既已必須退出，而中央黨部又規定不得再與《香港時報》，發生關聯，則無地可以印刷，亦無處可再欠印刷費。外界聞知中央處分，亦必不願再行認指，環境困難如此，只可宣布停刊。並請王雲五函詢港方同仁意見，如港方同仁堅持續辦，在台同仁自不能再行參加。[46]

由於文章得罪當局，以致有禁止銷台之聲，在港負責《自由人》編輯工作之陳克文旋致函阮毅成、王雲五等人，表示「咎衍實無可辭」，「自由人停止出版，唯覺可惜，形勢如此，亦復無可如何，文與左劉兩公對此均無成見，惟此間尚有其他股東，又年來出錢出力者，頗不乏人，此事似不宜由文等三人遽作決定，即為港方同人之全體意見，擬於最近邀集會議，提出報告，徵求多數意見，再作正式答覆。」[47]但不久，事情又有變化，四月二十九日，一向敢言的左舜生，終於自香港來函，明確表示反對《自由人》停刊，並謂在港「自由人」社同人決暫予維持。信中言：

> 「雲老賜鑒：四月七日阮毅成兄來信，並附有留台同人退出決議一紙，十八日奉　公手書，知同人復有集議，以經濟環境關係，主張停刊；均已誦悉。此間於當地環境，已洞悉無遺；對　公等所採態度，並無不能諒解之處。惟念同本刊宗旨，一面在『堅決反共』，一面在『爭取民主』，四年以來，奉此週旋，雖不無一、二開罪他人之處，但大體上並未

44 《自由人》三日刊，國民黨中央嘗指示「扶助」之，以批判中共，擁護政府並同情國民黨為原則。故該刊早期立場為中間偏右，後來對國民黨的批評言論日益激烈，台灣當局乃禁止其輸入，並停止所有經費資助。故《自由人》能否銷台，對該刊影響至鉅。萬麗鵑，〈一九五〇年代的中國第三勢力運動〉，同註四，頁一六四。

45 〈王雲五致總統府秘書長張群函〉，同註四三。

46 同註五，頁八五〇。有關王雲五在此問題之角色，阮毅成有相當持平之看法，阮說：「雲五先生名為董事長，出錢出力，卻不便範圍各黨及無黨人士，一定均作統一的宣傳，致反而完全成為俗套，失去向海外為政府說話的影響力。於是在發刊期中，常常發生選稿欠當的問題。每次有問題發生，雲五先生首當其衝，常為他人所不諒解，致生煩惱。臺港兩地同仁，為此書信往返，謀求各種補救辦法，效果均不甚彰。」阮毅成，〈王雲五先生與自由人三日刊〉，同註四，頁三六。

47 〈陳克文致王雲五、阮毅成信〉，同註五，頁八五一～八五二。

逾越範圍。今赤燄正復高張，而民主亦勢非實現不可；大約在二、三月內或有變化，前途殊未可知！故此間同人，經過再三考慮，仍決定暫予維持，並囑舜代為奉復，即乞轉達諸友為荷。公等即不得已而必須退出，仍望不遺在遠，隨時予以指導，除宗旨不能犧牲以外，同人無不樂於接受。海天遙望，曷勝悲憤憂念之至！」[48]

從此以後，《自由人》三日刊似乎終於渡過了這段風風雨雨的歲月，儘管港、台大多數「自由人」社同仁情誼依舊，但經費、稿源、立論尺度等問題仍在。《自由人》三日刊即帶此痼疾，跌跌撞撞的支撐八年餘，在民國四十八年九月十三日宣佈停刊。[49]

五、結論——從《自由人》到《自由報》

無論如何，在五〇年代那段風雨飄搖的歲月，《自由人》能以香江一隅之地，在內外環境相當險惡的情況下，擎起「我們要做自由人」的大旗，反抗共產極權，與中共做誓不兩立的言論鬥爭，其勇氣和決心仍另人刮目相看的。另一方面，《自由人》雖義無反顧的支持台灣國府當局，但在恨鐵不成鋼的期待心理下，對台灣當局若干錯誤的舉措，仍一本忠言逆耳之立場，毫不留情的提出批判或建言，即使在經費斷炊的威脅下，亦不為所動，這份苦心孤詣之意，也令吾人感佩。

而此即所以《自由人》在發行的八年餘中，雖屢有遷台之議，但大多數同仁始終仍以在香港立足為佳之看法，因其言論立場較客觀中立，雖稍偏向國府，但非無原則的一面倒，兼以香港為基地，較少政府、政黨色彩之觀感，且因對國、共雙方均有批評，是以其在香港作用較大之故也。當然《自由人》之悲劇，除上文已詳述之經費、稿源、言論立場受到制約等外緣因素外，尚有深一層內緣因素存在，此即中國傳統知識份子屬性使然。知識份子主性強的「書生本色」，誰也不服誰之個性，長落人「秀才造反，三年不成」之譏，因渠主觀意識強，所以容易堅持己見，是其所是，不大能夠為大局著想，且因自視太高，未能屈己就人，所以較乏團隊精神。

這情況在「自由人」社這批高級知識份子間亦是如此，雷嘯岑曾舉一事證明之，在《自由人》是否遷台之際，「王雲五以董事長資格，致函於我，囑將自由人報遷赴臺北發行，且將繳存港府的押金萬元一併匯去。旋由代董事長左舜生召集在港同仁會商，決議仍在香港出版，但在臺北的同仁，亦可刊行臺灣版，然王雲五很不高興，說我不以他為對象，悻悻然嘖有煩言，殊堪詫異。未幾，許孝炎由臺北回港，主張自由人停刊，他怕我不贊成，先囑我莫持異議，我表示無所謂，而自由人三日刊，即於一九五八年九月十二日宣告停刊了。現代中國高級知識份子之沒有團隊精神，於此又得一實驗的證明，曷勝慨嘆！」[50]所以當年左舜生在《自由人》創辦之初，樂觀的夸談「自由人」社同仁可以組織聯合政府，永遠合作無間之見解，雷嘯岑說，實係幼稚幻想。文人相輕，自古而然，《自由人》三日刊的緣起緣滅，依然落得一個「殺雞聚會，打狗散場」的結局，這也是中國現代高級知識份子的悲劇，想來仍不禁令人浩歎！[51]

---

48 〈左舜生致王雲五函〉，同上註。

49 雷嘯岑說為四十八年九月十二日停刊，恐有誤。雷嘯岑，《憂患餘生之自述》，同註二四，頁一八二。

50 同上註。

51 馬五，〈「自由人」之產生與夭折〉，同註一，頁二二〇。其實雷嘯岑自己亦如是，當《自由人》剛成立時，「大家的情感很融洽，精神上團結

《自由人》雖然走入歷史停刊了，但未及五個月，一份延續《自由人》餘波的《自由報》在民國四十九年二月十七日，另起爐灶又在香港創刊了。《自由報》社址位於香港銅鑼灣高士威道二十號四樓，也是採取半週刊（三日刊）的形式，於每個星期三、六發行。社長為雷嘯岑，督印人黃行奮，出版第一期有由以本社同人署名撰寫的〈我們的志願和立場〉為發刊詞。該文強調「我們是一群崇尚自由主義的文化工作者。對社會生活篤信『人是生而平等的』這項義理，珍重個人的人格尊嚴；對政治生活認定『政府是為人民而存在的』，要求基本人權之確立與保障。……我們膺受著共產極權主義的荼毒，深感國破家亡之痛苦，流落海隅，於茲十載，內心上大家不期然而然地具有強烈的愛國情操和政治理想，要從文化思想方面，努力培育民主自由精神，發揚其潛能，成為救國救民的偉大力量。職是之故，本報的言論方針是國家至上，民生第一，我們的立場是超黨派的。」[52]

簡言之，民主、自由、愛國、反共乃為《自由報》創刊之四大宗旨，嚴格而言，此宗旨仍是延續《自由人》三日刊的精神而來。阮毅成曾說：「後來，雷嘯岑兄在香港出版自由報，乃係另一新刊物，與原來的自由人，完全無關。」[53]此話恐有商榷之餘地。《自由報》在《自由人》的基礎上，發行至民國六十幾年才結束，期間刊布了《香港自由報二十年合集》、《自由報》合訂本、《自由報二十週年年鑑》，影響力不在《自由人》之下。

無間，對任何事體決無爾詐我虞，或以多數箝制少數的作風。我（雷嘯岑）當時曾聲言：假使憑這種精神組織『聯合政府』，擔當國家政務，國事沒有不振興的。」馬五先生著，《我的生活史》，同註一，頁一六一。

52 本社同人，〈我們的志願和立場〉，《自由報二十年合集》（一九）（香港：自由報社出版，民國六十年十月十日）。

53 阮毅成，〈「自由人」參加記〉，同註六，頁一八。

自由報

THE FREE NEWS

第五一〇期

內政部台報字第〇三〇號內銷證

中華民國僑務委員會領發
台教新字第三二三號登記證
中華郵政台字第一二八二號執照登記爲第一類新聞紙類
（本週刊每星期三、六出版）
每份港幣壹角
台灣零售價新台幣弍元
社長：雷嘯岑
督印人：黃行響
社址：香港銅鑼灣高士威道二十號四樓
20 CAUSEWAY RD 3RD FL HONG KONG
TEL. 771726　電報掛號：7191
承印者：四風印刷廠
地址：香港灣仔高士打道二二一號
台灣分社
台北市西寧南路壹叁叁號二樓
電話：三〇三四六
台郵撥帳戶九二五二

新年與新形勢，新希望

本報同人

自從中華民國政府遷移到台灣以迄今日，我們在海外流浪生活中，已經渡過十五個新年了。十五年的時間不算短，而國軍樓船橫海，待從頭收拾舊河山的號角尚未响起，「遺民淚盡胡塵裏，南望王師又一年」，今日羈身異域以及呻吟顛領於大陸上的中國人民，確實充滿着這種心情。

然中國問題原是世界問題的一部分，主觀上，我們反攻復國的動作固然越快越好，客觀上却不能不適應國際形勢，相度有利的時機，謀定而後動，期收事半功倍之效。可是，這並非坐以待旦的惰性觀念，妄冀奇跡來臨，必須以生於憂患的氣魄，而有「英雄造時勢」的作爲和毅力，纔可望加速反攻復國運動的進度。曠觀當前的國際大勢，美國不願尋釁，蘇俄不敢啓釁，這世界兩大對立集團的領導者，皆以避免全面大戰爲第一義，她們所謂「和平共存」的蜜月生活，還要繼續下去的。但由於蘇俄可以利用思想武器與其國際第五縱隊，對自由世界施展蠶食政策，而使美國的國際市場蒙受損害之故，在亞非地區的局部戰爭，不特無法消除，而且可能激化，美俄雙方皆以旁觀姿態從事左右袒，如果到了可能觸發全面大戰的邊緣，她們就以談判善其後，佔便宜的總是俄共集團。因爲美國和其具有深切關係的盟邦英國，是以保持商業利益爲對外政策的最高指導原則，祇要她們的國際市場不受巨大威脅，偶爾犧牲一些自由地區的政治利益，是滿不在乎的。台灣這個國際市場的商業利益，對美英微乎其微，而中國大陸上却是她們念念不忘，垂涎欲滴的貿易對象。若不是毛共基於世界革命的最高策畧，始終以「美帝」爲死敵，並且揚言非奪取台澎不可的話，美國早步着英國的後塵，跟毛共正式結交了。美國只需要台灣這塊地方作其西太平洋的國防據點，乃有所謂「兩個中國」的設計，又鼓吹「台灣自治」之說，爲的是要抵制毛共奪取台澎的口實而已。明乎此，則美國何以不願意中華民國政府反攻大陸的所以然，不言而喻了。

在這種國際形勢之下，中華民國政府要想提早反攻大陸，自多阻碍。我們固然認定世界大戰的因若未消除，大戰的果即不可免，而大戰的因始終存在着。但不宜的主觀要求，亦不宜採取守株待兎的等待主義，否則必無是處。最明顯的趨勢，毛共政權之闖入聯合國，已只是時間問題，而且實現「兩個中國」一旦的把戲亦就公開表演，我們究將何以自處呢？美國可以跟俄共集團冷戰三十年（馬歇爾將在生時說的），我們能夠隨着團團轉嗎？有人或許認爲台灣防務固若金湯，又有美國協助，暫時忍受「兩個中國」的生活，以待光明前途之來臨，亦未始不可。殊不知這種事實一經構成，隨之而來的後患即無窮，到時候雖欲保存「兩個中國」的偷惰苟安生活，亦將成爲幻想了！所以，蔣總統曾說今年是我們最艱危的一年，並非杞憂過慮之言，他是洞悉了國際新形勢的來龍去脈，纔對國人提出警告的。

形勢如此逼人而來，我們再不設法肆應，而以大開大合的作風，破釜沉舟的勇氣力求自立自強，開拓機運，創造時勢，則人爲刀俎，我爲魚肉的後果，轉瞬即將見到，毫無問題。因此，我們認爲在今明兩年之內，是中華民國國運最艱屯而緊張的階段，可能化險爲夷，進而光復中原，也可能俯仰由人，局勢每下愈況，就看我們是否眞有革命性的作法！値茲一元復始，歲序更新之際，我們且據述一些新希望，以代頌祝之詞。

一個國家的生存發展，以及治亂興亡之所由來，完全是基於政治作用，這是常識。所以，軍事乃是發揮政治作用的一種手段，軍畧一定要受政畧支配。政治建設——當然包括文教、經濟和工商企業——如果不健全，甚至於毫無效能，縱有堅甲利兵，亦復無濟於事。職是之故，我們要自立自強，即須從修明政治着手，其他皆屬次要。時人盛倡「心理作戰」之說，實際就是政治作戰，又名之爲「政治號召」，尤其在反共鬥爭中，政治號召的作用更大。憑着政治號召的作用，既可以團結海內外反共人士的力量；又可以使大陸同胞刮目相看，相信今日的中華民國政府迥異昔時了，因而引起普遍的嚮往之心；更可以對國際上「張之以勢」，表現着我們具有不可輕侮，不容出賣的國力。

若干年來，革新政治之聲，洋洋盈耳，而實績縹渺，徒託空談，推究原因，並非當局者不想革新，乃是現有這部龐大而陳舊的政治機器，不合時宜，變成了革新政治的障礙物，牽掛孔多，心餘力拙，間有枝枝節節的改革計劃，轉眼亦化爲牆壁上的標語口號了。爲今之計，非有劃時代革新措施，決不足以打開沉悶艱危的局面，而其要著即爲修訂現行憲法，刷新制度，然後本乎庶政公諸國人的天下爲公精神，集中全國人才，共同奮鬥，這樣纔可以一新耳目，振奮人心，蔚成蓬勃新生氣象。

目前海外一般反共的僑胞，盱衡國家現狀與世界形勢，多已由失望而感到悲觀，軍事反攻既然顧慮多端，政治上若無大開大合的改進，勢將由悲觀而趨於麻木，再受到敵人的統戰誘惑，後果豈不堪虞！我們久居異域，這情形觀察甚清楚，體驗亦頗深刻，決無危言聳聽的意思。有些人談到修改憲法，便以爲事關重大，不宜輕動，必須維持憲政體制。實則修憲原係極平常的事，世界各國憲法，不是經過了若干次修改的？問題是要徵得全民大多數的同意。至於維持憲政體制云云，完全是站在既得利益立塲的自私觀念，不值一哂，何況修憲並非毀憲，有何變更憲政體制之可言呢？民國憲法是在反攻復國的時機，如何選擇，然則中美安全互助協定附的換文約束，即事前須徵取美國同意，應該宣告作廢了。我們可以坦白的告訴美國，採取軍事行動並非盲動，事前自然會審慎籌畫，臨事亦不致違背莫予毒有限度，跟友邦協商，但不能先用繩子縛住自己的手脚，失却自主能力。特別是外交政策亦須因時制宜，行動應該自主，即在不違背自由世界利益的原則之下，我們亦不妨獨行其是。

總之，以上所述，都是國家安危的重大問題，政府自應開誠以全民，詢謀僉同，然後付諸實施。十年以來，政府倡導的「反共救國會議」和「反共建國聯盟」，便是合理的討論，此其時矣。再要瞻顧徘徊，我們就有噬臍莫及之憂。當局者亦要示之以謀國的誠意，將之以合作的精神，表現着大公無私的精神，其他一切顧慮，都是多餘的了！

依舊上演

立足無地

今日与明日

可哂的貸款論

大馬聯邦拒却美國的軍器貸欵，認爲條件太苛刻——利息高，還債期限短促——然美國官方聲言：「條件是很公平的」。美國在越南和亞洲其他地方，已消耗了許多資源以保衛自由國家的獨立，即已對大馬的安全作出眞實的貢獻（見合衆國際社華盛頓卅日電訊）。換言之，大馬已經間接叨了美國很大的光，如今多付點貸欵利息，何足道哉！

就純商業行爲而言，無論貸欵利息如何規定，亦儘可以說是不高，若把援助亞洲其他國家的政治投資，亦概算在大馬貸欵的帳上，這就不免幼稚天眞過甚，有失自由世界盟主的身份和雅量吧？

大馬現在受到外來侵畧威脅，便來自印尼，而印尼蘇卡諾的軍經援助者，即是美國，這又如何解釋呢？

大馬振振有詞

馬來西亞的「海峽時報」答覆得好，其言曰：「忠的馬來西亞是不值得援助的。我們從未燒毀過一所美國新聞處，也從不以乞取蘇聯或中共援助相要挾。」這是指印尼與高棉對付美國的情形，以矛攻盾，恰恰擊中了美國援外方針的要害，不知白宮當局作何感想？

美國一向是對於忠誠反共的友邦，多所苛求，而對於挾共以自重的所謂中立國家，就巴結唯恐弗及，這與我們中國政府過去在大陸上，遭遇姑息那些反覆無常的軍閥官僚政客的作風，如出一轍。中國因此乃陷於今日的境況，自由世界如不改變現行的援外方針，前途一定凶多吉少，毫無疑問。

覆轍不可再蹈

在以思想鬥爭爲主力的反共運動中，忠誠問題確乎重要。美國現時領導自由世界這套作風，由於她過去上當吃虧的經驗不夠，一時似難更改，將來必有後悔莫及之日，殆可斷言。

我們是上過了大當的，憬悟後，自應特別警惕。譬如：有些曾是共黨同路人，常在海外對中華民國大唱反調；或者本是以國民黨爲衣食父母，集團淪亡後，便又以國民黨爲罪魁；或是思想根本有問題的可疑人物。一旦對台灣表示一點親近態度，便對於鑒於自守的，有所不爲的有堅定反共思想的孤臣孽子式人士，却視爲無足重輕，以相拒，那就是「前人不暇自哀，而後人哀之；後人哀之而不鑑之，亦使後人而復哀後人也」，可懼也夫！

自由談

欠妥的名詞和用語

馮五先生

社會上有些常見的名詞和用語，大家習慣成自然，不以爲異，實則値得研究，不能馬虎的。

譬如：報紙上的新聞紀錄中，對行政院長皆稱爲「揆」，如「陳揆」「嚴揆」這類名詞，隨時可見，這便是「擬於不倫」，殊有未合。「揆」字作爲行政官的代名詞，是專指君主專政制度中的宰相而言，宰相的職責爲綜持庶政，位在君主一人之下，百官之上，「文武百揆」語基於書經，乃稱宰相爲「首揆」或「協揆」，這是對的。但在民主憲政的分權制度中，稱呼行政院長爲「揆」，即不宜了。行政院長既無統攝立法、司法、監察、考試各院的法定職權，「揆」於何有？若謂這不過是一種禮貌上的尊稱，那末，對於總統亦就不妨襲用舊時的「今上」「聖上」這類尊敬的名稱了，烏乎可呢？袁世凱在做洪憲皇帝之前，任命徐世昌爲「國務卿」，當時袁氏的親信大員梁士詒就說：「國號共和，誰復卿者？」（見三水梁燕蓀年譜）日本人把美國國務院主持人（Secretary-General）譯爲「國務卿」，是基於日本的君主政治思想，情有可原。然咱們今天的報紙上或私人談話中，亦以「國務卿」稱呼美國國務院主持人，那就未免失義了。恰當的譯名，似以「國務首長」或「國務長官」爲是吧？

談到用語，最紊亂而積非成是的，殆莫過於所謂「訓詞」了！不問是何塲合，縁何體制，凡屬作官的當衆講演或報告，總是稱之爲「訓詞」或「訓話」，却不管聽衆是否應該受訓者？更不管那官兒有無訓人的資格？見官說話就稱爲「訓」，豈有此理！五年前，國民代表大會投票選舉總統後，新任總統照例致詞，而司儀人高呼「總統訓詞」，我當時大爲納罕，被選舉出來的總統，怎的對國大代表訓詞，何況總統亦是國大代表之一。然第二天的報紙上都照樣刊着「總統訓詞」的紀錄，不亦怪哉！

以上所述的習見名詞和用語，皆與民主生活的義理相背馳，普通人可以馬虎，新聞記者負有社會教育責任，却不好昧然罔覺，而人云亦云也。

一根毛偵破謝夏命案 似乎還存在不少問題

本報駐台記者 劍聲

嘉義地檢處宣佈：根據一根毛而破獲女護士謝夏命案。因而得到司法當局的獎勵，以及海內外輿論界的讚揚。但是，謝夏命案是否果已偵破？不無問題。眞兇畢竟爲誰？即承辦該案的檢察官李兆欣也無法確定，儘管他已把涉嫌被告劉堂坤提起公訴，與將劉堂坤僱用之三輪車夫不起訴處分。

一毛破案的眞象

女護士謝夏是去（五十三）年七月十九日凌晨，死於嘉義國華街劉堂坤所設之劉內科值日室，經台南地院法醫李六驗屍並出具驗屍診斷書，證明謝夏係服安眠藥自殺死亡。在驗屍後，復又開棺解剖謝夏屍體，送調查局及刑警大隊檢驗，這是八月中旬的事。據調查局檢驗結果，認爲嘉地檢處採取送鑑肝臟及腸內容物，經化驗結果判明未發現毒物。但由肝及腦髓，經化驗結果，發現含有巴比特魯安眠藥存在。（調查局五十三年九月十五日函）

至於巴比特魯安眠藥，據古畑種基著法醫書第三六三頁稱：此種藥全部應該可能口服。至於那種藥可注射或吸入，要請藥物學專家才能明瞭。這是調查局法醫鑑定的報告。

而女護士謝夏之內褲及裙子，經刑警大隊鑑定，沒有男性精液反應，及精虫之存在。（五十、十、廿一警刑大醫字第一三四二七號函）其陰戶子宮內有無精液存在，處女膜在三．六吋處有裂痕各一處，都因謝夏死後逾二十天解剖而腐敗，致無法檢查判斷。（偵卷七頁）

因此，嘉地檢處在十月十六日，再度由法醫李六將死者謝夏之陰毛取出五十一根，送刑警大隊檢定。在法醫取出該陰毛之前，謝夏之陰戶業經該法醫於八月間解剖時用石炭酸洗滌過一次。

後來，該地檢處分別於十月二十四日取出劉堂坤陰毛十一根，及於廿六日取出李發陰毛十五根，送刑警大隊檢定。據刑警大隊實驗室主任陳玉松提出初步檢驗報告書稱：「查一般陰毛之男女性別，及個人別之鑑定，尚須繼續送國外鑑定機構作陰毛之切片檢查。但對原送（死者謝夏，被告劉堂坤、李發）之陰毛，必須加以破壞始能進行（指嘉義地檢處）認爲需要，敬請函復，自當盡力協辦」云云。（五十三年十月三十日函第三八九五號）

由此可知，鑑定機構沒有把謝夏五十一根陰毛中之一根毛鑑定出來，然而嘉義地檢處竟根據這樣的鑑定結果，據以對被告劉堂坤提起公訴，對另一被告李發以不起訴處分了。這就是所謂科學破案所謂一根毛破案的眞象。

法醫素質的問題

記者在台北方面獲得此項重要的官文書後，立即赴嘉義作爲時四天的採訪，並訪問被告劉堂坤的太太劉林瑞霞女士等多人，所得資料固然豐富，也明瞭該案的若干癥結所在。這裏把所見所聞報道出來。

先談法醫素質問題：凡是受過高等醫學教育的人，一般總，在大城市裏開設醫院賺大錢，極少自願担任法醫工作；因爲法醫待遇少而又辛苦。於是各地法院普遍缺乏有學識和能力的法醫。怎麼辦呢？各地院乃採取權宜辦法，像嘉義地方法院有位法醫，專治太太小姐們不「毛」之症的，且兼經營「小電影」買賣。又如嘉義梅山鄉有一位密醫，該法院也委請他爲法醫。這樣的庸醫，焉有不誤事的道理。故法醫制度亟需改進。

而檢驗謝夏屍體的法醫李六怎樣呢？說起來實在叫人笑話。比如，李法醫於十二月十一日在嘉義法院刑庭答復庭上說：「謝夏是服毒自殺死亡的」。他怎樣檢驗的呢？他說「是根據女護士謝夏父母說的」。此足以證明，他根本就沒有用科學方法驗屍。然而，李六法醫驗屍後，台南某甲鄉公所根據他診斷的官文書，始准許謝夏父母埋葬謝夏。假定，驗屍的法醫是一位專家，決不會一經某一個什麼人的一句話。也不會有埋葬後開棺三、五次解剖與取陰毛的情形。（上）

雷震遠神父 定居台南市

（本報記者臺南航訊）素以宣揚自由思想、足跡遍世界、名傳國際的雷震遠神父，應臺南天主教區主教羅光神父之邀，十二月十七日晚抵南市永久定居，協助推展臺南教務。十九日下午三時，記者特訪謁雷神父於主教公署，欸欸深談，獲益匪淺。

雷神父原爲比利時人，抗戰前即到我國北方傳教，由於深愛我國而改入中國籍。抗戰剿匪期中，雷神父除宣揚教義外，并協助文教、救護工作，厥功至偉。大陸陷匪後，雷神父赴歐美講學，所至揭發共匪倒行逆施之眞面目，所著「中國赤潮記」，以七種文字發行於世，甚受自由國家人士之重視。

十五年前戰火燒至越南，雷神父即赴越工作；留越期中，對反共文化鬥爭，悉力以赴，東南亞各國無不仰其爲人。雷神父在越除創辦自由太平洋刊物，太平洋書院及鳴遠高級中學及一所小學外，尚有新越晚報，促進中越及東南亞自由國家之合作與了解，以期進一步聯合太平洋各民族一致反共，拯救人類於危難。同時爲供應越南十餘家華文報紙消息來源，以打擊匪共惡意歪曲之宣傳，於一九五一年二月，獲越南新聞部批准，設立自由太平洋通訊社，直接收取日本、自由中國、香港、星加坡等地電訊，轉發當地華文報紙。自由太平洋通訊社在以往時間中，曾發表一千多篇反共特別報導，這些報導多已載於東南亞各地的報章。

雷神父所做的這許多影響深遠的反共工作，從不求名求利，而只默默的做一個國民應盡的義務，用是特別引人欽敬。我們祈望雷神父今後在自己的國家土地上，再接再厲，爲自由反共事業多所貢獻，開花結子，協助完成打倒共黨拯救全人類之大業。（曾振軍）

具有可獲性的省營事業預算與存在的幾個問題

本報台灣中部記者 熊徵宇

實質具有企業精神

往年有些單位所編審的盈餘，多未顧及營運實質而强爲繳庫，結果還是不能達到法定預算，而徒增其精神負荷。對於省庫財政亦無助益。

比如公路局，五十二年度，原列盈餘八千六百萬；繳庫四千萬。結果實際盈餘只達二千一百萬，而繳庫只有一千萬。而五十四年所列盈餘，爲六千八百萬；繳庫二千萬。以客運量的顯然增加，這盈餘額是可達到的。而僅以二千萬繳庫，多的四千八百萬作爲公積金，就可以提供設備的擴充，加强其營運。

可以說，這種預算是把握了實質具有企業精神的。它是一種比較切實的預算。它在繁榮經濟的原則上具有創造性。

我們希望劉紹志處長在今後的省營事業預算上，以這作爲範本。

繳庫盈餘減低

劉紹志處長在對省議會提出的報告中說：五十四年度省營事業卅二單位，共盈餘六億九千九百九十四萬餘元。比較五十三年度預算僅減少三百二十四萬餘元。

其中分配繳庫盈餘三億零六百一十六萬餘元；比較五十三年預算三億二千九百三十六萬餘元，減少二千三百二十餘萬元。減少幅度較盈餘幅度爲大。這原因，乃在加强社會福利提高人民生活水準。着重於各省營事業長期發展計劃，優先提撥公積金，餘額分配股東所致。

盈餘減少的四原因

而盈餘減少的原因是：

1高雄硫酸錏公司，因爲省議會審議該公司五十三年度預算決議意見，每公噸減低五百元，自三千二百元，降低爲二千七百元，共銷售十三萬五千公噸，致收入減少六千七百餘萬元。使該公司盈餘相對減少。

2台灣銀行五十四度審定盈餘預算數，爲一億五千八百餘萬元，比較五十三度一億九千九百九十餘萬，減少四千一百九十餘萬。這原因，是因爲該行投資硫酸錏公司之盈餘減少，所以相對使該行應分之股息紅利等收益減少。而同時，因爲儲蓄存欵遞增，致負担鉅額的利息支出。

3大雪山林業公司五十四度盈餘預算數爲二千零三十八萬餘元，比較五十三度預算數三千四百九十萬餘元，減少一千四百五十一萬餘元。原因乃是木代金提高及增列林道折舊預算以及利息支出較五十三年度預算增加所致。

4是事業性的。各省營事業機關員工房租津貼及子女教育補助費提高所致。

我們從這些情況中，可以看出台灣省營機關綜合預算的大概，也可以看出各單位營運情形的大概。

台銀未能有效供給

其中台灣銀行因爲儲蓄存款遞增，而未能善加營運，致使負担利息支出因之減少盈餘，這在使儲蓄形成資金的原則上存在很太的問題！而在社會工商業者的資金普遍缺乏的情形下，若不改善其放款辦法與運用目標，達成其有效需要與有效供給，促進經濟組織的全體需要總量，則社會經濟何從旺盛？就業人口如何增加？

貨幣的變化操之於銀行組織之手，並非爲人作窖藏性的保有貨幣。

行府主計多不健全

我們另外覺得，金融事業單位的主計制度是不健全的，這不但是不能把握預算上的績效，對於健全財務行政與加强行政管理以及澄淸吏治的功用上，都是一種不該存在的病態！

而這種病態又最容易形成立法與監察機關乃至一般人民的不信任，起疑竇。

目前，省營各金融事業單位的主計人員，存在兩類不健全的型態。

像台銀、土銀、產物保險公司的主計主任和主計人員，都是由各行自行遴派，向省主計處報備一下，既不能由主計處對其操行作業有所考核，又不能就其功績有所獎勵，而各主計人員對於主計處所持的業務要領也可以不相聞問，失去了主計制度下從業人員的超然性。

行，而華南、第一、彰化等兩個連主計組織都沒有。這類型居然存在十三年，實在是不可思議的事！

我們不了解省政府和主計處何以沒有提出檢討，加强組織，納入省級的主計系統？金融事業，並非王國；制度的建立，不容廢偏。

我們希望對於主計業務做過一連串革新的劉紹志處長，在這個問題上化點精神，以他守正不阿公平廉能的作風，是可消滅這些死角的。（下）

慶祝元旦
嘉義縣醫師公會
理事長林國川

慶祝元旦
中埔初級中學
校長劉昭雄

慶祝元旦
台灣省林務局造林
保林玉山管理處

慶祝元旦
上水鄉農會
理事長林修

3此種刪節，對他原意並無影響，因爲他的「兩大保障」論，到頭來，已經把「蘇聯」代換成「日本」了，他在民國四十一年，一反他在三十四年的話而改口說：

「沒有一個强大的中國，遠東永無保障。今日世人亦知，沒有一個民主獨立的日本，遠東和平亦無保障。」（八四）

多會寫文章呀！寫文章在胡秋原手裏，竟好像做數學習題，XY可以互相代換，──「蘇聯」「日本」是變數，「中國」是常數，「東亞和平」「遠東和平」於是焉有「保障」矣！

上面三點，尤其是第3點，充分證明了胡秋原下筆千言，只不過是信口開河，遠東和平的「保障」，完全隨他高興，愛派定那一國就是那一國。其實隨他怎麼說，我也不必管他。我只是辨正我並沒有對他的文章斷章取義，──我所要「取」的「義」只是他對蘇聯的看法，而這種看法已明明白白擺在那兒，我引出來，有什麼「斷章取義」可言呢？他顯示「社會主義蘇聯，……是東南亞和平的……保障」的意思，已經事實昭然，他東纏西纏也沒有用！而這意思很顯然是在「爲俄帝脫罪」，在引導人們誤以爲「俄帝」不是帝國主義者而是「東亞和平」的「保障」之一，這不是「脫罪」是什麼？

胡秋原這類爲蘇聯「脫罪」的言論並不止於此。他曾在三十二年寫「長春建都論」，宣揚日本是現在和將來的根本敵人，認爲世界上國家除日本外，沒有一國以是滅亡人國爲根本政策的。他這種論調，豈不使國人對蘇聯不防範了嗎？豈不是爲「滅亡人國」的蘇聯「開脫」嗎？到了他編「世紀中文錄」的時候，他似乎發現這篇「長春建都論」中的「防日」論有問題了，所以就强予代換，謂：

「所謂防日，實即防俄之意。」

天呀！日本是日本，蘇俄是蘇俄，這是兩個地理上清清楚楚的國家！這怎麼能弄錯呢？用這種可笑的更正來爲自己「脫罪」，這不是騙小孩子嗎？

證（八三）胡秋原「中蘇新關係之展望」（三十四年四月十三日重慶「中央日報」）。

證（八四）胡秋原「俄帝侵華史綱」第十四章。

13關於「和平運動」部分

胡秋原在「補充自訴理由狀」中說「自訴人雖未對俄帝一直『大聲批評』下去，但從未放下批評，諸如發起和平運動」云云。這完全是胡扯，因爲那次「和平運動」根本沒提「俄帝」半個字！這是他幻想的「批評」。他又說「和平運動是一反共抗俄運動」，證明方法是「有原來宣言可以爲證」，他又說目前在台的錢納水可以爲證。這些話，通通都是大言欺人！他說「和平」宣言「見『世紀中文錄』上卷三十三頁」，「被告李某讀過」，「乃亦故做不知，强爲混淆栽誣」云云。不錯，我是讀過那個宣言，可惜的是，我讀的那個宣言是「原本」，不是胡秋原收在「世紀中文錄」裏的那個被他追憶默寫的「節本」，所以內容方面大相逕庭！這個「原本」我已抄出來，收在我那篇「爲『一言喪邦』舉證」裏，我已指出（五八）：這「和平宣言裏面，滿紙『內爭』、『無意義的戰爭』、『對於任何政治派別，均無成見』、『不以武力解決爭執』、『立刻恢復和談』，請問那一句不是祖共的『中立主義者』的調子？當時中立主義有利於誰，胡秋原心裏還不明白嗎？」由此可見「和平運動」根本不是什麼「反共抗俄運動」，證明方法也恰恰是「有原來宣言可以爲證」！這多難爲情啊！胡秋原以爲別人看不到那個宣言的「原本」，就想用偷天換日的手法，把一個有利於共黨的運動詭稱爲「反共抗俄運動」，這種公然扯謊，不是無恥是什麼？胡秋原又說什麼錢納水可以證明等話，也不過是欲挾「錢」以自重的手法。一同參與「和平運動」的立法委員錢納水雖然一再幫胡秋原中傷我，陷害我，可是我歡迎他一齊站到亮處來

打倒胡秋原謊話的十個例子

李敖

一份刑事答辯狀

──爲所謂「和平運動」是「反共抗俄運動」做「人證」，我到要看看他們有多少謊話可以陷害青年，塗抹舊史。總之，我接受他們鬼鬼祟祟以外的一切光明挑戰。他們有種，就對我的文字提出答覆，否則休想陷人入罪！

證（八五）李敖「爲『一言喪邦』舉證」第七節（「文星」第六十九期）。

14關於「打算做共黨百姓」部分

這一部分，我已在『胡秋原的眞面目』和「爲『一言喪邦』舉證」中說得很明白。現只就胡秋原在「補充自訴理由狀」中所說答辯。

胡秋原說：「拙著原文『打算作共產黨百姓』一句下面是『只要殺人不賣國，賣國不殺人，害命不謀財，謀財不害命，拍馬不吹牛，吹牛不拍馬，弟皆可忍耐，六者俱全，則難乎其爲百姓矣。』」他怪我竟故意盲目，胆敢抛棄下文，其爲蓄意誹謗，昭然若揭。」現在他既然把我「胆敢抛棄」的下文寫出，我只好再看看「抛棄」是否應該：這六句話，可表列如下：

A式		B式
殺人不賣國	—	賣國不殺人
害命不謀財	—	謀財不害命
拍馬不吹牛	—	吹牛不拍馬

由此一看可知，無論共黨爲A式或B式，胡秋原皆可爲其百姓，「六者俱全，則難乎其爲百姓矣」；六者不全，則勉乎其爲百姓也哉？

我說胡秋原亂寫文章，此爲一證。照胡秋原的說法共黨只要「殺人」「害命」「拍馬」而不「賣國」「謀財」「吹牛」，則不碍其爲百姓；或「賣國」「謀財」「吹牛」而不「殺人」「害命」「拍馬」，則仍不碍其爲百姓。這不是亂寫文章是什麼？這難道不算思想有問題嗎？我不引他這些神智不清的話，他反到怪起我來，說我「胆敢抛棄」，說我誹謗他，其老而無聊，眞是「昭然若揭」了！

15關於「無恥」部分

胡秋原在「補充自訴理由狀」中誹謗我「本身不知『恥』爲何物」，既說我「不知『恥』爲何物」，却又介意我說他「無恥」，這眞令人發噱！

我所以說他「無恥」，是對他有特定意義的，因爲胡秋原明明倡言：

「說謊者，無恥之本也。龔定庵云，士不知恥，國必有恥，而恥亦不止於士。」（八六）這不是最好的答辯嗎？用胡秋原自己的定義，只要證明了他「說謊」，就可以奉送他「無恥」的稱號了！這不是罵他，這是配合他的所言所行，予以類推而已。

至於他說謊部分，我已經一一列舉過，辯正過，不必在此節多說。他的另一段話，實在值得一讀：

「我還願說一句大家也許不高興的話：今日之局，固國際形勢使然，而自已無能之咎是不可辭的。今天只有二十五歲以下的人（敖按：此文爲四十三年所寫，今應換算爲三十五歲以下者），才能推卸他們對大陸淪陷的責任。凡是二十五歲以上的人──包括我在內──都有或多或少的責任，我們有最大責任，收復大陸，對天下後世作一交代。今日還不能團結反共，對祖宗對子孫皆是無地自贖之罪人。而一切二十五歲以下的人，亦將不容我們的無能無恥！」（八七）

這又是他給「無恥」所做的進一步說明。其中有「今日還不能團結反共，對祖宗對子孫皆是無地自贖之罪人」等話，實在值得他自我反省，他該想想招待記者、散布文章、發行小冊、涉訟公庭……，這些由他主動的興風作浪，難道是「團結反共」的態度嗎？難道不算「罪人」，不算「無恥」嗎？

所以，這更可以證實，我用「無恥」二字，並非誹謗他，只是用他自己的定義和刻劃，來幫他做一個投影罷了！

證（八六）胡秋原「論大陸淪陷教訓與反攻復國志氣」（四十五年九月「自由人」）。

證（八七）胡秋原「舉國團結與反共救國會議」（四十三年元旦「中南日報」）。

16關於「又講聯合戰綫」部分

胡秋原在「自訴狀」中巧辯他那「與愛國反俄共黨，講講反俄聯合戰綫」的謬論是「寓有類乎『爭取僞軍反正』之含義」，這全是遁辭！因爲這明明是兩碼事！我在「爲『一言喪邦』舉證」中已指出是他的「聯共抗俄論」的觀念，此處不必重複。我只指出：

「僞軍反正」是「棄暗投明」，是消失共黨原組織；

「聯合戰綫」是「分庭抗禮」，是保有共黨原有組織。

前者是幾何圖形的「同心圓」，後者則是「相切圓」（外切）或「相交圓」。所謂「聯合戰綫」，是把兩個外離的「相離圓」聯合成「相切圓」或「相交圓」，是承認對方的「聯合」客體與地位，胡秋原在今日台灣做此怪論，這是何等莫名其妙？他所謂聯合愛國反俄共黨云云，是根本違反「中共不能脫離俄共控制」（八八）原則的。在這個原則下，中共之所以爲中共，即在其根本不可能成爲所謂「愛國反俄共黨」，而胡秋原有此冀望，並預言「大家不必以此爲書生之見，有這一天的」，這是很使人大惑特惑的論調。何況胡秋原自己也給共黨下過這些定義：

1「中共是天生受命於莫斯科的。」（八九）

2「中共是蘇俄養大的，非『一面倒』不可。這是命中註定的。」（九〇）

3「共黨還可說是中國人嗎？」（九一）

4「中國共產黨人因能夠無恥公然宣稱『一面倒』，天良早已滅絕。」（九二）

5「中共既不能算中國人，當然不能算亞洲人。」（九三）

6「必須俄帝受到打擊，中共才會動搖。」（九四）

（六）

瘟君續夢

第十五回

平等難期　一夫翻坤軸
自由何價　萬衆擲頭顱

在廣州車站逃出的飢民，此時無路可走，滙成一道人潮直向南流。由東江方面逃出的飢民也向港澳邊界逃亡，形成另一道人流，沿途扶老携幼，困苦萬狀，但是大家都抱着一個目的，逃出就是升天。兩股人潮如同海水泛濫一樣，湧向深圳，在深圳碰了頭，一合成一股更大的巨流。

沿途本駐有不少共軍，也有公安部隊，邊防警察，各部份也都奉到命令截擊，格殺無論。可是對着這麼多的人，站在三層樓上用望遠鏡也望不到邊的人羣，共軍軍官手軟了，他們知道即使來的是螞蟻、蝗虫，到了這麼多的數目，也不可能打死完，甚至想殺掉十分之一都難，除非有原子大炮，但是，中共軍却只有輕重機槍。共軍過去常用人海戰術擊敗國軍，越是頭目才越懂得人海的價值，此時對着這麼多的人，不僅是海，簡直變成了大洋，槍機、炮彈丟到大洋裏，最多不過起個浪花，決阻不住前進的浪潮，最後連自已都要被風浪吞沒。

沿途的共軍及公安部隊，未經請示自行决定閉關自守，不理會飢民逃亡的事，只求飢民不來襲擊軍營，自己的兵士千萬可不要跟着飢民跑掉，就算對「黨」盡了最大的忠誠。

沿綫有些鄉村幹部及鐵路警察一齊脫下制服跟着逃亡，及至兩股人潮流到深圳，周圍幾十里路的村民全部跟着走了，許多村莊眞的變成了十室十空，不但沒有粮食、衣物，也沒有了人。深圳地方幹部面對着這麼多的人潮，既不敢過問，也不敢坐在辦公室內，藏的藏，逃的逃，馬上深圳就變成了政治眞空。

陶鑄在廣州得到沿途的報告，急得如熱鍋上螞蟻一樣，在省委會議上說道：「石龍以南政治組織完全瓦解了，如若國民黨此時反攻，不用帶槍炮，只要運來幾十列車粮食，全廣東就完了，這件事怎麼辦！」

陳郁說道：「我看廣州各機關要疏散到韶關去，那邊總比較安全些。」

陶鑄冷笑道：「你怎麼胡塗起來，只要國民黨的粮車進了廣州，全廣東一夜之間就完了，韶關的人民可能會搶着動手，因爲他們要趕着南下領粮，遲了怕分不到。」

曾生說道：「眞到了那步田地，只有再去打游擊了。」

趙紫陽說道：「本省幹部無法打游擊，人地不宜，應該先行撤退。」

曾生白了他一眼，心裏暗想，你還想走，國民黨軍隊一過石龍，不等別人動手，我就先把你宰了。

陶鑄等人在廣州着急了一個禮拜，前方又傳來「好消息」，飢民外逃被當地政府擋駕，百分之八十被送了回來。美國人也信誓且旦聲明，決不趁中共困難時，支持國軍反攻大陸。

陶鑄在省委會議上報告這項消息時，長長吁了一口氣，說道：「我們日日高呼打倒帝國主義，到頭來幫忙我們的還是帝國主義，要不是帝國主義幫忙，這回眞的要垮了。」全體省委臉上皆浮上得意的微笑。正是：何事養癰成巨患，英雄狡獪美人癡。

（全篇完）

冒險犯難記

鄭文儀

我在七月底由河南中原戰場回到南京，在拔提書店樓上一個亭子間裏，住了好幾天，因爲我的妻子去年暮春就已回去湖南醴陵老家生孩子，現在還未來南京，我是以書店爲家。把店中事務如印刷、出版、發行、財務等稍加檢點之後，訪候了幾位師友，我就去到上海，進入寶隆醫院療治痔疾。

寶隆醫院是外國人投資開設的一所規模很大的現代化的醫院，四層樓的洋房，有二百多個病床，醫師護理及醫療設備都很好，我住在二等病房，一人一間，甚是舒適，每天住院費包括伙食醫藥不過三元，但手術費在外。我住入醫院，經過三天的診斷檢查之後，因爲是內痔，而且已經發炎甚久，必須開刀割治，方是根本治療之法，我接受醫生的建議，施行割治。

住院第四天的早上，一位有名的外科醫生，他是英國人，負責替我開刀，他帶助手及護士到我病房裏來，說明手術期間不長，實行全身麻醉，不會有什麼痛苦，要我安心。我說我不怕痛苦，不過希望能根本治療，一勞永逸，以後不會再發就好了。醫生說麻醉的時間也許會延續到十小時，從上午十點鐘起，要到晚上八點鐘才能甦醒，醫院將派一位特別護士照料一切，經過都會良好。

這是一次死去活來的經驗，當天施全身麻醉的時候，護士僅用一個很小的麻藥紗布袋子，放在我的口鼻之間，不到五分鐘，似乎我的一口氣，就忽然斷了，很像是一個人的靈魂，從身心的深處向體外散失，我登時便成了失魂落魄的人，一點知覺也沒有了。

到了晚上八點鐘，我在病床上，忽然間似有一個靈魂進入了我的身體，我立即恢復了知覺，但是身體和四肢都是軟綿綿的不能動彈，大約經過半小時，才感到血脈流通，手腳可以彎曲活動，不過仍是有氣無力，直到十點鐘才全部恢復，如同常人一樣。護士告訴我，手術經過很好，一個星期拆線，兩個星期之後，就可出院。我這時感到無限欣慰，欣喜我這個宿疾，或者可以從此不再發了。同時也感想很多，對於一個人的死去活來，發生了很多聯想，人的生命就是這樣奇妙，生死決於俄頃之間，我想到小說書中記載很多俠盜使用蒙汗藥麻醉人的故事，也想到文天祥慷慨赴死時的話：「人生自古誰無死，留取丹心照汗青」，希望我能在戰場或革命場合壯烈犧牲，不在臥床上爲病魔所纏死。

（七三）

左宗棠之恩師

諸葛文侯

滿清道光十二年壬辰（公元一八三三）湖南鄉試副主考官陝西人徐法績，於出京赴任途中，而正主考官某，忽罹疾逝世，朝命即以徐氏承其乏。科場故事：主考官，在核定取錄對象之前，必搜閱「落卷」，以防遺珠。是科試題爲「不患無位，患所以立」八股文，徐氏搜得落卷六本，左宗棠亦在其列（此外有吳敏樹、楊彝珍等）。左所撰制藝中，甚有「既不受朝廷不甚愛惜之官，亦無須鄉黨無足重輕之譽」二語，徐主考大加激賞，認爲嶔奇磊落，乃國家有用之才，即將左氏拔置前茅，中式第十二名舉人，時宗棠年方二十歲。當徐主考閉關居試闈中，常寄家書至陝，告其夫人以考試情形，迨得閱左氏制藝後，欣然函示夫人，謂此行入湘主試，已爲國家掄致一奇才異能之士左某，彌足幸慰，并將上述宗棠文章中之二語摘錄以資佐證，左氏固不知也。

越卅年後，左宗棠以討平「太平天國」之功，賞爲「恪靖伯」，旋晉封二等侯，於同治十一年以欽差大臣督師自陝西入甘肅，戡回匪之亂。此時徐主考官業已去世，宗棠亦不復憶及微賤時之科舉舊事矣。是年八月，左駐節蘭州，有鄉愚狀者叩轅門乞見「左大人」，侍衛呵止之，而該人堅請晉謁不休，謂有重要信札面呈左大人，別無需求也。侍衛據情上聞，左囑先將信札遞閱，再候命進止。繼而左大人省覽函畢，急傳令開中門迎接該鄉愚狀者入後院相見，待以上賓之禮，且言且泣下，感情激動異常，左右皆驚詫，莫悉其所以然也。蓋來賓原係前述徐主考官之子，奉母命持書來蘭州叩謁宗棠候安，徐夫人將其夫當年出湖南試闈中所寄讚賞宗棠之家書，亦附呈之，謂先夫早知左公非池中物。左大人猛憶舊事，認爲確實，深感徐主考藻鑑拔識之德，憮然未報，如今恩師早歸道山，雖欲酬答亦已無及，愴懷師生故誼，不禁泫然落淚矣！次日，左督師具奏朝廷，請稍稽進軍日期，俾便馳回陝西，拜祭恩師之墓，并存問師母闔第老幼，不俟命即行。迨晤見徐夫人，執弟子禮甚恭，餽贈豐厚，并囑徐世兄至軍中干役，將特加培植，藉報恩師知己之至意。徐世兄入左幕數月，旋由左督師奏保以道員存記，隨軍效力，遇缺即補，富貴功名，殆可立而致也。詎徐子資質懿巽，非吏治之才，日以家鄉爲念，屢乞歸田，左督師失望之餘，唯有隆致賻儀，聽其還鄉侍母，嗣後按月對師母寄奉財物終其身焉。

蘭州人慕少堂（維祺），亦科甲中人，於四十年前將上述佳話，輾轉流傳，過告語於湘人章士釗，吾故得筆記之，亦以見古人師生風義之優渥，非今世視受業老師爲商品之澆俗所可同語也。

答紹棣代柬

余井塘

予每日晨起，幅巾不整，輒喜出門散步，往往行至新店溪邊，日猶未上，雲水常親，少逢冠蓋。一日紹棣忽有書來，謂於初晨溪畔，見予施施然來，着短後衣，策杖揚長而去，相去僅丈餘，而目若無睹，想正在凝神覓句中，不覺旁觀微笑云云。因賦一律答之。

策杖溪濱覓句頻，臨流最喜趁初晨。
幅巾不整難傳妙，雲水常親漸有神；
野老已多攀作友，曉山容暫借爲鄰；
目無餘子踉蹌去，笑煞旁觀冷眼人。

美妹

羅雲家著

想到吸烟，他就會想到美妹會有多少次勸過他戒烟的意見。她說少女們差不多都是討厭男朋友吸烟、喝酒的。特別是吸烟，不僅浪費了金錢，還容易得呼吸系統的毛病，如肺結核、肺癌等等，而且嘴裏有一股難聞的味道，叫人不敢接近。至於吸烟而發生火災，那更是一種無法預知，也無法估計的大損失。

何健文並非不知道這些，他也曾嘗試着不吸烟的。可是他把它戒掉了，不久又自動地再吸。原因是他從事的工作是寫作，寫作需要靈感，也需要刺激，用烟酒來刺激神經系統，以產生靈感，排除寂寞。這是多少用腦的朋友通用方法。他的生活太單調了，他沒有辦法不吸它。所以美妹會取笑他說：

「健文哥，你明知香烟是一種魔鬼，你却偏要喜愛這魔鬼。」

「妳怎能知道呢？有人說女性都是魔鬼，而男人却偏愛追求女人。我們能說追求女人，就是等於追求魔鬼？」他半開玩笑地自我解嘲。

「你在強辯，我不來啦！」她在微笑中表示了愉快。

「好好！美妹，我一定想法子，慢慢戒掉它。」

……。

然而到現在，他的戒烟法子在那裏？他仍是三天吸兩包，甚至連想減少到兩天吸一包都辦不到啊！

他唯一的希望，是企盼香烟的品質能天天提高，而價格却不要像已往的猛漲。這樣，對吸烟者身體健康的影響減少，增加了精神上的愉快，並且使生活的開支獲得相當的平衡。那就真正是吸烟者的福音了。

想着想着，原來擁擠在電影院門口的人羣已不見了，只剩下若干零售商店與自行車。他看看錶，已經七時四十分。他們約會的時間已經超過啦！而美妹仍不見來。他陡地有些生氣起來，也有些失望起來！他真是想掉頭就走的，可是却不知爲什麼仍呆呆地佇立在那兒。

「愛國獎券，明天開獎，保險會中二十萬的！先生，買一張。」是一個小女孩，向他兜攬生意來啦。

「買兩張！」他正在氣頭上，嚷着說：「要同樣的號碼有嗎？」

「先生真會開玩笑！」那小女孩眨了眨眼：「那有相同的號碼？沒有嗎，那就不要買了。」

那小女孩的嘴仍在嘀咕着，但他沒有再理會。

「請問先生是何健文嗎？」突然有一個卅來歲的婦人推着自行車走近他如此詢問。

他打量了她一下，從穿着判斷似是一個傭人模樣：「是。」於是反問：「你找他有什麼事嗎？」

「是黃美妹小姐叫我送口信來的，她說她現在離不開身，請先生今晚到新竹大旅社住下，她會在那裏設法跟你會面。」

「真的嗎？她現在在那裏呢？」

「她現在正陪一位先生在我們那裏吃酒。是她偷偷請我來送信的。」

「妳們那兒是什樣地方」

「愛樂夢酒家。」

（三八）

宴梨室剳談

登場傀儡果何爲

豁公

但是有一利必有一弊，製造牠們的技巧雖然單純，運用却很繁雜。原因是在搬弄時，一定要把食指放在「傀儡」頸項的後方，拇指揷在牠的袖管裏，方能運用自如，使整個「傀儡」，隨着人的活動而活動。

例如要牠點頭，你祇要把食指推牠一下就行，若要牠左右搖擺，你就把拇指中指夾着牠的頸項，同時並將拇指，控制牠的左手，中指無名指小指控制牠的右手，這樣一上一下，一開一闔，任什麼舉手投足，左顧右盼的動態，一點兒沒有問題。

不過動作要靈活，時間又要相當的長久，手腕懸在空中，需要充分的腕力支持，這個就非受過嚴格的訓練不可。

至於歌喉要清脆，還要有高有低，忽男忽女，那也決不是容易的事。

如果同時用兩個「傀儡」，就要左右手各持其一，按照各該「傀儡」所扮之人的身份、個性，與環境；個別[illegible]你看這玩藝絕不難嗎？

[illegible]大的一種叫「托偶」，因爲牠要托着弄的。北人則稱爲「托吼」。又因清同治間，性耽逸樂之西太后（即同治帝之生母，葉赫那氏蘭兒）經常把那些「要托吼的」召到宮裏去搬演，人們又稱牠爲「大臺宮戲」。但實際上，也還是「木人戲」——「傀儡戲」。不過牠的尺寸相當的長大，大到像六七歲的小孩，開演時，要有一間寬大的房屋，圍以高與人齊之布欄，「要托吼的」在欄內，很熟練的托着牠，表演周旋揖讓口角的狀態，同時還要代牠們歌唱（包括話白在內），也有另外用別人唱的。

這種「托吼戲」，初時伴唱的祇有胡琴與板鼓，自從被西太后召入宮庭去搬演，才擴大組織，改用六人一組，方始有場面，以免顧此失彼，每人祇唱一角，如生、旦、淨、丑，也且不濫。他們所唱的，有「皮簧」「秦腔」兩種，一切的不差什麼，祇是上演的人，是「傀儡」而已。

（三）

周倉其人

匡謬

三國史中有幾位若隱若現人物，而其名不見正史，但其人之聲音笑貌已表露無遺。關羽麾下周倉即其一也。周倉爲人猛勇忠義，在羅貫中筆下寫周倉忠義耿耿之士，在水淹七軍中，他生擒龐德；又在關羽敗於麥城之役，同王甫自刎故主。表現得大義凜然。

在陳壽史筆下，他未公開露其姓名，僅隱現在魯肅傳中，「肅邀與關羽相見，各駐兵百步上，但請將軍單刀俱會。……肅因責數關，……語未竟，坐有一人曰：『夫土地者，惟德所在耳，何常之有？』肅厲聲呵之，詞色甚切。關操刀起，謂曰：『此自國家事，是人何知？』目之使去。」演義謂此人即周倉也。「單刀」二字亦由此傳而出。關羽「操刀起」，亦因此而有單刀之兵器也。演義未問世前，元人已有周倉之名流傳，可見羅貫中並非憑空捏造。元人魯貞作「漢壽亭侯碑」：有「乘赤兔兮從周倉」之語。

今山西通志云：「周將軍倉，平陸人，初爲張寶將，後遇關公於臥牛山，遂相從。於樊城之役，生擒龐德。後守麥城死之。」又見順德府志，謂與參軍王甫同死。王鹹「秋鐙叢話」：「周將軍倉殉節麥城，而墓無可考。稽考遺跡，即長坂坡曹、劉交兵處焉。因訪麥城故址，在邑東南四十里，久被沮水衝毋成河，僅存堤畦，名曰「麥城堤」。有任生者，夢將軍示以葬所，遂告知縣令陳公，掘其地，深丈許，露石墳一座，頗堅古，乃掩之而封樹其上，植碑以表焉。或有疑任生之作僞者，夫去地丈餘，烏知有墓？且一經掘視，昭然不爽，英靈所格，豈子虛哉！」

按此事又見淸人梁章鉅之「浪跡續談」，梁作有三國志旁證，又多作考據之學。其說諒非子虛也。梁又於「歸田瑣記」云：「按今演義所載周倉事，隱據魯肅傳，貂蟬事隱據呂布傳，雖其名不見正史，而其事未必全虛。余近作『三國志旁證』皆附著之。」足見周倉亦實有其人，三國演義亦有所本也。

內版臺報字第〇三壹號內銷證

自由報

THE FREE NEWS

第一一五一期

中華民國僑務委員會登記
台灣新字第三二三號登記證
中華郵政台字第一二八二號執照
登記爲第一類新聞紙類
（每逢星期三、六出版）
每份港幣壹角
台灣零售每份新台幣貳元
社長：雷嘯岑
督印人：黃行素
社址：香港銅鑼灣高士威道二十號四樓
20 CAUSEWAY RD 3RD FL. HONG KONG
TEL. 771726　電報掛號：7191
承印者：四風印刷廠
地址：香港灣仔高士打道二二一號
台灣分社
台北市西寧南路壹壹零號二樓
電話：三〇三四六
台郵撥帳金戶九二五二

本報啓事

岳騫先生在本報撰寫之「瘟君續夢」小說已刊載完畢，另印單行本，題名「瘟君夢第二集」，不日即可出書。台灣地區出台北「自由太平洋文化事業公司」總經銷，定價台幣廿五元，特此預告。

代表權問題面臨決戰關頭

宋文明

在本屆（十九屆）聯大會議中的中國代表權問題鬥爭，已進入了短兵相接的階段。今日比過去十五年來任何一個時候，中共更接近於進入聯合國的邊緣。這種基本原因就在於：

（一）中共在大陸上最近所舉行的原子彈試驗爆炸，已提高了它在國際間的地位與聲勢，致使許多國家因而相信，要解決今後的國際紛爭與問題，要妥善維持世局的穩定與和平，絕不能再把中共被排拒於一切國際組織及其活動之外。

（二）由於法國及非洲若干國家的轉而承認中共，以及英國工黨的上台，更進一步改善了中共在國際間的處境，擴大了它在外交方面的活動範圍與幅度，也使其在國外的實際影響力爲之增加。

（三）時間本身的因素，使許多國家認爲，中共既在這樣長的時間能維持下來，而未發生其他變化，則與其繼續和中共實行隔離，還不如早日使之參與國際共同組織，以圖另闢蹊徑，藉謀其他對付辦法。

（四）中共自己在這一年以來，在此方面作了極有力的活動，尤其在非洲方面，一再遣派要員訪問，並施展大量的經軍援助，極盡籠絡誘惑之能事，使非洲國家對此問題的態度，間接直接已發生重大的轉變。

由於以上這些基本原因，所以在本屆聯大會議中，不僅使得共同聯署提案，要求中共進入聯合國的國家，至今已達十二個以上，爲過去十五年來所從未有過，而且公開表示態度，準備支持中共入會的國家，並已比過去有了顯著的增加。在上屆第十八屆聯大對中國代表權問題所作的表決中，計支持中共入會者只有四十一票，而仍支持中華民國政府反對中共入會者，則達五十七票，其他十二票棄權，另有一國未參加投票。換言之，在去年的投票中，中華民國政府仍擁有十六票的穩定多數，使中共的入會企圖，遭受重大打擊。可是在本屆大會中，由於上述這種種情況的改變，這一原有的投票形勢已被破壞。其主要者爲：

第一：自一九六四年一月以後，已有法國，剛果（布城），塞內革爾，中非共和國及達荷美五國改變外交態度，由原先與國府建交，轉而承認中共，完全與北平打交道。

第二：自上屆大對中國代表權問題投票後，新獲獨立的幾個國家如肯亞，桑比亞及馬拉威三者，前者已與中共正式建交，後者亦在聯大聲明要支持中共入會（其他桑西巴一國在上屆投票後始行獨立，並完全傾向中共，但它最近與坦干尼喀正式聯合而更國名爲坦桑尼亞，故取銷名在聯大的單獨代表權）。

第三：在上屆投票中實行棄權或未予參與投票的國家中，已有奈及利亞，衣斯匹亞及獅子山三國，已相繼明白表示，要在此次大會中支持中共入會。

基於這三方面的變化，國府在聯大中的基本支持票，已由去年的五十七票，淨減五票，而降爲五十二票。而支持中共的基本票，却比去年增加了十一張，而也達到了五十二票。換言之，至一九六四年底爲止，就已經公開的各國表示來看，中國代表權在此次聯大會中，已變成了一種五十二對五十二的膠着狀態，難分上下。

但這種膠着狀態，係就這一問題的靜態分析而言，若一旦到了真正實行投票，[illegible]

至今並未表明態度者，届時說不定要改爲棄權，甚至支持中共入會。就有利於國府這一方面來看，在上屆投票中贊成中共入會的寮國，在未來投票中很可能棄權（雖有這種跡象，但我至今尚未獲得確切佐證），若果如此，中共的支持票，自會減少一張。他如上屆投票中棄權的黎巴嫩，冰島，及最近獨立的馬爾他，能轉而支持國府，中共的勢力又會再度削弱。相反的，從可能有利於中共的這一方面來看，在上屆投票中反對中共入會的查德，喀麥隆，多哥，賽甫勒斯四國，仍遲遲未表明態度。加拿大立場亦頗曖昧。在上屆棄權的毛里塔尼亞，傾向中共可能性爲更大。這些國家若在未來投票中棄權或贊成中共入會，將使整個投票形勢發生重大變化。所以從現有的表面靜態來觀察，這一問題已陷入膠着狀態，但在實際投票中，它仍蘊藏着極大的活動性。可能以兩三票之差，繼續排拒中共於聯合國大門之外，也可能以兩三票之差，而使中共得以進入這一組織。這種變化究竟如何，從現階段至實際投票前，這一階段各種情勢的新的發展，自然也會有極大的影響。

由於本屆聯大中有關中國代表權問題的實際情勢如此，所以這一問題若聽由簡單的多數來作決定，在本屆會期中通過決議，要求中共入會的可能性實在不能說小。因此，中華民國政府和美國爲了避免這一危險，而爲使中共目前情況下無法入會，唯有重新設法，使聯大對這一問題作爲一個「重要問題」看待，必須以三分之二的多數決定可否。可是，不論重新申明一九六一舊決議的繼續有效，或要求本屆聯大另行通過一項新的決議，這一決議的本身，也只需簡單多數就可決定。所以簡單多數，仍是決定中國代表權問題的一項主要關鍵。當然，這中間也有若干差別，譬如有的國家在決定是否許中共入會時，很可能投贊成票；可是要投票表決這一問題，需要三分二票數來決定的，也可能同意這種作法。但這種差別在實際上的表現究竟多大，也是一個無法確知的問題。

題的投票中另一個重要因素，便是提案本身的措辭。若這種提案只要求中共入會，而不直接涉及中華民國的代表權，那是一回事；若要求恢復中共在聯合國「合法代表權」的同時，亦附帶提及要排除國府代表於這一組織之外，那又是另一回事。這中間的差別及所引起的反應，將極爲重大，亦極不相同。這一問題在本屆聯大中的眞正演變如何也許就要看措辭如何以爲斷。假若要求中共入會是以排斥中華民國代表爲前提，那麼提案一通過，國府代表則無異議退出。假若只允許中共入會而不言及其他，那麼這一提案通過後，中華民國的態度如何？中共的態度又將是如何？這將是一個重大的歷史之謎，也將是一項嚴重的智慧攷驗。

顧此失彼

無法安枕

今日與明日

印尼退出聯合國

一貫在遠東興風作浪無事生非的蘇加諾，最近由於馬來西亞當選聯合國安理會非常任理事，竟然宣佈退出聯合國。在蘇加諾的眼中，世界上根本就不當有馬來西亞存在，因爲這個國家未經過他的批准。現在馬來西亞不僅被聯合國所承認，而且當選了安理會的非常任理事，成爲聯合國中十一個決策國家之一，蘇加諾認爲掃了他的面子，就要退出。在蘇加諾的幻想中，前年在耶加達舉行亞洲運動後因拒絕中國同以色列入境，被奧林匹克運動會判爲非法，禁止參加去年東京世運會，後來一羣幫閒搗亂之徒，由納薩出頭，向世運會提出要脅，如不准印尼參加，大部阿拉伯國家將退會，最後終於迫使奧運會低頭，準許印尼出席；此次蘇加諾也許想重溫舊夢，以爲他一旦宣佈退出聯合國，一批惡夥伴必然起而支持，紛紛聲言退出，最後聯合國將不得不改變立場，重新改選非常任理事。不知此次却要自食其果，任何幫閒國家皆不會聲言退出聯合國，蘇加諾這支箭放出去，恐怕收不回來了。

就蘇加諾來說，不問如何窮兇極惡，一九六五年將是他的最後一年，明年此日，世界政壇上將不會再有蘇加諾其人，即使報紙還提到他，恐怕也是等於今日談論墨索里尼、東條英機一樣。

東埔寨接受毛共軍援

與蘇加諾無獨有偶的是東埔寨的施哈諾，竟然接受了毛共軍援，建立兩萬多人的武裝。施哈諾與蘇加諾可說是難兄難弟，都是尼赫魯的徒弟，所不同者是「成就」的大小。蘇加諾是一頭瘋狗，遇到機會眞的能咬別人一口，施哈諾只是一個蒼蠅，專門嗡嗡聲惹人討厭，眞正去咬人的本領到還沒有。

施哈諾屢次要接受毛共軍援，用意原在嚇美國，等於一個小孩向父母說：「不給糖吃我就跳井」；過去每次都有效，後來實在因爲要的太多，父母也不勝其煩，一次不給糖吃，他就眞的作勢去跳井。這次接受了毛共的軍援，實在是跳井的第一步，頭已伸進去了，馬上兩隻腳向裏一掉，施哈諾同柬埔寨就都完了。

一九六五年開始時就顯出一付劍拔弩張的形勢，但向遠處看，未嘗不是好事，最低限度把這批中立主義的外皮剝掉，使他們不能從中賣空買空，鬧得塵土風揚，對大局畢竟有好處。

自由談

發思古之幽情

我感覺自從民國肇建以來，吾國經過了幾次革命運動的結果，政治上許多舊有不近情理、不合時代的法制都已革而去之，固其宜也。然而，有些舊時通行見效，並不違背時代潮流的良法美制，亦遭到玉石俱焚之厄，一概革掉，却是很可惜的事兒。

例如舊時政治上的人事制度，體系謹嚴，層次分明，雖皇帝亦不能隨便破壞。遠者且不談，即就滿清時代而言：文武官吏的職位分類，釐然有別，決不苟且，完完全全達到了軍民分治的境界，自然而然的消弭了軍人干政的毛病，因而得以避免國家若干無謂的動亂和災害。一般行政官吏的進退黜陟，皆遵循着一定的軌範，不許亂來，在任用時，除非對國家建立過大功勳的特殊份子，就必須按照資歷以從事，吏部稽考嚴密，毫無假借，而督撫（今之省主席）且以「州縣起家」爲原則。知識份子只要考試及第，並不需要達官貴人的推轂，亦不愁沒有出路。至於地方官必須迴避本籍的辦法，比較利多害少。因爲在本籍作官，由於各種複雜的社會關係，顧忌良多，而興利除弊的勇氣，即相應降低，甚至於專以敷衍爲能事了。

回顧近五十餘年來的現實政治情況，人事制度始終紊亂無常，根本就未奠立一套謹嚴的法度，偶爾頒訂一些不完備的令甲規章，亦係不屑實行的具文廢紙而已。軍人萬能，不但是可以隨便作行政官，更可以兼任黨務大員，集黨政軍職權於一身，恬不爲怪，而某些不知軍旅之事爲何物的人，亦可以堂堂僭居陸軍上將的軍職。考試院歲時開科取士，然試問各級行政官吏之中，職位稍爲重要的，又有幾個是憑着考試資格和從政經歷而任用升遷的呢？

舊有的法制，不分青紅皂白，一律成了革命對象，蕩然無存，新的又建立不起來，人事之駁雜，亂如此，吏治自無澄清之望，政風，焉得而不窳敗乎？革命，革命，天下許多罪惡皆假汝之名義以行。吾人矚目時艱，補救之術，即不免發思古之幽情了！

馬五先生

經濟建設平衡并進原則下
台灣農業發展的新境界
端在如何使農業大規模的現代化 以配合工業的發展完成復國使命

台灣四面環海，內多高山，耕地面積不多，而人口稠密，其平均密度爲每平方公里二六九人，較之日本之二三九人還高。十餘年來，台灣農業有輝煌的成就，目前台灣農業的發展，極已達到一個新的轉捩點。若就整個經濟的結構來說，農業仍然是國民經濟最重要的部份，根據台灣省政府農林廳廳長張憲秋在台灣省議會的報告，五十三年度農林漁牧生產總值可達新台幣三百四十二億元，比上年增加五十七億元，成長率爲百份之八點九；其中農業增加四十一億元，林產增加一億餘元，畜產則增加四億餘元

農業增產與外銷

如就農產品及農產加工品的輸出來說，在輸出總額中，所估的比例，雖已自民國四十二年的百分之九十二遞減爲五十三年的百分之五十七，但就輸出總值而言，則已自十年前的九千萬美元，增至五十三年的二億零五百萬美元，而且輸出種類增加了許多新的項目。

其次，關於台灣農產品的輸出值，對於土地面積的比例，對於總人口的比例，以及對於國民總所得的比例，都居於世界第一位。就輸出貨品而言，台灣白糖、香茅油和鳳梨罐頭的外銷量，也都居世界第一位。香蕉的輸出也將躍居第一位。

不過，台灣農產品的外銷，仍有若干問題須待解決。第一、栽培品種和加工技術尚待繼續改良，使成品規格劃一，保存期間延長，並穩定對外輸出的供應量；第二，設法使生產者切實組織，與其他機構密切合作，以保障國內加工廠及外國進口商的合理利益；第三，根據國際分工原則，就台灣農業資源作最有效、最經濟的利用，以求農產品的最有利輸出。

幾項深入的探討

經濟開發的進行，有賴於新的知識與良好的制度，關於農業的發展，學術界的創導與制度的改進，尤其顯得重要。中華農學會是台灣農業界的最高學術指導機構，該會爲了輔導農業推廣與發展農業建設，對於當前的農業開發問題，特別提供了許多具體可行的意見，有如下列：

（一）在克服耕地限制，充分利用資源方面：應提高複種指數，倡導優良栽培綜合栽培，擴大水稻共同栽培，加強漁業經濟研究，充分開發海洋資源，設置海埔新生地拓墾實驗站及維持地力等。

（二）在適應人口增加及增加糧食需要方面：除增產米谷雜糧外，尚應發展畜牧事業，多多供應動物性蛋白質，藉以改善國民營養；並提倡節制生育，藉以緩和人口的膨脹威脅。

（三）在加强國際貿易方面：應加强市場情報之搜集，精研加工的技術，並藉先交貨後收款方式爭取國外顧客。

（四）在加强農業考驗及推廣的重點方面：應注重教學、試驗與推廣的聯繫配合，輔導農業職業學校畢業生在農會就業，建立統一的農業推廣制度，加强推廣人員在農業經濟學、心理學、文化人類學方面的進修，充實試驗場所的設備。

（五）在政府對於加强試驗及推廣的措施方面：應該建立適才和促進新陳代謝的人事制度，訂長期性的農業建設計劃，改善農產品收購辦法，培植高級農業研究人員，安定推廣及研究人員的生活。

推行的具體計劃

台灣省政府爲了推行農業發展，決定自五十四年一月起，透過土地銀行與合作金庫，將以新台幣八億九千五百萬元貸給農業界，從事農業生產和加工運銷，來求農業的再生產。這項貸欵總額爲新台幣十九億元，擬訂中的計劃，計有下列的五項：

（一）低利農業貸欵新台幣二億元，以促進農田水利的發展；

（二）土地貸欵新台幣二億九千萬元，其中以七千萬元扶植自耕農購地生產，二千萬元協助農地重劃的推行，另二億元作爲土地改良經費；

（三）農田水利貸欵新台幣二億元，以促進農田水利的發展；

（四）農業加工運銷貸欵新台幣六億六千六百萬元，其中三億三千萬元由土地銀行以貯押方式貸給農業界，以改進加工運銷業務，另以三億三千六百萬元低利貸欵放給合作社、農會等，辦理加工運銷的農商團體，作爲週轉之資金；

（五）農民置產及週轉貸欵新台幣一億五千萬元，這筆貸欵是專爲協助農民改善生活而設，以期提高農民生產興趣，努力農事生產。

今後必然的趨勢

基於上述，我們當前經濟發展的基本政策，仍然是要以農業來培養工業。以工業來發展農業。台灣工業尚待積極發展，而工業的主要原料爲農產品，故隨工業的發展，農產品的需要亦將增加。經建計劃的目的在求達到各種的平衡，而以增加外滙收入爲唯一辦法，農產品及農產加工品的輸出，則爲換取外滙的主要來源。因此，台灣農業今後最大的任務，就是如何使農業大規模的現代化，以配合工業的發展，完成復國建國的重大使命。

高雄二三事

高雄航訊

△聖誕卡、賀年卡，嚴格說來是浪費物，但現在各國儼然已成爲必須品，高雄新聞報利用響應「毋忘在莒」運動，發起贈報勞軍，出售自製卡片；這些卡片，印刷精良，美觀大方，而成本至廉，每張售價亦甚低，目標原訂廿萬張，既以之贈送前方三軍將士，且可得精美的賀年卡以贈親友，一舉兩得，因此已由各機關團體學校工廠等訂購廿三萬餘之多。照此情形看來，可能達到卅萬張以上。不問外間有何批評，總得承認其爲一種高明的設計。

△高雄市皇后舞廳保鏢在去年九月十四日深夜打死韓僑金炳湜命案，業經高雄地檢處提起公訴，被告有八名之多，除總經理張介銘經理李求二名教唆殺人嫌犯外，尚有兇嫌廖榮福等六名，最初雖由承辦人員代爲設計安排，由廖榮福一人單獨自首頂罪，以掩護教唆及共犯，惟給地檢處李首席檢察官分由陳昭雄檢察官偵訊，爲時三月，面面周到，抽絲剝繭的偵訊下，終於眞相大白，使兇犯全部落網。本案雖會引起最初承辦機關首長的公開表示不滿，但李首席與承辦本案的陳昭雄檢察官，實事求是，破除一切的作風，應列入好人好事之林。

△今日台灣地區，爲人秘密墮胎的醫務人員，照律要犯刑事坐牢不悞，但公開廣告「安全流產」招攬生意，却並不有人顧問，如果不信，可化一元二角新台幣，坐一次高市車管處的公共汽車，看看車上的婦產醫院「圖文並茂」的「安全流產」彩色廣告，堪稱琳瑯滿目。這些矛盾現象，使人啼笑皆非。

一根毛偵破謝夏命案 似乎還存在不少問題

本報駐台記者　劍聲

如此的「經驗鑑定」

法醫李六驗屍除了輕信死者謝夏家屬的一句話而外，他另外的本領是「經驗鑑定」。開棺時屍體的香味是根據「經驗嗅聞」出來的，是認定爲毒物。女人的月經是不是流血塊，也是憑「經驗鑑定」月經沒有流血塊，流血塊不是月經。

而起訴書所根據的，正是由「經驗檢定」的證據！這種證據能否成立？當刑庭審判長問李六：「血塊是什麼血？」的時候，這位經驗專家法醫說：「外科何血我未研究。」因爲，「我是鄉村法醫，不是專門法醫，無法檢查。」至謝夏處女膜之破，是「愛人用手指挖破呢，還是由於强暴而破」？李法醫說「不知道」。依據他的說法「來計算死者之陰戶有三十六公分之大」。李法醫把謝夏陰戶中滯留血塊取出時，是任由死者家屬「用鞋拔取出來的」。記者舉了這些記載於官文書中的事例，來印證一下嘉義地檢處所說的科學偵破女護士謝夏命案的宣傳，是不是可靠，不是很有疑問嗎？

最嚴重的問題是：法醫李六涉嫌瀆職與僞造文書之罪。因爲他初次驗屍的「報告」爲「謝夏服毒自殺死亡」。後來，李法醫根據驗屍有三十二年的寶貴經驗，把「謝夏服毒自殺死亡」的診斷報告推翻，檢定謝夏不是口服安眠藥，而是劉堂坤射注的。謝夏陰戶滯留的血塊和處女膜破裂，既不是她的月經，更不是李發用手指挖破的，而是劉堂坤在射注安眠藥後强暴所致。總之，嘉義地檢處是根據法醫李六以經驗檢定的證據而起訴的。

其次是承辦謝夏命案的嘉義地檢處檢察官李兆欣，似乎也有瀆職罪嫌。李檢察官明知法醫李六「不盡其應盡之責」；明知法醫李六於七月二十二日「驗屍診斷書」所記載之不實事項，而使台南縣學甲鄉公所登載於職務上所掌之公文書，足以生損害於女護士謝夏的家屬」。又明知李法醫爲有罪之人，而故意不使其受追訴或處罰。這是否顯然觸犯刑法一二五條一項三欵末段之規定？

就常理而言，法醫李六第一次的診斷書——有利於劉堂坤的證據——既不可採信，爲什麼李法醫其後的證書——不利於被告劉堂坤的證據——又採信呢？

有違刑訴法之規定

按照刑事訴訟法第九十八條規定：「訊問被告應出以懇切之態度，不得用强暴、脅迫、利誘、詐欺或其他「不正之方法」。同時規定：「應對於被告有利及不利之情形，一律注意。被告得請求前項公務員，爲有利於己之必要處分（同刑二條）」。但「被告之自白非出於强暴、脅迫、利誘、詐欺或其他不正之方法，且與事實相符者，得爲證據（同法二七〇條）」。

然而，嘉義地檢處李檢察官在偵查謝夏命案的程序上，顯見不合乎上述規定。如此是否有觸犯刑法上的瀆職罪嫌？

第一、被告李發之翻供，是由於李檢察官使用不正方法所致。

第二、據說李檢察官强迫證人黃瓊雲（即嘉義久松酒家酒女子（花名英拒絕作證，否則，即以不放黃瓊雲回家爲脅迫。

第三、據說李檢察官要被告劉堂坤找出謀殺謝夏的兇手出來。

證一：李發在刑庭供稱：爲什麼在檢察官前那樣說呢？「檢察官告訴我，此案是謀殺案，是死刑的，我就怕起來了」。所以才翻供說：「劉堂坤教我說我摸謝夏的奶和陰戶」。「劉堂坤沒有教我如何作（挖陰戶）法」。但李發承認在偵查中說「手指進入謝夏陰戶去是濕的」事實。

證二：劉堂坤供說，謝夏服毒自殺的那天凌晨他和酒女黃瓊雲在世界旅社開房間「休息」，此有久松酒家老板陳克定、服務生太田、酒女黃瓊雲可證。（中）

打倒胡秋原謊話的廿個例子

（上接第三版）的

證（一〇二）胡秋原「爲反對誹謗與亂戴紅帽而奮鬥」。

證（一〇三）胡秋原「在唐三藏與浮士德之間」（上篇）。

×　×　×

以上二十節，是對胡秋原的訴狀的重點答辯。因爲他本是故意纏訟，故亂扯雞毛蒜皮之處時時可見，我就此嘵嘵答辯，深覺無聊已極，深覺浪費青春，深覺痛苦。如果說打這場官司還會有什麼收穫的話，那該就是告訴人們：

一、歷史是不容歪曲的。

二、想藉法律定讞和政治手法來歪曲歷史是不會永久的。

三、最愛高談仁義道德啦，同舟共濟啦，知識份子尊嚴啦的僞學人的眞面目，我這回可完完全全領教了！

從今以後，「胡秋原」和「胡秋原型」的知識份子，將在他一手掀起的訟案裏，走向他一生的終結，這是一個悲劇。就劇中的主角來說，無疑的，在愚蠢的串演自毀的苦戲。倒霉的是，在這場戲中，我竟被扯來做他的怨耦。如果幸運，我就是日本切腹者的「介錯人」；如果不幸，我則難免成爲無盡的殉葬者。個人的羽毛不足惜，可惜的是，這場苦戲實在太長了！

（五十二年八月五日）

（完）

台中市政府 公告

(53)(12)(14)府[illegible]稅二字(45323)號

一、查本市五十三年第二期田賦房捐定於五十三年十二月十六日開征至五十四年元月十五日截限，希納稅義務人接到納稅通知書後，向就近公庫或指定倉庫繳納。

二、納稅義務人接到通知後，對核定捐額或田賦實物有疑問時，希向本市稅捐稽征處第二課查詢，如有異議，應於開征後十五日內申叙理由，檢同有關文件申請復查或更正，如再有異議時，應於限期內先繳核定捐額之半數稅欵後，檢同文件及繳納收據，於征期後十五日內申請複查，否則不予受理。

三、凡在本市轄內置有應納田賦土地或房屋，如未接到納稅通知書或接到遺失，希即向本市稅捐稽征處第二課申請補發，如期繳納。

四、特此公告。

市長　張啓仲

中華民國五十三年十二月十四日

7「如果俄帝不受打擊，中共組織亦不會發生重大瓦解情形。」（九五）
8「中共者，乃中國，中國文化，中國知識份子衰敗後所發生之妖孽。」（九六）
9「中共者，不過俄帝東方政策的工具，俄帝奴才之一。」（九七）
10「中共爲全國唯一的內奸」。（九八）

在上面這些定義裏，不是「中國人」的中共是「天生」「命中註定」「天良早已滅絕」的「一面倒」者，不「打擊」俄帝，中共是不會「動搖」的。

既然如此，那麼胡秋原聯合「愛國反俄共黨」，「講講反俄聯合戰綫」的謬論就完全證明是癡人說夢了，因爲俄帝不受「打擊」前「天生」「命中註定」「天良早已滅絕」的中共是不可能「動搖」的呀！既不能「動搖」，那裏會產生什麼「愛國反俄共黨」呢？那裏會有這種「共黨」來跟我們「講講反俄聯合戰綫」呢？並且，我們若跟這種「妖孽」、「奴才」、「內奸」講聯合戰綫，我們又自視爲何如人呢？他又說跟共產黨「有『諒解』就好了」（九九）！這又是什麼意思呢？這又把我們自視爲何如人呢？所以我說：這些曖昧的文字，都是要不得的，胡秋原不趕快認錯，反到虛聲恫嚇，想來告人，眞是蠢愚已極！他還引五十一年雙十節文告來比附，其實文告中說得明明白白是要共黨「改變立場」，才「一律不究既往」；胡秋原則說的是「聯合戰綫」，是無異於承認對方的客體與地位的，這怎麼能說是「所述與總統文告絕無相背之處」呢？

證（八八）「蘇俄在中國」頁三五八。
證（八九）胡秋原「如何防制中共的軍事冒險」（三十八年八月二十三日「香港時報」）。
證（九〇）胡秋原「中共地獄透視」。
證（九一）胡秋原「建立反共統一戰綫」（四十年一月三十日「香港時報」）。
證（九二）胡秋原「史達林的日子有限了」（「新聞天地」第七年第十二號）。
證（九三）胡秋原「『中國人的中國』與『自由人的世界』」（四十三年五月二十二日「自由人」）。
證（九四）胡秋原「人造衞星發射後之世局」（「祖國」第二十一卷二期）。
證（九五）裘孔淵「中國大陸人民反共抗暴運動」胡秋原序。
證（九六）胡秋原「中國文化與知識份子」自序。
證（九七）胡秋原「無長爲勝共之本」（四十一年元旦「今日大陸」）。
證（九八）胡秋原「舉國團結與反共救國會議」（四十三年元旦「中南日報」）。
證（九九）胡秋原「同舟共濟」。

打倒胡秋原謊話與十個例子

李敖

一份刑事答辯狀

17關於「抗戰時與共黨諸多往還」部分

胡秋原在「補充自訴理由狀」中說：「其所謂『抗戰時與共黨諸多往還』，係由於抗戰期間中每個參政員每年有一段時期要與共黨相聚一當開會，其往還是必然的。」胡秋原這段話根本是「顧左右而言他」的逃遁手法。我在「胡秋原的眞面目」中明明是這樣說的：

「抗戰期間，胡秋原與他講『聯合戰綫』的對象『還保持着』『個人來往』，而對共黨雖心知其非，未會公開反對。」他曾受董必武的拜託，打電報幫助在政府監獄中的馮雪峯；也會在周恩來的老子過生日時，登門拜壽。

這裏非常確定的指出他「打電報」、「登門拜壽」等事，這豈是「每個參政員」一定要做的「必然」「往還」嗎？這不是故意亂扯別的參政員來影射比附嗎？

胡秋原最愛用的手法就是這種影射比附的手法，他總是狡辯，認爲他當年之所以如何如何乃是因爲別人也如何如何，或是他當年之所以怎樣怎樣，乃是因爲國策也是怎樣怎樣，其實這些都是事後自我洗刷，當時實情根本就不那樣。舉例來說：當時的「每一參政員」，絕對沒向周恩來老子拜壽的「必要」，可是胡秋原卻拜了壽。當時的「國策」也絕沒有在史達林頭上加「偉大」「和易近人」等「必要」，可是胡秋原卻開了「風氣之先」！……諸如此類的例子有得是，所以胡秋原的掩護與僞裝法，完全是行不通的。

18關於「在英國與共黨有過接觸」部分

胡秋原在「補充自訴理由狀」中自辯說：「殊不知此一接觸純係爲研究共黨而接觸，並非與其合作而接觸，早經自訴人報告政府中人轉呈最高當局有案。」云云。這一點，胡秋原信筆寫來，實在應該臉紅！胡秋原那次在英國的全部眞相，許多黨政界人士無不明明白白，我們小百姓很歡迎胡秋原把所謂「報告政府中人轉呈最高當局有案」的眞相，自己公布出來，讓大家「奇文共欣賞，疑義相與析」（一〇〇）豈不更好？這件記錄「有案」的事，胡秋原敢不掩飾的公布嗎？我姑抄一段「星加坡航信」（一〇一）在這裏：

「當我由美國飛倫敦的時候，我在倫敦機場上會見到中共在歐洲負責指揮共黨活動的最高負責人，他的地位高於宦鄉，他是我從前的朋友，他也由東歐飛倫敦。於是我們不約而同碰面了，他請我吃飯，刺探我，我也請他吃飯，刺探他。我都把經過通知附近國家的我國使館。」

「他請我吃飯之時，開頭第一句話便是：『我們用和平方法來解放台灣，你看行不行』？我答道：『我不要聽解放這二個字，如你把話題改爲「我們用和平方法對付台灣問題」，你看台灣降不降？我可以答復你。』他道：『就依你這話題吧。』我道：『如果一九五〇年那時你們不參加韓戰』，你們不把中國人往炮火中去送，第七艦隊還沒有停在海峽內，你們天天在對海喊話，台灣可以不戰而降。可是，今天情形不同了，台灣和海外的中國人，眼看你們殺死了許多同胞，怒火已經燒在每一個人的心頭。……』」

這種說法乍看起來似乎反共，細看起來問題很多。什麼叫做「和平方法對付台灣」？什麼叫做「你們天天對海喊話，台灣可以不戰而降」？他這種推論，根本沒把三十九年的政府和軍民看在眼裏。他那時自己胆小投機，在第七艦隊沒來前不敢搬來台灣，卻還設想別人有「不戰而降」的可能，這不是無恥嗎？

證（一〇〇）陶潛「移居詩」。
證（一〇一）金鑫「胡秋原語驚共特」（「新聞天地」第十三年）。

19關於所謂戴紅帽子部分

胡秋原口口聲聲說我斷章取義，割裂偷運，這正是他自己的自畫像。我在「胡秋原的眞面目」中有這麼一段話：

「胡秋原罵別人『做賊喊賊』，我不知道他在扯些什麼？胡秋原何不想想：當年參加『閩變』顚覆政府的諸『豪傑』之中，今天在台灣的還有誰？這頂帽子，他算戴定了，無論如何也甩不到別人頭上。」

這是再確定沒有的指明：「這頂帽子」乃是專指「閩變」這頂帽子，胡秋原「他算戴定了」，——在台灣，他最有資格「戴」了。可是胡秋原却硬要扯七扯八，硬說我戴他「紅帽子」，這不是故意栽誣嗎？胡秋原在「補充自訴理由狀」中，神經兮兮地說：

「李某復指自訴人『如同在警備司令部面前涉嫌的人，都要被客觀判斷該不該戴紅帽子』，似乎指自訴人有匪諜嫌疑，而其前面又說：『這頂帽子他算戴定了』及『罪無可逭』等語，則又大胆肯定語氣，不止是含沙射影而已。」

這些話，**正正是胡秋原圓睜雙眼斷章取義的鐵證**！我的原文是：

「胡秋原在這兒明明是有意把『閩變』說成輕鬆單純，說成『這一點』『歧見』，然後才和政府是『誤會』，而當時軍民爲『閩變』而做的犧牲也自然是『一件不必要的事』了！武夷山下那些死難軍民自然也都是活該了！寫到這裏，我不能不指出，胡秋原居心之險惡，實在罪無可逭！」

這才是「罪無可逭」四個字所在的位置，我在這兒明白指出胡秋原歪曲閩變叛國的歷史，其居心險惡乃是「罪無可逭」，並非說別的，胡秋原何能移花接木呢？

在那文章最後，我是這樣寫的：

「在『歷史之神』的面前，相干的人都要被翻底牌、被『暴露』；如同在警備總司令部面前，涉嫌的人都要被客觀判斷該戴不戴紅帽子。我是做歷史研究的人，我絕不會給胡秋原戴紅帽子。我只是研究出他三十年來所做所爲使我不能了解的一面，他的巧言，他的矛盾，他的翻雲覆雨。」

這裏的「警備總司令部」、「紅帽子」等話，又明明是泛指一般情況的，並且是做比喻（「如同」）來用的。胡秋原讀書不用心，竟故意攪亂，說我這話「似乎指自訴人有匪諜嫌疑」，這不是故入「己」罪也故入人罪嗎？

20關於「稿費」問題部分

胡秋原一再表示我在受「利用」、「教唆」，乃因我爲了「稿費」云云。他並且公然在記者招待會中說我「雇傭誹謗者。今日有二百五十元的廉價兇手，他只是此類廉價誹謗者。」（一〇二）這種極端嚴重的誹謗辭句，我除提出反訴外，並引一段他的文字如下：

「……不必問老板，只問文章。我無錢開書店，又有意見發表。即使王八開書店，一字不改我的文章，並送稿費，我一定送去登。」（一〇三）

如果說爲了「稿費」寫自己的意見的文章便算可恥的話，胡秋原本人已提出最好的辯護。就這個觀點上看，我自信還比胡秋原的人格高出許許多多，——至少「王八」開書店，送稿費，我是不收的！

一個關於誹謗的前例可供參考：英國的「人民報」罵邱吉爾的兒子——說小邱吉爾是爲錢受僱寫文章的苦工，結果被小邱吉爾提出控告，「人民報」敗訴，賠了五千英鎊。現在歷史又在中國重演，胡秋原應負的刑責，是明確的，是有例可援（下轉第二版）

美妹

羅雲家著

「好！請告訴她，我會住到那旅社去的。」

「再見。」那婦人立即跨上單車走了。

「再見。」他揮動着右手，看她穿過馬路，然後消失在人流中。

他看時間還不到八點，覺得去旅舘太早了些。他對這裏的情形並不生疏，他也知道「愛樂夢」距離極近，不如先去窺探一下楊光城與美妹的相聚情形，究竟他倆親密到什麼程度？或是她正在痛苦不堪嗎？邊想邊行，不一會他已走到了「愛樂夢」。他不想給他們看見，特別是楊光城。於是他站在門口的柱子旁遲疑着。

站在這裏像什麼？但進去也值得攷慮的。說是找人嗎？說找誰？說找黃美妹嗎？還是找揑造的一個假名呢？黃美妹已經約我去新竹旅社會面的，若是我突然到這裏去見她，她在心裏毫無準備，會不會把事情弄糟了呢？我不能這樣去貿然見她的，隨便揑造一個人的名字並不難，但人家不等你進去，就回說沒有。那時候自己是立即退出？還是仍然闖進去裝模做樣地找一下呢？如果立即退出，則又何必進出呀！如果直闖進去，則打一轉就必需退出，那樣又能看清什麼呢？

假如我何健文身下的錢多些，事情就好辦了。我可以進去找酒女陪酒，自己既可吃喝一頓，又可以藉此機會發現她與楊光城的相處情形。然而自己的口袋却是這麼的不爭氣，所剩不足一百元，晚上住旅舘，以及明天的吃與回去的交通費用，若不節省些用，恐怕還不夠呢？又怎能闖進酒家去尋樂呀。

這時裏面有一個極爲肉感、妖艷的酒女走出，站在門口東張西望。且不時看看閃光的金錶。見他猛呼香烟，背靠着水泥柱子，面朝街心站着，遂走過來和他搭訕：

「先生等人嗎？」

「唔？不，不等人。」他彈去了烟灰反問：「小姐在等人？」

「猜對了。等客人和拉客人，是我們的固定工作。如果先生賞光，你將是我要等的客人。」說完，她拋給他一個媚眼，同時把那細膩、白嫩的手伸過來，搭在他的肩上，用柔軟的手指在他肩頭上輕輕抓動着。

「小姐，我眞感到光榮。」他一面取下她的手，一面大方的說：「可惜今天沒有空，改天我一定叫妳作陪的。」說完他仍掉了烟蒂，朝火車站那面走去。

「見了鬼！呸！」他走了沒幾步，忽聞身後發出這樣的聲音。他沒有理它。因他覺得她們都是可憐蟲，用不着和她們鬥氣的。

到旅社開了房間，洗了一個熱水澡，疲憊的身子頓覺精神許多。舉目望着窗外，只見夜市正興，行人熙來攘往十分熱鬧。健文一則袋裏欠缺「東風」，二則懷有心事，所以索性關上房門，掀開被子，躺到床上休息着。

一會兒，有個年輕漂亮的下女推門進來冲茶。他覺得還早，所以就起身向她討報紙看。

那下女對健文嫣然一笑。並說：「寂寞嗎？要不要找個姑娘陪？」

「謝謝你，有報紙看就不會寂寞了。」說完，他重又躺下，有意思不再跟她搭訕。

「先生，何必一本正經呢！」那少婦型的下女仍不放過他，提着茶壺走近床邊對他說：「我們這裏有的是好貨色，肥瘦高低，大陸、本島、……可以任由你挑選。等會領來給你看看好嗎？」她邊給他拋媚眼，邊伸手擰他的胳膀。（三九）

冒險犯難記

鄭文儀

開刀手術之後，我的病體恢復得很快，不過這時候，有一種精神空虛寂寞之感，因為我的家人都不在身邊，我住醫院時，也沒有通知上海的親戚朋友，由入院到拆除手術縫線，十天之內，除了醫生護士之外，就沒有一個人來看我。一個患重病的人，是十分需要人情的溫暖和慰藉的。

身體很快就可以復原了，我很高興可以早日出院，但是時當盛夏，天氣酷熱，在病床上一個人睡久了，很不習慣。

有一天晚上，我脫光衣服，在病榻上乘涼，到了午夜，迷迷糊糊睡着了，忽然天氣驟變，狂風暴雨，因為窗戶是開着，護士過了很久才來關窗，如是我受了涼，第二天早晨體溫逐漸增高，首先是由三十八度，加到三十九度，到了夜晚更加到四十度，第三、第四天甚至高熱到四十一度！由感冒轉變了傷寒，有好幾天高熱到接近昏迷狀態，熱度延續一星期才逐漸降下來，我除吃開水之外，很少進飲食，醫院給我打了一些營養針。這是一場大病，幾乎送了性命，好在我的堅強和忍耐性格，終於戰勝了病魔。本來預備住院兩星期，因為在院中加患了傷寒病，結果延遲到了五星期，病才完全好。身體的折磨，精神的痛苦，經濟的負担，使我嘗試到「人生祇怕病來磨」的困難和痛苦。如何保重身體，講究衛生，不生疾病，那是最重要的，因為一個人可能遭逢的生老病死諸苦，以疾病的痛苦為最甚，我由這一場大病，得到了這樣的經驗與教訓。

四十五、父子相見生離死別

當我在寶隆醫院醫病快要痊癒的時候，曾接到妻從家鄉來的信，說他將帶着一歲的孩子及奶媽隨同祖父——我的父親——於八月底由長沙經漢口來南京，預計九月初旬可到達。我計算他們的行程，於他們將要到達南京的前夕出院，當晚搭夜車由上海回到南京，我是清晨回到南京拔提書店的。父親和妻子奶媽一行四人，在我回南京後的上午也到了，我們一家祖孫三代相見團圓，大家的歡樂愉快，是無法形容的。我和父親及妻快一年不見了，孩子過了一歲，已能走路說話，他不斷叫喊爸爸，跳來跳去，我看到小孩的天眞活潑，聰明俊秀，使人一見就喜愛，內心無限欣慰。我把在醫院治病的經過告訴父親和妻子，他們表示無限的關切，及未早日來京滬看護的歉意。我說大病過了，也許以後將轉好運，大病不死，或有後福，以相慶幸。

（七四）

瘟君夢第二集序言

不佞生平對於本國的各種文藝作品，不管是新的或舊的，皆喜歡閱讀，且從而學習為自己所欣賞的某種文藝寫作技術。唯獨對於小說家言，少所涉獵，不特不會寫作，即瀏覽的範圍也很窄，祇看過「三國演義」、「水滸傳」，以及近代人所寫的「官場現形記」、「二十年來目睹之怪現狀」這類歷史性的作品而已。

十年以前，香港自由文化人士創辦「自由人」三日刊時，連載着吾友岳騫先生所譔「瘟君夢」長篇小說，內容都是紀述中國共產黨在大陸上僭制稱尊以來，所表現的各種無人性無理性的政治行為與人事動態，跟我平日愛讀歷史掌故小說的嗜好相投合，因而特別留意它，認為這是適應時代需要的戰鬥文藝創作，難能可貴，不同凡響。「自由人」閱八年而停刊後，「瘟君夢」尚未告段落，作者投在別家報紙刊載，完成第一集，印就單行本流行於坊間了。迨本報問世伊始，岳騫先生為本報作家之一，他并且聲明，祇要是區區辦的報，即願意義務寫稿到底。我受到他這種異乎尋常的道義熱情之鼓勵，勇氣倍增，就請他譔寫「瘟君續夢」以饗讀者，迄今又歷五載，集稿成帙，即以「瘟君夢第二集」付梓發行之。

若干年來，許多讀過「瘟君夢」的朋友問我：「作者大概是個從共黨圈子裏脫出來的覺悟份子，否則對於共黨政權的情形，何以那末精通熟悉呢？」我就告訴大家，作者不但未曾跟共產黨徒廝混過，而且是在大陸上對共黨經過長期鬥爭的自由文化戰士。由於他久歷文化戰陣，經驗宏富之故，對於共黨的本質及其作風，認識極深刻，瞭解最透闢。所以他在「瘟君夢」小說中所述的人物和故事，乃等於羅貫中的「三國演義」，施耐庵的「水滸傳」，多與正史符合，有其人，有其事，不過出以小說風格，稍加渲染罷了。這部小說在目前，可使自由世界人士洞悉中共秧歌政權所作所為的眞實概況，將來即可供歷史家裁判共黨罪惡的客觀採證之根據，它的功用，與一般只是供應人們消閒遣悶的說部有別。我們讀過「三國演義」和「水滸傳」後，對於漢末與宋代的政治現象、社會背景、人物消長等情況，了然於懷，能夠正確的辨識其治亂興亡之所以然，「瘟君夢」的內容亦猶是也。這就是本書值得重視和介紹的地方。

吾輩書生，遭逢亂世，既未能厠身廟堂之上，肩負安邦定國的大任，又無法曳尾塗之中，姑作渾渾噩噩的逸民，更沒有遯世逃俗，披髮入山之餘地，唯一可行之道，只有「文章報國」這條路。亂世文章固不值錢，但如「瘟君夢」這類作品，其價值却非一般泛泛的文章所可同語。我欽佩本書作者對國家貞獻不淺，同時銘感他對本報贊助之勞，謹綴蕪詞，弁其首，藉誌不忘云爾。民國五十四年元月雷嘯岑撰於香港自由報。

與青萍訪紹棣時，適有賣臭豆腐者至，主人買以饗客，因與同賦

余井塘

何人叫賣門外呼，言有美味勝醍醐：
黃豆為乳脂為酥，油煎醬拌椒汁敷，
羊酪菜俱不如，豈求善價而沽諸！
天地亦如我之爐，何物投之非腐餘，
掩鼻而過何其愚，化為神奇誰如予？
主人欵客酒不沽，不吝沾此堆滿盂，
胡為腐字初躊躇，大嚼與衆終無殊。
且問名實何相符，哤說實為名所汙，
食罷三人名長吁，腐朽已化神奇乎？
口味豈亦公道無，誰不食之為辨誣。
孰甘老死為腐儒，淪為海畔逐臭夫。
不覺高歌擊唾壺，何日歸食松江鱸！

哀梨室劉談

登場傀儡果何為

豁公

此項大型「傀儡」活動之區域，原止於平津一帶。民國初元，被稱為「關外王」之東三省巡閱使張作霖應召入關，內務總長趙秉鈞設宴招待，並演「托吼」以助興。老張對牠發生了興趣。便託趙代為羅致一班「耍托吼的」，就便攜往奉天，居然博得社會盛大的歡迎。由此關外各省，也就有了「托吼」的存在。

有人從美國芝加哥來，據說那裏也有一種「傀儡戲」，並有一個專用的戲臺，建築在最有名的「瑞典大酒店」附近，設備相當的美，上演的方式，和中國也差不多。不過中國的「傀儡」，一貫的由人控制，音樂歌唱，也都由人在幕內替代；芝加哥就不同了，他們那裏的劇人樂隊，完全是用「傀儡」；控制「傀儡」的，是機器而不是人。不過控制電機却非人不可。而充舞臺總監，佈景，服裝，燈光管理的人員，也不例外。他們「傀儡」的形狀，概以歐美劇人為標準；歌舞音樂，也都是歐美的。至樂歌之代表者則是收音機唱片，不需要直接用人。此即中西「傀儡戲」不同之點，也是人們應該知道的。

有人說：『芝加哥之「傀儡戲」，是中國傳過去的。』又有人說：「傀儡戲」是美國人所發明，中國人摹做他們的。

我想這件事既無證明文件，大可置之不論。究竟雞生蛋，或蛋生雞，尚有待於專家之考證，又何必多費唇舌？

但有一點要知道，美國是個新興的國家。它從開國到現在還不到二百年。而吾中國之有「傀儡戲」，則遠在三千年前。那麼關於「傀儡」之發明，誰先誰後，已無辯論之餘地！不過有些前進的先生，一定說：「月亮也是外國的好。」那我就沒有話說了。

現在我要附帶說明一點：根據山東社會的故老傳言，某一時期，有位玩「傀儡戲」的陳三，是個最擅雕刻的巧匠；他所製造的木偶，直與生人無異。又因居近山林，易於獲致雕刻之木材，便於空閒期間，不斷的從事於此，日積月累，愈刻愈多，他所住的幾間草屋，竟形成了木偶的世界。

他固樂此不疲，他的太座却已感到相當的煩厭，不由的提出一種抗議說：「木人兒祇要夠用就行了；你這樣拚命的刻，不是糟蹋材料嗎…………」「這不會的！」他太座還未說完，他就解釋的說：「木人兒越多越好，咱們可以挑好的拿牠掙錢。」「那麼用不了的當柴火燒，怎麼會糟蹋呢？」

（四）

漢文，漢字，漢學

陳曼卿

前些時，香港自由報刊了我一篇以「中國文字語言的優點與缺點——國人語音如何趨於一致」為題的文字。後來，有人說：我「錯了！」並想質問我：「究竟先有語言？還是先有文字？」我想：那大概是沒有看清楚題目的緣故。如果我在題目上寫明得有「文字的起源」或有關「文字語言的淵源」。我把「文字」這樣倒置在「語言」上面，可就會錯。我既沒有在題目上標明「文字的起源」或有關「文字語言的淵源」，更沒有提到「文字語言的孰先孰後」？而是「文字語言的優點與缺點……」我那樣處置，自不會錯。同時，我又只從嬴秦統一中國「文字」開始，我認為更沒有錯。

因此，使我想到海外有些地方有一部份華僑，他們將自己這種固有的方塊漢字，直呼之為「唐文」。那就如同只知道「唐山」的人，也把中國文字叫作「唐文」一樣。認為是自無不合，甚至還認為「名正言順」的事呢！

從前，似乎有這樣一個住在香港寫文章的人問過我，他說：「唐朝開國疆域廣大，玄奘法師又去過西天（印度），我們這種僅為漢族人使用的文字，為什麼不稱唐，定要叫做漢文？這不是多末狹窄麼？」他又那裏知道，中國文字之不叫「唐文」，而稱「漢文」，才是百分之百的「名符其實」的呢！

漢文怎樣開始

早期相傳：刑宜作硯，仲由作墨。後來又有秦將蒙恬造筆，約當公元前二二一五，東漢蔡倫造紙在公元一世紀末。尤以後兩種書寫工具，可能在他們之前，就已經產生的了；只不過經由他們提出奏議之後經過大量製造，普遍才獲得使用。蓋自春秋戰國乃至於秦漢，因文（字）應用日繁，於是紙筆二物，乃應時代之需用而產生。近約兩千年來，歷朝歷代雖有改進，可是直到晚近，都還保持着原有的胚胎和雛形，並沒有怎樣變更。至於「文」的書寫體式，也還同樣保持着東漢以「隸」體的省變「八分之法」，（存隸體八分）的「正楷」書，也就是我們現在見到的小學裏面填紅模（兒）一樣的字體。

「文」究竟起於何時？「文」的初興，是不是就代表語言」？在古代秦漢之間的傳說是「蒼頡」，如要再往上推，那就祇有伏羲了。

相傳最早的文

「伏羲畫卦，畫之始也。」畫，是不是就是「文」的開端？我們察看：

易繫辭傳下：「物相雜，故曰文。」

考工記：也有「青與赤謂之文」。又

禮樂記：五色成「文」而不亂。

近一千九百年來，被一班訓詁家，（研究「文字」、「小學」的人，奉為律令的：許慎說文：「依類象形謂之文」。

說文文部：又載「文，錯畫也。」

信「文」是從畫而開始的。（一）

斬華雄與草船借箭

匡謬

三國演義第五回有關公溫酒斬華雄事，實乃羅貫中增益者。按斬華雄事出自孫堅傳，時為曹操發起義兵以討董卓、華雄為董卓之都督，吳志孫堅傳云：「卓遣步騎數萬人逆（迎也）堅，輕騎數十先到。堅方行酒談笑。勑部曲整行伍。」又云：「堅復收兵，合戰於陽人，大破卓軍，梟其都督華雄。」演義乃合以上「方行酒」與「梟其都督華雄」二事增益而成為「關公溫酒斬華雄」者。

孔明的「草船借箭」、更為中國民間所樂道的事，把孔明渲染成為詭計多端的神仙道士，這也是羅貫中的手法，把一切好的增益諸葛亮。其實最出色的「借東風」和「草船借箭」皆非孔明先生的史實。按「草船借箭」出自孫權傳中注引「魏略」所記，但係建安十八年，操攻濡須，權與操相拒月餘。「魏略」曰：「權乘大船來觀軍，公使弓弩亂發，箭着其船，船重將覆，權因回船，復以一面受箭，箭均，船平乃還。」此即三國演義之所本也。諸多竹頭木屑皆為小說家之材料，為了刻繪某人，史實搬家不計也。然世人皆信三國演義為眞實者。草船借箭，當是孫仲謀的傑作，羅貫中張冠李戴，一般人不知耳。

內政部台報字第〇三壹號內銷證

自由報

THE FREE NEWS

第二一五一期

中華民國僑務委員會頒發 台教新字第三二三號登記證 中華郵政台字第一二八號執照 登記為第一類新聞紙類
（逢星期三、六出版）（每星期刊行二次）
每份港幣壹角 台灣每份新台幣壹元

社長：雷嘯岑
督印人：黃行豐

社址：香港銅鑼灣高士威道二十號四樓
20. CAUSEWAY RD 3RD FL. HONG KONG
TEL. 771726 電報掛號：7191
承印者：田風印刷廠
地址：香港灣仔道二一二號

台灣分社
台北市西寧南路金查號二樓
電話：三○四二 台北郵政信箱第二二六號

替美國的援外政策可惜

雷嘯岑

無可否認的事實，美國於二次大戰後，為着應援自由世界各國復興，以及抗拒外來共產主義者的侵略威脅起見，十餘年來陸續付出的軍經援助費用，除卻對西歐各國實行「馬歇爾計劃」所耗去之龐大的財力物力不計外，專是對亞洲地區的軍經援助，亦已超過七百億美元，而人力的犧牲亦很可觀，只在韓戰中即傷亡了十幾萬人！

美國這種高瞻遠矚、立己立人的援外政策，原則上是絕對正確的，且可說是發於救世精神的義舉，應該博得受援國家深厚的好感，邦交親睦，久要不忘的。可是，現實情況令人十分迷惘，也很遺憾，一般接受美援的地區，都對美國不無反感，而越是受援最多的國家，反美情緒亦越見高漲，如菲律賓越南的表現，即其明證。這原因何在，實係值得檢討的大問題，我們管見所及，不妨談談。

美援應不應該有條件？

俄共集團常常攻擊美國的援外政策附有政治條件，這決非美援的毛病，毋寧說是應有之義，美援的最大目的，是要支援自由人類改善經濟生活，抗拒外來侵略，建設獨立自由的民主國家。這種條件是正大光明的，美國並不諱言，受援者不特很歡迎，而且由衷的表示。若說因此即發生反美情緒，壓根兒就不會接受美援了。

隨着美援而派遣各種顧問人員到受援國家工作，一面指導協助友邦運用美援的技術，同時監督美援預期的功效，以求產生預期的功效，這亦是無可非議的辦法，許多新式機器和軍備，如其沒有美方顧問人員來指導，就不能運用自如，而監督美援用途，亦為雙方協定事項，義所應爾。至於受援國家使用美援向外面購買物資，應以美國為對象，更不會發生甚末反感，本國缺乏的東西，反正是要從外國輸入的，當然應以美貨為主的，這並非不可告人之事，亦與本國的利害無關。蘇俄對於東歐和亞洲各個共產政權的軍經援助方法，還不是這一套嗎？俄帝曾以武力干涉受援國家，殘殺其人民，然美國尚無這種行為，所以，俄共攻擊美援所附有政治條件之說，在接受美援的自由國家，是不會介懷的。

談到干涉內政問題，若不像俄共對匈牙利那樣帝國主義行為，用暴力來摧殘受援國家的內政措施，而是基於友好的忠告建議，作為受援國家當局的一種參考，亦復無傷大雅。十五年前，美國特使馬歇爾在中國硬教我們跟共黨組織聯合政府，我們雖不採納，亦未表示反美情緒，只覺得美國朋友並不瞭解共產黨的本質而已。

發生反美情緒的因素

常使受援國家滋生反感的，決非美援本身的作用，也不是運用美援的技術關係。基本原因不外左列數端：

一曰純粹自私觀念　美國當局處理自由世界問題的格言，就是「必須符合美國利益」，這話似乎沒有甚末大錯——俄帝卻決不說這類話——只看作法如何，世人固不能期望美國完全不顧自身利益，而專為他人作嫁，問題在究竟是怎樣的？根據許多事實來觀察，所謂美國利益也者，但求保持美國本土的安全繁榮，且使美國商品在國際間到處暢流——不分共產世界與自由世界——如是而已。因此之故，美國對於俄共集團的局部擴張侵略行為，皆以「避免全面大戰」的口實，認為共作很的所忍受；對於為共作張的所謂中立國家，更不惜親密結交，予以援助——因為美援所到之處，美製商品自然跟進，而國內的財富即日益增加。所以，美國對於接受美援的國家遇到共黨侵襲時，總是主張避重就輕，和談至上，而以承認既成事實為原則，受援國若不同意，即以停止美援相脅迫，聲言美國決不援助不聽話的國家（美政府人員哈里曼的名言）。如此這般的作風，所謂自由運動，乃成了毫無意義的自欺欺人之談，只是要一切接受美援的國家，作為美國利益的殉葬品，美援不啻是麻醉自由人類的鴉片烟或海洛英，如南韓、寮國、越南，乃至中華民國，都是在符合美國利益之下的犧牲者。這結果即與援助友邦爭取獨立自由、抵抗共黨侵略的美援宗旨，大相逕庭了！

二曰天真思想與衝動行為　民主生活是現代人類一致追求的目標，亦為時代進化的一大潮流，稍有知識的政治人物，皆不敢否定。但實行民主政治不是一蹴可以幾及的，由於各個地區的文化、經濟情形，以及民族傳統習慣之互異，進展自有參差，而民主方式亦有多種，未可執一以相繩的。所以，美國對於受援國家，總是以自己的尺度，衡量別人，要求立刻實行美式民主生活，且將別國的共產黨與美國人等量齊觀，亦希望他們享有合法地位，從事政治活動，以為這樣就可團結全民，不怕共黨滲透、顛覆了！受援國家當局如果不贊同美方的意見，就認為是專制獨裁，不[illegible]援助，就策動友邦內部發生政變，[illegible]美國又不喜歡受援國家的內部太安定，希望政治上隨時發生擾攘吵鬧情形，覺得這樣[illegible]美國有兩大黨互爭政權，美國有黑白人種的衝突，[illegible]還要製造一些人種糾紛，如紐約時報[illegible]時宜，傳「台灣人」要求自治之說，無中生有，唯恐別國不動亂。美政府現在指摘越南武裝部隊政變為不民主的行為，而以停止援助脅迫他們就範，然當年美國曾經策動越南軍人推翻吳廷琰政府，而代表官方意旨的紐約時報，更公然提倡對吳廷琰政府實行軍事政變，這又如何解釋呢？美國對於一般受援國家的歷史文化，社會結構與民族性等等，不求瞭解，不屑研究，而以美援為示恩市惠的不二法門，以美式民主生活為喜怒愛憎的唯一標準，遇事天真衝動，剛愎自用，從不接受別人的意見，大事如此，小事亦然。

三曰濃厚的優越感　美國既以財力物力援助友邦反抗共產極權侵略主義，又隨時害怕別人把美國牽入反共鬥爭的漩渦。於是乎，在北大西洋公約體系中，要獨佔核子武力優勢，要享有使用核武器的特權，因而激起法國莫大的反感，事事跟美國不合作。至於美國對亞洲方面的受援國家，更表現着「君臨」氣燄，不可嚮邇。美國軍人無論在友邦犯下甚末私罪，如強姦殺人之類的行為，當地政府亦不能依法究處。前年我政府在台灣舉辦「國防捐」，美國亦從中干涉，詰問我們為甚末要徵收「國防捐」？生怕我政府就要「實反攻大陸」，違背了美國利益。南韓軍隊駐在卅八綫的前哨，不能自由使用汽油，為的是

（下轉第二版）

看到了什麼

看誰上當

今日與明日

毛共人的代會
人代的升沉

毛共第三屆人代會足足又拖了五年，始在不能不開之下出場。這次代表人數竟達三千○三十七人，任何國家的議會也沒有過這麼多的人數，事實上人數超過三千的時候，就不必說開會，即使在會場演說也很難照應到全場，毛共此種作法，充份說明這個偽政權無一件事不在胡鬧，那有一點「國家」的形態。

不過，也不要太輕看這種只用手不用嘴的人代，可也不太容易，大陸一些著名政客，過去專為毛共搖旗吶喊的章伯鈞、羅隆基之流雖然摘掉了右派帽子，卻仍然無法當上人代；又如民國三十六年自稱上海各界代表，在南京下關被難的馬叙倫，當年為了阻止政府進剿蘇北毛共流過血，此次也被踢出人代會；至於彭德懷、譚政之流也同告落選。當人代未必有好處，但是不作人代就有害處，是可以斷言的。不過，從另一方面看，當人代很容易。例如一羣共酋的老婆毛澤東的藍蘋（現名江青），劉少奇的王光美，陳毅的張茜，彭眞的張潔清，陶鑄的曾志，對毛共打天下實在未出過絲毫的力，可是這次也都當了人代。反之上屆就當人代的彭德懷老婆浦安修，張聞天的老婆劉英也妻隨夫賤，這次都落選了。紅朝的升官圖和毛澤東的詩詞一樣，想到哪裏就寫到哪裏，不論平仄不論韻的。

鬥爭的暗潮

從毛共人代會開鑼到收場，可以看出其內部鬥爭相當劇烈。上屆代表未連任的達一百七十五人，毛共中委及候補中委落選者即達十一人，其中有些是隨着彭德懷，黃克誠這個集團反毛出了毛病而被整肅的，如張聞天、習仲勛；有的在軍中出了問題如譚政；有的是執行毛澤東政策過於徹底，最後作了替死鬼，如曾希聖、吳芝圃；還有的是與蘇俄關係較密，被指為修正主義者如楊獻珍、錢俊瑞。另有一些查不出眞實原因但情況一定較上述諸人更為嚴重的如毛共黨內特工領袖之一的何長工，偽公安部副部長李天煥、與毛澤東新民學會時的老夥伴蕭三、袁任遠（曾任偽青海省長），以及惡名昭彰、國人皆曰可殺的李維漢，這次雖未落選也到了危險的邊緣，選區由湖南被換到新疆。他一手攪的政協會也未能站穩他腳步，二十二名副主席都沒有他一份，其行情之低可見。總結以上情況來看，毛酋確實到了衆叛親離之境，所以大聲疾呼培養革命接班人，恐怕自己作了史大林之續，生前不得善終，死後即受鞭屍。

自由談

可使貧賤

「凡人當可使貧賤也」，這是我國漢代名將馬援的一句名言。他這句話，乃對於一般生活在富貴場中之人而發的，非所語於素貧賤行乎貧賤的社會大衆也。

「貧居鬧市無人問，富在深山有遠親」，人情趨炎附勢，大抵皆然。若夫政治人物，他們那種捧紅踏黑，更是昨是今非的勢利相，所在多有，毫不稀奇，假使你看不穿，放不下的話，一定深感刺激，寢饋難安。於是乎，為目的不擇手段，千方百計以期弋取富貴功名，[illegible]之也，雖[illegible]驢鳴之聲以獻媚於權貴者，亦所弗惜；其既得之也，勾心鬥角，爭寵固位，雖賣友忘親，昧廉寡恥，皆優為之。所謂「人格」「道義」這些做人的基本條件，祇好置之不顧了。

自古迄今的政治生活，本質上與優孟衣冠相等，是在演戲，小花臉穿帶袍笏在前台，儼然卿相之流，走到後台時，還是一個小丑，有甚末可羨慕的呢？政治名位原係一種生活過程中的符號，有牠不足為榮，沒有亦不足為羞。富貴人物的肋骨，並不比貧賤人士多幾根，而其骨格的質量且視凡民為輕，此孟子之所以見大人則藐之也。只要看穿了仕宦之中的西洋鏡，徹悟了人生如寄的大道理，則昨日鐘鳴鼎食，紓青紱紫，明日粗茶淡飯，布衣芒鞋，就生命的意義而言，究有甚末區別呢？凡屬藉富貴而驕人，因貧賤而諂人者，都是些傖俗的市井鄙夫，未聞大道，在通人的心目中，但覺得好笑而已。智識份子如果容心於世俗的勢利相，那便是讀書未通，妄自菲薄的淺見之士，殊堪憫惜。陶淵明不屑為五斗米的縣令小吏，而向權貴折腰，退而安貧樂道，夷然自得，這才是「可使貧賤也」的典型人物，宜乎垂範後世，令聞孔彰，馬援之言，是值得服膺的。

社會上許多熱中於富貴功名的人，不甘寂寞，[illegible]然自苦，毛病就在不脫俗[illegible]，卻覺得富貴的表面虛榮可[illegible]，不憬悟富貴內容之骯髒可鄙，更未想到因富貴而招致的惡果之可怕也。

馬五先生

我國著名物理學家 楊振寧來去香港

毛共及時把他父母弟妹等押港統戰 結果無成仍由共幹「護送」返大陸

（本報訊）中國物理學者楊振寧於上月十八日來到香港小住，於本月三日離港赴日本參加國際物理學會了。楊氏留港期間，由於毛共將楊氏的父母弟妹等護送來港與楊晤聚之故，社會上謠言很多，因而使當地治安當局和美國駐港人員大爲緊張，前者是耽心楊博士的安全問題，後者害怕楊博士被其父母勸回大陸去，那還得了！

據說，楊振寧在美動身之前，曾向美方表示將在香港與其久別的父母見面，當時美國務院不同意，旋經楊氏舊時在學校受業的美籍教授出面向國務院說話，認爲中國人孝順父母的倫理生活，西方人士應該提倡獎勵，不宜阻碍，這纔許可了。楊的父親是北平清華大學物理教授，弟妹均係知識青年，共黨把他們一起護送到香港來，目的當然是希望他們力勸楊振寧回大陸去，但結果失望，只好全家仍由共幹護送遄返北平，而楊博士亦於父母黯然道別後，匆匆飛去日本，不欲候晤香港中文大學校長李卓敏了。聞楊父會對楊博士說：「你要在外國多求知識學問亦好，但不要忘記自己是中國人。」這意思是教兒子莫學其同道的學者李正道改入美國籍的作風，可謂語重心長。楊振寧亦不辜負父親的期望，他在香港中文大學參觀時，一位不會說國語的華籍教授用英語跟楊氏談話，而楊氏始終以國話答之，決不說洋話，弄得對方很難爲情。他在公開講演現代的物理學說時，首先對聽衆聲明：本來應該用國語講演的，只因許多物理學上的名詞沒有妥當的譯名，祇好用英語發言，希望大家原諒。他這種風度，很博得各界人士的贊許，覺得眞有學問的學者，與一般買辦人才的留洋學生究竟不同—他有純潔的愛國心，決不數典忘祖！

楊博士的夫人是國軍名將杜聿明的女兒，當年他們在美國結婚時，杜太太由台灣趕去美國爲女兒主持婚禮，中共潛伏在美的特工即乘機誘惑說她丈夫杜將軍很希望她回大陸去見見，旋由共特把杜太太先護送到瑞士，表面上說是赴歐洲旅行，朦蔽着美方的耳目，到達瑞士後即以綁票方法，將杜太太架到北平去了。楊振寧對於此事自甚詳悉，所以他在香港小住時，情願受着當地治安機關的嚴密保護，與外界一般人士斷絕往來，即新聞記者亦不見面，以免惹起無謂的煩擾，計亦良得。可是，毛共對楊博士一定不放鬆，楊在日本開會期間，毛共的特工人員必更活動，千方百計要想把楊氏架回大陸去，實爲意料中事。楊氏係物理學家，對製造原子彈工作沒有多大關係，跟錢學森、錢三強等人的情形不同，毛共想玩弄他回到大陸的目的，完全是政治作用。自從錢學森事件發生後，中國留美學生已不能學習原子能這門科學，縱然志願申請學習，亦不獲允許了。至於楊博士經香港赴日本開會的行期，毛共何以事前即已知道，而將楊氏的父母等於楊博士到達香港的次日就護送前來呢？這大概是楊博士曾有家書給他父母，或者他太太有信告訴了杜聿明夫婦。毛共這次在宣傳戰中雖然吃了敗仗，但其「不惜工本」的宣傳方法，頗得人驚也。

基隆八中里「地變」問題 爭執了半年尚未解決

邱家文

基隆市郊區八中里之房屋及地面，自五十三年七月初發生龜裂，經由基隆市府報請省府有關單位來基勘查後，因雙方的見解都有相當根據，引起各界對於八中發生地變將近半年而還未得到合理的解決，致使二千餘居民，殆成爲無家可歸的災民，極堪重視。基隆市黨部蔣主委除親往災區慰問外，並於日前前往台北與鐵路局洽談，商借八堵車站的倉庫，以收容八中里的災民。

建設廳勘查的結果

台灣省建設廳於接獲報告後，曾於八月初派員來基實地勘查地變的情形，說是與附近中台礦業公司舊有煤礦坑道有關，認爲八中里的地面發生裂痕，雖有其他的因素所影響，如地磐不穩，地質脆弱，地下水之移動，和公路鐵路之震動等。建廳係根據中台礦業公司所送的實測圖，八堵坑已收坑之斜坑爲左十三半片，左十五片，左十六片，左十七片等四個煤巷最接近龜裂地區，再搜集各方面之原始資料，其左十七片的煤巷有延伸之情事，餘三煤巷更接近於地變地區，以至達到地變區域邊的直下；復據日據時代基隆三坑採煤跡，已到鐵路直下的附近。依其圖面看來，該龜裂地區三面原已爲採煤跡包圍所成的不安定之狀態，加以另一面再由八堵坑上列的四煤巷開採，以致地層壓力失去平衡，且該處之地基亦不穩固的斜面填土或碟層，使地裂發生沉下移動現象，亦爲使房屋發生龜裂的主要原因。

建設廳於十一月十二日函覆基隆市府，謂第一次來基勘查的結果，似與中台礦業公司採煤無關，然該礦另有石黎坑煤鑛分佈線與八中里地變並行，須作第二次的勘查，於是建設廳於十一月十六日來基二次勘查，到十二月三日作第三次複查時，在基隆市黨部的座談會中，亦表示中台鑛業公司現所開採各坑道，與地裂無關。當建廳在初步勘查的結果發表後，八中里的居民亦會於十一月廿八日基隆市有關首長前往訪問時，對建廳的勘查表示不滿，認爲模稜兩可，不負責任。

台灣省建設廳對基市八中里地變所勘查的採煤坑道關係連絡圖，已在十二月中旬送交中台鑛業公司。惟八中里長代與所指「六年前在石黎坑第九片處開鑿了一條斜坑，已至第七片，適在八中里的下面」，可是，這條業已收坑的舊坑道，距離八中里約有二千公尺，因此，中台鑛業公司認爲建設廳命令該公司對八中里的地變，房屋的龜裂應負大部份的責任，給予補償，表示不服。

中台公司抗辯的理由

中台鑛業公司自十二月中旬接到建設廳的報告後，該公司爲使各方明瞭以往與現在各坑之開採的形勢，曾於十二月十九日邀請基隆市有關單位前往所屬鑛場參觀，並由該公司顏董事長，根據各種新舊坑道圖樣，詳加剖析八中里地變之可能的原因。顏氏根據文獻所載說，八中里位於基隆河中游河邊，僅距數十公尺之地帶。（上）

一根毛偵破謝夏命案 似乎還存在不少問題

本報駐台記者　劍聲

檢察官被認爲非法 是否違背證據法？

酒女黃瓊雲在偵察庭和刑庭供證如次：

李檢察官問：「你用手摸他（劉堂坤）生殖器？他的生殖器有無包皮？」酒女答：「沒有摸」。問：「在玩以前，有沒有摸你？」該酒女久久未答，（偵卷一三七頁）。問：「你認爲有損害你的名譽，可以拒絕作證的」。答：「我不願意作證，以前說的話不算取銷」。

嘉義地院刑庭審判長問：「今年六月十八日晚間，你有去世界旅社」？久松酒家酒女黃瓊雲答：「是有去，是陪酒」。問：「何人叫你去的」？答：「久松酒家老板陳克定」。問：「有多少時間？」答：「一點多時」。問：「去的時候有一多時候回」。答：「十二時多」。問：「你有與劉堂坤發生關係」？答：「是」。問：「在檢察處有不說」？答：「有」。問：「爲什麼？」答：「檢察官叫我不要作證人」。問：「在何處說的」？答：「在偵察室」。問：「這字是你寫的」？答「是的。是問話的人（指檢察官李兆欣）叫我寫的」。問：「你可以不寫嗎」？答「不寫不叫我回家」。

按刑事訴訟法第一六七條規定：酒家女黃瓊雲與被告劉堂坤非五服內之親屬或姻親，或該案之被告、原告，當然不得拒絕證言。於是被告辯護人張廷柱抨擊說：「既然曉諭拒絕證言，應有法定拒絕的原因，被告知拒絕作證，即非合法」。被告辯護人戴桂生律師說：「我希望檢察官把被告有關強姦殺人部份的起訴撤回，這樣可使司法聲譽得以保全」。本檢察官李兆欣回說：「本檢察官以事論事，如被告（劉堂坤）有提出謝夏自殺死亡有力證據，當然可以在辯論終結前撤回起訴」。

證三：有利於被告劉堂坤的證據，計有：①謝夏之父謝雪茸認定其女係服毒而死。②被告李發之父母借嘉縣議員蔡萬傳至謝夏家中與謝雪茸談和解，爲什麼？③謝夏之兄謝瑞騰供稱其妹在通尿時看到有小粒的東西（即安眠藥）流出來。④謝夏未死前兩月，對她哥哥謝瑞騰說，李發在講話時動手動脚。⑤李發承認並對謝瑞騰說摸過謝夏，挖過陰戶。⑥十四歲的潘啓清供證：七月十八日晚上，謝夏和一個頗似李發的人在一起。⑦法醫李六曾證明謝夏係服毒而死。⑧李發供證：謝夏於七月十八日確會服所謂醫鼻炎的白色藥（？）。⑨久松酒家老板陳克定、太田、吳子供證：七月十八日晚上十二時，劉堂坤確在世界旅社與酒女飲酒休息。⑩刑警大隊檢定書證明謝夏的內褲沼子沒有精液和精虫。⑪在謝夏五十一根毛中，沒有一根是屬於被告劉堂坤或李發的。⑫謝夏屍體中之胃、腎、臟因逾二十天解剖，未驗出毒物。⑬謝夏之血塊中也無任何人的精液和精虫。⑭起訴書中之[illegible]毒，劉堂坤有注射藥物而圖強姦的可能，但用什麼針？以及屍體中有無注射之針孔？證據何在？前述證據完全未將交代清楚。現在，嘉義地檢處起訴中認定：李發之翻供，請問：這些有利證據又作何解釋？爲什麼不將提供僞證罪起訴呢？在僞證，無法不使人懷疑。（下）

台灣汽車工業的病態

立委提質詢・主檢討政策

（本報記者張健生台北航訊）台灣有一家裕隆汽車公司，創設於四十二年，開始生產於四十五年。該公司創設之初，預定十年內達到自製汽車的目的。該公司於四十七年與日本日產公司技術合作，預定五年後，即五十二年就可以製造整部汽車。但迄今已六年多了，該公司事實上仍不能完全自製汽車。

因此，立法委員師連舫乃向行政院質詢，指責行政院措施不當，主張開放汽車製造工廠，打破祇由一家公司壟斷市場，獨家經營的現象。並反對行政院的保護政策。由於獨家經營而沒有競爭，致裕隆公司不努力向上，任意提高汽車售價。例如，該公司與日產公司合作生產之青鳥牌小轎車，每部高達三千元美金；而同型汽車，日本在國內市場僅售美金一千五百九，若與日本出口底價比較，在三倍以上。日本同型汽車出口售價只有美金八百元左右，且品質較裕隆公司出品尤優良。該公司爲獨佔市場，雖未被日貨打倒，但由於售價高昂，使銷路不暢，進而影響汽車工業的發展。

師委員認爲：所謂「限期自製」，「僅以之爲杜絕新工廠增設之工具」。「爲今之計，我們要發展汽車工業，必須重新檢討我們的政策」。他主張開放新汽車工業。依現行法令，並對於汽車工業，並無設廠限制。裕隆亦非依法取得專利，本無所謂開放問題。但據聞在過去，曾數度有人擬提出汽車工廠設立之申請，均爲主管方面所多方阻攔，以致有志投資者，均知難而退。

次則取銷分年自製進度的硬性限制。無論對於舊有的汽車工業，抑或新增的汽車工業，一律不再用分年自製進度之限制，但規定全部自製之期；即在全部自製期限前，輸入配件部份可以伸縮，以避免不經濟的支出，藉以減低製造成本，以利大量推銷，再藉推銷所得利潤，擴大生產設備及規模，從而達到完全自製之目的。如此作法，實爲政策上一大轉變，表面上好似放鬆限期，實際上卻能因比例限制，此達到早日完全自製之目的。

據說，裕隆汽車公司有官僚資本，由於政要的支持，該公司在獎勵的名義下而再度延長免稅保護的期間。不久前，某報批評裕隆爲汽車加工廠而已。

工展插花比賽

△工展康樂部舉辦的插塑膠花比賽，已開始在陳列中心佈置，負責插花者爲傅式如及麥由夫人兩位專家担任，本年參加插塑膠花之廠號比去屆多百分之二十，尤以花團錦簇式佔多，使陳列中心成爲一座新花園。加以星光實業公司報効之水晶花盤，彩色奪目，僑星塑膠廠報効之塑膠花種類繁多，互相輝映下，構成多釆多姿的美景。

替美國的援外政策可惜

（上接第一版）

害怕韓軍對共軍觸發戰事，不符合美國利益。甚至於國際情報如果不是美國中央情報機構供給的，而係來自友邦的報告，亦就認爲不可靠，且懷疑別人有意欺騙。美國派遣到友邦去工作的特使或大使，言行有如宗主國派駐殖民地的「總督」，而以過去在中國的馬歇爾特使爲最典型者。

基於上述情況，美援固然拯救了若干自由國家的危難，同時亦激起了受援地區人民普遍的反美情緒，得失之間，頗難言也。美國輿論界常有「以金錢購買友誼」之說，作爲批判援外政策的結論，白宮當局如果不糾正上述幾點錯誤的觀念與作風，結果恐怕連友誼亦購買不到，那就實在太可惜了！

論道德教育

張義舉

近來教育方面，有兩則新聞，頗値得重視。一爲各大專學校訓導聯席會議議決請教育部在大專學校增設道德課程，一爲監察委員王冠吾等提請政府規定大中學校學生普遍講授四書，以提高社會道德。這兩起建議，其結果如何，尚不可知；但我們認爲能有人關心此一問題，便是教育的好現象；如能見諸實施，則教育前途必可燦爛光輝，大放異彩，實在令人興奮。因不揣謭陋，畧抒淺見，希望能引起當道之注意，社會之共鳴。

（一）

教育之目的，在造成完整的人格，所以中外教育家莫不主張德、智、體、羣四育並重。孔子曰：「弟子入則孝，出則悌，謹而信，汎愛衆，而親仁；行有餘力，則以學文。」於此可見我國教育自古就注重道德的陶冶與實踐；智育、體育，乃屬次要。環顧今日之教育，可以說大大地變了質。各學校只知競爭升學，應付考試，拼命灌輸死知識，對於德育已無暇顧及；加以惡性補習，考試舞弊，更將學生的人格及體力敗壞無餘。如此偏而不全的教育，不但收不到預期的效果，且使純潔天眞的性靈蒙上了投機取巧的惡影，健康活潑的身體，變成了衰弱愚蠢的病夫；縱然升入大學，或是考試及格，至多也不過取得資格，作爲個人進身之階，對於國家民族究有甚末利益呢？難怪有心人要大聲疾呼，要求實施道德教育，作補偏救弊之謀了。

（二）

談到道德教育，首先要從根本着想，也就是要從小學着手實施。因爲兒童是「可塑性」的，染蒼則蒼，染黃則黃，在入學之初，如能受到道德的陶冶，他的天性人格必可保持勿失。所以在初等教育階段中，應特別注意環境之優美，養成其良好的生活行爲；等到彫塑成型，習慣成自然，將來置身社會，就不會被惡劣的環境所染化。西洋教育家認爲「生活即教育」，主張生活與教育打成一片，融爲一體，是十分正確的。上文所引孔子所說的「入孝、出悌、謹信、愛衆」，其道理完全與此相同。基於以上的觀點，實施道德教育，既不可只限於大專學校，也不可僅及於中等學校；必須全面展開，上下貫徹。更須著重於小學教育，使民族幼苗發育滋長，庶乎可以培養健康之國脈民命。

（三）

其次，道德貴乎實踐，絕不可專唱高調，徒託空言。試看今日之大中小學，不皆以「禮義廉恥」四維爲校訓嗎？所有機關，八德標語不也觸目皆是嗎？但是學校師生也罷，公教人員也罷，能實踐四維八德的究有幾人？能懂得什麼是四維八德的又有幾人？因爲這些德目都是中央規定的，大家不過敷衍公事，更藉以裝點門面而已，何嘗有「愼思之，明辨之，篤行之」的呢？如今一般學校風氣之敗壞，社會道德之墮落，有目共覩，有耳共聞，不待我們多所陳述，更不忍加以渲染，現在祇就實踐教育畧抒所見，希望主持教育者能注意及之。

（一）凡事「行之匪艱知之維艱」，要想行得徹底，行得完善，必先求了解。究竟什麼是道德？道德在人生有什麼重要性？應該怎樣實踐？必須詳爲解說，使學生透澈了解，絕不可徒具形式，欺人自欺。

（二）教導學生實踐道德，必須耳提面命，諄諄訓誨；且事無大小，行無鉅細，在在都以道德作準繩，從而衡量其得失是非，纔不至於敷衍了事，或坐言而不起行。

（三）教導學生，必須有「自强不息日新又新」的精神，持之以恆，貫徹始終；假如或作或輟，一曝十寒，終於收不到美滿的效果。

（上）

記李建興藏錢

設龍選記

今年八月中旬起，台北市銀行舉辦頗具規模的展覽會，內容非常豐富，除了各種詳細的圖解，並有古錢與鈔券，深得好評。古錢部門由煤礦業名人李建興所提供，計有二十四框，自三代以迄民國，共計四四一件。雖爲數不及李東園君之既精且夥，也可說是具體而微。可備一格，該項古錢攝成照片，已由遠東畫報昌增勳君予以揭布，可說琳琅滿目。至於各種幣照，經由李東園君分別爲其註解，介紹於世人，方知各錢的來歷，按圖索驥，得以瞭解。茲將所註各錢，用以錄存，藉增雋永之趣味。

（一）上古時期原始之銅貝一，蟻鼻錢十二。按上古之世，貨貝而寶龜，周始有泉，至秦廢貝行錢。因先民的貨物交易，用海貝作媒介，後因海貝難得，改用陶土，獸骨，蚌殼來仿造，又有陶貝，骨貝的出土。茲項銅貝乃三代晚期所用。是以表面鑄有文字的，叫作蟻鼻錢，俗名鬼臉錢。

（二）商周時代的空首布四，一爲尖足空首大布，另有三品爲平肩空首布。文字較清楚的爲濟金貨，濟陰所鑄的錢。一爲文貨，或作漁貨，漁陽所鑄。空首布的行用期間，約在西歷紀元前六百年。

（三）春秋列國時代之實首方足布八。能其字文有倒正，全係安邑二金貨。安邑即是安陽。按銅器由商代開始，到周代更爲盛行。空首布字文奇古，與殷墟的甲骨文類似，斷爲商代物。此種實首方足布文字雖古，猶能辨認，顯是由空首布演變而來。

（四）春秋戰國時期之尖足布廿一。各布面上文字，有的紀地，有的紀値。此外尚有平肩方足小布，圓肩圓足布，是布幣的罕見品，未見展出。而元足三竅布，更是大珍品。

（五）春秋戰國時代明邑小刀幣九柄。按明刀又稱莒刀。秦昭襄廿五年，拔趙二城，與韓王會新城，與魏王會新明邑。新明邑就是趙邑。今出土多在直隸省易州河間等地，其爲趙邑所鑄無疑。

（六）罄幣五，鏟幣一，藕心錢五。古代泉譜，指此種錢幣，實際是古代的飾物，鐵馬懸罄，穿以綵綢，吊懸以觀風向之用。至於藕心錢，是古代用的信符兵符，樣式如同鎖匙，陰陽啣合，一陰一陽，甲乙各持一節，如能啣合，便符契約。

（七）春秋戰國末期之寶六貨六，周一貨錢三，趙明月錢六，及秦半兩錢四。按寶六貨，有說鑄於紀元前三七五年頃。寶六貨之外，尚有寶四貨及寶貨兩品，爲子母相權的圜金一類。一貨錢，顯是趙明邑莒刀所遺留的刀環，故錢面上銘有「一刀」二字，刀字古與化字相通，化即貨字之義。

（上）

漢文，漢字，漢學

陳曼卿

這很明顯，許重叔也根據「易繫辭傳下」來解釋「文」的。蓋伏羲畫八卦，我們在沒有得到「實物」證明前，也只能認爲那是一種「傳說」。而也僅只「一」長畫和「--」短畫；揆諸先民茹毛吮血，這種長畫和短畫，只不過拿來代表人同獸爭的某種「符號」。姑且就當它是「指事」吧！倒還恰如其份的講得通。

但這種長畫和短畫，起初之時，僅限於在沙或土的地面上使用，是橫也可以，直也可以的，甚至傾斜着畫，也未嘗不可以。如果硬要派這種長畫如「一」和短畫「--」，在先民社會，就包羅萬象。（是否宋人的說法，）處在我們今天這個科學時代，却未敢隨便附和。

讀書人應當實事求是，距今兩千五百年前的那段時期，我們從「論語」裏知道，孔子是「述而不作，信而好古。」而且「聖人」還「子不語怪力亂神」哩。

「法苑珠林」爲唐道世撰的。那無異是（印度喇嘛）宣揚佛教者嚮壁虛構（近於誇大）的著述，而並非實典。法苑上派「梵」是老大，「佉盧」老二，將「倉頡」排在老三，分爲「右行，左行，下行」這樣行文的造字人。

據我們現在看來，簡直是笑話，而也近乎滑稽！如果眞是事實，它似乎還遺漏了蘇若蘭的「迴紋」上行（倒讀）和那一玩票和尚周島的「詩圖」斜行。這兩人，女的似該派她爲「四姑」，至於那「佛門」不肖，也該增補他一個小老五。

即使這兩種行文（上行，斜行）都不算，那末，我還要問：「世本」作者，載「沮誦、倉頡作書」，也即是「書契文」。且說文（段注）；書契條：「書者，文字」。誠然，「世本」這種書，是二等資料，屬於次貨固不足取。難道「法苑」那種三四流的轉手作品，又可據爲「典要」不成？這不是笑話。

龍骨的奇蹟

根據一八九八至一八九九年間，河南安陽小屯邨出土的龜（腹）甲，和獸（脛，髀）骨。最初是平，津，冀，豫一帶的中藥店舖，他們收買這種西來當作藥品中的「龍骨」使用，偶爾被一位研究「文字學」的王懿榮發現，立即出資收購了千餘片，但還沒有開始整理，王就因「義和團」事件而殉難身故了。這批龜甲獸骨才轉手到「老殘遊記」的作者劉鶚手中。劉又繼續收購，共得五千餘片，至是他就選了清晰可辨的，有一千零六十餘片，製成「鐵雲龜藏」石印拓本，在一九〇三年正式發行。但也僅爲介紹性質而已。這一來，可就轟動了當時整個中上層社會的士大夫和雅人，以及中外的學術界。

「甲骨文」因此不但爲人所注意，而且爲世所重了。而跟着就有一些古物（骨董）商人，出面收買，接着又是一批專家學者，爲考據而搜求（距今四十年前，平，津，滬，漢，什麼完貨攤檔，骨董店舖，古玩陳列，都還間有發現），自然也有不少的偽冒品魚目混珠的充斥市場，可是，有種附庸風雅的人，眞也就把一些假骨董，當作「活寶貝」，在那裏鈞譽沽名。

（二）

美妹

羅雲家著

「不必了，小姐。如果我想要，我一定會最先選中妳的。哈哈……」他眞有些不耐煩啦！但又不好立刻發脾氣。爲了氣惱她一下，所以就開了這麼一句玩笑。

「呸！我可是有丈夫的。嘻嘻……」她感到十分自滿，輕輕打了他一下，轉身去拿報紙去了。

他望着她的背影消失於門外，心裏有了極大的感觸。他想：「那些把老婆送到旅社、茶室等公共場所來當服務生的傢伙，不是甘心戴綠帽子，就是誠心想吃軟飯。否則，那就是大混蛋！」不是嗎？如果他今天眞的看上她，她還能抵抗錢的誘惑與生理的需要嗎？丈夫、家庭的意義是什麼？她們是早就忘得一乾二淨了。唉！這社會是多麼可怕啊！」

當下女把報紙拿來的時候，他以爲她還要糾纏他一番的，可是却沒有。她只輕輕地告訴他：樓下有位少女要找他。

「她叫什麼名字知道嗎？」他馬上坐起來問。

「是姓黃的，名字可不曉得。」

「是單獨一個人？還是有人陪着她來的？」

「是一個人。」那下女接着取笑他一句：「難道你還希望有兩個以上的女朋友陪你玩不成？」

「呃！妳可想到那裏去啦？小姐，我現在起身穿衣服，請妳把黃小姐帶上樓來好嗎？」他掀起被子，迅速起身穿衣。

「……」那下女拋給他一個怨懟的眼色，想說什麼，又忍住了。然後帶着一臉不大高興的樣子，走了出去。

她竟是單獨來會我的。健文在穿衣時暗想：楊光城那傢伙回台北去了？還是騙着離開她，而後背地裏跟蹤着她呢？……時間已經快十點了，她來此也準備住旅館的嗎？如果是，我們是分住兩個房間？還是……？

樓梯上有了「閣閣……」的高跟鞋聲，那聲音愈來愈響亮，愈來愈急促；近了，到了房門口了。他想戲弄她一下，趕緊將身子閃到門邊。

「嘭嘭！」外面的來人在輕叩着門。

「請進！」他屏住了氣息，想不給來客發現他。然後好嚇她一跳。

「卡察！」門被推開了，剛好掩住了他的身子。她走進來，站定了。他想到她在東張西望中，看不見他的人影，那份緊張的心情……

就在她想退出房去的時候，他立即用力將門一推，關了房門。並迅速走上兩步，自她身後伸出雙手，猛地掩住了她的臉孔：「小姐！猜猜看，我是誰？」

「健文哥，幾乎嚇了我一跳！想不到你，還會來這一手。」

「哈哈！好妹妹，對不起。」他撒開手，轉身接過她手上的東西，放到床上，然後扳住她的肩胛，笑着凝視她一會，才說：「眞高興妳的平安來到。說說看，妳究竟是用了什麼辦法、離開那傢伙的？」

「吃飯的時候，我勸他喝了許多酒，直等到他有了七分醉意時，才讓他吃飯。」

「可是這時他已吃不下飯了，却嚷着要去旅社休息。是不是？」他這樣猜想着問。

「對啦！於是他駕車載我到就近的一家旅社。一走進訂住的房間，他就急着對我毛手毛脚。」

健文聽後一怔，隨即取下雙手，頹然退到床上坐下：「妳呢？依了還是沒依？」

（四〇）

冒險犯難記

鄧文儀

我平常對於人生的體驗，對俗話所說：「天有不測風雲，人有旦夕禍福」，及「福無雙至，禍不單行」的兩句格言，時常念着警省自己，因爲我既生逢亂世，作了革命黨員與革命軍人，一定不免要經過不少的危險困難，習慣了冒險犯難的人，對於險難的來臨，總能沉着應付，堅忍承受的。我眞沒有想到在我大病之後，我的第二個兒子，剛從家鄉來到南京，我們父子相見，還不到一天，兒子就重病以至夭折了。

因爲是夏天，天氣酷熱，長江輪船很擁擠，很不清潔，父親及妻子一向都是十分省儉的人，自然他們的旅費也不充足，所以他們都是坐的二等統艙，也許是奶媽吃壞了東西，或者飲水不潔，孩子在船上傳染了時疫。白天孩子有說有笑，一到晚上就有些發熱，不肯吃奶，不能入睡，上半夜有些煩燥，吵鬧，啼哭，叫喊，下半夜體溫熱度逐漸增高，精神委靡，我們一夜未睡，看護着他，等到天明，就去找醫生來診斷，量體溫已高達四十度，醫生說這是時疫傳染病，病情發展很快，很嚴重，要趕快送醫院急救，否則恐怕會來不及醫治。

我和父親等於上午八點鐘，便把孩子送到濟生醫院急診，這時妻和奶媽知道孩子病重，都已痛哭失聲，沒有讓他們去醫院。到醫院後，先行灌腸洗胃，打針消毒減熱，但是孩子的眼神漸趨沉滯，腹背腿臂的血脈管道，都呈現紅黑的顏色，不到三小時，孩子就停止了呼吸，醫生宣告已無法救治，這眞是料想不到的結果。

這時天氣惡劣，狂風暴雨，父親是佛教的宗師，他相信這孩子不會死，他一個人懷抱著這已斷氣的孩子，在馬路上，大雨滂沱中行走，一面唸著佛經一面爲孩子祈禱，直到下午黃昏之前，才回拔提書店。我把這壞消息告訴妻子，兩個人相抱痛哭，彼此傷心，幾乎說不出一句話來。等到父親抱了小孩回到拔提書店的時候，妻聽到了父親的聲音，趕忙由床上爬起來，出了房門，就從樓梯頂上一直滾下去，結果脚部手部都受了些傷，人也昏迷過去，我眞担心妻子的安全，因爲她第一個兒子生出來就死了，她已經很傷心，現在第二個兒子是很好的一個孩子，却就在這一夜半日之間死去，她的悲痛和傷心，自然已達到極點，憤不欲生。我找了醫生爲她療傷，百般慰勉，才算安靜下來，草草把孩子裝殮，我和父親還有書店兩位同事，一同將孩子送往郊外墳塲葬了。父子相見，祇有一日就生離死別，人生悲苦，孰過於此。（七五）

海嘯雲談薈

擇婿一例

諸葛文侯

黔人鄧漢祥（鳴階），北洋軍閥時代之一官吏也。當袁世凱死去，黎元洪繼任總統後，鄧氏入國務院任事，位居末秩而已。維時，巴蜀軍閥割據稱雄，征伐不歇，各遣代表駐京斡旋，從事政治活動。雄據重慶之四川第廿一軍軍長劉湘駐京代表，因西南地緣關係，常與鄧氏往還，鄧遇事亦樂予贊襄，劉湘甚德之，每於年節中，致以饋贈，鄧不受，作縣長或捐稅局長，亦婉謝，謂係道義相交，他非所計也。湘更重其爲人，情誼日趨深厚。迨國民革命軍統一全國，建都金陵後，北庭消散，鄧氏南下入川依劉湘，頗受禮遇，成爲劉氏戎幕中之政務幹部。既而劉湘得中央支持，綜理川省軍民兩政，鄧氏乃被任爲省府秘書長，居停倚畀甚殷，遂成巴蜀要人矣。

對日抗戰時期，鄧有一女肄業成都華西大學經濟系，姿色者頗不乏人，然女鍾情於同校一粵籍牙科學生某，貌殊寢，面容常呈緋紅色，儕輩皆以「紅臉兒」稱之，鄧不名。鄧氏聞女兒已有戀愛對象，固未便阻止，但囑女須教男友先來一見，俾加參詳決定。鄧悉其爲習牙醫者，滋不悅，指爲門第不相稱，命女與之絕，但女抗不從命，鄧無可如何，乃約某生晤面以覘其才識焉。

一日，女偕某生來鄧宅晉謁乃父，某入客室叢見鄧氏，急伸臂向鄧施洋禮乞握手，而鄧拒不屑應。寒暄詞畢，鄧氏以長者態度詢問某生，對於國際形勢與吾國抗戰前途之觀感如何？某謂：「我每日看報，紙上所記述者夥矣，別無新意。」鄧頷之，再問：「蔣委員長近著『中國之命運』一書，君亦曾閱及否？有心得否？」某生囁嚅何某答曰：「這本書的廣告，我在報上看到過，改天將購買一本細讀之。」於是鄧認爲某生毫無政治知識，不足爲鄧家快婿，對女表示失望，匆匆應付，送客出門，然後吩咐女兒曰：「似此人物，將來學成之後，充其量作一牙醫耳，別無前程可言。以汝之姿質與年齡，何愁不獲如意郎君耶？應審慎自愛，不可孟浪從事。」然女仍與某生熱戀，終成眷屬。鄧氏始終不滿意，翁婿間迄少往還也。某生畢所業，即携鄧女至海外懸壺行醫，業務殊不惡，漸成小康之家。

共黨竊據大陸後，鄧氏以「官僚」「地主」身份，被遠清算，掃地出門，全家衣食之資，幸賴「紅臉兒」女婿隨時接濟，得不淪於餓莩，現時鄧名列僞人民政協委員，度其風燭殘年之歲月焉。鄧氏當年之擇婿條件原亦未可厚非，詎料當初認爲無出息之東床，竟係患難中之救星，人事滄桑，固不能以常理測也。

哀梨室劄談

他的太座認爲他說的理由充足；因爲這種木偶，是用堅實的木材做的，這種木材燒起來不但火旺，而且很能持久，任你烹調到多久，牠是不大會熄的。

也就因爲是這樣，竟招致了一塲意外的災難，結束了他一家人的生命。

是一個月黑雲橫有晚間，他的太太，習慣的用舊木人燒飯，飯燒好了，木人的火頭尚旺；她隨便的拿柴灰把牠蓋住，照例火頭就該進入睡眠的狀態不再上燃，直到主人再度需要時，把那蓋着的柴灰掃去，牠才恢復燃燒的狀態。這是有成例在的。

因之陳太太蓋過柴灰，就把飯菜拿到前邊去闔家晚餐，餐後再把碗筷送到厨房去泡在水裏，然後熄燈就寢。這都是照例的事，根本沒有問題。沒想到在她一家安寢後，外面起了大風！竟將蓋着木人的柴灰吹去，致木人火頭復熾，又把燒殘的斷片，從灶孔裏爆出來，把那堆在旁邊的柴草木人一齊燒着；火星兒朝上直冒，一座低矮的草屋，便成了牠的尾閭，在很快的一瞬間，陳三家已成火海。

其時他們一家人都在夢中，當然不會知道。及至驚覺，草屋已經倒塌，把他們完全壓在火下！結果是一室之中，人與物俱成灰燼。

事後經鄉鄰們一打掃，便什麼也沒有了。這無疑是做「傀儡戲」的意想不到的悲哀。

登場傀儡果何為

谿公

至臺灣之「布袋戲」，「掌中戲」，「傀儡戲」，腹話術之「偶人戲」等，余雖旅臺有年，目中看到的實苦無多，恕我不作片段的贅述。讀者欲知其詳，則有吾友呂新上先生之「臺灣電影戲劇史」足資研討。

總而言之，「傀儡」至竟是「傀儡」，有軀殼而無靈魂，只能供人作短時間之利用，敝則投之灶中，以作燃料，終於化爲灰燼，並形迹亦不之留。而利用共黨之蘇俄魔王，亦必同於陳三之舉家被焚！

原因是所謂共產主義者實爲六親不認有己無人之極權主義，每一共黨，無不思戴赤色之王冠，己爲刀俎，人爲魚肉，雖親如父母兄弟姊妹妻子，亦復惟利是視！因之互相窺伺，如水火之不相容，史大林之被鞭屍，赫魯雪夫之打入冷宮，即其明證。但不知身爲蘇俄「傀儡」之中共匪酋，與爲蘇俄魔王者，亦會計及於此否？

（五・完）

落花時節

高蕾

我不再感到孤獨，雖然，他們都遠離我而去……

（一）

能進入大學的門檻，眞是夢寢以求的事，但今天，當我辦完了一切入學手續，走出校門時，我那顆因過份喜悅而跳躍的心，突然沉甸了下來，我的眼角感到有一絲的酸楚，正想嘆一口氣，校門前却有人揮着手叫我的名字，我猛地抬起了頭，模糊的眼睛雖然看不清來人是誰，可是我知道除了他不會有人認識我，未脫稚氣的我強裝着一份大人的歡迎了上去。

「二表哥！」這一聲呼喚裏，包括了我的全部感恩與喜悅，他一個箭步走了上來，微笑着握着我的雙手：

「梅子，從今妳是大學生了，可不能再耍孩子脾氣囉！」他笑了，我也笑了。迴然不同的笑容，代表着二種不同的心情。

二表哥，他是大姨媽的兒子，世局轉變，來台灣後就祇剩下了我們二人相依爲命。他受了母親臨別時的囑咐，處處照應我，不但像是我的兄長，而且兼負起了嚴父慈母的雙重責任，算起來他的年齡比我大十多歲，今年也該有卅歲了吧！做中學教員的他，收入畢竟有限，除了自己的生活費以外，還要供給我讀書與住宿的費用，因此經濟感到很拮据，好在他生活一向省儉，衣着也很隨便，先天賦給他一副魁偉的體格，使他穿起任何一件布質的衣衫也顯得很美觀。爲此，我感到很自疚，他時常拍着我的肩對我說：「梅子：教養妳是我的責任，一直看到妳成家立業。」提到成家立業，我暗自好笑，二表哥也想得太遠了。

開學了，我搬進了女生宿舍，這裏的環境很幽靜，倒是一個讀書的好地方，等一切上了軌道，我的心情也平靜下來，除了上課的時間外，我多半在圖書館裏溫習功課，每逢假日表哥都會來看我，只要能看到他，也就感到滿足與心安，因爲他是我唯一的親人。當一學期下來，不但周圍的環境熟悉了，同學之間的情感也相處的很融洽。

寒假來了，有家的同學都細了行裝，準備回家渡假，留下了我看守着寂寞的樓房，排遣着寞落的時光，有幾次我突然想到去找二表哥吧！仔細一想又覺不好，記不起是什麼人曾這麼說過：「當我們越長越大的時候，我們之間的距離也越拉越遠。」噫！我又在天南地北的胡思亂想，這個腦筋就不肯停止，眞是討厭，還是去圖書館坐坐吧！跟王主任拿了鎖鑰，打開了圖書館的門，一陣冷風向我撲來，我感覺清醒得多，靠着窗子坐了下來。一會兒我聽到有腳步聲，我想一定是別的同學來看書的，我仍低頭看一本新出版的雜誌。

「梅子，放假了還這麼用功？走！我們出去玩。」突然來的呼喚，我一時說不出我心裏的感覺，叫我的人，竟是我盼望的二表哥。

「好呀！我就想出去玩。」我不考慮地回答着，但，感覺到我的心在跳躍。

「二表哥，你說我們到那裏去玩呢？」我一面問，一面摸着往裏捲曲的頭髮。

「出去再講，年青人到什麼地方都好玩。你不要以爲表哥老了，年青人的氣氛倒還有一些。」「你又開玩笑了，你今年才只有卅歲呢！」我忍不住笑了起來。「可是，跟妳在一起我可就顯得老了！」他裝着老年人的語調，令我又一次笑出聲來。

（一）

小談桃花扇

姿婆生

長洲吳瞿庵先生嘗言，古今傳奇，用故事之最勝者，莫如桃花扇。因其所引事實人物，俱見於明季野史中，即纖細科，皆各有所本。故雖爲傳奇，實可作一部南明信史觀之。再則許多讀者，對其文采之藻麗，排塲之巧妙，通部佈局，無懈可擊，自不同尋常，因而睥睨曲壇，良非偶然。王季烈集成曲譜，論作曲一章，評曰：桃花扇賓白最工整，曲詞亦佳，惟平仄有失調，襯字欠妥貼，是其一短。因此桃花扇一劇，文辭上之價值實勝於樂律之價值。

劇事叙侯李之離合始末，而於南明興亡，及其時文人遇會，皆一一明之，其頭緒紛紜，情節曲折，自不待言。所以爲人稱許者，即其能執六轡而不亂，條理貫串，脈絡分明，令讀者有如耳聞目睹之勝。全劇既以扇得名，而此扇乃香君面血所染成，香君之面血，見其貞潔也。特別加叙南明三忠：左寧南之胸血，史可法之眼血，黃靖南之頸血，皆由此血字標出其忠烈之義，情節分配之探究，份量勻度均衡。茲就四十四塲序幕分列：

（一）先聲（副末）
（二）聽稗（生末小生副淨）
（三）傳歌（旦小旦末淨）
（四）閧丁（副淨丑末末外小生四雜副淨）
（五）借戲（副淨丑四雜末）
（六）訪翠（生丑末淨小旦旦雜）
（七）眠香（小旦雜末旦生副淨外淨老旦丑）
（八）却奩（雜末小旦生旦）
（九）鬧榭（末小生雜生旦丑淨副淨）
（十）撫兵（副淨末四雜小生）
（十一）修札（丑生末）
（十二）投轅（淨副淨丑末六雜小生）
（十三）辭院（末副淨丑外淨丑旦小旦）
（十四）哭主（副淨小生雜丑外末淨）
（十五）阻奸（生外丑小生副淨雜）
（十六）迎駕（淨副淨外丑）

（一）

內政部登記證內版台報字第〇三壹號

自由報

THE FREE NEWS

第三一五期

中華民國香港政府登記
（每逢星期三、六出版）
每份港幣壹角　台灣零售價新台幣壹元五角
社長：雷嘯岑
督印人：黃行賓
社址：香港銅鑼灣高士威道二十號四樓
20 CAUSEWAY RD 3RD FL. HONG KONG
TEL. 771726　營業部：7191
承印者：四風印刷廠
地址：香港灣仔高士打道一二一號
台灣分社
台北市西寧南路金壹號二樓
電話：三〇四二六
台郵劃撥第九二二戶

法治的大敵

李聲庭

近來一些莫名其妙的人又高唱所謂「法治」了，以爲經他們這樣大聲疾呼的亂叫一陣子，原是亂糟糟的地方也眞的會「法治」起來。這只可以騙三歲小孩，凡懂得一點什麼叫「法治」的人，會對這種亂叫嗤之以鼻的。

法治絕不是叫出來的，而是經歷一個長時期的培育與生長成的。拿英國來說吧，今日他們所實行的法治，至少有五百年以上的基礎與效驗。美國繼承了這一優良傳統之後，又經過近兩百年的改進與增强。我們今日不談法治則已，如有誠意提倡什麼法治的話，英美兩國是最好的一面借鏡。但是有些人又會抬出所謂「國情不同」的幌子來把他們的優良制度一筆抹煞，說我們自古便是文明之邦，何必去學夷狄之法？他們口口聲聲喊遵從國父遺教，卻忘了開國元勳的遺言：「學歐美的長處」那一句很中肯的話。我們不管它是歐或是美，我們只問它好不好。是好的便該學，否則便是無出息，永遠落人之後。

某些地方法治之所以建立不起來，是有其病根的，作者稱之爲法治的敵人。如果這些敵人不能連根拔除，那個地方再喊一百年法治也是無濟於事的。最多是喊口號，貼標語，發文告向上級交差了事，絕不會產生任何眞實效果的。

法治在某些地方之所以建立不起來，其最大的第一號敵人便是官官相護。在這塊地方，官吏結成一個集團，一個無正式組織而實力很堅强的牟利集團。任何人進入這個集團之後，便抱着「鞠躬盡瘁，死而後已」的態度，盤據霸佔，甚至想方設計把親戚故舊拉進去擴大地盤；因此便在其中營私舞弊，無惡不作。如果有人加以檢舉，他們便運用官官相護的策略以自衛。他們知道，一人受罰，大家遭殃。於是便拼死力的維護既得利益，同時又團結抵抗外來的干擾。許多彈劾案、糾舉案之所以無下文，或從輕發落，便基因於此。儘管當時創建人的理想是要把監察權從立法權中分出來獨立行使，這樣一來，官官便不能相護。於是便很巧妙的設計一套所謂懲戒機關來掣肘。同時還加以種種限制，例如同一行爲已在刑事偵查或審判中的，又不得開始懲戒程序。這還得先假定懲戒官不官官相護。如果懲戒官也採官官相護的策略時，彈劾案與糾舉案便放了空炮，聽起來怪好的，實際上則完全白廢了。這樣奇妙的運用，試問如何能法治起來？當然有人回答得好：這就是法治。不是法律規定應如此嗎？難道還叫我們法外去施刑嗎？法治如果是這樣的話，那便還停留在韓非子、商君及李斯的時代，至少得倒退兩千年才好說話。然而今日一些高唱「法治」論調的人有幾個能跳得出韓、商、李的五指掌。原因很多，對於英美優良傳統中的法治可以說全無所知。充其量不過捕風捉影而已。因此，某已故的教育廳長居然也談甚末「教育法治」，眞是不知所云。

法治的第二號大敵是賣情面。賣情面是某些地區的特產，美其名曰人情味，其實是把公事私相授受。這一特產已經有了數百年的光榮歷史，現在更擴而充之。凡是與官府打交道時，如果不和他扯點什麼關係，什麼事也辦不通。最顯著的例子是海關。譬如一個女人要替丈夫帶兩件男人衣服進口，或男人要替太太帶幾樣化粧品進口。如果不先托人或先打個招呼，準會課以重稅，有時還說是私貨予以沒收並罰欵。無疑的，當事人可以指天發誓否認。可是事實上，這一賣情面的實例在某些地方相當流行。差不多天天聽到有朋友從海外回來，已經托人打過招呼了。否則誰也不敢冒險，因爲估定要完多少關稅是有權的人的自由裁量權（有人譯作「便宜行事」，亦甚切當）。作者于三十七年在上海放洋時，便遇到一件可笑的事。當時作者帶了兩對北平景泰藍小花瓶去美國送人。當海關人員來檢查時，硬指這時古董。可能他是開這個窮留學生的玩笑，因爲他畢竟沒有把那兩對「古董」留下。由此可見，如果在他的心目中認爲這些景泰藍是古董時，帶出口便可沒收，還可加上一個私運國寶出境的罪名。帶進口時又可重徵關稅，或當走私物品看待，沒收充公。這兩對花瓶到底是景泰藍還是古董，只在檢查員的一轉念之間。這其間夾雜的情面可大了。至于去什麼機關接洽辦事，最好先找人寫一張名片介紹，或請他打一電話去關照。否則不是叫你等一等，便是上面沒有批下來。但經過情面關照後，一切又順利了。這一次賣了某人一個情面，下一次便可向這人買回來。就在這一買一賣之間，一切公事在進行着，那有所謂法治的觀念在這些人頭腦中出現過？作者再舉一實例：作者的副教授資格在教育部一審核便是三年又九個月之久，理由是作者沒有托人關說。幸而作者命長，不然這個副教授的官定頭銜，只能作計聞資料了。

第三便是根本無制度。這一點更是法治的大敵，比前兩種更厲害！這幾十年來內外擾攘，幾無制度之可言。當事者也無意要建立起一項制度，因爲萬一制度建立起來了，辦起事來反而礙手礙脚，不能便宜行事。司法行政部應該隸屬于行政院或司法院，本來是一個像樣的國家制度中早就當決定的事，可是就要把司法行政部先從行政院搬到司法院，又從司法院搬到行政院，現在又有人要回到司法院去。搬來搬去並不是爲了制度上的需要，而是出乎一二人的私見（把司法行政部從司法院搬到行政院，據說是汪精衛的主張），想多管一些部門可以過足官癮。但有時候卻又利用所謂制度來壓人。換句話說，便是利用「制度」這兩個字作擋箭牌，以對付一些人的指摘。這從法院改隸一事可以明白。制度不建立，如何談法治？這倒要請問這些大言不慚的人的邏輯方式。在英國，一項慣例形成，英王也不能去動分毫。幾百年遺留下來的優良傳統，使得大英帝國至今還是法治的先進模範國家。

由於上面所述的三種情形，在某些地方便是亂，一切都亂。法治兩字不過是一些人的口頭禪，他們無意要眞的法治，他們也不懂得到底什麼是法治。他們只知道我做一天官，我就得便宜行事，也要賣情面，更要官官相護。法治云云，只是一般書生在課堂上騙學生、在報紙上騙稿費的人所描述的空中樓閣而已！

有其師必有其徒

尾巴不易爲

今日與明日

法國搶購黃金潮

最近幾天來的重大新聞是法國財政部正式聲明將以庫存美金一億五千萬，兌換黃金。法國此項行動，已經在國際市場上引起風波，美國一開始頗有招架不住之勢，不過很快也就籌定對策，看情形戴高樂以一億五千萬美元的數字去打美元信用的企圖，將不會得逞的。俗語說枉作小人，正此公之謂。

恩怨與報復

戴高樂是一個心胸極狹的人，一點睚眦小怨，必然要報復。二次大戰戴高樂領導的「自由法國」在倫敦，受到英政府的輕視，戴氏已經耿耿在心，到了開羅會議羅斯福總統接受邱吉爾意見未邀戴氏參加，從此又和美國結了怨。平情而論，英國人一貫作風是只講今天，不論明天，外交上的現實主義，對有己無人。苦算舊賬，英國對幾個重要盟邦皆有慚德，固不僅法國一國爲然。至於美國的外交手法拙劣，行動幼稚，與美國打過交道的國家，皆有不愉快事件發生，亦不僅法國一國如此。但大敵當前，幾個主要大國，應當團結一致，共同對付共產國家，才是正道，可惜法國不記恩只記怨，對於英國在二次大戰的貢獻，美國首先攻入巴黎，二次大戰後「馬歇爾計劃」對法國經濟的援助，相較之下，畢竟是恩多怨少；戴高樂却不顧一切，對英美兩國想盡方法報復。

戴高樂第一件驚人之舉是拒絕加入共同市場，第二件是反對美國多邊核子武力，第三件是訪問拉丁美洲，去美國後院放火，第四件就是這次擴兌美元事件，雖然四件事對英美並無致命打擊，但給予英美尤其是美國的困擾却也不少。

戴高樂還有一件以怨報德的事，就是承認毛僞政權，直接損害了中法友誼，間接也破壞了法國的地位。於今事隔一年，中國並未受到太大的損失，但是法國究有何得，相信戴高樂自己不會沒有感覺的。

戴高樂承認毛共僞政權的表面理由是毛共已據有整個大陸，中國政府只統治一羣島嶼，實不能代表中國，但是，當二次大戰時，戴高樂的自由法國寄籍倫敦，何嘗有一寸土地，與德國佔領軍合作的維琪政府，有效統治着所有法國國內外領土，但是中國政府還是承認戴高樂流亡政府是法國的合法政府，這一段患難之情，任何法國人忘記了都可以，只有戴高樂實在不應該。安知道他年法國沒有再用得着中國的地方，何以不留一點餘地？

去年當中日關係陷於最低潮時，日本衆議員毛利松曾經嘆息道：「一個忘恩負義的民族是沒有美好前途的。」此言雖是對日本人而發，也頗値得法國人三思的。（何如）

自由談

讀「國情咨文」後

美總統詹遜給國會的「國情咨文」中，特別指出共產帝國已臨分崩離析，認爲自由世界前途大可樂觀。言外之意，即證明美國現行這套對外政策很適當，將有不戰而屈人之兵的勝算在握也。實則這話不免有賣瓜者說瓜辣之嫌，何以見得呢？

共產帝國體系，自南共狄托被史大林大帝斥出「九國共產國際情報局」以來即已出現了裂痕。由於共產政權與利害關係，他們內部偶然發生的矛盾，隨時可以統一起來。所以，狄托縱然受了史大林的嚴重打擊，亦取得了英美的大力援助，而他始終堅守着世界革命的共產主義立場不變，治史大林去世，他又宣稱要與俄共同生死，共安危了。現時中俄共之反目爭執，則與當年狄托與史大林鬧翻的情狀相若，共產帝國一時「析離」的現象則有之，「分崩」卻未也。很明顯的事證即爲中俄共對南越、剛果、大馬等問題，完全表示一致的態度和主張，看不出有甚末「崩潰」的迹象。

再稽考最近十餘年來美國領導自由世界的結果，自由地區縮小，而原來居於反共非共立場的若干國家，亦逐漸採取媚共親共態度了。核算自由世界和共產帝國在戰後的政治利益總帳，前者的赤字逐年增加，後者卻大得其暴利，只是美國本土的安全繁榮，尚未受損害而已。

美國如其不改變現有的對外政策，則自由世界就有在慢性的麻痺症候中，被共產帝國主義各個擊破，逐一蠶食。等到美國自我陶醉的「共產帝國崩潰」大夢覺醒時，舉目全球，僅僅剩下美英兩大盟邦，孤立無援，拿着許多核子武器亦是無用之長物，共產帝國只要將國際市場控制着大陸，則眞正「不戰而屈人之兵」的最後勝算者，必在彼而不在此了。

很抱歉，我聽到詹遜先生這種寶貴式的國情咨詞後，情不自禁的答曰：不辣！

馮[illegible]先生

自治法規不切實際所引起
北市兩議員向監院檢舉
議長非法重複召開會議

（本報記者張健生台北航訊）台北市議會議員黃信介、林水泉檢舉台北市議會議長張祥傳違法重複召開第六屆第二次臨時大會及台灣省政府涉嫌對於地方自治監督不週。該議員等除向監察院提出檢舉外，現正委請律師研究法律關係，將訴請台北法院宣判台北市議會重複召開的該次臨時大會無效。

台灣省自三十九年實施地方自治以來，各縣市議會違法重複召開同次會議，議員正式提出檢舉，尚屬空前的創舉。這是由於地方自治法規不健全所致，朝野人士均注意這件事的演變和發展。爲此，我撰此通訊加以檢討，並寄望將來在修改地方自治法規時加以改正。

話說台北市議會於五十三年六月一日起至同月二十日止，召開第一次臨時大會，審議台北市五十四年度地方總預算；會議進行至第十八日的那天，市議會經過「記名」表決，通過將市政府送審之總預算中有關稅捐處部份預算退回重編。因此，第一臨時會議未能按照原定日程進行，地方總預算，也沒有完成法定程序。

依照地方自治綱要第十六條第三項規定，縣市預算，縣市議會應於年度開始前，即七月一日前審議完成。因此，台北市議會於去年六月二十七日，舉行第六屆第二次臨時大會，審議地方總預算、期於法定期限內完成立法手續。這次臨時大會一共開了八天，到七月四日，市議會宣佈「休會」。未說「閉會」。休會休了五個多月，到去年十二月十五日「復會」，審議台北市政府附屬事業單位五十四年度綜合預算；審議市政府五十三年度總決算，及其他單行規章，至同月二十六日閉幕，一共開會十二天，連同休會前之八天，計二十天。

台北市議會爲甚麼要退回稅捐處的預算呢？因爲市議會對稅捐處所列預算祇有三百萬元，而追加預算多達二千萬元，超過原預算有六倍之多。這是政府任何單位所沒有的現象。但台北稅捐處以這種辦法來逃避教育經費比例之增加。市議會此一行動，當時，選民一致喝彩支持。而如沒有這種不合理的現象，也就不會發生所謂「違法重複召開本屆二次臨時大會」的風波。

所謂「違法」，係指違背台灣省縣市議員組織規程第二十八條第三項：「每次（臨時大會）會期包括例假或停會在內，不得超過左列規定：……三、議員人數六十人以上者二十日」的規定。台北市議會第六屆第二次臨時大會已於去年六月二十七日召開過，而又於去年十二月十五日續開，所以被認爲違背法規。儘管有人批評該規程不合實際，但惡法總比無法要好些。黃、林二議員之提出檢舉，便是爲此。

問題是：台北市議會被指爲非法的會議，竟審議通過市屬單位今年度綜合預算送台北市政府執行。假如負監督責任的省政府對此項預算不准予報備時，台北市議會將何以自圓其說？又假如承認這次「違法」會議而又核准該項預算時，省當局豈非自己撕燬自己所訂的規程嗎？今後其他縣市援例效尤的話，省府又將怎麼辦？

地方自治法規，確有許多不切合實際而又違背常情常理之處，必須加以檢討，研究改進。

比如，在省轄市中，台北市的人口多，自治業務繁複，且爲國際人士瞻觀所繫，其他省轄市望塵莫及，若以預算之多寡與議會開會天數來比例的話，則規程所定開會天數顯然不合理。就五十四年度之法定預算言，台北市爲四億八十萬元左右，臨時大會只有二十天，而台中市的預算祇有一億二千萬元左右，會期也有十天以上。請問這種規定合理嗎？舉一反三，足證現行法規不盡合理不切實際的。

守法，是民主政治的起碼條件；不守法，還談什麼民主政治。議會既不能以身作則的守法，將何以糾正、質詢政府官員？誠如古語：己身不正，焉能正人。

現在，因爲黃林二議員的檢舉，如何解決是一回事，能因此對法規加以修正，總是好事。

基隆八中里「地變」問題
爭執了半年尚未解決

邱家文

地質係「第四紀全新世」的「不整合堆積層」所構成，爲其後填土而形成的，因而該地區的原有天然條件基磐即非常不穩固，致使該處的建築物很爲簡陋，地面與房屋極易發生龜裂，幾乎無法造地基的現象。故地磐之鬆軟及建築物的基礎不能堅固，爲此次地變之最大的原因。

所謂「不整合堆積層」，仍爲「含金砂礫層」所造成的，其厚度約有七公尺，並自清朝時代至日據時期即有開採砂礫之記錄；又因該地區僅距現地表三十公尺至五十公尺間處，從河邊再向該地區直下有探掘砂金的實跡可查，而促成該地區全部或區部移動之主要原因。根據資料中所載，光緒十五年夏，劉銘傳建築台北基隆間的鐵路時，擬在八堵附近車站建設鐵橋，被一位會服務於北美加里福尼亞州的粵籍工人，發現掘鑿的砂礫中混有砂金，所以土民四集，爭相採取河床的砂礫，從事於淘金的事業。

他並說，八中里地區距離沿鐵路縱貫線接近處有二十公尺，遠者亦不過一百公尺，而鐵路每日來往車輛的震動，也可能會影響發生地磐的龜裂。同時，該地區之二面即沿基隆河的直角彎曲處，因水流湍急，較別處容易變化，尤其是，近年來麥克阿瑟公路的興築，必須沿該地區之基隆河床大量採取砂石，又因土砂之冲失更增加該地區的基磐之冲蝕，及河水湍急的冲擊，使「砂礫層土」日趨鬆弛脆弱基磐，亦爲其主要原因。至於地變的發生，可分爲地形，地質，地震，流水冲蝕等自然因素，及填土，排水，採石，震動與地下坑道等人爲的因素。就地下坑道而言，坑道與地表相距之深淺有密切關係，故顏氏認爲建設廳對離地表尚有數十公尺之砂金採掘的事跡未看到，僅提出未經該處地下之中台礦業公司的坑道爲主要原因，且亦未獲地質調查之求證，竟妄爲處斷地變是受坑道之所影響，實在使人費解。

勘查報告 前後矛盾

基隆市八中里的地變與房屋的龜裂，自去年七月初旬發生以來，基隆市政府即於八月九日呈請省府，八月三日在當地居民一再請願下，才由建設廳派來兩名技術人員實地勘查。然而，勘查的結果，未能及時公佈，引起了基隆市有關機關的着急，基隆市黨部蔣主委爲當地居民「住」的問題，曾力促省府公佈勘查的眞相，建設廳始於十月十日通知基隆市府。

顏氏對於省府建設廳的先後來基隆勘查之判斷，前後有所矛盾。他說，建設廳於第一次勘查後，曾於十一月中旬以建二字第五四二四五號中通知，畧謂「本案房屋地面之龜裂的原因，經初步檢討，似與中台礦業公司採煤工程無關。十一月卅日建廳第三次派員複查時，在基隆市府，市黨部，市議會等等單位的會議中，亦以「中台公司各新開坑道，雖毗鄰於災區，但其坑道坐落不是對民房建地下層，房屋龜裂似與煤層採掘無關聯」。

十二月初，建設廳在致鐵路局的公函中亦指出「中台煤礦公司現正開採部份，對地面建築物關係極小」。

但是，十二月十四日中台公司突然接到建設廳五十三年十二月十二日建二字第六〇八〇一號通知，指中台八堵煤礦已收坑之部份坑部，及該處地基不穩固爲主因。中台公司事先毫無所知，因現省府忽然來一百八十度的大轉變，要中台公司停止採煤，又要負八中里房屋龜裂賠償之責，似乎有些草率。

數百礦工 惶惶不安

顏氏最後强調，中台煤礦公司並不是因反對賠償八中里房屋地裂而申辯，而是事實眞相需要澄清，他要求政府對於八中里的居民安全問題，及賠償地裂原因，分別予以處理，因爲這是兩回事。顏氏並說，建設廳通知中台公司馬上停止採煤的話，中台公司現有的七百工人，就祇能留一百名工作，其餘六百工人，及二千五百餘的眷屬生活，將因此而發生問題，這是政府值得注意的一個嚴重的社會問題。

中台礦業公司產業工會亦以礦坑有被禁止採煤之可能，七百餘礦工與眷屬，均感惶惶不安，該工會已向台灣省礦業產業聯合會提出請願，請求在未眞正鑑定責任前，請暫時不使礦方停工。

目前，基隆市府等有關單位，再請建設廳等有關機關派員來基隆重行勘查，作適當的處理。希望這次複查後，能眞正地查出其眞相，以平息歷時半年來的地裂問題之爭辯。（下）

省運會改移台中經緯

——本報屏東航訊

正爲籌措省運所需的經費而頭痛的屏東縣政府，現奉省府指示，今（五四）年廿屆省運將易地舉行。消息傳出，此間地方各界人士，對箇中原因，見仁見智，紛說不一。

今（五四）年廿屆省運，原早經省府核定在屏東舉行，爲了此事，教育廳長潘振球曾蒞屏東勘察場地；當時對場地現有設施，除有部份指示必需從速籌建整修外，餘均表滿意。由此，當可說明，省府對廿屆省運在屏東舉行，本來是認爲沒有問題的。

屏東縣政府根據潘廳長的指示，立即對場地修繕整理的工作，展開了一連串的勘查、測繪、設計及經費預算等等一切活動。然屏東縣政府正在積極籌措所需的四百萬元經費時，輿論界即傳出「爲主辦省運，屏東擬加捐加稅」的消息，事後縣政府這項擬加稅加捐的計劃，雖未爲此間十二月份總動員會報所通過，但就省府突改變計劃，收回成命，易地舉辦廿屆省運以觀，經費難免不是重要因素之一。而這也是地方多數人士的看法。

縣府基於籌措舉辦省運經費急切，在計劃加捐加稅的辦法遭到輿論反對後，又未能獲得總動員會報的支持通過，於是就透過某種關係，由議員林某向縣議會（五十三年十二月十日至十二月廿四日）所舉行的六屆二次臨時大會，提出議案：「建議省府，准許本縣在明年（五四）一月起九月底止，每月兩次舉辦「省運獎券」搖彩，俾得集資，興建省運各種設備，藉以減輕縣民格外負担案」；期以發行省運獎券辦法，代替原定加捐加稅計劃，而達到籌足省運經費之目的。但值二次臨時大會通過之時，省府旋以電話通知廿屆省運易地舉行了。因此，該建議發行省運獎券辦法之提案，乃不得不受擱置之厄運。

另據權威人士對記者說：廿屆省運在屏東舉行，省府係根據省議會之決議而核准的。可是省府此項決定，未曾致慮到爲配合擴大慶祝台灣廿屆光復節，省運以在台中舉行爲宜。後來因爲屏東爲籌措經費發生問題時，乃乘機毅然據此理由，推翻前案，以資彌補。計亦良得。又說：好在五十五年廿一屆省運，省府仍決定在屏東舉行，爲此，希望縣長張豐緒能善自運用此一時間與空間，好好開闢這筆省運所需的龐大經費，切莫再寄望予加捐加稅，或發行省運獎券等那套不切實際辦法，藉爲屏東爭取光榮。（袁文德）

一胎三嬰不平常紀錄
去年香港出現了六宗
另一宗流產的尚未計算在內

（本報訊）去年香港在產科紀錄上，出現了一個不尋常的也可以說是空前的情況，那就是產下一胎三嬰的特別多，根據公立、私立醫院和留產所的紀錄，去年一共有六宗之多，而且都是由中國籍產婦創下來的紀錄。

一胎三嬰在產科並不屬於普遍的現象，有些地方，根本上數十年未嘗一遇，而香港却在去年內就出現了六宗，這現象的確是很不尋常了。

據醫學界中人透露：在醫學的典籍中紀載，一胎三嬰的出現，視每個地方而異，有些地方特別多，有些地方却很少見。但是，一般說來，平均大約在五萬個嬰孩出生的紀錄中才有一個一胎三嬰的嬰兒出生。但是，這個算法，對香港來說，似乎是值得斟酌，因爲香港平均每年的嬰兒出生率每年約爲十一、二萬。而六宗一胎三嬰，應該是每年有卅萬個嬰兒出生才對。

當然，這樣的推算方法，不一定很科學，但是，香港有關方面對這一方面的紀錄，似乎還沒有進行加以研究。

去年出現一胎三嬰最多的醫院，首推廣華醫院，共有兩宗（有一宗流產的未計算在內），東華醫院一宗，瑪麗醫院一宗，另外留產所一宗。至於伊利沙伯醫院、那打素醫院和養和醫院却未聞有一胎三嬰的紀錄。

有些醫學界中人還說，他們的印象中，香港一胎三嬰似乎在近年來時有所聞，可是，如果能夠加以統計、整理和研究，將是一個有趣的問題，說不定，可能在醫學的產科典籍中寫下嶄新的一頁。看來，香港還沒有指定負責這項工作的部門。

一胎三嬰的嬰兒出生，一般來說，都是體質較弱的，但由於近年來出現了較新的育嬰器，對於這些嬰兒的哺育，有了很大的幫助，因此，他們在育嬰器裏的發育比較容易趨於正常。

保守與新創

韋政通

美國麻省落山墩斯密士學院文學副教授佐治．吉丙博士在「開放社會與關閉社會的藝術」一文中說：

「何以過去一百年間的大藝術家，皆為個人主義的人物，皆為叛變之徒，不願服從於正統，也不願服從雇主或當道的指揮？本人相信這個問題的答案，乃由於藝術家已養成一種對自由創造的渴望，而為前世所未有者。他們已感到藝術家必須有自發的性能，個性，自由創造的追求，應將整個人生貢獻於此三者。不論在何國、何洲，唯有能容許如此作為的環境，今日的藝術家才能工作。」

「自由創造的渴望」，不僅藝術家如此，其他文化創造者幾乎沒有一個不有此渴望的。自由創造的渴望，在邏輯上和任何傳統，並無必然的矛盾存在，而結果往往一個文化上的創造者，常不能不以「叛變之徒」的姿態出現者，實由傳統的惰性，以及盲目維護傳統者對一切新的創造頑抗所造成；顯然，這是因為人的愚蠢所造成的不幸。

所謂「叛變之徒」，和「不願服從正統」，這都是有限度的，因為要否定傳統，那末多少仍必須以傳統作立足點，如果多少要以傳統作立足點來否定傳統，那末就涵蘊着「傳統有些部分是合理的」。傳統的有些部分既是合理的，這使絕對否定傳統為不可能。但我們一般的感覺上，常以為對傳統某些部分採取批判的人，就是徹底攻擊傳統的人，結果不惜使用種種卑鄙的手段，來壓制，這又是因人的愚蠢所造成的不幸。

不僅「叛變」、「不願服從正統」有限度，一切保守份子的保守主義又何嘗沒有限度？一切不合理的教條，制度，風習，可以存在於一時，但時過境遷，在長期的人的理性之光照耀下，終必顯露原貌，為人所揚棄。歷史上這些不合理的成分，保守份子能守得住嗎？這絕對的保守主義，必須與歷史的洪流相抗，這就是注定失敗的。其實，保守份子常是被動的出現在文化創新的階段。任何一時期的文化創新，一些舊社會一呼萬諾，秩序的權威者，為了維護自己的財富、權位，於是產生抗拒的心理──這就是保守份子的心理，你認真和他們作戰，他就越發向你反噬，結果會落得兩敗俱傷之局，這是造成文化落伍的基本原因。中國就是一個典型的例子。中國的保守主義，源遠流長，根深蒂固，它的基礎建立在堯、舜、禹、湯、文、武的正統上。儒家將神話式的正統，放在中華民族歷史的開端，這神話式的正統成了我們中華民族數千年來沉重的包袱，使我們的祖先在推動歷史前進的過程中，特別感到艱困與沮喪。直到今天，守舊，浮誇的大霧，仍然瀰漫江天，幾乎成了難以克服的悲劇。這悲劇使我們的文化越來越落伍，年輕一代看到這情形有些不耐了，於是想起來敲碎「硬殼主義」者的硬殼，結果目的未達到，反而促成保守份子的聯合陣線，使我們面臨的文化危機更嚴重。

新與舊之間，幾乎永遠在混戰中。假如兩方肯冷靜地想想，各自發揮其功能，未嘗不是民族之福。保守主義如果能適度地發揮其功能，實是由文化創新而帶來的急遽變動的社會中保持安定的基石。同樣地，創新份子的「叛變」，和「不願服從正統」的精神，如只是為了抵制傳統的惰性，和有權勢者的畏變心理，那也就不會為人類帶來災禍。

漢文，漢字，漢學

陳曼卿

先後不知經過幾許人的鑑別，考訂，和分類，然後才彙集了。諸如此類的工作，彙集了「一一六九條」。迺得在一九二八（民十七）年，中央研究院繼續又在發掘，在那段時期的前後三十年中，曾經引起國內外學術界的廣泛注意，日本和歐美，也有不少的考古家，為了研究「甲骨」一事，而不惜遠涉重洋跑到中國來。

商代實物甲骨文

英人Menzies前後去「五萬餘片」，日本又搜去「二萬餘片」。我國除上述劉鐵雲外，研究鐘鼎彝銘的上虞羅振玉，還囑咐乃弟專程去採掘了一次，因此，也集了「兩萬片餘」，其他零星收存千片、百片以下的，就不可勝計了。以國人來說，收存最豐富的首推羅氏了。從事於考釋的，鑑別，當推羅氏，吳大澂，孫詒讓，王國維，容庚諸氏。作整理工作的，先後有商承祚，王襄，朱芳圃，孫海波等人，年前在台北去世的董作賓君，也參加過中央研究院的考訂工作。

上述諸人，在甲骨這方面的貢獻很大，尤以孫、王二氏宏博精覈，孫經術最長，援據精博，王學識淹貫，謹愼立言，允稱治甲骨一代冠冕。據他們的考證，大部份的「甲骨文」都是商朝的「帝王寶典」，而有七至八，全是依類象形的一些「圖文」，譬如同是一「文」就有二十種以上的不同刻劃。

「甲骨文」的構成，倒、順、橫、直、正、反、左、右都有。文體：還是一個大、一個小的不很整齊，間或又是幾個特大的刻劃「圖文」。總括來說，筆劃多的就顯得大，筆劃少的也就刻得小。文句：也是直行，橫行，左讀，右讀都具備的。「甲骨文」由於刻劃所構成的句讀，還沒有一定規律，我們可以武斷的說：有商一代的「文」，雖非草創初期，但也還是尚在繼續創造的那一階段上的，如果是在「甲骨文」之前一千六百年，就有甚麼「陰符，素問，十三律呂」等等完備的著述製作？這不消說全是後人羼入的包袱上！但是，這些「卜辭」，純全是有商一代，大約五百九十年（約當元前一七八三至一一九一），湯（由大乙）至文武丁（史記，作大丁），歷商朝三十帝系中，凡廿有三王的實物記載。

卜辭的記載

這一批甲骨文上的「卜辭」經由考釋出來的，計有「卜祭」者三百六條，卜告者十五條，卜出入者一二八條，卜征伐者卅五條，卜田獵漁者一三〇條（僅一般卜庚條），卜年者廿二條，卜風雨者七十七條，……」計分八類，七百十七條（見殷虛卜辭考釋）。「卜辭」中凡是卜祭（祀）的，用「龜（腹）甲」，卜田獵捕魚的，則用「獸（脾）骨」，而征伐是用某種定的事，使用的龜甲獸骨，僅限以某五種類，其餘的，則未固定使用了。至於「卜辭」之上，約有十分之「八」還是與「繪畫」似的，還沒有就明顯說的「地」分開「圖畫」的「文」。（三）

記李建興藏錢

護龍選記

（八）秦半兩錢九，漢高后八銖半兩錢五，漢文帝四銖半兩一，半兩傳形異體二，秦兩錢一。按秦半兩錢鑄於秦始皇二十六年，紀元前二二一年。秦兩錢重十二銖，錢文據傳是李斯所寫的。

（九）漢厭勝錢十五。內計鐘空花錢一，小式花紋錢十四。這類錢都是玩耍用，或是吉語用的，並不能代替化用，故此泉譜上稱之為厭勝錢。

（十）漢五銖以至隋五銖錢三十五。按五銖錢是漢武帝元狩五年所鑄造，有鍾官五銖，赤仄五銖，上林五銖等品。今察展出之件，並無上述的五銖。漢五銖除三官五銖以外，尚有宣帝五銖，王莽小五銖，公孫述鐵五銖，光武帝五銖，靈帝四出五銖等，都未見及。

（十一）王莽十布一套，難能可貴。按王莽事事仿古，他是古今造錢第一聖手，所以仿照古代製作，造六泉十布。計小布一百，么布二百，幼布三百，厚布四百，差布五百，中布六百，壯布七百，第布八百，次布九百，大布黃千。

（十二）王莽貨布四，金一刀刀環四，金錯刀（平五千）三，契刀三。按王莽所造金錯刀，稱為金一刀，劉也，是劉氏當興之讖；後來便把刀頭斬掉，僅留刀環，是王莽終為劉秀所殺之證。

（十三）六朝錢，北周武帝布泉四，五行大布錢大小共七，北周宣帝永通萬國錢大小共八，魏孝莊帝永安五銖十五，北齊文宣帝當平五銖五，漢劉備五銖錢一，梁大富五銖一。按魏永安五銖，有背面四出文的，亦有在穿孔上具一「土」字的。梁大富是不可多得的珍品，但作偽者甚多。

（十四）唐開元小平錢十八，大樣二，當十大開元通寶一，乾封泉寶大小共三，乾元重寶大小共五。按開元錢為唐高祖武德四年所造，乾封泉寶則造於高宗乾封元年，但乾元重寶則是唐肅宗乾元元年所鑄。

（十五）北宋錢，大觀通寶錢大小十四，政和通寶二，宣和通寶二。按北宋錢以宋元通寶，太平通寶為開國錢，康定元寶，皇祐元寶，慶歷重寶三品為珍罕，展出均未見。大觀通寶係北宋徽宗大觀元年所造，有折二當三當五當十四種。政和與宣和亦是徽宗所造，元寶者極罕見。（中）

論道德教育

張義舉

以上畧言實施道德教育的重點，至於技術方面，各學校可以隨時研究改進，毋待瑣述。

（四）最後，還有一個頂重要的問題須特別注意的：教育的對象是人，擔負教育工作的也是人；以人治人，必須以身作則，率先躬行。一般人對仁義道德，都能侃侃而談，言之動聽；而能夠敦品勵學，成德達材的，千百人之中，也難得一二人。我國自古對教育上就有「經師易得，人師難求」的慨歎，何況今日德育久被忽視，誰還重視「人師」呢？所以學校聘請教師，首重資歷，次重人情，再次則「不言而喻」者；對於被聘人的品德如何？學識如何？就很少注意了。如此情形，要求學生變化氣質，完成人格，豈非難上加難嗎？近年來學校教師之發生問題者相繼不絕，推其原因，不是由於肇事者的品行不端，就是知識缺乏，總有種種越軌的行動。學風之所以敗壞至極，祇要就教師方面作深刻的觀察分析，就可以知其癥結所在了。（下）

美妹

羅雲家著

「你猜？」

「我不但不願猜，而且也不敢想……」他的樣子顯得甚是失望，兩手一攤：「美妹，還是請妳清楚一些說出來吧！」

「哈！看你這股酣勁兒，好像我眞的已經失身給他一樣似的。想想看，如果我喜歡他，還會這樣對你嗎？」美妹有些生氣起來，她把身子移動到窗前，抬頭望着外邊的行人。良久，一言不發。

「男人酒後最易亂性的，何况楊光城對妳又是存心不良已久，難道他就會那樣輕易地放過妳？」

「天下的男人都是饞貓！」她大聲地回答：「可是，如果做女人的經常能存心不受對方的欺侮，那對方要想達到目的，也是十分困難的。你大概對這說法不會反對吧？」

「自然。」

「那就好了。」她轉過身來：「因為我早就看穿了他的心事──最後目的是在向我求愛，所以我乾脆先答應他。我說：何必那麼急性子呢！楊先生，看你這樣一身酒氣，叫人聞到多受不了呀！長夜漫漫地，難道還怕沒有時間不成？還是請你先去洗個澡來再說吧！……」

「他同意了？」健文急不及待地問。

「他能不同意嗎？尤其他要抓住一個女孩子的芳心時，他怎好反對我提的這意見呢。於是，就在他去浴室的時候，我馬上拿起手提皮包，和他今日買給我的一些衣料、化粧品，急急走走出來，叫了三輪車就趕到這裏。可是你却不相信我對你的忠實。嗚嗚──」說着，美妹雙手掩面，咽咽嗚嗚地哭了起來。

「美妹，原諒我！是我錯怪了妳。其實，我也是一片好心，如果不是為了喜歡妳，如果不是希望妳好，我也用不着跟着妳如此東奔西跑，撲撲風塵。妳說對不對呢？現在，快別傷心了。我想那傢伙必然不會就此甘心被騙的，他一定會設法報復，我們還是快些研究一下對策吧！來，我給妳賠不是！」說着，他眞的舉起右手給他敬了一個禮，然後走到她身前。

「不來啦，你也學會了欺負我。」她破涕為笑起來，不好意思地側轉了臉，掏出手帕來擦臉上的淚。

「美妹，」他一邊拉住她的手，一邊接過手帕為她擦臉：「先坐下來休息一會，好讓我們想想看，究竟今後妳該怎麼辦？」

「我一時也失去了主意，還是一切都由哥哥決定好了。」她把頭低垂下來，難為情似的這樣回答。

於是兩人都坐到床沿上，彼此沉默着。

他想：觀音那邊是不能再住下去了。一則楊光城可能再去找她糾纏，二則他也可能把她的行蹤通知劉大明那邊，從而引起麻煩，三則廖明德也似乎對她甚有好感，日子久了，加上接近的方便，遲早總會弄出事來。基於這些原因，不如馬上離開廖家的好。但是現在讓她住到那裏去呢？老師那邊，不能住；丁述賢那邊，人家是單身宿舍，而且又距離她家那麼近，也不適宜；其他的朋友，更沒有一個適合收留自己女友的去處……

他把他想的情形告訴她，她也以為是對的，不能再呆在觀音，最好是明天一早，就趕車去到那兒，辭了工作，收拾行李迅速離開。

然而以後去那裏呢？

他們兩人都想不出一個適當的地方。

（四一）

異國光陰老客情

漁翁

文，字也，合集衆字以成篇也。道之顯者曰文，謂禮樂法度教化之基礎。論語：「文不在茲乎？」尚書序：「由是文藉生焉」。章，采也。書：「五服五章哉！」漢書：「宣章盛德以示天下」。所謂文章者，一曰「文采」，文稱「文辭」。考工記：「畫繪之事，青與赤謂之文，赤與白謂之章。」

文章爲讀書人所專有，中國自古重文事，因而咸尊崇讀書人，認爲士君子智識高於一切，列在農、工、商之上，稱四民之首。讀書人被視作上流社會人物，讀書人亦因而自高自大，自認爲了不起。

士人不耕而有食，不織而有衣，洋洋然，「腹有詩書氣自華。」但文章往往不值錢，飢不可以食，寒不可以衣。而尤以亂世爲然！爲古今所同慨。

每一朝代之興亡，文體常隨之變動，六朝尚駢體，唐宋重散文，明淸拘拘於章句學，開科取士，入選者，不過爲了做官，「揚名聲，顯父母」而已，落第者往往醉於得失，而成爲癲狂。淸末有何某者，屢試不售，竟神經錯亂，雖詩書滿腹，而流爲乞丐，左手持缽，右手攜書，入人之門，即口誦不息。（上）

編者附誌：「冒險犯難記」續稿未到，暫停。

偉哉！諸葛武侯

羅雲

諸葛武侯名亮，字孔明，琅琊陽都人。漢司隸校尉諸葛丰之後。其父珪，字君貢，爲太山郡承。從父玄，爲袁術所署豫章太守。其兄瑾，仕吳，官至大將軍左都護，領豫州牧。弟均，隨亮仕蜀，官至長山校尉。妻沔南名士黃承彥女，黃頭黑色，而才堪相配。初亮無子，求兄瑾第二子喬，字伯松爲子。瑾啓孫權遣喬來蜀，以爲亮子，拜爲駙馬都尉，年廿五卒。子攀，官至行護軍翊武將軍。諸葛恪見誅於吳，子孫皆盡，而亮已自有胄裔，故攀還爲瑾後。亮自生子瞻，字思遠，工書畫，彊識念，聰穎可愛。十七尚公主，拜都騎尉，官至尚書僕射，加軍師將軍。鄧艾入蜀，瞻拒之綿竹，大敗，臨陣死，年卅七歲。瞻長子尚，與瞻俱戰死。次子京，字行宗，及攀子顯等，於魏元帝咸熙元年，內移河東。晉武帝泰始時，詔以京隨才署吏，後爲令。旋補東宮舍人，位至江州刺史。

武侯生於漢靈帝光和三年（西元一八〇年），建安十二年（西元二〇七年）出隆中，年僅廿七歲，佐先主，輔後主，迄後主建興十二年八月，於五丈原以疾病卒於軍，享年五十四歲。

武侯是後世公認文武合一的全才，他不僅有學術基礎，政治修養，而且具有軍事天才。他能賊漢分明，立身正大，出處不苟，始終爲漢的忠臣。尤其若子若孫，同時壯烈殉國，一門忠孝，浩氣長存。不獨如此，他還是一位創造時代了不起的大人物。隆中一對，天下三分、鼎足之勢的藍圖，早已製定。自赤壁之戰，奠定了鼎足的基礎。自得荊州取益州，完成了鼎足的局面。如無赤壁之戰，則鼎足之基不立，當時的歷史，或須重寫。赤壁戰後，設先主不得荊州而取益州，則鼎足之局不成，當時的歷史，又或須重寫。是則爾後的南征北伐，討賊興漢的一翻大事業就均談不到了。然而赤壁之戰，武侯的請救柴桑，有以成之。荊益二州之取得，更出於武侯隆中既定的謀劃。至於討賊興漢之舉，則武侯且致畢生之力以圖之者。因此，使當時的天下，三分鼎足而立者，四十餘年。說武侯爲創造天下的大人物，實可當之無愧！

武侯一生唯謹愼，謹愼的人，作事異常顧慮，唯恐有所差池。于是形成了不敢冒險，不放心別人的短處；同時也形成了計慮深遠，勤守職事的長處。茲先言其長處。（上）

名票義演的觀感

馬五先生

香港東華三院每年冬季，爲籌措醫院和學校建築經費，邀請旅港的平劇票友義演一場，而在港九素著聲譽之鬚生名票許頌輝女士見義勇爲，無役不從；她的先生嚴欣淇君曾任東華三院總理，襄贊尤爲勤力，婦唱夫隨，允稱藝林佳話。

本月八日晚間，演出於香港大會堂，戲碼爲「水濂洞」、「轅門射戟」、「姚期」，大軸爲許女士的「搜孤救孤」。記者於九時半入場，「轅門射戟」已演至第三場，去呂布的名票丁景源君，我還是初次欣賞，見其台步身段很瀟洒倜儻，沒有「羊毛」氣味，殊出意外。繼聆其唱西皮倒板「某家今日設瓊漿」，調門已夠乙字，唱味甚佳，而以原板「只爲解和免爭強」這句特見精采，觀衆掌聲大作，我則不覺怪聲叫好。鄰座係吾友陳孝威兄夫婦，陳夫人問我：「怎樣纔算是唱得好的」？因爲她是粵籍，對平劇不內行，我卻笑謂：「這話說來很長，你回去教孝威兄仔細解釋罷！」孝威卻笑謂：「我靑年時期在保定軍校讀書，同寢室的幾位室友都是幽燕人士，常善唱京戲，他們常常教我唱「三娘教子」的老薛保所唱「小東人闖下滔天大禍」這幾句戲詞，唱了三個月還是不成腔調，可謂此路是不通」，相予大笑。這晚台上的呂布正表演射戟技術，丁君張弓發矢的身段動作很帥，扮相亦英俊，抖翎子的姿式自然而美妙。像這樣的票友人才，實在不可多得也。

大軸「搜孤救孤」是鬚生的重頭戲，內行亦不容易應付的。嚴夫人許女士過去并未露過這齣戲，由余派傳人孟小冬女士以兩個月的工夫，悉心教導，從唱、做、唸三方面說起，纖細畢舉，無微不至，若不是名師指點，曷克臻此呢！許女士去程嬰，我看她首先出場來的身段和台步，就叫了一聲好，因爲跟她過去票演「提放曹」的陳宮，「硃痕記」的朱春登都不一樣了，可見她確已得到了孟老師的一些薪傳，眞是了不起。

許女士的歌喉嘹亮清脆，乃其天賦，有口皆碑，不待贅述。是夕她唱「白虎堂前奉了命」這句二黃倒板，悲壯蒼涼，完全效法余叔岩，如果閉目靜聽，跟上海高亭公司所灌余氏唱的這句話匣子腔調，幾可亂眞。最難得是她的說白咬字很不賴，如屠岸賈問「孤兒今在何處」？答言「現在首陽山公孫杵臼的家中」這句說白，不特尖團蕭然正確，而將「公孫杵臼的家中」這幾字說來，疾徐有緻，湖廣音韻醇然。法場祭時含悲忍淚，眼見老友與自己的兒子命在頃刻而無可奈何的痛楚心情，亦能在臉上和說白中流露出來，使觀衆的情緒亦隨之激動，加以「躬身下拜禮恭敬」這一大段唱詞，更使劇情進入高潮了。這曲戲之難，難在唱、做、唸、併重，稍有瘕象就不行，許女士初次試演，便有如此的造詣，不能不歸功於孟老師耳提面命之勞。是夕孟老師始終在後台省察照料，連程嬰的化裝亦是經她指點的，所以許女士出場來的眼部，我就覺得她比去前年登台時的現象迥異了。去公孫杵臼的蔣光超，舞台經驗很豐富，唱腔舉手投足極自然，宗馬連良，殊可聽。琴師任幸壽君亦從孟老師乞教有素，是夕大賣氣力，爲劇情生色不少，如程嬰在法場致祭時，拉的「哭皇天」一曲牌，尺寸特別緊湊急促，跟戲中人的動作恰相適應，且使冷場亦感到熱烈，據任君事後對我談，這種胡琴的拉法，乃是梅雨田的創作，相沿迄今罔替云。

許女士「搜孤救孤」劇照

許女士、孟小冬（坐者）便裝合照

落花時節

高蕾

「好吧！你眞是會說笑話，笑笑也好解解悶。」

走出了校門，我發現很多眼睛向我們注視，我常聽說，漂亮的女孩子，常會贏得路人的注目，我總以爲那是因爲表哥的俊美而令我沾光。

我正抬頭，表哥卻低頭看着我，那一道眼神，令我心動，我的臉在發熱。

「梅子，妳越長越漂亮了！」我正不知如何打破僵局，他卻說話了。

「是嗎？我并不覺得，尤其是當我跟你走在一起的時候，我顯得更醜。」我說話的語氣很重，表哥知道，這是我報復的話語，他只是笑了笑沒有回答。

平心而論，一個對于美的本質發生懷疑的人，對于自己的美醜早就置之度外，雖然我的容貌曾經受到很多人的讚美，可是這些又有什麼用呢？一個無家可歸的人，在台灣除了一個二表哥，就沒有親人；別的同學，一到假日都準備回家，只有我……我眞有點嫉妒，我眞願意生得醜一點，寧願沒有一個人多看我一眼，只要有一個家，一個溫暖而屬於我的家。唉！我想得太天眞了！

「梅子，爲什麼又唉氣啊！」

「啊……啊……沒有呀！」

「走！我們去看場電影輕鬆一下。」

走進電影院，已經開演了，一片漆黑，他拉着我的手，就像通了電流的熨斗，全身感到發燒！這是以前所沒有的感覺，我有點迷惑。這一場電影看下來，我并沒有輕鬆的感覺。一個有心病的人，當輕鬆的時候也不會感覺愉快，雖然我一直愛慕着二表哥，可是我要克制自己，二表哥就是二表哥，本來他對我只有教養的責任，除此我又怎能忍心從他身上得到更多的收穫呢？回到宿舍我望着潔白的天花板出神，人生就是這麼玄妙，有時溫室裏的花朵也要接受暴風雨的洗禮。

（二）

到了大二，我的生活有了小小的變動，爲了減輕二表哥的負担，我担任了一個家庭教師的兼職，有時也寫點文稿，由于經濟環境稍微好轉點，生活倒是顯得蠻有條理的。

有一天，我發現在我們這一系裏，多了一位同學，他每次都是坐在最前一排的角落裏，從他的背影看來，竟那樣酷似二表哥，因此我不免好奇的多看他一眼，當我發覺他也在注意我時，我才開始後悔了。

「糟了，男孩子都愛自作多情，他一定以爲我對他有好感；其實我心裏只有一個二表哥」。我默默地想着，發誓以後不再多看他一眼。

天下不可料想的事太多，在未來的日子裏，不但我要常常的看他，而且他也負起了看顧我的責任。

記得有一個週末的晚上，我夾着二本書，到校外洗頭髮回來，遠遠地我看見二表哥在前面走，毫無疑問的他是到學校來找我的；他好像很久沒有來了。

「二表哥，二表哥！」我一面跑一面叫，等我到了面前才發現他竟是那位我不願再多看一眼的人。

「啊！對不起，我認錯人了！」我支吾着像被抓住的小偷一般，感到不安。

（三）

自由報
THE FREE NEWS
第一五四期
每份港幣壹角
社長：雷嘯岑
督印人：黃行當
20 CAUSEWAY RD 3RD FL.
HONG KONG
TEL. 771726
台灣分社

論「邊際人格」

韋政通

柯尼格博士「社會學」第十七章，第八節，曾介紹「邊際人格」一詞，說明一個思想家或文化人在兩種新舊文化同化過程中，不可避免的矛盾與苦悶，陳義頗精。柯博士說：

「我們已經知道，同化是一種順應過程，解決兩個不同團體之間的文化衝突。可是同化的過程是緩慢的和逐漸的。少數文化團體，雖在優勢文化的勢力範圍內，却不肯屈服就範，縱然採用了某些新文化因素，却儘可能保持自有的文化，結果在新舊方式之間發生衝突，要經過一個很長的時間。個人在被同化的過程中，由於採用新價值和新態度，可是舊的未完全放棄，於是內心或輕或重地產生衝突，身當其衝者或不十分覺得，第二代子弟則情形嚴重。此外，這種人既不容於祖先團體，又不為優勢文化所完全接受，或成為『邊際的』（Marginal）——『邊際的』一詞，首由派克使用。「邊際人是『文化混血兒』，生活在兩種文化生活中，共享這兩種文化，但如水上浮萍，兩者俱不深入。范爾士在『猶太人區』一書，謂邊際人的自我，『分屬於兩個世界，一個是他業已拋棄的，一個他尚不得其門而入。』施圖桂斯在其『邊際人』一書中對邊際人有詳盡的分析，謂「這種人脚跨兩個（或多個）社會，心理搖擺不定，在他的心靈深處，對這兩個世界同時懷有去留之念，愛憎之感，但份量不同，一强一弱。」邊際人的內心生活是紛亂的和矛盾的，因為在發現他自己的情境中，要求他的行為適合兩組不同的態度和價值。」

「邊際人」眞是一美妙的造詞，因它恰當不移地代表着新舊衝突和文化同化過程中文化人的性格。我國在五四運動以後，從事新文化工作的人，他們的矛盾與苦悶，就正是這種邊際人式的矛盾與苦悶。最典型的例子是胡適先生，他對中國的傳統，有相當深的認識；對西洋文化，又具有着無比的熱情。為了中國的前途，不能不聲嘶力竭地提倡西洋文化；為了滿足個人的研究興趣，又不得不講傳統文化。一生有四五十年的時間，始終維持西洋文化立場的人，但所寫的著作，却有百分之九十都屬傳統的範圍。這十足代表「邊際人」的特性。胡先生眞是一個「對這兩個世界，同時懷有去留之念，愛憎之感」的「文化混血兒。」不認清這一點，我們就不能深入地了解胡先生。胡先生晚年住在台灣，有人說他是一個寂寞的人，其實他的寂寞，並不是到晚年才有的，他在中西文化的衝突中，一直是寂寞的。而寂寞就正是邊際人的特性之一。

胡先生死了，徐復觀先生寫「偉大知識份子的悲劇」一文悼念他。其實胡先生的悲劇，是因陷在邊際人的矛盾中，他來不及在邊際地帶建立一個新的綠洲，就在沙漠中枯旱而死了——這是任何一個先知不能逃過的悲劇。

所謂「邊際人」是因他「既不容於祖先團體，又不為優勢文化所完全接受。」就一個文化人來說，他應不是被迫地走向這種可悲的境地，而是創造的意志迫着他不得不從事此種冒險。如果是被迫的，那無異是被這兩個世界所拋棄，這樣他的命運，將不能逃脫死亡。如果是因創造意志的驅使，那末他是想在沙漠地帶開闢新綠洲，促使人類文化的新陳代謝。人類文化中的無數綠洲，就是由於這種創造意志的驅使和冒險的成果。因此，「邊際人」必是舊時代舊文化的批判者，同時也必是新文化新時代的奠基人。

寂寞是邊際人的特性之一。在一般人，寂寞是最難耐的。許多人生的過失甚至罪惡，皆源於此。黃梨洲嘗規勸才子侯方域：「士大夫不耐寂寞，何所不至？」這說明士大夫能耐寂寞之難，與不能耐之弊，眞是慨乎言之。但邊際人是具有與寂寞作長時期戰鬥之天性的。他不是不怕寂寞，而是說他能有幾分把握在必要時戰勝寂寞（絕對的勝利是不可能的）。只有寂寞才是創造智慧培育智慧的園地。荀子說：「無冥冥之志者，無昭昭之明；無惛惛之事者，無赫赫之功。」就正是這意思。

邊際人的第二個特性是衝突。前引柯尼格博士書在同一節中，曾提到美國的俄籍首代移民葉沙絲嘉，在「寂寞童心」一書中，對此種衝突心理有深刻的描寫：「我最大的悲劇是同時常看到相反的兩面，某種事物頭一天看來似乎有道理，第二天全錯了。尚不止此，許多事物同時覺得對，又覺得不對。」這可是每一個移民內心都可能有的衝突，也是新舊交替的社會中每一個人可能有的衝突。邊際人和一般人的不同，在他特別强烈地感受到這種衝突，這也是邊際人內心較一般人有更多苦痛煩悶的原因。當然，這種衝突如果太大，也不是邊際人絕對能擺脫的，有時候，邊際人也可能遭衝突的巨浪所擊毀。這就是世界上有些地區的文化由消退而逐漸毀滅的原因之一。但在通常的情形下，衝突的波度，總是可以忍受的，它只是給人帶來短時期的不便不快而已。所以社會學家甘維博就肯定地認為衝突是社會演化和社會進步的基礎。甘維博的話如果能成立，那也是因為在衝突時期的邊際人，他能承受這種衝突，並某種程度的克服和消融這種衝突，將文化導向新的航程。

基於此，邊際人不只是像柯尼格博士所說，只是反映同化過程的一種消極的人格，而可以是一積極性、創造性的人格。他的現實人生，必是一幕悲劇，但只有在這類悲劇的淚水中，才能灌溉出文化智慧的花朵。

如何收拾

加緊練習

今日与明日

越南政潮平息

擾攘了三個禮拜的越南政潮，總算由於軍方的讓步，暫時告一段落。元首潘克丑，總理陳文香，陸軍總司令阮慶三人合簽了聲明，規定還政文人政府，釋放被捕的政客。表面看來，和去月二十日以前情形沒有不同，但越南政府在此次政變中所受的創傷，將永難恢復，影響國運前途至深且鉅。

越南軍方此次最大問題是同泰萊鬧翻了臉。當詹森任命泰萊出任越南時，不由得使人聯想到當年杜魯門派馬歇爾使華的往事，當然就人論人，泰萊自比馬歇爾好得多。馬歇爾剛愎、固執、狹隘、自負。泰萊為人坦率、和氣，在美國第一級軍人中，也是一位飽學之士，自然比馬歇爾洞悉人情，通達大體。不過，越南少壯將領這一鬧，也使泰萊心灰意冷，可能會向美政府提出撤退的意見。目前美國政壇已經紛傳美國政府正在研究如何在不損失面子的情形下撤出越南，若果如此，則越南之命運將與中國相同，泰萊事實上作了第二個馬歇爾。

印尼仍在玩火

自從蘇加諾宣佈退出聯合國後，在國內據說各黨各派一致擁護，其情況有類於毛共控制下的民主黨派，無論毛澤東、劉少奇作什麼事，他們只有擁護的份，到不必重視。在印尼國外，到目前大力支持印尼退出聯合國的，還只一個毛共。蘇聯及東歐國家未置一詞，據說蘇聯駐印尼大使還私下勸告蘇加諾不可退出。至於一批幫閒，如左到比共產黨還左的納薩，性命可以不要，風頭不能不出的施哈諾都悶聲不響，未說出一句幫腔的話。蘇加諾原來以為按他的人緣，國際上又有許多狼狽為奸之輩，一定乘機出來叫囂，然後如同組織「新興力量運動會」一樣，組織一個新興力量的聯合國，以與舊聯合國對抗，照目前看來，大概是絕對辦不到的事了。所以蘇加諾雖然表面叫囂，實際色厲內荏，直到今天，並未正式向聯合國遞出退會的公文，可見仍留有餘地。不過毛共同印共不願他再下馬，正在設法把事態擴大，親共的印尼外長蘇班特里奧下令驅逐聯合國在印尼機構，即是一例。

英國對遠東的態度

自從印尼退會事情發生後，英國的態度頓時强硬起來，除調大兵東來，又要聯合美國向東南亞自由國家担保，以核子武力對抗毛共的侵畧。其實担保是多餘，最好是多拿出一些事實給人看。（何如）

自由談

一人一黨

黎巴嫩一位老報人，對着外國記者叩問他們貴國有若干政黨時，答曰：「九十九個黨！」聽者頗示驚詫，老報人解釋道：「我們的國會議員共為九十九席，所以就有九十九個政黨。」這說明黎巴嫩一般馳逐於政治場中的知識份子，都是些自命不凡，缺乏合作精神的領袖慾極强烈的人物，其言幽默雋永，可圈可點。

凡屬文化落後，生產力尚待發展的國家，搞民主政治一定是笑話百出，醜態畢露，認為政治權利有我一份，便是民主，否則即為獨裁，這不僅是中東國家如此，天下烏鴉一般黑，決無例外。這其間最大的原因，就是一般知識份子無恆產、又無恆業，專門以從政為解決家人生計的唯一途徑，而視政治工作為利藪。利之所在，羣起攘臂爭奪，誰亦不願退讓，嘴距矜張，互不相下，即不能不利用政治工具為爭權奪利的盾牌，而組織政團之風乃大作。既有團體，自不能無領袖，有了領袖地位，就容易博取功名富貴。於是乎，大家為着爭取領袖地位之故，爾詐我虞，同舟有如敵國，結果是殺雞聚會，打狗散場，依然回復到人自為政、獨立特行的散兵綫作戰態勢中，形成一人一黨，個個都是黨魁的現象，而美其名曰民主生活！

咱們中國試行民主政治已逾五十年，雖不像黎巴嫩的國會議員，每人代表着一個黨，個個頭上都插着野雞翎子，而以黨魁自命。但一般吃政治飯的士大夫缺乏合作精神，藉從政以解決生活的觀念，並無二致。中國的知識份子，只要有三五個人即可以組織政黨，政黨尚未誕生，內部爭奪領袖地位的鬧劇便告演出；政黨勉强湊合着成立了，爭奪領導權的鬧劇表演得更熱烈，旗號繽紛，招牌林立，甲派說是眞陸稿薦，乙派就稱為老陸稿薦，丙派更以老老陸稿薦自封，光怪陸離，莫可究詰，實際不外是以搞政治為家人生計之資而已，其他的說法，都如四川俗語所謂：「你喝我不懂！」

所以，在工商企業不發達的社會中，就不會產生中產階級，沒有中產階級而談民主政治，除了表演上述鬧劇與喜劇而外，每個士大夫都是「政治俘虜」營中的一份子，悲夫！

馬五先生

毛共軍士氣衰敗不堪

利用春節攪勞軍運動

同時攪「愛民月」反映視民如草芥

（本報訊）春節將臨，中共僞內務部和僞公安部，已分別發出「通知」，要求在今年春節期間，展開所謂「擁軍優屬」活動和「愛民月運動」，其內容無非企圖趁此加緊暴政的推行以及挽救衰敗的士氣。

僞內務部在發出的「通知」中說：春節期間，各省、區、直轄市幹部，應該根據當地具體情況，酌情組織「慰問團」，對當地共軍進行「熱烈的慰問」和展開「軍民聯歡活動」。並且要緊密結合當前「社會主義教育運動」，在各機關、學校、企業、事業單位的員工、學生中，在城鎮街道居民和農村「社員」（農民）基層幹部，大張旗鼓地進行「擁軍優屬的宣傳教育」，通過各種形式，「大力宣揚」共軍的「偉大功績」，要求人民「熱愛」共軍，「學習」共軍，「尊重和關懷」共軍，以及「烈屬軍屬」。同時，也要宣傳中共的「優撫」工作政策。「通知」指出：春節期間，還要發動幹部羣衆給「烈屬」、「軍屬」、殘廢軍人、退伍老共軍、退休軍官賀節。發動人民羣衆爲「烈屬」、軍屬「做一件好事」。採用召開「烈屬、軍屬、殘廢軍人、復員退伍軍人座談會」、「代表會」等方式，向他們進行所謂「階級、階級鬥爭的教育」和「發揚革命傳統的教育」，以提高他們的「階級覺悟」，鼓勵他們在「階級鬥爭」、「生產鬥爭」和「科學實驗」三大「革命」運動中，在「社會主義建設」的各項工作中，發揮積極作用。

僞公安部在發出的通知中說：一九六五年春節期間的「愛民月運動」必須和當前「社會主義教育運動」緊密結合起來進行。通過「愛民月運動」，要進一步發揚「講政策，守紀律，愛人民，密切聯繫羣衆的好作風」。「通知」指出：在「愛民月運動」中，要認眞發揚羣衆給予公安人員提批評意見。縣公安」「派出所」、「民警隊」等基層單位，要利用一定的會議形式，向羣衆講解「公安人員」的「八大紀律」、「十項注意」和「愛民月運動」的意義，發動羣衆給公安人員提批評意見。領導級共幹和「民警」，要深入到街道，農村，廣泛地眞心誠意地徵求基本羣衆的批評意見，而且「對于來自羣衆的各種批評意見，一定要滿腔熱忱，認眞對待，及時整改」。

該項「通知」還要求，各地公安部門，在「愛民月運動」中，「爲羣衆辦好事」。「辦好事」要緊密結合「治安保衛」任務和羣衆生活需要進行。可以集體地參加一些公益勞動，也可以分散地幫助羣衆解決一些實際困難，要培養公安幹部和「民警」的階級感情，關心羣衆疾苦」。「同羣衆同呼吸，自覺地爲老工人，城市貧民，貧農，下中農和軍屬，烈屬去辦好事」。

（本報訊）今年新年和春節期間，大陸沿海地區中共的「慶祝」活動方式，包括下列各項：①發動居民：「打掃大街」，在新年中名爲休假，實際上則爲清道伕。②到處掃遍「紅旗」，使人民觸目驚心。③集合所謂「勞動模範」、「先進代表」從事集體奴化教育。④各工廠、企業、公社、機關、學校，强迫羣衆「聯歡活動」。⑤廣泛開展「大唱革命歌曲」、「大演現代革命戲」、「大講革命故事」，强化「階級教育」，乘機⑥遍貼大幅標語，强調「鼓足幹勁」、「挖掘潛力」、「勤儉節約」。而最使其人民感到厭煩的是，在中共這許多活動中，無一提及改善人民生活，或與改善人民生活有關之活動。

近聽慧芬

名坤伶而爲梅蘭芳晚年弟子的慧芬，其唱腔確有親炙，來台退居多年，前忽參加陸光劇團，以不勝其勞而病，聲帶發炎，遂輟演養息。明駝因馬驪珠請辭（其中曲折，不忍多談），爲請慧芬接陣，但以嗓音不能多唱，每月祇允四場，慧芬劇藝從茲不復多見，深爲系念。

明駝因爲歲首公演，頗受挫折，怯而不敢再事公演；近以王華霈接事，鼓其勇氣，再作試演，由慧芬與蓮芝分演一日，支配很得當。慧芬貼出一向未曾多演的甘露寺迴荊州與別宮祭江，是罕有的事，所謂各逞雄鋒，等量齊觀也。我在聽了別宮祭江，覺得她的嗓音仍是朗潤，而腔之曲折，妙在一波三折，極宛轉之能事。場中掌聲不絕，則說明不乏知音。

別宮祭江自屬金素琴拿手，但陳美麟亦很不錯，其餘徐露、嚴蘭靜會亦演過，這且不談。惟慧芬是學梅的，當然不輸於金。首先的是妙在「靜而哀」三字訣，把氣須大大通眞。與吳后的苦請，表情眞夠。一段二黃慢板與大段反二黃，唱來是怨欲絕，場中觀衆，鴉雀無聲，多在聽其細訴，很夠份量。畢竟蔗愈老愈甜，堪詠之。小坤旦徐蓮芝拜師上，全在名家爲覓良師，已有四五人，將來可追踪慧芬。現在的雙頭牌，似乎早，猶須磨練，這是持平之論。但望慧芬多爲獎掖，也許可傳衣缽，一枝獨秀也。

觀完璧歸趙

戰國時代有兩齣名劇扣動任何人的心弦：一爲單復國毋忘在莒；還是以苦不拔的精神，僅恃卽墨與莒，收復失地七十餘城，可謂非奇蹟。一爲完璧歸趙、澠池會、將相和；還是弱國外交憑着一股正氣，力暴秦，不敢妄爲，仍恃廉頗銳氣，擊敗白起，此趙國全賴文武能臣，屹立不動，足以爲後世取法。吾國近代外交戰爭，在巴黎與華府兩次和議，也以堅忍而獲一些勝利，亦可證之。

台灣平劇續紛錄

娑婆生

茲談完璧歸趙三折戲。在五十年前，要以老鄉親孫菊仙爲獨擅，譚（鑫培）汪（桂芬）不唱。民初劉鴻聲也以歸趙一戲鳴於時，但不接澠池會與將相和。此戲之難在於全部是西皮腔調，並無二黃。現在唱將相和的大鵬、海光、明駝，均有變質，插入二黃；而爲相如之府中一段，有如借東風的腔，以致氣氛沉悶，不及從前的勁。最近明駝劇團忽然排出全部完璧歸趙，以至負荊請罪止，由名家如劉鴻公、申中常、任博悟、王華霈諸君編排了完璧歸趙接澠池會，覺得唱腔翻改，有點避重就輕之處。例如懷璧入秦那幕，有一段西皮倒板轉原板的唱，如「馬上昂自思忖」這段的唱，有高潮迭起，非常動聽。問之曾翻，據告已爲删除，不知删除的理由何在，因何在，殊爲不解。實則精粹減色。澠池會重在念白，而須注重激昂之氣，如果不夠此情，那就不能發揮其職守。何以去澠池會？是官階賜趙，方可冠帶前往。抑有者，藺相如以田舍人而入朝，在派赴秦應予什麼身份？不能用嗎，似覺過簡！待澠池會歸來，將相和，只才上丈夫（卽孫相如），前者稱何不封？猶待增場爲宜。不得不特爲提及，有待於諸名家考慮之。

在觀後的感想，猶待予以修正一點，俾可更加完美，否則不免於年庸。這是非指責，也是互相研討，期求完整，也如八義圖之家政人們。

大專校演出

來台十餘年，每逢歲首，大專院校師生，均異常興奮，紛紛登台，以表慶祝。而內行的劇團卻多未見有演出，是票友們趣勝過內行也。五四年來臨，各校的活動，略以報道。

淡江文理學院於十二月三十日，在淡水英專路本校活動中心，演出平劇，均由在該校攻讀及畢業校友，專爲以前的國立戲專高材生，而有名坤票宋丹菊唱曲「思凡」，簡志信唱「興唐滅巢」（卽全本珠簾寨）。

工業專門學校於十二月卅一日在中正路該校禮堂演平劇，多係台大畢業及就讀生來演，有楊美珊唱「遊龍戲鳳」，鄭飛演「拾玉鐲」及「大登殿」。

師範大學所演的一晚，陣容較大。鄭飛、楊哲論、鄭翼翔的棒打薄情郎。大軸四郎探母，有四個四郎，計楊哲論，（見娘哭堂）傅武光，（回令）張義鐘。三位公主：（坐宮）于大成，（出關）（盜令）王淑瑗，（回令）王鍵。兩位太后，（盜令）蕭永淑，（回令）宋育珍。六郎王義鍾，楊宗保鄭飛，太君李望錦，四夫人蕭永淑，國舅鄭翼翔穆春濤。場面亦很多，王有熊、夏濂泉、應再寧、董俗、張紀民、錢春樂等。在國慶元旦登場。

台大尚有一場，日期未定，約在一月初，是張明泰的「失空斬」，蘇可勝的「拾玉鐲」「法門寺」。可知台北各院校學生對平劇的活躍，正方興未艾。

屏東縣立中正初中校長

洪水法被檢舉違法瀆職

（本報記者屏東航訊）此間縣立中正初級中學校長洪水法，於去（五三）年九月間被該校員工，以匿名告狀的方式，列舉其違法、瀆職事蹟十九條，並附有照片六幀作爲證據，向主管官署、司法機關，及議會等提出檢舉，消息傳出後，地方人士對這案件，無不拭目以觀。而事隔四月於茲，據可靠方面證實，該校長被檢舉的十九條罪狀，均屬有法可據，並無不合之處，但此一答案，能否令人滿意，似很值得研究的。

按檢舉書所列洪水法的十九條罪狀是：一、學校廁所水肥，每學期出售所得（價格不詳），既不公告，且亦未列入員工福利金。

二、將學校家事科花盆三個，佔爲己用。

三、家裏所閱讀之上海日報及徵信新聞報，均由學校付欵。

四、其家人佔有學校自行車二台。

五、民國五十一學年度第一學期招收插班生時，非法超收報名費五元（教廳規定初中入學攷試報名費爲廿五元，而中正收三十元），並在報名時强迫學生樂捐，否則不予受理，其所得樂捐欵項亦無清帳。

六、五十一年度趁員工消費合作社成立時，未經公告招標，逕由商人與建員工消費合作社飲食部，並於會議時捏報價欵爲新台幣三萬餘元（未表明確定價格），後經該合作社理監事抗議，並表示不予追認時，洪水法乃自動減價爲新台幣二萬五千元正（有五十一年度員工消費合作社全體理監事黃振雄等七人爲證）。洪水法身爲一校之長，既不遵國家法令公告招標，復又捏報價格，不無有勾結商人圖利之嫌。

七、五十二年暑期學校舉辦學生補習，所收補習費挪作他用，至十一月間始發放授課鐘點費，且未公告收入與發放數字。

八、五十二年九月間教員洪祚恩因教育廳召集請假，所缺課程，呈准由教員方玉成代授，而方玉成雖代爲授課，然未領得是項鐘點費。

九、五十一學年度第二學期招攷插班生錄取爲六名，但呈報縣府教育科爲九名，（學生異動表可查），顯然違法招生。

十、依教育廳規定專任教員每週授課時數爲十八至二十小時，但中正中學之專任教員凡每週授課二十小時者，學校均發給每週一小時之輔導費十四元，而何獨故員洪祚恩之授課每週二十小時，却發給每週輔導費四小時計五十六元，似有串通侵佔之嫌。

十一、五十二學年度第二學期所收員生消費飲食租金新台幣四千元，未發給員工而吞爲已有。

十二、十三、五十二學年度一、二學期，强迫學生訂購洪水法自已所編著之「初中博物指導」、「生理衛生教科圖」參攷書圖利。

十四、五十二學年度第二學年根本未招攷插班生，却有插班生來校註冊就學。

十五、五十三年六月三十日報銷圖書乙批計新台幣八千餘元，內有「小婦人」小說四千餘元，及「人名大字典」三百餘元，有收取回扣之嫌（郭教務主任可證）。（上）

乃沙立及其妾存欵

數達泰幣四億餘元

（本報曼谷航訊）泰國財政部長乃順通以接管故總理乃沙立元帥與如夫人財產委員會主席資格，假財政部發表談話稱：接管委員會於一月六日假政府官邸召開會議，報告三個接管小組接管財產情形。計接管銀行方面存欵的小組提出報告，指出沙立元帥與如夫人名下各銀行的存欵數額，截至去年十一月廿日止，增加了五至六百萬銖，連利息計算在內，存額總數達四億一千五百萬至四億一千六百萬銖（約一億一千萬港元）。接管地產別墅小組提出報告，所有接管地產別墅，也已經全部彙集登記清楚，北冲地區的沙立農場，決定移交農業大學使用，其他地產，則有待當局作使用的考慮。接管各投資部門的股份小組，提出調查報告，彙集與登記工作，正在進行中，料於二月十八日以前，即可全部完成。

乃順通透露，有關接管財產與估價拍賣工作經費，當局將呈院會討論，由中央預算處支付。

有關曼谷蔴袋廠的股份問題，乃順通稱，接管股份委員會主席拍瑪奴域威蒙，現正在傳訊股份的持有人，包括三關警少將與乃蓬沙越在內，彼等所持股份，是否是屬于本身所持有者，或係僅在名義上代沙立元帥與威集達夫人持有上述股份，須待審查清楚之後，才召開股東大會，重新選舉蔴袋廠的理事。

從破落戶到時髦人

論道統第一章

陳健夫

一、是一個道統問題

近時，若干時賢感於我國世風日下，人心不古，有讀經以重振固有道德的主張，說者謂：「科學只能產生文明，不能挽救人心。」同時有反對讀經的指之爲「開倒車」，稱「現代是科學時代，要靠科學建國，今日國人道德墮落，不能怪科學，而是由於自己不爭氣，迷信、落後、貧窮、腐敗的結果，不能歸咎於科學。」這些日子我又再一次的將這個論爭多少年代的問題存於胸中，我始終懷疑，認爲這些都不是問題的根本，因爲今日道德的墮落、風氣的敗壞，決非是提倡科學之故，也非背時代或落伍之故。固有的傳統，未必一無可取而必須全部否定。我細細觀察我們所處的國家社會所以有此嚴重病態，其由來實已日久，決非今日一朝一夕之故。我發覺此一問題的發生至少有五十到一百年的時間，可以說從鴉片戰爭以後，中國固有的道德傳統便開始瓦解，至於今日完全崩潰，形成了一種沒有道德規範、沒有是非標準的社會，因此造成今日這等種種可憂可怕的社會病態，使國家社會喪失了正氣與生機。我究道當中的原因，就是由於中國固有的道統，由堯、舜、禹、湯、文、武、周、孔，一貫相傳的儒家道統，幾千年來異常堅固深入民間的禮教維繫，漸然無存，所以至此。今日的問題不是說讀經禮教崩潰如何可惜，應如何恢復，而是必須面對新的世界，建立新道統以承續這個崩潰了的舊道統，才是根本挽救之道。人們應該牢牢記着過去幾千年是農業社會的道統，已爲陳迹，不必留戀懷念，而今而後則應是一種工商社會，科學文明社會、民主政治時代的新道統。因此，我想起這是一個道統問題，並非是單純的讀經，或科學與否的問題。一旦新道統建立，則一切科學自然合乎道德，任何人讀經，亦無違背時代。有如西方基督傳統之下的今日歐美社會，人們雖在教堂唸經祈禱而不忘從事科學及近代化的努力。

二、落魄的破落戶

中國的道統，自堯舜禹湯文武周公而孔子集大成，這個道統便是仁義道德的道統，韓文公所謂：「博愛之謂仁、行而宜之之謂義，由是而之焉之謂道，足乎己無待於外之謂德。」王陽明所謂：「經者常道也，其在於天謂之命，其賦於人謂之性，其主於身謂之心。心也，性也，命也，一也。」中國社會保持這個道統的便是禮教。舊時社會，不論窮鄉僻壤，都有祠堂廟宇，家家戶戶廳堂上都懸有天地君親師的牌位，人人不分男女老幼都自然致其敬畏。不論家庭、社會、學堂、乃至官府，無處無人不受此教育影響。這種幾千年下來的禮教社會，對於人心是一種很好的規範（當然也有對婦女的虐待、違背人道、侵犯人權，姑不其論）。這樣的道統，它的精義就記載在大學中庸論孟四書之中，其中的道理，眞的並非平凡粗淺，可說：「語大莫能栽，語小莫能破。」孔子在日便嘆息着說：「中庸之爲德也，其至矣乎，民鮮能久矣。」這個中庸便是合乎仁義道德的規範的一種最高標準。中國社會二千年來，不論其中有佛有老，這個道統，始終是社會有力的維系的中心。

但是，歷史進入近代，西方的民主思潮科學文明興起了一陣狂潮向東方湧進，有如怒潮澎湃，無可抵禦，於是乎將中國固有的禮教，並其所依附的君主專制，上層政治制度，下層社會組織，整個破壞，蕩然無存了。至此時會，好比富家子弟，其先世豐富遺產，完全喪失，而自身又未能及時建立新的財富，因此，便成了落魄的破落戶，沒有個歸宿。自然便窮途潦倒，無所不爲了，還有什麼仁義道德呢？

三、時髦人

中國的這個道統最初便與政治制度結了不解之緣，因此，一直便爲政治的權力所利用，或爲君主專制的護符。到了最後，受到西方道統的狂潮，民主科學的新潮的排山倒海，自君主制度至社會的禮教，全部爲之瓦解。人心有如洪流，當堤防破裂的時候，便無孔不入，無所不用其極，所以形成今天這樣的道德淪亡的現象，是很自然的道理。（上）

漢文，漢字，漢學

陳曼卿

上面這些錄，是王國維氏就羅振玉收藏者考釋出來的，因側重於「甲骨文」上的制度典則，可識者約「四百文」。嗣經商承祚整理「殷墟卜辭類編」，可識者增至「七八九文」。王襄的「簠室殷契類纂」可識者又增至「八七三文」，朱芳圃的「甲骨文字編」，孫海波復增至「九五六文」，「甲骨文編」，計可識者再增至「一〇〇六文」。又據晚近出版品說：「可識與不可識者約有五千文」。十萬餘片的「甲骨卜辭」，僅有五千文，其重文，複字之多，也就可以想見了。

「龜卜」這一事物，不僅是我國遠古文化（商）的「遺產」，而且查遍全世界各民族祖先的任何一部文獻，直也尋不出一絲痕迹來。商代「龜卜」，周代「八卦」，這兩種鬼神附湊的事物，經由後人揉揉牽合，竟自成爲二而一，一而二的「治國平天下」的大道理（高等賣卜者的法寶）。這正是伏羲（天皇）以來，我們這些黃帝子孫，唯一無二的「特產」！據李濟氏說：「骨卜也是由東亞傳到歐洲和非洲去」的。

金石銘文的傳說

呂氏春秋求人篇載有「得五人佐禹，故功績銘於金石」。宋、薛尚功鍾鼎彝器款識（凹文爲欵，凸文爲識）卷一也載有一條：「孟子，禹之聲……尚文王之聲……以追蠡」。

這似乎是說，禹的樂或樂聲，要勝過文王。漢趙岐孟子題辭：「追爲鐘鈕，蠡爲齧絕」。猶之乎言禹鐘尚存，可見傳說中有禹鐘，孟子時似乎將要絕跡了，假使是事實，那或許也是黃銅，而非青銅的器物了，（因青銅之前，還有一段黃銅時期，見考古學家世界古器物報導）。至於「岣嶁之碑」，那是明代蜀人楊用修的絕作，這裏就不提了。

但據近代考古學家，他們曾以殷墟出土的「矢，句兵，刀，箭，矛，斧」五種簡單的銅兵考訂，證明「殷商以前，中國沒有銅器」的一種說法（見蔡元培先生六十五歲論文集）。那嗎，上述的孟子所云，和呂氏春秋，也同樣屬於子虛了。

西周金文

鐘鼎彝銘之有著述，肇始於宋代，凡已出土的殷、周二代彝器古物，要多類甲骨文者，常十之八九，大率皆是古代的「象形」圖文，不過有元筆，方筆之分。雖見多識廣，苟非多方引據，審愼精嚴，每爲膺品所愚！曾經好古專家收藏，製有拓片或影本行世者，近世紀來，已屬不少。

這裏僅提出西周早期的有：「大盂鼎，頌鼎，周公彝，毛公鼎，散氏盤，號季白子盤」等，這些古代銅器，皆已經過上述治「甲骨卜辭」專家，與晚近不少考古學者所鑑定了的，都一致公認爲西周古物，自必出於宗法社會的「貴族明動受賞」之作。至於時期比較晚的，出土者亦復不少，恕這裏不再列舉了。（四）

記李建興藏錢

護龍選記

（十五）遼錢小平天贊通寶一，大安元寶一。金朝天定通寶平錢一，正隆元寶平錢一，篆書泰和重寶當十大錢三，通寶折二小平各一。西夏平錢天盛元寶及乾祐元寶各一。按天盛錢爲西夏仁宗天盛十年所鑄，乾祐錢是造於仁宗乾祐四年，相距約有十三載之久。

（十六）南宋錢，紹熙元寶小平錢二，慶元通寶平錢二折三有八，嘉泰通寶平錢二，折二與折三各一，嘉定元寶大小共三，紹定通寶小平二，端平元寶當十大錢一，當五有二，小平一，嘉熙重寶當五有二，淳祐通寶篆書當有大錢一，隸書有二，小平有一，景泰元寶小平共三。按南宋錢種類特少，有銅錢亦有鐵錢，背面每號錢皆有數字紀監。

（十七）元朝錢大小共二十一，計蒙文大元通寶當十大錢三，蒙文至元通寶當五有一。香爾小錢則有至元戊寅，至元壬由，至大元寶，至順通寶，延祐元寶等多種。至正通寶當五當三小平各一，另有至正之寶背吉權大錢一，爲元錢中之大罕見品。

（十八）齊劉豫阜昌通寶篆文當二大錢一，元末四寇張士誠天佑通寶當五當三大錢各一，宋韓林兒龍鳳通寶錢小平錢一，閩王耿精忠裕民通寶一折二當三全組三枚，漢陳友諒天定通寶四枚全組，而天完徐壽輝之天啓通寶則僅有當二者一。按天佑通寶共有四，即小平折二當三當五，其中折二爲最罕見。天啓通寶應有小平、折二，當三，爲古幣中的珍品。

（十九）明朝大小有十八，計大中通寶大錢二，一當五一當十，餘爲洪武通寶大錢及小平，萬曆天啓正德宣德崇禎大錢。南明則有福王弘光通寶一，唐王隆武通寶一，永明王永曆通寶一。張獻忠大順通寶一，吳三桂利用通寶昭武通寶各一，吳世璠洪化通寶一。

（二〇）清朝錢，滿文天命小錢一，順治通寶一，以下康熙通寶各一。另有乾隆嘉慶錢各一，共計二十八枚。道光咸豐同治光緒宣統等普通大小制錢共十三。另有太平天國洪秀全當五大錢，太平聖寶背天國者各一，較爲珍貴。

李氏藏泉，雖不甚多，但有四百餘枚，在台灣同胞之收藏者，允推第一位。惟其中極精者不多，也有近十餘枚，與繼鶴齋李東園氏所藏的，猶如小巫之視大巫。此係收集年份有關，東園所有，近四十年，亦而稀有之品，舉世所絕者，珍藏有夥，因此馳譽於海外，歐美均著名也。（下）

美妹

羅雲家著

「哦，妳來的時候，還沒有登記房間吧？」健文看看時已夜深，美妹累了一天，也該早點休息了，因此想到了她的住宿問題：「我陪妳先去訂個房間，然後我們再研究明天的事好嗎？」

「這不是你訂的房間？」

「對呀！」他以爲她看上了自己的這間房子了：「如果妳喜歡睡這間，那我就去另找一間好了。怎樣？」

「流浪期間，節省一點不是很好嗎？」她笑着側轉臉來反問。

「妳是說我倆住在一起？」

「有什麼不可以呢？只要我倆彼此在心裏沒有雜念。」

「那不妥當的，時下人心險惡透頂，就是妳我十分純潔，人家也要捕風捉影，無風起浪地造謠中傷，如果自己再不檢點，那就什麼壞話都會傳出來。我看還是分開住的好！」他一面解釋着，還一面指手畫脚地來加強他的語氣。

「爲人不做虧心事，半夜敲門心不驚。我倒不以爲然呢。既是這樣，就依妳。現在，到樓下去訂房間吧？」

「好！」

於是他倆急急走下樓去。賬房給美妹登記後，着下女帶他倆上樓，選定了靠他住的隔壁房間給她住宿。當下女給她整理房間時，他過來把她的東西搬了過去，要她先去沐浴，然後外出吃宵夜。

可是不多一會，楊光城那傢伙却追蹤前來找麻煩了。

何健文原本不打算跟那無賴漢子衝突的，然而事到臨頭，他要設法避免却不可能。

就這樣，雙方相鬥了！結果，自然是沒有準備的一方吃了大虧。

……………

楊光城是玩女人的老手了，在他決定動美妹的腦筋前，他就對有關問題作過研究分析的。他知道這少女很容易上他的鈎。其所以遲遲到現在才正面進攻，那裏面有迂迴曲折的原因的。

當美妹在他小老婆處當下女時，他就想找機會佔有她的。可是香蓮是何等聰明呢？她在察言觀色中，察知自己的丈夫正暗戀着自己的下女，她怎能不驚心呢！於是就採取主動，一方面對他百般殷勤，萬分體貼；每當他回來時，就寸步不離，並藉口愛看正在上映的這個片子，那個片子，纏着丈夫陪她去看電影，再不就是嗲聲嗲氣要求丈夫陪她去舞廳「蓬拆、蓬拆！」一番，或者是上市場買這買那……目的在使丈夫與美妹沒有接近的機會；另方面，她則運用十分同情美妹惡劣處境的姿態，促使她迅速辭職，然後脫離陷阱般的養父家，並忍痛支援她五千元新台幣，又熱情地介紹她到中壢的娘家暫住，進而推荐給廖明德做下女……目的在使丈夫知難而退。

楊光城是何等乖覺的人呢？香蓮的這一手，美妹自然看不出，但是却逃不出他的猜測的。表面上雖裝作全不知情，暗地裏却計劃着如何透過姐夫的關係，來達到攫取美妹肉體的目的。他先寫封限時信給廖明德，說自己何時要去拜訪他，並謂對根治姐姐瑞蓮的疾病，自己願意盡力幫忙。……

今天離開香蓮時，他是說到新竹接洽生意的，也許要一兩天才回去。他騎摩托車到達中壢，會順便去醫院探視了瑞蓮一下，送了些水菓，寒暄了幾句，透露了她家中，已僱用了一個年青貌美的下女幫忙。叫她安心休養，不必掛念家務事情……然後就直駛觀音。（四二）

冒險犯難記

鄭文儀

四十六、國家危難相繼發生

當民國十九年中原大戰最激烈的時候，中國共產黨乘國民革命軍內部紛爭的機會，在湖南長沙武裝暴動，佔領長沙達一星期之久。毛澤東彭德懷部叛變，在湖南雖未能成功，但其裹脅散兵游勇及各地共黨秘密地下組織與民團，流竄到江西，彭德懷很快就擴充爲紅軍第五軍，再加半年左右的游擊活動，更擴編爲第三軍團，轄四個軍。加上朱德在贛粵閩邊區的第一軍團與賀龍在湘西第二軍團，號稱十萬之衆。由毛澤東用前敵委員會的名義，指揮在長江以南之贛閩粵湘桂黔及長江北岸之豫鄂皖邊區，到處打家刼舍，煽惑暴動，實行階級鬥爭與游擊戰爭，禍國殃民，莫此爲甚。我們追隨蔣總司令剛在民十九年十月結束中原討逆戰爭之後，乃於民國二十年初，又到江西清剿共產黨匪徒，以圍剿戰術對付共產黨的游擊戰爭。

江西剿共戰爭進行半年，原已收到很大的效果，共黨在江西的所謂中華臨時蘇維埃區域，業已退縮到贛南很小的幾個縣境；不料桂系的軍隊聯合廣東部隊，這時又實行叛亂，倡言北伐，進軍湖南南部。以致中央政府在江西剿共的部隊，不能不分兵一部，由顧祝同胡宗南兩將軍率領，開到長沙防堵。

就在這個時候，日本軍閥以爲有機可乘，乃於九月十八日在東北發動瀋陽事變，在很短時期內，發展侵略的結果，佔領了我東北三省。在這樣內憂外患相繼發生的時會，國家危急困難，已達於極點。共產黨陰謀效法俄國共黨革命，運用俄國對德戰爭時的故技，利用對外戰爭的機會，奪取政權。所以聯絡國內各黨各派，掮動長江流域及華北各省的大專學生，擴大宣傳，齊集南京，向國民政府請願，要求政府立即宣佈對日抗戰，早日停止內戰（剿共戰爭）。南京上海及長江流域交通秩序都受其擾亂，造成了嚴重的局勢。

蔣總司令鑒於內憂外患相繼發生，國家已臨危急存亡之秋，決心對日抗戰，於九月底回到南京，籌商禦侮救國的大計。一面電令張學良嚴飭守軍，積極抵抗；另一方面於十月初決定對粵桂軍事暫行和平解決的原則，以期統一力量，共禦外侮。同時決定以西北各省爲政府第二根據地，如果日本軍閥擴大侵略，即全國動員奮起抗戰。可惜這些決策，竟被反動黨派所曲解，令到國事更加危急。（七六）

異國光陰老客情

漁翁

一日，臨余家，見而怪之，以一聯屬對：「貌乞丐而心詩書，可憐可憫」；何某乃不假思索，應聲曰：「相唐皇以衣錦繡，收戒收豪。」然則，其眞「文章憎命」耶？

不過，讀書人之明理達識者，志氣高尙，窮且益堅，確屬可貴。但當然並非「書中自有千鍾粟」，「書中自有黃金屋」，「書中自有顏如玉」之謂，而是明心見性，用能「富貴不能淫，貧賤不能移，威武不能屈」耳。故能即使「一簞食，一瓢飲而不改其樂」。此不徒顏子爲然，凡有道德而能文章者，多有此氣槪，北宋呂蒙正其例也。蒙正窮困時所吟「不敢妄爲些仔事，只因會讀數行書」。便是讀書人可愛處。

或有人說：文章詩歌，不過是人生智識上之點綴品，猶如面目上之眉毛，裝一裝美觀，若伐而去之，亦不傷人體之健康。是其實不然。文章實爲立國之本，我國過去五四千年，非亦以文物見重列國耶？無他，乃學能濟世，教以興仁，以維繫之，以發揚之耳。時至今日，世局變亂，大陸淪夷，而流亡於海隅者，雖有智慧而能文章，但其如「亂世文章不值錢」？亦可慨也。

筆者蓋亦有同感也，因搜索枯腸，集唐人詩句成首，以博一粲。

碧天如水夜雲輕，（溫庭筠）
異國光陰老客情；（崔魯）
獻賦十年猶未遇，（錢起）
靑袍今已誤儒生。（劉長卿）

偉哉！諸葛武侯

羅雲

武侯的計慮深遠，防患未然，是他人所不能及的。三國志載劉封侵陵孟達，孟達叛降魏，上庸太守申耽又叛應達，會同夏侯尙襲封，封敗回成都。封本先主養子，亮慮易世之後，封剛猛難制，必生患，勸先主因此際除之，遂賜封死。這是武侯見到做到，不爲煦煦之仁所囿，而爲蜀漢除以後爭位之患。武侯深謀遠慮之事例衆多，此不過其中之一端而已。

武侯勤於職事，賞罰嚴明。三國志載亮使者對司馬懿之言曰：「諸葛公夙興夜寐，罰二十以上皆親覽焉。」因勤於其事，事必於親，不致受人矇蔽，所以論功論罪，皆得其當，故能賞罰而公平。陳壽評曰：「亮之爲相國也，撫百姓，示儀軌，約官職，從權制，開誠心，布公道。盡忠時益者，雖仇必賞。犯罪怠慢者，雖親必罰。服罪輸情者，雖重必釋。游詞巧飾者，雖輕必戮。善無微而不賞，惡無纖而不貶。庶事精練，物理其本。循名責實，虛僞不齒。終于邦域之內，咸畏而愛之；刑政雖峻而無怨者，以其用心平而勸誡明也。」由此可知武侯的謹愼公正。

其次說武侯因謹愼而形成的短處。第一就是不敢冒險。六出祁山，在戰略上只見其正，不見其奇。初出祁山之時，據通鑑載魏延獻策曰：「聞夏侯楙主壻也。怯而無謀。今假延精兵五千，負糧五千，直從褒中出，循秦嶺而東，當子午谷而北，不過十日，可到長安。楙聞延奄至，必棄城而走。橫門邸閣，散民之谷，足周食也。比東方相聚，尙二十許日，而公從斜谷來，亦足以達。如此，則一舉而咸陽以西可定矣。」亮以爲此危計，不如安從坦道，可以平取隴右，十全必克而無虞，故不用魏延計。」後人有謂孔明不肯用奇兵制勝，恐損失魏延，其實就是謹愼，不敢冒險。陳壽評亮略非其所長，固非挾怨失平之語。

次是不放心他人。謹愼的人，惟恐他人僨事，往往躬自爲之，殊不知一人精力有限，而且越人事權，此司馬懿聞亮使者之言，即曰：「食少事繁，其能久乎？」通鑑載亮主簿楊顒見亮嘗午夜自校簿書，直入諫曰：「爲治有體，上下不可相侵。今明公爲治乃自躬校簿書，流汗終日，不亦勞乎？」亮之不能長壽，與此關係甚大。

武侯之才，優於治國治戎，無可批評，陳壽評爲管仲蕭何之流亞，殆誠定論。（中）

過五關與古城會

周燕謀

三國演義作者刻繪一個忠義典型武人如關羽，生色增益其美處不少，過五關斬六將，古城會等，眞是生動活現，令觀者不忍釋手。此可見小說影響力之大。更可笑者，竟有詩人不加鑒別，槪以之入詩而致貽笑藝林。河南有一「恨這關」。相傳因關公過五關，有「立馬回頭恨這關」之句而得名。明人盧忠肅督師至此，賦詩云：「千古英雄恨這關，靈分楚豫幾重山；龍泉羽士嫌岑寂，鳥道征人歎往還。劍削天容身欲蟄，幽棲岩壑意仍閒；遐思壯繆當年事，歷盡江山識歲寒。」即其例也。

關羽辭曹歸漢，乃在解白馬之圍一役，當時曹操袁紹兩軍，相拒於官渡，（今河南中牟縣東北）紹遣大軍於武陽，（今河南武陽縣境內）曹操痛擊追擊。五月前後，關羽旣斬顏良，知劉備確在袁紹軍中，認爲千載難逢之機，而曹亦察知其立功必去，復重加賞賜，關羽乃盡封其所賜，拜書告辭，奔先主於袁軍。左右欲追之，曹操謂彼各爲其主，勿追也。準上觀之，關羽挂印封金，千眞萬確；觀拜書告辭，左右請追云云，是關羽僅拜書告辭未經批准即去也。曹操何以對關羽如此雅量？如以他人可得若此重義乎？先是曹操壯羽爲人，復聞關羽對張遼曰：「吾極知曹公待我厚，然吾受劉將軍厚恩，誓以共死，不可背之，吾終不留。吾要當立效，以報曹公乃去。」遼以語報曹操，操深義之。（上）

落花時節

高蕾

「妳是李梅同學嗎？我叫洪傑，本學期才轉入貴系的。」他講話的態度很文雅，我仍感到討厭，心裏一直在埋怨着二表哥爲什麼這麼久不來看我呢？我不再開口，他也不再講話，一路啞口無言；到了學校說了聲「再見」就向女生宿舍跑去。

「李梅，妳的電話，快點！人家等得急死了！」同寢室的慧仁在二樓高聲的向我叫喊。

「二表哥！」跑到接電話處已是氣喘如牛，出口叫出了二表哥，感到一陣臉紅；如果打電話的不是二表哥，那多麼難爲情啊！

「喂，喂，梅子嗎！」對方的聲音打斷了我的思緒，同時也使我感到安心，從熟悉的話音裏，我已確定是二表哥。

「喂，我是梅子。你怎麼好久不來玩啊？」我用興師問罪的口吻，自己也感到好笑。

「我今天打電話也就是要告訴妳，我最近工作太忙。」

「啊！你很忙是忙公事呢，還是忙私事呢？」像是在開玩笑，內心裏却很認眞。

「妳又開玩笑了。當然是公事啊！妳剛才到那兒去了，沒有事可不要亂跑啊。」

「我？我去洗頭髮。」我的心裏眞想告訴他：「哼！你管我到什麼地方去呢？總以爲我是三歲的孩子，不要亂跑，不准亂跑，我又不是長不大的侏儒，眞嚕嗦！」

電話斷了，接着來的是空虛，寞落……

（三）

一個多月沒有看到他，最初我想他，到最後我必須安慰自己去忘記他。想自己所愛的人與忘記自己所愛的人是同樣的痛若，然而我必須選擇其一。本來我大學即將畢業，二表哥對我的責任已盡到，是應該爲他自己打算一打算，一個卅開外的人難道不會想到一個屬於自己的家！對了，最近他一走就是爲了成立自己的家而忙碌。

這一段時間，洪傑跟我不再感到陌生，他像我一樣也是一個人在台灣，比我好的是有一個叔父在馬尼拉經商，資金很雄厚，所以他永遠不會感到經濟的不足；最令人感到羨慕的是連他大學畢業後的工作都由于他的叔父的關係在一家企業公司裏預爲安排了一個不太低的職位，眞是所謂「得天獨厚」。現在距離畢業還有半年多的時間。

我們變成了一對情侶，連二表哥也默認了。

往後的日子，有時我們三人在一塊玩，但是，每次大家都是玩得不歡而散。我發現一向健談的二表哥，總是默默的，有時也勉强地陪着大家哈哈大笑，可是笑過以後的嘴角總掛着一絲令人難解的淒淸。倒是把一向拙于言詞的洪傑顯得話多而活躍了。有一次在陽明山郊遊，我倦了倒在草地上假寐，他們以爲我睡着了，我淸楚地聽到他這樣對洪傑講：

「洪傑，我想對你講幾句我心裏的話，大陸來台我與梅子相依爲命，梅子是我把她教養大的，能夠到今天這樣我感到很欣慰。往後的責任，我就把她托付給你了。我知道你們相愛很深，你會使她幸福的。前一陣我很忙，是爲了學校擬推薦我到國外去講習，爲了能看到她畢業，所以藉故推辭了。現在有你照顧她，我也很放心，我想今年年底，還是到國外去走一趟。」他講話的聲音深沉而無力，好像一下老了十年一樣。我衝動的想爬起來，可是我的脚竟不能動彈。（三）

小談桃花扇

娑婆生

（十七）設朝（小生小旦老旦外淨末丑）
（十八）拒媒（末雜副淨外淨老旦旦小旦丑）
（十九）爭位（生小生外衆雜副淨末丑）
（二十）和戰（末淨丑衆雜副淨生）
（廿一）移防（副淨衆雜外生丑）
（廿二）閑話（外小生丑副淨衆雜）
（廿三）孤吟（副末）
（廿四）媚座（淨外雜末副淨）
（廿五）守樓（外小生衆雜小旦旦）
（廿六）寄扇（旦末淨）
（廿七）罵筵（副淨老旦丑淨外淨旦小旦丑末外小生）
（廿八）選優（外淨小旦丑副淨四雜小生）
（廿九）賺將（生副淨淨丑四雜外末小生）
（三十）逢舟（淨丑三雜外小旦副淨生）
（卅一）題畫（小生生末雜淨）
（卅二）逮社（丑生淨末小生雜副淨四雜）
（卅三）歸山（外副淨衆雜小生外末丑）
（卅四）草檄（淨副淨衆雜小生外末丑）
（卅五）拜壇（副末淨末外衆雜副淨）
（卅六）會獄（生末小生丑淨四雜）
（卅七）截機（淨末衆雜小生末外雜）
（卅八）誓師（外丑四雜末淨副淨丑）
（卅九）逃難（小生四雜淨老旦小旦衆雜副淨末二雜丑外小生）
（四十）劫寶（末副淨雜小生丑淨付衆雜）
（四一）沉江（外副末丑生末小生）
（四二）棲眞（副淨旦老旦副末丑生副淨）
（四三）入道（外丑小生副末三雜四雜淨副老旦旦生）
（四四）餘韻（淨丑副末副淨）

（二）

自由報

內政部台報字第〇三三號內銷證

THE FREE NEWS

第五一五期

中華民國僑務委員會登記
台教新字第三二三號登記證
中華郵政台字第一二八二號執照登記爲第一類新聞紙類
（半週刊每星期三、六出版）
每份港幣壹角
台灣零售價新台幣弍元
社長：雷嘯岑
督印人：黃行憲
社址：香港銅鑼灣高士威道二十號四樓
20 CAUSEWAY RD 3RD FL HONG KONG
TEL. 771726　電報掛號：7191
承印者：田風印刷廠
地址：香港灣仔高士打道二一二號
台灣分社
台北市西寧南路壹叁柒號二樓
電話：三〇三四六
台郵撥儲金戶九二五二

中國古代人權法制不能形成的道理

陸嘯釗

維護個人尊嚴的基本權利，就叫做人權，其中最主要的就是自由權和平等權。

這些觀念的發展，是最近三百年來的事，在中國過去法制史上，對基本人權有何等樣的認識，究竟有些什麼樣的規定，這是一個很值得研究的課題。所以我願意站在現代法的立場，對儒家思想有關中國人權法制的形成部份，作一個全盤的敘述，檢討和分析。

要研究中國法制，必須把形成這個法制的思想先搞清楚，人權法制也不例外。中國自漢武獨尊儒術，罷黜百家以後，儒家思想成了大一統的局面，學術之不能進步，這是一個極其主要的原因。

儒家思想影響於中國法制的形成很大，對於中國法制史人權觀念的發展，尤其密切，試作以下的說明。

一、「必也無訟」的理想：

「訟則終凶」，這在中國，原是一個極其古老的觀念，在易經的彖辭中有這麼幾句記載：「訟上剛下險，險而健訟，訟有孚窒惕中吉，剛來而得中也，終凶，訟不可成也，和見大人，當中正也。」

這些文字也許是孔子當時的人所作的，它究竟作成於何時，我們無需細加推究，可是，由於這「訟則終兇」的觀念，終於演變成孔子「聽訟吾猶人也，必也使無訟乎」的思想。

「必也無訟」的想法，我們不能說它完全不對，可是這種理想，在實際生活中是永遠無法達到的。因爲有是非方才要爭，有曲直方才要訟，如果認爲不講是非，完全訴之良知，就可以解決紛爭，這才是眞正不明人情道理。關於這個問題，清乾隆時學者崔述在他的「無聞集」卷二有兩篇文章，把這個道理說得非常明白，他說：「……兩爭者必至之勢也，聖人知其然，故不責人之爭，而但論其曲直；曲則罪之，直則原之，故人競爲直，而莫肯爲曲；人皆不肯爲曲，則天下無爭矣。然則聖人之不禁爭，乃所以禁爭也。」他的第二篇「訟論」，立意尤其精闢，他說：「凡有血氣皆有爭心，必此爭而彼甘於讓，斯已耳；苟不甘於讓，則必訟之矣！故陵人者常不訟，而陵於人者常訟，其大較也。唯賢與孤弱者能讓，然理勢固有常讓有不當讓者；不當讓而讓，則爭者不已，讓之得失，一人之得失；讓之而爭者得逞，已而人皆從而效之，則亦不能終讓，故雖賢與孤弱者亦不能盡無訟也。」

所以「必也無訟」的理想，在現實生活中是很難站得住脚的，它演變的結果，不能不變質，在中國法制上，這個理想的形成，最具特色的，就是拷訊原告的制度，結果有理無理四十大板，凡事涉訟，被告原告，都有被拷之虞，人民既不敢有「健訟」之風，社會上當然更是政清刑簡了。我們看唐律斷獄的規定：「拷囚限滿不首，反拷告人。」這短短十個字，寫盡了「必也無訟」的絕大權威，人民既不敢一吐冤曲以求昭雪，於是祇有偷偷地做着梁山泊英雄式的好夢了。

二、非成文法的觀念：

中國之有成文法，開始於公元前五三五年鄭子產鑄刑書，從此秘密法的時代過去了，當時的貴族叔向就大表反對，左傳裏有一段記載：

「昔先王議事以制，不爲刑辟，懼民之有爭心也。猶不可禁禦，是故閑之以義，糾之以政，行之以禮，守之以信，奉之以仁；制爲祿位，以勸其從；嚴斷刑罰，以威其淫。懼其未也，故誨之以忠，聳之以行，教之以務，使之以和，臨之以敬，涖之以強，斷之以剛。猶求聖哲之上，明察之官，忠信之長，慈惠之師，民於是乎可任使也，而不生禍亂。民知有辟，則不忌於上，並有爭心，以徵於書，而徼幸以成之，弗可爲矣。……制三辟，鑄刑書，將以靖民，不亦難乎？……民知爭端矣，將棄禮而徵於書，錐刀之末，將盡爭之。亂獄滋豐，賄賂並行。終子之世，鄭其敗乎！肸聞之，國將亡，必多制，其此之謂乎！」

子產不愧是個賢者！他爽爽快快地回答叔向說：「若吾子之言，僑不才，不能及子孫，吾以救世也。」

等到晉國趙鞅鑄刑鼎時（公元前五一二年），孔子也站在貴族立場，大肆批評他不該把法律鑄在鼎上公布，他當時有一段話，很值得我們思孜：

「今棄是度也，而爲刑鼎，民在鼎矣，何以尊貴？貴何業之守？貴賤無序，何以爲國？」

在孔疏裏更有一段記載，尤足以說明孔子對成文法的看法：

「民知罪之輕重在於鼎，貴者斷獄，不敢加增。犯罪者取驗於書，更復何以爲貴？威權在鼎，民不忌上。貴之所以爲貴，只爲權威在焉。勢不足畏，故業無可守，貴無可守，則賤不足威。貴賤既無次序，何以得成爲國。」

這充分表現出統治階級是何等地恐懼公布法律，怕因此喪失他們的權力。何嘗有一點眞正爲老百姓打算的意味？法律既然用不到公布，賞罰隨心，君主的權力固然大得不能再大了，而人民的基本人權也就因此被摧殘無餘的了。

孔子這種非成文法的觀念，演變的結果，影響很大，中國法制的形成，罪刑法定主義，始終未能在民國以前眞正地確立，也即在此。結果經義可以折獄，令可以破律，而唐律中的「不應爲」，更是無所不包，動輒得咎。法律既無一定的準繩，很當然對人權的保障很受影響了。

（下轉第二版）

白甘墮落

甘入歧途！

韓軍援越

大韓民國政府已正式宣佈派兵二千援越，這是遠東一件劃時代的大事，韓國總統朴正熙的英明決斷，固然可佩，美國此次却也破除一切牽制，毅然同意了韓國的行動，而且願以飛機空運韓國士兵到越南前綫，更爲難得。

回憶中華民國三十九年韓戰初起時，中國政府曾答應派兵三萬三千人入韓助戰，並指定劉安祺將軍統率，當時却被英國首相艾德禮所破壞，恐怕觸犯毛共。事後據韓戰被俘遣回台灣的共軍官兵透露，假若在韓國戰場上發現一營國軍，則數十萬共軍將有半數卸甲來歸，毛共也決不敢再派志願軍入韓，遠東何致有今日局面，念及此，艾德禮之肉眞不足食矣。

此次韓軍兩千入越，自不能發生重大作用，但此例一開，今後中國、泰國、菲律賓都可派兵入越共同剿共，對於整個局勢將有重大改變，中越韓三國戰場亦有聯成一氣之勢，毛共日來對此已大起恐慌，人民日報失言要採取行動，可見其內心的畏怯。希望我政府及早採取行動，繼韓國之後，也派出大兵入越平亂。

美軍轟炸越共補給綫

與韓軍援越消息同樣重要的是美軍已轟炸寮國境內越共補給綫，轟炸範圍十分廣濶，越共所受創傷也相當大，雖然不能全部斷絕越共補給，但在政治意義上却顯示出美國的決心，決無意在南越撤退，只是以期獲得最後勝利。

目前遠東自由國家對美國已普遍表示不滿，同時也失掉了信心，土耳其取銷對北大西洋多邊核子武力的決定，即其一例。美國必須振起雄風，作兩件能使自由國家放心的事，即以韓軍援越轟炸越共補給綫。

佐藤訪美

日本首相佐藤訪問美國與美總統詹森會作兩小時半的長談，據稱各項問題都很圓滿，只有對毛共問題未能一致，佐藤到美在舊金山發表談話，即以毛共與美國之間橋樑自居，更不諱言日本對毛共貿易的熱中。關於這些問題，在自由地區的中國人自然一致感到不快，其實向深處想，大可不必，首先要了解日本的民族性貪小利，無遠見，尤其不識大體，二次大戰之前，日本尙有幾位眞正的政治家，如犬養毅、若槻禮次郎、幣原喜重郎等人，竟然無法挽回日本侵華的政策。此時日本人親毛又成了風氣，姑不說佐藤不能和犬養、若槻、幣原等人相比，即使換了他們也必然還是沒有辦法，若非潔身引退，也只有隨俗浮沉、譁衆取寵，佐藤如此，換了任何人都是一樣。不過佐藤本身畢竟還是反共的，我們也要體諒他的處境。

戰後日本首相對毛共態度大體說，吉田茂儈共，鳩山、石橋親共，岸反共，池田勇人畏共，佐藤則是敷衍毛共，開了一些明知作不到的空頭支票以吊毛共的胃口，眞遇到大的問題，還不敢輕易讓步；日本此時可以不理中國，但不能不看美國顏色也。（何如）

自由談

國學危言

「知之爲知之，不知爲不知，是知也。」這不但是治學的格言，亦是做人的守則。知識的領域是無垠的，個人智慧有限，豈能樣樣精通。所以，眞正有學問的人，決不自炫淵博，強不知以爲知，致令識者齒冷。

近有以國學大師自負的高級知識份子對衆講演，曾誤解蘇東坡詩句「老僧已死成新塔」的涵義，傳爲藝林佳話。繼在報紙雜誌上，又發現他對於國學語文和典故的新詮，殊堪驚佩！

他在悼念亡友的文章中，叙述他們二人協力創辦一項文教事業的艱困情況，而以「掃地割席」一語，闡釋彼此昕夕同共甘苦的往事，實在令人莫測高深。淺學如區區，認爲藉「掃地焚香」的義理來說明彼此合作創業的情操，或許講得通，然以「管寧割席」這詞彙來形容當年的稠疊友情，就有些莫名其妙了！再看他給這位亡友所譔碑銘語，最後一句是「張此穹」，亦覺難以索解。「穹」之爲言高也，大也，凡物狀隆起者謂之「穹」。這個字原係純粹的形容詞，翻遍了字彙，亦未見有可作實體的名詞訓詁者，尤其不能作墳墓的稱謂。

當此文學革命時代，中國固有的經史子集，一般人譏之爲「死文學」「舊古董」了，區區猶作此咬文嚼字之談，似乎不合時宜，難免厚古薄今之嫌。不過，舊有文字尙不失爲具有古典文學的價值，既要寫古文，就應該「在古言古」，不能把古書的定義和事實，隨意變造。以國學大師寫古文，而使用自己不甚了了的詞句典故，無論如何亦是不足爲訓吧？

因此，我抄段古文給大師作參考，文曰：「知，不知，上；不知，知，病。君子不病，以其病病，是以不病。」大師殆乎哉！

馮五先生

英陸軍部長抵港談稱

英駐馬來西亞兵力雄厚 足以應付印尼侵畧行動

大馬房屋部長強調加強中馬關係

（本報訊）英國陸軍部長穆萊，十四日抵港後答覆記者的詢問時表示：英國在北婆羅洲的駐軍力量，足以應付印尼發動的任何侵畧行動。同時，馬來西亞亦絕不會因印尼的侵畧而失敗的！

穆萊於十四日下午六時零五分由婆羅洲亞比乘皇家空軍專機抵港。他將在香港逗留三天，訪問本港駐軍的各單位。本港英軍司令區金諾中將夫婦，十四日曾親到機場迎接。

下機後，穆萊答覆記者關於英國在婆羅洲之軍事實力是否足夠應付外來侵畧的問題時表示：英國在婆羅洲方面的駐軍力量，是足以應付印尼發動之任何侵畧的！

記者又問：假如印尼舉行全面性進攻婆羅洲，則會有怎樣的後果發生？穆萊答覆稱：他認為目前印尼蘇加諾總統的舉動是愚蠢而無價值的，如果他真的是失去理智而進行全面性侵畧婆羅洲，英國亦已作好防禦的工作，以應付印尼的一切侵畧。

當記者問及馬來西亞面對印尼的侵畧將來會否失敗的問題時，英陸軍部長肯定的答稱：馬來西亞是絕對不會失敗的！

記者又問：南越與馬來西亞現都同在惡劣的局面中，是否認為英美兩國應有聯合的計劃以應付該兩國的問題？

穆萊答稱：在去年聖誕節期間，英美兩國首長已經相互談論過有關此事，但由於美國本身在南越已有非常重大的困難，所以結果雙方都無具體計劃產生。

（本報訊）馬來西亞房屋部長許啓模，十四日偕同國會參議員陳東海及國防部首席助理秘書蘇[illegible]奇及房屋副秘書積嘉狄遜一行四人由星加坡乘日本航機抵港。

許氏在港小留，定十五日晨飛赴台北作七天至十日訪問。他在記者招待會上指出：此行赴自由中國，雖屬渡假訪問性質，但由於中、馬兩國在商業及經濟上已然有良好關係，他希望到台北後，會與中國官員加强密切關係。

他又指出：目前中國已然在吉隆坡設立領事館，這對溝通工作上有甚大助力。

許氏又談及有關馬來總理之聲言不向印尼突擊一事，闡明因為馬來西亞是一個新近獨立和平國家，吾人實不希望發生大戰事；至於英國在大馬增防一事，許氏說：由於英馬是互訂有共同協防條約的，吾人當可獲得英方履行義務。

目前馬來西亞政府最主要建設工作為經濟及商業，在地理及政治上觀點，大馬為亞洲區國家之一，亦為聯合國會員之一，馬來西亞國家立場為擁護聯合國憲章。至於印尼最近之退出聯合國，與馬來西亞無關。世界輿論亦均對大馬支持。

中國古代人權法制不能形成的道理

（上接第一版）

三、「刑不上大夫」的見解：

孔子的政治思想，是鼓吹正名，使「君君，臣臣，父父，子子」各守其分，來維持封建的身份等級。他出生在魯國，魯國是周公之國，以魯和周朝的關係，尊王思想的形成，是一件很自然的事，孔子生於斯，長於斯，當然多少會受到它的影響，孔子的推崇周公，強調禮治也就是這個道理。而禮治的目的，就是別上下，嚴君臣，從而形成今文學家那套「禮不下庶人，刑不上大夫」的見解。

至於周禮秋官及小司寇條裏所規定的「命夫命婦不躬坐獄訟；凡王之同族，有罪不即市。」和「八辟麗邦法附刑罰，」更足以支持我前面的觀點。

這種想法比起戰國時那批法家思想，站在現代法的立場看來是萬萬不如的，諸如韓非子的「刑過不避大臣，賞善不避匹夫」；君文子「法行於世，則貧賤者不敢怨富貴，富貴者不敢陵貧賤，愚弱者不敢冀智勇，智勇者不敢鄙愚弱」；商君「刑無等級，自卿相將軍以至大夫庶人，有不從王令，犯國禁亂上制者，罪死不赦」；以及管子的「君臣上下貴賤皆從法」。都是極其精審的法律思想。可是，表現在實際政治中，韓非子和商鞅都是一些玩弄政治權術的人，他們的目的，祇是如何取得帝王的信任，使政府集中權力，把法律當作「朕即國家」的工具。等到董仲舒獨尊儒術，儒家思想托辣斯形成，法家之徒，縱欲有所作為，也就無用武之地了。

而中國法制史上的八議之制，官當之法，尊卑，男女，主奴的異刑，都是脫胎於儒家「刑不上大夫」的看法。

四、家族重於個人的看法：

儒家法律思想的特色，就是以倫常為中心的家族本位主義，認為「物有本末，事有終始」，要想「嚴君臣之分，明尊卑之序」，一定先要「正父子之倫，定男女之別」。孔子所說的：「惟孝友于兄弟，施於有政，是亦為政。」

孟子所講的：「入則以事父兄，出則以敬長上。」

都是這個意思。我國歷代法制，深深受到這種思想的支配，結果排斥個人權利，而過份重視社會的利益，個人的存在大者為國為君主，小者為家為尊長，根本否定了本身的價值。就親屬財產關係來講，子女都沒有獨立的財產權，禮記內則就這樣的記載着：

「子婦無私貨，無私蓄，無私器，不敢私假，不敢私與。」

至於婚姻方面來講，尤其漠視了個人的人格，丈夫娶妻，不是為了愛情，祇是為了承先啓後，傳宗接代。夫妻關係的維持和繼續，祇要善視父母，做個孝順媳婦就夠了，其他一切都無關緊要。我們看禮記婚義裏所記載的：

「婚姻將令兩姓之好，上以祀宗廟，下以繼後世也。」

禮記內則裏更明明白白地寫着：

「子甚宜其妻，父母不悅，出；子不宜其妻，父母曰：是善視我，子行夫妻之禮焉，沒身不衰。」

何嘗有半點兒婚姻自由的思想。

我們知道這就是為什麼中國法系和西洋法系不同的地方。西洋法系的法律觀點，是以個人權利為本位，所以整個法律制度很自然地走上個人主義的道路，所以羅馬法最發達的部份是契約法，而使整個西方社會很早就具備彼此權利之間，非常明確的法律意識。中國法系則不然，中國的立法思想既然以家族倫常為本位，自然漠視個人的權利，因此現代法律所注重的民法和訴訟法，始終未能發達。個人權利既然得不到保障，權利意識也就很模糊了，守法習慣的不能養成，也就是這個道理。

中國古代二千多年來的法制，既始終擺脫不了儒家的影響，人權法制之所以不能形成，道理也就很明白了。

屏東縣立中正初中校長 洪水法被檢舉違法瀆職

十六、非法收取學生攷試紙欵每生十元，縣府於五十二年四月下令發還，洪校長竟抗不遵照。

十七、歷年所收輔導費，其收支賬目不淸。

十八、五十一年底向屏東市環球書店購買五十一年三千五百元，收取回扣一千五百元（郭教務主任及環球書店店東可證）。

十九、民國五十二學年度第一學期（五十二年九月）註冊時規定學生購買蜀光出版社出版之大小楷簿，其定價為六元五角整；但卸發給學生力文出版社出版之書字簿。按力文出版社出版之書字簿定價雖為每冊六元五角整，但該社規定「如大量採購者一律以七折優待」（註明於該社出版書字簿之背面），校長並未將所優待之三折金額發還學生，實有侵佔之嫌。

據傳說，上開十九條罪狀，雖嫌空洞；不過，由於洪水法在五十二學年度第一學期溢收學生之書字簿每生二元，遲遲不予公告發還，迄五十三年度第一學期開學後，被該校員工列舉事實，向各有關單位提出檢舉，始於五十三年十一月廿一日公告發還。就這一點以觀，上列各條，很值得推敲求證。

又傳說，縣長張豐緒對本案會表重視，而飭交屏東刑事警察隊偵查，然未見其結果如何。至於監察院，雖接獲本案檢舉書，但由於檢舉人係匿名告狀，所以亦不表重視，僅函請省教育廳查覆。而教育廳則就將監察院函轉屏東縣府教育科查報憑轉。縣教育科派督學鍾樂上，經過為時三個月的查證，其所得結論是——洪水法校長并無不法之處，而告結束該檢舉案。其中究竟有無別的文章，不得而知了。

另有一事實：洪水法恐各報記者報導不利予他之新聞，引起政府各級機關對該檢舉案之重視，而再掀起高潮，造成不利予他的後果，曾於五十三年十一月廿二日，由該校專任教員關長安在正陽樓設筵，宴請中央、聯合、徵信、中華等各報及民立電台記者，席間多所拜托，再三叮嚀。

另據此間教育界高級官員語記者稱：關長安係現任台北新生報駐屏記者，且又於五十三學年第一學期被中正中學聘為專任三年乙、丙班國文老師，每週授課十八小時，核定月支底薪新台幣一八〇元。他此次代表洪校長宴請記者，究係記者抑教員身份，不得而知。又說：不管關某以何項身份代洪校長宴請記者，都無關緊要，值得注意的是，他既為現任新生報記者，因新生報係政府所發行，應屬公務員身份，按公務員服務法第十四條之規定「公務員除法令所定外，不得兼任他項公職或業務，其依法令兼職者，不得兼薪及兼領公費」。而關長安又專任中正中學教員，領有底薪之公職，似屬非法。縱然他在新生報屬無底薪之公職，那末，省教育廳於五十三年度第一學期會通令規定，凡領有薪給之教職人員，一律不得兼任任何報刊、雜誌記者、社長、發行人等職務在案；今關某究屬記者兼教員？抑教員兼記者呢？

（下）

美國著名賭城

拉斯維加斯藏垢納污

常住民六萬五撈女成萬 尋歡之易就像買包香烟

（本報美國通訊）拉斯·維加斯的脫衣舞娘，跟美國許多大城市的脫衣舞娘一樣，大都兼營應召副業。因為單靠表演脫衣舞，入息不多，而脫衣舞娘大都是拜金主義者，如不兼營應召副業，就很難滿足對物質享受的慾望。

除了脫衣舞娘之外，賭城還有各種名稱不同，但同是出賣色相及肉體的撈女，例如舞女、歌女、妓女、職業應召女郎、妓女、酒吧女郎、高級交際花等等。據非正式的統計，在賭城六萬五千名常住居民中，起碼有百份之十五是靠賣淫為生，或以賣淫為副業的撈女，換句話說，約有一萬名撈女，在賭城撈世界。

這個比率，即使不是世界各地之冠，恐怕也不會落在第二、三名的後面。

不久之前，美國一個作家在觀光賭城之後，寫了一篇文章，他在文中說：「在拉斯·維加斯只有三件事情可以做：那就是賭錢、喝酒和找女人！」

在賭城中，要找妓女實在易過借火。意大利一位記者在賭城觀光之後，在一篇文章中談他的印象說：「我發覺在拉斯·維加斯找一名妓女就像買一包香烟那麼容易。將來，賭城如果發展到利用自動售貨機就可以找到女人，我也不會感到奇怪。」

賭城將來也許不會出現「自動出租妓女機」，美國政府也許不會鑄造每個值一百美元的硬幣，來供給這種機器使用，可是，但人們有理由相信，賭城的妓女會像那位意大利記者所想像的，越來越商品化，而其增長率，亦會以驚人的速度增加。

事實上，今天的拉斯·維加斯已成為一座露天妓院。這是許多遊客都有的共同感覺。

目前的情況是：遊客在撈女身上所花的錢，也就是賭城經濟上除賭博之外的最大來源。

賭城的妓女，可分為職業妓女和業餘妓女兩大類：前者以賣淫為唯一職業，後者則有「正當」職業，而以賣淫為副業。

在那裏，「正當」職業的收入遠比不上賣淫。業餘妓女往往在不久之後便辭職專作妓女。其「正當」職業也不外跳舞、表演以及在酒吧、賭場當充女招待而已。這些「正當」職業，其待遇是週薪一百多元至二百多元；普通舞女週薪一百七十五美元左右，表演女郎二百美元左右，脫衣舞娘則待遇高些，週薪在二百五十元以上。

至於賣淫的收入，卻沒有規定的公價，一切要看妓女的姿色、手段及人客的出手而定。但陪客一次的最低收入不會少於五十美元。如果遇到豪客或贏了錢的賭徒，每次有二、三百元收入也很平常。為此，有不少姿色好而又手段夠的妓女，在賭城撈了一兩年之後，便可以收山不幹了，「印印腳」嘆世界了。

因此之故，美國各地有許多撈女，對賭城都十分「嚮往」，認為是「掘金的理想地方」，紛紛設法到賭城「開業」。於是今天的賭城便成了一座「露天妓院」。

可是，外來的撈女越來越多，總有一天會供過於求。看來，賭城撈女的「黃金時代」會很快便成為過去，「好景」不會維持得多久的。（資）

從破落戶到時髦人

論道統第一章

陳健夫

我在這裏，要說明的是一個民族國家，一種社會結構，不能沒有一種堅强牢固不破的道統。所謂「道不可須臾離也，可離非道也。」這個道統便是民族國家，社會生存的靈魂。東方如此，西方亦復如此，東方的道統是儒學，世人也嘗稱之爲儒教，如同佛教及西方的耶穌教。西方的政治社會，都受到耶穌教的影响，耶穌教便成爲西方的好傳統。西方這種好道統是在社會生根，不與政治發生關連，耶穌及其弟子都是平民，不與政治上的人物有關係來往，不像孔孟那樣游說諸侯、脫離羣衆，而是深入下層社會，爲人民解除疾苦，從事教育、救濟、治病種種拯救工作。西方的道統因有這種特異之處，所以保持民間的潛力，成爲萬國的宗主，儘管政治制度有改變，而教會的廣佈從無間歇。不論社會、家庭、學校，處處都受到教會傳統的影响，人人知道畫十字，敬拜上帝，所以西方社會雖然不强調仁義道德，却自然合乎仁義道德，如聖經的十戒，便是道德的規律，與東方的禮教相近。

回頭來看，我們的社會，自從舊的道統破壞了，這股新的道統來了，最初是懷疑、排斥、觀望，現在却是迷信崇拜。我們由聖誕節的盛行，由平時中上層社會的禮俗來看，可知我們的社會，完全拜倒在這種西方的道統之下，而引爲時髦、進步，自視爲高貴紳士。好比富家子弟一旦破產之後，得來一點外來的財產，便洋洋得意，竊竊自喜，便是這種不肖心情。今日社會道德淪喪，原是由此而來，若說一定要讀經，將舊有的禮教恢復過來，那眞可說是違背潮流，不合時宜，眞是冬烘先生的作爲。即使人人熟讀經典，也是挽救不了這種敗壞的，因爲問題不在於讀經與否，而在乎全體社會舊的藩籬破壞了還沒有新的藩籬，自然洪水橫流，爲禍中國了。

今日，我們之中大多數人都在學習西方的傳統，接受西方的道統，不論是生活習慣，社會禮節，處處都在模仿西方，由聖誕夜的狂歡便可以想見其他。但可惜的是我們之中的這些「時髦人」，只學會了西方的皮毛，而喪失了西方精神。西方基督的精神，一言蔽之，無他，就是犧牲，拯救。可是我們社會所流行的是享受、消費，而對於積極的拯救，反而莫明其妙。社會如此，家庭亦復如此。年青人以開家庭派對爲榮耀，學校更是如此，以混學位爲光榮。什麼碩士、博士，五花八門，肚子裏却空空如也，不知所云。得了卅六個博士學位的胡適，國內外享譽卅年，到頭來聽了我們新儒「廣博的求知，深入的思考，明白道理。審愼的假設，客觀的求證，拿證據來」。也恍然大悟，直至老死不再唱他迷糊了卅年的「大胆假設，小心求證」的老調了。胡適尙且須待老而且死，有人提醒，始知覺悟，常人自更難怪會在西方的道統之下迷信崇拜，而失其所以爲中國人之道了。

在這裏我並非反對學習西方的傳統，只是對那種學習的不徹底，學習的不夠認眞，深致婉惜。只是對那種不加辦認，否定固有一切傳統而盲目的不求甚解的迷信西方道統的風氣，不敢苟同。我無以名之，名之曰時髦人。時髦人、時髦人，顧名思義，可以思過半矣。

四、何必因噎廢食

至於談到讀經的問題，讀經却也未必便是開倒車，因爲經典如大學中庸論孟四書，所講大多是人生哲理、教育哲學、政治哲學、社會哲學之類的至理名言，並無時間、空間的限制。至論孟之中，孔孟所講的許多與時代環境有關的言論，自然也就不必死啃死背，「食古不化」了。今日讀經是要將那種修身、齊家、治國、平天下的政治哲學，天命之謂性，率性之謂道，修道之謂教的教育哲學，乃至博學、愼思、明辨、篤行的科學精神，加以闡述，在大學尤其是文學院、法學院的學生，是應該有名師來傳授這種學問的，學生們必獲大益。學生們接受了這種經典教育，再來讀現代的文學、法學、經濟學、乃至科學，自然有好根基，易於聞一知十，觸類傍通了。（中）

年羹堯軼事

漁翁

有清一代，以科甲出身，而文兼武備，功勳彪炳，盛極一時者，首推大將軍年羹堯。羹堯，號雙峯，奉天廣寧人。性聰穎，康熙間，舉於鄉，旋會試而成進士。羹堯有大志，不拘拘於章句學，嘗以班定遠，馬伏波自許。累官川陝總督，撫遠大將軍，定川邊，征西藏，平青海，以功封一等公。卒以功高震主，而爲雍正所賜死，並抄其家。如此下場，可哀也矣！其軼事，有足錄焉。

羹父遐齡，擅計然術，長袖善舞，富冠全鄉，而對貧苦人，不加周恤，爲羹堯所不同意。一日羹堯由私塾放學歸，見一老婦哭泣道旁，憐而問之，婦曰：「吾年老而寡，有子四人，不務正業，因賭博欠債，將所居房屋出賣以抵償，日來買主催促讓屋，將無家可歸，故爾哭耳。」問買主爲誰？答曰：「年遐齡老爺！」聞之大喜，即奔歸請求乃父無條件將屋契交還老婦，不索回價欵。父有難色；轉求諸母，乃得將契約交出，對老婦焚燬之。時年僅十二也。

羹堯生於富貴之家，其祖若父，本爲明官。乃兄希堯，字允恭，精數理之學，官至工部右侍郎，一度出爲廣東巡撫。羹堯在生活優越之下，遊蕩性成，乃父苦延師課讀，一年數易之。後有一舉人見羹堯秉異質，日後必貴，乃毛遂自薦而爲之師，卒培養之而成名。據「咫聞錄」所述「某公子」一文，即羹堯幼時軼事也。其言曰：

某尙書公子，生而穎悟，倜儻不凡，日以從遊爲事，尙書屢次訓誡不悛。一日，有王舉人者，春闈落第，散步街前，見公子鮮衣怒馬，騶從如雲，擁簇過去，目送之曰：「國器也！」問諸途人，始知爲某公子。次日投謁，適尙書退朝回食，詢知落第舉人，意以爲缺乏盤費，求資助耳。邀見詢其來意，舉人對以頃見公子聰明俊傑，偉貌超羣，但日作閒遊不讀書，爲可惜耳。尙書曰：『此子驕橫，吾屢教訓，其奈不聽何！』舉人曰：『古者易子而教之，如荷不棄寒微，某效毛遂自薦，可爲公子師否？』尙書曰：『善！』即延至書房，喚公子諭之曰：『自今以往，惟師命是聽。』遂將公子與師同處一室。舉人初不談詩書，見其好弓矢，即以射技教之；見其好管籥，即以音律教之：隨其所欲，引證古今，爲之開導，似若嬉戲，而智識日開，所謂循循善誘也。（上）

漢文，漢字，漢學

陳曼卿

清季考據界有段逸聞，積古齋鐘鼎彝銘欵識「凡銅器銘文，有父丁，父乙者，即指爲商器。」又殷文存：「凡銅器中銘文，有作象形字者，即指爲商器。」雖學如阮文達之博，收藏如羅叔言之富，也還不無微疵！由此可見好古者求能考辨精詳，確能信達眞僞者，並非是一件容易的事。

周文的興起

我們根據出土的器物證明，知道「甲骨文」最古，「金文」似較甲骨稍晚，「石鼓文」則又更後了。蓋殷商乃至周初的「文」每以實物，繪其形，刻其圖，來象徵記錄。早期的「鼎彝銘文」與「甲骨文」也大致相同。即所謂「六書」中的（指事，象形）一部份，而也全不代表語言。

殷商的甲骨卜辭，雖有近約五千的「文」，但那時似僅只注意到「文」的形體方面發展，希求使之怎樣定形。同時，也可能只有「祝，卜」之官才會使用。由於出土器物給我們證明，僅記列到帝王的起居注，和一些比較重要的事情。似乎還沒有正式應用到社會各方面。這當然談不上「文」的如何使用和演進了。是故儒家每每提到「殷（文）尙質」，這大概可以相信，是確切的事實。

西周以農業立國，因剟商興國而建國（元前一一三四始），因此，社會獲得蓬勃發展，生活自然比較安定，所謂衣食足而後禮儀興，天子也就開始建職：「天官，先六太。」天子之官有太宰，太宗，太史，太祝，太士，太卜（一稱六卿）。宗法社會的制度，自然是那批皇親國戚，或貴族了。

選賢任能，大概是後來的事。既作官也就有專行的任務，早期的一些民歌民謠，可能就是由這批太宗，太士開始用「文」來記錄，就成了後來的「詩經」。

國語周語：載有「天子聽政，使公卿至於列士獻詩……史獻書。」

周宣王（元前八二七至七八九）時，太「史籀作大篆十五篇」。（大篆的「大」詳後說，「篆」即引書，「引書於竹帛之謂」見許愼說文），字數雖然未詳，我們可以想像得出總有幾千。這可引自周開國以來，經過一段長時期的收集和整理，已把殷商「五千」數的甲骨「文」淘汰了不少，而把新創的也加入了一些，我們現在可以視「大篆十五篇」爲當時的「應用文」，也可以說：「史籀」是一部教習的「文」，或教讀的書均無不可。總之「大篆十五篇」是周代統一使用「文」的第一個開端，自此以後，就是一般傳稱「籀文」時期了。

篆文的流變

周實東遷（元前七七〇），「王官（即天官）失守」，大史，祝，士，卜之「文」，大量流散到各諸侯邦國（宗族）間的地方。諸侯邦國，早期也未始無「文」，只不過象徵式的具備形式罷了。到了「春秋」這一時期，前此史籀作的「大篆十五篇」，因流散無形中就被割裂了。後來的各朝代，直把春秋以前的「文」呼爲「籀文」。春秋以後的「文」，才呼之爲「大篆」。（唐張懷瓘「書斷」力主此說。）後世不察，就認爲（史籀大篆）是兩種文體了。其實，大篆即是籀文，籀文也即是大篆。（五）

美妹

羅雲家著

見了姐夫，送上一些禮物，已把廖明德樂了開來。接着說明姐姐的病況稍有起色，更使明德放心不少。再經過一番恭維與十分同情對方處境的花言巧語，自是說得明德對他有極大的好感。於是明德殺了一隻鴨子，沽了兩瓶紅露酒，就在家中互相對飲了起來。

三杯下肚，剛好美妹做好了菜飯端湯出來。也許是烈酒增加了他一些勇氣，於是他想提起而還沒有說出的語題，就藉此機會提出了：

「美妹，今天把妳辛苦了，來，我們就一起坐下吃吧！姐夫是最開明的人，沒有關係！哈哈哈……明德兄，讓我借花獻佛，敬她一杯如何？」

「太好了，太好了！」廖明德連忙回答。

「楊大老闆太客氣了，我可不會喝酒啊！」美妹不好意思不坐，於是就在祝融的身旁坐下。一邊爲祝融添飯，一邊這樣對楊光城說。

「一杯！一杯！」楊光城給她倒了酒，舉起杯來說：「就乾這一杯！離開雖不久，妳可是長得更漂亮啦！嘻嘻！明德兄，你可當心啊，姐姐聽說家裏添了一位年青貌美的小姐，可每天都在爲你担心着呢！」說完，他望着美妹，擠眉弄眼地，骨碌一口就喝了那杯酒。

美妹只微笑着，沒有答腔。但她不能不回敬一下，所以只好端起杯子喝一小口。

明德陪同他們微笑着，他對楊光城的取笑沒理睬，只是勸大家吃菜。

這樣，楊光城遂改換話題，談到做生意如何賺錢，又談到如何治好姐姐的病……

過了一些時候，他與明德已喝了一瓶酒，而美妹與祝融也將吃飽了。他想到今天來的目的，於是開口說：「明德兄，爲了生意上的應酬，今天下午必須到新竹去赴劉經理的宴會。」

「忙什麼呢？好久沒來啦，住一天再走嘛！看，這裏尙有一瓶酒，還是等喝完了酒，再說吧。」明德接住他的話，這樣挽留着。

「不啦！酒留着你自己慢慢用吧。做生意的人，是最講信用的，我馬上得趕去，你的盛情，只有改天領謝啦！不過，不過——」

「不過什麼？你倒是說呀！我們都是自己人，怕什麼呢？」

「不過，我是答應帶女伴去的，偏偏今天內子感冒，不適於遠行，所以我想請你讓我帶黃小姐去參加。」

「唔，這個——」廖明德猶豫着，他望望美妹，又望望兒子，他們都在低首吃飯、喝湯，沒有什麼表情。明德心雖不願答應，可是他知道這位妹夫來此的居心是不正的，値茲自己的太太又不在家，如果不答應，他很可能爲自己製造一些莫須有的謠言，來破壞自己的名譽。再說，自己目前手頭實在也很拮据，加以太太長時住醫院，急需錢用，如果得罪了這位濶妹夫，一旦需他支援時，豈不是必然落空嗎？想到這些，他失去了拒絕的勇氣，只說：「你知道舍下正需她幫忙，孩子快要期考了，更需要請她幫忙督促孩子用功，是不是能另外找個合適的女伴呢？」

「明德兄，你目前的情形，我是十分瞭解的。不然，我也不會介紹她到這兒來了。我請她去參加，就擱不會久的，我有自備車，至遲晚上十點左右就可趕回來。我想你老兄一定願意幫這個忙的，對不對？」楊光城掏出長壽烟來遞一枝給明德，又用打火機給他點着火，然後自己悠閒地吸着香烟。（四三）

冒險犯難記

鄭文儀

待到十二月的時候，各地大專學生紛紛馳入南京，向政府請願立即對日抗戰，共產黨及反動派居中策動，學生言動囂張，國民政府派考試院長戴季陶先生等對學生宣佈政府政策，學生拒不接受。蔣主席分別接見學生代表，曉以大義，勉慰聽候政府命令。又力戒軍警勿與學生衝突。總司令部派了高級人員向學生代表表示，如學生青年有志抗日救國，不妨去到孝陵衛軍事訓練基地，參加受訓，準備實踐抗日行動。但一部份學生因受共產黨及反動派劫持、操縱，不聽勸導，繼續在南京擾亂。

這時中國國民黨正在第四次全國代表大會之後，四屆一中全會粵桂人員多不參加，胡漢民再留在上海，堅持要蔣主席下野。蔣主席鑒於國家危難達於極點，爲了促成黨內團結，及不予共黨挑撥離間之口實，乃於十二月二十三日辭去國民政府主席職務，離開南京回到浙江奉化家鄉，期望國人猛省，共赴國難。

我看到國家危難接連發生，寇深匪狂，執政的國民黨仍在兄弟鬩牆，大專學生也在推波助瀾，破壞政府威信及對外作戰大計，眞是義憤填膺，但以位卑職小，人微言輕，亦無力可補時艱。蔣總司令下野時侍從人員大部均已資遣，少數留在政府服務，我却奉到指示，隨侍前往奉化。國家元首爲了挽救國家危亡，敝屣尊榮，辭職下野，他個人雖十分悲憤，但却爲全國人民所欽敬。我得隨侍左右，多承教誨，並遊覽考察浙東山水文物，人情風俗，尤其快慰生平。這時我的心情，認定此行不是逃避危難，而是以退爲進，稍假時日，準備他日扶危救亡，從事更大冒險犯難的革命事業。

四十七・奉化溪口山明水秀

國家危急存亡之秋，我得到一個機會在山明水秀的奉化溪口，閒居兩個月，過了一個清閑幽靜的陽曆年和陰曆年，眞是冒險犯難的革命生活中，最難得的機會。我住在溪口鎮蔣先生家裏的老屋，因爲蔣先生住在蔣母墓園的墳莊。最初一月，全無公務，亦少賓客，我常一個人漫步溪口鎮上，或近郊武嶺山林之間。四郊都是茂林修竹。溪溪流清澈見底，武嶺學校和溪畔崖旁蔣先生私邸風景幽美秀麗。鎮上人家不過二百戶，熙來攘往，男女老幼都爲蔣主席回到故鄉小住而笑逐顏開。人民生活，社會風氣，勤儉樸實，是一個典型的農村市鎮。

溪口在四明山麓，山間名勝有雪竇寺及千丈崖與蔣母墳莊。雪竇寺在雪竇山上，是浙江有名的古刹，向有四明第一山的稱號。（七七）

現代的張耳陳餘悲劇

諸葛文侯

行憲後曾任立法委員的江蘇人孫履平，於民國十六年至廿年間，在上海從楊虎工作，楊氏担任淞滬警備司令時，派孫爲警備部外交處長，而前任軍委會軍統局長戴笠，則受命爲警備部稽查處長，兩人共事頗久，交誼亦佳。

楊虎卸去軍職後，即在上海組織海員工會，孫氏亦予役於其間，一面充任國府駐滬外交特派員，直至對日抗戰發生後，上海、香港相繼淪陷，孫氏乃由香港馳赴重慶，仍供職於外交部，閒曹而已。是時，孫與戴睽別已十稔，戴氏蜚黃騰達，主持軍統局，權勢殊煊赫，孫以舊誼常與戴氏往還，且不減當年同事上海期間的莫逆態度，言談間少所顧忌，滿不在乎。但戴此時位居顯要，聲價迥異往年了，談到個人出處問題，他教孫氏勿妄干謁，聽候命令可也，頗有教訓之意，孫以戴氏對故人表示驕蹇詞色，滋不悅，彼此發生口角爭執，戴責其無禮，孫亦反脣相稽，指戴之爲人既不好作朋友，也不能共事業。戴怒甚，乃謂孫有來到後方替敵寇作情報的嫌疑，孫更忿其以漢奸相看待，殊不能忍，竟掌摑老友，戴膺此奇辱，曾持手鎗擬射擊孫氏，未發，旋將其囚縶於渝市郊外。時楊虎兼任行政院衞隊長，住在渝市上清寺范莊行政院公廨內，一日戴雨農來范莊晤孔祥熙院長，楊語之曰：「孫某係獨生子，他青年氣盛，開罪老友，你把他關起來了，將來如果得告省釋，請將活人交給我；假使罪在不赦，亦得將屍體交我收殮」。戴遜謝不遑，矢言決無害孫之意。

繼而孫被遞解赴貴州之息烽縣管訓，與某少帥昕夕相處，寖且成爲少帥之英文教師，飲食起居頗舒適，唯不能自由行動耳。孫在管理期間，楊虎亦曾多方託人向戴氏關說，乞加諒宥，戴但言孫氏安全決無問題，盼楊放心。斯時楊在政治上亦鬱鬱不得志，未便以此個人細故上達最高當局，蓋顧念萬一上峯譴責戴氏擅專玩法，適足以增加孫之困難，救護不得，反而害之也。

抗戰勝利還都後，楊又舊事重提，向戴雨農要求恢復孫氏之自由，仍未得要領。楊以在政治上失意甚久，政府既告還都，冠蓋滿京華，而自身依然落拓如故，不免心存怨望，即在上海組織「興中會」，藉作政治資本。未幾，戴雨農墮機喪命，楊氏乃邀同傅作義、邵力子聯名函請毛人鳳准予保釋孫氏，毛慨然允諾。於是，孫氏六年之管訓生活後，終告生還上海，入海員公會任該會理事長，旋由海員界選舉爲立法委員，迨共黨竊據大陸後，方與楊氏分道揚鑣焉。

諸葛文侯曰：友道之難，自古有然，張耳陳餘凶終隙末之情況，比比皆是，如孫氏得保首領，可謂幸運也已！

偉哉！諸葛武侯

羅雲

其能爲先主奠立中興基地，而未能完成中興大業，將略固有未盡擅長，而遇先主過遲，亦是一大關鍵。當黃巾倡亂，董卓竊據朝堂之日，各州郡守紛紛以起，互相兼併時，先主是想在此擾亂之際尋取立足之地，以謀自立，假若孔明在這時輔先主，即與曹操孫堅同時略地，何至顛沛爲他人捷足先得，遺一兎於蜀中，而留待孔明佐先主取之。先天條件不足，後天的努力，終致艱難而收效不著。設如先主得徐州時，能得孔明運籌帷幄，不爲呂布所襲，順勢南展至荊州，或東延至江東，與操馳騁中原，漢室也許復興。即使不能一時平操，也不致棲棲皇皇，到處依人。惜乎得孔明已晚，失去佔先之勢。然武侯卒能爲先主造出三分鼎足之勢，可見事在人爲，有志竟成，爲漢家延長國祚。自武侯死後，司馬昭命鄧艾鍾會伐蜀而蜀亡。或有謂蜀之亡，由於宦官黃皓蠱惑後主，使姜維避禍沓中，不獲繼續十伐中原，使鍾艾長驅直入。黃皓之奸，在武侯作相時已經作祟，武侯何不除之，以清君側。這不是武侯不智，因爲謹慎的人，絕不肯做出犯罪之事，有傷君臣之義。但出師表上已明白指出「親小人遠賢臣，此後漢之所以傾頹也」之語，喚醒阿斗遠疏黃皓，武侯何嘗不知黃皓之奸！

總之，「鞠躬盡瘁，死而後已」的名言，千載後讀之，尤想見武侯之爲人。偉哉！諸葛武侯。

（下）

過五關與古城會

周燕謀

曹操第一壯羽爲人重義心，甚愛之，但知其爲他人所用，尤不敢殺之，以杜降將之門；留之不能，唯有讓其去，蓋亦乘機以教其將也，況劉備此時窮依袁紹。羽冀未成，曹操聰明絕頂人物，如易以他人，則不可能也。

關羽離曹而去，即演義之第二十七回「美髯公千里走單騎，漢壽侯五關斬六將」是也。以史證之，實乃子虛。因官渡與五陽，相距僅數十里之隔，又何沂水，滎陽，東嶺許多重重大關？此不過羅貫中心構想者耳。三國演義把關羽劉備間之距離拉得較遠，用意乃爲五關而設也。

關於斬蔡陽一節，大體不致失之千里，但非在古城邊。劉備在袁紹軍中與曹操相對時，有二次使命，一爲領兵至汝南助黃巾餘黨劉辟攻略曹之後方，當時形勢甚張，諸縣多舉衆應之，自許以南，吏民不安，（見曹仁傳）後爲曹仁所破，復還袁紹之武陽，此時關羽可能尚未歸隊也。第二次受命，領本部人馬再至汝南助黃巾賊龔都等攻略許下諸地，曹操遣蔡陽擊之，蔡陽爲劉備所殺。演義遂以此事寫爲關羽斬蔡陽。諸如此類咸武之事，皆所以益關羽也。仁厚得人之事，則多美劉備。粗莽勇猛之行爲，則多算歸張飛。（怒鞭督郵其一例）小說家之刻繪人物之單一化如此也。史書蔡陽爲劉備所斬，而此時關羽是否已歸先主不得而知，如以時度，關羽當已在行間矣。何以故？關羽辭曹亡歸，數十里之途，不待一日可至也，是斬蔡陽一役，增益關羽爲之，尚不失之太遠。待曹操破袁紹之後，又回頭來收拾劉備，劉備奔荊州劉表去矣。

至於古城會，訓弟等，更是小說，戲劇化的手法。是時考張飛帶了小部人馬在安徽譙郡一帶，可能是打游擊性的活動。在此時飛碰到夏侯淵姪女，納爲妻子。夏侯女爲劉禪后，故夏侯淵受[illegible]後來夏侯霸降蜀，禪親與相見曰：卿父自遇害於行間，非我先人手刃之也。張飛何時回到劉先主麾下皆不可考，但絕無古城會可知。

（下）

落花時節

高蕾

「二表哥，請你放心，我一定會使梅子幸福。」我聽見洪傑這樣地答覆。

我不知道幸福是什麼，我祇知道當時很難受。想當時離開母親時的情景如今又映入眼簾，在台灣只有這麼一個親人也要遠離我而去，這驚人而突兀的消息，我感到像失掉生命一樣的空虛，千頭萬緒。我一言不發由草地上一骨碌地爬起來，默默地下山往回程的路上走，我發現前面的路崎嶇糢糊，我的眼淚像斷了綫的珠子，大顆地掉了下來！

（四）

畢業了！我沒有徬徨的感覺，工作有了，長期的飯碗也找到了，多少人羨慕着我的幸福，我却矛盾地懷疑着幸福與痛苦是否有時會相連在一起呢？洪傑要去受一年的軍訓，臨走他對我說：

「梅子，妳畢業了應該到二表哥處坐坐，他最近可能有機會出國，我們也應爲他祝賀一番。」

「嗯哼！我知道了！」我悠閑地回答着。

到了二表哥的宿舍，他不在家，據校役說，他到前面打電話就回來，叫我坐在房間等一下。小小的二間房子，佈置得很雅緻，沒有一般單身宿舍的零亂，床頭有一張放大的照片，二表哥輕輕地扶着我的肩膀，記不起是那一年照的。書桌上的桌布也是我中學做家事時做的，他怕弄髒了，上面還鋪了一張玻璃紙。噫！桌上墨水瓶的蓋子沒有蓋，鋼筆放在一本翻開的日記簿上面，我倒不曉得表哥還有寫日記的習慣，我低頭一看第一句話就吸引了我的注意：

「唉！梅子，我還是走吧！妳已經有了好的歸宿，讓我帶着一份深情去遠遊吧！」……

我感到有些窒息，就像一個不會游泳的人，突然跌進了水裏一樣透不過氣來。

我恨他！一個懦夫，你爲什麼沒有勇氣告訴我「你愛我」，讓我們相愛，讓我們結婚，讓我們……。表哥的腳步聲走近了，我移動着笨重的身體，坐到一張椅子上，我緊咬着嘴唇使自己鎮靜。

「梅子，眞沒想到妳今天會來，洪傑呢？」他說着在我對面的椅子上坐下。

「他受軍訓去了！我現派到××中學任教，你最近工作忙嗎？」我感到身體在搖幌。

「妳面色怎麼這麼難看，到我床上躺一下。」我們二人親手築起的籬笆，現在竟高高地橫在我倆中間，我的身體無法動彈，他亦沒有要扶我的意思。

「沒有關係，我大概有點感冒吧！」

「我的護照已經辦好了，最近有班機我就要離開台灣到國外去走走。」他的眼睛悠閑地望着天上的浮雲，好像他現在正飄飄然在空中騰雲駕霧一般。

（五）

小談桃花扇

姿婆生

就上述各場角色，均詳見括弧所列。四十四齣中，大場有九齣（聽稗撫兵投轅迎駕設朝爭位和戰逃難入道），尤以入道爲高潮。正場有十八齣（傳歌鬨丁借戲訪翠眠香却奩鬨榭辭院哭主拒媒媚座寄扇罵筵選優題畫劫寶沉江棲眞）而訪翠眠香却奩鬨榭拒媒寄扇罵筵題畫棲眞）其登場人物，皆劇中主角，副主角。內容意義居全劇主題位置，情節變化，爲全劇關鍵所在，場面安排，與演者唱做，皆全劇中出色之組合。餘副場過場共十六齣饒戲一齣，不過襯托而已。

桃花扇爲演南明興廢，以侯李的離合爲經緯。若全劇至入道結穴，則仍落兒女離合陳套，故再增餘韻一場，由個人離合，歸於社稷興亡。以一短套新水令，包舉一部桃花扇之紛紜[illegible]事滄桑，千古興亡之慨。傳奇結穴，以氣足神完爲主，聆賞係心，不始繁終促，方氣足神完。今此劇以[illegible]離調開場，集丑淨末於一台，又夾用科白，使紛華[illegible]再將亡國恨事，緩緩道來，其北新水令一套正曲，[illegible]一瀉千里，雖傷離哀，而不覺沉寂寥落，反有一吐胸中抑鬱之快，而悲愴之情，又隱現於言外，是殆善於行氣者。

相傳桃花扇當年進呈內府，極受清聖祖所喜愛，內宴演劇，非此不奏。則其曲文賓白之美妙工整，自不待言。近代文人，將其作小說觀之，亦無非爲其文白之美而稱絕。凡是傳奇，曲文之外兼及賓白，詞章藉以表現。曲文乃按情節發展，必[illegible]者，面面理會，實非易事。賓白則視之若平淡無奇，[illegible]駢儷，必難下筆，尚須配合劇中人身份個性，顯明[illegible]情趣，其難固不在曲文之下也。（三・完）

自由報

內政部台報字第〇三三號內銷證

THE FREE NEWS

第一六五一期

社長：雷嘯岑

督印人：黃行富

社址：香港銅鑼灣高士威道二十號四樓

20 CAUSEWAY RD 3RD FL HONG KONG

TEL. 771726 電報掛號：7191

台灣分社

自投羅網

詹森政府裁軍政策（上）

宋文明

（一）

美國甘迺迪政府上任之初，由於當時美國在洲際飛彈方面的發展畧遜於俄國，所以當時美國對於裁軍問題的心情也頗複雜。但這種心理上的一時困難，並未阻止甘迺迪政府在裁軍問題上的積極努力。對於甘迺迪政府的這種裁軍努力，我們可從一，甘迺迪政府對裁軍問題的基本態度，二，甘迺迪政府所提具體裁軍計劃這兩方面，不難看出一個輪廓。

在對裁軍問題的基本態度方面，甘迺迪總統本人及其高級官員，除了自始即表示，一種在有效國際管制之下的普遍裁軍，爲美國外交政策的一項中心目標外，還特別强調美國「必須探討每一種可能的方法」，擬定「切實步驟」、「詳盡計劃」及「明確建議」，以期促致裁軍的實現。這就看出，甘迺迪政府對裁軍問題的基本態度，便是大處着眼，小處着手。即一面不放棄對全面裁軍的追求，另一面也不忽視任何具體細微的協議，以求積小成大，逐漸達成裁軍目標。

至於在具體的裁軍計劃方面，甘迺迪總統於一九六一年九月二十五日在聯大演講中所提出的六點裁軍原則，及緊隨這一演講而提出的美國全面裁軍計劃，也和一九五七，六〇年美國所提兩次裁軍計劃有很大不同。這種不同之點，主要在於甘迺迪政府這一新裁軍計劃中，着重强調：（一）要求所有國家簽訂禁試條約，（二）停止軍事性分裂物質的生產及減少核武器發射工具，（三）禁止把大規模毀滅性武器射入地球軌道及外太空，（四）要求不以分裂性物質及核子武器，給予尚無核子武器的國家，以防止此種武器的分散。由於甘迺迪政府特別重視這種建議，並把這種建議置於全面裁軍計劃中的優先地位，所以甘迺迪政府也特別致力於這些目標。

在甘迺迪總統執政期間，在整個裁軍計劃方面，正和過去一樣，並未獲得什麼進展。但由於甘迺迪政府對裁軍問題的一種實事求是的態度，以及對幾個優先目標的特殊努力，所以在一九六三年期內，甘迺迪政府在裁軍方面曾獲得兩項個別成就。這便是：（一）美英俄三國簽訂局部禁試協議，並獲世界絕大多數國家參加與簽署。（二）美英俄三國的私下協議，而後再由聯合國通過決議禁止在地球軌道及外太空放置核子及其他大規模毀滅性武器。此外，美俄兩國之間所簽訂的一項防止偶發事件的「熱綫」協定，雖不直接屬於裁軍計劃的一部份，但對於緩和國際緊張，及推動裁軍談判的進行，也是間接有很大的益處。由於這些成就，美國甘迺迪政府在裁軍方面的努力，不僅已對戰後以來整個裁軍談判的長期僵局首次打開了一扇門戶，而且也爲未來更大的裁軍協議奠定了基礎。所以在裁軍這一方面，甘迺迪政府所作的貢獻，實在是具有劃時代的意義。

（二）

詹森總統繼甘迺迪而出主美國大計，其對裁軍問題的基本態度，完全遵循甘迺迪的既定路線及計劃。但由於局部禁試條約及太空中立協議的出現，美俄雙方關係的繼續進一步友好，以及美國在洲際飛彈與核彈方面的獲得更大發展，所以詹森政府對裁軍一事所强調的重點，也隨時間的演進而畧有不同。

我們所注意到的，詹森總統剛行出主白宮不久，即一再公開宣布，美國將大量削減非戰鬥人員，關閉國內外不必要軍事基地，並開始縮減軍費。此種態度雖主要基於財政與節約的觀點，但也多少表示了詹森個人對裁軍問題的一種間接看法與信心。即因爲除了美國及自由世界安全所絕對必需者以外，其他過多的軍事設備——不論新式的或已經落伍的——在其本身都是一種浪費。於是經過詹森與高級幕僚間的數次有關裁軍問題的重要會商之後，詹森總統本人及其政府便連續表示：

（一）一九六四年一月八日，詹森總統在致國會兩院的首次國情咨文中說：「我們必須採取新的步驟，我們並將在日內瓦提出新的建議——以期管制及最後廢棄武器，即使已有協議，我們絕不積儲超過我們需要的武器，或是尋求可能具有挑撥性及屬於浪費的過度軍事力量。就是在這種精神之下，我們將在本會計年度減少我們的濃縮鈾產量百分之二十五，並關閉四處非必要的軍事設施。同時，我們就在這種精神之下，要求我們的對方採取同樣行動。」

（二）一九六四年一月二十一日，即日內瓦十七國裁軍會議復會之日，美國代表以詹森總統書函方式提出五點新裁軍建議。這五點建議爲：（一）凍結一切攻擊及防禦性的戰畧核子發射器。（二）商採必要的方法，禁止直接或間接使用武力或以武力爲威脅——不管是侵畧，顛覆，或

今日与明日

蘇加諾軟下來

鬧了多少天的印尼退出聯合國問題，到了最近，蘇加諾口風已經軟下來，在耶加達會見西方記者時，說明印尼退出聯合國並非永久性的，並且也不反對聯合國派員調查印尼與馬來西亞的糾紛。一改過去崛張之態。

蘇加諾所以軟下來，主要是受了外力的影響。在他當初估計，印尼一旦退出聯合國，必然有一羣死黨跟蹤退出，可以聯合毛共僞政權及北韓，北越合組一小型聯合國，由他來領導。那知事實經過與他的預期相反，眞正的國家未有一個對印尼舉動表示同情，曾經致電勸阻印尼的有南斯拉夫狄托、阿聯納瑟、加納恩克魯瑪、錫蘭班達蘭乃克夫人，這批人都是有名的搗亂份子，也都是國際上慣於同蘇加諾狼狽爲奸的人，此時都抽了後腿。原來驅逐印尼退出聯合國，更發起「不結盟集團」，這樣一來，蘇加諾只有和毛共、北越、北韓三個不爲世人承認的僞政權合組聯合國了，蘇加諾安得不驚？雖然毛共拚命爲之打氣加油，譽之爲大快手，但是也定不住蘇加諾的心，他不得不軟下來。

東歐共黨開會

東歐各國共黨在華沙開會，俄共新頭子勃列日涅夫同柯錫金均去參加，其他各國也都到的第一號首領，自從赫魯曉夫垮台之後，這是第一次的高峯會議。這次會議的主題，無疑仍是對付毛共的問題。西方報紙傳出俄共新頭目對中共仍不願撕破臉皮，不免存有幾分幻想，但是大勢所趨，最後恐怕還是就要走近情形而論。陳毅公然對日本的議員宇都宮德馬說，蘇俄侵佔中國大部份領土不肯交還，又說蘇俄所以不肯交還日本的南千島，就是便於美國佔領琉球。這種妙論日本人不一定會相信，但蘇俄當政人員聽來，不能不感震驚，因爲蘇俄侵佔中國領土是千眞萬確的事，賊心膽虛，最怕一提起，蘇俄對毛共更要攤一次牌的。

越南局勢仍不穩定

剛結束了內爭的越南政府，由於改組內閣事又引起新的歧見，新閣延攬了四名軍人入閣，本意在團結軍政雙方，不料任將軍擁護部長，仍要留任空軍司令阮高奇，拒絕擔任空軍總司令，因爲阮高奇是個空軍名將，而且隨時可以更換，不如意。越南今天情形，確實到了不堪收拾的地步，這並不是單純的政府責任，而是越南軍人太多，一味爭權奪利。

自由談

聯合國危在旦夕

馮玉先生

印尼宣告退出聯合國的唯一理由，說是不承認有一個馬來西亞聯邦存在，而安理會又推選大馬聯邦爲理事國，所以他羞憤之餘，實行拆聯合國的台了。

對於蘇卡諾這一項謬妄行動表示喝采贊許的，以共產黨最爲起勁，站在黃鶴樓上看翻船，一片幸災樂禍的心情，昭然若揭。美英人士預料印尼將向中共靠攏，可能另組「小型聯合國」，果如是，這世界必然大亂無疑也。

第二次大戰前的「國際聯盟」，初期的聲勢亦與聯合國一樣，赫赫然執行世界政府職權。嗣因「國際聯盟」「完全由英法操縱一切，口稱維護和平，却漠視正義公理，一是皆以强權主義爲本位，而强權國家之間，又自私自利，不相爲謀。於是乎，日本帝國主義者爲着「滿洲國」問題，宣告退盟；繼之即有意大利法西斯政府因進軍阿比西尼亞而與日本採取同樣行動；最後英法爲着對意大利實行經濟制裁問題發生歧見，「國聯」乃由於罪孽深重，不自隕滅的結果，溘然壽終「歪」寢了！

以今視昔，聯合國的本質及其對國際事件的措置，與當年的國際聯盟先後媲美，無所軒輊，誰能相信今之聯合國的結局，將與「國際聯盟」有以異乎？目前蘇俄藉口聯合國處理剛果事變的和平部隊爲非法，其拒繳會費五千萬元以上，其他若干國家即相率觀望，滯納會費，以致聯合國已有解體之虞，再有印尼起而拆台搗亂，惡例既開，繼踵效尤者勢所難免，這世界若不日趨動亂，那纔怪呢！

國家的組織存在，種族的歧視不改，人口的增殖率突飛猛晉，而地球上的資源分配又極不平，强權主義之盛行，殆爲勢所必至，有固然也。藉强權主義以處理國際問題，却美其名曰維護世界和平，掩耳盜鈴，避之若浼，和平之神未有不聯合國危在旦夕，大家準備後事罷，嗚乎，哀哉！

台南市一件竊佔官司 暴露小官吏胡來真相

成羣結黨刁難勒索無所不為

（本報記者台南聯合專訪）一件竊佔官司，暴露一批玩法弄權的小官小吏的醜行，其牽涉之廣，有國有財產局台南分處，台南市政府土木科及地政事務所，他們官官相護，目無法紀，欺壓善良，言之痛心。

事緣去歲國有財產局台南分處，以「五三、六、十七、台財產南二字第六六五號通知」，將台南市三分子段一一〇號（備供出售軍用地），讓售與原承租人，卻除通知各戶所用土地若干，應繳價欵及迄止租賃關係外，餘均置之不理。諸如界址鑑定，詳細處理辦法，全無明確交代承購人。承購人中有的發覺通知地坪與實際有出入的，恐爾後發生不良後果，會在購賣時，請于指明界址，以杜糾紛。但該分處主辦股長郭友欽，卻推說：「本局已付測量分割費，託台南地政事務所測量分割，如欲明確界址，去找地政事務所」等語。復經承購人等，洽請地政事務所辦理，但據該所一黃姓職員答覆說：「假如要明確界址，每單須繳三百元之費用，方可辦理」云云。

這就怪了！政府讓售土地於民，解決「住」的問題，立意甚善。難道國有財產局委託地政事務所測量分割，不付錢嗎？給了錢為啥在測量進行分割中，不標示界址？更為何要承購人轉手之間，要繳三百元才得認定界址？

而且，承購人中有頗多購得的一筆土地，只有五六坪，總價不過數百元。乃認定界址一次便得費用三百元，成何話說？這不使人懷疑，是那些該管的小官小吏，設法在為非作惡嗎？

但是講收費，該分處是絕不落後的，經常是一紙通知，限期納欵，「否則依法處理」。承購人也祇有依照通知，籌欵繳去，免得無容身之地。然而迨辦完手續，承購人赴市府地政事務所要求移轉所有權時，麻煩又來了！該所主辦官員擺起一付臭架子說：手續尚齊備，尚欠缺一張「土地建物權利登記原因證明」（按慣例由賣方具備）。財產局郭股長又說：該項證明書，前曾由該分處代辦，收費五十至百元不等。而事後層峯認為不合法，取締了，所以該局未有准備是項用紙。承購人問：何處有出售？答：不知道。按土地代書那兒是有的，假如自己填寫，可不花一文，但因該局未有格式樣本，豈敢亂填？就逼得非找代書不可。但又要花百餘元。這樣，一張簡便的證明用紙，其最大困難在買方蓋印，而竟刁難到如此地步！但如該分處收費代辦，卻立即有用紙了，你說怪不怪？該分處經常右一句「便民」，左一句「便民」，難道畫一格式，張貼公告欄上，讓承購人自行照方式填寫，竟不能嗎？然而就是不肯做，因為做了就財路斷了。「便民」「便民」原來是這樣「便民」花冤枉錢。

但問題還不止此！舉一例證，該段×號承購人孫薛蘭英，與其夫均服務教育界，尤其有婿陳子斌服務市府總收發室，因其係葉市長選舉功臣，市府所屬單位，當然吃得開，兜得轉。她在該段購地最多，約五十坪左右，到手後即大事建築房屋，出租牟利，而且竊佔前後左右鄰地，也不一而足。經鄰人告發，因此勾出了刑案。在這批「枉法亂紀」的小官小吏，畢竟在幹些什麼來了！

事實是這樣的：十號承購人孫薛蘭英，挾其財勢，與未經合法許可，便擅自于去歲九月間，大事建築房屋，而又故意侵佔前後左右公私鄰地。而大多鄰人明知，因貧窮缺錢，雖認界址被佔，卻不敢言，敢怒而徒呼奈何，忍氣吞聲。（上）

日本人如此過舊年

龍年將逝。蛇年即臨

（本報東京航訊）「龍年」祇有幾天了，明年就是「蛇年」。按中國人的習俗，是送「龍」迎「蛇」；日本人的文化來自中國，當然也有這一套。不過，自明治維新實行洋曆以來，日本政府是眞正實行的；可是，日本民間，卻仍然是「我行我素」。這裏報導一則日本的除夕景象，作為送「龍年」——甲辰年的最後一幕。

除夕，日本人稱「大晦日」。這天人們早就把門前裝飾一番，一般人家把生松枝和細長的生竹子綁在一起紮在門的兩旁，表示如松之盛，如竹之慶。門楣上橫掛着用麻滾成繩子吊着尺許的水草和白紙花十數條；在中國人的眼光裏，簡直是喪家的裝飾，但日本則認為繩子是純潔的心，水草是忠直，白紙是清雅，用上面的意義來迎新年。大戶的人家或店子則鋪張一點，門前兩旁放着上來迎接來端削尖如碗口大的竹籃，下面還插有松枝，門楣上掛着一串用橙、柏葉和紅紙襯底的東西，不消說也是取如意吉祥之兆。看起來，不像中國那種揮春，既悅目又有詩意，但他們以為這足夠表現古色古香的迎春接福了。

甚麼也採效西方文明的日本，還捨不得這傳統，倒覺有點別緻，和表現重視舊曆年。日本人也吃團年飯，很多日本的家庭，吃過飯之後，全家在客廳看電視，除夕廣播節目特別豐富，尤其是那個「紅白歌合戰」最精彩。「紅白歌合戰」明年已是第十五回，即是說已在十四年前開始了。「紅白歌合戰」每年祇在除夕播送一次，日本人非常看重，若錯過這個節目，他們認為是一樁很遺憾的事。這個節目是由N・H・K・國家電台播出，時間由晚上九點零五分至午夜十一時四十五分。「紅」是代表女性，「白」是代表男性，「紅」、「白」各選出二十二名一流歌手。女性當以島倉千代子、青山和子、西田佐知子、自由田綠、五月綠、美空雲雀等為首；男性則以橋幸夫、坂本九、村田英雄、三波春夫、三橋美智也、北島三郎、春日八郎、植木等、舟木一夫等為首。彼等在日本飲譽很隆，這一場的劇戰，間中也加插來自各方的「啦啦隊」，使場面氣氛和諧及熱鬧一點，不致使雙方對唱個不休，下不了台。

「紅白歌合戰」完了，便轉播金山出石寺和永平寺的敲鐘，表示十五分鐘後便是新年，亦即寺鐘敲撞一百零八下便是新年。這時日本人不像剛聽「紅白歌合戰」那樣興高彩烈，他們彷彿思想「龍年」過去的一切，好像計劃「蛇年」新的展望，各人都各自有懷抱。他們那裏知道，聽鐘聲後他們便趕往原宿的明治神宮那裏去，或跑到淺草的大慈大悲救苦救難觀世音廟去，進香者的心中，香燒得早，便越恭敬，得福越多。在新的一年中，人人都希望健健康康，順順利利地過日子，向神前祝福的祝福，求籤的求籤。這是每年的慣例。尤其今年的「龍年」，明天是「蛇年」，俗語所謂「龍蛇混雜」，日本人也特別小心，謹慎將事。這是日本的送「舊年」迎「新年」的習俗。

天體愛好者的現世樂園 地中海利凡特島風光

○吉士○

遊覽歐洲的外地遊客，應該一遊法國里維拉對開的地中海島嶼利凡特。不過，如果走馬看花的遊覽這個天體樂園，徒增外地人對天體運動的偏見。在過去三十多年來，每逢夏季，利凡特島的居民（多數是法國男女），實行一種不尋常的、健康的天體運動。

利凡特島沒有門禁，人人都可以去，不管他參加天體運動與否。它是一個五哩長、四分之三哩濶的島嶼，沒有鋪柏油路面的道路；除了一兩間小旅館之外，沒有自來水；間中有一兩間酒店自置發電機，才有電燈。唯一的交通工具是運輸汽車，載運遊客到山上的旅館去。利凡特人很懂得做生意，夏天的價錢很貴。多數的旅館都是簡陋的，看來遊客們需祇要陽光和海，睡眠的地方以及飲食，其他都不必講究。這島有些不尋常的規例。除了在街上，在餐廳以及在市中心區的商店裏，人們都可脫光衣服，赤條條一絲不掛。在那些必須穿着衣服的地方，人們穿着什麼衣服都可以，但必須掩着生殖器，人們所穿的衣服也只掩蔽着那個地方。女人只用一條腰帶，扣着一幅三角布的兩面。男人也祇用一幅布圍着下體。關於這規例，沒有人知道為誰而設的。據旅店老闆說，那祇是風俗的習慣。

在這島上，你會時常都想到海灘去，在另方面你或許也喜歡留在城裏，靜坐着喝啤酒，瀏覽在街上經過的穿着很少衣服的美麗女孩子。在晚餐時份，有些年青的女人，穿着多姿多采的短褲，高跟鞋，身上披着一件不扣鈕的短褸，到來吃餐。在燭光下，享受着佳肴美酒，以及她們的酥胸，眞是賞心樂事。

那些海浴者中，有些獨個兒來或結隊而來的獨身男女。這些在這天體樂園邂逅的獨身男女，有時會一見鍾情，但多數對對方的追求沒有反應。大多數的天體者是成雙成對的青年夫婦或情侶，當然也有些帶同妻子兒女而來的。

那沙灘不大，時常擠滿人，他們交替的游泳和曬太陽。間或有人在上邊的空地作排球賽。下午，有些雪糕小販到沙灘來做生意，特別受孩子們歡迎。

六月，還未到遊客旺季，有些遊客穿着泳衣海浴，沒有人反對他。但到了八月，沙灘擠滿遊客，這種標奇立異的行為便不容許。最初，祇是有禮貌的向遊客解釋，這是天體者的海灘，到這裏來都要依從風俗。如果遊客不聽從勸告，沙灘上的天體者把他包圍着，向他冷嘲熱笑，並作有節拍的鼓掌。如果遊客仍然倔强，天體者便縮小包圍圈，在幾重人包圍中，遊客祇得脫衣服或者離去。

島上的男女，對於性行為也不是無拘無束的，沒有人在沙灘上開無遮大會的，雖然男女的身體接觸是不禁止的。男女互相擁着腰部，有時拍着對方的臂部或者相假的在曬太陽，其中一個伸手搭着另一個的肩膊，捏腿或捏臂。不過，這都是偶然的。受到性刺激也不是可恥的。如果一個男子有性衝動的表現，他顯然是初次參加天體活動的。沒有人理會他，祇是附近的一對男女注意到他。那個女的時常望着這個難為情的男孩子，間或微笑的與她的男伴談論。如有新來的遊客，因為看見裸露的女人而壓抑不住性衝動，但人們對他的醜態也視作等閒。

在利凡特島，天體的無拘無束行為，不特是法律所容許的，甚至教會也容許的。島上有兩間天主教堂，神父從大陸來主持主日彌撒。一個星期日的下午，約四時幾個天體者從海灘上山回旅館去，適遇一位神父乘坐吉普到禮拜堂去主持晚禱，那幾個天體者站在一旁，讓路給那輛吉普車駛過，並向神父揮手和高呼，他也揮手回禮。神父當然穿着聖袍，但他們都不覺到難為情的。

一對男女，走到灘外邊的一塊大石上，鋪了一張毡，那女的仰臥着，在她旁邊的那個男子間歇的吻她的嘴，吻她的胸。一會兒，那男的替她塗抹太陽膏，全身塗勻，甚至她的酥胸。

又有一個男子和兩個女孩子，同臥在沙灘上，那男的頭枕在一個女孩子的腿上，間歇的從她的一支腿底下伸頭出去，與那個臥在她身旁的女孩子接吻。他們的動作，引起旁人竊竊私議，但沒有人去干涉他們。

確實，島上的男男女女，沒有公開的性行為。雖然任何屬於性的東西都不禁止，但很少有性衝動的。不過，這裏的天體者，對於性刺激的表現，却是見怪不怪的。世界上或許還有許多那樣的世外桃源，但恐怕不多。最近，謠傳法國海軍基地快要驅逐這些天體者，因此，如想參觀這個伊甸樂園，就要趕快了。

香港去年出生數字破五年來最低紀錄

節制生育生效之證明

（本報訊）一項統計數字說明，香港節制生育已相當生效。據登記署長譚臣今日發表的統計數字稱：去年在香港出生的登記數字，是一九五九年以來最低紀錄。去年一年在香港出生的嬰兒共有十萬八千五百一十九人，比一九六三年的十一萬五千二百六十三人，減少六千七百四十四人。

在十萬八千五百一十九名出生的嬰兒中，有十萬零六千九百三十七人是中國人，其中五萬五千零五十四名嬰兒是男性，五萬一千八百八十三名嬰兒是女性。非中國籍嬰兒共有一千五百八十二名，其中七百九十四名是男性，七百八十名是女性。

同時一九六四年的死亡數字，亦是一九四九年以來最低紀錄，全年共有一萬八千一百一十三人死去。據估計目前人口約有三百六十九萬二千二百人，比一九四九年的人口總數多一倍。

在一萬八千一百一十三名死者中，屬於中國人的有一萬七千八百七十七人，其中男性有一萬零三十四人，女性七千八百四十人，另有三人未明性別。屬於非華藉的死者有二百三十六人，其中男性有一百六十三人，女性七十三人。去年的死亡數字比一九六三年的一萬九千七百四十八人少去一千六百三十五人。

去年一歲以下嬰兒的死亡數字是二千八百七十名，與出生登記數字比較是千分之二十六點四。一九六三年的一歲以下嬰兒死亡數字是三千八百零一人，與該年出生登記數字比較是千分之三十二點九。

去年出生一星期以下嬰兒的死亡數字是一千一百一十五名，是出生率的千分之十點二七。一九六三年出生一周以下嬰兒的死亡數字是一千二百零六人，即出生率的千分之十點四六。

死於肺病的人繼續減少，去年死於肺病的共有一千四百四十四人，一九六三年則有一千七百六十二人。與本港人口總數比較，即十萬人有三十九人死於肺病。一九六一年則是十萬分之六十，一九六二年是十萬分之五十五點三，一九六三年是十萬份之四十九點一。

金門毋忘在莒運動

華興

蔣總統四十一年巡視金門時，金門軍民請總統題字。總統題了四個字：

「毋忘在莒」！

總統題的這四個字，當即由戰地指揮官刻在太武山的石壁上。在這石壁前，有一條馬路，凡到金門的人，舉目便都看到這四個字，許多還在這四個字下邊留影紀念的。

那時，對「毋忘在莒」這四個字的意義，兵士們還有不太了解的，他們提出來請教，經過官長的解釋，後來政治課上亦有「毋忘在莒」一課，大家才知道了田單以區區的莒與即墨兩個小城，茹苦含辛，昕夕經營，居然復興了齊國的故事。並把這故事深深印在腦海裏，念念不忘。

不久前，又發起了「毋忘在莒運動」。

這一有時代性的「毋忘在莒運動」，歸納起來至少有下列四大精神值得學習：

堅忍不拔的精神。

精誠團結的精神。

研究發展的精神。

以寡擊衆的精神。

這四大精神，使田單有信心復國，幷終於完成使命。現在的「毋忘在莒運動」，便也以這四大精神，要求：

精神上做到：有我無匪，勇往直前。

思想上做到：堅定信念，打回大陸。

工作上做到：精益求精，實事求是。

生活上做到：及劍及，說做就做。

憑着「毋忘在莒運動」，便使金門軍民掀起了反攻的高潮，仇匪恨匪的高潮。並以此項運動，而保證了：共匪從那兒來，就在那兒消滅它。

「毋忘在莒運動」，是由基層官兵發起的，它確實代表了官兵的反攻復國的心聲，所以一經發起，響應的就如火如荼。也由於這個運動，提醒了每個人對復國的重任。因此，常備戰士主動的提出留營。他們留營的理由：

殺滅共匪是我們的志願。

收復大陸是我們的責任。

金門的軍民情感非常融洽。軍人的行動，老百姓一貫是百分之百的支援協助的。因此，這項運動一展開，老百姓也立即響應。首先響應的乃是：金門中學，社教館。接着的便是民衆社團。因此，金門整個地區，都爲這項運動努力，每人口中所談的也是這項運動。

在這項運動中，值得一提的，就是實踐。他們以個人的戰鬥崗位，而把這項運動，列爲實踐中的諸多項目，從日常生活上到戰鬥意志上。各級對這項運動的一致重視，自不在話下。

金門各個團體對這項運動，利用壁報，利用報刊，廣播等擴大宣傳，於是這運動又發展到台灣了，成爲浩浩巨流了。

不成問題，「毋忘在莒運動」在配合局勢的發展，將使反攻復國可以提早完成！現在金門軍民都在爲反攻而努力，尤其金門軍民，是以高度的戰鬥精神，在衝破阻碍，邁向反攻勝利途中！

年羹堯軼事

漁翁

一日，公子忽曰：「古人有書，何不讀之？」舉人曰：「孺子可教矣！」然讀書必須變化氣質方可。」即白尚書拜爲師，尚書甚喜。舉人自此以師長自居，不苟言笑，畀以周易及讖諱術數等書，盡其蘊蓄，期年而有成。舉人白尚書以學業已成，某不能再爲師，即辭去。後聞公子以蔭生補官，出爲監司，屢至軍前，著立奇功爲大帥焉。」所語隱約，蓋有所諱，其實即爲羹堯而寫也。

羹堯在幼年時期，有此慈愛心腸，與改悔精神，但一經顯達、頓變常態、驕奢淫佚、橫肆殘暴，不可以言語形容。當其西征時，僅回疆一役，殺戮之慘，實所罕見。準噶爾族及被脅從之回、羌各部，屠殺逾百萬以上，較之黃巢、李自成、張獻忠，不多讓焉。當時勢焰方張，朝野上下，敢怒而不敢言，而羹堯之所爲，已種下日後之惡果矣。據汪景祺所記：

「年公帷幄運籌，決機制勝，不敢留一賊以遺君憂。除賊首解京正法外，餘五十以下，十五以上者，悉斬之。女子則充賞軍士，各省協助官兵歸伍者，咸擁夷女而去。」是則年之好殺成性，草菅人命，亦不可恕也。

由於專橫嗜殺，荒淫奢侈，致招四川巡撫蔡珽之入京奏劾，始失歡於雍正，貶爲杭州將軍，所有姬妾，均皆星散。其中一姬歸杭州某秀才，據傳該姬乃年府司饌者，專製小炒肉一味而已。其法擇一肥猪，逐之奔跑，使其血脈流行全身後，即出刃割取臀內一大塊，然後去清肥肉而製成之，名曰「小炒肉」。此品不易爲，月僅一次，或數月一二次耳。又傳某秀才囑其小炒一次，因其味過美，食之太急，舌爲齒所囓。咸謂窮秀才無此口福也。

當羹堯權勢極盛時，奉世宗召入京，犒三軍。宴會之日，將士喧嘩於外，帝命肅靜，不得；堯仰空射一響箭，即趨靜寂。帝諭再三，不及將軍一矢，三軍將士，只知有將軍，而不知有帝，帝羞恨之下，即密詔羣臣，交劾羹堯，列出僭越反謀之九十二大罪狀，遂死獄中，族爲之滅。雍正固爲著名忌刻之君，然亦未始非羹堯過份驕橫嗜殺之報也。

清朝，文人掌軍事者，前有年羹堯，後有曾國藩，均盛極一時。而曾能持盈保泰，故能從容明哲保身歸。若羹堯讀周易而忘却「知幾其神乎」五字，宜乎不獲善終，較之曾文正公，望塵莫及矣。（下）

漢文，漢字，漢學

陳曼卿

當春秋這一時期，諸侯邦國間爲了勤王爭霸，對於「文」的應用日廣，而事實上正是爲了適應需要，無形中給與「文」以加速演變和進化，自是不足爲怪異的。自此以後，各諸侯邦國（宗族）間的「文」體，也就不盡相同，而小有差異了。

我們試看，春秋時期的五霸，接着興起的有吳、越，以及後來的戰國七雄，無一不是以「文治武功」爭盛一時的。許重叔也說：「諸侯力政，不統於王，分爲七國，文字異形」的話。春秋戰國的五百五十（元前七七〇至元前二二一）諸侯國間均以「文」來作「牒、請、契、符」等類的事物，其重要就可想而知了。

孔子以後，教育之門大開，較顯明的有儒、墨、道、法，而一般才智之士，也紛紛應用「文」來著述，發揮自己之才能，諸如孟、墨、老、莊、申韓、荀等，乃至百家爭鳴，皆莫不倚「文」。除此之外，其「文」也頗囿於各地「方言」上發展。

迨至嬴秦統一天下（元前二二一）稱「始皇帝」後而東巡，道經琅邪刻石：「書同文字」，直到此時，才算以「文」爲「字」之始。至秦末併吞六國以前，全部稱「文」，而也很少有「字」之一說的，明末清初的大儒，顧亭林曾說：「春秋以上，言文不言字。」這應是極確切的論證，也是極可靠的事實。

秦爲何統一文字

我們知道，古代的「文」，似是專以象事，象物，而求獲得一目瞭然的一種「符號」。這比之早期的「結繩爲事」，已算得進步了，自然是以怎樣應用「符號」來代替使用方法，實較「結繩」時期更爲活動。而且，隨時隨地皆可隨意修改。

凡是天地間的事物，使用得愈多，改進的次數也愈多，字也是如此，又何嘗不是這樣？修改的次數多了，簡便的程度也就越更進步，這純全是出於一種自然的趨勢，因而促成一種應有的演變現象，這也就是代表人類文化進步的歷程。蓋自有人類以來，也無時無地不在進步和演變中的。

我們今天認爲一舉手一投就可以做到事事物物，假使放在先民的社會裏面，往往就要經過一段相當長遠的時期，然後才能獲得實現的可能性，至於偶爾的發明，固然也是時而有的。但此後還得經過一個時期的磨鍊和修改，決非是一人所能單獨制定。自然也不會是「倉頡」一個人就可以創造出早期這樣多的「文」或「字」了。其理有必然，其勢也必然。如果說：「倉頡造字」這種說法，是必可靠，這不僅是不合人類文化的進化歷程，而簡直是與人類進化相背馳牴牾的事了。說句時髦的話，就是把「古聖先賢抬出地下」，也無法證明。

所以，我在上次一文中說：「歷朝歷代都有不少的新倉頡，創出不少的新字出來應世」。我們現在再看，就是近年凡是一些礦物，化合物，混合物等，所含的新原素，或經分解出的質子，微粒子等，這不是也要用一些「氣」，「石」，「金」部的「意符」來加上「聲符」，創一些新體字來定名或做它的「名稱」應用麼。（六）

從破落戶到時髦人

論道統第一章

陳健夫

這樣的讀經却未必便是開倒車，但若由那些食古不化，沒有現代頭腦的老學究去咬文嚼字，可惜的是現在大學院裏主持中文系、哲學系的教授先生，大都是這一型的冬烘先生在那裏把門。

我們新儒不反對在大學院讀經，因爲經典之中有甚多的好哲理，是聖賢所遺留下來的寶藏，我們應加充分利用。對其中若干觀念，儘可修正，保留。至於一定要根本反對經典的人，我們不妨請他將這些經典，細讀一遍，看看究竟有沒有道理，同時還可以看看他們的兒女子姪及鄰人，甚至他們自己，是不是常到教堂去查經讀經，應知基督教的聖經中，若論其開倒車，遠離時代，有的地方更甚於孔孟的經典，爲什麼對那些跑到教堂去查經讀經的人，你却視之爲當然，而對中國經典却認爲落伍開倒車呢？須知不論東方經典或西方經典，皆有至理，也各有不同時代的觀念，只看我們如何抉擇吧了。又何必因噎廢食！又何必歧視自己的經典呢？（下．完）

美妹

羅雲家著

「美妹，妳的意思怎樣？」明德不好再事推諉了，於是這樣問正準備起身告退的她。

「我、我——」美妹感到很難回答，說去嗎？也不好，說不去嗎？也不好。

楊光城看到這情景，立即抓住機會說：「黃小姐是在這裏工作的，她怎好表示自己的意見呢？明德兄，我看你一向是很乾脆的，怎麼，今天做起事來也拖泥帶水起來啦。哈哈——」

「光城兄，不是我不乾脆，而是因爲人家還是小姐呀，我總得徵求一下她的意見。現在她既然不反對，我就答應你吧！」明德在不得已的情形下，只好滿足了妹夫的慾望。……

——現在，黃美妹却欺騙着他，偷偷走了。他那能不光火！那能就此甘心，而栽倒在一個乳臭未乾的姑娘手上呢？

他立刻穿好衣服，跑到樓下賬房間，給兩個不三不四的酒肉朋友撥了電話，然後又分別向可能幫見美妹去向的人打聽着。據一個擺香烟攤的老媼說，她在廿分鐘前，看到一個酷似他所說的那個小姑娘模樣的少女，抱了一包東西，急匆匆走到對面的停車處，要了三輪車往車站去了。他是打聽北上火車及直達汽車的時間，又詢問車站附近有那些旅社，都在什麼位置？

一切需要知道的資料都有了，剛好他方才邀約的兩位朋友都先後到來。他塞給每人二百元錢，告訴他倆務必在今晚查訪到偷偷溜走了的黃美妹。他說那是一個養女，找不到會帶來許多麻煩。他與他倆又如何連絡，以及找到之後怎樣處置？他都加以詳細交代。然後，他們三個就開始分頭尋找。

如果健文想到這一着，不讓美妹登記，或者當時立即退了房間，兩人離開新竹，也許不會發生這不愉快的事件。然而，就因爲對這方面大意了，所以就被他們找到了。

正當美妹洗了澡，換了衣服，健文偕同她到一家夜店吃點心時，楊光城正好見了健文（從香蓮口中，他得知美妹有個叫何健文的男朋友）正與美妹有說有笑，竊竊私語，一時氣得話都說不出了。眞是情敵見面，分外眼紅！楊光城立刻心一橫，嘴一歪，就先發制人，指揮那兩人衝上前去，給健文一頓猛揍。健文爲了自衛，當然也不示弱，奮勇反擊。店中的其他人不明就裏，頓時嚇得逃的逃，跑的跑，秩序一時大亂。小店裏的東西，自然也給打得杯盤滿地，桌椅歪斜。不一會電燈也熄了。黃美妹原來就是嚇得目瞪口呆，這一來，更是驚駭得「救命啦！救命啦！要打死人啦！」大叫不已。

等到有人打電話到派出所，警察人員趕來處置時，楊光城等人早已不見蹤影，只剩下一個被打誤傷的老闆，和負傷倒地的何健文。

美妹一看苗頭不對，爲恐把自己扯進去，只得趕緊逃離現場，回到旅社取了東西，付了休息費，僱車立即去到竹北躲避風頭。

警察一面部署追捕那兩個逃掉的打手外，一面忙將傷者送至省立醫院治療。

經過檢查，還好！健文沒有什麼內傷，只是頭部，手腳等處有十幾處外傷，有兩處流了許多血，很快便亦止住了。那小吃店老闆五十來歲了，頭上有兩處挨到了飛擲物擊傷，一處皮破了，流了一些血，一處起了個大包，並不算重。

（四四）

冒險犯難記

鄭文儀

寺在妙高台上，建築素雅，環境淸幽。妙高台在數十丈的高崖之上，懸崖旁邊建有欄杆，憑欄遠眺，山色湖光，形成一幅壯濶的美麗圖畫。溪流泉，千丈飛瀑，十里以上的竹林，兩個形像獅子的起伏山嶺，都在眼底。在此登高望遠，不僅可使人欣賞自然之美，山高水長，更可令人胸襟爲之一寬。雪竇寺主持方丈大虛法師爲國內佛教有名的宗師，學識淵博，對宗教及歷史社會學問都有相當研究，我曾多次與之談禪論道，泛論世事，得到啓示不少。

千丈崖在雪竇寺到溪口之間，爲奉化著名的名勝，瀑布高數十丈直瀉到底，終年澎湃吟嘯，有如千軍萬馬衝鋒陷陣之聲，雄偉壯觀，爲國內飛瀑所少見。在崖上俯覽瀑布固驚險萬狀，在崖下仰觀瀑布，尤其駭人見聞。我曾多次往遊千丈崖妙高台，在台崖之間得到的啓示，不管世事國事的前途如何艱危險阻，我們都應益堅冒險犯難的志向，爲保護我國美麗的河山，戮力扶危救傾，救亡圖存的革命建國事業。

在溪口遊息期中，我曾遇到三次不大不小的困難。一次是隨蔣先生在農曆新年春遊，經過廣濶的竹林，蔣先生在行進中說：「一個人的人生，最好能學竹子，中心空虛，外圍有節，枝葉繁茂，常年青綠，竹筍叢生，繁衍綿延，團結成林，林相整潔。」這是人生哲學的啓示，令我畢生念念難忘。憶及先賢王陽明在流放貴州之際，常以格竹爲其研究哲學思想的教訓，深感蔣先生對人生要學竹子的說話，乃是自勉勉人的哲理。從此我便以「人生如竹行如水」作我終身的座右銘，和立身行事的格言，這是我在人生哲學方面得聞第一次的大道！也是開始遇見的第一個困難題目。我們要使全體革命青年和全國人民都和竹子一樣，來建立一個好像竹林一樣美麗、整潔、繁榮、和平的國家和社會，那眞是千難萬難的事呀！

第二次遇到的困難是我和幾位朋友由雪竇寺下面山谷，同乘竹筏，沿溪遊覽風景，靑山綠水極引人入勝，但灘多水急，好幾次竹筏幾乎擱淺及翻沉！雖則爲時不過半日，溪水不深，我不怕滅頂溺死，但平常很少乘坐竹筏的經驗，不免險象環生，一時感到困難而已。

第三項困難是在陽曆新年過後，農曆年前，我因爲事情不多，機會難得，曾接我的妻子到溪口小住，共渡春節。當她到達溪口的時候，居住發生了點小問題，我沒有另租房子，照當地的風俗，我不租房子是不能夫婦同住人家的房屋的，就是蔣先生家裏的老屋也不能免俗，我眞是左右爲難。（七八）

戰地過新年

勞克

這是我第一次，在金門過新年。

戰地每一官兵在緊張中輕鬆。因爲共匪的陰謀詭計，或就在我們新年狂歡的時候，來個措手不及。本來打仗就是虛虛實實，實實虛虛的嘛。

所以，我們這幾天都在碉堡內過新年吧，就以我的碉堡來說吧，我在廿四日就在外斫了棵小松樹，又在福利社買了紅紙綠紙，又向通信室要了電池和小小燈泡。

我把小松樹設在碉堡中間，紅綠紙剪成一條條一條條，橫拉幾根在樹上，直拉幾根在樹上。然後又把燈泡在樹上裝了好幾盞。電池放在樹底下。

我又買了當地出產的糖果，花生。還擺了兩個熱水瓶，又擺了茶杯。

廿五日晚上，我邀了伙伴們到我碉堡裏來。大家高高興興，圍住這小小的聖誕樹，唱起聖誕歌。然後，大家坐下來，吃花生，吃糖果，有說有笑的。聖誕節就在這情景中渡過的。

聖誕夜還聽到砲聲，共匪打過來的。我們沒有接到命令還擊，也就不理會。不過，我們是彈在膛，祇要電話鈴一響，三分鐘不要，砲彈就落在共匪的區域內！

從廿五日開始，我們就沉浸在快樂的新年裏。在廿九日，我們出刊了壁板，由張偉氏主編。他還寫了一首歌，使我們每個人都口誦了出來。現在每個碉堡都在唱着這首歌的：

新年到，新年到。
新年眞正好，
新年眞正好。
碉堡慶聖誕，
誓攻共匪窠。
一元又復始，
反攻復國在今朝！

新年裏，我們又殺猪。殺猪時，我們說是「殺朱拔毛」，因此對猪的宰割也就特別快，特別澈底。

元旦中午，我們大會餐，有五個菜一個湯、還有酒。猜拳引令、實在太快樂了。

天氣特別好，萬里無雲。我們就在碉堡前面歡渡新年的。小王還特地買了鞭炮，又用紅紙寫了「新年反攻大陸」六個大字，然後放起鞭炮來，劈劈拍拍，眞是喜氣洋洋。

我的碉堡前面，就是個村莊。村莊上升滿了國旗。每家門口，都有一面。迎風飄展，成了旗海。我有架照相機，還把這些照了下來。

我們在這一天，也都穿了很乾淨的衣服、燙的畢畢挺挺，皮鞋也擦的亮亮。每個人臉上都填滿了笑臉。每個人見面時，第一句話是：

「多殺一個共匪！」

「恭賀你，今年是戰鬥英雄！」

的確，在金門的官兵，都有旺盛的戰鬥意志，都咬牙切齒的痛恨共匪！祇要一聽到砲聲，大家都說：「總有一天，共匪是要滅亡的！」

戰地的公共汽車，計程車以及軍用車輛，前面都插有小小的國旗。公共汽車前面貼了「慶祝元旦」四個大字，是用金紙做的。

元旦是單日，戰地沒有團體活動，甚至於學生遊行，以及大型的團拜，也祇成了代表性。共匪還保持着單日砲擊。

現在金門全島，都受到砲擊的威脅。軍民中在砲火中成長，也就特別堅強。有這份特殊的堅強，就制了共匪的死命了。

街市上，如金門城，山外等等，都填滿了新年的氣象，而且每家店面門口，用紅紙張貼着：「恭賀新禧、打回大陸！」的字句。

結婚三十週年紀念書懷

五十四年元旦作

李萬居未定稿

日月如流，三十年間轉眼逝去，念及己身韶光虛度，一事無成，昔日滿腔救國熱情，終成幻夢；大陸淪亡忽忽十六年矣。失土之速，歷史上無可比擬，而今儒道蕩然，萬衆陷於水深火熱之中，撫今追昔，能不感慨萬千！

三十年間轉眼過，韶光事業兩蹉跎；
神州一夢成狐窟，刼成尼山近若何？

落花時節

高蕾

我的眼淚再也忍不住了，突然，我伏在椅背上放聲哭了起來。他以爲我是爲了別離而傷感，豈知我是爲了那更痛的心事藉此發抒一下呢！

表哥走了，在歡送他的飛機塲上，爲了對他能出國深造表示祝賀，我的臉上强裝着一份笑容。飛機起飛的一剎，表哥走到我的面前：

「梅子，好自保重。你們結婚的時候需要什麼東西，寫信告訴我給你們寄來。」我低着頭一語不發；心想：我們的距離那麼近，你爲什麼不像以前一樣摑着我的雙手，抬着我的下顎，撫摸着如絲一般的柔髮，用你深沉的眼睛看我？唉！這些都是夢，從今再也不會進入我的夢鄉。

他走了！我無法留住他，他却用眼睛帶走了我的心。

（五）

洪傑沒有食言，婚後生活盡量使我感到幸福，經濟的寬裕增加了生活的光彩。他的確是一位體貼入微的好丈夫。他的工作很輕鬆，每逢寒暑假到來，總想陪我到各名勝地區去調劑一下，我却總提不起興趣。我想：一靜總比一動好。對洪傑我常感內疚，我不配做他的一個妻子。直到小菁來了人間，我們這個小家庭才算眞正有了溫暖；丈夫需要我，孩子更需要我，爲了下一代我必須要振作。

「梅子，你看二表哥來電報，還寄來這麼多衣服。這是小菁的毛線衣褲，還有一雙小襪子；啊！這一件衣料眞漂亮，是送給你做旗袍的。」洪傑下班回來，帶回來一個大包裹，高興得手舞足蹈地走到搖籃邊低下頭就是一吻。

「喔！輕點，她剛睡着。」綠色的旗袍料象徵着新生的生命，同樣 我愛不釋手。

「小菁長得眞漂亮，妳小時候大概也是這個樣子。」

「那就要去問二表哥啊，因爲他看着我長大的。」

「提到二表哥，也眞是的，爲了事業到現在還沒有結婚。我們也眞該替他加加油才對哩！」

「是啊！等我寫封信去勸他，總不能讓小菁只有舅舅沒有舅媽呀！」

（六）

生活是愉快的，可是很多不幸的事情都在愉快中發生。洪傑爲了一件營業上的事，必須到東南亞一帶去接洽，同時也可到馬尼拉去看看濶別經年的叔父，他本來邀我一齊去，可是孩子太小行走太不方便。他飛走了，誰知道這一去他永遠不再回來！這驚人的噩耗是飛機撞毀了，他墜入那陰冷的山崖，丟下了我們孤苦的母女。可憐的傑！你要我怎麼說？（五）

梨園坤角話從頭

谿公

，長於史學的人們大多知道，我國古時之伶官樂師是不分的，但祇有男人，沒有女人。即以昏暴淫亂著名之商紂，所用樂師如師延（樂師名延），以作「靡靡之樂」爲紂所寵幸；迨紂爲周武王懸首太白旗上，師延抱琴東走，自投於濮水而歿）等人，也都是男性的。

至戰國時，齊景公因爲魯以孔子爲司寇，國內大治！誠恐以鄰邦相形見拙，意欲離間其君臣，命黎彌於女閭中，擇其年少貌美者，得八十人，分十隊，敎以歌舞；賸以良馬廿駟贈魯侯，藉以亂其心曲，魯定公欣然受之，並以女樂二十人賜季康子（相國季斯），即當時詩人所謂：

『一曲嬌歌一笏金，一番妙舞一盤珠；只因十隊歌姬艷，改盡君臣治國心』也。

於是魯定公罷朝十日，郊祭之後，並胙肉亦無心分派。孔子喟然而歎，謂子路曰：『吾道不行命也夫！』遂援琴歌曰：

『彼婦之口，可以出走。彼女之謁，可以死敗。優哉游哉，聊以卒歲』。遂與子路等束裝去魯。魯國復衰。

是爲中國有女樂之始。

到了東晉末葉，匈奴，鮮卑，羯，氐，羌，五胡十六國分據中國各地，各自稱帝，他們除了黷武窮兵外，祇知道徵歌選色，以快其耳目身心。於是乎男樂女樂，混合不分。

到了唐朝，那位玄宗皇帝，雖是個中興令主，聲色之好，却也無異於常人。特地「選『坐部伎』子弟三百教於梨園；聲有誤者，帝正覺而正之」。號「皇帝梨園子弟」。宮女數百，亦爲「梨園弟子」，居宜春北院」。

「這無疑是男女混合歌吹的。（後世稱伶界爲「梨園行」，即本於此。）一直持續到滿淸初葉，迄未改變。

到了雍正年間，他因與諸兄弟爭帝位，互相窺伺，勢如水火，經常怕有刺客來行刺，尤其是[illegible]呂留良起義不成因而被殺之呂留良，有一孫女，名叫呂四娘，武藝超羣，尤精劍術，立誓要爲她祖父復仇。雍正特別的怕她。因之刻刻提防，凡非素習雉女，疑則殺之，而坤伶更不例外。由此梨園行中，遂不再見坤伶之足迹。直至光緒年間，上海地方，方始有「毛兒戲」之產生。

什麼叫作「毛兒戲」呢？原來北平名伶李毛雲，天生的面部有一紅線，襯上生着一撮很濃的紫毛，人們遂以李毛兒稱之。這外號叫出去了，他那原有的名字，倒反被湮沒了。（一）

試談紅樓夢問題

謬匡

紅樓夢不但是中國藝文中的不朽之作，即在世界性藝文中，也是不朽之作。

紅樓夢全書正本一百二十回，惟前八十回爲曹雪芹所作，後四十回爲鐵嶺高鶚所作。紅樓夢祇是此書書名之一，此外又名「風月寶鑑」，又名「石頭記」。此三者皆書中已點睛者。如賈寶玉夢「紅樓夢」十二支；又跛道人持一鏡，上面即鏨有「風月寶鑑」四字；又如道人親眼見石上大書一篇故事，即石頭所記之本來。此外又名「金陵十二釵」，則爲書中之十二女子也。

紅樓夢一書有乘熱鬧而仿寫續寫的，名目繁多，如「後紅樓夢」、「紅樓復夢」、「紅樓圓夢」、「紅樓幻夢」、「紅樓再夢」、「增補紅樓夢」、「紅樓夢影」、「紅樓夢補」、「鬼紅樓」等，然均不成器之作。

紅樓夢出世時間，據胡適之先生考證：前八十回本爲乾隆十七年壬子（一七六二年），百二十回本則爲乾隆五十六年（一七九一年）。全書都七十萬零七千三百五十字，敘述男女共四百三十八人，男的二百二十五人，女的二百一十三人。另據孫旗先生紅樓夢研究考定統計，有名有姓與無名無姓者共四百四十八人。此爲小說中人物最多者。紅樓夢以前固無如此大觀之說部，以後亦尙無類似之創作。

紅樓夢一書之作者，至今尙無人考證出比胡適之更爲可靠之新證據。惟有全書內容影射，研究紅學者，議論紛紜，以及紅樓夢書之衣冠等問題，尙有極大之爭論。

關於紅樓夢內容之影射問題，撮其著者，可大別六派，玆分述如后：

第一派代表爲王夢阮、其在「紅樓索隱」中有謂：紅樓夢全爲清世祖與董鄂妃而作，兼及當時諸名王奇女。紅樓夢中之賈寶玉即清世祖，林黛玉即董鄂妃。（一）

內警台報字第〇三一號內銷證

自由報

THE FREE NEWS

第一七五一期

中華民國僑務委員會登記證　僑報字第……號
中華郵政台字第……號執照登記爲第一類新聞紙類
（每星期三、六出版）

每份港幣壹角
台灣零售價新台幣貳元

社長：雷嘯岑
督印人：黃行宙

社址：香港銅鑼灣高士威道二十號四樓
20 CAUSEWAY RD 3RD FL
HONG KONG
TEL. 771726　電報掛號：7191
承印者：四風印刷廠
地址：香港灣仔高士打道二二一號

台灣分社
台北市西寧南路……號二樓
電話：三〇三四〇

詹森政府裁軍政策（下）

宋文明

（七）一九六四年四月十六日，美在日內瓦裁軍會對於凍結飛彈及飛機提出具體實施計劃。即第一步凍結由陸上發射的三一二五英里以上的長程飛彈及其發射設備，以及由海上發射的六十海里以上的飛彈及其設備。第二步凍結淨重四萬公斤以上的轟炸機。第三步凍結三一二五英里以下至六二五英里的陸上飛彈。第四步凍結淨重四萬公斤以下至兩萬五千公斤的轟炸機。第五步凍結戰略的反飛彈系統及其設備。

（八）一九六四年四月二十日，詹森總統根據其在國情咨文中所申明的信念及在日內瓦所提出的新裁軍建議，宣布在未來四年內，將美國製造核武器的鈾減產百分之二十，強性鈾減產百分之四十。英國及俄國，亦隨着對可分裂物質的減產作了同情的宣布。

（三）

由上述詹森總統本人及其政府所作的一連串的重要表示，我們可以看出詹森政府的裁軍政策在基本上仍和甘迺迪政府的裁軍政策完全一樣。即對於整個的裁軍問題，詹森政府仍堅持甘迺迪政府所已提出的三階段裁軍計劃，以保證裁軍的平衡與有效。但爲了使共黨國家更容易接受美國的觀點，詹森政府這種態度，就在未來實施全面裁軍的一項國際裁軍條約，就必須以美國的這一方案爲基礎。縱使還會依照蘇俄態度有所改變，這種修改也將絕不會太大。

除了這種基本裁軍計劃之外，詹森政府也正和甘迺迪政府一樣，在全面與普遍裁軍計劃獲得協議前，爲了要緩和國際緊張，及爲全面裁軍作準備，也會強調推動若干個別計劃，作爲此方面的緊急措施。在裁軍的緊急措施方面，詹森政府的想法，也和甘迺迪政府相差不多。即甘迺迪政府所會特別致力者，在於要求禁止核試，太空中立化，分裂物質及核武器發射工具的停止及減少生產，以及防止核武器的散佈。在詹森政府開始執政以後，由於太空中立化及核子試禁的主要部份已經實現，所以詹森政府所緊急努力的重點，也即轉移到甘迺迪政府未會完成的其他各項目標。此即爲凍結核武器的發射器，減少分裂物質的生產，及防止核武器的散佈。另外，再加上一個視察站系統的建立。至一九六四年九月十七日，十七國日內瓦裁軍會議再度宣告休會，在這些緊急目標中，減少分裂性物質生產一項，已經由私下協議開始作初步實行。其他各項，仍在爭執中。但祇要稍假時日，這些緊急目標中的所餘各項問題，尤其防止核武器的散佈一事，可能將會比一般所預料者較早出現。

在談到裁軍計劃方面的這些個別措施時，我們注意到詹森政府還比甘迺迪政府更有信心。即甘迺迪政府希望經由這些個別措施，而建立良好氣氛，爲全面裁軍計劃作準備。而詹森政府正如上述他的首次國情咨文所表示，祇要美國認爲自此必要與可能，不管對方是否願採取同樣行動，美國亦仍將單獨實行這些個別計劃。如分裂物質的減產一事，當美國作這種首次宣布，它顯然根本就未把這種意向事先告知蘇俄。及至後來第二次再作這種宣布，美英俄三國之間，事實上私下曾先有過接觸與諒解，但即使沒有這種諒解，美國亦將照樣如是。詹森政府這種自信與認眞的態度，對於促成其他裁軍問題上的和解，當然也有很大的影響。

（四）

不論任何一個美國政府——共和黨的政府或民主黨的政府——每當談到裁軍，總不免要多少牽連到世界政治問題。這種情勢，似已成了一貫的態度與作風。共和黨的艾森豪政府如此，民主黨的甘迺迪政府如此，詹森政府同樣亦如此。如上述詹森政府在向日內瓦裁軍會議所提五點裁軍計劃中的第二項，所謂不以武力及武力威脅改變疆界，以及嚴禁以「推翻旣定權力」方式來擴延領土云云，實際便完全是一種屬於政治性的項目。這表示詹森政府亦注意到，要想裁軍能澈底普遍，解決政治性爭執，確屬必要。

不過，就是從裁軍所牽涉到的這種政治問題而言，詹森政府的態度也比美國過去的兩屆政府有進步。在艾森豪政府的時代，國務卿杜勒斯因完全接受西德前總理艾德諾的說法，明白認爲裁軍與政治是絕對不可分的。換言之，除非解決重大的政治爭端如德國等問題，所謂裁軍即無從談起。及至甘迺迪政府，美國這種態度，已有相當的轉變，但仍然認爲「除非達成廣泛政治協議⋯⋯及直至我們有了方法解決國際爭執，我們將不會有裁軍」。以及所謂「在政治因素許可之下」的說法。詹森政府雖然也提出上述的政治性問題，但就詹森政府對裁軍問題的整個態度來看，它顯然已不把這種政治性問題視爲實行裁軍的必要條件。在詹森政府看來，假若政治性顯[illegible]

（五）

[illegible]

今日與明日

印尼終於退出聯合國

越南發生反美示威

蘇俄仍欠繳聯合國會費

毛酋的圓規

飽受折磨

談自由

共黨的理論鬥爭

馬五先生

手法完全按照「天國與地獄」電影

日本新潟發生殘忍綁票案 少女被綁廿小時慘遭撕票

（本報東京航訊）日本新潟縣繼去年五月發生强烈地震後，前幾天又發生了一宗震動全國的綁匪撕票新聞，一個二十四歲的年青女櫥窗裝飾家，被綁匪綁架二十小時後，因爲家人一時猶豫，竟慘遭撕票。這個綁匪集團之兇殘實在少見。同時，日本過去的綁票案，都是小童或幼兒被擄，這一次的受害者却是二十幾歲的女郎。同時綁匪的手法完全按照三船敏郎主演的「天國與地獄」中綁匪的手法一樣，引起警方嚴密的注視。

受害者是新潟市一個電油站的女老闆娘折戶滿的女兒折戶紀代子。紀代子有一個哥哥折戶善衛在新潟郊區的玉泉市經營一家商店。紀代子則在哥哥的店中担任櫥窗設計工作。他們家境不錯，置有私家車一部，平時上下班都以車代步。元月十三日這一天，紀代子先從她哥哥的店裏打電話給她的母親，她對母親說，今天是她廿四歲生日，特地早點趕回家。

這天下午，新潟下雪，全市一片茫茫。紀代子坐她哥哥的汽車，由一名店員駕車送回家。晚上八時左右，紀代子突然接到一個電話，對方自稱是新潟警署打來的電話，說紀代子的汽車泊車違例，要她馬上出去到泊車地點問話。對方的口吻完全是交通警察的模樣。她問明汽車號碼後立刻開門出去，不料一去杳如黃鶴。

當天晚上八時三十分和九時四十分，綁匪共打來兩次電話，要紀代子的母親準備七百萬元（合港幣十萬元）現金，並告訴她們，他們已將紀代子綁架。着她先準備妥贖款，聽候進一步指示，如有違抗，定對肉參不利。

紀代子的母親和兒子善衛聯絡後向警署報案。警署立刻派出大批幹員向全市旅店、酒店搜查可疑人物，一面盤問駕車送紀代子回家的店員。他說他當天送過紀代子泊好車後逕自回家，其餘則不知情。

第二天（十四日）上午九時許，綁匪又打來第三次電話說：「紀代子看押中，今天上午十時前必須準備七百萬元，不准報警。」對方的口音已被錄音，警方判斷是個年青人的口音。

在警方授意下，用叠十萬元現鈔放在兩端，中間夾以同樣大小的白紙，中午時，綁匪電話又來了，問清他們已備妥贖款後，着他們即赴新潟火車站內候車室等候。母子二人不敢怠慢，即在便衣警員暗中隨同下來到了車站，片刻之後，車站的公用電話室用擴音機找他們聽電話，綁匪告訴折戶善衛，叫他們將款乘坐下班開往柏崎市的火車，並須坐在車的右邊，仔細注意窗外，如發現窗外有紅旗一枝豎立，便將現鈔包裹擲出窗外。綁匪的這一招手法全是電影「天國與地獄」中抄襲來的。

折戶滿和兒子一同上車後，便衣多人佈置好攝影機等待着。火車在一時四十七分開行，出了車站不久，果然在車窗右側的雪地上，發現插着一根高約十一呎的竹桿上一面一呎半的紅布。折戶善衛正要把手中的錢包擲出車廂的時候，他突然想起銀包中只有十萬元是眞的，其餘是假的。他恐怕綁匪收到後一怒起來對他的妹妹不利，就在這一猶豫的霎那間，他沒有擲出鈔票，而火車早就疾駛而過了。車上警探曾通令搜查那面紅旗，却無下落。

三個小時後，即十四日下午四時許，紀代子的屍體發現了。她的屍體出現在新潟市警察打撈塲的松林旁邊靠海岸處，雪地上有汽車輪跡和足印。現場並無混亂的跡象，顯然她是被人先勒死，再將屍體搬至上述地點的。據警方判斷，綁匪可能在兩人以上。匪徒可能在火車過後，見參家人不按指示辦事，一種可能是一怒撕票；一種可能是害怕事敗，行兇滅口。

警方初步肯定綁匪極可能是認識折戶家的人，現在根據綁匪的電話錄音詳細偵察中。去年底，仙台市剛剛發生一宗綁架小童撕票慘劇，又接隔不到一個月，又接連發生第二宗綁匪撕票案。近年來在日本各項兇殺犯罪案件中，綁票案顯著增多，而猶「天國與地獄」式的綁票事件，是綁票案中最殘酷而罕見的一宗。

英外務部氣氛神秘

現有國內外職員一萬名 其中有三十七人識中文

（倫敦通訊）在一般人心目中，從事外交活動的人，都行蹤飄忽，口齒靈俐，手段圓滑，長袖善舞的青年。他們穿着有條紋的褲子，裝成一派紳士氣，加上辦公廳的深沉氣氛，特別加深人們對外交人員的神秘感。

英國外務部是一座意大利式的建築物，位於維治何南端的。這幢有剪嵌式圖案樓面有巨形的拱木門，有絢爛的壁畫和精美的古老博物館的房子，彷彿意大利的古老傳統，火爐還是燒煤，信差們推着戴着紅色信箱的手推車，穿插在走廊間。這種古調氣氛，很容易使人誤認爲一切都是落伍的；其實並不是如此。雖然他們仍用古舊的方法，以黃筒在屋內各室之間傳遞文件，但是這種傳訊方式却是非常可靠的。

自一七八二年福士就任英國第一位外相全權主管外交事務以來，外務部曾三易其址。一七九三年遷至唐寧街的一座小房子去，至一八六八年該房子拆毀改建成爲現代的樓宇。在這期間，外務部逐漸擴張，現在有許多部門，因地方所限，已遷到加爾頓大廈及康業大廈。

時常有人批評英外務部的高級人員，說他們的態度與行爲，好像把自己看成比其他公務員高一籌，好像他們就代表了整個部門，而他們的團體精神也是非常强烈的。他們三分之二人員在海外服務，負有近百種的不同任務，這亦無怪他們把自己看成與別的公務員不同了。這組有七百五十人，其中有十五人爲女性。他們都是私立中學和牛津、劍橋兩大學的畢業生，但現在新進的外交人員，十居其九都是來自這些學校的。

投考外務部的職位，競爭非常劇烈。去年有三百人申請，祇有三十四人被錄用。較高職位的薪俸頗爲可觀。常務次長及九名高級大使的底薪，超過五千鎊。大約有二十名較低級的大使，每年的薪金亦超過五千鎊。駐外使節，較國內高級官員待遇高，例如駐華盛頓大使，除了薪金外，每年還有三萬三千鎊活動津貼。

英外務部現有國內外職員一萬人，有兩類特別令人感興趣的，其一是女皇信使，共四十位，大部份都是退休軍官，他們的工作就是護送重要的文件到海外使館去，他們的大部份時間都花在飛機上。其二是那四位看守外務部的文員，通常是年青的王老五，他們住在外務部的頂樓，廿四小時輪流值班，據統計，英外務部官員中，識中文的有三十七人，識日文的有三十八人。

外務大臣的辦公室便是外務部神經中樞，那是一個二十呎高，三十呎見方，漆上綠色的房間。房間裏陳設着維多利亞時代的傢俬，中央放着一張大書桌，安東尼·森信在「剖視英國」一書中寫着：「在過去一百年裏，英國的外務大臣在這桌子旁邊，已經看過大英帝國國運的浮沉，看過兩次世界大戰和英國在國際間的勢力的衰退。」許多條約，都是在這個房間裏草擬的，許多國界也是在這裏劃分的。國內的世界地圖，經常修改以追上國際變化。前任外相荷姆說：「外務大臣的職位，並不是一份優差。做了外務大臣，你便不能常和你的家人在一起了，你要時常奔跑的。去年我旅行了六萬二千英哩，有九十六天的時間是花在國外的。」

立委廖競存談國民外交

本報記者劍聲

値此非常時期，我國朝野人士對外交問題都很關注，假如我們把國民外交做好的話，則有關外交上許多問題，將有機會迎刃而解；因此，記者特走訪立法院僑政委員會委員廖競存先生，就國民外交問題，請他發表意見。下面是廖委員對這問題談話的內容。

一、普及國民愛國教育 提高國民知識水準

關於國民外交問題，是很廣泛的，很複雜的，談起來很不容易，因爲這一問題，沒有範疇可循，沒有跡象可找，更無向例可以引用。譬如在某種場合，某種機會，某種時間，國民利用某種態度，某種力量，可以對於國家外交上，收到某種好的影響和效果。好像我國古時鄭國有一位名叫弦高的牛販子，在途中遇着敵國派兵來襲，即用其牛犒賞敵人，敵人以爲鄭國有備，即行撤退。這是一個國民利用機會時間和犧牲的精神，收到外交上極大效果的實例。

事例，即滿清末葉，政治腐敗，國民知識水準太低，對外人不知禮貌，對自身不加尊重，家庭和社會到處都表現零亂污穢，國父孫中山先生曾引述了我國一位使臣，在外輪華貴的地毯上吐痰的故事，因而引起了外國不准華人住頭等旅社搭頭等船艙的反感。甚至以前在上海法租界的公園裏有中國人和狗不准入內的標示。民國十二年時，余與友人和守園者，因此大吵一場。後經數次之觀察，此實由於國人不知自愛，亂摘花木，隨地吐痰及干擾男女的談愛等事，有以致之。

這些上述的事例，都是有關國民知識與國民外交問題。

那麼，今日世界交通發達，國際間交往頻繁，國家與國家間的外交，固然很重要，而國民對國家外交問題上所發生的影響與關係，也就似乎較以前爲尤甚了。這是什麼原故呢？因爲今日的世界爲民主政治的世界，即極權國家，亦須假藉民意以施政，吾國先聖有言：「天聽自我民聽，天視自我民視」。這個意思就是在警告當政者，一切措施——關於內政，外交均須以民意爲依歸。但是民意究竟是對是不對呢？這個問題就是要看國民教育發達不發達？普及不普及？國民教育普及，國民知識水準提高，那對於國家外交政策的決定，一定有良好的影響，即在國民本身外交上，亦能隨時隨地發生像鄭國弦高牛販退敵的好事實。

二、鼓勵在野人士多做國民外交工作

政府自遷台以來，勵精圖治，無不以收回大陸重整山河爲職志，因此，在政治、軍事、經濟、工商、農礦等各方面，均受着政府的鼓勵與策劃，而有其長足的進步。但國內自己的人士，習久而不自知，「只緣身在此山中，不識廬山眞面目」，此亦人之常情，不足爲怪。但是在國外的人士，對於祖國的進步，是多所隔膜，因各方面的報導不正確，於是有者疑之，壞者信之，復加共黨的反宣傳，於是而非而是，黑白不分；於是而互相激盪，互相傳播，而匯成一不滿政府之洪流。此一洪流，在不甚瞭解之外國人視之，以爲吾國政治上的不民主，人民眞的不自由，所以才造成其本國在外之人士多方面的不滿。這種情形若任其長期發展，對於吾國在國際間之外交可能發生極不良影響。（上）

台南市一件竊佔官司

暴露小官吏胡來真相

成羣結黨刁難勒索無所不為

（續上期）但因其左隣，即九號承購人潘子展，係一假退役軍官，他當向孫薛蘭英提出異議說：她既擁有較別人多的土地，不好再侵佔別戶土地了，何況人家土地又不多。孫的女兒答覆說：你狗放屁，誰佔你們土地？你們還佔了我的等語。潘某氣忿之下，知無可理喻，被逼無奈，乃由二十七位隣居連署，於十月五日向台南地檢處告發，復於同日下午十五時，以副本（中華郵政限時掛號執據〇三一八）寄呈市府土木科長林錫山。該科長收到後，非但未派員調查處理，反而竟於十月八日發給孫薛蘭英建築執照，可謂胆大妄為之極。（檢察官曾詢及被告孫薛蘭英：緣何執照未發下來，房子就建好？被告答說：因為我女婿在市府服務較熟的關係。檢察官又說：你身為人師，如學生未進學校，可以領畢業證書嗎？）

潘子展為求法權保障，以憑作檢方起訴根據，向台南地政事務所繳三百元申請鑑定界址，始得於十月二十八日上午派技術員二人，財產局派一人會勘；然工作正進行中，被告之婿，邀來地政事務所股長林百海，馳往現場，與技術人員一番耳語後，便告潘子展謂：你怎麼可以亂告呢？孫某沒佔你的，你還佔了孫某三台尺。一時隣人大譁（本報記者適亦在場，有某部憲兵連丁連長也在場目睹），當即請林股長釋明如何認定，請指示確定界址，以便標示，并請給測量結果證明。該股長乃說：證明不能給予申請人，應由法院或檢察處來文方可。對界址問題，顧左右而言他，避不作答，而且隨將技術人員帶走了。潘子展發覺情形不妙，除馬上電告檢察官，并親自陳訴。隔約數日，除原有技術員二人外，另加一新技術員，連同財產局原派人員一人來勘。而這次，即勘出孫薛蘭英眞相了！孫薛蘭英竊佔了潘子展之地，計寬約半台尺，長三台尺。新建廁所也侵入潘界。公衆通道亦遭侵佔。她原形畢露之下，是非乃告大白。

孫薛蘭英處此情況之下，又施用混身解數，如找人偽證哪，湮滅證據哪，請大律師哪，企圖脫卸刑責。奈這些都不管用，祇有申請量地，作起死回生之術，這一來，問題更多了。四圍隣地，或公或私，她都有竊佔！以後法院念其年邁，僅處罰金三百元了事。

本報駐南部記者本月六日下午五時許，為此事曾走訪地政事務所黃姓職員，請教林百海是何身份；據答：該員是股長不錯，惟不管理測量之事。記者乃轉趣林股長，請教其在地政事務所主管何種業務。他一面不高興，袖子往上一捲，氣勢洶洶：「安怎，嫵宰」！（中）

開闢新天地—創新道統

論道統第二章

陳健夫

一、萬國萬族，各有道統。

人類之中，萬國萬族，各有其道統，維繫各別的社會傳統，無分中外、古今皆然。每種道統，有他的道德、秩序、教育、倫理、政治、經濟、社會。世界大同，但各民族國家始終保有各自的道統。

今日世界，在東方有佛教、有儒、有回，在西方有基督教、猶太教，構成各別的道統。共產國家也正在興起他們獨自的「道統」，那也是一種宗教。中國地大物博，人口眾多，文化久遠，歷史悠久，自然更應有新的道統。舊的傳統，既已喪失，在當前的世界，我們建立新道統，豈不是根本而又迫切的任務麼？新的道統一旦建立，成為社會人羣的規範，則今日許多敗壞的風氣，自然會轉移過來。

二、放開眼界，展開氣魄！

我們既不能依靠破落戶的遺產，承襲祖業，也不能憑着一個時髦人的作風而西化。我們只有白手成家，重建新基，放開眼界，展開氣魄，再以五十年至百年的時間，建立一個新道統，這才是根本之圖。這個新道統，究竟包涵些什麼東西？應由何而產生？在此，我願引用拙著新儒學中的幾段話：

「中國文化，注重向內，所謂誠，所謂仁，所謂良知，皆是指引人向內做工夫。故中國文化始終以修身、養性、建立人格為基礎。這種文化偏重理性道德，人的精神完全集中在這一方面，因此，有人稱中國為精神文明的國家。這種文化不免有保守固滯的習性，其進步的速是非常慢的，假若近百年沒有受到西方文化的影響，可能仍是一個古老的文化。這便表現了中國文化的缺點在何處了。至於西洋文化則注重「外放」——向外奔放，一切科學實驗，皆指引人做向外奔放的工夫，故偏重知識與實證。這種文化便富有冒險進取的特性。由於知識的發達，乃產生了現代科學文明。正與東方的精神文明相互映照。這種科學文明發展的結果，使人忽視或淡漠理性與道德，人類不免淪為物質的奴隸，而喪失其崇高自主的道德稟賦。這便是西洋文化的流弊。這兩種文化看起來各有其特徵，各有其流弊。就整個世界文化趨勢來看，中國文化無法拒絕西方文化的影響力，今後必然向知識科學方面邁步前進，迎頭趕上，而西方文化也必然接納一種道德性的觀念，以提高人的意志及價值。這一個新潮流，為時已數十年，但實際上今日仍不過是一個開端而已。過去數十年，中西文化還不過是相互接觸而已，彼此難免敵視或猜疑，今日則已開始有真的認識與覺悟，今後的攜手合作，共同創造新的世界文化，那是必然的發展。中國文化在今後百年內必然復興，朝向新世界文化的前途邁進。」

「現代物質文明的發達，使人類生活及思想都發生了重大的改變與進步，有許多人對現代文明存着恐懼心，或懷疑心，深恐物質文明將為人類帶來災禍。比如空前的第一次第二次世界大戰，都是物質文明發達以後的大災禍。因此有大部份人，尤其是我們東方人，對物質文明便不免有存着戒懼之心。我必須在此說明的，今天人類如果畏懼物質文明發達，科學進步，那是愚蠢的，因為現代機械文明，科學進步，乃是無可免的，且不必避免。人類文化如此進步，乃是正常的，任何落後民族，無不渴望着現代文明。反對科學，反對進步，那是不智的。科學及物質文明本不應為人類的禍患，問題是在人應如何運用精神文明以操縱駕駛物質文明，使機械文明為精神文明充分運用，為人類忠誠服務。今日文明，必須是人使用機械，而非為機械所奴役。現代人使用機械文明，正如武士騎獵馬一般，若非駕駛有方，勢非顛覆不可。機械文明如脫離精神文明，正如無韁之馬，必至為害不淺。今日科學文明乃增進人類生活幸福的手段，過程，絕非人類文化的最後目的。人類文化最後的目的始終在充實人生的理想，改善人類的生活。

（一）

漢文，漢字，漢學

陳曼卿

我們渾厚持平的說，敬重古人，自然是應該，蒼頡也不過彙集初民所創造的「文」，加加整理或修改，而決非造字的創始者。如果說「倉頡始創文字」，那麼我就要問：誰敢保證倉頡以前的黃種人無文？

「文」到了西周末葉，史籀「篆文」，本為劃一形體而作，不過才數十年，「鎬」政就因犬戎之亂，而告結束了。春秋戰國，各侯國間所應用的「文」又是一度「各自為政」的大混亂！這當中自然是以各地區所使用的工具，以及切合時政，方言，習慣等等為轉移，其偽別簡率，弄得奇詭難識，自是意料中的事了。

假使我們以歷史的眼光去觀察，只要是在用，終歸是在進步的。秦併六國而有周之天下，為求文字以秦文之固定「詞序」而劃一，用之於政令，通行天下，以達共通互曉境地，自然需要加以一番整理。

但六國文化的演進程度，並不減於秦。且有早於秦，或優於秦的可能性存在，這的確也是事實，「膠固」不同，自是必然的現象。兼之那時所盛行的諸如孔、孟儒學的提倡仁義，墨學兼愛，老學放任無為，楊朱不拔一毛等等，都與秦政相牴牾，有極端不利的種種事實存在，却也十分明顯。

秦在完成統一後的第九年（元前二一三），才從李斯奏議，制定「燒詩書，設挾書律」一種有計劃的行動。到了這時，方才毅然決然地採取商、韓的嚴刑峻法，走向強迫劃一的最後速徑，這當然是秦的「不道」！

大篆小篆的由來

秦篆既興，乃稱春秋戰國時的「文」為「大篆」，「大篆」一名，自茲始有。迨漢復稱「秦篆」為「小篆」，即「大篆」的省變，「大篆」亦即「籀文」象事、象物圖文之省減。或即倒的求順，橫的求直，反的則正，左換右，右[illegible]，筆劃上的省減定形，使之大小勻稱，由殷商歷西周，春秋戰國，而至於秦，這也就是「漢文」早期的演變歷程。

綜觀漢文淵源，自清末王懿榮氏，從藥材舖售賣的「龍骨」中發現了甲文（又稱契書），應為我們此刻唯一可資參證的早期文（字）形體。諸如：

「龍，鳳，龜，魚」每一文就有五至八、九體不等。又如：

「羊」，竟多至四十五種不同的刻劃文。

其演變源流，不外因革損益。「籀，大篆（古文）小篆」，皆由「甲骨文」所演變而來。其結構疏落錯綜，層密整嚴，較之鐘鼎彝銘，則顯得精神爽朗，古氣盎然。

（七）

弔岳武穆詩詞輯萃

李仲侯

宋岳武穆飛，忠義激烈，誓不與賊虜共戴天，志必欲恢復中原，還二聖而後已。不幸為賊檜所深忌，竟置之於死。其後賊檜既自斃，公論始漸明，於是乃追復王爵，賜謚武穆，建立錢塘廟所，賜額曰精忠。國人欽其忠義，於是崇祠巍廟幾遍天下！文人學士於松楸展覽之餘，發為弔古之幽思，謳頌吟詠亦遍寰宇焉。茲僅所輯，乃歷代弔岳詩詞之尤可誦者。

匹馬吳江誰著鞭，惟公攘臂獨爭先。張皇貔虎三千士，撐持乾坤十六年。堪慨臨淄功未就，不知鐘室是何緣。石頭城下聽輿論，萬姓顰眉亦可憐！（胡銓）

岳王墳上草離離，秋日荒涼獸石危。南渡君臣輕社稷，中原子弟望旌旗！英雄已死嗟何及，天下中分遂不支。莫向西湖歌此曲，水光山色不勝悲！（趙孟頫）

萬古知心只老天，英雄堪恨復堪憐。如公更緩須臾死，此虜安能八十年！漠漠凝塵空偃月，堂堂遺像在凌煙。早知埋骨西湖上，學取鴟夷理釣船。（葉紹翁）

建炎誰為致中興，武穆出來志可憑。傳檄燕雲驅鐵騎，西海出師河洛慰諸陵。鐵馬知無敵，欲掃黃龍竟不能。兩穴松楸無麥飯，錢塘香火有山僧。

結髮行間見此公，兩河忠義俠元戎。勳成伊呂終方駕，算勝孫吳亦下風。拂劍未酬千古辱，賜環空忙十年功。姦邪賣國堪流涕，獨立西風看去鴻！（柯九思）

朔雪炎風共此年，中原父老亦堪憐。豎儒屬遣祈求使，大將空持殺伐權。忠義有碑書大節，奸邪無面見黃泉。至今草木猶南拱，遺恨西冷是墓田。（張光弼）

海門寒日淡無輝，偃月堂深畫漏稀。萬灶貔貅江上老，兩宮環珮夢中歸。內閣鼙鼓催花發，小殿珠簾看雪飛。不道帳前胡妓舞，有人行酒著青衣。（潘子素）

莫向中州歎黍離，英雄生死繫安危。內廷忽下班師詔，絕漠全收大將旗。父子一門甘伏節，山河千里竟分支。孤臣尚有埋身地，二帝游魂更可悲。

岳王墳畔褒忠寺，地老天荒恨尚存。介胄何堪投獄吏，衣冠無復望中原。青山能掩萇宏血，落日空悲蜀帝魂。遼鶴不歸人事別，吳宮花草又黃昏。（高明）

誰收將骨葬西湖，已卜他年必沼吳。孤塚有人來下馬，六陵無樹可棲烏。廟堂短計慚嫠婦，宇宙惟公是丈夫！往事重觀如敗局，一龕燈火屬浮屠。（林泉）

湖水春來自綠波，空林人跡少經過。夜寒石馬嘶風雨，日落山精泣薜蘿。江左長城真自壞，鄴中明月竟誰歌！惟餘滿地萇宏血，草色年[illegible]多。（浮）

（一）

美妹

羅雲家著

傷者完成急救後，警察人員便問起口供來。

何健文說：他沒有跟什麼人結過怨，而且是今天才到這裏的。說那打他的兩個人，根本就不相識，也沒有聽他們說過什麼，一上來，只說：「他媽的！你竟在這裏，看爺們來教訓你一頓！」然後就不分皂白地拳足交加打起來。

他又說：「好在對方並沒有下毒手，自己的傷也不很重。說不定是被人誤打的。為了不跟這些不三不四的人結怨，他願意自認倒霉，不再追究。」

警方旋問那個老闆。那老闆姓李，叫學財。他所說的也是跟健文說的差不多。他說剛才確是無緣無故打起來的，打手是什麼人？在緊張中也沒看清楚。他幾乎嚇呆了，既不敢勸架，又不敢走開報警。紛亂中，却不幸給他們打成誤傷。他表示：店中損壞了不少東西，本來不甘白白損失的；既然挨了狠揍的這位客人都不願追究，他是要長久在這裏做生意混飯吃的，所以也不願多事，自認倒霉算了。

調查的警員沒有再說什麼，登記了他們的身份，說必要時會再來看他們，叫他們好好養傷就走了。

楊光城出了這口氣，心頭舒服了些。為了取得廖明德對他的信任，他在一個黑暗的巷子會到了那兩個打手朋友後，再給了他倆一千元鈔票，叫他們向有關方面疏通疏通，不要把事態擴大，更不得發新聞。然後就漏夜駕車趕往觀音去了。

這一夜，大家都沒有好好睡覺。美妹為健文的安全十分担心，更為自己的未來感到萬分惶恐！健文亦為美妹的下落不明而非常着急，更為此一不幸事件的未來發展而煩燥不安……。

翌日拂曉時，健文與李老闆為一時噪音弄醒。他睜開眼來看看，原來是幾個人忙着抬一個重病的患者前來急診。醫院的值勤人員一看僅有的兩張病床，都給健文他們暫時佔用，所以就催他倆趕緊辦出院手續，以便早些把這急診室的病床騰出來，讓給別的病人應用。

李老闆看看傷勢不重，而且担心家裏那生病的太太無法照顧生意，所以不擬住院，就起身準備離去。

「何先生，我的傷勢大概不碍事了，不能陪你在一起。現在就想回去。你先生有什麼事需要我幫忙的嗎？」李老闆人挺忠厚老實，一夜的相聚，正所謂「同病相憐」，兩人已建立了真摯的感情。

他邊穿衣，邊向愁眉苦臉的健文辭別。

「謝謝你！」健文說：「我恐怕也不能久呆在這裏，因為我繳不出保證金；要休養，也得回去休養才行。醫院不是好住的地方，你離家近，傷勢又很輕，回去是對的。只是我想麻煩你兩件事，不知你可以幫忙嗎？」

「說說看，能做到的，一定替你辦到。」

「事情並不難。一是想請你到門口買份日報，我很担心昨天的事，不知道新聞記者是怎樣寫法。第二是，如果有位姓黃的小姐，在今天去你那裏打聽我的消息，請轉告她：我住在這裏很平安，但請她不要來看我，只把她的地址，同限時信寄給我就好了。如果她是在明天以後去你那裏打聽，就說我已回到台北去了。希望你寫信去那邊連絡好了。」

（四五）

後來還是管事人代我設計，經過一種類似租屋的手續和形式，才在蔣先生的老屋住下來。後來蔣先生到老屋裏來閒坐，我的妻子見到他，就我們同住在這裏的事表示謝意，到承蔣先生視作家人一樣，親切垂詢我們的生活如何，慰勉有加。

因爲妻子來了，我曾陪她到溪口附近的風景區域遊賞，那裏的青山秀水，是使人百遊不厭，令人流連忘返的，這也是我平生最快慰的一次遊山玩水經歷。可惜二十一年一月二十八日在上海又爆發了中日戰爭，蔣先生雖是辭職在野之身，也不能不奮起以赴國難，積極策劃，暗中指使袍澤，積極準備參加抗日戰爭，加之國民黨中央同志聯電催促蔣先生速往南京，挽救國家危亡，所以我們在二月中旬就隨蔣先生同去南京，要不然的話，春天溪口的山水，還要更增加我們的遊興呢。

冒險犯難記

鄧文儀

四十八、抗日救國責任加重

山於日本帝國主義軍閥侵畧中國的戰爭在上海爆發，十九路軍就地抵抗，但是兵力十分單薄，蔣先生密令何應欽將軍指揮十九路軍作戰，并密令中央陸軍軍官學校教育長張治中率領中央精銳的第五軍八十七師、八十八師，加入淞滬作戰。蔣先生本人於二月中旬經杭州秘密到達南京，住在中山陵園一棟簡陋的房子裏面，日以繼夜，苦思焦慮，一面注視上海戰爭的進行與發展，同時決定抗日整個作戰計劃，劃分全國爲四個防衛區。這時國民政府業已遷都洛陽，蔣先生獨力主持危急的軍事與外交。國民黨中央委員會在洛陽舉行四屆二中全會，決議任蔣先生爲國民政府軍事委員會委員長，兼任參謀總長，負責抗日救國。軍事委員會很快組織起來，我被委任爲委員長侍從秘書，軍階上校，從此責任加重。

淞滬抗日戰爭進行不到一月，日本軍閥除原在上海的陸軍及海軍陸戰隊外，又增援到第十四師團及久留米混成旅，戰爭擴大并日趨熱烈，國軍在廟行鎮戰綫方面受到頓挫，八十八師俞濟時部隊傷亡慘重。蔣先生得悉日軍增援，早已規劃第二期作戰方畧，并急電在江西剿匪的陳誠將軍速調九個師，在河南的胡宗南將軍調集五個師增援上海，準備予日本軍閥迎頭痛擊及嚴重打擊。日本軍閥得知蔣委員長已決心持久抗戰，增援的大軍都已陸續到達浙江杭州及長江北岸，他們增援的部隊有限，所以就宣稱勉從國際聯盟的調解，答應撤兵言和，并於三月一日和我訂立淞滬停戰協定，上海抗日戰爭，很快便告一段落。（七九）

海嘯齋談薈

杜月笙旅港故事之一

諸葛文侯

民國廿七年間，吾國對日本的侵畧軍抗戰已閱年餘，上海南京先後淪陷，政府西撤至武漢，而香港乃成爲我國中原各界抗日人士之逋逃藪。上海工商界巨子杜月笙、王曉籟、錢新之等，得英國駐華公使寇爾的贊同，相率來港居留，闢一長期客舍於「告羅士打」酒店七一七號，日常呼朋引類歡聚於其間。

杜、王、錢等表面是不預政事的工商企業家，實際上亦負有抗日任務，杜氏且命其門下士朱學範陸京士諸君，從事淪陷區游擊隊的組織工作，深爲日本駐港領事館人員所嫉視。但此時中英邦交尚和諧，香港政府對杜氏等在港活動情形，佯爲不知，置未過問。適戴笠來港料理「西南運輸處」業務，日本政府指戴氏爲「中國的希姆萊」，來港與杜氏進行非法活動，強請英倫唐寧街十號（內閣總理公廨）主人，令飭港政府拘捕戴氏，戴由武漢乘飛機剛抵香港機場，即被警察挾持而去，當時下令逮捕戴氏的就是香港警政司首腦肯斯。旋戴氏經余兆麒（現任中國聯合銀行總經理）從旁斡旋歸，而杜月笙等人又發生了問題。一日，令杜、王、錢三人於廿四小時內離開香港，否則實行驅逐出境。他們惶惑之餘，即乞助於我國原任海外交特派員，此時奉命在港交涉的孫君，孫氏先晤警政司首腦肯斯，說杜、王、錢等都是在中國金融界很有地位的人，緣何要限期離境之處分？肯斯答謂：這是日本政府的要求，這港政府爲應付國際環境，無可如何也。孫氏請肯斯跟杜等見面談談，再作最後決定，肯斯同意，即約定時間，由孫偕同杜、王錢三人晉謁之。屆時由杜月笙出面與肯斯晤談，王、錢二人坐在汽車上靜候消息。肯斯告語杜曰：「據報，你們在酒店中晝夜唱戲賭錢，妨害其他住客的安寧，所以要限令你們出境，最好到廣州去住」（此時廣州尚未淪陷）說罷教孫特派員翻譯，孫謂：「這話我未便傳譯，因杜某三人係應貴國駐華公使寇爾的邀約來港暫住的，今天特來拜候貴警司表示謝意而已。」旋以滬語對杜招呼道：「杜先生儂只管吹牛皮，我會搭儂翻譯給伊聽。」於是，杜乃歷述他任上海商會理事長，銀行公會理事長，通商銀行董事長，國府軍委會少將參事等職位，最近應英公使的邀約，來港避地，并無不法行爲，不悉港政府何以有此意外的處置云。孫特派員將杜氏所述，傳譯後，肯斯頗動容，謂剛纔所說杜氏等在旅館賭錢情形，都是日本方面供給的情報。孫謂：「此事決不宜公開究問，否則既無證據，適足以損害中英兩國的交誼，其將何以善後呢？」這時港政府尙無「遞解居民出境」的律例，杜氏等否認控告情事，勢將涉及外交關係。肯斯最後說：「你們最好在港組織一工商業機構，莫住在旅館中，港政府便好應付日本方面的壓力了。」杜氏表示如命辦理。事乃寢。未幾，吾國「四聯總處駐港辦事處」即宣告成立矣。

追念晉南尚厚菴先生

繆澂流

尚君既下世　今且一週年　知交成永訣
念之唯惻然　人生良不易　亂世更艱難
海天萬里外　身後猶顛連　維摩曾示疾
肇公論不遷　問君亦何爲　浩然化鶴歸
巍巍太行山　雲端不可攀　感傷知音稀
我語當告誰　凜凜歲云暮　悠悠白雲飛
尼山嘆逝水　吾道應無違

哀梨室劇談

梨園坤角話從頭

谿公

他——李毛兒——是唱戲人家的子孫，當然還是唱戲。也就因爲那個癩與毛生的不是地方，以致學生、旦，不合條件，學淨又無宏亮的嗓音，祇好學丑。好在他不時勉強學，給人家裝個小丑；又有一副滑稽的口才，配戲作樣可是他的拿手，隨便扮上「下河南」的教師爺，「討魚稅」的醜公子，或是「法門寺」的賈貴什麼的，他都會比正角還要受人歡迎的。

而且，他的本工雖然是小丑，對於生、旦、淨的戲，他也無所不能。假使臉上沒有那一撮毛礙眼，他無疑是生、旦、淨、丑，「一腳踢」的。某一年，他隨老生泰斗汪桂芬赴滬獻技，演期是一個月，期滿桂芬北旋，他因貪戀海上的繁榮，便自動的留下來繼續演劇。及至桂芬再來，已在十年之後。桂芬偶然問他的近況，

他不由的苦笑着歎了一口氣說：『按說我還和從前一樣，祇是人口多了，掙的「包銀」，老是不夠喫的』。汪桂芬說：『這個我可以給你幫一點忙！等把老板（指園主）的戲唱完了，另外給你唱兩天「搭桌戲」（即是外借戲園唱戲）除去開銷，賸多少雖說不定，反正有個千兒八百的，你就留着對付着用罷』。汪大頭的號召力，本來是強大的，加以北歸在即，特別爲朋友幫忙唱兩天戲，看的人自然更加踴躍。因之這兩天戲唱下來，除去一切開支，淨賸下三千七百餘元，這在當時，可算一筆相當的財富。

『汪老板給我幫的這個忙可眞不小」！李毛兒說：『要是放在家裏，一家人指着它喫，恐怕也不能維持多久。總得想個法子，讓那大元寶生小元寶才行。咱們梨園中，有男角沒有女角的；我想男女同樣是人，未必男人能唱戲女人就不能唱？現在江北正鬧着水災，許多人家都在賣兒女求生，我就把這份錢拿出一些來，揀那長得好一點的小妞兒買她幾個，把她們教會了戲，也許比男角還要吃香。這處戲館，向來是男角的地方，他們未必肯讓女角插手；好在人家有喜慶壽事，大半都有「堂會」，就是次等人家，也要叫個「小堂名」，唱唱「灘簧」、「小曲」或「變戲法」什麼的；咱止把「出包」的價錢定小些，畧同於一臺「灘簧」或「戲法」，還怕沒有人叫嗎？但有一樣，這是向來沒有的新鮮玩藝，該取個什麼名字呢？嗯嗯，有了！這是我李毛兒創出來的，就叫它「毛兒戲」罷！

『不過女人的體質，大多是柔弱的，唱武戲怕頂不住，咱是祇叫她唱文戲的「捉放曹」「汾河灣」「拾玉鐲」「天水關」「武家坡」「文昭關」「桑園會」「三娘教子」「桑園寄子」「探寒窰」「祭江」「祭塔」「貴妃醉酒」「黑風帕」「吊金龜」「賣茶計」「打櫻桃」「出箱」「鎖五龍」「大保國」「白門樓」「十八扯」「雙搖會」「連昇三級」「下河南」「琪祥廟」「翠香寄柬」「陰陽河」「辛安驛」「梵王宮」「富春樓」「紅鸞禧」「雙鈴計」「紅樓閣」「蝴蝶夢」什麼的，也就夠熱鬧了」。（二）

落花時節

高蕾

「我不相信這是事實！我不相信，我整整地抱着苦惱哭了三晝夜。我想，多麼殘酷的回憶呀！我是一個多麼苦命的人兒！但是往年一個慣于接受痛苦的人，對于這麼重大的打擊也感到麻木了。看着襁褓中的孩子，我不再感到孤獨，雖然，他們都遠離我而去：

「我決不能將這個消息告訴二表哥，我怎麼忍心再增加他精神上的負担？我要告訴他我們生活得很好，生活得很幸福。」我紅腫着眼睛這樣冷靜地想着。

洪傑的叔父爲了同情我們母女的遭遇與往後的生活，曾撥了一筆很大的款子給我，利用這筆錢我辦了一所幼稚園。

小菁慢慢也長大了，她已是小學裏的學生，她的成長給我帶來無窮的希望。我深深地感覺一個人活在世上有時不是爲着自己而是爲着別人。

「媽媽，爸爸與舅舅爲什麼都要在外國，不回來陪我們呢！」小菁不止一次這樣問我，我却是用同一的答案支吾她：

「因爲他們的事還沒有辦完。辦完了，就回來陪我們玩啊！」

「啊，那件事怎麼難辦呢？」她像在自言自語，我却無言以對。

時光的迴轉，春夏秋冬，如今又是令人飄納的秋天，接到二表哥寄來的禮物，才知道明天又是我們結婚的紀念日。這份情意我只有含淚接受。倘是另一條消息，二表哥結婚了！

拿着他倆的合照相片，我的淚簌簌流下，我太興奮了！我

「媽媽，妳爲什麼哭啊？」小菁不知什麼時候走了進來。

「啊！沒有。乖妳來看，妳已有舅媽了！」

「眞的，這個舅媽很漂亮，有點像妳。」端詳着影中人，確實覺得有些像我，尤其是那一對眼睛和掛在嘴邊的笑渦，還有那短短往後擒的頭髮，這不就是我數年前的影子嗎？我見到二表哥的信中沒有提什麼，我却有所領悟。

「媽媽，我們也照一張相片寄去好嗎？」小菁抱着我的臉吻着我濕潤的臉頰。

「好！等媽媽長胖一點再照，不然舅舅看到會難受的。」

「爲什麼？」

「啊！妳不懂。」

（七）

窗外的風吹着光秃的樹枝，遍地的花瓣，帶給我一陣幽香，想起李清照寫的：「莫道不消魂，簾捲西風，人比黃花瘦。」的詞句，大概就是如此的情景吧？（十·完）

試談紅樓夢問題

匡謬

世祖臨宇十八年，寶玉則十九歲出家；世祖自登極以來爲第七代，寶玉便言「一子成佛，七祖昇天」，又恰中第七名舉人；世祖論「文妙」，文意二字可暗射。小宛名白，故黛玉名黛，謂爲「粉白黛綠之意」也。小宛籍蘇州，黛玉亦籍蘇州；小宛在如臯，黛玉亦在揚州。小宛來自鹽官，黛玉來自巡鹽御史之署。小宛入宮，年已二十有七，黛玉入京年祇十三餘，適得小宛之半。小宛游金山時，人以爲江妃踏波而上，故黛玉號「瀟湘妃子」，實從「江妃」二字得來。

第二派認定紅樓夢爲清康熙朝之政治小說，此派以蔡孑民爲主，其著有「石頭記索隱」爲代表。摘其畧云：石頭記作者，持民族主義甚摯，書中本事在弔明之亡，揭清之失，而尤於漢族名士仕清者寓痛惜之意。書中「紅」字多隱「朱」字。朱者明也，漢也。寶玉有「愛紅」之癖，言滿人而愛漢族文化也；好吃人口上胭脂，言拾漢人唾餘也。（二）

內政部登記證內警台報字第〇三壹號

自由報

THE FREE NEWS

第一八五一期

中華民國僑務委員會登記
台灣省新聞處登記
中華郵政第一二六二號執照登記爲第一類新聞紙類
（每逢星期三、六出版）
每份港幣壹角
台灣零售價新台幣壹元
社長：雷嘯岑
督印人：黃行素
社址：香港銅鑼灣高士威道二十號四樓
20 CAUSEWAY RD' 3RD FL HONG KONG
TEL. 771726　電報掛號：7191
承印者：四國印刷廠
地址：香港灣仔高士打道一二一號
台灣分社
台北市南京東路二段
電話：四六〇三〇
台郵撥儲金戶一二二

本報啓事

原載本報第三版之小說「美姝」，現擬另印單行本問世，本期起停刊。另於原地位登載譽滿全球之英國作家 George Orwell 所撰「動物農場」小說，極其精采，祈予注意。

看美國北極星飛彈潛艇進駐太平洋

鄒甄泰

曩昔論一國之强弱，視其領土之大小，人口之多少，陸海空軍備裝備施設之良否，以及產業是否發達，資源是否豐富，內政是否修明，舉國是否一致，外交環境是否優良，國土地位是否優越，國民教育是否普及，國家觀念是否强烈等等不一而足。換言之，卽爲一個國家同另一國家國力之總比，也就是一個國家同另一國家軍事力量之總和。現在之標準則異於是。自第一次第二次世界大戰以來，此一階段，已不存在，代之而起者簡單明瞭，卽有無原子彈及原子彈數量之多少。那一國原子彈多，威力大，遞送系統完備，那一國就是强國；另一個國家原子彈少，威力小或遞送系統不完備者，卽爲弱國。無原子彈者對有原子彈者根本不能作戰，祇能是三等國或四等國，不能列於强國之林，對於世界問題亦無發言之資格。

現在世界的核子國家，共有美、俄、英、法四國。英國僅有原子彈約百枚，核彈轟炸機二百架，飛彈潛艇五艘。法國則持有飛彈不過十數枚，五年以內始能成立一枚五十二架核彈轟炸機。英法又均係依美國核子保護傘而存在，對於假想敵國囡不能有所威脅，其目的在於自衛，而不在於侵略，縱有增益，對於西方集團現在核子之優勢，亦屬無足輕重。至於中共，現在尚在核子試爆階段，並無足懼。惟話雖如此，並不能因此掉以輕心。中共現在雖尚無原子彈，亦無完備之遞送系統，但若假以時日，其必將持有原子彈，中程飛彈，長程飛彈，以及完備的傳遞系統，變爲世界第五核子國家，則屬毫無疑問。不寧惟是，如以中國大陸西部與西藏爲其發射長程飛彈基地，則因該區域地理上之位置關係，勢將發生重大危險，緣中共如在該地區發射飛彈，以美國現有警報雷達系統，及彈道飛彈早時警報系統，均不能予以測出也。美國國家計劃協會資源管理組長伍德會說：「卽使在彈道飛彈早時警報系統建築完成以後，中共可以從中國大陸西部或西藏，使用越過該警報系統雷達網最大的偵察範圍彈道，向美國發射飛彈；因此可以避免被測出」。「如果中共擁有核子彈頭及以潛艇爲基地的彈道飛彈發射系統，即使爲數有限，這種飛彈力量的配合將能眞正引起一次全世界的浩劫。」其理由如下：「彈道飛彈潛艇，可以在無需透露其國籍之下使用，如果中共有了彈道飛彈潛艇，它能夠挑起一次大戰；在此項大戰中，美國與蘇俄可能互相摧毀，而讓中共比較的不受損害。中共欲達到此目的，它祇要對美國或蘇俄的主要地點發射少數幾枚飛彈，美國與蘇俄均將以爲是對方所發射而向對方實行報復。」因此，「中共捲入核子飛彈的競賽，無論它本身是否擁有這種能力，這將是對人類的重大危險。」

飛彈、艇如此。以大陸西陸爲基地之長程飛彈，其危險亦如此。由該區發射之飛彈，即使爲有數限，亦可以無需在透露其國籍下予以使用。中共一向反對美俄兩國之和平共存政策，夙以赤化世界，顚覆、侵畧各國爲能事，惟恐天下不亂；並以其領土廣大爲資本，聲稱不畏核子戰爭，一且擁有原子彈，以及長程飛彈，自可與飛彈潛艇發射飛彈一樣，使美俄兩國，自相核子轟炸，趨於毀滅。而且「一個核子炸彈響了，一切所有核子炸彈均要響了」。（甘迺迪總統語），我們知道，百萬噸以上的核子炸彈，於爆發後，其熱力所產生的菌狀雲，經常將放射塵吸取至同溫層，在同溫層的放射塵，因地心吸力關係，以極緩慢的速度逐漸落至地面，數月後即將降至變溫層。美國現有越洲飛彈八百五十三個，蘇俄有二百個，如果此種巨型核彈不斷爆炸或一齊爆炸，則同溫層的放射塵越積越多，整個大氣層勢將全被污染。在大氣中，假如有五百倫琴的放射單位，人類在其籠罩下，其生命即不能超過二十四小時。每日受少量放射繼續侵襲，亦可能使其因骨髓及淋巴腺等造血中心遭受破壞而至於死亡。設使空氣充滿放射塵，人類末日卽將來臨。況同溫層的放射塵積聚太多時，太陽光綫，無法正常達到地球表面，地球且可能面臨一次冰河時期，全球人類至此，寧有一人倖存之理。職是，在中共尚未保有原子彈以前，防微杜漸，摧毀其核子基地，及其附屬設施，不特爲東南各國所需要，亦爲美國所需要。不特爲美國所需要，亦爲蘇俄所需要。不特爲蘇俄所需要，亦爲全世界人類所需要。實屬刻不容緩之圖。

美國北極星核子潛艇，係美國第一枚用固體燃料製造之飛彈，爲一種無法防禦之可怕武器，具備有三項二十世紀的偉大發明：一爲原子引擎，可使潛艇的航程遠至無限限度，同時還能潛至不被察覺的目標附近。二爲以水底發射的飛彈，可像來福槍一樣準確地將飛彈擊中目標。三爲在水底發射所攜之氫彈，每一枚均可毀掉一個城市，有十艘北極星潛艇便幾可整個毀滅蘇俄。

潛艇核子彈北極星飛彈之威力

言之，此等潛艇共分爲三種：A一型射程一千三百五十哩與A二型射程一千八百英里之飛彈，每顆均爲半米格噸，每艘十六顆飛彈共計有八米格噸的核子彈頭，其爆炸的威力超過第二次世界大戰所爆炸炸彈全部的總和。A三型射程二千八百七十五英里，可以裝配一米格噸級（相當於一百萬噸黃色炸藥）的核子彈頭，發射成功率，命中率可與陸上基地所發射之飛彈媲美。如果進駐潛艇改用A三型核子彈頭，則每艘携帶的核子彈爲頭共十六米格噸，其所有的爆炸威力卽較前增加一倍，等於第二次大戰爆炸的全部炸彈的二倍。

（下轉第二版）

筆　晉

痴人行徑

今日與明日

邱吉爾逝世

舉世矚目邱翁的病狀，在與死神搏鬥十日後終告不治，此老中風後不飲不食竟然支持十日之久，其生命力之强，至足驚人。數逝去人物，唯麥克阿瑟元帥足與頡頏。

邱翁一生功業，彪炳在人心目，不待多說。只是在戰後的一段時間，假若自由世界執牛耳的是他不是杜魯門，相信一九五〇年時代的世界局勢決不會搞得如此之糟。甚至在韓戰期間英國首相若是他而不是艾德禮，韓戰也許不會打出這樣一個虎頭蛇尾的結局。

邱翁之死，象徵他那一個時代的結束，雖然英國仍是當年的英國，但十年來的內閣遞嬗，已有秦無人之嘆，老成凋謝，固不僅爲英國一國的損失也。

毛共爲印尼打氣

印尼外長蘇班特里奧率領一個龐大代表團經過緬甸去共區訪問，毛共照例又發動數十萬民衆夾道歡迎，周恩來又舉行盛大宴會，並在宴會上致詞信誓旦旦要保衛印尼。至於怎樣保衛，簡直是天曉得！不過從周酋談話中可以看出一項重大陰謀，企圖拖印尼組織「新聯合國」。

本來當印尼宣佈退出聯合國後，蘇加諾一直未送出正式公文，證明其本身原沒有決心。及至蘇班特里奧動身前夕，受了印尼共黨的壓力，始悍然送出照會與聯合國斷絕一切關係。

照周酋的說法，目前有兩個辦法，一是改組聯合國，一是籌組新的國際組織與聯合國對抗。前者可以斷定是行不通的。因爲照周酋的意見改組後的聯合國是要把美國排除去出，相信蘇聯就不會同意。剩下一個辦法就是籌組新的國際機構了。

所謂新國際機構究竟是什麼名堂，尚未宣佈，可以預見的是，假若「新機構」只是如亞非會議一樣，開過會就散了當然沒有問題，再進一步說組織一個類似華沙公約的亞洲共黨（包括印尼在內）的組織，也還可以，假若眞的要組成新的國際機構彰明較著與聯合國對抗，相信參加的只有印尼一國，此外尚有未被世人公認的中共、北韓、北越三個僞政權，最多再加上一個阿爾巴尼亞。此外再想找一個眞正的國家湊數都難了。

這種情況毛共也並非一無所知，周酋所以仍然開出空頭支票，並不是虛言慰藉，實在是盡量孤立印尼，把印尼現政權處於舉世皆敵的形勢下，再加上國內的貧窮不安，最後只有等待印尼共黨接收了。

菲律賓反美

最近爲了美軍擊斃菲人，菲律賓又爆發反美運動，菲人抬棺遊行，抗議美軍濫殺。雖然菲律賓現政府與美國感情十分融洽，大的問題不會發生，不過，美國人若不自行檢束，長此下去，終有一天會變成孤立。菲律賓是自由反共國家，一貫站在自由世界一邊的菲律賓的反美（何如）到是不能忽視的。

自由談

報載：中華民國新任經濟部長就職後，將以整理國營事業爲首務，要使國營事業趨入企業化的軌範中。這是値得贊許的好消息。

回顧卅年來的事實，任何一項國營事業，都是同樣的結果——蝕本！所謂國營事業乃成了徒耗公帑，有害無利的國家之蠹；而同樣企業之屬於民營者，却多見其盈利累累，成績斐然。例如政府遷移台灣後，由國營變爲民營的若干企業，卽大賺其錢，有目共覩，這不是怪事嗎？

國營事業蝕本的原因，除卻組織龐大、冗員衆多，員工們皆以敷衍塞責爲服務原則外，還有一種最重大的病疾，卽刻板文章式的主計與審計制度之牽掛、扼制是也。因此之故，主其事者，在業務處理中，手續稍欠周到，動則得咎，阻礙橫生，甚至招來民意機關的查究糾舉，平添不少的煩惱。遇事就祇好因循瞻顧，得過且過，自然而然地形成衙門化的風氣了。在這種情形之下，主持國營事業者縱然是世界第一流的企業專家，亦沒法做出成績來，非不爲也，是不能也。

弄清大原則

國營事業的範圍，國父遺教中指示很清楚，誰也一目瞭然的。今後若要整頓，必須確定原則，遵照建國大綱行事，凡屬不是具有全國一致之性質，而爲人民私人力量所不能經營的企業，皆不宜納入「國營」事業之列，以免與民爭利之嫌，如紡織、航運、電影、造紙等企業，卽以完全交由民營爲是。民間的工商企業發達了，便係藏富於民，政府自不愁賦稅收入不豐，何必多此「國營」之一舉呢？

世人好談統制經濟，任何日用必需品皆有統制之必要，卽有收歸「國營」的充分理由。然國營事業的現象如彼，結果是國病而民貧，上下交困耳。記得對日抗戰中期，陳獨秀在重慶發表了一篇關於經濟建設的論文，他詰問吾國的經濟建設速徑，究竟是走資本主義的路？抑是走社會主義的路？我認爲這問題到今天還存在。若要整頓國營企業，應該先把經濟建設的大原則弄清楚，然後切切實實確立國營事業的目標，而採取工商業者一般的經營方法，不妄用一人，不浪費一錢，尤其不宜適用行政機關的主計審計那套繁複困擾的法制。必如是，談整頓國營事業纔有些實際的意義，否則又是空話一堆而已。

馬五先生

監察委員行使職權受阻
新聞局長拒絕調閱案卷

（本報台北航訊）行政院新聞局長拒絕監察院委員調查案卷，妨害監察權之行使，因此，引起監察委員之驚訝、憤懣。這個風波的演變和發展如何，端視雙方是否聽從「魯仲連」之調解而定。

緣監察委員王忱華因受收入民訴狀而依法自動調查有關日片進口配額弊端案，於去年十二月三十日赴行政院新聞局調查案卷，當時，該局正副局長沈劍虹、邱楠都不在，由主任秘書接待，並說等正副局長回來再談。於是王委員留片託主任秘書轉達來意即返。翌日王委員第二次去新聞局，適遇副局長邱楠，邱副局長對王委員說，須要監察院正式公文才能調查案卷，並約王委員於今年元月四日再去。王委員等按期又去新聞局，局長沈劍虹告訴他不能調看案卷。王委員即出示監察證，並說依法得行使監察權。至此，雙方僵持達半小時之久。後來沈局長有事外出，而王委員也回監察院，把經過的情形告訴代院長李聽嗣，李代院長即交由秘書長　碩處理。經過交涉後，並由監委張維貞從中斡旋新聞局，知理屈，即由副局長邱楠於元月五日攜帶案卷到監察院向王沈華道歉；由於局長沈劍虹爽約未來，致使王沈華委員不愉快。調人張維貞一見不妙，再度出面於六日中午在其家中請客，除王委員和新聞局正副局長外，陪客有四位監委。但這天，王沈華沒有去，因此，事情演變成爲僵局。有關方面也曾出面與王委員談話，然而事情却被大部份監委知道了。

王委員調查日片進口究有什麼糾紛？這須從頭說起。

爲了日片進口配兩次，第一次是五十年十一月六日，糾正行政院新聞局於四十六年六月十五日提經外國電影片限制映演小組（由教育、財政、外交三部暨新聞局、台灣銀行等機關組織）第十一次會議訂制：日片輸入配額之分配標準辦法，自施行以來，弊端叢生，不但迫使本國片商爭奪日本大使公司之代理權，更因此損及國家莊嚴與浪費國家外滙案。第二次是五十一年十月五日，監察院內政委員會爲政府對額問題，監察院內政委員會已經提案糾正日本電影……之進口，處理多有不合，主管機關管理未善，以致流弊叢生，影響社會風氣，特依法糾正。

台灣省過去經日本統治五十餘年之久，當地同胞大多通曉日語，了解日本歌劇，遂成爲日本片最佳市場。其票房紀錄，遠超過國片。「利之所在」，故片商莫不設法爭取日片進口。台北市片商有四百一十五家，而眞正做影片生意者只有十分之一，餘均爲「空頭公司」，旨在分享日片代理權。但每年日片進口配額只有三十四部，每部日片的權利金可淨賺達新台幣七八十萬元。由於僧多粥少，片商與片商之間，片商與政府之間，就難免要發生糾紛了。假如政府大公無私，依法行事的話，這些糾紛也就沒有，而監察院也不會調查此案，更不會發生拒絕調查的風波。

行政院新聞局於去年十二月二十七日公佈的「五十三年度日本影片配額輸入注意事項」，與過去的辦法恰恰相反，該注意事項等於恢復日片商代理制度，形成保護少數五家片商的利益。此外，中影公司依比例可分得三至四部，再加上中日合作策進會委託中影公司代理發行的兩部，共是五部至六部，問題的發生就在這裏。於是，許多企圖投機的電影公司，就到處陳情，指責主管機關處理不公平。王委員接到片商陳情書後，乃行使監察權，乃發生此一風波。（元月十八日）

立委廖競存談國民外交

本報記者劍聲

現在政府雖然有見及此，每逢雙十國慶或新年元旦，多歡迎海外華僑回國觀光，作實地攷察，使其瞭解實情，協助政府，做國民外交。也有時常派政府官員或國民黨人士，到世界各國攷察、宣傳，使世人瞭解吾國眞象，對我政府發生好感，增加信心，穩定我聯合國席位。政府這些做法，當然也可以收到一些效果，但是，實在是不夠的。

最好的辦法，是由政府邀請在野黨有心人士，到海外各國宣傳吾國各方面進步的實況，做國民外交，尋求與國，那收效一定較宏。在此，我可以告訴大家一個我親身經歷的故事：在民國卅五年，我參加制憲國民大會後，即往美國遊歷、攷察，到處頗受歡迎。在紐約參觀哥倫比亞大學時，曾受該校校長艾森豪先生招待，詢問吾國政情頗詳，臨別並簽贈照片一張，及書籍多種。計在美外地，由一華僑陪同參觀廿餘所大學，十餘所中學，類多如此招待。鄉先輩鄧家彥先生在美聞之，頗以爲奇，問我以一私人身份到處參觀考察，受到歡迎招待，是何原因？我答以此無他，或以我非在朝人士性也。還有一事，我在紐約聯合國晤何應欽先生，告以余欲往美京見杜魯門總統，做國民外交，請其予中國政府多方面之援助，不要只限於經援。何先生甚以爲然，鼓勵我做國民外交。後至美京十餘日，因顧維鈞大使不欲我見杜魯門而作罷；至今思之，實爲我終身的恨事。我認爲凡屬國民，應，或以我之言論無過份之宣傳盡做國民的責任，如遇有利於國家的國民外交，應不顧一切以赴。我欲見杜魯門，乃受阻於本國外交官員，那是何等的可惜。（此事後由留美之郭秉文告我）所以我在此也順便一提，希望當局鼓勵在野人士，多做國民外交，不要有所顧慮。

三、反共建國聯盟之召開與國民外交工作之關係

總統於前年第九屆國民黨全國代表大會開會時，提議召開反共建國聯盟，意欲團結海內外有力人士，同心戮力參加反共，參加建國。此舉是非常正確有利，舉國上下屬望甚殷。但是遲遲未能召開，不知是何原因？今年元旦，總統文告又提及此事，并謂決在本年內召開。我想此會果能召開，對於國事是有百利而無一弊的。爲什麼呢？被邀參加這一會議的人士，必定是在國際或地方上負重望，而有極大影響力的人物，他們如果肯來參加，看了本國各方面進步的實況，必定皆大歡喜，必定對政府發生好感，發生信仰。國父說：「一個人有了信仰，便發生力量」，他們既然信仰政府，必願意將他們整個力量，貢獻給政府，爲政府效力，在反共建國的陣綫上，必能發生像鄭國弦高牛販同樣的國民外交效果。所以我說，要實行國民外交，應即舉行反共建國聯盟，如果能舉行反共建國聯盟，那國民外交也就必能很順利的獲致極大的效果。（下）

看美國北極星飛彈潛艇
進駐太平洋

（上接第一版）

且在任何地區的海洋中發射均可以襲擊陸上的一切目標。即在北極巡邏的可以擊中北平，在法國海岸巡邏的可以發彈毀滅俄境的克林姆宮，在距上海數百哩的海中可以消滅西比利亞伊爾庫次克的工業心臟地帶。對於假想敵之領域，可謂爲無遠弗屆。不寧惟是，北極星潛艇於奉到命令後之十五分鐘內，即可發射第一枚飛彈，遙向敵方目標飛去。隨後每一分鐘即可發射飛彈一顆。如果連續發射，十五分鐘內，即可將其餘十五枚飛彈完全射出，可以殺傷目標區域人口多達三千萬乃至四千萬人。

中共的一個氣體散發工廠，設置在甘肅省蘭州附近，原子反應器分別設置在北平、包頭、西安、重慶及瀋陽附近；此等城市，距離中國與黃海，均不及一千八百英里，A一型，A二型飛彈均可按圖索驥，予以摧毀。美國丹尼爾朋號飛彈潛水艇航行在大陸邊緣一百尋深度曲線以外的某秘密地區，裝備有A二型飛彈，此等城市，當然均在其射程以內。將來如再改裝A三型飛彈，則新疆省塔拉馬干沙漠中共普諾爾湖之中共試爆基地，亦將在此飛彈射程以內。美國現在僅有二艘飛彈潛艇進駐太平洋，中共已震駭驚惶，一若大禍臨頭，將來如另有六艘陸續來此遊弋，大陸全部領域，隨時將有遭受全滅之危險，其威脅之嚴重，寧可想像。

美國第七艦隊陣容中配有航母艦四艘，載有可投核子彈之A三〇式轟炸機，另有巡洋艦三艘，亦均配有長距離飛彈，中共對此並未發生恐懼。在琉球設置有核子飛彈基地四處，配置有射程一千五百哩之鏈芽飛彈多枚，中共對此並未發生悲鳴。最近美國復由本土調往關島B五二轟炸機十五架，中共對此亦毫無所容心。但一聞美國北極星飛彈進駐太平洋，即手足失措，指爲「最無恥的核子勒索與核子威脅行動」，廣播了一項嚴重抗議，嗣並建議美國與中共正式協議不使用核子武器，一反其往昔漫不經心，視若無覩。美國此項北極星潛艇，威力强大，具有無可防禦之攻擊性能，中共[illegible]，必不致養癰貽患，而不予以摧毀。美國之世界戰略，因北極星飛彈潛艇進駐太平洋，殆將有所更張，其在遠東嚇阻價值之傳統主張，[illegible]

台南市一件竊佔官司
暴露小官吏胡來眞相

成羣結黨刁難勒索無所不爲

（續上期）

意思是幹架麼？[illegible]不知道！幸好該所黃姓職員站在走廊上，跑過來，將林股長拉開算了。

這些事實說明，小官吏目無法紀的眞相。另據傳聞，林錫山科長，林百海股長[illegible]過大力，前者有建設局長之望，後者以[illegible]

[illegible]（下）

法國人迷信得厲害
占星者流收入可觀

推理能力極强的法國人，許多都已走向極度迷信。人們在攀談中常常會問道：「你是從十二宮中的哪個『宮』生下來的？」

去年底，數以千計的法國占星家，告訴數以萬計的顧客，要大家小心自已在一九六五年的行動。通常在這個時候，迷信的人都急於知道未來一年的事情。他們願意付出十元（美元，下同）到一百元的代價，找個占星家私下談談。據法國占星家說，今年是天王星和冥王星在處女宮會合，與位於雙魚宮的土星遙遙相對。這是一個不祥之年，它可能同一切事物搗蛋，包括戴高樂的「歐洲人的歐洲」計劃，直至碧妮．芭鐸的愛情生活，等等。據說，天王星、冥王星和土王星上一次形成一線的時間，大約是在公元前一三〇〇年。當時出現的壞事許多。發明占星學的巴比倫人被亞述人征服，大約就在那個時候。

法國是文學家伏泰爾（一六九四——一七七八）和哲學家笛卡爾（一五九四——一六五〇）的祖家，也是占星家諾特拉丹瑪（Nostradamus，一五〇三——六六）和名老千卡署特洛（Cagliostro，一七四三——九五）的故鄉。一般的法國人都知慳識儉。但是，正是這些普通人，每年把十億元以上的錢，花在占、星、相和其他江湖客身上。這筆錢比法國用在科學研究的開支還要多。僅在巴黎一地，平均每一百二十人就有一個黃綠醫生，而每五百一十四人才有一名醫生，每五千人才有一位牧師。

你想知道「你是否有[illegible]嗎？」據說配備一個吊燭架和一幅圖表的占卜者，將爲你找尋答案。「你想要幸福、成功和發達嗎？」有三家占星學月刊的「求知」廣告欄，可讓君自由選擇。[illegible]廣告會告訴你：[illegible]提供「永不失敗的指導」。據說手續簡便，只要付出二十法郎和一個手錶樣，就可以「瞭解你的意中人，知道他（她）的人品和是否忠心」。

各種江湖客在普通人中發生的影響，達到了驚人的程度。根據「法蘭西晚報」主辦的一個民意測驗，法國人能夠說出自已由十二宮中的哪個「宮」生下來的，佔百分之五十八，經常閱讀報紙刊登的算命天宮圖者，佔百分之五十三；認爲占星家也是科學家者佔百分之四十三；希望由占星家畫出自已的算命天宮圖者，佔百分[illegible]佔百分之三十七。迷信得最厲害者是農民，年逾六十五歲的老年人和每月工資低於一百二十元的工人。

在布里塔尼區和諾曼第區西部，每年仍然有十多個有關妖精鬼怪的故事出現。這些東西往往不只是供作茶餘飯後或開玩笑。例如在諾曼第的聖佛連保村，去年十二月有一名婦女投河自殺，原因是她相信自己被魔鬼看上了。據說另有一個年青農民吊頸自殺，也是爲了同樣原因。這種害怕魔鬼的現象，連當地牧師也大感驚訝：「你們相信魔鬼的力量比上帝還大，現在，妖精鬼怪已成爲這裏的征服者了！」

開闢新天地——創新道統

論道統第二章

陳健夫

「現代物質文明斷不容拋去了精神文明而獨馳，同樣的精神文明亦不容抱殘守缺，因循懈怠，而應急起直追控制着物質文明，方爲今日世界的福音。」

「今日及今後的世界乃是一個物質的世界，是一個物質文明的世界，人類憑藉其驚人的天才及充沛的精神，使宇宙的物質發揮極至，盡其妙用，因而建立了這光輝燦爛的物質文明世界。這一個物質文明世界，今後必然有更大的成功，令人不可思議的事，將出現世間。基於這種物質文明，更高尚的文化，更燦爛的文明乃從而誕生。人們痛惡唯物主義，斷不可因而忽視現實的物質文明。應知唯物主義乃一錯誤的思想，實不應與物質文明混爲一談。當世之人，多視物質文明與唯物主義爲一事，因之發生了愚昧的偏見，而成爲文化進步的大阻力，此一觀念應予澄清」。

面對當前激變日新的世界，我們要創立中國的新道統，必須有遠等眼光同氣魄！使中國早日走上物質文明的坦途。

三、對固有道德賦予新定義

中國的新道統，又非純粹的是一個物質文明的歌頌者，而是有崇高道德的深厚基礎的，新儒學於此對固有道德加以闡揚，賦予新定義，而提供具體意見：

「新儒學對中國固有道德有其新的說明及主張，認爲四維八德原本是人類行爲的合理規範，並非不近人情的教條，而且也並無時空的嚴格限制，是一種萬古常存的人事準則。照新儒學的說明，禮是端端正正的舉止，義是正正當當的行爲，廉是清清白白的操守，恥是坦坦白白的反省。忠是忠於民族國家，忠於做人的責任，忠不再是狹隘的忠君或忠於任何個人，任何團體。孝是孝敬父母，不忘父母的恩典。仁是仁慈，愛是愛人，信是信守，義是敢爲，和是協調，平是平允。在家爲孝，在社會爲忠，是爲忠孝。對人仁慈、愛人如己，是謂仁愛。對人守信、對事敢爲，是謂信義。對人協調、對事平允，是謂和平。照此新解釋，可知四維八德原是對人對事的準則，是極合乎邏輯，合乎人情的。只可惜專制時代，從無人敢作眞實的解釋與闡揚，專制君主於是利用它作爲保障其特權，維護其尊嚴的教條。這種教條比法律還要嚴厲，神聖不可侵犯。專制君主們將道德的定義，限制的極狹窄、極嚴厲，完全由於本身利益而發。如忠是忠君，孝是事親，「天地君親師」，五個字壓在頭頂上，使人抬不起頭來。專制君主們特別强調這等教條，使人類淪爲奴隸而不自知。從此道德便成了統治階級形成專制極權的護符，道德成了侵犯人權，違背人性的工具。這樣的道德禮教便不免成爲人類進步的障礙了。今日我們發揚固有道德，必先澄清這種傳統下來的錯誤觀念。

新儒學不否定固有道德，但對其涵義却須加以辨正，一反道德的原來面目。新儒學必須對這種固有道德賦以新定義。又八德之中，應以仁愛爲首要。人能仁愛自無不忠孝。做人實以仁愛爲首，忠孝爲次。專制時代，以忠孝爲大義，故忠孝爲第一義。民主時代，以人民爲大義，故仁愛是第一義。（大學開宗明義在明德親民，原是以民爲重，所謂仁民愛物。大概後來的君主們爲維護其本身利益，乃將忠孝列爲首目了。）新儒學除了對四維八德賦予新定義外，還要强調仁愛的重要，將它列爲八德的首目。這樣便堪與西方基督精神比美。今後的新道德當根據這個觀點出發，既不背固有道德的眞精神，又合乎時代的新潮流。這樣的新道德不僅適合中國的文化傳統，而且也必爲世界的新文化所歡迎。」

四、新道統，新道德。

新儒學更進而提出了新道德新觀念：（二）

「大盂鼎，鼎，周公彝，矢方彝，矢作丁公殷」這些，顯然是由甲骨文蛻變而來的篆文。

「毛公鼎，頌鼎，史頌鼎，善夫克鼎，頌壺，師酉殷，宗周鼎」應是篆文成熟期的遺物了。

又：「散氏盤，楚公鐘」似屬代表荊楚之間的文體。

「號季子白盤，秦公殷」其筆法結構，實已開闢小篆演變的途徑了。

「石鼓」雖已確證爲秦物，但非史籀。却亦未受小篆影響的一種篆文。

秦篆遺刻（小篆）今存者有：

「泰山刻石，瑯邪刻石」。

漢篆（漢代仿作）則有：「趙王羣臣上壽刻石，祝其卿故壇題字，少室神道闕銘，開母廟石闕銘，祀三公山碑，是吾碑、魯王墓石人太守君亭長題字」等。其他如：「孔宙碑，韓仁碑，尹宙碑，譙敏碑，華山碑」等的碑額，皆爲篆體。

但我們不要忽略，晚近出土的「霍去病石刻」是篆體、

漢文，漢字，漢學

陳曼卿

隸書都用的。

漢字的早期傳說

照晚近一般的說法，「漢字」又可分爲「字式，字音，字義」三種解釋，這自然是根據演變的過程，頗具科學眼光來劃分的。就是說，以「字式字音，字義」的約繁爲簡，來代表前期的所謂「六書」。但經仔細研究，也還不無缺憾！

我們察看，比史記一書還要早的，有荀子解蔽，韓非五蠹，呂覽君守，都記載得有「倉頡造字」之一說。但「倉頡」爲何時人？三者俱無說明，這能不說是像「伏羲畫卦」一樣的情形嗎？

傳說中的伏羲，那種長畫和短畫，跟着興起的，自然是發展到天文中「日，月」。自然界的「山，水」。動物中的「牛、羊、馬」。和飛禽中的「鳥」。初期統稱之爲「依類象形」，以實物繪畫來象徵記錄。凡此種種，也只能說是記錄具體事物的一種觀念，或稱之爲抽象的「符號」。這自然需要一段長遠的時期，更經過一番巧思，不斷的努力，演進和修改的過程，決非一人能獨創造得出的。

漢平帝時的僞周禮：外史載有：「掌書達於四方。」下注云：「古日名，今日字。」

儀禮聘禮：「名，書文也，今謂之字。」

許慎說文：「形聲相益謂之字。」

說文、段注：「獨體曰文，合體曰字。」

這裏只不過畧舉與本文有關的一些說法，其他的解釋，林林總總，至少還有二十條以上。如非精通「小學」者或「訓話家」，實不易懂。我們今天簡單的說一句，凡是聯綴成文的，都稱它叫「文字」。如果說，照前人一文一字的「訓」，那又是研究古今「文字學」科的一種專門學問。（八）

弔岳武穆詩詞輯萃

李仲俟

故國江山幾度秋，英雄遺恨只荒邱。兩宮寂寞金根遠，一詔倉皇赤幟收。有子同歸良將傳，何人爲斬佞臣頭。至今遺廟西湖上，石馬無聲水自流。（吳植）

天贊中興第一功，如何主暗與臣庸。宏寃土千年碧，檀濟長城萬里空。忠魂淒涼猶塞北，寒潮寂寞自江東。新祠坐壓西湖勝，麥秀誰憐過故宮。（牟景陽）

陰風靈雨振庭柯，猶怒當年主議和。江國自開新社稷，汴中誰復舊山河。有時井畔銀瓶泣，半夜祠前鐵騎過。平昔動王多少事，盡將哀怨付漁歌。（施則夫）

大樹無枝向北風，十年遺恨泣英雄。班師詔已來三殿，射虜書猶說兩宮。每憶上方誰請劍，空嗟高廟自藏弓。棲霞嶺上今回首，不見諸陵白露中。（高明）

前相汪黃後相秦，力圖恢復竟何人。朱仙路近旌旗晚，古汴城高草木春。江月照空埋劍獄，邊沙遮斷屬車塵。棲霞嶺上將軍墓，夜夜悲風起石麟。（凌雲翰）

匹馬南來渡浙河，汴城宮闕遠嵯峨。中興諸將誰降敵，負國奸臣主議和。黃葉古祠寒雨積，青山荒塚白雲多。如何一別朱仙鎮，不見將軍奏凱歌。（于謙）

落日松杉黯自垂，英風蕭颯動黃祠。空傳赤帝中興詔，自折黃龍大將旗。三殿有人朝北極，六陵無樹對南枝。莫將鳥喙論勾踐，鳥盡弓藏也不悲。（王世貞）

墓門朱戟碧湖中，湖上桃花相映紅。四海龍蛇寒食後，六陵風雨大江東！英雄幾日乾坤轉，忠孝誰家俎豆同。腸斷兩宮終朔雪，年年麥飯嗝春風。（徐渭）

空山荒塚起悲風，石獸淒涼草色中。壯志本期歸二帝，羣姦何事忌孤忠。鴟夷共抱無窮恨，麟閣誰圖百戰功。千古寃魂招不得，年年杜宇哭殘紅。（王穉登）

提兵北渡過鍾離，決戰將扶趙氏危。怒欲拔山揮白刃，勇思背水建朱旗。朝中有相遭林甫，塞上何人斬郅支。宰木至今南向拱，千年留與後人悲。（瞿宗吉）

天生舟楫浮南海，大將旌旗仆北風。義重君臣終死節，時來胡虜亦成功。身爲左袵皆劉豫，志復中原有謝公。人衆勝天非一日，西湖雲掩鄂王宮。（陳獻章）

湯陰曾賦鄂王詩，又向錢塘拜古祠。啼鳥不知征北恨，悲風長滿向南枝。碑文剝落苔封厚，山色蒼涼日下遲。丞相門前蹤跡斷，莫言天道竟無知。（劉珏）

讀史常思忠孝誠，重瞻宰樹拱佳城。莫須有獄何須恨，義所重人死所輕！梓里秋風還憶昨，石門古月鎮如生。夜台猶切偏安憤，想對餘杭氣未平。（乾隆）

老樹殘碑風露寒，忠魂千載照湖干。汾陽大署垂成易，諸葛雄心欲遂難。共恨相公終誤國，誰知天子樂偏安！兩宮未返身先死，淚洒中原血肯乾。（洪昇）（二）

動物農場

英 George Orwell 著

陳其芝 譯

第一章 動物革命的萌芽

一個昏黑的晚上，大莊園園主鍾士先生關好了雞舍的門，提著燈籠東倒西歪的往天井那邊走。今晚他喝得太多了，醉薰薰地使他根本忘了應該把圈家畜的那個門下栓。他跟蹌地走着，鞋子在過後門檻時也踢掉了。經過碗槽看見了啤酒桶，又灌了一大杯，這才和衣倒上床去，鍾太太這時早已鼾聲如雷了！

臥室裏燈光一熄，農場各處就開始騷動起來了。白天，那個得過獎的白猪老——少校，前晚做的怪夢已經傳開了。牠們爲了讓農場上所有的動物都知道這個消息，早就商量好的，只等鍾士先生睡了覺，不再碍牠們的事，大家都到大穀倉裏集合。聽聽少校的演講。老少校是這農場裏衆望所歸的領導人物，大家尊稱牠爲「老少校」是因爲牠從前以這項頭銜參加過「威靈頓美展」。爲了牠，大家犧牲幾個鐘頭的睡眠都是心甘情願的。

在這大穀倉的一頭有個類似講壇的高地，我們的少校已經四平八穩地坐在牠鋪有稻草的床上，在牠的頭頂上空掛着一盞燈，雖不很亮但也足可看清一切了。老少校今年已經是十二歲的老猪，最近身體也發福了許多。可是，看起來仍然很具有王者的風儀。牠聰明，仁慈。雖然牠從不肯刻意修飾牠那一嘴獠牙裂齒，却也不影响牠的容貌。不一會兒，所有的動物都先後到齊，各自選擇了合宜的地方，舒舒服服地坐下。最先到的是三隻狗：波比，吉西與潘琪。跟着到來的是一羣猪，他們很快就坐在講台的前面，母雞蹲在窗台上，鴿子停在屋樑上，牛跟羊躺在猪的後面，並且在品嚼着胃裏的食物。兩匹拉車的馬：白克薩和克勞芙一起走進來，牠們慢吞吞地一步步地的邁着，唯恐一不小心，在舉足投蹄間會傷害了躲在稻草堆裏的小動物似的。克勞芙是一隻中年的母馬，雖已是四個小馬的母親了，可是身體依然健壯，風韻不減當年。白克薩有六呎高的龐大身軀，健壯有力比得上普通兩匹馬。他鼻上那一道白色紋毛使牠看起來似乎有點蠢。實質上，牠也算不上第一流的才子，然而堅忍不拔的性格和驚人的工作能力是爲所有農場裏的同伴，一致推崇不已的。在這匹馬後面來的是莫利爾——一隻白山羊和班傑明——一隻猴子。班傑明是農場上年紀最大，脾氣也最壞的一個。牠很少說話，可是一開口就是冷嘲熱諷，譬如說吧！牠說：「上帝所以賜給我一條尾巴是專門爲着趕蒼蠅的，但是我寧可不要這尾巴，也不要有蒼蠅。」所有動物中，祇有牠從來不笑，如果有人問牠爲什麼？牠會告訴你牠還沒有碰到可笑的事情。然而，不爲衆所週知的是牠和白克薩的深厚的情誼，牠倆常常在果園對面的小園場上，比肩而坐，默默無言地消磨着牠們的星期假日。

這兩匹馬剛坐好，一羣沒有母親的小鴨排着隊進入了大穀倉，呷呷的叫着，從這邊擺到那邊，想找一個不會被牠到的地方落脚。克勞芙用牠的前腿像牆一樣地護衛着這羣小鴨。牠們很快的就踡縮在裏面睡着了。現在來的是一隻叫魔麗的白馬。牠專門替鍾士先生拉車。現在正嚼着一大口甜草，邁着方步，裝模作態地走來。而且還不時地擺弄着牠的白鬃毛，希望紮在上面的紅絲帶能引起其他動物的讚羨。（一）

冒險犯難記

鄒文儀

這時我的工作比過去任侍從書記時增多了，除了原有整理講演文稿工作外，幷協助侍從參謀副官辦理招待來賓及負責聯繫黨政軍方面革命青年幹部的責任，因爲同事的人很少，工作十分繁忙，時間與精神都有限制，我雖則盡心竭力以赴，也時常提心吊胆，生怕貽誤要公或作錯了事情，有人批評我少年老成，我實在是誠惶誠恐。

國家危急存亡局勢的嚴重，幷不因爲淞滬抗日戰爭的停止而減輕，反而由於長江流域豫鄂皖閩贛共產黨擴大叛亂及遊擊戰爭，幷宣傳要擴黨百萬，擴軍百萬，限期攻取大城市。如江西省會的南昌及湖北省會的武漢都已陷於危急的狀態。爲了對付共產黨的全面武裝叛亂與游擊戰爭，蔣委員長感到非從擴大政治作戰，加强革命組織，講求革命戰術，不足以應付反共剿匪的戰爭，所以在二月初到達南京之後，除計劃及應付抗日戰爭外，也同時計劃開始部署反共剿匪的戰爭，我在這方面，負担了一些參加研究計劃及連繫協調的責任，這種責任是革命創造的工作，也是最困難和吃力不討好的工作。因爲我年輕識淺，誠信不足，很容易被人誤會或責難。我除了謹慎小心應付每一個人，處理每一件事之外，在國民黨內許多派系之間，更要講求密切協調，促進團結合作，使他們明瞭黨國危急情勢，洞悉蔣委員長秉革命領袖的苦心孤詣。這眞是一項十分艱苦困難的任務，我費盡心機，想達成任務，把工作作得很好，結果後來仍不免發生很多錯失和誤解，這是我當時所想像不到的。尤其是每天十四小時以上的時間，都須守住工作崗位，既有內勤業務，又有外勤業務，從早上七點鐘到晚上十點鐘，都得不到休息，好在我的身體精神很好，尚能長期勉力支持下去。

四十九、參加民族復興運動

外患內亂不斷發生的結果，使得民族日趨衰微，民生更加凋弊，國家危急存亡，民族興衰存滅的情勢，陸續出現。民國二十一年前後，中華民國的處境確實十分嚴重，如何救亡圖存，振衰起弊，在當時寇深匪狂，人心渙散，士氣消沉，軍政社會瀕臨土崩瓦解的邊緣狀況之下，實在是革命非常時期的非常問題。蔣先生在辭職下野，回到故鄉一月多的時間內，痛定思痛，似會深思熟慮到救亡圖存的根本問題，必須發起復興中華民族運動，發揚黃埔東征北伐時期的革命精神，號召全國革命青年第二次大結合，奮起參加救亡圖存的民族復興運動與行動，乃是唯一解決救國問題的答案。（八〇）

清室過年誌怪

摭餘

新年元旦，古謂之「三朝」，上古又稱爲「三始」。這一天，一元復始，萬象更新，朝野歡騰，普天同慶。歷代官廷民間，莫不有五光十色儀注。民間各地的年俗，大同小異。宮廷自迴異於民間的，清代宮廷年景，更是稀奇古怪，光怪陸離。

根據故宮檔案資料所記載的千眞萬確事實，自皇帝的穿帶禮儀，大至小吃，及年景點綴，無不奇怪，五光十色，頗饒風趣。

清代諸帝在元旦是「子正一刻十分」起床，戴黑狐皮明冠，穿黃刻絲黃字錦地黑狐腋龍袍外套黃緞繡五彩貂皮邊袷貂服，黑狐皮朝帶，石圓朝帶，東珠數珠，白布錦襪，厚棉套褲，藍緞羊皮皂靴。穿華到各處拜佛，拜皇太后；太和殿受朝畢，回宮，袷朝服下來，更換大毛熏貂緞台正珠頂冠，貂皮端罩，松石大鞓帶，青緞羊皮裏皂靴」。皇帝所穿的那一件黑狐冠，是由一百四十八個黑狐大腿皮選取湊成的狐龍袍，則是用九十三條狐貂拼成的，那一件貂皮端罩，數目，更是令人咋舌，根據總管馬國用首領張玉等應奏：貂尾現有三萬一千九百六十個，可想而知，做一件端罩，不夠昂貴，這件端罩是何等的費事了。

再看看乾隆皇元旦戴的熏貂正珠吧！朝冠頂一座，大正珠一顆，東珠十五顆，內正珠一顆重二分二等重，上層翠珠一顆二等重六分，七厘三等重七分三厘，上層翠珠四顆頭等每顆重二分八厘，中層翠珠四顆，頭等每重三分，下層翠珠四顆，頭等每重三分二厘。

其中「松石大鞓帶」，依照習俗，必須自小夕起至正月初二日止，皇帝的鞓帶上左邊就拴上四個小荷包，其黃刻絲珊瑚荷包內裝「年年如意」一件，紅緞揭金錢荷包一件，松石豆荷包內裝「雙喜」一件。押崇小荷包一個，內裝金八寶八個，金顆二個，銀顆二個，金錢二個，銀錢二個。右邊也拴小荷包六個，其中靑緞揭金絲珊瑚豆三個，內中一裝「事事如意」，一裝「歲歲平安」。其餘三個黃緞五彩線三瑚豆荷包是空的。這樣豐盛的押歲荷包，和我們給小孩的押歲錢就無法比較了。

至於大宴小吃，皇帝也和民間相同的，年俗，是大宴小吃和聽戲等娛樂。皇帝的吃雖然是一樣的吃，但是吃的方式和質量自與民間不同。據御膳房檔冊記載，萬歲爺元旦大宴一桌，酒宴一桌，每桌需用猪肉二十五斤，羊肉二十斤，魚肉二十斤，肥鴨一隻，菜雞七隻，菜鴨三隻，肘子三隻，關東雞六隻，鹿尾四條，野雞三隻：但是到了元旦午在乾清宮擺宴時，皇帝很少飲酒和奶茶，只不過罯三刻完畢，皇帝回宮，大宴承應戲儀式完畢，陪宴的王公，另外備有陪宴席，大宴菜品，剩餘就全部償給唱戲演員。（上）

香港大道商科學院新年聯歡會題辭

蔡俊光

粵以年臨乙巳。歲莫執徐。信孚天地。恩及人禽。陌上花開。堂前燕集。飛觴盡酒之歡。傳座具椒花之頌。園如桃李。文留萬古之香。氣壯山河。業進千秋之盛。恩以三元兆始。九疇成歡。主春有張。卜歲無恙。香港大道商科學院同寅。既祥符於三祝。遂慕會以聯歡。開筵列鼎。序齒燕毛。其德昭昭。其樂融融。願保玆善。令名永終。

中華民國五十四年元旦

譚年畫

周燕謀

一幌又到舊曆新年了，於是想起從前的年畫。年畫在過年時，家家戶戶睡房中都貼着年畫，兒童最喜歡這些畫。年畫大的有尺多寬，二尺多高，五色彩畫每張售價不過小制錢六七枚。大者用整張粉簾紙，也不過十餘枚一張。當時一塊大洋可換小制錢一千枚左右，一塊大洋買年畫二百張。當時民間無論貧富，家家都要買幾張，貼在牆上，借以點綴年景，親友中有小孩的，往往彼此贈送幾張，可以說是過年不可缺少的一種物品。

年畫是中國以往最普遍的一種民間藝術。根據史家的考證，年畫有一千八百年的歷史了。法國巴黎博物院收藏很多，國內只有南滿鐵路博物院收藏部份，筆者曾親眼看到過。我們自己有悠久歷史的一種美術，更是不知重視，而注意保存，而外國人反而學比我們重視代而保存之，言念及此，殊堪浩歎。其他有關文化的文化藝術作品等等，大多數都有此厄運。

談起年畫的種類性質很多，現在很多人不知其所以然了。依其性質分：一是關於懲勸的畫，二是關於歷史的畫，三是關於小孩的畫，四是關於風俗的畫，五是關於吉利的畫，六是關於風景的畫，七是滑稽畫，八是戲齣。有許多畫上把事蹟的整篇傳記印在上頭，也有編上四句歌謠的，各處販賣這種年畫的人，都要把這些歌謠高聲朗誦，以廣招徠。我曾經問過印畫的商家，這些歌謠什麼人編的？他說來源很久遠，都不能查考了，大概都是唸書的人編的。其間很多是當地的土話詩句，不但極饒風趣，而且於民俗文學有關，可惜研究民俗民學的學者都未顧及此道。現在把年畫的種類分別的談一談。

一、有關懲勸的年畫。如尼山禱告、孟母三遷、烈女傳故事、二十四孝、二十四弟、十八學士、凌烟閣功臣等。

1大舜耕田（二十四孝之一）

大舜大孝古今稱，他在南山把地耕，各種禽獸都效力，這是孝子的第一名。

2王祥臥冰：二十四孝數王祥，王祥臥魚睡冰床，老天不負他孝心，兩尾鮮魚躍身傍。

3凌烟閣圖：報效農家立功勢，凌烟閣上把名稱，好好的男兒須立志，英姿留給後人瞧。

二、關於歷史的畫。如大禹治水、禹鑿龍門、文王訪賢、武王伐紂、秦併六國、楚漢交戰等。

1大禹治水：王本是大賢君，自古治水頭一名，治的河水歸了道，免得淹澇苦人民。

2禹鑿龍門：黃河發水苦人民，幸有禹王大聖君，天下河流都歸道，第一大功是鑿龍門。

3文王訪賢：自古文王是聖君，治國必要用賢臣，滿朝文武還不夠，渭水河邊去訪賢人。

4秦併六國：秦始皇，秦始皇，焚書坑儒太猖狂，雖然天下都歸了你，無道昏君不能久長。

5楚漢交戰：楚漢交戰畫鴻溝，項羽劉邦是對頭，光靠勇猛難成事，可惜項羽無計謀。（上）

哀梨室劇談

梨園坤角話從頭

谿公

李毛兒這人，倒是能言能行的！他既決定了這個辦法，即付諸實行。買了十七八個民的女孩，親自教起戲來。經過兩年多裡頭苦幹，竟把她們教導得生，旦，淨，丑，各有所長；「皮簧」「梆子」、「秦腔」因才學習；也有兩種兼學的。每個人都有二三十齣戲可以聽。

但限於經濟，沒法完全製「行頭」，祇好把大戲班裏用了不用的破舊「行頭」，廉價買來，改造了勉強應用。因之常有「官衣」胸背的「補子」低到腰下，「帽子」上有「補釘」和「富貴衣」一樣的怪狀，「大花臉」在臺上扭扭捏捏，更是奇觀。「切末」「形兒」和一切雜物，尤其是東拼西湊，不成模樣。然而他們門首卻有一塊大大的招牌，寫着「李家女戲班專應喜慶堂會」的字樣。

在李毛兒的初意，祇想每月有個十來天「堂會」，賺他幾百塊錢，夠他一家和「戲班」裏的開銷，也就很滿意了。沒想到時運到來，連山都擋不住！在他那招牌掛出以後，生意特別興隆，每天至少有兩三處「堂會」！往往「分包」不及，祇好巡迴的輪唱；而李毛兒的錢囊，也就麥克麥克了。

咱們中國人的摹倣力是很强的，眼看李毛兒的女戲班如此吃香，便很勇敢的摹倣起來。前後不多幾年，蘇滬一帶便已有「王家班」，「吳家班」，「甯家班」等不斷的產生；同時人才輩出。她們不單是能唱文戲，並且能唱出武戲，並演得相當火爆，並不比男角差點什麼。大名鼎鼎的趙紫雲（甯小樓）、小長庚、小黑燈、小燕飛等，都是在那一時期脫穎而出的。

同時又有善於投機的商人建立「羣仙戲園」，專用坤角演戲。因之人們遂稱「羣仙」爲「毛兒戲園」，更有誤毛爲髦的。

李毛兒認爲這樣，很有些皂白不分，特地在各報上，刋登一則啓事說：「本人所領導之李家戲班，所有角色皆本人一手訓練而成，故用本人的名字，稱爲「毛兒戲班」。其他之女戲班，槪與本人無涉。僕不敢掠人之美，特此聲明，以免誤會」。

這一啓事刋出後，竟未引起任何人反響，大概繼起諸班，因李毛兒所說的確係事實，故不能不默認罷。

憑良心說，李毛兒創設女班之目的雖在撈金，但以他個人之力，造就若干女性的藝人，隱隱爲女性開闢一條自立的道路，他這功勞也是不可沒的。

某一時期，活躍於舞臺上之女性名角，差不多十有七八，都是毛兒老板的門徒。如吳新寶、恩曉峯、陳善甫、筱蘭芬、翁梅倩、馮月娥、溜溜旦月月紅、賽三雄等，均爲一時之選。而名震大江南北，貴爲帝師如君之金月樓，更是其中特別凸出的一個。（三）

試談紅樓夢問題

繆匡

蔡孑民氏又舉十個人物說：賈寶玉，僞朝之帝系也；寶玉者，傳國璽之義也，卽胤礽（康熙帝太子後被廢）。林黛玉影朱竹垞（朱彝尊）也。絳珠，影其氏也。居瀟湘館，影其竹垞之號也。石頭記叙巧姐事，似亦指胤礽，巧字與礽字形相似也。薛寶釵、高江村（高士奇）也。薛者，雪也。林和靖詩云：「雪滿山中高士臥，月明林下美人來」。用薛字似隱江村之姓名（高士奇）也。探春影徐健菴也。健菴名乾學，乾卦作「三」，故曰三姑娘。健菴以進士第三人及第，通稱探花，故名「探春」。王熙鳳影射余國柱也，王卽柱字偏旁之省，國字俗作囯，故熙鳳之夫曰「璉」，言二王字相連也。史湘雲隱陳其年也。其年又號迦陵。史湘雲佩金麒麟，當是「其」「陵」字之借音也。氏以史者，其年嘗在翰林院檢討纂修明史也。妙玉隱姜西溟（姜宸英）也。姜爲少女，以妙代之。詩曰「美如玉」，「美如英」，玉字所以代英字也。惜春隱嚴蓀友也。寶琴，冒辟疆也。劉佬佬，湯潛菴也。蔡氏每舉一人，必先舉其事實，而後引紅樓夢中情節以配合之。（三）

自由報

內銷號字第○三號

THE FREE NEWS

第一九五一期

中華民國僑務委員會頒發
台數新字第三二三號登記證
中華郵政台字第一二八二號執照
登記為第一類新聞紙類
（本週刊每星期三、六出版）
每份港幣壹角
台灣本售價新台幣弍元
社長：雷嘯岑
督印人：黃行畫
社址：香港銅鑼灣高士威道二十號四樓
20. CAUSEWAY RD 3RD FL HONG KONG
TEL. 771726　電報掛號：7191
承印者：田鳳印刷廠
地址：香港灣仔高士打道二二一號
台灣分社
台北市西寧南路壹壹零號二樓
電話：三〇三四六
台郵儲撥金戶九二五二

中國落後之原因

黎傑

在晚明以前，中國人的精神文明與物質文明，較之歐西各國，固然不會落後，或者還可說是領先。考諸歷史，歐西文明之逐漸提高，超越中國人之上，還在晚明以後，而突飛猛進的開始，則在清代乾隆、嘉慶、道光三朝的一百年間。在這一百年間，歐洲出了許多重要人物，這些重要人物的貢獻，不獨可使歐洲的政治經濟社會得到進步，還且由其進步而影響到世界各國。就我所見，近代歐西文明進步所表現出來的特點，莫若「科學」與「民主」，其影響世界各國最大者，亦為科學與民主。然科學與民主之發達，皆開始於乾嘉道三朝的一百年間。

就科學而論，近世有關科學之發明，最重要的是蒸汽機。蒸汽機是英人瓦特於乾隆二十九年（一七六四年）發明的。越四年（乾隆三十三年）英人阿克萊特又發明紡織機，並開始設立機械紡織廠，而工業革命即由是開端。工業革命後，昔日的手工業漸變而為機械工業，家庭工業漸變而為工廠工業。因為生產方法這樣一變，人們的生活習慣和社會制度，一部份亦隨之而變。最初的工業是起於英國，但迅即擴張到歐洲各國了。嘉慶十二年（一八〇七年），美國的富爾敦又應用蒸汽機創造輪船。道光五年（一八二五年）英人斯蒂芬孫復發明火車頭。道光十七年（一八三七年），美人摩斯更發明有綫電報。自此歐西人的水陸交通工具及傳訊方法都改革了。因為生產方法與交通工具的改革，牽連到整個社會制度無一不漸漸改革。故在乾嘉百年間的歐洲情形，與百年前相較，完全異樣，若以之與中國較，其物質文明急速地超越於中國之上。

現在再就當日歐西有關「民主」的事情談談。近世歐西各國民權運動之盛行，民主政治之奠立，多半由於法國大革命發生於乾隆五十四年（一七八九年），在大革命前，法國產生了三位政治思想家：一為著作法意，主張立法、行政、司法三權分立的孟斯鳩（康熙廿八年生，乾隆廿年卒）。一為著作甚富，攻擊舊制度最力，不見容於當局，而為十八世紀知識界權威的福祿特爾（康熙三十三年生，乾隆四十三年卒）。又一為著民約論，倡人類生而自由平等，人人應有參政權利，法律應由人民制定，人民才是眞正的統治者的盧梭（康熙五十一年生，乾隆四十三年卒）。這三人的學說都是法國大革命的主要原動力，其影響於歐洲各國民主政治之建立者亦至深。至於經濟學說方面，當法國大革命前後，也出了兩位著名的經濟學者，一為著作原富之英人亞丹斯密（雍正元年生，乾隆五十五年卒），原富一書，膾炙人口，被後人推為近代經濟學始祖，又法人圭尼（康熙三十三年生，乾隆三十九年卒）亦是當日著名經濟學者，他鼓吹經濟上自由主義，其學說影響近代經濟制度者不少。以上所舉的政治思想家，經濟思想家，都是近代民主思想的源泉，也都是乾嘉道百年間的歐西人物。

由上文所說的看來，足見乾嘉道時代，歐洲在科學方面和民主政治方面，都出了不少學說家，而這些名家的貢獻，奠立了一個科學與民主的基礎，引導歐洲人進入科學與民主的現代的。但反觀我國，在同一時間中，有優秀的學者，如錢大昕、戴震、段玉裁、王念孫、汪中等，都是埋頭於故紙堆中，銷磨其精神於考證之學。其治學方法雖是一種科學方法，然所研究者，畢竟無關國計民生。儘管後人稱為清代漢學大師，盛極一時，而論其成就，只是考證出一些古書的錯誤，對於匡時濟世，又何補？[illegible]敵不住瓦特獨自一人的發明。[illegible]開始於這個乾隆年間，稱為盛世的時代。從以上所述，道百年間，學術思想家出現和歐洲政治經濟的情形，再看當日歐洲的實際狀況，況世紀末年，哥倫布發現新大陸（一四九二年，即明孝宗弘治五年），達加馬發現印度航路（一四九八年），以後兩個世紀之間，歐洲的西班牙、葡萄牙、荷蘭、英、法等國，先後來到東方，在東西兩半球競爭殖民地。[illegible]

[illegible]最大的，但兩國積不相能，互相敵視。乾隆六年（一七四一年）因為奧國皇位繼承問題，英法兩國便發生戰爭（一七四〇至一七四八年）。乾隆二十一年（一七五六年），英法又發生七年戰爭（一七五六至一七六三年），英法兩國又處於敵對地位。他們不獨在歐洲本土戰爭，在印度和美洲殖民地上也戰爭不已。此時法國在印度的勢力本來不弱，然乾隆二十五年（一七六〇年）英人卒把法國勢力驅出印度之外，而獨佔其地。同年，英國又佔領法國所有之北美加拿大，從此便雄飛海上了。但是英國因為連年戰爭，軍費太大，對於北美殖民地之課稅愈抽愈重，殖民地的人民情有不甘，乾隆四十年（一七七五年）北美十三州便聯合起兵反抗，法國又乘機給予援助，經過八年的苦戰，英軍終於失敗，從此十三州遂獨立成為美國，這是世界上第一個民主共和國。

（下轉第二版）

並不安穩

張牙舞爪

今日與明日

越南政變

越南又告政變，阮慶在軍人簇擁下，又宣佈接收政權，推翻陳文香政府。距離上次政變只有幾天，越南軍人如此亂來，已經到了無法無天之地，無論任何人出來皆難收拾殘局。

越南政局之變為死結，實在因為內部情形太過複雜了，佛教徒一個立場，學生一個立場，軍人同政客又各自一個立場，彼此勾心鬥角，互不相下，甚至同一個團體裏面又分出派系，再加上共黨的滲入活動，挑撥離間，使全國陷於分崩離析之境，無法獲得一致的意見。

英國報紙認為美國在越南處境若非接管，只有退出，目前看來美國在越南雖然無法拖下去，非決定一個原則不可，但就現在來說，接管與退出二者皆行不通，除非能想出第三個辦法。

阮慶所以敢同美國相抗，就因為他看透了美國底牌，無法在越南退卻，若是這樣作，美國在亞洲喪失的將不是一個越南，起碼還包括泰、寮、柬埔寨。

毛共迫柬埔寨退出聯合國

西方傳出消息毛共正迫柬埔寨退出聯合國，與印尼、毛共合組新聯合國。此項消息雖然未得證實，但不能說是空穴來風，因為鐵幕以外的國家最親毛共者是柬埔寨，施哈諾的個性較蘇加諾更為浮燥、輕狂，遇到有機會出風頭的，命都可以不要。這次蘇加諾退出聯合國，已經出盡了風頭，施哈諾不免見獵心喜，毛共從中加以慫恿，再許以名利，施哈諾可能會上鉤的，如若柬埔寨退出，繼之而來的將是阿爾巴尼亞，整個聯合國就要陷於分崩離析了。

伊朗首相被刺身死

伊朗親西方首相被刺入院後，終因傷重不治逝世，對西方對伊朗都是大損失。這次事件可能不是共產黨幹的，十之八九又出於納薩之手。

目前中東國家，也門已聽命埃及，沙地阿拉伯換了國王後與埃及關係也轉好，伊拉克總統阿里夫本是納薩的信徒，剩下可與納薩對抗的，也只有約旦的胡辛王同叙利亞的復興黨政府，納薩內顧之憂漸少，就把目標轉到伊朗去，目前伊朗王是西方的忠實伙伴，久受蘇俄嫉視，再加上納薩從旁攻擊，處境將日益艱苦，西方國家尤其是美國眞要予以切實支持，否則一旦伊朗倒下來，土耳其也將不保，大局可就眞的難以收拾了。納薩此人雖非共產黨，而且本質也是反共的，可是行事却同尼赫魯一樣，所加於自由世界的危害太大了。（何如）

自由談

禍國的政治和尚

馮子先生

佛家思想是出世主義，講究六根清淨，四大皆空，無人相，無我相，尤其是對於現實政治問題，很少過問的興趣。

可是，越南的佛門信徒，[illegible]

[illegible]

世界書局又起糾紛
董事長倚老賣老　總經理依法行事
成舍我暫且從中緩衝

（本報台北通訊）原來設在上海的世界書局，自從遷到台灣以來，風波迭起。前兩年，爲着銀錢問題，會與總經理楊家駱鬧得怪狀百出，中外駭笑，後由李董事長堅持該局董事吳開先出任總經理，糾紛纔告平息。詎料經過了一年多以後，最近又發生閙劇，而主角又係這位「黨國元老」的李董事長，劇情依然是金錢關係，殊堪浩歎。

世界書局創辦之初，李石曾以「世界社」名義投下了資金，由一沈姓大股東担任總經理，因經營不善，到民國卅七年對日抗戰結束時，該局業務已一蹶不振。乃由李石曾等人，商同交通銀行主持人錢新之，轉請杜月笙參預其事，重新改組，新集資金總額爲當時法幣六億元，杜氏佔五千萬元是大股東，受董事會推舉爲董事長，吳開先、陸京士等都是董監事之一，陸氏且被推爲監察人。業務亦漸上軌道了。上海被共匪佔領後，該局移設台灣，照常營業。旋杜月笙去世，即推李石曾繼任董事長，李推薦董事楊家駱爲總經理（該局組織法規定，總經理必須由董事担任）。後來李董事長與楊經理二人，鬧得凶終隙末，董事長下令免去楊總經理之職，而楊抗不移交，甚至乃有董事主張請吳開先出來作總經理，藉以調協雙方，消弭爭執，楊家駱亦表示任何人來皆擁護。

吳開先自香港移居台北後，閉門息隱，不預外務，連國民黨員總登記，他亦漠然置之，表示無復問世的決心，對此多事的世界書局總經理，尤其不願過問。但李石曾董事長每天登門情商懇挽，其餘的董監事亦勸他爲解救書局厄運，勉任艱鉅，他再三推却不獲，只好答應了。吳氏出任總經理，前任楊家駱果然毫無異言的全盤移交，進行甚爲順利，截至現在，歷時將近兩年。在此期間，吳氏爲發展業務，曾挽請好友楊管北、陸京士等人担保，分向各家銀行貸欵營運，先後已達四百萬元。李董事長在此一年半的時期中，陸續向書局支用薪金已有卅萬元了。最近李石曾又致函吳總經理支給新公費用六十萬元，理由是補付過去楊家駱總經理任內積欠他幾年的薪金所得。吳氏認爲過去的帳已無法清算，要清算，則不僅董事長薪金一項而已，糾紛必多。若僅付李董事長薪金，於法無據，必難其他董事通過董事會准予核銷，豈非成了私人虧空？乃婉却之。詎李石曾因此大怒，仍沿襲故技，又以董事長權力，要免去吳氏總經理之職。吳說：「我根本就無意幹此事，能另請高明承其乏，極所感盼，但我爲書局發展業務而經手向銀行借貸的四百萬元，應該由舊董事長聲明負責，解除我的債務關係，我立刻就移交。」可是李氏對此債務又不肯負責，吳氏當然不答應，否則將來有吃債務官司而傾家坐牢的後患也。因此，董事長與總經理之間的閙劇又重演，李氏的手法如出一轍，照當年對付楊家駱，李氏爲更換總經理而召集了一次董事會，在會議中，除了一名姓徐的董事與李氏態度一致外，其餘全體董事皆不贊成李氏的意見，否決了李氏的提議。李氏老羞成怒，竟以董事長名義擬擅行召開股東大會，幷向主管機關呈報備案，準備改組董事會，把舊有的董事一律更換。於是，該局監察人陸京士不得不起來行使職權，依法監察督導了，他指出股東大會應由董事會決議召集，董事長一人私自召開，依法是無效的。他勸告李氏，應該愛惜「黨國元老」的聲譽，不宜妄自踐踏，把自己一生的清望，爲着無謂的意氣之爭而掃地以盡。李見情勢不利，只得隨風轉舵，提議挽請新聞專科學校校長成舍我代理董事長，以成資緩衝，但須撤換世界書局副總經理蔣某，而由他推一蕭某來接替。然吳總經理又不接受，聲稱要去則彼與蔣某同去，只請代董事長負責籌還銀行貸欵即足矣。如此鉅額貸欵，成舍我原係局外人，自不願負此重責。現在依然維持原狀，糾紛暫告休止，將來是否平安無事，很成問題。此間各界人士對於李石曾這位八十多歲的「黨國元老」，爲着世界書局內部事項屢釀風波，幷且都是由於銀錢關係而然，一致搖頭太息，引爲笑料云。（元月廿四日浩然於台北）

中國落後之原因

——上接第一版

美國獨立不過兩年，法國又發生大革命，其時法國也因爲連年戰爭，財政陷於極度困難，而至賦稅日重。人民負担重稅已覺痛苦，加以法王路易十四，路易十五，路易十六都是專制異常；同時對外戰爭，又往往失敗，所以法人對於專制政治漸失信心。再加以北美獨立戰爭之刺激，盧梭、福祿特爾等學說之影响，於是乾隆五十四年（一七八九）便以召集三級會議爲導火線，到了乾隆五十七年（一七九二）國民公會執政，把法王路易十六處死，便成立法國共和國。是時歐州各國之君主與貴族，深恐法國革命空氣之傳入，會影响自己的地位，普、奧乃不惜聯軍討伐，欲以軍力撲滅法國革命勢力，惟以法國民氣正盛，聯軍終於敗退。其後法國政權爲拿破崙所掌握，他利用時機稱帝法國，並運用其軍事天才，把歐洲各國征服，把自由平等博愛思想傳入各國，爲歐洲各國播下民治主義種子。當日歐洲各國未被拿破崙懾服者，只英俄兩國，嘉慶十七年（一八一二年），拿破崙征俄失敗，英俄普奧合力攻之。嘉慶十九年（一八一四年），拿破崙戰敗，各國會議於維也納，共謀恢復歐洲原有秩序，阻壓法國革命思潮之傳播，並立路易十八爲法國皇帝。此時法國恢復王政，然自由平等的思想，充滿於法國人腦中，路易十八爲適應民情，不得不頒佈憲法，設立國會。道光四年（一八二四年），路易十八去世，查理士十世繼位，他解散國會，行專制，人民大爲不滿。道光十年（一八三〇年），法國七月革命爆發，查理士十世逃往英國，法國遂召立同情革命及中等階級（即新興之工業）的路易腓力爲法王，腓力卽位後，實行擴充選舉權，取消出版檢查法，頗得法國中等階級之擁護，由此中等階級便取貴族僧侶之地位而代之。此次法國之七月革命，頗有影响於英國，故英國有一八三二年（道光十二年）國會改革案。在一八三二年之前，英國國會的勢力仍操諸貴族與地主手中，但自改革案成立後，新興工業之中等階級勢力，便在國會佔有重要地位，此後英國內閣便有中等階級之支持，其力量較諸以前爲充實了。至於此時的歐洲各國，雖然仍爲王政，亦未有國會出現，然平等自由之空氣，已瀰漫於整個大陸，歐洲各國之民主政治，大有呼之欲出，不能阻壓之勢。

上文所述北美十三州之獨立，法國之大革命，英國之國會改革，歐洲各國之充滿自由平等空氣，都是乾嘉道百年間所發生之事情。就此而論，歐洲人對於專制政體已失去信心，對於民主自由已決心爭取，時勢所趨，歐西之專制政治將臨末日，已無疑義。但反觀我國，是時乾隆帝淫威正熾，生殺予奪，隨其所欲。一字之微，可以造成大獄（文字獄），一己所愛，雖貪污可以不究（如和坤）而滿朝官吏噤不敢言，天下士子猶埋頭八股，以求進身之階，盧梭其人者，曾未見有福祿特爾，亦未聞有自由平等的氣味。此時中西比較，相去尚遠，識者早知中國之進入民主政治，猶在遙遙長路之中，此即吾國今日尚停止在科學與民主萌芽階段之所以然也。

實施「國民保健」以來
英國病人苦經嘆不完
照X光要等候許多天許多星期
有一個病人等候入院等了七年

（倫敦通訊）如果你在英國覺得身體有點不舒服，那你就休想會快愈。因爲無論配藥或者施手術，你會發覺在玩弄着等候的把戲。

英國的國民健康服務對於病人都是慢吞吞的，病人們非有耐心不行。

除非你的醫生是實行約時診症制度的少數醫生，否則那種情形，在你向應接員通姓名時便開始。

即使你在外科手術時早些去到，也會發現至少十二個人已經在那裏等候，如果在一個鐘頭內輪到你，那你就可以認爲是幸運了。

醫生處方後，藥品呢？你得要在配藥處輪候。照X光呢？那就要等候許多天或者許多個星期，其後，你要再次在那間醫院守候，以便向醫生詢問檢查結果。

可是，所有這些阻延，不算得什麼。眞正的等候，是在需要入醫院留醫時。

你得要等待數個星期，甚至數個月時間，才能看見醫生。即使你準時到達，你也可能還要在門診部等候長時間。

在倫敦奎氏醫院的研究工作人員，曾經調查病人們入院和出院所耗費的時間。那個平均數，大約要兩個鐘頭。在十五個病人中，祇有一個是在一小時之內出院的。五個病人中，有一人要被阻延三個鐘頭。

這些時間，大部份耗費在登記。平均差不多要耗費五十分鐘的時間，來等候第一次診症。

如果你認爲坐在門診部那些長椅上耗費的幾小時，會使你迅速得到報告書和治療的話，那你一定是初次就醫了。

在英國艾[illegible]郡的三個醫生，曾把診症員將報告書送到他們那兒去所耗的時間錄下，平均數是一九點七天。那些醫生說，關于決定將病人送到專門醫生去的決定，常常拖延的原因，係希望病人復元，不必請別人斷症，這麼一來，又導致進一步的阻延。

在進一步等待後，如果醫生認爲你要入院留醫，就要準備等待更長時間，有一個人曾經等了七年。

多年來，等候入院的名單，很少低過五十萬人。那張名單，包括等候施行普通外科手術的一五〇、〇〇〇病人，眼耳鼻喉科的一〇一、〇〇〇病人，和五二、〇〇〇骨科病人。

婦科病人的情形最劣。據克魯城市議會議員佛爾農指摘說，六百個女人，曾經等候兩年半的時間才能到一間地方醫院留醫。

那一個議員又說：「即使是小手術，可是你得要想想那些等候的女人，一定經歷可怕的焦急。」

你不要欺騙你自己，認爲那些祇有小病的人才要等候。如果你需要治療來拯救你的生命，就要替你找尋一張病床。這可能意味使他人等候更長時間。

如果你因患白內障或可以醫得好的耳聾病，那末你可能要等一年或更多時間。

當然，那些醫院已經做到他們所能夠做的事情。至少，已經有一間醫院安排各項辦法，要病人們輪流使用病床。

倫敦米杜息醫院的主任醫生約里斯說：「有些病人，被請求離床，以便到來準備施小手術的病人使用。」

在肯德郡和蘇塞斯郡邊界的頓布治威爾斯，有兩個老婦人，因女人醫院滿額，被送到一間男人醫院去。

英國國民健康服務處有什麼不妥的地方？延阻情況要由誰來負責？關於這種情況，能夠做到什麼事情？

家庭醫生，由於安排約時應診制度，可以把等候情形減少。有許多醫院已實行這種制度，一定更要找尋辦法，使那些制度有效。可是你仍然要等候長時間，才能夠見到診症員。

對於病床的情形怎樣呢？國民保健一九四八年開始以來，政府已增加四三、〇〇〇張新的病床。可是需求也增加。

英國人仍然需要較多病床，赫福郡威爾文鎮耗資二、八〇〇、〇〇〇鎊的「女王伊利沙伯醫院」，也有等候入院名單。另一方面，因護士缺乏，院中的三二五張病床，有七十一張未使用呢

提高省屬公務員素質
省府決草擬進修辦公
包括公費留學公費昇學

（本報記者熊徽宇台中航訊）台灣省政府，對於公務員的在職訓練，將採取三個辦法，以提高公務員的素質，增進其知能，促進行政效率與政治進步。

省府對於高級人員的在職訓練，將擬定法規制度。

勾劃中的法規，其一爲公務員訓練進修辦法，准各機關保送現任人員入國內大專院校選科進修；次爲訂定公費留學辦法，由省府選送公教人員出國公費留學。再爲設置大專院校獎學金，作有計劃的造就幹部，增進新的血輪。

在職訓練的體制方面，省府準備成立訓練委員會，在主席之下設訓練主任，各機關置訓練官，專司其事，由省訓團員執行的任務。至於升學等考試，去年舉辦一次全省性的，效果良好，今後如有需要，可以經常舉辦。

此一行將擬定之在職訓練制度，係由人事處長徐巽華在省議會答覆質詢時所提出。

開闢新天地—創新道統

論道統第二章

陳健夫

「任何道德觀念應不侵犯人權獨立及人格尊嚴。中國固有道德，如忠孝仁愛信義和平的八德，如禮義廉恥的四維，其宗旨原都是至善的。但後來經過宗法社會的改變，便有過當、而不免有侵犯人權獨立及人格尊嚴，如所謂「忠臣」、「孝子」、「烈女」之類的道德觀，有所謂「君要臣死、不得不死，父要子亡、不得不亡」。女人與人通奸，竟用家法上吊，甚至處死刑，或驅逐出境，像這類的道德行爲，便嚴重的侵犯了個人的人權獨立及人格尊嚴了。這就今日新道德觀念來看便是不道德了。新道德應將人類自君主專制及宗法家族的制度之下解放出來，使人類的人權與人格皆受到尊重，在這種新道德風氣之下，大衆亦從農業社會進入工業社會，個人也自家庭中走向社會：不分男女，在社會都有平等地位。新道德這種顯著的性質，與舊道德便大有不同了。所以中國固有道德雖然很好，但必須將現代的人權獨立人格尊嚴諸觀念融會進去，依據時代參酌歷史，進而加以重大改變，才可以成爲今日的新道德。我這裏所說道德的培養，原是指這新道德而說。」

「新道德對固有農業社會的優良傳統如民風的樸實勤儉，人心的豪放尙義，人情的親切友愛，社會的敬老尊賢，學校的尊師重道，諸種觀念，今日仍值得尊重，以調劑工業社會過分重利害重現實的觀念。新道德對這種優良傳統實不容背棄，而應融會貫通，發揚光大。」

「古人每講道德，必勉人做聖賢仙佛，我今却注重羣衆道德，這羣衆道德教人鼓起勇氣做人，面對現世，無所恐懼，嚴肅而活潑的活在世上，做個善盡責任的公民，而不必去做那勞精神的聖賢仙佛的工夫。人必須實實在在的勇敢憤發的生存在社會上，任何人不容自社會逃避而退居於心靈之中或天國之上。人生面臨現世堅毅奮鬥，以求光大生命的價值，此即爲今日的道德，從前講聖賢仙佛是道德，但今日仍講聖賢仙佛，則未必是道德了。而且自古以來學聖賢者，多流爲假道學，學仙佛者，只求此身之解脫，却忘却天下社會的責任，這種聖賢仙佛的道德，在今日已不合於時代。」

「再就社會來說，道德的作用在維持社會的秩序，使社會上的人羣每個人都有平等發展的機會與權利，使大衆各個發展都是爲了全體爲了社會，新道德的原則之下，人權必須獲得尊重。所以就社會的立場看，維持人權的獨立，使各個的人權在社會大同原則之下，各行其是，各適其所。道儘可以不同，謀儘可以不合，但社會的道德却在使它們彼此不相侵犯，不相干擾。於此又可見道德的最高作用即在統一協調社會中錯綜複雜的道不相同的矛盾，集小異而爲大同，由矛盾而爲協調，構成社會的新力量。道德即爲保障人權，尊重人格，所以道德的本質是和平的，是反強權、反暴力、反奴役的，是主張公平合理的。道德正是社會的天秤。人類一方面要互相競爭，而一方面爲了達到競爭的目的，又不能不互相團結，這兩者如何協同調和，兩者矛盾如何協調歸一，這便是道德的責任。因此在人類道德的規範中有和平仁愛，同時又有殺身成仁。就其個體存在來看，是矛盾的，但就其社會全體來看，却又是一致的。主張和平的是道德，鼓勵殺人的也是道德。（如鼓勵人們參加反侵畧的戰爭抵禦外侮皆是正當的），二者表面上看是矛盾的，但實際上的作用却是一致的。其目的祇有一個，即是爲了保障人類的生存，發展社會的福利。」

「從前注重聖賢道德，今日則注重公民道德。在工業社會，社會成了一個大家庭，人是這個大家庭的份子，對此家庭，人人有應盡的責任，如何愛護這個大家庭，並遵守這個大家庭的共同利益與秩序，這便是做一個公民應有的道德觀念。在這工業社會的公民道德，對個人而言是尊重人格及人權，對社會而言是尊重公衆秩序及公衆利益，簡單的說，不做危害公衆利益的事便是道德。」

五、新道統，新文化。

於此，新儒學提出了新道統的具體意見；

「新文化絕不是憑虛而生，從天而降，新的是由於舊的蛻變進化而來，幷非是將舊的一概棄絕，完全來一套新的，好比不用種子，怎能長出新苗呢？提倡新文化新學術的，一定要將舊的固有文化拋棄，那是不可思議的。」

「新文化之所以不容易完全棄絕固有文化，並非是主張固執守舊而是要從固有文化中精鍊出一些東西，作爲新文化的基礎，這也是發揚固有文化的精華，以作新文化的根據，文化現象正如自然現象，必須新陳代謝，自强不息。」（四）

漢文，漢字，漢學

陳曼卿

籀文及大篆小篆

殷，周早期的文（字），實因衍形而不衍音。這對於中國文字來說，發展不無妨礙。因之也比較遲緩，直到周宣王時，才開始作象徵式的統一使用。然「史籀十五篇，文成數千。」雖說是事實，但這僅限於西周晚期的帝王，世家，和貴族們專用的文（字），此亦即後世所稱的「籀文」時期。

其後不久，文（字）却因王畿東遷而流散。春秋時期，各候國所用者，實則與「史籀」篆文大同而小異，間亦有新創字體雜入，惟「諧聲」（一稱循聲）字體，雖說早已萌芽，直到這一時期，才算發展到比較完善。迨後，戰國年間，「轉注，假借」自然也是繼承前期遺緒，爲了採用「方言」中的一些「詞彙」，還有不少旁偏，僞體等等，正是這一時期，最特色的產物了。（本文脫稿後，偶於友人處得見「桐鄉徐氏印譜」，海寧王觀堂序云：「近世所出六國兵器，數幾逾百，其餘若貨幣，若印璽，若陶器，其數乃以千計，而……此數種文字，上不合殷周，下不合小篆，不新以六書求之。」此足以證明六國之文，實乃各視其所需，就其所宜，除採自史籀「大篆」外，必另有新創什入使用的事實，其誘別簡率，固不足怪。）

戰國末年，百家爭鳴，莫不尙文，實亦因古代口語中「聲母」，含有類似爆發「濁音」，跟「韻母」尾有寒音的存在。所以很多人都顯得「口遲」！故之於文字，更繼先世發展其應用上的最大功能。諸如衍形變吳，支濱滂什，又是甚麼「八體六枝」，（疑爲後人羼入）實已盡早期「篆文」發展的新事了。及至秦併六國「設挾書律」，乃稱春秋戰國各國間的文字，爲「大篆」時期。（請與「周文的具起」圖參）。

李斯之作秦篆（秦篆稱小篆），「蒼頡七章」，頒行天下，概用秦文，正是「書同文字」的開始。爾後趙高書「爰歷」，胡母敬作「博學」，先後爭妍競美。程邈一待罪獄囚，覃思十年，復益秦之小篆方圓，而爲「隸書」，成三千字，此皆終秦一世之文字演進史。

西漢文字概畧

漢興，文字雖有上面這段長遠繁複的演進歷程，然以秦政苛酷，人人怨憤，迨又遭項籍殄燬，再次燔燬王室存籍。文字幾至絕跡。終高、惠、二帝。蒼生霖雨，各任一途。文、景、之世，乃得復甦。（九）

弔岳武穆詩詞輯萃

李仲俠

帆掛西陵隱畫橈，岳王祠畔草蕭蕭。頻年笳笛吹孤月，盡日垂楊鎖六橋。海色遙添晴閣雨，鐘聲晚渡浙江潮。登臨莫問前朝事，只有南枝恨未消。（徐　）

遺廟題詩跡半凋，登舟買酒墓前澆。一杯難洒黃龍恨，千載長催白馬潮。春雨鷓鴣加瑟瑟，南枝松柏自蕭蕭。況逢時節當寒食，常使冬青感未消。（林向哲）

岳王墳上鳥聲悲，半是黃鸝半子規。鐵像至今長跪月，金牌當日早班師。淸宮客少王知禮，前進兵輸朱護兒。公本純臣無所恨，可憐慈聖茹齋時。

靈旗風捲陣雲涼，萬里長城一夜霜。天意小朝廷已定，那容公作郭汾陽。

遠寄金環望九哥，一朝兵到又回戈。定知五國城中淚，更比朱仙鎮上多。

一個西湖換兩宮，靖康小雅唱雍雍。憐他絕代英雄將，爭不遲生付孝宗。

軍令如山鳥不譁，黑風龍虎盡呼爺。自然慈聖還宮日，苦向官家問岳家。

要盟結贊屢彎弓，翻錄和戎魏絳功。老住迷樓人不醒，趙家天子可憐虫。

歲歲君臣拜詔書，有朝可謂有人無。看燒石勒求和幣，司馬家兒是丈夫。

小校桓桓道姓施，湧金門外有專祠。雄心似出將軍上，不斬金人斬太師。

允升一疏奏楓宸，與汝何[illegible]殺身。擬把東廟添配享，黃金鑄個布衣人。

華表凌霄落照遲，一朝孤憤萬年知。梨花寒食燒香女，纖手都來折桂枝。

不依古法但橫行，自有雲雷繞滕生。我論文章公論戰，千秋一樣鬥心兵。

五十三人命已休，秦城王氣忽然收。教渠暫緩須臾死，那數中原劉彥游。

江山也要偉人扶，神化丹靑即畫圖。賴有岳于雙少保，人間纔覺重西湖。

零落一坏在，英雄萬古冤。孤忠懸白日，遺恨寄中原。樹老殘霞淡，塵深斷碣昏。東南天半壁，往事泣寒猿。（林景熙）

天意只如此，將軍足可傷。忠無身報主，冤有骨封王。苔雨祠墻暗，花風廟路香。沈思百年事，揮淚洒斜陽。（林深）（三）

動物農場

英 George Orwell 著　陳其芝 譯

第一章　動物革命的萌芽

終於在籬前面的地方坐下了。最後來到的是隻貓。像平常一樣到處巡索，想找個暖些的地方。最後牠擠在白克薩與克勞芙中間，心滿意足地睡了，至於少校的長篇大論恐怕連一個字也沒有聽進耳朵裏。

現在除了早已在後門樑頭上熟睡的烏鴉莫西斯未到以外，農場上所有的動物都到齊了。少校看到牠的聽衆們都坐好了，而且有的還在聚精會神地等着牠發表宏論，於是乎牠淸了淸喉嚨開始說道：

「同志們，你們都聽到了我昨晚做怪夢的那回事吧！在跟你們說夢之前，我先要告訴你們一些事。同志們！我不敢妄想我還能跟你們聚首幾個月。但在我死以前，我覺得自己有責任把我所得到的智識傳授給你們。我的歲數不小了！當我獨自躺在猪圈中時，我有很多時間可以用來思考，我敢說我像任何一個現在活着的動物一樣，我懂得在這個地球上生命本質的法則。這一點就是我想跟大衆來談談的」。

「同志們！現在我來說說我們這種生命的本質何在？讓我們來面對它吧！我們的生命是悽慘，勞累，短暫的。我們生下來就被註定爲苦命的一羣，僅能享有可以果腹的食物來延續我們殘喘的生命。我們中間能力較强的要被强迫着去工作，直到牠們使出了最後一分力氣時爲止。就在我們的價值被利用到最後一剎那，我們所得到的報酬是那殘酷可怕的宰割。英格蘭所有動物年滿一歲時就不知道什麼是快樂？什麼叫悠閒！英格蘭的動物沒有自由。生命對我們動物來說就是不幸，就是奴役，這是多麼淺顯的眞理呀！」

「難道這簡短的片斷就是自然的法則嗎？是因爲我們住着的這塊土地太貧瘠嗎？以致無法供給這裏居民們一種畧微殷實的生活嗎？不！同志們！一千個「不」。英格蘭的土地很肥沃，英格蘭的天氣很溫暖，足以供給比現在居住在這裏更多的動物以更豐盛的食糧。就以我們這個農場來說，它可以供養十二頭馬，廿頭牛，幾百隻羊。而牠們生活的舒適與優越是我們現在難以想像的。那麼，我們又爲什麼會繼續受這種苦呢？只因爲我們勞力的收獲幾乎全部被人類給剝削掉了。這就是我們問題的核心。簡單點說，這個核心就是一字——人。人是我們唯一的敵人。消滅了人，就是永遠剷除了我們饑餓與過度勞苦的根源」。

「人是一種只知消費不會生產的動物。他擠不出牛奶，也生不出蛋來，身體又弱得拉不動犂，跑起來更追不上兔子。但是他竟是動物們的主宰，支使動物去工作，而僅以他們勞苦生產的極少部分給牠們去充饑，不讓牠們餓死，剩下的全部都歸他自己獨吞。用我們勞力犂地，用我們的糞便去肥沃土地，況且我們之中還有許多除了自己的身體供獻勞力外更擁有其他的財產呢？就以在我面前的牛來說吧；你們一年擠出來的牛奶足足有幾千加侖呢？那些牛奶到那兒去啦？用你們產的牛奶足以把你們的小牛餵得壯壯健健的，可是一點一滴都灌進了敵人的喉嚨裏。還有你們這羣母雞，去年一年你們下了多少蛋？其中有多少是用來孵小雞的呢？剩下的蛋又全部被運到市場上去換了錢，爲的是鐘先生與他的家人要花用。克勞芙，你那可以依靠及承歡晚年的四匹小馬呢？牠們僅在一歲的時候就都被賣掉了——你這一輩子也別再想見到牠們啦！想想你一生的勞苦工作，所應得的代價就是這每天一份餓不死的口糧跟那麼一個馬廐嗎？」（二）

冒險犯難記

鄧文儀

蔣先生鑒於淞滬抗日戰爭情勢的緊急，中共匪黨在長江流域的猖狂，以在野之身到達南京中山陵園之際，除了協導上海戰爭及國民黨中央與國民政府遷到洛陽之外，同時卽已開始約集黃埔學生同志，共同研究救亡圖存與民族復興運動的計劃，與復興中國革命的行動和方法，最初參加研商的有賀衷寒、桂永清、康澤、鄧悌、滕傑、周復、蕭贊育、鄧文儀、鄭介民、杜心如、干國助等十餘人研商結果，決定成立發動復興民族運動的革命秘密組織，定名爲三民主義力行社，爲組織的核心；其下設立革命青年同志會，爲青年與軍人的幹部組織；此外，更設立中華復興社，爲革命青年羣衆組織，負責革命行動。力行社設幹事會及檢察會，幹事會組織設書記、組織、訓練、軍事、特務、總務六處，組織十分嚴密，行動十分機密。幹部人選由蔣先生核定；在選拔之前，曾出題目「鐵血救國論」，由各同志作文一篇，以爲考選標準。我會參加各次創立研究會議，并且作文候選，結果核定了幹事十三人，檢查五人，以賀衷寒、康澤、滕傑三人爲常務幹事，滕傑兼任書記，康澤兼任組織處長，我兼任訓練處長（爲期甚短），桂永清任軍事處長，戴笠任特務處長，李國幹任總務處長，周復任檢察會書記。組織於民國二十一年三月一日成立，很快就展開了復興中華民族的運動。我得到機會參加這個運動，感到無限興奮，常思竭智盡忠，以期對挽救國家危亡復興中華民族有所貢獻。

因爲寇已深入，匪正猖狂，國家危急存亡，已到最後關頭，民族復興運動既爲當前迫切的需要，在英明偉大的領袖蔣先生指導之下，這運動很快就展開了，而且發揮出來無比的力量。民族復興運動及當時革命的對象：一爲日本帝國主義軍閥及其培植運用的漢奸和奸商；二爲中國共產黨及其各種外國組織領導份子與同路人；三爲軍閥官僚政客與貪官污吏，力行社與復興社號召全國革命青年參加組織，堅強團結，向着上述三大敵人作堅決無情的戰鬥。

參加組織的革命青年或革命軍人都要下決心，因爲入社入會的時候，就要宣誓爲了力行三民主義，復興中華民族，擁護革命領袖，掃盪一切革命的敵人。誓詞最末幾句是爲達成革命任務，甘任勞怨，不辭犧牲，如違誓言，願受最嚴厲的制裁。參加之後，一切生活行動都要受組織嚴格約束，當時會制定生活條例與紀律條例，以爲約束規範。前者規定要登記財產，幹部同志最高待遇，不得超過二百元一月的生活費用。彼此相約互相監督，嚴肅生活，布衣粗食，行儉居簡，禁戒嫖賭，人人以身作則，轉移風氣，蔚成習俗，這方面的成效十分卓著。（八一）

清室過年誌怪

損餘

中正三刻是皇帝同妃嬪用酒膳的時候，這也是元旦一日中最輕鬆愉快的一個節日。與妃嬪共飲的酒宴，一桌十五品之中菜十五品，涼排骨涼肉一品，折鴨子一品，雞翅乾攬肉丸子一品，五香雞猪肚一品，羅漢麵斤一品，餑餑二品，猪肉餡旗餅一品，青油卷一品。另果子八品——這是乾隆四十三年元旦酒膳菜單。乾隆最喜歡吃蘇州菜，又命蘇州廚役張東官加做熱炒五品：燕窩芙蓉鴨子，蔴酥雞，糟肉，糟筍乾鍋燒鴨子，糖醋鍋渣。

慈禧喜歡吃「糖醋櫻桃」，是張東官的拿手菜。德菱郡主書中對慈禧膳食說是每食有百餘品的事，是錯誤的說法。根據御房檔冊的記載，她的菜單如下：「火鍋二品，羊肉燉豆腐，爐鴨燉白菜。大碗菜品四；燕（窩福）字鍋燒鴨子，燕（窩壽）字白鴨絲，燕窩（年）字紅白鴨子，燕窩（年）字拾錦攢絲。中盌菜四品：燕窩炒燻雞絲，肉絲炒翅子，口磨炒雞片，溜野雞丸子。果子醬，碎溜雞。片盤二品：掛爐鴨子，掛爐猪。餑餑四品：白糖油糕壽意，首烏糕壽意。銀碟小菜四品：燕窩鴨條湯，雞絲麵，老半膳，果子粥。

依照習慣，皇帝大宴時，南府（昇平署）就上來演承應戲。就現藏故宮昇平署崑戈承應戲劇本看，計分節會戲，宴戲，開場戲，壽戲，燈戲，大戲六種。這些劇本，相傳是乾隆命大學士張照等所編，外間罕有傳本。元旦的承應戲最常演的是「歲發四時」，「喜朝五位」。例如「喜朝五位」「開場時男喜神女喜神八方神，侍者各執旗上同唱：

（天下樂）第一韶光，遍人間喜氣洋洋，怎着地咱向地那方。誰個有身心定向，但來西說南來萬邦，可也一般樣。盤旋天運轉，環列皇居莊，合簇杖春。晴薰赤羽聖主正當陽。（衆喜神白）七情最是喜居先，魚喜江湖鳥喜天。皐皐人民逢聖代，欣欣草木入新年。吾等諸方喜神是也。自天列闕逢之序，與世間結歡喜之緣；今者遇三元，時逢四始，吾神向宸居以北拱，偕淑氣而東來，同祝聖壽無疆，長見天顏有喜。普天之下，率土之濱，其乃喜之不盡也。吾神須各歸本位者。

（唱前腔）則見的比屋焚香，換桃符萬戶相當。老人多小兒又長，辭飲屠蘇休讓。梅韻春畫長，喜得個沒安放，都來兩眉尖，常在一心上：：

（衆合唱春從天上來）勾眉抱頸配的等樣長，行來腳步還相彷。笑眼迷離咳笑口到耳根旁。俺十個原來五雙，他們十個是五個兩。若個差排，一繩兒擺雁行：……（喜神白）奇呀！好一個大喜字從天而降，恰好值年歲星迎着吾神而來，定然賭此祥也。（唱）（慶餘）人神歡喜真與量，正元日喜從天降。穩聽取喜起慶歌賡，適共拜颺（下）。

由上一例的戲詞，可知其大概內容，唱詞道白多俗趣，大多是拍皇帝馬屁的歌頌之詞。但求能應景。比較民間戲院只唱些「八百八年」和「六國封相」等吉祥戲，自又要有趣得多了。

譚年畫

周燕謀

三、關於小說的畫：如封神演義、列國、說唐、隋唐演義、楊家將、綠牡丹等。

1封神演義：能征慣戰姜子牙，興兵便把紂王殺，馬到成功回朝日，一統天下屬周家。

2封神都道是眞神，各憑法寶顯奇能，邪魔外道不中用，都被武王一掃清。

四、關於風俗的畫：如莊稼忙、娶親、採桑、插秧、趕集、過會、龍燈、高蹺等。

1莊稼忙：五穀豐登都上場，又把掃帚一家忙，忙完農事人人樂，柴積如山穀滿倉。

2一斗粮食一斗金，人間最苦是農民，豐年全家都溫飽，皇天不負苦心人。

3娶親：人生快樂是新婚，花轎抬來一美人，新娘光美不中用，還要勤儉孝雙親。

五、關於吉祥喜慶的畫：如祭財神，賀新年，鬧元宵，祭祖先，慶豐年，放煙火，發財還家，靠天吃飯等。

1祭財神：家家都要祭財神，求得發財不受憑，要想受貧不必祭，勤儉二字是財神。

2鬧元宵：正月裏，鑼鼓敲，大街之上好熱鬧，飲酒划拳又行令，家家戶戶慶元宵。

3靠天吃飯：這種年畫，都是後邊寫一極大的天字，前面坐一人端着飯碗。其詞道：「人說萬事須靠天，我說自己靠心田，果能勤儉兼行善，你不看天天也喜歡。」

六、關於風景的畫：如山水、勝景、苑囿、西湖十景、黃河樓、滕王閣等。因爲各處風景，大多有題詩，這種畫大半是原詩印上，現作歌謠很少，現僅記得大觀園的一首。其詞云：「人人羨慕大觀園，不知花了多少錢，結果兒孫傳不久，不及田家永綿綿。」

七、滑稽：這種畫很多，如耗子娶親，掏喜雀等。關於小二姐的事情尤多，如小二姐上轎，小二姐變驢，小二姐騎驢等。這種歌謠很多。

1耗子娶親：許多老鼠擁一花轎，途遇一貓。其詞云：「家家耗子鬧的兇，偸吃偸喝成了精，也學人間把親娶，遇見貍貓一場空。」此有譏諷貪官污吏之義。

2掏喜雀：卽一人在樹上掏鳥，其詞云：「這個人，眞是彪，上的樹上掏喜雀，掏了個小的他不要，掏了大的又飛了」。此譏人不知足。

3草虫爬草。是畫一片草花，中有一株草，一虫在上。其詞云：「高高山上有顆麻，一個虫兒往上爬，一爬爬到頂尖上，扭過頭來往下爬。」小曲中也有此，不知孰先孰後。

4小二姐上轎：小二姐，正出來，忽聽鑼鼓響叮咚，提起褲子往外跑，還有半截沒拉淸。這是形容上轎之義。小曲中亦有此。

5小二姐變驢，畫一驢而人頭，這是一小說中故事。其詞云：「小二姑，不賢良，拿起棒槌打婆娘，上方老母看不過，給他個驢皮他披上。」（中）

哀梨室劇談

梨園坤角話從頭

豁公

月梅是毛兒老板最爲得意的門墻桃李，也是他以最低廉之代價，從江北買回來的女性難童。她——月梅——的身世，非但局外人無由探悉，連她自己也不甚了然；但她所具備的聲，色，藝，一樣樣都在水平線上，却爲一般的顧曲周郎所公認。

雖在我（筆者自稱）認識她時，她已是個皺紋滿頰的老徐娘，並也不再登臺；但看她那面部輪廓的均勻，和那水一般能夠說話的眼風，以及婀娜的身材，也可想見她年青時之美麗。

她是兼唱「梆子」，「二簧」，「青衣」，「花旦」的。「皮簧戲」如「彩樓配」，「汾河灣」，「鴻鸞禧」，「祭塔」，「祭江」，「探母回令」，「貴妃醉酒」，「樊江關」，「烏龍院」，「得意緣」等；「梆子戲」如「三疑記」，「送銀燈」，「紅樓閣」，「紫霞宮」，「掃地掛畫「，「青雲下書」，「汴梁圖」，「日月圖」，「打櫻桃」，「陰陽河」，「送花樓會」，「富春樓」，「新安驛」；扮演各種型態之婦女聲容作派，各各不同，却與劇中人一一吻合。哀感頑艷，迴異凡庸。

據說她那精湛的劇藝，她的得意高劉喜奎，約得其十分之七八。而她的親生女金少梅，却祇得到十分之二三。我想這也許是限於天賦及人爲的努力吧。

特別忙得一提的，卽是在月梅扶搖直上躊躇滿志之日，亦卽詠漂梅而思吉士之時；（時月梅二十一歲）多少輕裘肥馬的慘綠少年向她追逐，她都視若無覩，而獨與一個年逾知命之老怪物鄭逆孝胥賦同居之愛；（鄭逆在淸季做什麼官？筆者久已忘却，好像是某部侍郎，後爲宣統太傅，與張勳、康有爲等，鬧過「復辟」的趣劇，以後又做過僞滿「總理大臣。）卜尸於南池子，雙宿雙飛有數年之久，少梅就是在那時期產生的！

也不知以何原因，鄭逆竟不承認少梅是他的女兒；因之少梅便隨她母親，姓金而不姓鄭。

少梅的戲，是她的母親月梅親自教的；造詣雖遠不如乃母之精湛之，但也不失爲庸中佼佼之坤角。

民國十三四年間，她在北平「城南遊藝園」獻技，「戲碼兒」排在「中軸」，人們對她並不怎樣的重視。後來也不知爲了什麼？竟爲一個以舊式武夫附庸風雅，多財善賈之捧角家李某所賞識，拼命的爲她捧場，並在某次遊滬時，以一千元之代價向跑宮女的小尤，秘密得筆者爲「天蟾舞臺」所編「香妃恨」劇本，交給金少梅排演。這齣戲一經演出，居然排日客滿座無餘隙，少梅就此大紅而特紅。（關於此事之經過，筆者曾在他報，寫過一篇「談香妃恨」的散文，茲不更贅）但李某還不滿足，特地聯合「金迷」（金少梅迷）及各報記者，開了一次「菊榜」冊封少梅爲「文艷親王」。事屬遊戲，原也無庸深責；然而少梅之聲價，已因此特別提高了。（四）

試談紅樓夢問題

匡繆

第三派以爲「紅樓夢」記是納蘭德臣之事，此有三人主說。陳康祺之「郎潛紀聞二筆」（卽「燕下鄉脞錄」）云：小說紅樓夢一書，卽記故相明珠家事；金釵十二，皆納蘭侍衛（成德官衛）所奉爲上客者也。寶釵影高澹人，妙玉卽影西溟（姜宸英）也。俞樾「小浮梅閒話」云：「紅樓夢」一書，世傳明珠之子而作。明珠之子名成德，字容若。通志堂經解每一種有納蘭成德容若敍，卽其人也。恭讀乾隆五十一年二月二十九日上諭：「成德於康熙十一年壬子科中式舉人，十二年癸丑中式進士，年甫十六歲。」然則其中舉人止十五歲，於書所述頗合也。又錢靜方「紅樓夢考」，則爲以上二說張目，錢氏云：是書（紅樓夢）力寫寶黛癡情。黛玉不知所指何人。寶玉固全書之主人翁，卽納蘭侍御也。使侍御而非深於情者，則焉得有此倩影少余讀「飲水詞鈔」，不獨於賓從間得訴合之懽，而尤於閨房內致纏綿之意。卽黛玉葬花一段，亦從其詞中脫御而出。這黛玉雖影射他人，亦實影侍御之德也。

第四派民族血淚說，潘重規氏在「民族血淚鑄成的紅樓夢」文中，由第一回題詩「滿紙荒唐言，誰解其中味」，認爲是作者反淸復明的民族血淚。李辰冬氏提出十二點意見，指其附會太多，殊難置信。

第五派是作者生平本人說，此爲胡適之多年考證之主張，至今尚無人推翻其說者。胡氏之根據是「隨園詩話」：「其子雪芹撰紅樓夢一書，備記風月繁華之盛，中有所謂大觀園者，卽余之隨園也。」胡氏的結論是：紅樓夢一書是曹雪芹破家後在貧困中作的。做書的年代約當乾隆初年到三十年左右，書未完而死：……這是一部隱去眞事的敍，裏面甄假賈兩寶玉，卽是曹雪芹自己的化身，甄賈兩府卽是曹家的影子。

第六派主張：紅樓夢乃寫康熙末允　諸人奪嫡事畧近第二說。主此說，不知何人，見「淸朝野史大觀」所引，謂林、薛二人之爭寶玉，卽康熙諸子奪嫡，原文云：寶玉非人，寓言玉璽耳，著者故明言一塊頑石矣。黛玉之名，取黛字下半之黑字，與玉字相合，而去其四點，明明「代理」兩字，代理者，代理親之名詞也。（五）

自由報

THE FREE NEWS

第五二零期

內僑警台報字第〇三壹號內銷證

中華民國僑務委員會頒發
台教新字第三二三號登記證
中華郵政台字第一二一二號執照
登記爲第一類新聞紙類
（本週刊每星期三、六出版）
每份港幣壹角
台灣零售價新台幣貳元
社長：雷嘯岑
督印人：黃行審
社址：香港銅鑼灣高士威道二十號四樓
20 CAUSEWAY RD 3RD FL
HONG KONG
TEL. 771726 電報掛號：7191
承印者：田風印刷廠
地址：香港灣仔高士打道一二一號
台灣分社
台北市西寧南路壹壹零號二樓
電話：三〇三四六
台郵撥儲金戶九二五二

本報啓事

二月六日應出版之本報，以適逢春節，印刷所工友放假，迫不獲已，休刊一期。敬希亮詧。此啓。

定什麼分？止什麼爭？（上）

——强制執行法拍賣效果的商榷

段宏俊

人類共同的生活規範，最具有拘束力的就是法律。因爲人既不能離羣獨居，人與人之間各種關係的發生，勢必不能避免，共同社會生活的形成，也就是這個道理；爲了維持社會共同生活的安全和秩序，法律也就因此而形成了。廣義的社會規範，包括法律、命令、習慣、禮儀、道德；狹義的社會規範就單指成文法而言。德國法學大家耶林曾經說過這麼一句話：

「法律是社會生活的要件。」

中國的荀子，也曾經這樣說過：

「禮起於何也？人生而有欲，欲而不能，則不能無求；求而無度量分界，則不能不爭；爭則亂，亂則窮。先王惡其亂也，故制禮儀以分之，以養人之欲，給人之求；使欲必不窮乎物，物必不屈於欲，兩者相持而長，是禮之所起也。」

由這些話看來，不管是廣義的社會規範也好，狹義的社會規範也好，它最大的功用就是維持社會秩序，也就是荀子所說的「定分止爭」。因爲人的欲望是無窮盡的，如果不設法定其分界，權利義務的關係就難以確定，社會生活也就不能維持了。因此法律是社會生活不可缺少的東西，離開了社會，法律也就不能存在了。除非像魯濱遜飄流海島的日子，法律當然無英雄用武之地；否則我們很難想像，一個沒有法律的社會，究竟是個什麼樣子。

法律既然是人類社會生活不可或缺的工具，那麼一切社會中的分子，都應該守法，一切行爲都應當以法律爲依據，而法律也必須負起「定分止爭」的責任，否則法律就跟社會的正義，衡平的觀念相違背了。這樣的法律，不僅不能維持社會的安定，也根本失去其爲法律的價值，不僅不能發揮其規範社會生活的作用，而且根本阻碍了社會生活的正常發展。這樣的法律也就是我的朋友陸嘯釗先生所謂的「惡法」。

所謂正義衡平，看起來非常抽象，其實就是人同此心，心同此理的觀念。這一種心和這一種理，是發乎理智的，而不是出乎情感的，是合乎邏輯的，而不是根據直覺的，是一種客觀的評價，而不是種主觀的判斷。

不過光是有一種好法律，並不能保障社會秩序的安寧，還需要執行法律的人公平無私，更需要執行法律的人對法律精神有一種眞正的認識。祇有在這種情形之下，才能建立眞正的法治，才能使人民對法律產生眞正的信心，而法官才能負起「定分止爭」的責任，法院才配稱作「正義的殿堂」。

今天，我要提出一個司法界的怪現象，這個怪現象的形成，包括了對法律的認識和觀念上的偏差。我們知道一般私法上的拍賣和買賣，一手交錢一手交貨，根本不會發生什麼問題，但是我國法院却有拍賣不動產，只管收取價金，而不能使繳足價金的買主取得所有權的怪事。這實在是有失公平正義的事，值得我們研究。

這一個怪現象，並不自今日始，從民國二十九年元月十九日公布施行「强制執行法」以後，就一直存在着這樁怪事，可是既沒有人提出這個問題，也沒有人申請大法官會議解釋，立法當局更不加過問，結果遂使一切依據强制執行法繳足價款而不能取得所有權的買主哭笑不得，而法院的尊嚴和國家的威信，也就因此大打折扣了。

造成這個事實的眞正病根，是最高法院卅二年的決議案，這個決議案有如下的記載：

「强制執行法之拍賣，應依通說認爲買賣之一種，（參照强制執行法第六九條第一一三條），並認債務人爲出賣人，甲乙基於對丙之執行名義，聲請執行，誤認戊之不動產爲丙所有，拍賣於丁，由戊訴經確定判決，命丁返還者，丙雖於拍賣時確信該不動產爲伊所有，亦並負民法第三百四十九條之担保責任。丁自得依民法第三百五十三條對丙行使其權利。至丙無資力時，民法既未如外國立法例，就此設有特別規定，丁即不得以此爲理由，請求甲乙返還價金。」

照這一個決議案的解釋，强制執行法上的拍賣，是私法上買賣的一種，出賣人是債務人，而不是法院。我們再就前引決議案實例而言，甲乙本執行名義，誤認戊之不動產爲丙所有，拍賣與丁，出賣人既然是債務人丙，所以應該由丙來負責，丙雖然在拍賣時，確信該不動產爲他所有，也應負民法第三百四十九條：「出賣人應担保第三人就買賣之標的物，對於買受人不得主張任何權利」的担保責任。丁祇得依據民法第三百五十三條：「出賣人不履行第三百四十八條至第三百五十一條所定之義務者，買受人得依關於債務不履行之規定，行使其權利。」也就是對丙行使其權利，並不不能請求甲乙返還價金。

首先，我們要問，最高法院有沒有權作成這一個決議案？這一個決議案的效力，究竟怎樣？

我們知道，凡是對法律的意見有所爭議的話，依照我國的憲法規定，祇有大法官會議有權作如此的解釋。最高法院不能也不應該取大法官會議的解釋而代之。憲法第七十九條第二項規定得非常明白，如果說最高法院的決議案，祇是作爲該院判案的準繩，這一種決議案本身還是違法的，因爲憲法第八十條規定：

「法官須超出黨派以外，依據法律獨立審判，不受任何干涉。」

這不僅指黨派的干涉，行政的干涉，同樣也包括司法的干涉在內。根據這個說法，最高法院的決議案，根本不發生任何效力，我們大可不必加以重視。

可是事實上究竟如何呢？這個決議案，由於是最高法院決定的，下級法院縱然有相反的意見，也必被最高法院推翻，因此樂得奉爲金科玉律。

今日與明日

布隆迪與毛共絕交

東非小國布隆迪突然宣佈與毛共停止外交關係，派兵包圍毛共「大使館」，勒令毛共外交人員離境，此事眞象尚未見西方報紙報導，但是可以想見是爲布隆迪首相被刺殺的事。

布隆迪是東非小國，既小又窮，與盧安達同爲比利時屬地，於一九六三年獲得獨立。獨立後，盧安達搶先與中國建交，布隆迪政府最初也打算同中國建交，後因與盧安達兩國世仇，不願走同一方向，毛共遂乘虛而入，以金錢賄賂當朝政客，換得承認，一九六四年又邀布隆迪王后到北平、上海觀光，極盡拉攏之能事，從此，布隆迪就變成毛共在東非根據地，重要官員及在野政客、黨棍、文化流氓，皆按月去毛共「大使」館領津貼，成爲當地公開秘密。

毛共收買了布隆迪當政人員之後，肆無忌憚地將軍火假道布隆迪運入剛果，甚至以布隆迪作爲滲透東非各國的策源地，最近一年來，東非各國皆曾發生叛亂，追查來源皆與布隆迪有關，鄰近之坦克尼加；烏干達、肯亞等國均向布隆迪國王提出忠告，勸其注意內政，不要把布隆迪變成古巴。

布隆迪國王上月下令免除原任首相職務，改組內閣，現任首相是被公認的親西方人物，就職伊始，開始對毛共的滲透行動下令禁止，强調保持嚴格中立，不意因此肇下殺身之禍。最近其夫人分娩，去醫院探視夫人，出院時被人在背後開槍擊死。

兇手當場被捕，毛共報紙賊心胆虛，一齊指該兇手爲美國大使館僱員，企圖嫁禍於美國。不知兇手被捕後供出眞象，前首相及現內閣交通部長均被捕，進一步供出係毛共主使暗殺，布國警察當局下令包圍毛共使館，外交部正式聲明停止邦交，不久定會將全部經過公佈，對於一些非洲親毛國家，將爲暮鼓晨鐘。

馬來西亞清除內奸

馬來西亞政府最近逮捕了幾名與印尼合作的政客，其中有一人且是星加坡元首之弟，竟企圖組織流亡政府。

馬來西亞與印尼之爭，目前實際演變成爲自由世界對毛共的鬥爭，馬來西亞要反印尼必先反共，只要沒有內奸是不怕外寇的。

可是馬來西亞對於反共仍然瞻前顧後，不太澈底，這只有給毛共以可乘之機。願馬來西亞當局認清大勢，與東南亞反共國家團結起來！（如何）

自由談

談紀念節

馬五先生

世界各國中，論紀念節日之多，咱們中華民國眞不愧爲首屈一指的先進之邦了。

每年除却雙十節國慶紀念而外，這樣那樣的紀念節，數之不盡，記之不清，報紙上幾乎隔不上多少時候，就有某項紀念節的集會紀錄和文章刊出，冠冕堂皇，像煞有介事，而其情狀則千篇一律，總不外乎請中朝大官蒞會講演，或請最高行政當局頒發訓詞，申述該一紀念節的意義如何重大；然後由參加紀念會的人士，決議向總統暨三軍將士致敬，通過一些很好看的議案，送到各家報紙上刊載出來，如是而已。

所謂某某紀念節這類玩藝，如果搞得太多，首先就顯示着國家的政事文物尚未上軌道，所以要特別宣傳，其次是構成形式主義，等於虛應故事。及其弊也，紀念節的儀式儘管舉行，文告宣言儘管製發，在社會大衆的心目中，並不發生影響，即身歷其境，躬預其役的個中人，亦把它看成是例行公事，敷衍一番便了。

在許許多多的節日之中，最無意思的乃莫過於「詩人節」了。好好的端陽節，民俗相沿，家家懸掛蒲艾，飲純磺酒，吃糉子，加上龍舟競渡，節目豐富，意義深長，雖孩提之童，亦知道這是怎末回事，認爲值得紀念的。無端改稱爲詩人節，分明是大衆化的佳節良辰，竟變成了少數人孤芳自賞的日子，何苦來哉！再說詩人與端陽節亦沒有甚末深切的關係，屈原並非詩人，就其著作而論，他可稱爲文學家，詩詞歌賦不過是文學中之一環，怎好將紀念三閭大夫的端陽節屬於詩人所有呢？

任何事情如果趨於形式主義，即不會產生實際作用。在承平盛世，人們感覺不作無益之事，難遣有涯之生，多弄些生活花樣，藉以消磨時間，未嘗不可。像現時這末多的紀念節，多半流於形式主義，似非所宜，我認爲沒有必要也。

自我犧牲的一舉

毛酋：「這副適合嗎？」

台省金融機關亟待杜絕浪費

本報台灣中部記者　熊徵宇

前幾天，台灣省議會審查省屬各金融事業機關五十四年度的預算時，財政小組會經提出幾點具體的意見，指出各行庫亟待改革的一些問題。

那些意見，對於各金融機關的營運不當，浪費公帑，以及諸多有偏差的事體，有其扼要的說明。

那些意見，還沒有見諸台灣的報端，我想值得談談，藉以了解省屬各金融機關的營運情形。

營業費用大　盈餘額減少

省議會財政審查委員會，在審查意見中指出：

1五十四年度省屬各金融機關預算，由於政府採行低利政策，促進增產發展經濟建設事業；而另一方面，在於追求供應充裕生產資金，鼓勵民間儲蓄吸收存款，並且為了顧及優利存款者的生活，是以存款利息，并沒有按照貸款的利率降低，於是利息收支差，幅度逐漸縮小。

而各行庫年來的營業與營運量質雖有增加，但是營業費用的支出亦隨之增多，所以不能抵銷利息收支差益減少的壓力。因之五十四年度各行庫的盈餘減少頗鉅。

在這種情形之下，各行庫亟需謀求開源節流，保持紅利的平衡。

但是各行庫，並沒有採取正當的途徑去發展業務，反而不惜耗費鉅資修飾門面；行員的待遇以及事務費等，竟競相增列，多形浪費。省政府若不責令各行庫嚴格控制，對於繳庫的損失很大。

顧問何多　車馬費大

2聘僱人員的給與，顯得很不合理。各行庫聘僱人員給與中，聘任退除役將官為顧問的車馬費，所佔的數目，至為可觀。功在國家的將官，退除役後，國家給予相當的名祿固然應該，但是安插於省營事業機關中，則有不妥。政府應該依照省議會屢次的建議，易由政府統一合併於行政預算，藉以維持預算制度的健全。

交際費　開支濫

3各行庫交際費之編列，雖然經省政府依照省議會的決議，按全年營業收入千分之八編列，但是只有台灣銀行符合標準，其他各行庫，都編列得超出規定，失之浪費。

而各行庫會費的標準與內容，也都不一致。政府應該統一規定，責令各行庫於編列預算時，將會費的內容說明，以求明析。

合會公司　巧立名目

省議會財政審查委員會，特別提出台灣省合會公司預算，說明各行庫的浪費情形，並且大量的予以削減。

省議會認為該合會所列：1雜費二百七十萬。2交際費二百六十萬。3消耗費二百七十萬。4膳費一千三百萬。都是巧立名目浪費不法的，曾予大量削減。

該合會這種預算，是省屬七行庫中最突出的，雖然該合會公司總經理馬君助曾至議會列席說明，但省議會不能滿意。省議員們說：「合會公司的員工，總數有一千二百人，而所列的膳費一千三百萬元，平均每人每年膳費一萬一千多元，比較一般銀行職員的膳費，要多出一倍。」

像這種預算的編制，只是一個例子，還有許多不合理的預算，實在不勝枚舉。

台灣銀行、土地銀行、第一銀行、華南銀行、彰化銀行、所編列投資於台灣電視公司之預算，已被省議會否決，易以貸款方式，充該公司之營運資金。

省議會指出：各行庫對於資金之轉投資，應視社會之需要以及本身營利之目的而決定。而電視公司設立以來，經營欠善，迄無股息與紅利。當茲社會游資充斥之際，電視公司增資時，應行公開募股，而以台銀等五金融單位，投資於此一民營公司，殊為失當。

因此台銀所列四、二〇〇、〇〇〇元；土地、華南、第一、彰化四銀行各列二、〇〇〇、〇〇〇元轉投資之資金，暫按貸款方式作為該公司之營運資金。

如政府認為電視事業必需由政府投資時，該電視公司應改為省營事業，而期由政府予以監督，改善其經營方針，候基礎穩固後，立即開放民營。

黃季陸去職經緯

（本報台北通訊）這次行政院部改組，教育部長黃季陸之去職，殊出意外。蓋黃氏正揭櫫兩項新政——初中免試升學，發展科學教育——興緻勃勃，并無去之意念也。

據聞：黃氏下台的最大原因，是跟立法院教育委員會閙得太僵了。過去在立法院會議中，為着教育部處理某一中學校的人事問題，黃氏與立法委員吳延環唇槍舌劍，戰了多次，情形很惡化，吳立委幾乎每會必向黃部長開砲質詢，勢成水火，由政府的是非得失檢討，變質為個人的恩怨好惡相尋，未免不成體統。最近立法院復會後，吳立委曾赴行政院要求調閱某次院會的紀錄，初時行政院主管人員認為立法委員并無調閱行政機關案卷的法定職責，表示困難；繼而吳委員聲明決不查閱院會詳細紀錄，只看看某次院會中的出席者簽名人數就行了，主管人員恍於立法委員的情面，纔好通融照辦。吳立委為甚末要查閱行政院某次會議中的簽到人數呢？目的是在找尋攻擊黃部長的資料。原來黃部長曾經帶同一名教育部職員到外埠出差，領了兩個人預定出差幾天的旅費，而黃部長為着參加行政院會議提前回到台北來了，但旅費依然按照預定的出差日期報銷。因此，吳立委認為這是黃部長浮報出差旅費的不法行為，準備在立法院提出質詢，藉以窘辱黃氏。這問題雖然不大，但對黃部長的面子確有損傷。行政院副院長余井塘聞悉此情，會向吳立委極力疏解，希望他不為已甚，然吳、黃二人之間積怨已深，不易和解，立法委員本其法定的質詢權，每會雞毛蒜皮式的事情，亦不能說是不應該問的，有問又不能不答，在問答之間，由於彼此感情破裂之故，自難免不逸出理性範圍以外，長此對立尋釁，實在太不成話。黃氏在担任教育部長期間，搆想甚多，計劃亦不少，但事實上鮮有表現，而他常常在刊物上寫文章，紀述過去隨從國父革命的各種史事，有人就笑他何不把寫文章的精神用在政務上呢？就黃氏在國民黨的歷史而言，允屬「資深」的人物，然亦因此而招致他人的求全之毀，加以教育部內的職員們，有些人對黃部長的觀感亦欠佳，教育部對外并不發表的事情，常常洩漏出去，黃氏為此曾大發過脾氣。積此數項因素，黃氏乃告掛冠了。

因黃氏掛冠而影響到另一人事問題，即國民黨中央黨部設計委員會主任委員一席，原任賀衷寒辭職，已內定胡健中繼任，嗣以黃氏卸去教育部長後，不能不有所安置，臨時改以黃氏担任中央黨部設計委員會主委，俾展其平日搆想多多計劃多的天才，而使胡健中移充中央影片公司董事長了。這兩種人事安排，一般人認為很合理，因為黃季陸擅長搆想設計，胡健中素能肆應周旋，在那複雜、微妙的中影公司中，有胡氏作董事長，或許可以促進業務之順利推進也。（元月廿二日遣士於台北）

所爭雖不大．為事却罕見
勝訴人控法官案始末

（本報記者屏東航訊）花蓮市民林儀成因房地買賣，與本市曾煥鋼發生糾訟，案經上訴三審及再審之訴後，為最高法院及台灣高等法院先後判決駁回（原告林儀成勝訴）。然林儀成不服台灣高等法院之判令，而先後向監察院、台北地方法院、台灣高等法院、司法行政部狀控合議庭長吳樹立（現任屏東地方法院院長）瀆職。在台省，因案敗訴者控司法官吏者，雖時有所聞，而本案屬勝訴人控司法官，確實很難見了。

緣林儀成於民國四十七年五月八日，將其所有坐落花蓮市中華路第二十七號左邊木造蓋亞鉛板店屋一幢，連同基地等一併出售與曾煥鋼，因地少賣多及未辦理所有權移轉登記，經曾煥鋼提起民事訴訟，案經花蓮地方法院判決，命林儀成辦理所有權移轉登記與曾煥鋼。然當事人林儀成不服，提起上訴，由台灣高等法院民事庭於五十年十月卅一日判決，除將第一審判決不當之部份予以廢棄外（按該房地買賣時係八台尺濶，事後據花蓮地政事務所再度勘測函復，該房建地面積確屬七台尺八），其餘上訴駁回（因判令係按七台尺八分割，辦理所有權移轉登記，故屬上訴人勝訴）。然上訴人仍不服，提起上訴三審及再審之訴，惟均經先後駁回，本案遂告確定。

林儀成對該勝訴之建地分割辦理所有權移轉登記之判決，居然表示不服，而他不控地院承辦推事，或最高法院，又不控台灣高等法院承辦推事伍伯英（現任職花蓮地方法院庭長），而單於民國五十一年春向監察院控台灣高等法院民事庭合議庭長吳樹立瀆職。此案由監委郝遇林調查。吳樹立當時亦未將責任推卸給推事伍伯英，或劉慧琳（現任台灣高等法院庭長），即撰答辯狀呈郝委員。經監察院調查後，認為吳樹立并無瀆職之嫌。

然林儀成仍未甘服，乃於五十二年向台北地方法院檢察處具狀控告。

據檢察官吳恒順在處分書中指出：「按刑法第一二四條之枉法裁判罪，須為有審判職務之公務員於當事人在法律上有利或不利之點，故意違背法律，對於應予以有利或不利之裁判而不予之，不應予以有利或不利之裁判而予之者，始足構成。本件告訴人指被告（吳樹立）涉有枉法裁判罪嫌，無非謂渠前於民國四十九年與曾煥鋼間所有權移轉登記事件，在台灣高等法院審理時，已提出其四十八年四月六日第一四九號及同年五月四日第一七一號郵局存證信函二件，以證明其主張早願履行所有權移轉登記之事實為眞實，被告身為合議庭之審判長，對此證據竟漏未斟酌，并於判決書理由欄內記載『所謂上訴人（即告訴人）主張其早願履行所有權移轉登記……未據提出任何證據』等字句為論據。就其所訴事實而言，被告之漏未斟酌其所提證據，是否出於故意已屬無從證明，矧查告訴人在該件民事訴訟中為訟爭房地之出賣人，依民法第三八四條第一項之規定，有辦理所有權移轉登記義務，縱告訴人果曾以上開兩函向曾煥鋼表示其願就出賣之房地辦理所有權移轉登記，并確曾請于限期內會同辦理，究極第能解釋為告訴人已實行提出給付，而對造受領遲延而已。夫債權人之受領遲延，依法雖生種種不利之效果，但未至債務人得免除給付義務之程度。告訴人之移轉登記義務既未免除，則被告駁回其此部份之上訴，判令告訴人得實際出賣部份辦理移轉登記；同時因告訴人聲明求為判決駁回對造在第一審之訴為無理由，其命負担大部份之訴訟費用，委無不當之處。參以告訴人第三審上訴及再審之訴為最高法院及台灣高等法院先後判決駁回等卷證，被告未因未審酌告訴人提出之書證而導致枉法之裁判，彰然甚明。至告訴人所稱原判決既云『上開房屋迄未辦理分割』，又云『本院函囑花蓮地政事務所再度勘測所爭建地面積，據其函復……經分筆（即分割）登記完畢』，為自相矛盾一節；經查該項訟爭土地，雖早經花蓮地政事務所為分筆登記完畢，但仍為告訴人之名義，依民法第七五八條規定，仍須辦理分割移轉登記與買受人始生所有權移轉登記之效力，二者亦無自相矛盾之處。揆諸首開說明，被告之犯罪嫌疑不足，合依刑事訴訟法第二三一條第十款處分不起訴」。（上）

嘉義市代表會
正副主席選出

（本報嘉義航訊）嘉義市第六屆市民代表，於五三年十二月廿日在緊鑼密鼓聲中分別投票順利選出四十六位，代表會已於本年元月廿五日成立，并選舉正副主席，結果以蔡老首、林紀元二位代表當選為正副主席。

第六屆第一次大會由蔡老首主持，市長方輝龍率領各室主管出席大會報告并應詢。方市長在施政總報告時稱：民主政治是雙軌的，一面要宏揚法治，另一面要提高文化和道德水準。惟有崇尚法治，革新政治才能步入正軌，社會才能走向繁榮和[illegible]二項重要措施：（一）充實基層組織，發揮高度服務精神。里是市公所基層組織，里的健全與否會影響到市政推行。他并對市公所各主管指示說：今後對里辦公處不僅要密切連繫，并應適切指導，尊重其職權。原有集中里辦公處之每一里幹事，應回到自己里內切切實實做到親民便民工作。（二）加強整頓財政達到收支平衡。歷年市公所預算比照一般鄉鎮標準編列，故執行上常感不敷應用，實為推行市政一大致命傷。方市長因蘇案前車之鑒，故指示財政部門注意清理舊欠稅，另一面指示主計室，嚴格審核預算，執行預算控制一切不必要開支，在整個行政、財政方面已樹立了完善的制度。（蔣蠡民）

開闢新天地—創新道統

論道統第二章

陳健夫

宇宙萬般，皆須自強不息，新陳代謝，才可以日日新，又日新，月新月異，猛進無疆。若鬆懈怠惰一刻，便將落伍守舊，故步自封。自個人至國家社會，一切文化現象，凡落伍守舊的必定被淘汰，消滅，凡進步日新的必定站在前鋒領頭。中國古老文化，雖歷數千年而不衰退的原因，即是由於中國文化的本質上具有這種與時俱進的進步精神，實在的，中國文化是一種不甘落伍的文化。

「今後中國新文化的主要成分，一方面是發揚固有的德性，建樹一種新道德標準，提高人的價值，培養人的德性。而不僅僅在表面上，高唱仁義道德之說，必須將一切新道德觀念灌注到人們的生活與思想之中，表現在日常的政治經濟社會各種活動上。這種新道德觀念不僅成爲各個人私生活的準則，而且成爲公衆的社會規範。無論家庭或社會都自自然然的發揮着道德作用，道德不使人成爲奴隸或機械而在提高人的風格，陶冶人的性情。人類有了良好的德性。必然向理性發展，而尋求一個安身立命之處。所以新文化必須有德性成份，其目的即在使人獲有心安理得的歸宿，指引人有個安樂的去處。人不再視人世爲畏途，不再感人生爲痛苦。這便是文化的超脫力量。」

新文化不僅有德性的成份，而且還應有智慧的成份。新文化必須培養人的智慧，發展科學，使人類能憑籍其智慧以改善生活，改變環境，甚至改變整個世界。人類由此享有豐滿的生活，不再受物質缺乏，生活貧窮的痛苦。但勿忘，不論科學如何進步，物質如何豐滿，不可違背德性的要求，尤其不可使人喪失人性，成爲文明的奴隸。

中國文化在德性成份上自有其深厚基礎，但仍須重大改變，才能成爲新道德。至於智慧成分，則不免落後。無可諱言，中國文明在現代科學文明方面是太落伍了。所以今後新文化的建設必須加速科學的發展，使中國成爲現代科學文明的國家。今後中國新文化必須循着這兩個方向，同時幷進，才可成爲現代完美的文化，進而成爲新世界文化的主流。

這樣的新文化建設自然須要國家的力量來培植；但更須要在社會生根，從社會中廣佈種籽。新文化不可能完全由於政治號召而成功。而是必須發展社會的力量集中以赴，才會有所成長。任何偉大文化的根據在全體社會，在各個人心；而不在少數人權威之手。」

六、不因襲，不盲從，開新天地！

新儒學更對中國舊道統之未能發揚光大加之說明；

「論到中國的思想界，當春秋戰國時代曾放異彩，出現了許多大思想家。但自秦以後，學者一直在專制暴君統制之下，毫無思想自由，大思想家即甚少出現。唐宋兩朝學者輩出，但前者以文學爲盛，後者以理學爲歸。韓柳歐蘇等八大家的文學，誠然是極一時之盛，但在思想界却無特殊貢獻。自宋明而後，有周濂溪，邵康節，張橫渠，二程子，朱子，陸象山，王陽明諸大儒，創立理學，輝煌騰達，但這種理學仍不脫儒家正統，而滲入了一些道家佛家的思想，說來說去，不離大學中庸幾句話，此外甚少發現新思想，新學術，幷未能別開生面，創立一種新儒家學說。這種哲學思想，着重在理氣心性的修持，談到修齊治平的學問，不能脫離儒家的倫理道德的老套，甚少新義。這種哲學可說是一種保守性的人生哲學，是以農業社會爲背景的學說，關於宇宙法則，社會思想，則很少有所發現。因爲哲學思想之不夠開闊進步，便形成了一種保守性大而進步性小的中國文化。可見得中國文化在思想方面實在有這樣重大的缺點，我們不應不加以反省。今後的歷史，應有不因襲不盲從而別開新思想途徑的偉大的思想家出現，中國文化方有新的改變與進步之可能。必須有這種偉大的新思想出現，才可以阻止今日共產主義及將來任何時代的荒謬邪說的陷溺人心，危害世界」。（本章完）

漢文，漢字，漢學

陳曼卿

王次仲善隸書，始作「八分」。疑其即是爲「隸體」八分，創簡筆或「正楷」之新猷的始作俑者。迨至漢武崇儒，「小學」勃興，人民方始接近文字。相如「凡將」，或爲滙集「秦篆」三家遺作。殆爲廟堂文字（尚古之風）無疑，抑以別於暴秦文字的一種怨棄行爲。終漢已無可考，文體亦不復存。（或因存於秘府，燬於赤眉，見後說）

昭，宣，元，成，四代，以迄於西漢之終（元前一世紀），帝闕尚文，人懷自勵。史游「急就」，李長「元尚」，揚雄「訓纂」，皆　頡（指秦相李斯作）之中正字體　爲此際上下通行的復古文字範本。

當其時，學尚壁書（古文），流風所及，文字形體的複雜，實莫過於此時了。諸如：「古文、奇字（元、虞集謂凡七十餘體）篆書，隸書，繆書（摹印章）、蟲書（書幡信）等六體。」謂皆爲漢代以前的文字體式。

漢書：「太史試學童，能諷九千字以上，乃得爲史（吏）……又以六體試之，最課者（前數名），以爲尚書，御史。史，書，令，史。」似皆指此一時期之事。如照藝文志所載：「蕭何草律，亦著其法」而云然。我們試參看史、漢、儒林傳，武帝時丞相公孫弘奏議：「臣、謹案：詔書律令下者，明天人分際，通古今之誼。……恩施甚美。小吏淺聞，弗能究宜，無以明布」的這種說法，和實際情形。而是那批小吏都看不懂，所指的當然不僅是內容，而也包括了「文體」書法在內的啊。

兩漢簡牘，諸如一九三〇（民十九）年，西北科學考察團在額濟納河流域，黑城附近，所得木簡萬餘枚。以及晚近出土的居延（內蒙區域）漢簡，經專家多次整理，已編號者有「二五五五」條，全是「隸體」的簡寫。據考釋者報導，自漢武帝太初三年（元前一〇二）至東漢光武建武七年（公元三一），歷百卅餘載的邊區檔案，可以說集當時「八分」之大成。再則，晚近出土的：「霍去病碑」，也有隸書決，所以說，當時的篆體文字，不是一班粗識文字的人，和高，惠，文，景，時代的小官小吏們所能盡習。兼之書寫工具，也未發展到盡善和普遍的階段，「蕭何草律……」疑其爲後人增入，有待詳考。

宣帝（詢）時，「書法」與「學藝」兩事，漸尚古文「字」。奈因「倉頡多古字，俗師失其讀」。乃「徵齊人能正讀者，張敞（京兆）從受之」。實緣西漢末年，樣樣法古，文「字」亦不例外的原故。當其時，以「僞古」而顯達富貴的人，所在多有（如「易」之孟喜改師法，「書」之泰誓，李氏獻「周官」等）且爲漢初以來，屢見不鮮的事例。蓋亦勢所必然，我們再看：（十）

弔岳武穆詩詞輯萃

李仲侯

天意終亡宋，公生與檜逢。有心歸二帝，無計悟高宗。蓮幕陽持議，龍沙自舉烽。切灰三字裏，碧血淬芙蓉。

百戰英雄骨，東窗笑語中。繡旗恩未斷，丸臘間先通。鐵像行人唾，王封史筆公。我來瞻廟貌，洒淚拜孤忠。（周詩）

將軍埋骨處，過客式英風。北伐生前烈，南枝死後忠。山河戎馬異，涕泣古今同。悽斷封邱草，蒼蒼落照中。（邵長衡）

馬角憐淵聖，龜茲足紹興。君王無遠畧，大將亦何能。入仕旗閃，屯雲古木層。年年祠畔水，嗚咽繞西陵。

今古含冤地，孤臣舊死忠。已成三字獄，竟廢十年功。六陵殘毀後，泉壤泣英雄。

大將廻戈日，中原陷敵時。朝廷輸幣帛，父老望威儀。天意竟如此，神靈儼在茲。千秋見孤憤，認取向南枝。（沈德潛）

中興全仗岳家軍，旗賜精忠御製文。目斷兩宮豺虎穴，氣吞千里犬羊羣。朱仙日慘南來詔，紫塞煙消北伐勛。垂柳多情悲宋事，幾枝斜日鳥愁雲。

中原戎馬任長驅，海國帆檣運已徂。丙子金輿留朔漠，南枝愁結何人省，將軍玉骨寄西湖。義士，故里魂歸只鳥呼。河水豈因鵰革怒，至今風淚撼梁都。（楊應中）

河北荒城鄂國祠，故鄉魂魄定棲遲。盡忠日月公肝膽，弔古西風我涕。十載拮据功竟廢，二靈哀怨返無期。凜然生氣存顏色，猶似含顰待詔時。（郭倡）

蕩陰雲樹隔棲霞，此地全非趙宋家。至竟鄉存先壟樹，依然庭鮮北枝花。禍防養虎謀眞酷，軍已摧山氣不譁。四字血痕三字獄，論功論罪總堪嗟。

躍馬南還帝宅成，廟堂元未惜長城。神奸早構和戎策，詔使虛爲奉輦行。刃有心憐義士，叫閽無路泣書生。魏公祠廟扮榆近，慷慨應同地下情。

松杉六月影蕭蕭，望祭衣冠賦大招。落日魂依侍中血，長城氣挾伍胥潮。一堂孝義英靈共，千載鄉閭肸響昭。肅拜靈祠經兩度，表忠天語式臣僚。（吳鴻）

孤城落日雨初收，遺廟蕭條野水流。半世功名羞絕塞，千秋怨恨泣神州。長天遠繫黃龍夢，皎日難消鐵騎愁。院靜松杉風自起，恍忽靈爽夜深遊。

忠臣儀貌儼遺宮，往事空傳感慨中。翻借佞臣持一劍，尚留飛鳥棄雙弓。君臣不改河山異，天地無知血淚空。徒依庭除遲去馬，不堪落日起悲風。（吳同春）

軍威到處絕高塵，一代精忠出蕩陰。臣義豈能忘雪恥，時危不必論天心。靈旗色黯山河影，祠木風悲戰伐音。回首西冷會過地，墓門終古水雲深。（文仲）

（四）

動物農場

英 George Orwell 著

陳其芝 譯

第一章　動物革命的萌芽

「更悲慘的是我們這不幸的生命連走上自然終點的權利都沒有。至於我自己，我倒沒有什麼怨言。我算是個幸運的猪了。我已經活到十二歲，有過四百多個孩子。這是一隻猪應有的生存權利。但是，又有那個動物能逃得過最後那殘酷的一刀呢？」

「坐在我前面的這一排年幼的食肉猪，在這一年內，你們每一個都得在慘叫哀鳴中送出你們的生命。這種可怖的遭遇誰都逃避不了。牛，猪，雞，羊，每一種動物，即使你們這些馬，狗，也沒有更好的命運。白克薩，你知道嗎？當你的氣力用盡時，鍾士先生就會把你賣給屠馬夫，他先割斷你的咽喉，然後把你的肉煮熟了餵獵狗。至於你們這些狗，在你牙齒掉了，年紀老了的時候，鍾士先生就用一塊大磚頭綁在你們的頸子上，送你們到最近的湖底去。」

「同志們！這樣說難道還不夠清楚嗎？我們生命中所有的惡運，都是暴虐的人類帶給我們的。只有剷除人類，我們勞力的收穫才能由自己擁有。只要一夜工夫，我們就會變得富足與自由。我們現在該怎麼做呢？讓我們胼手胝足的努力爲打倒人類而奮鬥吧！這就是我要跟各位講的。同志們！起來反叛呀！雖然我不知道這種反叛會在什麼時候發生，可能在一星期內，也可能在百年之後，但是我確信不論遲早，公正終會有公正的結果。那公正的結果就像我們在這堆稻草上一樣眞切。同志們！記住，把我帶給你們的信念，傳給後來的子孫們。這樣我們的子孫才可以爲我們的理想繼續奮鬥，直到我們獲得勝利的一天。」

「切記！同志們，革命是決不可猶疑，更不能爲爭論而迷失方向，或者是輕易的聽信謠言。所謂『人類與動物有着共同的利益；個人的財富就是大家的財富。』那都是一派胡言。人除了爲自己以外不會爲其他動物的利益着想的。讓我們所有的動物，都團結起來！所有的動物都是堅貞的戰鬥伙伴，所有的動物全是我們的同志，所有的人類都是我們的敵人。」

正當少校情緒激昂地叙說時，突起一陣騷動。原來是一窩四脚鼠從洞裏鑽出來想聽聽少校的演說，但狗一瞥見牠們就急速地撲了過去，幸而四脚鼠的動作敏捷，迅速地逃回洞去而保全了性命。少校馬上舉起蹄子，示意大家安靜。

「同志們！」少校說：「現在有個問題必須得到解答。你們說那些野生動物像老鼠、兎子等是我們的朋友呢還是敵人？讓我們來表決一下。」「老鼠是朋友嗎？」

在決議時，極大多數的意見同意老鼠是朋友。反對的只有四票：三隻狗和一隻貓。但後來又發現牠們先投反對票後來又投贊成的廢票。少校現在又接下去說：

「我還有一點話要說，而且我要特別强調這一點，你們要永遠地敵視人類和他們的一切行爲。這也就是你們的責任。任何用兩條腿走路的就是敵人。所有用四隻腿走路，或者有翅膀的都是朋友。記着我們是在與人類爲敵，我們决對不能有任何與他們相似的地方。甚至在你們把人類征服以後，也不能接受他們的罪跡與敗行。所有的動物都不得住在房屋裏，睡在床上，穿人類的衣服，喝酒，抽烟，用錢或經商。更重要的一點是不得虐待同類。不論强弱，不分智愚都是朋友兄弟。沒有動物有殺害其牠動物的權利。所有的動物都一律平等。」（三）

冒險犯難記

鄭文儀

後者對於同志們達成任務，保守秘密，嚴肅生活，冒險犯難和敵人戰鬥，都要求十分嚴格，如有違犯，處分嚴重。這運動推行不到一年，即已取得豫鄂皖三省抗日鋤奸及對共黨圍剿戰爭的勝利，并開啓此後江西五次圍剿共匪勝利的先聲。各地日本軍閥運用的漢奸、奸商及軍閥、政客、貪官污吏都受到嚴重打擊，消聲匿跡，不敢活動。民族復興的氣象，革命復興的精神，盛極一時，中國不亡，中華復興，在此民族復興運動之一舉。

我在參加民族復興運動之後，担負的責任，一天比一天加重，但因此也感到困難一天一天增多，因爲我既須負担革命團體與領袖間連繫的一部份責任，又須負責黨政各方面的協調工作，更須直接指揮在反共戰爭前綫一部份政治作戰及對敵鬥爭的行動工作，敵人十分頑强狠毒，我個人的才智精力都有限，而協助輔佐的幹部及人事經費技術等工作條件都很缺乏，顧此失彼，貽誤及使人誤會的事，逐漸增多，眞是坐臥不安，全憑一片忠忱，一股幹勁，不辭勞怨，不怕犧牲的精神，渡過多種危險，克復一切困難。我常以蔣先生的訓示：「革命成功的秘訣，是向着最艱危的道路急進」，爲我當時冒險犯難的座右銘，精神奮發，勇往邁進，幸而沒有甚大的隕越。

五十、剿匪總部第三科的工作

民國二十一年的春天，淞滬戰爭停戰不久，國民黨的中央及國民政府都遷回了南京，民族復興運動正開始展開風聲所播，革命救國的力量，無形中日有增進。不過道高一尺，魔高一丈，國民革命的力量稍有集中，而長江中游的，特別是豫鄂皖贛的共產黨頑抗政府的遊擊戰爭，聲勢也特別囂張。他們喊出要打下湖北省會，就是說要在二、三個月內攻佔大城市，端陽奪取中國中心地區一省或數省的政權，正式建立中華蘇維埃政府（在二十年的十一月七日，他們已在江西瑞金成立臨時中華蘇維埃政府），利用國民黨的長期戰爭的機會，奪取中國國民黨的政權與中國革命領導權。

春末夏初的時候，共黨游擊部隊已在武漢週圍十里內外的近郊，積極游擊，湖北省政府及漢口特別市政府處境危急，大有朝不保夕之勢，不斷電告中央政府請求救援。五月下旬蔣先生決心親赴武漢剿共產黨之亂，國民政府這時特任蔣先生爲豫鄂皖三省剿匪總司令。蔣先生奉命之後，先到江西廬山研究匪情，籌劃總司令部成立後的剿共戰略與部署。（八二）

大鵬改革平劇——紅梅閣

·婆婆生·

大鵬劇團費時近二月餘，在今年歲初，推出兩部新戲，是紅梅閣與梅妃，以全力貫注，不惜功力，期獲得好的效果。後來仍以梅妃排練不及，改在下次再演，單以紅梅閣來號召，而宣傳得宜，票房紀錄頗殊理想，當然算成功。但我對演出技巧與演員支配，及演此戲的意義，略述所感，不免小題而大做。我認爲排出此戲，對於反攻復國，並無激起與鼓勵的關係。我這也是忠言云耳。

首先講意義。現在科學昌明，破除迷信，對於神怪之說，尚且力求避免，何況以鬼戲來作號召？若重在忠義浩然之氣，言復興與反攻，完全用鬼來又何況，此劇在匪區正是大唱特唱，雖經刪改，絕不相同。

！

再談演出技巧。用輕微聲樂伴奏，此劇是由梆子改爲皮黃，有了此劇，音節似又由平劇接近歌劇。因其中唱腔特多，配以聲樂，豈不是歌劇？但爲了改良，此種措置，不能反對。有沒有稍爲變通，但總避不了依樣畫葫蘆之嫌。因此演梅妃則闊發古事，唱紅梅閣徒然似近摹倣；且其中唱腔，一多半援近張杜之音，一方正在講禁，也似不宜來作渲染。軍中如此，何貴於民間？該戲多是梆子班所唱，現在改演之，在台灣，戴綺霞、馬驪珠演得均不錯，不過他們守舊，未作適當的刪改，沒較粗獷而已。可是李慧娘也雖不到那裏去？粗線條有其佳妙也質，而類乎梁祝一條途徑呢？因梁祝之中，沒有淨角而已，唱的是黃梅調，不過也有唱皮黃的。

演員支配，按徐露比較近乎青衣，仍秉花衫，但演抹彩的旦，總不能及嚴莉華，且以追裘、行刺、慧娘必有旋風之阻，徐露色藝雙全，關於此點總有點差，以前此故裘以前很合，到後來唱得很好，做作稍欠不足！鈕方雨旬，總有小生，但較且角味兒，何以不看通用高惠蘭更好。這是爲號召而不問，其他，方雨常演小生賈，但將來難演花，高了一流，孫元坡飾演了虎，虎有生氣，提高了，不過似道好詐而庸碌的氣息，把演活了，似不需過大，以小用，蕙娘對唱，似加情緒，似道與賈在用不了這許多。而明晳一節，大可不必。明了誓而再殺，是爲漏出了簡惠娘與裴不相識，留此何用？用盒盛她的首級，似乎是軍中的動作，也用不着這一套，是否梟首示衆，號令後堂犟雌，從前此段稗史，似未有此紀述，豈不畫蛇添足！最後以人鬼不能相配，未照以前的陰配是合理的。在馬驪珠演時，曾問何不陰配。她說那是過份迷信，還陽結爲夫婦，那是落伍思想，甚見其精至。大鵬在她們兩人分別，排哀，作聲樂微奏，落幕。

總之戲演得不錯，問題在以上的幾點，祇請教於編排的諸名家，聽我胡說八道耳。

哀梨室劇談

梨園坤角話從頭

谿公

距此不久，她就受了上海「大世界」「乾坤大劇場」之聘；那時老劇評家穆詩樵先生剛回北平，聽到這個消息，便去訪晤她們母女說：『聽說少梅應聘去上海，我眞高興極啦！因爲上海此時，正缺乏好的坤角；少梅此去，一定是很得意的。

『但有一樣，希望你們在那兒不要唱「香妃恨」。這有兩個原因：其一是，這個劇本，並非李老先生的大作，而是我的朋友劉鶴雲先生，編給「天蟾舞臺」的趙君玉、楊瑞亭、林樹森、霍春祥等，一班人唱的；後來少梅在南京唱這齣戲，並未徵求劉先生同意，手續上當然是不合的。此番如果不託人去疏通，冒冒然來了上海，劉先生肯答應你們嗎？其二是，趙君玉、楊瑞亭等，對於這齣戲，表演得非常精彩，因此竟連唱了兩個月，無一天不賣滿座。現在「天蟾」方面，雖因趙楊之應聘赴漢，這齣戲已不再演，但趙楊等扮演之成績，在上海人心目中依然留着深刻的印象。那麼你們上演時，「媽子」「穿插」與「唱」「做」一切能不能夠和他們一般無二？藝術上有無差別？似乎都有問題。而尤要的是，把你們表現的一切，映入看慣趙等演「香妃恨」之上海人眼簾中，將要獲致何等的評價，這是誰也無從逆料的。所以我要你們多多的考慮一下。』

『是嗎！』金月梅非常緊張的說：『這個事您要不說，我們壓根兒就不知道。既然如此，這本戲唱與不唱暫且不提，等到上海看情形再說。不過那位劉先生，我們是久仰的，他也是您的朋友，可否就求您賞一封信，讓我們帶去拜訪劉先生呢？』

關於這，詩樵先生並沒有異議，很快的就照辦了。

在某一天的下午，月梅、少梅、高玉仙、（是與少梅配戲的小生，也是年青貌美喜作男裝的女郎）帶着穆先生的介紹函，連同一份價值千金之厚禮，突然登門拜訪，並道達抱歉之意。

我以爲她們未得到我的許可，逕自竊演我的劇本，道歉是應該的。但以這樣的厚禮見贍，則已逸出道歉的範疇！我只好心領謝謝。無奈她們母女，再三的要我接受，少梅臉上，並有泫然欲涕的神情！我纔勉强受了她一套灰背的袍褂皮子，同時並在敝廬內設宴，爲她母女及月仙洗塵。這就是我與她們相識的原因。（五）

蛇年談蛇

漁翁

去歲曰辰，辰屬龍。龍能興雲雨，利萬物，爲人羣所歡喜，認爲有吉祥之兆。今年曰巳，巳屬蛇。蛇最毒，與猛獸並稱，人聞之，不寒而慄。見之，則退避三舍。是則今歲爲一戰戰兢兢，臨深履薄之警惕年。可是蛇雖含毒，而可製藥以醫病。柳子厚貶湘之永州，作「捕蛇者說」有曰：「永州之野，產異蛇，黑質而白章，觸草木盡死；以齧人，無禦之者。然得而腊之以爲餌，可以已大風、攣踠、瘻、癘，去死肌，殺三虫。其始太醫以王命聚之。」今人不但仍以蛇爲藥，並用以爲宴，價倍於猪馬牛羊之肉，足徵是物能害人亦能利人也。

據搜神記載：隨侯出行，見大蛇被傷中斷，疑其靈異，使人以藥封之，蛇乃能走。歲餘，蛇銜明珠以報之，珠盈徑寸，純白而夜有光，明可以燭室，故謂之「隨侯珠」，又名「靈蛇珠」，亦名「明月珠」。劉禹錫詩：「自握蛇珠辭白屋」，又歐陽炯亦云：「有蛇珠常在握」。又傳蛇受傷，有人爲醫之，蛇報之以左眼之珠，此人獻之於王，王眼即明。而復求取其右眼，蛇不知足，蛇惡其貪，故羅洪先有詩云：「人心不足蛇吞相，世事到頭螳捕蟬」，此雖齊東野語，亦可爲貪婪者戒。

譚年畫

周燕謀

6小二姐騎驢：都來看、都來瞧，小二姐騎驢把腿翹；紅綢褲子白褲腰。

4烟火棍：楊家將，數孟良，出了個排風比他强；黑松林裏來比武，打的孟良叫親娘。

5三娘教子：張劉二氏不賢良，人人都要敬三娘；受苦受災兼教子，薛家香烟得綿長。

6拿謝虎：黃天霸，小英豪，要拿謝虎一枝桃；黑松林裏拿謝虎，中了謝虎一枝鏢。

八、戲劇的：戲劇之畫，與畫歷史小說不同，畫歷史小說的有山水樹木、亭臺樓閣，坐車的有車，騎馬的有馬；畫戲劇只畫戲台上一張桌子，兩把椅子，故特別名叫戲劇畫。這種年畫種類很多，歌謠也特別多，但都是述說原戲的情節，沒有其他特別的意味。

1空城計：謹愼由來是孔明，這回定計用空城；果然嚇退强司馬，危急之處顯奇能。

2回荊州：劉備東吳招了親，夫妻雙雙返回程；周郎妙計安天下，賠了夫人又折兵。

3黃鶴樓：劉備過江發了愁，抬頭看見黃鶴樓；黃鶴樓上擺酒宴，周瑜向他要荊州。

7打灶分家：「三弟妹不要鬧吵吵，兄長言來聽根苗；分家不及不分好，大家捧柴火燄高」。此即原戲中之詞句。

賣年畫的人，對着某一種年畫，便要高聲朗唱某一首詞，還有特別乾唱的。這種詞句，多用本地土話，以便引人笑樂，藉廣招徠，尤爲有趣，不妨寫出幾首看看。

顏色好，紙篇白，我在武强背他來，來回踩了兩脚泡，不定發財不發財。

買的買，揭的揭，買回家去牆上貼；雖然當不了傳家寶，華華麗麗過年下。（年下，北方土音都說年歇，下讀如歇。北平亦如此。所以與揭貼二字叶韻。其實他唱過了節，也叶韻，但總是唱過年歇，以便引人笑樂。）

一家歡樂笑呵呵，今年餃子包的多；日子過的眞是快，夜拉格是年上格。（高陽土話，夜拉格即隔夜，年上格即隔年）。

清明時節雨搭撒，路上行人打滑擦；借問酒家何處有，牧童遙指哈不殺。（哈不殺，即「那不是麼」，都是高陽土語）

以上所舉，不過少數，兒時倒記很多很熟，現在老了，記不得了。一般人認爲這是中國的舊東西，是迷信，又浪費，應當革除。其實這些都是民俗文學中很好的一種歌謠。如果說是迷信、浪費，依我看來，這比聖誕卡，聖誕樹……來得有意義得多。而一些崇洋人士，則重洋而輕自己。現在有許多中國人，對於中國的迷信是深惡痛絕，可是對於一些洋迷信則奉之惟謹，好似不知道洋迷信，好像是沒有學問。這眞是令人不解的事。來台灣十多年了，現在又是一年的春節來到，特別提出被很多人漸忘了的年畫來談一談，雖然看不到故鄉的那種年景，但也可以回味一下吧！（下）

試談紅樓夢問題

繆匡

（廢太子後，封理親王）理親王本皇次子，故以雙木之林字以影之；猶慮觀者不解，故又於迎春名之曰「二木頭」，迎春亦行二也。寶釵之影子，爲襲人，寫寶釵不能極情盡致者，則寫一襲人以足之。而襲人兩字拆之，固儼然「龍衣人」三字。此爲書中第一大事。此所包者廣，不僅此一事，蓋順康兩朝八十年之歷史皆在其中。海外女子，明指延平王之據台灣。焦大蓋指洪承疇，晚年罷柄權閒居，極佗無聊，曩會於某說部中得其逸事數則，今忘之也。大醉後自表戰功，極與洪承疇事符合。妙玉必係吳梅村。梅村吳人，妙玉亦吳人，居大觀園中而稱檻外，明屬不臣之意。走魔遇劫，即記其家居被迫不得已而出仕。參觀桃花扇餘韻一齣，當日官府方點派差役，持牌票訪求前代遺民，可知梅村之出，必受逼迫也。王熙鳳當即指宛平相國王文靖。熙，康熙一朝，漢大臣之有權衡者，以文靖爲第一，可知。書中固言王熙鳳爲一男子也。薛寶釵梨香院，後以居女優，讓出梨香院既，爲教戲之所，即隱寓梨園之意，得勿謂院與園音近似。則薛氏可知，而寶釵愈可知。（六）

內僑警台報字第〇三壹號內銷證

自由報

THE FREE NEWS

第一二五一期

每份港幣壹角
台灣零售每份新台幣貳元

社長：雷嘯岑
督印人：黃行富

社址：香港銅鑼灣高士威道二十二號四樓
20 CAUSEWAY RD 3RD FL HONG KONG
TEL. 771726　電報掛號：7191

台灣分社

定什麼分？止什麼爭？（下）

强制執行法拍賣效果的商榷

段宏俊

這十幾年來有關類似這個決議案實例的案件，發生不少，從第一審，第二審到第三審的終局判決，都是按照這個決議案判決的，因此最高法院的決議案，也就等於創造法律的。這顯示出兩個事實，一個是司法權侵害到立法權，違背了五權憲法的精神，另一個是立法的不夠週密，使人民權利無所保障。

既然最高法院的決議案已經變成了實質的法律，我們就應當仔細想一想，這一個決議案在法理上是否站得住脚？這一個決議案跟現行强制執行法的精神是否有所違背？這一個決議案是否符合正義衡平的原則？這一個決議案能否負起「定分止爭」的責任？

我們打開强制執行法來一看，該法第九十七條規定：「拍賣之不動產，買受人繳足價金後，執行法院並發給權利移轉證書及其他書據。」

同法第九十八條又復規定：「拍賣之不動產，買受人自領得執行法院所發給權利移轉證書之日起，取得該不動產所有權。債權人承受債務人之不動產者，亦同。」

根據這兩個條文的規定，買受人繳足價金之後，執行法院便應當無條件的發給權利移轉證書和其他書據，並且自領得權利移轉證書這一天開始，就取得所有權。買受人是向執行法院繳足價金，並且是由執行法院發給權利移轉證書，買受人的交易對手完全是執行法院，而不是債務人，因此應當由法院來保障它的交易安全，而不是由債務人負瑕疵担保的責任。法院的查封拍賣都是公法行為，所以買受人的取得，是一種「原始取得」，而不是「繼受取得」。

所謂「原始取得」和「繼受取得」，在法律上的效果是大不相同的。原始取得是指權利的絕對發生，也就是不基於他人既存的權利，獨立的發生一種新的權利；換一句話說，既不是既存權利的繼續，也不是既存權利的一部分，而是一種獨立發生的新權利。繼受取得是權利相對的發生，也就是繼受取得他人既存的權利，它不是獨立發生的新權利，而是既存權利的繼續，或是既存權利的部分。兩者的最大區別，繼受取得的新權利人祇能繼受原權利人的權利，因為繼受取得有一個最大原則，就是「原權利人不得將大於其所有之權利，讓與他人。」（Nemo Plus Juni ad aluim transfere Potest guam ipse habet）所以對原權利人有抗辯權或有從權利的人，仍得主張其抗辯權或從權利。原始取得，根本就沒有原權利人和新權利人，所以也就沒有對原權利人主張其抗辯權或從權利之可言了。

為什麼强制執行法第九十八條所規定的取得所有權，應該是原始取得呢？除了前面所說的理由以外，我們再看民法第七百五十九條的規定：

「因强制執行、於登記前已取得不動產物權者，非經登記不得處分其物權。」

根據這個條文，法院所拍賣不動產的買受人，祇要繳足價金，法院就應該發給權利移轉證書，並且自領得證書之日起，不必履行民法第七百五十八條所規定的登記程序，在登記之前就取得所有權了。不過不經過登記，不得處分其物權罷了。所以在性質上當然是原始取得；如果不是原始取得，依照民法第七百五十八條：「不動產物權依法律行為而取得者，非經登記不生效力。」

强制執行拍賣而得的不動產，不經過登記，也就不能取得所有權了。因為强制執行拍賣取得不動產，與普通法律行為的取得完全不同，强制執行是公法行為，此種取得是由公法行為而來，所以應當解釋為原始取得，因此並不適用民法第七百五十八條的規定。根據法理和立法精神以及有關法律的規定，我們似乎應當作這樣的解釋。

鄭玉波教授就採取這一種看法，在其所著「民法物權」第二二六頁就這樣的說明：

「依强制執行法第九十八條規定『拍賣之不動產，買受人自領得執行法院所發給權利移轉證書之日起，取得該不動產所有權。』乍視之似屬繼受取得，但依我民法第七五九條之規定，則此種取得不以登記為要件，實與因法律行為之取得不同，且此種取得又係依公法行為（拍賣）而來，自應解釋為原始取得也。」

大法官史尚寬先生也持同一觀點。可是，這一種解釋，雖然合於現有法律的規定，可是在實質上並不能得到正義和衡平，也不能做到定分止爭，因為它不但使同一不動產有兩個完全的所有權，而且損害了原權利人的利益，這樣的解釋也算不上好法律，仍舊不得不歸併在我的朋友陸嘯釗先生的「惡法錄」上。

至於這個決議案能否做到正義衡平的原則，那是更不用說了。我們知道，一般人的心理，都認為公法的處分，應該是毫無瑕疵的行為，人們所以參加執行法院的公開拍賣，未有不認定國家的威信和尊嚴存在，認為代表國家的法院，所執行拍賣的不動產，絕對是最安全可靠的，拍賣行為的成立，這一種信心因素，未嘗不是一個最主要的條件。而且債務人是否眞正的權利人，法院於聲請强制執行前既可傳訊當事人，聲請執行後又可調查執行的標的物，又可向地政機關訊問登記的事實，這些都應該是執行機關的職權行為，買受人無法了解這些事實，也不可能知道執行標的物的眞正權利人，買受人的立場，認為祇要繳清價欵，就應當取得權利，債務人是否眞正權利人，法院應當搞個清清楚楚明明白白。買受人因為信賴法院所為拍賣，法院應當負這個責任，而不應該要買受人担負這一份風險。

（下轉第二版）

笨人出手

另一隻狼

今日與明日

戴高樂老悖

法國總統戴高樂在二次大戰時期是一位民族英雄，最近幾年來把混亂的法國引入正軌，日趨安定繁榮，受到舉世贊美，又為一個成功的政治家。就以上兩點來說，戴高樂是受人尊敬的。可惜最近一年來，戴氏所作所為，越來越荒謬，漸使人有老而不死之感了。

從去年元月承認毛共偽政權起，戴高樂所作的事就無一不錯，首先是戴高樂竟然策動中南半島中立化，打算藉此機會重返遠東，如支持施哈諾與美國決裂，參與推動泰國政變皆是。其次又如拒絕交付聯合國維持在剛果及塞浦路斯用費，使法國欠費超過兩年會費，與蘇俄相同。由於法國拒不交費，美國也不敢對蘇俄採取行動，以至聯大本屆大會陷於癱瘓，不敢接觸到投票的問題。法國為了什麼原因不肯担負聯合國在剛果及塞浦路斯維持和平的費用，眞使人百思不得其解，唯一理由即是向美英搗亂，使聯合國失去維持和平的能力。

最近戴高樂在記者招待會發表談話，首先抨擊聯合國為大國所把持之不當，繼而提出要美英法俄及毛偽政權在日內瓦開會商量改組聯合國。這個建議不僅荒謬而且荒唐了。既然說聯合國為大國把持不當，何以又要四個大國加毛偽政權開會來改組聯合國，這又作何解釋？再退一步說，既然要改組聯合國，總要是聯合國的會員國才成，毛共又算是什麼東西？一條船出了毛病只有船上的人自想辦法同舟共濟，總沒有攞手叫岸上一條狗來撐船的。

寮國政變

半年來局勢剛轉明朗的寮國政局又起波瀾，以副總理諾沙旺將軍及警察總監西河領導的政變已告失敗，兩人均逃向泰國。此次政變動機目前尚未悉，但是可以看出的是右派將領的內鬨，否則，傳瑪總理沒有力量能擊敗諾沙旺，因為原屬於傳瑪的所謂中立軍，那一撮人，已經所餘無幾，那位總司令康黎「將軍」久已不聞聲息，部下一部投向寮共，一部則投向右派軍隊。

毛共公開侵略泰國

最近毛共公開宣告「泰國全國解放陣綫」已告成立，這是毛共侵泰的訊號。猶記一九六〇年毛共宣告組成「南越全國解放陣綫」，不久越南內部共禍即起，形成今日不可收拾的局面。此時中南半島剩下的反共國家，只有泰國一國完整、富庶，自然成為毛共下一目標，如若毛共公開發動戰爭，除非美國相信泰國也是很難招架的。只要泰國此時正式發表聲明，不問是何名義，來自何方，美國即對毛共發動全面戰爭，否則的話，泰國不久將成南越之續。（何如）

自由談

談青年與老年人

馮五先生

青年人一般的優點，就是活力充沛而富有進取心，幹勁十足，敢於冒險犯難；然由於經驗缺乏，遇事看得太容易了，一旦受到挫折，便每每撐不住氣，不是感情用事，圖逞快於一時，便是意志消沉，因失望而悲觀。

壯年和老年人的長處，是具有社會經驗，在處理事情時，能夠抑制感情，運用理智。可是，毛病亦從此發生，遇事瞻顧徘徊，過度審慎，沒有擇善固執，知其不可為而為之的勇氣，馴致養成老奸巨猾的作風，而使社會趨於封閉狀態。所以，壯年和老年人視一般後進青年為少不更事的觀念，固然要不得，而青年人見着年事稍長之輩，不分青紅皂白，即認為昏庸老朽的心情，亦復不足為訓。就正常的道理講，每個人都要經過由少壯而衰老的階段，此一時，彼一時，誰也脫不掉這生命定律的。壯年和老年人應該愛護、獎掖青年人，準備讓他們來接班；青年人應該敬重長輩，利用他們的經驗閱歷來作成己成物的參考資料。必如是，乃可以造成一種生氣蓬勃的開關社會（Open Society），而國家自然興隆了。

在政治上，中國人講究資歷而漠視才能，外國人規定退休年齡而不問其他，這都不免有流弊。我認為資格、才能、精力三者兼籌併顧，纔是妥當之策。各個機關裏的中下級幹部，必須實行法定年齡的退休制，決不寬假，藉以發生新陳代謝作用，使後進青年得有為國家効力的機會，像現在的所謂「人事凍結」政策如不廢除，政治上便永遠是一池死水，沒有絲毫新鮮氣味可覩，而「革新、動員」的號召，徒託空言而已。至於奄有決策地位的中朝大官，如其精力健强，自可為國宣勞，倘已老邁龍鍾，即應及早自愛，退避賢路，政務機關不是養老院，衰翁而苦戀棧豆，不亦太難為情乎？

隱沒半世紀，獻給有心人
胡適留學書簡欣已發現
將珍藏於胡適紀念館中

（本報台北航訊）胡適之先生去世已近三年，胡適紀念館正忙於添置新房舍，準備在胡博士去世三週年紀念那天，讓前往南港憑弔的人們一新耳目。

自從胡先生去世之後，胡夫人江冬秀女士便着手蒐集胡博士生前有關遺物，以充實胡適紀念館。胡夫人認爲這是她的責任。

最近胡夫人江冬秀女士，與遙遠的巴巴杜斯小島上的韋蓮司女士取得連絡。胡夫人知道韋蓮司女士和胡先生是在留學康奈爾大學的老友。當韋女士知道胡夫人蒐集胡先生生前遺物的消息之後，便欣然允將她珍藏了五十年的胡先生書信陸續寄來台灣，以便保存在胡適紀念館，完成江冬秀女士的志願。

現在韋蓮司女士已將她珍藏的胡適書信寄來三分之一，這一批有六十四件。同時胡夫人並向韋蓮司女士要了一張照片。韋蓮司女士，現年已八十六歲的高齡了。據胡夫人說，早在五十年前，胡博士留美就讀康奈爾大學時，就與韋女士相識，當時胡先生常在家書裏提到。胡太夫人曾於民國四年四月二日寄了一封謝函給韋女士，這封信距今已有五十年的時間了，韋女士已把它隨着胡先生的信件寄來了。五十年前胡太夫人寄給韋女士的信是這樣寫的：

「韋蓮司女士粧次：小兒（指胡適）頻次來書，得悉小兒納交左右，辱承厚愛。并諗女士現習美術於紐約，思想深沉，心地慈祥，見識高尚，小兒沾受教益不少。鄙人聞之，感佩靡既。往聞貴邦人士，崇尚道德，超越他國。今小兒歷交貴邦士女，皆欸接周摯，情意殷渥，亦悉所聞不謬。而女士又以思想智識切 小兒，翹首西天，曷勝景慕。謹以眞摯之誠悃，修函申謝。並頌幸福無量。胡馮氏三拜。紀元四年四月二日。（民四年）

在胡先生幾十封信中，很少是寒暄問候，大多是談學問，以及做人處世方面。有筆談也有面談。這些情節，在胡先生民國四年至六年的日記裏可以看出。胡先生在民國四年八月二十七日的日記裏說：「吾去年一年中，所與通信最頻者爲C．W．L」（韋蓮司女士姓名的縮寫）

又民國六年五月四日的日記曾有如下的記載云：

「昨日在韋女士處，見吾兩三年來，寄彼之書一大束，借回重檢讀之，乃如讀小說書，竟不肯放手。此中大率皆一九一五與一九一六兩年之書爲多，而尤以一九一五年之書爲最要。吾此兩年中之思想感情之變遷多具於此百餘書中，他處決不能得此眞我之眞相也。」

胡先生是民國六年六月二十九日離美返國，第二天到綺色佳住了五天。觀胡先生日記云：「在綺五日，殊難別去。韋夫人韋女士見待如家人骨肉，尤難爲別。」可見他和韋女士感情之一斑了。而在五十年前的美國，男女交際也並不如今日之自由，所以胡先生稱贊她是「女子中有革命眼光者也。」胡先生描述韋女士其人其事云：

女士爲大學地質學教授韋蓮司之次女，在紐約習美術。其人極能思想，讀書甚多，高潔幾近狂狷，雖生富家，而不事服飾。（上）

定什麼分？止什麼爭？
——強制執行法拍賣效果的商榷

（上接第一版）

按照這個決議案的情形，表面上是讓債務人負担保責任，其實財產被執行的債務人，其經濟情形大都已經頻臨山窮水盡破產階段的地步了，買受人要想從債務人那裏獲得賠賞，簡直是「蜀道難，難於上青天。」因爲債務人無資力時，民法並未如外國立法例那樣，就此設有特別規定，買受人即不得以不能由債務人獲得賠償爲理由，請求債權人返還價金，結果買受人財地兩空，祇有自認倒霉而已。此順決議案之難得事理之平，由此可見。其不能「定分止爭」更顯而可見的了。

解決這個問題的辦法不是沒有，我認爲不應該採取最高法院決議案這種小家子作風；而應當堂正正的由立法院完成立法。我擬了上中下三策，提供立法諸公參攷：

明文規定由拍賣取得所有權的應屬原始取得，賦于買受人以原始取得的法律效果，用以維持社會秩序。但事後發現該項不動產，非債務人所有，而另有所有權人時，應由法院與債務人同負連帶損害賠償責任，法院向債務人有求償權。此爲上策。這不僅維持了國家的威信和法院的尊嚴，也兼顧了買受人的利益和法律的正義與衡平，憲法第二十四條的規定：

「凡公務員違法侵害人民之自由或權利者，除依法律受懲戒外，應負刑事及民事責任。被害人民就其所受損害，並得依法律向國家請求賠償。」正可以作爲這一個上策的法理根據。

如果不能做到這一點的話，就應該像外國立法那樣，明認有向聲請查封拍賣的債權人，請求退還價金的權利，用以保護拍買的買受人。這是中策。國家的威信縱然小有損害，至少還符合正義和衡平。

倘若連賦于向聲請查封拍賣之債權人，請求退還價金的權利，也做不到的話，那麼，我們就應該把上述最高法院的決議案條文化，也就是把它制成成文法，公示與社會大衆，使大家明白這是怎麼一會事。這雖然是下策，至少可以避免買受人一味信賴法院而受到不明不白的損害。不管如何，這種就已有法效的決議案，而不作成成文法的情形，立法院是應當負一點責任的。

法律是人類社會共同生活的不可或缺的要素，法律的好惡影響社會生活的「定分止爭」和個人權利的保障和維護，至大至鉅，人民對法律的好惡，應該有一份提供意見的自由，由人民選出代表民意的立法委員，尤應多方聽取人民的意見，這樣代表的立場才不致與民意脫節。即使做了終身的國會議員，代表的依然是最新的民意，切不可自失立場，一味指責人民批評法律是大逆大道，這種隨便給人民戴帽子的作風，尤其有失風度。「惡法亦法」這種說法祇是一種詭辯，如果我們容忍「惡法」存在，社會還有什麼進步？人間還有什麼正義？強制執行法的拍賣效果，顯示我們的立法方面實在有太多的疏漏，今天我所做的，祇是一個這樣說明罷了。期望肩負國家立法大任的立委諸公，多放一點心血在立法這一方面，因爲我們的法律需要修改補正的地方實在太多了。立法明確，才不致引起那些損害人民權利的無謂解釋，願諸公千萬不要辜負人民的付托啊！

檢討台灣金融措施

本報記者　張健生

台灣之經濟建設，在政府及人民不斷地努力奮鬥之下，其成果雖未能盡滿人意，却亦相當的不俗。就國民所得言，在遠東自由國家中，每人平均所得居於第四位。據官方宣稱：五十三年度的國民所得，每人平均所得爲新台幣六千元，折合美金一百五十元。就經濟生長率言，僅次於日本，居第二位。但日本已開始萎縮，我國仍在成長中。對外貿易，自五十二年度開始出超。祇是美國經援部份，將於今年六月底停止，而國際糖價，亦開始下降，對貿易出超的影響很大。是故，今後台灣經濟繁榮，能否保持？財政是否充裕？出超紀錄是否保持？不無可慮。如何致力於未來經濟金融之穩定，政府財政之維持，以及社會之安定，有必須作長遠之打算，以期加速發展各種產業，提高國民所得。而配合經濟發展的金融措施，尤須及時力求進步，以担當新使命。爲此，記者僅就台灣金融措施，加以檢討，并展望將來。

假如政府不能運用金融措施去控制全國經濟的活動，諸如經濟在蕭條的時候，如何使牠恢復繁榮；在過度繁榮的時候，又如何阻止膨脹；在平時，如何控制經濟活動的方向，使符合國家的經濟政策與計劃；如何能動員國內的人力物力，加速經濟的成長。又如政府如何能平均社會財富的分配，防止財富的過度集中。倘金融不能現代化，而欲經濟邁進現代化的康莊大道，這是不可能的。台灣自光復以來，政府所採取之金融政策，儘管對穩定市場，促進工商業之發展有所貢獻，然而由於時代的輪子不斷地前進，使原有的許多金融措施，已不能適應現代化的要求，跟不上時代，因而產生若干畸形的現象，如在銀行方面，由於政府鼓勵國民儲蓄，而發生爛頭寸；在工業方面，由於政府獎勵產品外銷，爭取國際市場，勢必擴充或更新設備，致工商界發生週轉不靈，缺少資金。凡此矛盾現象的發生已暴露金融措施不健全跟不上時代要求的弱點；若長此存在，將使已往經濟建設成果，抵銷於無形。

我們的經濟建設，尚未完全脫離農業社會經濟的型態，更未脫離落後國家所謂經濟發展問題中的政治問題。如台灣目前由農業社會進入工商業社會階段，貧富不均之現象逐漸出現，此爲西方國家產業革命後所發生的嚴重社會問題。又如目前台灣游資充斥，證券市場波濤迭起，隨時有癱瘓經濟制度可能。政府對公營金融機構，在財政方面的要求，遠在經濟之上，而未足夠重視金融機構對國民經濟發展之應使命。政府過於注重銀行盈利，不敢作冒險的投資，當然影響國民經濟之發展。

所謂建立貨幣政策，即指調劑貨幣的供給，信用的來源及其成本，其他各種功能，均與其保持密切之連繫關係，而成爲輔助措施。貨幣政策之主要途徑，是增減各銀行的存欵準備，運用再貼現率及公開市場政策，從而影響市場信用與貨幣流通量，藉以改善生產、就業及穩定物價。

我們銀行存欵準備金，分爲保證準備與付現準備，付現準備固定不變，而保證準備率有最高與最低之限制。但自四十八年二月一日起，除儲蓄銀行採行最低規定外，其餘均爲最高法定存欵準備率，雖金融市場的信用屢經變化，亦從未變動。至於再貼現方面，以五三年六月底全體銀行貼現餘額九億一千五百七十八萬六千元而言，尚不及放欵及貼現總額一百八十四億九千七百二十三萬三千元之二十分之一。足見再貼現政策在目前之情況，很難發生效用。再就公開市場活動而言，以當前台灣公債數額之微少，在同一時期，公債餘額僅有一十五億六千八百四十七萬三千元，其中中央銀行持有的公債只有二千一百萬元，加以公債之流通量不大。故設使對於目前信用擴張之現象無法開拓新投資機會，而欲緊縮銀根時，中央銀行是否有此功能，頗滋疑義。（上）

所爭雖不大，爲事却罕見
勝訴人控法官案始末

然林儀成對台北地方法院五十二年七月三十一日之上項裁定，仍不甘服，而向台灣高等法院聲請再議。據首席檢察官夏惟上在處分書中指稱：「按物之出賣人負交付其物於買受人，并使其取得該物所有權之義務，民法第三四八條第一項定有明文，此項義務不因買受人之受領遲延而免除。觀同法第二三四條至二四一條規定，亦屬明顯。本件聲請人於民國四十七年五月八日將其所有坐落花蓮市中華路廿七號左邊木造蓋亞鉛板店房一棟連同基地等出售與曾煥鋼，因未辦理所有權移轉登記，經曾煥鋼提起民事訴訟，案經花蓮地方法院判決，命聲請人辦理所有權移轉登記與曾煥鋼。聲請人不服提起上訴，繫屬於本院民事庭，由被告（吳樹立）担任審判長，五十年十月卅一日判決，除將第一審判決不當之部份予以廢棄外，其餘上訴駁回。經查原判決并無違法情形，聲請人無非謂渠早願履行所有權轉移登記，祇以會某拖延不辦，不能歸責于渠，在該案審理中」經提出催告證件，被告竟予抹煞，而謂未據提出任何證明，顯有枉法裁判罪責云云。第查聲請人移轉所有權之義務，既不因會某之受領遲延而免除，則縱經審酌聲請人所提出之催告證件，聲請人亦無從獲得勝訴之判決，何來枉法裁判之可言？聲請人主張其所得民法第一四四條一項規定拒絕給付，顯係誤解法律，無足以採。原檢察官認被告犯罪嫌疑不足，處分不起訴，經核尚無不合，再議非有理由，應依刑事訴訟法第二三七條上段予以駁回。」

事隔一年又二個月廿五日後的五四年元月十日，林儀成居然對台灣高等法院首席檢察官的這件處分案，再度表示不服，又向司法行政部提出訴狀，控吳樹立瀆案職。案雖已經有關部門調閱案卷完畢，并已認定吳樹立對林儀成與曾煥鋼之訟案處理，決無不當之處而告結束本案。

但，妙的是：台灣高等法院某庭丁於五十四年元月十九日致吳樹立院長的私人限時信件內稱：林儀成於昨（十八）日手持你（指吳樹立）因林儀成不明事理，屢次狀控你瀆職一事，而寫信給林，及林之友人各一封開導信件至高院，意在訪晤伍伯英推事（伍已調任花蓮地院庭長，林儀成不知，故而去高院訪問），經我（指庭丁自己）等向林說明你的爲人處事後，林某深感後悔，并申言返花蓮後決寫信向你（吳院長）道歉等語。

從庭丁這封簡短的信箋中，說明林儀成對本案處理，一再狀控吳樹立，純係出於誤會而已。這同樣是罕見的。（下）

新道統的指標

向爲禍中國的五害挑戰！

論道統第三章

陳健夫

中華向稱文明古國，但自今日的世界眼光來看，在這古老的國度裏實在充滿着罪惡、極權、落後、貧窮、與無知。這五害有的是來自西方傳統，但大部份却是舊傳統所遺留下來的。今日的中國，淪爲落後地區，對文明先進國家而言，實在瞠乎其後。因此，今日的新道統，要急起直追的向這種爲禍中國的五害——罪惡、極權、落後、貧窮、無知挑戰。

新道統爲了向罪惡挑戰，要發揚倫理道德的好傳統；新道統爲了向極權挑戰，要建立民主的制度；新道統爲了向落後挑戰，要興起科學文明；新道統爲了向貧窮挑戰，要建立現代經濟生活；新道統爲了向無知挑戰，要全面實行新教育。

新道統的指標是倫理、民主、科學、經濟、教育。倫理、民主、科學，決不是無根之物，決不是空洞名詞；而必須深厚的立於全社會的國民經濟及教育的基礎之上。因此，新道統不再空洞的嚷着倫理、民主、科學的響亮口號或新觀念，而是必須循着歷史的方向，適合時代的需要，展開整個思想體系的新道統的建設。

這便是我們新儒家所高舉的新道統的指標。

一、發揚倫理道德的好傳統

今日的中國，可說是罪惡之淵。在大陸的彼方，清算鬥爭之風橫行中國，雖父子之親，夫婦之愛，難免鬥爭清算，社會沒有道義，家庭沒有溫暖；在台灣，社會風氣敗壞，有心人嘆可爲道德淪亡。不少人怯於公義，勇於私鬥，至於公德心之低落，尤隨在可見。

面對這樣的罪惡，由來已非一旦一夕，唯有發揚固有倫理道德的好傳統，才可以挽救敗壞，轉移風氣。

論到倫理道德的好傳統，人們應不忘：「人類自最初即具有優良的倫理傳統，在這種倫理傳統之下，人類享有溫暖的家庭生活，與互助合作的社會生活。人生雖多苦難，但由於人類建立這種倫理傳統，而享有家庭溫暖與社會同情，人生幸福從而發生。故倫理傳統實爲人類建立幸福生活的基礎。」

「倫理傳統中最重要的關係自爲夫婦，所謂夫婦爲人倫之始。夫婦爲家庭結合的起點，家庭幸福基於夫婦的相愛和好，夫婦爲生命之合一，不容分割。夫婦的愛情是整個的，亦不容分割。人間的愛情，以男女夫婦之情爲最眞實。當社會拋棄你，給你以冷酷的時候，唯有家庭夫婦之間保有溫暖。所以合理的社會，必須維護這種溫暖的家庭制度。」

「家庭倫理之中，除夫婦之外，便是父子，兄弟，構成橫的縱的關係。父子兄弟之間，所謂父慈、子孝、兄友、弟恭，充滿了愛情。遇有痛苦患難，便互相扶持照顧，義無返顧。自小家庭而大家庭，都保有這樣的[illegible]。家庭倫理制度對人類實有重大貢獻，不論有何流弊，斷不可根本廢除。而且是不可能廢除的，只能聽其隨時代發展而改變，以發揮優良的倫理傳統。」

今天的倫理傳統，正由家庭發展到社會：

「人也許可以沒有家庭，但絕對不能沒有社會。人必須生存於社會之中。」

「歷史發展的法則，顯明的指出了人的圈子，隨着時代，一天天在擴大了。原始社會，是以個人爲單位的自由社會。一切以個人爲中心，有母不知有父，更沒有家庭制度。後來到了農業社會，才開始建立固定的家庭制度，一切不再以個人爲中心，而是以家族宗族爲中心了。近世進入了工業社會，又發生重大的改變，一切將不限於國家社會的關係；而將是一個四海一家天下爲公的社會。這種歷史的演變，證明了人的圈子實隨着時代一天天擴大，自最初的個人擴大到家庭，再擴大到社會，最後將擴大到世界。可知今日的個人，實不是小我的我，不再是家庭的我，而是個社會的我。所以今日的個人，必須與廣大社會發生關係，必須與他人發生友誼，始克盡做人的責任。（一）

漢文，漢字，漢學

陳曼卿

漢書平帝紀：「元始五年，徵天下通，知……小學，史篇……者，詣京師，至者數千人。」王莽傳：「徵天下通一藝……史篇，文字……者，皆詣公車，網羅天下異新之士，至者，前後千數。」藝文志：「元始中，徵天下通小學者……各令記字於庭中。」說文解字序：「孝平皇帝時，徵天下……令說文字未央庭中。」試想，這是一件多末龐大的創舉，自然是整理古文「字」，頗具規模的一項措施。究其實，目的或在「救偏補缺」，而是不得不如此的事！[illegible]漢初頗承戰國諸子「託古」之風，乃後竟演變爲「僞古法古」的不良風氣所致，實亦莫過於此時了。

但到清末，海內通人，以及晚近學者，恒以銖錙秦漢時之文「字」數目的多寡，謂爲「作僞」確證。實則皆因不明殷商「卜辭」中「可識與不可識者，約五千文」的事實，自是不言可以審知的事。特以「今文家」與「古文家」門戶之見特深，終在篇「章」、「字」數上尋根究底，而竟也忽畧了文「字」之演變與定形的源流，殊堪惋惜！錢玄同君，先師「古文經」，後法「今文經」，「尤惑之甚者也」，竟爾於小學「重論經今古文問題」中責王國維氏「識雖甚高，膽實太小。」此更不明春秋戰國時「史籀」篆文流散後的演變情形，自亦無殊夢囈之語了。

距今三十餘年前治史學者，尤滋朋附，推移揚厲，貽誤來學，吾人「疑古」固可，而竟忽視文「字」進化的演變歷程，時代的因果，治學粗疏如此，這難道說不是學術界的一大憾事。

周秦漢代的小學

在漢代的說法，「小學」包括「爾雅，小爾雅，古今字」等（可能是在東漢以後才如此）皆通稱之謂「小學」，實含「文字學」與「訓詁（漢儒林傳稱訓故）學」的本義，我們察看禮記等書的記載：大戴保傅篇：「年八歲而出就外舍。」此當屬於太子之所習。內則：「十年出就外傅，學書計。」此當屬於世子（或卿士）之所習。尚書大傳：「十有三年始入小學。」屬於卿士所習。大傳又云：「十五始入小學。」此屬於士庶之禮。偈周官：「保氏掌養國子，教以六書。」此似屬漢例。說文也有一條：「尉律學童十七以上，始試諷籀書九千字，乃得爲吏。」此亦屬漢例。

這裏再引述前人幾句話來解釋周、秦、漢代的「小學」。

小學[illegible]文史之餘業，訓詁之末[illegible]，六藝之末，而附以小學。爾雅、小爾雅，古今字，本爲小學。而附入孝經。（按此條實乃東漢之制，蓋「小學」與孝經同治，爲普通平民教育，似得其實）（十一）

弔岳武穆詩詞輯萃

李仲侯

袞旒在在祀忠臣，冶鐵雙雙伏賊秦。一念是非千古定，舜何人也跖何人。
靖康禍亂媿諸臣，謀國眞同越視秦。絕域可能歸二聖，藁街何不繫三人。
君父綱常係子臣，且將國柄盡移秦。高宗倘念蒙塵者，恢復功成或有人。
失心雪恥宋孤臣，矯詔和謀屬秦，懸斷當時成敗迹，九原安得起斯人。（陳珊）

兩河響應走風雷，鬱鬱諸陵王氣恢。一以委卿天語在，金牌十二爲何來。
痛飲黃龍指日中，班師奉詔見精忠。高宗漫怨朝廷小，過賴十年血戰功。
故從鳥盡怨弓藏，恢復中原志未償。君相同心輕骨肉，將軍應逐兩宮亡。
片言能壞宋于城，信史流傳恨失名。長跪應添人一個，當年叩馬有書生。
三十九年夢一場，丹心萬古照秋陽。朱仙鎮望西湖水，更樹靈旗在故鄉。

權奸在內將無功，覆轍相尋自古同。不得尙方斬馬劍，空來遺廟哭英雄。（洪霖）

十年汗血儼長城，眞見壺漿夾道迎。隔代君臣猶有淚，當時父子竟無情。南來但遣通和使，北向終孤義勇兵。此日故鄉祠宇在，蕭蕭風雨颯寒旌。（陶澍）

天步艱難未可籌，運移宋祚逼胡酋。南遷膽有湖山勝，北向空遺草木羞。罪臣當誅三字獄，君王竟忘萬年仇。金牌一下朱仙鎮，直把杭州作汴州。

唾手燕雲迓兩宮，高宗寧免忌英雄。關張無命炎精陷，懷愍蒙塵晉祚窮。洛苑看花思故國，吳山立馬嘯雄風。如何一代興亡局，盡在書生數語中。

汴水滔滔望舊京，十年轉戰背嵬兵。憶從父子收犴猰，不見王師出郾城。俎豆即今光梓里，風雲猶爲護軍營。搔頭欲向蒼蒼問，日暮松濤吼未平。

口口口口口口口，黃龍痛飲奈天何。未題露布身先死，添得黃粱恨幾多。口口口口口口口，鐵馬故宮荊棘掩銅駝。可憐五國城邊客，猶向西風望九哥。

背父離兄未足奇，稱臣稱姪更堪悲。江南黃服加身日，薊北青衣進酒時。五夜春聲啼望帝，千秋遺恨詔班師。兩河義士增惆悵，淚墮精忠岳字旗。

漫道從來縱虎難，須知王業不偏安。卽看上將沉冤獄，忍使中原沒契丹。往事徒增周稷黍，崇祠盡拜漢衣冠。蠻書夜報長城壞，見說金人酌酒歡。（張廷桂）

（五）

動物農場

英George Orwell著　陳其芝譯

第一章　動物革命的萌芽

「現在讓我告訴你們我所做的夢吧！恕我無法說得很詳盡。那夢是說明當人類消滅後，這個世界上新的跡象。它提醒了我一些被遺忘許久的事。許多年以前，當我還是個小猪的時候，我母親及其他母猪經常唱一支牠們只知道調子跟開頭三個字的老歌。小時候我聽熟了那調子，可是年紀大了早就忘得一乾二凈。昨晚那熟悉的老歌又重新進入了我的夢境，更有意義的是那些字也被記起來了。現在我願意唱給各位同志聽聽。我的年紀太大，聲音也沙啞了，不過我把你們教會了，你們自己可以唱得更好聽。這歌的題目是『英格蘭的動物』。

少校清了清喉嚨開始唱了。牠的音色雖然有點粗啞，可是唱得已經夠好囉！這是一隻既柔和又激動的曲子。歌詞是這樣的：

「英格蘭的動物，愛爾蘭的動物，
地角天涯的一切動物，
請聽我歡愉歌聲帶給你們光明前程的佳音吧！
×　×　×
早一些不算早，遲一點也無妨，
暴虐的人類總要被征服，
物產豐饒的英格蘭將是我們動物羣的天下。
×　×　×
取下了我們鼻上的銅鈴，
卸下了壓在我們背上的勞具，
馬刺馬銜將要銹透，冷酷的皮鞭再也不會響。
×　×　×
智慧所難以描寫的富足，
小麥大麥，燕麥和秣草，
青豆、黃豆與甜菜在那一天都成了我們的財產。
×　×　×
光明普照着英格蘭原野，
水將變得更清純晶瑩，
和風更是溫柔輕送，祝賀我們這自由佳慶。
×　×　×
爲了獲得自由，我們必須努力，
在我們死之前播下自由的種仔。
牛馬，雞鵝，我們都得爲共同的自由而奮鬥。
×　×　×
英格蘭的動物，愛爾蘭的動物，
地角天涯的一切動物，
請聽我歡愉歌聲帶給你們光明前程的佳音吧！」
×　×　×

這隻歌一唱，所有的動物都變得興奮激動。還沒等到少校歌聲歇落，大家都跟着唱起來了。笨一點的動物會哼調子，也記得一些歌詞；至於聰明的豬和狗，在幾分鐘內也能記熟了。經過幾遍的練習，整個農場都沉醉在「英格蘭的動物」的歌聲中。牛的低吼，狗的吠叫，羊的嘶鳴，馬的長嘯，鴨子的呷呷聲，都興奮激昂的唱着，若不是被打斷了，準會唱到明天呢！

（四）

冒險犯難記

鄧文儀

這時中央政府很多老先生都以武漢危殆，深恐蔣先生親往督剿將受危險，還非正式的推請了吳稚暉老先生到廬山勸阻蔣先生，不要急去武漢。蔣先生却認爲救兵如救火，以「不入虎穴，焉得虎子」的精神，不惜冒萬險犯萬難速去拯救武漢的意思，委婉向吳先生說明了他的決心，并請其轉告中央政府諸先生及黨政負責同志，非如此不足以拯救垂危的武漢。

蔣總司令於六月初旬到了漢口，很快就把三省剿匪總司令部組織完成，開始督剿共匪，召開豫鄂皖湘贛五省清剿會議，規劃豫鄂皖三省剿匪具體計劃及清剿善後方案。這時總司令部的組織在副司令及參謀長之下設有秘書，參謀，副官等處及黨政委員會，我奉派爲總司令部的秘書，兼任秘書處的第三科科長，主要工作仍在總司令官邸侍從室服務。

第三科的任務主管調查、情報及警衛的策劃和協調連繫工作，兼辦部份肅奸防諜的執行工作，配合中華復興社的特務工作，附屬一個警衛小組。最初的工作人員不過二十人，警衛組也祇有十五個人，主要的幹部爲邱開基、李厚徵、王新衡、郭壽華、王志文、張毅夫、李葉等，都是二十幾歲的青年，因爲有革命團體中華復興社的秘密相配合，工作雖很艱苦、嚴肅、危險，但革命青年精神的奮發，與一羣留俄學生反共鬥爭精神的旺盛，對於各種艱鉅的任務，似都能勉力勝任。

第三科的工作對象有三類：一爲共產黨的秘密組織，匪諜，共匪交通及共黨在武漢軍政社會滲透顚覆份子。二爲日本軍閥在武漢的漢奸組織，諜報組織，奸商及以漢口日租界爲基地的便衣偵探，和工商業大量推銷日本貨的奸商。三是貪官、污吏、官僚、政客、地痞、流氓、及一大批走私販毒、包庇吸食鴉片烟及賭博、嫖娼的人物。這些人都是當時革命的對象，也是日本軍閥與共產匪黨培養、利用的組織和人物，用以作他們的耳目及腐化惡化國民黨與社會的主幹份子。第三科以極少的幹部，設備及經費，對付這些紛歧複雜腐化惡化的對象，在他們反動圍攻情勢之下，實行看不見的戰爭和鬥爭，那眞是十分的困難，萬分的危險，我担負這份責任的沉重，也就可想而知了。自然我們一般同志，都有充份冒險犯難的精神，而且都能發揮以一敵十，以一敵百的革命戰鬥精神與力量。

我們經過的危險和困難，最初一年之中，大小就有千百次以上。我們遇到了重要危難事件時，常常連日不眠不休，講求克服困難度過危險的方法和行動。（八三）

金城公園

勞克

我剛到金門來，一位伙伴帶我到金城公園。在金門這公園是首屈一指。公園內有一勝利女神像，手上捧着三民主義。

「你要不要留個影紀念。」伙伴們問我。隨即把我手上照相機打開。

我照了一張相後，便對女神打量了很久。在台灣却沒有發現到這大的女神像。

「我單獨給女神像照一張。」我說。

「這照片你要用吧？」

「我是這樣想。」

之後，我眞的把女神像寄到中國一周社做了封面。

公園內另外有總統親題的「繼往開來」四個大字，是在人爲的假山上面。園中也常有遊人，但是并不太多。

我在中華日報副刊，寫了一篇戰地笙歌，有位白成藩讀者寫信給我，說戰地女孩子不會如我所說的開通大方。我沒有和這位讀者辯論，不過有一事實，我在這兒敍述出來。

是個星期六的晚上，我在金城公園裏散步，正好有兩對情侶在卿卿我我，摟的緊緊的。我還聽到他們中一對的談話。

「我實在太愛你。你就答應妳給我。」男的聲音。

「我怕母親反對。」

「祇要我倆相愛，我想你母親也會答應的。」

沉默了一會。

「你台灣眞的沒有女友吧？」女的問

「沒有。我已經向你說了無數遍了。」

「但我不放心你。」

「你和我結婚，你就會放心的。」

「假使你騙我呢？我是女人，女人與男人不同。一失足便什麼都毀了。」

「你要我把心挖給你看吧！」

「好，好，我相信你。」

金城公園，據我的伙伴說，就是情侶談情說愛的好地方。樹林不疏不密，加之有了紅綠燈光，使大自然的氣氛更加和諧起來。

「我沒到金門來，有人說金門小姐是地瓜小姐。」我問伙伴們。

「此一時，彼一時也。」伙伴們說：「就是在一年前，小姐們還不敢單獨談戀愛的。但現在都趕上時代，也趕上時髦。台灣有的東西，這兒也有了，女人的化粧品多的是。」

「我眞是看不出，她們就和台灣小姐一樣的漂亮。」

「再過兩年，這些小姐們都是唸了中學的。」伙伴們說：「有一部份小學生的那些小姐，逐漸淘汰下來。城裏的商店店員，大部份都是中學生。」

我不再說什麼了，小姐們對金城公園有特殊的愛好。假日，她們沒有男友，也在公園裏坐坐，或者走一走。有一次，我看到她們，我說：

「我給你們照張相。我想，相片一定很好的」

小姐們十分大方，別過身子來。「照相可以，但你必須把底片送給我們。」

我說這是必然的。她們利用公園裏的假山，小橋，以及噴水池，讓我把她們的優美姿態，都攝了下來。

在美化環境中，金城公園又重新修理了一番，就是把兩邊的樹木修飾整齊。園裏面還植些四季的花草。那樣更有些詩情畫意了。

乙巳元旦有賦示諸兒

蔡俊光

四序孰非吾所有？三元恒是此開端。

鬖鬖社鼓催聲大，鬱鬱孤懷頓覺寬。

蛇門聊占居外運，燕來願與及時安。

宮花試溺如心字，家訓相傳細意看。

哀梨室剳談

梨園坤角話從頭

谿公

「乾坤大劇場」，一向是由孟小冬「挑大樑」的。她這一「生」（小冬）一「旦」（少梅），都是紅得發紫的角兒，誰也不肯把「名牌」屈居人下，形勢上顯得很「殭」；幸而經理先生有辦法，特把她二人掛「雙頭牌」輪流的換唱「壓軸」和「大軸」，形成一樑一柱，缺一不可。這一着棋子，是下得很高明的。

不過小冬是故名伶孟鴻羣之女，生長於滬，人緣極佳，經常到大劇場之座客，差不多百分之百，都是捧小冬的。現在少梅既與她分庭抗禮，當然不可無多數「捧場」之人，以免相形見拙；於是乎她——金少梅——的義父步章五先生（筆名林屋山人，當袁世凱歷任各省督撫時，即以步爲幕僚長。民國初元，袁以賣空買空之手段，竊據總統尊位，仍以步爲秘書。而步對袁之帝制自爲深以爲憾；曾數數進以忠告，袁皆亂以他辭，不置可否。而袁之次子克文字抱存筆名爲寒雲者，則與步意氣相投，有車笠盟；而對乃翁之企圖稱帝尤不謂然！不但舉之於口，並且形諸吟詠，曾有『劇憐高處多風雨，莫到瓊樓最上層！』詩句，意在諷諫。袁祇付之一笑；而跛太子克定，則深恨之，竟欲置乃弟於死地！步乃約寒雲秘密南行，僑居春申江上，賣文鬻字以爲活。初時人皆以二皇子呼寒雲，至是始知其反對帝制，因以曹子建第二目之。以寒雲博學能文，兼擅音律，「崑」「亂」戲曲，無一不佳，誠不愧爲風流才子也。林屋山人之文筆亦極雄健，但滬人無知之者，以其爲寒雲盟兄，且同爲俠林前輩，海上之三大亨黃杜張皆敬禮之。以故步袁在滬，遂如賣藥韓康，人無有不識之者。而慕其名願爲門墻桃李者，則尤此比皆是。但寒雲祇收門徒，林屋則於收徒外，尤喜以男女名伶爲義子女；其所創辦之「大報」，幾日以三分之一之篇幅，刻意評介戲曲伶倫之文字；少梅即其義女中[illegible]者也）。特地爲她組「捧金團」以捧之，並取「一生低首拜梅花」七字作爲「團訓」，所有步門弟子，均爲當然團員！其非弟子而亦加入者，尚有吳天翁等數百人。但林屋兄尚以爲未足，特將筆者與海上漱石生孫玉聲，天台山農劉玠玉，與張不恭、陳逸民、陳小坡六人，列爲贊助團員。這一贊助，就把少梅未來之命運給決定了。（六）

記盲人作家郭錦隆

娑婆生

科學發展和進步，使世界上有些已經殘廢的人，也能從刻苦自勵，而獲得成就，與不平凡的光榮。如果在百年以前，先天生就的盲啞之人，大概不過送到按摩和算命一類工作，絕難得享受肄業的機會；現在就不同，盲啞也有學校可以去深造，祇問自己努力之如何。台灣在五三年全國青年學藝小說創作競賽中，竟發現了一位盲人作家郭錦隆，獲得了優勝獎。他不僅是台中學子參加小說創作競賽的唯一得獎人，也是全中國盲人在小說創作而能獲獎的第一人。他最近所寫的十七萬字長篇小說，「多少柔情多少淚」，恐怕是中國文學史上的第一部，可說是空前所無的人物，値得欽佩。

這位雙目失明的旗山溪州籍二十六歲青年郭錦隆，在二歲時，因爲家境貧困，而他的媽媽又體弱多病，有了三男二女，簡直無法撫養，每天感到頭痛，想把孩子送一二個給別人去養，藉以減少很多的麻煩。終於托人招養，被新營近鄉的張克權抱領回來，取名張俊銘。天道無情，當他四歲時候，患小兒麻痺症，後來雖醫好，雙目却失明了。尤其克權妻子在次年忽生一子，距離他們結婚已有十一年，從此對俊銘沒有好感，一動就打，一月之間，扑責在三四十次，也不給他吃好的食。有時親戚朋友來時，把他關在後面柴房，不許他去見客人。視之不及奴僕，過着非人的生活。他的伯父有時來看到，極爲氣憤，兄弟之間，時常吵鬧。克權受不過乃兄的訓責，偷着把他賣給作按摩而兼歌唱的瞎子，得了新台幣兩千，就稱他爲乾爸，隨着在街頭流浪作業。

皇天居然給予憐憫，未到一年，他的乾爸死去，鄰人又把俊銘送回來，其時不過九歲。伯父克文不顧一切，問他願意不願意讀書，俊銘喜出望外。他父親却不贊成，說道瞎子能讀什麼書？什麼東西都看不見，簡直是笑話！克文不管什麼，堅決要送他去，一切學雜費用，由他負担。因此被送往臺南盲聾學校考試。等待放榜，居然在二十五位考生中，錄取第一。從那時開始，他這一條小生命，眞正被移植了，從一塊陰暗乾燥貧瘠的泥土，搬到肥沃有水有陽光的土壤中。

俊銘在學校中整整六年，他的父母從不接他回家，結業後，他依然是得獎的一名，由他的伯父領他回家。六年中，他的家庭有很大變化，他父親克權在颶風來時觸電而死，小弟弟被水流捲走。媽媽因接連來的打擊，患了癌症，不治病故。他唯一的依靠，現在祇有伯父母了。他升到中學後，功課很多，但專心一志，先研究按摩，并把小學所習的音樂加強練習，另加解剖，衛生，電療，病理，診斷各課程。安慰的是男同學李國華、王育英，女同學潘靜薇、李秀蘭，因爲他音樂好，常請他合奏，由她們來唱。他精於數理，女同學常請他演算。終於在五十年卒業於省立臺南盲聾學校，成績爲第二名。五十一年秋間，應聘担任省立豐原盲聾學校教員，課餘又爲該校學生樂隊的義務指導。（上）

試談紅樓夢問題

繆匡

此說所引，惜無書名人物可稽，然謂林薛二人之爭寶玉爲允（雍正）諸人之爭嫡事之說，爲順康間一大事，則頗有見地，且爲特立之說法。謂著者故明言爲一塊玩石，正合符「石頭記」之名。謂海外女子爲鄭延平之據台，此爲一別開生面之說，惜未加闡釋。令人難解。

以上諸說，固爲一般紅學家精力之所聚，雖不免附會，然均持之有故，言之有理，各盡其妙。即第五說之胡適之紅樓夢考證，近人多宗爲權威者，亦多有漏洞，今人潘重規駁之尤力。即另一紅學專家蔡孑民氏，也力加駁斥。胡適指蔡孑民爲「附會的紅學」，爲「大笨伯」，「笨謎」，說蔡「走錯了路」。都是公說公有理，婆說婆有理。即胡適氏所主張，紅樓夢爲曹雪芹自身的寫照，甄賈二府即曹家的影子。此說漏洞不小。如賈府果爲曹家的影子，而此書又曹雪芹自己寫自己之家庭狀況，則其措詞當有分寸。觀十七回，焦大之謾罵，六十回柳湘蓮道：「你們東府裏，除了那兩個石獅子乾淨罷了。」似太不留餘地。（其餘尚多不再舉）觀蔡孑民之說結論云：石頭記原本，必爲康熙朝政治小說，爲親見高、徐、余、姜諸人所草，後曹雪芹增刪，或許插入曹家故事。要未可以全書屬之曹家也。此說頗近情理。即如中國另一名著——水滸傳，其中故事人物，亦非一朝一代之事，更非同一時代之人物，胡適以爲全爲曹家影子，也是以偏概全之說。總之，這些影射皆不可據爲可信之史事，翻來覆去，永遠是弄不清的，除非是原作者復活，否則難下定論。（七）

內僑警台報字第〇三壹號內銷證

自由報

THE FREE NEWS

第二五二期

中華民國僑務委員會頒發
台教新字第三二三號登記證
中華郵政台字第一二八二號執照
登記為第一類新聞紙類
（半週刊每星期三、六出版）
每份港幣壹角
台灣零售價新台幣貳元
社長：雷嘯岑
督印人：黃行憲
社址：香港銅鑼灣高士威道二十號四樓
20 CAUSEWAY RD 3RD FL
HONG KONG
TEL. 771726　電報掛號：7191
承印者：田風印刷廠
地址：香港灣仔高士打道一六一號
台灣分社
台北市西寧南路壹壹零號三樓
電話：三〇三四六
台郵劃撥帳戶二九二五二

惡法亦法說

李聲庭

「惡法亦法」是英國人批評英國的奇特制度所用的一句話。因為英國的國會自從十七世紀中一連串的革命與內戰把一個國王殺掉，又把一個國王趕走的結果，所形成的國會專橫局面。國會專橫的第一個特徵是國會無所不能。瑞士的法學家狄龍便發過這樣的感嘆，他說：「它(國會)除了不能使女人變為男人或男人變為女人外，巴力門無一事不可作，這是英國法學家所一致承認的基本原則。」事實上，英國的巴力門恐怕連女人變男人或男人變女人的事都可以做。這要看所採的觀點如何而定。男人或女人的分別如果是指生理上的，則英國的巴力門不能做的。其他任何有威權的人也不能做，這是上帝權力範圍以內的事，凡人是無此力量的。但如果是指法律上的男女區別，則英國的巴力門大可優為之。由於國會專橫便派演出惡法亦法的結論。因為國會制定的法律，法院不能加以審核。

在英國還有一個怪現狀，即法院解釋法律時，先要假定法律是不違憲的，即使在事實上已經清清楚楚的違憲了。那是因為國會至上的緣故。所謂國會至上是說國會的行為不受別的機關的審核。英國在十六十七世紀時，法院的許多判決都由國會特別制定法律反轉過來。我們指英國的司法獨立，其實只就一方面說，另一方面英國的司法是受立法機關的控制的。即司法機關並不能完全獨立的解釋法律，只能先假定法律不違憲，因此惡法也是法。萬一沒有辦法了，再說法律並不錯，錯在執行法律的行政機關。至於人民因此受到了冤屈呢，只有另行向國會請願，由國會通過一法案加以救濟。但如國會拒絕救濟時，任何人都沒有辦法。因此孟德斯鳩也發過感慨，他說：「一遇立法權力較行政權力更腐化之時，即英格蘭憲法毀滅之日。」英格蘭憲法到今日尚未毀滅，雖然國會的權力是至高無上，國會有時專橫（十八世紀與十九世紀初時確如此），但英國憲法的後面有一股很大的力量在支持它，那便是人民作它的後盾。去年十月十五日英國國會選舉，一夜之間保守黨在台上的官員一個個失業，而勞工黨僅以四席的多數上台執政。下台的默默而退，上台的高興就職，一點不發生爭執與出怨言。這一切都由人民決定。耶林斯所著的一本英國憲法的第一章的標題就是「為民所治的政府」Government by the people。人民在十月十五的那一天所表現的決定了一切。這一百年來國會選舉的勝敗決定政府的命運，因此沒有那一屆國會敢於再像以前的專橫，雖然它的權力還是至高無上。因此也不敢制定為人民所不要的惡法出來。如果說英國的司法真正獨立，還是這一百多年的事，即國會不再專橫了之後，法院才能獨立判案，像以前動不動就把法院判決的案子反過來的情形不再存在了。因此說惡法亦法是指的英國在十八世紀及以前因國會專橫而違反人民的意旨所立的惡法。這些惡法制立了之後，法院還得謹遵適用，即使在法理上完全說不過去也得繞圈子解釋這些惡法不違憲。這在美國則沒有惡法亦法的說法。在美國惡法便不能成其為法，即使有也無效，這便是美國司法審核制優於英國的地方。

美國基於三權分立的理論認為法院所職司的是解釋法律，所謂解釋法律，不是法院居於立法機關之下作國會的應聲虫，而是當解釋法律時依照人民彼此間所訂立的契約——憲法條款來說話。比方說憲法規定：國會不得制定法律剝奪人民的言論、出版、集會、結社自由。法院便根據這一句話判決所有聯邦或各州的法律有關限制人民的言論、出版、集會、結社自由的法律為違憲而無效。這些法是惡法，在美國是無效的。一九三一年最高法院判決米里蘇達州的出版法為侵犯了人民的言論出版自由為違憲（惡法）而無效。無論米里蘇達州提出如何漂亮的理由來詭辯，最高法院堅持所謂不得制定法律是一項禁止的規定，無討價還價之餘地。一九四二年最高法院又判決塔克斯州對於工會召集工人開會需要向州政府事先登記的法律為違憲（惡法）而無效，認為侵犯了人民的集會結社權。這些惡法是經過有權制定的機關依照立法程序制定，又經過行政機關予以核准而公佈施行的。若在英國，法院對於這些惡法只能奉命唯謹的判決米里蘇達州的報紙關門和塔克斯州的工會不得召集工人開會。因為英國法院只能依法判決，不能向法律挑釁，因此明知是惡法，也得當法來適用。說句不好聽的話便是司法機關與立法機關同惡相濟欺壓老百姓。這種司法獨立是表面上的，而不是精神上的。可是美國的法院則不同，他們有權宣佈一切惡法無效。凡是與人民的意見相左，或壓制人民與欺騙人民的法律都是惡法，從地方法院到最高法院都有權宣佈這種惡法無效。

好在英國有一個優良的傳統，雖然國會至上，有時候國會也專橫，可是他們却甚少制定惡法出來，至少這一百年沒有發生過。除了不敢違背人民的意願外，英國國會議員素質之高也是大家所公認的。因此他們從來沒有妄想為自己打算，要制定當三年議員便可取得律師資格以自肥，萬一不幸有這種惡法出現，在英國的法院是沒有辦法的，進一步還得找些理由去曲解這惡法不違憲，但在英國現行憲政體制之下，這種惡法還是可以去掉。這果這法是由保守黨在台時制定的，下一次選舉保守黨政府準倒台無疑，在美國則這種惡法無效，因為人民可以告法律一狀。一般的是人民以身試法，等到法律來找他麻煩時，他便指這是惡法以為抗辯。這樣一來，法院一定得在惡法與真法之間下一判斷，如果是惡法時便判決其違憲而無效。因此一個法律是不是惡法在美國由法院決定，在英國由人民投票決定，在不民主不自由的地方由制法的那批人片面肯定，法院無權，人民也無權，因此惡法也永遠是惡法，連批評惡法的自由都沒有。一有批評，便拿惡法來整治那些人，指為誹謗，這便是惡法亦法說的注脚。

毛酋：「我地攪個聯合國……」

障眼法

今日與明日

柯西金訪河內

蘇俄總理柯西金最近突然訪問河內，頓使人注目，自從去年十月十六日推倒赫魯曉夫，柯西金繼任總理後曾經兩次出國，一次是去華沙參加華沙公約國會議，一次就是去河內訪問了。

柯西金訪問河內，雖然正值南越情況危急之際，有人推測是為胡志明打氣，但實際目的大概還是想把北越拉回蘇俄陣營，中共當然也看清楚這一點，當柯西金剛到河內，北平共報就刊登專文，恭維北越反帝反修的成就，反帝自是指的美國，反修當然是指的反俄了。

美機大炸北越

就當柯西金在河內正同胡志明商談時，不知是巧合還是有意安排，越共游擊隊突襲南越機場，激惱了美國，引起報復，美越空軍混合編隊大炸北越南部基地，據說摧毀了目標百分之七十以上。

這次事件受損最大的是北越，最感到高興的可能是毛幫，最尷尬的則是柯西金。

當柯西金抵達河內後，北越政權馬上論調一變，擁護蘇俄的和平政策，頓有自毛共陣營脫幅之勢，此時一旦被炸，形勢危急，勢必要依着毛共支持，因為蘇俄畢竟遠水不救近火，而且蘇俄亦不會為越南問題與美國開戰。故美機轟炸北越的結果，使越共更靠向毛共，柯西金此行是白跑一趟了。

柯西金在河內遇到北越被炸，其處境是十分尷尬的，就他的立場來說，自然要出頭支持北越，但柯西金並非蘇俄唯一決策人物，他自不敢向胡志明提出任何諾言，因此柯西金在北越的談話就顯得含混不清，軟弱無力，沒有毛共的堅定。

本港銀行擠兌潮

本港最近發生了一次銀行大擠兌的風潮，波及了七家華資銀行，八日九日兩天，市面人心惶惶，社會顯呈混亂狀態，猶幸港府措置得當，才把局勢穩定下來。

不過，這次風潮有很多跡象看出是人為，據傳最早在廣東信託銀行香港仔分行擠提時，就發現受僱的是職業排隊人，本身在銀行並無存欵，却擠在人叢中散放流言，說這間銀行不穩，那間銀行靠不住，勸大家把錢改存到某方面去。又有某大銀行竟把大量港幣屯積起來，不令流通，以致市面銀根更行短絀，終於迫使政府宣佈每戶暫准提一百元。像這一類事實，皆是別有居心之輩所為，不可不予嚴查。（何如）

自由談

自由世界的不幸

馬五先生

美國當局再三聲明對越南反共戰事不採取擴大政策，這在越共看來，乃是「正合孤意」！

越共以劣勢的兵力和裝備，決不足以對抗在美國支援之下的南越軍大舉進攻，美國既不贊成擴大越戰，而以被動應戰挨打為原則，越共自然求之不得。他們利用滲透戰術，仗着地利上的特有的方便，再加以反帝、反殖民主義的宣傳力量，對越南方面的軍事據點，隨時隨地實施突襲破壞，事半而功倍，收效甚宏。最近美軍在越南中部的機場和基地，即受到越共的重創，損失飛機數十架，死傷人員近百名，然越共的代價，只是若干發迫擊炮和臼炮炮彈而已，這不是「一本萬利」的游擊戰果嗎？

美國吃過一次大虧之後，派飛機到越共地區轟炸報復，還要由白宮發佈聲明，表示並非有意擴大戰事範圍。這不像是在對壘作戰的情形，行同兒戲，可與中國大陸上毛共對金門島實施隔日發炮的玩藝媲美爭輝，好不笑煞人也！

共黨在東南亞利用反帝反殖民主義的心戰潛力，已奄有滲透、顛覆的優越地位和機會，美國唯一的優勢就是「天下莫強焉」的實力，要想維護東南亞人民的自由生存，保持美國在自由世界的領導威望，只有以快刀斬亂蔴的手段，對那肆行蠶食侵略的共軍，予以掃蕩清除，才是用其所長的上上之策，此外均非共黨的對手。可是，美國基於害怕全面大戰的歇斯忒里亞心情，自我恐嚇，偏要用其所短，既不願退出亞洲地區，又不能保障這地區的安全，而對於共黨的侵略威脅，竟採取不戰不和、不進不退、不勝不敗的策畧，而美其名曰「維護世界和平」，天下最滑稽可笑之事，孰有逾於此者？

美國當局一廂情願的想法，就在期待着中俄共實行破裂，自相火拼，藉收漁翁之利，這與窮漢希望得中馬票，不勞而成富翁的幻想殊無二致。南韓之覆轍猶存，南越的來軫方遒，這眞是自由世界的大不幸啊！

隱沒半世紀，獻給有心人

胡適留學書簡欣已發現

將珍藏於胡適紀念館中

（續上期）「一日自剪其髮，僅留二三寸許，其母與姊非之而無如何也。其狂如此。余戲謂之曰：『昔約翰彌爾有言：今人鮮敢爲狂狷之行者，此眞今世之隱患也』。（吾所謂狂狷乃英文之Eccentricity，狂乃美德，非病也。」女士謂：「若有意爲狂，其狂亦不足取」。余亦謂然。又云：「女士見地之高，誠非尋常女子所可望其項背。余所見女子多矣，其眞能具思想、識力、熱誠於一身者唯一人耳。」又云：「女士最灑落不羈，不屑事服飾之細。歐美婦女風尚，日新而月異，爭奇鬥巧，莫知所屆。女士所服，數年不易，其草冠敝損，戴之如故。又以髮長，修飾不易，盡剪去之，蓬首一二年矣。行道中，每爲行人指目，其母屢以爲言。女士曰：『彼道上之婦女日易其冠服，窮極怪異，不自以爲怪異，人亦不之怪異；而獨異我之怪異，何哉？彼誠不自知其多變，而徒怪吾之不變耳。』女士胸襟於此可見。」

觀上文所述，韋女士之爲人，言行，皆爲胡先生所欽仰不置。其在胡先生留學期中，可謂獨獲之異域知己。胡先生這樣稱贊過她：「女子有一種感化力，善用之可振衰起懦，可以化民成俗」。胡先生於民國四年五月二十九日寫給韋女士的信有云：

「說眞的，我一直就在飄泊不定之中，離我的理想與目標眞是愈來愈遠了。」

又云：「這並不是沒有原因的，長久以來，我就需要有這麼一個人來指導我，使我走上正確的道路。但就目前來說，除了你之外，實無第二人能對我急切的需要，能予以幫助。」

又云：「有一個時期，我在迷濛中看到這飄泊不定，實在使自己感到不勝惶恐。」

又云：「……你一向是如此仁慈可愛，對我的幫忙又是那麼的多。現在我已決定照你昨天對我說的話去做：『別整天癡心夢想，以致浪費了寶貴的光陰！現在開始工作吧！』就是現在！」

胡夫人收到韋女士寄來的胡先生遺扎，極爲高興，非常珍惜，她現已指定專人整理，將徵得收藏人同意後，方正式移胡適紀念館保存。

胡夫人對韋女士非常關切，爲示謝忱，特別爲韋女士縫製了一雙兎子頭棉鞋寄去，代表可貴的友誼。從前，胡夫人與胡先生住在紐約時，韋女士每年都要從綺色佳到胡寓一兩次，與胡氏夫婦話舊。韋女士也非常關心胡夫人，在她致胡夫人的信中說：「健康和寧靜都是不容易保持的，願胡夫人在胡適紀念館開幕典禮中，不致爲那些儀式過於煩勞。」

胡先生在世，一向被人崇敬，謂胡氏不二色，愛情永篤。這一段純潔的舊情，却在胡先生逝世三年之後出現，實可爲胡適紀念館生色不少。（下）（匡正）

聯勤的明駝劇團

有需要力求發展

（本報台北航訊）台灣的軍中，多有康樂的組織。空軍的大鵬，陸軍的陸光，海軍的海光，皆擁有若干的劇人作康樂的活動，表演平劇。聯勤也不例外，有個明駝劇團。明駝成立之始，人才極爲缺乏，不能與其他三單位抗衡，可以說青衣也沒有，老生也單薄，花旦更闕如。但到了五年前，名坤伶馬驪珠自金門歸來，被邀參加，于金驊（丑角），王鳴詠（老旦），始粗具規模。去年復約角），牟金鐸（淨角），小坤旦徐蓮芝加盟，花旦也有了，這才足以與其他單位一爭短長了。馬氏辭退後，由梅氏弟子秦慧芬繼任。明駝處事，向來極爲謹愼，爲顧慮賠累，故很少公演。雖經敦促，迄今亦似無動於中。近今曾在藝術館作三日的公演，計會將相和、完璧歸趙，蓮芝演全本大英杰烈，慧芬演甘露寺、荊州別宮祭江；以九百近座位三地方，竟收獲近一百三萬餘元！即大鵬亦介壽堂公演，亦很少能每天票房，紀錄有一夠三千元。這些都是他們萬三千元。以此作爲蠢測如何人才濟濟，毫無問事實。明駝很少演得題，其故爲大鵬以所太多。其明駝很少以以絕對一次公演，應兩月來一次勝算。所議。絕無問題，傳言在二月底又將緊縮調整演員，這是他們

內部的人事，外人不能過問，按經濟原則，有句成語：不能開源，便應節流。處事的方式。[illegible]

顯其軟。以客觀來[illegible]

檢討台灣金融措施

本報記者　張健生

自新台幣發行以來，幣值一直在輕微的通貨膨脹中有所低跌。台灣的物價指數，如以四十七年爲基數一〇〇，至五十三年四月爲一〇爲一〇六，其增加幅度不能謂不大，僅次於南韓，而在印度、越南、日本、英、美各國之上。由於美援即將停止，更應重視幣值問題，以免幣值大幅波動，而影響國計民生。因此，政府應建立確保新台幣幣值的金融政策，以維經建成果而安定社會。

據官文書載：我們一般國民所得，平均爲美金一百多元。若與美國國民所得相比，相差達二十倍以上。即亞洲之日本，亦比我們多達三倍左右。足以證明我們國民所得低微。以是故必須加速發展經濟，以期提高生活水準。然經濟落後國家欲求發展產業，首要在於如何籌措資金。因爲經濟落後國家缺乏資金，而各種工商企業之創設，正在需要大量資金，各種工商企業設立以後，欲轉資金活運用，所以金融機構應善爲促進國民儲蓄，並使之由儲蓄而走向投資之路，以盡其調節社會資金之功能。

不均，確有其社會上和心理上的正當理由。但像今天所見的這樣大的不平等，卻難找出同樣的正當理由。台灣的企業家，致名符其實的爲金融業家難能存在，以發揮其應有的使命；而讓資本家爲自身的利益，而吸取財富，終使社會的財富爲少數資本家所吸收。倘因之而形成貧富懸殊生，而動盪不安。當前金融結構，對於中小企業，亦未能加以重視。銀行偏重於抵押放款，中小企業所需資金雖不多，但無法從銀行得到所需資金，而必須以高利貸方式借助於民間，以致經營困難。政府不重視一般平民金融，這從政府對於信用合作社、鄉鎮農會的信用部未能盡加輔導之責而任其經營，即明顯的事證。但中產階級，對安定社會具有最大的力量，假使中產階級之經濟破產，實堪憂慮。因爲有些有價值的人類活動，需要有賺錢的動機和私有財產的存在，而使危險的人性傾向走向比較無害的途徑。如果我們不以這種方法來使這類人性傾向獲得滿足，則他們會在殘酷、胡亂追求個人權勢方面尋求出路。變換人性工作混淆。一般人事實上具有强烈的賺錢熱情，如讓他們在各種規則和限制下從事競賽，仍不失爲聰明和審愼的治國之道。

第二個與財富不均有關的是：我們的利率問題。有人認爲較高的利率是正當的，因爲必須藉它來提供充分的儲蓄誘因。然而有效儲蓄的多寡，不是取決於高利率，而是取決於投資的規模，而投資的規模則可藉低利率來促進。

自五十二年從對外貿易由入超變爲出超後，政府外匯結存額增加，已突破三億美元。由於外匯等因素，使貨幣供應額大爲增加，此爲游資來源。目前社會由於巨額之游資，正如一股大洪流，洶湧澎湃，如能善爲疏導，除灌溉、行舟外，更可變沙漠爲綠洲，荒野爲良田；倘運用不當，洪流所至，盧舍爲墟，一切經建設都將爲之破壞。台灣經濟急待開發，最感資金缺乏。以往仰賴外資從事經建工作，美援停止後，將斷絕爲數可觀的資金。是以如何保持經建成果，進而加速經建工作，有賴於借國內每一滴游資，使游資發生最大效用，此爲當前最重要的課題。政府於目前的游資，應有防其害，興其利，作最高利用價值之金融政策。

台灣的金融體系，在形式上已具備，但在實質方面，距離完備的階段，仍是相當遙遠。如何健全資本市場？設立投資公司與投資銀行，整頓證券市場，均爲重要之舉。

健全資本市場，除整頓證券市場外，尚須促進證券市場發展所必須之外圍組織。在歐美和日本，都有投資銀行、信託公司，以及各種有力的證券承銷機構，以誘導投資，促成證券市場外圍組織，但台灣證券市場外圍組織，至今仍未建立。證券投資信託事業經營之原則，即聚集若干小額投資者之資金，透過各種證券投資以分散其風險並穩定其利潤。（中）

屏東縣萬丹鄉農會

新總幹事敢作敢為

（本報記者屏東航訊）屏東縣萬丹鄉農會新任總幹事李明治，於就職伊始，據說爲了整頓會務，樽節開支，一下子就解聘了六位職員。據說由於地方派系利害之爭，繼那六位職員的解聘命令宣佈後，復有十二位據說是反對派（北派）的職員集體辭職，以示抗議解聘案的執行，造成一場風波。但出乎人們意料，李明治對那十二位職員的集體辭職，居然予以批准。且據說還因此而平息了此一節外生枝的人事風波。不特此也，又據說，經此一來，該會正在安定的人事環境中，邁向發展業務的途徑。

按萬丹鄉農會人事糾紛的起因，實緣於本（五）屆理事會改選成立後，由於南派理事佔居了六席的多數，掌握了理事會大權。五屆理事會視事後，首先的一項目標，便是設法如何解聘前任總幹事林一心，惟林一心在職先後達七年以上，一向不但忠勤職守，且亦素有好好先生的雅稱，因此，理事會對之一時感到無計可施；理加以南派理事不足法定的三分之二席，要硬來亦其實辦不到。如此延至五十二年冬，林一心爲顧全地方團結與農民福利，乃毅然決定放棄北派理事的支持，實行急流勇退，他自動的向理事會提出辭職。他此舉事後雖因爲北派人士所反對，而會一度表示後悔，并爲挽回辭職案的實現，而訴之於法，但被法院裁定他的敗訴，終於五十三年九月一日，在縣政府的命令下，交卸了總幹事的職務。

李明治於接長總幹事職務的三個月後（十二月一日），突然發表該會職員潘萬福、蔡聘、簡頁福、陳添丁、陳拿、丁文壽等六員的解聘命令。據說，以上六員被解聘的原因，并非屬於地方派系，而是一則由於他們平時服務態度欠佳，使農會受到地方人士的指責，再則爲樽節農會開支，始報請縣農會人事委員會予以解聘。話雖如此，北派在會職員鄭明得、林一言、陳石養、盧仙東、李仙通、盧在明、陳林鐵、鄭編、陳明胤、黃賜川、陳琳等十二人，怵於兎死狐悲的心情，乃實行提出集體辭職，以示抗議！一時形勢殊爲嚴重，大家都爲李明治捏一把汗，不知其將何以善後。

集體辭職案提出的消息傳出之初，一時頗爲各方所注目，甚至曾有某些與農會事務有關的單位主官，認爲萬丹農會此一集體辭職案的人士糾紛，勢必釀成不幸後果。却沒有料到，李明治居然一不做二不休，轉請農會的人事委員會，批准那十二職員的辭職，而輕易的便告結束那場糾紛。

某官員語記者稱：李明治原任鄉公所職員，他此次出任農會總幹事，尚爲其獨當一面的首次，但其表現，不但對一般行政業務的處理，頗游刃有餘，且對農會經營，亦具熱心與幹才。比如他接長會務僅三個月的時間，對十二年以來從未超出一〇〇、〇〇〇、〇〇〇元的存款紀錄，居然在三個月內把存款額增至爲一三〇、〇〇〇、〇〇〇元了。再者，自五十四年元月份起，復經土地銀行暨高雄青果合作社張理事協議後，已決定原由屏東市信用合作社萬丹分社代辦的香蕉價款發放業務，交由該農會代辦。這筆香蕉價款，爲數約二千餘萬元之鉅，既交由該農會代辦，萬丹農會的存款，勢必更爲提高，是其會務之蒸蒸日上，蓋屬必然之事云云。（袁文德）

新道統的指標

向爲禍中國的五害挑戰！

論道統第三章

陳健夫

「從前的儒學，過分注重家庭，所以主張修身齊家，主張兒女對父母應盡孝道」其用心在維持一個農業社會的家庭倫理的尊嚴，宗旨本是好的。可是自曾子以後的儒家，有些人過分強調了「孝」的觀念，「家」的觀念，便未免將個人束縛在家庭之內了，因爲這種宗族，家族的觀念太濃厚了，便造成了一種忽視公衆社會秩序的觀念，「各人自掃門前雪，不管他家瓦上霜」，的自私習慣，便由此形成。這樣的傳統觀念，在一個落後的農業社會未嘗不可，但今日已爲工業社會，個人已自家庭中走出來進入工業社會，個人不僅是家庭的成員，而又是社會的中堅。在工業社會中，重視人格尊嚴，個人自由，及公民自由觀念等。原來人類文化是逐漸向前發展的，最初是自個人出發，後來發展到家庭，以家庭爲一中心，再發展至社會，便形成了以社會爲中心的組織。可知今日發展到工業社會，個人對社會的責任實在大於對家庭的責任了。新儒學却重視家庭制度，尊重倫理傳統，但新儒學却不再重彈那修身齊家，忠孝節義的老調子，而强調人權，人格的觀念，重視社會的責任，就今日而論，社會較之家庭又更重要了。

所以，今日發揚倫理道德的好傳統，必須向前推進一步，決不能盲目因襲，舊調重彈。因爲「今後倫理傳統將從家庭發展到社會，以社會爲一中心而建立一新倫理傳統。這種新倫理傳統將重視公衆生活及其秩序。」（同上三七五頁）這種維護家庭制度，同時又發展到社會，尊重人權，人格的觀念，重視個人對於社會的責任，重視以社會爲中心的新倫理及其尊重公衆生活，公共秩序的新道德觀念，便是新道統所倡導的倫理道德。新道統之下的新社會，要保障每一嬰兒甜蜜的睡在自己媽媽的懷抱裏，享受人間的母愛；要保護所有的男女有他們的自由結合的家庭。更要維護全社會的男女的人格尊嚴，人權獨立，及公衆生活與公共秩序。（現代的民主生活，簡言之可說即是公衆生活與公共秩序的擴大與發展）這便是新道統之下新倫理新道德。

二、民主制度的普遍與發揚

新道統的指標，除了倫理道德，便是民主制度，也即是民主生活方式。這是與西方近代的一種優良生活方式，與中國儒家的民本政治的思想不相關連。

民主生活制度是來自國民教育水準高而有良好的公衆生活與秩序的國家，因爲在這等國家，人民有公共的生活習慣，與德操，個人或集體的極權專制不容易產生。實在的，極權專制只有機會在落後的國家出現，而不可能出現於文明進步的現代化國家。因此往日的法西斯及軍國主義可以在德國，意大利，日本產生，今日的共黨極權可以在蘇俄，中國出現，而在英美文化進步生產發達的國家，無論是往日的法西斯，軍國主義，及今日的共黨極權，皆不可能成長。這即說明了民主政治是公衆生活與公共秩序的擴大與發展。是現代文明的產物，是人類歷史中最進步的一種生活方式。新道統對此一認定，堅定不移，認定民主生活方式是今後中國乃至全人類的必由的整個制度。

中國民族有幾千年的專制極權，必待民主制度完滿成功，方可根絕專制、極權、戰爭。近代的「革命」一名詞，也是跟着專制極權而興起的副產品。（二）

漢文，漢字，漢學

陳曼卿

王國維氏已在「漢魏博士考」中畧予論證，余嘉錫君復有匡正之詞。綜觀周，秦，兩漢「小學」制度，因代異世移，西周除大子，世子，以及卿士外，士庶恐未必十五即入「小學」，此其一。春秋以後，兵連禍結，宗法社會，凡屬於貴族世家的家臣，至此亦已獲得教育機會，此其二。惟開放普及教育黎庶的大門，應當是從孔子開始，此其三。戰國時學童，未必均照「尚書」，「內則」，「戴記」所載年齡入學，此其四。秦統一天下，士庶平民根本就談不上受「小學」的教育，此其五。及漢興，高、惠二帝之際，因迫之摧殘過甚，民人自亦無以崇尚教育的機會，此其六。迨文、景之世，乃漸次得以復甦。（此指上層而言）武帝崇儒後，「小學」之爲「小學」，或即其始？這就不說是此後（當是西漢末及東漢）的儒者，因僞古，託古，仿古，法古，的心理作祟，況漢制，喻前代的事實歟！

周秦兩漢的字書

西周：

（一）宣王大史：史籀十五篇。西周因犬戎之亂，籀篆散失，一部份雖流遷各諸侯邦國，而有省變，後人則稱春秋（孔子）時代，「六藝之末，附以小學」惟論語未及之字，即晚出之孝經亦並未列入，然六國之文，又燬於秦火。秦之漆書簡帛，復遭籍燔咸陽「三月餘燼不滅」的事實，迨漢已非「史籀」之舊了。王觀堂「史籀篇敘錄」實已發前人之所未發，早已言明了。近人有謂「史籀十五篇爲四言」！這種臆斷，其治學之態度，也就不言可知了！（史籀「大篆」一詞，首見於漢書，王莽傳：「孟康曰，史籀所作十五篇」。又：漢書藝文志謂：「建武亡其六」是即僅存九篇了。）

秦代：

（二）丞相李斯：倉頡七章。（乃秦統「文字，頒行天下之範本）

（三）車府令趙高：爰歷六章。

（四）太史令胡毋敬：博學七章。（李、趙、胡之作、漢代呼之爲三蒼字體）

（五）獄吏程邈：得罪繫雲陽獄市，覃思十年，益小篆方圓，而爲「隸書三千字」。始皇善之，用爲御史。

西漢：

（六）上谷王次仲，善隸書，始作「八分」書。（有謂：「王居大夏小夏山，以爲世之篆文功多而用寡，難以速就，乃變籀篆之體爲隸書，始皇既定天下，徵之不至」。這種說法，頗難使人置信，蓋秦嬴政言出必行，遲則刑戮，豈有「徵之不至」之事理存在？章太炎「小學畧說」謂王爲「東漢時人」遍查羣書，皆無東漢一說！陳垣「冊府元龜」搜羅較詳，亦無證明王爲「東漢時人」的說法，是證章說非是。筆者自愧讀書太少！

（七）武帝時司馬相如作：凡將一篇。（赤眉亂後已不復存）

（八）元帝時黃門令史游：急就一篇（見「顏注」）

（九）成帝時將作大匠李長：元尙一篇（皆秦頡中正字體）。

（十二）

吊岳武穆詩詞輯萃

李仲侯

太子胥奔棄漢關，功成直在笑談間。若令幕府偏師出，肯放驕胡匹馬還。知有忠魂歸子夜，更無大將度陰山。中興事業誰堪付，腦後空留二聖環。

下馬湯陰拜岳王，客途無奈淚沾裳。東窗豈必因和議，南渡何必復汴梁。忠節滿門酬聖主，春秋一劍憤施郎，吟成不敢頻留戀，腸斷行人說靖康。

南渡偏安，瞻王氣中原消歇。歎諸公，經綸顛倒，可憐忠烈。曾見淒涼亡國事，而今惟有西湖月。祝祠宮宰木尚南枝，傷心切！ 人生易，頭如雪。竹簡汗，青難覓。掛乾坤，要使金甌無缺。后土漫藏遺臭骨，龍泉恥歛奸臣血。恨當時，無奈小人朋，盈朝闕。（夏言）

計就東窗，想天意干戈未歇。遙瞻仰，褒忠寺古，流芳亭烈。三字寃沉南渡日，一腔恨惹西湖月。那更堪，回首六朝烟，增悽切。黃龍志，何時雪。朱仙鎮，誰教滅。撼天愁幾觸不周山缺。羅刹江湖吳相怒，子規鳥泣周臣血。恨英雄，空有骨封王，來丹闕。

望帝催歸，殘紅褪湖光半歇。追往事，悲風四起，暮雲慘烈。水淺桃溪泉暗出，花飛廟路香生月。向春來，墓草綠離離，哀情切。 休感慨，江潮雪。空指望，征塵滅，倍淒涼，小雨石苔痕缺。鶴表魂消鵑樹夢，虹橋波染說泉血。一天愁，枉自對孤山，依雙闕。

鄂國寺邊，聽幾處歌聲乍歇。誰知道，故宮離黍，蕪生悲烈。二帝魂遊家萬里，千年遺恨王正月。看塚傍樹木盡南枝，傷情切。 林逋墓，梅如雪。青山廟，烟如滅。讀殘碑舊日唾壺新缺。天運方移炎宋祚，將軍獨拼頭顱血。駕長車，空欲掃燕雲，朝金闕。

報國精忠，憑千古英雄不歇。徒悵望，孤墳草色，斷碑詞烈。石馬猶嘶無定骨，片心還勒燕然月。歎昔年白塔鎮長空，悲風切。 亂山葉，催霜雪，漁艇火，半明滅。兩峯高不敢六橋殘缺。露冷蒼松空有淚，寒凝烏柏皆成血。待誰來，洗刷舊西湖，雪封闕。（姚靖）

赤手勤王，歎王氣江東消歇。拜祠宇，麒麟秋塚，感恨遺烈，匹馬嘶殘沙塞雨，橫戈醉踏江城月。看空山無樹向南枝，眞淒切。 三字獄，何曾雪。十年夢，孤鴻滅。慨陰精淪沒，蝕蟾蜍缺。鐵券空堅儒將胆，金牌竟墜班師血。想陰靈，不忍向人間，歸丹闕。（吳農祥）

中興諸將，誰是萬人英。身草莽，人雖死，氣填膺，尙如生。年少起河朔，弓兩石，劍三尺，定襄漢，開號洛，洗洞庭，北望帝京，狡兔依然在，何事先烹。過舊時營壘，荊鄂有遺民。憶故將軍淚如傾，當年事知艱苦，不奉詔耶？眞臣有罪，陛下聖，可鑒臨，一片心！萬古分茅土，終不到舊奸臣。人世猶白日，照忽開明。袞珮冕珪，百拜九泉下，萬感君恩。看年年二月，滿地野花春，鹵簿迎神。（劉過）

（完）

國父空權思想闡微（上）

羅雲家

「大家要知道：我們總理就是一個大軍事家，由於他能研究軍事，精通軍事，所以他能夠發明三民主義，五權憲法，創造本黨，領導國民革命，建立中華民國。」

——恭錄蔣總統「軍事之要領」訓詞

空軍的大量使用於戰場，開始於第一次歐洲大戰。自此以後，戰爭的形態，便由平面變爲立體，空軍在現代戰爭上幾取陸海軍的地位而代之；一個國家沒有强大的空軍，而被迫參加現代新型的戰爭，其吃虧將不堪設想。國父不特是現代中國的第一個大思想家，大革命家，大政治家，而且也是一個大軍事家！他不但對陸軍海軍的運用極有研究，特別是對空軍的深切認識，在中國歷史上更可稱之爲第一人！其見解的獨到，眼光的遠大，實令人敬仰不已。

設立航空隊及航空局

國父於一八八五年（乙酉）中法戰爭結束之時，即決意致力於推翻滿清的革命運動。正如自傳所說：「由是以學堂爲鼓吹之地，以醫術爲入世之媒。」而首先採取軍事行動，以圖推翻滿清，係肇端於一八九五年（乙未）廣州之役。以後歷經惠州之役、潮州黃崗之役、惠州七女湖之役，欽廉之役，鎭南關之役，欽廉上思之役，雲南河口之役，廣州新軍之役，黃花崗之役。十次失敗，因而促使一九一一年辛亥武昌起義的成功，終於推翻滿清，創建了中華民國。同年十一月十日各省代表齊集南京，選舉國父爲臨時大總統，民國元年一月一日宣誓就職。

國父就任臨時大總統後的第一件要舉，就是設立航空隊，並購買若干「飛船」（註一）。民國六年於致南洋同志書中說：「飛機爲近世軍用之最大利器」；並鼓勵同志學習飛行，派遣同志到外國學習航空，提倡「航空救國」及在廣州大沙頭設置航空局。當時擁有的航空器，是陸上飛機六架，水上飛機一架。

籌辦飛行學校

國父重視飛機事業的思想，在許多遺教中都可以發現。茲舉數端，以見一般：

聘請外國技師：「像飛機不是一次做成了便可以飛的，是經過許多次的改良，才完全成功。……像大沙頭的那般青年飛機師，從前不知道怎麼樣飛，只是請外國的技師來教，所以學到現在，便飛得很好。」（註二）

致函南洋同志贊助：「同志諸公大鑒：逕啓者：茲有同志譚君根、伍君平一，由美洲回來，道經此間，譚君爲飛行大家，聲譽著於世界，此次帶有飛行機械多件，並且有學習生二人，據稱擬在日本暫應各界招聘，俟試演完畢，不日前往南洋各地表演，並擬就南洋演技籌欵，開辦飛行學校，招收學生，教育此項人才云云。按飛行機爲近世軍用之最大利器，譚君既有此志，於國家前途，吾黨前途，均有裨益。用特預爲介紹於諸同志，倘譚君到時，尙祈費神招待，並希代爲設法開場試演，勸銷入場票位，俾得醵集資財，成立學校，作育賢才。諸公熱心公益，諒能玉成其志也。手此布達，即頌公祺。孫文。二月二十日。」（註三）

註一：見「覆黎元洪告已購飛船及各物電」。

註二：見「國民黨奮鬥之方法宜兼注重宣傳不宜專注重軍事」講詞。

註三：見民六年「致南洋同志囑贊助譚根開辦飛機學校函。」

（編者附誌：「動物農場」續稿未到，暫停。）

冒險犯難記

鄭文儀

我個人的最大困難是事務太多太雜，時間有限，精力不夠，由七月到十二月的六個月中，我常一天工作十六小時，每天的睡眠不到四小時。我記得當時我的家是住在漢口兩儀街的樓上，每天晚上總是午夜兩點鐘左右才回家，上樓的時候總是疲乏到行立不穩，結果常是用手爬上樓梯。第二天早晨六點多鐘就要起床，七點鐘要到怡和邨總司令官邸上班，白天的工作是接待賓客，接聽電話，列席會議，到總司令部第三科辦公，晚上多是整理文書，審閱、研究、分析各方滙集的情報，及有關的重要公文。在侍從室我有一位秘書，一個速記，兩個書記幫我工作，當日事當日了，我們常要工作到午夜一點過後，才能休息或回家。好在我的精神很好，體力也不錯，無論如何疲倦困乏，都沒有生病或倒下去。

第二科遇到的重要危險困難工作，至少有十一項，每一項都用盡了我的心血和力量，方始得到完滿解決。

一是肅清共黨匪諜，我們用了全部力量，費了三個月的時間，從事偵察，逮捕，行動，鬥爭，到十月間的時候，我們抄獲共匪的文件，說是武漢已成了天羅地網的恐怖地區，他們的交通都無法進入武漢。

二是轉移武漢社會風氣，嚴禁軍政人員及教員學生狂嫖濫賭，吸食鴉片烟。有幾個師旅長級人物，在漢口的太平洋飯店嫖妓，沒有天亮就接到撤職查辦的命令，風聲所播，數月之內，即使武漢三鎮以嫖賭娼三多著名的社會風氣爲之丕變。這對當時的政風，學風，軍紀，都有振衰起弊的作用。

三是整肅高級司令的貪污賄賂通敵份子，當時武漢警備司令部葉蓬司令的秘書王金波，就是日軍賄買的重要漢奸，查出證據將其逮捕了。總司令部的某處長以接受各軍師的兼職津貼，收受賄賂，將秘密軍情轉告不軌的部隊長，被查出證據受了處分。這使得各高級司令部很快接近弊絕風清的境界。

四是防制日軍以日租界爲基地的便衣偵探隊活動。他們和匪隊漢奸地痞流氓勾結，走私販毒，破壞社會秩序，擾亂治安。我們把他們僱用的華籍便衣偵探隊長逮捕了，取得他們保證，不再作非法活動才釋放。從此得到防制日本間諜及漢奸活動的效用不少。

五是制裁奸商走私及大量拋售日本貨物。運用公開勸導，秘密警告，行動制裁，交通檢查等方法，使得過去武漢行銷日貨，每月六百萬元的金額，很快便減少到每月不過二十萬，激起人民愛國及愛用國貨的情緒，並收到穩定及發展地方經濟的功用。（八四）

說燈謎

周燕謀

謎爲遊戲之小品，燈謎，乃懸燈上供人猜樂之謎語。「謎語」是由古之「廋辭」、「隱語」、「射覆」演變而來。國語晉語：「有秦客廋辭於朝，大夫莫能對也。」孟子公孫丑章孫疏云：「大抵廋辭云云，如今呼筆爲管城子，紙爲楮先生，錢（泉）爲白水人，又爲阿堵物之類是也。」廋字的本義是匿藏之意，即將語意隱匿之於詞中，雖未公然表露，然而用心思索，也必能猜個正着。隱語之隱字，古又有作言旁者，呂氏春秋審應篇：「願與君王隱也」，便有言旁。文心雕龍諧隱篇，解有言旁者爲：「遁詞以隱意，譎譬以指事也。」所以國語晉語注云：「廋，隱也。」

「射覆」名詞的取義，是謂猜中了隱辭中的含意，比喻箭射中了自的物一般。漢書東方朔傳：「上嘗使諸數家射覆」；唐李商隱詩云：「分曹射覆蠟燈紅。」即此事也。

「謎」字古無其字。說文云：「謎，隱語也」。謎字的產生，當在東漢以後。文心雕龍諧隱篇云：「謎也者，迴互其辭，使昏迷也」。司馬光類篇：「謎，言惑也。」故宋周密齊東野語：「古之所謂廋辭，即今之隱語，而俗所謂謎。」總之，謎就是紓廻其辭，使人不易分解也。

謎語後又產生許多別名。因謎是隱辭隱意而必須猜者，商榷其對否不能牽強武斷，所以又名「商謎」。宋孟元老京夢華錄云：「商謎者，一人爲隱語，一人猜之，以爲笑樂。」又因元宵燈節，每有人將謎語寫於燈籠，招觀衆猜商，故又名「商燈」。又因將謎語書之於燈，故又名曰「燈謎」。

燈謎則始於宋仁宗時上元之夜，京城文士，點綴昇平，懸謎燈上，任人猜樂。故宋以前有謎語而無燈謎之說也。然當時所撰，大都一句一謎，故有獨脚虎之稱。後人文虎燈虎之名即本此。「帝京景物略」載燈市：「有以詩影物，幌於寺觀之壁，名之曰商燈，即燈謎也。」所謂「文虎」「燈虎」之「虎」字，借意爲射中老虎不易，射中燈謎亦難，射謎猶如射虎，此蓋俗語演變而來。

今之謎語，取法至多，較之古謎，其機巧戲謔處，遠出於古人蹊徑矣。今謎之有所謂「品」，「格」，「體」，「訣」諸要件。

何謂「謎之品」？大致有以典雅勝者，有以情勝者，有以謎面著墨勝者，有以刻畫勝者，有以正義扣者，有以白描之作法者，有意俗詞俗而不傷雅者，有截搭或拼典者。凡此種種，各有所長，雖異趣間有濃淡，而製者射者與會所至，必能得彼此心之所同然。

何謂「謎之格」？謎之有格，自曹娥碑之「黃絹幼婦外孫韲臼」始。其後踵事增華，格愈多而牽強亦愈甚，演變至今，不下數十格矣。茲舉其要者：曰梨花格（曰諧音格），捲簾格（亦曰反唱變格之一），曰解鈴格（亦曰移鈴、雙解鈴、雙繫鈴），曰分宮格（亦曰分見格），曰徐妃格，曰蝦鬚格，曰燕尾格，曰臻首格，曰蟬尾格（亦曰蜥尾），曰脫帽格，曰脫靴格，曰加冠格，曰納履格，曰白頭格（亦曰皓首格），曰玉帶格（又名素心格），曰素履格，曰摘頂格，曰紅豆格，曰雙鉤格，曰曹娥格，曰解帶格（亦名藏珠格），曰比干格（亦名分心格），曰錦屏格（亦曰遙對格）。（上）

記盲人作家郭錦隆

娑婆生

郭錦隆是在民國四十七年夏天，開始嘗試寫作，先後完成了「娟娟」，「孤雁」，「殘花」等短篇小說，陸續在報章雜誌上發表，使人驚異。到了五三年十一月，始完成近十七萬字的長篇小說「多少柔情多少淚」，更使文藝界爲之矚目。

許多人對於他的寫作，深致疑惑，皇冠記者訪問郭錦隆時，問他的稿子，如何寫成的？他回答說：先用盲人點字法點成後，再一字一字的摸，一句一句的唸給校中同事郭小姐，由她幫忙翻譯而成的。這長篇小說，就以此種手續寫完。開頭的警句：

「每個人都有他不幸的遭遇，不過我的遭遇，也許是許多不幸的人中最悲慘，也最不幸的。因爲從少就失去了靈魂之窗——眼睛，同時失去了家庭的溫暖，更得不到父母的慈愛。

「家庭是人生的搖籃，人類的褓姆。可以使失意的人從新鼓起勇氣，沮喪的人振作精神，失去一切的，也可重新獲得，還可治愈飽經創傷人的心靈，使粉碎的心再度完整。可是對我就不如此。記得以往小說中會云：『一個不幸的結束，就是另一個不幸的開始。人生就是悲哀的連接』。我正是如此。」其言頗有玄理了。

多少柔情多少淚，大概是郭錦隆的自傳，其中也得到三位紅粉知己，可是多沒有使他得到連結。第一是他同學潘靜薇，因爲有表哥的幫助赴義深造，俊銘也不願使她終生與可憐人在一起，得了諒解而讓她與表哥結合。第二是杜翠華，爲台中的一個酒家女，她愛俊銘忠誠，自動向他求婚，不意臺隆公司經理紀某，因愛翠華，在酒家捧她三四年，堅決迫俊銘讓愛，否則將不擇手段，俊銘祗好遠走避之。那知翠華的媽媽，就是廿年前紀某遺棄的，於是翠華非特不與紀某結婚，反而自殺，身後一切，皆俊銘爲其料理安葬。第三是溫慧雅，年二十，是一個小學教員。當俊銘在尋到親生父母以後，由他父的資助，在嘉義開設「救生」理療院，專爲一般貧寒的病人治療，可以照五折收費，甚至免費，求治者紛至沓來。慧雅是患嚴重的關節炎，腫脹得很厲害，形成跛行，如果不治，成爲殘廢。經過他在五個星期的時間，爲她治療好了，完全與常人一樣。慧雅的感激，難以形容，依然每天晚上到醫院，陪他聊天，幫他整理醫療用具，情苗一天一天茁長，在愛戀高潮下，慧雅提出做他的終身伴侶，她用肉眼，他用心眼，來作精神和物質的享受。俊銘的父母，在見到慧雅後，十分同意，切切叮囑要好好的對待她。但是另一方面，慧雅的父母看到俊銘，却對他女兒說：妳不考慮去嫁一個瞎子，有幸福嗎？所以硬對不同意。慧雅鼓勵俊銘要私奔！他爲了名譽，希望凡事要循正當途徑去解決，不能做偷偷摸摸的事。慧雅受不住家庭的壓迫，遠走白沙島，把一生獻給教育，與天眞的孩子們共同生活，臨別寄柬，請他把所有的愛，給予很多的病人，當年老的時候，或許同來重見。

這部小說立意造詞，均極精采，可以搬上銀幕。（下）

哀梨室劇談

梨園坤角話從頭

豁公

原來這六位贊助員中，除了筆者與潄石，山農，純萃以友誼關係爲林屋兄幫忙外，張與二陳，均是有所爲而加入的！

不恭之目的物是玉仙；逸民小坡，則是望梅止渴的傻角！蓋緣少梅心中祇有一不恭，對於二陳，止以泛常之朋友視之。庸知玉仙與不恭，已自心心相印；但因本身是她——少梅的配角，未便與主角爭取愛人。因之，在表面上盡量避免與不恭接近，實際上早已訂過嫁娶之約了。

他（她）們這樣三五錯綜的畸形戀愛，開始並無人知道，後來還是不恭，酒後無意中說出來的。這給一般的人知道了，倒也無關得失，但一傳到金少梅耳中，就把她給氣瘋了！當即「辭班」北返，發誓永不再來。而她所賴以成名之「香妃恨」，竟一次也不曾唱！也許是受了詩樵先生的警告，怕唱得不如趙君玉等之精彩，故不敢輕於嘗試吧。

她於北返之後，依然在平津濟南各劇園獻技，盛況不減當年。祇可惜她的良好配角高玉仙，竟以白喉症魂歸大漠，一時竟尋不到一個相當的小生，她這才感覺到，「開口飯」不大好吃。

就在這一時期，忽有一位民初的江蘇都督程雪樓（德全）的公子程仲藩愛上了她；經常不捨晝夜的，追隨左右，如影隨形。而少梅也有失之東隅收之桑榆之意；特地往告其義父李某，以示其尊重長輩。過去還積蓄了一點財物，連同「行頭」飾品，約值十萬餘金，一向寄存李家，現在也要收回，帶到程家去以壯聲勢。她這一想法，確是很天眞的。

『乾小姐，你聽我說！』李某微笑着說：『那個程仲藩眼帶桃花，是個口是心非的儇薄少年；你若嫁他，恐怕不會有好的結果。不過這是你金家的事，我做義父的，當然無權干涉。至於存在這裏的那點財物，我勸你還是不帶的好。因爲程家是個有名的豪門，你那一點東西，眞不值他們一笑，不如依舊存在我這裏，以備不時之需……』

少梅心裏雖不以爲然，無奈向來都聽他的話，一時未便改變，只好唯唯而退，準備去作仲藩的如夫人。（七）

試談紅樓夢問題

繆匡

關於紅樓夢人物之衣冠飾物，近有人爲文批評，謂紅樓夢電影缺乏考據，一切衣冠皆非清人所服用之服飾。這是不錯的。依據考據來論，紅樓夢電影中人物服飾，全爲漢裝，根本沒有清人裝束。但是，不僅紅樓夢電影中衣冠缺乏考據，竟連所有紅樓夢中的畫家，也缺乏考據。無論古本今本，凡繪紅樓夢人物者，都未對曹雪芹的時代作過考證。可以說，直到今天，還沒有人用畫筆把紅樓夢中人物裝束描繪給讀者看過。紅樓夢的讀者，所看到的紅樓畫圖，都是古代漢人衣冠裝束，賈寶玉在讀者腦子裏，是一個舊劇的小生型，所以把他或她當成中國畫上古衣冠人物。筆者遍覓所有紅樓夢本子，所有本子裏的畫圖都是一樣的漢代，沒有清代旗人裝束。這樣以訛傳訛，傳了幾百年。非怪電影的劇本作家缺乏之考據，竟連許多學者，以及紅學專家都沒有指責過這種訛傳的圖畫。而且著者也是故弄玄虛，太過狡獪，他說這部書，也不知是何朝代那年那月，他仿陶淵明的辦法：「不知有漢，遑論魏晉，」作紅樓夢的圖畫的畫家，爲何要這樣畫，眞是莫測高深，而訛傳凡幾百年之久，也無人過問指謬，豈非怪事！但是我們從另一角度來看，如果把曹雪芹化身的賈寶玉畫成一個頭拖豬尾「辮子」，身穿馬蹄的人物的話，是不是會感到大煞風景？如果把林黛玉畫成爲旗裝人物，讀者們看到是不是會有另外一種感覺？這也許就是當時畫家們不忍把紅樓中人畫像裝以清朝服裝的原因吧？或者又是另一種大胆假設，是不是當時畫家們不敢畫成清代裝束，是怕滿清人文字獄嚴酷末？也許是中國畫家們是永遠以宋明衣裝作畫中人，以保存民族正氣麼？如果是的，我們應該敬佩畫家們民族精神之偉大了。

紅樓夢電影中的裝束，本來是打不過考據家的慧眼，但是它是迎合一般觀衆視綫；也正如紅樓夢中的畫家一個用意，都是完全把它漢化了。這雖然是不合歷史，但是也可值得原諒的。正如作者本人所說一樣：「這部書也不知是何朝代那年那月」，我們也可以作如是觀可也。（八完）

自由報
THE FREE NEWS
內僑警台報字第○三壹號內銷證
第三二五期
中華民國僑務委員會登記　台批僑字第三二二號登記證　中華郵政台字第一二八二號執照　登記為第一類新聞紙類（每逢星期三、六出版）
每份港幣壹角　台灣零售價新台幣貳元
社長：雷嘯岑
督印人：黃行宦
社址：香港銅鑼灣高士威道二十號四樓　20 CAUSEWAY RD 3RD FL HONG KONG　TEL. 771726　電報掛號：7191
承印者：[illegible]印刷廠
地址：[illegible]
台灣分社　台北市西寧南路壹壹零號二樓　電話：三○三四六　台郵撥儲金戶九二五二

理想與空幻

中國文化根本缺陷的一個探究

韋政通

蔣夢麟先生在「本來文化與外來文化的接龍」一文中說：「綜合中國儒家與諸子百家學說，概括而言，不外兩句話：（一）世道人心，（二）國計民生。兩者包含的各點，中西可以接龍的地方很多。……但吾國之缺憾是在有心無力，有學無術。西洋人在十八世紀以前亦復如是。十八世紀以後，便有心有力，有學有術了。以中西文化而論，此中便有一大鴻溝在，所以五十年來老是接不攏來。」

蔣先生一生致力於解決實際問題，因此他養成把思想與實際經驗相互為用的習慣；這在中國的士大夫來說，是一種全新的習慣，也是一種全新的訓練。所以他能在複雜的中西文化問題中，直下就搗入它的核心，道出我們未能接上新思潮，走上現代化的根本原因。

蔣先生這裏指出的缺憾，就正是中國傳統文化的根本缺陷所在。所謂「有心無力，有學無術」，換成我現在的意思，「有心」「有學」，就是有理想；「無力」「無術」，就是缺乏相干而有效的運作程序。

十八世紀以來，西方文化所以突顯而出，在今日終於成了世界文化的主潮，主宰了整個人類命運著，根本上的精神，就是因為他們對天國，對來世一切空幻的構想，都不再感興趣，而急切希望將那些幾千年來人類累積的崇高構想，逐漸變成眼前的事實。因此他們漸漸從理性的信仰的滿足中解放出來，而要求感情上實在的滿足。這一轉向，為西方文化開闢了新方向，也為人類文化帶來新天地。近代西方的一切成就，就是由這一轉向而慢慢獲得的。這一轉，使許多古老的構想，一點一點地呈現在人類的眼前，為人類自身所有，為人類自身所享有；理想之於人類，所不再是畫餅充饑，一可望而不可及。這是一新奇而偉大的發現，經這一發現，人類已賴其自身的力量，造了座橋，直通幸福的彼岸。這座橋，就是對應着理想而有的相干而有效的運作程序。

我們這古老的民族，是一個很有理想的民族，兩千年前，我們就有了大同社會的理想，有了堯舜禪讓的理想，為此，我們驕傲過。但不幸又是可悲的，人類歷史的進程，早已突進了幾個階段，而我們兩千年來，士大夫們口裏所談說的，卻仍是那點理想。幾乎沒有人會想到試驗這理想的效驗，也沒有人會想到為達到理想的彼岸去造一座橋。一切是靜止的，正如梁漱溟所說的「離現實而逞理想，卒之，理想自理想，現實自現實，終古為一不落實底文化。」（中國文化要義，三○○頁）這種靜止和不落實的現象，是人類文化史上一奇特的惡例。在文化固守時期，靠這惡例的循環，還能勉強維持現狀，因為中國人民除了對現實牽就知足以外，其他如新奇感，求知欲，都早已在週而復始的惡例循環中僵化了，只要能讓他過得平安，再窮再苦，也忍受得了。但鴉片戰爭以後，這局面改變了，那靜止的，以不上進為知足的心理，被西潮帶來的新奇事物震撼了；從此，中國由不寧靜而走上一個天翻地覆的時代。這轉變太快，我們這民族完全適應不來。因為我們過去只知談理想，士[illegible]

為什麼整個的民族都像生活在空幻的夢境中呢？根本上的一個原因，就是我們的祖先，聖賢，為我們樹立下遠大的理想，為我們指出了一條路，卻始終沒有告訴我們怎樣才能逼近那理想的方法。沒有實現方法，或在一定期限中不見效驗的理想，不是眞正的理想，它是空幻。環繞着空幻的一切描述，那只是文學，神話。

我們的偉大理想是大同，是禪讓。合起來說是德治。在兩千年前，我們的祖先，也曾為我們這偉大的理想尋求過實現的途徑，這方面尋求的結晶在禮記大學篇，大學裏的三綱領（明明德，新民，止於至善），八條目（格物，致知，誠意，正心，修身，齊家，治國，平天下。），就是德治理想實踐的程[illegible]去作為我們走向德治理想的起步，那[illegible]因為順這程序去做，使我們的理想變成空幻。

為什麼大學裏提供的運作程序是無效的？或是說為什麼我們一直有心無力，有學無術？若進一步思考，實不如上述者那樣簡單，在歷史之流中，形成這一結局，造因是多方面的。

（一）我們那古老理想的本身，就種下矛盾的因素。我們的聖賢，把人類的理想放在歷史的開端，從堯舜三代，一直綫地向下墜；三代以下，幾無一可取，無一可觀。這種奇特的，虛妄的歷史觀，出於聖賢之口，形成一種權威，使這個民族一旦接觸到前途問題，就因自覺不如古人而洩氣，根本也無法生起向前追求的熱情。上焉者知足安分，中焉者自暴自棄，下焉者激起反動，肆無忌憚。但沒有一個有遠景，因為美麗的遠景我們的祖先已經過過了，輪到我們，就活該受罪，和被教訓的份。整個民族都在這無稽的歷史律則下絕望了。

（二）孟子勞心勞力之分，在貴族政治時代，是一事實。這一不合理的階級觀念，經過孟子之手，一直保留了下來，形成中國社會貴賤之別的主要根據。勞心勞力旣成為貴賤之別，於是形成了兩個不能相通的圈子：從事實際工作的工匠之流，因缺乏知識，缺乏思想，一切墨守成規，不知求進；有思想有知識的士大夫，他們的注意力又都劃出在勞力的圈子以外；久而久之，現實世界無論有多少迫切的問題，都不會刺激到他們，也引不起他們的注意，他們的注意力早就定了向，天翻地覆也不能使他們回頭。天下大亂了，他們就想退隱；亂平了，他們仍是老想法，老章程，幾乎永遠不能面對一下慘酷的現實。你看歷代儒者，不論當時有多少迫切的問題，他們向皇帝上摺子，永遠是不變的正心誠意那一套。這眞是驚人的怪現象！造成這怪現象的主因，是因為他們被內向性的思想和勞心圈子封死了。

（下轉第二版）

盲從者

大馬

寸步難行

拉丁美洲

今日與明日

美機大炸北越

美國飛機為了報復越共偷襲，大舉轟炸北越一事，據現有資料看來，越共確是創鉅痛深，元氣大傷。

自從韓戰以來，美國與共產集團，就有一個不成文的默契，[illegible]許共黨保有不受襲擊的後方。韓戰期間共軍補給基地在東北，當時麥克阿瑟元帥曾主張轟炸東北，摧毀中共的庇護地，因此被杜魯門免職。從此以後，美國將領雖然明知戰術需要，也無人敢轟炸共黨後方，直到最近的兩次大轟炸，才算打破了此項限制。

不過，美國此項行動仍不夠徹底，轟炸的地區只限於北越南部，無形中仍然留有庇護地，只是使越共庇護地向北遷移了一段而已。為美國着想，既然要摧毀越共巢穴，就應當不分南北，凡是越共存儲兵彈藥的地方，一律摧毀，才能根絕亂源，早日蕩平叛亂。

毛澤東的哀鳴

毛澤東最近會見美國親共作家史諾，作了一次長談，其重心有兩點：第一，毛聲明決不派軍至北越作戰，不讓共軍與美軍正式接觸。毛說此言實包含有幾項用意，表面上是說為了和平，避免與美軍衝突，言外之意則是說美國人希望同中共軍打上，中共偏不派軍入越，好使美國當局失望。[illegible]的報復力量，一旦戰火燃燒起來，未必局限於北越一區，說不定整個中共控制區也將隨之傾覆，毛澤東自不敢輕易派兵入越，以免惹火上身。所以對於毛澤東答史諾的話，只有一點是眞的，即毛共軍目前決不致派兵入越。

另一件事是毛澤東曾經告訴史諾自己要死了，要歸天了。毛澤東雖然口頭信奉唯物論，骨子裏頭卻是最唯心的，而且相當迷信，平日最忌諱談死字，現在忽然連說自己要死，當然是有所感覺而言。不過，毛澤東能以早死畢竟是福，雖然終有一天老百姓會剉骨焚屍，但比較生前受審，伏法刑場，如陳公博、梁鴻志等人總要好得多。

柯西金訪北韓

蘇俄總理柯西金於訪問河內之後，歸途經北平與周恩來談了一次，突然又飛去平壤訪問北韓。柯西金的決定十分匆促，北韓政權事前並無準備，雙方會談也沒有正式的議程，只是發表一些空洞的公報，以敷衍門面。

不過，柯西金此次訪問北越同北韓，其真正的目的還是想拉攏韓共越共，孤立毛共；尤其是三月底舉行的共黨高峯準備會議就要召開，雙方鬥爭也加緊了。

（何如）

自由談

惡因與苦果

美國前任副總統尼克森主張轟炸北越的共軍基地，雖冒着與中共作戰的危險，亦所弗惜，否則數月之後，美國在越南即將完全失敗。這是很正確的觀察，亦係常識所能理解的事。

自從韓戰結束以來，英美在亞洲方面對共黨採取姑息政策的唯一理由，認為如果使用軍事反共手段，勢必引起中共介入，最後俄共亦將參加，終於觸發核子大戰。因此，美國一方面以軍經力量援助亞洲的自由國家，同時又遏止這些自由國家對共禍採取軍事行動，卻不知其用意安在？目的何存？共黨就利用這種矛盾心情，在亞洲實行蠶食政策，從事局部的侵畧擴張，表面上不特俄共置身事外，即中共亦裝出袖手旁觀姿態，藉以增加美英的苟和心理。目前寮國、越南、馬來西亞等地區的災禍，就是美英姑息政策的報應。

如今美國派遣在越南協助所謂有限度「自衛戰爭」的軍隊，已到處遭受越共游擊隊的突襲，官兵死傷累累。你不把戰爭範圍擴大到越北地區，他卻要使戰火蔓延到越南心臟地帶，乃至於首善之區的西貢，亦復鋒鏑時聞，危機四伏。美國再不改變原有的錯誤政策，百分之百非失敗撤退不可，這亦是常識所能判斷的後果。

在美國當局的意念中，總希望得到俄共保證不應援中共的承諾後，乃可大舉掃蕩越共，無所顧忌。殊不知這種單相思永無實現之可能，事理很淺明，他們豈能為着革命理論的歧見——實際是意氣之爭——而甘受敵人各個擊破。同歸於盡的滅亡之禍？雖婦孺亦瞭解其中的利害得失，決不上當。

所以，尼克森的主張實係美國應有的措施，不能再瞻顧徘徊了。過去英國對於美國的遠東政策，常常從中梗阻，間接為共張目；現在馬來西亞直接遭受共禍威脅，澳洲亦岌岌可危。十餘年來種下的姑息惡因，今日已嘗到共禍的苦果，現實主義之夢，應該稍為清醒了吧？越南一失，寮國、泰國馬上變色，馬來西亞決難倖存，而澳洲亦就不保，到了此時，試問英美在亞洲除了總退卻以外，還有甚末路子可走呢？

馬五先生

北縣貸款興建國民住宅 中和呂傳杏等非法胡為

受害之公務員黃熙等已向法院控訴

（本報記者張健生台北航訊）行政院否認省政府主辦國民住宅興建貸款的官員有與商人勾結的情事。行政院在書面答覆立法委員質詢中指出：「對於合作社非法承攬工程，業已令飭台灣省社會合作事業管理處依法嚴予取締。對防止合作社及營造廠商暨地主等乘機壟斷及剝削，或藉集中興建工程獲取暴利，以保障申請建屋人利益一節，亦已擬具管理辦法，令飭各縣市政府（局）加強管理。」（詳行政院台五四編字第零一一五五號函）但事實畢竟如何呢？這裏可列舉一個事例為證。事實：台北縣中和住宅公用合作社於五十三年六月間，獲悉台灣省政府在台北縣貸款興建大批國民住宅，便在該縣中和鄉南勢角景新村內設立所謂「中和住宅公用合作社出售國民住宅辦事處」，興建所謂「興南新村」，由該合作社理事主席呂傳杏，監事主席陳孟謀，會計陳孟敏等三人，利用台北縣政府委託接受申請貸款之機會，套取國宅鉅額貸款四百餘萬元，計建造國宅八二棟，每棟一戶，因申請者只有二十三戶，其餘五十九戶由呂傳杏等假借他人名義申請，超過八十二戶號稱百餘戶，偽裝抽籤決定申請貸款人。台北縣國宅興建會執行秘書李璇閣在核閱移送時，既未按照規定審核借款人有無住宅？有無配合金？又未查證申請人有無分期付款的能力？有無借名套款情事？乃竟依據呂傳杏等所提名單，假作抽籤決定，而送土地銀行。土地銀行貸款部門人員，未依規定審查貸款保證人是否確具保證能力，且明知貸款契約上之所有借款人的保證人，均係呂傳杏、陳孟謀及其親友等的名義，而予以批准。呂傳杏利用其家族多人的名義申請，計有呂傳富、呂傳如、呂塗金、呂芳助、呂傳復、呂方展、呂傳有、呂江月、呂傳都、呂芳浦、呂國良等多人，另有親戚至友多人。凡是每一借名者，可得報酬三百多元。

中和住宅公用合作社理事主席呂傳杏等獲得國宅貸款後，即分別與非原案申請貸款人黃熙等五十四戶，簽訂委託呂傳杏代辦申請國民住宅貸款，並提供基地代建住宅工程合約書。黃熙等當時不疑有他，遂按約將自備之二成配合金（貸款八成）暨地價款及增加之工程費，依規定分六期繳清，該社始准遷入。其中第六期之款三千多元，應於「住宅完竣時及基地登記手續畢時」；而呂傳杏深知黃熙等大多係公務人員急於遷居，對基地分割手續登記手續，至未舉辦。竟以不給「遷入證」及「鑰匙」相脅迫，不繳則不許入屋。迨遷入後，該社復通知黃熙等，須用該社假借他人名義向土銀分期繳款。易言之，黃熙等非原申請人，無法取得產權，須頂替原申請人之名繳款。若用原申請人名義繳分期付款，則貸款銀行之產權登記當為原申請人的名義，而不是實際繳款住屋人的，倘原申請人取得房屋所有權後而控告繳款住屋人黃熙等侵佔其房屋時，繳款住屋人黃熙等所持有與呂傳杏所訂的合約，只能對該呂傳杏等提起債務不履行之訴，構成債務關係，而不能以之對抗由呂傳杏等利用家族名義原申請人取得之所有權。是則黃熙等之房屋與付款，兩無著落。這毫無問題是呂傳杏等非法詐騙，而中和住宅公用合作社等於合法的詐騙集團，受害者又是各政府機關的公務員。這就是我們的「法治」，而行政院的一紙命令禁止「合作社非法承攬國宅工程」，豈不變成具文嗎？

黃熙等在此情況下，乃向台北地方法院提存分期付款，而土銀竟拒絕收款，理由是黃熙等與該行無債務關係。因此，土地銀行依契約規定，凡逾六個月經催告仍不履行繳款者，即聲請法院執行拍賣，現已有多家住戶房屋被法院查封並限期拍賣。至此，黃熙等乃採取法律行動，向台北地方法院提出訴訟，控告呂傳杏等詐欺背信罪嫌。

太平洋文化公司 兩套新書將出版

（本報台北航訊）此間自由太平洋文化事業公司最近即將有兩套學術性書籍問世，計為（一）大學文庫共七種，包括法律、政治、哲學、商學、藝術等性專門論著，作者李聲庭、趙雅博等皆為當前知名學者。（二）叢書七種：由名報人本報社長馬五先生，該公司發行人牛若望先生及已故作家王尚義先生等執筆，內容有小說、傳記、論文、匪情分析四類。此種即將出版之新書，印刷精美，內容充實，而價格低廉，并經開始預約，文庫每冊預約價僅二十餘元，叢書則僅十元，以是預約情況良佳。

檢討台灣金融措施

本報記者張健生

設使台灣有投資信託公司，則穩健投資者的資金，以及小額資金，均可透過投資媒介，轉變為生產資金，擴大證券流通市場，以收「資本證券化」，「證券大眾化」的目標。目前有不少人想投機收暴利之不正常心理，此種不合理而盲目的行為，似可用普遍推行證券投資信託制度，予以扭轉過來。

就目前情形而言，證券之交易，投機重於投資，少數暴發戶操縱市場而獲暴利，從事證券交易投機者如台北市議會副議長陳少輝，他所以被其好友王某用手槍擊傷，據說由於心黑手辣云云。證券交易能否繁榮，能否正常運營，其因素固然很多，但基本的要件，以保障證券持有人之權益，博取民間資本對證券交易的信用為主。故政府對證券市場平時固不宜嚴加束縛，而對弊害尤不能袖手旁觀。像若干經營不善的公司，乘股票上市的機會而獲暴利，而今公營事業股票未大量上市，而强民營企業股票上市，政府有說不通的理由。政府既制定出售公營事業股票處理辦法，應出售公營事業股票以增加證券籌碼，而減少大戶操縱的機會；同時吸收民間游資，減輕游資衝力，則政府可運用此項資金，加速經濟發展。此外，政府可效法日本和美國，對證券交易課以捐稅，增加財政收入，則當前財政問題，便不致如今天這樣拮据。

欲解決中小產業的週轉資金，必須改善銀行業務，改造金融界人士的典當朝奉觀念。目前各金融機構已積成陋習，對放款手續，力求本身的方便，對普通客戶辦理各種之手續麻煩，至今沒有改善。有些人辦理借款手續經二個月尚未見錢，而特權者則先拿錢再辦手續。像銀行抵押放款，尚須有一人保證，始肯貸款。至於信用放款，亦須二人保證。現行銀行法對各種銀行信用比率規定極嚴，商業銀行不得超過總存款二五%，儲蓄銀行不得超過一〇%，信用合作社依照規定，信用放款只有五〇%。因此，經濟學者諷譏我們的銀行界為中世紀之典當朝奉，立法委員指銀行為當舖。事實上，法律規定是一回事，實行起來又是一回事，各銀行信用放款均超出規定，使銀行法成為具文。

總之，我們大可以增加資本數量作為我們的目標，直到它不再稀少時為止。而這樣一來，無作用的投資者不再獎勵，同時健立我們以直接稅為中心的稅制，使得金融家，企業家以及諸如此類的人，其智能，決斷和行政技巧，均能在合理的報酬下服務社會，而達到利國福民的任務。（下）

屏東監獄管理得法 新監落成任務加重

（本報記者屏東航訊）在台灣屏東監獄新建舍房落成慶典前夕，記者應邀作了一次實地參觀，由該監獄秘書趙懿文陪同參觀，并一一解說，使記者對這方面的智識大為增益，尤其對「犯法坐牢，理應所得」的錯覺觀念，為之一掃而空。

按屏東地方法院暨檢察處，係於民國三十八年十二月二十日始告正式奉准設立。在此以前，屏東亦並無監獄之設置。司法行政部為配合地院之作業，遂於民國三十九年一月，派現任典獄長謝福慈來屏籌劃創辦，經地方人士之熱心協助，及謝典獄長的悉心經營，乃在屏東市民生路七十三號（現址）先後於三十九年、四十五年、五十年完成一、二期建設工程，而使屏東監獄粗具規模。

司法行政部有感於屏東監獄作業容納量日增，負荷沉重，又於五十三年撥專款新台幣八十三萬元，增建監房一幢。這座二樓新監房，係採用國際最新型的「電桿式」，具有整齊美觀，開濶明朗的優點。內分設監房三十六個，每一房內皆有新式的衛生和盥洗設備，此在我國現代監獄設備而論，要算得上是夠標準的。

屏東監獄的管教措施，是以「行刑的目的，在使受刑人改悔向上，適於社會生活。監獄的性質，就是一個特殊的學校、工廠、醫院」為目標，積極的推進博愛和王道精神，同時根據司法部所頒行的三民主義管教方案來推動。因為盡人皆知，三民主義是救國主義，其基本精神，也是救人主義，乃是王道的出發點，一切皆以仁愛為出發點，而非採用強人就範的壓制手段，反之乃是選擇足以令人心悅誠服的王道方法，從合理和有效的管教中，企求發揮出人性的光輝。屏東監獄所實施的品德、職業與生活教育，可以從服刑人自己選舉產生的作業組長、教育班長、炊事代表等各自治組織中，體察得其成績。監獄當局的目的，是要做到「人人有書讀，人人有工做，人人有飯吃。」並進而使服刑人在潛移默化中，成為一個良好的公民，出獄後可對國家做出貢獻。

屏東監獄數年來確實是盡力的在邁向監獄學校化，工廠化的境界。

按：屏東監獄現有編制職工為四〇人，現行的服刑人則近二百名，平均每一職工負責管理服刑人約五人之管教責任。但據悉：該新監落成啟用後，服刑人數將由二百增為五百，如此，管理職工恐有不夠分配之虞。加以屏東監獄因與台灣省警備總部轄屬第三管訓總隊琉球島相毗隣，故服刑人中，時有該總隊之重刑，累犯，或附帶保安處分者發交執行刑期，而屏東監獄原屬缺之隔離設備的普通監獄，對重刑人犯的發交執行，事實上頗感為難。因此，司法行政部顯有必要及早擴大屏東監獄管理人員的編制，調撥幹部以增警衛力量，同時更應確切遴選品學俱佳者充任管理人員，然後可望該監獄確能接受使命，並得有更加良好的表現。

理想與空幻

——自第（一）版轉來

韋政通

（三）儒家的理性觀念，到漢已漸漸變成教條。這些教條，有一個總特徵，就是壓抑生命，將活潑的生命套在教條的桎梏中。教條影響下的教育，對一個成長的青年，一開始就要他「規行矩步」，要他「束身自好」，而美其名曰修身。這種教育的結果，充其量為我們的社會增加了一些聽話的孝子，帶奴性的忠臣，他們不能有個性，更不能有個人的志趣，一切能順着教條行事的人，就是這社會裏的模範。這種模範就是中國傳統社會中起領導作用的人。他們重義而輕利，蔑視個人和他人的幸福；「存天理，去人欲」是他們的口頭禪，不但生命遭受壓抑，理性的表現也被封住了。在這樣一種觀念型態籠罩下的社會，人的生活不是為了現實，也不是為了未來，只是順應過去。

（四）中國文化組成的成份很複雜，但其中對全民生活影響最深遠的，是儒道兩家。魏晉以後，又漸漸形成了儒釋道三教，三教摩盪的結果，是道佛儒化，和儒家的道化佛化。道佛的儒化，是道佛都同樣屈服在儒家的倫理中；道佛雖主逍遙與出世，但絕不與倫理教化相矛盾。儒家的道化佛化，是接受了道佛消極後退的精神，與現世的距離越拉越遠；其次就是對人欲的厭惡太深。在這種觀念處於極端的表現下，人世間和個人的生命，只有日漸黯淡下去。宋代的理學那樣興盛，而國力却十分衰弱，就是受這些原因影響的結果。

（五）明末因亡國的刺激，終於使少數的儒者（如顧、王、顏。）慢慢感覺出理學中所涵的問題，而興起反理學的熱潮，對理學開始了很苛刻的批評。不過他們敢反陽明，敢反朱熹，却不敢溯流而覓其源，對儒家全部來一次總檢討。甚至因輕宋而偏袒漢，重啟清代的漢宋之爭。這一期的儒者，比宋明儒開濶多了，他們竭力想補救不落實之弊，可是現實環境的惡劣，與實用知識技術的缺乏，在在使他們感到有心無力。等到現實上漸漸平安以後，亡國的那點刺激也平息了，在微弱的民族意識支持下，一個一個走向更不落實的考據。而西方文化，就在這時，却開闢了新的世紀。從此，我們被遺落在後邊了。

你如果熟悉文藝復興以後的西方歷史，再和我們上面列舉的五點對照一下看，就知道正是反其道而行的。他們相信進化論，相信人類的理想在歷史的未來，這鼓舞了他們無限追求的熱情。他們相信勞工神聖，把生命從種種束縛中解放出來，恢復了它本有的活力。於是他們找到了真正的「我」，從此敢為了滿足自身的幸福而努力；他們逐漸把祖先們可望不可及的理想，一一實現到人間來。因此我們要想和西洋文化接上龍，要想溝通中西文化間的大鴻溝，消極一面必須先認識中國傳統中為什麼缺乏運作意義的思考？積極一面要特別重視效用論與運作論，這方面的思想必然將迫使我們注重經驗知識，工藝技術，這樣，理想才不致再流於空幻。

新道統的指標

向禍害中國的五害挑戰！

論道統第三章

陳健夫

在現代文明的國度裏，一切應循民主和平制度而改變，沒有「革命」的名詞。只有在共黨集權國家及落後地區仍高嚷着革命。新道統不主張未來的歷史由革命來創造，而應循民主和平的途徑實踐力行來建立民主生活方式。以往必須經由戰爭，革命而解決的問題，應在議場由公意取決。中國的前途，以民主和平開闢大道。力避戰爭，循民主協商解決大政。戰爭及自衛，唯有受侵略被逼迫，當專制與暴行肆無忌憚時，才是正當的行爲。新道統支持一種奔赴正義，解救國家民族自由的自衛戰爭。革命的名詞只許在這時作有限的使用。

論到這種民主制度，是一種世界制度，不僅限於一個國家之內，而且要通行於世界各民族各國家。在此民主制度原則之下，任何落後或低劣的民族或種族，不容歧視，更不容消滅。既同屬人類，即應相互尊重其生存權利。民族主義應被世人普遍尊重。強盛國家的政府及人民應扶助落後民族，促其文化進步，文明發達，使它能達到獨立自主的程度，並成爲人類文明的一份子。過去那種專制極權國家的帝國主義軍國主義專以侵略別的民族國家爲能事的事件，不應再發生。民族的生存及一個民族文化之獨立發展，擺脫奴役，應爲現代民族主義的重要原則。民主主義對民族主義的神聖加以尊重。此一原則，世界應普遍予以重視。今後的世界不應再有任何一個強國壓迫另一個弱小國家的事件發生。人類應已進入結束任何形式的殖民地主義（包括共產主義新殖民主義）的新時代了。須記着，今後的世界，強者對弱者的讓步，不是怯懦，而是光明磊落的美德。強盛國家不應以侵略弱小國家爲能事，而應以扶助弱小國家獨立自主爲崇高神聖的大責任。這便是民主主義的世界精神。今後人類應勇敢堅定的向此偉大方向邁進，這是阻止共產主義洪流氾濫世界的最有效的途徑。人類之享有民主生活制度，實爲人類尋求眞理正義的不二途徑。不論民主生活制度有何缺點，但民主生活制度終不失爲一種優良的生活制度，人類眞善美的生活之建立，實有賴於這種民主制度的普遍與發揚。」這是本人所確認的。

三、進步的科學

新道統之下的中國，要興起進步的科學，要用科學的力量掃除舊傳統幾千年所遺留下來的落後現象，從而建立起現代科學的國家社會。要動員全社會的力量，建立科學的社會，使之成爲人人共享的科學世界。

新道統號召建立一個科學的社會，科學的世界，此中意味深長，值得深思啓發。

「科學是什麼呢？狹義的說，凡有關機械文明的知識都是科學。科學應是一現代名詞。自工業革命而後，科學對全體人類的生活發生了重大影響，科學從此在現代文化中佔有重要地位。若從廣泛的觀念說，科學是有條理有體系的知識，凡是人類由經驗知識所整理而得的學問知識，都是科學。簡單的說，有條理，有系統的知識便是科學。因此定義之廣泛，所以科學又不限於自然科學——一切機械文明的知識，而有社會科學。科學的影響更擴大到人類各部門生活中，而成爲現代文明中最重要的學問。

「何謂進步科學？這進步科學自然有別於一般盲目發展的殺人的功利的科學，今後進步科學應遵循和平、仁愛、智慧之正確哲學以求發展，使人類一切科學的成果都應用於人類的生活福利方面，這樣的進步科學才有助於人類眞善美的生活。」

新道統之下中國，便是要運用這種進步的科學，掃除一切落後的現象，使中國早日成爲現代化的國家，直至永遠。

四、新的經濟生活

國民經濟生活是立國的根本，一切的政治制度，倫理道德，乃至科學建設，都必須在國民經濟生活上立有基礎。使國民經濟生活安定繁榮，乃是立國的第一件大事。（三）

論詩雜碎

寒操

諷吟感自勞生味。意別憐娛或怨嗟。詩旨難離東魯教。立誠還更思無邪。

但求眞美無關善。西士論詩每若斯。底事無邪尊孔訓。天生好德本民彝。

幽情相喻恒言外。玄旨能參每句中。禮後頓明從繪事。誦詩得解貴旁通。

興觀羣怨莫如詩。作者情教讀者知。詩道不違眞善美。功收默化與潛移。

厭亂傷離情自正。嗟卑嘆老意宜刪。知天養性簞瓢樂。詩境當開孟與顏。

慷慨從容源浩氣。纏綿悱惻自眞情。會當仁勇鎔詩魄。立懦廉頑起正聲。

從經九死心何悔。倘有三生意不磨。願力始教詩骨健。詩人知此惜無多。

宇宙經綸是一情。情能無僞筆能橫。狂歌未畏旁人笑。掉臂從容大道行。

詩情風月更風雷。大樂深哀始見才。秘訣曾聆陳石叟。獨標痛字是詩胎。

祖宋祧唐話欠宜。眞情唯有自家知。詩人首在詩魂貴。不事雕工有妙詞。

書意詩情共一原。當師造物務精微。無多今古堪傳句。半自才情半化機。

景著情還情託景。天人契一是詩靈。拈花微笑忘能所。如見神仙住玉京。

靈感俄來瞬又奔。去如電閃了無痕。浮光掠影驚眞美。寫入詩中最動魂。

萬木同榮非一格。羣花爭艷有千姿。詩雄底用爭園地。參化還應造物師。

失笑東施苦效顰。詩無新舊豈離眞？少陵通脫眞詩聖。「不薄今人愛古人」。

（一）

漢文，漢字，漢學

陳曼卿

東漢：（十）八體六技。（說詳下節）（十一）楊雄：訓纂一篇，別字十三篇，蒼頡傳一篇。（皆元始中「徵天下通小學者，各令記字於庭中」，子雲取其有用（或即未見）者，而纂集之作，要皆成之於孺子嬰王莽居攝時代。）

（十二）楊雄又作：蒼頡訓纂一篇（凡八十九章，五千三百四十字，此在當時儒林，或稱較爲可信之字體）

（十三）劉歆：古今文字二卷。

（十四）杜林：蒼頡訓纂一篇及蒼頡（訓）故一篇。（杜或即赤眉焚西京後，以補楊作。蓋自西漢末，東漢初所謂「小學」，有「訓故」之學，至服、許、馬、鄭乃稱「訓詁」。）

（十五）班固繼承父志，整理故籍，易「蒼」重複，續楊雄作十三章。（連前八十九章共一百〇二章，每章六十字，計六千一百廿字。「三蒼」一稱秦之李、趙、胡，三家或謂李斯、史游，李長所作。當以前說爲是。）

（十六）章帝煬時，省變八分而爲：章草。（此即東漢正式採用簡筆字體（一稱書法）之始，今世流傳的一種「急就奇觚」章草字帖，恐非當時舊作？）

（十七）和帝永元中，郎中賈（魴），作滂喜篇。

（十八）王[illegible]：變隸作楷（即今之正楷）

（十九）焦子明：文字畧一卷。

（二十）許愼：說文解字十四篇。（凡五百四十部，九千三百五十三字。）

（二一）郭顯卿：字指一卷。

（二二）衛宏：古文官書一卷。

（二三）蔡邕：聖皇章，[illegible]章，勸學篇，各一卷。

還有蘇林「古今字指凡」。淳一笁，鄧昭伯，劉君嗣，曹喜，崔瑗，張芝，蔡琰等皆長於「小學」，精於「書法」之輩。迨後俗儒穿鑿附會，其存於秘府者，更因董卓「焚洛陽宮室」付之丙丁，竟爾失傳。再則，漢代巫蠱編簡，龜魚之變，魚魯之殊，㩓揉摻合，謬誤頗多。早期古文，或因絹帛之首尾遺脫，因此之故，就淄澠相混，朱紫不分，人各一說，莫之所從了。

近世紀來，出土的秦漢碑文「字」，不下數百十種，石刻亦自秦以還，漢代極稱流行，幾至空前盛況。今存者，當以東漢靈帝熹平四年（公元一七五）蔡中郎「正定六經文字，書冊鐫石」的「漢石經」爲最。然皆「隸」體書法，漢木簡一類，全爲隸體八分（章草亦有），此即終漢一代之字體，字書，字說，之繁複梗概。

論八體六技

班孟堅，藝文志小學：「漢興，蕭何草律，亦著其法；曰，太史試學童……以六體（書法）試之……六體者：古文，奇字，篆書，隸書，謬篆，蟲書。」

許重叔，說文序：「秦書有八體，一曰大篆，二曰小篆，三曰刻符，四曰蟲書，五曰摹印，六曰署書，七曰殳書，八曰隸書。漢興，有草書律尉攻書（寫），學僮十七已上……以八體試之……亡新居攝……頗改定……時有六書之一曰古文（孔子壁中書也），二曰奇字（即古文異者也），三曰篆書（即小篆）……四曰左書（即秦隸書），五曰繆書（以摹印也），六曰鳥蟲書（所以書幡信也）。（十三）

國父空權思想闡微（下）

羅雲家

積極羅致飛機人才：「頃接二月二日手書，知襄助粵軍飛機事至，甚爲欣慰。仍望努力維持，俾飛機事業，日有進步，以副所望。楊仙逸，張惠長二君，已致函林子超兄，囑其就近敦促來汕襄助矣。特此手覆，並問近好。孫文。三月十八日。」（註四）

「頃有同志梅培君自汕來函，謂競存對於飛機事業擬竭力擴充，尤注意於羅致飛機人才。聞有楊仙逸、張惠長二君於斯學甚爲優長，請兄囑張、楊君赴汕襄助，望就近敦促，以助粵軍飛機事業之進行爲盼。特此奉聞，並頌近祉。孫文。二月十八日。」（註五）

計劃訓練不敗之空軍

國父曾在「國防十年計劃書」中極端重視空軍之建設。茲舉其有關綱目如下：「20，各地軍港，要塞，炮台，航空站之新建設計劃。23，全國發展航空建設計劃。34，舉行全國國防總集員之演習計劃。[illegible]各項與海陸空軍新式兵器，如潛水艇，攻守戰術之大操演，37，向列強定製坦克炮車，軍用飛艇，汽球等，以爲整理國防之需。41，聘請列強軍事專門人員來華教練我海陸空軍事學生，及教練國防物質技術工程之意見計劃。48，組織海陸空軍隊之標準。58，我國之海軍建艦計劃，航空建設計劃，陸軍各種新式槍炮戰車及科學兵器機械兵器建造計劃。59，機訓練不敗之海軍空軍計劃。60，列強之遠東遠征海陸空軍，與我國國防：……以上各計劃，不過略舉大綱而已，至於詳細之計劃，待本書脫稿方，可覽閱。予鑒察世界大勢，及本國國情，知中國欲爲世界一大強國，及免受各國兵力侵略，則須努力實行擴張軍備建設也。」（註六）

號召國民獻機救國

「接黃子聰幹事函，藉悉貴都同志曾集巨欵，擬購飛機，爲救國用。因陳逆叛亂，擬撥欵贊助討逆。祇以將欵變移，恐於信用有關，特商黃總幹事代請仍作購贈飛機一架存案等由，仰念兄等赴義急公，願宏力毅，方之古人毀家報國者，何復多讓。所請存案，自應照准。俟楊逸仙兄所辦飛機運到，即擇其一，刻以『美國羅省分部捐贈』字樣可也。」（註七）

知聯合作戰之重要

「此次歐戰……空中以飛機戰，水底以潛艇戰，類皆愈出愈奇。」（註八）

主張自做飛機

「至於飛機，自己可造，日前造成第一架，比之外國所造者尤甚；此後當陸續自造，不須外來矣。」（註九）

民國十二年陳逆烱明盤據惠州，國父認爲「孔明欲出中原，先擒孟獲，吾欲出長江，非先滅陳不可」（註十），遂於是年夏季，親自督師東征。在此次戰役中，國父爲導致戰局於有利的形勢，曾派空軍到前方助戰（註十一），雖說當時擁有的軍用飛機（含練習機）僅僅十餘架，未能實行「杜黑主義」；使用強大的空軍，協同地面部隊，一舉而殲滅逆軍，且機上所裝置的機關槍，係步兵使用的輕機關槍，所投擲的炸彈，係改裝的水雷或迫擊炮彈，一切都是很幼稚的（註十二）。但却可以看到國父已拋棄陳舊的平面戰爭的觀念，踏上了嶄新的立體戰爭的大道了！

註四：見民八「復梅培函」。

註五：見民八「致廣州林森函」。

註六：見「致廖仲凱函」。

註七：見民十二「復羅省分部函」。

註八：見「軍人精神教育」講詞。

註九：見民十二「致鄧家彥函」。

註十：見鄒海濱編著「中國國民黨史稿」，國父語。

註十一：據國父促王棠速辦攻惠軍需書說：「新飛機日內可到，必照應着航空局趕將飛機配好，趕來前敵應用。」

註十二：據李浴日編「國父革命戰理研究」轉據李仙根先生口述。

冒險犯難記

鄭文儀

六為嚴查走私販毒。由於武漢一向是行銷四川與雲南盛產的雅片及販賣紅丸、白麵等毒品的主要商埠，為了執行政府寓禁於征，重課特稅政策，嚴禁走私販毒，曾嚴厲處分了一個收受毒犯賄賂的幹部，這對於以後數年，政府用黑匪用鴉片稅收支援剿匪財政剿赤匪，有不少貢獻。

七為警衛統帥安全。由於漢奸匪諜陰謀詭計多端，常思尋找機會以謀危害統帥，蔣總司令行動雖很迅速，秘密，但却常常輕車簡從巡視武漢各處，防衛實難週密，警衛組配合憲警及侍衛人員工作甚是戮力，從未發生意外事件。

八為破獲奸人收買利用不肖黃埔學生謀刺統帥毀壞黃埔同學名譽。日本軍閥編有在華日軍專用手冊，分析國民黨及國民革命軍的力量與對策，認為黨軍的中心力量及黃埔學生，及其領導的革命組織與指揮的軍隊，要打擊蔣總司令，最好先打擊黃埔學生，打擊黃埔學生最好方法，莫如以黃攻黃，即用重金收買不肖黃埔學生，以破壞黃埔學生名譽，甚至謀刺蔣先生。由於此種陰謀的實踐，首先發現漢奸匪諜共同策動少數不肖黃埔學生，在武漢從事違法亂紀及破壞軍紀與社會秩序之事，他們造謠誣蔑黃埔學生為蝗（黃諧音）蟲，及蝗蟲在武漢滿天飛的謠言，由於我們配合有關方面工作，使得這些謠言誹語很快便消弭於無形。後來查獲確有幾個不肖黃埔學生受蚌埠李副總司令濟琛重金收買利用，促使他們到武漢行刺總司令，經查出證據後，曾先後秘密處決數人，敵人從此技窮。

九是整飾軍紀。三省剿匪之前，軍隊紀律敗壞，軍與軍，官與兵之關係非常惡劣，部隊，團長以上軍事主管長官，多藉故經常脫離部隊，來到武漢後方享樂，軍官生活腐化，士兵生活困苦，士氣消沉，紀律廢弛，共匪宣傳國軍部隊為共匪之補充輸送隊伍。經過總司令嚴令各級軍官，非有命令，不准擅離營地及部隊，官長不許使用小廚房，服裝一律士兵化，官兵要共同生活，共同甘苦之後，三科及所屬同志配合軍中政治工作人員共同努力督促實施，不到三月，軍紀逐趨嚴明，軍威士氣為之大振。至於過去軍隊作戰，多謊報敵情，誇張匪軍力量，爭功諉過，各自為戰情事。經過多次舉發，嚴責糾正，各種積弊惡習不久均大有改進，裨蓋剿匪勝利不少。

十為整飾政風學風，由於社會風氣轉移，軍紀重整及人心士氣振奮，一向政風腐敗、學風不良之武漢，受到嚴正的影響。第三科同志配合行政教育當局，對公教人員貪污腐化墮落浪漫的行為，頗多糾正，同時運用輿論宣傳力量批評檢討，到民國二十一年底，武漢及豫皖鄂三省的政風與學風為之大變，這是三省剿匪勝利的一大動力。（八五）

說燈謎

周燕謀

錦格，曰集錦格，曰碎重門格，曰亥豕格，曰登樓格，曰雋心格，曰（亦名下樓格），曰垂柳格，曰圍棋格，曰求凰格，曰求鳳格，曰千秋格等三十四格。

何謂「謎之體」？謎之體，不必似謎之格，必須註明於謎條之上，而由猜者靈活融會之。計有如下數種：曰會意體，如「不費半絲紅線」，射六才「怎過針關」。「天下可運」，射六才「我把你手掌兒上奇擊」。「一瓢飲」，射六才「略備茶湯」。蓋以意體會之謂也。曰增損體，又曰增減體，如「士」，射六才「在心爲志」。「及」射四子「無人乎子思之側」。「我」，射「共食不飽」。「系」，射詩經「無思不服」。「一」，射聊目二「土偶王成」。射六才「半推半就」。曰象形體，如「點水蜻蜓欸飛」，射一「汗」字；蓋以「干」象蜻蜓之形也，又如「芳訊半殘橫眼角，平橋留影日黃昏」，射「夢」字，以之象橋形也。曰離合格，如「不肯把頭抬」。射三字經「作正字」；蓋先把「不肯」二字之頭抬起，得「一止」二字，然將「一止」二字作合攏來為謎底「作正字」，此爲合體。「全」，射六才「人間天上」，亦此體也。

何謂謎之訣？射謎之要訣也。射謎之法，除空靈傳神者，以意義體會之外，尚有固定猜訣，倘非事先明瞭，至臨射時，則必茫然無所捉摸。甚至被人射中者，聞之亦無法瞭解。茲略舉數點，為志於謎道者舉一反三之用：

「竹」「蓮」均射「君子」。如「竹徑」射四子「君子之道」；「蓮房」，射四子「君子居之」。

「虎」射「大人」。如「虎卜」射書經「大人占之」。

「松」射「大夫」。如「松子」射四字「父爲大夫」。「松聲」射「大夫曰」。

「刀」射「舟船」。如「輕舟已過萬重山」，射聊目「快刀」。「舟夫滅頂」射水滸混號「操刀鬼」。「乾坤單刀」射「天地一孤舟」。

「龜」射「蔡」。如「嫁丈夫是烏龜」，射四子「適蔡」。「烏龜賺盡傾城淚」射水滸混號「蔡福」。「烏龜頭」射清人「蔡端」等等。

謎之取材，不外下列諸類：四子之謎，五經之謎，人名、物名、地名之謎，蒙讀之謎，古文之謎，書名篇目之謎，詩之謎，傳奇詞曲之謎，諺語之謎，字之謎，干支之謎，明星歌星戲名之謎等等。

謎語之易射，莫如明星名，時人名與戲名，如：「聚衆反大陸」，射「九伐中原」。「木棚」，射「查頭關」。影片如「離多一刻值千金」，射「夜夜春宵」。「飽經世故眞爲善」，射「歷盡滄桑一美人」。影星名如：「赤禍橫流」，射「洪波」；「思想美男子」射「鍾情、麗兒」。此不過舉一反三，九牛一毛。若欲識個中情趣，則須博覽羣書，則多見洽聞，自然經綸滿腹，對此小道，不難信手拈來，便成妙諦也。（下）

中國才女名句

資

中國以往能詩的女子應不在少，但以重男輕女故，其名率多不傳，可爲太息。如名詩：「君王城上竪降旗，妾在深閨那得知；四十萬人齊解甲，更無一個是男兒！」祇知爲五代蜀花蕊夫人姓費者所作，其名爲何，不可知矣。又如名句：

「青山有幸埋忠骨，白鐵無辜鑄佞臣。」

「寄語行人休掩鼻，死人更比活人香。」

「美人自古如名將，不許人間見白頭。」

亦均祇知出自才女手（均淸代人），而姓名不傳焉。

哀梨室劇談

梨園坤角話從頭

谿公

在金少梅出嫁之前夕，李某還有些不大開心！特地請老名士方地山先生，代作一副以諷爲勸的賀聯說：

『小雪落燈天，看此日風懷，便結束長安歌舞。畫眉喜神譜，念舊時月色，莫教疏影橫斜。』

隨他怎麼說吧，反正程金已成了有情眷屬，着實過了些快樂光陰。但可惜好景不長，初時僞裝賢淑之程夫人，過了一個時期，便漸漸的露出妒婦悍狀來，與少梅積不相能。仲藩懾於雌威，又不敢作左右袒，聽她們日夕吵鬧，終於訴之法庭，奉判作分飛勞燕。

這期間月梅已作古人，少梅獨自歸去，不期感到無限的悲哀。所幸還有十萬元財富存在李處，心想「這也足夠下半世生活，又何必一定要有丈夫？萬一把這些錢用完了，我還可以唱戲，有什麼大不了呢！」

沒想到在她到達李家索取存欵時，她那位藹然道貌的義父，突然翻轉面皮，否認有這回事！這是沒有證據的私人交涉，他一否認，便等於風捲殘雲，一點兒不留迹象。少梅沒法，只好痛哭一場，依舊向舞台上討生活；但可惜多了幾歲年紀，又有阿芙蓉癖，「扮相」既遠不如前此之美麗；唱做一切，亦因荒疏日久，一樣樣力不從心；又失去了多數「捧場」的朋友，遂致以一富於「叫座」力量之「臺柱」，一降爲「二路旦角」再降爲「掃邊貼旦」，等於一個「跑宮女的」！每月所掙少得可憐的一份「包銀」，僅足維持幾天的黑飯。那麼白飯還吃不吃呢？想想沒法，只好嫁給一個「打英雄的」馬少山爲妻，生活是夠苦的。在這期間，她曾隻身到上海一次，原意是想在舊遊之地，尋到一條出路；結果，出路沒有尋到，却發現了若干勢利荒傖的猙獰面目！困住在一家小客棧裏，仰屋咨嗟，以淚洗面，誰也不去理她。筆者偶在無意中聽人說起，不禁心爲惻然，特地備了一百元親自送去，她竟感激得泣下如雨。訴說過去的一切，然後束裝北返，從此更無消息，想來着實可憐！這雖是她個人的不幸遭遇，然而人情澆薄，世途險巇，亦於此可見一斑。吾言初非河漢，幸閱者三致意焉。（本篇完）

春節觀劇記

馬五先生

台灣復興戲劇學校諸生，於本月六日起，在台北「三軍托兒所」舉行春節公演五天。承該校董事長蕭三爺同茲兄贈送我五天的戲票，但我只欣賞了八號晚上演出的一場，其餘四天的入場券，轉送給對平劇有興趣的朋友了。

八號晚上的戲碼是「楊排風」與「玉堂春」。我入場時，楊排風已經演了三分之一，張復華去楊排風，扮相俏俊，蹺工雖然尚未臻上乘，却靈活自然，身段亦可觀，箭步走圓場的姿式殊見功力，稚齡女孩兒有此造詣，若得良師教導，將來必能成爲武旦的高材生無疑。去孟良的曹復坤，武工不錯，跌撲跟斗都極輕快矯捷。

林復琦的焦贊扮相不壞，但沒有花臉的嗓子，有時唱兩句西皮搖板，胡琴調門僅比扒字調署高，他唱來竟不入調，不知是否由於「坍中」之故？葛復中的楊延昭，戲份不多，平平而已。

玉堂春從「起解」到「會審」，這是一齣唱工的重頭戲，始終由王復蓉担任蘇三這個主角。是夕她化粧顯出很漂亮的容貌，初出場來，我幾乎不認識了。迨她唱過「忽聽得喚蘇三」幾句二簧搖板後，聞其嘹亮而圓潤的音調，纔知道確係王振祖兄的小姐哪！在這段搖板的唱詞中，頗能表現幽怨抑鬱的情緒，激起聽衆盪氣迴腸的觀感，可謂難得。辭獄神的反二簧平穩受聽。起解時所唱「蘇三離了洪桐縣」一段西皮快板，具有急管繁絃的聲韻，而乾脆俐落，宜其彩聲滿堂。綜察復蓉是夕全部唱腔，完全走的梅派路子，不蔓不支，大大方方，且少「飲場」習慣，這亦是效法梅蘭芳的作風。曹復永扮演王金龍，臉上有戲，說白清楚。葉復潤的藍袍亦銖兩悉偁。

這是寶嗓子的舊戲，復蓉一氣呵成，嗓音越唱越充沛，毫不衰竭，足見其天賦之佳，加以她有這末優厚的本質，再加以努力學習，虛心求教，他日的成就一定出類拔萃，不讓梅派專美於前。問題是平劇受著電影戲片的冲擊，生產既不易，而市場又日益萎縮，像台灣現時的情形，連一座專演平劇的戲院亦沒有，復興學校造就的平劇優秀人才雖多，亦有如一般大專畢業生所感受「畢業即失業」之困苦。除非光復大陸，這問題即不容易解決，而平劇勢將成爲廣陵散，可慮亦復可惜。要打破這一難關，只有仰賴政府的力量，乃克有濟，社會大衆是無能爲力的。

「桃園結義」

謬匡

羅貫中三國演義云：「飛曰：『吾莊後有一桃園，花開正盛；明日當於園中祭告天地，我三人結爲兄弟，協力同心，然後可圖大事。』玄德、雲長齊聲應曰：『如此甚好』。次日於桃園中備下烏牛白馬祭禮等項，三人焚香，再拜而說誓曰：『念劉備、關羽、張飛，雖然異姓，既結爲兄弟，則同心協力，救困扶危，上報國家，下安黎庶。不求同年同月同日生，但願同年同月同日死。皇天后土，實鑒此心。背義忘恩，天人共戮。』誓畢，拜玄德爲兄，關羽次之，張飛爲弟。祭罷天地，復宰牛設酒，聚鄉中勇士三百餘人，就桃園中痛飲一醉。……」

桃園結義之事，爲我國廣大人羣所美稱樂道，此說深深合符中國社會人心所重之「俠」、「義」精神；然純以歷史觀點立論者，則以爲妄說。斥其謬者，迄無反證。按三國史實各傳中，亦有互見「誓言」者，以三國志文字按情理度之，則可有者爲勝。比如：「先主與二人寢則同牀，恩若兄弟，而稠人廣坐，侍立終日，隨先主周旋，不避艱險。……」又如：「曹公壯羽爲人，而察其心神，無久留之意，謂張遼曰：卿試以情問之。既而遼以問羽。羽歎曰：吾知曹公待我厚，然吾受劉將軍厚恩，誓以共死，不可背之，吾終不留。……」堪可推情度理者，「誓以共死」，古人最重「誓言」，更以其三人平生共患難之行爲度之，至少劉關張三人已有一種共同「誓言」，烏牛白馬固然不能定其必有也。張飛傳云：「少與羽俱事先主，羽年長數歲，飛兄事之。……」

由此觀之，劉關張三人雖未烏牛白馬公然結義兄弟，但在事實上確有勝於兄弟之感情和義氣，較同胞手足尤有過之。觀曹營之劉、袁氏兄弟之各自爲政，甚而互相迫害，則不啻天壤矣。再觀關羽被害之後，劉備大起全川之軍爲羽雪恨，且不聽諸人勸阻，甘冒軍事之險而不惜，如非「誓與共死」，何能出此？而此時之劉備關羽尚無君臣之份也。

三國志費詩傳更有一證。先主爲漢中王，遣詩拜羽爲前將軍，羽聞黃忠爲後將軍，乃怒曰：「大丈夫終不與老兵同列」。不肯接受。詩曰：「夫立王業者，所用非一。昔蕭曹與高祖少小親舊，而陳、韓（陳平韓信）亡命後至，論其班列，韓最居上，未聞蕭曹以此爲怨。今漢王一時之功，隆崇於漢室，然意之輕重，寧當與君侯齊乎？且王與君侯，譬猶一體，同休等戚，禍福共之。……」其中「王與君侯譬猶一體，同休等戚」二語，如非三人「盟誓」結義，又何能出此言也！羅貫中穿鑿「桃園結義」一節故事，亦出於無可厚非者也。

內僑警台報字第〇三壹號內銷證

自由報

THE FREE NEWS

第四二五期

中華民國僑務委員會頒發
台教新字第三三二三號登記證
中華郵政台字第一二八二號執照
登記爲第一類新聞紙類
（每星期三、六出版）

每份港幣壹角
台灣零售價新台幣壹元

社長：雷嘯岑
督印人：黃行富

社址：香港銅鑼灣高士威道二十號四樓
20 CAUSEWAY RD 3RD FL
HONG KONG
TEL. 771726　電報掛號：7191
承印者：田風印刷廠
地址：香港灣仔高士打道一二一號

台灣分社
台北市西寧南路壹零號二樓
電話：三〇三四六
台郵撥儲金戶九九二五

「惡法」與「競用」之癥結

簡春生

假如立法者很用心立法，而且是有能的「立法專家」，應該不會發生什麼「惡法」問題，當然更無所謂「競用」，即法律與法律抵觸，其中並無優先適用情形的問題；如果法律競用，執法者該何去何從？

制定法律的目的，是要它行的。如果法律行不通，或者無法行，那就不要立這個法。否則，誰也不能不說它不是惡法？爲了解決這些問題，法學家提出了幾個原則，如「從新從輕主義」，「特別法優於普通法」，「子法不得抵觸母法，母法優於子法」等等。如果二個法律不屬一種，僅發生某種關係，因此就不適用這些原則，執法者該如何呢？這不是「民主法治」國家的笑話嗎？

立法委員是我們人民的代表，立法院是我們的立法機關，我們當然希望我們的立法代表是「有能的」。事實上，如果我們說我們的立法委員「無能」，立法委員也不會承認。如果我們說我們的立法委員沒有盡職去立法，立法委員也會否認，說他們如何辛苦，對國家又有多少貢獻。憲法第六十二條規定：

「立法院爲國家最高立法機關，……代表人民行使立法權。」

再看憲法第五十七條：

「行政院依左列規定，對立法院負責。」

這「左列」規定些什麼？第一、二、三欵的情形是：立法委員有對行政院提出施政方針及施政報告提出質詢權。質詢之目的，其第二欵及第三欵說：在贊成或否決行政院之「重要政策」，「法律案」，「預算案」，「條約案」；或以決議要求行政院執行。如果行政院反對而經「核可覆議」，經立法院三分之二通過，「行政院院長應即接受該決議或辭職」。可見立法院的責任在立法，質詢之目的亦在「便於立法」，使法律適當而不是惡法；可行而非形式。但我們的法律則有「不可行」的，而且很多，現以「司法院大法官會議法」第四條第二欵作爲抽樣說明。該欵說：

「人民於其憲法上所保障之權利遭受不法侵害，經依法定程序提出訴訟，對於確定終局裁判所適用之法律或命令發生有牴觸憲法之疑義者，得聲請解釋憲法。」可見人民聲請解釋憲法的條件有二：第一，須「終局判決」確定後；第二，須「終局裁判所適用之法律或命令發生有抵觸憲法之疑義。」但我們的「刑訟法」排除了它的適用。請看三四一條：「上訴期間爲十日，自送達判決後起算。但判決宣示後送達前之上訴亦爲有效。」這有兩種情形：一、第二審爲終審；二、第三審爲終審。現先說第二審爲終審，若人民認爲其判決所依據法律違憲，聲請解釋，請問：大法官十日能解釋下來嗎？而判決所依據法律違憲，依第四三九條又非「再審」條件，第三九七條又規定不得抗告。請問：這個判決是否有效？如有效，第四條第二欵就流爲空談，實際不能適用。如無效——未確定，刑事訴訟法「沒有上訴期間停止」及「確定判決效力」停止的規定。再看第三審爲終審，「刑事訴訟法」第四百六十條規定：「裁判，除保安處分外，於確定後執行之。但有特別規定者，不在此限。」（此處所謂「特別規定」，即第四百六十九條：心神喪失於痊癒前，婦女懷胎於生產前，停止死刑執行。第四百七十一條：心神喪失，懷胎七月以上，生產未滿一月，現罹疾病恐因執行而不能保其生命，於其痊癒或該事故消滅前，停止執行徒刑或拘役。聲請判決違憲之解釋，不在其內，法無規定，故不能停止執行。）又第四百六十一條：

「執行裁判，由爲裁判之法院之檢察官指揮之。但其性質應由法院或審判長、受命推事，受託推事指揮，或有特別規定者，不在此限。」又第四百六十四條：

「諭知死刑之判決確定後，檢察官應速將該案卷宗，送交司法行政最高官署。」又四百六十五條：

「死刑，應經司法行政最高官署令准，於令到三日內執行之。」又第四百六十六條：

「死刑，於監獄內執行之。」第四百六十七條：

「執行死刑，應由檢察官蒞視，並命書記官在場。」

可見終審確定後，如屬「自由刑」立即發監執行，如屬「生命刑」，呈准司法行政部後三日內執行。什麼判決所依據之法律命令有無違憲而聲請解釋，並不能阻卻或停止「刑之執行」。等到解釋令到憲，說，又有何用？原判死刑的，已見閻王；原判徒刑的，已是囚犯。解釋能變死人爲活人嗎？能變囚犯爲無罪嗎？這不是把「司法院大法官會議法」第四條第二欵作爲點綴嗎？如果說人民聲請解釋期間，可停止執行，我們的立法委員能否找出一個法條來？

這不是很明顯的是「司法院大法官會議法」與「刑事訴訟法」，在適用上發生抵觸嗎？

次就「民事訴訟法」與「大法官會議法」來說：「民事訴訟法」第四百三十七條規定：

「提起上訴，應於第一審判決送達後二十日之不變期間內爲之，但宣示後送達前之上訴，亦有效力。」又第四百五十五條規定：

「第二審法院關於假執行之裁判，不得聲明不服。」又第四百六十四條：「對於第二審判決上訴，非以其違背法令爲理由，不得爲之。」第四百六十五條：

「判決不適用法規或適用不當者，爲違背法令。」

但第四百六十六條規定之六種「違背法令」情形，人民因法院判決所適用之法律違憲而聲請解釋者，不在「違背法令」之內。換句話說，就是「不能上訴」，「停止上訴期間的時效」。這些規定，依民事訴訟法第四百七十八條說：「於第三審程序準用之。」可見「民事訴訟法」以爲：1、判決後二十日內得提起上訴；2、判決確定即假執行；3、人民對假執行，不得聲明不服。

（下轉第二版）

假馬
計劃
果剛

毛酋：「這是必修科」

andante moscow.

furioso chinoise

ff

ON THE BAR-RI-CA-DES

共產進行曲

今日与明日

柯西金白跑一遭

蘇俄總理柯西金最近在河內、北平、平壤三個地區兜了一個圈子，分別訪問了中越韓三共黨的重要首領，表面看來是柯西金就職後第一次「出巡」，骨子裏則是拉攏韓越共黨參加俄共召集的共黨高峯會議的籌備會議。

就這次經過來看，柯西金此行可說一無所得，韓越兩共黨頭子並無片言隻字同意參加該項會議。不過，比較起來，越共態度似較緩和，韓共則靠緊毛共，不肯改變。俄共所召集的二十六國共黨籌備會議，更決定在三月底召開，勢難再變更。毛共已決定不參加，韓共、日共、印尼共均不參加，越共也未必敢出席，如此以來，共黨陣營勢將分裂爲二，柯西金此行不惟無補，而且加速了分裂的表面化。

毛共又要試核子

最近傳出消息，毛共又要試驗核子爆炸。本來毛共已經試過一次，即使再試一次，也不會使人有新奇之感。不過，毛共在此時試驗，可能因越南戰局對美國含有示威作用。此次美機大炸北越，一般估計是毛共有意促成的；但是，北越被炸之後，勢必要向毛共求援，毛共既不敢公然派兵，祇有一味靠嚇，最近試驗核子裝置其動機在此。

試驗核子之外就是示威遊行，此點毛共一貫爲之，最近連毛澤東也到天安門上亮相，表示支持北越。其實毛澤東還行動無所謂「人扶持」，若是叫他去台上站了一次，大小嘍囉及北平城內市民遊行一次，相信就原形畢露了。

今天毛共政權有點似毛澤東的身體，表面看來似牛一樣，十分強壯，實際已經油盡燈枯，是經不起絲毫風吹草動時，所以說毛共援助越共的鬥爭，充其量也只是鬥嘴而已。

世界性的反美示威

自從美機大炸北越之後，共黨已策動一項世界性的反美示威，從莫斯科起，東歐各國首都，[illegible]化館，焚毀詹森總統像，甚至馬來西亞吉隆坡居然也出現反美示威運動。可見，共黨在各地發動的反美示威，是有一個周密計劃的。

共黨反美示威，本是一項無聊之舉，用意只在爲北越政權打氣，影響美國人民的意志，真正見怪不怪，其怪也就自敗了。不過，由這項示威行動中可以看出一點，共黨在今日世界潛伏力量依然强大，隨時可以肇生事端，到是不可不防的。（何如）

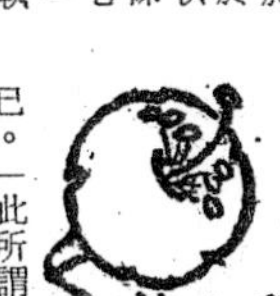

壞人必須制裁

昔人有言：「風俗之厚薄，繫乎一二人心之所嚮而已。」此所謂「一二人」，是指在社會具有移風易俗之影響力的正人君子和法家拂士之流，他們本其正義感，對於社會上一些放僻邪侈的人類之蠹，隨時隨地加以申討，與衆共棄，使人們懍然於正義公道之不容敗壞，而發生廉頑立懦的功用，風俗即自然趨於淳厚了。

台灣近年來提倡「好人好事」，常由政府表彰那些見義勇爲、臨財毋苟得、臨難毋苟免的好人，固不失其爲正人心、厚風俗的善舉，殊堪稱讚。不過，這只是片面的消極作用，不足以振拔亂世的澆漓人心，遏制一般乖戾之氣。因爲每次受到褒揚的好人，盡是些尋常百姓，而在社會觀感上影響很深重的智識份子和政治人物，皆不預焉，難道這類人士之中，就沒有一個值得表彰的好人好事嗎？同時對於一些壞人壞事，更應該特別注視，或依法律，或用輿論的力量，嚴加制裁，這樣才可以弼成彰善懲惡的社會風氣。尤其是一般聲名狼藉，穢行昭著的智識界渣滓人物，決不宜任其放僻邪侈，爲害社會，而猶以正人君子的僞裝，招搖過市，售其奸險的伎倆。否則縱然表彰千萬個老百姓羣中的好人，亦抵不過這類僞君子一名對於人心的惡劣影響，姁姁爲仁，孑孑爲義，即孟子所謂「明察秋毫而不見輿薪」，收效極微也。

漢末，天下大亂，劉璋以闇弱之資據蜀，終致召亂敗亡。劉備取而代之，諸葛亮認爲此時人心疲玩，性行乖違，主張崇法務實，開誠心，佈公道，信賞必罰，虛僞不齒，使法孝直爲巴蜀太守，厲行申韓之治術，對於一般壞人特加懲創，不稍寬假，期年而民心丕振，威信大著，雖前朝佞幸險詐之徒，亦相率勉爲忠良了。這段史鑑，可作今日我國朝野人士的一面良好鏡子。好人好事儘可表彰，而壞人壞事尤須掃蕩，不能讓他們揹着民主的招牌，鼠竊狗偷，爲非作歹，且將法律亦負之以趨，戾氣所鍾，非招致亡國之禍不可！

馮[illegible]先生

繼中正初中校長之後

屏東九如初中校長被檢舉

但據查檢舉各項多乏事實根據

（本報記者屏東航訊）繼中正初中校長洪水洪被本校員工用匿名方式檢舉違法瀆職後，縣立九如初中校長陳清旺，亦被人冒用學生家長郭克修的名義，向監察院、教育廳、及其他有關司法機關提出「校長陳清旺串通家長會長楊天居貪墨案之檢舉，請求澈查究辦」。消息傳出，頗爲各方矚目，是是非非，莫衷一是。記者謹就各方人士對該檢舉案的論證，加以綜合報道。

按陳清旺被人冒名串通家長會長楊天居涉嫌貪墨一案，就檢舉書所指內容，歸納起來不外是：「一、五十三學年度非法錄取新生五十三名，並串通家長會長，强迫每一新生樂捐新台幣一千元，涉有中飽私囊之嫌。二、扣發教員鐘點輔導費及米糠代金。三、校長兼營碾米廠，將該校教職員每月之公米，均撥入自營米廠轉發，從中漁利。四、聘用僅中學畢業人員兼任教員。五、冒領教員龔弘毅鐘點費」等五項。

此五點檢舉，據教育主管官員語記者稱：一、「非法錄取新生五十三名與强迫樂捐一事，顯與事實頗多出入之處，其實情是1五十三名新生之錄取，既爲家長會之請求，且又係招生委員會之決議，非校長一人之主張。2新生樂捐建校，其金額爲二十、五十、一百、五百、一千不等，概由學生家長視個人經濟環境而「志願」捐輸，而非强迫，硬性之攤派；所捐得之款及開支情形，家長會更有賬冊可稽。二、扣發教員鐘點費係屬實情，但來源係因學校建築經費不足，乃將該款移付建築學校圍牆之用，並係經由校務會議通過決議有案者，同時因非校長私自挪用，自難歸罪於他。至於米糠代金，其總數金額僅新台幣百餘元，每人應得最多者不到八元以上，最少者僅三、二元而已，區區之數，當非「貪墨」目標。三、協茂豐碾米廠係陳清旺之叔父所經營；該米廠于陳清旺三歲時即已開設迄今，何况他家早已分居，所謂從中漁利之說，並無根據。四、聘用僅中學畢業人員曾嘉明兼任教員是事實，但係由於教員馬貞中途辭職，一時找不到合適之人，乃報請縣府暫聘曾嘉明兼代，並經縣府(53)人丁字第七三五五五號令核准有案。五、教員龔弘毅辭職事，縣府核准聘用日期爲五十三年七月卅一日止，而學校代龔弘毅向縣府請發鐘點費僅於五十三年六月三十日止，縣府有案可稽。利用職務上便利，冒領鐘點費，非屬實情云云。

另監院教育委員朱宗良於一月廿一日率專員楊志清赴校，根據檢舉書所列，逐條逐項進行調查，據說所得各項資料，均與前面所說相符。

據一位教育界人士分析：九如中學校長陳清旺之被檢舉，主要原因是「該校係屬新創，內部複雜，教職人員良莠不齊」所造成。又說：有關當局對該檢舉校長貪墨案，應先從多方面瞭解案情根源，作愼重處理，否則不肖之徒刁謀若遂，嗣後恐不僅九如中學多事，恐亦將危及屏東各個學校。（袁文德）

香蕉生產在台灣

邱家文

台灣的香蕉，係遜清乾隆年間，由彰化縣籍的一位林姓商人，從內地移植本省中部的。香蕉在台灣省土名稱爲「芎蕉」，或「甘蕉」。因台省氣候溫暖，土質肥沃，適宜種植香蕉，乃逐漸自彰化向南北地區擴展移植，及今成爲台省的特產之一。

台灣光復之初，全省栽植香蕉的蕉園面積，還祇有一萬○二百十二公頃，且因戰爭關係園地多荒蕪，樹型矮小，蕉叢距遠，生出的蕉樹，亦多高低不一，全年產量僅五千三百四十一萬一千五百公斤，外銷則祇有一百九十萬二千三百公斤。近幾年來，政府爲輔導蕉農增產，從推廣蕉園種植面積，改良品種，改進採摘技術，及加强病虫害的防治方法等齊頭併進，收到預期的效果，而爲本省帶來可觀的財富。

栽種在春秋間

香蕉分爲春夏蕉和秋冬蕉兩種。春夏蕉產在南部平地，較秋冬蕉成熟快；秋冬蕉產在中部山地的，由於冬季天氣較冷，生長亦較慢。在栽植蕉樹之前，先挖掘一個深二台尺，直徑半公尺的孔穴，灌注基肥十公斤，覆土一層，然後將蕉樹插入其中，再以泥土填平，每日早、午、晚各澆水一次，不久便出土了。至於栽植蕉樹的距離，則視地形與氣候而異。南部炎熱地爲株距二公尺半，每公頃約可植一千八百株，中北部或平原地帶爲株距三公尺，每公頃約植一千三百株。栽植的時間，春夏蕉都在春季的二三月，秋冬蕉在七八月間。因香蕉的成熟，大約要經過十二個月的時間，如果在今年二三月、或八月間栽植，到明年的春天和秋初，這段時期所採摘的香蕉，不但菓實碩大，且又香又甜。

香蕉的成長很慢，對蕉園的管理和蕉樹的養護，是需要有極度耐心的照顧。縱然是在亞熱地帶，氣候溫和如春的台灣，并用不着十分週全的兼顧蕉樹的包紮禦寒工作，但在栽植，施肥，採摘技術和病虫害的防治上，却必須謹愼地下一番功夫。假使蕉園的管理或蕉樹的栽植不得其法，足可阻礙它的成長，影响菓實的壯大的。而蕉樹不幸發生病虫害，更會減少它的產量與素質。香蕉在晴天上午或下午採摘，往往比較陰霧天氣，或下雨所採摘的，容易貯藏而不會霉爛。另外，對於剪刀口的銳利，剪刀的形狀和大小，剪蒂和輕快，剪口的圓潤，搬運時的輕穩，及容器裏面加墊，麻袋或粗布等，都是必須注意而不可忽畧的。

政府在推廣香蕉方面，預防颱風，香蕉支柱貸欵，每年均及時貸給。（上）

「時代的倒車」——從林絲緞的影展談起

黃三

——拿時局、國情、環境等種種理由做爲藉口，我們萬分不得已地採取「漸進」的方法去追趕時代，已經太嫌慢了，又怎麼能再開時代的倒車呢？——

一九六二年的中國學術界起了一次不算太小的波瀾，那就是「中西文化」問題的論戰。當然，這並不是有關的本問題的第一次論戰，更不是本問題的第一次被提出吵吵閙閙了不下四、五十年，儘管雙方對於「西化」的意見有很多不能妥協的地方，但至少「我們須要現代化」的事實，早已經被大家所公認。所爭執的，只是方法和步驟的問題。

對於「西化」這樣一個爭辯了幾十年還在「商榷」階段的大題目，絕不是我們在這裏三言兩語所能夠敍述的。所以，我們僅就一些小事來看看早被大家公認的事實——「現代化」吧。

大清帝國的晚期，明眼的人付出了相當的代價，使一個「民選總統」的新國家，在同一塊土地上建立了起來。消極地希望這個古老的民族不致於被時代的狂瀾冲失。積極地希望能使這個國家現代化起來，與其它各强國並存於世界之上。到今天，已經五十多個年頭了。看看我們的東隣——日本，在這半個世紀裏，它們由侵畧者變爲戰敗國，從戰敗國的地位，在很短的時間內又跳回世界强國的位置來。而我們自己呢？我們究竟往前走了幾步？太慢了，眞正地太慢了！當然，我們的理由多得很；軍閥啦，日本帝國主義啦，共產黨啦……就算這些理由全部都能成立，我們原諒了自己走得太慢，但是對於這五十多年中，不斷地「開時代的倒車」，又能拿甚麼來交待呢，遠如「袁大總統」祀孔的趣事，近如不惜破壞法治精神去特別對一個「謀殺姦夫未遂」的兇手開恩並借法律的力量助他完成報復的心願「以洩公憤」，和這次「勸阻」模特兒林絲緞的攝影展……等等，我們出了多少「洋相」？

就拿近來林絲緞所舉辦的攝影展來說：本來這類「裸體人像」展覽，在世界各國的藝術界中都是一件極爲普通的事，而以人的裸體爲素材的作品在藝術創作中也佔着非常重要的地位。一般人見得多了，覺得沒稀奇。不過，在我們這個保守的社會裏，這種事到底不常見，故而引起了一陣轟動；每天上萬的人擁往會場「參觀」。因爲這種少見的轟動使得「保護善良風俗當局」不安，最後，他們覺得不能再繼續「裝聾做啞」了，於是對該展覽會進行「勸阻」。這一來，我們又出「洋相」了。

由於這個「洋相」出自一般民衆和「保護善良風俗當局」雙方，所以我們也把問題分開來談：

據我們估計：自由中國歷來所舉辦的藝術展覽，不論是畫展也好，書法展也好，雕刻展也好，攝影展也好，從來沒有一次，到達如此盛況的。

每天上萬的觀衆，難道我們一般民衆的藝術欣賞能力竟是這樣地普及嗎？如果是，那麼爲甚麼其它藝術展覽會場上情景又是那樣的冷清呢？要是拿正常的情況來做標準的話，這次展覽會的觀衆中，至少有十分之九以上的人是平常對藝術毫不關心也毫無興趣的。這麼多的藝術門外漢去湊一塲熱鬧，這個「洋相」也出得夠大的了。不過，這也不能全怪他們，好奇原是人類的本性，而這種塲面到底還是很少見的。

我們在前面已經提過，以人的裸體爲素材的藝術創作的公開展覽，在世界各國都是非常普通的事。而且並不會因此導致「色情的氾濫」。「保護善良風俗當局」誠然是一片好心，怕我們羣衆中了「色情的毒素」，因而破壞了「善良的風俗」，所以採取了「有效」的措施。不過我們相信「當局」還有幾點沒有考慮週到：

第一：幾張裸體的攝影照片所能導致的後果，究竟是否有「當局」所料想到的那樣嚴重？

第二：我國「古訓」有言：「重爲善，若重爲暴」（「重」就是「不隨便」的意思）。何况此舉是不是眞正的妥「善」，我想「當局」也未必能十分肯定。

第三：這次影展的盛况是不正常的，部份觀衆的心理也是不正常的，這是我們這個社會的觀念不開放，以致大家「少見多怪」，所造造成的結果。治療一般人這種不正常的心理，不應當去遮住大家的眼睛，也不該去「勸阻」林絲緞的展覽會不得延期或再開，對付這種情形，如果讓大家多「見識幾次這類塲面，使大家「見怪不怪」似乎是更適當，更有效的辦法。怕溺死的人最好的方法是去把游泳學會，而不是一輩子躲着水。

第四：當局這樣「冒冒然地作了，也不怕見笑於「國際友人」，因而誤解我們的政府在阻擾藝術的正常發展和進步？今天已經是二十世紀的六十年代了啊！

日前林絲緞的影展在「當局」的「勸阻」之下，已如期閉幕，不過，聽說卻要前往本省中、南部各地巡迴的展出。第一站將是高雄市。相信「當局」對於這件事一定感到十分「棘手」，但是我們希望在「當局」採取進一步的措施之前，能夠再三地考慮一下以上所提出的四點意見才好。

過去，我們在「國際友人」的面前「現」過不少次「眼」，能夠不閙的笑話最好還是不要閙。最後，我們要再强調一句話——任何藉口都不足成爲「開時代倒車」的理由！

自治人員訓練所已開始接受申請

（本報訊）據香港自治委員會秘書處函稱：該會主辦之香港自治人員訓練所，由龍更生教授兼任總監，已開始接受申請受訓。（甲）資格：不分國籍、性別、年齡，凡通粵語，有下列程度之一而端莊純謹者，皆得申請。（一）凡在各地大學畢業會在本港任職者。（二）凡在本港或各地專上學校畢業有辦事能力者。（三）在本港或各地中學畢業自信有辦事能力者。（四）有以上相當程度者。

（乙）學科：自治政綱，行政學，公民學，國際公法，國際私法，檔案管理，團體學，社會救濟行政，行政實況。

（丙）畢業：修足一百學分爲畢業，經考試及格，頒發畢業證書。

（丁）申請人必詳列姓名，性別，年齡，國籍，出生地，經歷，志願工作等項，逕寄「香港郵政信箱貳伍貳叁號」，並附貼足郵票回郵信封兩個，二寸正面半身最近相片三張候核。

「惡法」與「競用」之癥結

——自第一版轉來

這樣一來，大法官會議法第四條第二款所說的「人民……對於確定終局裁判所適用之法律或命令發生有抵觸憲法之疑義者，得聲請解釋憲法。」豈不成爲空談。訴訟標的已失，事實已被法院確定，若解釋判決依據之法律違憲又有何用？如有用，民訟法上沒有規定，那就成爲違法審判。

由這一例，可知我國的立法院是立的什麼法？怎樣在立法了。法律一立，不管它是「善法」「惡法」，亦不問可不可行，一概不在考慮之例。反正，現在既「不能改選」，又「無法罷免」同時，「不得創制複决」，又能奈何？法院改隸經大法官解釋後，修改有關組織法規，是立法院的責任，立法院可以不修改，顯然失職。大家討厭的「取締流氓辦法」可以不廢除，「出版法」却在立法院裏產生。「代表人民行使立法權」就是這樣「代表」，這樣「立法」的。民主政治亦可說是「立法」政治，民主法治之難望有成，其病根亦不診而明了。我們希望我們的「代表」們，立法院，不診在史家筆下記上「民主憲政」的罪魁一筆，那非吾人之榮。（五四年二月十二日）

新道統的指標

向禍中國的五害挑戰！

論道統第三章

陳健夫

新道統的建立，特別重視國民經濟生活；因爲中國幾千年遺留下來的社會，是一個貧窮的社會，生產落後，人口衆多，不勝負荷，因此，新道統要將一切國家社會的建設大業基於國民經濟生活的基礎之上。新道統不空談仁義道德，而致力於建設一種奠基於國民經濟生活之上的民主，倫理的新社會。使仁義道德之說有其豐富的內容與生活的基礎，不再成爲聖賢說教的空洞教條。（往昔聖賢說教，亦有一個自給自足的農業社會爲之基礎，但今日已時移境遷，不復存在！故不能依樣葫蘆，空談道德仁義。）

新的經濟生活，應包括下列諸要素：

（一）自由平等的經濟生活：「由自由競爭發展而成的資本主義，否定了每個人的自由平等權，這是一種放縱的自由競爭。自由競爭爲發揮各人天才，爲表現各人智慧，是天經地義的應予保存的一種優良生活方式。今日民主制度的基礎，即基於各個人的自由競爭，自政治至經濟莫不如是，但人們切須牢記，自由競爭應有一個固定的基礎，那就是「平等基礎」……在沒有經濟平等的基礎上，從事自由競爭，那不是公平合理的經濟制度，經濟的最大最高原則無他，只是求其公平與合理。一盤子食物，三個孩子搶着分食，分得公允，自是和氣，若有不平，便有爭吵！雖至將盤子打破，食品丟掉，也在所不惜。可見社會制度合理時，自可安寧，共享太平。一旦不合理時，發生不平等現象，自必發生革命。以小喻大，道理一般。所以自由競爭須有經濟平等的前提。」（新儒學三四六頁）

「所謂經濟平等，並非否定私有財產，而是使人人有一個平等的生活水準，人人有足夠維持這個生活水準的收入，在這限度以下及最高限度以上的人，便是貧富懸殊，便是不平等了。在經濟平等原則之下，鼓勵人民從事正當的生產事業而享有其利潤，一切非法利得如貪污，剝削（包括高利貸，暴利，非法經營）、走私、漏稅等，應有糾察檢舉制度，合法沒收。國家社會決不獎勵非法利得，國家應制定有關促進經濟平等的各種法案，以輔導人民從事生產事業，參加合法的自由競爭，嚴格限制非法及過分的利得。在經濟平等原則之下，不允許財富集中在少數個人手中，而應普遍的爲人民所享有，政府亦無特權將人民的財富集中在自己手中，那將造成集權專政。

「在資本主義之下，允許經濟不平等的現象存在，這是不平等。在共產主義制度之下，强制人人在一個生活水準之上一律平等，毫無自由競爭的餘地，這是假平等。資本主義的不平等及共產主義的假平等，都是罪惡。新的社會將是保證每一個人有一個平等基礎，在此基礎之上，人人可以合法的自由競爭，這樣的經濟平等才是眞平等」。

（二）保持私有財產，限制遺產；「私有財產，自原始之初，早已存在。原是動物本能，何况於人。就人類天性而言，若將人類支配其私有物的權利予以解除，則人生將減少極大興趣。私有財產，固有流弊，但根本解除，也是矯枉過正。孩童落地，即知愛物，據爲己有，人若强奪，必爲啼哭，以示抗議。人類此種自孩提以俱來的天性，不論其爲善爲惡，總是不可泯滅的，應令正常發展，才無背於人性。

「人類聰明才智，本不能平等，這是天賦。社會應視各人對社會的貢獻而付以不同，但非懸殊的報酬，方爲公允。每人實有享受他那一份私有財產的相當權利。當然，私有財產，乃是有限制的。土地可私有，但限制大地主的出現。資本可以私有，但限制資本家的出現。這些限制自應遵循法律制度而非剝削虐待的反人道做法。

「總之，私有財產不可廢止，不僅適用於今日，乃至於明日的新社會，也不能完全廢止。人類將來的努力，應是如何發展生產，使私有財產平均化，適合於全社會幸福，而並非以廢止私有財產爲能事。（四）

漢文，漢字，漢學

陳曼卿

班爲史家之書，許爲文字專書，此處所引，已略見其異同，班氏爲「六體」，許氏則爲「八體」，「八體」一詞，見班氏修史之時，雖有其說，可見未成定論。迨許氏「說文」則爲定論了。

蓋所謂「古文，奇字……繆篆，鳥蟲書」等的說法，當肇始於魯共王壞孔子宅，得壁中書（即僞經考，疑古玄同、論「小學」中謂之爲「蝌蚪文」者）繼熾於西漢末頁，宣、元、成、哀之際，復經新莽、劉子駿等徵召天下遺書文字，彙集書法形體之後而大盛。「六技」一辭；則無說明。如以說文序的「六書」概其意，以較得實。惟自東漢之鄭玄，應劭。後魏時江式文字源流，唐，陸明德，李善，張懷瓘「書斷」，玄度「十體」。宋末之徐鉉，徐鍇。明末顧炎武。清：有段玉裁，王筠，吳大澂，嚴可均等。以及晚近攻文字，「小學」者，何止爲百數十家，皆無釋詞。

筆者於前章「漢文」中所述，甲骨，金文，史籀（大篆），秦篆（李斯作，一稱小篆）皆爲近代學者所一致公認的事實。因「幽厲以後」，周室東遷，文書散佚，繼之諸侯並作，大要皆爲「牒，譜，契，符，方策」之類。至於「摹印」，就實物而言，乃自秦嬴政始。「鳥蟲」之書，當爲漢人摭拾前代之「斷簡殘篇」而仿作。「書幡信」一事，必爲漢代無疑。東漢以後更有道家「符籙」流傳至今。

馬本：說文解字研究法，其目錄爲「篆文，古文，籀文，奇字」雖有所本，實亦因襲許說，然其內容，却有見地，抑且補正許書之謬誤頗多。然多囿於班氏「六體」，許氏「六書」之說。

蓋大篆實已包括「古文、奇字」。然班之「六體」，許之「六書」，却無「大篆」一詞。晚近學者，有昌殷商遺文爲「東土文」，尚樸質。西周遺文爲「西土文」，多變化的說法。此實介於「甲骨，金文，籀文，」之間的一項確切事實，要皆與「六技」無關。而古今之攻小學（文字）者，每以「八體六技」一詞，列於秦篆（李斯作）之前。「八體」實已包含「左書」隸體，已欠妥善，下綴以「六技」，尤覺不倫。故於前節論「周秦兩漢的字書」中，改列於「楊雄訓纂」之後，用以符合發生之時代先後爲序（姑無論八體六技之有書無書，或屬名詞），僅以此質諸當世賢者之明辨，倘認管見容有未通，俟有待後之攻治此項學者，踵蹟引證，繼匡來學了。

兩漢文字的舊賬

我們今天已見到的實物，上自甲骨，鼎彝銘文，石鼓，篆文等。是皆帝王，世家，貴族，所謂廟堂文字。惟於碑刻隸書，乃漸及於平民。然後世對漢初之「八分」，每多提行另叙，我在這裏特逐錄東漢末年，蔡文姬述乃父中郎語曰：「去小篆二分取八分，去隸二分取八分」是即指「隸」體及「楷」書流變的一種說法了。

爰漢末去漢初未遠，似較得實。漢代因「楷」書省變，如「章草」、「芝書」、今日雖可目擊，除漢木簡外，恐已非當日本來面目之舊了。（十四）

上期（二月廿二版）本欄最上排第四行至第十六行『（十一）……。（十二）……。（十三）』應列於西漢與東漢間之範圍（屬於新莽十四年間事）應爲（十）、（十一）、（十二）項。至于原『（十）八體……』應列爲(十三)。特此更正。

論詩雜碎

寒操

人間何字無來歷。典雅休教著意爲。不敢題糕成一笑。味源泥古祇詩迷。

三百篇存聖所宗。感人雅頌未如風。從知刻意詩偏損。詩義探源悟此中。

腐化英豪試帖詩。科名毒害布丹墀。俳優取悅希權貴。志喪瓊林得意時。

逞才炫力祇文雄。硬語盤空暎苦功。畢竟非關情性作。揚威詩界號偏鋒。

守死凛遵平水韻。詩家難免失拘迂。千年口語遷流急。蝌蚪寧供此日書？

名詞自可貸諸鄰。句法寧宜貌別人。習久蠶行忘舊物。攢眉新唱有酸辛。

底事尚書呼部長。云何日月寫居諸？香山白話翻譏陋。心力空抛密碼書。

吟來諧暢斯依韻。唱出低昂遂倚聲。詩巧務同詩意合。苦求眞美貫經營。

詩境渾如六合寬。風花雪月美千般。何妨拾得寒山語。也附詩宮作冷門。

法界萬殊勞夢想。禪心三味託塵烘。眼前景物胸中意。一樣難詩到化工。

倦聞朝市多虛誑。時喜屠沽尚性情。無隱無邪肝胆語。詩聲能入最堪聽。

才人詞賦聲兼淚。大哲修持慧與悲。一卷離騷燈影裏。心花如見吐芳非。

『求生祇是利邊存。』肯死方爲入義門』。悟得竟無菩薩語。始知詩國屈原尊。

誓脫塵　意自孤。却歡情話共田夫。三旬九食寧饑死。贖得高吟曠代無。

悠然神往望南山，莫誤淵明祇遁閑。深惜荊軻緣底事。心頭潛淚想潸潸。

江上三更烏鵲賦。庭中七步豆箕謳。曹家父子多詩傑。霸業空唯慧業留。

纂弑相尋政海汚。老莊玄旨薄儒迂。詩歌却似春潮湧。魏晉齊梁門麗都。

能詩士始姓名揚，詩苑芳非數盛唐。都竭聰明謀好句。功推獎誘自明皇。

逆旅浮生悵此身。狂歌縱酒厭緇塵。江中捕月君休笑。情貫詩人即此眞。

心存聖哲身原小。念切蒼生淚獨多。工部千秋長頂禮，焉知溝壑事高歌。（二）

中俄阿爾巴金之戰

——俄帝侵華戰史研究之一——

戰前一般情勢

羅雲家

十六世紀末葉，俄國馬賊戈薩克越烏拉山東侵，鮮卑汗國被吞併，此後在鮮卑利亞的中華民族便失去了屏蔽，俄人侵略野心得了鼓勵，幾乎幾無止境，至明末清初約三十年間，俄人侵略前鋒已逼至貝加爾湖及黑龍江一帶，其間鮮卑利亞的滿蒙部落，對戈薩克雖有過規模不同的抵抗，結果都因衆寡懸殊或因武器不精而失敗。

在當時，中國的南方正値多事之秋，康熙十二年吳三桂反雲南，十三年耿精忠反福建，十五年尚之信起事廣東，是所謂「三藩之亂」。滿清政府征發舉役，十年戎馬，無間於歲，對於北方的俄患，自是顧及不暇。

俄人目睹清廷內部不靖，乃乘機前進；蓄意奪取滿洲。先是於黑龍江各要地構築堡寨，環視滿洲，這些堡寨除阿爾巴金之外，在葉尼塞河流域有葉尼塞斯克，其他小寨星羅棋佈，互相守望。堡寨距離滿洲邊境遠者百餘華里，近者三四十里，半日馬程可達。這些所謂城寨其地均不甚大，人口亦不多，大者包括土人在內不過三百，小者只僅數十人至百人而已，但每一城寨均有俄軍屯駐，所謂「防守地方，保護商市」。至於商市，也是原始性質的交易，當時滿洲通俄語的邊胞，頗有至其城寨貿市者，以燒酒、烟草、繩蔴、布疋等物，交換毛皮；幸運者以少易多，輒能利市數倍；反之，不但慘遭刦掠，且有生命危險。邊境交易，固能藉商市溝通文化，然在某種程度上，卻是能引賊入境；俄人無賴之徒，窺知滿洲富庶，每逢冬季封江時期，馬賊三五成羣，不時越江「殺倉子」，殺倉子就是殺人越貨，這是東北各省邊胞的土語。那時滿洲黑龍江一帶，城市並不太多，村莊亦較內陸爲疏落，人口少，亦無國防部隊，在此種情況之下，更爲俄人所易乘。有全村被俄人剽殺者，財物被掠奪，房屋亦遭焚燬。老一輩的人回憶往事，猶在談殺倉而色變。

三藩之亂既平，清廷轉而注視北徼，而俄人仍在一味向前侵略，短兵相接，自是揭發。

精奇里江的前哨戰

精奇里江，發源於鮮卑利亞外興安嶺之陽，西南行經海蘭泡注入黑龍江。大清一統志云：「索倫、達虎爾二部，居額爾古納河及淨溪里江之地，與羅刹接境。」淨溪里江，即精奇里江，流域所經，千里沃野，耕牧咸宜，是鮮卑利亞東部富庶地帶，土著亦較多。所以俄人初犯滿洲時，竟以此江流域爲哨聚地之一，其南向可以直接進入黑龍江之內。

康熙二十一年（西一八六二年）老羗犯邊，清廷聞報，乃決議興師肅清羅刹，羅刹者爲俄羅斯之初譯。是歲春初，聖祖玄燁命都統彭春副都統郎垣等，率軍赴索倫，偵察地形，宜否用兵？並遣人致書尼布楚俄守將，佯言狩獵，深入阿爾巴金一帶，餌誘土人，探知俄軍虛實，以及土著民心之向背。當時尼布楚與阿爾巴金兩城，皆爲俄軍重要根據地，置戍設防，直接指揮其他小寨。時俄軍並不多，土著不堪俄人侵擾，這種種情形，都對我有利。彭春等返北京，報告調查經過，謂取阿爾巴金不難，發兵三千即可蕩平。

康熙二十二年春，命戶部尚書伊桑阿專，赴寧古塔督造戰船，演練水師，日夜不懈。又於齊齊哈爾及墨爾根二城設防，作爲征羅刹的後方基地。又命寧古塔將軍，於瑷琿呼瑪爾兩地構築木城，儲備軍需，並發大軍一千五百人，監視俄人蠢動。另差人往外蒙古，聯絡車臣汗部，使不與俄人通商，封鎖邊境，斷絕交通。（一）

冒險犯難記

鄭文儀

十一、智退日本軍艦深入長江武漢的威脅，由於國軍三省剿匪的勝利，我們在武漢對日本收買運用大批漢奸奸商的嚴厲制裁，并對漢口日租界嚴厲監視，不准利用租界作爲擾亂秩序破壞治安的活動，日本軍閥惱羞成怒，竟想抄襲民十六年五月初，在北伐軍進山東時，派兵直接干涉，製造濟南慘案的故事，使用海軍艦隊，利用日本皇太子巡視的名義，率領大小軍艦十八條，於民國二十二年春間到達武漢，向我湖北省政府及漢口市政府提出通諜，要求撤退第三科青年軍官特種工作人員，阻止干涉日本租界及販賣日貨商人之活動，省政府何成濬主席接到日軍通諜，驚慌萬狀，深恐引起嚴重事變，速電呈南昌的蔣委員長兼總司令告急，并要求即日撤退第三科全部工作人員。那時我正在南昌行營服務，蔣委員長嚴詞責備我不應放任第三科人員，引起對外交嚴重事變，要我即乘飛機到漢口，星夜撤退全部工作人員。那時我已接到報告，知道第三科我的助手們，已運用機智對付日本軍艦，就是當日艦十八艘到達漢口之際，很快就派了人員，設法將十八艘軍艦的中國領港人員勸請離艦，而且全部把他們帶去湖南長沙休息，如果日本海軍想在武漢異動，兵艦沒有領港就無法在長江內河行動，眞打起仗來，我們就可俘虜他們。我把這些情形報告之後，建議撤退一半人員，并主張要日軍收回通諜，保證不滋生事端，迅速離開武漢，我們才放還領港給他們帶路，蔣委員長要我立即乘飛機，星夜趕去武漢，協調總司令部及省政府市政府妥善處理。那時已是下午三點鐘，天正下着大雨，我想第二天一早啓行，未獲許可，冒着狂風暴雨的危險，坐了一架戰鬥飛機，天黑了很久，因爲找不到機場，（機場被雨水淹浸，天已黑暗，看不清楚），強迫降落，機油已盡，幸好有驚無險。連夜召集三科主幹同志會商之後，即和總部及省、市政府商解，由何主席轉告日本海軍司令，次晨他們知道情勢不佳，知難而退，答覆軟下來了，我們當天便放回領港人員，日艦第三天一早就離開了武漢。這是三科工作同仁運用同樣智巧阻止日本海軍滋事的一個故事，當時的驚險困難，是到了極點，結果祇是一場虛驚，由此證明情報工作的價值，也說明當時三省剿匪總部第三科工作的效果。

我在武漢剿匪總部兼任第三科長二年多一點，曾遭逢有如上述的諸多困難，也曾遇到幾十次的驚險，都是大則關聯大局，小則危及個人生命的事，平生冒險犯難，以在第三科工作時爲高峯紀錄，每一憶及當年的豪情勇氣，猶常感到靑年革命救國團工作，應當如是，差堪自慰。（八六）

金門書店

勞克

一

我在新生報寫了一篇「金門舊書店」，一位台灣讀者寫信給我：

「……爲了敬重舊書，這兒的舊書，是論斤兒賣的，便宜得比草紙還低了好些錢的。」

金門舊書店所賣的舊書，就和新書一樣價錢，生意還是很好。

「你爲什麼不逛逛新書店呢？」一位伙伴這樣問我。

「有些書還是值得看的，價錢也不太高。」

逛新書店，在大學唸書時，養成了逛書店的習慣，在舊書店內一樣可以買到好的書，而又花錢不多，何樂而不爲呢？我到金門，首先就逛舊書店

「金門新書店是有好幾家的。」伙伴們又這樣對我介紹：「由於書店多，書的生意也就競爭起來，就不好意思賣的那麼貴。」

「和台灣價錢怎麼樣？」

「一樣的。」

「一樣？」

「你不防去看看，去問問。那你就知道了。」

二

金門有四家書店，都在城裏。這四家書店的書籍，就如伙伴們對我說：「你要什麼書，就有什麼書的。」「多的是：架子上是書，架子下面還是書。文學、文藝都有；哲學最多。到這兒暢銷的刊物，計有：小說創作，文壇，皇冠，小說報，生活，新時代，青年等等。還有部份書刊和新聞刊物。台灣有的刊物，這兒也大部份有了。

「文壇多少錢一本？」我拿起文壇月刊問。

「九元。」

文壇在台灣九元，這兒還是九元。價錢沒有更動。我買了一本。

由於我每家書店都看過，翻過，我發現到的特點：黃色書刊沒有。

在書籍進口時，書店老板這樣告訴我說：「就嚴格的檢查。凡是黃色書刊和禁閱書刊，都不許進口。」

「假使有些『露檢查』的書刊呢？」

「露檢查自然也有。」老板說：「不過，我們都是愛國的，又是在砲火中長大的，自然不願意做出對不起大衆的事兒。所以，我們就是有違法禁書，一發現到馬上就退回到台灣去。」

這些書店，光顧的客人，百分之九十爲軍人，其次爲學生。銷路最好的是文藝書刊。

還有一個特殊的優點，每一官兵去書店買書時，都不還價，店老板也不會漫天要價。做生意人的規矩，買的人也就更規矩起來。

有一次，我看到金石盟。我拿在手上，問要多少錢？

「十八元。」

我在袋裏摸錢時，才知道帶的錢不夠。而老板很快的把書包好。

「沒有什麼。以後再給錢好了。」

老板連我的名字也不問一聲。

他們做生意，就是這樣信任顧主。這也是金門良好風氣。

梁山伯與祝英台

——「影劇與歷史」之一

周遊

「梁山伯與祝英台」戀史，故事哀艷動人，潤人心肺；不僅是中國人家喻戶曉，而且傳播外邦。如果說「梁祝」是中國的羅密歐茱麗葉，是當之無愧的。「梁山伯與祝英台」搬上銀幕是近年的事；在此之前，最早在宋代已有「祝英台近詞」、「錄鬼簿」所載、白仁甫所編的劇目中，已有「祝英台死嫁梁山伯」，河南墜子有「祝英台鬧五更」、桂劇中有「英台罵媒」；其他如平劇、越劇、滬劇、川劇、武林（杭）、楚劇、湘劇等，都有「梁山伯與祝英台」全部。除了戲劇之外，尚有各地的傳奇、山歌、評話、彈詞、梆子等，都有「梁祝」的演唱。其名目有：「梁山伯與祝英台」、「梁祝情史」、「梁祝哀史」、「蝴蝶緣」、「柳蔭記」（川劇）等，都是梁祝整本戲。

自從「梁祝」在台北轟動，再加上凌波一砲而紅之後，打破了國語片所有紀錄、爲國片起飛奠下了跑道，以前的頭輪影院不上映國語片的，自梁祝上演之後，國片票房日漸增高，而今各頭輪電影院都爭排映國片，而且賣座均佳，所以說，梁祝影片，爲國片放一異彩，爲國片起飛奠定良好的基礎，是有根據的。梁祝電影轟動之後，其他如梁祝話劇、歌劇平劇、都競相排演梁祝，而且也很賣座，這都是間接受到「梁祝」影片的影響。又自凌波反串小生之後，反串之風迭起；更由於凌波唱黃梅調出色，黃梅調的唱片也大行其道，在收音機中隨時都可聽到。

梁祝在銀幕上

故事發生在東晉時代，距今一千六百多年，但是，千百年來，祇要有五戶垂楊的地方，就有人弦歌「梁山伯與祝英台」。

浙江上虞祝家鎮，山明水秀。祝公遠員外，有一個獨生女兒祝英台，既美麗又聰明，更有與男兒爭長短之志。她屢次想去杭州讀書，但均爲父母所不許。英台無奈，一面裝病，然後假扮男裝僞稱郎中，居然瞞過了父母，祝員外見女兒出外求學之志甚堅，也就勉強同意了。但要英台與侍女銀心女扮男裝。

英台和侍女銀心易裝後，同赴杭州。途次草橋亭，遇見會稽書生梁山伯和他的書僮四九，也是去杭州讀書的。青年見了青年愛，二人談得十分投契，就在柳蔭樹下，插柳爲香，結爲「八拜之交」的異姓兄弟。四九和銀心也來個「八塊年糕」。使得主僕四人皆大歡喜。

山伯與英台在尼山書館，三年同窗情誼日增，有幾次英台幾乎露出了馬脚，幸而掩飾得法，以致山伯始終認爲她是男子。但日子久了，英台已暗中愛上了山伯，噓寒問暖，非常體貼。兩人經常切磋學問，奕棋吟詠，而情感日增。（一）

記球王謝敏男

——由球僮到球王——

護龍

由一個小小的檢球僮，在八九年後，成爲舉世注目的高爾夫球王，實是奇蹟，也夠值得驕傲。他的成功與楊傳廣一樣，且較堪稱的，爲國爭光，尤在其上。可以證明我們中國人的體力，也適合任何運動，未必一直輸於歐美的運動家。謝敏男之能得艾森豪盃高爾夫球賽，以及義大利國際業餘高爾夫球錦標賽，兩項冠軍，這份榮譽，使我國在世界性的運動比賽中，獲優勝的賽績和紀錄，青天白日滿地紅的國旗，飄揚在海外，確屬可喜。

謝敏男這次在如此很差的練習，擊敗羣雄，奪得金盃，實有很艱辛的過程。當八九年前，他僅十五歲，國民小學畢業，家道清寒，無力繼續向學。這時候，台灣淡水的高爾夫球場建造完成，被介紹到球場鄉村俱樂部去檢球，開始他的球僮生活，亦決定了未來的生人旅程。從每天早晨到黃昏，帶着紅帽，揹着球袋，他在廣大平坦綠地的草地上，冒着風吹日晒，在奔跑中檢那小球，以這樣工作，賺取報酬，貼補他家以種田爲生的家用，得到安定。

他每天在球場尋生活，漸次對球發生興趣，而成爲愛這玩意，始不斷的對球下功夫。每天很早就去球場，這是農家經常的習慣，較晚的歸家，利用這空餘時間，將別人送給他的球和桿，小心的練習來打，轉瞬三四年，他的願望開始在萌芽。在淡水廣大的草地上，看到了一個體格很健的青年，在那裏朝夕打球，忽兒沉思，忽而自唸，深切體味這球如何進展，如何快慢，刻刻在捉摸中。

時間與毅力，給他琢磨，不到六年，球技大有進步，四十九年第一次登場參加比賽，在衆位高手環伺下，雖未上名，但已被認爲可造就而有希望的青年。服役的年齡來到，他遵奉召集令，參加空軍行列，在這機會中，得到名將陳金獅的指導，經常代表參加國內外的比賽。足跡走到日本，香港，菲律賓各地，目擊那些大場面的比賽，看到各國名手的表演，始穎悟而獲他山之石，來補自身之短，終於漸入化境。

五一年到菲律賓，參加業餘賽，得第三，後來又在琉球公開比賽，連獲兩次亞軍。去年三月，又往遠東高爾夫球循環賽中，大露鋒芒，擊敗馬來亞香港菲律賓三區選手，榮獲冠軍，已奠定成功的基礎。到了十月，謝敏男隨同三位名家陳健振郭吉雄許勝三，飛往羅馬，參加「艾森豪」盃球賽，各方前來參加的國家，有三十三國，選手一百三十二位，角逐此場爭戰。開賽伊始，天氣甚冷，風雨頻仍，對於亞熱帶久住的我國選手，不免有些難當。在此情形，也考驗到一位選手，除了有高超的技術，尚須要耐久的體力，堅强的鬥志，不躁的涵養，才能指揮若定。

在七公里的距離長程中，踏踐柔軟的場地，謝敏男一桿一桿的用心打，不敢大意，而駐義大利與教廷兩位大使于峻吉謝壽康大爲助陣，終以二九四桿的優異成績，在萬衆歡呼中，奪得艾森豪盃冠軍。

過了十月七日的連賽，不足月餘，再度參加義大利國際業餘高爾夫球錦標賽，謝氏在五天風雨苦戰，贏了英義選手，擊敗菲律賓，再勝我國選手陳健振，再度獲取冠軍。義大利最著名的高爾夫球奧兒吉坦俱樂部，贈予終身榮譽會員的名位，而謝敏男即馳名全球，成爲歐洲報紙的熱門人物。

記周玉績

漁翁

宋亡於元，明亡於清，以元清爲外族，與漢人有畛域之分，故宋、明兩朝之殉國者多，如文天祥、陸秀夫、史可法輩，均成爲民族英雄。而明末周玉績守山海關，以糧盡援絕殉國，其忠烈亦足以風矣。

周玉績，湖南耒陽人，家甚貧。耒陽產煤，周傭於煤洞中，當時無鋼骨水泥，對洞之建造，僅用木板爲之，洞長數十丈，高不及五尺，取煤者，皆俯首出入，如傴僂，常有土崩水淹之危險。

一日，因山洪暴發，煤洞崩潰，工人均陷於隧道中，當千鈞一髮時，忽聞「周總兵尚未出來」之聲，不知出於何人之口？周在洞內，爬出一步，而土崩一步，迨其脫險出口，則全部潰閉，除周外，餘均活埋於坑內。在工人中姓周者，僅玉績一人，乃臨大難而不死，且有呼周總兵之語，相傳殆有神助焉。

里人以周貌魁梧，雖未就書，而忠勤敏捷，可以學劍，咸囑其遠道從軍，日後必有發展。周聞之喜，得友人資助，即束裝就道，向長沙之行。時李自成作亂，舉國騷然，當局正招募精壯，以靖大難，周應征入伍，遂得請纓之路。在軍旅間，不數年，以功由哨之官而標統、而協統、以至總兵，果應當年在煤洞崩潰時而有呼周總兵之驗。而東三省之滿人又興兵，爲患，有躍躍入關之企圖，周以忠勇善戰，即命統軍守山海關，倚爲長城焉。周受命於危難之際，周益告奮勇，以身許國，與滿軍戰數十次，斬獲甚多，滿人呼之爲岳家軍。後因朝廷本予兵源與軍需之接濟，致衆寡懸殊，陷於四面圍困中，而猶以守土有責，誓與城亡，經請援而援不至，需糧而糧又絕，身受數箭，以傷危而自殺，亦云壯矣。

周家居耒陽下西門，距城三里許，門前有池，遍植荷花，稱爲「西湖荷花映水紅」，爲耒陽八景之一。後園有牡丹一株，盛於白石缸內，高五尺，枝幹橫斜，暗香浮動，不事灌溉，而年年開花，逾三百年，猶茂盛如昔。有移枝他植者，僅花開一年即枯萎，亦奇事也。

內僑警台報字第○三壹號內銷證

自由報

THE FREE NEWS

第五二五期

中華民國僑務委員會頒發
台數新字第三二三號登記證
中華郵政台字第一二八二號執照
登記為第一類新聞紙類
（本週刊每星期三、六出版）
每份港幣壹角
台灣零售價新台幣貳元
社長：雷嘯岑
督印人：黃行衢
社址：香港銅鑼灣高士威道二十號四樓
20 CAUSEWAY RD 3RD FL
HONG KONG
TEL. 771726　電報掛號：7191
承印者：田風印刷廠
地址：香港灣仔高士打道二二一號
台灣分社
台北市西寧南路壹壹零號二樓
電話：三〇三四六
台郵撥儲金戶九二五二

從整頓招商局談到經濟建設

雷嘯岑

中國招商局創立的歷史，較之中華民國的開國史尤爲悠久，這一企業對於國計民生方面，亦曾產生了相當的功用，政府始終重視，列爲國營事業之一環，良有以也。

可是，該局業務由於歷史悠久，積弊太深之故，自從民國十七年以來，政府雖然常擬加以整頓，而事與願違，未能奏效。迨卅八九年間大陸淪陷，該局隨政府遷移到台灣後，一方面業務範圍收縮，一方面人員增多，構成了「食之者衆，生之者寡」的現象；同時政府主管機關，又對該局航員實行輪調制，結果是利少害多，航海船舶時聞沉沒消息，而全體員工的生計乃日趨艱困。迄今該局負債共計爲美金三千萬元，其中積欠的外債一千萬元，關係政府信用，不能不履行義務。於是該局已陷入「帶病延年」的疲癃殘疾狀態中，據監察院調查該局全般情形所得的結論，如果不加整頓，再過三五年，該局全部資產即將消耗盡凈。所以，招商局已到了生死存亡的最後關頭，縱想苟延殘喘，亦不可能了！

現任交通部長沈君怡先生，就職未久，即擬訂方案，要整頓招商局內部組織及其業務。他的方案在我們看來還是消極而不徹底——原招商局依然存在，另設航運機構，向招商局租賃船舶營業，而以所得利潤償付該局積欠的舊債——並非對沉疴下猛藥的積極措施。然而就是這樣具有妥協性的方案，因爲牽涉太多，顧慮重重的關係，亦至今尚在立法院審議之中，我們希望立法院多多採納主管機關的意見，及早完成立法程序，公佈施行，以觀後效。

據交通部聲明，新設的航運機構，完全企業化，這是應有之義。可是，我們很躭心將來這新機構的營運情形，是否可以擺脫一般現行法制的羈勒，而眞正做到純企業化的實績？例如主計與審計制度那套繁複手續，新機構能否予以簡化而不受其約束呢？此外還有許多商業經營上的方法，若按照現行多如牛毛的法令規章，可說動則得咎，新機構的本質依然是國營性，將來能夠如民營企業一樣，我行我素嗎？這些都是直接影響新機構業務前途的重要因素，我們盼望在立法方面能有明確的規定才好。否則儘管說是「完全企業化」，結果由於外在的障碍，雖有智者，亦將感到「心餘力絀」之苦，前途是未可樂觀的。

台灣是個島國，島國的生命綫以航業爲首要。假使政府遷移入台之始，即動力於發展航業，到現在不特工商企業上裨益不淺，即對反攻復國的軍事潛能，亦有莫大的創進之功，可斷言也。我們坐失了十餘年的時機，以致登陸艇亦須向外國購用，且又受到外來的制約，曷勝唏惜！如今急起直追，致力於航業之發展，尚不失爲亡羊補牢之計，而以這次交通部整頓航運事業爲契機，其始也簡，將畢也鉅，懲前毖後，大家應該同心協力，對這航運新機構寄予深厚的期望，而在立法方面作妥當周全的規畫，使其營運順利，不復重陷一般國營的覆轍，實爲計之得者。

談發展航業，即不能不注意到經濟建設問題。台灣的經濟情形，固然奄有欣欣向榮之象，過去某些產品專靠輸入的（如肥料、香菇），現在已變成輸出；其他的若干日用品和食物，過去大部分仰給於外，如今皆能自給自足，或者有富餘向外推銷了。然就整個經濟問題而言，尚多不足之處，所謂「起飛」的話，絕對談不上。台灣經濟發展的有利條件，即是廉價的人力和電力，這對加工外銷的工商企業，具有優越的潛能，若再加以航運的方便，不只要產品夠標準，即不愁在國際市場中沒有出路，且可佔有優勢地位。最近經濟部設置「加工外銷管理處」，要把台灣全省的加工外銷企業統一管理，這項政策很對。問題在對於外銷產品的國際標準，能否嚴格釐訂，切實執行，而絲毫不許馬虎？次爲對於加工外銷的民營企業，政府應該儘量協助支持，減少不必要的干擾和繁複無理的手續。五年前，筆者旅行西德時，曾叩詢西德政府人員以該國在戰後，經濟起飛發展，卓著績效，究竟有何奇策妙計，可以見告否？政府並無甚末奇策，只是盡力獎勵、輔導工商企業，大量輸入資金和原料，如有短缺，政府即貸款協濟，有時且免收或緩收商家應納的賦稅，但產品必須允合政府所訂的標準，否則不但不予支持，且取消其外銷的特權，情形嚴重的，更吊銷其營業執照。政府的目的，是要協助工商企業家發財，民間的財富充裕了，政府還愁公帑匱乏嗎？這原屬卑卑無甚高論，所謂「藏富於民」的道理是也。但說來很平凡而簡易，事在人爲，如果官吏不恪盡職責，廉正服務，商民不安份守法，見利忘義，而有偷工減料的產品輸出，喪失國際信用，或官商勾結，從事逃稅行爲的事實發生，則一著失錯，滿盤皆非，所謂「發展經濟建設」之說，徒成畫餅而已。

所以，台灣今日談經濟建設的條件是具備的，問題在官吏與商民能否自動的不瀆職舞弊，以危害經濟發展的前途。

台省目前感到缺乏的經濟建設事項，在重工業方面是鋼鐵產量之不足，在輕工業方面是棉產未能自給，這與技術和人力無關，乃原料問題，對於這兩項經濟建設，因其中存在着不易克服的天然條件，祇能以減少漏卮爲原則，接受外人投資合作，卻不必作輸出的奢望。事實上，我們雖悉索敝賦以發展這兩項生產事業，亦無法在國際市場上與英美日本諸國競爭的。因此之故，政府過去對於唐榮鐵工廠以及三數紡織廠之輔導、協濟方法，諸多值得檢討考慮之處，投下了數以百億台幣計的公帑，成效殊無可觀，而另有一項可以積極發展的「股份公司」造船工業，又任其中途夭折，蕩然無存。經濟建設的如此不周密和無計劃，無中心，結果即非流於浪費不可！交通、經濟兩大部門的行政首長，我們認爲都是幹練而想爲國家効力的人，乃不揣謭陋，擬述其淺見如此，不敢自信爲正確，聊備參考云爾。

辛苦的是人民

舊夢重溫

今日與明日

越南政變

越南第八次政變，不旋踵平定，愛護越南的朋友，都爲之舒一口氣。但是越南局勢並未穩定，前途困難尚多，是否再發生政變，亦復難言。

越南政局演變到今日不堪收拾之局，追源禍始，仍然錯在輕易推翻吳廷琰政權，失去重心，遂使一批野心軍人，皆視政變爲不次超遷之道，楊文明可以推翻吳廷琰，阮慶自然也可以推翻楊文明，則林文發、范玉陶又何嘗不可推倒阮慶？如此循環不已，最後只有同歸於盡。

照越南目前情況來看，阮慶仍是唯一有力人士，但是，阮慶實非大才，也沒有安定政權的力量，加之共黨大批滲透到各個有力團體去，隨時起而同政府爲難，遂使越南局陷入長期混亂，想找一個朴正熙也找不出，實在是可悲的事。

毛共侵越

近傳毛共軍將入越南，最近傳說很盛，毛澤東在北平對美國史諾的談話，卻堅決否認會派兵入越。毛澤東一生一世未講過一次眞話，最近也許人之將死，對他這次的談話，到是相當可信，估計毛共軍應不會入越。

首先毛澤東要顧忌到自身的安危，美國飛機因北越共黨滲入南越破壞而大炸北越，一旦發現了毛共軍滲入北越時，又何嘗不能炸毛共在廣西及海南島基地，把戰事帶進中國大陸，到時大陸將發生大變，在內外夾攻下，毛僞政權可能會在一夜之間垮台，這點毛澤東不會沒有自知之明，而竟敢以雞蛋去碰石頭的。

有人認爲毛共將參加越戰是當年侵韓戰爭的再版，其實還完全是兩回事，決不能相提並論。毛共當年參加韓戰，是受了史大林的命令，毛澤東入韓時，一定提過担保，如若毛共軍頂不住，蘇俄就會出頭，事後雖然證明這是一個騙局，但在當時仍然是毛共一顆定心丸。今日卻連這個假的担保也沒有了，毛共眞的參加越戰，蘇俄一定袖手旁觀，毛澤東也不會不明白。

南亞局勢可慮

就整個東南亞的情形來說，前途仍然充滿荊棘：毛共已視越南爲熟透的蘋果，遲早將落入共產集團的夾袋中；寮國取的話，唾手可得；緬甸目前所實行的政策比共產黨還左；柬埔寨的施哈諾則比毛澤東還親毛澤東；剩下只有中流砥柱的泰國，目前又不斷發生事故，如若周圍國家都不守，泰國處境將更艱苦。那時馬來西亞同菲律賓，也將成爲共黨的目的物。（何如）

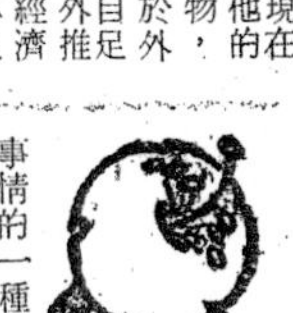

談「作賊心虛」

馬五先生

諺語有「作賊心虛」之說，是指個人曾經幹過醜惡事情的一種心理反應，乃屬於自卑感之列。

譬如作過小偷的人，雖然沒有被警察發覺而捉將官裏去罰辦，但他最害怕別人談竊盜問題，提到這類事，心裏就惶然不安，而在口頭上大罵竊盜行爲，表示自己是正人君子，所謂「作賊喊捉賊」，便係這種下意識的幅射作用。

根據這種心理作用以觀察衡量一般人士的言行，所得結論可說是「雖不中，亦不遠矣。」大概言之：自己胸無點墨，智識缺乏的俗士之流，隨時要以學者通儒自況，且夸稱「著作等身」，自詡爲「日撰萬言，倚馬可待」，卻不知道這些詞彙都是恭維別人的形容詞句，自說自話，便是謭陋不通的自我證實了。自己曾經作過共黨同路人的，走到自由地區後，一定逢人就要表現着「反共烈士」的言論姿態，且視眞正的反共人士更强烈倍蓰，其忠貞氣概的表演，爲的是要掩飾自己以往的醜行，害怕別人揭他的瘡疤。

假使有人提到他過去那種不可告人的行爲，他就如臨大敵，一把眼淚，指別人誣陷他，誹謗他，一把鼻涕地對人哭訴呼冤，充分表現其「作賊心虛」的下意識幅射現象。此外如過着私娼生活的女人，在社會大衆之前，必裝出良家婦女的色相；不識之無的市儈傖夫，常喜歡附庸風雅，收藏古董字畫，都是同樣的自卑感心理反應。

若夫眞正的碩學通儒，決不肯對人賣弄學問，每自謙爲淺學之輩；素來跟共黨水火的反共非共人士，別人如果懷疑他的思想有甚末不正確之點，亦祇是解釋辯論，追求眞理，決不屑跟別人打官司，鬧法律糾紛，因爲心地坦然，了無愧怍，夫何憂何懼呢？所以，衡量一個人的品性如何，祇要採取側面觀察術，看他對於涉及自身利害得失事項的反應現象，即可獲致正確的評價，如見其肺肝然。這比看相算命爲可靠，是運用心理作用的科學方法，萬無一失，法律上的「自由心證主義」，此物此志也。

省議員葉寒青要求撤銷已通過的石門水庫預算

議長謝東閔當時未提出具體答覆

（本報記者熊徵宇台中航訊）桃園籍省議員葉寒青，二月十六日，質詢建議時，要求議長謝東閔撤銷一月十四日通過石門水庫預算。

葉寒青曾以激憤的表情與嚴厲的詞鋒，指責謝東閔議長與程翔沐秘書長。

他在歷時二十分鐘的指責中說：一月十四日通過的「石門水庫預算」是不合法的，對於人民的付托與議會的規程，是一種很大的損害。

他說這項預算在建設小組審查時，因為該水庫目前推行的業務，不符合石門水庫建設委員會的四大目標，所以把預算擱置起來，要該水庫提出各項具體可行的業務方案。這是建設審查委員會十五位委員一致的意見。

而一月十四日，全會審議預決算的上午復遭擱置，而下午趁大部份議員離會回家的當兒，以九位議員出席的數額，連同議長十人，通過了這項預算。像這種「補皮鞋」的作用，如何對得起付托我們的省民，議會的尊嚴與公意又在那裏生根？

他說：我們就石門水庫建設委員會的四大目標，來分析石門水庫的業務，就可以顯示建設審查委員會與多數議員擱置水庫預算的理由。

在灌溉方面，預定開發的五千多甲旱地，該水庫一直沒有提出具體的方案，使附近的人民悲痛失望。而在土地利用的價值上是使國家蒙受損失。

在發電方面，到現在還是向電力公司買電，在直接發電的計劃上，沒有提出方案。水土保持方面，做得並不積極。而觀光都市計劃也沒有提出方案。

在一種缺乏方案沒有觀光設備的情形下，石門水庫自行出售門票，建設審查委員會一再請其提出觀光方面的具體計劃和所收門票的款額用途，該水庫置諸不理，對於省議會要求其停止出售門票的建議也完全不理，這成什麼體統？

葉寒青說：石門水庫既不是地方機關，卻有權可否石門水庫附近的民間建築。對於桃園縣政府的行政權是一種損害。這個問題，省議會也應該有一種合理建議。

他說：我堅持要把這次行政權和業務發展的具體計劃搞清楚；撤銷一月十四日十個人通過的預算。

謝東閔議長對於葉寒青的指責，沒有提出具體答覆，只是說：「這是會內的事，以後再說」。

我問葉寒青如何處理這項意見時，他說打算提案。像石門水庫這個剛成立的機構，表現得這樣的油條，是不能容忍的，而且在法治範圍和議會的立法立場上也不能容許這種搞法。

他說：「官僚機關太多了，我們不能再姑息一個新的官僚機關產生」。

穆桂英唱做老練

番邦女將夠欣賞

（本報台北航訊）在初四那一天，赴章代表約飲，去城南川端橋畔，結果越劇的「楊六郎招親」（、即狀元媒），脫了機會沒有看見。而同去的廣東戲迷先生，卻要請我看豫劇穆桂英掛帥。同座的焦二爺力予攔阻，他說還是喝喝吊吊，連戲也不必看。可是楊門女將，縈在腦際，心想這穆桂英已五十多歲，想必風韻猶存，那股子勁不知如何。結果依然與戲迷開溜，到了護專館去，欣賞那向不多看的豫劇。

談到豫劇，祇有軍中劇團有此組織，人才也不少，以陸海空三部份，湊起來也有百餘不到二百，獨聯勤則付闕如。因此豫劇是河南的產物，靠近皖北蘇北的民衆都看得懂，能吸收部份的觀衆。那天的上座，也有八九百人，比之平劇，相差不過二百而已，可以知道喜愛的，亦大有人在，不僅我們兩人去探險的。中國戲劇的淵博，就是腔調的變化無窮，莫測高深；不像是外國的舞蹈與影片，總是相差無幾！

豫劇的裝扮，大致與平劇類似。不獨是豫劇，即越劇、漢戲、秦腔、粵劇、川劇等皆如是，沒有人敢來把它改裝。這是保持中國戲劇的傳統，合乎時代，可以概括。

其不同之處，就是動作。例如桂英坐帳，所登場的各將，雖有起霸的姿式，卻沒有吹叭打長鎚之聲，敲鑼三下，就走出來，好像威武不夠猛之態。至於唱腔，則很多是腔已迸出，胡琴才響，有些近乎秦腔的一種唱法，可是照樣的很夠抑揚頓挫之味。亦有慢的，快的，與二六，並不別緻。飾穆桂英的角色，恐怕是姓許（沒有戲單可查）唱做很老練，可惜乎徐娘半老，扮相不夠其美。這是化裝未臻妙境。試看坤伶金素琴扮出，不過四十左右，誰知是六十多歲，這就是高明。

我欣賞的是一員番邦女將，不知扮什麼角名，因爲十寡婦征西，沒有見過，簡實不明白。那女將扮得漂亮而美，當然是年齡有關。唱得更圓滑像珠子一般，聲調並不在張呼杜呀之下。持刀欲殺而媚態十足，怪不得楊文廣祇好屈膝下跪，跟他父親從前一樣。淑女的魔力就在此。無論那一齣戲，多脫不了這個路子，男怕女的，千古一律！

（聽梨）

春節勞軍在金門

勞克

由台灣組織的勞軍團，分別在春節前夕，到了前綫金門。金門這固若金湯的小島，就像插在共匪胸口上的一把刀。祇要這把刀眞正搖動起來，就會致共匪於死亡的。雖然，目前還是單打雙不打的狀況中，雙方卻都在加緊戰備。

前綫戰士們，一個個地長風露宿，枕戈待旦。他們有旺盛的士氣，有高潮的仇匪恨匪心理。但就在春節前夕，他們又接受了後方勞軍團的慰問。

首先在這兒介紹的，乃是台灣省進出口商勞軍團。在林森圳團長率領下的男女團員四十餘人，分別慰問傷患官兵，最前綫官兵，把他（她）們的敬軍愛國的熱忱都表現了出來，同時還給傷患官兵每人五十元慰勞金。而戍守全島的官兵，每人可獲得：牙膏牙刷，香皂毛巾等物品。隨同勞軍團來的，則是一個聞名全國的康樂隊。

這康樂隊所演出的節目以小型的輕音樂，配合着歌與舞。重點是以三幕三場的「毋忘在莒」話劇。這康樂隊受到官兵的熱烈歡迎。

勞軍團在戰地深入的勞軍後，據林團長說：「金門一天天的成長，一天天的壯大。不僅是共匪胸口上的一把刀，而且還是反攻的跳板」。又說：他（她）們所發現到，軍民都以毋忘在莒的精神，而做到了人人殺敵，全面制敵的境地。

同時，他（她）們爲了眞正的敬軍愛國，還會在戰地的太武山上總統親題的「毋忘在莒」石壁前，宣誓實踐毋忘在莒運動。林團長說：

「我們雖然是商人，但我們是進口商，接觸的多是外國人；因而，更直覺國家的重要。沒有強大的國家，商人也受到很多傷害。因此，我們商人也就更加愛國起來。所以在實踐毋忘在莒運動中，我們以全力支援前綫作戰。在一切爲反攻，一切爲復國，我們永遠做戰士們的後盾。」

然後由林團長領導着團員們呼出心聲的口號，這口號是：

自力更生，居安思危！

鞏固台灣，光復大陸！

發揮堅忍不拔的精神！

發揮精誠團結的精神！

發揮研究發展的精神！

發揮以寡擊衆的精神！

中華民國萬歲！

三民主義萬歲！

該勞軍團並款宴官兵代表。在向官兵代表致詞時，林團長特別表示：「祇要國軍努力殺敵，報效國家，他們永遠做國軍的支援者」！

而官兵代表說：

「我們接受了你們的勞軍熱忱，我們自很感謝。但我們決心以眞正的反攻大陸的行動來做爲實質上的報酬。敵人從那兒來，我們就在那兒消滅它。」

勞軍團在前哨呆了五天。在他們離開戰地時，他們對這些國而忘家的戰士們致上最高的敬意。

其次是屠宰公會的勞軍，他們除了自己樂隊的康樂方面的節目，而製做了大批的木馬、雙槓、單槓。使戰士們在早上晚上，就在碉堡邊上鍛鍊身體。

按到前方勞軍的勞軍團，精神食糧比較少。而今天，戰士們最需要的，乃是書刊。如果在台灣發行的各種刊物都參加定期勞軍，數量又以碉堡爲重點，也就是說每一個碉堡，均能夠有定期刊物閱讀，那官兵的精神上就更會得到調劑與慰安。

戰士們知識水平，一般的爲中學生，是看得懂一般刊物的。我們在這兒深深希望，台省各界勞軍團，應該注意這個問題。勞軍的目的，是該以戰士們的需要而定，那才能眞正的鼓舞戰志。

香蕉生產在台灣

邱家文

在虫害、風災來臨之時，更能提前預防，減少香蕉產量的損失。到去年統計，台省栽植香蕉的蕉園面積，已擴展到二萬一千四百五十五公頃，產量達三億五千四百五十五萬五千七百八十五公斤，外銷量亦增到二億二千一百五十二萬四千五百公斤。每公斤以五元估計，全年產量，價值新台幣達十七億七千二百七十五萬元，其經濟價值僅次於糖和米，爲本省主要出口品之一。

水土保持的價值

軸腐病是香蕉的尅星，在市場上常常會遇到，祇要將香蕉的蒂柄往上一提，香蕉就會紛紛地脫落，極易於變黑腐爛。原因少部份是搬運不愼所引起的外傷，大多數是在剪蒂後，細菌從剪口處侵入而釀成的。香蕉虫害的蔓延，早在日據時期已發生，那時，係採用德國製的褐斯普綸藥劑防治；德製的藥劑，不但不容易買到，且價錢昂貴，非一般蕉農們所能負担的。

農復會和農林廳的專家們，在研究香蕉軸腐病害防治的結果，已獲得防治香蕉軸腐病害的特效藥，叫做殼仁欒生。這種液劑效力宏大，使用方法也很簡單，只要取殼仁欒生液劑一公分，加上五百倍的淸水攪和，然後用毛刷塗抹香蕉蒂的切口處，蕉蒂就逐漸硬化結疤，阻止細菌的侵入爲害。經過塗抹的蕉蒂，都要包紮一層玻璃紙，施藥者也要戴上手套，避免沾着液劑而爲害人畜。

農牧局在中部地區指導蕉園水土保持工作，從事指導蕉農堡，保肥，和蓄水防旱，使中部蕉園山地佔百分之八十地區，每逢雨季土地永遠不流失，能夠安全增產，達到土地合理利用的最大目的，維持土地的生產力，收到良好的效果。這項工作在集集的改良示範園，每甲山坡地祇需二萬元的費用，作成石築平台，保持土壤不被流失；另外地區，則視地形作適宜的水土保持工作，對香蕉的生產，更有很大的價值。

主要市場在日本

台灣的香蕉，因品質優良，日本國民亦食用慣了，是以台灣香蕉的主要輸出市場是日本。因此，爲配合日本季節和數量上需要，正在逐年增加銷售春夏蕉之數量，及計劃推廣秋冬蕉之生產，目標爲達到供應八百萬簍的需要量。依照歷年外銷香蕉生產數量外匯收入比較，五十三年度與五十二年度外銷數量比較，增加百分之一一六二點七七，外匯收入增加百分之一一九八點六八；與五十三一比較，則其數量增加達二點六倍。以五十三年外銷香蕉爲例，輸日共四百七十四萬五千八百六十餘簍，佔全部輸出量百分之九十九；其次琉球三三〇六三簍，香港五六一一簍，韓國二〇〇〇簍。

（中）

共報不打自招

毛共商業工作人員服務態度特別惡劣

中共竟指係資本主義思想作祟

（本報訊）北平「大公報」最近在社論中強調指稱：「怎樣才能算爲顧客服務得更好？提高服務質量的方面是什麼？這是當前零售商業共幹和廣大職工所關心的大問題。」據悉：去年以來，中共在共僞商業部門推動的「改善經營管理運動」、「社會主義教育運動」，以及「學習解放軍」、「學習大慶油田」等運動，便是環繞這個「大問題」進行的。但是，共僞商業部門共幹的服務質量，不僅未見提高，反而越來越不像話。

爲什麼共僞商業部門共幹的服務質量無法提高呢？北平「大公報」認爲最重要的一點是「資本主義經營思想太濃厚」的緣故。據謂：「社會主義商業應當以發展經濟保障供給爲出發點；有資本主義經營思想的企業和個人，卻是以經濟核算政治賬，只關心利潤，不重視爲羣衆服務。」「有的商店在經營上重視大商品，輕視小商品；怕積壓不怕脫銷，這就不能使廣大顧客買到他們所需要的東西。有的商店不嚴格執行價格政策，或者在付貨時缺斤短兩，這就不能使顧客們買的東西貨眞價實。有的營業員在接待顧客時，以衣帽取人，對穿戴不好的冷淡；對大買賣殷勤，對小買賣怠慢。這就不能對每一個顧客都有良好的服務態度。」該社論又說：「爲什麼在社會主義社會裏還有資本主義的經營思想？這是因爲，社會主義社會還存在着階級和階級鬥爭，資產階級思想和舊社會的習慣勢力還不斷向社會主義商業猖狂進攻」云云，眞是胡說八道。

新道統的指標

向為禍中國的五害挑戰！

論道統第三章

陳健夫

「談到遺產制度，却又不能與私有財產並論。世上應有天生的奇才，而不應有天生的富翁。上帝只許人帶智慧到世上來，並不會允許人帶財產到世上來。遺產制度實在是很不合理，很不公平的。所以在進步的社會，遺產制度應予廢除。到將來新社會可以保障人人的平等經濟權，每個人的生活，不靠祖宗保障，而靠社會生存。到那時候遺產制度，便可完全廢止了。當然關於遺產制度的廢止，無論沒收或課稅，都應遵循法律制度而行，無所用其強暴。」

（三）充分就業與拯救貧弱：「在一個公平社會之中，人人應有充分就業的機會，各本天才，充分發揮。國家應輔導人民充分就業，獎助人民從事正當生產事業，消除不從事正當事業，而以敲詐勒索為能事的流氓。使社會上每一分子均能選擇其職業，直接或間接有貢獻於社會。社會上的天才，不是金錢與勢力所可收買奴役的，凡屬天才應有適合其天才的職業，充分發揮，國家社會應予充分的獎勵與保育。為了適合此一要求，社會應不允許那關門主義，派系作風，官僚習慣所形成的壟斷獨佔現象的存在。金錢勢力可以養成權貴，公卿，乃至學院首長，教授；但是斷斷產生不了獨往獨來改變歷史創造文化的天才。天才為國家社會所公有，不允許任何人加以打擊或摧殘。」

除了充分就業，還要拯救貧弱。「社會的貧弱大半由於社會的種種不公平現象所形成。原來人類社會是強者的天堂，弱者的地獄。要改善現實世界，非改善弱者地位，使其與強者互助合作不可，社會上一切制度應以此原則為依歸。

「社會上的財富，大部份應用之於扶助人羣從事正當的事業及公共的福利，尤其是農人同工人，特別需要社會的維護。對於貧弱者，應予充分救濟扶助。消除貧弱現象為民主社會的基本政策。

「民主社會對於貧弱的人如老弱殘廢，孤兒寡婦及許多並非由於其本身無能而貧苦的人們，應特別同情援助，在一切制度上，應予貧弱者特別保障，避免任何歧視。」

至此，新道統之下的社會是繁榮平等的社會，沒有階級之分，人人都成為有產者，再沒有無產階級或資本家了。人人都是勞動生產者，人人有一份職業，及一份財產，立於平等基礎之上，自由競爭，貢獻於社會人羣。這便是新道統之下的國民經濟生活。

五、實施全面新教育

新道統之下的社會，要將一切倫理道德，民主，科學，同時建立在經濟與教育的基礎之上。教育是國家的精神與靈魂所寄託之處，國家之興亡，在於教育的盛衰。中國夙稱文明古國，禮義之邦，但至今日，文盲不少，教育落後，是一事實。教育落後的國家如何講道德？又如何行民主？

這種新道統的教育，論其目的：「最重要的是改善人性，完成人格。人性原未盡善，初生，其舉動與禽獸無異，人格並未形成。人類唯有經過教育，始能啟發思想，完成人格。人格大半成於後天的教養工夫。所以教育以完成人格為第一義，此謂教育之本。

「教育的次一個目的便是用世。教育原不是富貴人家子弟的裝飾品，也不是少數人升官發財的用途。教育原是培養人才為國家社會服務。學是為的用世，非是為的作官。子夏說學而優則仕，乃指學者從政，須是學優，學不優則將不免誤盡天下蒼生，原非教人以做官為求學目的。儒家一貫精神但求實用救世，而反對做官。自孔孟而後，沒有一個大學者會為了鼓勵人做官而設教的。教育的目的若是做官，那種教育是不配稱為教育的。

「教育並非單純的知識傳授，而是包羅一切生活實際問題的學習。

「基於上述的道理，現代教育應具備三大內容，即培養德性，授予生活技能，啟發思想創造。培養德性是每一個公民應受的教育，生活技能是專門教育，每一公民應接受一種生活技能的傳授。思想創造是屬乎哲學的教育，是高深而專門的。現代教育，三者不可缺一。[illegible]

論詩雜碎

寒操

松月石泉參化境。山光潭影會禪心。陶情好句從閒適。清茗明窗喜獨吟。

嗚笳大漠聲同壯。鼓瑟空山韻等幽。吐句能攄靈府鬱。嘉州而外賞江州。

詩製無多却勁遒。金風玉露氣為秋。半山後起稱廉悍。法乳猶承柳柳州。

老來情漸厭長安。難泯眞靈隱肺肝。退熱減肥應借藥。會心島瘦與郊寒。

吟擯瓌寶是情痴。千載何人解玉溪？暗恨幽愁言託物。骨鏤紅豆死相思。

歌託揚妃傳密誓。琵琶商婦起深憐。至情畢竟根兒女。白傅論詩有的詮。

活水長流才不腐。詩聲常變始多姿。西崑殭化蘇黃出。正是英豪業應時。

詩苑天生蓋世才。髯坡佳句鬱沉哀。流離終不甘低首。絕域探奇入詠來。

荔枝肆啖喜嘗新。山愛羅浮四季春。詩表崛強兼曠達。拼將長作嶺南人。

平時有蓄斯沉著。痛快宣時自動人。詩寵春風榮草木。培翁拘句出嶄新。

讀變未短英雄氣。家恨偏長兒女情。如此國家如此我。放翁詩裏半哀聲。

今古名篇淚血和。深悲入骨價偏多。國魂永繫文山節。鼎鑊如飴正氣歌。

詞謂詩餘豈脫詩？何須多事劃藩籬？淑眞清照愁中句。譜入詩聲正極宜。

寧向枝頭抱香死。詩魂不朽所南翁。鐵函心史翻眢井。國命噓生已奏功。

好從靜裏養端倪。俯仰魚鳶悟化機。秋月春風皆樂境。人間絕唱白沙詩。

哲理通明意境開。入詩誰說未應該？夜靜海濤三萬里。先生携句到蓬萊。

此生寧願經師老。只恐難酬烈士知。家國哀愁深徹骨。亭林尚有未刊時。

翁山獨漉兩奇男。負手乾坤死未甘。詩保古賢雄直氣。嶺南得此邁江南。

國破家亡抱道南。詩間鯤島仰斯庵。於今千社吟聲遍。功媲延平澤更深。

玄理通明難及佛。山居寧豈如僧。石濤蒼雪多奇句。墨客騷人有未能。

性靈神韻旨同符。格律偏崇論祇邪。試看流傳誰更遠。官司應已判甄輸。（二三）

漢文，漢字，漢學

陳曼卿

實則亦因「篆」繁而「隸」簡，「隸」難而「楷」易，以及當時流行的應用字體，或其因人事之日繁，趨於簡易一途，這是一種自然現象。自先民早期的圖畫文開始，其實用樸素的情形，僅為一種「符號」。漸次達於互用，共通互曉，因而逐步定型，後來發現其美觀作用，更使文字步入整齊劃一途徑。再因人事日繁，進而趨於簡化適用，通行而普遍了。這當中自然經過不少的步繁易簡的過程，自亦合乎人類文化的進步和演變的歷程，也不知經過若干的無名蒼頡，不斷努力，才有這樣成就！

商代甲骨文「可識與不可識者，約有五千文」，如果屬實，經周、秦及於兩漢，迨經許慎整理，著錄「說文解字」時，前後千餘年，僅多出四千三百餘字，是必僅限於採自秦篆，壁書，以及漢律等（皆漢代通行字體）。又：觀堂集林說「史籀十五篇，文成數千，而說文僅出二百二十餘字。」或即是「秦篆」之不同於「籀文」者，僅二百廿餘字。然六國譌別簡率，奇詭難識的異形文字，為秦統一文字所廢棄了的，足證「說文」未收當是事實。其於早期淘汰了的，以及後世散失的，或因省改等情形，我們自不難推知底蘊，王氏會有如是之言了。

再則，春秋戰國年間，諸侯分立，列國赴告，皆用已國通行習用之文。雖為史官，對鄰國間亦有不能確識的文「字」，自可斷言。故孔子有云：「吾猶及史之闕文，今亡矣夫」的一種說法。當其時，文字之混亂滂什，自是不言可知的事。迨後戰國年間，文字復有各地大量自造之嫌！實亦因方言語音的不同，一文可變十箇八箇，音亦互異了。秦統一天下，由於「官獄職務繁，初有隸書，以趣約易」逐漸簡化。

西漢中期的抱殘守缺，宣、元、成、哀、這一時期的救殘補缺，身為國師的劉歆，以及黃門令的楊雄，彙集天下人士，書寫的字體，加以整理，對古今文字的訓纂，要皆不無微功，但他們可能已揚棄了不少「符籙」一類的古體篆字。故其後之許慎「說文」十四卷，所收錄的「會意」字體實少，五百四十部中「形聲」字類佔數知也最多。說文出字九千三百五十三文，實已經過一番嚴格審慎功夫，在今天看來，還是不無缺謬。我們看他的那篇序文說「七國之時，文字異形，言語異聲」。晚近一些學人，每一提到「文字」，便開口「蒼頡」，閉口「蒼頡」的，固不值一嗤！一些比較進步的學者，認為這是「故紙堆」中的生涯。間也有「拾人牙慧」的，認為「劉歆偽字之光大，則賴許慎之力。」我覺得他們講此話的頭腦，太過科學了，而也竟然忽視了上述的種種事實。

文字語言相因相成

中國早期的原始圖畫文字，是衍形而不衍音的，已如上述。因圖文是一種符號，只能稱之為「語素」或詞，「語素」的基本文字，正如現代的「成語」。而事實上是有了文字，語言也才隨之進一步獲得發展，等到圖文變成了雙重作用時，先是由於偶爾之間，發明了一兩箇或幾箇「諧聲」一類的文字，這樣才使語言同文字發生了關聯。（十五）

中俄阿爾巴金之戰

·俄帝侵華戰史研究之一·

羅雲家

同年夏季，俄人名麥爾伊克夫者，率軍六七十人，則大船五隻，自阿爾巴金出發，經黑龍江入精奇里江，欲掠索倫諸部，適逢滿清水師正在精奇里江操演，大小戰船五百六十多隻，兵丁逾千，旗旛招展，陣容盛大。兩軍相遇，這是一次意外的遭遇戰，俄軍見而怯步，未及交綏，士氣已餒，捨舟登陸，狼奔豕突。水師發響矢，俄軍頗有死傷，麥爾伊克夫足中一矢，不能行，及從兵三十餘人均被生擒，生者解送寧古塔，傷者棄入江中。是役是阿爾巴金的前哨戰，對未來的戰爭頗有價值，士氣大振，土著無不畏服，尤其從俄俘口中所得的情報，更具攻畧價值。俄軍戰敗消息傳至塞林賓斯克諸寨，俄軍皆大恐懼，故不待清軍來攻，先自棄城他遁。清軍乘勝進攻，頗有斬獲。又分兵五百，襲擊柴斯克寨，指日即下。二十三年春，都統薩布素又命將攻取東方的胡國爾斯克城，大軍旣至，先發矢射書入城，約俄軍來降。俄守將伏路魯夫集衆會議，以為前次所降之俄軍多被斬殺者，或反縛雙手投諸江中，因此拒絕投降，然而兩力懸殊，獨城難守，不得已率衆航海遁於烏特斯克城，暫避清軍鋒銳，途中遇狼羣，糾纏十餘日，死數十人。烏特斯克在外興安嶺之南，距黑龍江至少千里之遙。一退千里，俄軍怯戰程度可以想見了。

薩布素是滿洲旗人，有智勇，二年間連下俄軍十餘寨，海洲邊境俄患，十九肅清，所餘者不過阿爾巴金獨寨而已。當地土著目覩清軍戰果，無不悅服，獻牛獻羊，慰勞官兵，向慕之誠，這可以說是這次戰役意外的收穫。

阿爾巴金大戰俄軍慘敗

甲、第一次攻擊：

阿爾巴金，一譯阿爾巴青，即雅克薩，處於黑龍江中流北岸，約在今俄境達察林一帶。着薩布素分攻俄軍各寨之際，清廷同時更準備大規模的阿爾巴金攻畧戰。先是，康熙二十二年（一六八三）二月，上諭盛京刑部侍郎噶爾圖等，視察大遼河以及松花江水道，以運水師。三月命理藩院尚書阿穆胡郎等，親至海洲等備餉精，修運倉庫，儲存戰備。命巴海將軍鎮守烏喇，指揮軍事。命薩布素統軍移駐額蘇里，監視俄人越界。額蘇里與阿爾巴金兩相對峙，隔江在望，薩布素秘密使人偽裝商販，於邊境上至俄商交市，或潛入俄境，探其軍情。或捕收逋逃，拷問俄軍一切情形。

那時的俄軍，自精奇里江戰敗之後，情形極為狼狽，各城寨的殘兵敗將全集中於阿爾巴金，招募壯勇，以圖再舉。聞滿清軍隊移駐額蘇里城，意外恐慌，增柵築寨，以防萬一，但不知我方的眞正虛實，精神更為緊張，日以繼夜更番巡邏，或於山巔設崗，隔江眺望，風聲鶴唳，一夕數驚，未及戰爭之前，精神方面已遭遇了相當的打擊，對於士氣頗有不利影響。

二十三年三月，薩布素為了試探防俄軍守實力，先遣人致書阿爾巴金守將伊凡伏魯赫里克夫，責其不守約定，擾害地方，約期退出阿爾巴金，還我故土，不究既往，否則約期大戰。俄將獲書，頑強不答。薩布素知其有抵抗企圖，於是暫時維持僵持狀態，復因歲暮天寒，冰雪為阻，不宜用兵，度過冬季，以待來春出擊。

自由報

淡江別墅雅集

姿婆生

乙巳春節來臨，同人約好互不拜年，而作一次聚會。適逢亞老遷住淡江別墅，各備壺碟爲其公賀。有此値得紀念的雅集，也卽雅歌集的元老票友大聚，生角大盛，爲可喜也。

此集特色，是所唱皆是整齣，而多是向來不常唱的。除了女包賓夫人的起解，以後由沈夫人接唱會審，再續唱宇宙鋒反二黃，音色朗響，愈增室中空氣諧和外，其餘各齣略記於下。

名琴票杜敬箴、劉源沂、戴健薪、黃長生、吳棨，有五位之多，再加名琴師畢玉清，各個琴藝，皆極精湛高深，不同尋常。

再則名坤伶程復慧唱其甫學的洪羊洞。李東老說：閉目聽了，送入耳膜，字正腔純，大可以造就。雙竝樓主說，完全是趙培鑫路子，希望截其所長而捨其所短。

琴票開口也唱，杜唱整齣狀元譜，源沂操琴，唱腔琴音均妙。長生唱昭關半闋，敬箴操琴，也是不錯。所有整齣計如：

王奐老先唱昭關，後唱烏盆計，行路起至「老人不必膽怕驚」止。

東園先唱完璧歸趙，後唱烏盆計反二黃，又加一段硃砂痣的搖板及借燈光止。

希達唱失空斬，自坐帳起至城樓慢板。又加了三段戰太平。

必佛接唱空城計二六，至斬謖止。

文漢唱連營寨、戰樊城兩齣。

雙竝樓主唱其輕易不唱的全本定軍山，還徇我之請，唱乃師（小冬）精擅的收威各句散板。如此高歌而極精，確是前此所未有。以下更有：

雅歌集主委聯老，先唱麒派四進士，後接盜御馬之後連環套的黃天霸。

主辦雅集的李闓東，也唱向來少演的全本盜御馬的竇爾墩。人多說他唱腔不同裘派，乃是郝壽臣味兒，亦現在台灣少能聽到。

琴票戴健薪在空城計中陪唱司馬懿，味兒也極渾厚。

復慧的洪羊洞，從爲國家起至成病止，衆請亞老一歌，始接唱數楊家與自那日兩段，小的唱得很好，老的尤其不凡。

是集最累的，要數打鼓的蓟老，打了十餘齣，精神矍鑠。後來大家請唱，由玉清司鼓，唱沙橋餞別，很高明。玉文唱托兆，韻味較前次尤沉厚。所惜是我到塲已五時半，宗達的小生，家偉的老旦，未曾聽到，有如遺珠。後來以牙痛未全愈，九時半即行，後面尚有許多精采，也未聽到。而劉源沂兄的琴藝在是晚拉了七八段，手音清越，弓法純熟，還是初次聽到。心想如此雅集多來幾回，將大快朶頤。下次將看敦化南路李宅的探母回令再作報道。

（編者附誌：「冒險犯難記」續稿未到，暫停。）

我愛柳文

漁翁

我國文章詩歌，以唐代爲最盛。但唐初猶未去周隋五代之氣習，所以王楊盧駱四傑之所作，不脫六朝辭藻的窠臼。迨盛唐李杜出，而又以專雄詩歌，猶未極其渾備，至韓柳起，然後能大吐古人之文。韓起八代之衰，柳匡五代之弊，故世稱韓柳爲文章大家也。

柳名宗元，字子厚，河東人。幼穎異絕倫，善文章，名聞於貞元初，至九年成進士。十有九年，爲監察御史。二十有一年，以文章稱，首入尚書爲禮部員外郎。是歲以疏雋少檢獲訕，出牧邵州刺史，尋謫永州司馬，一官十年，最後調柳州刺史，五歲不得召歸，病卒於任，得年僅四十七。世號「柳柳州」。

柳之服官，以在永州之時間爲最長，可稱爲其第二家鄉。永州居湘省之南，漢時稱古零陵郡，即今之零陵縣。在唐時，永州乃一蠻荒烟瘴之區，柳謫於此，日寄情於山水，嘯傲乎烟霞，遊踪所至，發爲詩文，以一舒其幽怨之懷。李唐以來，寫山水遊記最著者，首推柳河東；即唐宋而後之古文家，亦無有出其右者。

柳好山水，以此地雖未開化，而幽雅之處頗多，搜奇選勝，凡一泉一石，一草一木，如「黃溪」、「鈷母潭」、「小石城山」等處，皆有所記。尤以城南之「冉溪」，原爲冉氏所居，以溪水可以染物，又名之曰「染溪」，在灌水之陽。柳愛是溪，得其絕勝處而家焉。

柳居此，而名莫能定，因思古有「愚公谷」，在山東臨淄縣西，韓非子云：「齊桓公逐鹿而入山谷之中，見一老父，問之曰：是爲何谷？對曰：爲愚公之谷。」柳引古而更其名爲「愚溪」。地之隆然而起者曰「愚丘」，有瀑然而流者爲「愚泉」，四週繞之以水者名「愚島」、而「愚池」、「愚堂」、「愚亭」，分置於東南，收烟月於溪中，淡紛華於塵外。古人千萬買隣，柳認爲慶得所矣。其所寫溪居五古有云：

「久爲簪組累，幸此南夷謫。閒依農圃鄰，偶似山林客。曉耕翻露草，夜榜響溪石。來往不逢人，長歌楚天碧」。足見其我行我素，忘懷得失也。惟所寫愚溪詩序末，有「作八愚詩於溪石上」，今已逸之矣。（上）

甲辰夏興

唐耕誠

山靜偏宜暑，黃風午夢長；遣懷詩百首，助興酒三觴。濃翠侵書潤，殘紅入硯香。苟全亂離世，寂寂掩茅堂。

梁山伯與祝英台

——「影劇與歷史」之一

周遊

祝員外夫婦思念女兒甚切，連續修書催歸，但英台均因難捨山伯，未能即時返家。後來祝員外僞稱病重，促英台速歸，英台得悉父病，祇得辭學。臨走前夕，她把心事稟明師母；但其師母早已窺破了她的秘密，而認爲梁祝眞是一對璧人，欣然允諾爲其促成好事。英台黯然就道，山伯十八里相送。她途中不斷借物喻人，以間接點穿自己身份；但淳厚的山伯，却始終不悟。英台急得說出梁山伯眞是「一隻呆頭鵝」，「一頭大笨牛」。送到了草橋亭，英台假託有一孿生九妹，願代他作媒配給山伯，山伯乃欣然同意。英台囑山伯早日前來求婚，叮嚀再三而別。

山伯返回書舘若有所失，悶悶不樂。師母知山伯思念英台，加以她是受英台之託，遂將實情告之。山伯欣喜若狂，便稟明老師，星夜奔往祝家。十八里上一草一木，都勾起了山伯甜密的回憶。山伯這時才領悟到英台的含情難吐兒意。

英台歸家之後，祝員外將她許與馬家，就是本郡太守之子馬文才。不知英台已有意中人，堅辭不允，并以馬文才乃是不學無術的花花公子相拒。然祝員外已收下聘禮，堅決强迫，誓不更改。待山伯趕到，與英台樓台相會，當她把此一消息告訴山伯之後，猶如晴空霹靂！他說：「難道我趕來就是爲了喝一杯酒嗎？」結果凄傷而別。

一對癡情男女，就這樣在眼淚相對中分別後（山伯回家，思念英台成疾，一病不起。臨死時還連問英台有沒有來看他。而這同時，祝家莊中却是一片恭喜之聲，馬家的迎親儀仗隨着爆竹聲來到。英台正以淚洗面，忽然四九傳來噩耗，並携來英台所有手巾，染着山伯臨死時所吐的鮮血，交與英台！英台悲慟萬分，殉情之志亦益堅。

祝員外催女兒上轎，英台那肯聽從。最後要求，必須身穿孝服，先到山伯墓前祭弔，然後出嫁。祝員外不得已，只得應允。

花轎經過南山大路，英台素服下轎，到山伯墓前弔祭。她弔祭時，慟哭，嚎啕，天地爲之震動了，狂風大作，飛砂走石。一聲雷震，山伯的墓裂開，英台毫不考慮，跳了進去。眞是：「我與他啊！生不成雙死不分。」

頃刻之間，雨收雲散，一道虹彩，貫穿了萬里長空，梁山伯和祝英台，愛情幻成一雙蝴蝶，在百花叢中自由飛舞！如此大家便唱着：「千年萬代不分開，梁山伯與祝英台。」

梁祝餘話

「梁祝哀史」是一悲劇，劇情的旨趣，它暴露了舊式婚姻制度的不合理，也啓示了愛情至上主義。是用一對青年男女的血和淚，對舊婚姻制度提出最有力的反抗。「梁祝」故事之所以吸引人，之所以感動人，也就在此。因爲此戀愛悲劇，不啻給千千萬萬青年男女做了代言人。

「梁祝」故事的結束，未免戴了一襲神秘的面紗。因爲英台哭慟神靈，風雨大作，「墳爲之裂」，英台奔入山伯墳墓之後，幻爲一對蝴蝶飛舞，這是中國文化所薰陶的文學公式，神而化之之筆。是以「梁祝」又名「蝴蝶緣」。（二）

哀梨室劇談

雲想衣裳花想容

谿公

現在臺灣的坤旦，章遏雲確是其中凸出的一個。

人們大都知道，旦行必備之條件，不外乎聲，色，藝（包括嗓音，身材，扮相，唱念，做，表之技巧而言。）說來似頗單純，但爲旦者，能否把牠充份的具備，實在很成問題。獨章女士對於這，一半基於天賦之本能，一半由於人爲之努力，的確是具備了的。故當她來臺之初，我的朋友李重民先生（係一譚派名票，亦爲胡琴高手。）曾贈以詩云：

『歌聲嘹亮遏行雲，薊北江南幾度聞；三疊霓裳無恙在，又來瑤島競芳芬』。

這首小詩，雖止二十八字，實不啻把章女士的行實，作了一個扼要的定評。

據我所知，她是滿清末葉，一位浙籍京官的掌珠，也是南人生長於北平的。

北平是有名的戲劇城，上自帝后貴族，下至走卒輿臺，不論男女老幼，差不多百份之百都是「戲迷」。大大小小的「戲園」，不下二三十處，而各機關私人所組之「票房」，更是棋布星羅，無法統計。朝朝暮暮，只聽到管絃咿啞，檀板鏗鏘，「西皮」，「二簧」，「梆子」，「崑腔」，抑揚宛轉之聲，不斷的刺入人們耳鼓，使他（她）們不期然而然的隨聲附和，手之舞之，足之蹈之。

自然章女士也不例外，她於九歲時，即從某老伶習「衫子戲」。很快的已學會了「孝感天」，「六月雪」，「汾河灣」，「桑園寄子」什麼的十多齣了。

至十三歲時，即徇親友之請，以遏雲女士名義，客串於「新明戲院」，爲期三日，貼演的戲碼，是「鴻鸞禧」，「玉堂春」，「探母回令」。人們因她是名門閨秀，又爲名師高徒，爭以欣賞其劇藝爲榮；因之香廠道上，車水馬龍，幾已途爲之塞。由此一砲而紅，成了燕京女界之新聞人物。

第二年正式「下海」，組班出演於「開明」，其「叫座」力之强，與在「新明」「客串」時一般無二。

後來又拜「天津三王」（即王君直，王庾生，王頌臣三人；他們同爲傑出之「譚派名票」，而庾生更擅長青衣，花旦。）之一的庾生爲師；既有名師指導，本身又肯用功，演唱之技巧遂爾直線上昇幾於可與金玉蘭，蘇蘭舫，雪艷琴，新艷秋等並駕齊驅。

未幾，又受天津「春和大戲院」之聘，帶着武生姜桂鳳，花旦胡碧蘭，小生金妙聲同往獻藝，博得社會無上的好評。

既而又與王又宸，言菊朋先後合作，結果都有很美滿的聲譽。（一）

紂不是暴君嗎

謬匡

「紂是暴君嗎？」這是最近台北某報所刊載莊練先生的大作，拜讀之餘，感慨油然而興。作者對於讀者的獻議是「不要盡信書」，要有所惑疑。這是孟子所說的話，兩千年的今天仍不失其價値。這是沒有問題的。不過，作者的立論，是在爲紂洗刷「暴君」之惡名。光是洗刷不錯，但要有論據，不能徒託空言。

莊先生既然以爲先秦諸子的記述都是出自周人之口的「讐口之言」爲不可信，但所指不可信者，只是紂的「暴」的一方面，而對於先秦諸子記述商人及紂王的另一面却又信而不疑。同樣是出自先秦諸子的書，何以竟如此有信有疑，殊不公平的疑古法呢！莊先生要人不可率爾輕信那些不可靠的讕言，那麼他所稱頌的如「古之桀紂，長巨姣美，天下之傑也；筋力越勁，百人之敵也；然而身死國亡，爲天下大僇，後世言惡，則必稽馬」。以及「資辯捷疾，聞見甚敏，才力過人」。前引自荀子，後者爲史記殷本紀。爲何只不相信惡的一面，然而又相信較好的一面？這豈不是犯了「偏見」之病嗎？

「懷疑」在治學方法上只是「大胆假設」的，但必須要做的是「小心求證」的工夫，否則，只是「疑古」而已。最公平的論據，是莊先生可以引荀子，史記、孟子、左傳、尚書、論語、殷人甲骨卜辭等先秦諸子的記述；筆者不妨也同樣引據先秦諸子的記述，作一比較觀，我想這樣是很公平的吧？

先秦諸子的記述都是出自周人之口嗎？古代史官記事，都是據實直書，史官而且是世襲，不怕殺頭下油鑊，董狐就是一例。關於殷周之際的事，先秦諸子多有記述，很多是根據各國的史官所記的資料。孔子爲當時的集大成者，詩、書、易、禮、春秋等，都是經過他的校訂的。（一）

內僑警台報字第〇三壹號內銷證

自由報

THE FREE NEWS

第二五六期

中華民國僑務委員會類准 台教新字第三二二數登記證 中華郵政台字第一二八二號執照登記為第一類新聞紙類
（逢星期三、六出版）
每份港幣壹角　台灣零售價新台幣壹元
社長：雷嘯岑
督印人：黃行富
社址：香港銅鑼灣高士威道二十號四樓
20 CAUSEWAY RD 3RD FL HONG KONG
TEL. 771726　電報掛號：7191
承印者：田園印刷廠
地址：香港灣仔高士打道一二一號
台灣分社
台北市西寧南路壹壹柒號二樓
電話：三〇三四六
台郵撥儲金戶九二二

越南政局為何永無寧日？

陳侃

越南政局自從吳廷琰政府被推翻以來，一直鬧着走馬燈式的政變把戲，循環不休：時而文人執政，時而軍人當政；文人之間，既有各種黨派對立鬥爭，又有各種宗教互相歧視，而軍人之間的情形亦復不相上下。整個狀態顯示着一個剛從殖民地翻身起來的新興國家，實在沒有迎頭趕上，立即實現近代民主憲政生活的必備條件，或勉強學步，即有如教那剛告放足的小脚婦女，硬穿着高跟鞋從事跳舞，未有不顛仆躓蹶而傷身的！回顧北越，民猶是也，地猶是也，烽火不息亦相若也，然在共黨專政之下，從未聞有軍人、政客、僧侶、學生們旰夕鬧政變的惡作劇發生，這不是很好的對照嗎？

在吳廷琰主政時期，越南的軍人政客，亦間有醞釀內亂的情事，但他們沒有外來勢力的應援鼓勵，吳氏的控制力量亦相當堅強，乃始終不得逞，而越共的滲透份子亦相應受到遏制，游擊隊更在吳氏堅壁清野的「戰略村」——等於我國當年在江西剿匪的碉堡政策——體制之下，到處碰壁，不易入侵，這是世人周知悉見的事實。繼以美國熱心援助越南，甘廼廸總統先在國內訓練游擊戰部隊，派來越南協同對抗共黨威脅。實際上，美國軍人固不瞭解共黨游擊隊的本質如何，美軍根本亦沒法在東南亞這類湖沼叢林地區，跟共黨從事游擊戰。但藉着美國大量的軍經援助之力，越南軍隊的士氣與實力皆已大增，美軍祇要從旁指導、訓練，雖不直接參戰，至少可使越共不能大舉進襲越南境內，毫無疑問。

詎料美國人士甚於[illegible]衝動的思想與作風，不顧時間空間的因素，亦不問戰時與平時的環境，總是憑自己的尺度來衡量別人，而以實行美式民主政治為第一義。民主生活誰也不會反對，美式民主制度更不是壞事，但民主生活不是變戲法就可以實現的，它須有一定的條件和程序。尤其是在動亂不安的戰爭狀態中，即美國在對外戰爭時，亦不免有限制人民自由權益的措施。像吳廷琰主政時的越南局面，四郊多壘，外患頻臨，人民生存第一，國家安全至上，民主與否，乃屬次要。美國當局乃誤信一些外交人員[illegible]

[illegible]

[illegible]然產生的。按諸越南實際情形，無論軍人也罷，文人也罷，靠他們自力更生，殆不可能，美國的影響力乃具有決定性的因素。可是，美國對於援受美援的友邦，表面上說是不干涉內政，事實上卻不然，對於其友邦的政治人物及其一切措施，隨時加以評判，表示贊否，稍不愜意，即滋反感，或以停止援助相脅迫，或支持當地反對派起而釀亂謀叛，往事歷歷，不遑枚舉。就越南問題而言：美國如不想退出東南亞地區而讓共黨控制，即不妨負起拯救越南的全責，對越南政治、經濟、軍事各項施政方針，作統盤的籌畫，訂定方案，督導施行。同時選定一個政治領導人，傾全力支持他，切實制止軍人政客們利用僧侶與青年學生隨便干政鬧事，破壞反共大業。換言之，美國乾脆從幕後走到前台，實事求是的負起指導責任，先把政局安定下來，慢慢地培植越南領導人才，使其建立信譽，足以號召各方，領袖羣倫，美國再從台前退到幕後。美國如不改變現時在越南的作風，我們可以斷言，白宮雖然再派十萬美軍來援，再耗百億，金元相助，越南還是一團糟的局面，決無安定之望。事實所在，一切美好的說法，中聽的理論，對越南問題皆無用處。

最後，我們願以極誠懇的心情，敬告美國當局一言：共黨游擊戰的基本要素，是與當地民衆的生活習慣融合一體，利用民衆作耳目，取得確實情報，乘隙抵虛，兼弱攻昧，輕裝竊發，出沒無常，而以農村為根據地。時而化整為零，時而集零為整，變化無窮，以防不勝防。[illegible]美軍絕對不能在東方打游擊戰。美國如果眞有贏得越南戰爭的決心，唯一要訣就是以獅子搏兎的實力，進行陣地戰，一舉而將共軍摧陷廓淸之，否則徒自苦耳。

釘上加釘

笨人出手

今日與明日

阮慶下台

越南政變之後又夾着軍變，在政變中，阮慶是勝利者，但阮慶是不旋踵却被支持他的軍人解除了總司令的職務，派為無任所大使，到聯合國去作觀察員。越南局勢之千變萬化，眞使人目不暇給，到此地步，任對越南前途，任何人也不敢寄以信心了。就阮慶來說，確不是桀桀大才，尤其不能從事政治，當他推翻楊文明政權之後，自任總理，中間也有一段時期的安定，假若中間沒有變故，一直安定下來，越南局面當與今日不同，不幸阮慶要來一次選舉，選自己作總統，結果總統雖然當選，却爆發了大亂，一直鬧到現在未能安定。

據說少壯軍人之不滿意阮慶，是因為他每隔兩個禮拜就換一個政府，這點也是實在情形，假若少壯軍人眞的為此趕走阮慶，希望不要蹈阮慶的覆轍，應當將軍政劃分，軍人决不干涉政治，如此下去，也許越南局面可以穩定下來。

毛共將作第二次試爆

台北方面消息，政府已得到確實報告，毛共將作第二次試爆核子武器。本來毛共能試第一次，就能試第二次，原無新奇之處，問題是自由世界若不徹底摧毁毛共原子基地，任其發展下去，慢慢製成原子彈及載運原子彈的火箭，又當如何。

本來在韓戰時，西方國家就失去了一個消滅毛共的機會，由於毛共的存在，始形成這十年來遠東局勢大混亂。目前毛共不但在亞洲製造混亂，觸角已經伸展到了非洲同拉丁美洲，假若再過幾年，毛共眞的有了原子彈，西方國家即使想避免核子大戰也不可得了。所以為了免除人類浩刦，維護世界和平，自由世界必須乘毛共未製成原子彈之前摧毁它。

反攻海南島

美國方面有人主張支持中國軍隊反攻海南島，到不失為一建設性的意見。反攻自海南島始，在政畧和戰畧上雖然不如直接攻上海或山東來得有效，但在振奮人心一點，收穫也相差不遠。至於就戰畧觀點來看，攻下海南島之後，可以隨時出擊兩廣，更重要的是截斷了毛共援助越共的補給綫，越南共黨的叛亂形勢將隨之改觀，連帶着整個中南半島的緊張形勢都可以緩和下來，實在一舉數得。深願政府當局對此有所注意，向友邦作一番切實研究，海外僑民，都在密切注視這一事態的發展。（何如）

自由談

名實悖戾

中華民國行政院長近在立法院會議席上聲明：從下一會計年度開始時，實行調整公務人員待遇。社會人士皆以為政府當局對此事已切實籌畫，訂定具體辦法靜候公佈施行了。繼聞當局宣稱，所謂調整待遇的內容，就是每年加發兩個月薪俸，於端陽、中秋節前，分別給予之。顧名思義，這不能說是「調整待遇」，乃係一種「節賞」而已！

公務人員薪俸多寡，自應量入為出，而以政府整個收入額為標準，每年編列預算，經過法定程序頒佈實施，夫是之謂行政體制，也就是法治精神。如其國家財政困難，待遇不增加可也；既言調整，即令每人每年只能增加十元錢，亦須列入正式歲出預算，按月支付，才是為政之道。今也不然，竟以「節賞」名義行之，其性質與每逢舊歷年年關，政府對一般革命元老或耆齡劭德的知名之士致送「炭敬」的情形相同，却說是「調整」了公務人員待遇，何名實之悖戾，而與邏輯大相剌謬耶？

把增發兩個月薪金的數額，編成預算，分作十二個月支付，名正言順的屬於調整待遇之列，并不影響整個歲出概算，且允符國家體制，為甚末偏要弄成「節賞」？殊令人莫名其妙。端陽、中秋可給公務人員一項額外的賞金，然則重陽與除夕乃至於國父誕辰與總統壽辰等節日，就不應該獎賞嗎？似此調整公務人員待遇的方法，翻遍了古今中外的行政史乘，似無前例可覩，稱之為二十世紀七十年代的人類新發明，誰曰不宜？

政治上最應注意的，即為制度，憑着制度以施政，便是法治精神。制度固不宜隨便訂立，更不可任意漠視，否則祇可說是「人治」，而與法治不相干。政府以一年兩次「節賞」的方法，作為增加公務人員待遇，或許別有其不得已的苦衷，事體亦不是甚末嚴重性的問題，似乎不值得議論。但我認為這未免有失體統，且與崇法務實的義理不符，間接妨碍着創進法治國家的前途，即小可以喻大。咱們雖無官守，却有言責，知其為不足為訓之事，而漠然不以為意，於心難安也。

民主與法治是相輔相成的，要從大處着眼，小處着手，一點一滴的循序創進才行。小事不留神，大事即容易敗壞，可不勉乎！

馮五先生

公路局第二工程處主任舞弊？

公路局有責任把這不名譽的事弄清楚
向社會做一個是非曲直合理合法交代

本報台灣中部記者　熊徵宇

省議員李萬居郭雨新兩位先生，前幾天在台北寓所受理一件檢舉貪污的請願案。我這篇稿在香港見報的時候，這案子可能已提到了省議會。

這件請願案，由公路局的一位職員提出，檢舉公路局第二工程處主任王兆秋貪污舞弊的種種不法行爲。

這件請願案，由李萬居郭雨新兩位議員來提出，可以說是較之一般的人民請願案具有份量。因爲這兩位議員，從台灣省參議會時代直到如今十六年來詢質政府的目標，多以重點爲主，很少涉及這些事情。

晤檢舉人　徵信訪問

我知道這件事件以後，曾經約晤檢舉人和羅先立工程師，詳細的談了些內容，看了一些他們所提供的證據，而同時，用了四天的時間透過各種關係在各階層中做了一些徵信的訪問，覺得這篇稿確實不能不寫。

第二工程處是台灣全省五個工程處中最大的一個。下設七個工務段，轄區有苗栗、南投、台中縣、彰化和台中市五個縣市，數字相當龐大。

涉嫌事件　有十三項

王兆秋掌理第二工程處的主任似乎有五年了。

據檢舉書中所陳述，王兆秋歷年來涉嫌瀆職的事情，共有十三項，若果將來請願案成立，省議員着手調查而他提出反證的話，那眞是集貪污舞弊的大成，五花八門的都有：

①政府規定，凡在山地工作的公務員，每月額外支發山地獎金七十五元。而第二工程處梨山工務段，自從四十八年五月一日成立以來，此項獎金始終未發。梨山工務段的員工一再向王兆秋請示，始終沒有結果。累積到現在，每人應得五千餘元，以四十餘人來計算，合計是新台幣二十多萬。

這件事，問題是在公路局？還是第二工程處？只要問問梨山工務段的全體員工，就會得到結論。

廉售材料　僞報公欵

②四十九年「八一」水災時，王兆秋，將第二工程處修復工程剩餘的價值五十餘萬的鋼筋水泥，貶價二十八萬，出賣給勝泰營造廠老闆蔡榮財建造樓房五棟（在台中市大全街一號）。後來，那營造廠倒閉，王兆秋爲了要那廿八萬塊錢，派該處雇員鄭東才出面向蔡追索。後來打官司，法院宣判該商破產，乃將大全街五棟中之一棟樓房拍賣，於是王兆秋以施德慶的名義向法院標購那棟樓房，仍以施德慶的名義，轉租給該處人事室課員吳明賢居住。

吃搶修費　四百多萬

③四十八年「八・七」水災時，王兆秋借災害的名義，報工程管理費台幣一百二十一萬四千二百七十七元六角四分，直到四十九年七月二十日，才將該項款額全部報銷，而此款工程中分文未用，都由王兆秋納入私囊。

④「八・七」水災時，王兆秋曾向公路局報領工程搶修費新台幣五百三十五萬二千九百五十七元六角八分，但搶修各地工程時，只用新台幣二百四十五萬二千九百五十七元六角八分。剩餘的二百九十萬，均由王兆秋私飽。而該水災所報的點工部份，全係僞造。

⑤五十二年葛樂禮風災復修工程管理費二百餘萬，實際上只報支了壹百零幾萬。其餘的壹百多萬，都是王兆秋的貪污集團內的幾個首腦人物以出差報銷支領。而實際上，這些支領出差費的人員並沒有出差，在該區辦公室批閱公文。這可以查出差憑單。

估圖表費　侵修復款

⑥公路局第二工程處，自從四十七年到現在，每年所收入的圖表費，約有新台幣五十餘萬，王兆秋都沒有交主計課收賬，由他自己動用。這項圖表費收入，統計表和支出項目，可以查出納人員及事務人員之收入統計表的支出細賬。

⑦第二區工程處所轄中部五縣市柏油路面，每年電力公司與自來水廠爲增設地下電路及整理電綫，或者是自來水廠增添換新，必須挖掘路面，都按規定徵納復修路面欵；這種修復欵，每年約計有五十萬元。王兆秋把這筆錢納入　再由其他經費中移作修復路面之用。

水裏工程事件

⑧五十三年二月二十日，水裏大觀綫三K——一一八段，因遭葛樂禮風災之毀，由第二工程處發包搶修，總額經費的預算，是台幣二十二萬七千五百元。這項工程，係按工計劃分配，以人力工資十萬元爲得標對象，其餘的水泥材料，運輸雜費等，則均由第二工程處負責。

這項工程是南投縣第四工務段主辦，由羅先立工程師實地監工。但是羅工程師在工地時，却發現包商不按圖樣說明施工，與規格合約相差甚遠，於是從五十三年的三月九日，向第二工區主任王兆秋提出簽呈，報告包商違反規格合約，建議扣回偷工減料的各項經費。但是沒有得到王兆秋的答覆。

於是這位具有湖南騾子精神的工程師，就在工地不斷的提出報告，從五十三年三月九日的第一次報告開始，至同年七月十三日，四個多月的過程中，提出了十八次報告。但都是石沉大海，音响全無。於是他一氣之下，把那十八次報告重寫一次，加上一封信，寫給公路局某高級官員，以爲這一來一定有個分曉。殊不知！不但得不到公路局的答覆，反被王兆秋「召見」，把羅先立叫到辦公室訓了一頓，並且把他寄給公路局首長的信和那十八個報告，拿給他看，要他安份些。（上）

風雨飄搖話越南

匡正

一、越南與中國之淵源

在未談到越南的「風光綺麗」，「奇風異俗」之前，讓我先介紹一下越南與中國的簡史，以便對其風俗之淵源有進一步的認識和了解。

越南與中國乃是兄弟之邦，遠在周公製指南車，送越裳使者回國之前，就和我國有了深遠的歷史關係。宋歐陽忞作「輿地廣記」，載有「越南古交趾，其地有「雒田」、「雒民」、「雒王」、「雒侯」；與「越南志」所載「雄田」、「雄名」、「雄君」、「雄侯」，只不過是傳聞與譯名之誤而已。而且，我們追溯到他們的祖先，更早於周公時代，在帝堯、帝舜時代，中國的歷史書上便有了記載。「帝堯命羲叔宅南交」。當時的「南交」就是今日越南，但也包括了今之兩廣在內。又「帝放驩兜於崇山」，及唐時名其地爲「驩州」等，皆爲越南之義安省。

周成王六年，交趾南有越裳氏重三譯來朝，獻白雉。

秦始皇三十三年發越裳逋亡人及贅婿賈人爲兵，略取南越陸梁地，置三郡，而交趾隸象郡，設縣長。漢書註說：「南越芋姓，與楚同祖」。國語曰：「芋姓夔越是也」。西漢之初，有中國的南海尉趙佗自立爲越南王。漢武帝平越南，以其地置九郡；其時的交趾、九眞、日南三郡，即是今之越南北圻地方。漢交趾郡治羸𨻻，即今河內省；九眞郡治胥浦，即今之越南清化省；日南郡治朱吾，即今越南富春省。至東漢光武時，錫光在交趾教民以禮義；任延爲九眞太守，「教民耕種嫁娶」，越民始知姓氏。交趾的華化，即始於錫、任二太守。至漢獻帝後的三國時代，交趾屬東吳，孫權改交趾爲交州，屬嶺南道。

唐代設安南都護府，屬嶺南道，始有安南之名。迨至宋代，封南平王；但奏章仍稱「安南道」，不敢稱「國」。到了南宋孝宗時，始明白自稱「國王」，與高麗、眞臘並駕齊驅，而不復視同中國郡縣了。元代仍屬中國之藩屬，時有遣使來朝。明代仍稱安南王如故。清代仍爲藩屬，但是中法一戰，「紙老虎」已被戳穿了！劉永福在越打了勝仗，最後還得簽訂了辱國的「天津條約」。於是越南由中國幾千年的藩屬而一變爲法國的保護國。

一八八七年，法國組織印度支那聯邦，派總督駐越統治，實施殖民政策。數十年來，時有革命運動發生。（一）

香蕉生產在台灣

邱家文

外貿會五十二年四月起公佈香蕉產銷新政策，實施團體五五出口制度，確保蕉農的利益，並成立香蕉產銷輔導小組，專責輔導有關香蕉產、運、銷等。又擬定推行各種增產，和試驗計劃，諸如五十三年一二期蕉苗供應，香蕉耕作改良示範園，香蕉增產單位，香蕉生產量調查，香蕉苗供應宣傳，外銷香蕉包裝運銷試驗改進，改進香蕉病虫害防治試驗，高屏地區平地香蕉抗病試驗，香蕉栽培的改良試驗，香蕉生產成本調查等十四種計劃；促使香蕉增產，品質改進。並在農復會，農林廳等有關機關協力下順利推行。使去年香蕉出口總值約爲美金三千三百萬元，壓倒中南美的洪都拉斯銷售美國三千三百萬元，使我們輸出香蕉價值躍居世界第一位。

台省香蕉輸銷日本，四十五年僅爲四十二萬多簍，四十六年增至五十八萬三千餘簍，四十七年爲八十七萬五千餘簍，四十八年爲九十八萬二千餘簍，四十九年爲一百〇一萬三千餘簍，五十年爲一百五十九萬三千餘簍，五十一年爲一百十九萬八千餘簍，五十二年爲一百二十五萬九千餘簍，五十三年爲四百四十九萬餘簍，節節上昇，確實是可喜的。

前途充滿樂觀

政府對台灣香蕉業產銷現仍極重視，曾於元月十四日在台北舉行「中日香蕉貿易業界懇談會」，就香蕉貿易有關各項，促進彼此更密切的合作，預料今後中日香蕉貿易，必將特別發展，而創一個新的局面。參加這項會議的香蕉業者共達二百二十餘人，是雙方業者最大規模的會議。

會議爲期三天，雙方的代表，就有關香蕉的輸日數量和分配，改善包裝與船運，簽訂契約，卸載，檢定，議價等，坦誠交換意見，都有了深切的了解，獲致充分的信賴。日方已了解我政府及香蕉業者爲滿足日本所需大量而良好的香蕉的各項努力，我國業者也澈底明瞭日本香蕉市場的情形，因而一致盼望彼此和衷共濟，謀求香蕉貿易的儘量開展。

最後全體與會代表，一致通過發表共同宣言和共同聲明，確認中日今後更宜保持緊密聯繫，實行互惠合作，以求貿易的合理推進；並決定合組兩國貿易協議性的機構，澈底負責推動，和電請日本政府減低香蕉進口關稅，及輸日香蕉的成本等。這次懇談會，由於雙方更加深了了解，意見的溝通，情感的大交流，對過去的許多困難問題，獲得相當圓滿的解決，今後台蕉的銷日，勢必更有光明的前途。（下）

新道統的指標

向爲禍中國的五害挑戰！

——論道統第三章——

陳健夫

上面論到公民教育，這是新教育特別重視的一端。現代公民應受到公民的好教育，使之具有公民的德操，諸如遵守公共秩序，愛護公物，忠於公職，等等的公德心，乃至民主國家的軍、公教人員的德操，如軍警國家化，司法獨立，及一般民主生活的規矩習慣，皆應有良好教養。就個人的品德而言，應習慣於尊重他人，尊重社會公衆的利益重於對個人對家庭的利益。這項公民教育，必須在學校教育，社會教育乃至家庭教育中多方培養，使國民人人具有現代公民的德操，必如此的澈底，始可實現民主、倫理的建設。否則不免成爲「時髦人」的空論。尤其對於服務公職的人，不論地位高低，都應接受這種教育，從頭學習，以改變幾千年來公職人員的升官發財榮宗耀祖的舊頭腦，舊習慣。

新道統之下的社會，享受教育是現代公民的基本權利：

「教育平等權是現代公民首須享有的公民權，與政治權，經濟權同等重要。現代公民必須擁有政治平等，經濟平等，教育平等三大基本權利，始構成完全的公民權。

「享受教育是做公民的基本權利，教育應不爲貴族所專有。教育應爲公民平等共享的權利。人人應受教育，在民主時代，此一原則應被重視。教育不應爲富有者所獨佔。因此，貧苦人民如何獲得平等享受教育的機會，是今日一大課題。在民主制度下應如何保障貧苦人民使有接受平等教育的機會，中等以下學校，應爲義務教育，大學及專科以上學校，應規定半數以上名額給予貧民子弟免費入學。中國古時有科舉制度，貧苦子弟儘可苦讀寒窗，一舉成名。但今日教育，非入學校，無法接受現代教育。貧苦子弟既無法升入專科大學，自須仰賴國家負担此項用費，國家倘不負担此種責任，貧苦人民即從而喪失享有高等教育的權利。一個民主國家對於教育機會均等的原則，是應貫徹的。」

這樣的新教育，對青年採取十分珍惜的態度，堅決反對誘使學生參加政治運動。「懇切要求國家社會，珍惜青年學生的光陰與學業，萬勿驅使青年學生從事並非他們志願的政治活動。」

六、光芒從東方來！

這個新道統從東方開始，以中國爲出發點，成爲東方的光芒，世界的明燈。它的光芒，自中國至亞洲，自東方而西方，至全球，直至世界的永遠。

新道統以倫理道德完成中華民族的現代民族精神，以民主制度及民主生活方式，結束中國幾千年來的專制政治，以科學文明建設新社會，新國家，以接替數千年相傳的落後社會。以建設經濟生活改善國民生活，使之享有現代化的經濟制度之下的豐滿生活，以全面的新教育給全民以充分教育機會，培養民族的好德性及豐富的新知識。

新道統的指標在向來自西方及中國舊傳統所遺留下來的罪惡，極權，落後，貧窮，無知挑戰，掃除舊污，重建新基，使中國在地球上成爲新國家，作爲世界各國的好榜樣。

新道統不只是提供了遠大的方向與正確的指標，更有完整的思想體系——新儒學，這在以下的各章還要分別說明。（本章完）

漢文，漢字，漢學

陳曼卿

口語經過圖文、書面的記錄，很容易引起人們再次見到時的一種聯想，同時可以流傳很遠。有了諧聲（循聲）一類的文字，漸漸才使口語趨於固定使用，語言因圖文的記錄，一部份文字也由此獲得定形，文字語言，語言文字，有如黏上了綫，掛上了鈎，揆其原因，而是相因相成的，這時可稱之爲「字式」與「字音」的共同時代。文字語言相互接近，也逐漸趨於精密，跟着產生了一些新的文字，例如口語中的簡單雙音語詞或詞彙，（由單音「詞素」的合成詞，）文字因此就成了記錄上的重要工具了。

最初還是以圖畫文字，按照一定方式書寫語言的符號，每一符號，僅能表示詞，或「詞素」的音。但對於「音節詞」，和一些輔助詞，這在早期來說，還是要加以省畧的。因此之故，文字與口語，仍然存有相當的距離。也就是說，只有單純的表音（音符）文字，還是不能使語言在文字上使人獲得滿意！祇不過較之早一時期方便罷了。事實上，還得要有「音義」兩用，以及表義的（義符）文字，包括修詞，才能打通這一關節，適合語言與代表語言。

可是，文字的創造，決不是如此簡單，還須得一個一個地去慢慢摸索。一旦發明了「音義」文字的使用時（諸如重言、叠字、雙聲、叠韵等音義字），這才又使文字再跨進一步。

以此，由於初期的「指事」，「象形」，加上「字式，字音」共用時代的「會意，諧聲」，一稱循聲，以及最後一段的「音義」和「表意」，「意符」的文字，即完成期的「轉注」，「假借」，就是直到所謂「六書」都齊全了的時候。

但我在這裏謹慎的下一決斷；上述種種語文的接合，以及有關進化和演變的歷程，是直到漢代，才算眞正的達到初步的完美發展。由於長時期的不斷改進，使字形已具有完美的目藝，可以「目治」，望其形，也可以知意了。

以夫音韵的協調，「文」的詞義達到簡潔程度，各種「實詞」，諸如：數詞，名詞，動詞，助動詞，形容詞。「半實詞」的副詞。「半虛詞」的代詞，繫詞。「虛詞」中的「聯結詞」，「語氣詞」，「氣號」等。還有什麼「介叙詞」，「感歎詞」，「連繫詞」，「語助詞」，這些等等的應用文字，都齊備了。能於使用時可以幫助文思，和氣韵的流暢圓轉。但是，這已不知經過了幾許的艱辛，幾多人的努力，就是抄書，也要會抄才咧！如果是「人云亦云」的資料不去辨別、鑑定，那何異孔子所云「學而不思」呢？

反切字母的由來

中國文字何以久久停滯在「表意」的這一階段上？揆其原因，也是在漢代。當東漢年間，佛教傳入中國，那時正當宦官，黨錮，門閥，世家，相互傾軋最利害的時候。漢字本來就是掌握在少數人的手裏，但一般暗流（反語）却應運而生了。惟因「反、切」多與「雙聲」，「叠韵」相關聯。實亦偶爾發明（見前次一文中引應劭注：「漢書地理志」條，應爲東漢末年人，因黃巾之亂，燒殺擄掠，天下皆罹其禍，劭輯輯羣書殘卷，後人每以「稗官野史」目之，故不爲人所注意！）魏之鄴下文學，具「雙聲」，「叠韵」文者甚夥，孫炎集當時流行語造「反切」，皆知其然而不知其所以然，晉之李登，乃後呂靜，六朝周顒，沈約復大演其緒。（十六）

論詩雜碎

寒操

清詞麗句寫幽靜。抗手何人與阮亭。蘊藉風流秋柳詠，讀來中夜賽簫聲。

成仁匪易有當原。念及妻孥鼻已酸。艾灼眉頭名懺痛。廣山應有愧梅村。

魂潔情芳李杜篇。千秋重讀感新鮮。論詩秋谷嫌猶淺。未悟詩音異管絃。

「一生總有關心事。萬物都爲過眼緣。」儒釋融通拈句好。船山奇慧出心源。

竟謂夕陽曾勸客。更看山色會將秋。天生仲則眞情種。月夕花朝總釀愁。

說理言情總務眞。自爲機杼不猶人。詩聲雅愛巢經閣。獨步黔山一鄭珍。

傲俗哀時抵死狂。定庵奇語每荒唐。衰門欲殺憐偏我。正賞强梁永不降。

人天長隔悵空幃。結髮神傷至極悲。句寫深情奇伯子。「草根無泪不能肥。」

懸月照江明佛性。落花盈鉢亂禪心。大悲高慧超人悟。奇絕玄瑛七字吟。

「一水飲人分冷暖。衆花經雨有安危。」句融悲智歆星海。卓犖詩功未易躋。

嶺雲海日死難忘。無力回天膽慨慷。倉海自名知痛憤。詩聲早已叱尊王。

瓦石如含志未窮。雅堂沉毅亦詩雄。信心不逐橫流改。還我河山指顧中。

復生思豈限勤王。破網衝羅走大荒。獄裏橫刀向天笑。詩聲悲徹莽蒼蒼。

雲鄉高臥領清流。詩蘊風花一代愁。「我已入山無出理。」高吟今尚憶榮州。

珠玉雙聯誇漢壽。便便腹笥炫樊山。春明鬬句徒纖巧。難免詩宮愧素餐。

結廬人境嘆羣迷。故國山河悵落暉。刻意傷春同杜牧。怕聞鳩作盡情啼。

目空一切素王狂。詩霸人驚萬木堂。「括地無書思補讐。」莊周應尚遜荒唐。

舉世都狂欲語誰。筆端常有熱情隨。看雲袖手吟長短。心怯終藏博浪椎。

情有難言空悵惘。出無所詣墮旁皇。羅癭隱痛誰堪語。碣渤詩人榜墓旁。

殘暉愁對感途窮。詩到同光枉費工。別有壯聲興草野。應時南社奏膚功。

葭慶寂但耽詩。自愛孤高不媚時。「文教滅亡何有地。」憤看儒道日陵夷。

派衍江西此殿軍。散原肝膽鬱輪囷。情廬泣血椎心句。眞箇千秋至性人。

使氣矜才自詡高。海藏一叟信詩豪。却憐終昧春秋義。東魯遺書枉啜糟。

總爲勞心爭席誤。何如放意作詩高。悠悠精衛難填恨。每爲詩壇惜此豪。

「殘陽滿地林鴉亂。廢壘無人野兎尊。」政海無情卿亦誤。空餘高唱尚流傳。

「不爲湯武非人子」。熱淚南逃拜孝陵。革命詩輝民國史。三原歌哭壯天聲。

「秋雨秋風愁煞人」。鑑湖秋俠膽輪囷。犧牲神聖空前史。端合詩魂傍岳墳。（四）

中俄阿爾巴金之戰

——俄帝侵華戰史研究之一——

羅雲家

二十四年正月，彭春等率軍赴璦琿，鞏固後防，五月彭春、薩布素、溫岱納等，統水陸大軍五千餘人，疾赴阿爾巴金，進攻之前，仍先致書勸俄將投降，免於用兵。俄將拒不答復。我軍遂分兩路，聯合攻擊，各種火炮一百九十餘門，列炮齊發，三日間盡燬其城堡，俄軍死傷甚衆。其初俄軍亦力加抵抗，一因城寨不固，不備守勢條件，又因衆寡懸殊，且無後備力量，俄將終於遣人持白旗出城請降，願收兵撤至尼布楚城，彭春許之。又俄將投降之日，其副將巴什里及從兵四十餘人，不願隨去，志願降於清軍，亦許之。此輩後來解至北京，康熙令編爲皇室衛隊，高鼻深目的異種，着滿洲式軍裝，別饒其趣。阿爾巴金既被克服，彭春命舉火焚寨，填塞水源，奏凱還師。留副都統溫岱納領兵二千，駐於璦琿，薩布素駐軍墨爾根，監視俄人，領護地方。

乙、第二次攻擊：

滿清軍隊回師，俄軍復據阿爾巴金，整修營壘，招集流亡，柵寨高二丈，闊二丈八尺，頗爲堅牢，柵外深掘壕溝，壕外密佈木樁鹿角等障碍物，以防來襲。又一面於城外墾植田畝，充實粮源，大有準備久居之意。嘯聚軍隊共七百三十六人，炮類九門，大小炸彈五百顆，馬匹牛羊等三百餘，軍容較前爲盛，暴掠搶刦，一如以往。俄軍重來消息報至京師，康熙帝大爲震怒，決議剿除羅剎方畧。二十五年（一六八六）六月，命薩布素統陸軍三千，水師船舶一百五十，合計不下五六千人，大小火炮二百餘門。其中有金門藤牌兵五百，由周全斌率領，周爲金門浦邊人，台灣鄭經之部將（按：前有謂係台灣藤牌兵者，誤）。清軍直迫阿爾巴金，前哨距俄軍半里之遙，笑罵相聞。清軍發炮攻擊，俄軍憑恃堅固工事抵抗，滿軍頗有死傷。八月初，清軍迫至城下，欲據其城，不意俄軍逆襲，雙方均有傷亡，此役俄守將托爾布金中彈死，副將巴伊丁代之。包圍又將月餘，俄軍終於不支，城內疫癘流行，日有死亡，而尼布楚援軍又遲遲不來，更因爲俄軍種植穀物，悉被清軍刈除淨盡，粮源又成了問題。至九月間，約其開城投降，俄將不應，但是這種困獸之鬥，畢竟也支持不了多久，外困內疲，非降即死。城內東正教神甫，臨街呼天祈禱，效驗亦不著。

正當俄軍阽危之際，不意中俄兩國在外交上又有新的發展，適有俄使人名伏恩可夫者來北京，上書請和，畧稱：「中國屢賜書本國，但無能通曉者，今既知兩國邊人搆兵，應予和解」。其使人並稱：「本國已派使臣於途，前來定界，請中國先解雅克薩城之圍」原來戰端之初，滿清政府先後兩次致書俄國，責其暴狀，當時俄皇彼得大帝新立，由其姊蘇菲亞攝政，以爲遠東戰地遼遠，交通梗阻，不能應緩急，如果戰事延長終必失敗，乃有求和之議。康熙帝慨允所請，命薩布素暫且罷兵。明年春，全軍撤駐璦琿。此役俄國遭受重懲，侵畧方向因之而又折轉西歐，百餘年來未敢再犯我國北邊。（三）

軍事勝利中的屈辱條約

中外訂立約章，除康熙元年鄭成功迫荷蘭訂立和約外，以尼布楚條約爲最早。

村姑

——戰地散記之一——

志文

很長很長的頭髮，披散在背後面。臉上不施粉，不塗脂，却是白白嫩嫩的。着上白色的上衣，緊身的長褲子，從那兒看都是順眼的。沒有突起的胸脯，沒有誘惑的屁股。

這是誰？這就是村姑。

村姑有純潔的心腸，有勤勞的習氣。每天不是在猪欄裏，就是在田地上。從早到晚，就是那麼不停的，辛勤的勞動着。大担大担的挑着，大桶水大桶水的挑着。

有一次，我在井邊洗衣服，村姑担了兩個桶過來。把井裏水汲上來，倒在桶裏。兩大桶裝得滿滿的。我望着她時，她衝着我笑。

「你挑得起吧？」我說。

「這一點，自然挑得起的。」

她挑起來輕鬆而隨便，就像我們散步一樣。

於是，她第二次來取水時，我就說：「這兩大桶水我也挑得起的。」

「那不把你壓倒在地上才怪。」

她這樣瞧不起我，我是男人，我個子比她高。我鼓着嘴說：

「我一定挑得起的，你不相信吧？」

「我自然不相信的。」

我把洗的衣服放在一邊，說：

「我現在就挑給你看。雖然我剛從學校出來，什麼都不使力氣。但我還是挑得動的。」

她汲好了水，把扁担遞給我。

我挑了，就像千斤重似的。我咬緊牙根，總算挑了起來。

她笑着說：「這比你們的筆桿要重的多。」

「自然，」我說：「以前我是握筆桿，現在却握槍桿了。」

「但你不像握槍桿的。文質彬彬的。」

「你那樣瞧不起人？」

「不是瞧不起，而是——」

村姑並不識得多少字，多是小學畢業的。但她們有種原始的聰明，會編織各種絲帶，又會編織好看的毛線衣。

當我的女友妮妮寄來毛線時，村姑看到，她問我：

「要不要織毛衣？」

「你會織吧？」

「會織。」她說：「不過我是用手織，不是用機器的。」（上）

我愛柳文

漁翁

當永貞元年，柳與韓泰，韓曄，劉禹錫，陳諫，凌準，程异，韋執誼等，皆以附王叔文貶，號「八司馬」。凌準與執誼，皆卒於貶所。程先見用。餘四人，於元和十年，與柳皆例召至京師，又皆出爲刺史，柳爲柳州，泰爲漳州，曄爲汀州，禹錫爲連州，諫爲封州。柳六月到柳州，在永州之上游，屬今廣西，據爲荒蠻之地，柳登城樓，萬感交集。觀所寄漳，汀，封，連四州之詩，則知其柔腸九轉，較在永州苦悶多矣。

「城上高樓接大荒，海天愁思正茫茫，驚風亂颭芙蓉水，密雨斜侵薜荔牆。嶺樹重遮千里目，江流曲似九迴腸。共來百粵文身地，猶自音書滯一鄉」。

同遭遠斥，各處一方，此登樓覽景慕同類也，言樓高與大荒相接，海天空濶，愁思無窮，令人不忍卒讀。

入柳後，因種柳而戲題一首云：「柳州柳刺史，種柳柳江邊。談笑爲故事，推移成昔年。垂陰當覆地，聳幹會參天。好作思人樹，慚無惠化傳」。又在城西北隅種甘樹有賦：「手種黃甘二百株，春來新葉徧城隅。方同楚客憐皇樹，不學荊州利木奴。幾歲開花聞噴雪，何人摘實見垂珠。若教坐待成林日，滋味還堪養老夫。」

官柳州之時間，不及永州之長，故寫作不及在永之多。而無論永州柳州，至今對柳仍備極崇拜焉。

在八司馬中，柳與劉禹錫交最厚，同年舉進士。劉謫連州，屬粵東，柳貶柳州，屬粵西，同至衡陽分道時，依依有不忍別者。柳有「十年顦顇到秦京，誰料翻爲嶺外行」句。而劉亦云：「去國十年同赴召，渡湘千里又分歧」。又重別夢得（禹錫字）一首：「二十年來萬事同，今朝岐路忽西東；皇恩若許歸田去，晚歲當爲鄰舍翁」。足見柳求歸不得，思鄉之情，溢於言表。

柳病，自知不起，以書屬劉禹錫曰：「我不幸以謫死，以遺草累故人」。禹錫遂編次爲四十五通行於世。韓退之爲之誌其墓，且以書弔之曰：「哀哉！若人之不淑！吾嘗評其文，雄深雅健，似司馬子長」。其推重有如是者。

柳沒後，據夢得集故址已廢，有傷愚溪三首，並云：「子厚謫永州，得勝地，結茅樹蔬，爲沼沚，爲臺榭，目曰愚溪。子厚沒後三年，有僧遊零陵，告余曰：愚溪無復曩時矣！一聞僧言，悲不能自勝，遂以所聞，爲七言以寄恨」。詩曰：

溪水悠悠春自來，草堂無主燕飛回，隔簾唯見中庭草，一樹山榴依舊開。

草聖數行留斷壁，木奴千樹屬鄰家，唯見里門通德榜，殘陽寂歷出樵車。

柳門竹巷依依在，野草青苔日日多。縱有鄰人解吹笛，山陽舊侶更誰過。

零陵人感柳之德化，建祠於愚溪上，名「柳子廟」；而愚溪之旁，現有「愚莊」，[illegible]乃唐生智當日之別墅，[illegible]壯麗，與柳之結茅樹蔬迥異，殆亦智而愚者歟！

柳之文章，優於詩歌。在中朝時，尚有六朝規矩，至永州後，始以三代爲師，下筆高妙，一日千里。自謂貶官以來，無所事事，乃得馳騁文章；不僅柳天資高，學力厚，而又得佳山水爲之助，相與感發而成佳構焉。

唐後之詩文大家，評論柳之作品，均稱許不已。蘇東坡云：「子厚之文，發纖濃於古簡，寄至味於淡泊，非餘子所及」。又云「詩在陶淵明下，韋蘇上。退之豪放奇險則過之，而溫麗靖深不及也」？

呂居仁云：「韓退之文，渾大廣遠難窺測。柳子厚之文，分明見規摹次第。初學者，當先學柳文後，熟韓文則工夫自易爾。」

陳長方云：「淮西一事，謎之作碑，子厚作雅，逞其餘力，便覺退之不逮子厚，直一日千里。」

邵氏聞見錄云：「韓退之文自經中來，柳子厚之文，自史中來」。

余以柳之文章，一半收遷謫之功，一半得山水之助，蓋一洗浮誇之氣，文因愁工，言從字順，遂登峯而造極。（下）

梁山伯與祝英台

——「影劇與歷史」之一

周遊

我們可以考知，「梁祝」的悲劇公式是脫胎於「搜神記」中「韓馮夫婦化蝴蝶」故事而來；也就是樂府中的「華山畿」。韓馮故事爲春秋戰國時代的民間故事，而且牽涉到官方。故事：韓馮夫婦爲平民，其妻息氏美而賢。一日息氏在桑園採桑，被宋康王出狩看見，便强行擄之而去。又將其夫韓馮處死，以絕息氏之念。但息氏一心殉夫，乃破中指寫下血書一封，委婉呈辭，意欲死後得將他夫妻合塚而葬。旋即在春陵台上墮下而死。康王得書，老羞成怒，偏偏將其夫婦分葬於一箭之地，使他倆相見而不能相親，相望而不能相及。乃其後韓馮夫婦墓上，各生出柳樹一株，相傾相抱，樹上且有一對「鴛鴦鳥」築巢其上。此一對鴛鴦鳥即爲韓馮夫婦死後所化云。

是以川劇的「梁祝」，即名「柳蔭記」，即根據此而來。川劇「梁祝」的收束，并即是梁祝墳上長出二株柳樹相抱，其上巢居一對鴛鴦鳥。與韓馮故事皆同。川人呼鴛鴦鳥爲梁山伯與祝英台——，頭上紅冠者爲山伯，無冠者爲英台。由此可見「梁祝」故事的公式，乃脫胎於韓馮故事。

但如果掀起他們的神祕面紗，英台乃是哭的悲感哀慟而氣絕，或者碰墓而殉情。這就是說，英台是山伯墓前自殺的！死後地方官吏憫其節烈，以之合塚，並封爲「義婦塚」。

至於浙東地方以及山伯墳墓附近有蝴蝶，那是很自然的；不附會有蝴蝶附會什麼鳥還不是一樣嗎？這是不足爲怪的。

「梁祝」情史除了影劇及以上所述各地方戲之外，在粘嶺尚有一篇中國最長的山歌，全文長達一萬三千五百字，可與沙士比亞詩劇媲美；可惜不是出自名家手筆，故不得彰。歌中除七字唱詞外，尚有「十想郎」（祝唱），「十歎」（梁唱），「十送郎」（梁祝互唱），「十二月相思」（梁臨終時唱），「十哭郎」（祝祭墳時唱），「歎五更」（梁祝均有獨唱）。而英台棄異而唱時，有一段：

「見過爹娘進繡房，打開箱籠換衣裳。上身穿起紅綾襖，八幅羅裙色姜黃。」

此與「木蘭辭」的「開我東閣門，坐我舊時床……當窗理雲鬢，對鏡貼花黃……。」其措辭無何軒輕。

「梁祝」不僅在中國流傳至廣，而且他們還飄洋過海，到了歐洲大陸、朝鮮半島，南洋各地。朝鮮將男主角梁山伯改名張福，女主角祝英台改名王禮了。劇名爲「誓言」。他們求學的塲所亦是在中國的私塾。她除了隆胸和蹲身小便之外，還在河中沐浴，而被男生窺破，加以追逐。悲劇下塲與中國梁祝相同。他們死後的化身是一對鴛鴦，墓上生樹相抱，全然同於川劇「柳蔭記」。如果不是脫胎於「搜神記」中的韓馮故事，就是將川劇「柳蔭記」譯去的，尤其以後者最可能。不然何以與川劇「柳蔭記」相同？

「梁祝」在法國，是由劉小蕙將朝鮮的「誓言」譯成法文的。而南洋各地則又將法文「誓言」翻回中文，演爲歌劇。陳定山「春申舊聞」的記述，他根據法國一個友人的報導所說：邇來法國有三種戲在巴黎演出，其二是凱旋門的電影院，演出中國五彩電影「梁山伯與祝英台」，全部紹興演唱，彩色配音，可以媲美好來塢。……」又據法國一位名伶評論說：「自中國戲演出後，歐洲戲藝術已等於零，必須從頭改造云云。」（見陳定山「春申舊聞」續集）南洋各地所改編演出的，多爲歌劇及話劇。（三）

裊梨室劇談

雲想衣裳花想容

谿公

同年九月應「天昇」之聘再度遊津，同行者有程繼先（亦作繼仙，係故伶聖大老板之孫，小生之巨匠也。）李壽山，諸茹香，及羅福山諸名伶。亡友袁寒雲（克文）時亦在津，賡生特煩其幫忙，客串「玉堂春」劇中之潘必正！程繼先去王金龍，遏雲去蘇三，而自去劉東義；配搭之佳，一時無兩。以故上座特盛，除增加了若干臨時座位外，並且有不少出錢站着看的人。

他（她）們這一天，無疑的都在「卯上」！對於一字一音，乃至每一個小動作，均以全副精神及技巧出之。這在旁的脚色，也還沒有什麼，可是跪在那裏唱上幾刻鐘的蘇三（章遏雲），儘管獲致許多「鬧堂彩」，兩個膝蓋，實在是夠辛苦的。

但不管怎樣，她總得好好的唱，否則回到寓處，她那晚娘式的惡姨娘，又要咬着牙齒擰她的肉了。（若問她那姨娘，憑着什麼要虐待她至於此極？那可是一個謎。）

因之，吾友張聊止先生，曾經贈以詩云：

「急管繁絃子夜聲，遏雲迴雪總關情；遙知車馬紛馳後，尚有餘音逐耳鳴」。

她這一期的成績，較之上次，無疑的更有長足之進展。同時並有某名士，特地爲她編「芙蓉劍」一劇，劇情是這樣的：

「明季退職部郎王必貴，有女潤貞字瓊奴，生而慧美；偶於園中遇神尼授以劍術，空空兒所不迨也。年十四，艷名噪於時，鄉宦徐、劉二氏子爭欲娶之，王不能決。遂於花朝宴二子試令爲文。徐氏子（若郎）一揮而就，劉氏子（漢生）但識之無，羞憤亡去，因以巨金賄縣令，誣王通匪逮錮之，並以非刑逼供。必貴忿恚而死！令猶不捨，竟指瓊奴母女爲罪人妻孥，徙之南粵。雖幸而遇赦，而路遠無力還鄉，遂於道旁賣酒以糊口。有吳指揮者勢逼利誘，無所不用其極！時徐若郎適奉遼東總鎮命赴粵公幹，途遇王氏母女，不期悲喜交集，遂於旅次完婚，將携以俱北。吳愈賄囑邑令，誣徐逃兵，斃之杖下！母女大悲，顧亦無如之何。值新巡撫巡閱至該邑，瓊奴泣請雪冤；而事無佐證，巡撫却之。瓊遂作男子裝，訪仇人揮劍斬之，亦自殺也！巡撫欽其節烈，特爲請旨旌表，千金饋其母焉」。（二）

紂不是暴君嗎

匡謬

孔子的態度非常嚴謹，文獻不足徵的，他絕不採信，筆則筆，削則削，並不是隨便採信讕言。而且諸子百家爭鳴，根本不必忌諱，不是如三國以後的史官那樣迴護筆法；他們既不見忌諱於周人，更不有惡於殷人。在先秦諸子之中，也有殷人的學者及其著述。周亡殷，武王封紂子武庚、祿父以續殷祀。武庚叛，周公誅之，又命微子開代殷後，奉其先祀，封其國於宋。微子開率，立其弟衍，是爲微仲。可見殷人世爲長侯，守殷帝祀，相奉桑林。殷人並沒有被殺光。（二）

內政部台報字第〇三壹號內銷證

自由報

THE FREE NEWS

第五二七期

中華民國僑務委員會稽核證
台教新字第三三五號登記證
中華郵政台字第一二八〇號執照登記爲第一類新聞紙類
（每星期六出版）

每份港幣壹角
台灣零售價新台幣壹元

社長：雷嘯岑
督印人：黃行密

社址：香港銅鑼灣高士威道二十號三樓
20 CAUSEWAY RD 3RD FL. HONG KONG
TEL. 771726　電報掛號：7191
承印者：四庫印刷廠
地址：香港灣仔高士打道一二一號

台灣分社
台北市南京東路一段二號二樓
電話：三〇三四六
台郵撥帳戶二九二五

中國傳統社會的底蘊

韋政通

傳記文學四卷二期有劉健羣先生「三個難忘的父母官」一文：使我們從這三個父母官的性格，作爲，以及後來的遭遇，可以窺測到中國傳統社會一部分的底蘊。

第一個父母官叫袁季九，「拿新名詞來說，他是屬於熱心教育和經濟建設的一類。」那還是清朝末年，他就能在民風閉塞的貴州遵義縣開辦新學堂，他的刻苦與熱忱，可以比擬武訓。但爲了擴充校舍，利用廟產，打破菩薩神像，竟犯了衆怒而遭到愚夫愚婦們「頭上頂香盤，沿街哀祝咒罵。」又爲了解决孤兒，乞丐，以及貧苦失學青年的問題，於是創辦了一所百藝工廠，規模大得可以容納二三千人。可是這偌大的工廠，後來竟因在一場大雨中，山洪暴發，就被水淹沒了；這使當地人民乘機對他大加報復，說他得罪了天，無可饒恕。這位好事的父母官只好被逼離去。全縣有許多人，還準備提一罐大糞，潑他的八人大轎。

第二個父母官姓戴名鏡湖，大概對黃老之學略窺門徑，所以他的作風是多一事不如少一事，一切以不擾民爲主，所以甚麼事業也不興辦，但老百姓都稱他爲好官，不要錢，有的甚至喊他「戴青天」。調任的時候，縣民都自動擺了香案相迎。

第三個父母官，作者已忘其名。他對地方事業也是「消極無爲」，對自己的生活享受却十分積極，吃酒，打牌，販毒，玩小旦，無所不爲。老百姓斡甚麼他也不管，因此齋公齋婆，頂禮上香，得其所哉，大稱父母官便民。後來這位縣太爺因生風流病死了，老百姓却爲他修了兩座青石牌坊，使他永垂不朽。

××

從第一個父母官的遭遇，可充分看出傳統社會民智的閉塞。他們永遠生活在古老的甚至虛妄的美夢中，對任何能影響簡陋現狀的事物都不能接納。他們現實生活艱困，却靠種種迷信作痲醉劑，迫使人們的欲望減少到最低限度。他們不知改變現實，永遠生活在半死不活中，却自認是奉行「樂天知命，知足常樂」的聖訓。他們不特中了迷信的毒，而且也受了道學夫子的騙。「君子食無求飽，居無求安」！如果由執政者擴大要求之於人，則人民所受者與桀紂暴政無異。因此，中國民間民智的閉塞，倡言堯舜三代歷史退化觀的聖賢們，實不能辭其咎；中國老百姓寧可安於簡陋，而不知改變現實；士大夫則喜歡空口談心性，置四海之困窮而不言。士大夫與庶民兩極相安之勢的形成，其中一部分的原因，不能不說是由於孟子勞心勞力之分，而造成技藝工匠之屬一直不爲士大夫所重，於是不得不安於簡陋。明乎此，則袁季九所挑戰的對象，不只是貴州一角，而是整個社會傳統，他的失敗是必然的，但我們不能不尊他爲中國現代的先驅。

從第二個父母官的遭遇，可以使我們認識傳統的社會，是一個崇尚消極無爲的社會。在這樣的社會中，凡是一個好的官吏，多少帶幾分黃老氣。這一事實，正足反證中國的傳統文化，就個人生活情調，和社會風氣言，是一儒道合流的文化（若從政治言，則是一儒法合流的文化）。儒家的中心觀念——仁，本質上有積極意義，但在道佛與儒家三教交融後，儒家的本質，却受了道佛的影響，亦被限制在消極的形態中表現。歷代儒者，斥道，闢佛，但却始終翻不上來。這是中國文化的不幸。三教合流的情形，在傳統社會中所表現的，要比較讀思想史從觀念上所得的，明晰而豐富得多。因此中國社會的崇尚消極無爲，說它是因三教合流的反映，恐怕更接近事實。在這樣的社會中，大部分的人心，像西方中世紀一樣，是貫注浸潤在現實生活以外的天地裏，你要企圖將他們拉回現實來，這要在社會各方面經過革命性的重大變化才行，否則那就只能像戴鏡湖一樣，無爲而治，才能適應他們閉鎖的心理狀態。歷史上那些被尊爲青天大老爺的父母官，用現代人的眼光看，絕大多數都是現代化的絆腳石。

就第三個父母官看，傳統的社會實是一個不容易見眞是非的社會。像這樣一個風流腐化的縣太爺，結果却受到人民普遍的歌頌，並在地方上留下兩座青石牌坊！這可以使我們聯想到，中國各地象徵中國文化和人類理性的牌坊，至少有一部分骨子裏正象徵着中國社會的醜惡和人民的無知。揭穿了眞令人鼻酸！中國老百姓爲何對是非判斷的能力特別差？爲何如此容易受欺？其種因自然是由於那古老的聖訓。中國自孔子留下「民可使由之，不可使知之」的教訓以後，一直是把人民培養成羔羊的路上走。大家只知道秦始皇有過愚民政策，事實上中國兩千多年的專制統治一貫的目標也是愚民政策；其不同的只是在達到的方式：秦始皇是想用暴力達成，歷代統治者則是想以教化做幌子來徐徐達成。

中國思想的主流，本質上是理性主義的，但因它對專制的專橫沒有適當的對策，久而久之，就只好在統治者的宰制利用中，被動地成爲促成愚民政策的助力。愚民政策的主要目的之一，就是使人民不具備尖銳的對是非判斷的能力，然後只要經過簡單的欺騙方式——例如種種教條的束縛！就能達成長期統治的目的。這是一個迹近僵化的社會，一切停滯不前的社會，人們都用傳統風習、教條作成藩籬，藏身於其中，任何觸動他藩身的力量，都會被視爲一種侵害，而加以抗阻。要想這樣的社會走上現代化的道路，眞需要天翻地覆的工力，但當然并不同於毛共今日在大陸那種昏天黑地的胡作非爲。半世紀以來，中國民主政治實踐的可笑，以及其他種種社會改革之不見有成，在這裏不難尋出一部分的答案。

自由談

談「士氣」

馮五先生

這兒的所謂「士氣」，并非指軍隊裏擐甲荷戈之士的氣慨，乃是對於社會上一般士大夫和知識青年們有所感而發也。

毫無疑問的事實，古往今來國家治亂興亡之所以然，一般知識份子的關係很大。舉凡創業垂統的英雄豪傑，承祚繼志的帝皇貴冑，其事功之成敗得失，無一不是受着知識份子的直接影響所致。士大夫的品類亦殊複雜，他們的思想言行，每每構成一時的社會風氣，終且陷國家於治亂興亡之境。一治一亂，或興或亡的關鍵，就在當時的社會士氣，是具有正義血性的君子之風盛行呢？抑係乖戾邪僻的小人得志？

尤其是國運艱危、企求中興之際，更需要社會上充溢着大義凛然，臨難不苟的蓬勃士氣，人人以天下爲己任，視國事爲家事，辨邪正，明是非，知恥自愛，有所不爲，而對於政治問題特別關心，暢所欲言，這樣就自然表現興國氣象了。

小人道長，君子道消，如明末馬士英、阮大鋮之流的奸險人物當權，固然非亡國不可。即如秦政之腹非買禍，道路以目，使一般士大夫對政治問題箝口結舌，不敢稍加議論，而形成「封閉的社會」狀態，亦屬敗亡之徵。四十年前，常見諸大小都市，茶樓酒館的客座墻壁間，張貼着「莫談國事」的標語，便係人心思亂的現象，反映着當時軍閥時代之暴虐統治，社會大衆皆抱「國家事管它娘」的消極心情，但求馳逐於聲色狗馬的享樂生活環境中，得過且過。同時一般富有正義感與救國熱情的知識青年，却以能參預當時侷促於廣州一隅而實力微弱的國民革命行列爲榮幸，北洋軍閥政府之潰滅命運，已由這股士氣决定了。

因此我盼望自由中國的知識份子，大家以復興國家的英雄豪傑自居，不特對政治問題要作建設性的暢所欲言，即對於社會上一些有害無益的事與人，亦須以打抱不平的勇氣，盡力掃蕩，毋使滋蔓，貞下起元，國魂大振，共禍不足平也。士氣之重要若是，可不勉乎！

東南亞

針鋒相對

魔樂魔舞

今日與明日

美國發表白皮書

美國政府最近就越南局勢發表白皮書，指責北越共黨策劃侵略南越。其實這是人所共知的了，即是北越共黨政權也並不否認，美國忽然在此時公佈白皮書，眞正的用意當不在指摘北越罪行，而是爲美國轟炸北越基地一事提出辯護。

自從美機出動大炸北越以來，許多左傾份子當權的政府紛紛提出指責，各地又發生反美暴行，尤以所謂亞非中立國家爲甚，美國不得不把個中經過詳細公佈出來，使世人曉得美機炸北越實在不得已。不過美國此舉也還是透露出內心的恇怯！今天的反共鬥爭，是一種義不容辭的事，美國應有當仁不讓的氣慨，一些小的有意破壞誹謗，又何必介意？若是處處顧及這些人的意見，什麼好事都作不成。美國過去的錯誤就是太看重了尼赫魯、蘇加諾、納薩這批小人，把他們的話當作世界輿論，終於陷於四面楚歌之境，追源禍始，還是受了尼赫魯這批小人的害。

越南和談之謠

最近越南和談之說甚囂塵上，據說毛共與越共皆曾向法國提出請求，要戴高樂出面調解越南之戰事，法國也在同英國聯絡，打算要壓迫美國接受和談。美國政府態度還算堅定，發表聲明先決條件是越共軍退出南越。

其實即使越共軍接受美國的條件，和談也萬萬搞不得的。共黨一貫把和談當作鬥爭的武器，與戰爭相輔相成，交替爲用，只要戰爭和談，共黨就算成功了一半，過去中國大陸也就失敗在和談上。今天毛共又把此項辦法用到越南。西方國家以爲毛共求和是怯弱的表現，這是一個絕頂大錯，越南在戰爭中未必會失掉，若開兩次和議就完了。

南越要自愛

南越政局目前已陷入空前的混亂時期，外而戰局失利，內而軍人爭權。阮慶被擠下台任巡迴大使，三軍總司令換了陳文明，一般看法還是過渡時期，稍遲又將換人。軍人中間既缺乏一位衆望所歸的領袖，政府又不能獨立，要靠軍隊的槍桿支持，其情形有如中國北洋政府時期，但是却比北洋政府更糟。因爲北洋政府前後十七年中，還有一些有力的軍人支撐，今天的南越軍人，不僅找不到段祺瑞，曹錕，就是想求一個吳佩孚同張作霖亦不可得了，實在可悲的很。希望南越軍人要努力自愛，捐棄成見，拋除名利，這樣下去勢必要同歸於燼的。

（何如）

訂正

上期本報自由談題目「名實悖戾」，「實」字誤植爲「賓」字，合亟訂正，并向讀者致歉。

編輯部

公路局第二工程處主任舞弊？

公路局有責任把這不名譽的事弄清楚 向社會做一個是非曲直合理合法交代

本報台灣中部記者 熊徵宇

勾結包商 洩漏底價

羅先立當然非常納罕那封信和那些報告何以到了王兆秋的手裏？而他却沒有得到隻字片紙的答覆。於是他從側面打聽研究之下，原來他監工的那包商的預算書中，除排水費一項外，其餘各項工程的底價的詳細數目，都同工程處的預算書完全吻合，分毫不差。他才恍然大悟原來第二工程處事先就勾結了包商洩漏了底價！於是他也就聯想到，既然如此，寫給某首長的報告落在王兆秋的手上，當然也就有其原因了。

接着，那項工程完工時，第二工程處主任王兆秋來了一道命令，飭羅先立按照工程合約十萬元辦理結算。對他那十八次報告中所呈的意見却一字不提。

更妙的，是埔里日月潭綫和文武廟支綫等地的改善路基缺口災害復原工程，第二工程處並未報請上級核准，而以點工方式秘密招標，而承攬這工程的，仍然是那位承包水裏大觀綫的商人。

偷工減料 損毀建築

⑨王兆秋於五十一年負責南投縣水裏鄉油車坑橋（現名普濟橋）工程，係由某包商負責建築，因爲偷工減料，未將「橋台保護基層」打穩，以致該橋尚未完工，橋台保護基層工程卽自行塌陷。王兆秋見此情形，卽向公路局建議，由第二工程區負責點工自辦築建修復；總局同意後，王兆秋於五十三年二月，重新以點工方式復修該橋之橋台保護工程與公路旁之擋土墻。此工程於同年五月完工。

但是化了台幣九十餘萬用點工方式復修的這兩項工程，在完工後的一個多月就陷塌破裂了。

化五萬元 賠償人命

⑩五十二年十二月二十日，因葛樂禮風災冲毀的南投縣頂信義橋之橋頭引導復原工程，第二區工程處，曾以十三萬餘元飭南投第四工務段自辦點工搶修，由該段派邱正直工程師負責。

因爲邱正直在工程進行中尅扣公款，使承包商蔡魚無法應付，致爲各項材料費的債務所逼，走途無路，氣憤而死。

由於蔡魚生前在工程期中每次領欵都是由邱正直轉手交付，所以蔡死以後，邱正直就在蔡妻手中取得私章和工程合約，並且僞蓋七萬餘元之領欵單據報銷。

這件事鬧開後，王兆秋看到事態嚴重，恐怕蔡魚之妻提出控告，派員到蔡家「研究」。經過多種方式，以新台幣五萬元協定賠償。這件事，係由蔡魚的侄兒蔡國顯出面和了。

賠償欵，先交二萬，其餘的是分期交付的。

設材料行 僞造賬目

⑪公路局第二工程處歷年來的修車器材，都是由台中市復興路明記材料行一家供應，每年的交易數字很大。何以如此？乃因王兆秋是這家材料行的大股東。

檢舉人說：只要調查第二工程處汽車材料支出項目，就可以發現每年僞報的賬目多麼駭人。

⑫五十二年，王兆秋搬家到台中市的自治街，所有的室內設備五萬多塊錢，都是由第二工程處以變相的項目開支。

那間房子當然是公欵抵押，而且相當華麗，光是客廳就佔地二十到四十個一榻榻米」。

違法事件 五花八門

檢舉書中對於王兆秋在其任內辦理各地各項工程時，所作的擴大預算，勾結包商，自行圍標，按虛列算，以及抽成圖利與指使包商在工程中偸工減料等被揭發的各種不法行爲，有很多的列舉。

桃花泛濫 大鈔遮羞

⑬凡是涉嫌貪污的案子，似乎都是跟女人和桃色事件分不開，公路局第二工程處主任王兆秋，也脫不了這檔子事情，跟他上級機關的一位有夫之婦攀上了交情。

王兆秋在那個女人的身上幾乎栽了，後來化了二十萬，用在台灣所謂「遮羞費」上。

而且，王主任所付的遮羞費不只這一筆，有人說王兆秋在這一方面所化的錢，數目不下百萬。

我想王兆秋做夢也想不到有一個女人的情書，落在別人的手裏。

這檔子事 得攪清楚

我所寫的這十三項事情，可以說是主要。零零碎碎的還很多。檢舉人掌握得有充份的資料。

就我個人爲這件事所做的，在第二工程處的轄區內各階層的側面訪問中，發現王兆秋的人緣很差，而且有很多人對我提供一些不具體的事件，那些事件，對王兆秋都很不利。

當然，人緣不好，不一定就代表操守壞，但完全沒有優點給工作同仁稱道却是一個行爲上的問題。對於他作業上的領導推行不能說沒有影響。

一個領導人員完全憑職位領導工作而不能獲得同仁的精誠合作，在公務上却是一種很大的損失。

這件事，不管省議會如何處理，我覺得既然已經鬧開了總得有個結論；報紙是社會的公器，新聞記者所追求的是事實的是非，所以我們希望公路局本身把這檔子不名譽的事情弄個清楚，向社會做一個是非曲直合理合法的交代。

更希望省級交通單位的最高主管首長陳聲簧先生不忽視這件事，循着程序，澈底調查，在事件的是非結論中提出適當的處理。

我想以廉能公正見稱的陳處長，不會容忍此一事件在是非不淸的狀態中存在。

（下）

風雨飄搖話越南

匡正

二次大戰期中，日本佔領越南，並承認越王保大爲皇帝。日本投降後，以共產黨爲主的「越南獨立同盟」稱兵作亂。不久法軍從盟軍手中接管了北緯十六度以南的地區，法越衝突開始發生。法越間的談判長達三年之久，一九四八年，法放棄以越盟爲主的談判對象，轉而支持保大，成立政府。一九五四年，七月二十一日，在日內瓦會議中，簽訂了越南停火協定以後，越南五分之三的土地，和一半的人口，便葬送在北越共黨控制之下。

十七度以南的自由越南，是在美國的援助下，發展成一個自由國家的制度；可是在北越共黨的滲透下，南越內部時有惴惴不安之勢，隨着一次大政變之後，又來多次，政變給自由越南帶來了大大的不幸。

近日自由越南的大學生、僧侶以及軍人、政客正在拼命鬧新的危機，隨時都有陸沉之懼。

二、越南的宗教

越南人的宗教信仰是很濃厚的，教派也很多，大約分之，有下列各教：儒教、天主教、佛教、婆羅門教、回教、基督教、高台教；還有些地方性的教派：如「和好教」、「平川教」等。任何一個國家都有宗教上的派別，這不足爲奇，但是最奇怪的是，教派竟然擁有軍隊，甚至和政府軍對抗，這恐怕是不多見的了。越南就是這樣一個國家。若干教派都擁有自己的軍隊，幷曾一再與政府軍對抗過。越南爲什麼會有這種現象呢？這是由於法國殖民政策的錯誤所造成的。

越南的教派軍，不過是越南教派擁有的私人軍隊，原因爲法國爲防止越南獨立強大起來，所以採取分而治之的手段，美其名曰維持地方治安，其實就是用以對抗政府軍隊的。因此，教派可以對其轄區苛捐雜稅，不接受政府命令等割據狀態。在越南各教派中，勢力最大者有三派：「高台教」、「和好教」、「平遠教」。這三個教派，在越南擁有三百萬信徒，並有曾經訓練的教派軍四萬人，而且對於西貢的警察握有實際的權力。

高台教的設立，其性質與中國北方和長江一帶的「同善社」一般，他們將世界上的所有古聖先賢都列爲崇奉的偶像。它們的首都設在大寧，教宗爲范公稷。這一教派擁有軍隊一萬八千名，爲各教派中勢力最强大者。

「和好教」也是神秘的，不過基本上他們是佛教，勢力稍遜。他們的教派軍曾被政府軍趕出產米的金甌區。

平遠教實在算不得是一個宗教團體，他們乃是假宗教之名，行海盜之實，並控制着警察的實力。

三、「落降頭」的秘密

許多人談到越南婦女雖認爲可愛，但又覺得可怕。因爲他們相信越南婦女「落降頭」的利害。其實那完全是一種錯誤觀念。「落降頭」之謎是有的，那是越南蠻族婦女所行的一種習俗。蠻族婦女僅佔百分之三，她們僻居於北越蠻區，過着原始生活。直到今天爲止，還沒受到文明的洗禮。「落降頭」就是她們原始生活方式之一，也就是她們對男子負心的懲罰方法。

（二）

對籌組反共建國聯盟事 李公權質詢嚴家淦

（本報記者台北航訊）行政院長嚴家淦在立法院答覆吳望伋委員質詢時說：「關於反共建國聯盟會，要召開的，現有好幾位先生在籌備中」。但他在行政院五十五年度施政方針報告中，並未提到這個問題；因此，有好幾位立委提出質詢，其中以李公權委員的質詢最稱嚴厲，頗使嚴氏爲難。

李公權委員質詢說：「看了嚴院長的施政方針，施政報告，同時聽了嚴院長今天（二月十九日）的口頭報告，在這三個文件中，嚴院長都提到一個問題，就是『擴大團結海內外反共力量，爲反共復國共同奮鬥』。所謂團結反共力量，總統於五十二年十一月二十一日，在執政黨一個大會中（按：指九屆全代會）提出了最具體的辦法，就是籌組反共建國聯盟，總統在這個文件中說：『現一切反共準備，旣已接近就緒，而在復國建國整個過程中，尤復經緯萬端，非舉國意志更加集中，才智更加發揮，行動更加一致，不足以迅赴事功，加速勝利。九全大會允宜掌握時機，恢宏襟抱，以與海內外仁人志士，才智俊賢，推誠合作』；並『研擬具體方案，付之實施，並望於最短期內達成此一任務』。總統提出這個辦法，到今天是一年三個月。總統又在五十三年元旦文告中重申這個話，他說：『中正今僅號召組織一個全民性的反共建國聯盟，團結一切大陸、海外、自由基地的反共力量』。總統元旦文告號召到今天又是一年多了」。

李委員說：「去年二月二十八日，也就是立法院新會期第一天復會，嚴院長就此地提出施政方針，關於這個問題，答覆余委員凌雲的質詢，嚴院長答覆的非常確切：『在數個月後當可實現』。到今天差九天又是一年，遠超過數個月」。不但如此，「五十三年四月三十日，行政院還設立一個反共建國聯盟籌備委員會，（按：籌備委員爲谷正綱、陶希聖、余井塘、黃少谷、袁守謙、陳建中、黃伯度等七人。）這個決議到今天又是十個月了」。

五十三年十一月二十八日，「總統又在執政黨的一個會議中第三次談到這件事情，總統說：『對建立反共建國聯盟的問題，要及早籌計，盡力推動，結合海內外志士仁人，青年才俊，來共同爲復國建國的使命而奮鬥』。到今天又是三個月了。總統不僅有三次昭示，今年元旦文告又更進一步談這個問題，總統說：『爲了團結一切大陸、海外，自由基地的反共力量，要籌組一個全民性的反共建國聯盟，今天我願意再一次鄭重的敦促各方志士仁人，共赴國難，參加聯盟，並督促政府，務於今年年內及早籌組完成』。對於這個問題，總統再三再四的昭告叮嚀。行政院作了決議，嚴院長在此莊嚴的答覆：『在數個月後當可實現』，現在我遍看嚴院長三個文件，一個字沒有提。……」

（上）

胡適陳列室落成開放

胡先生逝世三週年之日 千七百餘人往南港憑弔

（本報台北航訊）二月廿四日是「一代學人」胡適之先生逝世三周年紀念日；那天，台北落着濛濛細雨，但仍有一千七百多位各業人士，前往南港憑弔胡先生墓園及參觀胡適紀念館和新落成開放的陳列室。

胡適紀念館和陳列室，原定上午八時才開放的，但在晨六時許，便已到了不少人，其中若干是特自外縣外市趕來的。

那天，胡適紀念館管理委員會全體委員，上午九時到胡先生墓園獻花致敬。胡先生遺孀江冬秀女士，於上午十時稍過，帶着她自己煮的安徽家鄉菜幾味，在她老伴胡先生的墓前供祭，情意殷殷，令人感動。

試為中華創新教—新儒教

論道統第四章

陳健夫

一、中國的宗教

中國五千年來以禮教建立道統，中國沒有宗教的名稱，但有宗教的精神與內容。西方宗教崇拜上帝，而中國的禮教則敬天。可見得中國是以禮教看待爲宗教的。因此，不能說中國沒有宗教。古時皆稱儒爲教，梁啓超說過：「自漢以來，號稱孔子教者，二千餘年於茲矣。」可見得儒就是中國的宗教。這與西方國家的以宗教建立道統的情形是相近的。

宗教是社會文化的產物，成爲大衆化的文化。她是在民間社會生根，自然成長，日久月深，形成牢不可破的力量。尤其基督教，耶穌以一平民，毫無資格地位，而以其先知先覺的先知者姿態出現，拯救世人，爲世上愚昧的衆生走上十字架，爲衆民贖罪。此所以耶穌基督的精神神化而永生於世人的心靈之中。歷二千年而形成今日的一大道統。此一道統，因其基礎深厚，歷史悠久，乃在此世界，無遠勿屆。即是共黨國家，也不可能排斥此一道統的影響。

中國的道統，是以禮教爲中心，這種道統是自堯舜禹湯文武周公而至孔子所形成的。堯舜禹湯文武周公，都是國家的領袖，居於最高的地位，其政治意義重於社會的意義。所以這種禮教歷來與政治結了不解緣，而爲歷代的統治階層所假借運用，以鞏固統治權力，因之禮教成了神聖權威，無人敢離經叛道，對之懷疑。禮教從此便成了進步的阻力而使社會文化停滯不前，這是深可惜的。

西方教會，則與此迴異。自最初耶穌立教之日起便在民間獨立起來，成爲一種社會的影響力。後來的羅馬教皇，更進而保持其獨立的宗教王國，有它的社會組織體系，與政治不發生依附的關係。不管政治上如何的變化，或君主或民主，基督教的道統，却一貫發展，萬古常新，成爲社會大衆的牢不可破的傳統。不管倫敦，巴黎，華盛頓，莫斯科等處的政治中心發生何等的變化，基督教的傳統從無改變或影響。這便是由於這種道統在社會生根的原因，是長遠的生存於大衆心靈之中，牢不可破。

中國古舊的道統，既已崩潰，當前的任務乃是如何建立新道統。這種新道統鑒於前述原因，自應有其社會的根源，從社會生根。宗教是社會的產物，宗教是一種哲學，絕非迷信。尤其今後的新宗教，更純然是一種高尚的哲學，而非神話。社會上流行着一種新哲學，日久月深，便自然形成了一種新宗教。今日世界對宗教應重新認識，不可視宗教爲神秘，更不可將宗教與迷信、神話混爲一談。從前的儒學，在中國社會，無形中便成爲一種宗教。無論其儀式，內容，都是宗教化的。孔子雖不語怪力亂神，但却常提到「天」，書經上也有「上帝」的稱呼。孔子每遇絕境，便指天爲誓，如「子見南子，子路不悅，子曰余所否者天厭之，天厭之。」孔子受人逼迫，便大嚷：「天生德於予，桓其如予何！」很顯著的，孔子也有宗教的教養與生活，如「齋必有明衣，布，必有寢食，長一身有半；齋必變食，居必遷坐。」（論語鄉黨）便是可靠的記載。孔子的門弟子亦稱「天將以夫子爲木鐸」可知孔子在其胸中，自也有他所信奉的一位眞神作爲寄託，孔子稱之爲「天」。孔子又不僅此也，而且將神加以人格化。如孔子所信守的「仁」，以爲己任」的「仁」這個「仁」，便是先天地生的。孔子常說「仁遠乎哉，我欲仁，斯仁至矣。」可知孔子心目中的「仁」，亦人亦神。這便是儒家學說天人合一的精神。孔子每遇絕境，必呼天。可知孔子亦自有神的信仰，只是他平時不像一般的愚夫愚婦那樣去拜拜，去迷信，去依靠神那樣做。論語上說：「子疾病，子路請禱，」子曰有諸？子路對曰，有之。誄曰禱爾于上下神祗。子曰丘之禱久矣。」可見孔子是如何虔誠，在平時的省察，而不在形式的禱告。因其內心之仁，的便時時刻刻與神相通，而非像世俗之人有事時便臨時抱佛脚，唸唸阿彌陀佛。孔子這種解脫超脫的精神，便是宗教精神。誰能說孔子沒有宗教信仰，沒有宗教生活呢？孔子決非無神論者。基督教的福音書上不是說「神就是愛麼？孔子屢屢說到的「仁」，亦是在這等境界中。可知耶穌孔子皆是宗教中的先知先覺。我們爲什麼一定要不認儒學爲宗教呢？古稱儒教，以儒立教，原是有道理的，而且宗教是指有所宗仰的一種崇高教育，是一種高境界的教育（我在第二生命的生命新教育中亦曾論到）西方的 Rebgion. re二個字母拼讀有新生再生的意義，如 reliae, re, ……可知宗教涵義原是給人予新生命。（一一）

漢文，漢字，漢學

陳曼卿

唐末僧守溫三十六字母，可能係依據切字要法（一云「切字指要」）之二十六類增「知徹」，「非敷奉微娘牀」八類」而成。但也有人說：「切字指要」是依據藏文三十字母缺，知徹」的一種說法，應是有道理的。按藏文三十字母，（一稱「別示巴」字母）實亦採自天竺（今印度）梵文合之「西番語」而成。

當貞觀年間，吐蕃（卽今西藏）攻吐谷渾，太宗遣侯君集禦之。雙方化干戈爲玉帛，遂遣文成公主下嫁藏王贊普（公元六四一），漢藏文化乃自茲始。守溫三十六字母之「類隔切」殆已不合當時實際「語音」可證，且有後人僞託之嫌（見近人「敦煌寫本韻學殘卷跋」一文）。

蓋「字母」實乃「切語」通行後，以及四聲轉讀大盛，因漢藏語文而產生。「反切」則爲明瞭「雙聲」、「疊韻」時期之偶爾發明，各皆淵源有自。而「三十六字母」之用作反切「聲母」，與「六書」已并行千餘載，在我們今天看來，確已不足以應付這一時代的需要了。

因此，我們中國這種每一箇字代表一箇音節的單音，孤立，方塊「漢字」。其來歷的艱難困苦，的確是得來十分不易的，構造雖云複雜，但却含有「望文生義」使人看了便能記憶，而有望其形，知其意的美感。

有些人研究漢字，一開口就責備秦漢時人：「說的是一套活話，文字寫的，却是一套死語，使文字語言分了家」。筆者在前次一文中，經已提到，早在兩千年前，楊子法言中也提到過「方言」。說這種話的人，他又那裏知道，在秦漢時期書寫工具的困難和不易？文字本來就是死的，但我們可以活用呀！而戰國秦漢時代，已是一個「僞古、託古、仿古、法古」的時代，他們之能做到當時的那種情形，可以說已經盡了最大的努力。這不是替古人辯護，我們知道，自有文字以來，其演變不外三個階段，一象形，二表意，三拼音。就是歐美現在使用的純爲記音的「拼音」文字。不是「只能寫下人們聽得懂的活的語言，不能用來書寫人們聽不懂的語言」嗎？但也還是經過了「巴比倫，猶太，希臘，拉丁，法文，英文」種種的若干演變過程哩！我們要是把上述幾種文字，早期的記錄翻開來看，大部份也，一樣死去，就不會奇怪了。它們也是相沿着時、地、人、事的需要，而經過多次的改進哩。我們治學，更應當明瞭每一個時代，有每一個時代的背景才行哩。

漢語音韻的趨向

我在這裏準備再提一提「音韻學」上的問題。在一九一五至一九二六年間，瑞典人高本漢（B.Karlgren）他出版了一部原名PHONOLOGIE，是有關他個人研究「中國音韻」的學術報告專籍，他引用歐陸的方法，對中國各地語言曾作了一種深澈的探討，然後循序漸進，作了一次廣泛的研究，因而得來的一種結果，作爲學術界適度的貢獻。

高氏是用「字彙」的方法，發表的，他還列舉了顧炎武、段玉裁、俞樾、孫詒讓、吳大澂等音韻學前輩，古文學家（小學、訓詁）經學大師、考古學家、他們各種不同的成就。而又加以充分應用近代文字語言的新工具，高氏一共列出了「三千多箇字」的聲母，韻母，例字表」。（十七）

論詩雜碎

寒操

鑪錘七字展堂奇。工媲臨川意到時。風節黨人推獨勁。遇風殘葉豈辭枝。

詩壇怪傑推庚白，膽識能輕俗士譏。痛惜奇才難正命，澄心未克去嗔痴。

寒雲詩與曉珠詞。幽怨陳思或似之。茹素飲醇心各苦。才豐命嗇兩能奇。

力追魏晉大凝堂。題咏江山雅擅場。千載湘中奇女傑，固應生色爲紅裳。

新詩首倡勇無倫。嘗試成功啓後文。祗惜源迷偏意激。苦辛詩苑尚空耘。

一空依傍義爲籬。能以肫情寫正思。詩國新星崇白屋。替人垂淚婉容詞。

綺夢空尋朱麗葉。風流自賞水仙王。愛眉作繭歌商籟。也起新詩作作芒。

文苑攙搶一彗星。倡新摧舊不留情。小刀怒向花叢拔。左道詩都挾恨聲。

己躝梓桑揚赤幟。還災梨棗播鴞音。暴深秦政神州刼。不見詩心祗劍心。

六言結伴張三世。詩紀中華信壯猷。賫志九泉悲白屋。可無荷馬起神州。

吳白屋未死前聞會擬以六言詩寫中華文化全史以，洪荒至秦爲一世。秦至清爲一世。惜賫志以歿。

縱有萬千從政去。化民豈抵一詩人。邦魂待起詩聲寂。顧見賢豪矢獻身。

博愛深思成銳意。熱腸冷眼佐眞心。人天悲樂春秋感。沁入詩歌作福音。

（五．完）

中俄阿爾巴金之戰

俄帝侵華戰史研究之一

羅雲家

先是康熙二十六年夏，俄國議和專使戈羅文，抵達尼布楚，先遣使人來北京，報告行期及目的。二十七年五月，淸庭以內大臣索額圖爲專使，率團往尼布楚與議，然以喀爾喀與尼魯特部搆兵，路阻不能達而返。

二十八年四月索額圖再度自北京出發，隨員都統公國舅佟國綱，黑龍江將軍薩布素（前都統），都統郎坦，理藩院侍郎、護軍統領馬喇，左都御史張鵬翮，及通譯戈比楞，白爾亞等人，帶軍八千，六月抵尼布楚，七月初始開和議。初時俄使請以黑龍江爲兩國交界，索額圖峻拒之，要求將阿爾巴金尼布楚色楞格諸城交還中國，俄使亦拒絕。二次會議時，索額圖允將尼布楚、色楞二城與俄，但不許駐軍，俄使仍請維持原議，索額圖不悅，拂袖罷議。以後遂由通譯從中斡旋，然而兩國交界問題，始終距離甚遠，索額圖急議對策，皆「以爲羅剎狡險，防其有變，非用兵不竟其事」。於是命薩布素備戰，兵士夜渡席爾加河，包圍尼布楚城，並秘密差人聯絡土著，拊俄之背。千鈞一髮，大戰有一觸卽發之勢。俄使大恐，遂於是年七月二十四日訂立了聞名的尼布楚條約。訂約之日，儀式極爲莊嚴隆重，索額圖及戈羅文爲中俄全權代表簽訂。約文要點爲：（一）西以額爾古納河，東以外興安嶺爲界，南屬中國，北屬俄國。（二）阿爾巴金俄國堡寨盡行拆毀，俄人盡行移至俄境。（三）兩國均不准收留對方逋逃。（四）界上貿易等人，憑文票往來。

我們的評論

阿爾巴金之役，爲中國對俄最有榮譽之一戰。此役我方所以操左券者，以衆擊寡，固爲主要勝利因素，但制敵的決心，士氣的高昂，與戰前週密的準備工夫，實亦爲勝利要件之一。兵法云：『多算勝，少算不勝。』在俄軍方面，不具備這些優秀條件；況且戰地遼遠，鞭長莫及，交通不便，補給不裕，這種戰爭無法繼續，愚蠢的僵持，自是不如聰明的言和。

至於戰後邊政的處置情形亦有值得檢討者。當第一次克服阿爾巴金時，不留軍駐守，任俄人重來哨聚，是屬失策。二次圍攻阿爾巴金時，俄軍潰在旦夕，軍事有利於我之際，不意慨允俄使求和，不能畢竟全功，朔方備乘所言：「迨二十七年，西北準部猖獗，犯蒙古，寇掠不已，俄羅斯既和，專力進討噶爾丹，用能永靖沙漠。」縱然如此，輕易言和，亦屬失策。

又尼布楚條約，中俄以額爾古納河及外興安嶺爲界，論者每以此爲滿足，殊不知畢竟損土！原來尼布楚地方，爲我茂明安部落採捕牧獵之地，非爲俄國所屬。色楞格城，爲蒙胞貿市之地，亦與俄國無關。兩地總計不下二十五萬平方公里，今既全部畀于俄國，非僅我國失去了邊界上的繁富之區，實亦失去了國防上的要隘！此約之後，鮮卑利亞無形中成爲俄國的合法領土。後世史家每對此約有所爭議，有謂成功，有謂失敗；吾人今日重加檢討，覺得尼布楚條約，確爲中國對俄軍事勝利中的屈辱條約。

（完）

她：「那末，我就麻煩你。」我把毛線交給她：「什麼時候織好，什麼時候交給我。」「織的不合身，我就重織。」

「不會的，」我說：「你織的一定很合身。」

她在一個星期內，就給我織好，而且十分合身。我給她手工錢，她却不要。

「那我毛衣也不要了。」我說：「我在其地方請人織，也是給錢的。」

「我們認識，也認識怎好要錢的？」

「你也不能喝西北風打毛衣呀！」

「那這樣好了，」她說：「你不喜歡照相嗎？有時間給我照張相就是。」

這樣我才把毛衣取過來。

這位村姑的眼光還是很高的，她正到了「女大當嫁」的年紀，曾有人給她作媒。是一個鄉下人，土裏土氣的。她不答應。

我知道了，便開她的玩笑，我說：「現在可以請我吃糖了。不然——」

她白了我一眼說：

村姑

——戰地散記之一——

志文

「你貪嘴！」

「那麼，」我說：「你要當一輩子的老姑娘嗎？」

「我不和你說，」她說：「我至死也不會嫁給他。」

我厚着臉皮湊上去，我說：「那麼，你要嫁給什麼樣的男人呢？」

「你壞。我不和你說了。」

「好，我壞，」我還是沒有走，我說：「我倒有個主意，你願意嫁給阿兵哥吧？」

她扭着細細的腰肢：「我不和你說，你是多麼壞。」

後來我打聽，很多村姑都是嫁給阿兵哥的。家庭也不太十分反對。

村姑百分之九十都是樸素的，一年到頭穿的是布衣服，却洗的乾乾淨淨，燙的畢畢挺挺。

有一次，我對另一個村姑說：「你也買點好的衣服穿，那就更加漂亮起來。」

她笑笑，但她隨即說：「那會叫別人罵『妖精』的。」

「都市人穿的不是那些嗎？」

「那是都市人。都市作興，我們鄉村不作興。」

「將來，」我說：「將來嫁到都市去，那不就實現了麼？」

「沒有那麼好命。」

我在十個村姑裏面，發現到就有十個村姑喜歡嫁到都市裏。而這倒亦是很自然的。（下）

下雨前後

勞克

自我來到金門，就沒有落雨。

「再不落雨，眞是不得了。」一個伙伴這樣叫喊着：「沒有水洗澡倒是小事，主要的是：喝的水都成問題。」

的確，附近的水井，一點水也沒有。早上五點鐘，大家都在井邊取水，那在井裏上下的水桶，一直到太陽爬到屋頂上，還沒有休息過。

「大家少用一點。也許這幾天內就會下雨的。」

我們就這樣寬慰自己，一天望着一天。但一天又一天的過去，還是沒有下雨。

天空稍微有點雲，我們便高興的抱着槐子團團轉。

「老天眞是開眼了，這下一定會下雨的」。

「下了雨，我就洗個痛快的澡。」

這些雲像是和我們開玩笑似的，始終沒有下雨。甚至連要下雨的那麼一點「現象」都沒有。

不下雨，我們自己想辦法，人定勝天。我們又挖了兩口井，挖了好幾丈深。水源來的眞多！附近的百姓，也用這井裏的水。

有了水，我們對下雨也不怎麼渴求了。甚至於有些伙伴還說：

「不下雨也好，避免了那些濕衣服的存在。」

可是，一過新年，天就突然的下了雨。一夜之間，下了好幾場大雨。雨封了門，連我們吃早飯也成問題。地上都是水。好在戰地的沙多，水一進了沙，一會兒就乾了。

「以後有好日子過了。」一位老伙伴說：「加上南風一次，坑道裏都會流出水來的。」

「你這話是眞的吧？」我問。

「我是三度來金門，我是最熟悉這些的。在這春天的時候，最好不要下雨。」

但雨還在下着，下着……

接連下了兩天。本來，我們「碉堡康樂隊」要來演出的，因爲下雨也就改期了。

「就是這雨，」我們皺着眉頭：「下個一夜也就夠了，爲什麼下個不停呢？眞是討厭。」

我們的鞋子濕濕的，衣服也是很潮。大家都盼望着天晴。

我在天沒亮時，就爬了起來。我的隣床小王也醒過來。他頭還在被子裏，就問：

「天晴了沒有呀？」

我把頭伸出了坑道外面。

「沒有雲，看來是晴了」。

我這一說，他的睡意沒有了。

「這是好日子；晴天」。然後穿了衣服，在坑道裏打圈圈。

雨後，一切都是淸新的。樹上的灰塵沒有了，柏油路上也乾乾淨淨的。

我們心頭上也是淸新的，我們有了無比的朝氣，就像初昇的太陽一樣。

衣梨室劇談

雲想衣裳花想容

谿公

這齣戲編得相當的好。場子穿挿，均隨劇情之發展巧爲安排。有高潮亦有伏脈，處處引人入勝，沒有一點斧鑿的痕迹。詞亦開門見山，俗不傷雅，適合一般觀衆之脾胃。讓我且把劇中主角之重要唱詞，摘錄少許如左，以見一斑。

（王瓊如唱的西皮搖板）「遭不幸解到這嶺南邊境，最可嘆我的父負屈幽冥；蒙恩赦母女們當爐度命，何日裏回故里答謝神靈」。

（西皮元板）「仗此劍報冤仇要把賊斬，急忙忙到墳上去祭夫郎。最可恨狗奸賊將人冤枉，又遇着那贓官喪盡天良！用非刑逼兒夫屈寫招狀，（轉快板）賣可唉，我夫君，他是個，文弱書生，備受五刑；不肯招認，悽慘慘，淚汪汪，拋下了，荊妻寡母，死不瞑目，血濺公堂！到於今去報仇刺殺奸黨，但願得吳世杰劍下身亡！顧不得路崎嶇飛奔前往，見夫墓不由人痛壞肝腸」。

（西皮搖板）「淚汪汪對墳塋柔腸寸斷，尊一聲茗郎夫細聽奴言：保佑我到公堂伸冤翻案，容爲妻追隨你共住黃泉」。

（又）「爲夫仇改男裝暗地查訪，思想起冤仇事心似刀剜！恨吳賊施毒計兒夫命喪，紅顏女遭不幸境況悽涼。將身兒到城內四下張望，認肯帘入酒店暗訪强梁」。

由於它有這許多悽切動人之唱詞作派，故能博得廣大觀衆之同情。可是她來臺以後，雖已數數登臺，却並沒有將此劇貼出，也是一大憾事。希望她有機會能夠唱一回，讓我輩戲迷，一飽耳目之福。還有她所擅演的「粵劇」「士林祭塔」，「刦後桃花」，（按此二劇，係粵劇人徐俊滔給她說的。）也是此間人們無由欣賞的；若能同時演出，更如錦上添花，令人百觀不厭。不知章女士亦同意否？

老於顧曲的人們，多謂過雲前此之唱腔作派，與過去之老名旦余紫雲相近似；余老闆我沒見過，不知其演劇究作何狀？但據故姻長孫幼山先生說：「紫雲老板名金梁，亦名培壽，譜名科榮，字硯芬。原籍安徽潛山，寄籍湖北羅田，係前「伶界三傑」（即程長庚，張二奎，余三勝三大名伶。）之一余三勝氏之賢郎，花旦元老梅巧珍氏之入室弟子，爲咸同間旦行之祭酒。文武不擋，崑亂兼擅，抑且「蹺工」卓絕，運用自如，比人家本身的脚，還要靈便得多。（三）

梁山伯與祝英台

——「影劇與歷史」之一

周遊

「梁祝」由傳說到戲劇、電影，其間是經過相當長的時間，也經過很多次的改編。到現在爲止，照「梁祝」的劇情而論，仍未見臻於完美。以筆者愚見，「梁祝」的最後神秘面紗不妨掀開，就改爲英台哭墓時自殺，後經官府嘉其節烈，合葬而封爲「義婦塚」。根據史實，梁山伯自書館歸家後，才爲本郡舉爲鄞縣令，也不妨增加：梁山伯自尼山返家後，前往求婚，祝員外以其家貧且無功名爲由而拒婚。山伯被舉爲縣令後再往求婚時，祝員外已將英台許配太守之子馬文才。如此旣合歷史，又可掀開神秘面紗。不知讀者以爲如何？

再有不得已於言者，中國文學作品，大多缺乏悲劇意味，很多本來是悲，但總是在悲終了之後，又來一個團圓。如今生不能結合，來生結合，或者借屍還魂，或者死後化鴛鴦，化爲蝴蝶，在另一境界中又得團圓。凡是一個悲劇結束之後，又來一個續集，續集總是團圓。使得觀者心中爽快爲止。這是中國文學中的一種公式化。又如好人好報，惡人惡報，總很少例外。鴛鴦被人拆散，總是設法團圓。西洋文學中，悲劇居多，以悲劇意識之價值爲高。中西文學中之戲劇，這是一種最大相異之處。死後團圓大率是中國戲劇傳奇故事類型之一種。

梁祝史實

梁祝在各家記載中，殊不一致。本節重在考源，固無論其說是否正確，均不分軒輕的引證，以資讀者參證。

一、梁山伯爲東晉穆帝時會稽人（今浙江鄞縣）此一記載的有「寧波府志」、「四明談助」（徐兆昺作）、姚顥的「蘭江小詞」，「荊溪新志」，淸人金武祥的「粟香四筆」，「勞久雜記」等，均記載爲東晉穆帝時會稽人。因同主張，故不具引。此種記載較爲可信，茲舉「寧波府志」所記，以觀全貌。志云：

梁處仁，字山伯，會稽人。生於東晉穆帝永和壬子季朔日。幼聰慧，有奇志。及長，篤好墳典。嘗從名師過錢塘，逢一士子，容止端莊，負笈同渡；相與而問曰：「子爲誰」？曰：「姓祝名貞字信齊」。曰：「奚止」？曰：「上虞之鄉」。曰：「奚適」？曰：「師事在邇」。互爲討論旨奧，怡然相得。山伯曰：「家山相連，余不敏，攀鱗附驥，望不爲異」。於是樂然同行。同學三載，祝思親先歸。後二年，山伯亦歸。省之上虞，訪信齊，舉無識者。一叟曰：「我知之矣，善屬文者其祝氏九娘乎」？踵門引見，詩酒而別。山伯悵然始知其爲女子。退而慕其淸白，告父母求婚，惜英台已許字　城（註一）。後山伯應詔爲　令，嬰疾弗瘳，遺言侍人爲葬於九隴墟，瞑目而逝。翌年暮春，祝適馬氏，過梁墓，臨奠而哀。地爲之裂而埋瑩焉。後馬氏言官開棺，巨蛇護塚未果。郡以事聞於朝，宰相謝安，奏請封「義婦塚」，勒石江左。至安帝丁酉秋，孫恩寇會稽，將及　，太尉劉裕討之，傳得山伯夢中助，得以平之。裕奏聞，帝以神功顯聖，褒封忠義神聖王，令有司於墓前立廟祀之。至今廟貌常新。俗稱新婚夫婦同禮神像者，云可偕老。（四）

紂不是暴君嗎

謬匡

在殷周之際，殷人强勝得多，人數地域更駕乎周人之上，周是殷之侯國而已。殷紂亡了國，但周人也不能一手遮天，更談不上消毀文字文物。金石甲骨等文獻，「尚書」商書，都是由殷人所祖述的文獻。商書中大半是稱頌殷商光輝的史實。先秦諸子稱頌商湯、盤庚、伊尹、太甲、高宗以及與紂同時的微子、比干等之仁賢，論語所謂「殷有三仁焉」是也。先秦諸子以及尚書所記載，只有稱紂之殘暴，並沒有及其他，而且稱頌讚美也過於貶謫。這樣的記載，有何偏差？有什麼不可信？由「周人之口」之說，是立不住脚的。

先秦諸子之中，更有譏諷周代之幽、厲的昏亂，在當時情況下，應當有所迴護才是，何以照樣難逃春秋之筆？幽厲是昏君，紂是暴君，都是同樣可信的。以時間論，周人爲近，殷爲時較遠，更爲可信。莊先生犯了一偏之見的疑古毛病，是很明顯的。

莊先生引孔穎達的尚書正義說：武王以此數紂之惡，必有忠良被炙，孕婦被刳，不知其姓名爲誰也。以爲這是想當然耳之說法。却就犯了他自己指出的毛病——盡信書。

孔穎達說沒指出忠良是誰，而莊先生也竟信而不疑，眞是奇怪！連殷有三仁者都未之見，還談什麼？所謂箕子爲奴，微子去之，比干諫而死。這不是忠良仁者麼？這不是實實在在的人物麼？莊先生爲了只信紂之勇猛、姣美、敏捷，偏不相信他殘暴以及窮兵黷武。疑者，爲其所欲洗刷之一面；信者，則爲其心中偏愛之一面。這不是治學求眞的正確態度。

至於說刳了一個孕婦沒有姓名，這根本不值得一談，請問紂王殺的豈祇一個女人嗎？殺一個女人有什麼了不起？在當時可惜沒有新聞記者，如果有報紙新聞報導，也不致於把它記在甲骨上去。（三）

內僑警台報字第〇三壹號內銷證

自由報

THE FREE NEWS

第八二五期

中華民國僑務委員會頒發台教新字第三二三二號登記證
中華郵政台字第一二八〇號執照登記為第一類新聞紙類
（週刊每星期三、六出版）

每份港幣壹角
台灣零售價新台幣壹元

社長：雷嘯岑
督印人：黃行靄

社址：香港銅鑼灣高士威道二十號四樓
20 CAUSEWAY RD 3RD FL HONG KONG
TEL. 771726　電報掛號：7191

台灣分社

形式主義的教育

陸嘯釗

社會的虛浮不實，形式主義應當負很大的責任。漢書的作者班固，在宣帝紀第八裏，有一段文字贊揚孝宣的政治：「孝宣之治，信賞必罰，綜核名實，政事文學法理之士，咸精其能；至於技巧工匠器械，自元、成、間，鮮能及之。」綜核名實這四個字，一般用於政治上。可是人才是教育培養出來的，教育毀或走上形式，又如何能夠「咸精其能」？政治和教育是互為因果的，政治上不能綜核名實，教育上勢必流於形式。

今天台灣教育，社會輿論抨擊得最厲害的，是惡性補習。惡性補習的由來，是源於升學競爭的劇烈。升學競爭之所以如此劇烈，說穿了還不是一張文憑在作祟？而國家社會的重視資格，人事法規的講究學歷，更助長了文憑主義的氣燄，文憑成了墊脚石、敲門磚，國家用人既唯文憑是問，焉有不拼命去爭取文憑的道理。

如果循着這種形式主義的教育制度所培養出來的「人才」，也許是「攷試」的「人才」，也許是「鑽營」的「人才」，可是決不是社會所需要的人才。

讀書本為求知明理，可是在形式主義的教育下，連大學都變成了職業學校，勞榦先生說得好：「現在社會上把大學當作職業學校，大學既然成為職業學校，為着謀薪金較高的職業，只有上大學的一條路。」

唸大學既為求高薪、謀高職，可是在粥少僧多的情形之下，大學却變成了「游民教養所」。於是乎，負責教育大計的先生們，只有更上一層樓，再辦研究所了。如果，我們基本觀念不變更，研究所遲早總有一天走上大學的老路。

至於說到教書，原本是為了傳道、受業、解惑，可是今天一般小學教師的生財之道是不顧學童死活的惡性補習，某些中學老師則是鑽到補習班賺鐘點費，有些大學教授則東兼課西兼事，成年累月還是那本原封不動的講義。這樣的傳道、受業、解惑，豈非貽誤眾生。

讀書教書是如此，教育出來的結果又是怎樣的呢？小學學童，據吳福基博士的調查統計，近視率高達百分之五十一，可是某些不是升學班的小學六年級學生却連自己的名字都不會寫；中學學生很多在集會時昏倒；而大學呢？據台大醫學院葉英堃教授的調查足足有三分之一的大學生患有「心病」！這種現象不根除，東亞病夫這個名字，終究要再度光顧到我們頭上。而中學大學學生一般的知識程度，除了自然科學數理方面還差強人意以外，語文訓練的缺乏，常識的貧乏都是駭人聽聞的。這樣教育出來的人才，試問如何能夠適應社會的需要？

是的，教育與政治是互為因果的。教育的失敗，基於政治因素很大。政治先走上形式，教育自然而然地也流於形式了。我國的人才選拔，過於重視資格，實在是最大的毛病。而資格中學歷和學力的不能相符，更使原先的毛病變成重症了。

我國過去以科舉取士，對教育是採取放任的；科舉的優點在其為絕對的公平公開競爭，並且把攷試和任用聯鎖起來。換句話說，國家是只管考試而不問教育的。可是在現在的兩頭馬車雙軌制下，國家不光是管考試，還要管教育，甚至於參加國家舉辦的考試却仍然需要學歷資格。而在任官授職方面，雖然憲法第八十五條規定：「公務人員之選拔，應實行公開競爭之考試制度，並應按省區分別規定名額，分區舉行考試。非經考試及格者，不得任用。」

而實際上，國家用人，學歷的考慮還是重於考試。試問今天頂兒尖兒的事務官，究竟有幾人是考試出身？固然，日前考試制度值得批評的很多，可是拿考試以濟教育之窮，未始不是一個辦法。

如果把畢業文憑看得太重，樣樣非畢業文憑不可，大伙兒自然都向學校擠，學校即使再多也容納不了。而粗製濫造的結果，學校本身也就失去其製造相當資格應有的價值了。教育應當放棄門戶之見，應當鼓勵大家興學，更應當鼓勵失學青年自修，絕不可無謂限制，使多數失學青年散漫，彷徨，頹廢，消極，失望。要知道使大多數的社會青年進修上進，不但可以促成社會的進步，也是社會的最大安定力。其實一個人只要知道上進，不管是否進學校，都是會獲得成就的。在中國，王雲五先生就是一個例子。他只讀了二年多的私塾，連小學都沒有進過，可是他發明的四角號碼，他主編的百科全書，對中國文化界比某些博士碩士有貢獻多了。不但如此他還當過行政院副院長，現在還在政治大學的研究所當教授。而在外國，也是一樣，發明蒸氣機的瓦特，連小學都沒有畢業；發明大王愛迪生也只不過是個小學畢業生罷了。可是，這些人如果以目前的人事法規銓敘的話，恐怕連進中學教書都通不過罷！

我認為國家的考試，貴在任用，應就職位的性質，考選國家需用的人才。政治上的綜核名實，一定要從人才的選拔就開始。至於教育方面，除了義務教育以外，國家可以儘量少加干涉，讓社會去自然淘汰好了。如果為了使各校的畢業生學力不太懸殊，可以恢復過去的會考，會考證書也只是供社會選用人才的參考，而不是國家任用人才的標準。

對於一般自修上進的人，國家可以設立各種資格檢定考試，應攷的人不需要任何文憑。初中的課程全部及格，就可以獲得初中畢業證書；高中、大學依此類推。對於某一項學問，有特別成就的，可以經學術機關的推荐，由國家授與各種學位。這樣演變的結果，畢業證書，學位證書，只成了一種榮譽的紀念品，學生在學校所追求的，也就不再是一紙文憑，而是真正的知識和修養。讀書的目的在求知，而不是換取功名富貴的手段。唯有將讀書的意境提高，讀書的範圍擴大，知識的成就才不致陷於功利主義那樣狹窄。

有機可乘

虎視眈眈

今日與明日

美機四炸北越

美越兩國飛機四次出動轟炸北越，對越共軍事基地予以毀滅性的打擊。雖然僅憑轟炸自不足阻止越共向南越的進攻，但此舉最少有三點收穫。第一、轟炸次數多，越共的物質損失固然重，精神打擊亦大，因為越共頭目不知道美國下一步棋為何，是否會把戰爭帶進北越，在此種情形下，勢必影響到政治安定和經濟的發展。第二、振奮南越人心，提高士氣，尤其是南越政局屢變，戰場上又數度失利，人心不安達於極點，美軍機却大舉出動轟炸北越，海軍陸戰隊且已登陸峴港了，越南軍民心理，得此可以穩定下來。第三、打亂了共黨陣營的團結，上次美機轟炸北越，正值柯西金在河內，當時雖是說了幾句硬話，越共固然不能滿意，毛共也據為攻擊俄共的口實。可是到了這次轟炸，俄共却連口頭的強硬也說不出了，毛共必然又要據此大舉宣傳，使俄共在共產集團失去擁護。當然毛共的援助只是示威游行，雖然毛澤東也在兩人摻扶下到天安門亮亮相，究竟與北越無補，看情形，毛、俄、越三個共黨可能要為北越被轟炸事吵得一團糟。

莫斯科共黨大會

莫斯科共黨大會如期召開，不出人們頂料，毛共及北韓、北越、印尼、日本、阿爾巴尼亞共黨皆未出席，比較意外的是羅馬尼亞共黨及英共也未出席。

羅共近來態度想在毛俄爭執中守中立，以收左右逢源之效，正如當年尼赫魯之對美俄兩面敲詐。所以羅共之不出席，並不是反俄親毛，不過是另外有一個壞主意。倒是英共本來是站在俄共一邊，何以此次也縮了沙，恐怕是受到赫魯曉夫下台的影響。自從赫魯曉夫被罷黜，英共即嘖有煩言，所以英共不出席非袒毛，而是為了親赫，不過間接却助長了毛共的聲勢。

這次會議之沒有結果是必然的，自然更談不到什麼團結，只是更使世人認清楚共黨內部狗咬狗骨的情形。

阿尤布汗訪問共匪

巴基斯坦總統阿尤布汗訪問北平，是國際間一件大事，因為巴基斯坦直到今天還是中央公約同東南亞公約的會員國，參加這兩個公約的國家除英法不計，巴基斯坦是唯一承認毛偽政權的國家，阿尤布汗也是兩公約國元首中第一個訪問北平的人。引致巴基斯坦左傾的原因，是尼赫魯的遺毒及美國重印輕巴政策所造成的惡果，可惜美國直到今天還不覺悟，仍然把印度當成重要的友邦，而可讓反共的盟邦向左轉。（何如）

自由談

哀越南

越南政局連年來動亂不已的結果，美國當局色厲而內荏，并無剷除越共的決心，且秘密跟毛共在華沙進行談判，法國主張越南中立化，英國贊成跟共黨和談。

於是乎，越南內部的所謂自由職業界人士，在西貢散發文件，主張與越共和談，而素來以反共姿態出現，不斷地領導越南佛教徒從事示威絕食，乃至於自焚的惡作劇，反對政府當局不民主的僧侶頭目釋丹珠，亦公然指說反共戰爭為「自相殘殺」，建議停戰言和了！這情形，完完全全是我國在大陸淪陷前夕的翻板，本質與形式皆無二致。

當年中共利用美國對於中國問題的妥協心理，一面打打談談，表示不想擴大戰禍，同時嗾使一些所謂「民主人士」出面要求和平談判；再由這些「民主人士」號召一般社會名流如大學教授、失意政客之輩，隨聲附和，贊成和談。如此相激相盪，首先是美國撤回駐華軍事代表團，減少對華軍經援助；次為青年學生受着共黨宣傳蠱惑，而對政府表示不滿；潛伏在政府與社會各界中的共黨「地工」人員，即乘機造謠惑眾，擾亂金融。這樣自然影響民心士氣，終於使共黨以暴力竊據了整個大陸，成為美國的死敵，而東南亞地區亦就烽火大作了！

把越南目前局勢的內在與外在因素分析一下，看看國際動態和上述越南各界人士暨僧侶們的行為，這跟咱們喪失大陸以前的情況，不是一模一樣嗎？

共黨這套蠶食性的擴張魔術，屢經試演收效，難道英美當局以及輿論界和國會議員們，尚未警覺乎？不然不然！他們的基本思想是重歐輕亞，在東方若能以極微的代價取得最大利益，即優為之，否則必要時不惜退縮不顧，自固吾圉，受害者反正是亞洲人，與他們不相干。所謂維護世界和平，只是以西方世界為主，所謂保持自由生活，是以西方人民的自由為限度而已。

亞洲人的智慧并不遜於西方人，唯有自力更生，互相合作，精誠團結，不要為着一點眼前的物質與金錢關係，而甘受西方人的玩弄，這纔是自立自救之道。越南人如其不明此義，那就無異於自殺，結果將如康有為挽光緒皇帝的聯語所云：懸目看越寇飛來！

馮五先生

胡適逝世三周年日
南港冷落蕭疏　墓旁杜鵑盛放

本報記者黃三航訊

二月二十四號的上午，記者在微雨中趕到南港的中央研究院，去參觀當天爲胡博士逝世三週年紀念而落成開幕的胡適陳列館。那是在胡先生的故居旁邊新建的一間長方形的房屋，其時門前擺有四、五隻花籃。

一樣黃梅雨

時候已經不早了，但前來參觀憑弔的人，尚寥寥無幾。這幷不能歸咎於天氣的惡劣，遙想三年前的這個時候，也有一樣的黃梅雨，但是極樂殯儀館裏，每天都有上萬的羣衆前去瞻仰胡先生的遺容，許多胡先生生前並不相識的年輕人，在一旁偷偷地擦眼淚。這情景還歷歷如在眼前，不過一千多個日子，却已變得如此冷冷清清。記者到達時，服務人員大概聽見汽車的聲音，迎了出來，但隨即便失望地站了回去，因爲來的只有記者一個人和隨身携的一架照像機而已。記者步入了胡先生的故居—現在的胡適紀念館，但見客廳中央擺了一套舊式的沙發，南端是書架和酒櫃，書架上的存書如今已送給了中研院的史語所了，架上空空的。酒櫃裏有幾瓶洋酒，其中有一瓶只剩下了一半。胡先生生前頗好「杯中之物」，留學時曾幾次戒烟、戒酒都沒有戒成。那半瓶酒據說是他生前不曾喝完的。

幾個參觀人

書房裏的書桌一直沒有挪動過，桌上隨意地放着三兩本書，桌燈開着，像是有人剛剛離去。轉向南邊的臥室：右首是胡先生的臥室，左首是夫人的，中間隔一間浴室，兩條舊毛巾還掛在架上，雖然乾了，但看不出絲毫故意地做作。胡先生的臥室中也一概保持原狀；茶杯、熱水、拖鞋等都放得好好地。幾件常穿的衣服都掛在架子上。誰能相信睡在這間屋裏的這張床上的人，如今已改睡在後面的山岡下的泥土裏已整整三個年頭？

十分鐘之後，記者默默地退出了房間，走進了新蓋好的陳列室。裏面有少數幾個參觀的人，誰都沒有談話，氣氛顯得十分嚴肅。按着陳列的順序，第一部份是胡先生的著作，中文英文的都有，可惜不完全，許多重要的部份都沒有展出；如「虛雲和尚年譜」、「戴東原的哲學」等等都沒有，陳列出的大部份都是市面上可以買得到的。第二部份是胡先生留學美國時代的好友韋廉絲女士最近寄到的一批信件，但是最使人失望的是：只展出了四、五封。據說：韋廉絲女士一共寄給胡夫人江冬秀女士六十餘封信件，不知爲甚麼只展出這幾封來。

新青年雜誌

再來就是與胡先生關係甚深的「新青年」雜誌合訂本兩本。這原是有價值的資料，可惜被放置在玻璃櫃裏，只翻開了一頁上的目錄，又不許翻閱，讓人有「可望而不可及」之感！接着是胡先生的部份手稿：淮南王書和水經注。轉角處是兩幅旅美畫家王濟遠先生送給胡先生的書畫，一幅是壽字圖，一幅是水墨畫。第四個玻璃櫃中陳列的分爲兩部份；一部份是胡先生給現任中央研究院長王世杰先生的信件，另一部份是胡先生的家書，其中大多是寫給胡夫人的。由這些信件中可以看出胡先生夫妻間的恩愛和相敬之忱篤。此外有一封信是胡先生寫給他的孫兒「仔仔」的，只有三句簡單的話，署名「爺爺」。這也是他寫給孫兒的第一封信，因爲那時「仔仔」才剛識字。

最後一部份是胡先生口試他的學生羅錦堂時所用的題目（胡先生手寫的卡片）。其中有不少的草字和簡字，想是當時的時間匆促，以致寫得太快的緣故。

戒指針綫包

陳列室中央，櫥窗中擺了一張照片，是韋廉絲女士同胡先生與胡夫人合照的，因年深日久已經模糊不清了。還有胡先生的結婚戒指和止酒戒指（胡夫人送他勸他戒酒的），及胡先生旅行用的針線包等。此外還有胡太夫人馮順弟女士和女士分別給韋廉絲女士的書信；信中大致是母親感謝韋廉絲氏一家在異邦給予她兒子的關懷和照顧。這兩封信還都是用毛筆寫的。有一個鏡框中盛着一封胡先生少年時寫給他二哥的信，也是用的毛筆，字跡大小不一，又塗改得很厲害，據胡先生自己考證是他平生第一封信，這是信尾署名嗣穈，胡先生的爸爸給他取的名字。

陳列室的牆上，四周掛滿了胡先生放大的像片。記者認爲其中最有意思的一幅是胡先生中年時的照片，在照片旁胡先生親筆題了一首詩：「偶有幾莖白髮，心情微近中年。做了過河卒子，只能拼命向前。」

胡夫人到來

十一點左右，胡夫人親自到了紀念館，後面跟着了一大羣先生、女士們陪同前來，這該是當天紀念館和陳列室中最熱鬧的一刻了。

記者在胡夫人離去後，前往後山胡先生的墓地，山坡上，去年還是幼枝的杜鵑，今年已經開滿了花！順着石階走上去，兩旁一邊是長綠針葉樹，一邊也是杜鵑。墓上則擺滿了祭弔的花籃，大多是胡先生生前好友和學生們送的。不過老大的墓園中，在胡夫人親自致祭後，竟走得一人不留。記者不禁懷想：這上百位送花籃的人中，究竟有幾位曾經在當天親自來過？

懸想一問題

「一代學人」的胡先生，今天就是如此孤獨的躺臥在這寧靜的墓園中，雖然在他的喪禮時有過萬人送葬的盛況，但只有三年，即使是在他的祭日，竟是這樣地冷冷清清！記者曾懸想到一個問題：如果胡先生地下有知，他會爲今日的情景感到難過嗎？

「我根據以上的六個文件，一字不改的重讀一遍，我要請問嚴院長，第一、關於這個問題，何以這一次施政方針施政報告一字不提？第二、是不是還在籌備？第三、籌備進展如何？第四、你去年今日在此地說，在數個月後當可實現，今天逾期了，還要不要實現？當然政府有政府的困難，我願意嚴院長根據我以上的質詢，最後的幾點，給我一個比較確切的答覆」。

嚴院長答說：「數個月後當可實現」的「當」字，非確定的語氣，只是希望的意思。至於報載行政院通過成立籌備委員會的新聞，沒有看到。因爲不是行政院籌備。」

對籌組反共建國聯盟事
李公權質詢嚴家淦

因此，李公權委員指責嚴院長的答覆，不但使人洩氣，而且走了樣。李委員說：「關於這個問題，要貫澈總統主張，要實現政府對於『擴大團結海內外反共力量，爲反攻復國共同奮鬥』的堅定態度，而嚴院長的答復不在這一個基本政治主張，政治號召上表示，只是技術性的答覆。我對嚴院長個人的學識才能非常佩服，然而這個答復，原諒我，我沒有辦法滿意。我要根據嚴院長的答復再補充幾點：第一、嚴院長曾在此地說，在數個月內當可實現。我想，作爲一個國家的行政首長，當然你解釋數個月沒有實現的困難可以，然而你說當時的答復，就是不確定的辭句，我想在座的高明太多，兄弟以不好這樣說。第二、關於行政院設立反共建國聯盟籌備委員會報上有新聞，我沒有看到行政院更正這個新聞；今天事隔將近一年，在此地否認，我請問當時行政院秘書處在做什麼？新聞局在做什麼？第三、嚴院長說反共建國聯盟不是政府辦的，然而最新的文件是總統五十四年元旦文告：『並督促政府務於今年內及早籌備完成』。我想中央日報和中山堂總統發的印刷品中的頭宣告，不會錯吧！固然政府不祇行政院，然而行政院總是政府當中最重要的一環，任何一個部門要辦這件事情，沒有經過行政院撥款怎麼能辦？我非常難安的是：沒有嚴院長這個答復，國人還存一個期待，嚴院長這個答復反而洩氣了！因此，我本於愛國的赤誠，不能不非常痛切的再補充以上幾句，希望嚴院長不要把總統四次的號召走了樣，不因嚴院長的答復走了樣，起碼對於政策性、基本原則上不要有絲毫的動搖」。（下）

風雨飄搖話越南

匡正

從北越各省市到蠻區經商的越南人和華僑，若與蠻女結婚而遺棄她們，就有被「落降頭」的危險。據說那些與蠻族婦女結婚的人，如果要離蠻區回故鄉去探親，或到別的地方去經商，臨行時，他的蠻族太太便限定他的歸期，到期如果不歸，便會生病暴率。這就是被「落降頭」的結果。她們又怎樣地「落降頭」呢？那是一種秘密，從來無人知其奧秘。但被「落降頭」而死者，大多數是腹部突然腫大，暴裂而死。而引起暴裂的東西，有時是一隻狗，或者一條蛇，有時是一個銅鍋或其他器皿。這些東西，就是蠻女落在男人胸中的「降頭」，其效力等於定時炸彈。被落者準時歸來，蠻女就給他解除「降頭」。據說祇有兩種方法可以避免：一是與她們結婚就要從一而終，二是永遠不要和她們結婚。

四、「謝恩」的怪事

越南蠻族的婚姻，有兩種怪事：一是「謝恩」，二是「賒婚」。越南蠻族男女青年有絕對的婚姻及戀愛自由，一位小姐，往往擁有三四個情郎。在她未與其他任何一人訂婚之前，她可以和其中任何一人嬉遊交往；但她一經與某人訂婚之後，便與其他的男友斷絕往來。這本不足爲奇，可奇的是她在結婚之夜，她並不在洞房中與新郎行周公之禮。那夜她要到舊日情郎那兒去「謝恩」，有四五個情郎，她便要連續謝恩四五夜，讓新郎獨守空房。不過「謝恩」之後，她就與那些舊情郎斷絕往來，完全忠於其丈夫，絕不會有其他的軌外行動了。

但在蠻區中戀愛容易結婚難，依照風俗，男方要向女方繳納很多財物，以備舉行大婚宴，招待整個部落日夜飲宴，以資慶祝。否則將認爲是失面子的事。但有一種通融的辦法，就是所謂「賒婚」，即是應繳納的財物，准予賒欠，將來補上。但絕對不能賴帳的。事實上也沒有人賴帳。如果不還，據說是有鬼神懲罰。因此在有的結婚之後十年八年始補行婚禮的，是常有的事。

五、小姐伴宿待客

蠻區風俗醇厚，而且十分好客，每有京人（蠻族稱越南平地人）遠道而來，不論認識與否，他們莫不殷勤招待，餉以佳餚美酒，並許女子伴宿。蠻人極喜歡飲酒，每餐必强人大飲；客如拒絕，便爲失禮。最有趣的是圍爐夜飲。夜飲的酒，與啤酒近似，盛以巨甕，飲者各以細長的蘆管吸飲。照例，主人要從自己家裏或別人家中招來少女陪客共飲。少女行動十分隨便，頻頻勸飲。客若不飲，她們老實不客氣的强行灌酒，往往非大醉不止。客醉就寢，她們照例伴宿，任憑君便。但是酒量不洪的人，一覺睡到天亮，忘抑美人橫陳之艷福，翌晨醒來，你還要遭到她的譏笑，責你虛度春宵。又據說：她們是對於她所不喜歡的男人才這樣做的，如果是她所喜歡的男人，她們絕不灌醉的。（三）

立委封中平　質詢一案件

（本報記者張健生台北航訊）江蘇籍立委封中平等十一人，書面質詢法院發生的一件影响人民訴訟權利甚大的案件。

該質詢指出：刑事案件，附帶民事訴訟部份，業經第一、二審判決，駁回。第三審法院以其附帶私訴上訴逾期，亦已判決駁回。是項附帶民訴部份業已確定在案；第三審法院雖對刑事部份，認爲調查尚有未盡，發回第二級法院更審，則第二審只能對刑事部份審理，對附帶民訴部份，依一事不再理之原則，似無受理之可能。查現在台灣高等法院有刑事編號爲五三年上更（一）字第三二一號一案，竟有第三審法院已駁回之附帶民事訴訟，又在該院提出，經被告反對具狀法院，聲請裁定，不予受理，但主辦推事概不置理，並且容許附帶民訴之代理律師出庭，其是否合理？又法官對於被告之聲請，如認爲不合，亦應予以裁定或批示，何以案懸半載均不處理，究竟有何根據？法官對於案件，不應受理而受理時，其是否違法？對於司法聲譽，有無影响？

同時，該案被告於五十三年十二月十五日在台灣高等法院審訊庭中，對最高法院發回更審之點，逐一引述證據，於陳述之後，並將陳述事項，提出書面一件；但提出之書面，而紀錄陳述又未詳盡，經被告律師閱卷發覺，提請司法行政部派員查辦。此事實情如何？結果如何？亟盼以書面答復，而釋羣疑。

試為中華創新教一新儒教

論道統第四章

陳健夫

神之一字，象徵「愛」，這個愛便是世界的至善。宗教是本乎愛，與乎仁，此即造物者生養萬物的道理。所以，宗教有崇高的意義。宗教徒非迷信，陳舊，落後的意思。稱儒學為儒教有什麼不正大的呢！可謂不思之甚！

二、新道統，新儒教

我在此要說明的是一個國家民族，應有他自己的宗教。今日共黨國家，自稱進步，否定宗教。殊不知他們以馬克思，列甯，甚至史達林，毛澤東為神為教主，而崇奉之，迷信之，你能說他們沒有宗教麼？人在世上，要有所建立，必然有天人合一的神化人格，才担當得起這樣的使命。中華大國立國五千年，是堂堂大國，以儒立教，原是一種仁義道德的宗教，人格化的宗教。今日這種舊的道統既已過時，且已破壞，我們自應積極建立新的道統，今天我們以新儒學來試為建立這種新道統，新宗教，可說是新儒家當仁不讓的責任！新儒學有別於儒學，它包括了近代的民主，科學，倫理以至新時代的經濟生活與教育思想。可說是一種豐豐滿滿的新學術新思想。新儒學保持了固有文化的精粹，又接受了堯舜禹湯文武周孔一貫相傳的哲理——大學中庸論孟的奧義，而又進一步展開了新時代新世界的思潮。

我在這裏所以强調這是一種新宗教，是指這樣的宗教，是以神為最高信仰，不論東方西方，地球上的人都同信仰一位眞神God，而此眞神則與人之至誠相通，這是人格化的神不是迷信的神。西方基督教對神是盼望，依靠，而這種新宗教——新儒教，將不再是盼望神來到世上，也不依靠神，而是要有神的信心——有愛有仁，以仁為己任。深入現世，建立天堂，「本出世精神做入世事業，以不忍人之心行救世之道。」以天下為一家，以濟世為一心，獨往獨來，頂天立地」這是拯救，是犧牲，是服務。這是一種新哲學，也是一種新宗教。我們以這樣的新哲學，新宗教，來結束混亂破碎的百年來的中國道統，而重新建立一個中國的新道統，這是一種拯救，是一種新的展望。

新儒教誠然是一種新宗教，但這是新時代的宗教。這種新宗教是以眞元為宇宙的創始，眞元便是新儒教的神。這種神是仁愛的象徵，是眞理的表徵，是至善的歸依，是大道的方向。世界創始，自太初以至無窮的將來，沒有末日，永遠沒有末日。世界永遠是朝着眞元，眞理，至善的大道前進。這便是眞元創造宇宙，造化萬有的道理。這種新宗教，將神的榮耀，高貴，納入人的高尚靈魂之中，神與人合一，是天人合一。人以服事人為光榮，以建立現世天堂為快樂。不再以神為迷信的對象。不再以天堂為避難之所。新儒教不鼓勵人逃避現世，不崇拜偶像，不迷信神佛，但尊崇人的祖先，可以敬拜。新儒教[illegible]至善。新儒教所信奉的神是唯一無二的正直的神。神不在乎人的崇拜，不像人一樣的現實，小氣。神給人以智慧，勇敢，健康，正直的人會得到神所賜給的智慧，勇敢，健康。新儒教的神是正直，莊嚴，堅強，不自私自利，不作威作福，是一位[illegible]，不喜歡人諂媚，不高興人依賴，更不喜歡世上的人整天嚕嚕囌囌的祈求禱告。所以新儒教的神是人格化的神，不再是迷信，作威作福，自尊自大的神。

新儒教崇拜神，其中毫無迷信。自古至今世界上有智慧學問的人，有權力地位的人都信仰神。美國總統就職，必用手按在聖經上，對神宣誓。人所以如此的敬拜神，不是沒有道理的。人知從父母所生，你可知人與萬物從何而生？這個造化萬物與人類的主宰便是神。人知敬拜父母，這位創造萬物與人類的神，豈不應該敬拜麼？所以，人敬拜神，沒有什麼不合理。新儒教對於人類這種合理的信仰，加以承認，這也是宗教信仰自由的表徵。

人類不能沒有宗教信仰，如同世上的動物不能沒有父母。宗教信仰是人類對他所從來的地方及將來要去的遙遠地方的懷念，回顧，與寄望。人之所以能欣欣而生，默默以死，生死無懾，就是由於人有這種宗教信仰。而宗教信仰之必有神以為仁愛的象徵，是無可否定的。神就是始，就是創，就是宇宙的創始，人無以名之，名之曰神，言其神奇玄妙，高明博厚，非人所能明白。人不可知，唯有神而明之，以至誠的心靈，始能與之相通，故謂之神。世上的人會創造發明種種文化文明。（二）

有關平劇兩種論調

娑婆生

春節一過，許多愛好平劇人士，多認為有新穎的論調，行將發見，并說那是有關改革的東西。聽到此種報道，令人興奮，但不知那將是如何的姿態，是否可以去朽存精，把每齣的情節，與唱腔，及賓白，大施斧繩，以成就合理的編排？本人不勝其望之若渴。最近我又聽到看到兩種妙論，趨向是截然相反的，茲揭舉以求同好的研究。本人則不敢說誰是誰非，因為那是名家，豈能非薄，有傷大雅。

電台播出「中國風俗漫談」，是年已望七的項石老先生所講。因為講過年而提及以往故都在春節的劇事，歷歷如數家珍。因談劇而又涉及派別，對於譚汪孫三宗的分析，精確而詳盡。而最後結語：在卅年前，馬連良楊寶森那夠稱派！（不知在大行其紅）再說各人傳派的弟子，譚汪孫也已有人，惟余叔岩只有半個弟子，那是孟小冬。

此種論調，在今日可謂謹嚴到萬分，無人敢作如是言。我敬為註解：項老來台，當看見派別之多，無有過此了。擺着生行不談，其他如裘派，袁派為淨行；旦行梅程荀尚之外，有張派杜派言派（慧珠）；小生有俞派葉派。吾國文章，唐末有八大家，清代有桐城、陽湖兩派，何以獨於戲，有如許之多，實不能解？

再讀台灣日報，也有赫赫名家在論趙培鑫，其「精闢評斷」，可謂開天闢地，[illegible]點」。酌抄原文：「他那齣捉放宿店，試聽『他一家大小遭喪殃』那句，單就這句，我則認為比余叔岩楊寶森都強！究竟好在什麼地方？宮中唱法，大多是把「家」字唱成嘟調，自從寶森把這個「家」唱不了，培鑫纔可以說是化俗入雅了。培鑫這句唱法，取寶森的口氣，而且獨得余氏韻味，一口氣呵成，甜暢無比，好到極點！」

我常有主觀，讀書讀到老，做事學到老。經此名言，從此就把培鑫勝過余（師祖）楊（師叔）來改正看法。也可說照推算起來，寶森也是勝過譚（師祖）余（師父）。因此，張君秋撫拾梅程而變腔調，亦勝過梅程。大家求改革，把本忘了都可以。這是我自創的格調，平劇前途實利賴之。

漢文，漢字，漢學

陳曼卿

經他記音的中國各地「方言」，有「三十三種」，還親自作過四分之三的調查，另外四分之一，才是由中國書本上去取得的資料，總計約有「十萬箇音」。

但我們中國的字書，所收集的字，最多的恐怕要算一九三八（民廿七）年，商務出版的一部「中山大辭典」了。關于字數，我在前次一文中就已提到過是「六萬字」。竟有人說我：「文過其實」！現在我將書名補列出來，請那一不明究理的先生仔細去數數。

而就是說，中國文字在目前，我們根據收字最多的一部中山大辭典，也只有六萬。我在這兒講句笑話，那嗎在各地的「方言」中，照高氏所列；就還有四萬箇「音」是無「文」？假設一個人創一箇字，晚近猶需要產生四萬個「新倉頡」。如果說由一個「倉頡」造四萬箇字，事實上又不可能。試問也無人包辦得了？那末還是由一些「嗚呼派」先生「嗚呼」一吓，是不是就可以解決得了的問題？

高氏之書出版以後，使得中國的名學者多人，也為之加額。就是一些專在「故紙堆」中用功夫的抄書匠，也感到時代不同應該實事求是，才能應付這個時代。高著雖然也有不少的地方還欠週詳，有關古音部份，錯誤頗多！至是由中央研究院歷史語言研究所，決定將它翻譯成中文，並請趙元任氏領銜譯述。當時很多國際知名學者，也抽出他們寶貴的時間來參加這一項工作，諸如丁在君、胡適之、王雲五先生也是贊助人之一。尤以李方桂、羅常培二氏，對於是書的供獻特多。他們先用「國際音標」將原文譯了一次，然後再譯成中文。前後經過整整十年，而在一九三六（民廿五）年纔正式出版。自茲以後，中國的一般音韻學人，他們也知道改變自己努力的方向，分別趨向於語文學（語言學及文字學兩種專門學術。）因為舊日的「音韻學」，僅屬于「漢學」中的一部份，而是訓道、訓那的專在「故紙堆」中鑽牛角尖，只可謂為「考古之功多，審音之功淺」的一部份工作。差不多也全在古字、古音、裏面兜圈子，最大的成就也僅作了一部份「分類」或「通轉」的工作。大多忽略了人們日常所用的活語言，以及各地「方言」中不同的「詞彙」，結果並未明白指出目前所用文字的實音來。

音韻學：應當是介於文字語言，兩者之間的一種學術、如果只通曉「文字」，而不懂「方言」，不僅是事倍功半，有時竟是徒勞，不去看人家的東西，只顧自己「閉門造車」，那無異是孔子說的「思而不學」了。

本來在西漢末揚子雲就提到過方言（言其音，然後全其義），爾雅也有「解詁，釋詁」，詩經裏的「二南，十三國風」，可以說，也是「語文學」。（十八）

動物農場

英George Orwell著　陳其芝譯

這是喧鬧的聲音，不意把鍾士先生吵醒了。他從床上跳起來，認定院子裏有一隻狐狸，隨手從牆角抓起那隻經常放在那兒的槍，向黑暗中發射了六槍。子彈射在穀倉的牆上，裏面的會議也就匆匆地結束。所有的動物都回到自己原來的地方，鳥進了巢，動物們臥在稻草堆上。一霎功夫的鳥獸散，整個農場又進入沉睡的景象。

第二章　動物革命的暴發與成功

三天後的一個深夜，老少校在他的睡夢中安詳的離棄了他的同伴，被埋在果園的一側。

這是早春的三月時節。以後三個月裏，農場上的陰謀活動在偷偷地却積極地推展着。老少校的演說，啓發了農場中那些智慧稍高的動物對生命的新認識。他們也無法推論「反叛」會在何時發生，他們也不知道老少校預言的「反叛」會發生在他們的這一代，但是他們却明確的知道為這一壯舉做鋪路工作的，是他們的職責。訓練與組織的工作很自然的落到豬的身上，由於牠們是這些動物中知慧最高的一群。而豬裏面最有才幹的要數史諾白和拿破崙，牠倆是鍾士先生為了要賣錢而專門飼養的兩隻公豬。拿破崙是一隻大而兇狠的巴克郡種，平時沉默寡言，却以詭計多端出名。史諾白比起拿破崙來是活潑得多了。他能言善道富有創作的才能，只是在性格上比不過拿破崙的那種深度的含蓄。除牠們之外，都是些肉食豬。其中足以稱道的是一隻矮小精幹的斯奎勒；牠雙頰渾圓，兩眼晶瑩而又靈活，行動也極為輕巧敏捷，說起話來聲音尖銳明析，是個很好的辯才。每當牠跟別的動物爭論時，牠總是來回地走着，有意無意地甩動牠的短尾巴，讓大家看起來還蠻有些吸引注意力的功効呢！有些動物說斯奎勒有起死回生的本事，既能把黑的說成白的，又可把白的講成黑的。

牠們三個把老少校的遺訓仔細地研究以後，就寫成一種緊密的思想體系，並且名之為「動物主義」。牠們利用鍾士先生睡覺的時間，每星期都要舉行幾個晚上的神秘會議。在大穀倉裏，牠們詳盡地為其他動物解說「動物主義」的要旨。開始的時候大家都有一點麻木不仁，甚至有些動物說，牠們應忠於鍾士先生——他們的主人；也是餵養牠們的恩人。也有的動物說道：「我們何苦為死後的事操心呢？」或說：「假使『反叛』是必然要發動的話，我們的預先籌劃與不籌劃又有什麼分別呢？」這一來，豬又得費上極大的精力去為牠們解釋，並且說明牠們這些思想都違反了「動物主義」的精神。問這些問題中最可笑的動物是一匹白色母馬——魔麗，牠問史諾白：「反叛後我們還有甜草可吃嗎？」

「沒有，」史諾白肯定的說。「我們不需要再在這個農場上種甜草，同時你們也不需要再吃甜草。你們可以吃麥子和秣草。」

「那我還能把絲帶結在鬃毛上嗎？」魔麗又問。

「我的好同志，」史諾白說：「妳所喜歡的絲帶是奴隸的標誌。妳難道不懂自由比絲帶重要得多嗎？」

魔麗算是同意了，可是仍有一點疑惑。

豬遇到更麻煩的問題是如何抵制摩西所傳佈的謠言。摩西是鍾士先生最寵愛的烏鴉，也是個諜報員和謠言傳播中心。牠說牠知道有一個叫「甘糖山」的神秘國度，所有的動物死後都要去那裏享福。甘糖山在比雲彩還要高的天上。在那兒，一個星期有七天是星期天。而且那裏的飼料非常豐富，糖塊，亞麻餅都長在蓄籬上。（五）

是那麼一天晚上

·文妮·

是那麼一天晚上，我現在一點兒也記不得。彷彿是昨天，又彷彿是前天；彷彿是上個星期，又彷彿是上個月似的。

有一點却記的清清楚楚。

有月光，也有雲。月亮高在雲朵裏，到處是一片雪白，又到處是一片「焦土」。

我從小徑回來，身邊帶着手電筒。我前面有好幾個人走着，他們也有手電筒。

快到休假中心，很多人圍在一起。那裏有電燈；但燈光和燭光差不多，紅紅的。

人越圍越多。

我也擠了過去。

原來是一個小孩子，身上穿着的是薄薄的單衣。

冬天了啊！台灣氣溫降至八度。我們穿着毛衣，穿着風衣，還在喊冷。而這孩子：……

就在這時，從外面擠進去一個人。是個軍人，他把自己的大衣脫下來，把那小孩子裹起。

小孩子瞪大眼睛，感激的望着他。

那軍人蹲下身子，把他的小手捏住。「告訴我，你家在那裏？」

「在山外。」

這時，公共汽車沒有了。又快到戒嚴時候。

怎麼辦呢？

正好，有輛計程車來，是到山外的。

那軍人把計程車攔住，把小孩子抱上車。

「到了山外，你找得到家吧？」那軍人問小孩子。

小孩子點點頭。

「那我就不送你回家了。」

接着那軍人拜託了一番司機，司機說：「這裏到山外要廿元。」

那軍人在袋裏掏不出廿元。司機望着。但那軍人立即把內面的毛衣脫下來，交給司機。

「你把這個拿去，無論如何要把他送到家。」

我在旁邊感動的淌出了眼淚。

軍人是多麼仁心啊！

從這後，我更瞧得起軍人。我自己也設法多接近軍人，學習那種良好的品德，高尚的風度。

明年我便到了入營的年紀。

我想：我不但要做個好青年，將來在營裏還要做個好軍人的。

欣慰與遺憾

勞克

過年前後，金門最忙的便是郵差。大包大包的郵件，分發到官兵手裏。官兵們收到的，百分之九十都是賀年片。而這些賀年片中，又以台灣中小學生送的最多。

我收到這些精神食糧的賀片，就有四十多張。計有高雄市的和平國校，基隆國校，以及虎尾中學，屏東職校，東大中學，雲林水林初中等等的賀年片中，他（她）們都有可愛的獻詞。如水林初中的華美珠教師，在獻詞中說到：

「三軍將士們：由於你們的英勇悍衛，才使我們有安定而快樂的生活；是你們的不屈不撓，才有我們的奮鬥精神。

「你們啓示了我們：什麼是革新，動員，戰鬥；什麼是眞理，正義。

「祇有你們，才算是眞正的偉大！

「祝你們新年快樂」！

其他的學生們，也都在獻詞中鼓舞軍人，表示敬愛軍人。

對這些賀年片，我都保存了起來。有的我還回復了賀年片，我回的賀年片，是用金門十大風景的彩色卡片，我自以爲既美觀又大方。

一位我的伙伴黃崎，對這些賀年片感動的說：「爲了這些高貴的熱情，爲了我們這一代的責任，就要打回去，就要消滅共匪！」

這些賀年片的精神食糧，使我們的戰志更加旺盛起來。在新年加菜中，我們在彼此敬酒中，就說：「明年我們在南京過年！」

「好，乾！」

同時，每當我們在堅守着戰鬥崗位時，就把這些賀年片拿出來溫慰，欣賞。在這些賀年片的文字中，體味出同胞的溫暖。

不過，也有點遺憾的。賀年片最多的乃是小學，次之是初中，而高中和大學則如鳳毛麟角。

這是個不好的現象。似乎敬軍愛國，祇是些小孩子們的事情。

在我們前方軍人的感受中，最需要的就是精神食糧。接到後方的片紙隻字，我們就像看到親人一樣的。

台灣的小學生，初中生都在這方面做的很好，而高中生和大學生爲什麼那麼吝嗇呢？

還有個不好現象：那軍中的官兵，由於生活的枯燥，心靈上的寂寞，就在雜誌上刊登徵友之，所以這樣，是以友誼上的溫暖，打發戰鬥中的日子。結果，那些徵求，百分之九十都是沒有下文。這給戰士們很大的精神打擊。我時常想：他（她）們後方那種享受，坐咖啡室、跳舞、而要他（她）們和戰士們做個朋友，都還那麼吝嗇，這是怎麼一回事呢？

雨傘在英國

雖然雨傘是中國人發明的，但英國人可以說是最喜歡雨傘的民族，不論男女貧富，都愛一傘在手。關於這點，要歸功於十七世紀末葉的佐納斯．漢威，他是英國用傘的提倡人。在當時，多數男子以爲，傘並非男士所應持有之物；終於在漢威積極提倡了三十年之後，用傘之風大盛。不過奇怪的是，儘管在倫敦的街道上滿是拿着雨傘的男女，但在春雨綿綿的日子裏，他們卻不張傘，寧願任雨淋身。並非他們充滿詩意，原來傘之在英國，已成了一種裝飾品也。

哀梨室劇談

雲想衣裳花想容

谿公

「擅演的戲，有「琵琶行」、「四弦秋」、「打麵缸」、「蕩湖船」、「貪歡報」、「巧姻緣」、「闖房樂」、「虹霓關」、「盤絲洞」、「眞富貴」、「雙搖會」、「龍戲鳳」、「彩樓配」、「荷珠配」、「回龍閣」、「趕三關」、「探寒窰」、「玉堂春」、「金水橋」、「祭江」、「救子」、「戰蒲關」、「蘆花河」、「二進宮」、「乘龍會」、「宇宙鋒」、「翠屏山」、「梅玉配」、「渡銀河」、「三擊掌」」等百餘齣；演時聲容並茂，節奏井然，抗墜從心，抑揚有致，如並州剪，如哀家梨，令人愛不忍釋。且「虹霓關」之丫鬟，從前是個穿「青褶子」的乳娘，由紫雲把他改作了丫鬟，且以花旦之姿態出之；又增加了一大段「二六」（即「見此情不由人心中暗想……」）唱起來非常動聽。所以他每演此劇，唱旦者爭往觀摩。他「走圓場」的「身段」、「步伐」，輕盈婀娜，特別美觀。這個看似容易，而其實是很難的』。

由孫先生之評論觀之，可知紫雲老板之劇藝，確已登峯造極，迥異凡庸。自然過雲之工力尚不及此；但能夠與之近似，已是庸中佼佼，鐵中錚錚的了。然而自強不息之過雲，並不以此爲滿足；時爲梅家「小不點」（係梅蘭芳小時之外號）全盛時代，過雲欲師事之，屢託親友紹介，迄未得到小梅之同意。結果是由顧少川先生（維鈞，時爲外交部總長。）設計，於某日大宴賓客，小不點亦在其中；顧初不言其所以，但令過雲坐待於另一室中，一俟酒酣耳熱，逕向梅老板面前走去！顧卽運用他所常用的外交辭令，很滑稽的說道：『請諸位注意！聽我報告一樁特殊的新聞。我這服務於外交界之老兵，現在要做一件任何人都未做過的內交事情！爲了徵求諸位的意見，特備一杯水酒，奉屈諸位來談談。我們這梅蘭芳博士，是個藝造峯極名震環球的國劇大師；而我們的韋過雲女士，則是坤旦中出類拔萃不可多得的後起之秀；現在我要介紹韋女士拜梅博士爲師，藉使她的劇藝，能在百尺竿頭更進一步，作梅博士的嗣音。諸位贊成不贊成』？（四）

梁山伯與祝英台

——「影劇與歷史」之一

周遊

觀「寧波府志」，可知「梁祝」故事的梗概如此。梁山伯本名處仁，山伯乃其字也。値得注意者，英台出外讀書時是改名爲祝貞字信齊。她本女扮男裝，出外讀書改名是可能的。

二、有謂梁祝爲春秋時人，這是一種胡說，不可信。爲使讀者知道是誰胡說的，不妨引錄古書。在明人張岱的「陶庵夢憶」中說：「曾到山東曲阜拜謁孔廟，見城上有樓閣高聳，匾額題着：『梁山伯祝英台讀書處』。我瞧見不勝驚訝！」這也不怪張岱，最可怪的曲阜竟擺這樣幼稚的噱調，一般鄉民見了，當可信以爲眞，那倒把梁山伯與祝英台提前生了千多年。

三、梁祝爲五代時甘肅清水人。查甘肅清水縣志有此記載，不知從何所本。該縣志所記，縣有祝英台墓。這也是攀龍附鳳，令人可哂。美人名士、好人好事，總是有人附會種種關係，如昭君之墓、孟姜之墓及遺跡，木蘭之籍貫及遺跡等，全國很多地方都有。舉個現實的例子，一炮而紅的凌波，未來台時，就有福建與廣東兩個同鄉會爭同鄉，福建人以爲凌波是福建人，廣東同鄉會以爲她是廣東人。準此以觀，古今多少人事，攪得混亂不清，就是一些人的拉扯而來。歷史與影劇故事，是不會相同的，所以觀賞影劇之後，應當知道一點影劇故事的歷史根據，方不致爲影劇故事所誤。而且戲劇總不免誇大渲染，好人就儘量誇其好，一切好的都屬於他了；壞人則儘量講他壞，一切壞的歸其一身。如爲愛情，則儘量濃厚其愛情，雖剔除史實亦所不顧也。「梁祝」即是一例；本來梁祝的愛情也不過如「寧波府志」所記而已。但經過戲劇的改編之後，可以賺人流淚，潤人心肺了。山伯本來是一個好官，但爲戲劇渲染其愛情，而竟將他做官的史實剔掉了。據姚顯「蘭江小語」云：「梁山伯廟，晉時梁之生祠也。考山伯爲鄞令，極有政聲，嗣卒於任所，因由祠改廟」。又該廟志又云：「神姓梁，名處仁，宰本邑時，築塘修路，興利除弊，功在民間，歿於任所。」以上兩段記載，可見梁山伯之被人尊崇乃是因爲他有興利除弊，功在民間，而享受人間生祠烟火；因卒於任所，故又由祠改立廟。他之受人尊崇，絕非是他的愛情專一而受人膜拜。至於那些廟神所記的助戰的神話，那是修廟者的態度，不附會一點神話，則立廟似乎無人禮拜故也。廟碑之偏向神話，正如戲劇着重愛情一樣。

梁山伯的眞實歷史是：梁名處仁，字山伯，生於東晉穆帝永和壬子三月一日，籍貫是會稽郡所屬的鄞縣。他與英台同窗三載，本不知其爲女子，後歸家往訪，始得知其實情，因羨慕她三載同窗而不改其清白，而思慕之。做過鄞縣令，有政聲。以「嬰疾弗瘳」而卒於任所。

由他生於穆帝壬子推算，到簡文帝舉賢良，山伯應詔被舉爲鄞縣令時止，他當爲二十八歲，正是一位青年縣官。他做了多久的縣令，則無文獻可考。（五）

紂不是暴君嗎

謬匡

古時女人有幾個是有名字的，莊先生應當知道吧？如果連這點都不知道的話，那盡信孔穎達的標新立異而不疑，未免太危險了。秦始皇殺了多少知識份子，築萬里長城死了多少人？請問誰曾看到名冊嗎？指得出姓名嗎？

莊先生認爲紂之暴政惡名，與日俱增，這亦不見得是事實。爲了不使讀者遺憾，也不妨畧說幾句。

在使用書契的甲骨文的殷紂時期，中國的文字有多少？今天我們的文字又有多少？在殷代的一字一義，現代又是一字幾義？在殷代的書契工具是什麼？而今天的書寫工具又是什麼？春秋時代的文字是不是要比殷代增加很多？書寫工具是否已有很大的進步？這些都應當在孔穎達「尚書正義」之外去求得的。莊先生以一偏之見，也就難怪他不知道何以暴君之惡的文獻愈下愈多的原因了。以「論語」而論，二十篇魯論共有多少字，今日有關論語的書籍又知多少？文字的孳乳寖多，事物之引申日繁，此乃自然之趨勢，雖日益增加，但並不違背原則，並不能將善變爲惡，亦不可將惡改爲善；如果將「善」變「惡」，是『歷史唯物論』者欺人之談，它們把黃巢、黃闖、張獻思變成爲民族英雄，它們能夠服中國人嗎？

殷紂殘暴敗亡，就是「暴虐必亡，侵畧必敗」的歷史法則所肯定的。紂是帝乙的第三子，因其母生紂時已爲正妻，故得太史據法力爭而立。紂的二兄名微子啓和微子衍，二兄生時其母尚爲妾，故不得立。紂是一個好勇鬥狠、孔武有力、能手格猛獸的大力士，如以之衝鋒陷陣，是一員猛將；可是他不能做一國之君。如果殷人以微子啓爲嗣，則殷商天下尚可延續數代當無問題。怎奈紂上台之後，便寵妲己，糜費財帛，厚賦稅，以資他窮兵黷武，行其霸道。茲舉紂的暴政和窮兵侵畧簡史以證之。

寵妲己：先秦諸子記載之書有二十種以上之多。（四）

內僑警台報字第〇三一壹號內銷證
自由報
THE FREE NEWS
第五二九期
社長：雷嘯岑
20 CAUSEWAY RD 3RD FL HONG KONG
TEL. 771726
台灣分社

敬悼陳副總統辭修先生

本報同人

人莫不有一死，然其死或重如泰山，或輕如鴻毛，而其價值判斷，即在他一生對國家和社會羣衆所發生的影響爲何如？準此義以衡量中華民國副總統陳辭修先生之溘然逝世，我們深深地認爲這是國家民族的一大損失，影響之重，有如泰山，悼懷國事，緬念來日，悲悼之情，其能已乎！

陳先生壯年即追隨國父孫公暨今總統蔣公，從事國民革命，于役軍中，備嘗艱苦，亦迭著勳績。他對於三民主義的堅定信仰，及其對領袖的忠誠，數十年如一日，從無瞻顧徘徊、趨利避害的言行，切切實實表現着以身許國，矢志不渝的革命黨人的優越氣質，迥異流俗之輩。尤其是他在革命事業遭受挫折，國運艱屯危難的階段中，更不屑臨難苟免，而顯示其「以天下爲己任」的智勇節操。這不是我們阿好溢美之詞，事實昭彰，歷歷可數。

當民國卅八年中原宣告淪陷前夕，陳先生因胃病施行手術後，避地台灣療養，精神尚未復元。他忧目國難嚴重，不敢惜身偷安，毅然拜命出任「東南軍政長官」兼台省主席這項繁劇的職守，爲國家鞏固此一復興根據地。這時候，內而代總統李宗仁譸張爲幻，放棄責任；外而國際上對我政府表示失望，少所支援，美國當道，且下令撤退旅台僑民，聲言台灣旦夕即將陷落於共黨之手；蔣總統亦以引退之身，入巴蜀督導剿共戰事，尚未復職；台省內部且潛伏着不少的匪諜如吳石、李朋、謝雪紅之流，乘機釀亂，搖惑人心。眞是內憂外患叢集，局勢岌岌莫保，意志稍爲脆弱的人，面臨這種環境，沒有不感到棘手的。然陳先生秉承蔣總裁的指示，勇於負責，採取了若干不是常人所能爲的非常措施，使台灣秩序安如磐石，進而整軍經武，改善人民生活，促進國民生計，強化社會生命。語其要政，約有數端：

陳先生以「東南軍政長官」職權，對於由大陸撤退來台的國軍，一律令其先行繳械，官兵整飭儀容，然後徒手登陸，聽候整編，重新建制。凡屬有官而無兵的原有軍部番號，統統撤消。這些軍事單位綜計有六十多個，每月向政府領取現洋兩萬萬元的經費，虛糜公帑，爲數甚鉅，各個單位的首長與陳先生不是同袍同寅，亦爲相識的朋友，如其瞻徇情面，即不便斷然作此處理。但陳先生公爾忘私，爲着國家的利益，不顧其他，徹底改造革新，這是普通人所能做得到的事嗎？今日國軍實力之強大，素質之優良，紀律之嚴明，即是奠基於此，這對國家前途的裨益太深鉅了！

陳先生爲要維護台省內部的安寧秩序，一面清除匪諜，同時實施出入境許可制度，不稍寬假，雖負時謗，無所容心。假使不採取這項非常措施，台灣的治安情況，必將不堪設想，已故民社黨元老伍憲子先生當年就說：「台灣如其不實行出入境制，早就危亡了！」現在政府對於出入境之核許方法，業已逐漸簡化放寬，此一時，彼一時，時易勢異，理所應爾。但陳先生當年那種任勞任怨，擇善固執，行其所安的毅力和決心，實在對國家安危前途，關係不淺，値得欽佩的。國人對於限制出入境這件事，批評甚多，指爲妨害了人民行動自由權利，理論上當然振振有詞，若能設身處地，想想當年台灣實際情形和共黨的滲透技倆，顧念到國家安危關係，也就不忍苟責吧？

陳先生對台灣省政更有其輝煌的積業。他就任主席職位後，即倡出「國家至上，民生第一」這兩項施政圭皋，首先實行「三、七五減租」制，使農民的生活與生計得到改善。繼而他首任行政院長，即督促、指導省府遵照國父民生主義遺教，擬訂土地改革方案，經立法機關通過施行，實現耕者有其田的根本大計。他對台省各個大地主，當時不惜舌敝唇焦，進行說服工作，用力最勤，宅心最苦，而收效亦至宏，台省人民至今稱之。最近他臥病未癒，台省同胞到處爲他舉行祈禱，表現不忘甘棠遺愛的心情，有由來也。他歎歷行政院長，近十年，舉凡最大的經濟建設事業，以及水利工程等等，都是在他勇於負責的精神貫注之下，陸續成就的。

台灣在中華民國政府聲毅之下，經過十餘年來的經營締造，諸如軍事、經濟、工業皆已突飛猛進，延譽異域。這固然是蔣總統領導有方，決策正確，若非陳先生奮勇輔弼，硬幹實幹，易克臻此。我們有理由和事實作一種客觀的定論：中華民[illegible]政府在台灣的進步[illegible]施，認爲十九都最[illegible]力於陳先生之臨爲[illegible]命，見義勇爲，亦[illegible]過甚之詞。何期陳先生壯志未酬，中道殂謝，使國家喪失一個不易多得的棟樑之才，蔣總統亦缺少一名忠貞有爲的股肱之臣，「人之云亡，邦國殄瘁」，値茲中原河山尙待光復，人民倒懸望救之際，萬目時艱，眞不勝「誰其嗣之」的感喚啊！

每一個人都有他的優點和缺點，陳副總統自不例外。一個[illegible]

陳副總統因罹惡疾而賚志以歿了！就他個人來說，對國家民族巳有很大的貢獻，可謂不負此生，俯仰無愧，所遺恨的只是中原河山尙待光復，但悲不見九州同而巳。然我們後死者殷憂國事，遽失導師，感時懷人，未有不爲天下蒼生而同聲一哭者！陳辭公臨危易賞遺言，念念不忘國難民瘼，諄諄以「團結」「同心」相囑，唯見其大，語不及私，充分表現着「鞠躬盡瘁，死而後巳」的政治家磊落風範，更令人掀起「微斯人，吾誰與歸」的景仰心情，而不禁搔首問天，胡不懟遺之歎。

陳辭公逝矣！他所未了的志事，寄望於後死者繼續努力，毋怠毋忽，而其要旨即爲精誠團結，同心同德。普告國人共體斯意，大家愼思明辨而篤行之，以告慰於辭公在天之靈乃可！

魔笛

有樣學樣

今日與明日

一事無成的共黨會議

俄共在莫斯科召開的二十六國共黨大會，共計到了十九國共黨，缺席的有毛共，韓共，越共，印尼共，日共，阿爾巴尼亞及羅馬尼亞共黨。就單位來說，出席已超過三分之二，但就形勢來說，今天共黨的重大問題就在這幾個缺席共黨的身上，其中除去羅馬尼亞共黨是尼赫魯的門徒，想左右敲詐，自高身價外，其餘五國共黨卻是毛共的馬仔，唯毛共之命是聽，不論就黨員人數，或者是力量對比上看，缺席的比重也佔百分之五十。因此，俄共雖然決心想要開共黨大會的籌備會議，可是籌備會議開過之後，公報卻遲遲發不出，世界共黨大會十之八九是擱淺了。

由目前鬥爭形勢來看，毛共一味進逼，俄共仍在招架中、尚未還出手來，假若局勢再發展下去，俄共感到「父黨」地位已基本被推翻，挾多數壓制少數也作不到，可能就會恢復了四十多年前的形勢，變成國與國間的糾紛，毛共的處境就麻煩了。

莫斯科示威事件

爲了美國大炸北越共軍基地，共黨策動各地示威，莫斯科方面在三月五日也出動了三千多亞洲學生去美大使館前示威。這次參加示威的學生中有毛共派去留學的中國學生四百多名，顯而易見是毛共人員策動的。這批學生到了美國大使館門前，大肆破壞，行動已經超出了示威的範圍之外，成了典型的暴動，蘇俄政府不得已出來干涉，最初出動警察彈壓不住，後來連軍隊也出動了，其中一些「學生」又掉轉槍頭，改向俄軍攻擊，雙方發生衝突，毛共學生有三十一名受傷，被送入醫院，至於俄軍同警察有無受傷，則未悉。

事情發生後，蘇俄外長葛羅米柯親自去美國大使館道歉，答應賠償一切損失，本來這也是國際法上應有之義，毛共卻抓住此點大做文章。向蘇俄提出抗議，要蘇俄政府向受傷學生道歉，認錯。

北平的示威

毛共又出動學生及北越派在北平留學的一些青年共幹，向蘇俄大使館示威，這次雖然未發生打架事件，也未損壞任何物件，但卻在共黨關係上開了一個先例，共黨學生向蘇俄大使館示威，卻是前所未有的事例。

北平共報在一根指揮棒下，全體展開攻擊，統一標題是：「請看，這是什麼時代，在什麼地方，發生了什麼樣的事情。」

毛共目前最如意算盤是挑撥美俄關係，可是，蘇俄決不上當，於是就變成了俄毛之間的鬥爭。（何如）

自由談

談「攔路告狀」

台灣省府主席黃杰最近出巡各縣境時，以民衆有攔路告狀情事，指爲思想落伍的行爲，違背法治精神。話是很漂亮的，誰曰不宜。

可是，如果縱深思考一下，在今日的台灣省，國民教育很普及，四境交通極其發達，地方法院到處設立，還有各級地方自治機構和警務機關，以及「民衆服務站」等等，都可以調解人民的爭端。何以省主席出巡之際，民衆尚不憚艱困而有攔路告狀的行爲發生呢？視其所以，觀其所由，察其所安，這證明社會上存在着許多不平的事實，民情抑鬱難伸，而希望高高在上的大人先生們痌[illegible]在抱、胞與爲懷，替他們主持公道。從這種角度設想，居於行政首長地位的省主席，應有一夫不獲，然疚歉的觀感，要設法消弭這種不合式的現象，總是求治之道，似不宜責備民衆爲落伍思想，漠然不以爲意吧？

民刑事件應由法院管理，行政訴願亦有一定的法制可循，這是常識，人民未必懵然無知；既知之而不由之，其中乃有不得不然的苦衷存焉。那就是一般負有爲民衆解決爭端之職責的法定機構，並無「青天大老爺」在上，人民含冤莫伸，迫而告訴於「八府巡按」的省主席，其行可憫，其心可憐，其情乃大可哀，斥之爲「落伍思想」，竊以爲過矣！

當然，這些攔路告狀的內容，亦未必盡是受屈遭寃者不平之鳴，其中難免不無刁頑之輩，妄事興風作浪，以求一逞的。儘可按其情節，分交主管機關查核處理，表示省主席關懷這椿事，無形之中，即有整飭紀綱，修明內政的效用，卻不妨礙法治精神。儘視爲「落伍思想」，而表示不予理會的態度，這就不是「人民公僕」應有的作風，不足爲訓。

談到民間的落伍行爲，更有比「攔路告狀」更甚的，如婚喪禮俗之雜亂無章，怪象百出，如酬祖拜拜之浪費驚人，閭里騷動，政府皆聽其自然，不加整飭，而獨斥攔路告狀是落伍思想，認爲不値得一顧，是誠匪夷所思也已！

昔人謂「宰相須用讀書人」，豈特宰相，凡屬各級行政官員，都應以讀書人爲上選，所謂「文人政府」的眞銓，固在此而不在彼也。

馮五先生

政府雖正在積極推進
「反共建國聯盟」在難產中
實際的顧慮孔多時機使是一大問題
邀約預會人士技術問題亦煞費周章

（本報台北通信）蔣總統倡導的「反共建國聯盟」會議一事，籌備已久，尙無舉行的確實期限，最近立法院大會中，曾有人向行政院提出質詢，據嚴院長答覆，這項會議一定要舉行，政府正在積極推進之中。但實際上諸多顧慮，並非輕而易舉的事。

首先就是舉行這種會議的時機問題。當年「七、七」事變發作後，政府決計傾全力抗拒日本帝國主義的侵略，蔣委員長在廬山召集全國各界中心人物會談，表示抗日的決心，徵詢各方意見，大家基於爭取國家民族獨立的愛國心情，一致擁護政府的抗戰政策，義無返顧，眞正表現着舉國一致的精神。如今政府對於反攻大陸的軍事行動時期，由於國際環境的關係，尙未決定，若匆匆召集「反共建國聯盟」會議，只好談些內政事宜，似不合式。假使大家提出來的政治主張，有些不易實行的話，勢必引起一部分預會人士的不滿，反而妨碍團結運動，大背初衷。

次爲邀約預會人士的技術問題，亦頗感困難。論理，這是一種協商國家大計的政治會議，應以在野各黨派和海內外各界具有領導地位人士爲主體。但兩個在野黨因內部分裂的不統一，彼此互以正統相號召，各不相下，政府究竟邀約那一方的人士爲好？如果雙方或三方面的人都邀請，再加上其他各界代表人物，結果就有如羣衆大會然，殊非所宜。

既然是一種政治性的會議，預會人士自以對政治有興趣和經驗者爲上選，這亦是個難題。政治興趣人人都有，只是各人濃淡不同而已。至於學識經驗，亦復漫無標準，而眞正符合條件的人更不少，無論如何，皆不容易邀請得周到——多邀人參加，變成了羣衆大會，少約些人，轉滋糾紛。過去的「陽明山會談」，其性質比較「反共建國聯盟」會議輕微多了，然有些自信爲應該被邀參加而向隅的人，即大起反感，對政府增加不滿情緒，瞻前顧後，煞費周章。政府在未決定對大陸採取大舉反攻行動之前，若貿然召集這項會議後，立即發生另一大問題，即這會議通過的議案，對政府有無拘束力？這機構是常設的性質？抑是臨時的？若說議案只供政府採擇，沒有拘束力，那末，在「陽明山會談」中已經舉行過，似無重複之必要了。如謂多少具有拘束力，而機構又是常設的，那又置立法院監察院於何地，豈非損害憲政體制嗎？

以上各項問題如不審愼周詳，設法得出妥當的答案，「反共建國聯盟」會議確有難產之虞，這不是籌備人員不努力，亦非政府當局沒有誠意，事實顯然，大家見得到的。

屏東決定繼續推行
一鄉鎮一縣中計劃

（本報記者屏東航訊）據屏東縣府宣稱：在志願升學的方案未奉令實施前，將仍依照原定計劃，「一鄉鎮一縣中」的原則，於下（五四）學年度再增設兩所縣中分部，同時並將東港中學枋寮分部，予以獨立爲枋寮中學。消息傳出後，地方人士至感興奮，惟一致希望縣府在未實施前，應愼重考慮經費是否充裕，免再蹈「樂捐」建校之覆轍。

在屏縣境內廿五個平地鄉鎮市中，迄尙有麟洛、萬巒、崁頂、新埤、枋山、車城、滿州、新園等八鄉無縣立中等學校或分部，縣府爲期能達到「一鄉鎮一縣中」的目標，決分年增設創立。據教育科長張進課向記者表示：下（五四）學年度已決定除東港枋寮分部獨立爲枋寮中學外，並同時決定在新園鄉設立萬丹中學新園分部，萬巒鄉設立內埔中學萬巒分部，藉便於當地國校畢業生的升學。

據某權威人士語記者稱：縣府所釐訂的「一鄉鎮一縣中」計劃目標，不管它是爲了實踐縣長競選諾言，抑是眞正爲發展地方教育，然而此一決策是正確的。不過，年來爲實現此一計劃，據說屏東縣府近幾年，雖財政困絀，亦不惜以開快車的方式達到創（建）學校的目的。因此多少奉命出任校長一職的先生，爲使學校能粗具規模，博取上級的嘉許，乃情商由地方人士所組成的家長會，爲新生或插班生入學註册時，發動一次捐獻建校運動，其所「捐」「獻」的數字，由新台幣五十元、一百元、二百元、三百元、五百元、一千元不等。縣政府爲創設學校，校長爲把學校建設起來，家長會爲使有志升學的學生能有書可讀，而熱心協助創（建）學校的種種精神，當然也是殊堪嘉許的。然而此項捐獻建校運動，在有錢的學生家長來說，是無所謂的事，但在貧困學生家長來說，却就爲難了。於是因而常常引起合法與不合法的「樂捐」與「迫捐」之爭，如「中正中學」、「九如中學」等校長，據說因不時爲人處事有欠公正廉明，而被本校員工向有關機關提出檢舉涉嫌瀆職、貪墨，而鬧得滿城風雨。主管官署的縣府爲平息此一因「樂捐」或「迫捐」而起的糾紛，以未經省府核准爲由，迫令各學校將捐得之欵悉數退還學生家長，以杜怨言；否則即以詐欺罪嫌將校長移送法辦！

案：照縣府命令規定，所捐得之欵，似應悉數退還，然縣政當局對學校之增班建築教室經費，僅以半數核發（台省目前，建築教室一間之經費，連內部各項設備，計時價需新台幣八萬元，而縣府則以每間四萬，最多五萬元核發）。各學校爲配合增班建築教室需要，已將捐得之欵用作建設之上，事後縣府迫令退還，又不補足建築費用，各校長勢將難以從命。嗣後退與不退，雖然不了了之，但縣府此舉固然有失尊嚴，而校長們也因此而失却師道面體，這豈不是一件憾事麼？所以縣府對今後創建學校，或學校增班建築教室，在經費方面務必力求充裕，俾免再蹈「樂捐」抑是「迫捐」建校之覆轍才好。

立委檢討司法問題

本報記者張健生台北航訊

廣東籍立法委員鄧激濤先生，以往對司法問題很少提出質詢，然而這次却對「檢察業務有關問題」加以檢討。由於鄧委員來自司法界，現又執行律師業務，故對司法問題有入木三分的看法。

他質詢的第一個問題爲司法官的品德。司法官爲分辨是非，判斷曲直之人，不特學術要優良，而其品行尤必須端正。過去，在民國十五年間，國民政府司法委員會，舉辦首屆司法官考試，其應試資格，除規定爲法科畢業外，對於應考人，須具備「身家淸白，品行端正，並無不良嗜好」爲條件，且報名者，須由當地人二人的保證，於調查合格，即予通知應考。然而現在，經考試及格而參加司法官訓練所受訓的法官，就鬧過這樣的笑話，其國文程度常有不及六十分亦被錄取，而錄取之司法官中，竟有犯罪案者，其對法官品德，可謂絕不注意，遑論事前調查。對於法官之選用，固應注意學術，尤應注重品德，寧缺勿濫，官，倘有才而無德，或才足以濟其奸，則欲澄清司法風氣，必南轅而北轍。法官爲終身職，受憲法之保障，一朝誤用，長期貽害，不可不愼也。例如數年前，被判貪污之南部法院庭長某，其生活糜爛，社會多知，倘平時能注意調查，當不致影響司法威信如是之大。

其次，是司法官之處分裁判，應對負責。蓋檢察官之起訴處分與不起訴處分，及推事之裁定與判決，應絕對負正確無誤之責任，如有瀆職情弊，固應依法懲處，如處分不當或裁判失出失入，縱無刑事上瀆職情弊，亦應予以相當之懲處，方合正理。惟自政府遷台以來，在第一、二審司法官之心中，誠不無浮動，有些司法官認爲第一、二審之判決，縱有錯誤，亦有上級法院爲之救濟，因此對處分裁判，並不認眞注意其正確性，此影響甚大。而各級法院首長，其中一部份亦有存此觀念，對於所屬法官之處分裁決，其正確與否，未予過問。夫上級法院得以糾正救濟，此爲人民訴訟之權利，而非爲司法官過錯免責之護符也。

同一案件，檢察官對某人以爲有罪而起訴，推事則以爲無罪之宣判，是則某人罪之有無，並不一定，而法律之必然性，必大大損毀。法院之尊嚴性亦大大減低矣。

第三、推檢人才，必須充實，尤其第一審之地方法院的推事檢察官，應予加强。以往司法行政當局，對第一審之推檢並不嚴格注重，往往以新任之或資歷較低之人員派任之，其所以致此之原因，實產生於第一審法院錯誤之判斷，有第二、三審法院之糾正，爲之救濟。殊不知第一審法院處理案件，無論調查證據，物品之鑑定，場地之勘驗，在時間空間，均較第二審之高等法院爲重要。倘第一審法院之推檢，能作適時適地之詳細調查，取得確證，審得詳明正確，則第二審法院之案件，不特可以減輕，且易於處理。且地方法院掌理民事案件之執行，最受社會指摘，如執行偏差，致發生判決失效，影響人民財產權利非常之大。故今日不整頓司法則已，如欲整頓司法，則對地院之推檢，實不可不提高標準。對初任之推檢，應加重其首長考核之責。

第四、司法官之辦案考核，收效極微。司法行政部提示各級法院辦案，應力求改進，以樹司法威信，所揭示「合法、適當、迅速」爲辦案三大準則，而各級法院首長並未切實奉行。

合法問題：今日爲社會所詬病者爲嫌疑人被警方刑訊之事，致訴訟上發生採證之困難。四十九年間，某校有甲乙兩生，因互擲鐵條，甲生因傷而死，乙生亦坦承其事，由警方移送檢察官偵辦，此案本甚簡單，又無其他共犯在內，乃檢察官接受之後，不自偵查，而將乙生突然發交刑警大隊刑訊，計扣押十二天之久。此種將被告交刑警大隊刑訊之辦法，是否合法，有法律常識者當必知之。（上）

風雨飄搖話越南

匡正

六、「節奇」「節些」與「組三」

在過去的幾個藩屬國，要以越南漢化最深，他們一年之中的各項節日，大多與中國完全相同。他們過舊曆年名叫節奇」，陽曆年爲「節些」。他們也同中國一樣有「送灶」，「接灶」，唸灶王眞經。過年的應節食品，最重要是「蒸餅」，也有些像我們的粽子，只在形式上不同而已，它是四方有的加肉類，糯米和荳莎做的，用筍葉包裹。過年越南也同樣放爆竹，貼春聯，以前的春聯都用漢文書寫，而今用越化的漢字或越南國語寫春聯。越南新年期內也和中國一樣，聚賭爲樂。越南的賭具中也有一種像似中國麻將一樣的「國賭」，名叫「組三」。有「萬」、「索」、「文」，也是從一到九，每種四張；玩法不同於麻將，是五人玩的，規矩比較我們玩麻將更嚴密。據說這種「組三」就是中國麻將的原始形態，在越南仍保存着，而在中國早已變了又變的了。但近年來，中國的國賭——麻將遠征到了越南，他們的「組三」便逐漸減少了。

越南人的春節另外還有一種點綴，就是玩「水仙」，而且相當重視，有此雅興的，大多是富戶。水仙據傳說是中國閩南傳過去的，銷路比在中國更多。雖然越南內患外憂頻仍，他們仍樂此不疲。

除過年過節之外，還有二月初二爲「徵氏姊妹」節，三月十日「淸明節」，陽曆五月三日爲「勞動節」，舊曆四月二十八爲「佛祖誕」，五月二十六日爲「耶穌升天」，八月十五爲「瞻仰節」，舊曆七月十五爲「中元節」，九月二十八日爲「孔子誕辰」，舊曆八月二十爲「陳興道元帥紀念日」，十月二十六日爲越南共和國國日，十一月一日爲「諸聖節」。可見，除了少數節日之外，大多數節日都與中國相同。便是越南漢化的明證。

七、獨絃琴與報紙

越南民間有一種特有的樂器——獨絃琴。製法簡單，用一丁方五吋長二呎半筒形小方盒，或剖進竹筒，用一足踏緊小盒，左手搖柱，右手用小木鈎彈，寬緊琴絃，諸音則會變易，不獨七音，就是高音，中音，低音都可隨手彈出。而且音韻寬緊之故，除本音之外，至夾着在高半級和低半級之中，樂音酷似於吉他，別饒風趣。

每當夕陽西下，明月初升，三五成羣地圍坐在濃蔭樹下，茶一罎，烟一盒，檳榔一檔，獨絃琴一張，高唱着動人的民歌。一絃拍合，從樓頭遠遠聽去，令人有飄飄然欲仙之感。

現在越南共和國的報紙有十三家之多：電訊報（越文），自由報（越文），國家革命報（越文），新西貢（越文），鐘聲報，羣衆報，時局報都是越文報紙；另有五家中文報紙，那就是：遠東報，世界日報，大夏日報，亞洲日報，每日論壇報。另外尙有一家法文「亞洲日報」。

現在的越南，北越變色十年矣，南越久經動亂，現在仍處於風雨飄搖之中。想當年那種旖旎的風光，令人沉醉的琴韻與歌聲，大概已爲殺伐之聲與淒涼的景象所取代了，言之深覺惻然。

（四·完）

試為中華創新教—新儒教

論道統第四章

陳健夫

回頭來看，這山河大地，這萬物并育的世界，豈不是比人創造的更高出萬倍麼？你能說星球羅佈，地球公轉，沒有一種力量支配它麼？可見得這宇宙是由於一種超人的主宰所創造，所支配。這種「超人」，人類尊之為聖賢仙佛，為神明。這樣的神是有創造的大能的神。這種以造化，以自然來顯明的神，不能與那一般以神跡，以迷信來顯現的神同日而語。總之，宇宙有個主宰，人人有個主宰，這個主宰，人不能看見聽見，但能用心靈接近。人若要認識神，只在內心深處求之。

這是我們新儒家承認有神的道理，也即是我們新儒教的有神論。

三、新儒教是民族復興的基石

世上的人，沒有不承認人類之中流行久遠的宗教之存在。今日只有共黨國家否認宗教。雖然如此，在共黨國家，至今仍有各種宗教。蘇俄建國已數十年，但在蘇俄境內至今仍有宗教組織。共黨國家不承認宗教，但他們却正在興起他們自己的宗教——共產主義或社會主義。他們正在高嚷着馬，列，及毛澤東都是他們的先知，他們的宣傳，已公開使用：「我們的先知們」的語句，可知他們已將創建共產主義及共黨國家之人，奉之若神明。此與基督教之尊摩西，耶穌為先知，回教之尊易布拉欣，穆罕默德為先知，可說有過之而無不及。所以，可說共黨是有宗教信仰。不過這乃是一種新宗教而已。今天我們本着儒教的傳統，擴而充之，賦予新的思想與觀念，倡導之為新儒教，這也是一種新宗教。

人究竟是有信仰的動物，人不能過着沒有信仰的生活。而信仰的最高發展，便是宗教，人類以信仰來改造歷史，是不斷的在發展着。今天地球上的人們，一部份信仰耶穌基督，信仰穆罕默德，信仰釋迦牟尼，另一部份便是蘇俄及中共的社會，他們正在興起共產主義的新宗教。他們這種新宗教的影響，一天天在發佈傳播，對自由世界的宗教信仰自由，是一威脅。從前太平天國起事，洪秀全等標舉他們的宗教——基督教，有如狂潮，迅速佔有東南半壁河山，若非有個曾國藩明白這當中的道理，起而倡導中國的宗教——儒教，與之對抗，以儒教來轉移當時的風氣，挽回人心，那個局面將不可想像了。滿清危亡的命運，卒賴曾，左，胡發揚儒教的精神，得以平定太平天國，重建中興的國家。像曾，左，胡那樣的思想，作為，你能說他們不是一種宗教信仰麼？他們是以儒為教，躬自力行，仁以為己任，勇赴天下的大難。沒有這種的宗教信仰，僅憑一時的功名富貴，就能驅策這輩讀書人去效死力麼？今天我們面對的世局，歸根結底的說，仍是一種信仰的戰爭。決定最後勝負的不是科學武器，而是信仰的問題。究竟誰的信仰高明，誰的信仰堅定，誰的信仰佔人口比例多，誰的信仰佔地球面積多，誰就是最後勝利者！我今願將這個結論公諸於世，以之求證於未來的世局。

在地球上的萬國，中國是泱泱大國，有高度文化，有悠久歷史，有廣大領土，有衆多人口，而且有她的光輝的道統。自今而後與併世各國的道統如基督教，佛教，回教，競求進步發展，這便是新儒教的任務了。新儒教不是以天下人為我奴役，而是我為天下人從事最忠誠的服務。新儒教將為天下開太平。

新儒教有其豐富的思想。新儒教對當前的世界排除愚昧，極端，自私，貧困，戰爭，奴役，特權，種種疾病，為人類提供正確哲理，進步科學，高尚藝術，偉大宗教，民主制度，倫理傳統，公平社會，普及教育，公共生活，新儒教將為陷於水深火熱之中的人們開啓人生之門，天堂之路。運用科學發揮自然力量，提高人的藝術價值。新儒教將依循宗教，倫理，以促成民主自由的新社會，新國家，建立人類眞善美的生活。新儒教將急起直追，建立中國的新道統，與西方基督教并駕齊驅，而及時排除正在興起人類禍患的馬列道統。

新儒教有宗教的信心。而摒除宗教的迷信。新儒教有宗教的規模，但沒有宗教繁瑣的禮節儀式。新儒教是要將神在天上的行事，行在地上。新儒教是要使天人合一，使靈魂與肉體合一，使人世間由痛苦而為快樂。新儒教將要以拯救精神改變地球上的秩序，使一切達到眞善美之境，建立現世之天堂，使人不再以現世為苦，而逃避現世，而有無比的勇氣，毅力在此多難的世界從事拯救的事業。新儒教在這些觀念上與各宗教不同，可稱為中國新宗教，也可稱自由世界的新宗教。因為在極權世界，這是不可想像的事。只有在自由世界有宗教信仰自由的社會裏，才有新儒教的誕生。這也反應出今天的自由中國是一個合理的自由社會。這也許就是新儒教應運而生的社會背景。因此，新儒教也必然將為自由的社會帶來福音。新儒教將不唯我獨尊，以束縛人羣的思想；新儒教將是謙卑的，開濶的，無私的尊重人羣的信仰自由。新儒教更將保持宗教超然的立場，不參與政治的事務，但對一切民主自由的運動，對一切復興祖國的運動，寄與熱烈的關懷與支持。

新儒教自東方興起，至西方，至世界的各處。直至永遠。成為人類的明燈。我今天得神的啓示，給我以無上的勇氣，願為新儒教的倡始，作此宣告。（本章完）

三國史書撰述畧誌

周燕謀

三國史書之撰述，為時甚早，即在當世已有為之者。計為：

魏黃初、太和中（二二〇——二三二）命尚書衛覬、繆襲草紀傳，累載不成。又命侍中韋誕、應璩、秘書監王沈、大將軍從事侍中阮籍、司徒右長史孫該、司隸校尉傅玄等共同撰述；其後王沈個人獨成其業，勅成魏書四十四卷。惟其書多為時諱，殊非實錄。

吳大帝之季年（二五一年頃），嘗命太史令丁孚，郎中項峻撰吳書。而孚、峻皆非史才，其文不足載史之錄，旋寢其業。至少帝時（二五八——二六三），更勅韋曜、周昭、薛瑩、梁廣、華覈等訪求往事，相與記述，而以韋曜、薛瑩主其事。當歸命侯時，（二六四——二八〇）周昭、梁廣先亡，韋曜、薛瑩被徙黜，史官久闕，其書遂無聞。華覈表請韋曜、薛瑩續成前史，其後韋曜獨終其書，定為五十卷。

陳壽之寫成「三國志」，乃在晉統一天下以後。壽本蜀漢故臣，蜀亡歸魏，魏亡歸晉，為著作郎時，乃集三國史撰為「國志」（當世即名「國志」，）凡六十五篇，篇為一卷。計魏志三十卷：本紀四，傳二十六，有后妃、諸王、方技、夷狄。蜀志十五卷，悉為傳，有后妃。吳志二十卷，君臣具謂之傳，無紀及后妃之稱。

另外夏侯湛亦著「魏書」，但見陳所作「國志」，便將己撰之魏書毀之而罷。陳壽卒後，梁州大中正花　表言：「國志明乎得失，辭多勸戒，有益風化，願垂採錄」。於是下詔河南尹就家寫其書。按：陳壽之三國志，悉依王沈之魏書與韋曜之吳書撰成者，初本一家之私著，自是始被採入為官史矣。

此外，復有京兆魚豢亦私撰魏史，其事止於明帝。又有孫盛撰「魏代春秋」，張勃撰「吳錄」，王隱撰「蜀記」，但錯文雜出，不足言史。及至劉宋（南北朝）文帝以「國志」載事傷於簡畧，乃命中書侍郎裴松之，兼採衆書補注其闕焉。

（上）

漢文，漢字，漢學

陳曼卿

然文字音韻實起於漢晉之間（爾雅一書或即成於此時）不過在六朝時代，由于佛徒的「明聲」轉讀，方始大盛，沈休文却認為是自己的新發明（請以「中國文字語言的優點與缺點」同參）。

此後的「玉篇」，「類篇」，「唐宋廣韻」。都只能供少數人作為名利之階。元人入主中國，曾擬以「別示巴字母」（又稱「八思巴」字母）改革，欲統一全國語音，但却失敗了。周德清「中原音韻」一書，當為應運而生，實則不使元人太失面子，而摧殘士林。十九世紀初期，英人Robert Morrison，出版了一部「中英字典」。而是用他自個兒設計的官話拼音來寫漢語。這應當是中國語言最早接近的英文。本世紀初有盧戇章提倡「中國切音新字」。繼之有王照的「官話字母」。勞乃宣的「補方言字母」，分「寧（南京）音，吳（蘇州）音，閩（福州）音，廣（番禺）音等。其大意不外以方言為階梯，官話為歸宿。到一九〇八年章太炎寫「駁中國用萬國新語說」一文時，曾提出「三十六聲母」「二十二韻母」來代替前說。他又那裏想到「語音」之為「語音」，而是街頭巷尾，一般普羅大衆時刻都少不了東西哩！

民國成立後二年（一九一三）教部召開讀音統一會。選定六千五百個漢字作為標準國音，并擬定卅九個注音字母，（一九三〇改稱注音符號）以求「言文一致，文語相通」。直到一九一八年，才正式公佈，跟着就是五四運動。如果我們此刻還要去搞「凸敬」切「定」，「匈晏」反「見」，「弋姑」切「于」，「匈翁」反「工」這種玩意兒。首先須去認識一些艱深的「聲母」字，然後才能「反切」出自己需要的「定、見、于、工」等淺鮮文字來，那不是教人「先學養子而後嫁人」！（節錄孟子語）雖然「息京切心」，「市基切非」，「力孩切來」並不是每字都如此。

要之語文與音韻這兩種專門學術，由于近代學者他們的經驗，「語文」還須得再次加以劃分，應是「語言學」與「文字學」兩種。（十九）

動物農場

英George Orwell著　陳其芝譯

第二章　動物革命的暴發與成功

有些動物眞很透了摩西，因為牠成天的只說話不勞動。可是也有些動物很相信有「甘糖山」這個地方。這使豬可傷透了腦筋，牠們又必需費上好大的勁去說服牠們。讓牠們相信世界上根本沒有那種地方。

白克薩和克勞芙原是兩匹最沒有思想和意志的馬，自從牠們奉豬為老師後，牠們就深信豬所教導的一切條例與眞理。一有空，牠們還會討論討論，或者說給別的動物聽。每一次在大穀倉裏召開秘密會議時，牠倆絕不會缺席。牠倆會領頭唱「英格蘭的動物」。會議也總是在這支宏壯的歌聲中宣告結束。

「反叛」行動的提早是牠們沒有想到的，更想不到在實行的時候會這樣容易。過去鍾士先生雖說是嚴了一點，但他却非常能幹。近來，霉運當頭，惡星高照。尤其是官司的敗訴破產後，心情更形惡劣。有時候會整天躺在廚房裏的逍遙椅上，看看報紙，喝喝酒。偶而把麵包皮沾上啤酒，餵着摩西。他的長工們也開始偷懶與欺騙。園子裏長滿了雜草，房子漏了等着修理，籬笆也倒了好些，連畜牲們也沒有人照料了。

六月到了，又是打麥收成的季節。中秋那個週末的晚上，鍾士先生跑到威靈頓的紅獅酒店去喝酒，結果是酩酊大醉，直到星期天中午才帶醉而歸。這天長工們很早就擠好牛奶出去打野兎去了。他們既沒有餵牲口而鍾士先生一到家就躺在沙發上，把一份世界日報遮住了臉就沉沉入睡了。到天黑，還沒有人想到那些家畜們一整天沒有餵過。最後，動物們再也忍不住饑餓的煎逼，一隻牛用牛角撞開了畜欄大門。於是其他的動物也一湧而出。鍾士先生剛好這時酒醒，很快的他和四個長工手裏都拿着皮鞭趕到畜欄，四面八方的抽趕着這些牲口。鞭打比起挨餓更使動物們無法忍受。他們雖然並沒有事先的計劃，但所有的動物却像有着默契一樣，都憤慨地衝向虐待他們的主人。立刻將鍾士先生和長工們團團圍住，撞着，踢着。這場面弄得他們無法控制，他們也從沒有見過動物會如此的暴動。這些平日聽命於他們，為他們工作的動物，現在把他們嚇得不知所措了。不到一分鐘，他們就放棄了抵抗，奪門而出。再過一會兒，這五個人在動物的追逐中穿過車徑跑上了大道。

鍾士太太從窗口看到這些情形，便匆匆忙忙地把一些值錢的家當捲進一個袋子，從另一條小徑溜出了農場。摩西飛出鳥籠跟在她後面，呱呱地大叫着。同時，這些動物們知道鍾士先生跟長工都已逃走。隨即關閉了五個柵門。在他們還沒有完全弄清楚到底是怎麼一回事時，牠們的「反叛」已經很順利的成功了——鍾士先生被逐，大莊園現在是屬於牠們的了。

起初，這羣動物簡直就不敢相信牠們會有這麼幸運。牠們第一步工作是搜索農場上所有的各個角落，看看還有沒有任何人躲在農場裏，然後返回農舍去剷除鍾士先生所留最後的一絲統治痕跡。打開馬廐盡頭的工具室，把馬銜，鼻鈴，栓狗鍊等，還有鍾士先生用來殺豬宰羊的那把冷森森的亮刀都給一股腦兒地扔出了牆外。韁繩，馬鞭，眼罩跟馬籠頭全被丟到院心熊熊的火海裏。皮鞭當然也遭到同樣的命運。當這羣動物看着由皮鞭發出的火花時，大家都歡躍地圍在那裏。史諾白更把馬匹們平時趕集繫在鬃毛上的絲帶也都獻給了火神。並且還說：

「絲帶就像衣服一樣是人類的標誌，」：「我們動物必須赤裸裸地不穿任何衣服。」（六）

滿清外交笑史一束

司馬不如

滿清末葉腐敗，大小官員之孤陋寡聞，貽笑中外者實不勝枚舉。內延大臣固不待言，即出使欽差大臣，亦不免出醜異邦焉。

晚清第一紅人李鴻章，名噪一時，然亦在外交中留下笑柄。李使美時，嘗以翰林名刺投美某大員，其翰林名刺特大，美官員見之，誤以爲凌己，還以愈大者。李怒曰：「此欺我也」。更以五六尺之名刺復之。

李至英倫時，於英故將軍戈登紀念碑獻花致敬。將軍之遺族感激之，以其愛犬爲贈，蓋以此犬會於競犬會屢膺冠軍也。以之贈李，蓋所以表非常之敬意。不意數日後，獲李之謝柬中有云：厚意投下，感激之至，惟是老耄矣，於飲食不能多進，所賞珍味，感欣得沾奇珍，朵頤有幸云云。將軍遺族得之大詫，報紙爲之喧騰焉。又於英赴某貴族宴時，李素多痰，於席次見地皆毡氈，無處吐痰，乃以盛酒之玻璃盞作痰盂，致同席貴婦女皆掩目作欲嘔狀。

又李使美時，思中國飲食，囑唐人街之食店進饌數次，西人問其名，華人語難譯對，統名之曰「雜碎」。自此雜碎之名大噪。因中國飲食既味冠全球，復以合肥之名益之，故凡飲食館之菜單，莫不以「李鴻章雜碎」爲號召。甚而又創出許多「李鴻章飯」、「李鴻章麵」，不一而足。西人崇拜英雄兼又好奇，此固不足異也。有人譏之曰：合肥豐功偉業與勳勞盡在斯矣。

崔國因之鄙陋，晚清人多知之。據云吾國之見輕於外人，崔爲罪魁。方其以二品頂戴大員啣欽命使英時，其夫人專爲全館上下人等洗衣收資，其本人又臭又長之裹足布帶，嘗飄颺於大使館門前焉。英人見其白色長帶飄颺蕩漾，以爲中國有何喪事，使人探詢，始知爲裹足布也。西報爲以攝影揭載之。崔使及夫人竟不自開伙食，而附食於譯員李一琴處。又每見酒瓶及荷蘭水瓶等物，必拾而藏之。使館中人，往往以空瓶及繩索等置之使館門外，以待崔來拾，於是而置之不已，拾之不已，拾時其色且似喜不自勝者。

清朝史料卷下一則外交笑史云：吾國駐美某公使避暑來法，適值某公爵夫人開筵會，入席湯畢，侍者捧魚一大盤由廚房出，香味撲鼻，此魚蓋某河之名產也。主人正在演說此魚之美，及廚師烹調之佳，座客正作朵頤之想。捧魚者首至公使之側，以待公使之取魚，公使初未知，時喉中痰滿欲唾，呼咯一聲，回首欲吐於地，不意竟不偏不倚，正落魚盤之內！使座客爲之大嘩！

金門電影院

勞克

我是歡喜看電影的。到什麼地方，首先就打聽電影院。我到台南不到兩天，就把南平，延平等電影院弄的清清楚楚，還知道演些什麼片子。我在成大實習時，曠了課到影院看了一場「梁山伯與祝英台」。當時，同學們說我是影迷。其實，影迷不影迷，祇有我自己知道。

我在台北還修學分，經濟情況差，沒法天天看電影。但我每個星期還要看兩場到三場的。我把坐公共汽車的錢省下來，我用兩隻脚走路，省下來的錢，我就看電影。這事別人自然不知道。

我看電影不選擇電影院的。祇要是好片子，就是在露天，我還是一樣有興趣看的。在台中，我爲了省錢，就看露天電影。而且我又買站票看，那就比較更便宜了。爲此，台中民聲日報有位編輯先生，在報紙上出了我的洋相。他這樣寫着：「一個大學生看站票電影，說是爲了練練腿力。要是我，這腿力寧可交給上帝。」

這次到金門來，我發現到在我碉堡附近就有三家電影院。我到小徑看過電影，那裏用水泥做的電影院，木長橙子，都是一樣高。所以前面坐了大個子，後面就沒法看到銀幕。也許看電影的人，都和我一樣，不在乎位置，祇要有電影就成。

可是，我在小徑祇看過一次。第二次，伙伴們請我看電影，我問：

「什麼影院？」

「小徑。」

「我不去了，我還是看小說。」

「你不是喜歡看電影嗎？」

「一點兒不錯。我從兒時起，就看電影。」

「今晚上是七仙女，可以看看。」

「那地方不好，常常吃砲彈。」我說：「上次看電影，砲彈片還劃破我的衣服。」

「你胆小！你的命不在這兒死，就不會死的？」

我還是沒有去。另外電影院比較好是金門城。票價二元五角。每個星期六，我都去看的。格局也足和台灣三流電院相比。票不太多。不太好買，看的人太多。不過，這裏也沒有什麼黃牛票，祇須花點時間排排隊就是。

「明天有沒有人到金門？」

到星期五，我就這樣打聽。

「你又要去看電影？」

「沒有法子，」我說：「看電影就和吸烟一樣。吸烟的人不吸烟難受，我不看電影就很難受。」

「那就爲你開一次車吧？」

假使星期六沒有車，我便像失落了什麼，在碉堡內坐也不是，走也不是，躺在床上也不是。

「幸好，」有位伙伴笑着：「八二三砲戰你都不在此地。那兩個月都沒有一場電影。電影院統統打壞了。」

「那更好，」我說：「看活的電影。那些砲彈，也是夠意思的。」

「會把你的胆子嚇破的。」

「我從上海來時，一顆砲彈正好落在我身邊。我眼睛眨都沒眨，還哈哈大笑。」我說。

「我沒有看到，你儘管吹就是。」

「火車不是推的，牛皮不是吹的。」

還有那張相片。金門還有地下電影院，那是任你砲彈都不在乎的。我在那兒看過兩次。票價二元，算是最便宜的。不過，要跑四十分鐘的路就是。

山不轉水轉

澳洲雪梨男子彼得．羅納，向一的士司機行劫，得款十六鎊。兩分鐘後，當他在另外一輛的士前面越過時，被該的士撞死。

兩名在第二次大戰時曾被關進戰俘營的英軍，現已復員。不久前參加旅行團到西柏林遊覽，發現載他們的觀光汽車的司機，就是當年俘虜他們的德軍。

羅馬有一男子，隨同一大影人到一間商店的櫥窗外做廣告的佈置，但一看之下，既驚且恨，因爲跟店主在裏面鬼混的就是他的老婆！

噴氣式飛機衝破音障時的巨響是震耳欲聾的，慕尼黑有一聾婦却藉此恢復了聽覺。（資）

哀梨室劇談

「贊成贊成」！「贊成贊成」！「我絕對的贊成」！「我舉起兩隻手贊成」！……

就在這鼓掌歡呼聲震屋瓦的時間，韋遇雲躬身下拜！蘭芳老板要想說幾句謙撝的話也來不及，只好泰然受之而不辭。並尅期爲她「說戲」。而此近似紫雲之遇雲，遂一變而爲「梅派花衫」矣。

雲想衣裳花想容

豁公

這一消息傳播後，更使韋遇雲聲價百倍。於是有名士A贈以「一斛珠」詞一闋云：

「匀紅束素，之江好女幽燕住。十三學就霓裳舞，蠻錦纏頭，顚倒人無數。

前生總被齊奴誤，雲扶上天台路，十分乖覺紅鸚鵡。心是靈犀，人是花枝做」！

名士B又倚聲和之云：

「腰肢約素，飛瓊又向人間住。拓枝猶記當時舞，倘侍瑤池，也是前頭數。

桃花已被東風誤。斷腸枉覓巫山路，語言巧勝唐鸚鵡。還是冰姿，一樣桃做」。

也眞有所謂宿命吧！原來遇雲在舞臺上之地位，因她具備着若干優越之條件，扶搖直上，足亂浮雲。但對配偶則費盡心力，迄未達到理想之目的。（關於這，各報已多記載，茲不贅。）故兩名士之詞中慨乎言之。

也不知始於何時，她又對「程派戲」發生了興趣。曾否列入程四之門墻雖不可知，但「鎖麟囊」，「荒山淚」，「鴛鴦塚」，「花舫緣」，「金鎖記」，「風流棒」，「文姬歸漢」等什麼的，確已成了她的「打砲戲」，同時並以「程派青衣」爲號召，這個却是事實。

（五）

梁山伯與祝英台

——「影劇與歷史」之一

周遊

影劇與歷史的比較，値得注意的：

一、英台與山伯同窗時，其女兒之身，師母並未識破，也不是師母促成，英台也沒有將心事告訴師母。

二、英台乃思親而回，非祝員外促其回家。

三、英台歸家之後，山伯再兩年之後始歸家，並非即刻星夜趕往祝家求婚。更沒有贈山伯玉環與蝴蝶墜之事。

四、山伯兩年後歸家往訪，始知英台爲女兒身。

五、草橋結拜，各家記載皆無，意氣相投，成爲知己則是很可能的。

六、山伯之死，各家所記並未說明係爲英台而死。然各家所記，皆謂「嬰疾弗起」。「嬰疾」或「嬰疾弗瘳」，「嬰疾」者，遭遇疾病也；「弗瘳」爲不癒也。由此應可見山伯並非由於相思病而死。謂爲相思而死的，則多爲戲劇本事、傳奇、小說、彈詞，等戲劇性的作品，殆與史實不符。

七、在當時梁祝是先有認識與了解，彼此相欽慕，並無介紹九妹爲婚，她喜愛山伯是無疑的。

八、山伯在官有政聲，受人民的欽仰。可見他並非「愛情至上」主義的人。「愛情至上主義」是戲劇的文學作品，而非史實。

再說到祝英台。「荆溪新志」記載：「祝英台小字九娘，上虞富家女。生無兄弟，才貌雙絕。父母欲爲擇偶，英台曰：兒當出外遊學，得賢士事之。因易男裝，改稱九官。遇會稽梁山伯亦遊學，遂與之宜興善權山之碧鮮岩，築庵讀書，同宿三載，而梁不知祝爲女子。臨別語山伯曰：某年某月可相訪，將告父母，以妹妻君，實則以身許之。梁自以家貧，羞澀難行，遂至衍期。父母將英台許馬氏子。山伯後爲鄞令，過祝家詢九官，家僮曰：吾家但有九娘，無九官也。梁驚悟。欲以同學之誼一見。英台扇遮而出，側身一揖而已。梁悔念成疾卒。遺言葬身清道山下。明年英台歸於馬家，命舟子迂道過之，至則風濤大作，舟遂停泊，英台就梁墓前失聲慟哭，地忽裂開，祝沒塋中，繡裙綺襦，化蝶飛去。丞相謝安聞其事於朝，請封爲義婦塚。此東晉永和時事也。」

以上所記英台事，似係受維劇影響之作，非史實之記述。因「蝴蝶緣」脫胎於韓馮故事甚早。英台遊學時改名九官，亦有記爲祝眞字信齋者，計有英台、九官、貞字信齋、九娘等名。英台籍貫，有謂江蘇宜興人，甯波（鄞縣）人，或慈谿人。寧波、慈谿爲浙江，宜興爲江蘇。此皆附會。英台爲上虞人是不錯的。在當東晉時，鄞縣、上虞皆爲會稽郡所屬。附近有梁祝遺跡，其中自然附會的很多。

（六）

紂不是暴君嗎

匡謬

炮烙之刑：如史記、韓非子、淮南子、荀子、大戴禮、抱扑子、三國志等二十餘種之多。

殺人做醢：醢鬼侯之女、俎梅伯之體、脯鬼侯以饗諸侯。有淮南子、戰國策、禮記、韓非子、史記等可考。

肉林酒池裸體舞：有尚書、韓非、淮南、史記、公孫尼子、尸子、論衡、中行穆子、齊侯投壺、說苑、賈子等十一種之多可稽。

比干剖心：有荀子、淮南子、戰國策、史記、楚詞、論衡、孔子家語等十二種之古籍可見。

微子去之：有論語、左傳等十餘種之書可觀。

紂用姦佞費仲而亡：有史記、韓非子、墨子等十種之書可考。

箕子爲奴：有論語、孟子、戰國策、淮南子、韓非子等十二種之多可按。

紂蔽於廉、惡來：有荀、莊、韓、墨、晏、孟、淮南諸子，以及史記等古籍可證。

紂脛刳孕：有韓非、淮南子、尚書、國策、春秋繁露等十二種之古籍有記。

文王被囚羑里、造鹿台（封神爲摘星樓）等，俯拾即是，不勝枚舉。

紂的窮兵黷武，可舉甲骨文及古籍爲證：紂命犬侯伐周三次，（殷虛書契續編卷五第二頁第二塊，及同上前編卷五第七塊，以及古代中國甲骨文一〇〇七）

令游族伐周一次；「令游侯伐周族」，（殷虛書契前編卷四第三二頁第一塊。）

令上　伐周：「令上命……伐周。」（同上續編卷五二二頁第三塊。）

殷人命醫人伐周：「丁未卜：醫弗敦周。八月」。同上拾遺卷四第十二塊。）

殷人命熹伐周：「貞傳熹令從伐周。」（殷虛書契後編卷下第三十七頁第四塊。）

（五）

自由報
THE FREE NEWS
內政部台報字第〇三壹號內銷證
第三五零期
每份港幣壹角
社長：雷嘯岑
督印人：黃行憲
20 CAUSEWAY RD 3RD FL HONG KONG
TEL. 771726

檢討近年來美國國務院數次改組

宋文明

從一九六一年初甘迺迪政府上台，直至現在，在這爲時四年多期中，美國國務院的人事可說是相當的穩定。在此期間美國國務院雖作數次改組，而改組的規模都不很大。其中主要者有：

（一）在一九六一年秋的首次改組中，當時任美國國務院第二號人物的副國務卿鮑斯被調爲白宮顧問及巡迴大使，而由第三號人物另一副國務卿包爾繼任其遺缺；而包爾遺缺改由政策設計會主任麥克吉出任，而麥克吉遺缺則由白宮助理羅斯陶繼任。而原任巡迴大使的哈立曼，也在這次改組中繼馬康衛而出任主管遠東事務助理國務卿。

（二）在一九六三年春的改組中，麥吉出任美國駐西德大使，其遺缺則由哈立曼繼任；而哈立曼的遠東助卿遺缺，改由何斯曼維任。

（三）最近不久的這次改組，哈立曼改調爲巡迴大使，恢復了四年前的他的舊職位，其遺缺則由原任拉丁美洲事務助理國務卿曼因繼任；而曼因遺缺則由駐巴拿馬大使符根繼任。

在這三次重要的改組中，首次改組，主要是爲了甘迺迪總統不滿意鮑爾斯在國務院內的工作成績，而予以調職，遂引起了一連串的更動。二次改組，主要是甘迺迪爲了提升哈立曼，使其能在國務院中担任起更重的角色。而最近這次改組，主要亦是基於哈立曼的要求，不願繼續担任行性職務所引起的。這三次改組，直接間接均與哈立曼有關，但改來改去，除了在這四年之內哈立曼由巡迴大使而遠東助卿，而第二副國務卿，最後重新回到巡迴大使原職，而在國務院中轉了一個圈子之外，其他的更動，最主要的，不過是兩個人的升降而已。這兩個人的升降，便是一爲鮑爾斯由光耀奪目而歸於平淡，終於離開國務院而重新回到了十多年前美國駐印度大使的老職位。另一個便是由默默無聞而在美國國務院突據要津的曼因。換言之，這四年多來美國國務院人事更動的結果，完全結束了鮑爾斯與哈立曼兩人的「國務卿」之夢，也使另一個過去從來不作這種幻想的曼因開始了最後終於担任這一重要職位的可能性。

鮑爾斯對於外交，雖屬半路出家，但他對於担任美國務卿一職，實在具有極大的興趣。自一九五三年夏他離開駐印大使職位，直至一九六〇年美國大選，在這期間他所作的一切演講與著作，都是屬於有關外交方面的問題。後來在這一競選運動中，鮑爾斯除了負責草訂美民主黨的政綱之外，并爲甘迺迪派爲外交問題顧問，成爲當時甘迺迪在外交方面的主要發言人。雖然當時美國民主黨內可以担任國務卿一職者，人才衆多，而不止鮑爾斯一人，而一般認爲鮑爾斯出任國務卿的可能性最大。又至後來國務卿一職，落於魯斯克之手，鮑爾斯屈居國務院內的第二把交椅，而有些人，甚至包括鮑爾斯本人在內，還以爲這不過是一種過渡，最後這一職位終爲鮑爾斯所取得。可是結果，古巴豬灣登陸一役，就把鮑爾斯在國務院內的前程打碎了一半，再加之他的喜作高論而不善於處理實際行政業務，以及與當時白宮紅人羅拔．甘迺迪交惡，終於被趕出國務院，而無法再作要担任國務卿的打算了。

哈立曼與鮑爾斯相較，其性格中的理想主義氣質與「大砲作風」雖不如鮑爾斯，但其應付重大國際爭執所需的外交才華，手腕及經驗，則遠非鮑爾斯所能比擬。至於哈立曼想作美國國務卿的這種念頭及準備，至少也和鮑爾斯不相上下。遠在一九五九年夏天作環球旅行期中，他在新德里就曾明白表示，若一九六〇年大選中民主黨獲勝，他很願担任國務卿一職。後來民主黨政府組成，甘迺迪先派他爲巡迴大使，後改調爲負責遠東事務助卿，他都欣然接受。當時一般人即認爲他這種作法，實際即爲最後出任國務卿作鋪路。果然不久之後，甘迺迪又提升他爲第二副國務卿，并負起了美國務院內的主要決策責任。尤其當一九六三年莫斯科談判禁試條約前後，哈立曼在美國務院內的地位正進入一個黃金時代。假若甘迺迪本人不遭遇事故，以哈立曼與甘迺迪兄弟間的密切私交，以及甘迺迪對他穩健外交作風的賞識，哈立曼的終於出任甘迺迪政府的國務卿，已成爲勢所必然之事。但甘迺迪的去世，而由詹森繼任美國總統，也把哈立曼這一前途永遠給葬送了。

在甘迺迪執政之日，現任國務卿魯斯克并不獲重視。隨後魯斯克地位雖略有好轉，但其不甚受重視仍如故。詹森繼任總統，對魯斯克來說，爲一大轉機。個中原因，主要他們兩人作風比較相近，而白宮助理人員在詹森之下不如在甘迺迪時代之擁對外交事務多事干與，使魯斯克在心理上略感舒適，亦有相當的響。但魯斯克與詹森之間，也并無密切私交存在，而魯斯克本人的始終以技術及行政官員自處，缺乏一種積極創造的政治家氣概，也多少影響了任何一位總統對他的看法。因此，縱使魯斯克不在短期內去職，他繼續担任此職的時間也可能不會維持太久。假若魯斯克一旦去職，究竟由誰來繼任這一國務卿職位？就現有情勢來說，魯務院內部未來物色，其可能便不超出包爾與曼因兩位。包爾爲現任第一副國務卿，曼因爲第二副國務卿。包爾經年磨練對美國外交已相當熟習，但他爲史蒂文生的老搭擋，而與詹森淵源不深。（下轉第四版）

誓爲後盾

冷戰專家

今日与明日

美陸戰隊登陸峴港

傳說甚久的美國陸戰隊登陸越南事，終於實現。這次行動說明了美國對越南剿共戰事的決心並非如一般人所想像美軍將退出越南。尤其是在法國彰明較著與蘇俄勾結，企圖造成南越的中立化時，美國以行動答覆了姑息份子，其立場是值得敬佩的。共報罵詹森總統是美國歷史上最壞的總統，共方之所謂壞，必就是自由人士所認爲的美好。詹森總統此舉與甘迺迪之包圍古巴，都成爲美國歷史上的大事。由毛幫的痛罵可以看出，敵人跳，我們笑，若非眞的打中了要害，毛幫是不會如此發急的。

將有更進一步行動

美國政策在對毛共步步進逼，以期迫使毛共放棄在中南半島煽風點火的行動。據華盛頓消息，美國已考慮海上封鎖，根本截斷越共南侵海上通路，也斷絕毛共軍火經海道運海防之綫。雖然海上封鎖未能全部截斷越共生命綫，但對毛共的打擊却也不小。如若再進一步，可能封鎖整個大陸海域，則更窒息了毛共的對外交通，到時毛共只有在退却或戰爭兩者之間選擇一條路了。

空中轟炸，海上封鎖之外，美國並且提出警告，如若毛共敢於派出飛機到北越上空迎戰，美機將要越境追入中國大陸，不再爲毛共留庇護所，毛共要想重溫韓戰舊夢，亦是幻想。看情形毛共最後必然會軟下來。

毛共向蘇俄抗議

毛共被美國欺侮得抬不起頭，却把目標轉移到蘇俄，正在發動大規模的示威，罵蘇俄怕美國，不敢動美國大使館却打傷中越共一些聯業學生，要俄共道歉，賠償，懲兇。

俄毛共黨皆是一丘之貉，是原不必分其軒輊，不過，就這件事而論，毛共實在格調更低了一點。蘇俄是不是怕美國是另一問題，即使不怕，也不能縱容暴徒去搗毀別國大使館，以此來逞英雄。毛共既然不怕美國，何不乘美海軍陸戰隊在峴港登陸之際，派兵入越將美軍驅逐下海，或者在美機大炸北越時，也派機迎戰。兩者皆不敢，却在莫斯科逞英雄打毀美國使館，比唐吉訶德還不如，此種英雄未免太丟臉了，所謂抗議，俄共自然不會理會。

共黨高峰會議

毛共的無理取鬧，可能招致了惡果，因爲據莫斯科消息，此次召開的十九國共黨會議，本來無意再開世界共黨大會，以免引越俄毛之間決裂，但今日改變主張，仍將定期舉行世界大會。俄共態度突然強硬，大概與莫斯科搗亂有關。毛共一味胡來，終究是要嘗到苦果的。（何如）

自由談

大官的職責

現階段的中華民國中朝大官們，經常忙碌的職務不外幾項：一是開會，從早到晚，各種會議開之不歇，至少亦要佔去四、五小時的辰光。二是見客，每天總得消耗一、二小時以接見各色各樣的來賓，正事談得少，廢話講得多。三是應酬，早晚皆有宴約，非去不可，尤其是民意代表的招宴或婚喪壽慶之類，更不能怠慢，否則諸多不便。此外還有剪綵、證婚、以及這樣那樣的紀念典禮等等，亦須參預如儀。試想想：一天最多不過八、九小時的辦公時間，已被上述幾項職務消磨淨盡了，還有什麼餘暇和精力來推進政事呢？午夜回到家中後，精神已疲憊不堪，更無法設計、策畫本身所担負的任務，只好因循敷衍，得過且過，非不爲也，是不能也。在這種政治風氣和社會習俗之下，任何有爲有守的政務官，亦將感到心餘力絀，徒喚奈何而已。明乎此，即如前任台省鐵路局長陳舜耕那種硬幹實幹的作風，終必焦頭爛額而去的所以了。

蔣總統提倡「革新、動員、戰鬥」的服務精神，救弊補偏，深中肯綮。可是，整個的現有政風如不徹底改變，使一般行政首長能有幹正經事業的時間，結果只見大家一致響應，口口聲聲說遵奉總統訓示，努力實行，實際是貼貼標語，喊喊口號，寫寫工作報告罷了。

這樣生於其心，害於其政的最大因素，就是開各種會議。六七年前，我就指出政府袞袞諸公都是以「開會爲服務之本，請示爲負責之本」，事到如今，這股不正合理的政風，不特毫無改革，而且變本加厲了！我不相信中朝大官們內心上對我的說法沒有共鳴之感，何以始終明知而故昧之，釀成積重難返的痼疾呢？我認爲這不是人的關係，而是制度問題。根本之計，即須集中權責，嚴明範圍，減少一切不必要的會議，簡省一些無謂的手續，而讓每個行政首長有發抒抱負、表現個性之充分機會。對於功過得失，只算總帳，到了一定的時候，教他拿成績來！其有績者獎進，失職者黜退，其餘那些無聊的時間的無聊應酬，自可隨時避免，不必重視。良心、血性和氣魄這三項質素如果缺乏，即在承平時的官吏，亦係無能的官僚份子，在撥亂反正的非常時期，必成爲國家之蠹，貽禍滋甚，可懼也已！

馮正先生

視法院判決與上級命令如無物

南市政府土木科胆大妄為　故意留難硬不發建築執照

（本報記者曾振軍台南航訊）核發建築執照，故意留難，官司打到最高法院早經判決，行政訴願亦早經決定，乃台南市政府土木科，仍在拖延，至今五六年了，硬不依法辦理，致百姓有冤無處伸，因而街談巷議，人言嘖嘖！

記者於本年二月二十七日下午，趨訪當事人等，得其告記者甚詳。他們說：民國四十八年一月間，中正路新盛場內，釀成大火災，焚燬房屋頗多；新盛場後面被焚之約四十間房屋，佔地三百餘坪，地產權屬吳香珠所有，係承租與許炳煌等數十戶建築店面房屋者。該等房屋燬於大火後，許等要求重建，地主吳香珠以該幅土地時價漲值五六萬元一坪，乃藉詞不合於原來形態為由，提出異議，而不同意蓋章，遂亦未獲土木科核發執照。

許等受災戶，遭此橫逆之痛，乃聯名訴請法律裁判，終於民國五十一年一月八日最高法院三審判決許等勝訴，主要判決理由：「為民國四十年十一月十三日，直接訂立之租賃土地契約書，已明訂係供承租人建築店面及房屋之用，此外並未另加限制；雖承租人提出建築藍圖與房屋焚燬前之原形未盡相符，依最高法院五十一年三月十九日，民刑庭總會議所示，地主仍負有同意重建之義務」。

又五十三年三月、二十七日，台灣省政府，府訴老字第一八一七四號訴願決定書文內云：經轉內政部釋示：「核發建築執照無須取具土地抵押權人之同意」。

基於上判決與訴願決定，許炳煌等申請核發建築執照，應無困難。而結果土木科還是刁不難允，推說：法院判決不明，待法院解釋後始可辦理。旋經法院以南院彭氏忠字第四三二四號函示：許炳煌等與吳香珠同意建築房屋事件，前經本院判決後，並經三審法院駁回上訴確定。關於建築樣式及範圍，應否受限制，貴府似可參酌歷審判決理由欄之判斷辦理，無須本院更為何項釋示」。

但是土木科照舊若罔聞，而推說：「地主不同意，俟再請示辦理。」推三阻四、硬要「雞蛋裏面找骨頭」，胆大妄為，太豈有此理了。

來函照登

貴報三月三日暨三月六日第二版所刊「公路局第二區工程處主任王兆杖舞弊？」各項報導，本人有所說明，請賜貴報一角，惠予披露，俾社會人士明瞭眞相為禱：

一、山地獎勵金補發一事，曾報奉公路局批示自五十三年九月起補發，經本處再度報請公路局改自四十八年五月起補發在案，奉准後即可辦理。

二、本處並未標售鋼筋及水泥等建築材料，可查詢有關人員，即明眞象。至於以施德慶名義向法院標購房屋一節，並無其事。

三、工程管理費係按規定項目支用，大部份係屬監工人員之工地差旅費，其報銷均按法定手續辦理，工程處主任並不直接支付此項經費，故無從納入私囊。

四、「八七」水災搶修工程，大部份經由軍工協助辦理，所用經費均有圖表單據查考。

五、「葛樂禮」風災管理費，均有規定用途，本處員工係照公路局之規定按實報支加班費，並無濫報出差旅費情事，均有案卷可查。如以一百餘萬元全部報支出差旅費，則須本處全體員工全年之時間出差，而上級主管機關亦不能核銷。

六、圖表費收支數目均有登記簿查考。

七、挖掘路面收入，均經正式收賬，路面修補費用，亦均編列預算呈報公路局有案。

八、水災大觀K3+118工程，監工人員[illegible]工程師與包商發生爭執一事，曾經將詳細情形呈報公路局，並遵指示辦理[illegible]畢。

九、「葛樂禮」風災時，普濟橋河床被沖甚劇，當為安全起見，經公路局派員勘查後，認為橋墩基礎須予保護，該項工程係登報招標，完工驗收後迄未發生損害；惟引道護坡因整個地層滑動，發生龜裂，此係人力不可抵抗之災害，經報公路局有案。

十、信義橋引道工程包商蔡魚因虧本自殺一案，曾經本處派員二度詳細調查，監工人員並無尅扣工款情事，已將詳情呈報公路局。至於賠償蔡魚家屬五萬元一節，毫無事實根據。

十一、台中市復興路明記材料行，並無本人股東。

十二、本人所住房屋，係奉准租用，室內設備，甚是普通，且部份傢俱，係向房東借用，此事衆人皆知。

十三、所稱桃色事件絕無此事。

台灣省公路局
第二工程處
主任王兆杖敬啓

立委檢討司法問題

本報記者張健生台北航訊

適當問題：今日法官對審判案件，其中有對於適用法律完全錯誤，而該管負責考核之首長，全然不管，亦所在多有之。比如，台北市公園附近之某路有洋樓一棟，將該棟洋樓之第四層房屋，租與某乙使用，訂明租賃期間為一年，立有契約，並於約內載明：「乙方不得未經甲方書面同意，擅自裝修房屋內外或增減原有設施」等字樣，詎乙方於租用期間，未得甲方同意及不服甲方阻止，擅將其與隔鄰之間牆拆去，並將間牆中與上下層支連之鋼筋剪斷。甲方以乙方違背約定方法使用，經於五十三年五月四日通知乙方終止租約，催告回復原狀，將房屋交還。乙方不理，甲方遂向法院提出請求終止租約，恢復原狀返還房屋之訴。台北地方法院五十三年訴字第三七八一號判決：竟以「按房屋租賃，依土地法特別規定，非有該法第一百條（記者按：該條文為：「出租人非因左列情形之一，不得收回房屋：一、出租人收回自住或重新建築時。二、承租人違反民法第四百四三條第一項之規定，轉租於他人時。三、承租人積欠租金額，除以担保金抵償外，達二個月以上時。四、承租人以房屋供違反法令之使用時。五、承租人違反租賃契約時。六、承租人損壞出租人之房屋或附着財物，而不為相當之賠償時」）各款所列情事，不得收回之。原告主張被告損壞間壁，未盡善良管理人注意義務，又未依約定之方法，為租賃物之使用收益；均不得據為終止租約之理由，依民法第四三八條[illegible]終止之效力」，終止租約，要不生終止之效力」。（判決理由欄文）駁回原告請求之訴。此項判決，顯屬錯誤。蓋司法院解字第三四八九號解釋：「（一）土地法第一百條之規定，於施行前，未終止契約之不定期租賃亦適用之。至定期租賃契約，無論其訂約係在施行前，抑在施行後，均無同條之適用」。依上述解釋，[illegible]之房屋，既有定期一年之租賃，自無適用土地法第一百條規定之理。今台北地院竟有如是之妄判，在主辦之法官，其用法之錯誤，至為顯明，而負責考核之首長，亦從不糾正。

迅速問題：當指裁判案件正確而又迅速之謂。苟求迅速而不求正確，如：檢察官對警方移送之案件，不詳細偵查，即據以為提起公訴；推事對於檢察官起訴之案，不詳查被告各種情形，審酌情狀如刑法第五十七條所列各款，草草審訊一次，即宣告辯論終結，判處刑期。

鄧委員在質詢結論中說：上述幾個問題，語之甚簡，牽涉甚多，且法院陋習積染已深，社會風氣，亦趨惡化。而種種整飭方法之執行，端以人才為主要，此固有賴於良好之司法官，共同努力，而司法行政當局，當此天地否塞之秋，如何以大刀濶斧之霹靂手法發揚一震之功，使上下同心以挽此劫運，汰劣留良尤為重要。（下）

陳辭公憶語

雷嘯岑

陳副總統辭修先生以痼疾逝世了！於公於私，我對他之中道崩殂，感到無比的愴慟。我於元月下旬就到台北，舊曆除夕，曾經前往他的私邸叩謁致安辭年，因醫囑不宜見客，留刺申意而已。迨他去世的前三天，我準備再趨府要求陳夫人讓我默默無言地到辭公的病榻前見公一面，嗣聞陳夫人亦臥病在床，未敢煩擾，遂不果。私念辭公是個意志堅強的人，雖罹不治之疾，亦不致遽告淹化，稍待再請謁見，尚不為遲，詎料一夕罡風，他竟忽然撒手人間了！人生至此，天道寧論，宜乎蔣總統輓辭公聯語有「寬忍奪我元輔，豈無天乎」的沉痛語也！

我和陳辭公是在台灣纔相識的，時為民國四十一年春二月。在這以前，當我于役「香港時報」之際，他曾託愚友黃少谷兄函我致意，希望區區到台灣跟他談談，我當然應命，他馬上寄給我一張飛機票，而當時香港政府竟不批准我的回港證，行不得也。我復書說明原因，辭公回信慰勉備至，情詞懇切，使我對他的觀感爲之丕變。蓋我過去總以為他是個統兵大員，對文人不會特別親近的，且聽許多朋友說他是硬性作風的人物，對他乃不免存着一道心理防線。

國民代表第二次大會在台灣舉行時，我到達台北之次晨，辭公即約我在他府上早餐，我倆初次晤面歡然談話很多，臨別他對我說了這末一句話：「希望你今後要以對少谷兄的情誼看待我！」當時我很受感動。第二天他再約我晤談，詳詢習湘左先生近況及其個性，說他跟左先生不甚熟識，教我電催左先生速來台出席國大會議。我對辭公說：「左先生是湖南人，具有『湖南騾子』的性格。」他笑謂：「我過去帶的隊伍，有許多官兵都是湖南人，對湖南人的性格很瞭解。」我答道：「跟辭公朝夕相處最親密的人，亦是湖南人啊！」他頷悟了我的語意，登時哈哈大笑。往後他和左公很談得來，交情日漸稠疊了。即此可見辭公對我這個初識朋友的意見，樂於聽取，相信不疑，確有知己之感。

從此我每隔一年半載，即到台北旅行一趟，每次必與辭公在私邸長談一番，時間總是在下午五時以後，據他說，這種談話的機會較少，可以多談問題。我們隔着一張茶几促膝對談，他不斷的吸香烟，也遞給我一枝，且解釋道：「過去我在大陸時是不吸香烟的，到了台灣後纔染上這種嗜好，原因是做了行政院長，常常出席立法院作施政報告，要坐在台上接受議員們質詢數小時，不管他們說的對不對，都得洗耳恭聽，感到納悶時，就吸香烟，越悶就越吸，於是乎烟癮就增大了。」說罷，他[illegible]然望着我，我只好笑笑。每次晤面後，總是我先起身告辭，而他還要留住我，說如此隨便談天的機會很難得。黃少谷兄常對我說：「陳辭公是最不怕浪費時間的人」，此言很正確。

有一次到台北見着辭公時，他問我有意回國來從事行政工作不？我謂：「大陸如不光復，辭公現在的官位，讓給我亦不感興趣。因我過去做過行政專員，轄區比台灣省還大，現在的行政院長，即不過一名行政專員而已。」他認為這是我逃避責任，不能同意。我離開「香港時報」在台北晤見辭公之日，他很懇切的教我回台灣來替他幫忙，我依然表示沒有興趣，最後他說道：「你放心，我不會教你磨桌子！」我說：「磨桌子倒是我的拿手戲，我原是作慣了秘書之人，不適於我的性格不宜作官——至少不宜作現時的行政官，否則，不到半年即有被撤職查辦之可能，那時反而連累辭公，豈不糟糕嗎？還是讓我在海外搞搞文化工作的好。」辭公啞然道：「哦！你是要拿着一種武器在手裏，其志不小。但我要聘你作行政院顧問，這你可不能推辭了！」顧問係閒職，我祇好如命，不便再說甚末了。

十餘年來，我每次晤見辭公，即對現實政治問題嘵嘵發表意見，他亦多示贊許，尤其是關於各機關經常召開各種會議不歇這回事，我痛陳弊害，期期以為不可，希望改善。他認為開會的用意未可厚非，但弄成了形式主義即屬無謂，應該改革的。在我向他陳說的若干意見中，只有兩點他表示相反的見解，一是我主張裁併若干不必要的行政機構，集中權責，簡化公文，同時提高公務人員的待遇，俾能養廉。他問我那些機構可以裁併？我說：「大衙門如考試院，內政部，蒙藏委員會；小機構如招商局之類，似乎都不妨予以裁併。」他認為憲法上規定的機關，不宜減少，以免破壞體制。至於增高待遇一層，當然可以，但文官增了薪俸，軍隊亦不能向隅，此非政府現時財力所能許可的事。小機構裁併了亦簡省不了好多公帑，反而造成一些失業羣衆，殊非計之得者。二是開放報禁，他說政府限制新開報館，並不是害怕報紙批評施政得失，而是認定台灣現有的報紙已達到了飽和點，不須再增了。

最後一次我跟辭公見面，是在前年冬間某夕，談了約有兩小時的話，由於他在養病之中，副官曾經兩次進來提醒他，說是時間將到黃昏六時鐘了。我迭次起身告辭，他說再坐半[illegible]不要緊，表示他的精神尚健旺。我談到某些事情的人物和地點，他馬上取出懷中的日記本逐一寫下，極其關心。詎料這次談話竟成了永別之詞，天胡此醉，固不僅為着私人頓失導師而悲傷也。「帝子降兮北渚，目渺渺兮愁予，嫋嫋兮秋風，洞庭波兮木葉下」，此情此景，其何以堪！

我以一個落拓不羈的庸愚書生，十餘年來荷蒙辭公另眼相看，待以朋友之禮，錫以種種優遇。認為這是平生的異數，而深深地自慚無以為報。唯冀來日方長，他的年事亦不甚高，總有隨份圖報的機會。何期天不慭遺，竟使斯人齎志以歿，雖典範長存，而音容已渺，盱衡當世，知我者誰，回憶前塵往事，不禁潸潸泣下矣！

自由報

由天地萬物到人

新道統的宇宙論

（道統論第五章）

陳健夫

世界上任何道統，都有他的哲學基礎，沒有哲學基礎的學理，不能成爲有體系的思想，自不可能成爲一種道統。這個「道」，就是從哲學的方向去開發的大道。所謂「道統」，便是這種闡釋人生宇宙的大道的統系。

要明白這個新道統，就要先明白這個新道統的哲學。新道統的哲學是要追問這個宇宙的究竟，是要找出人生的源頭。

許多道統的哲學對這一個究竟問題，都曾提到，但都是含義不明，陳述簡單。我們新儒却不然，認爲這是一個根本問題，應求得滿意的答覆。因此，在這一章要闡述我們新儒對宇宙，對人生的概念。

下面便是我們新儒提出的眞元學說。

一、從釋迦牟尼說起

首先，我們要提出二千多年前在人生苦海中也可說是在這哲學的無底深淵中建立燈塔的人，那便是衆所週知的有名的佛陀——釋迦牟尼。釋迦牟尼佛苦行修道許多年，成道之後，又教化四十九年之久，其大願宏力，是曠古未有的。釋迦牟尼佛的主要觀點乃是發現了人生在對空流變中所造的「因緣」「業力」，成爲人生的無窮痛苦，因之，乃追求人生解脫大道，創立了一種無上境界的「涅槃」，涅槃梵名木義 Moksa 即解脫自由之意。小乘則目爲近手「虛無」的消極的避難所，大乘則視爲永遠普渡衆生的理想。故又稱「不住涅槃」。（梁啓超及日人木村泰賢所說）釋迦佛對人生在對空流變當中的發現了「因緣和合」的規律性。

佛教對這等人生的痛苦由來及其解脫大道，論究極詳，尤其對因緣說，分析入微、如有名的十二因緣說，名色說，輪迴說，皆是從「因緣」二字剖因說果，分析入微。釋迦佛於成道前七日在菩提樹下發明了「十二因緣說」，說明人生由「無明」（無意識的）愛憎，欲望，經過意志，感覺，至生老死亡的因果發展，釋迦佛始終在集中注意人生現象的理解與分析，而對於「無明」之究竟，以至宇宙之究竟，則未加論說。而對於因緣和合之所以然，是否一切必和合？世間一切因緣未必盡是「和合」，也有矛盾分裂或滅亡的現象。釋迦佛於此等重大關鍵處，并未有明白解答，只是說：「緣名色而有識，緣識而有名色，此生則彼生，此滅則彼滅，」「名」是指心理現象，「色」是指宇宙間物質及人身器官而言，有名的「五蘊」——色，受，想，行，識，色蘊即爲「色」，受想行識四者合一即爲「名」，這便是上面所說的「名色」的由來。可知釋迦佛只說明因何「此生則彼生」，因何「此滅則彼滅」爲止，原來釋迦佛對宇宙本體及人生第一原因并未加深究。日人木村泰賢說：「佛陀所注重的，還是有關衆生的組織或命運等的人生現象觀察。對於物理的客觀世界，只是站在人生觀的意義上來附加論說而已。對於世界（宇宙）問題，并未感到多大興趣。而想闡明人生的活動法則，佛陀是承認人生與客觀事實，而注重於倫理學和心理學的觀察，分析心的諸要素，而想如實了知人生的活動。」

梁啓超也說：「釋迦是一位注重實踐的人，當時哲學界時髦的問題如「世界有始無始」？「有邊無邊」？「身體與生命是一是二？」「如來死後或不死？」……等等，有人拿這些問題問佛，或佛弟子，大抵皆答以「無記」。（無記是佛教術語，中性的意思，或不下斷定的意思。）爲什麼無記呢？佛以爲不必研究，研究這些耽擱實踐工夫，於人生無益，中阿含卷六十有箭喻經一篇，說得最痛快。（一一）

三國史書撰述畧誌

周燕謀

裴松之受詔爲注，雜引諸書，兼下己意。綜其大致、約有六端：一曰引諸家之論以辨是非；一曰參諸書之說以核譌異；一曰傳所有之事詳其委曲；一曰傳所無之事補其闕佚；一曰傳所有之人詳其生平；一曰傳所無之人附以同類。其注網羅宏富，參考諸書約一百五十有六種之多，字數超過本志數倍，六朝舊籍之今所不傳者、尚一一見其概畧也。又多首尾完具，不似酈道元之「水經注」，李善之「文選」注所載、皆剪裁割裂之文也。故歷史考證家取材不竭、轉相引據，而後世言三國志者，皆以裴注爲定本。裴松之可謂不朽矣。

陳壽三國志之病甚大，而沉痾在於「廻護」。趙翼「二十二史劄記」、王鳴盛之「十七史」商榷、宋司馬光之通鑑考異、清錢大昕之二十二史考異、清梁章鉅之三國志旁證，皆有所指正。陳壽爲司馬氏廻護，故亦不得不爲曹氏廻護，如謂曹氏爲篡，則司馬氏亦篡也。以魏爲正統，蜀、吳不以與國，而寇蜀吳，蜀吳二主之事，皆繫以魏年號，蜀、吳無本紀后妃，此可明見者。曹氏之篡竊，參照後漢書尤可見也。稱蜀漢先主、後主者，乃因陳壽爲蜀舊臣，不忘故主之情也。故陳壽之史、失於客觀偏於勢與情二者。其餘重文雜出，謬誤尚多，予於本報前有論列，不再枚舉也。三國志之版本、宋元之舊已不易覯，據邵懿辰四庫簡目所載、知僅有此宋刻殘本宋刊單蜀志、吳志，及元大德丙午宋天錫刊本等，寥寥數本耳。明本則較多：有嘉靖蔡宙等刊本、南監本，注作大字低一格，萬曆丙申祭酒馮夢禎校刻頗佳；有陳仁錫刻評點本，注亦爲大字；又有毛氏汲古閣刻十七史本等。自清代以來，刻本乃日益繁夥：如武英殿附考證本、席氏掃葉山房本、金陵局刻本、新會陳氏覆刻本，較易得；而以殿本及局本爲最通行。此外，坊間縮刻及影印之本，則幾於所在多有，實亦不勝枚舉矣。（下）

漢文，漢字，漢學

陳曼卿

由「語言學」中去實地探討各地「方言」中的語音，得到一個具體解答之後，再研究「音韻」，而是一種實際工作。書本固然是需要，但決不是專在「故紙堆中就可以竟全功的」。如果不把「語言」的問題先「解決而談「音韻」，那無異是「捨本逐末」！

再說，晚近對於先代的「音韻」或「聲韻」等語音的觀點，都是從實質方面去講求了。比方說：發音的部位，和發音的方法，有「塞音」，有「擦音」，有「塞擦音」，清、濁的分別，有送氣與不送氣。大體上說：至於

物理實驗音學

「律呂」，那不過是摹仿自然界中某各種物體的聲音。而是一種「擬聲法」，並不一定就摹仿得十分像，只不過近似罷了。這應當說是在當時的習慣上，和大家的心理上，覺得頗爲近似的一種概念。可是，已被元、明時期的北曲、南曲，用得上氣不接下氣了！如果說：「律呂」在今天仍然適合這一時代，我相信此刻的音樂界，當不會有如許的發明。或者任然還在過所謂「黃鐘、大呂……」的生活呢！

假使我們眞要從物理的觀點去推求，辨別其「音色，音勢，音高，音長」等。是因物體本身的振動力而產生的。至於「音波」的快慢，則在一定時間內查究其疏密的不同。由於人們的聽覺去辨別出「音波」的高低，振幅的長短，以及振動的持續，全用時間來劃分。振幅多的就顯得音長，振幅寬的深的，就顯得音高音宏，低的也就顯得勢弱了，力大的則音重，力小的音則輕。皆由人們的口腔、鼻腔、抑或是喉頭間的呼吸爲主，聲帶與空氣之間，所生的共鳴作用。這與甚麼八卦（卦象）天干、地支、陰陽，五行等，全不相干。

此外還有「音樂學」。就目前來說，屬於「音樂學」科的有「聲樂」和「音樂」。「聲樂」大體分「高音、中音、低音」三組，在一些大合唱團常常可以見到和聽到。「音樂」也分「管樂、絃樂、器樂」三組。（古代也有雅樂和皇門鼓吹二種）這裏就不細碎了。

我們知道，研究學術，不計圇圇吞棗。今天如講文字音韻，那是詩人，詞客的事。講古音，「等韻、協韻、今韻」，也是屬于「漢學」部門。又都已成過去。此刻的「聲韻」，而是皮簧，鼓子曲，戲劇等，尤所特別注重「發聲收韵」的一套法門（法門二字借用度曲人之舊習），乃不至於簧（皇）腔走板（一稱頂板）。戲曲如若不講「聲韻」，試用紹興戲或灘簧的腔調唱齣「平劇聽聽，或者是用粵曲的子喉（小嗓）唱大鼓書看看，那麼僅使觀衆捧腹，而且會使每一聽衆搖頭幌腦（非北平天橋那種）要噓聲四起了。

所以說，今天的文字音韻，應當是由詩人，詞客負責，由他們研究一部適合於現代語音的「詩韻」出來。因很多文字的讀音，都與前代不同，而走韻失音了。舊日「言韻學」的正當途徑，是應該依照時賢以及這方面的專家、學者們的意見。直截了當的說，應該是「文字學」和「語言學」兩種。這是差不多近三四十年來的學人所一致公認的。而且，有不少的學者，他們從這兩方面分別發展，已有不少新的創見。同時獲得學術界的支持，我雖不是攪「文學」或「語言」的人，但「管窺蠡測」却是如此。

至於語音的問題，前次一文畧已談及，國人語音的趨於一致，那是教育當局的職責。惟此刻我們爲了要求瞭解現時代的新事物，以及科學上的新發展，所以採用「國際音標」。就是讓大家來研究我們五千年的歷史，「國際音標」也是不可缺少的一座橋樑。它雖然不易分出四聲五聲或九聲，但若干地方總可以設法彌補。同時，也有不少的「表意」文字大可以應用，以發揮它們在文字上的效能。（二〇）

動物農場

英 George Orwell 著　陳其芝 譯

第二章　動物革命的暴發與成功

白克薩聽見這麼說，馬上把牠那頂夏天戴在耳朵上防着蠅用的罩子也像其他東西一樣扔進了火裏。

不一會功夫，這羣動物已把鍾士先生所留下的東西毀完了。拿破崙隨後領着動物到了儲藏室，分給每一個動物相當於平時兩倍的口糧。每隻狗還多有兩塊餅乾。接着牠們開始唱「英格蘭的動物」，一直把第七遍唱完，他們才就地安枕，這一夜彷彿是他們有生以來最安逸的睡眠。

像往常一樣，天剛破曉，牠們都醒了。忽然憶起昨晚發生的事件和輝煌的戰果，大家就一起跑到農場裏的一個小丘上，在那上面可以看到整個農場。牠們集聚在頂上，在晨曦輝映中，牠們環視着四週。不錯，這是牠們的——每一樣看得見的東西都是牠們的！牠們跳着，跑着，高聲嘶鳴着，完全沉醉在一種令人振奮的歡騰意境中，在露珠上打滾，塞滿了一嘴夏日的茵草，踢著黑土，嗅着泥巴。然後再巡視着整個農場，靜靜地觀察，默默地讚美。這塊是耕地，這裏是草原，這兒是果園，這個是池塘，還有這塊灌木林。牠們好像從來就未見過這些東西，仍不敢眞的相信現在這些東西都是牠們的。

隨之牠們繞回農舍，靜靜地站在門前，這也是牠們的，但是牠們誰都不敢進去。過了好一會，拿破崙和史諾白才用牠們的肩膀把門撞開，其他的動物隨後魚貫而入。牠們是那麼激動而又恐懼，輕悄悄的，深恐驚動了裏面的陳設。牠們踮手踮腳地從這間走到那一間，瞪大了眼睛，一聲都不敢吭地瞧着那些使牠們不能想像，不敢相信床上舖的墊褥，竟是牠們的毛做的，大穿衣鏡，馬鬃的沙發，布魯塞耳的地毯，維多利亞女皇的雕像也在客廳的壁爐上掛着。牠們笨拙地走下樓梯，到樓下時才發現魔麗不見了，大家又回到樓上，牠們在一間最舒適的臥房的外房裏找到了牠。牠正從鍾士太太的衣飾盒裏揀出來一條藍色絲帶，站在穿衣鏡前，左比右擺地自我欣賞着，那付搔首弄姿的樣子，竟使牠自已陶醉不已。一大羣動物的光臨吓了牠一大跳。隨後牠們一起到了廚房，取下在廚裏掛着的火腿把它埋了，白克薩一蹄子就把溫在爐子上的一大桶啤酒踢翻了。其餘的東西，牠們沒有搬動或破壞。牠們又一致決議把這些屋子留下來當博物館用。任何動物都不得在裏面居住。

早飯後，史諾白和拿破崙又把大家召集到一塊。史諾白說：「同志們，現在是六點半鐘，我們有很長的一天。今天我們要開始收割秣草。可是在這之前，我們還有一件必須先要注意的事情。」

這時候，豬才透露出在這三個月中，牠們從垃圾堆裏找出鍾先生的孩子們以前讀破的拼音書，自已學寫，學讀。拿破崙這時又拿來一些黑漆和白漆，領着大家到五個柵門前。然後由寫得最好史諾白用牠兩個前足趾的關節夾着刷子，刷去了「大莊園」幾個字，從新寫上「動物農場」。從此之後這個農場就叫「動物農場」了。大家又回到農舍前。史諾白叫一個動物把靠在馬廐牆邊的梯子搬來，靠在大穀倉的牆上，並說明，由於豬同志們三個月來的努力學習與研究，已把許多「動物主義」的條例斟酌整理，精究，定出了「動物主義」的「七誡」。這「七誡」現在要寫在大穀倉的牆上。這將是今後不容改變的條例與規則，大家必須一致遵守。豬的身子笨重不易保持平衡，費了好些氣力，史諾白總算爬上了梯子，站着穩了身體。（七）

談基隆的名勝古跡，當首推民族英雄墓。墓在中正二路海水浴場側，原名清國人墓。民國四十七年基隆市政府改建斯墓，由蔣總統題墓額，兩傍有陳故副總統及故行政院長俞鴻鈞所題「光昭日月」，「氣壯河山」碑文。市長謝貫一，倩余爲記，茲錄原文，以存沿革：「余於中華民國卅八年夏，初理基隆市政，訪諸父老，知中法諒山戰後，法將孤拔率艦隊進犯基隆，清廷起用前直隸提督劉銘傳來台督辦軍務，布置未定，即對壘於本市海水浴場一帶；嗣法軍三襲淡水，均被擊潰，先後斬馘甚衆。相持八閱月，法軍遁走，吾圉乃固。戰後我陣亡將士忠骸，乃叢瘞濱海山麓。日人據台後，於此闢馬路，毁墓暴骨，市紳池清洋等激於愛國熱忱，爲拾散骨，聚瘞爲一塚，刊碑曰「清國人之墓」。吾台胞敬其壯烈，輒至墓前祭禱。日人惡之，拔碑棄他處，蓋欲使墓地不辨，藉以泯滅台胞故國之思。竊維崇敬先烈，垂範後世，爲守土者應有之責；余既悉其事，乃於卅九年改建墓道，加築祭台，並覓得當年池君等所勒石碑於草莽中，重樹阡上，以存其眞。唯規模未宏，不足以發揚先烈成仁取義精神，促起邦人景仰效法，爰再於海水浴場左側，拓地六百五十坪改建爲民族英雄墓，並蒙總統、副總統暨行政院俞院長分別賜題碑文，勒諸貞珉，益足彰其忠烈。斯墓於民國四十六年四月興工，閱月蒇役，瀕海負山，風景優美，忠魂毅魄，庶可承奠於斯，民族正氣，亦與之長存不朽矣。」

基隆名勝古蹟誌

·仲公·

和平島原名社寮島，距基隆市不過二華里，好像市區右邊向海洋伸出的一隻巨臂，與對岸富貴島及鼻頭角相擁抱，而成爲基隆灣。島上居民大約不到兩萬人。而這個島的開發，恐較基隆市爲早。明時西班牙人入踞基隆，先在這島上築城，並建有教堂，名：「諸聖堂」。附近番人，都前來接受信仰，這算台灣最早的一個天主堂，可惜遺址無從尋訪。島之西端有龍目井，淡水廳志云：「龍目井在大雞籠山麓社寮，大海下面，四圍皆鹹泉湧出如珠噴起，其水獨甘，相傳荷蘭所濬」。現在此井尙存。井北有一小山，山腰有洞，名藏字洞。洞不甚大，相傳荷蘭與西班牙人，爭奪此洞，死傷甚衆。洞內四壁刻字甚多，係記載年代及派遣將兵者至此的姓名，惜多殘缺模糊。

按通志載：「明天啓六年，西班牙人佔領基隆，在此建築城堡一座。於明崇禎十四年，荷蘭人逐出西班牙人，而佔領此土。後來荷蘭人又爲鄭成功逐出，荷蘭尙在此留有甚大潛伏勢力」。（一）

官場趣話

漁翁

官場現形記，所載醜態怪狀，繪形繪影，描寫盡致，令人閱之，莫不捧腹，噴飯，而三歎也。筆者宦遊凡三十年，凡目所見，耳所聞，與夫親臨其境之趣事，頗亦不少，茲記一二，以佐筆談。

民初，有謝某爲湘督軍署秘書長，出必乘三人所抬之輿，俗稱「三頂拐轎」。謝友艾某，亦曾爲滿清知縣，民呼「縣太爺」，出衙，不僅乘三人轎，且鳴鑼引道，雖七品小官，亦榮耀尊嚴。一日，艾訪謝，適公出，寫七言一絕於棹上，以代留言，詩云：「督軍署內秘書閣，大擺大搖爲那何！我亦曾前三頂拐，横衝直撞五十多」。以此諷人，而不禁將自己之身份，流露紙上。

抗戰時，規定縣長以半月在府理事，半月下鄉出巡，以勤求民隱，有縣長某巡視至一保辦公處，上懸「仰止堂」三字，縣長問：是否取義於「高山仰止」？保長答曰：「否」，並申述意義於下：「凡省府有文到縣，由縣轉鄉，由鄉轉保，皆照抄原令，加一等因奉此，結束上文，即合行令仰遵辦，縣與鄉，皆可令仰，惟令到保辦公處，便無地可仰矣，一切責任，歸諸保長一身，公文上之仰字，止於保辦公處，故以此而名吾堂」。縣長聞言，啞然一笑！退而思之，該保長有類東方朔之流，託「仰止堂」三字而諷之。故當時有「公文世界，表冊乾坤」之流言，以公文與表冊，辦得整整有條者，即認爲成績之優異也。

二十年前，筆者一度忝充某行政區之幕僚長，時舉辦公務員訓練，集全區行政幹部於一處，以余爲隊長，又以余非軍事才，而另選諳於軍訓者佐之。其中有爰秘書，於操作時，左右手與左右脚同邊行動，如烏龜爬沙然，全場大笑不止，余口占廿八字：「大衆爭看爰秘書，好同援木去求魚，論操我亦難藏拙，那料他猶我不如。」爲隨訓記者所探悉，披諸報端，傳爲笑話。

三月訓練完畢，命余爲校閱官，在三十分鐘內，於軍樂悠揚中完成任務，諸見漢書有五日京兆，任職不久也，但言任職不久，尙有五日，今上台至下台，僅半小時，感功名如流電般過去，又成廿八字云：「三操兩講不辭難，奉命提升校閱官，功名如此上台如此，往事等閒觀」。

回溯，猶有餘興，筆者有同事胡某，官皆少將，但年逾知非，又面目嶙峋，偶涉足娛樂場中，爲女人所憎厭。而胡却無眷相隨，往往領掛金章入花柳中，咸怪而問之，則曰：「我貌不如人，又復老邁，欲配金領，豈有他哉！」後納一少婦爲妾，少婦居鄉村，夜半親迎入城，不願爲外人道也。余知其隱，寫一聯以貼諸其門曰：「那管他，夜三更，遠迎幼婦；可憐我，年半百，又做新郎。」閱數日，依俗例拜丈人，函余代請假一日，假條上有因「腹瀉」兩字，而函中囑勿惡作劇，余又以一聯答之：「腹瀉爲何因？太補；函囑毋作劇，怕羞！」胡閱之，啼笑皆非，未幾即與少婦掛冠而去。不愛江山愛美人，吾於胡君亦然。

上面所寫，乃官場中之趣話，而非現形記之醜態，其間包含諷刺，笑談，風流，作茶餘酒後暢談之資料耳。

辭公副總統千古

揖教亘十年，最難忘午夜趨談，恭聆循循雅言，得識大義；

哭元戎！臨危慳一面，更何堪中原待定，竟抆簌簌熱淚，痛

雷嘯岑拜輓

衰梨室劇談

關於這，我可不大同意！因爲程四的嗓音屬於，其音清越而沉着，有如塞悲笳，感人肺腑。高音相當勁狹，低音特別柔活，這全是他個人所具之特點，爲他人所沒有的！因之他能兼陳（德霖）、王（瑤卿）之長，就嗓行腔，破成法自成格調。同時咬字歸韻，氣口勁頭，事事合法。抑且剛柔相濟，強弱分明，這個完全根於天賦及功力。若以屬於宮，角，徵，羽，之嗓音去效法他，任你如何用功，亦只能得其鱗爪。即使表面有虎賁中郎之似，精神上依然有着相當的距離，這是不待說的。

雲想衣裳花想容

谿公

至程的「做工」，細膩而不繁瑣，極哀感頑艷之能，無太過不及之弊。悲時雙眉緊蹙，怒時凛若冰霜，一顰一笑，悉以自然之姿態出之。特別是那出神入化之「水袖」，運用自如，變化百出，在千百個旦角中，難得有一兩個！乾脆說，他是可望而不可及的。所以我不希望章女士亦步亦趨程。吾長友林植齋先生亦有同感云；故他曾有一闋「倦尋芳」詞：

「暘簾催暖，社鼓嬉春，愁思何限。花信遙傳，廿四番風已遍，羅簾重尋前度曲，采春惜少當時伴。向紅襯桃花細認，燕鶯猶嘲。記舊日燕台樹，共說傾城，多少魂斷。又著鈿衫，正值玉京春滿！一樣天涯淪落客，相逢莫訝青衫泫。近鄰屋，聽西聲，幾回凄惋」。

這詞也是對章之叠遇僧夫，棄却原有佳劇，勉強摹程，表示相當惋惜的。

如果章女士不棄芻蕘的話，希望她能放棄不夠理想的「程腔」！仍舊唱「梅派」的「玉堂春」，「六月雪」，「鴻鸞禧」，「宇宙鋒」，「母女會」，「祭長江」，「機房教子」，「杏元和番」等骨子老戲；那是愛好劇藝的人們，看了還要看的！（六、完）

禽獸船票

有許多動物附搭郵船以至飛機，其中絕大多數是作貨物辦的；少數隨同主人作爲愛畜附搭的，便作爲搭客辦，另發動物票，由主人代買。根據英國郵船伊利莎白和瑪利皇后號船發行的動物票，其票費從英國到美國的狗，不論那一種，一律十八鎊十先令；貓爲三鎊十先令；籠鳥爲一鎊十五先令。

梁山伯與祝英台

——「影劇與歷史」之一

周遊

梁祝之遺蹟

一、江蘇宜興之「碧鮮庵」有「梁祝讀書處」。（宜興志）

二、甯波有祝家村。（甯波府志）

三、慈谿有祝家渡。（慈谿縣志）

四、山東曲阜孔廟有「梁祝讀書處」。（勞久雜記）

五、安徽舒城東門外有祝英台墓。（舒城縣志）

五、河北林間鎭有梁祝墓。（錢塘遺事）

六、甘肅清水有祝英台墓。（甘肅清水縣志）

八、浙江鄞縣有「忠義王廟」（鄞縣志）

九、甯波西鄉邵家渡有梁山伯廟。（甯波府志）

十、貿（缺邑旁，下同）縣之西十六里接待寺有忠義王廟。（貿縣志）

十一、山東嘉祥縣、有祝英台墓及碣文。（焦循劇說）

最奇怪的是甘肅清水志所記，說「山伯死葬邦山。」梁山伯竟死在甘肅清水，而且清水有梁祝之墓。梁山伯祝英台絕不會出江、浙兩省以外，什麼山東、甘肅、安徽、河北等地，都是附會，無稽幼稚可哂，根本不足置信。

註：按東晉時會稽，包括有今之山陰、餘姚、上虞、諸暨、句章、貿、鄞、太末、烏傷、章安、東候官等十三縣。稱會稽者，郡也。設治山陰，即今之紹興是也。據會稽志云：「自漢永建迄陳、會稽爲國、或爲郡、雖更號不常，要皆浙江以東地而爲言，非縣也。」足見指山伯爲會稽人、非指縣。

註：貿、鄞二縣，自古混不清，使人莫知所從，按鄞、貿毗鄰，改來改去，使諸記載分不清楚誰是鄞，誰爲貿。考浙江通志：「鄞、春秋越東，邑地，秦置貿縣，晉又徙貿章縣，隋平陳，並鄞貿二縣於句章，唐於句章置州，尋廢。復改置貿縣。五代梁改貿縣曰鄞縣」。作者按：貿、在浙江鄞縣東，因古有海人貿易於此，名其地曰貿山，後改貿爲貿，漢代置貿縣，至隋代又併入鄞縣之東的句章（故城），唐朝又置貿縣，移治於句章，句章即今之鄞縣南，（句章前在鄞縣之東的貿縣）到了五代，始將貿縣鄞縣二地併而爲鄞縣。今之鄞縣、包括貿縣，句章等地。總之，梁山伯無論是鄞、是貿，都是今之鄞縣。貿、句章二縣在五代之時已廢置。（完）

紂不是暴君嗎

謬匡

禽」。殷人擬禽周，又「殷不其禽周」（殷虛文字甲編）「殷人甲骨文字乙編」「王令人伐周」、「殷伐周」（殷虛卜辭第一二三二、一二六九、八四四）。月：「殷人命虎侯伐周」均見殷契卜辭、毛傳等）。殷代爲周無道，又見於罪大矣。文多不具。紂代周，虎侯崇侯。

紂又伐東夷，及有蘇。據如下：「王入于夷」（鐵雲藏龜一八五六）（觀堂集林）紂王伐東夷時入駐東部商奄」。子古樂云：「商人服象，爲虐於東夷，周公以師逐之。」又左傳昭公四年：「商紂爲黎之蒐，東夷叛之。」又左傳昭公十年：「紂克東夷，而隕其身」。即紂克東夷之後，周人乘機伐紂而亡殷也。總之紂之窮兵黷武，不仁，衆叛親離，故有八百諸侯聽武王會師孟津之舉。仁者無敵，暴虐取亡，乃定理也。是則，紂不是暴君，他又是什麼呢？（完）

檢討近年來美國務院數次改組

（上接第一版）

相反的，曼因是詹森担任總統後所調動的第一位外交官，也是詹森所瞭解最深和最賞識的一位外交官。詹森於他發表曼因爲主管拉丁美洲事務助理國務卿的同時，又負責統轄美國對拉丁美洲的一切活動，便可看出詹森對他的重視與期待。所以，就繼任魯斯克的人中，未來選任曼因亦比包可爾爲更大。這一結果，可能也就是最近美國務院改組的重要意義之一。

曼因本爲主管拉丁美洲事務之助理國務卿，甘迺迪上台後被撤換，而改調爲駐墨大使。而詹森繼任總統後，又以其才能非凡，重加任用，並擴大其職權。由此看出，所謂人才云云，眞正才能也許還不是最重要的決定因素吧？

內儎警台報字第〇三壹號內銷證

自由報
THE FREE NEWS

第一三五一期

中華民國僑務委員會登記證
台救新字第三二三號登記證
中華郵政台字第一二八二號執照
登記爲第一類新聞紙類
（每逢星期三、六出版）

每份港幣壹角
台灣零售價新台幣貳元

社長：雷嘯岑
督印人：黃行富

社址：香港銅鑼灣高士威道二十號四樓
20 CAUSEWAY RD 3RL FL
HONG KONG.
TEL. 771726　營業處：7191
承印者：田豐印刷廠

台灣分社
台北市西寧南路
電話：三〇四六
台郵掛號金字二九二

閉鎖的道德

韋政通

柏格森（Henri Begson）在「道德與宗教之二源」一書中，曾創造了兩個很有意義的名詞，即「閉鎖道德」（Closed Morality）和「開放道德」（OpenMorality）。從這兩個名詞的含義，不禁引發我對中國儒家的道德思想作一點探究。

一般說來，中國的文化是一個重德的文化，而這個重德文化的始創者是孔子。

孔子的學說以仁、爲宗。最初，這個觀念是爲究追禮之本而悟得的；因此，一開始仁的積極意義頗重，因爲它的作用主要在成就禮制，而又是禮制的基礎。可惜孔子重振周文的理想沒有能實現。晚年講學，仁由「禮之本」一轉而爲「仁者人也」的「人之本」；因此仁成爲人的基礎，這是把仁從特殊效用中解放出來了。這本是一步很重要的發展，蓋由這一發展，終至開闢了以人爲中心的人文世紀，這是中國文化眞正新紀元的開始。不過到了第二代，世亂如麻，人欲橫流，周文反映在知識份子心目中的影子更趨黯淡；因此當初孔子那點成就周文的客觀精神的矢向，都被削落，從此就循着「仁者人也」一路講下來了。到孟子，這一方面的發展歸結於心性之論，心性之論出，儒家講道，起脚落脚，都在以個體爲主。周文崩潰以後，時勢所趨，孟子知已不能重振，於是捨周文而泛言王道與德治。王道、德治是儒家的政治理想，談政治不肯定政治的本質，不澄清政治領域的獨特性，而仍將問題歸結於個體的理性，倡言「克己復禮，則天下歸仁」（孔子），以及「親其親，長其長，而天下平」（孟子）之說，結果政治理想就完全虛脫，而成爲道德理性的一個倒影。政治理想虛脫，人與人之間所形成的社會國家的問題，就根本得不到解決；社會與國家方面的問題得不到解決，道德的積極建構意義遂亦喪失。因此中國儒家的道德思想，始終限於個體說話，落在正心誠意上做工夫，這是道德的消極形態。用柏格森的名詞說，就是「閉鎖道德。」

因此我們不妨對柏格森的名詞，重新加以界定：凡是限於個體，不能促進或誘導對社會國家一面的複雜問題，尋求一合理解決途徑的道德，統稱之爲「閉鎖道德。」但社會與國家方面的問題，不是道德能直接解決的；對應着這一串問題，須要道德領域以外的知識與技術，這些知識與技術根本上亦不服從道德的眞理。因此，道德要對社會國家的問題上有貢獻，首在尊重自身以外的眞理標準，和承認多元文化的雅量。這在中國過去的歷史中，幾乎從未有過此種自覺，它徹頭徹尾是一道德一元論的文化。凡是一元論的系統，必然是閉鎖的系統。這閉鎖的道德，一面流於「乾道變化，各正性命，保合太和，乃利貞」（易經）的高論；一面與現實社會中的習俗合流，而形成教條。高論可以滿足高級知識份子的求知要求，教條則馴服了一般愚民。當然它還有嚴肅一面的工夫，不過這種工夫，亦是純消極的，個人解脫的意味重，所以雖代有大儒出，但對現實的社會政治影響極微。由宋至明，是儒家興盛的時代，到明代更是盛極，可是明亡之後乃最慘烈，明亡後是士大夫最無恥的時代。顧亭林講學，以「行己有恥」爲標幟，就是由於這一時代背景。顧氏身受亡國之痛，於是反省傳統文化，且痛揭其短，如云：「置四海之困窮不言，而終日講危微精一之說」，眞是一語中的。自流子將勞心勞力嚴加區分以後，後世便一直輕視百工技藝爲賤民之事，士大夫階級少措意於此道，民生怎能不困？這都是閉鎖道德的結果。

這種閉鎖道德對士大夫自身，則培養出一套消極無爲的人生觀。最近的例子：如諸葛亮說：「苟全性命於亂世，不求聞達於諸侯」；[illegible]者便是孝子賢孫。[illegible]正可代表中國不得志的讀書生的心聲。[illegible]他們人生第一大事本是出仕，因不得志，遂以此自我解嘲。後者正是已得志者的垂戒。不論其得志與否，其表現消極無爲的人生觀則一。

在儒家的道德思想中，孝一德日，有着特別地位。就父母而言者，自無問題。到漢代，這種基于人類天性的孝道，卻被陋儒們利用了。陋儒提倡大孝報國，又將君父的關係混同，有所謂「以孝事君則忠」，孝與忠成爲同義詞，因此「天下無不是底父母」，更默轉而爲「天下無不是底君王」。於是臣子個個馴服在專制帝王的淫威之下，不採消極無爲努力自保的人生觀又將奈何！

道德問題既被封死在人的個體上，經過兩千年之久，講的眞是「極高明而道中庸」，但這實已遠離大衆，在極大多數人心目中，那一套道德思想無異是一套道德神話，很少人能眞正去實踐這種工夫，除極少數特別氣質者外，對這套信念過分認眞的，末後都難免起反動，顏習齋、戴東原都是明顯的例子。置四海之困窮而不顧的儒者，竟妄想用道德神話的網，去一網打盡天下人的心，期人人立志做聖賢——各正性命，並爲世間强立下所謂一等人的標準。從此世間人，不論我具備何種才華，何種人格形態，一是皆以聖賢爲歸；除極少數特別氣質者外，大多數的人都在這模型的强求下，紛紛流於虛僞一路——這就是中國傳統社會所以鄉愿獨立的原因之一。

中國歷史文化中絕大多數弊端，都與閉鎖道德有關。當今補偏救弊，首在使「閉鎖道德」轉變爲「開放道德」，使道德不再爲文化進步的限制與障礙。此究如何可能？對這問題的回答，我們主張從傳統的「閉鎖心靈」，轉變爲「開放心靈」；同時從根本上，必須使傳統的道德一元論，轉變爲文化多元論；而具體的工作，則落在中國的現代化上。關於這種種問題，我們將另文一一陳示；本文只限於說明傳統道德的表現，是閉鎖的道德而已。

老毛的禮物

逐級而登

今日與明日

越南政府的反共措施

最近越南政府採取行動，把主張和平運動的人士，遞解到北越去，其中的首領三名已送至順化，正在研究遣配的技術，如若從陸路上送不過去，就準備派飛機用降落傘在北越上空丟下去。這實在是一項値得拍手叫好的高明政策。

一些失意的政客黨棍，爲了想東山再起，就搖身一變爲民主人士，借着這個招牌興風作浪，對政府施以誣蔑性的攻擊。政府若作一件事，他們就一定攻擊是作錯了，不作事又被指爲尸位素餐，不理政事。好似世界道理就在他一方面，唯一辦法只有讓他出來領導。例如：前幾年我國的一位失意黨棍雷某，就是這種作風，政府喊反攻大陸，他也批評反對，自由反共人士罵尼赫魯，他也認爲不對，只有他一個人的見解才對。當時筆者曾經主張政府派飛機把他空投大陸去，因爲既然台灣諸事皆看不上眼，何不換個地方去爭自由，也許可以達到目的。不料事隔數年，越南政府竟然採取此項果決行動，與愚見不謀而合，深爲可佩。

俄共拒絕毛共抗議

毛共派在莫斯科的青年共幹，因圍攻美國大使館被蘇俄警察打傷，毛共藉此理由向蘇俄提出嚴重抗議，已經俄外長葛羅米柯嚴予拒絕；蘇俄政府且進一步指責毛共無中生有找事，警告毛共職業學生在莫斯科須守當地法律，否則即予驅逐出境。

毛共學生在莫斯科領導的示威運動，現在有確實證據證明是有計劃的挑釁行動，蘇俄捨强硬對付之外別無他策。就在毛共幹部在莫斯科滋事的同時，蘇俄又運了十二架米格機去印度，接着還要爲印度設廠造米格機，裝備三個中隊，這一連串舉動豈是偶然？

澳門政府的荒謬行動

澳門政府最近受了毛共壓力，迫使中國政府關閉駐澳專員公署，這件事是今年外交界的一件大事。澳門政府此項行動，不惟荒謬，抑且不智。事實上毛共一貫習性欺軟怕硬，愈是退縮他就愈向前進，早幾年由於毛共向澳門尋釁，雙方曾發生砲戰，葡萄牙政府堅强不屈，毛共這才安份了幾年。最近乘試核子裝置之便，又向澳門政府展開恐嚇，澳門政府此次被迫低頭，以後必然還有更進一步的壓力，將一直迫使澳門政府失去獨立主權爲止。

另一方面，由於澳門政府向毛共低頭，外地人士對澳門也失去安全感了。時間一久，必然行旅裹足，遊客止步，則澳門本身又怎樣維持？不知葡澳當局想到沒有！（何如）

自由談

民主政治的困惑

記得巴基斯坦總統阿尤布說過：「民主政治原是好制度，怎奈我們這般產業落後的國家浪費不起何？」這意思就是認定實行民主政治諸多浪費——包括人力和財力——一般後進國家，或勉强而行之，實在受不了，卽將大受其害。已故英國名人邱吉爾亦說過：「民主政治可能是一種最壞的制度，但在人類尚未發現更好的政治制度以前，我還是要贊成民主政治。」前一說是現實的經驗論，後一說是理想的認識論，各有眞理存焉，未可軒輊也。

英美都是產業發達，人民知識水準頗高，社會結構相當健全的國家，實施民主政治至少亦有百年以上的歷史了。就其實際情形，不特未臻於民主政治的理想境界，而人力財力之浪費程度，殊是驚人。若教一般文化落後，產業貧乏，而剛從殖民地主義中脫出來的新興國家，如巴基斯坦、印度和中東諸邦國，依樣葫蘆地向英美看齊，實行西方式的民主政治，這不是開頑笑嗎？美國人指越南總統吳廷琰不民主，將他推倒，而强要越南實現「文人政府」，結果是政變不休，到處動亂，以致越共乘機滲透突襲，連美軍駐防的營地亦被破壞了！祇顧理想而忽視現實，根本就違背了政治的原理原則，沒有不誤盡天下蒼生的。

民主思想是反抗暴君專制的產物，未可厚非，卻不是毫無標準地可以放諸四海而皆準的刻板文章，它需要一定的條件，因時因地而循序漸進。在條件尚未具備的國家，與其勉强等步，搞那浪費的民主政治，弄成四不像的結局，只見其害，未蒙其利，倒不如實行開明專政之爲愈。例如我國歷史上的西漢文景之治，唐代貞觀之治的君主開明專政，實際上人民所感受的利益，卽比今日一些後進國家的僞民主生活更爲優越得吧！

柏拉圖提倡「哲人政治」之說，吾國知識界人士亦曾經倡導「好人政府」的見解，這都是不切實際的書生之見。就中國現階段的實際情形設想，我不敢存有享受英美式民主生活的奢望，如果西漢文景之治，唐代貞觀之治的史實能夠重現，也就心滿意足了。至於希特勒、史太林式的專政獨裁，那非竭力反對不可！

馮正先生

監察院長選舉動向

可能競選的有張維翰陳肇英金維繫

另有主較年輕者出馬陶百川呼聲高

．（本報台北通信）監察院院長于右老逝世後，關於繼任人選，外間揣測紛紜，院內人士亦不無議論，但大家認爲這問題最好是等待于右老安葬以後再解決爲佳，目前由副院長李嗣聰維持現狀，并無妨礙。

可是，最近李代院長赴日本參加國際會議五天期間，院內即曾經發生由誰代行院務的問題，最後雖然一致商定日常事務由秘書長處理，重要公務由輪值委員核辦，這究竟不是常道，因而對於補選院長一事，即不能不有所準備。監察委員的人數共計只有七十二名，若以得票過半數當選，誰能掌握到卅票以上，必卜穩操勝券了。記者綜察各方情勢，可能自動參加候選人的委員，計有雲南張維翰，福建陳肇英，安徽金維繫三公，他們的年齡都逾七十了，屬於年高德劭之流，而現任李副院長亦有逐鹿正座之意。另有些人主張讓年紀較輕的委員出爲大衆服務，而以現在美國考察的浙江陶百川呼聲最高，陶氏早已表示無意於此，除非多數人一定要徵召他服役，他是不會作競選活動的。此外，台灣籍邱念台亦有人提到，但可能性不大，因爲他的年事已高，平日很少說話，似不易與上述諸公競賽取勝。

在七十多位監委中，隱約之間亦有一種派別的分劃：如孫玉琳、黃莞軒（女性）等約有二十人，遇事一致行動；如陳大椿、陳訪先、曹德宣等約有卅餘人亦常能合作；如李嗣聰、宋英（女性）等十來人皆採取超然立場，可說是中間派；其餘即歸於無所屬之列了。所以，誰能博得這三大派別中的兩派人士支持，當選院長即如探囊取物，萬無一失。不過，有一大關鍵雖也不能漠視，那就是要取得執政黨的認可，因爲有意從事競選院長的人，都是國民黨員，非聽命於黨不可的。附帶的還有一點盡在不言中的條件，即監察院長的地位崇高，個人平時在院內和社會上總得著有多少聲望，乃可壓台，尤其是承之于故院長的後任，所謂「盛名之下」難爲繼，更須注意及此。（三月三日　毅萍寄）

屏東縣立萬丹初中

兩項成功教育措施

（本報記者屏東航訊）屏東縣立萬丹初級中學，在校長李善昌主持領導下，有兩項成功的教育措施，值得一提。

按萬丹初級中學的前身，是日據時代（即民國十年）所創立的萬丹農業補習學校，民國二十五年改稱農業專修學校。後日人以該校爲火藥庫，不幸發生爆炸，致辦公廳、教室、校具等毀壞殆盡。至民國三十四年台灣省隨抗戰勝利而光復，復改爲屏東市立初級農業學校。三十六年奉准改制爲屏東市立第三初級中學。三十九年十月一日台省縣市行政區域重新調整，屏東市改爲屏東縣治，該校亦隨之易名爲「縣立萬丹初中」。

四十九年十一月二十四日，蔣總統曾躬蒞該校巡視，並予勗勉，全校師生視爲無上光榮，益增愛戴之忱。五十年九月教育部、教育廳會同選定該校爲高屏澎台東五縣市初級中學之「科學教育實驗中心」，現正積極展開工作中。五十一年十一月五日泰國科學教育考察團蒞校參觀時，對該校所推行的科學教育、理化、博物等科分組實驗，及校內環境，設置等，倍極讚揚！

該校爲充實教學及各項設備，除於四十九年經李校長力爭補助，及得家長會之協助，完成「致遠大樓」之建造，并分期完成「中正堂」興建工程。該校現有二十二班，教職員六十餘，先後十八屆畢業生人數逾二千餘，升學率百分之九十二強。

校長李善昌係廣東博羅人，國立中山大學教育系畢業，曾任國立貴陽師範學院、廣東省立文理學院講師及兼組主任，省府視察等職。民國四十四年九月接長萬中於茲，先後服務教育工作，已達二十餘寒暑，對爲國家作育英才，確具貢獻。李校長性格善良忠實，爲人慷慨豪爽，尤重信義，自長萬中以還，除對校舍增建不遺餘力外，尤其是他不那種寧放棄增班而不迫使學生「樂捐」與建校舍的作風，倍受地方各界人士讚譽。

教育界某不願透露姓名的高級官員語記者稱：李校長所主持領導下的萬丹初級中學，不但在科學教育方面，有驚人的成就，豐碩的果實，尤其在學生生活教育方面，已有近五年沒有學生校外違紀、打架的實績，確乎難能可貴，值得表揚。除此而外，李校長亦很注意教職員的生活、福利等的改善，諸如教職員宿舍整修及請求家長會購贈三輪車一台，專供接送教職員子女上學之用等等，即其顯例。（袁文德）

不鳴則已．一鳴驚人

女立委王長慧質詢經濟

（本報記者台北航訊）女立委王長慧在質詢經濟發展有關問題時，認爲「報喜不報憂」是最要不得的。她指出：台灣經濟活動人口中，約有一半——三百七十多萬人在失業，這對積極建設台灣，準備反攻大陸的國策，不無影響。

這位極少質詢經濟問題的女立委，大有「不鳴則已，一鳴驚人」之氣慨，她說：如果我們正視現實，有幾種現象，也值得我們鄭重地加以注視。

第一、國內投資數額並不大，經濟結構無顯著之變化，技術無大改變，大量儲蓄均以外匯方法投放於國外；換句話說，經濟發展的動力並無顯著改進，這將影響以後的發展，使得目前的成長率不易維持。

第二、失業情形日益嚴重，投資數額遠不足以吸收過剩之勞力，不僅浪費國家人力資源，而且威脅社會安全。

第三、截至民國五十四年一月底止，新台幣的發行，已高達七十一億餘元。不久以前，世界銀行認爲我們在過去十二個月貨幣供應量增加了百分之四十五，恐將引起不良後果，曾經建議我們採取三項救濟措施。我們也都知道，財政性的通貨膨脹，是過去摧毀我國經濟的可怕危險。目前，面臨着貨幣供應量急速增加的事實，如財政不能控制，一個重大的危機，是隨時可能出現的。

這三種現象，王委員認爲對未來的經濟穩定與發展，將有決定性的影響；其趨勢，是非常不利的。因此，她對台灣經濟發展提出她自己的意見：

一、除非國際經濟繼續目前的繁榮，國內投資有重大的增加，否則，上年的經濟成長率，無論如何無法維持。尤其是糖價大跌後，對經濟成長率的影響更大。面對難以捉摸的情勢，政府有無應變準備？行將採取何種對策？

二、在糖價下落的情勢下，出口雖仍可增加，但將遠不如上年的成長率。另一方面，如果加速經濟發展，大量增加投資，則進口又將激增。而如果限制進口，則經濟發展又不免受到影響。面對如此微妙的情勢，政府有無萬全考慮？

三、從國家總預算看，各種支出仍在擴增之中；但另一方面，除非積極而有效的整頓稅收，總收入當難有大量之增加。在這種情勢下，財政上的赤字勢將擴大，財政性的通貨膨脹勢所難免，多年努力所建立的穩定物價堤防，很難長時固守，而一旦被沖破，其後果不堪設想。面對如此嚴重的情勢，政府對此有警覺否？

四、根據官方所發表的統計資料，近數年來，就業人口估總人口的比率，逐年均在下降之中，而失業人口的比例則增高。例如民國四十六年的就業率爲三二點一%，四十八年下降爲三一點四%，五十二年又下降爲三〇點四%。再如四十六年的失業人口估總人口四點六%，五十一年增爲五點五%，五十二年又增爲五點二%。在這種失業人口的數字中，從事「家庭管理」的人口除外，事實上，所謂「家庭管理者」之中，尚有頗龐大的「隱藏失業者」在內。所以專家估計，我們的失業率，當在九點五%以上；約爲美國的兩倍，英國的八倍，義大利的三倍，日本的八倍，實足驚人！單就五十二年而言，在七百三十五萬三千「經濟活動人口」中，就業者佔三百六十一萬六千人，「無業者」估三百七十三萬七千人，「失業者」較「就業者」爲多，更是觸目驚心。我們看當前的一般現象，一個極普通的就業機會，能招引數百上千的人們去爭取；而每一個新的就業市場展開時，人們便瘋狂的擁到，馬路上的兩傍擺滿了地攤，到處都是肩挑背袱的走販；均足以反映失業問題是何等嚴重！而對如此惡劣的情勢，政府是否予以重視？

簡介台南縣立曾文農校

——本報記者台南航訊

發展職業教育，已爲政府既定政策，如前任教育部長黃季陸氏，對今後興學方針，便以職校爲主，會大力倡導與積極推行；不僅欲藉此培育光復大陸後之專業人材，且亦爲促進生產，繁榮社會經濟之不二法門。而以農職更適合我國環境之需要。

台南縣在全省人口比例上，從事農業人數較他縣市爲多，耕地亦多，土壤更好，實爲發展農教最理想地域。

縣立曾文農校，位於縣境中心麻豆鎮南勢里，靠近嘉南水庫，并與產糖最多之麻佳總廠近在咫尺。擁有廣大農場，完整設備，優秀師資及樸厚敦實學風，到處充滿一遍青翠，是一所發展農教最佳的學府。

曾文農校創校於民國三十年四月，光復後改稱爲台南縣立曾文初級農業職校。三十九年試辦高農，翌年奉准設立三三制的完全農校。四十六年起將學制由農藝科改爲綜合農業科，五十二年呈准增設農產製造科，一切趨於全能與科學途徑。

該校建校迄今廿五年來，培育人材三千二百零十八名，其間高級部計十二屆，完成學業六百九十三名，初級部計廿一屆，完成學業二千三百八十五名。在該校培養的二千餘位農業專才中，先後參加就業考試，經建考試，普通考試及格者達百分之四十，現均服務於社會。又有百分之四十五獲取升學深造。實際從事農業工作的則佔百分之五。因其對農業革新與推行四健會活動甚著功績，頗受各方面人士讚揚。現任李兆彥先生主持，歷經十八年，不斷求進步，不但自繪校舍藍圖，尙親自督工建築。曾農之有今日，實爲李兆彥及全校教職員苦心埋頭實幹的結晶。

目前該校建有教室十八間，教職員宿舍卅三間，辦公室六間，各式倉庫廿間，農產加工廠及農機具修造廠各一間，農場、園藝、電化、標本、學生康樂活動中心各一間，其他禮堂（兼作訓練中心）、綜合畜舍、堆肥舍、雞舍等及其附屬建築物約九十間之多，規模宏偉。

農業學校旨在發展農業教育，培植農業人材遵向科學里程，曾農一切設施，均基於上述原則而力求實現。如學生在實習方面，各生均有農具一套，共計二千餘件之多。圖書藏有中、英、日文書籍八千三百六十六冊。體育場地有六處，運動器材五十七件。物理及生物儀器一千零十五架件。視聽教育器材，如電影機、電唱機、對話機、錄音機、幻燈機、播音機、收音機、顯微投影機、洗相設備等俱全。音樂設備有樂器全套卅八件，鋼風琴唱片等。技藝訓練有各種農業用工具一千一百零七件。農科設備有耕耘機六台、拖車抽水機、脫水機各三台、馬達三個、牛車製簽機、割蔓機、發動機各二台，粉碎機、精米機各一台，其他農具一千八百件。童子軍及軍訓用具四百五十件。教學掛圖九十五件。土木測量儀器一百卅一組件。園藝設備一百四十餘件。氣象設備六十七具件。堪稱應有而盡有，甚爲齊備。

曾農也是擁有台南縣最大農場的一所學校，佔地達十七甲半之多。內專供學生實習用農場，即有八甲多土地。經濟農場五、二二七公頃，果園一、二一三公頃，蔬菜園〇、三公頃，標本園〇、一六五公頃，造園教材圃〇、八公頃。花卉室栽培有很多不同品種的農作物，花草或標本，果苗，蔬菜……等。

自五十四年度起，省府預計在台南縣內擇一所較佳之縣立農校改爲省立，由於曾農有前述之完美的設備，廣大的農場，優秀的師資，管教又嚴格，確爲發展農業教育最佳學校，爰經縣議會，麻豆鎮長及曾文區地方人士多次晉省陳情，請求改爲省立。他們一致認爲曾農改爲省立具有如下之優點：

一、台南縣五行政區（新營、曾文、新豐、北門、新化）中，唯獨曾文區沒有省立學校；北門區省立北中與縣立北農相距只一公里，新豐區省立南農與縣立新豐農校相隔不足十二公里，然曾文區尤爲全縣中心，實有設立省中之必要。

二、台南縣立農校中，僅曾文農校係三三學制，爲配合教育政策「省辦高中，縣市辦初中」，曾農已具備上述規定。

三、曾農辦理高農最先，設備齊全，農場大，爲其他縣立農校所不能及，尤其農場每一角落設有地下水灌溉暗渠，藉此灌水，不受天旱影響。

四、該校位於全縣生產甘蔗、甘薯、水稻、柑桔、蔬菜、雜作中心地帶，隣近四處鄉鎮子弟，迫切需要一所規模較大之省農學校。

五、縱貫鐵路由該校東側串通隣接鄉鎮，交通支線密佈，土地肥沃，爾後發展容易。（朱武州）

由天地萬物到人
——新道統的宇宙論
（論道統第五章）

陳健夫

當時有位鬘童子拿這個問題問佛。佛答道：「譬如有人身中毒箭，當然該火急把箭拔出敷上藥來救他。倘使那醫生說：『且慢拔箭，我先要研究病人姓甚名誰，身材面色長短粗細黑白，刹帝利種抑吠舍種首陀種。且慢拔箭，我要先研究這弓是桑做的，抑或柘做的，角做的，……且慢拔箭，我還要研究箭者的人姓甚名誰，那箭來自何處？』如此，不等到你研究清楚，那病人早死了！」這段譬喻眞算得千古妙文，因此可見釋迦說法并不是談空說有閒着玩的，他是一位最忠實的臨牀醫生，專講對症下藥，凡一切玄妙理論「非梵行本，不趣智，不趣覺，不趣涅槃者」，一向不說。」

我所以引述以上兩大家的論證，旨在證實我上面所說的：「釋迦佛始終在集中注意人生現象的理解與分析，而對「無明」的究竟以至宇宙的究竟未加論說，對宇宙本體及人生第一原因，未加深究」，這說明了我的認定已有相當根據。說到宇宙論有如梁啓超說的：「佛未嘗不說宇宙，但以爲不能離人生而考察宇宙」。換句話說，佛教的宇宙論完全以人生問題爲中心。所以佛的徽號亦名「世間解」lokavidu。因此梁氏認定：「佛教哲學的出發點，非玄學的而科學的；非演繹的而歸納的。他所研究的問題，與其說是注重本體，毋甯說是注重現象。與其說是注重存在，毋甯說是注重生滅過程。」

我所以不憚繁瑣的引證這些言論，并非是因爲我今天要作闡揚佛學的講演，式作批評佛學的研討。今天我對兩者皆無所用心。主要的乃是我今天將要講到的學說是由於讀到一般佛教經典及有關著作發現當中的問題，發生了懷疑，懷疑之後我又恍然大悟的發見了我的一種新學說，所以要先講到佛學。我看了一些佛教書本，究竟發生了什麼懷疑，什麼問題呢？無疑的，我對佛陀的宣示不以爲滿足，還要將眼光放遠些，看看人生遠處的究竟？

于是我的懷疑開始了！一個人可以不知道自己的父母麼？可以不知道自己之所由來；那末我們人類爲什麼可以不知道生我們人類的大父母呢？人，可以不知道他的由來麼？

不論這個問題是如何的困惑，但我們必須求得解答。因爲人是宇宙所生，人之一切稟賦皆來自宇宙，是先有宇宙而後有人生，不是先有人生而後有宇宙」。佛陀認爲「不能離開人生而考察宇宙」，相反的，我却懷疑了：

「可以離開宇宙而考察人生麼？」

可以麼？不可以麼？我經過久長歲月的觀察及深刻的思考，我覺得不可以。我們不可以離開宇宙而考察人生，我們如此對宇宙有了了解有了認識，則對人生的解脫，亦可求到至上的涅槃是一種實有的境界，而非心理的意境。因此，我以爲非在宇宙論方面找到根據不可。

就以前面所引的箭喻中童子問佛陀的宇宙原始的問題而說吧，我以爲那誠然是「千古妙文」，但嫌道理尚有不足。我想一位大醫師，必定在平時大費研究工夫，遇到病情，便不會臨時抱佛脚，而可以即時開單處方，對症下藥。而且病理沒有弄清楚，即刻就拔箭出來，豈不要流血過多，發生休克麼？這也是十分危險的。所以，我懷疑醫生到此便動手術，未必便是救人良方。

像這樣的重大道理，我認爲就要打破沙鍋問到底了。眞的，像這一類高深微妙的宇宙人生奧理，佛陀是比基督之宣傳直覺的「福音」及「如孔子之提示極簡要的實踐倫理，」（梁啓超語）有較多的有系統的說法。佛陀誠然是「一面提倡實踐哲學，一面提倡批判哲學」，佛教可說是「哲學的宗教」，我對此一觀點并無意否定。（二）

尋夢的人

文秀成

若愚這幾天被一縷情思困惑的，心裏煩悶極了。晚飯後，他一個人踏着夕陽的餘暉，獨步在山邊的原野，在尋覓着他綺麗的幻夢。踱着踱着，不覺走到了一個池塘的附近，吸引住了他的視綫。澄清的池水，晶亮地像一面明鏡，反映着彩霞的光輝，充滿了詩情畫意。

若愚目不轉睛，痴痴地在凝視着池水中仙境般的倒影，看得出神，如夢如幻，呆呆地動也不動。

砰的一聲！一條魚突然跳出了水面，激起了一圈圈美麗的漣漪，打破了他的遐思。他若有所悟，情不自禁輕輕地吟着：「夕陽縱紅池中水，躍魚衝破水中天」認爲是優美的詩句。

剛住聲，忽然聽到樹蔭底下，有人在自言自語地說：「你貪我的餌；我貪你的肉」！若愚循聲望去，看到一個人正在那裏獨自垂釣。若愚情不自禁地走過去，看見一條小魚已呑住了他的釣鈎，拼命在作痛苦的掙扎；但那位垂釣的先生，却若無其事靜靜地在那裏坐着看書。

若愚看得着急，向垂釣者跨近了一步，說：「先生！那條可憐的小魚已被你釣上鈎了」！

那位垂釣的先生，却抬起頭來輕藐地看了若愚一眼，微微地笑了一笑，可是並沒有作聲。

「你看牠那種痛苦的樣子，趕快把牠拖上來吧」！若愚帶着懇求的口吻說。

「哼！想不到你倒是個苦惱的心腸——這就叫做自作自受，自尋煩惱」啊！垂釣者頓了一下，又繼續着說：「其實這並不能怪我；只怪牠貪心太重。誰叫牠只見餌，不見釣呢！」

若愚聽完以後，心裏頗有感觸，就像領悟到哲理禪訓似地，向垂釣者點點頭說：「謝謝先生的指點。我們大家何嘗不是這樣愚昧無知呢」！

垂釣者這時看看天色將晚，收起了他的釣竿，背起了他的魚簍，帶着勝利的微笑，昂首濶步，傲然而行，嘴裏還不住地在朗誦着：

「痛揮理劍斬情絲，莫將餘絲繫所思！好景如曇愁不了，白日夢覺猶未遲。人能無私心無悔，我笑人痴已更痴；前非澈悟回彼岸，莫忘今夕對話時」！

若愚聚精會神地聽着，聽着，不覺夜幕已罩住了他的影子了。

改革漢字的前鑑

筆者以就教時賢的態度，來討論漢文，漢字。須得提醒國人的，是中國這種固有方塊「漢字」，其繁難是舉世所共知的。棄滯補弊至爲迫切，改革簡化固然是需要，如果把它的好處，也一概抹煞，那無異是自作糟粕！我雖然如同禮記上說的「知音而不知樂（樂從也）衆庶人也」之流。但在這裏特爲正告那從事於改革與簡化「漢字」的主持者。也翻開史書看看，嬴秦的改革，而是作「大子」的扶蘇，也遭到流徙的。對中國文字的功罪，兩千一百年來，也各有各說。嬴政的統一，在早期的歷史來說，何嘗不是空前？他何嘗不是改寫歷史？求萬世不朽之基業。曾幾何時，就土崩瓦解，而風掃落葉的一絲不存！今天那批樣樣民主，開口人民，閉口人民的，也樂意接納「萬歲」的這一歡呼。這雖道說不是「封建」的遺孽？秦之「小篆」對於先期「籀文」來說，也算得一種簡化，但若干不合理的，復又被兩漢揚棄無遺。他的「書同文字」乃至樣樣唯我獨尊，繇役黎庶，幾使遠古文化爲之絕蹟。所以，今天搞「簡化文字」的人，不要忽畧我們這種方塊漢字，是地球上全人類，有五分之一的六億多人民，朝夕所使用的玩意。適合時代固然是應該，但逼着人民去作超時代，就應當考慮了。簡化自然需要，但決不可胡來。

漢文，漢字，漢學

陳曼卿

我這裏還要補述前章所提到的「漢文」。就實物來說，那是從商代「甲骨文」開始，經周、秦是爲第一期。分「東土文」代表商，「西土文」代表兩周及秦代。包括像形圖文，籀文（大篆），秦篆（小篆），隸書。就音韻、語音來說，皆稱之爲「古音」。

自西漢開始，及於近代，爲第二期。包括兩漢（前節引述）之各種書體。經由四百餘年中的儒者，爲了適應那一時代需要，逐步將型體簡化，形成「正楷」流傳至今。第一期的文（字），若干型體由許愼「說文」一書中，雖說可以得到一個梗概，但從「甲骨」、「金」、「石」中，也證之缺謬很多。

許書「說文」分爲「五百四十部」。至明代梅膺祚著：「字彙」削繁爲簡，另以「部首」劃分爲「二百一十四」類。

中國第一部字書「康熙字典」，就是依據梅之「字彙」部首而收字，凡「四萬七千零三十五」。但這只適宜於當時的士大夫舞文弄墨。清季吳博文先生發現其所引書篇名，錯誤竟達「四千七百八十七條」。後來「中華大字典」編輯時也有同樣發現。就是連同早朝的「韵府羣玉」與「佩文韻府」，也祇能供行文獺祭之需，而不能作爲一般讀書明理之用。如果說「音韻」；清代錢大昕，莫友芝、晚近汪榮寶等，自在這方面都有獨特的見解，也不可漠視。

近代王雲五氏發明「四角號碼」，分「頭、橫、垂、點、义、插、方、角、八、小」十種，列出「九九九九」類目收字。

梅之「部首」與王氏「四角號碼」，皆各有其長處，任由使用者的習慣選擇。而商務之「辭源」，中華的「辭海」兩辭書，則是本世紀來特有的巨著，也已取代「康熙字典」的地位了。乃後「中山大辭典」，以及前期的「中華大字典」，雖說收字超出「辭源」、「辭海」，然而並不流行。實亦因一些偏僻（不常見用）的字，不要說普羅大衆，就是一般讀書人，概也理都不去理會了。（廿二）

動物農場

英George Orwell著　陳其芝譯

第二章　動物革命的暴發與成功

斯奎邺在下面頂着油漆桶，史諾白就用三十碼以外都可以看得到的巨大白字，開始寫下「七誡」條文：

一、凡用兩腿走路的都是敵人。
二、凡用四腿走路或有翅膀的都是朋友。
三、所有動物均不得穿着衣物。
四、所有動物均不得睡在床上。
五、所有動物都不准喝酒。
六、任何動物無權傷害其他動物。
七、所有動物均一律平等。

這七條誡文寫得很清楚而工整。只是「朋友」拼錯了，另一個字母寫反了。其他就再也挑不出錯來。史諾白寫好後又爲大家讀了一遍。所有的動物都點頭一致通過。聰明一些的動物已能用心記下。史諾白擲下了刷子說道：

「同志們！現在讓我們到農塲上去割穀子吧。讓我們來表現出我們的工作能力比鍾士先生和他的工人們更强、更忙的榮譽吧」！

那五頭乳牛好像一直都不太安寧，這時候牠們開始低鳴不已了，原來牠們已經有足足的廿四小時沒有擠過牛奶，乳房脹得幾乎要炸裂。大家經過一陣沉思後，豬已經拿來幾隻水桶，很順利地替牛擠出了牛奶。豬的足趾還很適合這樁工作呢！不一會工夫，就擠滿了五大桶。動物們看着那新鮮起泡沫的乳汁，非常感覺興趣。

「這些牛奶要怎麼處理呢？」不知誰在這樣問。

「鍾士先生經常把奶拌在我們的飼料裏面。」一隻母雞回答着說。

「同志們！你們不必顧慮這些牛奶處置的問題。」拿破崙擋在奶桶前面繼續說：「這個我有辦法處理。現在最重要的事情是收成！讓史諾白同志帶路，我隨後就到。同志們！再見！秣草，穀子正等着你們呢」！

動物們一起走向農田，開始收割。誰知道牠們在晚上回來時，發現那些牛奶已點滴不存了呢。

第三章　勞心用腦的豬同志

瞧！牠們是多麼辛勞呀！汗流浹背地努力收割着。他們的勞苦也得到了報償，只要看看那堆積如山的收割成果就可以知道了。何況這還遠比牠們所預料的還豐盛得多呢！

有些時候，工作是非常吃力的。因爲所有的工作器具都是爲了人類的方便而製造的，現在却由動物來使用，不方便的地方也自然就很多啦。尤其是那些必須用牠們的前腿把持後腿站立的工具，更叫牠們無能爲力。但是聰明的豬，總是有絕招來應付各種困難的。至於馬，牠們清楚地知道這農塲上每一寸土地，由於牠們都從事實地的工作，所以對於犂、耕之類的工具，比鍾士先生和那些長工們還懂得多。豬不參加實地工作，牠們祇是指導監督別的動物工作。由於牠們的聰明和才智，很自然的就成了領導階級。白克薩和克勞芙會自動地架上刈草機或是耙草機，在農地裏來回的走着，後面跟着一隻負責督導的豬，看情形的需要叫着：「同志，前進！」或則「轉回去，同志！」自然，這兩匹馬現在是用不着韁繩或者鞭子的驅策了。（八）

基隆名勝古蹟誌

仲公

現洞內巖壁刻有1664. Iacob字，當爲鄭氏率領大軍攻打南台灣時，最後荷蘭援兵之指揮官姓名，爲荷蘭東印度方面所派遣者。其他字跡，亦爲當時其守城將卒所留名或年代之刻字。洞外附近有千疊巖，因岩石年久爲海水齧蝕，都成了眞空狀態，遠望之若無數楊楊米堆疊其間，蔚爲奇觀。

大砂灣砲台遺址，在中正二路海水浴場附近，正北面爲基隆港口。道光年間所建，法軍犯台時，被法艦擊破，殘址成鋸齒形，有高約丈餘之石推六個，廣約半里，爲一紅岩石小山所改築，日據末期，曾改作防空掩蔽。據道光二十年台灣姚瑩稟奏台灣十七口設防狀略謂：「大雞籠在淡水極北轉東之境，距淡防廳二百五十五里。由艋舺（即今萬華）入山，北行卅里爲水返脚（即今汐止），轉東行二十里至大雞籠。萬山叢峻，下多深潭急溪。民居番社雜錯其間。至大雞籠，極高，俯瞰金台在目，嶺下三面峯巒環列，中開大澳，東北一面向海，口門極其寬，深澳長七八里，外寬五六里，內寬里許，澳內水深二丈有餘，可泊大商船數百號。岸上居民七百餘家。民居後一望平田，約將千畝。惟三面叢山峻嶺，土產無出，故無大行商，不能設口。昔紅毛建城於此，久毀。嗣於東門口之大砂灣設砲台，孤懸難守，海寇之亂，砲數搶失，遂廢，至今未建。而口門深淵，彼必窺伺。今相度形勢，於境內正對口門之二砂灣，築砲八座，設二千觔砲二位，一千五百觔砲二位，一千五百觔砲二位，一千觔砲四位，五百觔砲二位；調頭圍守備許長明帶兵八十名，督同基隆本汛把總弁兵一百五十名守之。更於向內二里許之三沙灣，築砲墩八座，以艋舺縣丞宓惟慷，帶鄉勇五十名，調屯外委員帶屯丁一百名守之，以爲應援……」。按大砂灣，即今中正區中砂里。二砂灣爲入船里。三砂灣爲正船里。

清代經略台灣，人才輩出，其中以沈葆楨和劉銘傳爲最。同治時湖南劉璈署兵備道，兼管軍民兩政，其人出於左宗棠幕府，具文武全才，在台練兵講武，勤求吏治。中法之戰，劉銘傳守台北，劉璈守台南，雖劃疆而戰，實際在基隆禦法作戰之師，都係劉璈親手訓練之兵，現時所建民族英雄墓中的無名英雄，十有七八都是湖湘子弟，當日由劉璈在湘招募而來。劉銘傳治台六年，他的治績，後人多有紀載，但考他親手留下的翰墨，足供後人憑弔的，殊不多觀。台灣的鐵路是劉氏創始的，發軔起點在基隆。基隆海港一切建築，也由他奠定了基礎，他治台確集中精力，基隆係他注意力最多的地方。（二）

「少女集中營」觀後

陳宗敏

晚上去台北新南陽戲院看「少女集中營」；這是一部諷刺二次大戰中德國納粹黨的片子，描寫德國納粹黨人在二次大戰中的一個異想天開的措施：幾個神經病的納粹領袖，他們想出了一個瘋狂的「改良人種」的辦法，想用「科學」的計算，把一批德國少年男女强行分配，使他們生育嬰兒，企圖因此生產出所謂「理想的日耳曼人種」。這種荒謬的念頭，正是配合着當日德國納粹黨人的狂妄與自大而成的。但是事實證明，人不是低等動物，也不是工具製造的材料，絕非呆板的計算公式所能了解的。

用科學的計算，用科學的「卡片」，用統計的方法來强制配合男女，生育嬰孩，在理想中，是多麼理想的改良種族的辦法呵。這種設想，在科學公式之前，一點都不可笑，也一點都不荒謬。「强壯」加强壯等於更强壯」，它不與「一加一等於二」的公式一樣準確嗎？在「少女集中營」裏，那位主持其事的哈博士，他有他的精密的檢查、計算、分類、統計與分配，每一位少年男女，都是在科學的檢查儀器下檢驗過的，仔細的檢驗過的。你能說它的辦法不是高度的科學方法嗎？但結果還是失敗了。

對於這一部電影片子，我不知道它記述故事的眞實如何。如果是眞實的，那麼，這種事實發生在德國是一種極爲自然的現象。因爲任何一件事的發生，都有它發生的因素，德國是一個科學極稱發達的國家，在科學日新月異的進步中，許許多多新的事物發生了，令人驚奇，令人神眩。於是，在神眩、驚奇之下，對於科學，便產生了一種神話式的信賴與崇拜。「原始時代」人對於「神」的膜拜信仰，今天「文明時代」，便代之以對於科學的膜拜與信仰了。「少女集中營」的理想，便是那時期中德國人在相信科學萬能的迷信中所產生的一種「又科學又迷信」的產物吧？

人類在「原始時代」，他們在生活經驗裏發見了雷聲、地震、風災……他們產生了驚奇，也產生了神鬼萬能的觀念；今天，人類在「文明時代」，大家在生活經驗裏，發見了定理、定律與公式；創造了一些能飛能潛能發出巨响能造成大毀滅的東西……亦就產生了驚奇，也產生了科學萬能的觀念。由此可見，人類在劇變求新的過程中，智慧上對於「新」環境，「新」情勢的適應，常常是迷惑慌張的。

吉辛（Geoige-Gissing）在「四季隨筆」中竟把科學比「暴君」，他寫着：「我愉恨並害怕科學是因爲我的這種信念：若不是永久，也在很長的時間中，科學將是人類的無情的仇敵。我看到它毀滅生活的全部單純同溫和，毀滅世界上一切的美；我看它在文明的假面具之下恢復野蠻；我看它使人心昏暗，使人心無情；我看它帶來大規模衝突的時代……」吉辛對於科學的不喜歡也許是過份的偏激。但是看完了「少女集中營」這部片子，我得到一個教訓：人類進步的步子是一步步在向前的，但在進步的路子上，也是時時刻刻都在出差錯，鬧笑話的。「少女集中營」是對於二次大戰中德國納粹的一個諷刺，也是人類自我的一個深刻反省。這個反省教訓提醒我們，人類生活的需要是多方面的，科學只是需要中的一項，科學以外的許外事物，諸如感情、思想、道德、倫理，乃至美術、文學等，它們仍然是實在的，它們自有它們的地位，不可能用科學代替一切。我如此說，應該不是對於科學的輕視與貶值；相反的，這是對於科學的了解與尊重。

訂正

本月十三日出版之本報第五二九期第一版頭條論文「敬悼陳副總統辭修先生」，魯魚亥豕多得三字，計第一段「對國家和社會羣衆所發生的影响爲何如」，「如」字錯爲「知」字；第三段「復興根據地」，「據」字錯爲「擾」字；第九段「微斯人，吾誰與歸」，「誰」字錯爲「難」字。除嚴厲申斥校對兼看大版之工作人員外，合亟訂正，幷向讀者致最深摯之歉意。

編輯部啓

雲林「郊遊」所見所感

寒人

在台灣住了十幾年，因爲公事和私事的糾纏，始終無法分身，從來也就沒有去過郊外。上個月十九號，恰好又是個禮拜天，一位山林管理所的朋友，邀我到他家裏去玩；他家住在雲林的鄉下，聽說那地方風景很好，我就決心抓住這個機會去「郊遊」一趟。

這天天氣晴和，不冷也不熱。兩人一道搭乘公路局的班車，由東而北，車行沒有好久，還不到一個小時就已經到了。

承這朋友一番盛意，弄了很多鄉下的名菜，熱情懇摯的悉心招待，在他家裏吃過了中午飯以後，又帶我們到梅林附近的三十四林班，說是去那裏「遊山玩水」。

一到山上我就有說不出來的高興。但見那邊的林班，像個世外桃源，方圓幾十頃的山地，由山頂到山麓，滿山遍野栽的盡是菓樹：桂圓、荔枝、香蕉、鳳梨、芒菓、桃、橘子、木瓜等，樣樣都有。

這時正是仲春二月，菓樹都開滿了花，紅的，白的，像在相互爭研鬥艷的樣子。有的早春菓樹，已經花落結子，指頭那麼大的嫩菓，密密麻麻的蓋滿了枝頭，那些經不起風吹雨打的，望着它「砰、砰」墜地，實在可惜。剛從芽根上茁壯的嫩葉，全都翠綠蔭森，使人一見便心愛。在這裏逗留的兩個小時內，時常有一股清香味兒，隨風撲鼻，教人非常的暢快。

還有，地上種的甘薯、木薯、香茅草這些，也都綠油油的抽藤長條，茂盛得遮蓋了泥土。尤其山上飼養的牲畜，牛、羊、雞、鴨，每隻都是養得肥肥壯壯毛光水滑的，牠們成羣結隊，多得無法數計，祇聽到這邊也在：「咩！嘿！……」，那邊也在：「喔！噠！……」的聲音，牛鳴，羊叫，雞啼，鴨呷。牠們如同生長在一個特別美好的世界，樂得合唱着愉悅的歌曲。

台灣如今這般富庶，人民都樂業安居，經濟認眞的繁榮，男不愁嫁，女不愁穿，住的是高樓大廈，街上有川流不息的小包車，人人過着那麼豪華的生活，不說別的，就以擺在眼前的事實，看到這些大量的開發和大量的生產，便一目瞭然了。

當初，我還以爲這是國營的事業，或者是政府的投資呢！我以爲，老百姓的企業那能有這樣大的規模。後來朋友詳細地說給我聽，才知道這全部是人民經營的。眞令我這個「城巴伙」開了眼界。我想：有了充分的生活自由和財產自由，是我們這個社會繁榮進步的最大的原因吧？這也就怪不得生活在共黨集權暴政下的我們大陸上的億數兄弟伯叔姊妹，何以連肚子都塡不飽的所以然了。唉！

楊貴妃

——「影劇與歷史」之二

周遊

影劇上的楊貴妃

唐玄宗承祖先遺業，垂拱無爲，坐享人間洪福。天寶以後即以聲色自娛；教坊優倡、梨園歌舞演唱；兼之玉環嬌艷，采蘋柔美、春光旖旎無限，眞是一朝人君，享盡人間艷福，極盡其快樂主義之能事了。

千餘年來，唐明皇與楊玉環的風流韻事，不知顚倒過多少中國男女？這位風流天子，先是愛美人不愛江山，後來却是要江山不要美人。時事遷異，喜愛亦非，這便是故事的重要旨趣。

時爲天寶三年春日，玄宗的皇子壽王旦，匆匆從皇宮囘府，擁着王妃，顯示着無限纏綿的神色，他的眼淚滴在王妃的面上。王妃感到今天壽王的神態有異，兩眼不時閃灼着藍色的光，許久都說不出一句話來。

原來壽王的妃子楊玉環，被她的公公看中了，在高力士的巧妙安排之下，明皇要載媳婦入宮。壽王那敢不允，所以囘府神色大變。過了三天，一輛綵車，後面還有四輛副車，駛到壽王府前，高力士下了高頭大馬，春風滿面。一旁站立，彩車的車門開處，首先從綵車中走出來的，是一位雙眉深鎖，身段俊悄的娘子，長裙拽地，隨後出來了四名宮女，由高力士帶領着路，進了壽王府。壽王知道事實終於來到了。頓時面色蒼白，撫着王妃，作最後的親擁，並附耳對王妃說了幾句。王妃又驚又喜，在她的芳心深處，又是一種滋味。

王妃抑制着情緒，打扮停當，登上采車，高力士跨上高頭大馬，四輛副車，護送就道而去。壽王淚眼相送，直到馬蹄聲渺，才拖着沉重的步子囘來，拍一拍身上的塵土，以另一種姿態，與韋小姐相對無言。

天寶四年七月，玄宗正式册封韋姑娘爲壽王的王妃。壽王的前妃楊玉環，在高力士安排下，完成了一件明皇喜愛的事。楊玉環體態豐腴，面如桃花，一點櫻唇，萬縷青絲。進宮之後，更是容光煥發，轉動照人，頓令六宮粉黛相顧失色。每當她輕歌妙舞之際，囘眸一笑，玄宗輒感到神魂飄蕩。不到一年，她已晉封爲貴妃，服飾儀節，僅遜以前的皇后（明皇皇后已逝），宮中尊爲娘子

貴妃父親早死，由叔父楊玄琰撫養成人。玉環入宮之後，集寵愛於一身。楊氏滿門亦恩寵一時：玄琰封光祿卿；堂兄楊銛做主鴻臚；楊錡爲御史，尚玄宗愛女太華公主；楊釗爲度支郎兼侍御史；玄宗另封貴妃長姊爲韓國夫人，三姊爲號國夫人，八姊爲秦國夫人。此外，光及泉壤，追贈貴妃已死父親玄琰爲兵部尚書。

楊釗賜號爲國忠，乃貴妃從祖兄，天寶十一年，國忠繼李林甫而爲丞相。國忠與號國夫人最得玄宗寵信。楊家因貴妃而得平步青雲，羨煞了重男輕女的人們。楊家一門因此顯赫，不可一世，但也因此而使得整個唐室人民，對楊氏門宗發生了一種妒忌和厭惡的心理，後來，安祿山變亂，六軍不前，蓋有因也。（一）

鬥鳥

漁翁

鬭，爭戰也。左傳：「鬭士倍我」。凡競勝皆曰鬭，猶言比賽也。今日國際上，風雲四起，無處不在擾擾鬭爭中，强者勝，弱者敗，自無待言。在動物中，不徒人與人鬭，家與家爭，國與國戰，而禽獸亦莫不然。即植物間之一花一草，也有此競賽之壯舉焉。

唐天寶時，長安士女，春時鬭花，其法競相戴插奇花，以多者爲勝。皆用千金市名花，植庭中以備鬭。又歲華紀麗：「端午，結廬蓄藥，鬭百草，纏五絲」。荊楚歲時記：「五月五日，有百草之戲」。章得象詩：「五日看花憐並蒂，今朝鬭草得宜男。」

禽獸之鬭，所好者，各地不同。燕魯人好鬥鷄，吳越人好鬥蟀，金華人好鬥牛，廣東人好鬥狗。習俗使然，至今猶有援例而行之者。而上海人之好鬥鳥，尤別具風味。

在昔江南各地公園裏，每日清晨，有不少人手携鳥籠，放置青草坪上，使其吸收新鮮空氣。而所畜者，多黃鳥之類，以其力猛而善鬥，用作比賽之戲。（上）

內警台報字第〇三壹號內銷證

自由報

THE FREE NEWS

第二三五期

每份港幣壹角

社長：雷嘯岑

社址：香港銅鑼灣高士威道廿號四樓

20 CAUSEWAY RD 3RD FL HONG KONG

TEL. 771726

台灣分社

行政法院越權解釋憲法（上）

李聲庭

解釋憲法的工作，各國憲法有各種不同的規定。惟美國憲法對這件事沒有明文規定，但依慣例由各級法院于受理訴訟案件時，解釋有關法律是不是與憲法衝突。這已行之一百六十年之久。現代民主國家創立新憲法或修正舊憲法時，仿美國的司法解釋制的甚多。雖然有人持異議，認爲這種方式成了司法獨裁，或變爲立法機關第三院。但擁護這種制度的不但美國人佔多數，即外國人也多數讚許這種制度。因爲它簡單易行，對人民的自由權利的保護特別週到。

可是法國、西德及中國雖也設置機關解釋憲法，均未採行美國式的由普通法院經由訴訟程序解釋憲法，却另行採迂迴方式以解釋憲法律是不是違憲。

法國設一憲法委員會，凡由國會兩院通過的法律于送請行政機關核准公布之前，由這個委員會審查。如果認爲法律不違憲，便交由行政機關公布生效；如果認爲與憲法有違背的地方，便將法律退回國會重新考慮，或由憲法委員會建議修改憲法。這種制度的好處，在違憲的法律根本不發生有效無效的問題，且亦因由憲法委員會主動的審查，不必另由當事人聲請，也省時省事。但憲法委員會是片面的審查，沒有對方辯論，法律到底有無違憲的地方，人民無表示意見的機會。如果憲法委員會介入政治鬥爭漩渦中，則執政黨所欲通過的法律絕不會發生違憲的問題。同時法律公布生效之後，確發現有與憲法條款衝突時，如何救濟，又無其他辦法。

西德的辦法是：于普通法院之外另設一憲法法院，人民認爲法律有與憲法衝突的地方可以向憲法法院提起訴訟，控告法律違憲，請求宣佈這一違憲法律無效。這種制度近乎美國式，但比美國的多了一層手續。在美國是凡有訴訟的當事人即可就本案提出法律違憲的問題來，法院首先要解決有關法律是不是違憲，因此訴訟標的爭執與法律是不是違憲兩個問題一次解決。西德則于普通訴訟之外，另行告「法」，手續兩重，自然不及美國式的方便。但西德採的司法審查制，比法國的由憲法委員會自動審查要好，因訴訟由當事人雙方對辦，法院居于公正人地位評斷是非曲直，甚少有介入政治鬥爭的可能。

中國由大法官會議解釋憲法，這種制度與美國、法國及西德的均不同，但與法國的相近，即容易介入政治爭執中；又與西德的相近，即于普通法院之外另設一機構專司解釋憲法之責；與美國的司法審核制則相差甚遠了。依中國憲法第一百七十二條之規定：法律與憲法觝觸者，無效。第二項又規定：命令與憲法或法律觝觸者，無效。又依憲法第七十八條規定：司法院解釋憲法，并有統一解釋法律及命令之權。又依憲法第七十九條第二項規定：司法院設大法官若干人，掌理本憲法第七十八條規定事項。由上開三個憲法條文來觀，我國解釋憲法的職務落在司法院大法官會議身上，普通法院及行政法院均無解釋憲法及法律是否與憲法觝觸之權。不幸得很，行政法院于過去數年內居然越權解釋憲法，據作者所知道的便有下列五例。

第一例：行政法院四十三年判字第十二號，據行政法院判例要旨彙編說：「一按命令與憲法或法律觝觸者無效，爲憲法第一百七十二條所明定。如各級地方政府所發之命令，與中央公佈施行之法律牴觸者，自應認爲無效。」這一判例只拒絕適用各級地方政府所發佈之命令，行政法院是否越權，尙有爭辯之餘地。因依憲法第一百七十一條之規定：法律與憲法牴觸者無效。第二項又規定：法律與憲法有無牴觸發生疑義時，由司法院解釋之。即解釋法律是否與憲法牴觸，依憲法之規定，屬于司法院大法官會議之專屬管轄權，普通法院及行政法院均不得享有。憲法第一百七十二條規定：命令與憲法或法律牴觸者無效。因此認爲如果普通法院或行政法院認爲各級地方政府所發佈之命令有與憲法牴觸者則可拒絕適用。但行政法院判例要旨明說：「自應認爲無效」，便越權解釋憲法了。拒絕適用與認爲無效不同。行政法院對于各級地方政府所發佈之命令如果認爲有與法律顯然牴觸之處，當然只適用法律而不適用命令，但却無權宣佈其爲無效。現本例行政法院居然宣稱命令無效，是越權解釋憲法了。大約行政法院的評事對于拒絕適用與宣佈無效兩概念不同之處尙不能加以辨別，是則行政法院的評事素質有問題了，這樣一來，法治前途豈不甚可憂慮乎？

第二例：行政法院四十二年判字第十九號，據要旨說：「憲法第一百四十八條之規定，意在防止各地抑留禁徵，影響貨物流通于國內其他區域者而設。此與台灣省施行烟草專賣政策，久爲中央所承認，以及自海外香港等地販運來台，限制進口者，殊不相涉。捲烟紙屬于專賣管制之物品，原告于訂約請之時，固爲其所明知。及其對于罰鍰數額有所爭執時，亦不否認違背行政法令。乃同時竟又主張不受限制，未免自相矛盾。」這一判例的要旨便大有問題了。首先行政法院居然越權解釋憲法第一百四十八條之規定意在如何，同時又認定台灣省施行烟草專賣政策久爲中央所承認，結果大爲打官腔，指原告既不否認違背行政法令，又主張不受限制，未免自相矛盾。這好像在做八股文章，而不是寫判決書。判決書一定要說出個所以然的道理來，不能武斷專橫。法律上發生了是非的執爭，法院的職務只在裁判其爲是爲非，不管他是否自相矛盾。

有備而來

鬼打鬼！

今日与明日

美國繼續炸北越

美國又出動大批戰鬥機掩護越南空軍大炸北越補給基地葵島，據說該地軍火庫已夷爲平地，越共此次受創之重，爲前所未有。美國不但轟炸越來規模越大，而且目標也更向北移；再炸下去，終有一天會炸到海防與河內的。

北越被炸得如此之慘，追源禍始是毛共點起的火頭，胡志明必然要向毛共請救兵，希望毛共再來一次抗美援越。但是毛共不但未能出兵，甚至連示威也變質了。目前在國內各大城市的示威，已不是反美援越，變成了反蘇媚美，箭頭指向蘇俄。表面看來窮兇極惡，骨子裏邊却也可憐到了極點。

毛共過去所以拚命反美，指美國是紙老虎，因爲在韓戰中討了便宜：美國寧可談和，也不肯轟炸鴨綠江以北及支持中國軍隊收復大陸。毛共從那時留下一個錯誤印象，以爲反美沒有危險，是最安全不過的事。不意這次撞了大板，美國不但出兵炸北越，而且聲明只要發現毛共飛機及步兵參戰，即轟炸中國大陸毛共軍基地。這以來把毛澤東嚇軟了，不敢再鼓勵反美，只有掉回頭來反俄，因爲這樣還是比較安全些。

俄共也下了決心

這次毛共聯業學生在莫斯科大鬧美國大使館的事，顯然是有組織有計劃的行動，因此激惱了俄共當局，下令禁止外國留學生再作示威行動。毛共又把四名受傷學生運回北平，展開向俄共的攻擊。俄共自然不肯讓步，雙方的爭吵更爲激烈，西方國家也認爲俄毛之間沒有復合的可能，目前毛俄之間已不是主義與思想之爭，完全變成意氣之爭，事情再發展下去，有一天，俄共也許眞的會宣佈廢除中蘇盟約，對毛共僞政權不再給予保護。如果發展到此一地步，毛共的末日也就到了。

施哈諾又反共

柬埔寨那個小抖亂施哈諾，最近居然大罵共產黨，甚至傷到毛澤東。原因大概是他最近導演的印支人民會議未如理想，越共表示不肯接受他的領導而起。

施哈諾這個人不僅沒有理想，根本就沒腦子。他的一舉一動全爲出風頭，雖然同爲自由世界的毒瘤，但其手腕却與尼赫魯、蘇加諾不能相比。西方國家對這個小抖亂唯一辦法就是不予理會，只當世界上沒有這個人，施哈諾或許可以斂跡一些；萬不要以爲他忽然反共而高興。相信不出一月，他又要罵美國了，因爲這樣才能顯出他是一個地位超然的「政治家」。（何如）

自由談

法界的好現象

最近來自台北的新聞報導，有兩項事情値得稱讚：一是有個寃枉坐了一年多牢獄的老百姓，終得昭雪，而由法院依照「寃獄賠償法」，給予賠償金；一爲最高檢察署檢察長趙琛，對於台灣高等法院判決確定的一樁刑事案件，認爲失當，提起非常上訴，終將原判撤銷，宣告被判刑的人無罪了。

這兩項事情都屬於司法範圍，表示中華民國的司法界已有實事求是，決不含糊的法治精神，殊堪贊歎。尤其是後一項，依法經過高等法院判決的刑事案件，就是最後確定，當事人沒法再上訴了，縱有寃情，亦復無可申述，祇好覆盆含寃，自認倒霉而已。幸而最高檢察長恪盡職責，留心訟案，循着「非常上訴」的法律途徑，主持公道，平反寃獄，使無辜人民賴有國法的保障，得免無法無天之憂，亦表現了法律的尊嚴性，關係國家信譽匪淺，我們應該大書特書的。

自從對日抗戰結束之際，由於各地區的法院處理漢奸與敵僞産業案件，諸多失當以來，民間對法界乃産生「有條有理，無法無天」的民謠，大大的損害了法院的信用，不易恢復。政府播遷台灣後，人民對法院的觀感，依然疑懼叢生，加以少數法官如高嵩、王鎮之流，發生瀆職行爲，而一般法曹於受理人民訴訟案件時，亦間有失出失入的情況，法院的信用始終尙未能卓然樹立，而充分表示着明鏡高懸，毋枉毋縱的尊嚴性。現在由法院自動的平反人民寃獄，糾正審判官員的錯誤，這對法治前途，裨益良多，確係進步現象。

各國地方法院的法官和警察，都是直接跟民衆接觸，而對社會大衆隨時發生利害關係的公職人員，他們如果不倘職守，得不到人民的信賴，結果是對民衆種下惡因，給國家製造隱患，無形中貽害滋大，至於敗壞自身的聲名，猶其餘事也。因此，我們樂聞司法界有上述的革新、進步措施，同時亦希望警政機關聞風興起，見賢思齊，對於警務人員日常處理民間爭議或違警案件的情形，切實檢討稽查，繩愆糾謬，使民衆心理中，對警察潛存着「敬、愛、畏」的健全觀念，而不僅是「畏懼」和「怨尤」的偏頗激越情緒，實所企幸！

馮王先生

自由報

說起來好像是奇蹟

金門農業在戰火中長成

產品二百餘種高粱地瓜花生最大宗　農民豐衣足食男女均穿得時時代代

（本報金門通訊）金門的農業，是在戰火中成長起來的，說起來好像是奇蹟。金門最近曾舉行一次農作物展覽，地點在金門城外的農會，那是座新建築起來的二層樓的洋房，十分美觀。

所展覽的農作物品種，一共有兩百多樣。這些品種，有些是從台灣來的，而由農作物研究所實驗過，適合本地土壤的種植。有些是本地種子，經研究後加以改良，諸如玉米、地瓜等等。

金門主要農作物，乃是高粱、地瓜、以及花生。蔬菜的生產，是近兩年的事兒。高粱在每年中的產量，高達數十萬斤。聞名全台灣的高粱酒，就是用金門高粱釀造的。

也因爲用高粱釀酒，於是高粱可以對換大米，這亦促成農人樂意種植高粱。對換的方式：在各鄉鎮農會自行辦理，一斤高粱換一斤大米。

金門爲什麼不出米呢，這有兩大因素。第一是，土壤純粹是沙粒，稻苗沒有法子生根。第二水利不發達。現在每塊田地上，都有水井。也就完全靠水井來促成農作物的延續與成長。

由於這些年來軍民的努力，金門農作物的肥料，并不完全是糞便，而是科學的肥料粉。這樣，便使地瓜、高粱成長得快，也不容易遭受到傷害的。

根據數字，金門農作物自四十年開始，年年都有增加，因此農民在生活上也年年改善。現在一般的農民，都豐衣足食。凡是農戶，都有了耕牛。有些農戶，還有了耕耘機。農民的服飾，也日益漂亮。年青的少男少女，都穿得時時代代。少女們穿風衣，燙頭髮，以及著高跟鞋等等。至四十年以前，人稱「地瓜小姐」，現在却是「金門小姐」了。

金門升學的青年，百分之九十以上均是農民子弟。除各鄉鎮國民學校外，還有金城初中和金門中學。金門子弟赴台昇大學的亦多起來了。

所以，金門被稱爲：三民主義的模範縣。而所以被譽爲模範縣，首先便是民生主義的建設與成就。

我問了一位年近七十的老農民，關于今昔農業的比較。這位老人滿臉笑容的說：「政府對我們太好了，我們不但不愁吃愁穿，還有結餘。」

「是不是田地增多了？」

「沒有。」

「那爲什麼現在有結餘呢？」

「現在的品種好，生產量增高起來，同時家庭副業也很多。比方：養豬，做衣服等等。」

的確，金門的養豬副業最普遍，也最爲風尚。差不多每一農戶都有十頭豬以上的，有些達到四十多頭的。我住的地方，就有兩家人而養了四十五頭豬。

由於農業上的繁榮，雖然受到砲火的威脅，農民在心理上仍然是安定的。本來，政府是希望他們遷往台灣的，因爲金門是與共軍祇有二千來公尺，隨時都有發生戰事的可能。戰爭一起來，農民的損失也就很多。但這地方可愛的農民，在農事的順利發展中，誰願離開家鄉呢？（勞克）

屏東縣府新聞秘書　酒後失態幾釀事端

（本報記者屏東航訊）屏東縣政府新聞秘書，於酒後失態，大鬧餐廳，並凌辱女侍應生事，近始傳出，雖屬事過境遷之明日黃花，但仍爲此間街頭巷尾之談話資料，不妨簡畧報道。

事情發生於約三個月前：由縣長夫人張陳秋蟾女士所主持的中華婦女反共聯合會屏縣分會，於五十三年十二月十八日下午，假軍人服務站舉行該分會所主辦的第一期救護訓練班結業典禮，晚間並設宴於「黃鶯俱樂部」餐廳，招待地方各界首長暨來賓等。縣府新聞秘書吳夢桂因係專司縣長對外公共關係之職，是晚亦奉派在場，參加待客事宜。但吳秘書却并不招待客人，反之以賓客姿態，擇一席而坐，痛飲大啖，一如其他來賓然。這亦罷了。

乃於酒過三巡，宴會告終之際，照例此時餐廳爲示敬重客人，特奉好茶，又照例客人是時多絡繹向主人道謝招待盛情，鼓腹歸去。就在此時，該廳女侍應生某到來收拾桌位，不慎將吳茶杯弄翻了，吳即大聲責罵該女侍應生一番，並說：「我是縣府新聞秘書，妳（指女侍應生）竟敢有眼不識泰山！」這倒亦罷了。乃更進一步，迫令該女侍應生當衆向他跪下認錯，雖經該女侍應生懇求免罪，亦未可得。此時會衆嘩然，均不值其所爲，掀起公憤，幸經在場之戴組長等再三勸阻，始免不幸後果之發生焉。據說：當時縣長夫人亦深覺尷尬不安云云。

按：吳夢桂原係「台灣新聞報」高屏區辦事處主任兼屏東記者，上年現任縣長張豐緒膺選上台後，始被任爲新聞秘書。

山東籍立委李文齋　質詢立法院貪污案

（本報記者張健生台北航訊）山東籍立法委員李文齋質詢該院貪污案，甚引起社會重視。茲抄錄李委員質詢原文於下：

李文齋委員說：「關於司法的問題：司法是很重要的，我們（山東）曹州府梁山泊水滸的一百單八將是怎樣來的？就是因爲政治不良，司法不能公平而激起來的。各國的政治以及歷代帝王治下不斷有叛亂發生，也是因爲政治不好、司法不能令人滿意而起。近來我們的司法在鄭部長接任之後，的確有相當成就，關於內部整頓，尤見不少效果。今天我要提一個案子，希望司法當局注意，可能在一般人的說法，認爲在法院訴訟當中不應提；但是我提沒有妨碍，我不干涉司法。我要提的案子就是本（立法）院秘書長（尹靜夫）先生送的台北地檢處關於本院的貪污案子。這個貪污案的先決條件：買東西是買誰家的？是買華美行的，還是買昇輝行的？有人說買華美行的，有人說買昇輝行的。貪污送紅包有人說是華美行送的；又有人說是昇輝行送的。究竟所買的東西是華美的或是昇輝的？在此地安裝（冷氣機），衆目睽睽，人所共知，假不了的，不能騙人的。希望司法當局查明這一點。貪污送紅包，就現在情形說，在所難免。眞正貪污硬說不貪污，不行的，逃不過去的。沒有貪污要說貪污，這是陷害，也成立不了的。應該偵察明白。是貪污應引用貪污條例嚴辦。沒有貪污是陷害，現在人心狡詐，雖喪盡天良，用盡技巧，也終必水落石出，兩者必居其一。希望司法當局對這個問題注意。報紙也曾發表消息。就是貪污照貪污辦，是貪污就是陷害，兩者必有其一。中央日報和民族晚報，所發表的消息不同，此內容有與事實不符者。其消息內容如爲當事者所發，則顯係另有企圖，地檢處亦應追查。」

李委員質詢「關於妨害商人自由的問題」時說：「香港有一個自由報登的很詳細，地方法院檢察處也出過傳票是妨害自由，但在立法院出過一個什麼把商人扣押在立法院議場，如何如何。我們知道世界各國，都是保障人權的，我們立法院是否毀滅人權侵犯人權？這假使是眞的，可以引起社會一不平。現在立法院的聲譽不好，我們是否還讓他們趁火打劫毀立法院？假使是假的，地方法院的傳票寫得很清楚，那就是商人（朱其灶）的誹謗。我們立法院的職員不會這樣做，沒有這樣做，而商人要這樣說，就是誹謗。誹謗，立法院也不能善罷干休。不是妨害自由，便是誹謗，兩者必居其一。希望司法機關不要因爲有立法院的關係，抱息事寧人的態度；那樣激起人民對司法機關的失望，那時司法當局要負責任。希望把這案子清清白白有一個交代，懂法律的不應是執法的人，希望嚴重考慮這問題。」

旅日華僑的新穎事業

——唐盛湯創辦「銷薄實」俱樂部

從前的西裝褲的前面是釘著一排扣子，當時，美國有一位小商人感覺內急時十分不便，就發誓要找出一個方便之門，經他研究的結果，發明了今日全世界人士普遍使用的「拉鍊」，連中國婦女的旗袍也不例外。由於「拉鍊」的生意暢銷全球，給這位小商人帶來了鉅額的財富。

當此工商業極度發達，世界各國空中距離縮短得像一個大家庭的今天，如何展開對各地旅客們的服務，也是各商家最重要的課題。旅日華僑唐盛湯先生，最近在東京都港區木村屋大廈，成立了一個「銷薄實俱樂部」（SHOPPERS CLUB）開創了對日旅客服務的新方式。

唐盛湯先生告訴記者：他創辦「銷薄實」俱樂部的目的有四：（一）凡是持有觀光及短期護照的外國旅客，都可以填一張表，繳十元美金，申請作該俱樂部的會員；（無論在本國起程前或到日本後均可參加），獲准入會後的會員，在日本居住的三個月內，無論住宿、吃飯、購物、乃至於逛夜總會等，都可以享受到折扣或免費的優待辦法，因爲該俱樂部已和日本的第一流觀光大旅社，大飯店，大公司分支店計一百四十餘家簽訂了合約，例如名聞全球的日本王子大飯店、御木本眞珠店、鐘淵紡績株式會社、山王飯店、東京大飯店、新雅酒家、迎賓館、福祿壽、松島眼鏡照像店、美國藥房、山野樂器等均和該俱樂部簽有合約。（二）凡持有俱樂部會員證之會員，在日旅行期間，均享有AIU五千美金的交通事故保險。（三）凡在與該俱樂部簽有合約商店買東西時，均附帶有該俱樂部贈送之獎券，買一次送一張，每年開獎二次；中獎之人如果已經離開日本，該俱樂部也負責將獎品依照會員地址航寄本人。（四）凡是參加該俱樂部爲會員的旅客，到東京後，如果遇有疑難，該俱樂部均必盡力協助解決。唐先生對記者表示：他創設的銷薄實俱樂部，表面上好像也是一種商業行爲，但主要的目的不是在賺錢，而是以服務人羣爲目標，使得參加他俱樂部的會員們，到東京之後，化最少的金錢，而達到精神上最高的享受。

至於住在日本國內的朋友，如果願意參加該俱樂部的話，唐先生也擬訂了優待的辦法，那就是只需繳納日幣一萬元（合港幣約一百元），一年之中，可以到與該俱樂部簽有合約之第一流大旅社內免費住宿一夜並且被招待早晚二餐，另外從吃飯到買物，從免費到打折扣，一年之內，可以享受優待機會二十五次。

提起唐盛湯，只要稍微在東京住久一點的人，沒有人不認識他的。因爲他是那樣的熱誠，好交朋友，而不拘小節。他雖然已經是四個孩子的爸爸了，但朋友們無論在當面或者背後，都叫他「小唐」，唐先生本人對於這個具有親切意味的「雅號」也欣然接受。

唐先生另一特長是具有語言天才，他不但國語標準，英、日語流利，就是中國各地方言例如：廣東話、福建話、四川話、上海話、寧波話等，無一不說得道道地地。

因此，民國五十三年初，當民航公司欲發展南洋一帶業務時，該公司王文山董事長便很自然的選中了他。唐先生抵星加坡後不久，即協助該公司開闢了星馬、台灣之間的新航綫。

現年三十八歲，原籍浙江，中等身材的唐盛湯先生，正代表着二十世紀中國青年的刻苦、耐勞、富創造力的典型素質。

他告訴記者：他的學問也是由半工半讀而來的。當他十七歲的時候，高中畢業那年，正是中國對日抗戰進入到最艱苦的階段，在蔣總統的十萬青年十萬軍的號召下，他放棄了升大學的志願，考入當時軍事委員會外事局，遠赴印緬邊境担任中美軍中翻譯聯絡工作。回昆明後，他立刻考入當時全國首屈一指的西南聯大，過着半工半讀的生活。勝利後，曾在上海救濟總署工作，於民國三十六年奉派到台灣糖業公司任職，未幾即投入商界，經營進出口生意。在商場上唐先生也是一個活躍人物。

基於他過去在CAT的高級職位，記者一直認爲他是飛虎將軍的轉業，坦白誠懇的唐先生却告訴記者，說他進入CAT也不過只十年前的事。當初他爲了進民航公司服務經過嚴格的考試後，又等待了一年的時間，才獲得機會進去。最初被派在台北松山飛機場服務，由於他對工作的認眞努力，很快便得到了上司的賞識，二年之內，便由低級職員而升爲松山機場主任。於十年前（中華民國四十四年）奉調到日本CAT東京辦事處工作，由貨運、客運主任而升到客貨運經理。

唐先生於去年被派到星加坡負責總業務後，由於對彼方的水土不服，加上工作的辛勞，因而染病返回東京休養。在休養期間，給他想出了這個「銷薄實」的新興事業。

正當全世界各國工商界，競相以高度的服務精神，爭取顧客的今天，唐先生創辦這種「銷薄實」俱樂部的目的和精神，的確是對商家、對旅客二者均便利的好方法。但誠實，謙虛的唐盛湯先生却將成果歸功於他們朋友。他說：他從籌備到現在，僅僅只有半年的時間，在短短的六個月內，能夠使一個理想成爲事實，這一切都是由於朋友們的合作和支持。以唐盛湯先生的交游之廣，精明幹練，再加上他素日爲人誠懇和講信用，記者深信，他所創辦的「銷薄實」俱樂部，其輝煌燦爛的明日必可預卜。（楊明翠）

由天地萬物到人
——新道統的宇宙論
（論道統第五章）

陳健夫

不過，我發覺佛陀的論點，離開了宇宙，就人生而論人生，對於人生極微妙的問題，始終難得澈底解答。好比治水，不知水的來源及水的性質，如何着手呢？還是要從源頭上下工夫，才可以得到根本治療。

比如說，佛陀最有名的「因緣和合」學說，「因」是時間，緣可說是空間，也可說是「因」的發展；但究竟「和合」或「分離」，則非對空作得主，必另有一種力量為之主宰。天體間各種星球的運動有恒，其間亦是「因緣和合」，但必有一原動力為之主宰。否則不至如此之「和合」，這等主宰，便已超越宇宙的自然了。Super Natnu 這是玄而又玄的問題，但決不玄虛烏有。我們對玄而不虛的宇宙人生的大根源不能不求認識。即使知道一點，也正如黑夜中發現一點星光會指引我們的前途，無論如何總是有益的，決非空談玄理。

佛說「因緣和合」，照梁啓超的闡說，「宇宙何以能成立，人生何以能存在，佛的答案極簡單，只有一個字：「因緣」。因緣這個字怎麼解呢？佛典中的解釋，不下幾百萬言，今不必繁徵博引，試用現代通行的話解之，大約『關係』這個字和原意相去不遠」。（梁著原始佛教教理）可知佛陀當日說盡「因緣」百萬言，以說明宇宙人生的由來。我則懷疑此「因」此「緣」從何而來，又從何而去呢？這是極應思考而必求解答的。我不以佛陀的含糊其詞為滿意，我想宇宙人生必有一極因，絕對的因存在。因思之思之，乃悟眞元為衆因之因，為一切宇宙人生的極因，為一切之所從出，世間一切因，一切緣，皆自眞元來。非追究到此究竟境界，無法明白此宇宙如何生出，更無法明白此人生又如何的出現在宇宙當中。因此，我思之思之，窮追不捨，實在不知存疑思考多少年了，如今我才確實發見此一眞理，深信宇宙人生之始，皆自眞元來。此中并無虛空玄秘，乃確有其存在者。

像這種玄而不虛的實在——宇宙本體，萬物始源，便是人類絕對生命之所在處。神學上說是「神」，哲學上說是「道」，科學上說是「物」，雖然各有其說，但都不外承認宇宙有個究竟處，人生有個由來。

我便是多年來在哲學上，宗教上尋求這種解答而落在深淵中的人。我研究佛學有所悟有所得，欣然而喜，但走到這重大關頭時，佛陀却只是說「無記」，「無記」，因而引了我的懷疑。我因懷疑乃加思考，經過思考，我已隱約中體認到人生本源，接觸到宇宙本體。這個本體，既為宇宙之始，亦為人生之源。我由此宇宙的源頭再放開眼力看人生的生命及一切現象，眞好像一個人對鏡照相一般，人的天性舉止，一切一切都一覽無遺，一目了然。呀，宇宙設計何等美妙！自然中礦物，植物，動物，都在適宜時間與空間中生存發展，新陳代謝，心物兩方面都呈現無上的均勻協調，萬物都順着眞元極則而生生滅滅，週流不息，使宇宙充滿光輝。宇宙為何如此美妙？其間必有因，必有個總因，絕對因 First or absolute cause 以為萬事萬物的因。誰為此因者，必有主宰者。蟻虫尚知營巢穴，金鋼石必在他最適宜的土壤中成長，如此美妙宇宙，豈能無主宰？這主宰我深慶頓時胸中一點靈明得以確實發覺他的存在，無以名之，名之曰「眞元」。語其高明玄妙，則儘可稱之為眞神。論其與人類及萬物相通之處，則不妨稱之為佛，為明德，為絕對生命。察其眞元極則，運動演化，篤實光輝，則不妨視之為進化原理。所以我今日發現的眞元，毫無虛假，人人可深思體驗而發覺其存在，人人可以為眞元找到證據。（三）

也談忠與恕

漁翁

忠者、竭誠也。盡己之心為忠。論語：「臣事君以忠」。孟子：「教人以善謂之忠」。恕者，推己及人也。論語：「其恕乎？己所不欲，勿施於人」。以字義言，中心曰忠，如心曰恕，二者有連貫性。能盡己之心者，決不以己所不欲者施諸人，心居其中，不偏不倚，至高至正，無往而不如其心也。

孔子所謂一貫之道者，即其立身處世教學的精神所在。論語：子曰：「賜也，汝以予為多學而識之者歟？」對曰：「然。非歟？」子曰：「非也。予以一貫之。」孔子又曰：「參乎，吾道一以貫之。」曾子曰：「唯！夫子之道，忠恕而已矣」。

「忠恕違道不遠，施諸己而不願，亦勿施諸人」。見中庸。忠恕兩字，雖相連並提並重，而恕較忠為尤難能而可貴，所以孔子側重於恕。孔子答子貢問道：「有一言而可以終身行之者，其恕乎」。

忠為中心，持一中者為忠，持二中者為患。惟有一顆在中間的心，即如物體只有一個重心，才不偏左偏右的搖動。如果把心放在兩個中心之間，就失去「盡己之心」，且有自欺欺人之惡意存在方寸間，關係個人之人格與人品至鉅。所以曾子說：「吾日三省吾身，為人謀而不忠乎！……」

恕為如心。能如其心者，必能正其心，誠其意；由此可以修其身，齊其家，進而治國平天下。即孔子一貫之道也。

凡事能如理想，實獲我心者，必有其中心所在。「己所不欲，勿施於人」；「羣而不黨」，「和而不同」；「民胞物與」。以盡己互助，為服務社會之中心。一切政治，文化，經濟，皆以此為推廣發展之基礎。

在政治上，要以「仁愛」為中心。大同一篇，為政治理想之極則，其法由近而遠，由小而大，由平易而高深。在文化上，以「化育」為中心，率性修道，有教無類，要做到「學而不厭，誨人不倦」。在經濟上，以「均勻」為中心，不患貧而患不均。亦要「生之者衆，食之者寡，為之者疾，用之者舒」，「則財恒足矣」。

不過，忠有兩途：忠於個人者，忠之私；忠於羣衆者忠之公。盡己之心，要用之廣大羣衆方面，方能達成天下為公，世界大同之理想。恕為待人接物，能謙虛而有禮貌之謂。但是有限度的，吾不願施諸人，亦不欲人之施諸我。藺相如引車避途，廉頗負荊謝罪，彼此互相諒解，以國家為前提，千古傳為美談。

耶穌說：「人掌我左頰，即以右頰就之」。此乃宗教家言，用以感化罪人。孔子一貫之道，雖側重於恕，但有時是法不可恕，情不可容時，也得大刀闊斧的誅少正卯，以正人心而安天下。

漢文，漢字，漢學

陳曼卿

辭源、辭海、則是參酌當時需要，適應「五四運動」新文化潮流而誕生的時代產物。二者皆是集當時的不同專家知名學者，纂集而成。其態度十分審慎而謹嚴。比方說；前節所言的「八體六技」，二者都沒有收入。從好的方面說；他們均能做到「寧缺毋濫」。凡是不合現代使用的「文字」、「語詞」、能代替的，就儘量代替。不能替代的一些詞彙也只好揚棄。但還是不下十萬餘條統一性的解釋，雖然也有不少細微技節並不如人們的理想，實則一般性的所謂「成語」、「典故」、確已囊括無餘，做到前此這段時期有關社會各方面的需要了。如屬專門性質的「成語」、「詞彙」，我們自不能求之過苛！

他們雖是已將當時那一時期所能涉及應用的，可以說搜邏殆遍，但也忽略了往後繼起的興替，應如何增刪。這只能歸諸於我們的國家，自民國肇建以來的五十年中，各方面都未步上正確的軌道，却被一些耀其所聞，而疑其所覩的舞文弄墨（開倒車）者的薄責。

我們知道，文字的創造或改革，而是應時代的需要而產生的。同時依據社會的歷史背景而發展，到了某一階段，皆產生其所適應需要的某些產物，而不是以某一人或片面的（契約式）為例子。

語音也是一樣，中國語在現代來說，應是「印支語系」中的最重要語言。近數十年來，經由印歐語言學的學者，用他們的方法、工具、姑無論其對中國文字、語言（音韻）的研究，我們既然得到了新的啓示和發展，就應當本着已有的成績，越更求其精密、謹嚴、和正確，才能符合這一時代的文化歷史的演進。

再如語音，以前音韻學人分：「唇、舌、齒、喉、鼻」五種發音。現代可就不同了，現代的語音分：「元音」，「輔音」。單從「舌音」講，就有「舌尖音」，「舌面音」，「舌後音」，還有「捲舌音」等。

「國際音標」：是在一八八八年經由若干學人制定。自後常有修改，而是一種工具。它並不能代表教或學的工作。它的記音，而是表裏一致的，更沒有猶豫或兩可的現像存在。這完全在於教的人如何教好發音正確。使學的人，學會每一「音素」的讀法。

因為語音中有「聲同調不同」的分別，所以先要弄清楚「聲調」。同時也分「聲母」及「韻母」。呼氣有呼氣的音，吸氣也有吸氣的音。學問要講實事求是，科學則給予人們的實驗和證實。

字有字原語有語原

中國這種方塊「漢字」，固然有其「字原」的。就是講「漢語」，也有漢語的「語原」。字原要講承襲，語原也同樣有語原的承襲。

我們現在所使用的「漢字」，而是在漢代才形成的。漢代是承襲隸體的簡化。隸體則是損益秦（小）篆而來。秦（小）篆應是承襲籀（大）篆的文體。籀文則因殷商甲骨（卜辭）文之繁演進化的結果。這是就「實物」的體系而言，而是畧識國故人盡皆知的事實。學術界一致公認的定論。（二二）

動物農場

英 George Orwell 著　陳其芝 譯

第三章　勞心用腦的豬同志

所有的動物都參加了工作，牠們割好了穀子，又把它堆在一起。就連雞子，鴨子們也在烈日高照下，用嘴夾起一小捆一小捆的穀草，跑來跑去的忙着，終於牠們用兩天的工夫做完了收割的工作。這比鍾士先生跟他長工們做事的速度要迅速多了！同時這次也是農場上有史以來收穫最多的一次。雞鴨們用銳利的眼力在農地四處巡索，連最後的一根一粒也不放過。更沒有動物們偸吃一口或遺漏一點，眞是一絲一毫都不曾浪費過。

整個夏天，農場上都很有規律地工作着。動物們從沒有像現在這麼愉快過。每吞嚥一口食物，牠們都體會到一種眞切的欣慰與快樂。吃的是牠們自己的食糧。自己生產，自己享受，再也用不着吝嗇的主人來施捨或分配口糧了。雖然動物們對農事的經驗不夠豐富，但是已經趕走了那些寄生的人類，牠們得到了足夠的食物，也有了充分的休息時間。固然，牠們常會遇到一些困難，可是有豬在運用智力，再加上白克薩供獻牠那強而有勁的體力，難關也就渡過了！譬如在秋天收割種子時，因為農莊裏沒有打穀機，牠們便用古老的方法，把穀皮踩脫然後吹去皮殼。白克薩是所有動物尊崇和讚揚的楷模。現在牠比鍾士先生時代工作得更賣力，而且是在以一當三。有時候，整個農場的工作似乎都落在牠獨個的肩上，從早到晚，拖呀，拉呀，都是些最繁重的工作。同時牠又跟一隻公雞商量好：每天早上要比一般動物早半個小時便叫醒牠。牠起來後，在每日例行工作開始前，還自動地找一些必要的工作先做着。牠對任何問題或挫折的回答都是：「我要更加努力工作」。這句話成了牠的座右銘。

其他的動物也都在各盡所能地工作着。比如由於雞和鴨，在收割時，將遺落的穀粒重新拾起來而增加了五斗米的儲量。沒有動物偸竊，也沒有動物為口糧的多少而抱怨爭執，打罵和妒忌在鍾士先生時代是一個特色，現在却消失無蹤了。幾乎是所有的動物，都不會怠惰。說眞的，只有毛莉清早上起不來，而且也常藉故說蹄子裏扎着石子而提早休息。還有那隻貓的行為也很詭譎。大家發現每到工作時，牠就幾個鐘頭不見影子，等到吃飯時間一到，牠又出現了。但是牠總有很好的託辭，還那麼討人喜愛地咪咪地叫着，也由不得不信牠那堂而皇之的理由。老猴子班傑民自反叛發生後並沒有什麼改變，跟以前鍾士先生在的時候一樣，仍是慢吞吞地、固執地做着牠應做的工作。不逃避份內的工作，但也決不自動地做些額外的事情。對於反叛的結果或是事情的本身，牠也不表示意見。若是別的動物問牠鍾士先生被趕走牠是不是不高興？牠給牠們的答覆却是：「猴子是長壽的，你們之中誰看過猴子會死的呢？」說完後又緊閉着嘴。其他動物也就不得不滿意這種難以理解的回答了。

星期天是停工的。早飯也比平常晚開一小時。飯後的集會是每週一次的例行公事，在這從不間斷的儀式中，第一件要做的事是升旗。這面旗子是史諾白從工具室裏翻出來的——一張鍾士太太用過的綠色桌布，牠在上面用白顏料加塗了一個蹄子和角。在每星期一次的早會上便把這面旗子升起來，飄揚在農場園子裏的旗桿上。史諾白說旗子的綠底是代表英格蘭無垠的草原，至於蹄子和角則是象徵着將人類完全推翻後的「動物共和國」。升旗以後，所有的動物都聚集在大穀倉裏開會，這就是所謂的「議會」。在這個時候，對於下週的工作有一個計劃，對於大家的爭論也有個結論。（九）

冒險犯難記

鄧文儀

五十一、南昌行營身兼數職

民國二十一年的下半年，在武漢三省剿匪總司令部統率之下，由於蔣總司令的英明果斷，三軍將士奮勇應命，中華復興社及一般革命青年無名英雄的埋頭苦幹，不到半年，就把豫鄂皖三省囂張的共產黨肅清了，祇有一小部份由徐向前率領，逃往川陝邊境竄擾，在豫鄂皖的殘匪則轉入地下活動。

二十二年初春，江西毛澤東與朱德、彭德懷等爲挽救豫鄂皖三省的失敗，發動共產黨擴大暴亂及游擊戰爭。因爲日本軍閥當時又在北方擴大侵略，發動長城一帶的戰爭，國民革命軍不能不將主力部隊一部調往河北對日抗戰，江西方面的國軍實力稍嫌空虛，士氣稍欠振奮，共匪乘機襲擊，先有十八師張輝瓚部全師覆沒，繼有十八軍五十二師的失敗，局勢險惡，軍心動搖。軍事委員會蔣委員長原在保定設立行營，督導抗日戰爭，時也不能不回到江西指揮剿匪。因應客觀需要，軍事委員會委員長南昌行營從此擴大組織，以熊式輝爲參謀長兼江西省政府主席，楊永泰爲秘書長，兼秘書處長，參謀、秘書、總務各處組織，都相當龐大，權責集中，工作效率甚高，很快就顯出一種復興氣象。

我這時的本職仍爲委員長侍從秘書，因爲我在武漢三省剿匪總司令部秘書處第三科長任內，曾得到若干工作經驗，也學了些振奮人心、鼓舞士氣、號召青年、協和民衆、轉移社會風氣、整飭軍政紀綱的方法，所以在南昌行營改組之始，卽決定在行營秘書處設置一個調查課，類似武漢三省總部的第三科，而爲其工作的擴大與延續，我奉命兼任調查課長，委員長給予相當權責，及較多的幹部人員經費。更在剿匪區域各省政府的保安處內增設同性質的一科或一股，爲調查課直接監督指揮的組織，儼然一個具規模的情報體系。主要的任務，還是協調國民黨中央黨部的調查統計局及軍事委員會由戴笠領導的特務處，匯集他們的情報，再加研判整理，以供統帥及幕僚長的參考；實爲委員長的三級幕僚機構；不過工作的繁重與艱難，卻一天天增加，我每天必須以三分之一的時間去課中工作。

行營爲了集中人才，研究清剿共匪及在匪區、政、軍、經濟、文化、社會有關的政策和計劃，成立了一個設計委員會，聘任了幾十位有經驗學識的專家學者及國外回來的留學生爲委員，由秘書長主持會務。我奉命兼任這個會的秘書。（八七）

金門古崗湖

文妮

一

是一個大好的太陽天。

「我們到古崗湖去玩。你帶着照相機，多照幾張相。」

「有車子吧？」

我是不願意跑路的。我的脚因爲跑多弄壞的。那是我在大學畢業時，同學們一道玩碧潭，在碧潭樂園，爬到上面，然後由上面又跑下來，我的脚掌起了泡，我又沒有理會它，竟長成了雞眼。一走上長途，就痛的難受。

「自然有車子。沒有車子，你固然不願意去，就是我也是沒有這麼大的興趣的。」

我們在十二時動身的。因爲是軍械車，可以裝上十來個人，所以村庄的阿池和阿琴兩位小姐也跟着去玩。

二

古崗湖祇是一個乾湖。三個多月沒有下雨，湖裏一點水兒也沒有。那兩隻遊船，也在岸邊架了起來。那兩隻遊船，看來是做樣子的，不是嗎？湖裏沒有水，它們那來用武之地？

湖的面積不小，有半公里的樣兒。湖的四周，都植了柏樹，還不到人把高，卻一年四季都是青的。

我問住在附近的老百姓，這湖到底是怎麼回事。

「是八二三砲戰以後，才有這個湖的。」

「那麼是人工開了出來的？」

「不完全是人工。八二三砲戰，這兒落的砲彈最多，怕有上萬發的。硬是把這地方爆炸成這個樣子。」

八二三砲戰，我還在讀書。我祇是對那次砲戰的新聞讀的很多。有時，教授來上課時，先就問我們：「你們有沒有看報紙？」我們必然答：「看過了。」我們那時最重視的，就是砲戰新聞。

「這湖以後稍爲用人工整修一番，就是現在這個樣子。」

湖的左面有個樓，三層，不太大，卻是古色古香。到晚上還有電燈。樓上樓下，除供遊人參觀外，還供給飲料，有兩位本地小姐招呼。

這兩位小姐大方而也是時髦打扮，頭髮剪的短短，也燙了起來。如果她不說閩南語，就不會判斷出是本地小姐的。

這裏牛奶、咖啡、可可都有，每杯五元。

位置比較小一點，卻很清雅。

樓上樓下的地板，都是打着白蠟。太陽一照，發着亮。

由於這個樓，而使這個湖增加美色不少。

三

到古崗湖的遊客，絡繹不絕，就和朝山拜廟的香客似的。

男男女女，大都坐車來的。湖邊有一水泥地的停車場，一次可以停個十來輛車子。

「在這裏給我照一張。我喜歡這種背景的。」

我給伙伴們照過，還給那兩位小姐也照相。

這兒也有攝影服務社，是供給遊人照相的。一組十二元。聽說生意還不壞。

「一天可以做多少錢生意？」我問。

「不一定。平時可以有四百多元。」

「那麼在這最近過年的時候呢？」

「最多一千五百元。」

在台灣來的勞軍團，或者參觀團，這地方是必遊的地，所以也就是這戰地唯一的特色風景區。據一位權威人士對我說：「這湖還要開大，準備種植荷花。那樣，就眞是戰地中的奇景了。」

基隆名勝古蹟誌

仲公

光緒十五年由基隆達台北間的鐵路完工，路經獅球嶺山麓，開鑿一條很長的隧道，工程浩大，全用人工鑿成，劉氏於隧道出口石壁上親題了「曠宇天開」四個擘窠大字，兩壁幷附了一副對聯，聯曰：

「十五年生面獨開，羽轂飈輪，從此東莊通海嶼；三百丈岩腰新闢，天梯石棧，居然人力勝神工。」

基隆面臨東海，要談它的勝景，當然在海。波濤洶湧，萬里無際，朝暉夕陰，氣象萬千。加以港灣壯濶，橫海樓船，萬家燈火，濱海風光，處處宜人。若論名勝，則未能免俗，仍須沿用昔人所舉的八景說起。邑人許梓桑曾有詠基隆八景詩，爰錄時人所作說明幷繫以原詩：

一、雞山驟雨：雞山爲境內主峯，拔海千尺，際地蟠天。由台北東郊以望雞山，如清朗嵐光，則基隆必晴。以占候，不爽毫釐。因其逼海近而高，故驟雨狂飈，倏忽卽起。雞山驟雨，意卽指此。

雞山屹立冠羣峯，風雨瀟瀟聚幾重；極目微茫迷鳥道，高低雲樹匝陰濃。

二、獅嶺匝雲：獅球嶺係基隆台北間主要通道，在火車公路未闢以前，來往台北者，必逾此嶺。光緒甲申年，法艦犯基，劉銘傳部將林朝棟率軍拒之，戰於此嶺，至今碑碣猶存。嶺上岫雲開闔，詩意盎然。

指顧獅峯曙色分，朝朝嶺上匝浮雲；山谷隱約誰能辨，絕巘高岩畫綺紋。

三、鮐頂瀑布：鮐頂在南榮路隧道口，山勢陡峻，瀑布傾瀉而下，聲如雷鳴，水花四濺。今以石砌之，已不及昔時之盛。

雙龍飛瀑落岩中，入耳泉聲玉韵沚；任爾狂風吹不斷，銀河遠瀉上天空。

四、鱟魚凝煙：鱟魚爲海中魚類，長二尺餘，雌大雄小，肥嫩可食，台人多嗜之。基隆內港，原有島嶼兩處：一在今市政府海灘，一在今八號碼頭。前者大，後者小，以其形類鱟魚，故稱鱟公，鱟母。日人踞台時，疏濬海港，因其有礙水道交通，用藥炸去，今已不存。

雌雄鱟嶼海西東，毓秀鍾靈氣象同；樹色迷濛疑斷雨，憑欄一望碧煙籠。

（三）

楊貴妃

——「影劇與歷史」之二

周遊

貴妃的得寵，並非僅憑聲色，其才，其智，殊非等閑。她用靈與肉敲開了玄宗的心扉，玄宗也用整個的身與心去滋養她的青春；寢專房，共鳳幃，朝朝好景，夜夜春宵。舉凡想得到的，無不儘量依從，使她得以滿足。如織造雕刻，就經常有一千多人爲之供奉。

貴妃愛吃荔枝，玄宗設飛驛轉運，詔令嶺南經略使張九章，專司其事，使車往來，絡繹不絕。由嶺南以至長安，關山險阻，千里迢迢，但求色味鮮美不變，不恤沿途勞民喪財；車隊所過之處，只顧縮短行程，那管踐物毀舍？一路之上，使臣急如星火，差役苦不堪言。所謂「黃塵影內日銜山，趕趕趕，近長安；一身汗雨四肢癱，趲趲趲，換行鞍。」直接間接成千成萬的辛苦代價，只不過博得昭陽院裏女主人的淺笑。個人的享樂，是玄宗給與她的，但她也給予了玄宗無限快樂，使玄宗下半輩子的風光，旖旎發采，後世之人只有羨煞！

專司其事的官兒——廣陵長史王翼，嶺南經略使張九章，因此而有功升官發財呢！

玉環未入宮之前，莆田江采蘋寵絕後宮；江氏愛梅，所以玄宗戲呼爲梅妃。天寶三載以後，恩寵則爲貴妃所奪矣。楊氏工於智巧，梅妃秉性寬柔。采蘋嗤玉環爲「肥婢」，玉環呼采蘋爲「梅精」。爭寵的結果，梅妃失敗，玄宗貶梅妃於上陽東宮，度着長門深閉，妝殘淚濕的斷腸生活。

從此之後，玄宗與玉環妃子形影不離，但驪山踏雪，太乙聽泉，處處都留下了貴妃潑辣的印象。每當黃昏樓頭，春風陌上，玄宗想到梅妃的雅服倩影，一般柔水濫情，不禁相思縈迴夢寐；於是飛鞭乘戲馬，滅燭召紅裙，着梅妃到翠華西閣，重溫舊夢。次日淸晨拂曉，小太監急急忙忙前來報道：「貴妃來了！」玄宗推枕披衣，驚惶失措；梅妃藏藏躲躲，一派荒唐。幸而小太監護花解困得法，而且貴妃也不便在皇上面前當面難堪，弄得皇上下不了台，那時反而不美。貴妃雖然「理直氣壯」質詢梅妃行踪。但皇上支吾也就算了。正是：「夜來冒霜雪，晨去履風波；雖得叙微情，奈儂身若何。」梅妃失寵的心情是不言可知的。

但是玄宗遭受一陣不快，餘波蕩漾，將梅妃仍舊寂寞東樓，另外殺了一個小太監出氣。這是活該小太監倒楣！其次一個重要的皮漏，則是因爲貴妃自己悍妒，被玄宗貶出宮去。皇帝一怒可生殺富貴，貴妃太過任性，也是自取其咎。

玄宗貶出貴妃，當是一時氣憤，時日稍久，雨過天淸，落月屋梁，玄宗惆悵萬分，不思飮食。高力士不失是一個聰明的太監，而且十分忠心，於明皇是無微不至的；此時靈機一動，把御膳移到貴妃院裏，以試探明皇的反映如何；玄宗到此地，不免觸景生情，格外傷神，將酒菜分賜貴妃左右，然後摒退衆人，和衣而臥。高力士偷偷出宮，將貴妃引了進宮，玄宗輾轉不能入夢，聽得更漏三催，探首帳外，但見燭影搖搖，貴妃已盛裝端坐於榻前！於是躍身起坐，互道相思之苦……直到金雞報曉，貴妃才重整雲鬢，再以君妃見禮，玄宗欣然撫慰。貴妃一場風波，總算度過。然而一波平靜，一波又起。在天寶九年的時候，貴妃又再度別駕。眞是：「宮闈事兒費安排，雲翻雨覆鬧陽台；兩下參商後，裝模作態，並蒂蓮，傍有一枝開。」

（二）

鬥鳥

漁翁

[illegible]

（下）

自由報

內僑警台報字第〇三壹號內銷證

THE FREE NEWS

第五三三期

每份港幣壹角

社長：雷嘯岑

督印人：黃行富

社址：香港銅鑼灣高士威道二十號四樓

20 CAUSEWAY RD 3RD FL HONG KONG

TEL. 771726　電報掛號：7191

承印者：田風印刷廠

地址：香港灣仔富士打道一二一號

台灣分社

電話：三〇三四六

台郵撥二五二九戶

行政法院越權解釋憲法（下）

李聲庭

據作者的法律見解：不否認違背行政法令與主張不受限制并不自相矛盾，行政法院何以知道憲法第一百四十八條之規定，意在防止各地抑留禁徵，影響貨物流通于國內其他區域者而設？大法官會議有解釋嗎？何以不引證出來？又何以知道憲法第一百四十八條之規定與台灣省施行烟草專賣政策，久爲中央所承認，以及自海外香港等地販運來台，限制進口者，殊不相涉？大法官會議對這一點又有解釋嗎？何以要由行政法院越俎代庖來加以解釋？

原告不否認違背行政法令是默示的，乃法院推測之詞；而原告主張不受限制是明示的，法院不得加以抹殺。行政法院何得以原告未否認于前，便不能主張于後？所謂未免自相矛盾，應當是行政法院而不是原告。原告主張不受限制，即暗示行政法令違憲，因此舉出憲法第一百四十八條以爲立論的基礎，是本案牽涉到憲法解釋的問題，依憲法規定應由大法官會議執掌。行政法院却越權解釋憲法第一百四十八條，是行政法院本身違法失職了，本案具有再審之理由，依民事訴訟法原告可提起再審之訴。

第三例：行政法院四十五年判字第十四號，據要旨所述：「實施耕者有其田條例台灣省施行細則，係依據同條例第三十三條之規定而規定。該細則中關於就條例規定所爲之解釋及補充性規定，均基于法律之授權，即屬所謂委任立法性質。所有條例及同條例施行細則之規定，均爲實施耕者有其田之國策而設，此項國策，亦正爲原告所引憲法第一百四十三條第四項所揭櫫。原告指該施行細則第十五條、第十六條之規定，超出條例之範圍，既屬不明委任立法之性質，其攻擊該施行細則係屬違憲，見解尤無可取。」

這一判例除顯示行政法院越權解釋憲法外，竟抬出所謂委任立法來唬人。原告指摘實施耕者有其田條例施行細則第十五條、第十六條之規定超出條例之範圍。認爲原告的指摘有無理由，應由大法官會議予以解釋才對，行政法院對這個問題不能置一詞。現在行政法院却以「委任立法」四字一手遮天的抹殺原告的指摘，并從而指斥原告不明委任立法性質。作者十分懷疑行政法院評事中有幾人確明委任立法的性質，委任立法的性質如何，行政法院在這一判例中并未明白宣示。足見行政法院并不明委任立法性質。同時委任立法在美國爲最高法院判爲違憲的案子不只一兩件。當羅斯福行新政時，國會對新政只制定大綱，許多細則事項委任行政機關去作補充規定，結果爲法院判決違憲，這爲大家所知道的事，當然不爲行政法院評事所知道。美國的委任立法也常爲法院判爲越權。并不是一經委任立法便不違憲。何況委任立法是否違憲的問題，行政法院無權過問，這一判例不僅顯示行政法院越權解釋憲法，而且揭露行政法院評事亂用名詞，武斷判案。難怪中華民國始終法治不起來！

第四例：行政法院四十九年判字第八十四號理由中有：「（一）憲法中關于人民之義務，固僅列舉依法納稅、服兵役及受國民教育三項，但并未規定除此三者之外，人民即不應服法律上之義務，更無規定不得以法律使人民服義務勞動。國民義務勞動法固在憲法頒行以前公布施行，但核其內容與現行憲法并無違背之處，自仍沿用有效。其同法施行細則核與憲法亦無牴觸，要不能以憲法未列舉人民勞動服務之義務，即認該項法令爲違憲無效。」

在這一判例中，行政法院居然公開宣稱：國民義務勞動法核其內容與現行憲法并無違背之處，同時又解釋國民義務勞動法施行細則與憲法亦無牴觸。其爲越權解釋憲法，了無疑義。憲法對人民應盡之義務既採列舉方式，則凡不在列舉之內的便是人民不應盡義務的。這一點，行政法院的評事的法律常識實在有欠高明。一般採列舉式與概括式不同之點即在此，行政法院評事連這點起碼法律常識都不懂，却武斷的以「要不能以憲法未列舉人民勞動服務之義務，即認爲該項法令爲違憲無效。」如果行政法院的評事員懂一點列舉式與概括式之區別，便不至作出這樣不近法理的判決書來。作者又不免爲中國法治前途嘆！

第五例：行政法院四十九年判字第六號內稱：「按人民之財產權應予保障，爲憲法第十五條所明定。又關於人民權利義務之事項，應以法律定之。應以法律規定之情事，不得以命令定之。法律應經立法院通過，并由總統依法公布之。此在中央法規標準法第四條第二款，第五條及第二條亦規定甚明。[illegible]

[illegible]

「和平」快來了！

新目標！

今日與明日

毛共大舉抨擊蘇俄

毛共對蘇俄的攻擊，又轉移了題目，從攻擊莫斯科打架事，改變爲攻擊三月一日所召開的十九國會議，人民日報已經開始公開俄共的來信，名之爲俄共「第一號命令」，「第二號命令」。無賴之容，躍然紙上，不問可知是經過毛酋潤色之後發表的。

中俄共的爭執，談不上誰是誰非，事實上都是一丘之貉、人類蟊賊，自由之敵。不過，俄共此次悍然不理會毛共的反對，自行召開籌備會議，足見有心和毛共攤牌，毛共却不知自量，幻想在越南戰爭中拖蘇俄下水，與美國作戰，未免太想入非非。及至美機大炸北越之後，毛共才了然蘇俄不會上當，於是更變本加厲攻擊蘇俄，此種行動只能作爲無聊洩憤，對毛共本身來說，是絕無用處的。

美機連續炸北越

美國當局宣佈每日炸北越一次，而且一次比一次深入腹地，轟炸的技術也在改變，由普通炸彈已進至油漿彈。在二次大戰時，日本人曾領略過油漿彈的滋味；當時光是東京銀座一地，就被燒死二十多萬人。美國若在北越用油漿彈展開地氈式的轟炸，毛共又將如何？截到目前來看也只有示威遊行，通電支持，此外似乎沒有其他更好辦法。只是胡志明苦矣！由北越的遭際來看，俄共害毛共於前，毛共又害越共於後。但是，柬埔寨的施哈諾之流，却還興高采烈的求爲附庸而不可得，更可悲了。

「你追我趕」的事件

三月一日出版的毛共青年團機關刊物「中國青年」，中間頁有一幅油畫，標題是「你追我趕」，畫了一名共幹在前面走，後面有一羣：農民、學生、婦女跟着在跑，畫的很生動，一羣人所踏的是很深的枯草，微風吹動，枯草下面却隱約露出奇景，前面枯草裏出現了毛澤東的屍體，中間有亂七八糟倒在草裏的三面紅旗，最後才是列寧的屍體。一羣人就從這三件東西上踏過去。這是橫着，也是正面，因爲這幅畫是橫的，佔了兩頁。再掉過豎着一看，上面橫着寫了五個大字「打倒共產黨」，豎着也是五個大字「蔣介石萬歲」，雖然是利用綫條隱蔽，但「介石」兩字，打開就看得清清楚楚。「中國青年」一出版後，毛共尚未發覺，直到加拿大駐北平記者見了，向海外發出電訊，毛共才知道，於是手忙腳亂的收回去，但是，海外已經普遍傳開，美國新聞處且已製圖發表。毛共的「接班人」如此反共，怪不得毛酋向史諾說「沒有永遠安全的國家」，對共產黨的前途，發出悲觀論調了。（何如）

外交風雲

本屆聯合國大會中，將中華民國這一常任理事國摒除於「維持世界和平委員會」的組織，實係對我國一項莫大的侮辱，海內外輿論譁然，宜也。

最令人憤怒不平的，就是美國一方面誘迫我國繳付了會費四百萬元，使本屆聯合大會[illegible]；一方面對於俄、法兩國之拒繳鉅額會費，不特不敢依照會章規定行事，而且接受俄帝的無理主張，不讓我國參加「維持世界和平委員會」。這是十足的表示着有強權、無公理的帝國主義作風，證明所謂聯合國也者，祇是幾個帝國主義國家作爲欺壓大多數會員國的工具罷了。

聯合國自成立迄今，對於維護世界和平，本來毫無作用可言，相反的且產生了若干妨害世界和平的行爲，變成了一個表演鬧劇和恃強欺弱的罪惡集團，往事歷歷，世人共見。這次組織所謂「維持世界和平委員會」，也不過是一種無聊的勾當，決無效用的，吾國參加與否，事實上沒有甚末關係。唯其他四個常任理事國都是當然委員，而單獨摒除我國，此係公然侮辱的外交行動，咱們自不能默爾而息，[illegible]太不像話了！

看了這次聯大會議中[illegible]，我們可以[illegible]到幾點國際上的動向，必須預爲防範。第一：過去[illegible]信賴美國的外交政策，[illegible]并非計之得者。今人可以犧牲我[illegible]身的利益，[illegible]我們這個忠誠的友邦以取[illegible]帝，明天也可能出賣我們，[illegible]

馮玉先生

由國會代表問題引起

立委喬一凡質詢行政院 要求行政院長表示態度

（本報記者台北航訊）由於最近日本國會籌開亞洲民主國家國會聯合會議，邀請我國執政黨籍國會議員參加，因此執政黨決定由立法院副院長倪文亞、監察院副院長兼代院長李嗣璁、國民大會代表兼秘書長谷正綱等三人，代表我國國會參加該籌備會議。這件本已過去，然而因為立法院有人提出質詢，致為朝野人士所注意。

江蘇籍立法委員喬一凡，於三月十九日以「國會三頭馬車即將開動，有損國家憲法之尊嚴事」為題，質詢行政院，並要嚴院長表示態度。

喬委員說：「今我立國之法實有二，一為國家有領袖，現在台省之得安，而吾人尚可苟活，不為韓越之續者以此。一為國家有憲法，今日世界之能承認中華民國，而尚未『福爾摩沙』我者以此。……查我之憲法若干點，本含有西方法條之實質，原不合於國父三民主義五權憲法之要求，惟既制定成憲，而為全國人民所接受，則現行憲法之尊嚴，應予維護，在未反攻大陸重行修訂之前，自應如我總統之期望，一體加以遵守。以此檢討現行憲法之內容，我國家雖有國會之實，但並無國會之名，而國大代表，可兼官吏，可自由執業；其職權依憲法第二十五條之規定，為代表全國國民行使政權、第二十七條之規定，在選舉總統副總統，罷免總統副總統，修改憲法，複決立法院所提之憲法修正案。關於創制複決兩權，除前項規定外，俟全國有半數以上之縣市曾經行使創制複決兩項政權時，由國民大會制定辦法並行使之。而其召集依同法第三十條之規定，關於補選總統副總統時，或依監察院提出彈劾時，則由立法院長通告集會。依立法院之決議提出憲法修正案，或國大代表五分之二以上請求召集時，由總統召集。其於監察院之職權，依憲法第九十條之規定，監察院為國家最高監察機關，行使同意權，彈劾糾舉及審計權。同法第九十七條之規定，監察院經各委員會之審查及決議，得提出糾正案，移送行政院及有關部會，促其注意改善。而所謂同意權，依同法第七十九條之規定，司法院院長副院長以及大法官，由總統提名，經監察院同意任命之。同法第八十四條之規定，考試院長副院長及考試委員，由總統提名，經監察院同意任命之。至於立法院職權，在憲法第六十二條，立法院為國家最高立法機關，由人民選舉之立法委員組織之，代表人民行使立法權。同法第六十三條，立法院有議決法律案、預算案、戒嚴案、大赦案、宣戰案、媾和案、條約案及國家其他重要事項之權。又同法第五十七條規定，行政院依左列規定，對立法院負責。一、行政院有向立法院提出施政方針及施政報告之責，立法委員在開會時，有向行政院院長及行政院各部會首長質詢之權。並於七十五條規定，立法委員不得兼任官吏。而憲法第五十三條又規定，行政院為國家最高行政機關。是國民大會代表，行政首長，監察院與監察委員，以及立法院與立法委員之職權均分別規定清楚，並無不明白之處。乃司法院釋字第七十六號解釋，竟認國民大會、立法院、監察院、共同相當於民主國家之國會。於是此一相當於是民主國家之國會，乃實施三頭馬車，同時開動，而冶政權治權、立法、司法、行政於一爐，開世界民主國家國會之奇觀。倘任其行動，不予糾正，其損害現行憲法之精神與貽笑於世界，而招致輕侮，已不言可喻。現在無條件投降之日本，雖已與我言和，乃竟欲以盟主身份，召集東亞國會聯合會議，今後我之參加籌備是否即開動三頭馬車參加？請院長酌予說明」。

此外，喬委員又對政府向日貸一億五千萬美元，他說：如不以援助借款名義，而以貿易方式，貸我以工廠之機器，而我每年輸出之外滙，分期償付，則多多益善，雖數倍於一億五千萬美元亦可也。如此不要賠償，而要經援，並又不經立法院同意，意欲私自擅行訂約，難逃於後之論史者之痛矣云云。

簡介南市三合作社

——本報台南記者航訊

台南市合作事業，正在欣欣向榮中，各社業績斐然可觀，值得介紹：

（一）第四信用合作社，創設於民國三年，迄今已有五十年悠久歷史。在理事主席兼經理邵禹銘領導下，該社業績最稱輝煌。為應業務上之需要，該社已先後在中正路，府前路，中山路設立分社機構，並創辦四信幼稚園。該社社員人數，逐年增加，目前已擁有三千九百餘名。此數為該社初創時之卅七倍。光復之初，該社存款僅二百六十萬元，現則已超出一億元，可謂已奠定堅固不拔基礎。所以，該社曾迭獲內政部暨省政府頒給之年終考績優異，及熱心公益等獎狀。

（二）第五信用合作社，創立迄今亦已數十年，目前擁有社員為二千七百餘名，該社自去年新任經理許長安到職以還，業務更突飛猛進，存款步步高陞。許長安曾任一銀經理，在金融界積數十年經驗，轉任該合作社經理，自屬駕輕就熟。因此該社在五十二年底的存款尚僅二千五百餘萬元者，到五十三年底，存款劇增達四千一百餘萬元，計增加一千五百餘萬元。全年盈餘達四十餘萬元，開台南合作界之新紀錄。該社為配合政府財經政策，倡導社員節約儲蓄外，並爭取各社員存款，以期達成每一社員加入為一個存戶為目標，存款預定進展達到五千萬元。

（三）第三信用合作社，創立於民國十三年，也已有四十餘年悠久歷史。光復後，歷任該社主席兼經理洪金湖，係一老成持重而誠幹待人之領導人物，對業務的開拓，胸有成竹，成績表現自然可觀。該社存款現達七千餘萬元，放款也超過二千四百萬元。該社因社務日更發展，原有社址不敷應用，現正在改建大樓，暫遷合庫舊址營業。改建完成後，底層為營業所，二樓為會議室，三樓為棧房，行見美侖美奐，鴻圖大展更無可限量。又該社為圖更進一步發展計，洪金湖專任主席，指揮各部門，經理一職則由該社安平分社主任黃清波升充。黃清波亦係老練幹才，以之輔佐洪金湖主席，更如虎添翼。

行號股東賣股圖利 投資人冤枉受損害

立委曲直生強調應予管制

（本報記者台北航訊）此間若干公司組織的行號股東，利用公司法第一八六條的漏洞，把百份之九十的股票出售圖利，仍掌握公司大權，於是，若干公司以增資為名，實質上以出售分配之股票圖利；證券管理委員會事前未予防止，事先復無適當對策，坐使投資人蒙受損害。為此立法委員曲直生特向行政院質詢，並以台灣塑膠公司股票上市的經過為例，來支持他的意見。

曲委員說：自證券交易所設置後，竟有各公司相率增資，表面上熱心事業，貢獻國家，實際手法是先辦增資手續，俟主管官署驗資核准後，即將股票上市，此時各股東即將握存之股票，在市場出售，哄抬市價。投資大眾，不明底蘊，以初上市價格，超過票面甚鉅，以為公司收益能力必極可觀，相率盲目投資購買。此時股票流入散戶之手，股東原以票面價值所取得之股份，一轉手之間，即賺得鉅大利益。因此，負担增資者，表面上為原股東，實際上則為購買股票之新戶。新戶不但負担公司增資，且對舊股東貢獻鉅大之財富。更令人憎憾者，大股東已將握存之大部份股票出售，仍為公司之當權人，仍掌理公司業務，支領薪金或車馬費。以上情形，台灣塑膠公司最為突出。該公司股票票面一百元，但初上市即以九百六十一元五角拍出，投資一百元，二、三個月間，每股即賺得八百餘元。而各董事監察人因有公司法一八六條之規定，解釋上並不違法，因其股票未全部出售，故未喪失董監事資格。嗣後股票慘跌，最近竟落至三百餘元，擁有小股東有將全部家產投入者，欲賣則賠本太多，欲過問公司業務，則以股票過少，無力獲得當選董監事，且本身亦無管理公司能力，叫苦連天，慘不忍聞。而各大股東本身既不違法，法律亦無法制裁。這種情形之造成，實因證券管理會未能有事前之權衡。按公司法第一六〇條規定公司之股份，非於設立登記後不得轉讓，發起人之股份，非在公司設立登記一年後不得轉讓。所謂「發起人之股份（票）」，非在公司設立登記一年後不得轉讓」之立法意旨，即在防止少數股東於取得董監事地位後，即將股份（票）出讓，對公司事務，漠不關心，使股東受到損害。以上限制，雖對新成立公司而言，但如公司大量增資，其取得董監地位後之大股東，論法理即應負有責任，不得以股票隨意轉讓。乃證管會對此毫未注意，未訂出適當之限制，任憑董監事自由出售股票，以致造成現在的惡劣現象。

曲委員主張：既往不究，將來在新公司成立以前，證管會應訂出臨時的限制，以免類似情形再有發生。台灣塑膠公司惡劣情勢業已造成，為保持大眾之投資興趣，為顧全交易所前途，似亦應有適當對策，以免未來投資小戶裹足不前，影響證券交易業務。究竟證券會對台灣塑膠公司情形有無對策？可否根據公司法一六〇條之精神，訂立臨時有效制裁董監大量出售股票之辦法？（三月二十日）

一個永念着的老師

——憶台大教授王伯琦先生——

陸嘯釗

我四十三年攷取台大，以第一志願分發台大法律專修科，當時以為既稱法律專修科，一定要比法律系來得高明一點，等到分發以後方才知道法律專修科的修業期間祇有三年，而且祇是司法行政部委辦的一個「法官訓練所」，實質上並不能算做台大的一個獨立科系。攷進法律專修科的同學，以後也不能轉入其他的科系。這種情形，使專修科的同學，總覺得有一種特殊和被歧視的感覺，因此紛紛要求轉系的結果，我與江信義、鄭增祥、陳起蛟、黃孝廉四位同學，以聯攷成績已夠分發本校標準，准許轉系外，其他的一概不准。第二學年，我與信義，增祥轉進了法律系，起蛟轉進了經濟系，孝廉仍然留在法律專修科。而其他同學中眞正為抗議而付之行動的，祇有李敖一人，他憤然退學，重新報攷了台大歷史系，最後總算如願以償了。

法律專修科在編制上祇有三位專任教授，曹文彥先生，曾繁康先生和王伯琦先生。科主任是由法律系系主任梅仲協先生兼任的，曹文彥先生担任英文名著選讀，曾繁康先生講授憲法，王伯琦先生則教我們的民法總則。等到第二學年，我轉到法律系時，仍復由伯琦先生担任民法債總，因此較之同年級的法律系同學，我很幸運地多受了王先生一年教誨，而我的民法基礎，也因之比較扎實。

當年台大同學的讀書風氣非常濃厚，商學館的閱覽室，和法學院的圖書館經常都擠滿了人，而對上課的選擇則比較自由，教授上課也很少利用點名作為招攬手段的，因此溜課泡圖書館的同學，佔了極大部份。可是上王伯琦先生的課却是例外，上課前搶前五排的位子，已經相因成習了。

上課鈴一响，王伯琦先生就挾着課本講義走進教室，講桌後面一坐，就打開了他的話盒子。他的臉上從來沒有一絲笑容，上課時也從來沒有一句廢話，一口略帶宜興腔的官話，平平靜靜地上完兩個鐘點，就下課了。他授課的態度極其認眞，反覆例證，必期同學了解而後已。遇有同學發問，一定詳為答覆。有一次，我為一個「選擇之債」的問題，有所疑問，當堂提出意見，先生委婉地告訴我，授課時候不便詳答，要我下課時去教員休息室一下，恰好那天我下一堂有課，我把這個情形告訴了他，先生說：「沒有關係，我等你好了。」

一個鐘頭後，教員休息室的人差不多走光了，伯琦先生還是靜靜地坐在那裏，那一天，我們談得很久，延誤了先生的交通車，一直到我徹底了解這個問題的時候，他才蹒跚離去。這種負責拘謹的態度，一直到今天，還留給我極深的印象。

王伯琦先生的分數，一直打得很緊，目的在激勵同學不可自滿。期中攷試，期末攷試一過，很多同學常常川流不息地往老師家打聽分數，而某些僑生和寄讀生的同學，兼有請老師略為提高成績，以求免除補攷的，先生對這一件事，感到非常厭煩，他曾經不止一次地向我提起過：

「你告訴他們，讀書不是混資格，祇要把法律的概念和邏輯搞通了，分數沒有不及格的。我的分數雖然緊，及格可不難，至於學業成績，却不是隨便可以變動的。」隨後，他又感慨地說：

「現在就這個樣子，將來怎麼得了？如果實在讀不下去，不如勸他們轉系算了。」他話雖然沒有講得非常明白，可是我已經深深地懂得了他的意思。

讀了一年法律，我報名參加高等律師檢定攷試，很幸運第一次就全部及格通過了，發榜以後，我去看王伯琦先生，那天，他很高興：

「我已經看到榜了，很好，很好。」接着他讓我進屋子裏坐。先生的住屋跟一般窮教授的一樣，簡樸陳舊，家無長物，案頭上除了幾部書以外，就是一大堆的攷卷。

（上）

由天地萬物到人

——新道統的宇宙論

（論道統第五章）

陳健夫

這個宇宙本體，人類始源，我無以名之，姑名之曰「眞元」。眞是眞實無妄之意，元是宇宙萬物的元始。此宇宙本體，我雖然無法將它拿出來，也無法拿出證據來，但我心靈中已確實發覺此本體，在我的心靈深處，及每一個人的心靈深處，皆有一綫之光通達眞元境界，而且一切生命發展，生活動作，都無不時時處處受到眞元的影响。即使萬物在時空中變化萬端，但此眞元本體仍是不生不滅，解脫時空諸般假相而淸靜自爲的。（不是老氏的無爲）

這便是我今天來講眞元的由來，決非是來此批評佛學或比較短長，或拾他人牙慧，道聽塗說。只是直陳我之所見，說其所說，爲我們今日世界這沉悶的學術界帶來一點興奮劑而已。

二、宇宙本體，萬物始源。

在沒有講到眞元觀爲何物之前，我要對兩個傳統的哲學觀念作翻案文章：

第一個傳統的觀念是認爲，宇宙，就是時間與空間。我們中國人釋「宇」爲上下四方，「宙」爲古往今來。西方人亦是指時間而言。愛因斯坦的相對論即倡四度空間說，闡明對空爲一體，都是在相對的運動着。世界不是三個尺度的（長、寬、高）除了包含空間的三個尺度而外，還有一個第四度量，即便是時間。這都是用時間空間來說宇宙。不論哲學上的所謂精神空間或時間，總不外指此宇宙而說。

宇宙果眞如此之簡單，如人所想像的是個時間空間而已麼？我發覺這樣的傳統觀念是錯誤的，人們以時間空間說明宇宙生滅變化的一切現象自無不可，但若硬指宇宙便只有時間空間却太武斷了。宇宙可包括時間空間，但時間空間却不能包括宇宙。

原來吾人直覺及感觀所知的世界，乃世界的一部份有形有體的存在，此萬有世界，吾人目之所之，即包括在時間空間之內，但須知此宇宙之中，有大部份無形無體，高不可及，深不可測，超乎時間空間之外的存在，爲吾人感觀所無法接觸到的，此一未知者能綜合時間空間而運用之。在此未知者中亦有時有空，亦非時非空，彼不在時空範圍之內，而能超越時空。此一未知者，眞是「玄之又玄」，而又是如老子所說的「衆妙之門」。老子說的這個「衆妙」二字同佛家說的「妙有」二字，極適宜借來說明這個時間空間中的萬殊現象。但這個「衆妙」或「妙有」的宇宙尙須通過一道大門，才可以大顯身手。老子的「玄之又玄衆妙之門」，同佛家的「眞空妙有」，這兩句話中的「玄之又玄」的「眞空」即是時間空間，此一世界衆多「妙有之門」。此一「門」，從古無人知，中外哲人，皆稱之爲道。老子說「吾不知其名，字之曰道。」聖經上說「太初有道，道與上帝同在」。這個「道」是至高者超乎時空宇宙之上的存在，世上萬物不能憑其感觀認知此一至高者的存在。

此一未知者或可稱爲「絕對間」，或「未知間」，我經過體察之後，乃爲它定了個名，叫眞元間。「眞」是純眞無二，元是宇宙的元始。時間空間的運動，世上的衆生因緣和合，都是由眞元始，亦復歸於眞元。時空間，皆是相對的發展，而此眞元之間則是絕對的存在，爲宇宙的主宰。

試想宇宙間一切萬類，幷育而不相害，何等美妙和諧。一隻麻雀，尙知作一個理想的巢，小至螞蟻，也會經營有計劃的生活，像這樣萬有的妙有的宇宙，豈能沒有一個主宰爲之設計麼？誰爲之主宰，爲之計劃呢？宗教上稱之爲神爲佛爲道，總有些玄虛渺茫，而又有對發生迷信的說法，令人有「玄之又玄」空空如也的感覺。甚之爲人目之爲荒誕無稽。

（四）

岳武穆祠墓遺蹟小考

李仲侯

岳飛自被秦檜陷害後，至宋孝宗元年，詔復原官，訪求其屍，以禮改葬棲霞。千古沉冤，遂以大白。後來崇祠巍宇，俎豆馨香，幾遍寰區。其廟之最著者，始建於鄂，再建於杭，三建於湯陰，四建於朱仙鎮，五建於宜興，六建於江州。在武昌者，其所封地也；在湯陰者，其所產地也；在開封之朱仙鎮者，其所建功者也；在宜興者，其首建破虜之功而收復建康也；在江州者，其休憩較久之所而其母姚太夫人墓地所在也。傳曰：有功於民則祀之，茲將各地廟貌畧誌其槪。

朱仙鎮爲岳王一生盡力殄虜之功，臻於極致，亦爲飛忍恨千古，忠憤所不能忘者也，故首述其槪。

金人敗盟，岳飛遣王貴、牛臯、董先、楊再興、孟邦傑、李寶等、分布經畧西京、汝鄭、穎昌、陳曹、光蔡諸郡、又命梁興渡河糾合忠義社，取河東北州縣。未幾，所遣諸將相繼奏捷，大軍在穎昌，諸將分道出戰，飛自以輕騎駐郾城，兵勢甚銳，兀朮大懼！令龍虎大王、復天大王與韓常之岳逼郾城，飛遣子雲領騎兵直貫其陣，鏖戰數十合，敵屍遍野。初兀朮有勁軍皆重鎧，貫以韋索，三人爲聯，號拐子馬，官軍不能當。是役以一萬五千騎來，飛戒步卒以麻扎刀入陣，勿仰視，第斫馬足。拐子馬相連，一馬仆，二馬不能行；官軍奮擊，遂大敗之。兀朮憤甚，併力復來，頓兵十二萬於臨穎。楊再興以三百騎遇敵於小商橋，驟與之戰，殺二千餘人及萬戶撒八孛堇千戶百人，再興戰死。張憲繼至，破其精兵八千，兀朮夜遁。繼戰於穎昌，復大敗，殺其壻統軍上將軍夏金吾，副統軍粘罕索孛堇，兀朮狼狽遁去。飛進軍朱仙鎮，距汴京止四十五里。兀朮復聚兵十萬來，對壘而陣。飛遣驍將以背嵬五百奮擊，大破之！兀朮遁歸汴，軍聲大振，內外響應。方期指日渡河，直搗燕京，而賊檜受兀朮重賄，主和議，許劃淮以北棄之，遂矯詔班師，河南州郡，復淪於敵。十年之功，廢於一旦，誠可痛也。但朱仙鎮則因此一戰，遂著聞於世，地以人傳，豈不信哉。

（一）

漢文，漢字，漢學

陳曼卿

如講漢語的「語原」，情形就不同了。就當前學術界所蒐集的資料，恐怕也還是不足以了解先秦古音中的「語原」。如若說「古音」，照舊有的方法，就得先分出古音中的「音類」和「音值」。學術界雖是掌握得有不少先秦資料，譬如：「詩經」裏（類似民歌民謠）的「二南十三國風」，那也不過是九牛之一毛。

先秦古音，並不如以往一班「音韻」學人所推斷，和想像中的那樣簡單。中國古音，也以先秦的「音類」最爲渺茫。如何考證「音類」是一件事，推測「音值」更是加難了。筆者相信，當代沒有一位學者，僅憑現有的資料，能夠劃分得十分清楚！如果有，那無異是自欺欺人。

數起來，有江永、陳澧、黃季剛等，從「廣韻」、「唐韻」、「切韻」追推而上。（切韻序也說：「因諸南北是非，古今通塞」的話，）而也只能說是魏、晉、陳、隋、那段時間的古韻，今韻的分合變化，從而可以推知那一時期的讀音。而不能概之兩漢，或追迹先秦，乃至於三代。

雖然，近人從「漢藏語系」、「少數民族」的「語音」裏，以及若干「少數民族」的「語音」裏，可以約畧探索得知漢末的「語原」。但是所得結果，却是古音（類）繁，今音（類）簡的證明，這正與南宋（十二世紀）以來，各朝代的音韻學人所論定的「古音簡、今音繁」之說恰恰相反！

姑且照「文字代表語言」的說法，從文字中去尋求「語原」？說文一書中九三五三文（字），又那裏可以概括漢代的「語原」呢？四書（大學、中庸、論語、孟子）見於文中的僅有「四四六六」文，代表戰國時期之儒學，再加史記中的陰陽、墨、名、法、道共爲「六家」。是不是可以代表戰國時期的「語原」？五經（詩、書、易、禮、春秋），查對許書中僅載「六四七八」文，是否可以代表三代，與整個西周及春秋的「語原」？

我們由史書中見到，武王發紂，會於孟津者，八百餘國。成湯伐夏，有三千餘國。禹會諸侯於塗山，到者萬國。他們的「語原」，是不是同樣僅屬於一種語音？

「古音簡」的這一論斷，自已不能成立了。所以說，殷商時期的象事象物圖文，並不完全代表當時的語言。而是語言中的某些詞彙，形成文（字），方始流傳後世。其沒有形成文（字）的「語音」，也都隨着時代淘汰而變易了。經今僅憑殷、周二代有限的文（字）去追尋當時的「語原」，考證「音類」，推測「音値」，亦是否可以做到？況「漢興，六藝皆得於斷編殘簡之餘」！（詳見下章漢學）、

漢學初期的厄運

人們今天所見到的先秦之部的古代，經、史、子、各種文籍，沒有一種不被兩漢時人竄入或製造過的，問題是竄入的多少而已。就是那被僞爲「頭等資料」的「論語」，近數十年來，已有不少學者揭櫫，還是有一部份（指最後幾章），並不十分可靠。但仍不失爲「頭等資料」，其他的先秦古書，那就自無待言了，只不過就竄入的多寡，來衡量其價値了。

如果我們說先秦諸子「託古改制」。倒不如直切了當的說，那是兩漢諸儒所僞，最少也有大半是漢儒。這話應該從何說起？我們對這筆舊賬，自不能不從秦始皇焚書算起了。照漢儒沿襲先秦推紀甚麼「五德」、土德、木德、金德……無德」……的說法，弄得後來的漢儒什採篇章，仿古託古，法古僞古，清代的儒學又把「漢學」分爲甚麼「今文學」與「古文學」，秦始皇的「焚書」，實在有些「缺德」！

（二三）

動物農場

英 George Orwell 著

陳其芝 譯

第三章　勞心用腦的豬同志

一切議案經常都是由豬來作決定。其他動物們，雖然也知道如何表決，但不知道牠們自己的意見什麼是正確的，所以也就一律唯豬是瞻。史諾柏和拿破崙兩個是議會中意見最多的。可是牠們兩個的意見從來沒有協調過或曾統一。不管其中一個所提的建議是什麼，另一個總會想辯法去反對。就連已經決定的事情也會重新複決。比如把果園後面原有的小跑馬場撥用一部份作爲動物退休後的養老院這件事來說，雖然誰都反對不了，可是對於各階層動物們的退休年齡却爭執得非常激烈。不過會議仍會在「英格蘭的動物」的歌聲中結束。下午的時候是讓大家休息和娛樂用的。

豬把工具室騰淸，設立了一個司令部，每天晚上，牠們都在研究著一本書，這本書是從農舍中取來的，書中所講的都是些金屬工，木工或則其他必須的技藝。史諾白同時還在忙着組織動物，成立了「動物委員會」。對這些事，牠能不眠不休的工作着，組織了鷄的「鷄蛋生產委員會」；牛的「淸尾聯盟」；鼠兎的「同志教育委員會」；羊的「白化羊毛運動」，還有其他種種寫讀的學術制度。大體來說，這些計劃並沒有成功。比方說，馴服動物野性的計劃就遭到了挫折。動物們的行爲依舊是獸性難改，有時甚而變本加厲。貓是「教育委員會」中很活躍的一員，有天，牠們到屋頂上對一些牠無法抓得到的麻雀說，牠們現在都是同志了，只要牠們願意，牠們可以任意飛落在牠的爪上，可是麻雀還是依然如故的跟牠「保持距離」，「以策安全」。「寫讀識字會」總算有了很大的收穫，到這年秋天，每一個農塲裏的動物或多或少的都認識了一些字。

至於豬，早就會讀會寫了。狗的學習成績也不錯，但是除了那七誡以外，牠們對什麼都不感到興趣。毛莉比狗讀得更好。有時候牠會從垃圾堆裏翻出些舊報紙之類，讀給其他的動物聽。斑傑民能讀得跟豬一樣好，但是却從來沒有顯露過牠的才氣。牠說據牠看來；簡直沒有東西値得一讀的。克勞芙認得所有的字母，可是却不會把牠們拼在一塊兒。白克薩可以認到「D」字，牠能用蹄子在地上寫出A，B，C，D，然後兩耳往後豎貼，低著頭盯著那些字母看，有時候還聳動着牠的鬃毛，希望能想出來下面的那個字母是什麼，可是牠從來沒有實驗成功。有時候，牠確實是記得E，F，G，H，幾個字，但是A，B，C，D却被牠給忘記了。最後牠決定還是只記前面的那四個字母，並且每天騰出些時間來，寫個一二遍，好加深記憶。毛莉除了拼牠自己名字的六個字外，也不肯學別的。牠常常用小樹枝在地上拼湊出自己的名字，幷在上面插一兩朶野花作爲裝飾，然後繞它們走來走去，讚賞不已。

農塲上其他的動物，再沒有能認識A以外的字的了。同時牠們又發現那些較笨的動物：如鷄，鴨等都無法把七誡的條文記牢。史諾柏才宣佈將七誡精縮爲一句銘言：「四足者善，二足者惡」。牠說這句銘言可以包含一切「動物主義」條文的精華。只要動物們能把這句話確切的記牢，就可以不再受到人類的影响。鳥首先提出了反對，因爲牠們覺得牠們也祇有兩條腿。可是史諾柏提出了解釋和證明：「鳥有兩隻翅膀，那是推進的工具而非操縱的工具。因此可以視爲與脚無異。人類的特徵是手，手是牠們製造一切禍害的根源」。

（十）

各委員多數是專任，各研究或審查一兩項專題，每半月舉行委員會議一次，討論委員長交下來的專題或專案，並交換時局意見，彼此都坦率的提出切中時弊解決問題的意見。委員長間或也出席會議或找幾位委員去分別談話。當時的委員中有徐慶譽、王若庸、劉伯川、張彝鼎、吳壽彭、李毓九、高傳珠、李煥之等。新生活運動及國民經濟建設運動與保甲制度，碉堡政策等，都是設計委員會研究出來的重要內容而付諸實施收到效果的。我負責連繫各位委員及担任會議記錄整理分發等工作，這是江西反共勦匪復興建設的一個政經文教社會政策制度、研究、檢討、設計、建議的組織，行政事務工作雖不甚多，但對當時的反共抗日有關的思想學術的研究發展，却十分重要。我在這中間曾提供各種資料及若干意見，是一項很艱難又很重要的工作，最難的乃是研究設計出來的結果要負責去督促實施。比如新生活運動及中國文化運動，社會調查等工作實踐的重要責任，都要我負担一部份，如是工作的性質與範圍逐漸改變或擴大，既要注意前方，又要注意後方，既要連繫中、上層，又要連繫下層，既要做幕僚業務，又要做指揮行動工作。有一個短時期，我兼任了十一項工作，一個不到三十歲的青年，沒有天才，也沒有很好的學問，要担負這樣複雜及繁多的職務，眞是不量力，不度德。我常以古人所說的話深自警惕：「年青而居高位者，不祥。」我誠惶誠恐，朝惕夕勵，生怕貽誤國家大事，或在重大工作上發生錯誤，這固然因爲我的學識經驗不夠，而最重要的是不認識人，不易找到好幹部幫忙，所以艱苦異常。

冒險犯難記

鄭文儀

五十二、福建事變時期消弭後方變亂

民國二十二年冬季，福建十九路軍以李濟琛、陳銘樞、蔣光鼐、蔡廷鍇等爲首，醞釀叛變，勾結共產黨，反對中央政府，阻礙江西勦匪工作，在福建籌組人民政府，以社會民主黨名義及組織在各地大事活動。國民黨中央對他們的異動有不同的兩派意見：一派主張政治協商，一派主張軍事討伐。在這議論未定之際，他們在後方特別是南昌行營及江西省政府，運用一切人事關係，進行滲透顚覆活動，及諜報牽制擾亂工作。南昌社會方面，謠言很多，論調紛歧。南昌行營對福建事變的決定和動向，他們都能迅速知道，他們陰謀在南昌製造事變發起叛亂。

這時行營調查課負有連繫軍、憲，安定後方的責任，根據平時的調查及各方情報研判的結果，知道福建人民政府的事變快要發生。（八八）

湄其

文妮

大專學生勞軍團到戰地的第二天，我便見到湄其。她是我後期的同學。台大國文系。

「我不知道你在金門，」她一見到我就這樣說：「我祇知道你在服兵役。你也不寫信到學校裏。」

「學校那麼多人，寫給誰好呢？」

「你不是不知道我在台大！」她有點嗔怪我。

「現在見了面，還不是一樣吧？」我說：「你以前來過戰地沒有？」

「沒有。」

於是，我告訴她戰地的「毋忘在莒」、四大精神，軍民們充份的發揚出來。而且現在的金門就如外國記者筆下的有地上金門，和地下精神。地上金門，建設成三民主義的模範縣，也成了眞正的海上公園。

「平時還有沒有砲戰呢？」在我說完後，她這樣問我。

「有。怎會沒有呢？」

「還是全島都打？」

「這祇是零星的。我們不把它當做一回事兒的。」

「聽你說起來，似乎很輕鬆似的。」

「本來就是輕鬆的。」我說：「這兒的軍民，都是經過千錘百鍊的，誰也就不在乎這些。」

我還說些砲戰中的小故事，她聽了後伸伸舌頭。

「我一定把這些小故事記住。」她說：「沒有到過戰地的同學，我就向他們傳述這些小故事。」

湄其是我要好的同學。因爲她愛好文學，我們常常和她在一起。

有一次在文友聯誼會，她還把我的小詩朗誦出來。那首小詩是：

十九歲的少女啊，
在你沉重的垂髮裏，
蘊藏着全世界的黃金；
在你的胸膛下，
野薔薇一朵朵的開放。

「你這首詩寫的眞好，我才朗誦出來。」散會時，她這樣對我說。

「你朗誦時，我的心就和小鹿般的跳動着。」

「其實，你倒不要那麼緊張的。」

「有什麼法子？對自己的作品，總有點不好意思的。」

星期天，我和她玩過碧潭。她的船划的比我好。她和我划船比賽就輸了給她。

「你要請我什麼？」

「你說吧？」

「一場電影。」

「那眞是太簡單了。」我說：「現在就去吧？」

「現在就去。」

我和她也因爲文學上的理論問題，常常大抬槓子。過後，也就和好起來。

「以後，再不要抬槓子，」她說：「抬槓子，是傷感情的事。」

「你自己要抬的嘛。」

「好，以後我不抬就是。」

……

我想到這裏，他（她）們也就開始集合。他（她）們這天是到小金門，最前哨的地方，離共匪祇有二千多公尺。

她還告訴我，他（她）們帶來的是：熱忱和一顆敬軍愛國的心。

「因此，」她說：「我們的節目，是團體舞和歌唱。」

他（她）們上車後，我才回到我住的地方。湄其的形相，鮮活的在我腦子裏。

楊貴妃

——「影劇與歷史」之二

周遊

原來貴妃的幾個姊妹，也是艷絕一時；與貴妃玩膩了，換換口味兒又有什麼了不起！而在她三個姊姊當中，虢國夫人尤爲出色，玄宗就把她看中了。於是每當破曉入宮，香風洋溢；玄宗瞞了貴妃，暗送風情，虢國夫人淡掃蛾眉，欣承恩波，月夕花朝，暗通款曲。玄宗駕幸曲江，獨召虢國夫人在望春宮侍宴。所謂「山僧不解數甲子，一葉落知天下秋！」貴妃發覺了她三姐的秘密，被貴妃說了幾句不中耳的話，從此虢國夫人宮中鮮有芳蹤。玄宗探詢原委，始知又爲貴妃所爲。於是，又在天寶九年，一春寒的黎明，貴妃再度離宮了。

貴妃眞是玄宗的「香包」，帶久也不覺香，但却丟不得的。自貴妃二度離宮後，又逐漸思念起貴妃來了。正是「來如春夢幾多時，去似朝雲無覓處。」當有一日，玄宗正思念貴妃之時，幾度停著輟食，詔中使將御膳盡移賜貴妃。中使回來稟奏：娘娘呈給萬歲一個錦囊。玄宗親手啓封，祇粉箋一張，青絲一束，玄宗雙手顫抖！高力士跪伏一旁，急忙接過粉箋，望了一下玄宗的神情，然後唸道：

賤妾有罪，萬死不足以報聖恩。細思此生，身體髮膚以外，全屬萬歲恩典。今當永訣，謹獻青絲一握，敢以薦誠。

來年中秋之夜，太液池畔，月色依舊，如蒙不忘舊好，着內侍將青絲與紅絨結爲同心結子，臨空洒酒一杯，地下人身受之餘，惟有叩首天闕！

玄宗聽罷，掩面悲泣，急命高力士準備香車，載貴妃那個舊香包回宮。

原來貴妃離宮之後，暫住於戶部郎中吉溫府第中。吉溫欲使她與玄宗重圓舊夢，百般苦思，曾經爲了此事，向一位老太監請教。結果太監爲吉溫安排了一個入宮覲見皇帝的機會。吉溫在玄宗面前婉轉陳辭奏道：

「婦人女子，識慮不遠。貴妃不當君意，理宜賜死。但萬歲何必吝惜宮中一席之地，使金枝玉葉貽羞於外？」

貴妃就在吉溫陳奏，與高力的安排之下，又「三進宮」了。玄宗醉心於聲色之娛，將國家政事悉委諸楊國忠身上。因之國忠專權日盛，令人側目。但另一對立人物——安祿山，兵權在握，與楊國忠對峙不下。楊國忠對安祿山始終不放心，他曾奏於玄宗，謂祿山終必叛唐，宜早圖之。但玄宗未予採納。不但沒注意安祿山的野心，而且還升祿山爲東平郡王，開唐代番將封王的先例。（天寶九年的事）次年正月，又詔令爲安祿山治第名「親仁坊」，敕令「但窮壯麗，不限財力」。這也許是玄宗的羈縻政策；但楊國忠惶惶不安，不便見諸辭色。到天寶十一年，楊國忠升爲右丞相兼吏部尚書之後，衝突開始明朗化。

十三年正月，安祿山入朝，楊國忠在玄宗面前立了「安祿山必定叛唐」的保證書。此後便多方搜集安祿山叛變資料。天寶十四年四月，並令京兆尹派兵包圍東平郡王的官邸。但是，安祿山反賓爲主，先發制人。便在當年的十一月，號稱二十萬大軍，在范陽起事，申討國忠，揭發國忠罪行。河北一帶盜賊亦因此蜂從，於是乎「漁陽鼓響」，京師爲之震動。當警報傳來，玄宗與貴妃及楊氏姊妹，還在驪山華清池中「鴛鴦戲水」。太子專騎由京師趕來報警。玄宗具報，隨即傳旨，起駕急回長安。（三）

基隆名勝古蹟誌

仲公

五、仙洞聽濤：仙洞覆形如鐘，歷來高僧逸士，多棲息其中，石刻斑斑，已非朝夕。以距海近，濤聲風影，清脆悅耳。

空留石洞隱仙蹤，髣髴桃園一樣同；
海國波濤長擾夢，聲聲入耳聽玲瓏。

六、社寮曉日：社寮即和平島，有番字洞，爲基隆有名之史蹟。內刻西班牙文。海平如鏡，朝日初出，氣象綺麗。

旭日東昇彩鳳鳴，雲霞散漫曉風生；
天開曙色矇矓映，水國清光入畫明。

七、海門澄清：海門即和平島和正濱里間之水道，俗稱八尺門。水窄如帶，澄清見底。遠望海山蒼蒼，綠蔭如黛。

門開八尺本天成，亙古長留一色清；
好是晚來霞爛縵，魚穿雲錦漾分明。

八、杙峯聳翠：杙峯在基隆港外，孤立海中，尖峯如削，名基隆島。

萬水星羅繞杙峯，杙峯不與衆山同；
孤高千仞凌霄漢，一望蒼茫鎮海東。

仙洞算是一處古蹟，也屬較早之名勝。洞在中山區，基隆港之西。始初爲外港一個漁村，後來進行填港工事，在洞前海濱築港萬餘坪，今稱萬人其坪。東之岩角，名仙洞鼻，現有防波堤，即利用此岩腳作基礎。離仙洞鼻西行數十武，有臨濟宗最勝寺。庭前岩石屹峙，海潮澎湃，近觀遠望，雄奇壯麗，是爲仙洞巖。巖下即仙洞在焉。入洞正中祀觀音佛，再進分爲三洞，各洞曲折，忽大忽小，細分之可分洞屋十數間。中洞最大，有一石室，濶約十五尺，長約四十尺左右，名爲內室。相傳昔有仙人在此靜修得道，故名仙洞。岩壁嶙峋，苔蘚蒼翠，但陰森之氣逼人。行人到此，難於久留；墨客騷人，多好題姓名及遊洞年月日於洞壁。清末巡撫唐景崧亦有碑石留此。內有寺名明代宮，祀辨財天神，並有一處爲觀音亭，爲光緒廿六年所建。仙洞聽潮，屬早期基隆八景之一，游人身入洞內，清涼幽靜，足下時聞岩水淙淙，若擊銅鼓然，頗爲清脆悅耳。洞門岩石陸續，若石米甕，相傳甕中昔有白米流出，故名。岩頂有塔，名白塔，爲清代所建，全部白色，光采奪目。可以登塔遠眺，海波千重，盡收眼底。（三）

他山之石

·賣·

人要有鋼鐵般的脊骨，天鵝絨般的手腕。但可惜，世人多有鋼鐵般的手腕，却是天鵝絨般的脊骨。

——C．桑德

人總想以一枚蘋果，騙取一座果園，而心勞日拙。不知道將一枚蘋果栽種下去，可以變出一座果園。

——L．勞侖斯

生前送一朵鮮花，勝過死後的成百花圈。

——C．費穆

倨傲是弱點的掩飾，謙虛是優點的修飾。

——蘇福克利斯

色彩與情緒

段來

環境可以影響一個人的情緒。譬如在夏天，處身在一間四週漆成淺綠色牆壁的房子裏，您的心情上會產生涼爽安逸的感覺；相反地，如果是一間四週漆成大紅色的牆壁，就會使您坐立不安，心裏煩燥。所以一個家庭，如果注意室內陳設美化，可使生活愉快，精神舒暢。一所工場、或辦公室，如果注意環境整潔，色彩調和，可提高工作人員的情緒，增進效率。佈置一間房子，使其美化及色彩調和的關鍵，不僅要牆壁、傢俱、窗簾的色調相配得宜，在適當的地方掛上一幅名人字畫，放置一盆鮮花，甚至按裝一具彩色鮮艷的電話機，都可以影響室內情調，使其調和美觀。

現在彩色電話機，台灣已可自行製造了；台灣電信局爲加强服務，特地訂製了一批彩色自動電話機，顏色非常鮮艷，供用戶選用。用戶如需換裝，不論何種顏色，每具祇加收成本費新台幣三百元。新裝用如需彩色話機，可以在申請安裝電話時註明，每具祇加收一百元。如果選用的電話機顏色覺得不如理想，在七天內，還可向電信局聲請免費改換別種顏色。

您的辦公室電話機使用多久了？是否覺得黑色電話機太單調？府上客廳或臥室裏的電話機與牆壁、傢俱、窗簾等顏色相配嗎？如果需要調整一下，現在就可以向電信局聲請換裝。

內僑警台報字第〇三壹號內銷證

自由報

THE FREE NEWS

第五三四期

台教新字第三三三號登記證
中華郵政台字第一二八二號執照
掛號爲第一類新聞紙類
（每星期三、六出版）
每份港幣叁角
台灣零售價每份台幣式元
社長：雷嘯岑
督印人：黃行憲
社址：香港銅鑼灣高士威道二十號三樓
20 CAUSEWAY RD 3RD FL
HONG KONG
TEL. 771726　電報掛號：7191
承印者：回風印刷廠
地址：香港灣仔高士打道一二一號
台灣分社
台北市西寧南路壹壹零號二樓
電話：三〇六三四
台郵撥儲金戶九九一五二

從蘇俄中共對越戰態度看越局前途

郭甄泰

世界局勢的中心以古巴事件爲分水嶺，逐漸由西歐轉移至東南亞。在古巴事件以前，世界戰雲在西柏林上空盪漾，世界局勢的中心在西歐，主角爲美國對蘇俄，核子戰爭大有一觸即發之勢。自古巴事件告一段落後，蘇俄改採和平共存政策，赫魯雪夫從前曾說過一百次以上的，以若干原子彈即可埋葬某某國等等言詞，已不再見，柏林糾紛逐漸烟消雲散。繼以核子禁試條約簽字，『熱綫』建成，西歐緊張情勢，逐漸緩和，美蘇兩個劍拔弩張，岌岌不可終日之情況，逐漸鬆弛。世界各國因此無不引領慶幸，大大的鬆了一口氣。不料一波甫平，一波再起，西綫無戰事後，東綫忽又告警，遠東之東南亞問題卻代西柏林問題而起了。

中共在韓國受挫，台海戰役失敗之後，積極南進，對於東南亞採取滲透顛覆戰略，直接與美國發生正面衝突。現在世界局勢之焦點已由西歐轉移至東南亞，戰雲已由西柏林轉移至越南，主角已由美國對蘇俄轉移至美國對中共，核子戰事之危機雖已減少，韓戰式之傳統戰爭，則有隨時發生之虞。今後越南之前途如何？對於遠東之安危，美國圍堵政策之成敗，蘇俄中共之團結與分裂，中共擴張政策之前進與龜縮；以及中國反攻聖戰之能否實現，均有關係，影響重大，舉世注視。茲特就蘇俄中共對於越戰態度予以分析，以覘越局之前途。

一、蘇俄不會捲入越戰

現在世界局勢之樞紐，盡人皆知，係握於核子國家之手，即美俄英法四國。法國核子勢力尚在萌芽時代，無足重輕，尚難問鼎世界問題，美國核子勢力居於壓倒優勢，英國又與美國進退一致，一切惟美國之馬首是瞻，美國遂巍然執世界之牛耳。蘇俄核子實力雖居劣勢，但長程飛彈威力鉅大，中程飛彈數量較多，其聲言可毀滅西歐，埋葬美國之實力，亦屬不能輕視，美國對於共產集團國家之一舉一動，均不能不顧慮蘇俄之意志與顏色。因此現在如談越南問題，首須研究美俄兩國之關係演變，主要者爲蘇俄對於越戰有無居然干預之可能。對此問題之答復，筆者採取否定之看法，認爲決不可能。其理由爲美國核子實力強大，可以報復戰略答覆蘇俄之挑釁。美國現有（一）擎天神與太陽神飛彈二三〇枚，所携核子彈頭爲二千萬噸級，每枚威力相當於黃色炸藥二億噸，大於轟炸廣島的核彈一千倍。（二）北極星潛艇二十五艘，裝載四百枚北極星飛彈，每一飛彈，均有一百萬噸黃色炸藥之威力，足能毀滅一百萬以上人口之城市。（三）八〇〇枚義勇兵飛彈，時速一萬六千里，彈頭亦爲一百萬噸級。（四）一一〇〇架核子轟炸機，其中有六三〇架B五二超級堡壘，可載五千萬噸級核子彈頭及兩枚可射及距飛機五百英里目標的獵犬式飛彈。加以美國長程飛彈正在逐日增加，義勇兵飛彈自六十四年一月起每日可生產一倍，北極星潛艇每月可加一艘，預計義勇兵飛彈不久即可達到一千五百枚，北極星潛艇，至一九六七年可達到四十一艘。不僅如此，在蘇俄週圍之美國海空基地，星羅棋布，在遠東有阿拉斯加，阿留申，日本，可毀滅西比利亞。在中東有巴基斯坦，伊朗，阿拉伯，土耳其，可毀中亞細亞及烏拉山區。在南歐有希臘，義大利，西班牙，可以毀滅烏克蘭及俄國西部。在西歐有西德，英國，法國可毀滅蘇俄中部及北部。在北方有丹麥，挪威，芬蘭，冰島，加拿大，可毀滅蘇俄北極海岸及中部。現在美國總統一按電紐，美國一千個以上之核子飛彈，於三十分鐘內，即可使蘇俄成爲焦土，一億數千萬人口慘被消滅。南越局勢對於美國爲圍堵政策成功失敗之戰，保持遠東美國軍事地位之戰，保障東亞和平之戰，非勝利不能下台，蘇俄對此則並無生死存亡之重大關係，且鞭長莫及，其不會冒核子戰爭之危險干預越戰，實屬顯而易見。

二、中共不敢干預越戰

中共假如干預越戰，在地理形勢上當然居於優勢，但最後美國必將使用核子武器，中共雖聲言不懼核子威脅，但其所恃者僅爲三百萬陸軍與一千二百萬民兵，弱點實在太多：①陸軍兵力，不能集中。中共大部份兵力，部在廣東福建沿海一帶，第一綫約五十萬，第二綫約三十萬爲防備國軍反攻，不能抽調。另在西藏印度邊境駐屯有約三十萬兵力，在新疆東北邊境，各有三十萬軍隊布防，亦不能調動。據美國五角大廈估計，中共在越南可用之兵，因種種限制最多不會超過二十至三十萬人，加以裝備陳舊，雖配有俄裝P—三四式坦克與自動砲，但其他重武器與重裝備甚爲缺乏。空軍僅有二千五百餘架，但缺乏零件與燃料，作戰能力極爲有限。在美國空軍攻擊之下，可一舉予以掃蕩。大兵團在前綫作戰而缺乏空軍掩護，根本不能發揮攻擊能力。②民兵不能出境作戰。中共民兵人數雖多，既無作戰能力，又無作戰經驗，守衛游擊，尚有用處，出境作戰，等於送死。③軍需基地無法倖存。中共軍需基地，空防幾等於零，美國對於越戰現採「遇有攻擊即予還擊」政策，中共軍需基地以及工業中心，在美國空軍壓倒優勢轟炸之下，無一處可以倖存。④運輸能力薄弱。中共對於北越運輸可以運用者，僅有鐵道一綫公路二條，在美國空軍晝夜轟炸之下，必將裂腸寸斷，不能運用，大兵團在前綫作戰而無大量軍需品源源接濟，安能繼續。

（下轉第二版）

四出生事

相形見拙

今日與明日

錫蘭大選揭曉

錫蘭大選已經揭曉，反共的聯合國民黨已獲大勝，在議會一百五十七席中，得到了六十幾個席次，雖然尚未過半數，但是同其他反共黨派聯合起來，組織一個新政府已不成問題。這是亞洲一大喜訊，東非蒲隆地政府驅逐毛匪僞政權「大使館」全體人員離境，都是人心轉變的一大關鍵，其重要性尤甚於美軍在南越施放催淚瓦斯。

自從二次大戰後出了一個無壞不壞的尼赫魯，從此天下大亂，一九五五年尼赫魯一手導演的萬隆會議，把中立幫帶進國際場合，並從中加以最惡劣的，於是原來反共的轉向中立，中立的改而親共，堅強不屈的反共政權則被推翻；萬隆會議時兩個最堅強的反共國家是伊拉克與錫蘭，會議開過之後，伊拉克第三年發生政變，國王首相被殺，出席萬隆會議的代表團長賈瑪利被囚，錫蘭則在毛共策動，尼赫魯從中協助下，在一次大選中反共人士失去了政權，當時的首相也就是出席亞非會議的代表團長柯特拉瓦拉，所領導的聯合國民黨一敗塗地，在野已達八年。在這八年中，錫蘭繼任總理班達倫乃克被刺死，由其夫人繼任，政策一味左傾，所推行的政令與共黨已相差無幾，內閣中充滿共黨份子。假若說共黨可以通過議會奪取政權的話，錫蘭可能性要算最大。在這次大選時，毛共用了全力策動，由輪船上運去幾千套僧衣，準備人化裝僧侶去投票，用心不爲不細，結果還是失敗了，親共的政黨自由黨只得了三十六席。錫蘭反共黨派的勝利，是亞人民的覺醒，尼赫魯傳播的中立主義毒素，已隨他焚骨揚灰之後，而吹得無影無蹤。

毛共大罵俄共

毛共人民日報又對俄共提出惡罵，這次語氣之凌厲，似乎爲以前所未有。毛共究竟何所恃，實在是一個難解的謎。目前有一點可以看出，毛共對赫魯曉夫雖然恨之刺骨，但畢竟還有三分畏懼，而對目前的蘇俄黨政當局，則根本看不在眼內，所以肆無忌憚的罵。當然毛共也明白俄共不會眞的向它低頭，廢棄赫魯曉夫訂下的外交政策，但是毛共總以爲這樣罵法可使俄共出醜，在世界共黨面前失去威信，漸漸由多數變成少數。

自從赫魯曉夫倒台後，俄共現當局確實想同毛共避免明爭，寧可暗鬥。毛共也看準這一點，才大聲疾呼一定要公開論戰，停一天也不成。俄共在這種情形下，勢必要起而應戰。看情形馬上又有連台好戲看，只是自由世界如何把握此種形勢，到也值得深思。（何如）

自由談

劃清敵我界限

馬五先生

來自西貢的官方消息，越南當局曾把當地一些主張跟越共和談的首要人士遞解到北越去了，善哉善哉！

這類「和平」份子如果是越共滲透過來的間諜，固無所謂，送他們回老家去，他們還可以受到越共舉行「慶功宴」的殊遇，名利雙收。如果是所謂「前進份子」或「民主人士」，那末，讓他們到共區去享受「前進」與「民主」生活，亦屬求仁得仁，妥當之至。尤其是那些掮着出世主義的佛教徒首領，常在自由地區干涉政治，捲入政變漩渦，動則聚衆示威，反對政府行政首長，視同家常便飯，更應該教他們到越共統治區域，一顯「政治和尚」的身手。所以，越南當局這項措施，允符民主原則，不但未可厚非，而且值得喝彩！

十六、七年前，毛共在中國釀亂不已，終於竊據了大陸，僭制稱尊，主要原因就是得力於對敵人施展「政治瓦解」魔術，而以一般所謂「民主人士」的和平運動爲首功。當時中華民國政府如其毅然決然的把這些「和平運動」的重要份子，一律遞解到毛共區或去，不許他們潛伏自由地區假藉民主護符，爲共作倀，從事「政治瓦解」的活動，毛共當不致那末容易的能夠竊據中國大陸吧？很顯著的事證，假使中華民國政府移到台灣後，若非一面積極清除共諜，不稍寬假，同時消極的實行出入境限制，台灣或許早已變色了。越南當局鑑於中華民國政府的覆轍，作此曲突徙薪的斷然處置，可謂明智之舉。如能不受外來的無理干涉，貫徹到底，莫再給共諜和其同路人以庇護所，越南反共前途是樂觀的。

或許有人認爲這是不民主的措施，殊有未合。實則這是危害國策的「叛亂」行爲，決不能藉民主自由之說來卸責脫罪的。因此，中華民國政府對於現時在輦轂之下，公然以文字倡說將來總有一天要跟毛共聯盟以抗俄，又宣稱共黨只要謀財而不害命，放火而不殺人，即可以跟他們和平共處的這類妄人，也不妨用飛機把他投送到大陸上的毛共區域去，以遏亂源，而袪後患。前事不忘，後事之師，這類邪說皮詞，如果聽其隨便傳播，搖惑人心，爲禍將不堪設想，杜漸防微，我們不能一誤再誤了！

學生集體旅行的慘案

——發生在台北陽明山上　學校當局有疏忽責任——

（本報台北通訊）本月廿日台北陽明山上發生的桃園永安國民學校學生旅行團車禍，當場死亡男女生廿九人，傷者九十餘人，日來還有傷重不治而死的四人，殷驚還遲，尚在辦理善後之中。這是繼去年枋寮學生集體旅行在宜蘭海邊溺斃多名的第二大慘案，各方面人士莫不關心，蔣總統亦甚注意，曾飭有關機關徹查肇禍原因。然該車司機因重傷在醫院救治中，而卡車從高崖翻墜地下後，亦已破碎不堪，難於檢查了。究竟肇禍的真實情況如何，一時無從判定，最重要是防止今後不再發生同樣慘事。

據記者調查所得，台灣各小學校集體旅行一事，多屬強制性，學生如不參加，就要扣分，且有以集體旅行爲考試總平均分數中的重要成績者。如在這次車禍中喪生的葉斯琳兄妹的父親葉倫鏡即說：「他們學校雖說由自參加，但又聲明不去的便要扣分，所以孩子們天天吵着要去。」因此，學生們皆不得不參預其役，尤其是遠足旅行，幸學子更要樂於從事。旅行的費用亦由學生分擔，至少亦需三十元台幣，連同個人在遠足旅行中的食品和其他各項零用，每人非消耗百元上下不可，家長們有錢的固不在乎，但一般在農村裏以耕種營生，或在地方自治機構幹低級職務的小公務員，頗感意外負担之苦，加沒法教孩子們不去參加。既屬遠足，跋山之處，而人數衆多，安全問題就不容易照顧周到，如去年在宜蘭地方發生的帆船翻沉，溺斃學生慘事，即其明證。集體旅行并非壞事，固不宜懸爲厲禁，若要防止意外的慘劇發生，首先須責成校長担負着策畫安全問題的責任。次爲選擇旅行地點，不宜太遠，且以儘量避免大車登山，或乘小舟涉水這類帶有危險性的行動。如有藉着旅行的名義而向學生歛財的情事，更宜從嚴究辦，決不姑寬。這樣或許可望消彌不幸事件之產生。

桃園縣永安國校這次旅行陽明山的車輛，是僱用當地一家民營汽車公司——大陸公司——的大卡車，車上擠着一百多名的男女學生和教師，有若沙丁魚，站立着沒有座位的不少，汽車從高坡翻到滿佈着鵝卵石的地面後，死傷的人就格外多了，這便是學校當局對安全問題未注意，不能逃避責任的。死難情形最慘的，即是上述葉倫鏡的四個兒女，當這四具小屍體運回家中排列在地之際，舉家人圍在屍旁痛哭失聲，雖鐵石人見着，亦沒有不大灑其同情之淚的。現在大陸汽車公司爲撫卹死難家屬，須支付百餘萬元金錢，將來尚否須担當某種刑事責任，尚不可知。目前善後問題猶屬次要，嚴密防範今後類似事情之發生，實係根本大計，這就要看主管學校教育的行政機關，如何恪盡職責了。（三月廿二日浩然於台北）

臺南市土木課長缺

有好幾人競相逐鹿

（本報台南航訊）台南市建設局土木課課長林錫山，據聞決定掛冠，已數日未上班，使土木課形成群龍無首之真空狀態，而亦因此，各顯神通之中。另聞市長葉廷珪已心裏有數，但尚未明白宣佈云云。按：市府建設局土木課長，向被一般人許爲大肥缺，故自前任市長辛文炳登台後，爭奪此一職，便有好幾個人，終由辛文炳選定林錫山充任。林錫山在職期內，亦碌碌能盡忠職守，頗獲口碑。但自去年縣市長選舉，葉廷珪東山復起，再度做了台南市長後，爲安插其助選功臣，煞費腦筋，且以粥少僧多，殊感不能一一錄用也。目前，功臣們雖經大部份獲得枝棲，進入市府及各附屬機構，但尚無着落者，仍不乏其人。因之土木課長之位，便成彼此想望之目標。據說：林錫山之所以決定掛冠，就是鑒於時移勢易，遲早難免下台所使然。

自林錫山未上班後，消息傳來，逐鹿此職位者計有現任南區區公所職員之前任土木課長紀頁臣，現任該課技士之陳宗乾與黃春生等。同時謠傳甚盛，如謂代價甚高之類。又據說辛文炳其實心裏有數，早有預定之安排，惟亦可能臨時看情形決定。總之爭奪甚烈，非到最後公開宣佈，難以預測誰是勝利者。故亦很使各方面注意。

屏東縣立東港中學

新科學館落成啓用

（本報記者屏東航訊）屏東縣立東港中學新建科學館業已落成啓用，記者在偶然的機會作了一次實地參觀，承校長龔明教親自陪同，并邊看邊向記者詳細敘述該科學館籌建經過及內部設備等情形，使記者獲得頗爲深刻的印象。

屏東有四所縣立中學，計爲東港中學，長治中學，內埔中學及恒春中學，且均屬完全中學。就中東港中學係於民國十一年創辦，長治中學係於民國廿六年創辦，內埔中學係於民國廿五年創辦，恒春中學則是民國卅四年始創辦的。在各校奉准設高中部的時間，分別爲東港是民國四十二年，恒春是民國四十四年，長治與內埔是民國四十六年及四十七年，故四校裏面，東港中學是資格最老的。即就班級的數量比較，東港中學亦以擁有卅六班居首位。東港中學設有琉球、枋寮兩分部，教職員計達一百十三人，在校學生總數超過一千八百人。

東港中學新建的四層樓科學館，面積一、四二九、四八平方公尺（約四二五坪）；工程費土木部份一、〇三六、〇〇〇元，由高雄市昌生營造廠承辦；水電部份一〇一、〇〇〇元，由高雄市萬隆水電工程行承辦；並另由校方供給水泥六、四〇〇袋，總工程費新台幣壹百肆拾餘萬元。該館於民國五十三年六月中旬招標興建，迄本年二月底完工，歷時凡八個半月。該館內部計分設化學、博物學實驗教室各二間，物理、視聽、天文、地理等教室各一間，其他尚有辦公室、各科研究室、儀器標本模型陳列室、放映室、播音室、浴室、廁所及研究台、陳列台等設備。這在台省的縣立中學裏，是罕見的現代化建築。

據校長龔明教語記者：該校此一新建的科學館，經各種方式估價後所擬定的工程底價，是新台幣壹百捌拾陸萬柒千五百四十六元，但因該校這次採用通訊分別招標方式，結果僅以新台幣壹百肆拾餘萬元，便完成了這座四層樓宇科學館的建造。此一經過，不僅說明龔校長辦事認眞，頗有足多，加以今天台省不少工程招標，正如衆所週知，由於「圍標」與「回扣」的作祟，工程費每每要超過實際市價二成以上，不僅徒損公帑，且亦在加增社會風氣敗壞方面，「功不可沒」。東港中學這一次却創造了一項紀錄，故亦倍加值得珍視。但不知亦能收風行草偃的功效否？（袁文德）

一個永念着的老師

——憶台大教授王伯琦先生——

陸嘯釗

那天，我們談得很多，他要我在法理上多下點工夫，他認爲法律專修科是比較着重實務的（以後法律專修科改爲法律系的司法組），我既然轉進了法律系（原來的法律系以後改爲法律系的法學組），就應當注重一些法律哲學和一般性的法學理論，言下之意，似乎對我參加高檢，並不贊成。他說：「法律這門科學，跟其他各門的社會科學都是息息相關的，單純從法律着手，以法律的眼光，去衡量一切社會現象，多少會犯了本位主義的毛病，這樣不僅會流於機械法治，而且很難獲得適合社會的普遍正義。」

先生的身體一直很壞，講課之際常常咳嗽不已，同學們大部份都知道他患有肺病，可並不知道他病得竟是如此嚴重，因爲他從不缺課，更不曾遲到早退，當時有誰知道他竟爲了我們的學業而犧牲了自己的健康！

民國四十五年，我正唸大三，同學輾轉相告，知道伯琦先生病情轉劇，已經住院治療，並動胸腔手術，我和同學們一齊去台大醫院看他，他絲毫不以疾病爲苦，復勉同學們一齊去台大醫院着他，他絲毫不以疾症爲苦，復勉同學們應以學業爲重，出院後，我們曾勸他休息一個時期，可是先生仍復照常授課，和青年學子晤對一堂，釋疑解惑，絲毫不怕煩累，反而認爲可藉此排除病魔纏繞的痛苦。

那時，我已經沒有先生的課了，不過爲了準備畢業論文，我還是經常去麻煩他，我的畢業論文「不當得利的研究」是選伯琦先生指導的，不論是資料的搜集整理，抑或法理闡釋，都給了我很多的指示。基於這一段期間的請益領教，我對先生有了更多的了解，先生不僅是一位卓越的教育家和法學理論家，更是一位法治建設的熱誠擁護者，先生平時對法律哲學致力甚深，他的思想比較接近於近代的自然法學派，他認爲中國法治如欲納入正規，一定要放棄那些傳統的直覺的道德觀，改從培養理性方面多用工夫，唯有這樣才能深切體驗到社會的現實秩序，更進一步經由概念邏輯一途，去迎接眞理和正義。

四十七年七月我由台大畢業，候命應征入伍，八月先生二度入院治療，一直到四十八年七月離院！在醫院裏足足就了將近一年光景，四十九年四月我自軍中退役後赴台北母校探望伯琦先生，他他氣色很好，身體也較前大佳，那天他心情很高興，說話也較多，太概是痼疾已除的緣故，以後我因爲生活，也就失去跟先生聯繫了。

五十年三月二十二日閱報，知先生舊疾復發在前一天下午不幸逝世，當時我爲這個突然的消息，感到極其震悼。先生一生從事學術工作，最後終以他的生命，獻身給他畢生所從事工作崗位上，實在可以說得上是死得其所了。事後據先生的家人說，在逝世前半個月，先生吐血的舊疾已經復發，可是先生總以同學學業爲重，勉強授課，直到臨終前兩天，體力顯然不能支持，方才勉強答應由家人來校告假，然而救治已來不及了。到今天爲止，先生已經逝世四年了，可是，先生這種遇事負責認眞，甘爲教育而犧牲的精神，將永爲我們懷念和效法。

王伯琦先生生前很少談到他的生平，現在就我所知的，作一個簡單的介紹：

宣統登位那年的農曆十月十七日先生在江蘇宜興縣的老家，在家鄉讀完小學以後，就到上海讀書，中學畢業於上海民主中學，隨即攷取了東吳大學，攻讀法律。民國二十年先生大學畢業後，留學法國巴黎大學，且獲得法學博士學位。民國二十五年春返國後，一直從事教育工作。先後執教於雲南大學，浙江大學，中山大學和台灣大學，中間做過兩次官，勝利後在教育部供職過一段時期，三十九年秋來台後，爲林彬先生羅致，與韓忠謨先生一起服務於司法行政部，極具政聲。先生生平沒有什麼嗜好，祇好讀書，在台大授課之餘，就埋頭著作，對於法學理論的闡發，有很多創見，他所寫的民法債編總論和民法總則，很能推陳出新。其他著作問世的有近代法律思潮與中國固有文化及權利相對論等。（下）

從蘇俄中共對越態度看越局前途

（上接第一版）

中共先不願其核子裝置受蘇俄之控制，以致決裂於前，繼又自製核子，不甘託庇於俄核子傘，採取與和平共存相反之路綫於後，並與蘇俄爭奪領導權。蘇俄之野心，現仍極力設法若揭。法籌企圖開國際會議，排斥中共於國際之外，產國際決拒絕中共要求，又堅決放棄和平共存作爲代價之提議，對於團結問題，中共雖施用種種詭計，如予越南以轟炸北越，激怒美國何錫金以難堪，在利用學生搗亂莫斯科美使館，陰謀使美俄關係惡化，但蘇俄仍以鎮靜之處和談建議，並對英法之反對，予以冒其險，在於使中共丟臉顯，中共撐其腰下。水而並非爲世界，日報十二日說：「西德與美利，俄對越南的作法，害是一致的。」從可知蘇俄必將對於中共，越戰隔岸觀火，預不會予以經濟援助，軍隊如無蘇俄援助中共，陸軍裝備無法補充，空軍零件無法補給，對於美國原子彈，屬無法抵禦，勝負之數，無待詞費。

中共現在對於越南問題，大事叫囂，並在國內舉行數十萬人之大遊行示威，稱支援越共，實係裝腔作勢，虛聲恫嚇，其目的在於欺騙北越，使其僅爲中共之犧牲品，決不敢取火中栗，自取滅亡。

三、越南前途可以樂觀

越南前途如何，不特關係東南亞存亡，並影響美國在遠東之地位，已如前述。越南不成，東南亞一敗塗地，泰國、寮國、馬來西亞等國均將相繼淪亡，而美國在遠東之前衞，瞬將退至關島，數十年來夏威夷與西雅圖，杜魯門、艾森豪、甘迺迪所堅持之世界戰略——圍堵政策，提防一往潰決，以及美國之威信在遠東與世界之地位，亦均將宣告破產，不可收拾。現在蘇俄既不願捲入漩渦，中共又不敢干預越戰，美國自可採取堅決態度，徹底消滅越共之越南游擊隊，藉以達到其保障越南獨立之目的。越共在越南之游擊隊雖號稱十餘萬人，實際上祇有三四萬，合雜牌計之，亦不過七八萬人，如能以連續轟炸北越之方法，壓迫北越促令越共由越南撤退最好，不過，否則以越南四十餘萬人之兵力，輔以美國海空軍大力之支持，祇須斷絕其軍需人力之補給線，不出一年，即可勝利予以消滅。在戰場上失敗者，決無在和平談判桌上勝利之理，俄以不顏面上之刺激，不作合理之留情，予越共以無情之打擊，使其覺悟侵略無利益，可能始然後越南開始和談，會議桌上採取主動，越局最後勝利，將屬於自由世界，可以燭照龜卜，無置疑。

由天地萬物到人

——新道統的宇宙論

（論道統第五章）

陳健夫

但我深深體認，發覺宇宙中確有此存在，而且我已確知世上萬有及我們人身，皆從此未知者而來。這個我稱之為「眞元」，乃實有至高者之存在，可說是我們人類的大父母。

宗教上講神，及神的神蹟，皆未能超乎時空，總是就世間現相而說法，未能說到眞元的眞實處，佛家的「名色」，也是指時間空間流變的現象而說，未能接觸到此眞元處。所以中外古今的哲學家，宗教家，皆不免玄虛其說，不免有些捕風捉影，若有若無，甚至如世俗的話語，什麼「信者有，不信者無」，皆未能體認到此眞元的存在：是眞實不假的。

此一眞元間，才是宇宙本體，萬物始源，超乎時空，而為人類絕對生命的歸宿。因此，我發現此宇宙不限時間空間，而另有一眞元間，為造物者之所在，永生之境。

原來宇宙間自太初之世即有此絕對的眞元間之存在，此眞元，在宇宙為絕對眞理，在人生則為絕對生命，老子的「道生一，一生二，二生三，三生萬物」，這個「道」「一」便是絕對的眞元，二與三則是時間空間相對的運動發展，故相對而生，生生不息，以成萬物。此即是說明了眞元通過了時空的相對運動乃生萬物。老子在隱約中體認到此眞元——道，但尙不夠具體，故含糊其詞稱之曰「道」。

宇宙三間論成立，則不論宇宙，人生若干奧理，均不難從此求得瞭解，吾人對造物者的秘密，即可作進一程的研究，耶教稱眞神，佛稱為涅槃，儒稱為良知，皆近似之，但尙未說到此眞處，有點隔靴搔癢，只不夠眞切。王陽明已將要體認到此眞處，也未徹上徹下得到全體認識，故仍說不出所以然，只是說個致良知，心即理，也相近佛陀的從心理學上說法。

這個眞元，便是宇宙究竟及人生第一原因，不在時空流變之內，而另有其超越自然的境界，為宇宙萬有的主宰。一切時空流轉相對而動，皆由此本體的原動力而發生，如無此本體，則無時無空，不能成陰陽，不能生運動，萬類不能活動。我們人類對此奧妙無時無空，實在無時無空，則無有此世界，無有人類。眞元實為吾人身體之所出。故吾人探討宇宙人生眞理，儘管佛說「因緣」，耶說「上帝」，儒稱「天」或「良知」，多不詳其說；但吾人究竟應得此究竟義，入無上境界，方可明此宇宙人生的究竟，徹上徹下貫通全體。

耶稱上帝而不詳，孔子不言性與天通，佛陀輒稱「無記」「無記」」。因三家或為救主，或為教主，日夕以行道救世為務，尙未不趣涅槃者，佛陀以「非梵行本，」孔子則「未能事人，焉能事鬼，未知生，焉知死，」皆對此事宇宙眞元至高者的存在，採保留存查態度，未加深究。但我今日則深深的認定此等大源大本如不獲體認，則終不能了生死，解脫人生在時空流變中所受的痛苦。人痛苦則呼天叫地，稱日父母，怎可不認識這個眞正創造萬物及人類的父母呢？以往，我對這等問題也認為是玄理，莫可究詰，由他信教者，尊之為上帝，信佛者奉之為佛，論學者目之為絕對生命、或絕對理性，未及作究竟深入的思考，心中也只好「無記」「無記」。但我因研究人類文化與人生哲理，分析體認極眞極微，但發展到人生究竟處，則不得解答。因之，總是存疑在心，設想衝破這「無記」之神秘門去發現一個更高境界的眞理。於是有一天，在一九六〇年正月十七日的半夜子時忽然在心中體認到此宇宙中確有此眞元之存在。我此時所體認到的眞元，已不是像宗教上那種神秘不明的神佛，而是可思而得，可推而求，可悟而見，可感而通，可行而致的一種超乎自然至高境界，這當中殊無神秘玄虛的意思，乃實有其存在。我實際上已發現此宇宙主宰的眞元，只差我今天不能請它出來作證吧了！但諸君如慢慢的去思考，也終會有一天發覺此至高者的眞實存在，而為我作證。（五）

岳武穆祠墓遺蹟小考

李

岳武穆王廟在朱仙鎭西北，係明成化二十二年，改鎭內二關帝廟之一創建。查朱仙鎭係岳王建功班師之處，岳王被害後，其地項香鎭愉泣留不得之遺民，因念其功而憫其死，相率為廟私祀，金人因未之知；以地非宋有，故孝宗復官賜諡時亦未命祀。歷金及元，廟遂湮沒，泯無遺址，春秋社會，惟設位以祭。

明成化二十一年，河南左布政使吳節有二關帝廟，因商諸父老，鎭內有二之一，撤其一改祀者以祀岳王廟。明年告成，胡諡為之記，其中有一段曰：「成化戊戌夏四月，今河南左布政使吳公節方為右參政，嘗行部過焉，詢得其地有關義，武安王廟二，召鎭之父老謀曰，以其一改為岳王廟。父老咸曰：是所願也。吳公為指材鳩工，暨百需，以庚子秋九月撤關王廟之就圯者，中建鼎屋四楹，前豎門樓一座，翼以左右兩廊各四楹，肖像其中，扁曰岳武穆鄂王之廟，傍列部將張憲、子雲以配，明年春三月落成。」

可覘當日廟貌之梗概。厥後有明一代，屢加葺治，並事拓展，穹碑俱在，尙可覆按。至於清代何時修理，已屬無可稽考。現廟已無所有，僅留破屋而已，廟貌觀察，頗極瑰麗宏偉，計前為牌坊一座，內為大門五楹，進為正殿五楹，再進為寢殿五楹，兩傍翼以廊房；正殿右側並有鐘鼓樓一座，現牌坊已改建平屋四楹，且門向內開，須從邊門出入。當年廊房及鐘鼓樓均已傾圯，惟大門正殿及寢殿尙存，然亦殘破不堪，空無所有。正殿中庭樹有穹碑五座，四為明代重修碑記，一為創建鐘鼓樓記。就中之二，其碑陰並勒有岳王手書送紫岩張先生北伐詩及紀念錄書及岳王所作滿江紅詞，此其為岳王之證據。大門旁有憑弔詩石刻二方。爰斟明清人題朱仙鎭岳王廟詩如次：

萬古關河淚，孤村日暮笳。向來戎馬地，辛苦為中華。
宋墓莽寂，岳宮今在茲。風露留桂柏，陰雨見旌旗。
百戰迴戈日，中原左衽時。土人嚴伏臘，偏護向南枝。
李夢陽

突突朱仙鎭，荒荒白日陰。金戈百戰地，暮雨宮殿深。
風雨靈旗暗，冉青古廟心。階前有勁柏，每夜作龍吟。
沈荃

古廟飛沙白日陰，古墩殘樹濶河深。
金牌痛哭班師入，鐵馬驅馳報主心。
入夜松杉霜露宿，有時風雨戰場猶傍柳。
經行墨客還詞賦，南北淒涼自古今。
李夢陽

（二）

漢文，漢字，漢學

陳曼卿

秦併六國（元前二二一）而有周之天下。因六國文字的衍形變異，支濫滂什，又譌別簡率，奇詭難識，我們從史記「李斯傳」裏可以見到全部的眞像：

「古者，天下散亂，莫能相一，是以諸侯並作，語皆道古以害今，飾虛言以亂實。人善其所私學，以非上所建立，今陛下幷有天下，辨黑白而定一尊，而私學乃相與非法敎之制。」

這是說明，戰國末年學術的眞實性，就已經不大可靠了。因此李斯才在始皇三十四年（元前二一三）奏議：見始皇本紀：「臣請史官非秦紀皆燒之……天下敢有藏詩，書，百家語者。悉詣守尉雜燒之。令下三十日，不燒，黥為城旦……」制曰「可」。

而是說把從六國擄掠而來存在咸陽的「非秦紀」全部給燒了。「天下敢有藏詩，書，百家語」的。因這一道「制令」，也就遍地皆火了，陸陸續續地，要把它悉數燒光。

始皇在位直至三十七年，因出巡、道中崩於沙丘。二世是三年，合為七年。即使二世的三年不算，嬴政在位的那四年中，「焚書令」必是澈底執行的。而所沒有燒的，恐怕只有存在人們心上的，和腦海裏而沒有忘掉的了。就是獲得幸免，也是殘缺不完的啊？但也可能；部份史官或府庫吏卒負典守之責者。存點私心，都說不一定？

緊接着又是「坑儒」，將四百六十餘人活埋（或稱後將尸首坑在一起）當始皇大怒時又說：「吾前收天下書，不中用者，盡去之。」

這不僅是「詩，書，百家語」了。所有不中用，一概不存了！皇帝老官，這樣的搞法，其不燬也幾許？

秦之遍地皆火，這一燒遠勝過西周末犬戎之亂，實不啻可同日而語。犬戎之亂，是因褒姒周幽而厲王被逐，後來幽又被殺。然厲王被逐後還有宣王的「史籀」作篆，幽王死後，西周的史、祝、士、卜之官，還可以逃到各諸侯邦國（宗族）間去另起爐灶（再來）。雖是衍形變異或譌別簡率，總還有得對付有得看的遍地皆火，秦皇這一次有計劃的，使到一般讀書人就只有長期的安放在腦海裏和血肉的胸腔裏面了。但都還沒有絕種，硒後不過數年間逐漸又復興了，歷代的史家也是承認的。

漢初再次遭劫

秦統一天下，連同二世只不過十四五年。在元前二〇九年時，劉邦、陳勝、吳廣就揭竿起義了。當元前二〇三年楚霸王項籍到了咸陽，憤漢高之捷足先登，他的魯莽滅裂，又是一把大火！

史記項羽本紀：「項羽引兵，西屠咸陽，殺秦降王子嬰，燒秦宮室，三月不滅」。（二四）

動物農場

英George Orwell著

陳其芝譯

第三章 勞心用腦的豬同志

鳥雖然不能完全瞭解史諾柏的長篇大論，但是也接受了這種解釋。其他智力遲鈍的動物也開始用盡心智，把這句新的格言好好地記在心裏。在大穀倉的那頭，七誡的上面又加上「四足者善，二足者惡」八個更大的字。自從羊羣們能背得出這句銘言後，牠們非常喜愛這句話。常常躺在草地上，一遍又一遍地重覆著「四足者善，二足者惡」。就這麼幾個鐘頭的唸下去，一點兒也不感到厭倦。

拿破崙對於史諾柏所組的委員會並不感到興趣。牠以為教育年輕的一輩比教育成長的一輩更有意義，更有價值。恰巧在收穫季節之後，波比和吉士產出了九隻健壯的小狗，在牠們一開始斷奶時，拿破崙便把牠們從牠們母親懷中帶走，牠說牠負責牠們的教育問題。牠把牠們帶到一間工具室的頂閣上。那裏只有一個梯子可以進去。在那種與世隔絕的環境裏，牠們很快地也就被其他動物遺忘了。

對於牛奶神秘失蹤的去處，很快的也被發現了。原來它們每天都被混拌在豬食裏。早春的蘋果已經熟透了，果園裏到處飄溢着菓香與花香。動物們都以為牠們公平的分享果實是一樁理所當然的事。但是有一天牠們接到了通知，說所有被風吹落的果子都要收集起來，放到工具房中，以供豬來食用。雖然有動物在抱怨，可是却不起任何作用。這是所有的豬商定的協議，就連史諾柏和拿破崙也都同意了。斯奎勒被授命去解釋這項決議的說明。牠說：

「同志們！我希望大家不要把這個決議想成是豬同志的自私自利及專權獨霸！我們許多豬同志都不喜歡牛奶，亦不喜歡蘋果。就拿我自己來說吧，我就不喜愛吃這些東西，但我們食用這些食品的唯一目的是維持身體的健康。經由科學的證明，牛奶和蘋果是維持豬健康及發育的必備食物，因為我們豬都是勞心用腦的動物。整個農場的組織與管理仰仗著我們。我們不分晝夜的為你們的福利而勞心費神。完全是為着大家，我們豬同志才喝牛奶，吃蘋果的。你們知道，假使豬同志不能負起這個職責的後果嗎？鍾士先生會回來的。不錯，鍾士先生一定會回來的呀！同志們！」斯奎勒用幾乎是請願的聲音呼叫着，並不時的擺動着尾巴來回的躍着。「我相信你們之中，沒有誰會希望鍾士先生再回來吧！」

現在假使說動物們對這些話有什麼堅定的信念，那信念就是牠們不希望鍾士先生回來，只要這點被提出來，牠們不會再有什麼話可說了。維持豬健康的重要性是顯而易見的了！所以大家就一致同意把牛奶與蘋果都留起來給豬同志們去享用了。

第四章 人獸牛欄大會戰

動物農場所發生的一切事情，在這年深秋已傳遍了半個縣城。史諾柏和拿破崙每天都要派出幾組鴿子混到隣近農場的動物中去，向牠們報導變亂的故事，並且還敎牠們唱「英格蘭的動物。」

這段時間，鍾士先生大部分耗費在威靈頓的紅獅酒店裏，他向每一個進門的客人苦訴他被那麼一羣毫無用處的動物趕出農場的痛苦。客人也傾聽着這一件罕有的怪事。有些農人在原則上非常同情他們還私自的在猜臆着：鍾士先生的不幸遭遇，但在實際上却沒有給他多少幫助。在心裏，他們還私自的在猜臆着：鍾士先生的不幸是否會帶給自己一些利益！最接近「動物農場」的兩個莊園，彼此相處得極不融洽。狐木農場是一個大而古老，但欠缺管理的農場。農場上灌木叢生，野草遍地，連圍籬也都東倒西歪的疏於整理。場主是一個樂天知命的好好先生，他的時間大部分花在鈎魚，打獵上。（十一）

冒險犯難記

鄭文儀

那是共產黨與社會民主黨合作的一大政治陰謀，共產黨為要減輕江西圍剿的壓迫，尋覓與蘇俄連絡的海口，對福建十九路軍及社會民主黨人民政府的反抗中央政府計劃是主謀及策動者，他們想利用國民黨內部及國民黨與社會民主黨的矛盾，特別是十九路軍的叛變加上南昌後方的變亂，這都是共產黨政治鬥爭的最高手段。事實上在南昌，不論行營，省府及各機關學校團體，都有不少社會民主黨人滲透和活動，甚至行營參謀長秘書長的幕僚人員都有他們的份子，這是一個十分危險與困難的局勢。

調查課同仁經過很多次的密商，中華復興社在南昌的組織，更供給了不少的情報資料，我們發現在南昌有三百多人與福建方面有關係，是社會民主黨比較重要的份子，這些人的言論行動都曾經過秘密情報工作人員與復興社人員的調查及監視注意，認為如果中央或委員長決定要對福建事變採取軍事行動解決的方法，南昌後方的心腹之患，即社會民主黨的滲透顛覆組織與人員，必須事先採取有效行動，方可消弭後方變亂於無形，便利前方的軍事行動及不給共產黨以製造矛盾利用矛盾的機會。我對於這些情況與意見，經曾一個月的深思熟慮，研究要用什麼方法和技術方可解決這個大問題，終於得出了一個結論，就是要採取迅雷不及掩耳的秘密行動。

我在行動之前，我曾將各種情況簡單分析，並將與福建及社會民主黨有關係的比較重要的人員一百多人的名冊及紀錄，提出向委員長報告請示。委員長最初的指示說：將名冊送交熊參謀長兼省政府主席負責處理，因為其中有一大部份人是省府所屬機關學校的職員或教員。但參謀長沒有重視這個問題的嚴重性，或者是處置有困難有顧慮，經過一個多星期仍舊沒有下文。於是我又舊案重提向委員長請示要由調查課協同在南昌的憲兵營及復興社的同志採取行動，祇要把所有重要的社會民主黨份子加以逮捕訊問，予以警告處分，許其自首自新就夠了。委員長默許我們的工作，但囑咐不要輕易傷人及避免一切不必要的糾紛。這樣我就和上述有關係的幾位負責人，詳商行動的細節及行動以後的對策，準備立刻行動。

在九月中旬的一個週末的夜晚，我們採取了行動。我和憲兵營長劉煒同志及調查課與復興社南昌市的負責人，根據事前三日來的佈置及引導認識與執行逮捕人員的分組，決定在午夜過後行動。經過一番連繫與審查，在晚上兩點鐘開始行動。沒有驚動警察機關，但有少數的警察因係復興社的同志參加了行動組工作。（八九）

波羅毬運動（上）

周燕謀

「蹴鞠」乃足球，運動之濫觴，為中國所創始。「打毬」或「擊鞠」，是策馬杖擊；前者為脚上功夫，後者為馬上技能，而為波斯創始。本為絲毫不相混淆的兩種運動，可惜由於宋代以後之記載便已混淆不清，直到而今更令人莫明其妙了。

所謂「蹴」，踢也。孟子告子篇「蹴爾而與之」。注云，「蹴，踏也。」所謂「鞠」，以革為之，今謂之毬子。「打毬」，即「擊鞠」也。「鞠蹴」乃用脚踢毬，而不是用脚「打毬」。「打毬」或「擊鞠」，則策馬杖擊毬是也。此乃甚為顯明之分別。如今之足球與棒球之別也。

最重要之分別而尤有文獻之可徵者，則「擊鞠」又名「波羅毬」，波斯所創始

丁，西行而傳至君士坦丁堡，再東傳至土耳其斯坦，再由土耳其傳入中國，印度。波羅毬之戲，據向覺民氏「長安打毬小考」云：「波羅毬之戲，原為莫臥兒宮庭中的波羅毬戲。」（藏於柏林博物館。）

在中國唐代以後之載籍中所譯之名甚為繁夥，如「波羅」、「破羅」或「簸邏」，新舊唐書合抄卷土番中作「頗羅」。杜環「經行記」記「拔汗那國」中云：「拔汗那國，在恆羅斯南千里，國中有波羅林，下有「毬場」（此見馬端臨「文獻通考」「四裔」考十四疏勒國注引。）拔汗那為漢代之大宛。按波羅毬之波名為gui，唐代各波羅毬戲為「打毬」。毬之唐音為「渠幽」切。（此見向覺民「唐代打毬小考」文，載民國二十二年哈佛燕京出版之「唐代長安與西域文明」一書中。）

而波羅毬之傳入中國，約為唐太宗時代（公元六二七年至六四九年），「封演見聞錄」云「太宗常御安福門，謂侍臣曰：『聞西蕃人好打毬，比亦令習，會一度觀之。可見彼時西蕃人已善波羅毬之戲，而唐太宗尚令習此運動也。

波羅毬——鞠的製作，多由韌裹木而成。金史禮志記毬「毬狀小如拳，以輕韌木枵其中而朱之。」而毬之外表，塗以彩繪，十分美觀。唐武平一「幸梨園打毬應制詩」中云：「分標戲彩毬」。宋史禮志打毬條云：「內侍發金合，出朱漆毬」。明鍾惺「名媛詩」打毬作一首中云：「堅圓淨滑一流星」。可知「鞠」是很美觀的。

擊鞠戲之設備齊全，其盛況不亞於今日的球賽。有毬場，毬門，毬杖，毬網，有毬規，有裁判員，有計分員，有樂隊，每隊有隊長——朋頭各一人，對抗之毬員一百人或數十人不等，還有五彩繽紛的毬衣。在職位上有隊長隊員及門將等。在比賽方式上，有大打，小打之分；有男隊員也有女隊員等。

毬場，波羅毬戲為騎馬杖擊之劇烈運動，場地須平坦而廣闊。雖實際大小如何不可得而稽考，但從詩賦中可畧知其梗概。閻寬「溫湯御毬賦」云：「廣場惟新，掃除光淨；平望若砥，下看猶鏡。微露滴而必聞，纖塵飛而不映。」楊巨源「觀打毬有作」一詩云：「新掃毬場如砥平……杖底纖塵不敢生」云云，皆為當時毬場之眞實寫照。中宗紀云：「駙馬楊愼交灑油以築毬場。」達官貴人府中毬場也；長安宮城內有毬場，宮城北有毬場亭。但不知也還有室內毬場否。

清代麻雀

·資·

麻雀原是清代中葉官場的要樂工具之一。但那時的麻雀牌和現代者並不完全相同。當年沒有「東、南、西、北」，只有「春、夏、秋、冬」；沒有「紅中、發財」，只有「龍、鳳」；沒有「萬子」，只有「品子」——一萬……九萬稱為一品……九品。至於「筒子」、「索子」和「白板」，卻是古今相同的。

基隆名勝古蹟誌

·仲公·

海水浴場：舊名眞砂町，在中正二路濱海處。其地海灘平敞，海砂細軟，海浪輕柔、海風和煦，為北台灣第一消暑盛地。每到夏季，游人之多，在台省任何地方，都未可與之比擬。大約祇有每屆花朝前後，大家赴陽明山看櫻花那種鬧熱場面，殆為相似。該浴場約每年六月十五前後開放，至十月底結束。故每當火傘高張，常浴客如雲，亦正是基隆市上人車最為輻輳的時候。許多仕女，都由台中、新化各地趕來赴浴。尤其星期天和例假日，是海水浴場人潮達於最高潮時期，無論老少男女，妍醜貧富，都擠滿在寬闊平坦的砂灘上，浮沉於艷陽照澈的碧波間，各色各樣的游泳衣帽，五色發光的浮水器艇，像花蝴蝶般的散落在海灘上。無心的海鷗亦翱翔起舞，雜在人叢中，穿來穿去，好像一切都在向大自然爭奇鬥艷。有些人攜手踏浪，奔上沙灘，把身體擲在軟綿綿的沙堆裏，伸展四肢，面對碧落，盡情享受日光和空氣。有的男女倚偎在一頂漂亮的遮陽傘下，陶醉於浴場招待所內微風送來的悠揚樂聲裏，編織他們的綺思和幻夢。有的游得筋疲力倦，跑向自來水龍頭，冲洗滿身的鹹水，再走入冷飲室去休息。有的一不小心，無意中喝進了幾口腥鹹的海水，在喉管咯咯欲嘔。這一幅無限歡樂的海浴風情畫，眞是有聲有色，再美也沒有的了。

這個海水浴場，宣統年間開闢，迄今已有五十六年的歷史。浴場右側是法國大將孤拔的墳園為鄰，左鄰是我們的民族英雄墓，它好像似一個紆羅仙子了，左擁浮邱袖，右拍洪崖肩，一到夏季，愈益顯出她無限的嫵媚和美麗。基隆要算這一帶景色特幽，山青水秀，風光旖旎，特別宜人。

旭岡：亦在中正二路右側，係一帶較高的山嶺，現留有巡撫劉銘傳建築砲台遺址，俯瞰海港，銀濤萬頃，盡入眼簾。與西岸仙洞白塔，遙遙拱對，極得形勢。如黎明前在旭岡候日出，可看到一幅極絢爛的畫圖：初見東方一綫陽光穿過叢林，徐徐上昇，放出萬丈金光，絢爛奪目；未幾，一輪紅日，湧現眼前。因這晨曦是出在海東盡頭，好像水淋淋，剛纔經過海水浴似的，其景眞令人驚歎叫絕。殆與泰山觀日，同一妙境。故名旭岡。

靈泉寺：在月眉山，離市區約十華里。由東明路上山，遙邈走完一段頗為崎嶇的山頭，即可到達。如果乘宜蘭綫火車，在四腳亭下車（市內亦有公共汽車直駛四腳亭），再步行前往，路途平坦，便利殊多。該寺為台省曹洞宗之總本山寺，地勢高敞，梵宇宏麗，為基隆附近首屈一指之古剎。殿堂結構，都仿大陸形勢。中棟大雄寶殿，尤為莊嚴宏大。四周峯巒環繞，古木參天，寺內幽邃靜雅，脫盡塵俗，遊其中者，令人倏然動出世之想。這倒是基隆近郊一處不可多得的名勝。如能大加培修，當更能吸引觀光遊客。（五）

楊貴妃

——「影劇與歷史」之二

周遊

玄宗回來長安，眼見京師危急，偕同百官、李氏皇族、楊氏門宗全部老小，向四川避難去了。可是這種逃退，唐朝的將士們感到憤怒了，六軍行抵馬嵬坡，士卒大譁，拒絕前進。認為此次國難造成，應以楊國忠為罪魁禍首，必須將楊國忠治以應得之罪。禁軍大將陳玄禮知軍心已憤，必須疏導，否則將不堪設想；乃將此事請示太子，太子不敢決。而楊氏妻妾、姊妹，均已分別處死。此時貴妃已感到恐慌，暗自傷懷。尤以玄宗年邁蒼蒼，遭到兵荒馬亂，命在旦夕，貴妃何能奉侍在側，亦感黯然。

楊國忠伏誅以後，情勢仍未見好轉，大軍不前，旌擾攘。陳玄禮與京兆司錄韋諤代表六軍，請玄宗「割恩正法」，玄宗出殿（佛殿），倚門傾首而立。前軍鼓噪，齊嚷國忠雖已伏誅，禍根尚在；根本不除，天下永無寧日。玄宗躊躇落淚，江山與美人孰重，頗費考驗。最後高力士說話了，請玄宗處決貴妃以保自己。玄宗聽罷，老淚縱橫。貴妃見情形不妙，不待高力士傳旨，自動步出殿前，衆將士鼓噪尤甚。高力士捧綾帛上前，對貴妃說道：請娘娘後殿接旨。那裏是「接旨」，正是「接死」！七尺紅綾賜貴妃，這是唐明皇最後的賜給！一代絕世佳人，魂歸離恨天了。

經過一場暴風雨之後，一千唐朝君臣，逃到四川過了一個避難時期，等到郭子儀、李光弼打敗了安祿山之後，他們浩浩蕩蕩回到長安。途次馬嵬坡那個傷心所在，明皇悲痛不已。顧念舊情，尤不免老淚縱橫。眼見一坏黃土，勾起了一陣哀思。隨即又命啓屍禮葬。掘土三尺，但見白骨嶙峋，肌膚已朽。惟貴妃生前貼身餘香猶存。玄宗想到貴妃三十八歲的風韻年華，而今人已灰化，人天永隔，暗自傷懷不已。徊徘久之，不忍離去。正是：「風流惹下風流債，不是風流總不知」！此後一代風流天子，只是長生殿裏，供奉旃檀刻像，三更漏盡，傳來一陣蒼涼的聲音，那已是臨邛道士的傑作了。

唐代不幸有兩次大亂，一是武氏之亂，一是天寶安史之亂。武則天以一個女人之身，竟在李氏門宗手中奪得了政權，而且她還壽終正寢，獲得福祿長壽。然而玉環紅綾賜死，玄宗只愛江山，而遺棄了她，尤其在她死了之後，倒的楣頭更大，一切大亂的禍首都算在她這一個弱女人的頭上。而且硬說她偷了安祿山。安祿山為她而造反！甚至還有人說她在做假尼姑的時候，與她的堂兄楊國堂也發生過關係。這簡直荒唐之至，一個人的生前死後，倒楣與走運，眞是令人難以想像。（四）

蔡倫遺跡

漁翁

我國自古書契，多編以竹。其用縑帛書者，謂之紙。以麻布等敝物為之者，自蔡倫始。

蔡字敬仲，漢桂陽人。和帝時，為中常侍，得入禁中，時稱之曰「宦官」。宦官封侯，亦始於漢代。蔡封侯後，不逐逐於富貴，脊脊於虛榮，及沒於享受，而專心研究有益於人類之學術與技能，發明以廢物造紙。他足跡遍南北，最後以耒陽位湘省南陲，為通粵漢之要道，崇山峻嶺，茂林修竹，堪為大量造紙處，遂卜城南而家焉。

蔡之製造法，利用樹皮、麻頭、敝布、魚網、及纖維質之柔者為原料，先煮沸搗爛，和成粘汁，勻置濾筐中，使結成薄膜，稍乾，用重器壓之即成。因此，名噪一時，咸譽之曰「蔡侯紙」。蔡侯紙，推銷於全國各城市與縣村。產地漸次江西、浙江、福建等省，有功於書畫印刷包裹之用不少。現遺留於耒陽城南造紙石春五，每隻重數百斤，原為壓紙之用，石白而爍爍有光，為該地之貴重古蹟。

耒陽人為感蔡發明造紙之功，為之建祠於當年造紙處，曰「蔡侯祠」。門前豎一石碑，大書：「蔡侯造紙處」。並有一池塘，遍植荷花，名曰「蔡侯池」。蘇東坡云：「接天蓮葉無窮碧，映日荷花別樣紅，」殆可為此地寫照。

按：耒陽為湖南一等縣，三國時，劉先主曾使龐統守是邦。魯肅貽書先主有曰：「士元非百里才」。該城北角有「鳳雛亭」。張飛奉令查龐時，所遺馬槽，今亦存。該縣有八景，要以蔡侯造紙處為首屈一指。據縣志載：「惟有蔡池風月美，西湖荷花映水紅」。

內僑警台報字第〇三壹號內銷證

自由報

THE FREE NEWS

第五三五期

中華民國僑務委員會頒發
台救新字第三二三號登記證
中華郵政台字第一二八二號執照
登記為第一類新聞紙類
（半週刊每星期三、六出版）
每份港幣壹角
台灣零售價新台幣貳元
社長：雷嘯岑
督印人：黃行常
社址：香港銅鑼灣高士威道二十號四樓
20 CAUSEWAY RD 3RD FL HONG KONG
TEL. 771726　電報掛號：7191
承印者：四風印刷廠
地址：香港灣仔高士打道二二一號
台灣分社
台北市西寧南路壹叁零號二樓
電話：三〇三四六
台郵撥儲金戶九二五二

請將學位授予納入考試制度

——提倡一項教育改革運動——

陳健夫

民國五十二年的雙十節，我在台北的「新儒雜誌」發表一篇文章，主張將學位授予納入考試制度。當時，我只想表達我個人的一種願望，只是一個教育工作者的新構想而已。這兩年來，目睹教育界的風氣，毫無改善的傾向，社會上投機的人們，發現學校有文憑學位可賣，生意鼎盛。於是乎若干投機的人，便向教育界方面動腦筋，甚至無知無識之徒也想藉機混入教育界來開辦學店，而年輕的學子們，亦復惶惶不可終日，一心以混得文憑學位爲志願，壓根兒無意求得實學，舉凡升學也，留學也，無一不是爲此。從前的讀書人，是爲了謀取一官半職，今日的青年，竟也一樣的以混得文憑學位爲讀書的唯一目的。如此現象，對國家而言，是大可憂的。這便是風氣問題，這樣的壞風氣若不轉移過來，即不足以言復國，更不足以言建國了。

近年來，我個人深有感於此，很想在這方面倡導一項教育改革運動，但感曲高和寡。我有一位擁有博士頭銜的朋友，便首先反對。這問題一擱，快兩年了。最近發現時賢對此問題多有同感，僅在自由報上，就曾看見幾篇主張此種改革的文章，如最近陸嘯釗先生發表的「形式主義的教育」，便是最具體的意見。其他報刊，必然也有類此論著，可見有心人所見客同。我覺得，改革教育的時機應該到了，實在也不容再延誤下去，否則，社會的風氣，很難根本振作。爲開創復國的新風氣，敢在此時發起這項有意義的教育改革運動，希望拋磚引玉，博得教育界志士仁人的同情共鳴，羣策羣力，以期行尚而往有功。

今日的教育，尤其是高等教育，無形中成了一種學位主義。學校藉授予學位爲主宰學生前途的最大權威，而在學的學生求學之目的，也只是以得一紙學位爲光榮，絕少有任何崇高理想與大志，但求將來藉此學位以置身社會，混世度日而已。如此的教育，怎能夠培養「先天下之憂而憂，後天下之樂而樂」的優越人才？又如何能成爲復國建國的新教育呢？

學位的授予，原有其必要，我們中國學者應有中國的學位，這個用心也是很好的。最可惜的是我們學習西方文明，不免構成了形式主義，只在皮毛上，形式上學習西方，却不求甚解。因此，完全喪失了學位的眞精神。我們應知西方的學位制度與他們學術自由研究的環境，以及民主社會的運用都有密切關聯，相互配合的。學生亦非僅以學位爲榮，而是以實學及發明爲職志，是爲求智而得到學位，並非專爲學位而來求學。像今天我們的高等教育，學生們似乎只是爲了學位而讀書，而學校亦以出售學位爲能事，（近年來各高等學府每次發生的糾紛，均與此有關），學生修滿大學課程，即可取得學位，這未免太濫了，喪失了學位的意義。這種教育風氣及其傾向，如不及時糾正，將足以危害民族元氣的。

我們認爲要改變這種爲學位而讀書的壞風氣，根絕學校出售學位的流弊，最根本的辦法，是將教育學位劃分爲二，各自獨立，互相配合。學校以辦理教育爲專責，以培養學生的知能及道德爲能事，學校並不授予學位，學生只是求學，修業期滿、成績及格就畢業，但不能立即取得學位，學位的授予另由考試院主持。必如此，學校才可以掃除一切因學位而發生的惡劣風氣，而集中精力開創復國的新教育。

本來，國父孫先生倡設五權憲法，增設考試權的用心便是不肯盲從西方，取其皮毛，而要將中國古時考試制度的精神保留在考試權內。這個考試權，是包括了爲國家發掘人才的積極作用，並非消極的只是一種官吏考試而已，還應有學位考試，爲國家培養學術人才。孫先生訂定這種考試權，實在有他的苦心，可惜不爲後人所體會。這樣的考試制度，決不同於英美的文官考試，而有其積極的目的。今天我們實行五權憲法，應體察孫先生當初主張考試權獨立的用心，將有關學位的授予，歸入考試制度中，由國家獨立的考試院來授予學位，既可使學位的含義隆重，而又能配合國家的考試權，使考試機關並非只是爲着培養官吏而設，更應積極的培養學術人才，這才合乎單獨創立考試權的宗旨，這才符合五權憲法的眞精神。必須如此，考試院這機構才算符合國父遺教的理想與用心，既保持了考試權的獨立完整，又端正了教育的崇高目的，而使教育不再造成許多擁有學位不事生產的紳士官僚，以加重社會的負累，妨害國家的生存。爲了貫徹五權憲法的理想，爲了轉移時下的教育風氣，將學位授予納入考試制度是有其時代意義的，考試院應於現在的高等考試、普通考試之外，增加「學位考試」，考試制度，才算完備。

將學位授予納入考試制度，更將有下列各種好影響：

一、使學風純正，改變了爲學位而讀書的風氣，使學生各循其理想，抱負而致力於學業，不必念念於一紙學位的獲得。

二、學位授予脫離了教育機關，可以根絕學校出售學位的流弊，學店之風，即可消弭。

三、學位授予由考試院辦理，使不獲進入最高學府的有志青年，也一樣可以參加考試，取得學位。在學的及不在學的人，都有平等自由考試的機會，這將爲國家發掘一批眞才，使貧窮的子弟也有出頭的機會，如古時開科取士的效用一般。

四、將學位從教育機構分出，即改變今日的升學主義，而形成求實學的好風氣。

這樣的建議如獲得實現，則教育行政與考試權分工合作，使學位制度不致成爲盲從西方的形式主義，喪失國家授予學位的眞精神，且可發揚考試權的偉大作用，使國父創立五權憲法的精神大放光芒！

越共「放老虎咬他啊！」

靠不住的援助

今日與明日

共產集團援越共

由於美機不停轟炸北越，使共產集團陣腳不下去，不得不强打精神說幾句硬話，不論爲制志明打氣，爭面子，都不能再不講話，不過這些話似乎不說還好些，一旦說出更是原形畢露。

首先是俄共第一書記布列日涅夫，他在莫斯科宣稱蘇俄公民已準備組織志願軍援越。顯示蘇俄將介入越戰。但是眞理報發表布列日涅夫演說時，却把這一段話刪去，以免刺激美國。後來越共駐莫斯科「大使」館也發表聲明，證實確有蘇俄人去越共，但是人數却只有三十多名，連一排軍力也組不成。

毛共人民日報二十五日發表社論，語氣表面看來到是十分强硬，但是也未敢說出派志願軍援越，充其量只是供應物資及技術而已。究竟此項援助對胡志明有何幫助，眞是天曉得。

毛共的外交活動

最近羅共頭子喬治烏德治病死，毛共特派周恩來率代表團前往弔祭，俄共則派米高揚爲團長，一般估計兩個在布加勒斯特碰頭，也許會討論到雙方的問題，結果並未如此，周倚在布加勒斯特與羅共新頭子會晤後，即趕去地亞那會晤霍查去了。

另一方面陳毅借着與巴基斯坦劃界之便，又到巴基斯坦、阿富汗、尼泊爾一帶活動。現在可以看得出，周倚赴歐旨在鼓勵羅馬尼亞反俄，陳毅赴巴，則在聯合巴基斯坦制印。大概說來，周恩來成功可能性甚微，因爲羅馬尼亞雖然不助俄共對付毛共，但是要與毛共到衆一致去反俄，却也非他生前所訂的政策是在中俄共鬥爭中保持中立，左右逢源，喬治烏德治雖死，其政策仍不會變，周倚想把羅馬尼拉入毛共陣營，也是妄想。

錫蘭新內閣組成

由山南那雅克領導的錫蘭新閣已組成，這是十年來自由派以選舉方式從左傾份子手中奪回政權的第一次，特別値得慶祝。本來班達拉奈克夫人尚有意戀棧，因爲根據錫蘭憲法任何一個政黨在國會中皆不足多數時，現任執政黨有優先機會組織政府。班達拉奈克夫人根據此點，意圖聯合除去國民黨之外所有政黨，共同組織新內閣，但因各政黨對她的親共政策的唾棄，終未能湊夠多數，新內閣也包括了班達拉奈克自由黨以外的政黨，所以前任內政、國防部長均獲得連任，因此，新內閣的組織也不算太堅强。（何如）

自由談

擬於不倫

台灣有一羣作舊詩的先生們，擬對故監察院長于右翁，加以「詩天子」的私諡，說是沿襲唐代詩人王昌齡號稱爲「詩天子」的前例而然的。愚聞之啞然而歎曰：擬於不倫，何其不思之甚也！

于右翁原是個革命黨人，一生致力於國民革命運動，志節凜然，勳業彪炳，而其私生活之平民化，公生活之民主作風，尤足以矜式世倫，垂範後世。他以盡瘁革命事業的餘暇，寄情吟詠，發爲詩歌，聊以遣懷消愁而已，從不以詩人自居，所以他曾有「我本軍中一戰士」的自況詩句。世人稱右翁爲詩人，且譽之爲「桂冠詩人」，已不免本末倒置，貽笑大方，若又尊之爲「詩天子」，我想右翁九原有知，必將搖頭太息，大呼「屈煞我也」不置啊！

「詩天子」即爲「詩皇帝」或「詩王」，這比較後人奉杜甫爲「詩聖」的意義更覺俗不堪耐。唐代詩人王昌齡，一生除寫詩以外，無可稱述者，他死後，有些私淑友生錫以「詩天子」的名稱，這在當時的君主社會中，表示對王昌齡崇拜之情，猶可說也。今日是民主世紀，君主制早在打倒之列，「天子」這一腐敗不合人情與時代精神的名詞，絕無使用價値可言，只是一種垃圾了。然合詩人之拾廢物，加之於革命志士的于右翁身上，其能免於佛頭着糞之嫌乎？

于右翁固不以詩見重於世，他對國家民族的貢獻，在彼而不在此也。若就詩論詩，于公的詩胎息於陸放翁、而參以個人豪邁軼蕩的性靈，不拘泥於一般詩格的繩墨，力求創造，始與近代人黃遵憲的詩格相伯仲，要之爲吟壇英雄，尚無不合，或以「詩天子」的皇冠，近乎淚矣！流俗對於一般在政治上據有崇高地位之人的日常生活餘事，每每誇大而尊之，過越等倫，大是之謂「俗氣」。詩人的氣質就是不俗，如于右翁一生的言行，他何嘗有半點俗氣。今天竟以詩天子之名，徒見其爲俗氣滿身，殊非尊于公之道，「詩天子」這類私諡計議，愚竊以爲寢之便！

台灣纖維工業的厄運

政府擬改變外貨關稅率　本國商家聞訊大起恐慌

（本報台北通訊）台灣的輕工業近年來突飛猛晉，成績斐然，許多日用必需品，過去仰給於外來的，現在不但自給自足，而且已有餘力輸出了，如纖維工業即其一例。這種成就當然是得力於政府之大力輔導、贊助，而對舶來品課以高額的關稅率。因此，日本方面的尼龍產品，由於進口稅須繳納百分之八十的關係，每年在台灣僅能銷售三幾百萬美元而已，使國內創設的中華紡織廠出品，一枝獨秀，壟斷了台省的整個市場。此外還有「裕隆機器廠」的汽車製造業，亦賴政府竭力保護之故，成了獨家專利的民族工業，莫之與京。

可是，最近政府主管機關對於舶來的尼龍貨品關稅率，決定由百分之八十的價稅額，降低為百分之四十，這樣，日本貨即將大量輸入台灣，壓倒國內的纖維工業，而中華紡織廠即有倒閉之可能，為着生存計，乃向政府陳情請願，然主管機關謂該項修改稅率的法案已送交立法院審議中，未便撤回，商人即向立法院呼籲。日前政府當局曾為此案邀請若干立法委員座談交換意見，立委皆表示不贊同政府所擬訂的修改稅率原案，認為應該顧全民族工業的生存，並以政府讓裕隆機器廠獨佔汽車工業市場為佐證，指出該廠原係與日本商家合作的，所有汽車材料都是日本貨，運入台灣後，纔化零為整，經過加工手續，裝成汽車出售罷了。似此產品且許其專利，何以對於自己生產的纖維工業，竟爾一反舊有政策，不復維護，而給舶來品大開方便之門，予以特惠待遇呢？有些人甚至說裕隆廠總經理是某院長的介弟，因而給該廠以特權，然其利益，徒使日本商家沾去了一半，實不應該。立委喬一凡曾提出拒絕日本貸款的建議，對於我國正在跟日本談判中的二億五千萬美元，表示反對，即是有所為而發的。關於降低舶來尼龍產品的稅率案，將來在立法院勢必引起激辯，很難順利通過吧？

經濟部對於台灣的加工外銷產品，已設置「加工外銷產品統一管理處」，派前任基隆市長謝貫一為處長，切實管理各種加工的輸出貨品，必須符合國際標準，方許出口，旨在推廣國際銷路，增加外滙收入，然對於輸入的纖維品，又作此特惠的稅率改變，難怪要引起物議了。（三月廿六日浩然於台北）

華僑救國總會頒獎四位青年

（本報臺北航訊）華僑聯合救國總會為鼓勵優秀華僑青年努力社會事業，貢獻人類，有益國家起見，特於五十四年三月二十九日分別在美國舊金山頒獎給榮譽優秀建築青年趙荷美小姐（由駐舊金山總領事饒因壽代頒發）；優秀體育青年獎頒給日本王貞治先生（由駐日大使魏道明代頒發）；優秀醫學青年獎頒給菲律賓許康寧先生（由駐菲大使杭立武代頒發）；優秀播影青年獎頒給香港何藩先生（由香港僑領張軍光先生在台北頒發）。藉以發揚人性的光輝和華僑青年刻苦奮鬥的精神，使海內外青年瞭解人生的真諦，走向成功之路，在平庸中見真理，在永恒中見光明。

（又訊）華僑救國聯合總會為紀念國父孫中山先生百年誕辰而興建的國父銅像及百齡堂，暨僑聯會館，均於中華民國五十四年三月二十九日上午十時在台北舉行揭幕及落成啓鑰典禮，請由蔣夫人主持。到有海外僑胞代表四百餘人；國內應邀觀禮的各界人士計有鄭彥棻、高信、馬樹禮等千餘人，會後並有酒會招待來賓，藉申慶歡。（仲偉庭寄）

香港嚴防霍亂症　五三起全面注射

（本報訊）香港對霍亂症決採取嚴密戒備之措施，已決定最遲於五月三日開始全面注射防疫針之工作。

按香港已連續三年發生霍亂症，前年因為缺水，疫勢一度頗見猖獗，幸卒因應付得宜，未釀大亂。正由於此，加以亞洲若干地區仍有霍亂症流行，當局乃益感懈怠不得，並經決定五月三日開始大規模注射——五月三日為暫定之最遲日期，如情勢需要，可能尚將提前進行。

當局並經作成計劃，四月便開始為各校學童，與醫務人員，食物處理人，漁民及水上人家等先行注射，作為本年防止霍亂症之前鋒措施。五月三日開始全面注射霍亂防疫針固定地點，包括香港、九龍及新界在內，亦經列出。屆期流動注射站亦將配合展開工作。

今後香蕉輸日的問題

——本報高雄航訊——

香蕉輸日，在台灣近年來的產品外銷，是一筆龐大的外滙收入；但是，最近香蕉輸日，發生問題了！這一週來，外貿會與高雄青菓合作社，正為「香蕉輸日問題」深為困擾。

香蕉輸日問題的發生，由於熟度不夠，蕉價暴跌；然而，據常識判斷，熟度不夠也許是問題之一；真正使蕉價暴跌的主因，我看內情複雜。因為在以往幾年中的香蕉輸日，偶然亦有熟度不夠的現象，卻未像今年因熟度不夠而造成蕉價暴跌。

現在，由於高雄青菓合作社的傾力挽救，臺蕉在日的「蕉價暴跌風潮」，已經消失，恢復舊狀；但由這次因「熟度不夠」而造成蕉價暴跌，殊令人不敢預卜今後再無類似事件發生。

毋庸隱諱，日本青菓商人的「刁鑽」，要了噱頭，是原因之一。從他們去冬組成的「日華青菓貿易協會」、「臺蕉輸入協會」這些組織看，無疑在「對付」臺蕉；他們不想臺蕉在日本市場佔優勢，於是動輒挑剔，予臺蕉以無情殺價，以為這樣對他們自己有益，也擺出了「顧主」身份。

另一方面使日商因利乘便，出之以「反抗」心理，係由於部份不肖華商，在日本市場藉「中國人」之便，或佔有壟斷局面，使日商不利。甚至臺灣省內亦有部份短視的青菓商，藉日商搶購臺蕉，趁機索取回扣；這亦是引起日商對臺蕉百般挑剔，形成這次以「熟度不夠」為由，予臺蕉「殺價打擊」的報復。

臺蕉輸日，從一九六三年日本開放臺蕉輸入自由政策以還，在日本市場上，一直受日人捧為「嬌客」；不過從去歲臺蕉輸日八百萬簍之數看，臺蕉輸日，似已達到飽和狀態。而且，南美香蕉，亦正伺機擠入日本市場，不能不密切注意。

可以寬慰的是，南美香蕉的品質，遠不及臺蕉；加之他們的運費昂貴，決非臺蕉競爭的對手。但是，泰國、菲律賓目前亦正倡行香蕉增產，他們輸出市場的目標，必然也是日本。這樣看來，若干年後臺蕉欲在日本市場要維持目前這個局面，自非易事。

儘管青菓界亦已深切了解這點，已在美國與西德，覓尋臺蕉的新市場，以兩萬簍臺蕉乘噴射客機運往西德與美國，作為「投石問路」嘗試；但是，此舉僅可說是「無妨一試」而已。因為西德與美國人民的生活水準固然高，購買力固然強，但臺蕉輸往西德與美國市場，運費昂貴且不說，缺乏航運船隻，這才是嚴重問題。

固然臺蕉可與南美香蕉一較長短，但是，臺蕉輸入德、美市場，情形一如南美香蕉渴望輸入日本市場，有着「遠距離」的種種問題。

日商這次以輸入臺蕉熟度不夠，造成蕉價暴跌，湊巧適逢召開「中日香蕉貿易協議會」之日，從這「湊巧」衡諸蕉價暴跌的幕後原因，不無令人懷疑是日商蓄意的挑剔行為。

日商這個「湊巧的挑剔」，有其目的：一為逼使臺灣輸入品質更佳香蕉；一為使協議會的決議更接近日方要求。

總之，物品與物價果遭受顧主的種種挑剔，這生意即難作了。臺蕉輸日，若干時日後在日本市場難以維持目前這種局面不是意外。而輸往西德與美國，則因路途遙遠種種問題，有待解決，然則年產激增的臺蕉，將何以處置？深望有關方面拿出具體辦法。

即使拓展西德與美國市場有成，然而為時必甚遠，處此情況下，臺蕉輸出市場，仍然胃賴日本。如此，輸日的臺蕉，除卻確實保持優良品質以討好日本消費者的胃口外，便無他途了。（歐成山）

台中上學校運動會揭幕

仲偉庭

（本報台北航訊）台灣省第十四屆中等以上學校運動會已於三月二十九日上午八時假台北市[illegible]揭幕，這是歷年來參加單位最多，選手人數最衆的一次中上校運，計本屆參加單位共計四〇一校（大專組三十五校，中學組三六六校），參加人數計運動員三千三百三十五人，職員八百六十八人，共計四千二百〇三人。（計大專組男生三百七十七人，女生一百五十七人，職員八十七人；中學組初中女生六百七十五人，初中男生七百七十四人，高中女生四百四十七人，高中男生九百〇五人，職員七百八十一人。

大會開始時運動場上傳出雄壯的準備號聲，接着是糾察隊進場；八時〇六分；集合號聲響起，此時由十二個學校組成的樂隊分別入場，直到八點二十三分樂隊入場完畢，運動場內揚起勝利的號聲。八時二十四分標兵進場；到八時二十六分，大會場連續響起了五十四響自由鐘聲；八時半鐘聲停止，大會儀式在悠揚的樂聲中宣佈開始。這時參加各校代表隊在隊旗前導下順序進場，繞場一週，經司令台前時各隊都向大會主席行注目禮，並繼續前進，直到抵達各自的位置上。

九時〇六分，火炬進入會場，樂隊仍在演奏。當象徵着自由、光明、勝利的大會聖火被點燃後，九時〇九分，大會會旗在鼓隊伴奏及儀隊拱衛下進入會場。九時十分全體肅立，齊唱國歌。

九時十四分大會會旗在莊嚴的樂聲伴奏下徐徐的昇到主旗桿頂。繼之，近千隻的和平鴿迎空而起，在運動場上空振翼翱翔，象徵了中上校運神聖、和平、奮鬥的意義。五色繽紛的太空球，也同時飄揚在會場的上空，點綴成多彩多姿。

九時十七分由台灣省立台北成功中學男生一千二百人，省立北一女中女生二百人，省立北二女中女生一千二百人，靜修女中女生一千人，台北市市立女中女生一千六百人組成龐大的合唱團演唱大會會歌。九時十九分會長黃杰致開會詞。九時二十九分運動員宣誓。九時半至九時四十五分運動員及樂隊退場。九時四十六分大會操開始，是由成功中學男生一千二百人，北二女中女生一千二百人，聯合演出，由該校教師黃應中及黃彬彬兩位指導。九時五十六分，北一女中女生二百人在于仕湘教師指導下作儀隊表演。十時十一分，表演迎晨舞，是由台北市市立女中女生一千六百人，在劉鳳學和洪登美兩位教師指導下演出。最後一個節目在十時二十六分表演日月重光舞，是由江金鳳老師指導靜修女中一千六百位學生演出。上午開幕典禮至十時四十六分結束。

我記這個過程不是流水帳，而是說明學生的動作敏捷迅速，控制時間的準確，沒有浪費時間；節目的緊湊精彩使人一新耳目。尤其是主席和來賓講話都用最簡潔的言詞，表達出最寶貴的意見，沒有用冗長的演講[illegible]方式說話，而都能用三言兩語的在三至四分鐘內把自己的意見表達出來，是一種革新的創舉。希望今後各種集會都能把握時間，以此為示範，則公私都感德便了。時間就是生命，我認為目前推行「毋忘在莒」運動之際，更應切實推行守時運動，才能把握時間，創造機運，完成中興大業。

由天地萬物到人

——新道統的宇宙論

（論道統第五章）

陳健夫

我因不滿佛陀所說「因緣和合」，我嫌他有些含糊其詞，似解非解，乃從時間空間的運行上入想，而最後便想到了這當中的道理。以往的宗教家哲學家都限於在此時間空間中的萬象中打轉，故不免如康德所說的陷入了無底的深淵，學者如不上通眞元之境，便始終在時空流轉瞬息萬變的宇宙萬象中落入無底的陷阱深淵了！如何得到超渡解脫哩！人生在時空流變之中，其肉體，其生命，乃是注定了的老病死苦，無所倖免的；唯有上通眞元之境，從最高處取得眞生命——絕對生命，永恒生命，否則此世間，實是一片苦海，痛苦深淵。佛陀悲天憫人，慈悲爲懷，在心理學上及修養上用了極細密，極深刻的工夫，可說有史以來第一人，堪稱大教主。倘能將人的本源指出，將人的生命提升，超越時空，而進入眞元境，則其救人救世的工夫，便更高超一籌。耶教天堂上帝之說，則頗有此意境，但未免玄之又玄，未免神乎其說。在今後科學的世界，是需要有理有則的信仰，才可使人信服。我今天發覺的這個眞元境界，是有理有則的科學觀念，是可推而知的。乃是從儒佛下學工夫入手，而後用上達工夫進入耶教天堂之說。這也許是我個人生平治學由博而約的工夫，我以儒學爲基，其後學基督之學，近年又鑽研佛學，我今發現這宇宙三間論，發覺眞元實有存在，爲宇宙本體，人生始源。爲儒、佛、耶三家從未進入的新境界。

生在今天的人類，文明發達，生活繁瑣，舉目即爲時空所限，開口即爲現實主義，實證主義所範，無此心情去察覺此眞元境界。應知此眞元境界，天寬地濶，眞是大好天堂，大好世界。咫尺便是，思之，親之，則近在吾身；遠之，離之，則遠在天國，高不可及。我人在此宇宙中，除有形有覺，可觸可及之時間空間二間外，另有可思可及的眞元境界。宇宙本開濶，天堂自有跡，奈何人們自塞前路，不知向上，乃不得不在此時間空間中打轉，任他生老病死，作因作業，實是可憫。吾人誤以時空爲宇宙，宇宙本開濶，人却將它看作狹隘了。可說由來已久。我今天爲人類開此新境界，開此天堂，故作眞元學說。

三、是心是物，非心非物

以上已將第一個傳統觀念予以改變，證實宇宙不限於時空。現在還要將第二個傳統觀念予以改變，那便是那些以物或心或心物合一爲宇宙本體的各種學說，加以否定。前者可說是我們新儒的宇宙論，後者便是我們新儒的本體論。在以往，我也曾論過心物合一，但自發現眞元學說後，才知道以心或物，或心物合一來說明宇宙本體的理論是錯誤的。（六）

岳武穆祠墓遺蹟小考

李仲侯

徙依荒台自古今，祠前鐵騎影沉沉。金牌飲恨班師詔，白日飛霜報主心。漫道豺狼終覆宋，須知天地暫爲金。最憐風雨瀟瀟夜，不斷寒光萬木森。

張　鯉

忠魂不斷古猶今，顛倒神州又陸沉。同入犬羊疑面日，獨從河洛洗肝心。胡雲千載燐燐血，落日平鋪燦燦金。事業到頭惟廟貌，松風鳥語氣蕭森。

誰駐將軍試問今，瀾天鵑臬已消沉。漢官此日長清洛，國士當時不死心。雲盡千山百世礪，丹分兒鑄萬峯金。高天白日龕燈影，同照丹衷像自森。

甄　淑

中原飲恨到于今，誰使神州一旦沉。大業全收將就緒，長城先壞倍傷心。祗知勝算能攻銳，不料奸謀易鑠金。千戴興亡汴水上，獨餘古木自森森。

正氣凌霄貫古今，祇應世界自浮沉。江潮不爲除羶穢，汴水猶餘灑血心。慕草南旋長戴宋，陰雲北暗總讐金。忠魂千載憑誰弔，荒廟寒烟古墓森。

王一中

千年老柏依然在，寂寞蒼涼對古祠。此去已無秦郡縣，南來猶有漢旌旗。道傍冢牧荒屯址，隴上人耕廢壘基。咫尺河山衰草外，西風寒照不勝悲。

冷士嵋

宜興爲岳飛鍊兵駐軍之地，亦爲一生功名發軔。破強虜從，復建康，均在其時。飛自從軍，凡數補官，至江淮宣撫使，右軍統制，從宣撫使杜充守建康，杜充敗降金，其將士遣散，各自爲屯，多行剽掠；獨飛嚴戢所部，秋毫不犯，蹈金人廣德境中，六戰皆捷。會宜興苦盜患，邑令奉書備粮迎，飛遂至宜興，破降羣盜，邑賴以安，常之吏民從之避寇者萬餘家。邑人德之，圖像勒石以祀。已而戚方隱成等互相併吞，其衆悉歸飛，飛軍始大。飛以宜興爲根據，統兵四出，累敗金人於常州、鎮江，遂復建康，軍聲大振。故宜興可謂岳家軍發祥之地。飛駐宜興日，雖軍書旁午，而好整以暇，山川登涉，多有題記。且曾於南門外築堤通軍。即其戰鬥之塲，亦尚可攷見。厥後飛三子霖來遊宜興，邑人追思飛德，爭相買田貲宅居於邑之唐門里，遂成著姓。故飛與宜興之關係，可謂極深，論精忠遺跡者，是當以次及之也。

宜興岳王廟，原爲岳王生祠，遺址在城內東廟巷。其地去同巷周平西將軍（處）廟僅數十步。

據史載：建炎四年岳王蹈金人，轉戰廣德境，會水軍統制郭吉自建康潰散，在宜興爲盜，掠吏民，宜令奉書備粮迎飛，飛遂至宜興。郭吉聞飛至，遁入海，飛遣王貴、傅慶追破之。又遣辯士說馬、林衆，盡降其衆。有張威武者不從，單騎入其營，手擒斬之。常之吏民棄其産趨宜興者萬餘家。邑人德之，爲立生祠於周平西將軍廟，圖像刻石以祀。邑令錢諶爲之叙。嗣改塑像。淳熙八年，郡守章冲易以衮冕，嘉定十年邑令戴桷瞻拜祠下，以爲豐功而薄祀，貴爵而附處非宜，爰爲卜徙於今地。（三）

漢文，漢字，漢學

陳曼卿

高帝紀也有一條：「項羽燒秦宮室，掘始皇冢」。燒人者人亦燒之，秦燒天下詩，書，百家語。這一次籍火「三月不滅」不是燒的秦之府庫絹冊，簡帛漆書，另外還有什麼可以燃燒三個月都不熄滅的東西？秦火誠然「不道」！而項羽這一把魯莽滅裂的火；對於中國古代的文化來說，眞是傷天害理之至了！也只有太史公在「史記」裏一而再的大書特書，乃後各朝各代，雖然也有提到的，那不過用來陪襯場面，作文章的佈局而已。前後不到十一年，甚麼累世之珍，文化產業，燒燬殆盡！但項羽這一把火並沒有燒絕，我們再看：

史記相國世家「沛公至咸陽，諸將皆爭走金帛財物之府分之。何獨先入，收秦丞相、御史、律令、圖書藏之」。漢書帝紀也載有一條「高祖元年冬，蕭何盡收秦丞相府，圖籍文書」。史記裏有「御史」，有「律令」。漢書的記載，僅有「丞相府圖書文籍」。也有一些枝節問題；有人說「丞相府圖書，即李斯所領之圖書也，證明秦焚六經未嘗亡缺。」按李斯死於陳涉反後，應是秦二世二年（元前二〇八）當李斯被誅，其府中之「圖府文籍」豈容再予保留。但無此理？即使保留，或僅有一部份屬於乃師孫卿（荀學），餘非重要「圖書文籍」自亦可知。况高祖入關漢書載「蕭何盡收秦丞相府圖籍文書」應爲元前二〇六，已是李斯被誅後二年的事了。所以說，「史記」的一條，有「御史」府，有「律令」，比較可靠。也就是後來「蕭何草律」的藍本。自然是大加修飾，有不少地方已經過一番斟酌損益了。是否即「荀學」之一部，或即「呂覽」之類，史無明文，那就實難斷定了。抑爲次要，後人亦不得而知！蕭何雖是棋先一着，搬走了一部份，未被籍火幡咸陽時焚燬，但所搬走的是否重要，或屬次要（究竟是些甚麼？）漢書並未詳細列舉（按「漢書「紀漢代事，實較「史記」尤詳，「藝文志」獨此事與！）究竟搬走是些甚麼，今天我們雖不知道，但這不能說不是一件「不幸中之大幸」事！被後人譽爲「蓋世之雄」的西楚霸王，其魯莽滅裂的作法，乃後困於垓下，自刎結局，這應當是孔子說的：「天厭之」的了啊！

經過這樣情形之後，先秦古籍，所剩下來的是些甚麼？我們自不難推之了。

史記酈食其傳、上有一段：「沛公不好儒，諸客冠儒冠來者、沛公輒解其冠、溲溺（窩尿）其中。」由此可以見到高帝的惡儒賤儒的心理，更可想見一般了。後來，還是由陸賈用了一套「新語」譬喻（加酒加料的解說。）才把這位漢代開國之君熨（慰）得服服貼貼。跟着又是一個「事十主」的叔孫通，製造出一套天子威儀的「明堂」架勢。使到這位「與人言、常大罵儒生」的也說：「吾迺今日知爲皇帝之貴也」！所以追隨叔孫通的那班諸生（老友），也慨然地說：「叔孫生誠聖人也」！把孫孫通捧成漢初的「聖人」。

在這種情形之下，這樣惡劣的環境中，儒學乃得漸漸復甦。雖有生長於「焚書」之前，逃出於「坑儒」之外的儒生。即使就是記誦，能無遺漏脫落？因之羼入己意，附麗其詞，自是再所難免的了。再則，僞古託古，也是出於不得已，說錯或講錯，那是古人的事，自己可以不必負責，亦可免墮刑獄！（二五）

動物農場

英 George Orwell 著　陳其芝 譯

第四章　人獸牛欄大會戰

另外的那個農場叫賴園，賴園雖然小了一點，可是管理得很好。園主叫非特烈先生。他不像狐木場主皮克湯先生；他短小而強悍，永遠在忙着契約問題往法庭上跑。這兩位先生彼此相惡，因之，即使是爲了他們共同的利益，但想獲致彼此的協調，都很難以成功。

雖然如此，這次大莊園的暴亂却使他倆都大爲震驚。他倆都極力阻止他們的動物，風聞這類消息。起首他們裝出一種譏諷的態度，取笑禽獸們那種自己經營農場的思想，他們並且說這種事最多只能持續兩個星期。他們更不願意改稱大莊園爲「動物農場」，同時還表示說大莊園裏的動物一定會自相殘殺以至於很快的餓死。可是當時間過去了兩個星期後而「動物農場」的動物們依舊沒有相殘及飢餓而死時，他倆又都改變了他們的說法。他們開始談敍着「動物農場」裏正在前發着一種可怕的罪惡：動物們開始彼此戮殺；用燒紅的馬蹄鐵，相互爲害着；飢餓也極爲普遍。而這一切乃是動物們違反了自然定律的報應。

這些故事並沒有爲大家所採信。但是這一個奇怪的莊園中的動物，趕走了人類，自己經營起農塲的傳聞就在一種模糊或曲解的情況下，不斷地傳播開去。到那年年底，整個縣城似都充滿着叛亂的浪潮。一向最爲馴服的耕牛野性發作了；羊羣衝出了柵欄吃盡所有的粮食；乳牛踢翻了牛奶桶；獵馬不願出獵，甚而把牠們的主人自背上摔下。到處可以聽到「英格蘭的動物」的歌聲，就連歌詩也能清析而流暢地被唱出來。這支歌的傳播眞快得驚人。人類聽了這支歌後，在表面上，雖然强裝着他們只覺得那很可笑，可是心中却有着抑制不住的憤怒。他們說：他們不懂動物們爲什麼會唱這種侮蔑人類的歌。只要他們碰到動物在唱那支歌，他們就鞭打，當塲懲罰。不幸，這歌聲依然無法消除。烏鴉停在籬牆上唱，鴿子棲息在榆枝上應和。歌聲好像鐵匠打鐵的叮噹聲，也像教堂的鐘聲。人們一聽到就感到顫慄，似乎從裏面聽到了他們的惡運。

十月初，玉米一堆堆地收割好了，有的已經椿好，突然一羣鴿子飛落在農莊庭院裏，這消息驚動了整個農莊的動物：鍾士先生帶着他的長工和他約有十幾個從非特烈和皮克湯兩農塲來的工人們，已經撞進了五個柵門，沿着車道直奔農莊而來，除了鍾士先生手裏握有一支手槍走在最前頭，別的人都拿着棍棒。很顯然的，他們的目的是在奪回農塲。

這一着是動物們早就預料到的事情，所以一切都早有準備。史諾柏曾經研究過那本從農舍裏找出的「凱撒大帝的戰爭論。」牠現在指揮防禦作戰，立刻發出緊急命令，不到兩分鐘，所有的動物都各就各位站好了。

當這一隊人走入農舍時，史諾柏發出第一道攻擊信號，卅五隻鴿子在人羣的頭預上來回穿梭的施着，在半空中干擾着敵人。當人們應付頭上鴿子的時候，鵝羣又從籬牆邊衝出來，惡狠狠地啄着人們的腿。不過，這只是一次小接觸而已，目的是在造成混亂。人們的棍子剛把鵝羣趕走，史諾柏又發出了第二道攻擊令。毛刺，班傑民及所有的羊羣由史諾柏率領衝上前去，四面八方地衝撞着人們。班傑民專門用牠那小蹄子去踢人抓人。但是，牠們仍然無法抵抗得住人們的棍子和鐵底硬靴。（十二）

我們只費兩小時的時間，就把名冊上預定要訊問的一百多人都逮捕了，全部禁閉在南昌市郊一個營房內。連夜分別審訊，取得口供及承諾他們自首自新，這樣費了不到兩天的時間，就全部得到他們的自白及寫具的悔過書，然後准許自新開始釋放了。

這項行動看起來很簡單，無形之間却消弭了福建導變的後方變亂，也平息了謠言及取締了和閩變組織暗通消息的人。不過後果對我個人却十分不利，參謀長和秘書長都大發脾氣，認爲我這樣做法是無法無天，因而以後使我的工作及環境增加了不少的困難與麻煩。這是一次沒有公開的革命鬥爭，危險與困難兼而有之，當時是成功了，應屬絕無問題的。

冒險犯難記

鄭文儀

五十三、撫州的驚險場面

正當福建變亂發動的時候，江西的共匪發動一次大規模的游擊戰爭。彭德懷的主力原本在江西中南部，這時乘國軍兵力分散，福建醞釀叛亂，蔣委員長暫時進駐贛中撫州（臨川）行轅勦贛南共匪的時候，由彭德懷率領的匪軍第一、三、七幾個集團軍的主力，秘密轉進到贛東方面，企圖包圍突擊撫州委員長行轅，實施一次規模龐大的奇襲游擊戰爭。在九月下旬的一個晚上，午夜過後，撫州東門之外忽然發生激烈的槍聲，倉促間不知敵人從何處流竄而來。在撫州防守的隊伍也不過一團左右，委員長的衛隊也不到一營人，一時人心惶惶。由於情況不明，戰鬥起於倉促，軍民之間都有驚險的感覺。蔣委員長從容應變，一面派衛隊及防守部隊迅速馳赴撫州城外東部偵察敵人，威力搜索，有效阻擊敵人，使其不能進入撫州；一面與後方南昌行營及贛東北指揮官湯恩伯連繫，調兵遣將，電令各軍速由東西兩面進軍夾擊，彭德懷，以突擊戰對付突擊戰。

在這樣的驚險局面之下，如果彭匪的軍隊敢於直接來突擊撫州，撫州的防衛實力非常薄弱，從東西兩方會援的隊伍，至少要兩天的行程，方可趕到，那是來不及的，這時的情況委實懸劣萬分。我和侍從室的少數同事部屬非常着急，尤其是我對彭匪大部隊冒險行動的情報知道得比較詳細，深恐贛東北湯恩伯指揮的大軍不能迅速打擊匪軍，撫州這個孤城便很難得到安全的保障。不過我們都很相信委員長的用兵如神，一定可以很快度過危險。但這時的情況，比過去曾國藩攻打太平天國軍隊在皖贛邊境被圍困，守祁門的形勢要好些，只是當時在江西勦匪部隊的士氣和紀律都不甚好，對大規模的突擊游擊戰爭，很不容易把握戰機，尤其在半年前贛南一再的失敗，及當前福建十九路軍的叛變消息，深深擾亂人心之際，驚險局面能否很快打開，仍是不可逆料之事。（九〇）

波羅毬運動（下）

周燕謀

毬門，毬門是波羅毬戲中的一種特別設備。「明皇擊鞠圖」中，繪有毬場與毬門。宋史禮志中有「打毬……本軍中戲，有司除地，豎木，東西各爲毬門，高丈餘，首刻金龍，下施石蓮華座，加以綵繢。」東京夢華錄卷七「先設綵結小毬門於殿前」之記載。同書卷九亦云：「左右軍築毬場殿前，旋立毬門約高三丈，雜綵結絡，留門尺許」。又金史禮志云：「已而擊毬……先於毬場南立雙桓，置板，下開一孔爲門，而加網爲囊，能奪得鞠，擊入網囊爲勝。」觀此可知波羅毬戲，不僅有毬門之設，而且更有毬網之設，與今之足球設備相若。毬杖，唐時擊鞠之毬杖亦十分講究，製作精美，觀蔡孚「打毬篇」記載：「金鎚玉鎣千金地，雲杖琱文七寶毬……奔星亂下花場裏，初月飛來畫杖頭」。金史禮志云：「已而擊毬，各乘所常習馬，持鞠杖，杖長數尺，其端如偃月」。可想而知，波羅毬杖之輪角爲如何也；宋史儀衛志有「金塗銀杖上且飾以紋彩，宋史儀衛志有「金塗銀裹」而成的記載。（此種毬杖可參觀宋李公麟「明皇擊鞠圖」，藏故宮博物館，及大陸雜誌第六卷四期封面）因其風行此毬之戲，故當時亦有專製波羅毬杖以售者。唐杜光庭「錄異記」云：「蘇校書者，好酒，唱「望江南」，善製毬杖，外混於衆，內濟修眞。每有所闕，而以毬杖干於人，得所酬之金以易酒。」此可想見唐代擊毬之戲的風尚矣。

唐代波羅毬設備完善，而且亦有「擊鞠戲毬規」；不然何以與西域人一較短長？請觀下列記載，可見言之不妄也。宋人秦再思「洛中記異」云：「先是蜀人打毬，或一棒便入；湖子者爲猛入，晉訛爲孟入，得勝一籌。」孟元老「東京夢華錄」云：「先設綵結小毬門於殿前，有花裝男子百餘人……分爲兩隊……左朋擊毬子過門入網爲勝，右朋向前爭佔，不令入孟，互相追逐，得籌謝恩而退。」金史禮志云：「已而擊毬……擊入網囊爲勝。」或曰兩端對立二門，互相排擊，各以入門爲勝。」觀此情形，正與今之足球得分相同；而隊員則較足球爲衆也。所謂「孟入」者，據朱勝非「秀水閑居錄」記釋之意，孟入爲「兩復入也。」（原書未見，此見廿四年商務出版傳靖輯「宋人軼事彙編」卷二所引）「孟入」是否爲「入孟」？此有可疑之處。又有「入窠」及「湖子者」爲何解？惟存疑。然均可認定爲擊毬入網是不致有誤的。

毬賽時有門將，及持旗唱籌規則。持旗唱籌者，即今裁判與記分員是也。宋史禮志云：「三月會鞠大明殿，有司除地豎木，東西爲毬門，……以承旨二人守門，衛士二人持小紅旗唱籌，御龍冠錦繡衣，持哥舒棒，周圍毬場……毬門二旁，置繡旗二十四，而設虛架於殿東西階下，每朋得籌，即插一旗於上以識之。帝得籌……從官呼萬歲，羣臣得籌則唱好，得籌者下馬稱謝。」唱籌即報告得分之意，而得籌者，即「正式獲分」之證據也。

毬賽時，尚有樂隊奏樂，鼓手擊鼓助興。樂隊鼓手均着制服。毬員均着毬衣；隊長稱「朋頭」或「毬頭」，而服裝與隊員有異。毬員着花裝，每隊約五十人，皆裹角子，由拳花幞頭，半着紅半着青，錦襖子義襴束帶，絲鞋，各跨鞍纏花驢子，分爲兩隊，各有朋頭一名，各執畫毬杖，謂之小打。一朋頭用杖弄，毬子如綴，毬子方墮地，兩朋爭佔，供與朋頭，入孟爲勝。打毬方式，尚有大打與小打之別；大打者騎馬而戲，小打則騎驢；大打時爲宮監，小打則爲花裝男子。大打多爲女子騎驢打毬。

在唐代尚有波羅毬的國際賽，玄宗曾親自出馬，據「封演見聞錄」云：「景雲中，吐蕃遣使迎金城公主，中宗於梨亭子賜觀打毬。吐蕃贊咄言臣部曲有善毬者，請與漢敵。上令仗內試之，數都決，吐蕃皆勝。時玄宗爲臨淄王，中宗又令與嗣虢王邕、駙馬楊愼交、武秀等四人，敵吐蕃十人。玄宗東西驅突，風回電激，所向無前，吐蕃功不獲施。」這一場國際毬戰，唐玄宗親自出馬始告奏捷，不然「吐蕃皆勝」，大唐或可能吃鴨蛋。由此可見蕃人之毬技，尚高我一籌。（本文參考資料：向覺民「打毬小考」，「今日世界」十七期，「大陸雜誌」六卷四期花申先生「擊鞠」、「文獻通考」、丁傳靖「宋人軼事彙編」、「新唐書」、「舊唐書」、「日鮮支那古代打毬考」等古籍）

基隆名勝古蹟誌

仲公

高砂公園：在仁愛區公園街，是一個很富歷史意義的一個場所。前面提過，基隆原始設市，即以此處爲起點。這裏原屬低小的丘陵地帶，民前十七年，市民奉命慶祝日本天皇大正婚禮，特闢此地爲公園，故在距今約四十年前，此地特具一副風光，四季都是綠蔭遍地，百花爭妍，亭榭修潔，擅城市山林一時之勝，游侶如雲，通宵徹旦。園內並建有規模宏偉的同風音樂堂，終日發出美妙的音韻，挑動游人的心絃。但於二次大戰被盟機慘炸，夷成平地。附近民舍，復經民國卅八年大火，蕩爲烟雲。昔日繁華地，今爲攤販場，只可供游人憑弔了。

獅球嶺：在愛仁區，險峻突出，爲市屏障，雖不算大的名勝，但它在基隆禦侮抗戰歷史上發揮過很大的價值。當年中法戰役，法師侵入基隆後，我軍即以此爲決戰陣地。那時法艦十五艘，自擊毀大砂灣炮台後，法兵登陸姦淫擄搶，無所不爲。劉銘傳親督蘇得勝、張兆蓮、高元章等一班將領，扼守獅球嶺，與法苦戰。尤以高元章最勇敢，他憤於法軍之淫暴無狀，某晚，風高月黑，率領敢死隊百餘人，一律赤膊，手執大刀斫陣，登時將法兵砍倒數十名。從此法軍氣餒頓挫，再也不敢上岸胡來了。後法軍分師襲淡水，劉氏轉往督師，由統領張兆蓮死守獅球嶺，與法軍展開拉鋸戰。後人紀念張氏戰績，特號其地曰兆蓮莊。該嶺山勢雄壯，風景亦佳，上有平安宮及新建關帝廟，可供游覽。

八斗子漁村：是濱海風光最佳的處所，其地屬中正區長潭里。該處眼裏所見到的盡是一片大海。因爲海這東西，度量大，涵養深，包羅萬象，它生命力很強，滾滾浪濤，可以啓發人們向前的勇氣。時而洶湧起伏，時而平靜如鏡，象徵人生的變幻無常。有些偏嗜海的人，竟從百里或數十里外，於春秋佳日，跑來八斗子漁村觀海，甚至流連忘返。古人謂觀於海者難爲水，這就要看各人是不是確能領略海的眞趣的了。到此來的游人，會容易想起詩人張志和所吟：「西塞山前白鷺飛，桃花流水鱖魚肥；青　笠，綠簑衣，斜風細雨不須歸」。那首橫絕千古的漁歌子來。當落日啣山時候，您去遊八斗子，一到橫堤，眼底驀地就會展出一幅漁村夕照的絕妙圖畫：兩邊山岡起伏，形成一條天然漁港，面對萬頃波瀾，與天一碧，遠處歸帆點點，盡是回程的漁舟，有些回到堤邊的，一家大小，正在圍着這船，清點一日出海所獲。只見一片錦鱗潑潑，耀眼欲明，使人興臨淵羨魚，退而結網之思。（五）

楊貴妃

——「影劇與歷史」之二

周遊

無聊的文人，提到楊貴妃，總是喜歡把「長恨歌」、「天寶遺事」、「太眞外傳」等等遊戲筆墨的東西拉來作題材。戲劇作家一窩蜂的以這些遊戲筆墨來寫劇本，編故事演戲。如「太眞外傳」的平劇，簡直把楊貴妃演的淫蕩得一個錢都不値，唱詞也是猥褻不堪入耳。一般人都以爲那是眞的，言之諄諄，信之鑿鑿。直使楊玉環旣寃枉而死，死了更蒙受不白之汚，含恨九泉，恐怕也不瞑目呢！

當然，一般野史、筆記、小說等遊戲筆墨之誇大渲染，捏造故實，尚情有可原。最不可恕的是「資治通鑑」竟根據稗官野史收入正史，眞是醜見的史家了。唐史有新、舊二部唐書，都不採此濫調，司馬光竟收了濫帳；再加上白居易、陳洪等人的「長恨歌」，「太眞外傳」的助威助勢，楊玉環就在這幾個人手下倒了大楣。「身後是非誰管得，滿村聽唱蔡中郎」。但是作史的人厚誣古人，總是要不得的事。野史與小說、戲劇渲染虛構，還不要緊，史書便不應該亂來。

這部「楊貴妃」影片的編劇，便揚棄了「資治通鑑」的濫帳，一改過去穢史，是值得鼓掌喝采的。最近又有不少人爲楊玉環辨過誣，鳴過不平。

我說司馬光濫收汚史，對女人有成見，不妨從他寫的「資治通鑑」中求得證據。他在「資治通鑑」中所收楊貴妃私通安祿山的事，是根據稗史「天寶遺事」。開元天寶遺事，如同今日不成器的若干內幕新聞一類不負責任的東西，這類東西收入正史，那有不害死人的！我不妨把他那段極盡淫汚的「精采文字」引出來，大家一觀，便知如何。

甲辰，祿山生日，上及貴妃賜衣服寶器酒饌甚厚。後三日，召祿山入禁中，貴妃以繡花緞子作一大襁，將祿山包之，使宮人以花轎抬之。明皇聞後宮歡笑，問其故，左右以貴妃洗祿兒對。上自往觀之，喜，賜貴妃洗兒錢；復賜祿山，盡歡而罷。自此祿山出入宮廷不禁，或與貴妃對食，或通宵不出，頗有醜聲聞於外；皇上亦不疑也。

眞是在開玩笑！如果司馬光是唐玄宗，也不會那樣傻瓜吧？安祿山是唐朝收來的番將之一，官職也不小，身軀龐大，一身腥臭，兩個貴妃也不如他重，（五百五十斤）這樣大塊頭的番將，貴妃可以把他當襁褓之兒嗎？包之還可以說得通，還敢給他洗澡嗎？眞是荒唐之至！明皇還親自去看，更賜洗兒之錢；明皇眼睜睜看到當尖頭鰻嗎？豈有此理！縱然明皇不管她，貴妃敢於這樣做嗎？貴妃兩次被逐出宮，都是爲了稍忤明皇之意的結果。她竟敢如此胡爲嗎？這是一種稗史之作無疑。然而司馬光收在正史，豈不教後人深信嗎？司馬光的「資治通鑑」許多有關女人的記事，都很值得惑疑，這是其顯例之一。（五）

踏青與修禊

漁

踏青，即旅行。修禊，乃文酒之會。均在陰曆三月三日。時値暮春之初，風和日麗，勿寒勿暑，爲士女郊遊、騷人文酒會之大好季節。

三月三日，古稱「三巳」，又曰「上巳」，以在三月上旬之巳日也。但以天干之己，誤爲地支之巳，若朔逢午未，則上旬無巳日，故魏晉以後，不復用巳，而以三月三日稱之。

舊唐書太宗紀，「大曆二年二月壬午，上幸昆明池踏青。」又歲華紀麗譜：「二月二日，踏青節也。」是則古之踏青，爲二月二日。但蘇軾詩序：「正月八日，士女相與嬉遊，謂之踏青。」復據千金月令，「三月三日踏青，上鞋履。」以往多用三月三日。今則未有固定日期，士女出遊，則多在清明節，而學校旅行，亦在清明前後，蓋清明例在二月終或三月初也。（上）

自由報
內僑警台報字第〇三壹號內銷證
THE FREE NEWS
第五三六期
社長：雷嘯岑
督印人：黃行富
社址：香港銅鑼灣高士威道二十號四樓
20 CAUSEWAY RD 3RD FL
HONG KONG
TEL. 771726 電報掛號：7191
台灣分社
電話：三〇三〇四

台灣工商病態之探原與檢討

陸嘯釗

這幾年來，台灣在自由經濟政策下，工商業的發展，引致社會普遍的繁榮，這是一個不可否認的事實。可是同樣在發展的過程中，也暴露了其潛在的弱點。

依台灣的本身條件來講，資源既不豐富，生產原料、機器均需仰給於人，唯一可取的一點，是工資的低賤，因此加工製造業的發達，形成了極其自然的趨勢。而主持台灣經濟的大員也的確盡其所能地做到了「無中生有」的地步。然而高度生產國家的相繼限額，新市場的轉向不易，國際競爭的劇烈又復導致低價傾銷；凡此種種，都是業者不可克服的外在的困難因素。對於這些困難因素，不是內部的努力所能澈底解決的。今天，我們所要討論的，乃是台灣工商業發展中，內部所遭遇的幾個困難。

首先，我們要提到的是稅務法規的繁雜。我在文星發表過一篇「租稅法規雜亂無章」的文字，提到過租稅法規法典化的問題，對於課稅負担不公平或重複之處，頗多檢討。可是時至今日，仍然未盡改善，而某些工商業圖減免稅負，乃設置假帳，隱匿所得，虛報費用，玩法逃稅，再加部份稅務人員操守不良，更助長逃稅漏稅的風氣。凡此不僅使國家稅收損失，更使一般守法的工商企業，遭受不公平的競爭。我們認爲若要加强征收，消除逃漏，課稅對象和稅率的公平，是一個前提條件。如果我們的高稅率觀念不改變，任何加强征收的措施，都難免流於殺鷄取卵。對台灣經濟發展，更是一個極大的窒礙。

其次，我們要提到的是休閒設備的增加。當然休閒設備的造成，主要是原料的不能充裕供應，和市場的飽和，這兩個因素，都不是我們自己的力量所能控制的。結果祇有減產停產了。諸如榨油工業、麵粉工業、紡織工業都有過這種現象。我們知道，在自由經濟政策之下，無限制擴充生產設備是必然的現象，否則就變成保護既得利益了。可是自由經濟必然附隨着自由競爭，自由競爭的結果必然有優勝劣敗的情形，劣廠的淘汰才能顯出優廠存在的價值。政府沒有義務犧牲優廠的利益去保護劣廠的利益。過去的減產停產合約都是經政府參與其事，各廠協議訂立的，絲毫不考慮其業務經營的情形，而作平頭點的減產停產，進而更藉機協議聯營，造成壟斷市場的現象，連帶危害到整個經濟系統，這種做法，顯然違反了自由經濟政策自由競爭的目的。

第三、台灣工商業所感到的一個頭疼的問題，就是空頭支票。空頭支票的形成，主要原因是高利吸收存款和惡性倒閉。現行票據法第一百二十八條雖規定：「支票限於見票即付，有相反之記載者，其記載無效。執票人於票載日期前提示付款時，應即付款。」而事實上遠期支票並不是一紙法令所能禁止得了的。票據的流通有助於經濟的發展，目前滙票、本票之所以不能大量流動，與銀行之信用承兌和參加付欵諸多拘束有關。再說票據法第一百四十一條之規定：「明知已無存欵又未經付欵人允許墊借而對之發支票者，處一年以下有期徒刑，拘役或科或併科該支票面額以下之罰金。」雖對空頭支票有徒刑罰金的處罰，然而這祇是治標的辦法；何况法院基於同情弱者的心理，未有不從輕發落的，這樣的處罰，不僅不足以儆效尤，反而格外助長濫發空頭支票的氣焰。

我們認爲要解決空頭支票，一定先要消滅高利貸和惡性倒閉，目前銀行利率雖然已經逐步降低，但是銀行貸欵條件的苛刻，始終不能發揮金融機構調節資金的眞正使命，而政府未能詳予審核廠商設立的條件，以致某些不肖廠商利用開店設廠以高利吸收存欵，並以空頭支票支付貸欵，來達到歛財的目的，更是惡性倒閉的眞正原因。這種行爲，已經顯然觸犯了刑法上詐欺的罪名，所以空頭支票不能僅僅以觸犯票據法起訴，我們必須研究整個行爲的過程，引用有關條文，予以相當的處罰。

第四、台灣雖然有專利法和商標法，可是專利權和商標權的實際保護並不夠週密，因此這兩種權利，也就喪失了它的權威性，而市面上僞造、彷造、冒牌的貨品，到處可見，更是證明主管官署取締之不力。依照專利法第八九條的規定：「僞造有專利權之發明品者，處三年以下有期徒刑，拘役或科或併科五千元以下罰金。」而刑法第二五三條規定：「意圖欺騙他人而僞造或彷造已登記之商標商號者，處二年以下有期徒刑，拘役或併科三千元以下罰金。」由此可見法律保護專利權和商標權是相當週密的了，可是徒法不足以自行，如果政府把專利權和商標權的保護，完全寄任專利權和商標權所有人自力去處理去請求救濟的話，這樣保護就未免流於形式了。而事實上，這種非法謀利的行爲，不光是專利權和商標權的所有人受害，間接將使國家的信譽遭受損害。如果自由專利權的不能獲得妥善保護，因而阻礙了國人發明研究的興趣，更是國家社會的無形損失。

以上四種病態，歸納起來可以分做兩點：一是法令的不夠完善，二是人爲的執行偏差。總結一句話，還是整個的觀念和社會風氣問題。

我國五千多年以來，都是屬於農業社會的組織結構，歷代所奉行的都是重農輕商政策，「士農工商」，工商在四民中排列的位置，是倒數第一第二，這種觀念多多少少還存在於一部份人的心裏。而孔子所說的：「君子食無求飽，居無求安。」

（下轉第四版）

民意代表的質詢權

馬五先生

吾國現行憲法，規定立法院會議時，立委對行政首長的施政報告有質詢權。立法的用意是好的，問題在行使質詢權的界限和技術上。這也就是立法院每期集會即須延長會期的最大因素所在也。

就界限說：議會對行政部門的質詢事項，應以「政策」的利弊得失爲唯一課題，至於各機關日常行政措施的是是非非，別有監察、糾彈的民意代表負責過問，立法委員在分組審查會議中偶爾提示固無不可，若視爲應有的職權，每於院會時滔滔質詢，表示着打破沙鍋問到底的熱忱與決心，那就不免有逸出範圍之嫌。及其弊也，法定九十天的會期中，質詢時間雖然佔去了一大半，而報名行使質詢權的，還有若干人向隅興嘆，然眞正要盡力爲之的政務審議工作，諸多稽遲躭誤，自非延長會期不可了。按照現在的情形，立法院每年二百六十天不歇的開會，還是有許多議案要積壓的。

就技術而言：口頭質詢如其只限於政策性的問題，發言自不會超過十五分鐘；書面質詢若交由主管首長用書面答復，而不必當場宣讀，即不致浪費時間了。像現時「子入太廟，每事問」的方式如不改良，不特會期必須拉長，且與監察委員的職責多所混淆也。

基於上述情形，各個行政首長必須放罷日常工作，每一會期中，列席立法院各委員會和院會四五十天，而其心情有若在法庭上垂首待訊然，深感不易過關，似非政通人和之道。除却質詢的界限與技術方面需要斟酌改進，以期增强立法機關審議國家大政方針的效率之外，尙有屬於個人自律的言行，亦值民意代表諸公特別注意的，那就是一個國會議員如果不知自重自愛，一方面隨時跟民衆纏訟不休，對簿公庭，又教唆別人健訟，而以當然律師自任，一遇敗訴，即利用議員的地位與質詢權，在院會中藉題攻擊司法行政首長以洩忿示威，表現其見官高一級的氣燄。這不但是褻瀆了國會的尊嚴，自毀議員信譽，根本就斲喪了民意代表的身價，實在不足爲訓。民意機關的紀律委員會對於這類情形，似有整飭之必要吧！

現行憲法本來是一種非驢非馬的創制，待修改的地方很多。在未實行修憲以前，爲救弊補偏計，祇有從枝節上加以整理，希望減少一些毛病罷了。

不得多口

串在一起

今日与明日

毛共怎樣援越共

毛共對於援助越共問題，鎮日在吵，不必說胡志明聽到厭，就是看報人也感到不耐煩了。可是，吵到現在仍然限於示威，抗議，咒罵，此外並未見有何實際行動。不過，最近似乎又變了花樣，毛共忽然聲明只要北越共黨請求援助，毛共即派兵入越。

表面看來，毛共似有介入越戰之意，可是要向深處一想，胡志明會不會邀請毛共軍入越呢？我們可以作一個肯定的答覆，絕對不會。

首先要弄明白一個前提，今天的越共情况與一九五〇年的韓共不同，當時韓共因爲受了史大林之命南侵，遭到聯合國軍堅强反擊，攻下元山平壤，前鋒直指新義州，看看韓國就要統一，金日成非向史大林哭奏庭不可，即使金日成不請求俄共支持，史大林也會命令毛澤東出師。今天的越共雖然闖了禍，但是所得的膺懲也只限於挨炸而已，美軍並無越過十七綫的企圖，何况美機所轟炸的對象仍是軍事基地，對河內，海防並未轟炸，胡志明仍可坐在河內稱孤道寡。假若請求毛共派軍入越，將是一個什麼情形，可以想見的必然是一場小型大戰，美軍也不會再顧慮到十七度的限制，將轟炸進攻海防、河內，不問戰爭結果怎樣，胡志明注定完了！老奸巨滑的胡志明，怎會上這個當？毛共當然也看透了胡志明的意思，故意放出這種口號，替自己遮羞，意思是說並不是我不肯打，只是北越沒有請我。

共留難俄援軍火

西方報紙又傳出一個消息，俄共援助越共的武器，竟受到毛共的留難，不准蘇俄陸空運輸經過中國大陸，堅持必須檢查核准後始得通行。蘇俄自不肯接受毛共檢查，十之八九此項援助將告停頓。

毛共此項舉措，動機約有三點：第一、恐怕俄共軍火經大陸運輸，會讓美國找到藉口，向共區軍事目標展開轟炸，惹火上身，無法收拾。第二，恐怕蘇俄直接援助越共，使胡志明政權脫離毛共掌握，重新倒到俄共一面去。第三，嫉妬俄共援助越共而斷絕對毛共的軍援，如若準其打開檢驗，十元八九會將特殊武器如導向飛彈留下自用。

美國駐西貢大使館被炸

美國駐西貢大使館被共黨用計時炸彈炸毀，傷亡二百多人、副大使約翰生都受傷。這次暴行顯而易見是毛共直接指揮，因爲在現階段中，俄共自不願過份刺激美國以免越戰擴大，北越共黨更不願作出此事，激怒美國多投幾次炸彈，只有毛共惟恐天下不亂，才樂意炸毀美大使館。（何如）

台糖外銷的煩惱

日本糖商提抗議　立法委員要追究

（本報台北通訊）台灣糖產豐富，佔每年輸出產品的第一位，爭取外滙不少，而以日本方面為最大的國際銷場。向例是由日本糖商卅餘家代銷的，先與台糖公司派駐日本的代表人談好價錢，取得協議後報經總公司轉呈經濟部核准，每年簽訂合同實行之。到了上年度，台糖公司駐日代表趙璋，忽然變更成例，改由六家商人代銷，經濟部長楊繼曾亦予以核准辦理。於是，原來承銷台糖的廿餘家商號譁然抗議，認為無故剝奪了他們的商業權益，指摘台糖公司駐日代表趙璋與少數商家勾結，不無弊端，乃向我國立監兩院提起訴願，請求澈查，以明眞象。正在此時，經濟部長楊繼曾已去職，台糖公司主持人雷寶華亦告老退休了。新任經濟部長李國鼎接事後，日方商人照樣訴願不已，且派有代表薛某（華籍商人）來台灣負責活動，而李國鼎以新官上任，一切情形尚未明瞭，且係前任正式簽訂了的商業合同，在合同期限未滿以前，亦未便遽行廢約。可是，立法委員李育才、于錫來等認為非追究趙璋變更成例的事實與理由不可，曾經在立院召開經濟委員會，邀約日商代表薛某列席報告經過情形，李、于二立委亦搜羅到若干資料，準備質詢經濟部長，要他明白答覆。但李部長因公出國尚未回來，即由政務次長楊家麟出席應付。楊氏原係立法委員，在會議中，日商代表薛某報告完畢後，有人主張教薛某退席，亦有主張不必退席以備咨詢的，這問題可由會議主席裁定。當時楊次長以為在座諸立委都是多年的同仁，即聲稱薛某應該退席，希望主席裁定宣告，詎料在座同仁聞之譁然曰：「你既然不懂程序，不妨辭去政務次長，再回到立法院來研究程序問題」，弄得楊氏當場大感尷尬，啼笑皆非。原訂的台糖輸日合同，到今年五月底滿期，下年度另行協議，本諸「成事不說」之義，固可存而不論了。但立委們認為此案關係重大，殊有官商勾結舞弊之嫌，一定要打破砂鍋問到底，把眞象追究明白不可，看形勢，今後還有文章呢！（三月廿五日浩然於台北）

都市土改措施有不當

立委黃煥如等提質詢　希望行政院速謀補救

（本報記者台北航訊）立法委員黃煥如、胡純命、侯庭督等四十二人，共同提出書面質詢，指責行政院對都市土地漲價不歸公的措施，以及重訂地價工作，過於草率，有違國父孫中山先生的遺教，且與中華民國憲法第一四三條規定不符。要行政院迅謀補救之道。該項質詢指出：都市平均地權條例本精神，在實行國父四大遺教：「規定地價」、「照價征稅」、「照價收買」、「漲價歸公」，達到地利共享之目的。該質詢說：

各縣市政府對地價調查評議工作，由於時間倉卒，評議時，地價過於草率，主管首長不及加復，既欠周詳，公告評定調查偏頗，超過原地價十倍左右，多數偏高。郊區價值，高於住宅之地區。任意明白上下，自用住宅商業地標準，反竟違都市平均地權條例規定，市地條例不予減征，錯誤百出，政府延期評定，單位年度實施，採納民主，乃救補，且用公理時不應及時合理；難安，巧詞掩蔽，毫無改正，照舊開征，現在民間稅率較原提高，新稅以上倍十地價乃至估一倍九以上十倍，多達數十倍地稅率，減征自用住宅三分之一……

一、市報地價照公地價，實際……其他、增加……仍毫無……務須……負擔……長期……重。……允，該質詢又指出：

[illegible]

……據財政部初步估計，由二十億升值到……十億，其中六十億……增加，大值；稅額已平均增……倍，如稅至……就……損失數……一則倍增，……南京東路一帶如新台北市……

劃都市地區之地價，由每坪二百元升值到六千元，大地主一夜暴富，毫無重稅負擔；小住戶陡增重稅，叫苦連天。又因地價高估，漲價歸私，防止地主要求照報地價收買之規定，低報者得照公地價征稅，因……

上項規定，顯然違反照價收買之遺教，乃以行政命令補充。不僅公告估價等於收買，亦恐發生流弊。……加重土地價負擔，刺激一般物價上漲，漲價歸私，徒助長大地主財富，減少鉅額稅收，違反民生主義「地利均富」之原則與「平均地權」之遺教，為此次修正都市平均地權條例最大的損失。地政人員因增值稅損失鉅大，只有提高地價以求補償，如大安區松山之地價，是否有串通大地主故意提高之嫌，值得查究。

該質詢復稱：政府「偏袒大地主，刻創小住戶」，舍本逐末，結果……倒錯……用於地……國庫，循環負擔，增加物價，不勝負荷。……住宅建設進行，……道路阻碍，原預算四萬，僅需……計劃收購土地，經費以三百萬……延伸……計劃須擱淺，無形延伸，其他道路拓寬或延伸，計劃受土地均同……影響上項建設，又無法收……影響稅收，轉讓稅影響莫甚。如此類弊，亟應迅謀補救，以推行蕪利」云云。

台灣廣播繽紛錄

數近二十家・節目好幾百

・沙婆生・

台灣的廣播電台，現已有約近廿家。其中節目，多半偏重於歌曲，有國語流行歌曲，與西洋音樂，再則為新起的黃梅調，間或也配以平劇。儘管節目多至幾百，而常能以醒世覺言，對於政府有所建議，對於社會，有所指示的，富有意義。比較上以警察電台的安全島，在每晚九時播出，由羅蘭女士主持。明顯的長處，是接受聽眾來信，為他們解答疑難。學業未完成，或事業未成功時，動輒談情說愛，遭受挫折，便走自殺的途徑。例如某大學生，有個在南部的聽眾來信，說到自己職業未滿三十，寫信問她，為何自殺？她的答覆：「何不自救？何處是人生的旅程，你要知道，人生的旅程，如以六十為度，你尚未走到一半，就想毀滅，太不值得。一個人應以國家為前提，要為國家做事，要為人羣服務，要造福於社會。為了一個愛人，不惜去作無謂的犧牲，是過份的不知自愛。為何不另找一位？不要存有才子佳人的腐舊思想！你應趕快努力，創造自己的前程云云。」相信這種言詞是可以感動那位聽眾的。台灣的教育，在高中以上，不許有體罰情事。但眞想不到，尚有許多教員尚在開倒車，他們不能循循善誘，卻用冬烘的故技，以威力來訓導，遂造成許多學生，因為惡性補習，功課壓得太重，有了心理的變態。再因舉止偶或失常，遭受體罰，而變態性愈加增強。不久前在各校檢查學生體格，發現百分之三十以上，心理不正常。這是我們幼苗的危險警報。羅蘭迭接各學生來信，多是善意勸解，要他們堅強起來，有時作適當的游憩，不可愈陷愈深，要顧到天賦予的生命。另外又呼籲當局趕快作有效措施，阻截與廢止這種教導。電台節目固然是供人消遣，但有建設意義，更自值得傾聽。

在台灣廣播平劇，惟有國劇振興社。此社主持人，為燕京散人丁秉鐩。他對平劇瞭解甚深，過去在平津經辦廣播，亦富經驗。因此中廣公司邀請他辦「猜謎晚會」，每週一次，節目很豐富，於台北市成為婦孺老幼，無不知之。現在經辦平劇演出，不下二三十次。軍中劇團如有公演，亦均仰仗相助，始可得圓滿結果，信其有魄力也。

秉鐩有掌珠曰丁寧，已卒業於大專，容貌既秀麗，英文亦頗佳，周旋外賓，應對流利，確聰慧可喜。所奇的，散人辦戲，前台各事，皆由此女經理，從未有誤，亦無糾紛，無形中已可勝任前台經理。她因與影星同一芳名，屢想改名，余以國內同名姓甚多，固不必因以為諱也。

海外華僑之光

仲偉庭

一個人有堅強的信心，和百折不回的精神，勇往直前，終於實現他的理想，這就是有志者事竟成的鐵證。華僑聯合救國總會，為了發揚華僑青年堅毅不拔，刻苦自勵的精神，特選拔了海外華僑青年對社會、人類、國家有貢獻的青年，在今年三月二十九日青年節，頒贈給他們榮譽獎章，用以表揚他們的成就。

當選為五十四年度優秀華僑青年的有美國舊金山加州大學僑生趙荷美，因在該校建築系肄業四年，每次考試都是名列第一，且當選為加大國際學生會主席，及建築系助教，故此獲得本屆建築榮譽獎。日本棒球明星王貞治，因在五十三年度日本全國棒球賽連獲「本壘打王」和「打點王」兩項王冠而風迷了日本七千萬棒球迷，成為日本家喻戶曉的風雲人物，為國增添殊榮，故此獲得本屆體育榮譽獎。菲律賓華僑醫師許康寧，因在一九六三年參加菲律賓政府全國醫師會考，在與考者一四〇〇人中以九〇點九六分榮獲第一，為華僑增添殊榮，故此獲得本屆醫學榮譽獎。香港電影明星兼業餘攝影家何藩，因在各國國際黑白影片展覽中，得過二〇六次國際獎，目前已擁有美、英、法、德、巴、日、澳、港等國地區攝影學會的榮譽會員或高級會員的頭銜，尤其是美國攝影學會頒給他「五星上將」榮譽會員銜，使他成為國際攝影界的知名之士，故此獲得本屆攝影榮譽獎。

當選為優秀華僑青年建築榮譽獎的趙荷美小姐，浙江上虞人，現年二十二歲，丰儀端麗，賦性聰慧，早年係台北二女中畢業的僑生，四年前到紐約大學深造時即被選為中國學生會外交代表，並迭次主持國際學生週及「中國會場」，展出中國文物，書畫，建築，藝術，及工商產品等，為自由祖國致力宣揚，曾多次在公開場合單獨勇敢的極力斥責共黨國家學生對中華民國的誣蔑。她常為了在校內許多集會上懸掛中國國旗，各處奔走說項，忙得廢寢忘食。這種能把課餘時間及自己所有的力量出於至誠地用在求取異邦朋友對我國增加瞭解上，眞是彌足珍貴的舉動。

這位在加州大學有「中國現代堅強女性」之稱的趙荷美小姐，由於成績特別優異，連年曾獲得三次「加大」獎學金，自二年級起就被該校聘為建築系助教，且每科成績都在A等以上。她具有多方面的興趣，平日熱心公眾事務，校內各項活動在她的策劃下都辦得很成功。由於眾望所歸而被校內工學院七百餘位國際學生公推為學生會主席。前年加州大學中國同學會曾發起募集舊衣十萬磅，捐助香港中國難胞，趙小姐除了自己慷慨捐獻外，曾經暫時放下了功課，到各處去演說募捐，全校同學都被她的滿腔愛國熱忱所感動而紛紛解囊襄助，達成自助人助的壯舉。

獲得本年度優秀華僑青年體育獎的王貞治先生，浙江青田人，今年二十六歲，他是目前日本最佳的棒球選手。他是日本「巨人」棒球隊中的一員，在民國五十三年參加日本全國棒球比賽，創造了五十五個全壘打的紀錄，被日本棒球迷及棒球界譽之為「日本棒球王」。

王貞治出生於日本東京淺草區，父親早年在日本開中國料理（餐館也），母親是日本人，已歸化中國籍。王貞治從小就有刻苦耐勞的精神，父母親並沒有嬌生慣養他，所以他由小學而中學一直是半工半讀的勤讀生。自幼對棒球發生了很大的興趣，每日除在家中協助餐館工作外，即去學校上課，一有空閒就去棒球場玩球，因此當他進入日本中等實業學校時，在球藝方面的成就，後來被選為該校棒球隊的領隊和投手，由於在一次比賽中獲得了日本中等學校冠軍，王貞治的大名在棒球界很快的就紅得發紫了，自此他在日本棒球迷的心目中成為英雄人物了。由於他在日本像一股熱浪一樣地風狂了整個的東瀛，出盡了鋒頭，使華僑們也沾到了無上的光榮。

當選為本年度優秀華僑青年獲得醫學榮譽獎的許康寧先生，係福建晉江人，現年二十六歲，出身馬尼拉菲律賓大學醫本科，早年在學時因品學兼優而名列前茅，畢業後在非律賓政府醫院服務時，工作認眞，熱心為病患工作而獲嘉獎數次。他在一九六三年參加菲律賓政府全國醫師資格會考時，因在一四〇〇人中以九十點九六分之高而榮獲第一名，得到菲律賓政府最佳醫師獎狀，為華僑爭取了無上的光榮。深信他將來必能繼其今日的光榮，為社會作更大的貢獻。

獲得本年度優秀華僑青年攝影榮譽獎的何藩先生，出生在香港，長大在上海，廣東人，現年三十歲，早年畢業於上海保羅書院，及香港新亞書院，已婚數年，生有子女各一，父母健在，太太張婉驊女士早年畢業於香港大學醫科，現任香港政府醫院全科醫師。他自己目前是邵氏公司的電影演員，也是英國皇家攝影學會高級會員（F.R.P.S.）美國攝影學會會員（A.P.S.A）香港國際影展審查委員，他對攝影造詣很深，他的作品都是以山水風景及街坊鬧市為主題。他十三歲起即好攝影已以於今，故其成就，完全依靠一個「恒」字，他說「皇天不負苦心人，有恒為成功之本。」由於這次殊榮的鼓勵，他要繼續努力學習，來報答僑聯總會對他雅愛和鼓勵。

僑聯總會這次頒獎給對人類、社會、國家有貢獻的人，它的目的，是給人以啟示，以希望青年人走上人生的正路，諦造為青年人的楷模，使青年人加強信心，走上成功之路。

由天地萬物到人

——新道統的宇宙論

（論道統第五章）

陳健夫

我提出這兩種大翻案的學說，在學術上可說是空前的大革命。第一案前已說過，現在要說到第二案了。爲什麼心物不能說明宇宙本體？這當中實在有大道理。

我們讀西方哲學史，西方哲人說明宇宙現象，莫不以時空爲論，論到宇宙本體必不離心物。那樣作爲科學研究，却是可以的。但要作爲眞理的探究，却大有問題。吾人應知宇宙乃最複雜微妙的存在，不能像人們所想像的那樣簡單，將心物兩個字加以安排便可以發現宇宙本體。宇宙爲眞元所生，其中有心有物，也可以說非心非物，人若憑一種直覺或科學分析便認爲心物爲宇宙本體，未免虛妄。

人們所以在時空上看宇宙，在心物上求本體，原來那都是一種假相，并未能發現宇宙的眞象。宇宙生於眞元，眞元之爲物，超乎時空，也超乎心物，其中誠然有心有物，但却有更高的統一。這個更高的統一便是非心非物，亦心亦物，也可說超心物。吾人以有限的知識即爲宇宙作區分，或說心，或說物，都是人的一知半解而已，與宇宙本體無關。不論强調唯心或唯物，皆是偏執愚妄。至於心物合一說，亦只是作個調和而已，不成其說，皆非至當。原來眞元之爲物是最精粹靈明的本體，其中有心有物，亦有其它非心非物，是複雜而又純一不貳的。人們實在難得一個適當名詞以代表之，但斷不宜以心或物爲之假說。試問人究爲心乎？爲物乎？即一般生物之極微細胞，究爲物乎？爲心乎？論到極處，殊難定論。人對不知者，在未確知之前即爲之假設爲心爲物，只是一種研究，不能以之爲定論。今日的哲學界對此等根本問題，不宜再走老路，應有新學理，新思想，否則將陷入錯誤，永不知返了。上帝將要笑世上的人眞是愚不可及了。

宇宙中究竟有無純物質或純精神的存在？此一問，恐怕從來沒有哲學家答復得出來！即使今日世界上第一流科學家也難作滿意答復。甚至也許還沒有人正式提出這樣的問題來發問。我自體認到眞元的存在以後，始恍然大悟，不相信此宇宙中有單純的物質或精神的東西，宇宙中有眞元，但無純粹的物或心，眞元中有物質，而此物質中必有精神。其中有精神，亦必有物質。既無從區分孰爲物孰爲心，亦無從說是一物之二面，或爲體爲用。此二者原是一物之二面，原是有體也有用，正如佛家說的「妙有」。「妙有」其實心物同爲一體，爲眞元的運用。人們不可强爲之區分爲物爲心，也不必强調心物合一。本原就是一體，又何合一之有？自山河大地，人物走獸，推演到極細微的分子，當中也不全是物，也不全是精神，二者皆有之，而不容分割。因爲物質本有不可分離性，即分解到極點，其中又豈能說沒有精神？原來量是可分的，而質則不可分。質之有形者，人通稱爲物。質之無形者，人通稱爲精神。實則一而二，二而一，人爲表象所惑。宇宙中實不可能有單純的物質或精神。

我們拿個生鷄蛋來，誰能將它劈爲兩半呢？已劈開的鷄蛋，誰又能將它合而爲一，像原來那樣完整呢？整個宇宙，自萬物至人類，莫不如是。其基本的生命原素，皆來自眞元。眞元有物有心，相互爲一，不是相合爲一，所以心物不能單獨存在。心物既不可分，又豈能合一？世上的人最多只能說某物是物，某種狀態是心，但不可能證實那物中無心，或那心中無物，因爲此世界乃眞元所創生，乃最完善嚴密的有機體，極高明微妙，不可能物中無心，也不可能心中無物。我現在參照佛教方法，說個歌偈吧：

「無心不成物，無物不成心。此心此物原是一，誰能將它分？誰又能將它合？說心說物皆是惑，只見假相不見眞。心中自有物，物中自有心。此心即此物，此物即此心。識得眞元體，方知此「妙諦」。

（七）

岳武穆祠墓遺蹟小考

李[illegible]

其時武穆孫玶守嘉興，實出資助其成。周端朝記之。當時廟基極廣，廟貌亦壯，中更興替，頗被侵蝕。有明中葉，因歲久額毀，甚且訛岳爲嶽，像設東嶽之神，宏治九年胡璉白其事，邑令陳策復之，增葺堂廡，繪塑岳王像。厥後列入祀典，代爲修治。民國廿八年冬，日機轟炸宜興，全廟被毁，現已僅存遺址，不過在斷磚殘瓦中，尚留有乾隆五十五年印照所撰之重修岳王廟碑記一方，可資辨認。至未毀前規模，就遺址觀察，似爲門廳五楹，儀門照廳各五楹，正殿三楹，後軒三楹。武穆有大功於宜興，生且家虔戶祝，況歿爲明神乎！將來反攻復國，神州再造，鼎新廟貌，是所望於宜興之賢士大夫矣。

岳堤在宜興縣南門外深溪、上流，相傳爲武穆逐金兵築以通軍者。此堤起自南門，通張渚丁蜀諸處，廣約丈餘，長計二里，上架數橋，內以激水橋爲最大，虹練跨空，形勢雄偉。從前堤上並有泗水菴、茶亭等，自經喪亂，俱遭摧毀，現僅斷瓦殘磚中，尚能約畧辨其遺址而已。

百合場在宜興縣南十八里之南山下，相傳其地爲武穆與金人戰經百合處。據沈光咎螺冢詩：「至今百合場，殺氣鬥松竹」，句下自註：「百合場之戰，王以少擊衆處，王勒兵趨臨安，聞金兵已引去，遂從間道追及宜興南嶽廟，戰經百合，故名」。查百合場從前係一山邊曠場，現已成爲草舍二百餘家之一小村落，村名即爲百合場。村邊竹樹茂密，風景頗爲優勝，居民大部爲客籍溫州人，多以種山田業，生活極苦。註中所述之南嶽廟，現在百合場南五里之銅官山麓。百合場北二里尚有一地，地勢極高，廣可數十畝，兩傍各有小溝，土人稱爲岳王兵營，謂即戰後宿營之地。此則附會牽充，自屬難於置信者矣。

張氏桃溪園遺址，在今宜興縣南六十里之張渚鎮，相傳爲武穆嘗寓之處。當武穆至宜興後，先屯郭外，平郭吉、破戚方後，始移駐張渚。據雲麓漫鈔謂：「宜行張渚張侯會館其家，題名廳事。後被陷，其家慮及禍，洗去，隱隱猶見」。又據桃溪客話謂：「建炎四年，王駐軍宜興，館張大年家，贈張完絕句曰：『無心買酒謁靑春，對鏡空嗟白髮新，花下少年應笑我，垂垂羸馬訪高人』。完次韻答曰：『相逢相別不計春，眼前非舊亦非新，聲求色相皆虛妄，莫認無疑是昔人』。」玩二詩，武穆至桃溪非止一次可知也。

（四）

漢文，漢字，漢學

陳曼卿

儒學始於孔子

多年前，似是剛好離開學校，友人汪揚兄介紹一位震旦的法籍教授（佚名），要我協助他研究「漢學」。那時心裏只覺得好笑，外國人也想來作這種徒勞無功的笨拙事。可是，他還說：「沒有一種學術的領域，比漢學更廣的了」。談後不久，因了抗戰關係，我回內地，那一法籍教授也就攜眷回國去了。

最近，一位去美講學回來的學者，在一個場合中他談及：「一美籍學人，曾化了十年功夫，研究康南海，現在已能標點中國古書」。但這決不能說：「標點古書，就算通人」。事實上還要經得起那種「打破砂鍋問到底」的考驗，才能算是有所得的「通了懂了」呢！我們知道，康氏是清末「今文學家」一位通儒，光緒「戊戌政變」就是他在幕後主持，著有「新學僞經考」與「孔子改制考」曾轟動一時。後來流亡海外，「新學僞經考」被燬版三次。康氏二考，實由井研廖季平（經學大師）的「今古學考」一書所啓發，這是康的弟子梁任公先生承認的。

廖爲湖南王湘綺高足，曾繼掌四川尊經書院。而有清一代「今文」、「古文」學之分，實導源於漢代。即治「春秋公羊傳」的偁「今文經學」。治「春秋左氏傳」的偁「古文經學」。緣二書皆出於西漢，公羊較早出，爲當時漢儒之流行文體所寫，故偁「今文」。左氏較晚出，爲古文（即前節逐錄之「古文」奇字）所寫，於東漢乃得立於學官置「博士」，故偁「古文」。由於二書的內容各別，是以聚訟千載。廖又在一八九四年的「古學考」一書中主張：「今學傳於游、夏，古學張於劉歆。今學傳於周、秦，古學立於東漢。」也僅說對「古文經學」部份。然清儒所爭論的，則爲「今文家言；微言大義。古文家言；訓詁名物」。這是兩派極不同之點。如以「微言大義」來說，應當是在孔子及其門弟子時代，似較得實。兩漢的「今文」經師何嘗不講「訓詁」？（西漢只偁「訓故」，而無「訓詁」一辭）但又有一種說法：「今文家言，六經皆孔子所作。古文家言，六經皆史。」可是，論語述而篇却有一段關于孔子爲學態度的話：「述而不作，信而好古」！今文家雖失於「誇耀、誣妄、武斷」，但又比古文學派僅視「孔子爲一個古代文化保存者的史學家高明」。近人有謂：「今文學視孔子爲哲學家，政治家，教育家。古文學視孔子爲史學家」。上述種種的不同說法，雖近情理，而也還是覺得有些欠妥善的地方。我們如今籠統的說幾句；儒學始於孔子，漢學爲儒學一脈相傳，以秦火、籍火的焚燬漢代以前典籍，迨至惠帝四年（元前一九一）除挾書之律（不禁藏書）了。漢儒整理亡失故籍，救殘補缺，什採篇章，羼入己意，附麗其詞，以宏其學，而是不得不然，也不得不如此，自是份所應得的必然現象了。直至武帝建元五年（元前一三六）興太學，置明師，立五經十四博士，所謂「興滯補弊，明文武（前王）之功業」的開始。（二六）

動物農場

英 George Orwell 著　陳其芝譯

第四章　人獸牛欄大會戰

人們爲勝利而歡呼了！他們以爲敵人是潰敗而竄逃了，於是乘勝窮追不捨！那知道正中了史諾柏的詭計呢？就當他們剛一進到院子時，三隻馬，三頭牛和許多豬都從埋伏處迴面撲來。史諾柏一面發着攻擊信號，自己就急速地衝向了鍾士先生。鍾士先生見狀就舉槍射擊，子彈擦過了史諾柏的背脊，將一隻羊打死。史諾柏不顧背上正流着血，將一塊十五磅重的石頭投在鍾士先生的腿上，把鍾士先生撞進了糞坑，槍也由手中滑落。但是最可怖的景像却是白克薩抬起後蹄，用牠的鐵蹄子到處亂踢着。首先被牠踢到的一個狐木農場的馬童，他頭骨被踢傷了，當場倒臥在泥地上。看到了這種景像，有幾個人想自四面八方地阻攔上來，在院子裏追逐着他們。他們被動物們咬嚙和踐踏着，所有的動物都用盡方法來發洩積恨。甚至連貓也從房頂上跳下來，跳到一個牧牛人的肩上，爪子抓得那個人痛得尖叫。就在這時候，人們開始奪門而逃，奔向大道。像他們來時一樣，一羣鵝又追逐着他們，啄他們的腿，啄他們的褲角。

人們都逃完了，只剩下院中，臉朝下躺在泥上的那個馬童，白克薩用蹄子想把他翻個身，可是他一動也不動。

「他死了。」白克薩悲哀的說着：「我忘了我腳上有鐵蹄！我並不是有心的啊！可是誰又會相信我呢？」

「不要感情用事了，同志！」史諾柏說，他的背還在不斷的流着血。「戰爭就是戰爭，死了的這個是唯一善良的人類。」

「我不希望誰死，即使是人類。」白克薩滿眼淚水地重覆着。

這時有人在問：「毛莉那兒去啦？」

毛莉眞的不見了。這一來，大家都感到非常驚慌。牠或許被人們傷害了！也可能被人們帶走了。但最後大家發現牠躲在馬房的稻草堆裏。原來第一聲槍響，就把牠嚇得魂不附體了。至於那個馬童也就是被踢傷而已，等這羣動物找到了毛莉後回來，已發現他無影無蹤了。

這一來，動物恢復了原來的野性與狂喜。每一動物都用最最大的聲音講述着自己的戰績。牠們更及時舉行了一個慶功大會來慶祝勝利，旗子升起來了，「英格蘭的動物」一遍又一遍地唱着。被鍾士先生打死的羊也被隆重地葬在樹叢中。動物們一致決議再舉行一個表揚戰功的授勳典禮：「第一等動物英雄」，授以銅質勳章一枚。實際上只是牠們從工具室裏找出的一些舊馬牌。受獎者是史諾柏和白克薩。牠們應該在星期天及例假日佩帶這種勳章。「第二等動物英雄」牠們獎給了那個死去的羊的兒子。

大家又激烈地討論着這場戰爭該如何命名，最後決定稱之爲「牛欄大戰」，因爲那裏是牠們的埋伏地。鍾士先生的槍也在泥地裏找到了，牠們又在農舍裏找到了許多子彈。大家就決定把那支槍架在旗桿前，像一尊大砲那樣，一年發射兩次：一次是十月十二日，「牛欄大戰」的紀念日；一次是八月中秋之日——動物革命成功的紀念日。

（十二）

冒險犯難記

鄭文儀

第二天清晨，撫州附近的戰事已停止，贛東方面湯恩伯的大軍星夜馳援，已和彭匪主力遭遇激戰，因為他指揮的部隊有好幾個軍，軍長都是能征慣戰的將領，自能把匪軍擊敗。在勝敗未分明前，撫州的危急仍未解除。那天下午委員長到附近撫河一個可以作水上飛機降落的地方巡視，以為萬一戰況惡化時作脫離危險區的準備。我和幾個警衛人員隨同前往，委員長談及江西勦匪情況日趨惡劣，對付共匪游擊戰艱苦困難之至，而像過去革命軍一樣「紮硬寨，打死仗」，奮勇犧牲的隊伍又太少了，十分慨歎。我當時表示個人的意見，認為要恢復東征北伐時的革命精神，最好能將散在各地沒有負軍職的各期黃埔學生（至少有幾千人）集中起來，編組一枝和共匪作游擊戰及羣衆戰的隊伍，嚴加訓練，恢復及發揚黃埔精神，講求和共匪鬥爭的方法和技術，必可輔助軍隊圍勦之不足，並可用以鼓舞士氣，收攬人心，萬一軍事失敗時，這枝隊伍仍可和共匪繼續鬥爭，把革命事業繼續下去，或者從頭做起。委員長對這一意見認為可以採擇，並表示不妨找有關同志迅速積極研商籌備實施，這是不久以後組織勦匪別働隊及開辦廬山星子特別訓練班的起因。我認為反共革命鬥爭或戰爭，必須國民黨有一批英勇的幹部黨員，組訓起來，作無名英雄的堅苦奮鬥，方有得勝的憑藉（過去如此，於今為甚）。這是我在撫州驚險局勢中的大胆建議，這建議對以後勦匪戰爭勝利有重大的影響，我頗以為自慰。不過最初籌組之際，委員長原要我多負責任，我推薦康澤同志主持其事，認為他比我強，乃是最適宜的人選，但後來康澤同志為別動隊及訓練班人事問題，曾對我發生誤會，經過幾次解釋，方得到諒解，從此我才知道革命事業與幹部互助合作的艱難。

在撫州危急的時候，更有一件使我感到十分困擾之事。有一天，我們在前綫崇仁境內的情報人員，逮捕了一個青年女間諜，是一個年青貌美的女匪幹。當天晚上我和兩個助手接連訊問了她六小時，她態度倔強，有問有答，對於共產主義共產黨及贛南匪區蘇維埃運動的內容，非常熟悉。她的年齡不過十九歲，聰明、活潑，是一個曾經共產黨嚴格訓練的青年匪幹。幾乎沒有辦法說服她，她講了幾個鐘點的話，內容都是批評國民黨，宣揚共產黨的理論與實際問題，有條理，有見地，是我和千百共產黨人接觸中所見到的一箇最頑固的女匪幹。這使我感到國民黨對男女青年組織、訓練和使用的方法，顯得陳舊和落後，我們要和共匪政治作戰，從事組織戰、宣傳戰、情報戰及羣衆戰，青年幹部的選訓使用，實在是一項最重要的課題，也是最困難的工作。後來將這個女間諜送到南昌調查課，雖則從訊問中得到不少匪區共黨活動的眞實資料，但她用美色迷惑看守的人，協謀逃跑，後來雖經發覺，並予以嚴厲處分，但這卻使我增加了不少的困難，從而得到嚴重的教訓。（九一）

活人祭祀搜奇（上）

匡謬

我認為用活人祭祀與「殉葬」是同等殘忍的。對神或有神性的事物，行一種祭祀，其主要目的，是犧牲一個人或一羣人來作奉獻，這叫做用人祭。用人祭的起源，是由於對神的崇拜。初民大半相信宇宙有一種超自然的力量，這力量主宰了人類的命運，可降災或賜福於人們。他們稱此超自然的力量為神。對於神，他們從不敢觸怒，但希望神降福，所以向神作定期的或臨時的奉獻。而在所有的奉獻中，最「隆重」的莫過於人自己了，於是產生了用人祭。

用活人祭祀的奇俗，中外古今都有。台灣的山胞以前便有此俗，「吳鳳」故事便可說明。這裏先看看我們中國古代用人祭的習俗記載，然後再及於世界各地的同一習俗。

中國古代用人祭的奇俗消失得很早。春秋時有過幾次記載，以後便絕跡了。但在落的「四夷」中還是存在的。中國用人祭在殷代是可考的，可以由殷墟發掘出的甲骨文中求得證明。考古學家石璋如先生的「小屯C區的墓葬羣」文中說：「乙七基墓地」是一個大建築物……這座大建築物，從開始興建到完成，先後舉行四次典禮，挖了一七八個坑，現存一四六坑。用了八五二人，現存六〇四人……這些人的軀骸可能是七墓址的犧牲者，而他們的靈魂可能是七墓址的保護者……」

殷代造一座建築物，是大規模的引用人祭（八百多）。春秋時用人祭可考的有三起：（一）僖公十九年夏天，宋公要把曾（右缺邑旁）子，于次睢祭社，遭受司馬子魚的諍諫。

（二）魯昭公十年秋七月，平子伐莒勝利了，取得更（右缺邑旁）國的獻俘，始用人祭毫社。藏武仲在齊國知道了此一消息，責魯國無義。

（三）魯　公十一年冬十月，楚子伐蔡國，用隱太子祭於岡山，而申無宇也反對。

以上三條用人祭都受到人們的反對，所以在春秋以後的「中華」民族便沒有人祭習俗了。只有在四夷中尚存在着。如匈奴列傳記云：「貳師在匈奴歲餘，衞律害其寵。會母閼氏病，律飭胡巫說，單于怒曰：『胡故祠兵，常言得貳師以社，今何故不用？』於是收貳師。貳師罵曰：『我死必滅匈奴』！遂屠貳師以祠。……」這裏所說的貳師，是指投降匈奴的貳李廣利。北史西域傳也有如下的記載：

「……女國在葱嶺南，其國世以女為王……俗事阿修羅神。又有樹神，歲初以人祭，或用彌猴。……」

南史夷貊傳上記云：

「林邑國本漢日南國象林縣……伏波將軍馬援開南境，置此縣……穆帝永和三年，召遣夏侯覽為太守，侵刻尤甚。林邑素無田土，貪日南肥沃，常欲略有之。至是因人之怨、襲殺覽，以屍祭天。……」

以上大半是殺俘擄為犧牲品，用自己的人很少。在外國也多是用俘擄為犧牲品的。再看世界各國的人祭習俗。

在東印度羣島中，其酋長的宮裏建木門時，必須在每一根門柱下，埋一個小孩作犧牲。

在坡里尼西的社會羣島上，在建築物打基礎時，就要人作犧牲。在埋中央柱時，更是非埋一個活人在柱下不可。

在米蘭尼西亞地方，他們建築王的宮室時，常把活人埋在柱的洞中。這些被犧牲的人，被強迫抱着柱子，然後將土蓋下，再壓得緊緊的。

以上三例都是在建築物或打基柱時用活人祭祀。他們的用意是：如果無人埋下去，扶持柱子的話，它就不會經久不倒。

基隆名勝古蹟誌

仲公

彭佳嶼：是基隆港外未經雕琢的一處名勝，距離基隆約五十六公里，周圍約四公里。通志載：「此島嶼幽邃，不染俗塵，可以靜養神氣，為古昔老彭祖居處最佳之壽山」。相傳曾有彭姓老人，與山羊為伴，終老此島，故得名。另又號草萊嶼山，則因遍山皆草莽得名。

咸豐初，島上有居民廿餘戶，農漁並營。中法戰役，法艦侵基隆，首佔該島，居民盡室出避，後不復往。日據時，明治四十二年設燈塔於此，始復有人跡。該島附近海底，曾發現世界最具經濟價值之龐大珊瑚林，民初日本開始在此開採珊瑚，至民廿八年全盛時，生產總值達百萬日元。後大戰爆發，遂停辦。民國四十三年，尚有人續組公司，在該地採獲紅白珊瑚約五六十斤，旋亦因貲金缺乏而停採。此島如能開發，不但極具經濟價值，亦不失為觀光勝地。

此外由天然而加人工培植的名勝，尚有二處：一為暖暖水源地，在市東南暖暖區，由台北縣平溪鄉發源，流經該處滙入基隆河。過去水深能通舟楫，與四脚亭及淡水均有船舶往來，沿岸商務頗稱繁盛；其地開發，恐尚在基隆港之先。後因沿岸鐵路公路相繼興建，溪流已失經濟價值，早已淤淺不能行舟。環區山水秀麗，風光明媚，街市雖歷經滄桑，仍能保持我國南方街市那種古老風格。水源地在該區東勢溪左側山谷中。清光緒廿四年，日本聘英人巴爾頓為技師設計興建，在該處萬山叢壑中，築一高達卅三公尺，長一二七公尺的混凝土石壩，以存儲雨水之來源，係由東勢溪上游叢山中所滙之泉水，由石壩用重力系統送水達貯水池，再導入分水井。在第二水源未開闢以前，全市居民飲料，悉仰給於此。該地山勢雄峻，樹木蔥蘢，嵐翠欲滴，風景幽絕，遊人到此，如行山陰道上，有應接不暇之勢，確為基隆山水最清奇所在。

其次用人工開闢的，要算中正公園。這個公園，原為橫亘市區的一座荒山，逶迤十餘里，古樹長林，連山接壑，周圍有二百三十市畝。民國卅九年市長謝貫一以基隆號稱國際港口，市民業餘之暇，無一憩息陶情之所，決志將此山闢為公園，并親督工人，誅茅伐木，不到半年，居然道路四闢，顯露出公園的形態。經過在任十多年的經營培植，把昔日的荒烟蔓草，改變成為宏偉美麗的園地，園林曲徑通幽，步步引人入勝，古木終歲長青，花卉四時不謝，游其境者，或倚短橋聽澗水淙淙，或坐樹蔭聞鳥鳴嚶嚶，心曠神怡，令人動出塵之想。（六）

楊貴妃

──「影劇與歷史」之二

周遊

司馬光撰史，自相矛盾。我說他是採取了「天寶遺事」，不是我的捏造，他自己在他的「考異」中便亦供認正是根據「天寶遺事」。還有宋初人洪邁在他的「容齋隨筆」中，已經把「天寶遺事」的謬誤一一指責出來了，斥其為「淺妄之書」，列舉了很多證據，因為文字太長，不必列舉。可見就在宋代，已有人發見「天寶遺事」的虛妄了。

按安祿山之叛，那根本是與楊國忠間政治鬥爭。楊與安祿山在朝兩相對峙，亂萌日久，明皇都知道。楊事前曾奏明玄宗，說安祿山終必叛唐，可惜玄宗不納，種遺後患，何能將此責任加在貴妃頭上？事實上，安祿山叛唐就是指明要除掉楊國忠。而在馬嵬坡六軍不前，殺了國忠何以還要殺貴妃呢？因為楊國忠乃因貴妃之獲寵愛而沾光，又是堂兄妹之關係，如果殺了楊國忠，貴妃尚在，那些主張殺國忠的將官豈不人人自危？在當時那種情況之下，是逼出來的。並且也沒提及貴妃私通祿山，勾引祿山的事。將士譁變，明皇命在俄頃，他為自救，祇好眼看楊貴妃死於非命了，并非她死有應得！

楊貴妃之得寵，完全是由於她美艷聰明，但她却不像武則天那樣，她並沒有政治野心。她除了供明皇的享用之外，自己享受的是物質生活而已。如果她有政治欲望，與楊國忠合作，唐朝的歷史可能又要重寫了。

楊貴妃在正史的舞台上，沒有她的穢史（資治通鑑除外），沒有載她「弄權」、「進讒」、「作奸」、「陷害大臣」，只有「三千寵愛在一身」，紅得發紫。然而這是因為她的確是一個美麗的動物，生得太迷人了，玄宗把她當作個「香包」，在身邊過久了，又覺得不香；離開了她，又感少不得。她是「招之則來，揮之則去」的弱女子，說她沒有政治的欲望或野心是有根據的。當時的皇后之缺是空着的，她並沒作非份之想。（六）

台灣工商病態之探原與檢討

（上接第一版）

以及孟子所强調的「何必言利」的看法，更是一批自命「志於道」的人所遵循的行為準則，因此在政治措施上，有意無意地表現出「不患寡而患不均」的做法。而在一般社會的心理上，更是嫉富憐貧同情經濟上的弱者。中國有一句俗話：「為富不仁」，更是道盡了內心所蘊藏的不滿和敵視。重稅困頓工商，惡性倒閉的倖免刑責，平頭點的共求生存，正當權益的不能獲得確實保障，這些傳統因襲下來的心理因素是不能忽視的。

台灣經濟情形，今天已經造成了一個小康局面，可是光是小康局面是不夠的。社會上對工商的觀念也的確正有所改變，可是這種改變仍然不夠積極。海島經濟的發展，祇有從貿易着手，而貿易的開拓，首先應當建立起一種自由競爭的精神。壓制某一些工業，保護某一些工業，就不是一種公平合理的競爭方式。國家所要做的是維持這種自由競爭的方式，以保護正當的權益。「民富則國富」，用正當方式去追求財富，是應當鼓勵的。而正當權益的獲得保護，才是社會經濟繁榮的原動力。

踏青與修禊

漁翁

踏青之風，以唐代為最盛行，杜甫「麗人行」有曰：「三月三日天氣新，長安水邊多麗人。」崔護詩：「去年今日此門中，人面桃花相映紅」。成為千古名句，至今猶為人所樂誦。

修禊之舉，由來甚古，韓詩：「鄭國之俗，三月上巳，之溱洧兩水，執蘭招魂續魄，祓除不祥。」又後漢書：「是月上巳，官民皆絜於東流水上，曰洗濯祓除宿垢為大絜；絜者，言陽氣和暢，萬物訖出，始絜之矣。」絜，即修禊之謂，古以是日行之。

此風以王羲之蘭亭勝會，為最膾炙人口。蘭亭在今浙江紹興縣西南二十七里，時在永和九年，癸丑三月三日，王為會稽內史，發起行修禊之禮於此，羣賢畢至，流觴分觴，故有蘭亭詩序之作。

王字逸少，晉人，不僅能文，尤善書法，草隸為古今之冠。論者稱其筆勢，飄若游雲，矯若驚蛇。當書蘭亭詩序時，酒酣興濃，落筆如有神助，凡二十八行，三百二十四字，為後人臨池之張本。

由晉迄唐，此風盛傳勿衰，因唐代詩人好分觴流韻，每逢三月三，不少文酒之會，沈佺期侍宴詩：「九門馳道出，三巳禊堂開」。白居易亦云：「畫堂三月初三日，絮撲窗紗燕拂簷」，蓮子數杯嘗苦酒，柘枝一曲試春衫」。足見當時官民共賞禊事之大概。時至今日，風雲四起，非有一片乾淨土，可資及時行樂，縱有騷人墨客，趁此季節，偶作文酒之會，亦不過易蘭亭而為新亭，感「風景不殊，舉目有山河之異」而已！（下）

內僑警台報字第〇三壹號內銷證

自由報

THE FREE NEWS

第五三七期

中華民國僑務委員會頒發
台僑新字第三二三號登記證
中華郵政台字第一二八二號執照
登記爲第一類新聞紙類
（半週刊每星期三、六出版）

每份港幣壹角
台灣零售價新台幣貳元

社長：雷嘯岑
督印人：黃行富

社址：香港銅鑼灣高士威道二十號四樓
20 CAUSEWAY RD 3RD FL
HONG KONG
TEL. 771726　電報掛號：7191
承印者：四鳳印刷廠
地址：香港灣仔高士打道二二一號

台灣分社
台北市西寧南路壹壹零號二樓
電話：三〇三四六
台郵劃撥儲金户九二五二

儒家「義利之辨」辨

韋政通

義利之辨，始於孔子。論語載：「君子喩於義，小人喩於利。」到了南宋，陸象山有一次應朱子之邀到白鹿洞書院，登講席講論此章，講辭大意是：「……某平日讀此，不無所感。竊謂學者於此，當辨其志。人之所喩，由其所習，所習由其所志。志乎義，則所習者必在於義；所習在義，斯喩於義矣。志乎利，則所習者必在於利；所習在利，斯喩於利矣。……科舉取士久矣，然場屋之得失，顧其技與有司好惡如何耳，非所以爲君子小人之辨也。……誠能深思是身，不可使之爲小人之歸，其於利欲之習，怛焉爲之痛心疾首，專志乎義而日勉焉。……」

孔子講義利之辨，目的在爲君子小人之判，提供一客觀的標準。君子，小人，是屬於人格的善惡兩型。因此，義是屬於成就道德價値方面的觀念，而利則是純被視爲障蔽人心的。象山發揮此章，能拘守此規範而不失，故所闡義旨，甚能相應。

孟子則不然。孟子見梁惠王，首辨義利，已不能默守道德界限，已擴充到政治領域，欲以道德的原理取代政治的原理，遂至反對人君爲民謀利。他似乎原則上就不承認利尚有積極意義。

「孟子見梁惠王，王曰：「叟！不遠千里而來，亦將有以利吾國乎？」孟子對曰：「王何必曰利？亦有仁義而已矣。」」孟子反對言利的理由是：「王曰，何以利吾國；大夫曰，何以利吾家；士庶人曰，何以利吾身；上下交征利，而國危矣。」結論是：「未有仁而遺其親者也；未有義而後其君者也。王亦曰仁義而已矣，何必曰利。」

假如孟子這裏談話的對象不是梁惠王，而是論語「士志於道」的士，則孟子反對他出口言利，仍然是相應的。可是梁惠王乃一國之君，縱然古代政教未分，他除教化之責外，他無論如何是一個國家的政治首領。照理說，一個政治首領對老百姓最重要的事，不應是要他們「食無求飽，居無求安」，而是使他們豐衣足食。也就是說，國君首要在爲人民謀福利。了解這意義，就知梁惠王出口便問「何以利吾國？」對他的職務來說，正是頂相應的一個問題，這有甚麼不對？但因孟子缺乏政治意識，他只具備一道德的價値意識，並即以此橫撐豎架。所以他不論是甚麼人，不論是在何種層面的問題上，一是皆以道德爲本；一聽到梁惠王出口就是利，心就冷掉一截。後世儒者，多半跌入孟子的窠臼，把本是一個特殊原則的義利之辨，當作普遍原則去使用。

不過歷代明智之士，能辨孟子之誤者，亦所在多有，茲舉幾個有代表性的例子。

第一個我們舉司馬遷。他是一個周遊天下，深悉民生疾苦的大歷史家，因此他不像後世一般儒者只袖手談心性；也不似孟子以道德意識去橫撐豎架。他在貨殖傳中，毫無隱諱地倡言富，利。他說：「天下熙熙，皆爲利來；天下攘攘，皆爲利往。夫千乘之王，萬家之侯，百室之君，尚猶患貧，而況匹夫編戶之民乎！」「富者，人之情性，所不學而俱欲者也。」

承認「患貧」爲人之常情，尚「利」與「富」，爲「人之情性所俱欲。」本此，當政者實有使全民在這方面獲得相當滿足的責任；其他教化之事，均當以此爲基礎。管子所說：「倉廩實然後知禮義，衣食足然後知榮辱。」正是此義。孟子就在這種人情之常上矯枉過正；假如他的觀念眞能落實，則人民所受者，與暴政之殘民者何異？道德意識之越位擅中，其流毒的不堪勝言！

第二個我們舉王充。他是兩漢中罕有的道統以外的人物，因此旁觀者淸。他在刺孟一篇中，就曾針鋒相對地力駁孟子見梁惠王所言之非。

「夫利有二：有貨財之利，有安吉之利。惠王曰：何以利吾國？何以知不欲安吉之利？而孟子徑難以貨財之利也。易曰：利見大人；利涉大川；乾元亨利貞。尚書曰：黎民亦尚有利哉？皆安吉之利也。行仁義，得安吉之利。孟子不語且問惠王，何謂利吾國？惠王言貨財之利，乃可答。設令惠王之問，未知何趣，孟子徑答以貨財之利。如惠王實問貨財，孟子無以驗效也。如問安吉之利，而孟子答以貨財之利，失對上之指，違道理之實也。」

王充認爲利有二義：一是貨財之利，一是安吉之利。孟子不從語意上先問淸惠王所說的利究屬何義，就武斷地申斥其非，誠如王充所指，有「違道理之實。」從語意學的觀點，孟子犯了「以自我爲中心論斷」之弊。王充知安吉之利，即對民有益之利，此與貨財障蔽人心之爲利者有異。然王充不知，貨財之利，即安吉之利也。蓋財貨能障蔽人心，而人心離貨財之利，亦不能獲其養；然則貨財之利本身亦不可非。貨財之利對人心之爲善爲惡，胥由攝取之人心所左右。若果梁惠王所說的利只是安吉之利，不是貨財之利，那末梁惠王將憑甚麼去利其國，利其民？

第三個我們要舉北宋大儒李覯。他在學術史上的名望與地位，似乎遠不及周、程、張、朱、宋元學案只把他附在范仲淹的學案內。就憑這一點，就不難揣測到他的學術，與道學夫子必然有其不同的地方。

李覯的學說，大體上是走的荀子的路綫。他的「禮既備，而天下大和」的信念，復以禮包括「樂，刑，政，仁，義，智，信」七者，實皆承繼荀子的禮論衍申而來。荀子倡言富國，強國，但在經濟思想方面，仍不免拘於孔孟的傳統；而李覯在這方面却有積極建樹，較荀子跨出一大步。李氏思想中，尤令人佩服的，他在其樂利主義。他不但不諱言利，且將利當一積極原則來闡揚了。這在中國道一風同，衆犬吠聲的局面下，是値得大書的。他所作原文篇說：「利可言乎？曰：人非利不生，曷爲不可言？欲可言乎？曰：欲者人之情，曷爲不可言？言而不以禮，是貪與淫，罪矣。不貪不淫，而曰不可言，無乃賊人之生，反人之情！世俗之不喜儒，以此。」

（下轉第二版）

壓力日增

奴才奴才！

今日與明日

米格機出現北越

美機於四月三日一天，三次出炸北越鐵路橋樑，首次遭遇到三架米格機截擊，雖然此次截擊未發生眞正戰爭，但已經說明越共已有了足以出戰的米格機，其意義也就並不簡單。四日，果然打起來，美機被打落兩架。

如所周知，北越共黨被炸之後，南越共黨曾發出呼籲向全世界共黨尋求援助，當時開聲應的有毛共、俄共、北韓、古巴等共黨，但實際皆未有眞正動作，只是瞎嚷一陣算數。及美機連續出動，將北越軍火庫、基地完全炸毀後，北越共黨不得不向毛共及俄共提出援助的要求。這批米格機可能是援助武器的第一批，估計十之八九是來自毛共，假若此項推測不錯，是毛共已正式介入了越戰。雖然毛共不敢派步兵入越，但是空軍及技術人員（如前日炸美國大使館必然是毛共人員設計）已經源源滲入，美國要對毛共採取行動，目前已是適當時機，萬不能坐視其入越而不理。

越局和談

由於越南局勢緊張，近來和談之說又起。大概越南和談的綫索來自三個方面：第一是英國，因爲英國與蘇俄是日內瓦會議的共同主席，所以對越南局勢特別關心。不過，英國要出頭過問越局，必須先和蘇俄商議，俄外長葛羅米柯上月訪問英倫時，英政府曾就調處越局事向葛羅米柯提出，葛羅米柯當時可能是顧慮毛共不肯就範，未曾允諾，故此路已不通。第二是「小兒科」元首施哈諾提出的中立南越及寮柬方案，隱然得到戴高樂的支持。但此項方案姑不必說美英南越及大部份亞洲自由國家不能接受，即南越及寮國共黨亦不能接受，施哈諾在金邊召開的印支人民會議所以不歡而散，其故在此。第三是以狄托爲首的十七個不結盟國家所提出的調處方案。這個方案一提出，毛共就高聲大罵，因爲毛共畏聞狄托之名；但英美蘇均保持緘默。估計此項調處方案也許比較接近事實，不過，成功的可能性也是渺茫的。

和比戰難

當大陸淪陷前夕，政府派出代表團與中共進行和談時，胡適之先生就說了一句意味深長的話：「和比戰難」。今日越局亦復如是。即使英國同越南願意讓步，也無從措手，因爲日內瓦會議時尚有十七度分，今日南越地區已大部被越共割據，除非越共願意退回十七綫或者美軍能退出越南，否則恐怕神仙也提不出解決南越的方案來。

（何如）

自由談

士大夫之無恥

韋政通教授最近在本報發表「閉鎖的道德」一文，指出「明亡前後，乃是士大夫最無恥的時代」，因而顧亭林講學即以「行己有恥」爲標的。這眞是一針見血的論斷，發人猛省。

古之所謂士大夫，就是今之所謂高級智識份子，始終在社會上佔有「領導羣倫」的地位，一舉一動，一言一行，對社會各階層人士皆發生直接或間接的影響，一般士大夫亦泰然以此自任自負，居之不疑。可是，這些自命爲讀聖賢書而忝爲「四民之首」的士大夫，乃多見其爲「爲善不足，爲惡有餘」的時代罪人，而以國運衰頹之際爲尤甚。例如明亡之前，一般士大夫既相率昧良鮮恥，趨附於閹宦魏忠賢之門，歌頌功德，唯力是視；又植黨營私，互相攻訐傾軋，誓不兩立；同時一些在朝的文官和台諫御史們，爲着一個皇帝吃春藥喪了命，一個妃后應否住在宮內，一個瘋人撞進了宮廷等等無謂的事情，竟然爭訟交鬨，嘴臉矜張，如臨大敵，而政府亦任其胡鬧不休。迨京都淪陷，君王殉國，大明政權只剩下半壁河山，寇患日益嚴重的危亡之秋，蝟集在南朝的士大夫如阮大鋮，馬士英之流秉持國政，竟置禦寇復仇的大業於不顧，日唯黨同伐異，修怨攻訐的內訌是務，他們把整個國家搞亡了，又靦顏投降敵寇，恬不知羞。所以，韋教授說明亡前後是士大夫最無恥的時候，一點不錯。

「無恥」的涵義就是沒有羞惡、是非之心，泯滅人性與理性，任何醜惡狂悖的事，肆無忌憚，皆優爲之，而猶以正人君子自居。孟子所謂「無恥之恥，斯無恥矣」，即係指的這類現象。造成士大夫昧良無恥的重要因素，是社會上沒有公道是非，政治上紀綱隳敗，一些卑鄙險詐之徒，隨便亂法犯禁，爲非作歹，受不到國法的制裁，行所無事，而一般善良人民乃時時隱受其害，無可申訴，巽懦者憤世疾俗，置理亂於不聞，猖激者挺而走險，唯恐天下不亂，整個社會即陷於「八表同昏，平路伊阻」的衰敗狀態中，有如一個病入膏肓的人身，稍有外感就寒熱大作，厥疾弗瘳，終於不起了！

昔諸葛亮初治益州，採取「刑亂用重」的政策，以矯正當時疲玩險詐的社會風氣，卓著績效。今日吾國吾民所處的環境，頗與漢末相彷彿，諸葛亮那套治術，値得取鑑吧！

馬五先生

政治無情，今非昔比
林水泉質詢痛罵高玉樹

問高上台九個多月政見實現幾條
指高只會欺騙只會虛偽做事敷衍
——從議會總質詢看台北市政之一

（本報記者台北航訊）這次市議會總質詢的日程是四天，比過去多一天。在所有的質詢中，記者很重視林水泉議員的總質詢，因為林水泉和高玉樹間的關係，台北選民都非常清楚。在一年前的這個時候，林水泉是高的主要助選員之一，且被視為高的「死黨」。有人以為這次林水泉在「演戲」，在唱「雙簧」，其實不然；因為外間對於高林間的「一段情」，很少有人知道。「高市長，自你就職迄今已逾九個多月，你的政見，實現了幾條？若以市民身份來看，你一點也沒有實現」。這是林水泉的開場白。又說：「你在市務會務時」，為什麼「你說你沒有什麼政見」？「假如你有這樣的想法和觀念，我林水泉一定要發動罷免你。你就職時曾宣佈人事不動……據聞，被調動者有二百多人」。「你只會虛偽，只會欺騙」選民，「做表面工作。如修中山北路地下道，那有什麼價值？只是騙外國朋友」，「討好國民黨」而已！「黨外（人士）出你這個不孝子，我真遺憾」！

林指高玉樹「手下全是昏庸無能的老傢伙，早上九點後才會來（上班）」，公共「工程處會議由外人（省議員楊玉城係高的胞弟）主持。工程處蓋一間教室要十萬元以上，市立女中自己蓋一間教室只要七萬元。市長，前中山國校校長林正洲兼任教育局秘書，你就職後即免其校長職務，專任秘書」；然而「你為何要市府身兼十職的秘書陳益勝先做魚市場副主任及菜市場管理委員會秘書、兼任蔬菜市場副主任呢」？（記者按：陳益勝與高玉樹、林水泉是結拜弟兄）「你做市長後，魚菜市場預算不送議會審查，新社區不提議會報告」。「台北市人才這麼多，為什麼中興小學校長從台中縣調來？請說明原因」。林水泉議員在質詢時，相當粗的話都說了出來，記者實在不忍也不願報導出來。至於林水泉為什麼和高玉樹頂頸而使他難堪呢？這是大家所要知道的。

據林水泉告訴朋友說：他有一位至親，由於家境貧困，負担又重，這位至親係婦道女流，丈夫去世不久，為此，乃奔這位有貴人的親戚，希望他替她找一份工作，解決目前生活；當時，林水泉一口答應了，語氣很誠懇。

為此，林水泉以為這是小事，乃託結拜兄弟陳益勝幫忙。據說，這位高市長的紅人陳益勝，到也夠交情而答應了。但過了些時候，林仍未獲得回信，乃去催促，沒有結論。後來，林水泉想了一想不對，照樣送禮了，並送紅包，與請客吃飯，但事至今日，仍如石沉大海，音訊杳然。於是林水泉光火了，而使出「殺手鐧」，想使高玉樹下不了台！可是高玉樹在答覆他的質詢時，卻避重就輕地過去。

不僅如此，從高玉樹答覆的語氣中，更使人有「高玉樹根本就不看起林水泉」的感覺。這是否因為政治是無情的？

高玉樹答說：「秘書兼職多，不自我始」。最後還說：「你（指林水泉）還有什麼問題儘管問好了。」弦外之音，「我不怕」。那種傲慢的態度，旁聽席就有人議論了。老實說，質詢，是議員們的職權，誰都管不着，至於質詢什麼或不質詢什麼，也是議員在行使職權的自由「心證」。所謂「不自我始」，難道說要援例蕭規曹隨而自毀立場嗎？記得高玉樹在競選時，一再強調民主與法治，並攻擊前任市長，言猶在耳，而今居然說出這種強詞奪理的話出來，怎不叫人驚訝？林水泉由於學識不足，所以沒「將」高玉樹的「軍」，假使林水泉的親友抱不平的話，將來難免會有好戲呢，這也是許多人的想法。

儒家「義利之辨」一辨

（上接第一版）

這些話比王充又高明多了。比之司馬遷也進了一步。自孔孟提出「義利之辨」後，糊塗的小人儒，皆相率不敢言利，所以李覯的話，眞可以發聾振聵。他「賊人之生，反人之情」的責罵，就正是指的這種食古不化的小人儒。接着，李覯直揭孟子貴義賤利之非。

「孟子謂何必曰利，激也。焉有仁義而不利者乎？……孔子七十所欲不踰矩，非無欲也。於詩則道男女之時，容貌之美，悲感念望，以見一國之風，其順人也至矣。」

說孟子非利之言，只是出於一時情緒的激動，未必能狀其眞。說「焉有仁義而不利者乎」一語，直是將仁義的地位提高了，將仁義的價值領域擴大了。視仁義與利為相成而不是相反，這就可以義利雙彰。義利雙彰，而後仁義可不只拘於個體，而可通向廣大的社羣；如此，世俗不僅不會不喜儒，且可樂此不返了。

本於這點認識，使李覯的思想與理學夫子就完全不同。所以他認為聖賢之君，最重要的工作就在能富其國。他的富國策說：

「愚竊觀儒者之論，鮮不貴義而賤利，其言非道德教化則不出諸口矣。然洪範八政，一曰食，二曰貨。孔子曰：足食，足兵，民信之矣。是則治國之實，必本於財用。……禮以是舉，政以是成，愛以是立，威以是行。舍是而克為治者，未之有也！是故聖賢之君，經濟之士，必先富其國焉。」

這種唯富論，在中國歷史上可說空谷足音，得未曾有。他一切非財莫辦之說，更把拘拘於貨財之利安吉之利之辨的王充，顯得鄙陋了。尤其是他堅認國家有財富，而後「禮以是舉，政以是成，愛以是立，威以是行。」這才是深窺人性，且有效驗的偉論。與道學夫子們所崇尚的道德神話（如堯舜三代之治），眞不可同日而語。

後來主張「義利雙行，王霸並用」的陳同甫（亮），與主張把董仲舒「正其義不謀其利，明其道不計其功」修改為「正其義而謀其利，明其道而計其功」的顏習齋，雖不直接受李氏的影響，但精神氣脈是一致的。這大體能看出若斷若續糾正傳統偏蔽的一條暗流。我們要對傳統加以批判，這是值是注意的一個線索。

我曾一再想過，以孟子之智，為何在義利問題上如此不清楚？我想有一個答案可能接近事實，即孟子此種偏蔽，最初可能是因墨而起。墨子的基本主張之一，就是「兼相愛、交相利」，孟子反墨，所以盛言義利之辨，視利為洪水猛獸。闢或為李覯所說，是出於激情；但久而久之，就以為是義理之當然了。孔子講義利，是就道德人格說。墨子倡利，指的是社會福利。孟子反墨，是不知不覺也就被拖向墨子立論的領域，遂至道德越位而落在自覺。在社會羣體上說利，利是可有積極意義的。

義利之辨，在今日仍當講，要注意的一點是，應遵循孔子立下的規範，絕不可越位擴申，流於孟子的泛道德主義。今日有一步工作可做，即將李覯等所提倡的義利雙彰之說，先在理論上證明其如何可能，並揭開傳統義利說種種可能的流弊，不要使青年們一接觸此問題，就跌入傳統的思路，而糾纏不清。

從議會總質詢看台北市政之二

本報記者台北航訊

在台北市議會第六屆第三次大會召開之前，此間即傳說市議會在這次大會中，對台北市長高玉樹採取行動，發揮議會政治制衡作用，這因為在五十八位市議員中，執政黨籍的議員佔有三分之二以上的席次。

議會所採取的行動，重點集中在市營煤氣公司、中央魚市場蔬菜市場、和新社區等三個大問題上下功夫，這可以從議長張祥傳的開幕詞、決議案和市議員的總質詢中可以窺見一斑。但市議會有沒有把高玉樹「將軍」呢？可說對高玉樹「難堪」則有之，「將軍」則未也。何以故？一句話，還是因為執政黨籍議員們各自為政，致被高玉樹以個別擊破的方法而「過關」了。

府會不一家　雙方顯神通

市議會於三月十七日舉行會議，市長與議長在開幕禮的致詞中，即發生一幕舌戰的僵局，最後，高玉樹祇好低頭，承認「過去十個月的任期中，確有很多建設經費，由市庫總存款先行墊支，未符合編列總預算之程序，及執行預算之手續，錯誤之處，希望市議會多多指教」。至於魚菜市場的預算未送市議會審議的原因，他說是：「遵照省令指示」，明顯的想以「省令」來做擋箭牌，而推卸不送審的責任。

不料，市議會對高玉樹這種推卸責任的話極表不滿，竟以休會來抗議。高玉樹為了緩和僵局，不得不親自到市議會，並答市議員們的質詢，並表示決定在五天內把中央魚菜市場的預算送到市議會。而市議會根據五點結論而通過兩點決議。

五結論是歸納市議員的質詢而來。（一）魚市場管理規則第四條第二款規定：消費市場由市府主辦。依自治綱要縣市政府預算決算應送縣市議會審議。（二）按照解釋，省府命令不能約束議會決議案，依法不能抵觸法令。（三）民選市長要執行上級政府委辦事項與地方自治事項，委辦事項當然要請示，自治事項應執行議會決議案；魚市場為市營，沒有請示的必要。（四）中央魚市場為消費市場，不適用省府五十一年間所解釋：魚市場預決算不必縣市議會。（五）限市府於五日內將魚市場預決算送議會審議。

兩點決議是（一）依據台灣省實施地方自治綱要第二條規定：市為法人，其任務有二：①辦理自治事項；②辦理上級委辦事項。因此，市府對於市議會就自治事項範圍內所為之決議，如無抵觸中央法令或省法規之處，不應節外生枝，呈報上級請示，煩擾上級政府。魚市場與蔬菜市場均為市政府所主辦及指揮監督之機構，應屬公營性質，地方自治綱要第十二條第五款規定：「縣市公用或公營事業」為自治事項範圍，自應受市議會決議案約束，故其預決算均須經由議會審查。（二）送市府切實辦理。這是三月十九日的事，可以看出府會不一家了。

然而，迄記者撰此通訊時，已經兩個禮拜了，市政府還沒有將魚菜市場預算送議會審查。由此可見，高玉樹的「太極拳」有點離譜。他所說的五天，這一承諾也破產了。於是，市議員李福長等在一日提出臨時動議：「市府所提請本會審議的五十四年度第一次追加預算案，將留待魚市場預算案送審時一併審查」。這項臨時動議並經大會通過。其目的正在抵制高玉樹未守信用。

高玉樹狡獪　說話不算數

高玉樹為什麼不送審？而市議會為什麼這樣認眞？如果不進一步去瞭解的話，單從表面上來分析，大家還以為這是民主政治的常軌，這是議會政治應有的現象，不足為奇呢。可是此間有一種傳說，說是市議會認為高玉樹便於安排競選功臣，以及其他的方便；君不見競選得力助手陳益勝榮任魚市場副主任的寶座嗎？所以不送審。另外有人說，現在的市議員們，以支票調頭寸，沒有以前方便，調不到頭寸，只好開炮了。不過，記者認為，這問題不但暴露了地方自治法規不切實際，更把政治上的弱點全都告訴大家了。政治上的弱點是：現地方自治名不符實，因為上級政府不放鬆縣市政府的事要管，而縣市政府只有以請示為負責之本。同時，省府的行政命令比行政院的解釋命令還要有效有力。高玉樹頗狡獪，很巧妙而不露痕跡地躲開，讓省政府與台北市議會「鬥法」，他則從中得利。

由天地萬物到人

——新道統的宇宙論

（論道統第五章）

陳健夫

物質分解到極微之點，仍不能確斷其中僅為物質，反言之，即極微之物質中，亦有精神存在，如極微之細胞，即可造成充滿精神的生命。萬物皆然，不限於人。故絕對將心物分開，乃不可能，學者為研究便利而假設其為物質或為精神，則無不可。心物并無絕對的分立性，乃是真元自體，莫可分解。基此原理，可知凡強調唯心唯物或心物合一心物調和之類的說法，皆為假相，非實有自性，乃似是而非，迷妄失真。宇宙之進化，由於真元，真元乃宇宙進化的重心，其中心物皆有，而不限於心物。人類的智慧，實不可能將之送入實驗室加以解剖分析。真元之高明微妙，非人之智慧所能理解。何以知道物質中有精神呢？現在我們就借用物理學上的證明吧！物理學上說：「據經驗知宇宙間之物質，既不能創生，亦不能消滅，是曰物質不滅定律」。物質為什麼不滅？科學家只是根據經驗，不能說出為什麼？現在如果根據真元學理就可以為科學家作答了：物質之所以不滅，乃由於物質當中有精神之故，因為精神是不滅的。科學家由經驗知道有此存在，但不能說出這當中的道理。今後的科學家如要進一步去求證明這個精神之為何物，我想有一天他們也會找得到的。物理學上又有動量不滅定律，說是假設有兩個物體互相以力作用，甲物體的動量減少，即等於乙物體動量的增加。這好比人的精神作用可以影響別人，是一樣的道理。我們由這物質不滅，動量不滅的兩個定律可以知道，物質當中有其精神存在。萬物皆然。如認人為物質的東西，則此物質的東西所表現的精神則更顯明昭著。所以，我們從哲學到科學，都能證明物質中有精神，宇宙中并無絕對純物質的存在，或純精神的存在。真元之所以為真元，而不能單純的以心或物來說明此宇宙的真象，此中有至理，不容含糊。

如照西方哲學家以心物區分為二，而說明宇宙人生現象，則甚難得到最高的真理。即以東方儒佛兩家的學說來論吧，如用西方心物二元的哲學來探討，則甚難理解。關於此一問題，我發現梁啟超也有同樣的感覺，他在解釋佛學「色相有三種，可見有對，不可見有對，不可見無對」，的一段話中說過：

「這三色相怎麼講呢？例如我們環境所見的一切實物，是可見有對的色相；例如別人的性格或思想，是不可見有對的色相；例如宇宙普遍性，是不可見無對的色相。常識上認為性格懸殊的三種現象，佛家用邏輯的方式把它們編歸一聚，所以佛家所謂色，固然一切物質都包括在內，但我們不能拿物質兩個字翻譯色字，因為範圍廣狹不同。」（見梁著佛教心理學淺測）

梁氏在此已隱隱發覺「物質」與「精神」不可能單獨絕對存在的道理，但他又說了「範圍廣狹不同」，還未發見真正問題之所在。其實這已不是範圍廣狹的問題，而是精神與物質二者不能單獨的、絕對的存在的道理。如我上面所說的佛陀當日只是說「色相」，沒有說他是物質或精神，非不說也，乃不可說也。為何不可說？即有此理在。西方學者強將心物劃分為二，乃是自落泥坑，自己劃地為牢，永遠爬不出來的！許多人沒有發現這是泥坑，還以為是時髦，一個個跌下去，不但沒有個結論，而且鬧出了馬克思的唯物主義為禍無窮，真是冤枉，冤枉！我今天才發覺此宇宙中并無單純的物或心，所謂唯心唯物，皆是虛妄。論到此處，不能不稱讚中國哲人的高明。（八）

岳武穆祠墓遺蹟小考

李仲侯

查張渚為一四面環溪之小鎮，其溪即桃溪。至張氏園之遺址，已屬無從確指，惟鎮梢三橋，有張氏祠堂，連門廳共計三進，規模頗大。在中正右側小室在中壁上，有二尺見方之石碑一方，錄刻武穆與張完唱和詩句，完稱安國，想係其字。且武穆詩第二句「對鏡」作「照鏡」，完詩第三句「聲求色相皆虛妄」，作「聲求色見真邪妄」，與桃溪客話所載畧有不同。然細觀石刻，字跡拙劣，且跋尾數語，亦不甚佳，諒係錄誤，要當以客話所載為是。中庭右側，並有大銀杏樹一株，圓圍可八九尺，枝葉婆娑，確係數百年古木。相傳武穆曾繫馬其上，確否無庸深辯。惟在張氏祠堂附近，二溪會合，成丁字形，上架三橋，宛轉相道，兩傍老樹參天，風景極為幽靜，張氏園原址或真在此間，亦未可知也。

岳霖墓在宜興縣東北四十里之唐門菴，其地即古之唐門里。據金佗宗譜：「侯為王三子，幼穎悟，年十二竄嶺表，郵錄時，詔復官，與朱熹張栻為友。淳熙五年，以知欽州詔入對，上諭曰，卿家紀律用兵之法，張韓遠不逮。卿家冤枉，朕悉知之，天下共知之。侯稽首涕泣，遷通直郎，試將作少監，具劄求還高宗所賜御札手詔，即簿錄時所取以滅跡者。詔令於左藏南庫檢還之。侯搜剔遺文，葺為成書，會侯疾革未上卒，以屬其子珂。侯官終朝散大夫敷文閣待制，贈大中大夫。景定間，追封繼忠侯」。岳霖於紹興末，嘗自江州來宜興，邑人感武穆之德，爭買田賃屋以居之，侯遂家於邑之唐門里，子孫世守其地。唐門岳氏，遂成著姓。侯歿後，有司索王衣冠并侯柩葬之，此即宜興岳王墓之所由來。淳祐間，四世孫益於墓東隅建侯祠，並於祠旁築顯祖菴，延僧汝弼主之，以奉武穆祀，至是規模始備。現祠墓雖將就圮，然尚堪憑弔。墓在平田中，中為王衣冠塚，旁即侯墓。石門墓表，均已不存，即墓上亦漸塌落，現離地已不及二尺，形類土堆，不久恐遂將湮沒。祠在墓側，去墓僅十數步，額題岳繼忠侯祠，規模極小，僅門廳五楹，正殿三楹，中供侯神主，題為「宋少師封朝議大夫敷文閣待制兵部侍郎廣東經畧安撫使加贈大中大夫繼忠侯諱霖之神位。」門邊尚有祠田碑記一方，頗足考見唐門岳氏分布狀況。此祠亦因年久失修，已破敗不堪矣。

武穆開府鄂渚，為時最久，當制置江西日，適偽齊李成合金人入寇，陷襄陽唐鄧隨郢諸州及信陽軍，故鎮撫刺史如李橫、李道、翟琮、董先、牛皋等俱失守南歸，詔并聽武穆節制，就將其軍。武穆遂奏請措置收復，以圖中原，優詔報可，差兼制置荊南鄂岳，武穆遂提兵渡江。（五）

漢文，漢字，漢學

陳曼卿

今古文經師承概畧

「今文經」

詩：史記分魯、齊、韓、三家

魯之「申培公（漢書謂荀況門人浮丘伯，授詩於魯申公）與劉郢同師。已而郢為楚王，令申公傅其大子戊。……歸魯……王子欲立明堂……迎申公。……弟子為博士者十餘人……孔安國……周霸……闕門慶忌。……多本於申公。」是為魯詩。

齊人「轅固生……孝景時為博士。……諸齊人以詩顯貴皆固之弟子。」其學徒衆尤盛，是為齊詩。

燕人韓生「孝文帝時為博士，景帝時為常山王太傅，韓生推詩之意而為內外傳。」是為「韓詩」。

三家「詩」兩漢皆立於博士，漢書儒林傳始則三家，終而四家。並謂「申公以詩經為訓故以教」今文家倘「訓故」而不言「訓詁」，「訓故」一辭本此。

書：濟南、伏生。故為秦博士「孝文帝時，欲求能治尚書者，天下無有。乃聞伏生能治，欲召之，是時，伏生年九十餘，老不所行。於是詔太常使掌故朝（晁）錯，往受其業，伏生口誦二十八篇。」泰誓後得「博士集而讀之。」宣帝還特別下了一道召書「禮壞樂崩，書缺簡脫，朕甚愍焉。」乃益為二十九篇。

所謂歐陽生（宣帝前已立）大、小夏侯（宣帝時立）皆出於伏生。小夏侯釋書，猶有根據。（皆載漢書）

禮：魯、高堂生。

「孔子時，而經不具，及至秦焚書，書散亡益多，於今獨有士禮，高堂生能言之。而徐生善為容；孝文帝時，徐生以容為禮官大夫。」漢書儒林傳復載：「后蒼禮，大、小戴，慶氏禮。」武、宣、二帝皆立於學官（博士）。

樂：更秦，亂，而廢。

「樂本無經」不傳，武帝時乃立「樂府」。

易：川、田生。

「魯、商瞿受易於孔子……六世傳至齊人田何……而漢興。田何傳……王同、子仲。仲傳……楊何，何以易，元光元年徵。」是為田何易與楊何易。

漢書載：「田何傳丁寬，寬傳田王孫，王孫傳施讎、孟喜（喜自出新意改師法，得立於學）梁丘賀。」而易有：施、孟、梁丘之學，此三家皆在宣帝時立於學官，元帝時復增「京房」之學。

春秋：公羊、穀梁、二家。

公羊傳：「胡毋生（景帝時博士，公孫弘頗受其業）董仲舒。」景、武二帝時皆為博士（董之弟子以及子孫，皆以其學命大夫至大官）。漢書有：嚴彭祖（宣帝時立）顏安樂二家。皆董氏之學

穀梁傳：暇丘江生，始「受穀梁春秋及詩於魯申公，傳子至孫為博士。」武帝時江公與董仲舒並

宣帝聞「穀梁」本魯學，「公羊」乃齊學，愍其且絕，選郎十人，從受蔡千秋，秋死，徵江公孫為博士，劉向受其業。江死徵周慶、丁姓，待詔保官。自元康至甘露積十餘年，乃召五經名儒蕭望之等大議殿中，平（評）公，穀異同。望之等多從穀梁，由是大盛。（二七）

動物農場

英George Orwell著　陳其芝譯

第五章　秘密警察的出現與爭權

冬天來了，毛莉的毛病越來越多，牠每天都是早睡晏起，怠工偷懶，儘管牠的胃口很好，但牠還是埋怨說有暗疾的痛苦來逃避工作。同時找出各式各樣的藉口跑離工作地方，到池塘邊去呆癡癡地凝視着自己在水中的倒影。農場裏這時還盛傳着一種可怕的謠言，有一天當毛莉與高采烈地往庭院裏走，擺弄着牠那小尾巴，嘴裏細嚼着嫩草時，克勞芙一把將牠拉住，拖到一旁說：「毛莉，我有很重要的事對你說。今天早上我看到妳站在農場的籬笆邊，對面站一個皮克湯先生的長工，我離你們雖然很遠，可是我敢說，他跟妳在談話，而且妳還讓他捏着妳的鼻子。這是什麼意思呀？毛莉！」

「他沒有捏我的鼻子，我也沒有跟他說話。你這些都是瞎說！」毛莉急得亂蹦亂跳。

「看着我，毛莉！告訴我，那個人沒有捏妳的鼻子嗎？」

「沒有！真的沒有！」可是毛莉不敢正視克勞芙的臉，而且牠立刻拔腿跑向田野裏去了。

克勞芙靈機一動，也不對別個說，獨自往毛莉的廐窠走去。用蹄子掀翻着稻草，終於牠發現在亂草下面藏有一截甘蔗和一束不同顏色的絲緞新彩帶。

三天後，毛莉不見了，一連幾個星期，大家都不知道牠的蹤影何處！直到鴿子有一天帶來消息，說親眼看見毛莉拉着一輛黑紅二色漆得很美的兩輪馬車，站在威靈頓的一家客棧門前，有一個面色紅潤，身材肥胖，穿着騎馬褲，打着綁腿的男子，看來像酒店老板的樣子，在那兒捏着牠的鼻子，喂牠吃甜菜。牠穿的衣服是新剪裁的，還繫了一條大紅的絲帶在鬃毛上。看起來牠很是悠哉游哉的呢！自從鴿子如此報告之後，再也沒有動物們提到毛莉了。

正月是個嚴寒難耐的時節，土地凍得堅硬如鐵，田地裏的工作一點也不能做，大穀倉裏又召開了好幾次會議。豬羣們忙着工作計畫，準備迎接即將來臨的開凍季節。大家都承認豬的聰明與幹才比其他動物強得多，牠們裁決着所有的農場事務，不過這些決定也要經過過半數動物的同意，如果這些決策不是因為史諾柏和拿破崙的明爭暗鬥，其效果就一定更可觀了。可惜的是這兩位領導者的意見永遠存着分歧。只要有可能，牠們決不會同意對方的任何意見。譬如說，有一個提議要多種幾畝大麥，另一個則堅持要多種些燕麥；一個說這塊土地的土質最適宜種捲心菜，另一個則必然辯稱這種土質除了種甜菜外不可種植任何東西。每個人也都有牠自己的黨徒，會議辯駁的很激烈。開會時，史諾柏那口齒靈利的演說很可以獲得大多數的支持，但拿破崙的見機誘勸也得到的後盾，尤其在羊羣中牠最為成功。所以後來在會議進行中，羊羣常常插進：「四足者善，兩足者惡」的教條來打擾會議的進行，牠們專等史諾柏講到緊要關頭時唱出──「四足者善兩足者惡來打斷它。

史諾柏曾經細心地研究過幾本從農舍中找出來的「農夫與家禽」。書中大多談論些革新與改善的計畫和方案。牠可以很透澈地說明排水法，青貯法及壓肥法。牠也擬出了一套很完美的施肥方案：所有的動物每天都直接跑到指定的區域去排洩大小便。這樣可以節省下不少搬運的勞力。拿破崙則毫無計劃，但牠會冷靜的批評，說史諾柏的計劃將一無所獲，看來牠或者在等待什麼機會吧。在所有的爭辯中，沒有比風車問題所引起的爭論為激烈的了。（十四）

陽明公園之春

匡正

一年一度的花季又到了，春光給陽明公園帶來了一襲迷人的面紗。這不知是幾度櫻花紅了。通往陽明山的大道上，車馬如龍，成羣結隊都是遊春的人。

進入陽明公園，兩條柏油馬路，一上一下，可直通園之中心。由上路入園，可俯視全園在你足下浮動；由下路入園，可以仰觀錦繡山色與長空相映，正是各有一番風味。如果你是第一遭的遊客，這初瞥是會使你留下深刻印象的。

由下道前進不遠，有小橋流水，在這兒的右側上，就是那引人入勝的「小隱潭」。小隱潭之白泉，如一條小白龍，由「飛龍」洞噴出，以「飛龍」名洞，可謂得其實。「飛龍」小瀑由洞口奔下，直濺「小隱潭」中，潺潺之聲，好似如怨如訴的音樂。「小隱潭」重疊三階之狀，泉色乳白，冉冉的蒸氣，繚繞潭空。在此小憩，似若太虛幻境一般。「小隱潭」的右側石壁間，有墨客詩文雅綴其上，文贊「小隱潭」曰：

雲寰高千仞，隱潭踞其側。松老不知年，谷幽深莫測。飛瀑舞長龍，三潭各奇特。無事悲滄桑，名山詎陷賊。玉壑滋茲土，萬戶皆春色。湖畧勤中興，岩壑暫憩息。周公闢荒淵，摧荊復斬棘。鑿山以引泉，隱潭忽在即。仙杖時一臨，錫名並石勒。明年收卞州，往者資同憶。

下書「任守餘題」。最下一潭，小小拱橋橫跨潭上，古色古香的小欄，可發思古之幽情。小拱橋面壁岩中，楷書曰「山水閒情」，下題「陽明山人王守仁書」。大概是拓自陽明先生的遺墨。在此小憩之後，拾級而上，正是園中之園的中心區了。

陽明公園的中心區，好似故都「頤和園」中的「園中園」一般，那正是遍地花兒朵朵紅，吐露芬芳，爭香鬥艷之所，有小小大大的花叢、花錐、花翠園等等的花堆，那聞名遐邇的櫻花，此時正是「一枝獨秀」。處處花叢之下，小圃之中，朝鮮草長得和一張一張的地氈似的。而一雙雙一對對的情侶、夫婦，三三五五的結伴，在那花叢之下喁喁而談。

陽明公園是遊人們攝取佳景的好地方，在這中心的園中之園裏，環顧都是美丰姿，卡喳卡喳之聲在那兒留下她們美麗的紀念。如果你沒帶照相機也別着急，那些爲你照相服務的人多的是，只要花二十元新台幣，就可爲你留下滿意的紀念。（上）

編者附誌：「冒險犯難記」續稿未到，暫停。

活人祭祀搜奇（中）

匡謬

這還不足稀奇，用人祭最「有趣的」，用人祭還要各人有各人的職守。我們從「小屯，C區墓葬」圖中，便可明白看出：

「……上層基地建築成功後，又挖破基地而埋入的，他們的位置有三種不同的地方：一處在門內部……另一處在門外……一處在東向……。前兩種在門的內外，由層位上觀察，他們可能是在安門的時候埋入的。不過彼此的職責不同。門內的五個人，可能執掌着「侍」的工作，門外的四人，可能執掌着「衛」的工作……似至於東端……與膳廚有關。」如這解釋不錯，則九名膳夫，五名侍從，四名衛侍，可能都是安門典禮中的犧牲品。也可以說是這座建築物的防護侍衛者。

在美洲的哥倫比亞人，宣戰有一種儀式，由使者送消息到敵方：……這時要舉行一個宗教儀式，向日和月犧牲一個小孩在典禮中。在非洲的一些部落中，在戰爭的準備上，就要占卜用人做犧牲，正像殺人以祭旗似的。在戰前的禱於神，戰後的謝神，都是古代民族的一種儀式。在奴隸海岸而住在森林區的人，有一種樹神；他們在樹的四周，圍了一圈棕櫚樹葉子。犧牲的有禽鳥和人，都被綑在樹幹上，或放在樹根旁。

在古希臘的雅典人，常用公欵養一批「賤而無用」的人，在遇災難的時候，如鼠疫，旱災，飢荒時，他們就犧牲兩個「賤而無用」的人作爲犧牲。一男一女，一個據說，是爲所有男人而犧牲，一個是爲所有女人而犧牲。另外有些城市，每年還有一次公開贖罪的儀式，如果……隔離了的人，一個和大家……被衆人以亂石打死，是替市民們一種贖罪。在行刑前他被隔絕了，「爲了可以負擔所有人的罪惡。」這是要算用人祭神以贖罪的奇俗了。

用人祭水神的，在幾里岡，其首領每年一習慣的在河邊奉獻一個淺膚色的女子，或用生來膚髮俱白的那人作犧牲，給她穿上規定的華麗的衣服，經過帶到儀式後，到島上去，推她到水裏。他們用人祭水神的用意，而是爲了保證多捕魚的願望。安南的可汗，據說有一個時期，爲了要想得司捕魚的神息怒，每年必須丟一個人到海裏去。又有把出生長好的孩子拋到水溝中，使田地容易灌溉的習俗。

北歐的神話就說，北歐人在海戰時，如要求得水神的幫助，就犧牲自己的兒子，女神就會幫助他。法蘭克人，爲了卜未來的事，把哥德的女人和小孩丟入河中，作爲犧牲。又爲了遠航，也要犧牲活人，以保護自己。在北歐的水神，都被認爲是殘酷者，凡溺死的人都是犧牲。如果沒有人溺死，就要奉獻活人作犧牲。以上祭神所用的犧牲。火也是一樣可怕的東西，在靠近火山的人們，爲了討好火神，也常向火神作人體犧牲。印地安人，時常在火山的口子旁，用男女及小孩作爲犧牲祭品。據說他們的犧牲者是自願的。在何里比所的舍喊島上，是以一個兒子作在祭祀火神的犧牲品。在瓜哇地方，人們希望得豐富的食物，就要向火山犧牲自己的兒子。祭火神最盛的似是東方，在波斯時代，有一個叫基比爾的名阿諸瑪克的兒的，對火神要人們在火中燒死自己的兒子。

英法聯軍侵華之役

羅雲

一、戰前情勢

南京條約（亦即「萬年和約」一八四二年）訂立後，英商販賣鴉片及走私仍然照舊，而中國因條約之束縛，乃更無法管制。耆英爲總督時，一味聽順英人，而廣州百姓自三元里平英團反英之後，對英人一向仇視；嗣耆英去，徐廣縉代總督，葉名琛作巡撫，雖利用民氣排外，但却無甚計謀。之後，徐廣縉調長湖廣，葉名琛升任總督，驕傲益甚，英法美代表，皆不得見面交涉，終於演成戰爭。

二、爆發戰爭的導火線

當時沿海海盜橫行，亞羅船本屬中國，船主爲中國人，爲防海盜，曾向香港政府註冊。咸豐六年九月初十日（西一八五六年十月八日）亞羅船掛英國旗從廈門到廣東，停泊黃浦江上，水師千總正在巡河，探得奸商假藉英旗掩護，遂命手下登船捕得十二個中國人，並拔去英旗。英人乃藉爲口實，英領事巴夏禮獲報趕至，要求千總釋放船員，千總拒之。葉名琛檢查所捕水手，其中三人確爲海盜，乃將其餘九人交與英方。但巴夏禮亦不肯接受。香港總督兼英使包令乃訓令巴夏禮提出下列三點要求：禮還水手；道歉；担保以後遵重英旗。

葉名琛以亞羅船所持護照之有效時間，已在十日前滿期，自然不該再掛英旗；且其水手皆中國人，並有海盜在內，當然應歸中國處理。乃英人一再作無理要求，葉名琛已無法遷就。英艦進攻廣州，葉名琛却又不爲備。時英人未得政府訓令，又值有事於印度，未久自退；葉乃僞報戰功。清廷以爲可藉機毀約，及拒絕英人進城，遂焚十三行。此事傳至倫敦，英政府主戰，咸豐七年正月（西一八五七年二月）提出議會，英議員中亦頗有人主持正義，不同意政府之所爲，並責在華英國官吏處置失當者。英相不得已解散下院，旋新議會決議先遣使迫清廷改約，賠償損失。並派巴爾墨斯敦以合從之利，說美俄法各國，美俄僅允遣使，獨法皇拿破崙第三，野心勃勃，欲耀兵海外，因受英人蠱惑，亦藉口廣西桂林之法國傳教士被殺，乘機而入，於是遂有英法聯軍之役。

三、戰爭經過與不平等條約

戰爭起於咸豐七年十一月初，英法聯軍先攻廣州，並發通牒，限葉名琛於四十八小時內獻城。葉父喜扶乩，名琛亦迷信至深，父以「過十五日必無事」告之，名琛遂竟無準備，對英法通牒亦不理會。十二日，聯軍遣陸戰隊六千登陸，次日拂曉炮兵據海珠炮台用大炮攻城，千總鄧安邦戰死，以無後援不支。十四日聯軍三面攻擊，交戰一時半，城遂陷。將軍穆克德訥樹白旗於城上乞降，巡撫柏貴遣紳士伍崇曜、梁綸樞、俞文韶等詣聯軍求和，久之議不成。旋廣州城破，葉被俘，於翌年正月被送至印度。某名士曾嘲之曰：「不戰不和不守，不降不死不走，相臣度量，疆城抱負，古之所無，今亦罕有。」迄咸豐九年（西一八五九年）三月，病死印度。（一）

楊貴妃

——「影劇與歷史」之二

周遊

如果說她因爲曾做過壽王的妃子，而不可以做皇后，那麼武則天還不是做過太宗才人的？她是李治父親的太太，是母輩，可是照納不誤。在太宗尚未死之前，他們倆已經苟且不清，以後也照當皇后不誤。何獨貴妃又不可以做皇后？以她「三千寵愛在一身」，欲取欲求的嬌嗔，她要登上皇后寶座還怕不成嗎？所以後人聽信穢史，說她也是「禍水」，未免是對女人有了成見，否則眞不知是何居心！

如論貴妃對愛情而言，她的愛情可以入「情典」。她被玄宗賜皮球似的踢來踢去，但却是一往深情，她的情人還是只有一個。如果她有穢史淫行，新舊唐書絕不會放過的，她對梅妃和虢國夫人的吃醋，證明她是專情的人，她不惜被逐兩次（前次爲梅妃，後爲虢國夫人）都是爲了專情。如果她在宮中另有情人，則明皇與梅妃，虢國夫人之勾搭，正可以睜隻眼閉隻眼，各行其方便了。

楊國忠之專權，在於他自己會拍，也確忠於玄宗，楊貴妃並沒在玄宗面前引薦保奏他。而國忠之被引用，乃是由於玉環的三位姊妹所引薦。由於貴妃入宮後，其他三姊妹就經常入宮走動，把國忠引薦與明皇下棋賭博作樂；國忠也很乖巧聰明，利用機會表現忠心、聰明，才被玄宗賞識錄用的。

貴妃賜死。那是國忠所帶累，所以貴妃未引薦國忠，而國忠却害了貴妃。早日的海誓山盟，到了緊要關頭，明皇只圖自保，愛江山而不愛美人了，明皇其實有負於貴妃。貴妃却無負於明皇。所以後人有詩云：「終是聖明天子事，景陽宮非又何人？」

楊玉環本楊玄琰之女，爲虢州人氏，中宗時封弘農郡公。（舊唐書。新唐書說他徙籍蒲州，遂爲永樂人。）貴妃先本爲太子壽王妃子，是明皇媳婦之輩。因玄宗寵妃武惠死了之後，悶悶不樂，有人發現壽王妃子玉環美艷絕倫，明皇召見，果然壓倒六宮粉黛。爲了避免外人譏評，只好教她先到尼姑庵作女道士，名太眞，轉了一個彎，玄宗納兒媳做老婆，在倫常上已經不成體統了。她和明皇的長生殿相見之事，根本就是鬼話；她死在九泉早已不瞑目，還到長恨那地方去尋舊情人？薄情的唐明皇，她還有甚麼留戀的？「在天願爲比翼鳥，在地願爲連理枝」。貴妃可以當之？文用在玄宗頭上，太不像話，已經有些不該，[illegible]把淫亂收入正史，更是豈有此理，既厚誣死者，亦害了活人！隨園詩云：「唐書新舊分明在，那有金錢洗祿兒？」正就是對司馬光的諷刺。（本篇完）

綠天庵與僧懷素

漁翁

綠天庵，在今湖南零陵縣東門外一里許；唐僧懷素，以此地清靜幽雅，可爲修道養性之處，乃卜築而居焉。據「清異錄」載稱：「懷素居零陵東郊，治芭蕉亘帶幾數萬，取葉代紙爲書，號所居曰綠天庵。」

懷素，長沙人，生性恬淡，心地潔白，我行我素，本陶潛詩：「聞多素心人，樂與數晨夕」之句，即以「懷素」爲名。

可是，他雖出家爲僧，不以眞姓名示人，而喜好杯中物，不同於尋常之和尚，蓋儒而釋者也。工草書，自言得草聖三昧。貧無紙可書，嘗於所居處，種芭蕉，以供揮洒，世傳有草書「千字文」、「三字經」等，與四體中之眞、隸、篆齊名，爲初學習字之張本。

按草書，始於漢初，趙壹曰：「起秦之末。」均不言作者姓名。蓋草書之稱，起於草稿，各字不連綿者曰章草，漢魏之草書也；晉以後相連綿者，則謂之今草，亦通稱草書。迨懷素出，所書遒勁秀拔，自成一家。

懷素以綠天名庵者，因芭蕉葉大而色綠，多則映滿天空也。他以參皮作筆，以蕉葉爲紙，以鍋灰爲墨，積數十年之經驗，因而有獨到之妙境。

庵內有一池，水色黑，日「墨池」，爲當年懷素臨書洗筆處。與晉王羲之在永嘉郡守臨池學書之墨池，後先輝映。又庵外有土[illegible]然，名日「筆塚」，爲懷素所用之廢筆積成。與僧智永學書積年，禿筆入甕，埋於地而號「退筆塚」者，一轍也。由於懷素以草書著稱，地因人名，故均流傳至今。

內僑警台報字第〇三壹號內銷證

自由報

THE FREE NEWS

第五三八期

中華民國僑務委員會頒發 台報新字第三三二號登記證
中華郵政台字第一二一六號執照 登記爲第一類新聞紙類
（每逢星期三、六出版）
每份港幣壹角
台灣每份新台幣壹元
社長：雷嘯岑
督印人：黃行富
社址：香港銅鑼灣高士威道二十號四樓
20 CAUSEWAY RD 3RD FL HONG KONG
TEL. 771726　電報掛號：7191
台灣分社
電話：三〇三〇六

堯舜之道——尊重人權

李聲庭

有一次景丑對孟子說：我祇見國王尊重你，而沒有看見你尊重過國王。孟子說：齊國的人從來沒有把仁義這套大道理和國王講過，難道說他們認爲仁義是不好的事嗎？他們的心目中想着：這個國王那裏配談仁義這樣的大道理啊！這樣一來，至少在心理上已經輕視國王了。可是我呢，如果不是堯舜所行的大道理我便不敢拿來和國王談話，因爲我覺得國王有資格和有智慧了解和實行堯舜的仁政。單就這一點而言，齊國的人沒有一個比我還尊敬國王的呀！

這段話引孟子的原文是：丑見王之敬子也，未見所以敬王也。曰：烏，是何言也。齊人無以仁義爲王言者，豈以仁義爲不美也？其心曰：是何足與言仁義也云爾。我非堯舜之道不敢以陳于王前，故齊人莫如我敬王也。

堯舜之道據孟子的解釋是行仁義，行不忍人之政。用現代的語言加以註釋，便是尊重人權。

孟子又說：人皆有不忍人之心，斯有不忍人之政矣。以不忍人之心，行不忍人之政，治天下可運之掌上。孟子所指的不忍人之政，就是我們今天所強調的維護人權。因爲在那個時候的政治觀念是從上向下看的。即當政的人願意怎麼樣，他便怎麼樣幹，堯舜率天下以仁，而民從之。堯舜存有一個不忍人之心，於是一切政治措施都以不忍人爲前提；桀紂存有一個忍人之心，於是他們的一切政治措施也都以忍人爲前提。到現代觀念轉變了，是以人民爲主宰的民主政治，人民作主要求替他們辦事的公僕尊重幷保護他們的人權。如果這一點做不到，公僕便違背了人民的委任。依美國獨立宣言所指陳的：人民可以推翻或改組這個機構，另組一個能符合他們的願望，尊重他們權利的政府。政府的目的在保護人民的權利。孟子認爲行不忍人之政便可治天下運之于掌上。那是說：能夠做到一切舉措都不違背民意，人民自然擁護與協助推行政令，這樣一來天下便大治了。

孟子還怕一些老頑固不懂得什麼是堯舜之道，什麼是仁義和什麼是不忍人之政，於是又具體的說：行一不義，殺一不辜，而得天下不爲也。爲政的人怎麼能夠避免行不義，或不殺不辜呢？孟子的意思是說：只要你不存行不義的心和存殺不辜的心便行了。存心與否是一個人良知與良能的問題。他認爲如果一個人無意間行了一件不義的事，或殺了一個無辜的人，幷無害于你全部的行仁政。但如果你以行不義或殺不辜作爲取得天下的手段，那末你便沒良心的了。因此他說：桀紂率天下以暴而民不從。民不從是因爲暴政率獸食人的緣故，這樣一來人權便一點沒有保障了。孟子又倡民爲貴之說。民爲貴是指人民的權利受尊重的意思。沒有人權不受尊重的地方而民爲貴的，也沒有人權受尊重的地方而民不貴的。在鐵幕內的人民便等于奴隸，因爲在那個地方的人權是不受執政的人所尊重的。

第二次世界大戰期間，同盟國對納粹德國的一致譴責是德國納粹黨的集體屠殺猶太人，這種以殺人爲手段製造恐怖氣氛以鎮壓國內的不滿情緒不自希特拉始，不過希特拉則變本加厲，完全以忍人之心行忍人之政到了極端，以致於激動了全世界有正義感人士的公憤。戰事完結在紐倫堡審訊戰犯時發現希特拉屠殺猶太人的各種殘暴行爲，至今想及猶令人不寒而慄。當希特拉得勢之日，德國人中居然沒有一個像孟子一樣的人物向他進言：你不能這樣大規模的屠殺猶太人，你至少要行一些仁政才對。可能德國人就如孟子時代的齊國人一樣，大家都想這個傢伙那裏配談人權這套大道理，因此大家都閉口不談，讓希特拉去殺個痛快。也許有人想：他這種瘋狂行爲總會有一天把自己毀滅的。所以當希特拉殺猶太人殺得起勁時，便沒有聽到過德國人起來反抗他，也許是格于勢力。但也沒有聽到過有人向他抗議的，也許是希特拉控制得很厲害，德國人根本不知道有這一回事。如果德國人知道了而沒有公開指責，便表示德國人無正義感，甯可讓一個魔王作惡而連累到整個德國人受戰爭的禍害。現在德國人應當覺悟了，至少應當學孟子的作風，把人道與人權這些大道理和希特拉說，才算得德國人是愛國的。當時希特拉撕毀凡爾賽和約，重整軍備，使德國的國際地位突然提高，德國人因此興奮得不得了，大家都尊希特拉爲民族救星。但他們却忽畧了一件事——希特拉就借着德國人對他的崇拜心理而加緊屠殺猶太人。如果眞有像孟子那樣的人只拿維護人權的話和希特拉講，也許希特拉信他的話而停止屠殺猶太人，也許連那進言人的自身都不能保。如果是前者，這三十年來的歷史便要重新寫過，可惜今天的歷史，却是一頁悲慘史。

當時孟子爲了敬王而只和國王談仁政，今日的愛國志士爲了愛國也只和當道的人談尊重人權。可是不幸得很，許多想分一杯羹的小人則極力慫恿在上的人去摧殘人權、踩躪人權。他們這樣做還不足，對那些以尊重人權向當道進言的正人君子却又猛烈攻擊，正如同孟子那時的人一樣，不但不拿堯舜的仁政和當道講，反而導當道于桀紂的虐政，因此結果免不了身死而國亡，同歸于盡。

時至今日，民主政治爲潮流所趨，人心所向。人權自由爲民主政治所經由的必然途徑。因此人權的尊重與維護凡在民主國家已經不必由人來倡導與宣揚。如果有此必要的話，不是共產國家，便是極權獨裁地區。在那個地方，人民無權，因此人權也不受尊重，像孟子這種以堯舜之道和國王講的人便十分需要的了。換句話說，今日在某些地方（尤其在鐵幕之內）拿尊重人權與維護人權這些大道理和在上的人說也是十分需要，同時正是這些人愛國家的具體表現。否則，他們不作聲，如德人對希特拉一樣，讓他作惡多端，結果牽及整個國家受害。那末當日三緘其口的人固然能苟全性命于亂世，可是却不足以言愛國。愛國之士不但能執干戈以衛社稷，另一方面更能夠把一些大道理告訴當政的人，使他們行仁政，行不忍人之政。這樣國家的聲望提高了，人民與政府協力齊心足以造成康樂富强的國家。志士仁人報國的志願也便達到了。

陰謀專家

無法下咽

今日與明日

蘇俄干擾柏林通路

西德國會決定於四月七日在柏林舉行會議，西德內閣也同時在柏林舉行會議；就當此時，蘇俄突然指使東德共黨藉口在邊境演習，阻止西德國會議員及政府官員通過。這次新挑釁行動，可能是聲西擊東，用意在解越南之圍，牽制美國不能在越南放手而爲。

西方盟軍司令對於蘇俄的無理干擾，已提出抗議，必要時西方國家將會出動武裝保護，或者改用戰鬥機掩護空運。不過，這樣硬頂下去，局勢就比較嚴重，絕非越南可比，是好是壞，短期就見分曉。按常理度量，蘇俄此時實在沒有在柏林動手的必要，假若因爲德國問題使美俄發生衝突，引起大戰，到是不値的。

十七國調處越南戰事

自稱爲不結盟的十七個國家，在南斯拉夫首都貝爾格來德開會，提出解決越南戰爭方案：第一步是就地停戰，慢慢再商量解決辦法。此次會議是由南斯拉夫總統狄托所召集，毛共一開始就破口大駡，指狄托是美帝走狗，爲美國服務。可見這項議案即使美國表示接受，北越也必然反對，而南越也不可能贊成，仍然是白費心機。

不過，由於十七國會議，可以看出毛共在世界的孤立。周恩來、陳毅這次在亞、歐、非三洲奔走，目的就在拉攏與國，爲在越行爲張目。但是，出席十七國會議的，就有周恩來正在訪問的阿爾及利亞，陳毅正去朝地納貢的阿富汗；周、陳兩爺白跑一趟，連阻止這兩國去參加狄托會議的作用都未達到，未免太可悲了。

美機在越失利

美國飛機轟炸北越，被共黨米格機擊落兩架，共幫竟然說成三十七架。好在這與粮食產量不同，不必用來估計贏餘多少，也許不至於突然來個更正，一次減掉三分之一。任何人都不會相信共幫的數字！要說越共一舉能擊落美機三十七架，恐怕連蘇俄也無法相信。不過，話儘管這樣說，雖然只是擊落兩架，對美國也是一件大事。據共方公佈是用俄製米格機擊落，美國則說在濃霧中受到突襲所致。米格機目前種類，除去新近運去印度的米格二十一型，其餘爲米格十五、十七、十九均已落伍，遠非美國超音速飛機對手。何以小鷄竟然擊倒了老鷹？美國軍事當局不能不作一次詳細調查。是否蘇俄地對空飛彈運到北越？否則以北越及毛共駕駛員，駕舊式米格機，怎能擊落美國超音速飛機？眞是難解的事。（何如）

自由談

莫名其妙

個多月前，美國纔像煞有介事的公告天下，堅持除非北越停止對南越的侵畧，否則便無所謂和談的，現在突然又由詹森總統自我宣佈：願意「無條件談判」了。信誓旦旦，言猶在耳，不旋踵間却就自毀立塲的向後倒退，誠屬兒戲大政，莫名其妙。

詹森總統此一出爾反爾的可笑舉措，難免使若干堅決反共的亞洲國家聞而寒心，假而致削弱甚至渙散其鬥志，固無庸論，且儼然顯示：對於攸關整個自由世界的安全與和平前途至深且鉅的越南之戰，美國若不是還不會清楚認識其許勝不許敗的重大意義，便是美國至今尚未認眞明白，自由世界與共產集團敵我雙方的優劣短長何在，以及要用何等策畧何等手段，才是制勝對方的不二法門。兩者同屬見事不明，害莫大焉。

越南之戰是被稱做「特種戰爭」的。其特性在於它是由共產集團所導演支持，而却隱身幕後，以內戰的形式，以遂行其蠶食鯨吞自由國家的陰謀手段。共產集團其所以出此，係由於它們現時力有未充，不敢打大戰，甚至雖較具規模的區域性戰爭亦在絕對避免之列所使然。它們果得意於越戰，以之作爲範本，便可循此道路，不冒大戰之險，而得逐步完成其赤化世界的「壯志」。

所以，姑勿論越南所處戰畧要衝之地位，單以政畧而論，此一特種戰爭，亦非加以撲滅不可。

戰爭雖屬特種，撲滅之方，仍不外乎擒賊擒王。美國近頃的開始膺懲北越，雖尚屬牛刀小試，却不失爲接受教訓，走上了求勝的正道，只須繼續努力，儘有希望逼使對方屈膝求和的。豈料際此關頭，美國却自我洩氣，願意「無條件談判」了，眞是其愚不可及也。美國此舉，且但長敵人志氣，滅自己威風，而其捨己之長，用己之短，自甘跌入「打打談談」的共黨陷阱，乃欲以之維護南越的獨立與自由於不墜，烏可得耶！

馬五先生

議員質詢滔滔大翻底牌　把高玉樹說得半文不值

諸如官僚作風因循敷衍攬派系圈子　又還用公款到處送禮利用職權亂來

——從議會總質詢看台北市政之三

（本報記者台北航訊）市議員宋霖康和高玉樹有八拜之交，然而宋議員的質詢毫不保留，且一語道破高玉樹的爲人和處世，以及做事的態度。他說：「你（高）過去一段時間的表現，我深表失望！因爲你的官僚作風及傲慢態度，和以前的周代市長差不多，雜亂無章的辦事方法及因循敷衍的行政效率，也比前任市長黃啟瑞高明不了多少！」宋霖康又說：「我希望你在做人做事方面，應該積極改進。第一，你是民選市長，所以擺官架，打官腔的態度必須革除，對選民應該保持禮貌，尊重民主的風度。第二，不要在圈子中搞圈子，派系中搞派系，對市府員工應一視同仁，對市政措施必須尊重制度。你不要斤斤計較人事和經費問題，更不要過份計較自私的權利問題。第三，多做實際工作，少做表面文章，多爲勞苦小民着想，少替特權階級打算。」

高玉樹利用職權亂來嗎？據一位議員質詢中透露：今年元月廿七日零時廿分許，高市長的三少爺高成，在就讀某私立中學，在中國之友社爲爭奪交際草的女人，用鐵條把已退休律師蔡六乘的二公子蔡隆曾的右手打斷。台北市警察局少年組辦案人員鐵面無私，到台北徐州路市長公館把高成帶走，依法偵辦。高市長「深感不快」，次日上午十一時許，藉開會爲詞，將該少年組主辦人員叫到市長官邸，大加訓斥：「我爲一市之長，你們應該服從命令，怎可在市長官邸隨便抓人，一點面子不留」等語。當天，在警局即由某顧問及秘書無條件領回」。這是議員歐陽斌於三月三十日質詢的。高市長並未否認此事，他僅僅說：「我不干與案件內容，警察人事我管不到，警察局依法送法院。而打架時有八人，不只是我的孩子」。並說：「魯俊這個人還不錯」。至於有沒有藉開會而訓斥主辦人員，則避而不答。

另一位議員劉立卓質詢說，高市長到任以來，特別注重請客送禮，就以去年年節而言，送禮的數字竟達一百萬元之巨。上自高級機關下至地方，可謂面面俱到，無孔不入。請客尤其是經常招待外賓，每次均化費驚人的經費。而這些錢，據悉均由各單位分攤，變相予以報銷。「這是重大的浪費行爲，像這樣用市民血汗錢來供個人結交關係，討好各方面的做法，實在有愧市民的付託」。

高玉樹對這項質詢，私下頗爲憤慨，乃遷怒市府公共關係室負責人，指責他沒有搞好公共關係，致爲新聞記者發表評論。高在答覆質詢時說：「我保證絕無送禮一百萬元的事」。態度相當惡劣，因而引起議員們的指責。最後，高說「送禮是我私人的事」，用不着答覆質詢。當時，江濤議員立即指出：「市長態度不好。政府三令五申，公務員不得送禮，不得收禮，而高市長倡導送禮，不節約，當無影響，改善政風，還說甚麼私人送禮啦，與政務無關」。

據市政府公共關係室主任楊炎對記者發誓：「高市長送禮的確沒有一百萬元，也沒有由各單位分攤一文錢，因爲這件事我很清楚。如果有分攤一文錢，他（指高市長」家裏死人，我家裏死人」，說到這裏，「不過」，楊炎又說：「高市長的祖母死了，可是我家裏沒有死人啊」！那麼，高市長究竟有沒有送禮？「有的」，楊炎肯定地說：「這件事是由我經手的。由我具名向市營煤氣公司借了六萬六千五百元，如果報銷不了，將來只好賠了」。

這件事爲甚麼會引起這樣大的風波呢？歸根究底，由於市長待人缺少誠意，和辦事務的人不懂事所致，比如，去年年節送禮，有的市議員所收到的是一份很高貴的禮物，有些市議員只收到一包糖菓類的禮物；在當時，當然沒有人知道，久而久之，自然而然的大家都知道了。這種厚此薄彼的做法，自然會帶來麻煩。

從議會總質詢看台北市政之四

本報記者台北航訊

關於台北市長高玉樹的基本觀念，可以從他的施政報告中得到進一步的認識。他說：「各位議員先生暨玉樹之與本市，都可以說是『生於斯，長於斯，祖宗祠墓在於斯』。今日又同爲百萬市民服務於斯，是以本市的興替，我們都有必然的責任」云云。

高似有排外心理

因爲高玉樹的這番話，市議員紛紛提出質詢，請教高玉樹說這番話的意思是甚麼？李福長議員是台北人，他說：「如說本席生長於斯，祖宗祠墓於斯，尚稱符合；如山東籍李清泉議員，湖南籍黃煥榮議員等，不能同一而論。由此可見，高市長報告顯係對本會同仁應付應付而已」。荆鳳崗議員說：「據本席所知，在（五十八位）議員中，生於斯者，只有十五位。同時據市長你自己所說，你的祖先在山東，可見我們大家都是從大陸遷徙來台，所不同者，即時間早晚而已。你這種話是甚麼意思？如果是排外心理或挑撥性言論，則實在要不得，請予澈底改正。」

鄭瑞齋議員說：「議會之組織分子，市長爲何尚未明瞭？如議長張祥傳係台北縣籍，林其全議員爲彰化人」。

高玉樹在答覆時，輕淡描寫的把責任推到執筆人的身上，而以「疏忽」來避重就輕的敷衍了事。高玉樹的話是「有代表性」的，他代表了十九萬多張選票，所以不能忽視他的話。何況正式載諸官文書？高玉樹以「疏忽」爲解，其然乎？其不然乎？即使「疏忽」，總是要不得的。（上）

太平洋文化事業公司總經理

段宏俊贈書逢甲工商學院

自由太平洋文化事業公司總經理段宏俊先生，於三月十五日在逢甲工商學院週會中以「古今圖書集成」（裝本全套，計共九十巨冊，親自贈送給逢甲工商學院圖書館，由該學院張希哲院長代表學校接受。張院長當將「熱心教育」錦旗一面贈送給段先生，以示謝意。張院長並特別介紹段先生在教育文化事業方面之種種貢獻，該學院師生聆聽之餘，咸表感奮。

這所規模已具的逢甲工商學院，籌備於民國四十七年，而正式成立於五十年。在初創時期，一度「人謀不臧」，兼之一切人力物力，不能盡如理想。該學院之開始步入日新又新的階段，是在改組董事會以後，高信先生任董事長，張希哲先生主持院務之時。他們在這二年來的努力，針對學院的需要，把握重點，分期建設校舍，已先後完成教室大樓、行政大樓、圖書館、工學館、大禮堂、男生宿舍、女生宿舍、招待所、學生活動中心、福利社、餐廳等共十五幢，不但切合適用，而且富麗堂皇。

教學設備方面，舉其犖大者，計先後竣工有水工試驗室、材料試驗室、機工工場、鉗工工場、木工工場、鑄工工場、鍛工工場、物理實驗室、化學實驗室、測量儀器室、打字機教室、計算機教室、繪圖室、製圖室等共十四處。圖書館已有中西圖書共三萬餘冊，預定在今後五年內，大量選購重要典籍與參考圖書五至八萬冊。

該學院在創校初期，只設有四個學系，學生僅二百餘人；現在則已增至十個學系，和附設一個華僑商業專修科，連夜間部在內，現有學生五十五班，計共二千七百餘人。現有的十個學系爲：土木、水利、建築、機械、紡織、工商管理、銀行保險、國際貿易、會計、財稅等。華僑商業專修科，係由僑務委員會之委託，自五十三學年度起附設的，招收韓國、菲律賓、泰國、寮國、越南、馬來亞、婆羅乃、帝汶、琉球、馬拉加西、模里斯等僑居地高中畢業之華僑青年，授予商業知識技能，修業期間爲一年，畢業後返回僑居地，從事於工商業工作。這是爲配合政府僑教政策，而採取的一種教育方式，其目的在發展華僑在僑居地的工商業，使華僑青年便於就業。

教授陣容，除院長張希哲，教務主任廖英鳴，訓導主任侯紹文，總務主任黃純仁外，計土木工程學系系主任黃友訓，水利工程學系系主任宋希尙，建築工程學系系主任馬俊德，機械工程學系系主任楊學周，紡織工程學系系主任林宗華，工商管理學系系主任劉佐人，會計學系系主任呂之渭，銀行保險學系系主任楊肇昌，國際貿易學系系主任楊志希，財稅學系系主任黃錫和。大都是留學國外，學有專長，著作豐富的飽學之士，曾在政府部門和公私機構及國內外大專院校，有的担任要職多年，有的主教多年。至於趙蘭坪、汪洪法、羅剛、李雄、黃大受、徐文珊、蔡篤恭、左利時、倪渭卿、尹鑵奇、蔡振鵬、顧兆豐、朱應麒、程象濬、張介僧、許君武、汪大鑄諸教授，均爲國內學術界知名之士。其他專任和兼任教授，尙有二百餘位。

該學院爲鼓勵學生研讀高深學問，及培養良好讀書風氣，對於各項獎助學金，特別重視，每個學期各項獎學金及名額，均有增加。尤以特種獎學金，對同學鼓勵甚大。茲將獎學金種類名額分述如后：（一）優秀獎學金，爲二類：（甲）每學期全院總成績最優前三名，第一名給新台幣三千元，第二名二千元，第三名一千五百元。（乙）每學期每學系各班前三名，第一名給新台幣一千元，第二名五百元，第三名三百元，另給獎品及獎狀。（二）特種獎學金：給予全院各學系某種學科成績特優之獎學金，每一種給新台幣五百元，另給獎品獎狀，名額不加限定。（三）工讀助學金：成績優良，家境清寒，以課餘時間，爲學院服務，學生均可申請。助學金分甲乙丙三種，名額不限，甲種每學期給新台幣一千二百元，乙種九百元，丙種六百元。本學期獲得獎學金各學生，計全院成績最優者：第一名陳進本（工管四）三千元，第二名劉延村（銀保二甲）二千元，第三名王勝治（夜間部國貿二甲）一千五百元。各班成績最優及某科成績特優與助學金學生共計一百五十二名。

該學院對於學生日常生活，向極注意，除每日按照規定時間上課外，課外也有適當的安排，全將他們納入正軌範圍內活動。諸如國語比賽，英語比賽，辯論比賽，田徑比賽，拳擊比賽，書畫展覽，各種球類比賽，平劇、話劇、音樂、攝影、撐高、跳遠、以及自覺運動等等，均由訓導部門負責人員，事先作有計劃的策動，每到週末，必須舉行晚會，或放映電影一次，藉以調濟健全的身心，在有形與無形之中，不使學生在外游蕩滋事，經過二年來的考驗，從未聞有滋事情事發生，足證院規之嚴。

該學院的二位主持人——高信董事長與張希哲院長，均出生於華僑故鄉——廣東，並分別留學德國、美國，自回國任事以還，無時無刻不以僑胞生活與教育爲念。他們幾度出國考察，對於僑情，更加瞭解，並經常建議政府，如何維護僑胞生活，如何扶植生產，如何設法就業，如何鼓勵興學，如何使之接受教育等等，昭昭在人耳目。

該學院除在教學上與一般大學施教外，另有一大特色，即是理論與實務密切配合，學生離開學校後，可以隨時利用本身所學，應用到實際所需。在這一計劃之下，學生經常可以利用假期，到各大工廠、商場、及大規模土木、水利建設場所去參觀實習。

該學院爲了溝通中西文化，正進行與西德和美國著名大學交換教授和學生，爲了便利學生出國深造，並指定幾位留德留美的教授，指導學生選擇國外大學科系，並替學生辦理申請獎學金、助學金。

屏東議會曾有內鬨

種因起於議長爭奪

（本報記者屏東航訊）屏東縣議會六屆三次大會揭幕後，於預備會議時，便發生了一件令人刮目相看的內部指責糾紛，事後雖經議長在大會中當衆賭咒發誓，而告平息，但事實上究竟如何呢？

據熟悉政情的地方人士說：屏東議會內鬨起因的癥結，實起緣於本（六）屆議會成立時議長的選舉戰。按當時因同一恆春籍議員李福隆、陳恆隆二人爭奪議長寶座，由於衆認李福隆是現任縣長張豐緒接近派，並獲他的幕後支持，勢必當選無疑；却未料及陳恆隆在前任縣長李世昌和議長董錦樹的助陣及他自己的奮鬥下，終於當選了議長。因此在這場議長選舉結束後，遂在有形無形下把議會分成兩派，成了對壘姿態。

據透露：本屆議會組成，其中部份新任議員及少數連任議員，係絕對支持張豐緒競選縣長者，在大會中乃意圖爲張縣長護航，而被命名爲「十三鷹」。但據說：所謂「十三鷹」者，不是十三位議員而已，其實他們一共有十六人之多。這些議員所採取的護航方式，並非直接在大會中爲縣長公開力爭護短，而是運用間接的技倆，每於大會之始，遂提出一項較有份量的問題，讓大家把目標集中到那件事情上（如五十三年二次大會時，提出「椰子造林」因不出苗，損失公帑二百萬以上」一案，本（三）次大會因議長陳恆隆不願流用其他科目經費，籌措二萬元旅費，讓全體（五十七）議員北下參加陳副總統公祭，而提出「議會浪費公帑，正副議長各佔用議會轎車」之指責。前者經組專案小組調查後，不但主管單位沒有損失公帑，而相反地經調查後，認爲主管人員對椰子造林，貢獻頗多，經大會決議，送請縣長給予嘉獎鼓勵。後者經議長陳恆隆於三月十六日在大會報告議會經費開支情形，及轎車公用辦法後，亦不了了之），疲於應付，而分散注意點。（袁文德）

由天地萬物到人
——新道統的宇宙論
（新道統第五章）

陳健夫

易經只說「太極」，老子稱爲「道」，而說其中有精有象有信有物等。從無哲人强調什麼心或物，更無所謂什麼「唯物」或「唯心」。這一個「唯」字就把天地乾坤倒轉過來了。

凡物質豐盛者，必有精神在其中。凡精神充沛者亦必有物質在其中。二者相爲表裏而莫可分。今之東方人以精神文明自誇，自慰，而鄙視西方物質文明，乃愚昧錯覺。須知東方古時文明發達，亦是由於地大物博，物產豐隆之故。試問貧瘠落後地區，如何會有精神文明？至於道德傳統如何，每一個國家有其特徵，不可因某一現象之發生便謂某國人缺乏道德，或某國人有道德，乃其觀點觀念之不同，與道德無關。如西方人向重人權，尊重個人，雖父子兄弟之親，各自獨立生活，不相依賴，此正是西方人的道德，而吾人却認爲不道德。所以，這是傳統觀念的問題，不是道德問題。

四、活生生的大生命

眞元之爲物是超自然的，於創造自然後，乃寄其身於自然。所以，宇宙萬有之中，不論昆虫草木之微，皆有眞元。其本性皆靈明，可直達眞元。佛家說衆生平等，皆有佛性。我想當日佛陀於菩提樹下靜思，也必然默察到此眞元的奧妙，只未窮究，或不願以示人，故說「無已，無記，」孔子不言天道，但大學之道在明明德，此明德爲何物？天命之謂性，此性爲何？原只是從眞元來。耶穌說：「我便是眞理，道路，生命，」這是爲眞元作現身說法。可知我今日所發現的眞元，中外聖賢神佛，都得我心之同然，不謀而合。只是他們尚未能道破，各個自各不同的角度去發現宇宙的眞理。所以佛說涅槃，儒說明德，耶穌謂之天堂，我今却深入其境發現宇宙間這個大主宰——眞元。

眞元，無體無用，無聲無臭，無形無象，無始無終。眞元無體，以空間萬物爲體，合則爲一，散則萬殊萬別而歸於萬物。眞元無用，而以時間運動爲用，靜則歸一，動則千變而萬化。由是，乃爲天地萬物之母。

眞元是絕對的，獨立的，權威的，運動的，周流不息，統轄宇宙，天地萬物皆有眞元爲之主宰。有條有理，有法有則，眞元對自然的設計，可說是極高明而又中庸的。萬物幷育，盡善盡美，無不合理。眞元自太初起即不斷的作有計劃有系統的運動，於是展開進化，由天地萬物而人類，由人類而文明，莫不爲眞元的運動所推動。其用心是盡善盡美，一切自自然然歸於至善。因此形成自然的偉大。眞元之所以如此高明偉大，造化萬物，乃有其一定的運動法則，我稱之爲「眞元極則」。不論哲學家，宗教家，抑科學家，只要發明其中的一個法則，即是了不起的發明，便可以建立一種哲學，宗教，或爲發明家。牛頓之爲大科學家，不過自發明「萬有引力」始，愛因斯坦之爲大科學家，不過發明了一個「相對論」，佛陀之所以成佛，不過是由於慈悲一念，發明了「因緣和合」的道理，孔子說仁，孟子說義，這一切法實，原是眞元本有。由於人的發現，才大行於天下。可見眞元極則之妙用無窮了。

我們由眞元的宇宙觀，可知宇宙是活的，動的，是充滿生機的一大生命。而人們却對它視爲死的，靜止的，甚至視爲機械的不變的。（九）

漢文，漢字，漢學

陳曼卿

論語：

論語之出，後於五經。孝宣時；始有魯論、齊論二家。魯論：韋賢，蕭望之幷傳。齊論：王吉，宋畸，貢禹等傳之（章句頗多於魯）。

孝經：（漢代劉氏所尊）。孝昭帝時，魯國三老所獻。（初出於河間顏貞，張禹始傳之。清儒姚季恒；「古今僞書考」，「孟隣堂文鈔」，俞曲園「九九消夏錄」，皆疑爲漢儒僞作。）

漢代「今文學」的大概情形，就是如此了。接着我們再看西漢末葉興起的：

「古文經」：

易：有費直，高相之學（皆未立於學官）。

東萊費直傳易；授王璜，爲費氏學。本以古字，號古文易，無章句，徒以彖、象、繫辭、文言，解說上下經。高相之易；與費直同時。其易亦無章句，專說陰陽，災異。自言出丁將軍，傳至相，相授子康，及……毋將永。又：宣帝時，河內女子發老屋，得逸易，按即十翼中的「說卦，序卦，什卦」。

書：

孔氏有古文尙書，而安國以今文讀之，因以起家。逸書得十餘篇，蓋尙書滋多於是矣（史記的這種語氣，我們自不難推知了）。

成帝時，求（尙書）其古文者。霸以能爲百兩徵，以中書校之，非是。按：東萊張霸作僞「上奇霸之才，赦其辜，亦不滅重經。」當時對作僞者之寬大如此。

詩：

：毛詩（孝平帝時乃立於學官）。

毛詩：毛公趙人也，治詩，爲河間獻王博士（清季廖平斥之，云：「天子方立博士」更有一說：要卽或者自封）授貫長卿，卿授解延年，年授徐敖，敖授……陳俠。爲新莽講學大夫，由是言毛詩者本之徐敖。（毛作大序，謝曼卿作訓，衛宏作小序）陸氏「經典釋文」就拉出一大串：「孔子刪詩以授子夏，子夏作序，毛詩出自毛公，河間獻王好之。徐整云：『子夏授高行子，高傳薛倉子，薛授帛妙子，帛再傳河間太毛公（萇）。毛作故訓傳，以授趙人小毛公（亨），爲獻王博士』。後漢鄭衆、賈逵傳之，馬季長作注；鄭康成作箋。申明毛義，以難三家，（魯、齊、韓）三家遂廢。」

禮：周官經（新莽時立）。

古文禮五十六篇，記百三十一篇，周官六篇……其十七篇與高堂生（今文）所傳同，而字多異。（鄭六藝論）

古文記二百四篇。（劉向別錄）

古禮經五十六篇：出于魯淹中。（藝文志）

河間獻王開獻書之路；時有李氏上周官五篇，失「事官」一篇，乃購千金不得，取「考工記」以補之。（經典釋文序錄）

實則王莽居攝，劉歆爲國師。因取「逸禮」三十九篇以媚莽，謂爲：「發得周禮，以明因監」效周公輔成王之意。

禮記：

陳邵、周禮序：「戴德刪古禮二百四篇，爲八十五篇，謂之大戴禮。戴聖刪大戴禮八十五篇，爲四十九篇，是爲小戴禮。」（二八）

岳武穆祠墓遺蹟小考

李仲

時武穆雖盪平羣盜，然從未與金人見面，朝廷深以爲憂。武穆鼓行直前，所向克捷，湖六郡平，除清遠軍節度使，湖北路荆襄潭州制置使，依前神武後軍統制，特封武昌縣開國子。武穆開府鄂州，練兵營田，爲深入計，厥後雖因征討楊么，一度移軍潭州，及因經畧中原，數次進駐襄陽，但其根據地可謂始終未離鄂。身斃之日，武昌之屯已至十萬九百人，皆一可以當百，南宋賴其餘威，以勉維殘局。故追封贈諡，以鄂爲號。惟遺蹟蕩然，爲可惜耳。

忠烈廟址，在今武昌縣大東門外五里之岳王台。按武穆駐節最久，州人戴德。身斃之日，給像私祀者十室而九。迨孝宗復官贈謚，州人首請立廟，得旨賜忠烈廟爲額。廟創始於乾道六年七月，落成於淳熙六年十一月，副使張洮曾有記。此廟在當時靈爽昭然，據宋史羅汝楫傳：「汝楫子願官於鄂，以父故不敢入岳飛廟。一日自念爲政善，姑往謁之，甫拜就不能起，卒於像前」。明正德十年，布政使周季鳳即舊台基址重建，大學士楊廷和爲之記。厥後明清二代，屢加修葺。洪楊軍興，廟燬於兵。光緒初年，曾議重修，惜未實行。查始初在遺址尙留有石刻武穆像一方，不意民國廿八年間，有人在其地射擊，竟以武穆像爲鵠，以致彈痕纍纍，像幾被毀。邑人胡姓，目擊心傷，爰請有司，於蛇山上建亭，移像保存其中。現像亭向屬完好。亭在蛇山南端山脊，翼然高聳，登眺可收武昌全景，形勢頗爲雄偉，額題曰：「岳武穆遺像亭」。亭柱鐫有一聯，文爲：「撼山抑何易，撼軍抑何難，願忠魂常鎮荆湖，護持江漢雄風，大業先從三戶起；

文官不愛錢，武官不怕死，奉讜論復興家國，留得乾坤正氣，新猷端自四維張。」

此聯作者未明，句句可誦。像石豎於亭中，高可八尺，濶約四尺，下部鐫武穆著牡丹團花戰袍半身武像，上端有明萬曆壬午張翼先所題像讚，文爲：「於赫爲王，英風萬古。壯志吞胡，精忠報主。肅瞻遺像，如熊如虎。浩氣堂堂，八方按堵。翊我邦家，有秩斯祜」。石上彈痕雖已用泥灰填補，然尙隱約可辨。至原廟遺址，在抗戰軍興，日寇竊據武漢時，竟遭改建爲焚屍場，外圍短垣，中建焚屍爐三座，烟突高聳，怵人心目。所望我政府能早日重光大陸山河，規復廟宇，庶使遺愛之區，不致一無遺蹟可尋。

岳公城在嘉魚縣東北四十里之大蜀山，相傳武穆征楊么，於此築城屯兵，今呼爲軍寨。考楊么。鼎州鍾相之餘黨，楚人謂幼爲么，故稱么云。自建炎末，相敗死，么率其餘部居楚南洞庭湖，其徒有楊欽、劉衡、周倫、黃佐、黃誠、夏城、高老虎等，數年間聚兵至數萬。洞庭八百里沿湖州縣，皆爲其出沒盤踞之地，立相之子儀爲鍾太子，與么俱稱王，官屬名號，車服儀衞，幷擬王者，不僅蹂躪鼎灃，且思上寇川蜀。（六）

動物農場

英George Orwell著　陳其芝譯

第五章　秘密警察的出現與爭權

離農舍不遠處有一塊長形的草原，上面有一個小丘，那裏是整個農場的最高點。史諾柏在經過實地勘察後，宣佈說那地方最適合建造風車。風車建好後，可以引發電力供給整個農場上的一切需要，各動物住欄晚上都有燈。冬天還可以用電來保暖。電力可發動自動鋸來鋸木，同樣地可發動椿米機，破板機及電動牛奶機。由於這座農場是個舊式的古老農場，除了一些原始的器械外，動物們從來沒有聽說過這些新奇事情，牠們詫異地傾聽着史諾白那篇變戲的說法，繪聲繪影的說明着那些機器將爲牠們工作，牠們却能夠安逸的在田野裏消遣，或者聊天讀書以增長心智。

在幾個星期的時間中，史諾柏的風車計劃已經完全做好了。其中有關器械的細節，大部份取之於鍾士先生的三本書：一本是建築材料學；一本是磚瓦匠手冊及一本電學初步。史諾白更在一間曾作過保健室而有着光滑地板的屋子裏研究繪圖。他能在裏面一呆就是幾個鐘頭，用石頭壓着掀開來的書，把一塊粉筆挾在前脚的足趾縫裏，來回地移動着，一條綫一條綫地畫來畫去。有時還會高興的哼着。漸漸地，大半個地板都畫滿了曲柄及齒輪之類的複雜圖形。其他的動物看了，雖然一點也不懂，但却深受感動。每個動物幾乎都花費上一天的工夫來參觀史諾柏的繪圖，就連鷄，鴨們也都來了。牠們深以爲不能在那些粉筆綫上走兩遭是件憾事！唯有拿破崙一直置身事外，漠不關心，牠從一開始就宣稱牠自己反對這個風車計劃。但是有一天，牠出其不意地來到史諾柏的研究室，仔細地注意着所有的細節，偶爾低頭嗅一嗅，然後站着聚精會神的想了一會，突然舉起一隻後腿，在畫圖上洒了一泡尿，這才一言不發的揚長而去。

整個農場裏爲着風車的問題，分成了兩個派系。史諾柏並不否認建造風車是一件艱巨的工作。石塊必須開採，而且還得砌成牆。風帆需要製造，發電機與電纜也是少不了的。史諾柏並沒有說明如何得到這些材料。但是牠聲明這些在一年內都可以完工。而且往後可以節省勞力！動物們一個星期只要工作三天。拿破崙又提出了相反的意見；說目前最重要的工作，是增加糧食生產。如果大家爲了風車而浪費時間，那大家只有等着餓死。動物們既贊成史諾柏一星期工作三天的說法，却也同意拿破崙的糧食增產的意見，這一來動物們又分成了兩派。康傑民是唯一保持中立的動物，牠既不相信糧食能增產，也不相信風車可以節省勞力。牠說不管有風車或沒有風車都是一樣，生命永遠是朝着它所要走的方向前進。換句話說，是越走越糟。

除了風車問題爭論不決外，就是農場的防禦問題。大家都相信，人類在牛欄大戰雖然是澈底失敗了，但他們仍會準備另一次戰爭，而且是志在必得地收復莊園，讓鍾士先生重新經營，這也是人類必然的處置。由於人們那次戰敗的消息傳遍了全境，使得隣近的幾個農場中的動物也都變亂時起，這更使人們不得不下定決心再來一戰。像往常一樣，史諾柏和拿破崙又有了爭執。在拿破崙看來，每個動物都該有武器，而且接受訓練如何去運用武器。史諾柏則主張鴿子到其他農場去遊說，顚覆，以期掀起動物們普遍的叛變。一個說如果自己不能自衞就只有被征服；另一個說如果各地動物都發生革命，牠們根本就不需要自衞。（十五）

陽明公園之春

匡正

公園的中心區，又添新的紀念物，「孝友石碑」，是為呈獻園地為總統蔣公祝壽的紀念碑。地主李建興，深感蔣總統的德意，特為呈獻了這一塊美麗而廣大的土地。「王天下者與民同樂」，一年一度的花季開放，與萬民同樂，這正是仁者的德意了。紀念碑上「孝友石碑」四字為蔣總統賜題，碑文為總統府秘書長張岳老所撰。

園中的小高地處，建有紅柱綠頂的六角亭，題曰四照亭（陳故副總統題），快雪亭（張岳軍題），掛虹亭（謝冠生題），石鏡亭（沈孝忱題），桃園亭（梁寒操題），雙松亭（何應欽題），聽泉亭（于故院長右任題），小憩亭（張道藩題），豐樂亭（賈景德題），及一賢亭，迎曦亭，夕照亭（不知題者）等十二亭。那些古色古香的小亭，正是遊人們小憩及野餐之所，小姐們也可利用作為臨時的化粧室。

雖然，園中之園——中心區，是花之王國，遊人密集之所，但是，這却並非寄『山水閒情』之地。往山幽裏再進大屯瀑區，那兒才是寄寓山水閒情好所在。是陽明公園的幽勝之地。大屯瀑區，佳景有名的日觀光台、一綫天、雙松亭、石鏡亭。石鏡、冷泉、好漢坡、桃園亭、溫泉、陽明瀑、迎曦亭、大屯瀑、一賢亭、觀瀑台等。大屯瀑區，最令人樂而忘返，引人入勝的是『陽明瀑』和『大屯瀑』兩條瀑布。首先在觀瀑台上靜坐下來，抬頭望東山之巔，一條大白龍自長空飛來，那正是『陽明瀑』，瀑之懸崖絕壁間，巨大『陽明瀑』三字，亦為蔣總統所書，大小字跡，遙望可見。瀑泉自山巔而下，不舍晝夜，奔逝如斯，猶覺人生之短暫，生命之可貴了。

再由觀瀑台，沿着石級前進，進入幽谷，那正是大屯瀑奔流的所在。大屯瀑與陽明瀑爭奇鬥勝，相映成為奇特的幽景，令人贊歎不絕。走近大屯瀑下之潭水處，立於石上，觀瀑自山腰中噴出，空中細雨濛濛，有「萬壑烟聲」之感。閉目靜聽，萬馬奔騰，聲震心悸。瀑景之奇者，既可以觀，復可以聽，此景有色兼而有聲，聲色之奇，唯有瀑泉了。大屯瀑之入潭石壁間，大書『大屯瀑』三字，為溥儒草書。前端立石上，有『聽泉』二字。再由大屯瀑踏着石級沿潭流而下，此景曰『萬壑烟聲』，白泉自巨石兩端流過，巨石之上題的『萬壑烟聲』四字，不詳書者。這是大屯瀑之最低處，陽明、大屯二瀑凌其上，潭低如壑，空中細水珠形若烟霧，瀑聲霍霍，如烟之有聲。（中）

活人祭祀搜奇（下）

匡謬

再看一段向火行人祭的記載：

「迦太基被打敗受包圍時，他們把災禍歸之於波爾神的憤怒，因為他們早先常用自己的兒子作犧牲，稍後却買了別人的兒童，養起來作犧牲。因此，為平息神的憤怒，選出二百個貴族子弟來作犧牲。這一犧牲的事件，又為三百多個自願為國死的人擴大了。犧牲順序排列，在銅像傾斜的手掌上，從這裏，他滾入一個火坑中。迦太基沒有孩子的人從窮人那裏買來孩子做犧牲。就好像他們是小羊和小鷄一樣。做父母的站在一旁，眼見這事而不流一滴眼淚，或呻吟一聲。如果他們哭泣，或歎息，只徒然喪失榮譽，犧牲的孩子並不因此減少。但銅像前的地方，充滿了喧嘩的笛聲，用來混淆和沖淡犧牲者的尖叫聲。」

在巴勒斯坦的土著中，也有為紀念火神，而投小孩入火中的可怕習俗。這種習俗被認為是正當的。聖經中對於此事都有記載。在耶路撒冷，有一個指定的地點，讓做父母的燒死他的孩子，其目的是紀念波爾。

在西方也同樣有人祭儀式。蘇格蘭的教區，到十八世紀之末，還流行着此習俗。每年五月的第一天，他們崇拜太陽，因為太陽的光和熱，對地上產物有極大的影響。到了五月的第一天，所有城裏和鄉裏的男孩們，都集中於荒野中，他們在綠色草地上刻一張桌子（圓形的），又在地上挖一溝渠，這周圍足以容納整個的團體。他們點着了火，做一種混合鷄蛋和牛奶的糕，他們又做一個燕麥的餅，……吃完糕後，他們把餅分成同樣小塊，和人數一樣多。其中一塊塗了木炭，直到它完全黑了為止。他們把餅放在一個帽子裏，每人矇住眼睛拿一塊，捧帽子的人拿最後一塊。拿到那塊黑餅的，就是被獻者，他得在波爾面前犧牲。他們懇求它的恩惠，求他放棄這年所產人畜的食料。雖然他們現在改變了犧牲的方式，只是強迫被獻者跳過火燄三次，這節目的儀式就算結束。

在非洲的尼格爾地方，每年犧牲兩個人為贖罪品。犧牲者是公開捐錢買來的，在過去的一年所犯了大罪的人，如縱火，偷竊，姦淫，行妖術等人，得捐廿八個錢幣或二磅多一點，這錢聚集起來，買兩個有病的人，為所有可恨的罪惡奉作犧牲——一個為地上的，一個則是為水裏的。

防盜油漆的故事

油漆除了普通功用以外，還有作特別用途的。有種油漆，能夠在用上後不久自行消失。這種特殊的油漆，是一九六二年出現的。

另一種特殊的油漆，可作防賊用。但它在市場出現，是偶然的，原來英格蘭孫德蘭郡的一家油漆廠，生產的一種油漆，因總是不乾，廠當局認為不合用，不再製造，把現成的作廢物利用來塗在廠房上防賊，他們把它戲叫做防賊油漆，因塗過它的物體表面，滑膩得像游戲用的滑棒；又任何人接觸到它，都不易除掉。其後，當地警方，對於這種油漆感到興趣，同時科學實驗室把它試驗結果，信為有防賊的效用，於是這廠家才繼續製造。現在已有了防賊牆，防賊排污水管，都是用這種油漆作成的。

英法聯軍侵華之役

羅雲

咸豐八年，以和議不成，英法聯軍（計英艦十餘艘、法艦六艘）北上，四月八日，突駕小輪數十艘攻大沽，官兵少抗即遁，被陷。帝俄從中取利，美國亦乘此提出交涉。清廷以兵力不敵，乃派大學士桂良、吏部尚書花沙納為代表，與英、法、美、俄訂天津條約。此四約條文雖異，但主要都屬享受最惠國的條欵，而其所享權利之性質亦概相同。

中英天津條約甚長，共五十六條，其要點如下：英國使節及大員得在北京自由居住；英人可自由傳教；持有護照之英人，得在內地遊歷；英商得在長江流域各口自由通商；增開牛莊、登州、台灣、瓊州、潮州為商埠；英領事辦英人訟案；賠欵五百萬元；協定新稅則。上約十年後酌修一次。

至於中法天津條約，全文則為四十二條，今錄其與英約不同之處如下：兩國互派使節駐對方京城；五口之外，增開瓊州、潮州、台南、淡水、登州、南京為商埠；各通商口岸，准許法國派駐領事，携眷建房不受限制，並准法國兵船停泊；天主教徒得入內地自由傳教，地方官須加保護；法國人享受領事裁判權；法商稅則，以後每七年修訂一次（後於同年改為十年一次）；法國享受最惠國待遇。

於是，美俄兩國也援最惠國條欵與清廷締約，未費一兵一卒，而盡得享受英法兩國於天津條約中所獲得自中國之各項權利。

天津條約既訂，清廷再命僧格林沁到大沽設防，乃一面購巨炮，分佈要害；一面奏請調吉、黑、察、蒙馬隊五千騎赴軍，復於河中置欄三道。次年五月二十日，英公使卜魯士，法公使布爾布隆率兵船來換約，兩國海軍與炮台衝突，聯軍失利，（是役英法兵死四三○名，傷十六名，被俘二名，被擊沉炮艦四艘，傷者多艘）退上海等待增援。適清廷有意毀約，而長江一帶，正當太平天國戰爭激烈，洪楊欲借重聯軍，英法則欲藉機增加要求，因是戰端又再啟矣。

咸豐十年（西一八六○年）二月英令克靈頓中將率英印兵一萬八千名，法令蒙他板中將率兵七千餘抵上海。聯軍遂於三月攻佔舟山。（二）

董小宛

——「影劇與歷史」之三

周遊

以「歷史宮闈鉅片」為號召的「深宮怨」（董小宛），是一部劇情大謬史實，一錯再錯的片子。以前有過「董小宛」的黑白片，與今日之「深宮怨」劇情一般，內容均為「董小宛與順治帝之戀史」。說是秦淮紅妓董小宛，與洪承疇共謀「復明」而入掖庭，將小宛獻與順治。洪中途變節。小宛則為順治寵愛，情深似海。因為皇后所反對，密將小宛藏匿玉泉寺；順治則以獵狩為名，悄悄的與小宛幽會於玉泉寺。旋為皇后所知，密將玉泉寺一火而焚，小宛被焚斃於寺內。順治帝因而愁怨深宮，無以自解，最後逃入空門。這部影片的劇情，是閉門造車，「張冠李戴」，淆亂史實，有背歷史電化教育之旨。

這部「深宮怨」片的好壞，筆者不必討論批評，但須在此鄭重奉告讀者的，順治帝與董小宛的「亂愛」，乃是劇作家編的，以「歷史宮闈鉅片」為號召，其實是大謬，其史實絕不可信。董小宛絕沒有見過順治帝，更沒有到過紫禁城。她的芳踪，甚至沒有越過黃河一步。董小宛亦談不上有「反清復明」的大志。

關於董小宛與順治帝「亂愛」的荒謬，早已有史家直斥其非，遠者如孟心史，近人如吳相湘，都曾有專論先後問世，考證詳實。孟心史之著為「董小宛考」，吳相湘之作是「清宮秘譚」。

一、董小宛在高張艷幟之時，順治帝始呱呱墮地。小宛生於明天啟四年甲子，斯時滿人尚未建立清朝，是為太祖天命十年，國號後金。逾十四年，至明崇禎十一年戊寅，清太祖始於是年之前一載改元崇德，始建大清國號。就在崇德二年正月三十日戌時，順治帝始來到人間。而此時的董小宛，已在秦淮高張艷幟，受到侯朝宗、吳次尾諸名士的捧場，拜倒石榴裙下衆多，紅得發紫之時也。董小宛與順治帝「戀愛」云乎哉！

二、當董小宛為明朝皇親國戚驚擾之餘，就在崇禎十五年十二月歸嫁冒辟疆了。此時的董小宛已十九歲，順治帝僅五齡嬰兒，何得有與順治在深宮之怨乎？

三、董小宛二十一歲時，吳三桂「衝冠一怒為紅顏」，而引清兵入關。是年九月，七歲的順治帝始到北京登極。翌年清兵南下京陵，冒氏偕小宛移家鹽官，二人從事文藝，有一段哀艷動人的眞情，述之迴腸蕩氣，留待後文再說。

四、小宛二十四歲，順治帝四年，冒辟疆因與錢牧齊、洪承疇過從，遭致一度政治風波，險罹牢獄；但不幸因此病篤，「勺水不入者二十餘日」，小宛在此時「炎夏不揮汗，不驅蚊，晝夜守藥爐傍」。此後一連三侍冒氏之危疾。而小宛因此亦大受虧損，竟一病不起，至順治八年正月初二日，便與世長辭了。此時順治猶為十五歲之少年。

五、小宛病歿，冒氏將其葬於如皐影梅庵。順治十五年，陳其年與冒辟疆往弔小宛之墓，曾有詩載陳其年本集。龔鼎孳文集中，也有唁冒氏文云：「玉碎珠銷，斷魂千古，弟於宛君如嫂」云云，足證小宛是病死在如皐冒家，乃無可疑者。何來「深宮怨」之有？孟心史「董小宛考」結論云：「小宛之年長以倍，謂有深宮邀寵之理乎？當是時江南久平，亦無由再有亂離掠奪之事。小宛死葬影梅庵，墳墓俱在，清初諸家詩文集，於小宛之死，見而輓之者甚多……以上為紀小宛事，按年分列，曲折具備，可以掃近日之粃矣。」觀此，可知董小宛被焚玉泉寺，實乃妄誕不經。（一）

遊謁鄭王祠小記

陳宗敏

上週上午第四節課，承史墨卿、朱家聲兩君答應陪我往遊鄭王祠，我們便出發了。三個人只有兩輛腳踏車，由朱君帶我，約一時許到達目的地。我們來南市讀書兩年多了，但拜謁鄭王祠，還是第一次。

鄭王祠祠址在城東區區公所鄰右；祠的正門正面，有一座新建的石門坊，兩邊有聯語是：

「孤臣秉孤忠，浩氣磅礡留萬古；
正人扶正義，莫教成敗論英雄。」

從牌坊向前走十數步，便是前殿正門。門的兩邊，各種兩株榕樹，樹幹不能算高，但各各盤結臃腫，纏繞為一，根鬚低垂，倍見蒼老。進入正門，院落冷靜寬敞，午日當空，使人有一種光潔肅穆之感。左右廊廡，設明末犧牲的忠烈名賢神位，其中有文武官員，也有老百姓，想見其正氣英靈。

前殿供奉着鄭成功像，後殿是太妃祠，監國祠，寧靖郡王祠。各祠的廳堂及廊柱上均有聯語，其中很有可誦的作品，我和史君都抄下了。

我們還參觀了有名的鄭王祠古梅。古梅種在後殿太妃祠的庭院的右前旁，據說是鄭王手植的。若果此話是實，則必是先有此梅，後人為紀念鄭王，乃就其址興建此祠的。古梅株幹不大，僅高於人身少許，枝杪也不盛，上部份分成三大义，梅葉也零零落落的，有衰老龍鍾之態。我們在那裏徘徊約一小時餘，才快快離去。並轉往成功路參觀三百五十年前荷蘭人徵用烏鬼人所開的烏鬼井。井深而黑，據云深約三丈餘，有陰溝通赤坎樓井口。

內僑警台報字第○三壹號內銷證

自由報

THE FREE NE S

第五三九期

中華民國僑務委員會頒發
台敎新字第三二三號登記證
中華郵政台字第一二八二號執照
登記爲第一類新聞紙類
（本週刊每星期三、六出版）
每份港幣壹角
台灣零售價折台幣弍元
社長：雷嘯岑
督印人：黃行驚
社址：香港銅鑼灣高士威道二十號四樓
20. CAUSEWAY RD 3RD FL
HONG KONG
TEL. 771726 電報掛號：7191
承印者：田風印刷廠
地址：香港灣仔高士打道二二一號
台灣分社
台北市西寧南路壹壹零號二樓
電話：三〇三四六
台郵撥站金戶九二五二

論文化的同化

韋政通

柯尼格博士「社會學」第十七章第八節，提出「同化」（Assimilation）一觀念，來解釋兩種以上文化相接觸時，發生的「吸收」和「合併」的過程。我覺得這一個觀念，不僅可以幫助我們了解任何一支文化形成的過程，並足以擊毀傳統主義者對中國文化的一些主觀的構想。此外對最近的文化問題論辯，也可以發生一點澄清的作用。

自由中國最近幾年來曾有傳統與西化之論爭，其實，堅持這兩種立場，而從事爭辯的人，都沒有照顧到（或故意忽畧掉）中西文化交流後實際演化的歷程，多半只是激於一些表面的因素。譬如西化派强調西化的必需，甚至全盤西化，一部分實因憤于目前濃厚的復古氣氛。而復古派也因西化派的攻擊，爲了維護自己的立場，不得不愈傾向於傳統。就由於這些表面因素，使雙方的距離越拉越遠，最後不惜走向兩極端，毫無協調的餘地——這便是目前由文化論辯帶來的僵局。如果我們能冷靜地想想（這點很不容易做到），衝破那些表面的因素，打開心靈的糾結，仔細查看一下我們從祖父一代到父親的一代，從童年到我們的中年，我們的生活方式，我們的教育內容，我們的社會結構，那一樣，那一點不是代表從傳統的保守中蛻變出來，吸收了西化？從民國十二年的科玄論戰，到三年前的中西文化論爭，差不多已過了將近四十年的漫長歲月，但我們從論戰中所看到觀念，似乎進步不多，充分證明我們在這一段時期中思想上是停在膠着狀態。個別的成就是有的，但尚未達到爲社會普遍接受的地步。儘管如此，文化同化的過程並未停止。你試想想，二十年前抗戰期間我們的生活情形，和目前的生活作一比較，就能明晰地覺察出這種過程。可悲的是，我們多數的知識份子腦子裏所想的，似乎遠趕不上事實上的演化。因此我們的同化過程，只是基於現實的，直接的需要爲動力，而缺乏思想上的誘發。這就是我們社會過程發展緩慢，始終追不上時代的基本原因之一。

並非說文化論辯無必要，即是傳統與西化之爭，也有其意義。不過，這意義多半是消極的，它只能多暴露傳統的限制，至多也只能喚醒人們尋找一個新方向。至於這新方向的確定，尤其是如何走向這新的航程，並獲取成效，常常是爲爭辯者所忽畧的。因此，從事文化論辯的人，有時候要自覺地躍進一步，跳出競爭的對等的關係，獨立自足地思考一些問題。譬如本文所說的文化上的同化過程就是一例。這一問題就已衝破一切表面因素，落在與我們生活直接接觸的文化現象上。凡是在這裏所得的一切收穫，它的作用就相當於同化航程中的能，加速我們同化的過程。爲了促進同化過程的順利，思想的誘發，是必要的。不幸我們在中西文化廣泛接觸之初，張之洞的「中學爲體，西學爲用」之說，就誤導了航程——使我們的中西文化觀一開始就陷入混亂中。這一過渡時期的口號，嚴格說是根本不通的：中國文化的「體」中，既發展不出現代化科學之「用」來；現代科學之「用」，如果有體的話，亦當有其自己的「體」；是渾不來的。可悲至今傳統派所持的論點，似乎並未能越出張之洞所立下的原則，這實在永不能接觸眞正的中西文化問題。民國以來，一次一次的論戰，結果只是混戰一場而已，根本的糾結可能就在這裏。中國傳統文化有若干優點我們可以承認，但一定要堅持它才是「體」，西方文化只是「用」；以及由這一思想衍申而出的：體是精神的文化，用只是物質的文明，都是十分錯誤的。這些謬誤的觀念不掃除，無目標，無收穫的混戰，仍將延下去。這種謬誤的形成，從張之洞起，根本上就是因爲對傳統的固執，傳統是他們面對一切問題一切思想的座標。一直到目前，仍因爲對傳統起一種奇妙的、過分的幻想，影響了我們一些新信念的建立，延緩了文化的同化過程。爲了這一個原因，我們仍有對傳統以及擁護傳統者加以批判的必要。

根據柯尼格博士的同化說，使我們知道文化發展的過程，就是一同化的過程。而同化過程中的主要作用在「吸收」與「合併」。「吸收作用」必表現在個體上，每一個體對文化觀念的吸收，主要的標準有二：一是認爲有價值的，一是認爲能促進生活幸福的。而且是價值效果越大，增進幸福越多的，越使人有吸收的興趣。但文化觀念上的取捨，不似一雙皮鞋，一件衣服，不需要就丟了，有時候（多半是如此）爲了避免社會劇烈的改革，遭遇慘重的犧牲，總是只能採用一部分新的，而保持一部分舊的。新舊並存，叫做「合併」。這合併是不得已的過渡，但也是一永久的過渡。由「吸收」到「合併」，就代表一個文化的進程。然後再吸收……合併……吸收不息的同化過程。這就是所以同化過程也就是文化的過程，同化過程是文化創造的。因爲同化過程就是一創造過程，故一切保守主義和傳統論者，莫不與同化過程相悖逆，相逆的趨勢如果嚴重，同化過程就形成膠着狀態。打開膠着的局面，必須消除相逆的趨勢，拆穿傳統的迷執。在同化過程中，主張「返本」，絕不能「開新」；傳統文化的保存與否，必須通過「價值」與「幸福」兩標準的考驗，保存的理由不能從過去的歷史去尋找。在過去歷史上發生效用的，在今日不一定再有價值，因現在的問題不同於古代的問題。問題既不同，解決問題的觀念自然也不能一成不變。不過，同化的過程，也不是一直綫的，永遠向前那樣的順利。歷史常常要受偶然事件的影響。同化過程的公式是「吸收——合併。但有時候會因人缺乏吸收的能力，而抱殘守闕，如明末以後，鴉片戰爭以前的中國，就正是如此。缺乏吸收力的原因，一部分是因「內向性觀點」（Intensional Orientation）發展過分（如玄學與考據）；另一部分則是受環境的限制（如亡國）。否則我們現代化的進程必提早數十年。

（下轉第二版）

騎在人民頭上

嚇阻得住嗎？

今日与明日

越南和談

最近詹森總統聲明隨時準備無條件與共方談判越南問題，對此一聲明，目前各方反應不同，西方國家表示欣慰，亞洲自由國家則感到失望，蘇俄緘默不言，毛共與越共則破口大罵，指爲騙局。

越局是一個長期僵持局面，任何人都看得出，至於解決方案，相信直到今天，誰也沒有腹案，因爲南越情勢今天已不能劃分爲二，事實上就是劃分也沒有用處。一九五四年日內瓦劃分越南的行動，到今天可以清楚看出是一個騙局，當時應該撤走的共幹，大部化裝潛伏地下，到了適當時機又鑽出來作亂。今日南越之局所以敗壞如此，世人多歸咎於吳廷琰的家族統治，南越軍人的爭權奪利，實則並非如此，完全是受了越共有意的顛覆之害，萬不能再蹈前轍。此路既然行不通，另一個辦法就是組織聯合政府了。提到與共黨組聯合政府，自由國家更是創鉅痛深，自從捷克因聯合政府而被共黨併吞之後，以後所有聯合政府皆成了共黨併吞擴張勢力的手段。美國未必再肯同意南越組聯合政府，即使美國有此意，南越政府也未必肯，周圍自由國家如泰國、菲律賓、馬來西亞也必然會向美國提出異議，所以說南越局勢雖然打下去困難，和則更不易，詹森總統的聲明，恐怕還是爲了向西方國家表示善意。

越南局勢仍不穩

南越前日又發生兵變，海軍司令被部下反對，一度被推翻，以後又宣佈復任，叛軍已逃亡。此事本告一段落，不意隔了一日，越南總理潘輝括突然下令免除海軍司令職務，淸查其貪污罪名，是否尚有下文，目前無法斷定。

越南目前局勢所以混亂至此，是由於政治失去重心，道德失去軌範，情形有類於五代，朝爲小卒，夕可爲大將，升遷既不靠戰功，亦非看資望，而是靠驅逐長官，代領其衆，影響以至於黃袍加身；屢出不窮，國家所以永無寧日。南越軍官若不能覺悟，前途將可悲得很。

美機擊落共機

美機轟炸北越時，與毛機發生遭遇，毛空軍俄製米格機當被擊落一架。此是韓戰後，毛共飛機正式與美機交戰的首次。毛共指此次空戰發生在海南島，而美方則稱未飛至海南島上空，不問眞象如何，也說明了兩點：第一，毛共企圖藉機會試驗美國的決心，第二，米格機仍非美國噴射機的對手。經此次失利之後，毛共飛機短期未必再敢出動，美軍轟炸北越遇到阻力也將大爲減少。

（何如）

自由談

於意云何？

馮五先生

台灣大學的一名副教授，在國內早已娶妻育兒，男有室而女有家了，卻把一位大腹便便的西洋姘婦接來台北同居，因而引起家庭糾紛，給報館記者以大好的桃色新聞資料。忝爲人師者有此慚德，應該深自懺悔投劾以謝社會，至少至少亦得設法作曲突徙薪之謀，不讓這種醜事擴張纔是。

然而，這位「人之患」的大學教授——亦可名之爲「破落緋色」（Professor）也者，竟對他的正妻大開教訓，要她不必多所嚕囌，和解爲上，聲言自己搞外國女人這種行爲，「始終是沒有錯的，這件事乃是天主的安排」。好一個天主的安排！其意若曰：「我本來不想軋洋姘頭的，是上帝教我要這樣幹，無可如何，你就應該凜遵天主的意旨，逆來順受，何必嘵嘵譁咋呢？」上帝諒不會說話，亦不致在報上刊登啓事否認，更不會向法院控告某教授誹謗，承蒙栽誣，阿彌陀佛！

這類事情如果發生在西洋社會中，而當事人又係宗教徒，男方以堂堂大學教授地位，會對外作此文過飾非的詭辯，若不跟原配離異，就是斷絕新歡，以免穢德彰聞，妨害社會善良風俗，庶幾無負於「師表人倫」的職責。然而咱們貴國的「人之患」兼宗教信士，乃藉天主作護符，大言不慚，以遂其帷薄不修的私慾，眞不愧爲胡說派的「超越前進」份子，世俗有「吃教主義」之說，其斯之謂歟？

近五十年來，吾國士大夫倡言西化主義，而以打倒儒學所重視的禮教爲第一義，及其弊也，科學與民主思想，卻墮落到驚人的地步。個人無論是幹出任何不可告人、不堪入耳的醜惡行爲，皆託詞於「私生活」，認爲無足介意。於是乎，倫常攸斁，廉恥道喪，而姦盜命拐，乃至於貪污詐騙之風，相應大作，恬不爲怪，整個社會，即陷入衰敗、封閉的狀態中，距離西化境界十萬八千里，還靦顏自命爲現代化的新人生觀，悲夫！悲夫！

在區區的頑固落伍思想中，總覺得一個人的私生活如其汚穢骯髒，言之醜也，而希望他在公生活方面能夠明禮義、知廉恥、負責任、守紀律，那是不可思議，不近人情的囈語，我是決不相信的！不知主持教育的學者專家，於意云何？

訂

上期自由談最後一句「豈但」，誤植爲「且但」。合訂正。

五位立委指責行政院不尊重立法院質詢權

本報記者台北航訊

由嚴家淦先生所領導的行政院，有人譽之為文人政府。但最近，立法委員對嚴院長施政報告之書面質詢中，頗有些委員指責行政院不尊重立法院的質詢，不滿之情，在質詢詞中充分流露無遺。立委質詢眞的不受行政院的尊重？這問題很大；現在簡略報道立委們在質詢中所表露的「不滿意」如次：

第一個不滿意嚴院長答覆的是立委李公權。李公權在二月十九日提出「反共建國聯盟」的質詢，嚴院長的答覆，李委員不以為然，乃立即要求主席再質詢；當時，立法院議場鴉雀無聲，靜聽李委員的再質詢。他說：「嚴院長的答覆，不在這一個基本政治主張，政治號召上表示，只是技術性的答覆。我對嚴院長個人的學識才能非常佩服，然而這個答覆，請原諒我，我沒有辦法滿意。……」

第二個不滿意行政院而再質詢的是立委周樹聲。在同一天的質詢中，周樹聲書面質詢說：「查憲法第五十七條第一項：『立法委員在開會時，有向行政院長及行政院各部會首長質詢之權』。立法院議事規則第六十八條：『立法委員對於行政院之質詢，被質詢人應即時答覆，但得於十日內以口頭或書面答覆』。各規定極為詳明。本席在……（去年）十二月十五日為行政院長及各部會首長政務殷繁，可否通告各方所有揭幕剪綵等項慮文，除特別情形外，不必邀請之質詢一件；本年一月八日為響應『毋忘在莒』運動問題之質詢一件……兩件質詢，事極單純，既不須搜集資料，亦無庸調查卷宗，贊成與否，一言可決。而至今（二月十九日）未復，殊所不解。嚴院長素稱守法，諒非有意為之。事關憲法考驗，尚祈嚴院長惠予指教」。

另一位立委王夢雲質詢說：「為政不在多言，本院每一會期，依法對行政院之施政，均有質詢，政府之答覆，頗有接受之誠。惟一出本（立法）院大門，多已忘掉，回府之後，各行其是者，多如牛毛。擬請嚴院長對本院委員之質詢，勢有難行者，就席予以說明，不必客氣。倘在立院有所承諾，回府後似應立即積極實施。君子一諾千金，商鞅徙木示信，敬請嚴院長勉之」。

第四位為立法委員戰慶輝，「為稅務紊亂，苛擾商民，喪失民心，損毀政府威信質詢案，再向行政責財政部長「過於敷衍塞責」，對質詢案「最後竟以不答覆了之」。因此，他說不得不再向嚴院長提出質詢。

戰慶輝說：「我們這部憲法是神的立法委員所賦予了陳部長對重要質詢案的不予答覆，是公然抹煞立法委員的質詢權，否定憲法，破壞法統，是反民主的蠻橫惡例，此風不可長，此例不可開。今日形勢，我們必須高舉民主憲政的金字招牌，以為反攻復國的有力號召，現有的『法統』，不容任何人有意無意的或有形無形的破壞。陳部長大智若恐，何竟不能與立法院配合，適應此一政治形勢，為國家奮門，本席深為詫異」。又說：「本席為民主憲政奮門，不得不表示抗議」。

第五位是立委潘廉方，「很不滿意『實施都市平均地權條例台灣省施行細則』與原法之立法精神不符，而於三十四政院的答覆「答非所問」或「不答覆」。為此，潘委員於三月十九日再質詢，其中指出：「該施行細則第六十條規定，與原法矛盾抵觸。第三條規定，非原法之立法精神。第八十七條規定，與原法立法精神不符。第一百八十九條規定旨意頗有出入，均未答覆應如何修正，而亦未承認其錯誤。似此搪塞敷衍，遺誤要政，本人對行政院之書面答覆，很不滿意」。

論文化的同化

——上接第一版

有時候甚至因為「吸收」錯誤，結果對原來的不是「合併」，而是徹底的毀壞。這不但不能使文化作正常的發展，而可能使這個過程造成畸形發展，或因過分劇烈的變遷，人無法適應，而使社會基礎動搖。民國十年以後，到大陸的淪陷，馬克斯主義和共產黨的抬頭，得勢，就是這種錯誤吸收造成的結局。同化的過程有時膠着，有時僵化，有時誤入歧途，在這裏，思想家的貢獻，就在把穩着舵，以及對紛至沓來的新觀念作智慧的抉擇。

不僅是文化發展的過程就是一同化過程，人類文化自始實即表現出一同化的過程。我用遠古黃帝與蚩尤作戰的神話為例：黃帝代表我們漢人的遠祖，蚩尤則是外來的侵略者，黃帝戰勝了蚩尤，同時必吸收了蚩尤一部份的文化。人類的遠祖，幾乎不停地在作戰，戰爭正是加强吸收的動力。文化上的吸收到合併，常常就正與由戰爭到和平的歷程相應。在達成合併的時期，就是人享受文化成果的時期，同時也就是文化發展延緩的時期；甚至會由于文化的膠着而形成病態，造成社會的不安，當然也造成人心對病態的厭惡，而加强吸收異質文化的要求。中國東漢以後魏晉時代道佛的興起，就正表現了這一歷程。在人急切盼望吸收新的，厭棄舊的時期，如缺乏正確思想的誘導，就會步入歧途，而使一一而來的事實，多半與心願相背。魏晉以後的中國，就曾步入這種歧途。宋明理學的重建工作沒有成功，却導致了一次又一次的亡國之痛。明清以後文化的混亂與虛弱，只是傳統文化病態衍申的結果。當然，魏晉以後，同化的過程並未停止，南北朝政治上十分不振，但吸收的異質文化却頗豐富，唐代的規模與光輝，就是這一長期吸收造成的果實。研究唐代文化與漢代文化的不同，必須清楚這一吸收合併的過程。所謂中國的傳統文化，實是經過無數次的同化過程而成的綜合體文化。明乎此，純質的文化在歷史上是沒有的。目前有一些傳統主義者，認為希腊文化，印度文化，都混合了異質的文化，只有中國文化是我們的偉大祖先獨自創造的。如果我們了解文化自始便表現為同化的過程，就不難知道這種主觀構想是無稽的。

最後我們要問，文化同化的遠景如何？目前世界由於科學文明的高度發展，使人類彼此之間的距離大為縮短。尤其是半世紀來經過兩次大戰，這都促成各民族之間大規模的同化作用。「世界一家」，在今天已不再是夢幻，而成為人類努力的眞實目標。走向這目標主要靠文化上的同化—彼此互相吸收，互相合併。在以往人類各民族因為氣候，自然環境，人文現象的殊異，而造成各種文化的特殊體系，特殊風習，這使人類文化的內容十分複雜，豐富。但這種種的不同，也是造成民族與民族之間，國與國之間隔膜和鬥爭的主要原因。因此，文化同化的過程，將是要把人類文化各種特殊性減少到最低限度的過程。文化同化的遠景，就是一個個特殊性逐漸減少（不能完全消除的），趨於和諧一致的世界。這遠景能否達成？如何達成？是當前思想上的一個考驗。

從議會總質詢看台北市政之四

本報記者台北航訊

新貴們品流甚雜

高玉樹上台後，有所謂「高家班」，係指市政府的重要人事由高派人員把持，故有人說市政府大門口應增掛一塊「高氏宗親會」的木牌。這雖是句諷譏的話，但這個問題却值得談談。

台北市政府的人事，誠如張立中議員所說：「談起這班人，他們處處以戰勝者的姿態出現，既不能稱職，而又無所不為；職位不見得高，但因有高市長撐腰，常常上下其手，把市政府的人事制度搞的烏烟瘴氣，這是事實。現在市政重心都落在『高家班』的人的手裏，各單位高系的人士，無孔不入，並且都掌握了大權，而這班人的行為，天天成羣結伴，上北投，玩酒家，醇酒美人，成為家常便飯，把自己公務員的身份却忘到九霄雲外去了」。「一個市長上任，帶幾個人來協助，並不算過份。問題是這些人都必須是可用之才，品德良好，更不容許品流混雜，各單位安插的密密麻麻，把台北市當成家天下」。

高家班如是作為

李振榮議員質詢說：高玉樹派他弟弟高三奇為中央魚市場臨時人員，現在借調為家畜市場管理處代理業務課長；他在該處仗勢弄權，破壞毛猪配銷制度。五三年十二月至今年二月，少配省農會毛猪四十台，省農會最近提出抗議。地原猪進場屠宰，限於台北市民所養之毛猪。但有許多車猪變成地原猪，變的代價每頭收取三百元紅包。按照規定，臨時人員不得担任有行政責任的主管課工作。因瀆職案被法院判刑的人，不得担任公務員。

高玉樹另一位弟弟高玉順，由小學教員而連升三級，派任教育局督學，但省政府並未批准。據議員說：「高玉順到教育局後，專門利用職權，在各校做印刷、文具、勞作教材等生意，經人檢舉。你（高玉樹）不但不處理，反而將他調到日新國校支薪不做事」。「而這次國校教員四十一人補缺的問題，完全由他（高玉順）一人來效勞，大有教育之門八字開，沒有鈔票不進來。這些人，這些事，實在為市政的大障碍」。

高玉樹有一位現任省議員的胞弟楊玉城，市議員對這位省級民意代表有如下的質詢：「台北市「公共工程處每星期三下午下班後，由一位楊姓省議員在處長辦公室舉行會報」，「會後並有聚餐」。五十四年元月十七日，公共工程處藉工程檢討會名義，在蓬萊閣食堂（酒家）大張筵席九桌，由楊姓省議員躬親主持」，「會中還有摸彩，歌舞等節目助興」。如此龐大的浪費，如何報銷？「用何項目報銷」？「去年十月興建介壽路小公園，由公共工程處主辦」，「這件工程弊端百出，涉有官商勾結貪污不法之情事」。如「整修地面鋪水泥，及紅磚計卅三萬五千七百元」，如「種植樹木及花草計卅三萬三千元」，如「水電設備裝置水銀燈五座及地下水栓四處計十五萬一千元」，如「裝置鐵絲網欄桿及大門小座椅等十五萬四千元」，以上計九十七萬三千七百元；「如此巨額工程，並未公開招標而採議價方式，並且連議價也是形式而已，實際完全由楊姓省議員假借廠商名義一手包辦，並有事後補辦議價紀錄的情事」。據劉立卓議員說：「實際開支材料工資等，只有四十萬元，其中約六十萬元被貪污中飽」。

新穎官場現形記

歐陽斌議員質詢舉發了楊姓省議員把持工程單位又一筆，歐陽斌說：「武昌街金城大戲院申請建築執照，因工業區用地改為商業區用地面積建造請閣下（高玉樹）特批，經由有力人士李某向商請幫忙，當即慨允，並即電主辦秘書屬速辦。未隔五分鐘，主辦秘書又接電話指示，剛才電話不算，慢慢來，多方予以刁難。不數日，即向該李某商借十萬元，為其拒絕，並由設計快。結果，找設計師由設計費三萬元項下分得二萬元。其用心之巧妙令人叫絕」！「令弟（指楊玉城）為設計新社區，曾向某大建築商着令留屋十棟不繳定金，亦未送具申請人名冊，使該商極感困擾，其用意何在？不難令人舉一反三矣」！「閣下為此類情事，曾於士林閣下華夏，當面告誡公共工程處主管，此後不要聽令弟的話，是否閣下亦認為情形嚴重，太不像話，而予以告誡，抑或貴昆仲亦發生利害衝突呢」？

市政府新聞室股長兼秘書王樹生，是高玉樹義弟，據沈應松議員質詢說：王樹生掌管市長所有官樣大稿，主稿教育文稿，擅自以市長名義批辦文件。試問，一個有經驗的教育局長，已決定的事項，可以由一個毫無行政經驗的新聞股長任意批辦變更？顯有紊亂行政系統」。

此外，由競選功臣「高漁海為工程處建築工程課長，總攬本市一切大小工程建築及發包事宜。新升近宗高進益為民政局民政課長，掌握全市區民政業務。新派秘書陳益勝任魚市場無正式編制之副主任，把持場務。新派周植融為中央市場副主任。新派黃根旺為公車處物料課課長，掌握購料大權。李賜卿為煤氣公司總經理。

選民的眼睛雪亮

像「市府秘書陳纘廷，公車處總務課長張衡哲，公車處調度中心主任楊國榮與人事室主任楊五喬等，都獲得特別的優遇，而由公家租房子給他們住，何以其他人員沒有呢？比如公車處任用技工，「不按照考試錄取名次任用，而是憑『紅包』而派用」。據鄭議員說：「有一職員鄭國者，在去年七月間，經該處考試列為第二名，因未致送紅包，故迄今尚不錄用。而考試名列榜末者，早經錄用派任工作。似此考用未能配合，殊令人費解，希即澈查瀆職人員」。

從議員質詢中，高玉樹當選市長後，其種種施爲，即如其在人事上的安排，豈但「未能免俗」而已！但高玉樹得明白，市長是民選的，幹得好壞，大家心裏雪亮，騙不倒人的。（下）

由天地萬物到人

——新道統的宇宙論（論道統第五章）

陳健夫

因此有人發見宇宙中物質的作用或精神的作用，便以偏概全，目之「唯物」或「唯心」，以爲這便是宇宙本體。說個笑話，好比小人國的小人，看見一隻象，爬在象身上，以爲是山，走到鼻子上，以爲是水溝，看見象的眼睛，以爲這是天，看見象的脚掌，以爲是魔鬼，何曾知象是象，是整個的象。并非如小人國眼中的那樣。我們人在宇宙中，比象身上的小人還更渺小。我們人的智慧，究竟有限，豈能盡知宇宙秘密。人們將神奇的宇宙，以物質或精神來說明，是自說自話，未免將複雜微妙的世界，視爲無能的世界了。也未免將造物者看作實驗室中的那種已停止生命呼吸的解剖一般。總之，宇宙是一活生生的大生命。我們要研究他，要想知道他的秘密，切不可把它當作死物來分析或解剖，必須以高度虔誠的心靈去理解它，去接近它。

這個活生生的大生命，眞是其大無外，其小無內，高明奧妙，人所莫測。就吾人所已了知者，陳述如下：

一、眞元爲宇宙實有之物，并非虛無飄渺，尤非玄之又玄的存在。世人恒以宇宙之「天」「性」，爲空虛無邊際者，實一錯覺。自古中外哲人多有此偏執。一則由於人類的知識尚不夠進步，一則由於中外哲人各有所專，力不及此。如孔子重在倫理，乃不言「天」「性」，如釋迦重在救世，乃說「無記」，古代知識不進步，科學不發達，自可托託，視爲神秘不可知者。今日時代已大不同於古代，今人已有相當的知識及科學，對宇宙眞理之探討，自不得再視爲不急之務，無稽之談。因爲今天仍然有人保持這樣的錯誤，以爲談天論性，近於虛無。何曾知道探討宇宙奧秘乃爲神聖責任。不但要談天，而且還要研究天。時代進步，學術也要進步。不能老保持八百年前的傳統。（西方科學近九百年的發展即由於學者們有此大無畏精神，自哥白尼，加利略至達爾文等人，皆是本着這種觀念，抱着這等勇氣去治學，所以突破傳統的封鎖而發明了新的學理，糾正了許多傳統上的權威觀念或學理，將人類一向視之爲絕大秘密者予以揭穿說破。所以，西方有不少殉道的學者，即由此之故。伽利略便是其中的一人，他因發現眞元極則中的一項奧理——地球環繞太陽運動而被當時的羅馬宗教裁判所送進監獄，於一六四二年一月八日死於獄中。）

二、宗教家就眞元作用之神秘不可思議及其生養萬物，福庇天地的仁慈，乃奉之爲神。神者，不可思議的敬畏心，因而有神學。科學家乃就眞元創造世界之自然設計，自然秩序，加以推求，以之探求眞元的奧秘，并利用之以改善人類生活，因之而有科學。吾人於此可知神學與科學，宗教與進化論，在根本上本屬一貫。因爲宇宙的開展，即爲眞元運動的一連串進化程序，科學上已發見者祇不過千萬分之一而已。

至宇宙原始及人類來源，今日科學仍在探討中。決非永不可知。在此探討過程，不論宗教或科學，不妨各執一說。但只要是正確的結論，終會不謀而合，不會衝突的。我由於發現宇宙間的眞元存在，乃深有此信心。因宗教家科學家皆是就這眞元的某一點上看去，所以就有不同，但終究是會融會貫通的。

三、眞元是超自然，超時空，超心物的。其性質是非常神秘微妙的！非用純潔虔誠的心靈難以領悟接近。佛經上的「明了自性」，「令入無餘涅槃」（無餘者，無習氣煩惱也）即是此種工夫。佛經上說的「如來」即相當形容此眞元本性。佛陀嘗說：「凡有所相，皆是虛妄。若見諸相非相，則見如來。」（金剛經）這便是說一切現象皆是時空流變中一時一地的假相，轉瞬即逝，惟涵養得這眞元之氣，方是如來本性，永遠恆在。佛經常說「見自性即是菩提」，皆是接近眞元的修養工夫。佛家的修養工夫，是頗有可採的。（十）

岳武穆祠墓遺蹟小考

李仲係

武穆之討捕楊么也，初自鄂渚進兵潭州，招降黃佐、楊欽等，使其黨羽自相殘殺，嗣於鼎州設計破其樓櫓，么遂被擒。論武穆之策略爲以寇攻寇，因敵人之將，用敵人之兵，奪其手足之助，離其腹心之託，使之孤立，而後乘之，故能不數十日而蕩平積年巨寇，誠可謂不戰而屈人之兵者矣。查潭州即今之長沙，鼎州即今之常德。按史冊所載，未有在嘉魚屯兵事實，嘉魚縣誌，亦不見有城壘遺蹟，故軍寨之名，或出自流傳附會也。

中原淪陷，宋室南渡，羣盜四起，江淮湖湘，均遭竊據。大者連兵數十萬，小者亦數萬不等，互相應援，聲勢浩大。武穆自規復建康後，初受通、泰州鎭撫使兼知泰州之命，時金人入寇，揚承已陷，楚勢亦危，泰州無險可恃，奉詔退守，旋即副張俊往江淮平寇，敗走李成，招降張用，江淮悉平，充神武右副軍統制，權留洪州，彈壓盜賊。繼復先後討平建寇范汝爲，戮賊曹成，彭佑、李動天等，湖湘嶺表，以次戡定，因功遂遷神武副軍都統制，江南西路舒蘄州制置使，置司江州。始諸將擁重兵而未分定路分，故無所責成，至此始議分遣諸帥，各據要害，時與劉光世、韓世忠、王[illegible]同拜，光世置司池州，世忠鎭江，鄂州，而武穆則爲江州。武穆留江州頗久，復因其母姚太夫人賜葬廬山，武穆遂於郡城內營第，聚家屬之北來者爲守墓計，厥後子孫遂世居其地。是武穆在江州既有先塋，又有第宅，葢自湯陰淪陷，不啻以此爲第二故鄉矣。

武穆姚太夫人墓，據誌載在德化縣白鶴鄉廬山之株嶺山，現因地名改易，實在九江縣黃金鄉之陳家壟，去縣治有卅五里。紹興六年三月廿六日，武穆宣撫襄陽日，母魏國夫人姚氏卒，贈周國夫人，高宗賜葬於此。正德十二年，知府汪穎卽墓所建岳母祠，後燬於兵，嗣經裔孫等重建。民國十七八年間，區公所因建碉堡需材，將石拆毀，現僅存遺址。此墓就其現狀言之，計墓在株嶺山半，墳土已平，僅墓前石碑一方尙存，文爲：「宋岳忠武王母姚太夫人之墓」。其他一無銘誌。岳母祠遺址在墓前左側，寬僅丈許，聞其中向係空無所有，似屬享殿拜堂之類。此墓現由岳氏子孫春秋祭掃，故得保存不壞，否則墓碑一仆，早已湮沒無傳矣。墓地層峯疊翠，狀如堆螺，淸曾文正曾蒞其地，以爲山水粗頑，非佳城也。王明清揮麈錄亦有：「張唐自九江來，聞岳侯父子被害，唐云，去歲在匡廬，一日正覩岳侯葬母，儀衛甚盛，一僧言岳葬地雖佳，掩壙之後，子孫須有非命者，然經數十年，再爲昌盛」。此則事後之談，近於誣妄矣。（七）

漢文，漢字，漢學

陳曼卿

盧植云：「王制是漢時博士所爲。」

鄭玄謂：「月令是呂不韋所撰。」

後漢馬融、盧植，考諸家異同。並附「小戴」篇章，去其繁重，及所叙略，而行於世。即今之「禮記」，康成乃依馬、盧之本而作注。

樂：（未立）

河間獻王好儒，與毛生等共采周官及諸子言樂事，以作樂記。……內史丞王定，以授王禹。成帝時……獻二十四篇。

春秋：

左氏傳：一云出於相國張蒼家，劉歆校中秘書，點校經籍時，爭立左氏，博士擯不與同。平帝即位，王莽、劉歆挾勢力乃得立於學。治至東漢光武立而未行，和帝時鄭興父子奏上「左氏」，復得立於學官（博士）。

孝經：

鄭壁出古文孝經二十二章，孔安國爲之作傳。

論語：

出於孔壁者，凡二十一篇。篇次不同於齊、魯（今文），孔安國作傳，馬季長作注，

爾雅：

張稚讓上廣稚表：

爾雅一書，爲晉代郭璞序，後魏時張揖有「古今字詁」，自是後人附會纂輯而成之書，皆在三世紀末四世紀初。可是，當時人僞託，就非要把「它」拉到「周公手作」不可，並謂「仲尼、子夏復後有增益」。然其內容，與「古文經」之「三禮、毛詩、左傳」爲自成一系統之書（見藝文志：古文應讀爾雅）。

（本節「今文經」與「古文經」的列舉；既未依循史記、漢書、的成法，亦未依照各朝代儒學，與晚近治文、史者之「以經爲目」，分叙今、古文之例而逐錄。是以今文、古文、兩漢立於學官（博士）時之文體，分別列述「六經」原委，特予說明。）

從上面我們可以看出「今文」，「古文」的不同，與漢代儒學興起的一個大概。今文家以內容淺深爲先後次序，古文家則另出新意，以六經之時代先後爲次序。

五經六經，自經秦嬴政那四年有計劃的遍地皆火。接着又是項籍的魯莽滅裂，三月不熄的一把大火。這樣的空前浩刦，灰燼中的殘餘，沒有滅絕。待到漢初，有如廢墟中重建（寮屋）似的一樣，那種破敗，殘缺不堪的現象，自是可以想見的了。

一個發達了的人，他也知道做些光宗耀祖，改換門庭的事，乃至「風雅」一番。何況是「普天之下，莫非王土」的帝王之尊。自然了解「王制」的可貴，追美先代遺緒，所以立學官（博士），也就從那歷史意義比較隆厚的「詩」、「書」首先立起。（二九）

動物農場

英 George Orwell 著

陳其芝 譯

第五章　秘密警察的出現與爭權

動物們聽完了拿破崙的意見，再聽聽史諾柏的高論，眞是各說各有理，牠們更難決定誰是誰非了。事實上，牠們發現自己所同意的，往往就是正在發表意見的那一位。

史諾柏的風車計劃全部完成，祇待星期天的會議表決是否立刻開始動工。是日，所有的動物都在大穀倉裏集會，史諾白站起來陳述牠建造風車的主張與理由，偶而被羊羣的咩叫打斷牠的話。接着是拿破崙起來做答覆，牠說話時很平靜，牠說建造風車眞是胡言亂想，所以要勸大家不要投同意票。牠說了不到三分鐘就立刻坐下來，也不在乎所引起的反應是什麼。史諾柏又站起來，喝住正開始鳴叫的羊羣，激動地說明建造風車所能帶來的好處，由於牠口若懸河的辯才，已把那些無知的動物說得暈頭轉向，牠們開始同情牠了。又加上牠那三寸不爛之舌把「動物農場」繪形繪影地描述得如圖畫一般的美，牠說：動物們可以從粗重的工作中解脫，風車除了發動樁米機，操縱打穀機，耙土機，耕地機，收割機和捆草機外，更可使畜欄電器化，調劑溫度，冷水熱水自動供給等等，經牠這麼一說，沒一箇會懷疑這件議案會不通過的。但就在這時，拿破崙站了起來，不屑的看了史諾柏一眼，吼出一種動物們從未聽過的尖銳聲音來。

同時屋外也應和起一陣狂吠，九頭戴有銅圈裝飾的兇猛大狗魚貫而入，直撲史諾柏，幸好史諾柏即時一跳剛好躲過了迅雷不及掩耳的猛烈偷襲。轉瞬逃出了屋外，狗仍然緊追不捨。所有的動物被這突如其來的事件驚恐得目定口呆。一起擁到門口，看着這場惡劇。史諾柏沒命地跑向那通往大路的長形草原，牠盡一隻猪所能快的跑着，但看着狗已接近牠的後腿，忽然牠滑倒了，這一來大家都以爲狗一定會追上牠了，誰知牠立刻爬起來比以前跑得更快些。看着狗又要趕上了，而且有一隻狗的嘴巴幾乎觸到牠的尾巴，史諾柏及時一歪又逃開了，接着牠猛力一竄，穿過不遠的一個籬笆缺口，逃得無影無蹤了。

在沉默與恐懼中，所有的動物又回到大穀倉裏，不一會，那羣惡狗也回來了。起初大家都想不出這些狗從那裏來的，但很快的，牠們發現了解答；這些狗原來就是那些不幸被拿破崙從牠們母親乳期中帶走，私自養在閣樓上的那一羣小狗。牠們雖然還沒有長成，但身材高大，兇惡異常，看起來眞跟狼一樣，牠們都對着拿破崙站得很近。搖頭擺尾就像以前狗對牠們的主人——鍾士先生一樣。

拿破崙現在爬上了以前少校演講的講台，九隻狗跟在後面。他說從現在開始，停止每星期天早上的集會。這根本是一種不必要而且浪費時間的事。以後所有有關「動物農場」的一切問題，都交由牠自己担任主席的猪同志所組成的特別委員會來議商決定。這種會議將秘密召開，不過決議事項將在事後公開宣佈。因此，動物們在星期日上午仍需集會升旗，唱「英格蘭的動物」及聽取一星期中的工作指示。從此以後動物農場上再也沒有爭辯的事情發生了。

儘管動物們已被史諾柏的事件嚇昏了頭，可是聽到這種宣佈後，仍然有點不高興。有些動物想要反對，只是找不出適當的論點。就連白克薩都有點迷糊。牠垂着耳柴，搖擺着鬃毛，拼命清理自己的思緒，到後來，牠依然找不出一些話說。倒還是那些猪比較靈俐，坐在前排的四隻肉食猪提出了抗議。（十六）

曹子建與洛神

匡謬

曹子建筆底下的「洛神」，是千古名文，卻也是很耐人尋味的謎。請看：「翩若驚鴻，婉若游龍。榮曜秋菊，華茂春松。髣髴兮若青雲之蔽月，飄颻兮若流風之迴雪。遠而望之，皎若太陽升朝霞。迫而察之，灼若芙蓉出綠波。穠纖得衷，修短合度。肩若削成，腰如約素。延頸秀項，皓質呈露。芳澤無加，鉛華弗御。雲髻峨峨，修眉連娟。丹唇外朗，皓齒內鮮。明眸善睞，輔靨承權。環姿艷逸，儀靜體閑。柔情綽態，媚於語言。……」這那裏是什麼神呢！明明是一個「美麗的動物」，雖然沒有說明三圍，卻盡在其中了。

曹子建對這位「神」的感情，是愛而非敬是顯然的：「余情悅其淑美兮，心振蕩而不怡」。看到如此淑女，他早已魂不附體了，心神還安祥嗎？在此美人之前，他只有大胆的求愛：「無良媒以接歡兮，託微波而通辭。願誠素之先達兮，解玉珮以要之。」但結果他是失敗了：「嗟佳人之信修兮，羌習禮而明詩。抗瓊珶以和予兮，指潛淵而爲期。」可見他倆是相愛的，「神」曾和曹子建情詩唱和，海誓山盟呢。不過他倆之間又好像隔了一座不可踰越的牆，這究竟是什麼牆？曹子建只簡單說了一句：「申禮防以自持」。最巧妙地撒着謊：「恨人神之道殊兮，怨盛年之莫當。」如果不是撒一撒謊，直切了當的寫出來，豈不害事嗎？無奈何，曹子建終於與這位「神」訣別：「悼良會之永訣兮，悲一逝而異鄉。」從此，「思綿綿而增慕，夜耿耿而不寐」。他爲這位「神」而痛苦，夜來想念她而不能入寐，說她是「神」，豈不大有問題？

我想，當曹子建寫着「洛神賦」的時候，他的心目中，一定有了一個有血有肉的美女，這美女是他求之不得的愛人。然而這愛人究是誰呢？史書雖沒有正式記載，然而蛛絲馬跡，推尋起來，不難揭穿謎底。原來這愛人，就是他的嫂嫂曹丕的太太甄后。所以，洛神賦也就叫做感甄賦。賦中的宓妃，或許就是他嫂嫂甄后的小名呢！

古代的神話說：宓妃是河伯的妻子，神與人之間最美的女神。因她不曾得到丈夫的愛，她的丈夫河伯是一個薄情的淫棍，他乘着虬龍駕駛的車子，遍遊九河，和人間的美女廝混，卻把美麗的妻子冷落在家中。於是射下了九個太陽的俊偉的后羿，和宓妃戀愛了。羿有一個妻子——美麗的嫦娥，因爲貪心，偷吃了西王母送給后羿的靈藥，雖然成仙，卻被罰在荒涼的月宮裏守活寡。羿和宓妃同樣的寂寞，就互相愛上了。（上）

風箏

周燕謀

風箏是中國人所發明的，無人可予否認。今日寶島，尚有人舉行風箏比賽，可謂發思古之幽情。考「風箏」又名「紙鳶」者，尚有名爲「鷂子」。

據古籍所載，中國人發明紙鳶能飛的原理，確實是很早，而最先的創始者，可能係用於軍事。「韓非子」之外儲篇載：「墨子爲木鳥，三年乃成，飛一日而敗。」又列子中亦載：「公輸子作木鳥，翱翔三日不下。」這可說是在二千餘年前我們老祖宗已懂得飛翔的原理。中國古代的紙鳶，是木製的，蓋其時尚未發明造紙，故也。所以古又稱「木鳥」。在戰國時代，便能有此技藝的發明，甚可說眞並不簡單，至更有難於今日所發明之飛行器。

紙鳶之確實創始年代，據文獻可徵者，當在西元前二世紀楚漢之爭時，已正式用於軍事上了。韓信當漢高祖出師征討陳豨時，他曾想利用此一機會而發動一次政變，於是他令人在空中放出「紙鳶」，其目的在探測未央宮居處之距離。（見事物紀原）如果此說可信，那麼至少在距今二千年前的西漢初年，已經有了[illegible]

[illegible]南北朝時代，梁武帝太清三年（西元五四九年）侯景之亂時，武帝被困於臺城（即今之南京）之時，當其緊急之際，有羊東兒者，獻計作紙鳶，始將皇帝的詔書放在紙鳶上，借風傳至城外，以請援。（見鄭樵通志，侯景傳）[illegible]既而中外斷絕，[illegible]繫以長繩，藏敕於中，簡文出太極殿，因西北風而放，冀得書達。[illegible]初被使用於軍事。其實，韓信[illegible]機，亦可說是[illegible]軍[illegible]

就時間之先後而論，中國人利用紙鳶，較西洋各國知道利用氫氣球早了千多年。紙鳶自南朝以降[illegible]

[illegible]詢，更遍錄[illegible]中。按「五代，李鄴於宮中作紙鳶，引線乘風爲戲，後於鳶首以竹爲笛，使風入竹，聲如箏鳴，故名「風箏」。」又名「紙鷂」者緣此。

「風箏」之名，正式見於五代著錄以後，[illegible]形式的[illegible]製作簡易，因人而異，心裁無窮，[illegible]爭奇鬥[illegible]

形式，如果詳列風箏的事，是不可勝舉的。大略言之，在生物有龍、蝶、蟹、蝦、蟬、鷹、蜈蚣、金魚等；此外尚有七星、八角、花藍、美人、雙人、八卦等形式。每當風箏翱翔天際，箏聲響亮清徹之時，對於生活方式比較簡單的古人而言，自然是極視聽之歡娛了。不僅如此，後來更愈變愈熱鬧起來，花樣玩法，更是五花八門，據春明采風志載：「風箏攤，即紙鳶也。常行沙燕，一尺以至丈二，折竹結架，作燕飛式。紙糊清藍色，中安線三根，大背着風琴，或綴太平鑼鼓，以索繫繞，順風放起，晝繫紙條，夜繫紅燈。兒童仰首追逐，以洩內之積熱，蓋有所取也。」又云：「三尺以上，花樣各別，哪吒、劉海、哼哈二將、兩人鬧戲、蜈蚣、鮎魚、蝴蝶、蜻蜓、三陽開泰、喜鵲登枝之類。其最奇者，雖與鷹式，一根提線，翱翔空中，遙睹之，逼眞也。」是知古人玩風箏，其種類之多，花式之妙，以及其普遍性，非今人所可及也。

陽明山看花

林熊祥

如著丹青裏，晴探淑氣新。
春酣多故日，花引[illegible]鸝人。
錦繡明嵐外，崔嵬瀛海濱。
風光屬年少，皓鬢暗傷神。

陪諸老看花次韻

曾今可

尋春伴諸老，詩思似花新。
步喜入佳境，眼驚多麗人。（是日適爲三八婦女節）
徘徊日將午，嘯傲海之濱。
低首林和靖，名篇信有神。

英法聯軍侵華之役

羅雲

五月，英法公使及將領等會於上海，定進軍方略，英以大連，法以芝罘爲集合地。六月九日，聯軍兵船二百餘艘相與向渤海進發。十五日令兵士各帶三日糧，携彈藥五十封登陸沙壘島；翌日，北塘陷敵。廿六日，聯軍攻新河，僧格林沁率蒙古精騎三千禦之，交戰僅半小時，全軍潰敗。二十八日聯軍攻塘沽，亦陷之。七月初五日，聯軍攻塘沽北方第一炮台，又陷之；復鼓餘威攻第二炮台，守兵盡降之，竟不戰而佔領。至此僧格林沁退走，張家灣、南岸三炮台亦於次日陷。初七日聯軍兵艦自白河逕抵天津，清命大學士桂良、直督恆福，與英議和，二十日已締約，然清廷以要求過重，且恃僧格林沁擁有大軍在張家灣，又復翻議，聯軍額爾金嘯囓大怒，遂於廿四日直犯北京。

八月初四日（西曆九月十八日），僧格林沁以兵三萬與敵戰於張家灣，遂俘英議和專使巴夏禮。交戰數小時，僧軍大敗，死傷無算，棄七十四門大炮而潰。翌日，僧格林沁、勝保、瑞麟諸將共屯八里橋附近，扼聯軍進路。七日上午，聯軍大舉進犯，戰於八里橋，勝保統禁軍萬人與戰，因馬受傷而墜，師遂潰。瑞麟軍先遁，僧軍則敗退朝陽門外。是役乃開戰來之第一激戰，我軍死傷共一二〇〇人，聯軍死傷四五十人。於是北京大震，文宗避難於熱河，命恭親王奕訢留守北京；恭親王送書乞和，聯軍要挾先還俘虜，否則直陷京師，恭親王不答。八月二十一日聯軍分路攻北京。英軍用焚京西郊圓明園以爲脅迫；法軍水準較高，以文物無辜，反對未果，因之此一美麗園囿乃遭一炬，化爲焦土，至今只憑弔，遺址於今已爲荒田，不留任何痕跡，實世界上文物大劫之一。

恭親王奕訢當時尚不通外事，一以英法之威脅，二以俄使之從中弄術（詳本節後段），乃又訂北京條約，結束了中英聯軍戰爭。

中英北京條約要點爲：天津條約除依本約修改部份外，仍有效；增開天津爲通商口岸，中國不得禁阻華人應英人僱傭往外洋工作；割讓九龍，賠償增爲八百萬兩。

至於中法北京條約，則大部與中英北京條約相同。惟當時担任翻譯之法國神父，私自增加「准許法國傳教士在內地租買田地建築。」其此種手段之不當，更令人不勝浩嘆。（三）

董小宛

——「影劇與歷史」之三

周遊

六、董小宛除在金陵、姑蘇高張艷幟之外，她的芳蹤根本未到過黃河流域，更談不上進入紫禁城了。當然更沒有入掖庭，見過順治帝半面。未見過洪承疇，更不用說了。

七、如前所記，董小宛之最後的歸宿是嫁給冒辟疆。董冒之一段情，是相當曲折的。董冒之相見，是在她自金陵移幟蘇州時，冒氏乃是慕名前往，只有一次的懇談，未有論及嫁娶的意思。冒氏離去之後，小宛被「風流教主」錢牧齋携往黃山去了，在黃山住了三年之久，冒氏數度往訪小宛於姑蘇，均未得見。然而冒氏雖未見到小宛，卻又碰到另一位紅得發紫的名妓陳圓圓。冒氏與小宛相識在先，但並無深刻感情，此時見到陳圓圓，二人却一見傾心，相見恨晚，纏綿之情溢於言表，冒氏嘗自述其與圓圓初見時之情形云：

「……如其人淡而韻，如孤雲出岫，如珠在盤，令人欲仙欲死。漏下四鼓，風雨復作，必欲駕小舟去，余牽衣再晤，答云：光福梅花如冷雲萬頃，子能越旦偕我遊否？知有半月淹留也，余迫省覲，告以不敢遲留故。復云：南岳歸棹，當遲子於虎疁叢桂間，蓋計其期八月返也。余別去。」

冒愛慕陳圓圓之情，於「欲仙欲死」之程度是可信的。關於冒陳之戀，另舉一證以實之，陳其年「婦人集」云：「姑蘇女子圓圓，字畹芬，戾家女子也，色藝擅一時。如皋冒先生常言：婦人以姿致爲主，色次之，碌碌雙鬟，難其選也。蕙心紈質，澹秀天然，生平所覯，則獨有圓圓耳。」可知陳圓圓與冒氏亦有一段柔情，穿插成爲三角戀愛。小說家與劇作家，何以不將此一有史可稽之戀史，編綴劇本，或演成小說，豈不更能引人入勝？何獨將此違背史實之事張冠李戴耶！

自古道「紅顏薄命」，似乎是上帝的傑作，陳圓圓乃一代尤物，拜倒石榴裙下者比比皆是，公子哥兒皆以「嬙之者圖千人譁劫之」，以之居爲奇貨者尤不乏人。冒氏別後復來踐約時，聞說伊人已被竇霍豪家掠去了，冒氏聞之慘然，惟悵然離蘇耳。忽在途中聞友人相告：被掠者乃是贋鼎的，眞正的圓圓尚匿居他處；辟疆往訪，果然傳言非虛。圓圓又隨冒氏到船上拜見冒太夫人。翌日圓圓對冒氏說：「余此身脫樊籠，欲擇人事之，終身可託者無出君右。適見太恭人，如覆春雲，如飲甘露，眞得所矣！子勿辭。」冒氏驚喜不置。圓圓再三叮囑，始互訂終身。冒氏送母回里，同年冬，冒氏再來姑蘇踐約，不料圓圓已眞被豪勢掠去了。

原來崇禎皇后，因見帝寵田貴妃，而不甚愛已，欲奪田氏之寵，乃商於其父周奎，便尋訪色藝均佳女子，聞圓圓艷名，遂出重貲購之，於崇禎十五年春，携赴京師，納于掖庭。斯時流寇已起，崇禎憂念國事猶不及，不甚顧陳，遂命遣還，故圓圓仍歸周邸。後來吳三桂即得圓圓於此。這是本文之外，順便交代一筆。

冒氏在沮喪之餘，無已，乃返里。於舟途中，經一小樓，樓立水邊，遊人相告曰：此乃董小宛居處也。冒氏心情空虛，忽得此佳訊，不禁狂喜，急往訪之，果小宛也。原來小宛也是被豪家驚擾之後，病倒於此，一則避鋒，再則養病也。冒氏在暢叙別衷之後，趕赴南京鄉試，旋再來姑蘇，論及嫁娶，又得錢牧齋相慫恿，二人就在崇禎十五年十二月結婚了。此時順治帝尚是五歲嬰兒。何來順治與董小宛之戀？深宮之怨？（二）

陽明公園之春

匡正

由「萬壑煙聲」拾級而登，此即所謂「好漢坡」是也。遊人聞「好漢坡」之名，興奮而登，蓋誰不做好漢而甘示弱者？好漢坡之名，不啻予遊人一粒興奮劑。好漢坡中途，有石壁岩穴，壁上有「一綫天」，良以在壁穴中仰望，只見一綫之天，故名。再上，即至「雙松亭」。遊人可在此小憩片刻，能登上至此地，夠好漢之條件了。此爲園中唯一設有冷飲之亭，以其爲攀登園上之頂點，又爲回往中心區之起點也。

在「雙松亭」小憩之後，向中心區回程不遠，有「觀光台」。自台上俯視山下，良田阡陌，青山綠水，就在足底。居高臨下，心曠而神怡，氣魄亦爲之宏礴。觀光台石柱之上書一聯，趣味盎然，聯曰：「笑看星斗樽前落；俯視河山足底生」。好氣魄！亦眞得此台之情趣也。站在「觀光台」上，環顧園中之園——中心區之花叢間、亭台角，遊人漫漫，坐臥花叢，俯仰地氈，沉浸在陽明的山色美景中，似乎個個如醉如迷，樂而忘返了。

然而，當人們踏上了歸程之際，一定會覺得：『縱然此地風光好，還有思鄉一片心』呢！大陸的錦繡山河，我們能任其久陷溺久沉淪麼？噫吁，吾土吾民！（下）

內僑警台報字第〇三壹號內銷證

自由報

THE FREE NEWS

第五四零期

中華民國僑務委員會頒發
台教新字第三二三號登記證
中華郵政台字第一二八二號執照
登記爲第一類新聞紙類
（本週刊每星期三、六出版）
每份港幣壹角
台灣零售價新台幣弍元
社長：雷嘯岑
督印人：黃行чи

社址：香港銅鑼灣高士威道二十號四樓
20. CAUSEWAY RD 3RD FL HONG KONG
TEL. 771726 電報掛號：7191
承印者：田風印刷廠
地址：香港灣仔高士打道二二一號
台灣分社
台北市西寧南路壹壹零號二樓
電話：三三〇四六
台郵撥儲金戶九二五二

孔教與法律

——民初一段制憲鬧劇——

陸嘯釗

自從董仲舒有計劃地「獨尊儒術、罷黜百家」之後，孔子之說大行，在中國學術思想史上，穩穩地坐上了第一把交椅。可是「敬鬼神而遠之」的孔老夫子，當萬萬沒有想到，他的不肖子孫，會硬硬地把他偶像化起來，阻礙學術文化的發展，受歷代帝王用之爲愚民與鞏固統制的工具。那而至聖先師的牌位，孔子其實未必歡喜的。

這種尊孔的風氣，一直到民國成立，才稍稍消聲匿跡。等到袁世凱一當上臨時大總統，孔教會這般遺老又死灰復燃了。在憲法起草委員會上，不僅使孔子險些兒坐上國教教主的寶座，也使孔教問題變成了中國憲政史上一段極其可笑的爭論。

整個事實的經過情形是這樣的：民國二年八月二日憲法起草委員會開始工作，討論到信仰宗教自由這一個大題目，委員會中陳銘鑑一馬當先，首先發言，他說：「孔教是文化進步的宗教，而不是一般野蠻時代的迷信宗教可比，因此我提議應於憲法上明文規定孔教爲國教。」當時贊成這個提議的有汪榮寶、關乃祺、王敬芳、黃贊等人。舉手的舉手，發言的發言，這些保守份子滿想着他們的企圖可以實現了。反對的一方也有五人，他們是伍朝樞、徐鏡心、汪彭年、盧天游、谷鍾秀。反對的意見很能代表當時國民黨進步開明的思想。他們的發言，可以爲納成四點意見：

一、中國不是一個宗教國家。

二、孔子並不是宗教家。

三、信教自由是各國憲法的通例，如果把孔教定爲國教，顯然跟憲法的原理發生牴觸。

四、五族共和，孔教以外還有喇嘛、回教種種，如果定孔教爲國教，容易使蒙藏懷忌。

正反雙方交相指摘，而會外更是文電交馳，紛紛表示意見，到十月十三日雙方繼續討論，最後由伍朝樞發言，這位國民黨的名外交家，當時很露了一手外交手腕，他說：

「孔教以忠恕爲本，假使人民不忠不恕之道，是否可以認爲違憲？假若認爲違憲而予制裁，則非恕且也不勝其擾；設或不予以違憲的制裁，法律的規定，又能有什麼效果？」

表決的結果，贊成以孔教爲國教的居少數，這個提案也就此打消了。

二讀會畢，孔教既然不能定爲國教，當然使那些孔孟之徒大爲傷心，可是傷心並不就是死心，宗教方面既不能插手，孔教會的遺老們一轉向就打教育的主意了。

天壇憲法草案第十九條原爲：「中華民國人民，依法律有受初等教育之義務。」汪榮寶首先發難，動議在第十九條後面加一第二項爲「國民教育以孔子之道爲倫理之大本。」陳銘鑑立即表示贊成。同意這項修正意見的有陳美、黃雲鵬等人；文字上稍有出入的有藍公武、孫潤宇、朱兆幸等人；全然反對這次修正意見的，仍然是以國民黨爲首的張耀曾、吳宗慈、何雯、汪彭年等人。雙方討論表決了好幾次，都無法獲得結果，最後祇有相互讓步，暗中疏通，將「國民教育以孔子之道爲修身之大本」的條文通過。

等到袁世凱就任正式大總統以後，發現行將制定的憲法，對總統的權限有很大的限制，而國會的權能却相形擴大，對於他構想中的獨裁政治，有極大距離。而當時憲法起草委員會中，國民黨以及其他的反對政府黨又佔了極大多數，更使袁氏感到不安，因此形成袁氏武力干憲的舉動，接着又有取消國民黨籍議員的命令，進而解散國會帝制自爲，形成中國立法史上最黑暗的時代。

袁世凱做了八十三天洪憲皇帝就垮了台，國會復活以後，第一件事情，就是制憲工作的繼續進行。遂在民國五年九月五日由兩院合組憲法會議，以民國二年憲法起草委員會所議定的中華民國憲法草案（即天壇憲法草案）爲討論的基礎。這時帝制已除，新舊思想消長的結果，前者微微抬頭，孔教問題，又復舊話重提。

前面已經講過，民國二年憲法草案起草時，曾經通過一個毫無意義的條文，就是在憲法草案第十九條後面加上的那第二項「國民教育以孔子之道爲修身之大本」。國會重開以後，新派的人首先覺得這個條文有予刪除的必要。在審議會中張魯泉、何雯、吳宗慈、張伯烈主張刪除最力，他們的理由有下列九點：

一、孔子之道，多爲君主說法，此項規定與民國國體相左。

二、草案已規定人民信教自由，若將孔子之道特別規定，則是先以憲法條文壓迫他教，恐對內對外，必致惹起紛爭。

三、孔子非宗教家，有此一項，既不足爲孔子光，删除此項，正所以尊孔子。

四、何者爲修身大本、教育才針，應屬行政範圍，訂入憲法，殊與體制未合。

五、以倫理問題，定入根本法內，性質既屬不合，且既有憲法上的拘束力，恐生出莫大危險。

六、國民教育應養成獨立生活的能力，若一般國民服從孔教，不農不商，無生活之能力，國家必大受其影響。

（下轉第二版）

配牙

怪病

今日与明日

毛共拒絕和談

自從詹森總統發出願無條件談判越局的呼籲之後，西方國及所謂亞非集團都十分熱烈的響應，英國首相威爾遜且派以前外相華爾克訪問河內、北平，探探胡、毛的口風，究竟有沒有和談之意，聯合國秘書長宇丹也願意訪問北平，當面同毛澤東斟盤；那知就在此時，毛共却兜頭一盤冷水，拒絕華爾克同宇丹去北平，而且嘻笑怒罵的挖苦了一頓，使聯合國同英工黨政府都大失面子。

毛共拒絕華爾克訪平的理由是說英國一貫支持美國，無資格在越南作調人，拒絕宇丹的理由，則是說宇丹呼籲和平應向華盛頓去，因爲破壞和平的是美國，而不是胡毛共黨。

毛共的真意

毛共此種咄咄迫人的態度，西方國家不僅感到失望，而且也覺得奇怪，大家都不明白毛共究竟憑什麼强硬。

人所共知，毛共目前既無力量也不敢同美國作戰，所謂援越除去武器彈藥之外，也只有示威，呼口號，算是代替了行動。既然如此，又何以堅不肯和？在正常的人看來是難以理解的。

不過，深一層看，毛共也自有其苦衷。第一，如若越戰和談，勢必仍由俄共出頭，不僅因爲俄共是共產集團的頭子，而且也因爲俄共是日內瓦會議的共同主席，在會場上，毛共無法同俄共公開爭執，因爲這是對外而非對內，尚不好意思把窠裏爭吵帶到國際會議上去，如若聽從俄共擺佈，又非毛共所願。

第二，如若和談成功，越共對毛共的倚賴性也大爲減低，可能又轉而親俄，如此一來毛共在北越的控制將失去效力。毛共今天對北越的基本政策是既不讓它打全面戰爭，以免把自己牽進去，同時也不願使越共和平下來，脫離了控制，其情形有類於俄共當年對毛共的態度，表面上十分賣力牽毛共入聯合國，骨子裏却最怕毛共入聯合國。

美國一定要打下去

美國此時提出越南和談，相信是受到盟邦的壓力，不得不予以敷衍，也許是藉此測量一下俄毛共黨對越戰的態度，作爲下一行動的參考。如果詹森總統所爲只是手段，自無不可，若眞有這種打算，就很値得研究了。

因爲南越目前唯一可和的條件只有北越共黨全部撤離，否則一旦和談成功，即是南越滅亡之時，南越政府如何能答應？美國又何忍出此？南越周圍的自由國家，又將作何感想？美國人都應當考慮到的。

（何如）

自由談

可怪的政風

近年來，我旅游台灣時，常常聽到一句民謠云：「一廳三房兩汽車」。這語意頗費解，經朋友說明後，纔知其中妙諦，原來是對現政治風氣的一種形容詞也。

「一廳」是指台灣省府的每一位廳長。蓋省主席和廳長們，每星期至少有三天要在台北公幹，因而在台中與台北兩地必須各置正式公館一座，義所應爾，此外爲着接洽公私機密事務，亦有別設小公館的必要，夫是之謂「三房」。至於兩部汽車，更係於法有據，不可或缺的正當設備，廳長在台中與台北出門時，如其不用汽車代步，那還像樣兒呢！

台灣的社會很安定，產業亦不貧乏，經濟上大家都說欣欣向榮，工業亦在「起飛」着。政治人物講究生活享受，擺擺官架排場，誰曰不宜？何況美國人早就實行着凱恩斯的經濟理論，要獎勵消費乃至於浪費纔可以刺激生產事業突飛猛進，咱們當然唯美國的馬首是瞻，表示進步。若夫官員們所住的洋房材料，所用的汽車，以及公館裏置備着的水箱、電視機……等等，無一而非舶來品，即不啻過着殖民地的經濟生活，却是自古已然，應毋庸議的事。談到蔣總統訓示的「毋忘在莒」精神，那是對老百姓說教，與行政官員無關。所以，「一廳三房兩汽車」的排場，實爲自然之理，必然之勢，用不着大驚小怪的。

不過，我對於構成這種政風的因素，殊感惶惑。省政府既已移設台中，而主席、廳長、處長袞袞諸公，爲還要隨時到台北來「公幹」？省主席遵照所謂政令，每星期須列席行政院例會，敬陪末座，猶可說也，其餘的廳處長和委員們亦照樣跟進，所爲何來呢？省府擇定在台中的地點更可笑，公廨暨省議會所在地係南投縣屬區域，却以台中市爲省垣，這兒除却袞袞諸公偶置有小公館而外，可謂與省政府毫無關聯，這不是古今所罕見的設治怪象嗎？由於這項怪象，即促成了「一廳三房兩汽車」的怪事，而見怪不怪了！

我若是行政院長，首先就要取消教台省主席列席政院例會那項無謂的政令，次則嚴禁省府官員隨便假公濟私，到台北來游蕩，更不許在台北濫置公館別墅，而且限定他們祇能由公家供給一部國產的汽車，不得購用舶來品，藉以保護、促進民族工業之發揚。像現在這樣的政風，所謂「節約」與「毋忘在莒」精神的說教，都是自欺欺人之談，不說也罷！

馮五先生

毛共宣佈泰國為攫取目標後 泰國遭受裏應外合擾亂

東埔寨栽誣泰軍方越境散放毒藥 前任民代在曼谷散發反政府傳單

（本報曼谷通訊）中共公然宣佈泰國為其攫取目標後，如響斯應，先有某國新聞處散發攻擊泰國政府宣傳品，繼之柬埔寨栽誣泰人進入柬境散發毒藥，又繼則有前任民代散發不利泰國政府攻擊治安當局傳單之事，顯係有計劃的裏應外合行動。副總理兼內政部長乃巴博上將，對此均有表示，茲誌如次：

乃巴博上將論及某國新聞處的散發攻擊泰政府宣傳品事時，他說：剋當局在搜集證據中。倘行為有嚴重不當之處，當可限時着其有關人員離境。

兼內長乃巴博上將談到近日柬埔寨政府叫嚷，誣指泰國在柬埔寨境內散發毒藥云云，他指出：在泰東邊境，東方軍隊陳列森嚴，普通的泰人不得近其境，否則有殺身之禍；如此的戒備，泰國軍方怎能越境散發毒藥呢？內長駁斥柬埔寨的造謠謊言，指此說是錫漢諾克繼承其主子「共黨」的宣傳伎倆，因其主子曾大叫美國在南越放毒氣，現柬埔寨亦來此一套，大叫泰國在柬境內放毒，伎倆同出一轍，悲哀之至。須知美國在南越境內所施放的並非毒氣，而是一種暫時可令人昏厥的氣體而已。

至前任民代散發反政府傳單事，其經過情形為：

四月十三日是泰國宋干節。這天一早，曼谷皇家田廣場上人山人海，向綠玉佛潑水祝福，並祈求綠佛保佑。所以，皇家田廣場上，是日盛況空前，比任何盛會更為熱鬧。出乎人們意料之外，約十時左右，在擠擁的人羣中，有位隱士打扮者，偕數名徒弟，出現皇家田廣場，他們有的手拿標語，有的手拿傳單，一邊走一邊發出叫嚷聲，令人注意，並吸引了遊人的視綫。

當駐足圍觀的人羣越來越多之後，這位隱士打扮者與徒弟們，便拿出手裏的傳單，向遊人散發，傳單內容，係屬煽動人民而不利於治安當局，而散發傳單的人（那位隱士打扮者）並不是默默無聞的人士，而是前任董里府人民代表乃高傑。

在皇家田指揮警察維持着秩序的警官阿崙中校，對前任董里府民代乃高傑的一舉一動，早看在眼裏，當發現彼等散發煽動人民不利治安，反對政府的傳單後，即電告警察總監巴碩警上將，將前任董里府民代乃高傑加以拘捕，押交得勝區警署。

警方訊明乃高傑現居吞府孔蒙港一四一之二號，乃派警前往上述住址搜查，搜出同樣性質的大量非法傳單，該等傳單印明係七層樓某印務局所承印者，警方復傳訊該印務局負責人。

兼內務部長乃巴博上將曾就此事告訴記者說：乃高傑此人於十三日在皇家田圖謀煽動學生與民眾，舉行遊行示威，同時散發傳單。此舉嚴重地觸犯法律，是一件不可忽視的別有作用的行動。警方懷疑乃高傑此人有背景，因為乃高傑口頭雖然大嚷反共，但是却亦表示同情窮人，煽動不滿情況。如所週知，逃到北平的共黨主犯之一的乃蒙空，亦是泰南董里府人，是該府前任民代。且年齡相近，他們二人實有串同之嫌。乃巴博上將透露：乃高傑是民主黨黨員，在被查獲的傳單中，赫然有民主黨的名字在內，因此，令人懷疑乃高傑是有其背景和有其內幕的。同時，印刷傳單非數萬銖經費不可，此筆經費非乃高傑獨力所能負担。

乃巴博上將表示警方初步以非法煽動民眾遊行示威之罪名審訊乃高傑。

中國文化協會 辦學生徵文賽

（本報訊）中國文化協會為鼓勵本港中文大專院校及中小學校學生發展自由文化思想，並致力於學術研究，特舉辦學生徵文賽，分大專院校、中學、小學三組舉行徵文，辦法如後：

甲、徵文題目：（題目任擇其一）。大專組：①試論應以中國語文廣泛介紹西方學術之必要；②孫中山先生思想與中國文化；③如何促進中國文化之研究。中學組：①中文教育的重要性；②我為什麼要讀中文中學；③我的人生觀。（二）小學組：①我最難忘的故事；②我最尊敬的老師；③我的家庭。

乙、參加資格：凡本港中文大專院校及中小學校學生均可參加。

丙、參加辦法：除大專院校學生投稿不受限制外，中學、小學學校每校只限投稿五篇，由各校甄選送會。大專院校學生投稿，可直接寄九龍尖沙咀海防道海防大厦八樓中國文化協會收，本月廿日起收件，至下月十日截稿。

丁、獎金名額：大專組設一至六獎各一名，①二百元，②一百五十元，③一百元，④八十元，⑤六十元，⑥四十元。中學組設一至十獎各一名，①一百二十元，②一百元，③八十元，第四名至第十名，每名獎金三十元。小學組設一至十獎各一名，①八十元②五十元，③三十元，第四名至第十名每名獎金港幣二十元。

揭曉及發獎日期：定本年六月一日揭曉，六月六日頒獎。

台灣電視台上的平劇

娑婆生

台灣電視公司表演平劇，每週二次，一月得八次，極夠視聽之娛。這節目是慢慢的從萌芽而至擴大，雖未達十分成功，也已有成就可尋，祇要持之有恆，不怕不到登峯之候。問題是演平劇，不可將其成為電影化。

（一）現在已增報幕小姐，似乎以後應該勿缺。可是往往演至中間，忽然映出一段字幕說明，減低觀者情緒，應該絕對避免（那是電影默片的措施）。

（二）佈景切勿過大，有礙劇情。上次鎖麟囊春秋亭外那一幕，只見兩乘轎子，中間坐了兩位姑娘，那是平劇嗎？有人在旁問我，這是什麼。

（三）劇情場次可以更改，但是冗場宜刪，重要的不可簡。當然平劇有暗場，但總要接氣，否則有些不倫不類，編者應加注意，切勿過作聰明。

（四）邀請大鵬明駝來演，固然歡迎，但是太多了，便成乏味。因為所映的戲，多是演過，雖則未看的也有，總不自己排演編成的戲，豈不可以發揮？我想能有廿位特約演員，這電視平劇社也可與人家較量。能夠把藝專復興畢業的高材生，一網全收，豈不更美？

宜過多。假定八場之中，大鵬明駝各二場，將餘剩的配給復興二場，以示公正，此外的由劇社自演，豈不四平八穩？

（五）公司既已有平劇社，宜採「兼收並蓄」主意，多聘特約演員，有演出當給酬報。如果生旦淨丑末均有，也可

昨看電視演出青風亭，是該公司劇社所演，很有改變，因為用了孫復冰飾周桂英，增加她的唱腔，而有部份新調。我常以為此劇的前段，很少高潮，有人甚至不忍卒覩，如此安排，冲淡了悲氣，增加了韻味，值得一贊。以後似可為法。那末增加周桂英地位，無形中增強張元秀賀氏的大好綠葉，有何不可？不過場次之中，老家人要把嚴氏大娘要加害大娘去報信，結果無一過場而不了了之。等待周桂英到了青風亭，在口中講出，有些人不太明白，何不有一過場，即免口講，不是較好？嚴氏讀其夫來信，却用影映出其夫，而由其夫來唱此信的詞句；電視可如此來行，但唱平劇，在舞臺上如何辦法，而情節似非平劇，近乎電影了。何不就讓吳兆南講出，豈不簡單？即使要唱，使生角在幕後唱亦可，由兆南開口表示即可。旁邊映出人影，也是有些不明白。我的看法，表示觀衆的意見，請編者考慮。張鴻福的張元秀，拜慈霈的賀氏，皆非常精采，與復冰同為三絕。張喜海的老奴，也很好。

柯理培博士退休返國

仲偉庭

美國社會改革家珍妮·亞當姆斯曾說過：祇有肯為弱者仗義的人才能把正義帶到這個世界，大家同心協力才能形成一股社會的力量。有許多人都想做有意義的事，因為他們明白什麼是有意義的事。可是他們趑趄不前，想等旁人先來做——但是旁人也正等待你們先來做。一旦，有一個說話有份量的人，膽敢光明坦白，勇往直前地開始着手，必定有許多人跟隨上來。用這一段話來形容在華工作四十三年之久，即將退休的柯理培博士伉儷最為確當。

日內即將退休返美的柯理培博士伉儷均係美國德克薩斯州賽納城人，早年一同畢業於貝勒大學及西南浸信會神學院，一九一九年九月十四日結婚，一九二三年九月十九日來華工作，先後曾在山東掖縣黃縣創辦擁有七十張病床的安仁醫院，浸信會孤兒院，崇實中學。又任華北浸信會神學院上海滬江大學校董，中華浸信會上海神學院院長，抗日期間在重慶協助軍方訓練繙譯官，成績卓著而獲我政府頒獎。尤其在七七事變政府全面對日抗戰開始時，經常救助抗日的游擊隊傷患，以七十張病床的安仁醫院時常收容三百多位傷患游擊英雄。後在一九四一年太平洋戰爭爆發日美宣戰時，他被日本軍閥拘禁了八個月，受盡了種種的凌辱，後在雙方交換僑民的條件下獲釋。大陸蹈匪後轉往香港任中華浸信會司庫，一九五二年輾轉來台，創辦台灣神學院，設立三十一個教堂，成立五十五個佈道所，並任中原理工學院及東海大學的校董，創辦滬江中學。他在華工作半個世紀，對中國教育、慈善、救濟事業的貢獻，眞是筆墨難形容。

柯理培博士伉儷雖然生在美國，但大部份的歲月是在中國過的，他愛慕中國。他在過去的一些年日中，他曾到過很多的國家，有的去了好幾次，有的祇去一次，有的令他留戀欣賞，有的叫他厭煩無味，只有極少數的國好像是客至如歸，使他愛慕留戀，中國就是其中之一。他愛中國勝過愛他自己的故鄉——德克薩斯州。他常說：「北美在世界上雖然是那樣富饒，景緻是那樣美麗動人，環境是那樣安全無憂，所以在東歐有成千成萬的人民他們渴慕這塊肥美的土地，因此他們極力的掙扎想從這貧乏和極權的政體中得到自由。」但它比較起來不及他第二故鄉——中國那麼美麗。他愛慕中國的文化，中國的人情味，因為這些世界上沒有一個國家能比得上中國的。

四十三個寒暑祇是歷史的一瞬，使人生有嫌時間短暫的感觸。他來中國過了數十個歲月，歷經軍閥的動亂，北伐的革命，抗日的戰爭，以及剿匪的戡亂，到現在反共抗俄等戰爭，使他了解中國人民的苦難更深，藉此更明白中國人不屈不撓的傳統精神。他處世的奧秘是認眞做事，嚴肅做人。他在學校裏是一位循循善誘的老師；在教堂裏是一位苦口婆心的好牧人；在社會上是一位精明仁慈的好導師；在自由世界裏他是一位堅强的反共鬥士。

他在中國工作數十年，直接受過他教育的栽培或間接受過他救助的恩澤者不下萬人，有的生活在豐衣足食的台灣或美國，有的淪陷在鐵幕下垂的大陸，受着禍亂相尋神州陸沉有家歸不得的痛苦，而今這位為中國社會貢獻身心、貢獻青春一生的柯理培博士即將退休返國，使人有無限的感激與永遠的懷念。

此外值得一提的，是他倆來華工作時，正值段祺瑞當政之時，那時他們在北平學國語，張宗昌曾在他家做過小工，後來這傢伙居然成為北洋軍閥的顯赫一時人物。

孔教與法律

——上接第一段

七、國民教育即強迫教育，五族人民皆當負此義務，如以孔子之道訂入憲法，則五族人民中之奉回教、佛教、及天主、耶穌等教者，是否違反憲法？是否應用法律制裁？

八、國家教育方針，本可隨時變遷，例如人民懦弱，即宜提倡軍國民教育，人民貧窮，即宜提倡實業教育，人民道德薄弱，即宜提倡道德教育。今如以孔子之道定入憲法，試問將來如何變更？

九、國家欲尊重孔子，如祀孔典禮，或將孔子學說於大學校中特設專科，及其他種種尊孔方法，均可採用，若徒爭此一項條文，而人民不講道德，似屬無益。

這九點堂堂正正的理由，是很難駁倒的。於是湯松年、蔣義明、章兆鴻、陳銘鑑、張岑、朱兆莘這些主張維持原案的急了，他們除了抬出孔子「天下為公」就是共和眞諦的招牌以外，更挾外自重地聲稱：「外國教會學堂，俱讀四書，可見孔子之道，即外教之人無不信仰，定入此項，斷不致引起他教爭端。」結果表決數次，又形成拉鋸戰的局面。而王敬芳、程大璋、李景濂、郭人璋等又復提議以孔教定為國教，局面更顯得混亂了。

最後，祇好再度政治協商，雙方互讓，廢去草案的規定，而代以承認「中華民國人民有尊崇孔子及信仰宗教之自由，非依法律不受限制」的條文。關於這個條文，學者批評的很多，楊幼烱先生在中國立法史第二三一頁中說：「既承認『信仰宗教』之自由，復賚以『尊崇孔子』之自由，矛盾支離，較前尤甚。」謝瀛洲先生在中華民國憲法論第五三頁裏說：「如認孔教為宗教，則應包含於宗教自由之內；如認孔教為非宗教，則不應以尊崇孔子四字列入於本條文中。本條文末有『非依法律不得限制』一句，就反面說，依法律則可以限制尊崇孔子矣！此不但非所以尊崇孔子，且含有侮辱孔子之語意。」

批評儘管批評，然而當時所以通過這一個不倫不類的條文，目的祇是在敷衍當時，那一段尊孔勢力罷了。等到軍閥干憲，國會二次解散，孔教問題也就無疾而終了。

由天地萬物到人——新道統的宇宙論

（論道統第五章）

陳健夫

四、此眞元，神學上稱之爲神，哲學上稱之爲絕對存在，科學上稱之爲第一原因。實際上只是一件。

五、眞元乃自然的眞善美，唯眞乃見眞理，唯美乃現光明，唯善乃示慈愛。宇宙本體便是這個眞元。故能生養萬物，而不居功。眞元運動，乃有時空，在運動中，心物互交，質量互變，因之，吾人但見宇宙無始無終，長久在運動進化中，而莫測高深，造化無窮。

六、神學、哲學、科學乃各見眞元的一端，故不免有時彼此牴觸，蓋其理未通。我今提出的眞元觀，乃會通各家學說而合一由眞元觀始獲知宇宙全體之眞面目眞奧秘故我之眞元觀，與神學、哲學、科學不但無牴觸，而且有理可通。上帝聽了會點頭微笑，佛陀聽了會說：「般若波羅蜜」，達爾文聽了會再去找標本，再去研究他的進化論。

七、宇宙萬有，悉在眞元極則支配之下，造化無窮，運行不息。顯於天地自然，則爲山河大地。顯於人羣，則爲倫理道德。眞元貫通萬物，萬物得眞元之氣而生，故萬物並育而不相害，宇宙生氣盎然。

八、眞元的運動發展，有一高深微妙的數理存乎其中，好像銀行裏的會計先生計算他的帳目一樣，一分一毫記得清楚明白，時間空間的發展，質量的互變，心物的運動都有一定的歷程，一定的法則（前已稱之爲眞元極則），乃至宇宙間各星球的運動，乃至人類的活動，眞元都有一種莫測高深的數理主宰其間。科學家知道了這種數理中千萬分之一，於是發明了無綫電，及許多新奇的東西，中國的易經是一部了不起的數理，其中有甚深的眞元數理。但中國學者不把它當作科學去研究，却爲星相卜筮之人運用，實在是糟蹋了好學問。

五、眞元境界中的絕對生命

要求人生的解脫，使人脫離諸苦，必先明白人之所由來。此種工夫，并非空談玄理，好比治水，治黃河，必先知此水。此黃河從何處發源，其性質爲何？黃河之水果從天上來麼？抑或帕米爾高原來？我們追本溯源才可以找到問題的根本，找到問題的本源，方可對症下藥，藥到病除。

宇宙元始之時，有眞元出，發出熱、力、光、聚而成靈性，其大無垠，其小無內，靈性出而展開運動。乃開闢天地，建立星球以成廣大的空間，生養萬物，地球繞日運行最適宜生物生存。於是人乃得眞元的靈性而生。所以，人由眞元所生，其間實有至理，殊無玄妙，更非神話。其他星球也有如地球上這樣的環境，自必也有萬物及人類，不是爲奇。因爲此宇宙中之萬物，不論天上或地下，皆同出眞元。眞元爲萬物之母。

人得眞元之最，故爲萬物之靈。萬物不論礦物，植物，動物……皆是眞元所生所養。唯人類獨得眞元靈性的最優最厚者，故人的靈性最強，最盛。此種眞元所賦於人的靈性不生不滅，永遠常在，人人平等具足。人在世上時即爲德性爲智慧，人死後即爲靈魂，人所稟賦自眞元者，故此常在不滅。但由於各人先天的稟賦及後天的修養，有的彰顯，有的晴晦而已。因之，人各不同，有如其面。於是人乃有聖賢愚劣的區別。而人之所以貴乎爲萬物之靈者，即是在把握此種常住不滅得自眞元的靈性。人之與眞元交通，也唯有類此靈性，且必須使此靈性光輝篤實，方可將人生引入高明無極的眞元境界。佛陀苦修數十寒暑，成道之日，其所得者便是這等來自眞元，得與眞元交通的靈性——常住不滅者。故佛經上說：

「如來佛陀的目的，是在其如實悟無常住的法性，而把它開示於衆生。」（十一）

岳武穆祠墓遺蹟小考

李仲侯

按武穆天性至孝，自北境紛擾，母命以從戎報國，輒不忍離。歷從之，不得已乃留妻養母，獨從高宗渡河。既而河北陷，淪爲敵區，音問隔絕，訪求數年不獲。俄有自母所來者，寄語云：「爲我語五郎，勉事聖天子，無以老媼爲念也！」武穆密遣人迎之，往返十有八，然後得歸。時已患痼疾，武穆雖身服王事，軍旅應酬無虛刻，嘗以昏暮密暇，至親所嘗藥進餌。衣服器用，視濕燥寒暖之節；語欬行履，未嘗有聲。週出師，必飭家人謹侍養。微有不至，嘗罰自妻始。及母逝，水漿不入口者三日，每痛如初，毀瘠幾滅性。與子雲跣足扶櫬歸葬，不避矜潦蒸暑，諸將佐有願代其役者，謝之，路人無不感泣。既葬，廬於墓側，朝夕號慟。又刻木爲像，行溫凊定省之禮如生時，連表哀訴，願終三年喪，辭云：「以孝移忠，事有本末。若內不能盡事親之道，外豈復有愛主之忠」？上悉封還其章，親札慰諭，猶不起。勅監司守臣請之，又不起。責其官屬以重憲，使以死請，乃勉起奉詔，復屯襄漢之孝可謂至矣。嗚呼武穆！

武穆舊宅即岳忠武王祠遺址，在今九江縣治南庾亮南路之小校場。按武穆祠而忘家，帝嘗欲爲營第，辭曰：「北虜未滅，何以家爲」。嗣因母逝賜葬廬山，武穆遂於郡城內營第，聚家族之北來者，爲守墓計。相傳此地即其原址。據九江府志，府城南有岳祠，舊爲岳宅，傍有岳公井及洗岳池。高宗嘗賜酒，武穆命注池中與衆共飲焉。據明鄭嶽詩，「石甃方池幾百年，岳王舊宅世猶傳」等句考之，洗兵池在明時似尚存在，其後不知何時湮沒。至於井欄鐫有同治五年關憲沈重修字樣，不知是否即當時之所謂岳公井。祠創於宋乾道六年，明正德七年知府李從正重修，嗣後清一代，歷加葺治擴充。入民國後，因年久失修，日就傾圮。抗戰軍興，日寇竊據潯陽，且將其全部拆毁，改成操場。現除前方左角菜園內尚留有嘉靖卅一年孫愼所撰重修仰忠祠記石碑一方，可考見其爲岳祠原址外，其他已無一遺蹟可尋矣。

附謁廟詩　　高植

廬嶽崇高江水洪，血誠千載並爭雄；中原戮力空回首，報國由來祇盡忠。雙劍凌空當戶排，江聲動地尚聞雷；潯陽城裏祠忠武，此日金牌召不回。

題岳王宅詩　　鄭嶽

石甃方池曾百年，岳王舊宅世猶傳；格天高閣今安在，蔦嶺荆榛野雉眠。（八）

漢文，漢字，漢學

陳曼卿

兩漢集僞學之大成

本來儒學在先秦諸子中，祇不過爲一派系（見六家指要）。但儒學卻有一部比較完整而具有體系；「儼然一代之制」的先代帝王史實，因而勝過戰國時「濟弱扶傾」的墨學。神權時代所崇奉的是「神」；君權時代，最尊貴的乃是——帝王、天子。宗法社會的制度，正感到有此一需要，因之最適宜的，也就只有儒學了。

孔子眞也沒有想到，被他用來作教材的一部「古代傳說史」，到了漢代，竟可以顯達人。漢儒稱述先代興替變化，附麗其詞，自是份所當然，而也是不得不然之勢的了。謂余不信，孟子時也還說：「舜何人也？予何人也？有爲者，亦若是」的話。但到漢代，尚書（書經）裏的首篇「帝典」，也就劃分爲「堯典」，「舜典」兩篇了。正如清末的今文家說：「帝典規模，儼然一代之制。」而是集往古「聖君，賢相，能臣，制作，水利」於同一時期。因舜是大孝，漢代謚法，帝王頭頂也嵌上了一箇「孝」字，謂爲崇法古帝之遺風。東漢又將「孝經」列入，併稱「七經」。但我在這裏特別提出；「今文經學」僅盛於西漢，迨至東漢，其地位便爲「古文經學」取而代之了。

漢初的經師（博士），爲了應付那一時代的需要，他們何嘗無僞，只不過行之謹愼罷了。儒學直至武帝（元前一三六）以後始盛。到了西漢末年，因人主的一貫好尙，作僞者可以揚名顯親，身榮子貴，誠不失爲利祿之階，『人懷苟得』的一件至幸之事。因了這種原故，更是明目張膽的大批造作僞書了。這樣一來，就不能不使今文（博士）們，爲了鞏固自己的地盤學位，發生那種「抱殘守缺，擯不與同」的膠固現象了。但「開口禎祥，閉口災異」；甚至「占掛求雨」，今文學派還是樣樣都來，此風乃自董仲舒之後而大盛。

劉歆承父（向）之學，乃後竟爾大反其道而行，雖是爲了文化學術的演進而努力，當時「卻已人言嘖嘖，懷疑之者頗衆」了。當於暇時撿讀前人故藉，知兩漢「經學」皆重師法，劉子駿固屬家學淵源，尊守家法，無待贅述，而於其時與楊子雲等；纂輯逸書、佚文、當是事實，自無反其故道悖逆而行之理（詳參餘論）！

秘書藏書復再焚刦

直到東漢光武（公元二六年）赤眉入長安「焚西京宮室」的這一把（妖火），又將秘府所藏（今文家）典藉，燔爲灰燼！由此，「古文經學」才逐漸枱頭。後來，班氏一門三俊，經修漢書（藝文志中大部份是有其名而無其書）造成後世的附會，更是一班作僞者的大好機會了。

綜觀西漢時的文選「經史」部份。我們可以這樣說，無書不假；也可以說，凡書皆存有眞。明白地說，今文學派全是眞假相混，榛湊篇章，由伏，韓，賈，董，匡，劉，諸家說經而成。但後起之秀的古文學派就不同了，他們不僅「益經篇卷」，而是長於仿古、託古、法古、僞古、的能手，除移書（見漢書藝文志：成帝時以書頗散亡）之外，於是製造出一些譌理、譌事、譌史、譌書。而且全是早已火化其尸（死無對證）的經典文籍。其強牽富麗，可以說；極違背人類，社會，文物，史籍，眞實性的能事了。（三〇）

動物農場

英George Orwell著　陳其芝譯

第五章　秘密警察的出現與爭權

可是正當牠們叫着站起來時，伺立在拿破崙身旁的狗發出了一陣深長而帶有威脅性的吠叫，這使得四隻猪又不得不沉默地坐了下去。隨後羊又開始鳴唱着「四足者善，二足者惡」的教條，就這麼叫了有一刻鐘的時間，把一切該討論的機會都佔完了。

事後，斯奎勒奉命到農場各處去跟大家說明這種新改革的原因，他說：

「同志們，我相信我們每一位同志都在推崇拿破崙同志那種不眠不休的工作態度與犧牲精神。同志們，你們不要以爲當領袖是一件快樂的事。相反的，是一件責任沉重的工作。沒有誰比拿破崙同志更堅信『所有的動物一律平等』的信念。牠非常願意大家來自由商定決策。但是，同志們，你們有時候會作了錯誤的決定而不自知。你們說這時候大家該怎麼辦？又何所適從呢？譬如說吧，你們剛才決定追隨史諾白及牠那風車的幻想計畫。但是據我們所知，牠是一個實實在在的犯法違紀的壞蛋。」

「牛欄大戰時，牠表現的非常英勇呀！」有的動物這樣問道。

「單單勇敢算不得什麼，忠實和服從才是最重要的條件。至於牛欄大戰時史諾白的表現，我相信是由於大家過度的誇張和渲染。同志們，謹守紀律，鐵一般的紀律。只要我們走錯一步，我們的敵人就會回來的。同志們，我知道你們不希望鍾士先生再回來吧！」

這又是那難以回答的老問題。動物們當然不希望鍾士先生回來啦，如果說星期日上午的討論會將會導致鍾士先生重返農場的話，那麼這討論會必須立刻停止。白克薩這時有時間把這些問題都想了一遍，又下了個結論：「祗要是拿破崙同志這麼說，那一定是對的。」自此以後，白克薩又多了一句格言：「拿破崙永遠是對的。」

爲了陪襯，他還有一句口頭禪：「我要更努力工作。」

時屆解凍，春耕行將開始，封閉了史諾柏用以研究的保健室，大家相信牠把那風車圖案一定也被擦掉了。每星期上午十點鐘，是新規定的開會時間，大家在大穀倉裏集聚聽取這一星期的新命令。老少校的頭蓋骨從果園裏挖了出來，洗得乾乾淨淨的，和一枝槍並排着擺在旗桿下面。在升旗後，大家都要恭恭敬敬地傳閱這塊骷髏頭以示崇敬。然後再進入大穀倉。牠們也不像以前那樣，聚會時大家都坐在一起。現在是拿破崙，斯奎勒和一位詩歌編撰專家——米里馬斯三個坐在前面高起的講台上。牠們後面有九隻狗圍成一個弧形，再後面坐的才是猪，其他動物都面對着牠們，坐在大穀倉中間。拿破崙以一種軍人式的粗暴姿態宣佈着一星期的新命令。然後唱「英格蘭的動物」一唱完，大家也就散會了。

在史諾柏被趕走的第三個星期天，拿破崙宣佈風車仍要興建，動物們對這一宣佈大感驚訝，牠也沒有告訴大家牠改變主意的理由。只是警告大家說，這件額外的工作是一件非常艱巨的任務，甚而因之會減少大家每天所應該享有的食料。這件詳細方案是由猪委員會議經過三個星期的努力籌劃才完成的。興建風車與其他種種改進工作，預計要費時兩年。

當晚斯奎勒私下告訴動物們說，拿破崙從來就沒有眞正地反對過建造風車。相反的，牠才是眞正的倡導者，至於史諾柏在保健室裏所畫的圖案，實際上是從拿破崙的文稿中偷去的。（十七）

曹子建與洛神

匡諤

上面的神話，可能感動了多情種子的曹子建，他要做神話中的后羿。但是，那個河伯不是他兄長曹丕而是已經死去了的袁熙。

甄后是冀州出名的美人，當時傳說「江南有二喬，河北有甄逸女」。二喬嫁給傑出的英雄孫策和周瑜，甄逸女却嫁了一位傖夫——袁熙。四世三公的袁家被曹操打敗，袁紹父子相繼死亡，袁的媳婦甄氏成爲曹府被優待的俘虜，因爲大將軍是她的父執，曹丕曹植兩兄弟就在此時愛上了甄氏，但眞正得到甄氏的愛的却是曹植。

如果沒有曹植，甄氏和曹丕倒是一對天成佳偶，可是愛情是最奇怪的東西，甄氏的肉體雖然已歸於曹丕，但她的靈魂却仍然嫁給曹植了。這是王府屋脊下的祕密。曹大將軍怎麼樣也料不到一時錯點鴛鴦，斷送了他兩個兒子一生的幸福。

曹操本意是偏愛曹植的，但終於拗不過長子繼承的傳統「輿論」，使曹丕在政治上又獲了勝利。曹操死後不到一年，曹丕幹出他一世之雄的父親所不敢幹的勾當，篡漢自立，登上皇帝的寶座。甄氏也晉爲皇后。甄氏和曹植的關係，曹丕是不會不知道的，甄氏爲后，可以證明曹丕對甄氏的一往情深，也因其如此，他恨甄后，而更恨那一才思八斗的弟弟。

小時讀到七步成詩的故事，總想不開：爲什麼曹丕這樣對待他的手足呢？這實在是出乎人之常情的行爲，甚不可解。如果僅是政治上的矛盾，曹植此時已是他的恭順臣子，曹丕似乎用不着下此毒手。「本是同根生，相煎何太急」！「太急」到底爲了何故呢？曹丕之爲人，各方都很正常，也許比曹植更爲理智一些；他所以如此，應必有不可告人之隱衷，研究起來，主要的原因，或許就是爲了甄氏這一漂亮的女神。

最後甄氏突然被賜死！曹植雖被冷落，名義上却封晉王。這樣的推測似沒有錯。曹丕四十而死。曹植在政場和情場都被打敗，但是，却得着那位「神」的永恒之愛，以及不朽的文章，天道應是極公平的。

甄氏臨死時留給曹植的玉縷金帶枕，經曹丕的手送給他弟弟的，這是極富人情味的一個插曲。陳王（曹植死時的爵位）死後追謚曰「思」，也很耐人尋味。據說第二任魏帝曹叡的生父，其實就是思王，這更使人覺得冥冥中的安排，實在太巧妙了。（下）

余派無昭關

娑婆生

平劇有宗承，也有傳統。從前的伶工，講「戲德」，你會唱的戲，我就會唱也不唱。因爲你有成功，我既不投你的門下，當然不肯來作比賽，也許失敗，不如藏拙。同樣我會唱的，你也未必肯學。因此各運巧思，各唱各的。我唱的腔，你也不會。故以譚、汪、孫三派的拿手，截然不同。難道孫派擅長的，譚氏不會嗎？是知道勝不過他而不唱。至於汪派則戲碼無譚、孫的多，可是他的獨門活，譚、孫不問津。即如文昭關，譚、孫均有，譚決不貼，孫則在鼎盛春秋中有之，也不會單貼唱此戲。四十年前在北平聽戲，只有王鳳卿一人在演唱，旁人也不肯唱。余叔岩即使會唱，知道老師不唱，他焉肯爲師門現眼去唱。大家並不能學言菊朋的，只好學他的。他的唱腔，完全自己琢磨，因有余派韻味，就有人疑爲余派。甚至抬高，說是揚派。定此名稱者，將請教一下：他究有何特長可以成派？是不是走低音而自成派？要知當年他是私淑余叔岩的，比他人有成就！

余派鬚生去唱昭關，說實在已是超越規律，這與馬連良唱失空斬，也算譚派嗎？但是現在不問這些，那末唱得自成一格，勝於汪派、孫派嗎？我很想請教余派昭關如何唱法！不過楊寶森的，不能遽認爲余派。論陳大護的學余，是陳秀華他們所教，唱腔的音色，並不很差，有罵曹、搜派救孤可聽，當然各人各自琢磨。楊陳既非余氏及門弟子，絕對不能代表余派。此戲落個吃力，未必討好。不如唱捉放宿店之爲愈。故能下一斷語：「余派無昭關」！有那位聽他唱過，不妨請教，在何場所也。

以前伶工規律極嚴，既學那一派，絕不亂唱。有沒有譚派鬚生去唱完璧歸趙、七星燈那一類戲？如果貼出，使聽衆爲之瞠然，甚至譏爲大雜拌。到了民國十五年後，即衝破此規律，隨便來唱。但亦不敢標出那派，也無人阻止。但是平劇的傳統很大，你不是那一派名家，亂貼旁人的戲，總不會有成功。楊寶森的文昭關，現在台灣幾奉爲圭臬，可是寶森極少貼此戲。卅五年與梅蘭芳在上海唱了四十餘天，有記錄可查，並未貼過。可見他自己認爲並不拿手，事實有以證明。等到唱片來到台灣，遂成各有各的，路子不同，在所當然。也似不能說，楊的高入雲霄，陳的就委之地壞。在資歷，陳不及楊，是坐科有關係。陳是票友。陳的腔音，却尙耐聽，似可不須固執成見。又有譬喻：戴綺霞、馬麗珠同唱過梅閣，難道是不上徐露嗎？至多說三人多不錯，至矣盡矣。趙培鑫的捉放曹，會勝過余叔岩、楊寶森……那培鑫何以不能灌些唱片，使人作爲聖經朗誦，更未能紅過半天，我很爲奇！總之天，豈琳究竟年未到四五十，對余派昭關未能深研，書以告之。一切可一笑以解。

夢周見過長談戲呈

林熊祥

繫匏不食欲何尤。廿載因循一笑休。促膝尚饒文字樂。賞心共愜水雲遊。惠施歷物疏還鑿。高叟言詩固自羞。獨子嗜痂多首肯。怒濤滄海正橫流。

過大屯山民長談次韻

吳夢周

但願此心忘怨尤。江湖落拓幾時休。得閒且見從容致。垂老偏思汗漫遊。有盡百年聊自惜。無爭一輩倘堪羞。梅花香裏看詩就。收拾愁襟付水流。

夢周出示過大屯山民唱和之作次韻

李騰嶽

荏苒何求寡悔尤。却拋案牘且歸休。優閒我羨陶元亮。欵段誰如馬少游。忍辱其能忘雪恥。潔身終必鄙包羞。春來花信番番好。肯使韶光逐水流。

文訪詞長示近作次韻

曾今可

不將天怨不人尤。雲路翱翔已分休。快讀名篇增感慨。難歸故里尚羈遊。有權分利均而樂。無計匡時窘且羞。所願收京能及早。五湖放棹伴清流。

四　我們的評論

英法聯軍侵華之役

羅雲

英法聯軍對中國之戰，可以說是戰爭史上一大汚點。侵略者的猙獰面目，亦於此一戰爭中暴露無遺。茲論述清廷失策之處如后：

一、用虛驕迷信，不戰不和不守之將。選用軍事將領之不易，古今同然，清廷自不例外；但其所用將領是否經過保舉選拔，頗使吾人懷疑。例如任用葉名琛爲廣東總督，考葉之爲人，固甚有民族氣節，非如琦善之懼外，耆英之媚外，然以封疆大吏，學識與地位俱高者，且猶迷信扶乩，虛驕妄爲，迫使英法美代表皆不得面見交涉，於是遂促成「藉武力以修約」之戰端。抑有進者，英法聯軍進攻廣州之時，既不理會對方之通牒，亦不準備作戰，更不奮起禦敵，成爲「不戰不和不守，不降不死不走」，視夷患爲兒戲，視戰爭爲兒戲之輩。更奇妙者，彼在印度羈留期中，每日唸呂祖經，並常賦詩見志，眞是「古之所無，今亦罕有。」又例如天津條約之後，任命設防大沽之將領僧格林沁。對英法換約之船，不能大事化小，擴大事態，再度引起戰爭。凡此，足見清廷用將之不當，亦足見清季之衰象。

二、內部不靖，兵力不足，妄圖毀約。當英法兩國海軍與我砲台衝突，聯軍失利撤退上海等待增援之際，清廷不思太平天國的內亂正殷，亦不考慮作戰兵力之薄弱，竟然企圖乘機毀約，因而促成再度戰爭。抑有進者，敵軍進攻北京，文宗避於熱河之際，不留一具有智廣謀深之士以爲迴旋，而留一不通外事之輩處理大事，結果又簽訂了一次喪權辱國的北京條約，使俄帝大獲漁人之利，其失策豈可言勝！（四・完）

上面提到英法進兵北京逼奕訢簽北京條約時，俄帝從中弄術。按：咸豐九年（西一八五九年），俄廷任命伊格那契夫爲公使，携新使命至北京，彼即乘英法聯軍佔領北京，文宗逃往熱河之際，操縱其間，並僞稱有斡旋之勞，與總理衙門交涉，次年十月初二日締成中俄北京條約，凡十五條，計於此約中獲得阿穆爾東海濱兩省廣大土地，以及英法用兵三載所獲之諸種權利。英法兩國勞師動衆，作戰連年，俄人則未費一兵，坐享其利，俄人之詭詐，於此又一鐵證。

董小宛

——「影劇與歷史」之三

周遊

關於順治與董小宛之所以傳聞有一段情者，其主要有下列諸因：第一爲順治帝與旗人美女董鄂妃，在宮中有着如董小宛與冒氏一般的愛情，同樣有三侍危疾，同樣又姓董。其次是後人誤解吳梅村之詩，又誤註梅村之詩詞。吳梅村的清涼山讚佛詩：「王母携雙成，絳節雲中來」和「可憐千里草，萎落無顏色」。等句，就成爲一些半吊子文人所引用爲文證了。殊不知千里草是指董鄂妃也。往者雖可諒其俗陋，而近二三十年此一史實已完全考證大白，何能一錯再錯！如謂非「戀愛」「怨」「恨」不足以號召觀衆，則冒、董、陳、三人之三角，何獨不取？退而求其次，順治帝與董鄂妃「深宮戀」最富羅曼蒂克，何以不編撰？如此好的史材，劇作家不加考證編寫，專門搜索那些荒謬不經的俗文陋見，如此就難怪影劇界常鬧劇本荒了。

還有必須辨明的，就是順治出家的問題。多少年來，順治出家，始終成了一個「謎」。這都是受了一些稗史及俗文學之害。稗史中不約而同地都說順治遯五臺山爲僧，不知所終。就以「不知所終」便大有問題了。順治乃清人入主中國的第一個皇帝，他的後代繼承王位二百幾十年之久，怎會「不知所終」呢？

順治十三年八月，董鄂妃始入宮，這就是戲劇電影故事中所謂的「董小宛」，其實是荒謬之至。董鄂妃乃是旗人，而非漢人。據順治御撰董后行狀云：「后董氏，滿人也。父內大臣鄂碩……年十八以德選入掖庭，於順治十三年八月，朕躬承懿命，立爲賢妃。九月復進秩冊爲皇貴妃」。又云：「后性孝敬知大體……其事朕，晨夕候興居，視飲食，服御曲體罔不悉。即朕返蹕晏，后必迎問寒暑。或意稍亂，則曰陛下歸且晚，體得無倦耶！趣令具餐，躬進之。」其餘有記董妃的文字甚多，不必詳舉。董鄂妃入掖庭之後，順治更沉迷酒色，湯若望屢諫，終是忠言逆耳。奇怪的是，自此之後，順治漸漸相信佛法。當然那是受了璞聽大師的影響。大師爲了傳教佛法於掖庭，首先動太監，而使之漸漸風及於后嬪妃王公大臣，以便建立他在宗教上的地位，而沒有想使皇帝要去出家，他只是要皇帝信佛法就夠了，因爲佛教與歷代帝王的關係太大了。有很多帝王摧毀教宗的事實存在着，璞聽之用心，亦不過如此而已。佛教渲染於宮庭，而湯若望的天主教書便置諸高閣。璞聽的祖師曾作有關斥天主教書，故教璞聽傳道佛法於順治，是一種宗教的競爭。因此湯若望便被視爲「討厭的諫正者」。順治完全受佛教的控制。順治出家之說，蓋有由至也。

順治十五年春，董鄂妃生了小皇子榮親王以後，順治心常戚戚，召玉林琇國師晉京。玉林面帝之後，順治信佛法更進一步。順治信佛的記載甚多，不必一一枚舉，我們只找出他「不知所終」和眞正的所終也就夠了。

順治曾一度削過髮，但那是在京城的西苑萬善殿，而並沒有在「五台山」去出家。據佛教徒的記載：順治帝的頭髮是茆溪森爲他淨除的。但是玉林國師對順治帝的這一行動極不以爲然，他就用「命衆聚薪燒森」的手段威脅順治帝放棄了這個念頭。「上聞，遂許蓄髮乃止。」（三）

妲己與炮烙

周燕謀

封神榜雖然是一部神話小說，但有許多都是有所本，如紂王用以取悅妲己的殘殺之刑「炮烙」，即古代刑與之所眞的一種非刑，令人髮指。封神榜上寫得有聲有色，封神榜上記述使用炮烙的情形如下：「妲己說：人臣立殿，張眉豎目，詈語侮君，大逆不道，亂倫反常，非一死可瀆著也。妾治一之亂正。此刑約高二丈，圓八尺，上中下用三門火，將銅造成，如銅柱一般，裏邊用炭火燒紅，却將妖言惑衆，利口侮君，不遵法度，無事妄上諫章，與諸般違法者，跣剝官服，將鐵索纏身，裹圍銅柱之上，只炮烙四支筋骨，不須臾煙盡骨消，盡成灰燼。此刑名曰『炮烙』。」（封神第六回）（一）

自由報

內僑警台報字第〇三壹號內銷證

THE FREE NEWS

第五四一期

中華民國僑務委員會頒發
台教新字第三二三號登記證
中華郵政台字第一二八二號執照
登記爲第一類新聞紙類
（本報逢每星期三、六出版）
每份港幣壹角
台灣零售價新台幣貳元
社長：雷嘯岑
督印人：黃行憲
社址：香港銅鑼灣高士威道二十號四樓
20. CAUSEWAY RD 3RD FL.
HONG KONG
TEL. 771726　電報掛號：7191
承印者：田風印刷廠
地址：香港灣仔高士打道二二一號
台灣分社
台北市西寧南路壹壹零號二樓
電話：三〇三四六
台郵撥帳金戶九二五二

議員專橫和法官玩法

李聲庭

英國在十七世紀，由于議會於四十年之內殺掉一個國王又趕走一個國王，從此便造成十八世紀至十九世紀上半的會議專橫局面。美國的獨立運動就可以說完全是由于英國議會專橫所引起的。當十八世紀中葉英國議會不顧殖民地人民的抗議，一連串通過糖稅法、印花稅法、茶稅法及港口封鎖法，一味壓迫殖民地人民，使得他們走投無路；因此激起了美洲殖民地的獨立運動。結果是大英帝國失掉了海外一大片殖民地。英國議會的專橫局面到十九世紀下半經過了幾次的改革法案，而一般人也有了投票權，才扭轉過來。我們普通指英國議會專橫是指十八、十九世紀約兩百年間的情形，而不是指二十世紀的英國議會。

不幸法國在第三及第四共和時期，也差不多步英國議會的後塵，造成了議會專橫的局面。法國內閣無法解散議會，而議會卻可隨時推倒內閣，因此法國的政局在一九五八年前的一段相當長時間內，便非常不穩定。一直到一九五八年戴高樂修改憲法之後，才把這種一面倒的議會專橫情形改正過來。因此這六年的法國政局便不像以前那樣的飄搖不定了。

中國的政治制度也有造成議會專橫的可能。因爲依照憲法規定：立法院可以通過行政院長卻不辭職，而行政院長卻不能解散立法院。這種情形完全與內閣制的基本精神不相合，這種制度是遠離內閣制的基本原則的。

不過目下一般人所憂慮的幷不是議會的專橫，而是議員的專橫。換句話說：幷不是指議會這個機關的專橫，而是指議員個人的專橫。這種憂慮幷不是沒有原因的。中央級的議員因爲不能定期改選，已經像是終身職。於是兼差兼職（兼作律師、會計師外兼任各種職務，包括兼課在內），無所不作。而各級地方議員則利用其特殊身分，不免威風十足，好像一旦作議員，便是天狼星下凡，要佔盡人世間的便宜。譬如就以假借考察的名義濫用納稅義務人的血汗錢一事而言，便有人發出議員專橫的嘆息。不過這種情形尚未構成一種局面，只是偶發事件而已。至少還沒有形成一種制度或慣例；否則對民主前途與地方自治當然構成一項莫大的威脅。而且各級地方議會議員定期選舉，凡有專橫劣跡的人總難逃選民的最後裁判。所以議員的專橫之事，雖有人覺得可憂慮，但目前尚看不出有危險性存在。

可是法官玩法的情形則嚴重的影響到我們的法治前途和人權保障。這一點值得我們憂慮的地方，比議員專橫的情形更大。立法委員鄧徵濤在一篇叫「如何整飭推檢業務」文中，曾舉出兩個極明顯的實例。他說：一件是民事訴訟，有關房屋租賃的糾紛，因佃方違約在房屋上加蓋搭建，房主訴請終止租賃契約。法官卻引用土地法第一百條之規定駁回原告之訴，顯然忽視本案租賃契約是一定有期限租賃契約，依司法院的解釋例無適用土地法之必要。鄧委員認爲，在這種情形的審判之下，若不是法官完全不懂法律，便是有玩法的嫌疑。鄧委員又舉一刑事案件，他說：有一次兩個學生互擲標槍，一方因傷重而死。被告已承認被害人爲他的標槍擲中而死，但承辦檢察官于援辦案件之後仍交刑警偵訊，幷將被告羈押于警察局十二天之久。鄧委員說：不要說檢察官應知法律，即一般人也知道這種情形絕不合法。這不是法官玩法是什麼？因此鄧委員便建議：司法官之品格應嚴格注意。他認爲「赫赫師尹，民具爾瞻。」倘爲民之官直者而出身卑鄙，品德有虧，如何能執法公平，爲民信賴？難怪便形成了今日的一些玩法濫權的局面。

最顯著的例子便是最近基隆地檢處檢察官戴玉山濫用職權羈押基隆市議員張子歧的事。到現在爲止（寫稿時），不僅立法院、監察院及輿論界一致指責這位檢察官玩法犯紀，司法行政部已採取措施調他回部，免得他再作威作福，蹂躪人權。受害人基隆市議員張子歧也向基隆地方法院自訴戴玉山濫用職權，任意羈押與摧殘人權，構成刑法上的瀆職罪。說得清楚一點，是這位檢察官利用法官地位玩法的一種具體表現。檢察官玩法，濫用職權羈押被告的事實，據作者所知已經有好幾回；不過這次法官玩法的對象是一位議員，於是引起各方面的關懷。至於一般老百姓作了法官玩法的犧牲者之後，眞是有寃無處伸訴。法官玩法不僅是對法治的一種挑釁，而且是蹂躪人權的具體表現，絕非民主自由國家所應有的現象。

法官對被告濫行羈押固然是玩法，即任意讓重大嫌疑人交保也是玩法。台中地方法院刑庭庭長孫嘉祿于審理前台中縣長何金山被控瀆職一案，於辯論終結時居然准予在押被告五人交保，引起台中地檢處檢察官高國韜的抗告。高國韜檢察官在抗告書中指出：被告等經訊問後，認爲有刑事訴訟法第七十六條所規定之情形者，於必要時得羈押之，刑事訴訟法第一百零一條已定有明文。所謂必要與否，固應由法院按照訴訟進行程度及其他一切情事斟酌予以認定；而羈押之撤銷，亦須斟酌案情及其他有關一切情事，視其羈押原因是否已消滅而無羈押之必要者，方可有其適用。本件被告等所犯係刑法第二十八條，戡亂時期貪汚治罪條例第四條第一欵之罪，其最重本刑爲死刑、無期徒刑或十年以上有期徒刑。其被訴犯罪事實，業據被告合法自白，自願書立自白書，核與事實相符，復查有實據。其所挪用之欵又屬貧困征屬安家費優待金穀代金。原審經訊問後，對被告等聲請停止羈押，似未詳爲審酌，遷予裁定准許，似欠允治（其實是玩法），爰依法提起抗告。

同樣情形，台北地檢處檢察官姚錫玖，疏于職守，對所犯爲死刑且已于司法警察官署供認之被告，且有僞造證據勾串共犯或證人之慮，竟輕予交保釋放。有違刑事訴訟法第一百零一條，公務員服務法第一條及第五條之規定。監察院認爲應予移付懲戒。這又是法官玩法之一例。

法官玩法的原因，一種是自作威福，如基隆地檢處檢察官濫用職權羈押基隆市議員一案；一種是故作人情（我不敢說他受晌），如台中地方法院刑庭庭長及台北地檢處檢察官的行爲。前者對人權構成嚴重的威脅，後者對罪犯加以庇縱，都是法官玩法的危險後果，值得我們特別警惕和聲討。

自由談

非法濫權的法官

馮王先生

台灣基隆市議員張子歧，最近因爲在議會發言指摘一個小學教師失職，被該教師向法院控訴他「破壞名譽」。基隆地方法院檢察官於傳訊時，究問張氏在議會發言的資料是何人供給的？張拒不說出，聲稱自己是代表人民利益而立言，對於人民供給的資料有保密義務。檢察官認爲張氏藐視法庭，當堂諭令將他拘押，不許接見任何人。此事現已鬨動市議會和省議會，中樞立監兩院諸公亦仗義執言，非查究其是非不可，構成了政海中的軒然大波，下文如何，殊難逆料。

輿論界大多數皆批判檢察官不免有濫權擅作威福之處，也有人認爲議員在會議中發言雖然對外不負責任，但如涉及法律責任問題，仍須受到控告，且以過去高等法院的解釋爲根據，振振有詞。實則這項風波的癥結所在只有兩點，其餘都是些廢話。一爲議員在會議中發言，即令攻擊了私人，如果是屬於政務問題或國家紀綱事項而非純屬題外的人身攻擊，對外即不應擔負法律責任；否則一般議員以及中樞的立監委員，隨時皆有被人控告吃官司的可能，那還得了？次爲法院對於拘押人犯，應該依照法定明文處理，不能亂來。張子歧被控告的事實幷不嚴重，他亦沒有逃亡或勾串證人從事湮滅、變造證據之虞，即無當堂予以拘押的理由。他不願說出供給他發言資料的人，既不犯法，亦非有意藐視法庭，更不應受到拘押的。

即此可知基隆法院那位檢察官確屬濫逞權威，意氣用事。法官的用心如此不平正，宜乎尚有爲着太太在汽車上摔了跤，而胡亂指認司機，加以拘究的新聞發生呢！

做法官的條件，除卻法律知識而外，最重要是身心修養問題。吾國的法學上尚有所謂「自由心證主義」，假使教一些年輕氣浮、心性極不平衡的人士，濫竽法曹，而認爲這樣就是「用新人、行新政」了，結果必然破壞法紀，誤盡天下蒼生無疑也。希望有關當局以張子歧事件爲鑑，嗣後對於法官的訓練、任用上，特加注意，不可馬虎。自從高嵩、王鎮的貪污案發生後，人們對於法曹的觀感已很惡劣，如今又加以基隆法院檢察官之濫權肆虐，若不嚴加整飭，則法官的尊嚴性必然掃地以盡，所謂「法治國家」，永遠是可望而不可即的幻境，可懼也已！

忘恩負義

倒垃圾

今日與明日

韓人反日示威

自從韓日兩國外長在東京初簽了三項協定之後，韓國就爆發了反日大示威，從十三日起，一連五日規模越來越大，波及的範圍也越來越廣，中間又因爲死了一名學生，風波鬧得更大。截至十八日爲止，示威人員被捕的超過二百，警察被打傷的竟然在一百五十名以上，實足驚人。

韓日初簽的三項草約，是韓國在日財產問題，韓僑在日地位問題，漁業問題。我們未看過草約全文，不知其內容如何，但是可以預料的韓國一定作了相當讓步，尤其是日人在公海上捕魚問題，韓國將不能再堅守行之二十年的「李承晚綫」。此點對韓人自尊心打擊尤大，因此爆發了大規模的示威事件。

韓人應冷靜

就感情方面說，中國人是絕對同情韓國人的，韓國被日本滅亡了將及半個世紀，所受荼毒眞是罄南山之竹難書，擢日人之髮難數。不僅韓國一國受害，就連今日遠東的滔天共禍又何嘗不是受了日本侵略之害？假若算起舊賬，就算在日本投下一百枚氫氣彈，也平抑不了中韓菲馬緬越各國之恨。

但是在目前形勢下，我們無論對日本有如何深仇大恨，也只好暫時放在心裏，大家齊心協力先撲滅了共禍再說。至於日本人所欠遠東各國的一筆血債，到不妨留在後面再算。因爲日本人目前尚無力爲害隣邦，而共產黨浪潮已經泛濫及於整個世界。古語說「豺狼當道，安問狐狸」，日本只是狐狸，我們應當集中力量去打豺狼。此刻不必同狐狸鬥氣。

日本人應當自省

本來一個民族之間的仇恨，戰爭一旦結束也就渙然冰釋。今日的法德之間已結成一體，英德也成爲友好盟國，英法並未記掛德國佔據法國，轟炸英倫的舊恨。猶太人被希特勒謀殺了六百萬，今日以色列人仍願與德國交往，何以中韓以及馬來西亞各國人民至今對日本仍抱着不可化解的仇恨，這點日本人應該深思。

顯而易見的一點就是日本人至今仍然首鼠兩端，作着背叛盟友的勾當。尤其是這次蘇加諾在耶加達召開的紀念亞非十周年那個大會，除去周恩來，金日成一些共酋及專門招搖撞騙的施哈諾，稍有自尊心的領袖皆未出席；日本卻派了執政黨的副總裁川島正次郎率領了一個舉國一致，包括社會黨及社民黨議員在內的代表團，而且公開聲明此行目的在晤周恩來！試問日本這樣作風，怎會不引起自由國家的反感？

（何如）

台南市自來水一團糟 發生火警抽不出水來

（本報記者曾振軍台南航訊）最近台南市警察府前派出所發生火災，消防單位曾發生抽不出水的情事，騰笑遠近。其實台南市歷年來，為「水」所引起的事故，確實不少，甚至為爭接自來水，曾經發生命案，造成新聞。奇怪的是，主管自來水廠的廠長曾培章，著名的八面玲瓏，會攪公共關係，卻就是拿不出一個具體辦法來解決水的問題。該廠每年支出高達一千三百多萬元，可真使台南百姓有錢花得冤枉之嘆。

近些天來，又常見市民在報端投書，攻訐自來水廠敷設水管工程，數月不能完工，把路面挖得千瘡百孔，妨害交通，致黃沙滿天，起伏不平，行人車輛大吃苦頭的事情。

按台南市近年來自來水價格固是越來越高，「水」卻越來越差勁，有些區域將龍頭扭開後，直如流眼淚似的。尤其軍眷區更甚，常鬧停水，事先又不通告用戶；事後水來了，又混濁不清，充滿黃沙苦味，而怨聲載道。經常都有用戶跑到水廠去質問，吵鬧。而廠長曾培章，卻滿不在乎，好像根本沒有問題。

曾培章曾主持台南市建設局八年，被監委將台南建設列為尾數第一，可是他官運仍然亨通。台南自來水廠在曾培章負責之下，表面有的是美奐美侖的洋房大廈辦公廳，着實可觀，這就行了，至於水管破裂，市民缺水用，發生火警抽不出水來等等怪現象，似乎根本引不起他的注意來。

上次在市議會中，女議員楊碧華會炮轟自來水廠長曾培章，說購水錶有疑問，一時情勢異的頗為緊張，且贏得市民的喝彩。但事後便沒得下文了。這次議會而且通過貸款一百萬元給自來水廠了，神通廣大，可見一斑了。曾培章是台南市政壇上最走得通的人物是不錯的，但有目共覩，其所主持的自來水廠，卻實在不成個樣子，數十萬市民，為「水」痛苦不堪言狀，總是事實。

南市地價稅征收成績尚不惡

（本報記者朱武州台南航訊）民國五十三年下年度新的地價稅征收工作，台南市於本月十四日宣告一段落。為此，記者於十七日午後往訪稅捐處處長蔣灝，適逢公出，據劉秘書告記者稱：此次本市征收新的地價稅，最難是得到社會人士、民意代表、黨政機構、各級學校通力合作宣傳，蔣處長亦會請由高級官員百餘人親赴各大富戶勸導說明，故能達到征收總額百分之九十以上，預計征收總額為新台幣一千三百萬元，實征達一千二百餘萬元，確屬一件難能可貴的成績云云。劉秘書還強調：一、對新增課稅制度之了解與確立，二、政策施行之良性合理，為稅務順利推行的必要條件。

劉秘書說：南市稅捐處自蔣處長接任以來，曾（一）再三籲請各方合作；（二）再三飭令所屬，對納稅人向稅處有所要求時，應盡量協助去辦，雖欠缺理由或故意為難亦應以逆來順受的態度，予以解釋；（三）再三飭令所屬保持狷介操守。

記者不久前晤蔣處長，曾談及南市各影院有些不良份子偸漏娛樂稅問題，蔣處長表示，這種機會，甚難控制，他說：譬如各戲院收票小姐，似曾受特殊訓練，會要魔術，駐征人員又少，眞是防不甚防。他說：今後除與警方協調加派駐征人員外，並由他本人巡廻監督。對於專以漏稅為劣性的人物，一經查獲，絕不寬貸。蔣處長又曾一再向記者拜託說：稅處若有不良情事，請多批評指教，以資改善云云。

李國鼎第一炮打響 公營司應能有表現

（本報台北航訊）作為一個經濟記者，對于剛剛接長經濟部的李國鼎先生，他上任未及一月，却大刀濶斧撤銷了具有十餘年歷史的國營事業司，改為公營事業企業化委員會，以設計研究企業革新精神，接辦原來國營事業司的業務。這番大刀濶斧的表現，預期這位學科學的經濟部長在任內將有一番表現。

這個公營事業企業化委員會，網羅了全國的理財與經濟專家，從事國營企業組織的設計工作。該委員會的主委楊家瑜，係現任台電董事長；副主委鄒昌，為現任台糖協理，均為著名的理財專家，具有現代企業的科學頭腦。此外張元本，張世光、黃人杰、劉支藩、潘甲、劉鳳文、陳振先、蔡中曾、萬慶年，均為一時之選。這個委員會，屬半研究性的；兩年後將產生一個現代的公營事業的企業組織型態。

去月中旬，李氏首次以經濟部長出席行政院每週記者招待會，宣佈經濟部已奉准設立「公營事業企業化委員會」，以取代原有的「國營事業司」；記者們在「驚聞」之餘，認為李氏上台的第一着棋，走得極有架勢。

衆所週知，國營事業積弊已非一日，前任部長楊繼曾在任七年，何嘗沒有「猛藥起沉疴」之想？但作起來仍然「心餘力拙」。

其實，經濟部所屬的國營事業機構，範疇過濶，包括台鋁、台肥、台電、中油、台糖、台、中漁、中煤、雍興、金屬礦業公司、台北紡織廠等；這些業務繁紛的國營事業機構，加之台灣的國營事業客觀條件之限制，特別是政府機構那套煩瑣的「辦事手續」，直接影響「作業效率」，國營事業積弊日深，自是「冰結盈尺，非一日之寒」了。

可喜的是，經濟部這個「公營事業企業化委員會」的主委委員們，完全兼職不兼薪，從這點看，已夠「經濟」了。接近李國鼎人士說：過去這些年國營事業一直受客觀環境牽掣，無法達到企業目標，顯然缺乏純企業的組織型態；因此，目前這個「公營事業企業化委員會」，是「超然」的，應有好辦法拿出來。該會九位專家，正埋首長期發展經濟計劃的研究工作，且拭目以待。

解答關于郵寄外幣進口的幾個問題

——解答者台灣郵政管理局

問：外國鈔票可否裝於郵件內寄遞來台？

答：可，本國政府目前准許外幣寄遞進口。

問：按照郵章裝有現鈔的信件，應以何類郵件交寄？

答：由國外寄遞進口者，應裝於掛號信或保價信函內。惟請注意者，平信（非保價或掛號）內切勿裝寄現鈔，這是萬國郵政公約及我國郵政規則所禁止的。

問：利用保價信函裝寄現鈔與利用掛號信，兩者有何不同？

答：保價郵件亦即郵件的保險，如有遺失被竊或被毀損時，在報價的範圍內郵局負有賠償的責任；掛號信的遺失雖亦可向郵局請求補償，但規定補償的數額以二十五金佛郎（約合美金八元三角）為限，而且造成損失的原因，如係不可抗力之情事，則不能申請補償，這在我國的郵政法上已有明白的規定。所以掛號信裝寄現鈔進口，其現鈔價值不宜太高。

問：現在究竟有那一些國家可以寄遞保價信函到我國來？

答：截至目前止，已有日本、瑞士、法國、香港、英國、馬來亞、星加坡、泰國、阿根廷、緬甸等郵政，可以寄遞保價函來我國。

問：利用掛號信或保價信函裝寄現鈔進口，數額有沒有限制？

答：我國郵政與對方郵政商定的保價最高限額為五百金佛郎（美金一百六十三元），由掛號信寄台者其數額則未有明文限制。

問：利用普通掛號信與「限交本人親收」之雙掛號信裝寄現鈔，兩者有何不同？

答：很多國家的郵政（例如美國）都辦理收寄「限交本人親收」之雙掛號信，其不同處只是在掛號信封面上註明"A remettre en main propre"即（限交本人親收Deliver to addressee only），投遞的郵局即可投交收件人本人親收。譬如說收件人的住址為機關學校團體等，如為普通掛號信只投交機關學校團體之收發郵件人員簽收，如為「限交本人親收」的掛號信，那末收據上除蓋機關團體或學校的印章外，尚須加蓋收件人本人的圖章。利用限交本人親收的掛號信裝寄現鈔，當然比普通掛號信更見安全，這安全只是指郵件在郵局投交後之代收轉交方面；而在郵局處理方面，則普通掛號信與「限交本人親收」的掛號信都是同樣的十分審慎，對寄信人所負的責任，也是相同的。

問：這樣說來，所有與我國通郵的國家都可用普通掛號信裝寄現鈔來台，一部份國家則更可以「限交本人親收」的掛號信裝寄現鈔來台，再有一部份國家尚可利用保價函件寄鈔來台？

答：是。但有若干國家不准鈔票寄遞出口，故寄件人欲郵寄外幣來台，應請先向當地郵局查詢詳情。

問：是否尚有其他辦法，可由國外寄欵來台？

答：有。我國現已與美國、日本、英國、法國、香港等國家恢復互通郵政滙兌業務，尚有其他若干國家不久亦可恢復。請您寫信通知在國外的親友儘量利用，但要特別勸告對方：「不要在平信內裝寄現鈔」。

公路局台中檢修班 擅將車輛橫阻路面

（本報台中記者吳積平航訊）公路局台中運輸處檢修班，位於台中市八德街，原場地狹小，行人與車輛又復衆多，該檢修班為一汽車修護機構，竟不顧及來往之行人與穿梭市區之車輛行駛的方便及安全，將公路局車輛橫阻於道路上，阻礙馬路交通，影響交通安全甚大。

自省政府疏遷中興新村以來，台中一年比一年繁榮，八德街商店林立，市民往來如織，但行經該運輸檢修班時，人人無不提心吊胆。在此車禍頻傳的今天，多少專家正為目前交通安全作預防上的緊急措施，偏偏台中運輸處檢修班經常將車輛阻塞道路，眞令人莫解。市民咸盼該局主管人員，從速另找場所，建設較為理想的車輛停放場，以策市民安全。

春意闌珊劇事濃

姿婆生

台北在春節後，首先開鑼的，是復興劇校，初五即上演五天。前四天以戲碼稍軟，約有七八成座，末尾一天演西遊記，金錢豹，盤絲洞、宛魂鈴，合乎觀衆口胃，大賣滿堂，站票售二十元。是該校歷來所無。惟過元宵後，校長王振祖因病請辭，由董事會議決派董事馬慶瑞暫行兼代。董事長蕭同茲，事必躬親，不久將來，或可漸次恢復舊觀。

明駝劇團在年前公演三日，是曹會禧的完璧歸趙，小坤旦徐蓮芝大英杰烈，秦慧芬的龍鳳呈祥帶別宮祭江，票房紀錄約有三萬五千。新春又公演兩日，首夕，曹會禧洪羊洞，秦慧芬徐蓮芝的棋盤山。次夜，徐蓮芝茅復靜金山寺，曹會禧秦慧芬徐蓮芝的探母回令，賣座也近二萬八千元。不過徐蓮芝因一月唱十六場太累，已辭明駝。

大鵬劇團新年未演，待勞軍節，演出七日。最盛的是徐露鈕方雨孫元坡演四天紅梅閣，多近氏路子。精朵的尚有嚴蘭靜徐渝蘭嚴莉華全本白蛇傳，邵佩瑜的梅妃，王鳳娟的滿牀笏打金枝，賣座約有八九萬元。

名坤票馬派鬚生李淑嫻，已二年未露，司法節演蘇武牧羊，四月十日華聲電台週慶，演清官冊，都非常精朶。

名坤票程派青衣沈規斌，四月三日，東方畫刊週慶與于叔昆鍾啓英演龍鳳呈祥；九日，與坤票名鬚生陳惠君演賓蓮燈，另有名坤票沈玉文演托兆碰碑，皆極易難見的好戲。

文藝名伶劉貞模，近在花蓮執教，上月在藝術館演梅妃，本月復在基隆演梅妃、文姬歸漢，戲癮可佩。

中廣公司同樂晚會，共演兩晚，首夕胡卜世英祝行瑜的全本一捧雪，逸鳳夫人演文姬歸漢，是票友中第一次唱，很精朶。次夜，胡卜世英韓平子牛敏敏的武家坡銀空山大登殿，也異常哄動觀衆。

今年學校學生演劇興緻甚濃，銘傳商專向未演過，今因校慶，由賈馨園孫碧波兩小姐唱武家坡，賈馨園魏承玉兩小姐唱大登殿，聞以後常有，首次成績很佳。

現改稱中興大學，是以前的法商學院，沉寂多年，為慶青年節，在護專禮堂演出女起解武家坡。壓軸楊學奇的永樂觀燈，大軸是教師蔡國藩的追韓信。

已嫁菲律濱華僑之坤票侯榕生，曾為輔大母校與青年坤票楊美珊，演春香鬧學接遊園。楊小姐在中廣晚會演拾玉鐲，在工專禮堂演戲鳳，鋒頭甚健。

台大平劇研究社為慶青年節，由名坤票蘇可勝小姐演玉堂春，由劉興漢張義達為配。趙培鑫弟子張昭泰演失空斬，由裴松林張大鵬夏月珊為配，盛極一時。

師大國劇研究社為慶兒童節，原定斷橋除三害奇雙會寫狀，因學生月考而不唱，另由教職員張綸中與楊學奇唱黃鶴樓，教師名坤票楊鳳仙與楊學奇張平堂等，合演拾玉鐲代法門寺，濟濟一堂，觀衆不少。

中興國劇研究社，係國大聯誼會組織，曾經公演一回，很有好評。上月底又在藝術館公演兩晚，首夕為張大夏鍾啓英裴松林周麟聖的牛頭山救駕（即挑滑車之後），包明叔呂源燕張平堂的搜孤救孤，章李君昆夫人與青年坤票王馨東王健雨小姐唱大登殿。次晚是田席珍關玉山的除三害，羅挺異張大厦的南陽關，侯崇修閻希珍的武家坡，馮著唐李景嵐的舉鼎觀畫，因為多是年老票友，故擠滿一堂，成績斐然。

由天地萬物到人
——新道統的宇宙論
（論道統第五章）

陳健夫

佛陀當日亦是進入此境界的。可說達到了形而上的境界，他便未再跟進去尋個究竟，却一心要到現世解救衆生。於是輒過頭來向形而下的途徑去發展，去精進深入人生，救苦救難。因此有人問到這等究竟問題，佛陀便說「無記」「無記」，以箭爲喻。幷非他不知，只是不肯道破。

眞元所付於人的靈性，是宇宙的精英，是從無始無終來的。此等靈性，人與衆生萬物皆有之。此爲萬類平等的觀念之基本原理。但各人所禀賦的靈性有厚薄，輕重，性質，能量等等的區別。而且有的通暢，有的閉塞，這便是由於各人的各別的工夫而成就。往往毫釐之差，千里之謬。人與人之間，有的入聖入佛，有的墮落塵世，跌入地獄。便千差萬別了！這便是由於各人自由的精進修持工夫而差別，這便是人類自由觀念的由來。人類賴有這靈性所賦的平等觀，於是四海之內，相視如同一體。即衆生萬物，皆痛癢相關。人類賴有此靈性所賦的平等自由觀，於是天生我材，必有我用。不論聖賢愚劣，皆得自由發揮其才智以用於世，無負眞元之生我此身於天壤間。萬物幷育，各盡其用，故顯得這個世界是如何的平等自由。這種自由平等觀念，原是眞元創造世界以來所付於萬物的靈性，萬古常在，不可改易的。

人爲自然所範，但人賴有眞元所賦的靈性，乃能超乎自然。因此，人有靈性，即不再爲時空所限，不再爲心物所苦。所以人以覺悟此種靈性爲人生解脫不二法門。眞元的靈性以人的肉體爲形，以人的精神爲用，人知有此靈性者，便不再受制於肉體。但世上的人却大半將此眞元所賦予人的靈性，苦因於肉體之內不得自由。是反奴爲主，反貴爲賤。因此，乃形成人世的苦海，爲佛陀所悲憫嘆息。

眞元所賦予人之靈性乃不滅者。靜居反省，摒除雜念，則此靈性即彰明顯著。如爲人世塵念所苦，則此靈性終被囚於肉體之內，不得自由發揮，直至肉體物化，人歸於塵土，而後此靈性乃脫離肉體，復歸於眞元。所以，人之靈性不滅。

人之肉體生命必死必朽，此是自然現象，任何人無所逃避。但若人能覺悟此靈性與眞元相通，直達眞元境界，而生活於其中，即成爲不朽。此與傳統的名譽、事業之不朽，幷不一樣。可知人之不朽，幷非空談，而是一句極深刻，而不容易爲人所體會的話。而這個不朽，乃整個生命的不朽，幷非是什麼精神的不朽。

人生在現世，任他聖賢神佛，總是個肉身的人，此肉身的人，總是難免苦厄患難。肉身皆是魔，色相即是鬼。世間無魔鬼，只在肉身中，出現在色相裏。人必須擺脫魔鬼，好好安頓此身，將它放在清靜無爲而無不爲的眞心上。除却妄心色身，靜入眞元境界，便得大解脫，享大快樂。所以，人要在此現世，好好安頓這個魔鬼所在的肉身，去惡爲善，過着動靜一致，身心安泰的心安理得的生活，必先要求這個眞元境界，找到此歸宿，而後方可安身立命於天壤間。這便是一種有主宰的生活，有歸宿的生活。（十二）

岳武穆祠墓遺蹟小考

李仲侯

岳武穆諱飛，字鵬舉，相州湯陰人。先世出神農。世居山東東昌府聊城縣，高祖渙始遷相州湯陰縣永和鄉孝悌里，今稱周流社。武穆即生其地。天資敏悟，幼知力學，稍長通左氏春秋孫吳兵法。生有神力，學技擊，一縣無敵。從周同習射，盡其術。文武之資，基於髫齡。然在當地[illegible]。武穆天性至孝，自北境紛擾，奉母命從戎報國，年二十即投眞定劉效用。嗣從平定軍，最後始隸東京留守宗澤，多立奇功，遂承知遇，累遷留守司統制。然自宗澤卒，繼任留守杜充退守建康，兩河旋即淪敵。嗣後雖苦心百戰，然以扼於權奸，終不能恢復故土。留居不久，故史蹟亦無多，特因係嵩生降嶽之鄉，且爲三代先塋所在，故後人倍加崇仰。論武穆遺蹟者，自當注意及之也。

武穆三代先塋，除王妣魏國姚太夫人外，俱在湯陰縣城東二十五里之周流社。按岳氏金佗宗譜：「神農生姜水，因以姜爲姓。歷傳至垂，仕唐堯爲共工。子伯夷爲虞舜秩宗，胙四岳，佐禹治水有功，禹封爲呂侯。子長伯子襲父封，以國爲氏曰呂。次仲子官太岳，以官爲氏曰岳。岳受姓後，歷傳至休，世居山東東昌府聊城縣，休仕周官至節度使。五傳至渙，字覺佳，仕宋爲令使，即岳穆高祖，始由東昌徙河南相州之湯陰縣永和鄉孝悌里，爲湯陰始遷祖。配閔氏生子，長成次德。成即武穆曾祖父，字舜福；以武穆貴贈太師魏國公，配楊氏，贈慶國夫人。子立，即武穆祖父，字乾祿；以武穆貴贈太師唐國公，配氏，贈越國夫人。子二，長和次睦。和即武穆考，字坤鑄；以武穆貴贈顯慶侯，追贈太師隋國公，配姚氏，封魏國夫人」。

武穆先代皆以務農爲業，故無甚事蹟可述，僅隋國公宋史稱其：「能節食以濟飢者，有耕侵其地，割而與之。貰其財者不責償」。蓋一敦厚長者也。和薨於宣和四年，時武穆僅二十歲，故其立身行道，進德修業，得力於母教者多。武穆一生僅稱母教者以此。

考武穆三代先塋，因宋時湯陰地淪於金，武陰舉族南遷，故未加封植，年湮代遠，蒼莽莫識。明景泰初學士徐有貞出鎮彰德，因跡武穆先塋，臨祭而封守之，時有大鳥翔集之異，遂議於城內建祠，以資紀念，奏得制如錢塘。迨弘治間，又以工部尚書李燧奏爲修築墳墓界，申禁樵牧，豎表勒石，觀瞻始巍。厥後有清乾隆及同治間，均加葺治，穹碑具在，尚可覆按。最近於民國十六年重修，故祠墓均尚完好。

查周流社南北兩村，中隔湯河，形如小溝，寬僅數尺。兩村各有居民約三百戶，全部務農爲業。村中屋宇零落，道路泥濘，污穢狼藉，不堪入目。祠墓在南周流村側，四周圍以短垣，廣約百有餘丈，前闢三門，額題：「岳王先塋」。入門爲拜殿三楹，承以月台神路。拜殿之後爲享殿三楹，中供武穆三代考妣及武穆夫婦暨女銀瓶神位。（九）

漢文，漢字，漢學

陳曼卿

錦衣百襲滿頭珠翠

當光武中興，因秘府典籍被焚，遂更獎勵儒學。而也是勢所必然，這在文化學術的演進史上，也是一種應有的自然現象與必要措施。

當西漢早期，「易」有孟喜之改師法，又是魯共王壞孔子舊宅的「古文尚書」。後來又有那無名無姓的「河內女子發老屋得逸易」，「書」，泰誓」，「逸禮」。兩漢末葉，張霸能爲「書，百兩篇」獻。李氏又上「周官五篇」劉歆謂爲「發得周禮，以明因監」等等所以到了東漢的古文學派謂「易」六十四卦始於伏羲，文王作卦辭（上、下經），周公爻辭，孔子十翼。五經、六經、七經，的次序，就以時代的先後排列，而也靜靜有制。

由於上述的情形，孝武建元五年，置五經博士始。初是今文，因赤眉放了一把妖火，東漢以後古文逐漸抬頭，竟取今文地位而代之。但是，到了靈帝熹平四年，已風靡儒林的五經、六經，前後三百十一年（元前一三六至公元一七五）都還沒有定本，謂余不信，請看：

後漢書、靈帝紀：「熹平四年春，詔諸儒正五經文字，刻石立于太學門外」。同書蔡邕傳：「邕以經籍去聖久遠，文字多謬，俗儒穿鑿，疑誤後學。熹平四年，乃與堂谿（姓）典，楊賜，……單颺等。奏求正定六經文字，靈帝許之。邕乃自書冊於碑，使工鐫刻……及碑始立，其觀視及摹寫者，車乘日千餘兩（輛），填塞街陌」的情形可知了。

而同書中之帝紀：爲「五經」，邕傳爲「六經」。史書錯誤，亦所不免。前者劉向典校經籍二十餘年，皆先書竹改易刊行。由是使我們明瞭，漢儒傳抄「經籍」，訛誤自所難免，故重師說。再加上那段時間前後有杜林，賈逵，謝曼卿，衛宏，許愼，服虔，馬融，鄭玄等，復經班古大師的甚麼訓、序、疏、解、注、釋、箋、說。又被一些俗儒的什採篇次，記誦章句，混和異端慮無寂滅之教，眞是成了一副錦衣百襲，滿頭珠翠的模樣。

這時，雖有一位治「公羊」學的今文大師何休：「解詁」，提出「左氏膏肓，穀梁廢疾，公羊墨守」之說。但遇到古文大家的鄭玄，駁斥他說：「箴膏盲，起廢疾，發墨守」，今文學自此以後，也就消聲匿跡了。

當這一時期，獻帝初平元年（公元一九○）後漢書載：董卓「焚洛陽宮廟」。又再放一把強人野火，使到積存東都（洛陽）的府庫文書，百餘年所積儲，復又再次遭劫！惟此刻石經學的「訓詁名物」，其說遍行天下。文籍雖燬，而其說已行。垂二千年來，儒者沿波，專一授受，訓詁相傳，篇章、字、句，莫敢異同！這眞是：「鐵案如山搖不動，萬牛回首丘山重」了。

早期不正常的學風

吾人所見，古代殷商之文尚不完備，就是誤謬也無法記載。西周文獻，因犬戎之亂，四散廢弛。迨到春秋末葉，孔子因「王官失守，散爲百家」這是證明前此還是「不仕則無所受書」的時代。於是才開了普及教育的道大門，用由來有自的「禮、樂、射、御、書、數」六藝，教育着弟子。從「先進」裏我們知道：分「德行、言語、政事、文學」四科。這都仍是沿用前代屬於「王官」之教的方法，祗當時社會需要而定立的。（三一）

動物農場

英 George Orwell 著
陳其芝 譯

第五章　秘密警察的出現與爭權、

於是就有些動物問：「爲什麼拿破崙當初又那樣堅決反對興建風車的計劃？」對於這點，斯奎勒說得很狡詰，牠認爲這是拿破崙的精明處。牠的反對史諾柏，實際上是要驅逐史諾柏；因爲史諾柏是個危險份子，對大家有着惡劣的影響。現在史諾柏已經被趕走，風車的興建不但暢行無阻並且不必受牠的干擾。斯奎勒說，這就是所謂的「策畧」！斯奎勒笑嘻嘻地跳着，搖頭尾巴，重覆地說：「策畧！同志們，策畧！」動物們雖然不懂牠所說的「策畧」這個字是什麼意思，可是由於牠說得娓娓動聽，加上那三隻隨從的狗同志一付兇惡狂吠的助威，牠們也就不敢多懷疑斯奎勒的解說了。

第六章　豬蹄下的臣民與工業失敗

整整一年的時間，動物們像奴隸一樣地工作着。不過牠們感覺到很愉快。牠們既不埋怨勞力代價的微薄，也不抱恨犧牲的後果。牠們知道牠們所做的一切是爲了牠們自己本身及後代的利益。牠們不再爲那羣懶惰奸詐的人類工作了。

自春至夏，動物們每天都得工作九個小時。到了八月，拿破崙又宣佈：星期日的下午也要工作；雖然宣佈說工作與否大家有絕對的自由，但事實上誰要是缺了席，誰就會發現牠的口糧被減少了一半。儘管如此，仍然有許多工作未能如期完成。這一年的收穫也比往年差了一點，有兩塊田地原應該在夏初種植甜菜的，但由於翻土工作未能及時完成而躭擱了下種。故可以預料得到這即將來臨的冬天，一定是個艱苦無比的季節。

風車的興建也發生了意想不到的困難。雖然農場上就地有好的灰石和礦沙，而且在一間接出去的小房子裏也找到了洋灰，所需的建築材料大多已經齊備，但最大的難題是動物們如何能將石塊按照需要的大小打碎！看來除了用鴨嘴或鐵錘外，就別無他法可想了！可是動物們又不能用後腿站立。經過幾個星期的枉費勞力却也給牠們暗示了一個好主意——換言之牠們可以利用「擊壓法」。礦床上到處有許多動物們無法利用的大石塊，用繩子把石頭捆住，然後牛、馬、羊等所有的動物集中力量緊拉着繩子——鴿子在必要時也得參加這項艱難的工作。牠們顧不得行動遲緩，用盡力氣慢慢地把石塊從礦床上拖上斜坡，然後又把它推下，滾過凹凸不平的坡地，使石頭與石頭相擊而成爲碎片。等石塊變成比較小的碎片時，牠們又開始運搬工作。馬用馬車，一車車的運送；羊祗能一塊塊的搬着；就連莫利爾和班傑民也用破車來拖石頭，以盡自己的一份力量。

就這樣到了夏天快結束時，已堆積了足夠應用的石頭，隨後在聰明的豬同志領導下，開始了興建風車的工程。談到擊石這項工作眞是既緩慢又艱難，常常費了一天的工夫才把一塊巨石拖到坡頂，有時候石塊是滾下去了，可是並有有把大石撞碎，但大家天天都盡心竭力地工作。這種工作要是沒有了白克薩，那就更難想像了！因爲牠一箇身的力量幾乎等於其他動物力量的總和。每當一塊巨石被拖着上坡時，會因氣力的偶然不足，反而累得其他動物都被滾下的石塊帶下去。遇有這種情形發生時，動物總會發出絕望的尖叫，只有白克薩能用盡全身氣力緊緊拉住那塊滾石的繩子，牠不但能不讓石頭繼續下滑，更能一寸一寸地把石頭往上拉，足趾深深地陷入泥土裏，上氣不接下氣，全身的亂毛都浸在汗水裏。牠那苦幹的精神獲得其他的動物們一致讚嘆。（十八）

繼鶴齋譚劇

孫菊僊的八張唱片

東園

孫處菊僊，綽號老鄉親，天津河東糧店街人。壽活九十三歲，人稱國人瑞。幼習弓馬，壯中武舉。爲人碩大無朋，丹田元氣充沛。性豪邁，喜皮黃，所歌：黃鐘大呂，韻協六律。每於茶社酒肆引吭一歌，則聲震屋瓦，響徹雲霄，四座皆驚。殆以發音之妙，或如懸崖勒馬，屹然中止；或如兎起落，頓宕由之；或如虹貫長空，直衝霄漢；或如珠走玉盤，圓潤無比；或如風打遊絲，纖濃比見；或如水銀瀉地，無孔不達；或如長江大河，一瀉千里。實大聲洪，落地作金石聲，發音吐字，美妙絕倫，聽者有繞樑三日之感。

先師事子久張二奎，盡得其傳。復經師介紹晉京，拜爲長庚桃李；長庚謙謝，僅以師伯師侄相稱。時程長庚方主三慶，人尊大老板，留孫在班演唱。未幾，代程獨挑大樑，程則專理班事，不再露演。孫以票友出身，戲名清客串孫處，後改藝名孫菊僊。聲譽日隆，宮廷傳點，深邀慈禧優遇，有孫老供奉之稱。

時三慶班除孫外，邀慈禧優寵者，尚有譚且勒金培，老生楊月樓之子筱樓。金培在班演前場，擅演戰長沙，戰太平，陽平關，定軍山等靠把老生戲，並私淑大老板及楊月樓，深得箇中三昧，爲譚派一代宗師。三慶解班，譚自組班，跑外碼頭，成名後改名鑫培，綽號小叫天。前時汪大頭桂芬亦隸三慶，爲程操琴多年，對程腔頗有心得。程輟演後，獨樹一幟，爲汪派之宗主，擅王帽戲，讓成都，黃鶴樓，文昭關等。未幾身入空門，不再露演。

庚子拳匪之役，李鴻章與八國聯軍訂立辛丑條約，慈禧攜帝西狩回鑾，國勢暫告安定，京都頓呈歌舞昇平之象，慈禧更窮極聲色，耽於逸樂，時命昇平署分傳京班入宮應差，賞賚有加，一時京劇人材濟濟，春秋鼎盛。然上有好者下必有甚焉，於是王公大臣，亦無不爲粉飾太平計，招班到府堂會。獨大老板行規極嚴，除應內廷傳差，嚴禁班人私應外間堂會。某次，孫以情面難却，私應慶王府堂會，事洩於程，乃至決裂。孫離三慶，別組四喜班，班主梅大鎖（蘭芳祖父，體胖膚白，工花旦），盡收當代京都名票名伶：銅錘大面若金秀山、劉永春，小生德郡如，老旦龔雲甫（時方從孫學劇，後改老旦成名）。（一）

樂後天下

漁翁

樂，喜也。孟子：「與民同樂」。又好也。論語：「知者樂水，仁者樂山」。但人心不同，各如其面，此以爲樂者，而彼未必以爲樂。

莊子見魚游水面，悠悠自得，於是對惠子說：「樂哉魚乎！」惠子問道：「子非魚，焉知魚之樂？」莊子答：「子非我，焉知我不知魚之樂？」惠子默然。可見各有所喜，各有所好，而樂亦各有不同。

古之詩人，多能樂其應樂，如程明道所詠「春日偶成」：「雲淡風輕近午天，傍花隨柳過前川；時人不識余心樂，將謂偷閒學少年。」王介甫「晚樓閒坐」：「四顧山光接水光，凭欄十里芰荷香；淸風明月無人管，并作南來一味涼。」陸放翁詠「秋思」，有曰：「日長似歲閒方覺，事大如天醉亦休」。杜牧之詠「七夕」，亦云：「天街夜色涼如水，臥看牽牛織女星」。蘇東坡冬景詩：「一年好景君須記，最是橙黃橘綠時。」劉克莊冬景亦云：「蓉菊滿園皆可羨，賞心從此莫相違。」又程明道偶成詩：「萬物靜觀皆自得，四時佳興與人同」。又云：「富貴不淫貧賤樂，男兒到此是豪雄」。皆可取也。

但此乃詩人之所樂。而農人有田家之樂，工人商人有游藝貨殖之樂，甚至小孩們遊戲時，各有所好，各有所喜，固亦各有所樂也。

又：「樂不可支」，言樂之極也。「公爲政，樂不可支」。「樂此不疲」，謂樂而忘倦也。均見漢書。張堪爲漁陽太守，有善政，民歌曰：「桑無附枝，麥秀兩歧，張公爲政，樂不可支」！又光武每日視朝，日側乃罷，數引公卿，講論經理，夜分乃寐。皇太子乘間諫曰：「願頤精神，優游自寧」。帝曰：「我自樂此，不爲疲也」。至於娛樂而不由正徑，則樂極而悲哀隨之。史記「酒極則亂，樂極則悲」。列女傳：盼答子妻曰：「樂極必哀矣」。如果沈於酒，溺於色，日事走馬章臺，呼朋雀戰，卜晝卜夜，流連忘返，樂則樂矣，其如傾家蕩產，身敗名裂何？故孟子有曰：「生於憂患，死於安樂」，良有以也。

苟樂非其地，樂非其時，樂非其道，對個人如小，而爲害國家民族實大。以「樂不思蜀」之故事而言：蜀漢既亡，劉禪舉家遷洛陽，司馬文王與劉禪宴，爲之作故蜀技，旁人皆爲之感愴，而禪喜笑自若。王問禪曰：「頗思蜀否？」禪曰：「此間樂，不思蜀」也。

南宋遷臨安，即今之浙江杭縣，君臣以此地風景絕勝，慶得其所，可以偷安宴樂，棄汴京故地而不問。宜乎林洪詠西湖「暖風薰得遊人醉，直把杭州作汴州！」以譏之焉。

今者，風雲擾擾，非樂天知命之時。尤其吾人流亡在外，豈可以獲得世外桃源爲已足。必也，寡范希文所言「先天下之憂而憂，後天下之樂而樂」，從披荊斬棘中，爲國家開太平之業，拯生民於水火，斯可矣。有責任者，其可忽諸！

覺齋康復決以藏書贈市立圖書館

林熊祥

氛祲滔天孰管渠。飲河偃鼠自鄉閭。繁華竟又哀開府。疾病何曾困子輿。入臘溫晴須共惜。從今花月好相於。後生古學多瞀被。公世珍藏萬卷書。

敬次文訪詞長見寄瑤韻

陳覺齋

機緣集結水成渠。萬卷今朝出委閭。遂得北窻三友樂。聊當仙客五雲輿。疾瘳遇物知皆好。詩託鳴懷愜所於。若有嗜痂同賞愛。後時再獻剩藏書。

吳三桂抗清之戰

羅雲

一　清吳兩軍勢力概況

初，清人入據北京，東南各省尚爲明之宗室所據，乃命大學士洪承疇經略東南五省；而以定南王孔有德略廣西，平南王尚可喜，靖南王耿仲明略廣東，平西王吳三桂略四川、雲南；皆以明朝故臣，領所部綠旗兵，及清八旗兵大舉南進，以征撫兼施之策，向南進軍。

在進軍期中，耿仲明於順治六年七月道死吉安，其子繼茂襲封爵；而孔有德亦於順治九年在桂林，因李定國之攻而自裁，孔有德無子除爵。及南方已定，承疇借清室託洛、信郡王多尼率八旗兵返京師，而上述諸人以掃除明宗室之功，各率所部留鎮一方。於是吳三桂王雲南，尚可喜、耿繼茂同王廣東（尋徙繼茂王福建），其子精忠嗣之，是爲三藩建立之大概。

三藩之中，以吳三桂爲最強，功亦最高，故清廷對之，恩禮亦最寵。三桂破流寇，定陝川，入滇，執明桂王於緬甸，四方精兵猛將，多屬之。三桂以吳應麟，吳國貴，夏國相，胡國柱爲都統；以馬寶、王屏藩、王緒……等十人爲總兵，兵精將勇，爲諸藩鎮之冠。加以其初入滇之時，清廷假以便宜行事，雲、貴督撫，並受節制；用人不受兵、吏二部之掣肘，用財不受戶部之稽核，正所謂強傾中外矣。

二　三桂抗清之起因

順治十七年間，清廷爲恐各藩權力過重，即有削三藩兵餉之議。吳三桂權勢已重，乃通使達賴喇嘛，互市茶馬於北勝州，於是蒙古西藏之馬，由西藏入滇者，歲千萬匹。又假濬渠築城爲名，廣闢關市，榷鹽井，開礦積冶，而濟積磺之物；更選諸將子弟，及四方賓客之資質穎悟者，授著石兵書，武侯陣法，以儲備將兵人才。復散財結士，使人人得其死力。因此，三桂在滇十餘年，日練士馬，充實軍械，水陸要衝，遍置私人。且以其子應熊居京師，朝廷巨細，無所不悉，是以根深蒂固，異志遂萌。

及康熙親政，漸欲定中央集權之制，且以藩之強大，終非清廷之福，常欲設計除之。於是，移藩撤藩之廷議，相繼而起。三桂等亦因此益感不安，而又自恃扼□粵，西控隴蜀，財用饒富，兵甲堅利，攻守之宜，無不悉備；令離然，我從而虛懷延納，將士樂爲之用，民心亦翕然歸附之。強藩雄鎮之用，康熙十二年（西元一六七三年），清廷決定移藩撤藩之策，分遣侍郎折爾肯，學士傅達禮往雲南；戶部尚書梁清標往廣東；吏部右侍郎陳一炳往福建，進行撤藩之事。因此，遂使三桂首先發難。（一）

董小宛

——「影劇與歷史」之三

周遊

可知順治曾經一度落過髮，但並未到五台山做和尚出家。他是在京城裏的宮中坐化的。但皇帝還是照常；說順治是一個「和尚皇帝」，倒很名符其實。

順治帝是怎樣「所終」的呢！根據下面三種記載可以證明的。

一、王林年譜載：「正月初三，中使馬公二次奉旨至萬善殿云：『聖躬少安，師衆禮御賜金字楞嚴經，遂持大士名一千，爲上保安』。初四，李近侍言：聖躬不安之甚。初七亥刻駕崩。初八日，皇太后慈旨：請師率衆即刻入宮，大行皇帝前說法。」此乃佛教徒的記載。而文士們的記載亦多，下面只舉引一種可靠的記載以觀，那就是親受順治臨終時遺命的王熙，順治遺詔即出其手筆。王熙自撰年譜云：『元旦因不行慶賀禮，黎明入內，恭請聖安，召入養心殿，賜坐，賜茶而退。翌日入內請安，晚始出。初三日召入養心殿，上坐御榻，命至御榻前講論移時。初六日三鼓，奉召入養心殿，諭：「朕患痘勢將不起，爾可詳聽朕言，速撰詔書。」即就御榻前書寫。隨勉強扶病吞聲就御榻前書就詔書首段。隨奏明恐勞聖體，容臣奉過面諭，詳細擬就進呈，遂出至乾淸門下西圍屏內撰擬，凡三次進覽，三蒙欽定，日入時始完。至夜，聖駕賓天，泣血哀慟。』

可知順治之「所終」，是患「痘」疾而崩。以上所載，又與王林年譜所記相同。而張宸的筆記更詳細了。其文云：

『辛丑正月世祖皇帝賓天，予守制禁中，凡二十七日。先是正月初二日，上幸憫忠寺，觀內璫吳良輔祝髮。初四日，九卿大臣問安，始知上不豫。初五日又問安，見宮殿各門所懸門神對聯盡去，一中貴向大臣耳語，甚愴惶。初七晚，釋刑獄，諸囚獄一空。□傳諭民間毋炒豆，毋燃燈，毋潑水，始知上疾爲出痘。初八日，各衙門開印，予黎明盥洗畢，具朝服將入署，□忽召百官携朝服入，入即令入戶部領帛。……予任職余菲及科臣就署，有飢色……余與午門外露坐，畢臣喪二十七日，晨暮哭臨九日。』

由此三種記載，則可知順治有「所終」，儘足揭穿「順治帝遯五台山出家」之謎了。吳梅村的詩所謂「房星竟未動，天降白玉棺」，此乃詩史，一般俗士誤解吳詩，糊扯瞎編，混亂史實，令人慨歎。張宸的筆記中，有所謂「焚珍」的情形：「所焚諸寶器，火焰俱五色，有聲如爆豆，人言每焚一珠，即有一聲。」董鄂妃死時的喪葬（死在順治之前）也和順治之佛儀相同。一對虔誠佛教信徒，生前未能遂行出家入空門之願，死後卻依我佛如來西天去矣。所以吳梅村感慨的吟詠「琴瑟大秦珠，珊瑚高八丈」，「持來付一炬，泉路誰先識」了！

觀此，足見所謂「董小宛與順治之「深宮怨」，根本就是荒謬絕倫了。順治又因焚驚小宛無以自解，遂「遯五台山出家不知所終」之謎，也就如毛髮之迎刃而解了。還有一點，謬誤的地方，使人不可原諒的，即說洪承疇挾董小宛入被庭，其志在「復明」，與董小宛共謀，而洪中途變節；洪承疇又被太后說降，及與太后私通云云，亦是取諸稗史，不足絲毫採信。（完）

妲己與炮烙

周燕謀

「紂王命把炮銅柱三層火門，用炭架起，又用巨扇搧那炭火，把一根銅柱火燒通紅」，「將梅伯剝去衣服，赤身，拖往銅柱。可憐梅伯大叫一聲，其氣已絕！只見九間殿上，烙得皮膚筋骨，臭不可聞，不一時化爲灰燼。」（第六回）「將炮烙燒紅，把趙啓剝去冠冕，將鐵索裹身，只烙得筋斷皮焦，骨化烟飛。」（十回）封神第二十七回「聞太師陳十策」，其第二件便是「廢炮烙，使諫臣盡忠」。紂王說：「二件炮烙准行」。但是聞太師死了之後，紂王看到殿東有二十根黃色大銅柱，排列在旁。（二）

自由報

THE FREE NEWS

內僑警台報字第〇三壹號內銷證

第五四二期

中華民國僑務委員會領發 台敎新字第三三二號登記證
中華郵政台字第一二一〇號執照登記爲第一類新聞紙類
（逢星期三、六出版半週刊）

每份港幣壹角

社長：雷嘯岑
督印人：黃行蓬

社址：香港銅鑼灣高士威道二十號三樓
20 CAUSEWAY RD 3RD FL HONG KONG
TEL. 771726

台灣分社

學徒制的師生關係

韋政通

數學家陳省身，不久以前爲「傳記文學」寫「學算四十年」一文，其中有一節涉及師生關係和教學態度問題的。他說：

「一九三〇年以後，國內數學界有長足的進步，許多在國外留學而有成就的學生回國了。北大有江澤涵，申又根；浙大有陳建功，蘇步青先生；其他如中央，中山，武漢等數學系標準都提高了。尤其浙大，在陳、蘇二先生主持下，學生甚多，工作極勤。可惜，他們採取的態度，可名爲『學徒制』，學生繼續做先生的問題，少有靑出於藍的機會。要使科學發展，必須要給工作者以自由，這是值得深長思的。」

讀了這一段文章以後，使我爲之長嘆者數日。我頓悟到，浙大數學系當年所採用的「學徒制」，也正就是我們的「國粹」。

重師道，視師友爲一倫，是中國傳統的一部分。在尊師重道的傳統中，名分重於一切；名分既重於一切，眞理與是非，就不得不受委屈。我們如深一步想想，師生關係主要建立在「理」上，若無「理」，師生關係即無可能。而名分的基礎則在「情」。正常的師生關係應以「理」爲主，以「情」爲副。韓愈說：「弟子不必不如師，師不必賢于弟子；聞道有先後，術業有專攻；如是而已。」這是說從理方面看，師生之間的地位，不必是一成不變的，那末師生的名分，自亦無一成永成之理。中國往昔的教育，由名分而後確定師生關係，師與天，地，君，親同列而同尊。因此這種關係一成永成，永不可裂，背師就成了大逆不道。這是把情一面的標準凌駕在理之上。在這種反常的師生關係中，師生雙方如在眞理上有不同體悟，或生疑於師時，師的一方不在理上和你爭辯，他常常會搬出你的名分做招牌，說你「不像做學生的態度」，不說你「連尊師重道的起碼條件都不具備，還有什麼可說的？」這就是因情而傷害到理。如在往昔一個青年，如果犯上「不尊師」這一條，你就休想靠讀書打出路了。這都是學徒制的師生關係造成的怪現象。這種關係的好處是師生相處如家人父子，師生相關也有承担，但這仍是屬於情感的範圍。照我的體悟，師生關係中的私情越重，則眞理是非委屈亦必愈大。因此，在如家人父子的師生關係的傳統中，背師叛道和當仁不讓的情形，可說絕無僅有。其流弊，除陳省身先生所說缺少工作自由以外，至少還有下列幾點：

①缺乏懷疑精神。
②以權威代替是非。
③缺乏積極的求知精神。
④著書立說只知學人言語。
⑤凡事拖泥帶水，缺乏正義感。
⑥不能鼓勵創造的精神。

這些缺點對中國傳統文化的影響，一言以蔽之，是貧乏。文化的發展，總是希望後浪推前浪的。但在中國，一個大師就像一棵大樹，樹下的小草，都不能獲得陽光水分，只有枯萎而死。在對照下的西方學術史，眞是奇峯迭起，羣山相望，一時代有一時代的新發展。而我們却始終崇奉着孤懸的道統。相異的思想是不大允許存在的（如孟子斥揚墨，宋明理學家闢佛老），「道並行而不相悖」，始終只是懸諸天壤的空理想。寢假而至今日，科學的發展已如日中天，而我們却仍一切乞靈於傳統。我們的私塾，書院，早已不存在，可是學徒制的師生關係，仍盛行在各級學校中。曾有人多次投考一個省立大學的研究所，都未被錄取，據熟悉內情的人說，是因他在讀大學時不肯拜師所致。一個國立大學畢業的朋友，也曾告訴我，國立大學內亦有類似的情形。可見時代雖不同了，但這種有害於學術研究，妨害文化進步的「國粹」，却仍被保存在我們的高等學府中。在那些研究所裏的主其事者，絕少考慮到一個研究生自己的學術前途，他們接納你，不重視你追求眞理的熱忱，主要是希望你做一個聽話的學徒。學問當然是做的，但你在他們那裏學不到一點新的方法，所以多半仍只能順着一些成規成矩的老路子，縱有成果，也是與時代脫節的。國家化錢籌設大量的研究所，如果主事者的教學態度，仍沿襲傳統的學徒制，不但白花錢，還要埋葬許多青年。至於提高學術水準，那是根本不用談了。

許多青年想出國留學，固然有的是盲目的，有的是動機不正，如視留學爲個人名位獲得的捷徑等。但一個自尊心强，或眞想研究學問的人，除了自修外也只有出國去了。學徒制的師生關係，不是一個自尊自愛的人能受得了的。最大的弊害，是在這種關係下，在學術上要想有點創造性的成就，幾乎是不可能的。這種不合理的關係，在歷史上已造成無法估計的損失，今天我們如還想追上新的時代，這種關係和態度，首先應該糾正。糾正之道，如果想求之於老一輩，希望渺小。我們盼望年輕的一代，在這方面能有點覺悟，多保持自尊自愛的心，多相信自己的創造潛能。任何新的思想，都來自人的自信。因此一個學者，總要帶幾分狂者的胸懷，萎萎縮縮，專隨人脚跟，學人言語的人，不會有什麼成就。

那末，怎樣的師生關係才算是合理的？我的看法，一個學生找學問上的指導者，應該永遠記住一個原則，那就是前文提到過的「理重於情」。心裏常想「他在理論上配不配指導我？」而不要重視「他帶我好不好？」師生的情誼固然可貴，但在眞理的面前，它是次要的。至於師長對學生，不宜採取「你應該如何如何」的方式，如果這樣，就將學生的發展限死了。比較理想的教學態度，是把自己經歷過的爲學經驗和心得，儘量客觀地介紹出來。此外，根據自己的認識，爲學生多開若干條路，供他們自己去選擇，或協助他們去選擇。永遠只是誘導的地位，而不是決定的地位。（下轉第二版）

毛酋：「我在散播和平呀！」

難得安穩

今日與明日

毛共的強硬姿態

自從詹森總統宣佈美國願意無條件談判越局後，共產集團的態度突然强硬起來。首先是越共政權總理范文同在耶加達宣佈了和談四條件，第一條就是美國要退出南越。接着俄共、保共也紛紛聲稱要組志願軍援越；毛共更假「人大」作宣傳，號令全國人民準備爲越南戰鬥，儼然總動員的模樣。一時局勢大爲緊張，隣近越南的自由國家均已作了應變的措施。

毛共究竟會不會介入越戰？美國軍事外交人員經雲集檀香山開會研究，但依照我們的了解，毛共仍是天橋把式，一味靠嚇，就想利用嚇唬迫使美國低頭。眞的要派兵入越作戰嗎？毛共既不敢，越共更不肯。因爲這樣作下去，越共政權將於一夜之間崩潰，大陸也要燃起烽火，燒毀了毛僞組織。

姑息者的無聊

毛共胆敢冒充好漢，向美國喊打喊殺，固然由於它的一貫作風如此，而西方國家也有自取其辱之道。即以最近而論，聯合國秘書長宇丹及英國前外相華爾克均要去北平與毛共談判越局，遭到謾罵性的拒絕；但是華爾克仍不死心，還作第二次的請求，結果仍被拒絕，實在是「搵架來丟」。毛共何以拒絕華爾克同宇丹赴平？因爲毛共看透了兩人底牌，絕對談不出所以然。這因爲美國絕不能放棄南越，毛共更不願將游擊隊撤出南越，雙方面已成死結，請誰來調解也沒有用，樂得充好漢強硬一番，翻正挨炸彈的是胡志明政權，美國飛機一時還炸不到毛共身上，充充好漢也沒有關係。

美國要沉住氣

美國這次在南越進行的戰爭，若非自由世界否極泰來的轉捩點，就是自由世界甚至整個人類的喪鐘。美國萬不可不謹愼從事的！事實擺在面前，如若美國被迫退出越南，接着泰國必然要隨之淪入鐵幕，其他寮國、緬甸、柬埔寨更無法抗拒毛共的壓力，全部變成附庸；剩下的馬來亞、菲律賓也將難保。整個東南亞將會因此變色。

美國失去了東南亞，便會失去整個世界，因爲所有非洲及拉丁美洲的國家也將失去生存的勇氣，在毛共收買、滲透、挑撥、顚覆各種手段交相運用下，在一個相當時間內會全部淪入共黨統治。最後美國也將無法自存。這樣便是全人類黑暗時代的到來，而這個禍根是從退出越南種下的。

（何如）

鬧劇

報載南韓大學生數萬人最近爲反對日、韓兩國訂交，在漢城舉行示威，曾與警察發生激烈衝突云。年來南韓與日本每次進行媾和談判，韓國大學生即羣起示威反對，却沒有提出正大的理由，好像是爲反對而反對，就不許本國政府跟日本締結邦交，這眞是奇聞。一個獨立國家在國際間必須有友邦，南韓與日本緊鄰，過去雖積有夙嫌，但不能永遠互相仇視，否則受害最大的還是南韓本國。學生們對於媾和談判的某項問題，如果認爲有喪權辱國之處，自可表示反對意見，却不可盲目的全盤否定，迹近意氣用事，而使自己政府平添若干無謂的困擾。愛國思想固屬無可厚非，然愛之不以其道，結果就不免有誤國甚至於禍國之虞。我們對於南韓大學生始終反對跟日本媾和論交的行爲，實在感覺惶惑之至。

自從李承晚總統因大選問題經學生們集體示威，被迫去職放洋以後，南韓每次發生政潮，皆以學生爲主體。這與南越的佛門僧侶於推翻吳廷琰政府後，隨時沿襲故智，動則示威自焚以掀起政潮的情形，如出一轍。他們狃於已往那種非法行動幸得成功的意外收穫，認爲自己都是些時代英雄，國家大事非聽從他們的意見不可，幼稚矜狂，可憐亦復可憫。民衆對國事表示關懷，必要時不妨採取集體行動，使執政者不能不顧忌，偶爾爲之，未始無益。但不宜視同家常便飯，遇事皆以游行示威，破壞社會秩序爲不二法門；這種積習一旦養成，即有野心家以及在政治上失意的政客，乘隙利用操縱，教一般心地純潔的青年學生，替他們作火中取栗的貓脚爪，如其徼幸成功，享受成果的只有政客們，失敗了，遭殃的就是青年學生。這類痛苦經驗，現代的中國人感受最多，而國家民族所蒙的禍害亦最鉅，共產黨便係利用青年學生釀亂起家的罪魁！南韓與南越，目前皆在共黨釀亂激化之中，而青年學生和僧侶們乃不斷的大舉示威游行，困擾政府，瞻念前途，眞令人不勝其慄慄危懼也。

馬五先生

檢討台灣省行政座談會

中央既很重視議題份量亦重 害於形式主義所得殊為有限

本報台灣中部記者熊徵宇

從四月八日開始，到十日中午結束，歷時兩天半，在省政府所在地中興新村舉行的全省行政座談會，出席各廳處首長和各縣市長一百六十多人。

總統頒訓詞，行政院長專程由台北到會演說，顯示中央當局對這次會議的重視和期望。提案多達一百六十七件，中心議題有十二項，可見這次會議需要討論的問題，是角度很多份量很重的。

在十二項中心議題中，我們可以看出這次會議的主要目標，乃在追求如何貫徹民生主義現階段所推行的社會福利政策的各種方案。在於劃策省與縣市促進推行諸種方案的共同意見上，在溝通地方的政情上，這種全省行政首長集會，自然有其重要的作用。

但是我們覺得，這次會議的程序安排和所提出的中心議題的範圍，以及討論問題的態度，都顯得十分迫促，失之草率。政策性的意義不大，近乎是一種義務家常，近乎是宣佈政令，缺乏一種深入研討的積極作用。集全省行政首長與一堂，而使人有這樣的感覺，在要求圓滿的原則上，是有很大的距離的。

日程安排失敗

比如說，在十二項中心議題中，列有「改進縣市鄉鎮財政工作實施要點」。經過分組與綜合討論後，因爲時間不夠充份，省與縣市都不能在問題上求得深切的瞭解。於是財政廳長周宏濤，又在這個全省性的座談會結束的第三天，十三日的下午四時，在台灣銀行台中分行，邀請台北、基隆、高雄、台南、台中五省轄市長舉行座談會，瞭解商討有關財稅方面的問題。

如以八日舉行的座談會稍有一點充份的時間的話，那末這兩個多鐘頭的財稅問題研討，就不會要這十二位市長從南至北的再度遠道而來了。

這在時間與精神上，都是一種不必要的消耗。但是在問題并沒有解決的時候，又非如此不可。說明全省性的座談會在安排日程上的失敗。

提案流水行雲

就日程方面說，第一天上午，主持大會的黃達雲主席致詞以後，接着由各廳處長分別登台報告施政業務報告。整整的消耗了一天的時間。而第二天上午，聽行政院長近一小時的演說以後，接着就用兩個鐘頭綜合討論十二項中心議題，而且還討論通過了一般提案四十二件。我們可以想象，這樣流水行雲的對案情的本身能產生什麼功效？可以說是只有時間聽聽麥克風內諸案由。

兩天半的會議，用了二十七萬台幣的經費，把全省各縣市局長從四面八面召來，形成這種會議的實質，意義何在？假如說，目的乃在擴大社會對省政的注目，或者是一種精神式的聯誼作用，那就又當別論了。

形式氣氛太濃

所以大家覺得，在日程的分配上完全是一種倣立法院的院會與省議會定期大會的架勢，形式主義的氣氛太濃。民政廳對於這一方面的處理，是大大失敗了的。若座談會，也許就不必要。各廳處既然都印得有書面報告，又何必要照本宣科的把每個字都唸完呢？就實際情形說，即或大家都有傾心諦聽的心情，但是不斷的聽了一整天，以各種業務的龐雜而言，又能留下什麼印象？如此這般，豈非大煞風景，浪費時間？

有些專題不當

在提案的範圍上，一般提案不說，就十二項中心議題而言，有些似乎不大適合這種爲期不長的座談會。

比如其中第四項：「充實各縣市消防設備以保人民生命財產安全」；第五項：「改進人事問題」，第七項：「縣市年度預算必需在規定期限內完成法定程序公佈實施」；第十項：「如何加强交通安全措施以減少車禍」。這四項提案，似乎沒有必要作爲這次座談會的專題。

就充實消防設備而言，省府既然訂得有籌欵撥欵的辦法，行政命令就可以解決。而改進人事問題，中央與省早已訂有辦法，而且做得很好，輿論上也反映得很不少，有什麼必要提出討論？只要本着辦法去做，縣市政府不會不支持，何況人事任免與調度，全權都在省府。縣市長，除村里幹事和縣立中學與小學的人事調度以外，人事權是並不廣泛的。

至於「縣市年度預算必需在規定期限內完成法定程序公佈執行」，當然是推行「績效」預算的惟一手段。但是這個辦法，上年度已經做得很好，對於縣市各級學校的增班計劃以及對縣市的補助欵項，財政廳在二月底以前就核令頒發，而各縣市的預算，也都依照限期，在五月十五日以前就送達了縣市議會審議，並沒有發生周折，所以也就用不着再提出來。

重論一項推行得很好的制度，豈非徒亂人意，顯得嘮叨？如果說，一種制度每一年都要訂一回的話，那末法令的威信何在？（上）

國產片的障礙與隱憂

娑婆生

台灣今年春節，在電影市塲，有一個奇跡，是國產片的盛潮。以台北市的影院來說，幾乎是三分之二，皆放映國產片。這可說是以往所絕無。即從前在大陸的上海、天津、北平、漢口，也無此事。是不是國產片已經「起飛」了？

筆者與其他民衆的心緒，以爲國產片可以走入坦途。如果對技巧上加以更深的研究，設景佈局再從現代化着眼，攝影更取優美的角度，不難在自己的國土中，與舶來片爭逐片塲，一較短長。憧憬未來，頗具十分的樂觀。乃春節一過，未足兩月，國產片的隱憂與障碍，即顯呈眼前。是日本影片，源源而來，各影院競棄國產片的檔期而改演日片，是國片將受很不小的打擊！

首先看到二月中旬新天的報道，「日片洪流，冲要台灣」，有云：台灣今年進口的日本影片，如果將兩年積壓的數額，全部計入，整整有一百部，「倚裝待發」，彷彿當年百萬關東軍入侵，有的持刀仗劍，排山倒海，軟硬俱來。担心要把國產片的堤防一下冲垮！這是春節後，台灣影片市場將發生的巨變，謹防國片市塲的堤防，受到考驗。因爲一股强大的洪流，正向一道新建的堤防冲來。盼望國片能出奇跡，希望「梁兄哥」凌波女扮男裝口唱黃梅調，把東洋影星的武刀拳頭擋住。凌波能否招架得住嗎？

北市某報記述：日片中斷進口幾近三年，雖經無數爭議，見仁見智，有極大的距離，爭執態度幾趨極端。但行政院五三年度日本影片商配額輸入注意事項公佈，終而日片上映。有關日片進口上映的問題，顯已進入新的階段。日片在台灣的歷史背景特殊，日片在這裏是天之驕子，很受卅歲以上的本省影迷歡迎。有近三年沒有進口，這些有錢又有閒的影迷，却是國產片的觀衆。而今日片大量上映，倘「舊情難忘」，國產片的堤防，焉得不可慮！

有識之士，把日片看作一無是處。而社會不良風氣的擡頭，大多數由日片所造成。甚至認爲是文化侵略。由於環境的錯綜複雜，日片就是從來極爲棘手問題，因其間夾着「厚利所在」，遂而臨新的考驗。在此要求影劇檢定的當局，依情，據理，按法，變更方針！

任何國家，對其自身的藝術，多是保護，多是提倡。可以日本來作例子，試看看我們的國產片，能否在日本暢流映出？恐怕即有也是極少。此後對日片的配額，也不妨來作比例：如果准予進口十二部上映，那末日本也應准許國產片流到日本上映十二部，以作交換。不問它到日以後，票房紀錄如何，但總可讓最敬愛的華僑看看。而況中日是同文同種，禮尙往來；來而不往，非禮也，日本也必不致阻撓。這才是文化的交流。永遠下去，竭誠合作，則可爲亞洲人吐氣！

近閱報載，已知片商聯合向中央陳情，維持國產片的生機。最低限度，是日片進口上映，數量要減少，似乎不能超過十部。無非把這股洪流，分做幾次冲來，使其來勢緩慢。這樣做法，也可使國產片緩一口氣，積極的勇往直追。最主要是劇本的選擇，要合乎潮流。

些「寓意深長而有理意含蓄的日片」，而不是誨淫誨盜的，庶幾可不導致社會於不良習染，成爲具有效力的社會教育工具！

在目前的情勢之下，政府對於國產片，應特加保護，使其萌芽茁長輝煌，使他們挺起腰桿，接受考驗。在近年來，台語片也漸步上康莊大道，如果日片湧進，則國產片或要受影響，而台語片必至擠毀殆盡，決難蒸蒸日上。被擠垮，將如何來振興，此實不得不予從長的計議與考慮，並

屏東集體貪墨分肥疑案

風風雨雨五月於今 突因周某自首揭露端倪

（本報記者屏東航訊）涉嫌官商勾結，吞沒鉅額屠宰稅義捐處之後，屏東亦發生了一宗。

此一集體貪墨分肥疑案，於此間一直風風雨雨，爲時越五個月。省財政廳於五十三年十二月以後，曾數度派督察室主任傅維新南來秘密調查，然終因屠宰管理員之一的陳水土因公殉職，而使「查無實據」的苦悶。據謠傳「事後財政廳有人爲意圖將此一案，能予「烟消雲散」，不了了之，遂於五十四年二月間，將屠宰管理員周步超、何水漢、鄭力耕、劉卿雲、邵明垣等五人，分別令調至基隆、宜蘭、台東、花蓮等稅捐處服務去了。

此間稍爲瞭解該案實際情形的地方人士，當時對財政廳的此一人事調動措施，除深表不滿外，並一致認爲該「勾結貪墨」疑案，勢將在如此這般的「庇護」下，藉口於陳水土的死亡與已作的人事調動的安排，而一了百了，不再有夜長夢多，節外生枝的後患之憂了。顯然，什麼人都不會預料到，周步超（案中人）竟會突然向司調局投案自首，而揭破此一近乎神秘的貪墨案情。

司調局根據投案人周步超的自白，旋即調派偵破「嘉義稅捐處官商勾結，吞沒稅欵朋分貪墨」案的原班人[illegible]某等七員，來屏負責偵[illegible]並分頭向已調服台東、宜蘭等稅捐處的鄭力耕、劉卿雲、邵明垣、何水漢等進行偵訊。案經各有關單位的通力合作，於十數日的偵訊後，業於四月十日分別將案分爲「（一）刑事部份的涉嫌人員計屏市屠宰場工頭吳添興、吳伯榮、林清雄及管理員邵明垣、劉卿雲、鄭力耕等共六人，分別扣押移送法院偵辦。（二）漏稅部份則依照規定，向屠商追收十倍的罰鍰」，兩方面處理中。

該案在司調局的工作人員積極偵查下，雖然有了些結果，但疑犯等在五年來究竟吞沒了多少稅欵？涉嫌人員除管理員何水漢在逃外，是否還有其他人員？負責偵查的單位，迄記者發稿日（四月十八日）止，仍未見將整個案情作詳確的公布。因此，地方人士對案情內容，仍多所猜測，而一致希望承辦本案的司法機關，應切實做到「毋枉毋縱」！

據法界某權威人士語記者稱：「屏東稅捐處屠宰管理員串通屠塲工頭，勾結屠商吞沒稅欵朋分自肥疑案之偵破，實與其他貪污或不法案件之破獲，不可同日而語。」他說：犯案人自首，固然很多，但像這類既非分贓不均，又非被主管或上級單位、治安機關查獲而移送法辦，更非被其他局外人所檢舉，而是他（周步超）自動投案自首，其內情如非大有講究，可能是有「恩」「怨」存在！否則此人眞是「了不起」「太可愛」了。如眞有恩怨存在，勢必「恩」有頭，「怨」有主。根據常理推測，周步超決非僅是爲了揭發同事等貪墨而出此的。這是本案焦點，亦將是法院今後偵辦該案的首一重點。（袁文德）

學徒制的師生關係

——上接第一版

因此，一個愈能客觀介紹前人和自己學問的人，愈適宜於做學問的指導者。因爲一個客觀介紹的人，就不致隨便拉你跟他走。一個青年，從不同的思路上多摸索幾番是有益的。太早被人牽着鼻子走的人，很少能有大的成就。自然，指導者對被指導者的學問前途，總不免有若干構想和期望，但培養學生的信心，和創發性的思考能力，比甚麼都重要。一位師長如果不能在這方面對後輩有益，無論你傳給他多小知識，經驗，都是有限的。

由天地萬物到人
——新道統的宇宙論
（道統論第五章）

陳健夫

耶穌說「信主得救」，佛教說「無我」或「立地成佛」，儒教說「格物致知」或「反身而誠，善莫大焉。」皆有此意。

我這種眞元學說作爲人生的眞理，與基督教，佛教的道理，是頗爲相通的。而且貫通各宗教各哲學的精義，成爲今後世界的新教，新哲學。基督教的神學，在此不及細論。現在且說一說佛學與眞元學說相通之理。關於佛學對人生的道理，總括起來只是「無我」二字，梁啓超說過一段話，可資參考，他說：

「倘若有人問佛教經典全藏八千卷，能用一句話包括他麼？我便一點不遲疑答復道：『無我我所』，再省畧也可以僅答兩個字『無我』。因爲『我』既無，『我所』不消說也無了。」（梁著佛教心理學淺測）

人究循何途徑得至此境界？惟有靜心去體察天地間眞元之所在，方可進入眞元之境。人一入眞元之境，便自自然然與天地萬物爲一氣，而「無我」，而「無我我所」了。人唯有賴不滅的靈性，方可進入此眞元之境界。

人類靈性進入此眞元境界，即建立了絕對生命。即不再爲生老病死的肉體生命而痛苦，而得大解脫，無入而不自得。人生至此大覺大悟境界，便有安身立命之處，不再爲魔鬼所困，而與神佛同在。此生命已無時空限制，也無心物界域，此身超然現世，直入天堂極樂世界。

由於發現此絕對生命存在於此眞元境界，乃確信人的生命有不滅者在。人的肉體生命，通過一定的時間空間而流轉而生滅，（佛稱輪廻），但此絕對生命，則無間生死，無間時空，永遠恆在。人在世上精進篤行，發揮靈性，一旦進入眞元境界，便得享此絕對生命，永獲解脫。（正如佛家所說不入輪廻，當有此意境）

人生若未獲得此絕對生命，則不免使此肉體生命在無窮的時間空間中流轉，在無限的心理物質中變幻。於是此人的生命力，便虛耗在世俗生活上，而不能享受生命的眞樂。人不能得到絕對生命，儘管科學進步，文明發達，人們能充分運用時間，解除空間，但人類的痛苦并無減少，反而日日向人生苦海中墮落下去，這是可哀的。我今發現這眞元境界，其中便有人類永生不滅的絕對生命，這個絕對生命才是眞我之所在。

蘇格拉底臨終時對那設法使他逃亡的朋友說：「親愛的克利陀呵，我已經不能使你相信，我是活潑潑的蘇格拉底。雖然，我極力安慰你們，說我死後往快樂的天國，可是我已無法使克利陀減少悲哀。諸君，願意替我保證麼？替我向克利陀保證，保證我之死，好像回家一樣，好使克利陀減少一點痛苦好了。」

這就是一個人到達眞元境界獲得絕對生命的證明。所以視死如歸，不以爲悲苦。眞元在天壤間，自太初起，以至今日明日，超心超物，超時超空，無所不在，無所不能，萬事萬物，都有它，都由它成全，都由它式微。人心之中有它，人心之外亦有它。人要接近它，要得到它，有的賴信心，如基督教的信心得救是；有的賴覺悟，如佛教的修持是；有的賴學養，如儒家的修身是；信者只是信此，覺者只是覺此，修者只是修此。工夫各有不同，道路各有不同，但都爲了追求眞理，接近眞元，則是一致的。

眞元時時呈現在天壤間，無所不在。但因人生爲塵世所隔離，人在世間魔降實多，將人重重包圍，水洩不通。非有大願力，大智慧者，莫能突圍而出，得見眞元。所以佛家定了許多法門，什麼三學（或定慧），四聖諦（苦集滅道），八正道（正見，正思，正語，正業，正精進，正念，正定等。）佛陀所謂八萬八千法門，基督教也定了十誡及祈禱的許多方法，儒家訂了三綱八目，作爲修養的工夫。各宗教各學派，各個途徑各個法門不同，但都大同小異，殊途同歸，都是爲了解脫人生，求得人生的歸宿。原來人出胎到了世間，便與眞元相隔絕，好像入了迷魂陣，不知方向，所以需要眞元出來解救。（十三）

漢文，漢字，漢學

陳曼卿

就是說：「禮、樂、詩、書」四教，都是孔子的教材。當其時，「蓋以立意爲宗，不以能文爲主」。所以著重在口授心傳，講「微言大義」。述而篇，也有「草創之，討論之，修飾之，潤色之」的說法。但孔門四教：是「文、行、忠、信」。這樣才把教育規章樹立起來。也就是現代所謂：「人生哲學」的張本。

誠如「吾猶及史之闕文也，今亡矣夫」！孔子因慨周室之微「禮樂壞，詩書缺」。追蹟三代，「書」乃紀自唐虞：「曰若稽古……」這種語氣，純全表示那是一種「傳說」。春秋上也有「疑以傳疑，信以傳信」，著以傳著」的說法。乃後傳底漸增，到了戰國時代的孟子，就特別指出：「盡信書，不如無書」，「我於武成取二三策而已矣」！他開始對書經裏的一卷「武成」，也不十分信賴，僅取其二三策（簡）了。孟子雖是「好辯」，自己也說他卻主張「不以文害辭，不以辭害意」的論證。「檀弓」上也記載着：「所見異辭，所聞異辭，所傳聞異辭」的話。這足證原委「六經」的文，到了戰國時期，就爲百家競鳴其學的風氣感染，也跟着附麗其詞，轉爲澎湃之勢，而不可遏止了。

在那段時期前後，戰國學風極盛，例如：

魏文侯之師子夏。

史記，田敬仲世家：「齊宣王喜文學遊說之士，……七十六人皆賜列土如上大夫，……稷下學士……數百千人」、

墨子之鉅子，遍於宋、鄭、齊、閩。

楊朱之言盈天下。

孟子後車數十乘，從者數百

許行之徒，數十人捆屨織席以爲食。

由此可見，當時學風之盛行了。然而世之有戰國，文之有左、莊，誰一個不承認，就是這種情形之下應有的產物。乃後離事言理之作倡興，私家著述，諸子之學，百家爭鳴，方策等等，遂爾大行其道了。

楚學的前因後果

戰國末期，南方文學崛起，屈平離騷：「上稱帝嚳，中述湯武，下道齊桓」以刺時「其體裁之紓廻斷續，純出於諷喻哀傷。」而格調的淵源，一諸陳遊，文詞，言物寓理，披肝瀝膽，布露人事；旁引廣譬，備兼網羅」。其憂懷慨志之意，百代莫追。其憂國愛君之思，情見乎詞。乃後宋玉、唐勒，景差之徒，追附辭餘，參差共騁，名爲「楚辭」。當漢武帝徵時，朱買臣善爲「楚辭」，劉向輯三閭以下者，爲之傳世。後人則每以「詩經」並稱，謂爲南北文學對峙相衡，惟二者內容，「一屬人文，一爲神想」皆各不相侔。

我常掛想，靈均之作，有類盛唐李、杜。然史書從未一見屈子以前三楚之文，殆爲秦皇聞燬生、盧生等之逃亡，坑儒事」於發怒之時：「吾前收天下書，不中用書盡去之」一語，而全不存了。（三二）

岳武穆祠墓遺蹟小考

李仲侯

祠內除豎有重修碑記數方外，其他空無所有。月台中柱，勒有一聯，文爲：「忠心不朽，破夷扶夏昭神武；先志克承，聖子賢孫壯古塋」。不著撰人，亦未見佳。祠內垣爲官廳火房，計正屋三楹。右側廂房二楹，係備前清官員祭掃時歇宿之用者。墓在祠後，計有二穴：一位正中，一處左側，均無碑碣。大抵中爲武穆三代考妣墓，傍即武穆夫婦衣冠冢。墓之周圍古柏頗多，氣象極爲陰森。近墓古柏，時被奸人盜伐，即塋垣亦多遭毀損。甘棠勿剪，屋烏推愛，況精忠本源之地，自應加意愛護者也！然共匪竊據大陸十餘年矣，專以發掘古墓、毀滅文化爲能事，則武穆之塋祠近狀如何，殆不堪涉想矣！

附弔岳王先塋詩

鄂國鍾靈地，邢連古道前；
山川蟠灝氣，忠孝格皇天。
風雨園陵恨，松楸俎豆田；
應知寒食夜，鐵騎一來旋。

蘇弘祖

匹馬南來弔岳墳，英雄別自一乾坤。纍纍先壟猶然在，孑孑遺黎有幾存。最痛焚香孤父老，那憐挂紙少兒孫。西山試比東陵土，誰向荒碑洒淚痕。

鄭懋洵

天心地脈竟難量，顚倒奸忠任頡頏。似遣譖人同作錦，遂同埋獄劍無光。靖康未雪君王恥，祖墓都餘草木香。北狩南遷成宋局，特爲萬古振綱常。

雷以誠

武穆先宅遺址，在湯陰縣城東卅六里之程岡，其地去周流約六里，在宋亦屬孝悌里範圍。據故老相傳，武穆先塋——在周流，先宅在程岡。查此宅實武穆先代世居之所，武穆即生於其地，因武穆生之夕，有大禽若鵠，飛鳴室上，故命名曰飛，而字爲鵬舉。未彌月，河決內黃，水暴至，母姚抱坐甕中，任其飄流，邇衝濤及岸獲免，人咸異之。按野史亦有謂武穆家於水災後移居內黃者，實則未嘗遷徙，婚娶誕育均在其地。迨隨宋室南渡，始行離去，故頗有歷史價值。現遺址土人立有岳帝廟以資紀念，廟係明代也先入寇，感土木之變而創建。遜清中葉，屢加展拓。最近且於民國卅一年重修，廟貌尚新，規模不大，額題：「岳帝廟」。前爲門廳三楹，後爲正殿三楹，殿前承以月台神路，中塑武穆及夫人像。殿柱懸有一聯，文爲：「南北竟分疆，恨輿圖未復中原，難忘檢諸父老；河山今一統，想靈爽式憑故土，無嫌伏臘走村翁」。係咸豐間鄉人杜來錫所題，句雖不佳，然尚不失本地風光。（十）

動物農場

英George Orwell著　陳其之譯

第六章　豬蹄下的臣民與工業失敗

只有克勞芙有時會勸牠：「不要太過勞累！」可是牠祇當耳邊風。牠有兩句格言是：「我要更努力工作」，「拿破崙永遠是對的」。這也似乎是牠對一切問題的解答。牠又和小公鷄商量每天早上再早十五分鐘叫牠起身（比別的動物早三刻鐘）。至於牠難得的空閒時間，牠會獨自跑去採石場搬運一些打碎了的石塊。所以牠就顯得更爲忙碌了。

這個夏天，動物們工作得實在辛勞。但是生活還過得不壞。牠們的口糧雖說不比鍾士先生在時的豐富，卻也不比那時差。最低限度牠們現在是自食其力，不需再去供養那五個奢侈的人類，這種想法足夠使得牠們忽視所有的失敗。事實上，動物們的工作方法也不失爲一種增加效率節省勞力的法子。譬如說除草吧，人類就無法做得像牠們那樣徹底成功。由於現在沒有動物再偷吃農作物，像築籬笆、修圍牆這些工作就免了，這一來又省了許多勞力。話雖如此說，在夏天快完時，動物們已經從多方面預感到種種的欠缺。潤滑油，鐵釘，繩子，飼狗餅及馬蹄鐵等等一些農場本身無法製造的東西普遍的缺乏。隨之連肥料，種子也不夠應用。至於工具的補充更是奢侈之談。最後連建風車的器材也沒有了，而這些東西該怎樣再能獲取，還沒有誰能想像想到。

一個星期天的早晨，大家正集合等待發佈命令的時候，拿破崙說牠有一項新的政策，那就是說從現在開始「動物農場」要與鄰近的其他農場從事貿易。當然這主要的目的，只是在獲得目前所急切需要的物資及材料而不是經商營利。尤其是興建風車的材料最爲迫切。因此牠決定先出售一些畜草飼料及新近收成的麥類，以後如果還有需要時，就把鷄蛋運到威靈頓市場上去賣。拿破崙表示鷄同志們對興建風車有此特殊的貢獻與犧牲感到實在欣慰。

動物們此時再度發生了模糊與不安的感覺，不與人類交往，不從事貿易；禁止使用錢幣——這些難道不是在驅逐鍾士先生後的大會上所一致通過的決議嗎？所有的動物都記得曾有過這項決議，至少牠們認爲有過這麼一說。有四隻小猪在拿破崙將要宣佈散會時，提出了抗議，但牠們的聲音是那麼畏怯，那麼細弱，而且立刻被狗那兇惡的吠叫給抑止了。就在這時候，羊羣又像往常一樣的叫起：「四足者善，兩足者惡。」這一場醜劇就到此落了幕。最後，拿破崙舉起牠的前蹄，示意大家安靜，並且又宣佈說這些事情牠早已安排就緒了。至於動物們不願意再與人類打交道，這點大家不必煩心，牠自己願意單獨負起這付重担。有一位住在威靈頓的律師，叫黃恩柏先生，他願意充當動物農場與外界的中間人，每個星期一他到動物農場來聽取一切指示。拿破崙用一聲「動物農場萬歲！」的口號結束了牠的演說。在場的動物們又唱了一遍「英格蘭的動物」後，大家才解散。

爲了使動物們的情緒能夠穩定下來，會後，斯奎勒單獨在農場裏走了一遭，牠並且向動物們保證說，那項反對貿易的條款不但沒有通過，甚至根本就沒有提過這項建議。那完全是牠們自己的一種幻覺，也可能是史諾柏當初所散播的謠言。雖然有些動物依然保持猜疑的態度。但斯奎勒卻狡猾的問道：同志，你確信你從來沒有做過像這樣的一個夢嗎？你對這個議案的表決有記錄嗎？它被寫在什麼地方呢？事實上確實沒有什麼記錄可資證明的，於是動物們也就相信是牠們自己弄錯了。（十九）

繼鶴齋譚劇

孫菊僊的八張唱片

東園

刀馬旦余紫雲（叔岩祖父），青衣正旦時小福（慧寶之父），老生德健堂，雙克庭等，皆爲一時上選。開鑼之日，孫以絕傳桑園寄子打砲，響絕菊壇。是日票座立無虛席，與三慶對壘。三慶大老板程長庚，重登氍毹，貼演拿手傑作戰長沙，售座寥落奇慘，未幾輟演。金塔乃外走碼頭，由東北以至上海灘，未年餘而走紅，以空城計，賣黃驃馬名大江南北。孫在京津，獨霸菊壇，曾經滬上禮聘，博得當地人士之歡迎，逢場必滿。

時上海道呂海寰，與孫菊僊過從甚密，上海物克多唱片公司經理，因名角唱片殆已應有盡有，獨孫者尚付厥如；又以孫有「三不」之諺，不照像，不收徒，不灌唱片，明知聘請灌音，不啻緣木求魚，乃秘商於呂，乘孫年終需欵孔急之際，勸彼錄音；又經其琴師徐慶波（長腿大徐），從中促成。孫謂錄音免刊余名則可。後來坊間謠傳，孫片係呂月樵模仿者，固非空穴來風。所灌唱片八張，較普通爲大，徑凡十二寸，鋼針雙面錄，盤心貼藍光紙簽，印銀字，上欵週邊印「物克多唱片公司發行」（按「物克多」即老勝利公司），簽中印洋犬坐聽留聲機喇叭商標，正欵印「特請京都名角演唱××劇」等，左右分印重金禮聘四字。有謂當時原音係錄在蠟筒上者，後經翻版，存疑可也。維時市價每張售銀四兩，亦奇昂矣。

孫片余藏其七，勝利後，津中央電台台長孫國珍先生，曾情商每星期在該台播述一次，深得三津人士收聽者之賞讚。各片劇目，就記憶所及，七片十四面，計「雍涼關，七星燈，托兆碰碑，文昭關，魚藏劍，探母見娘，烏盆計，雪盃圓，三娘教子，喜封侯，搜救孤，硃砂痣，桑園寄子，逍遙津等十四齣。

「七星燈」爲大段二簧慢三眼：「數高皇，創漢業，承平天下；至孝平，方五載，喪了邦家：」全段悲壯蒼涼，耐人尋味。「托兆碰碑」則爲「金烏墜」至進帳「深山中朔風兒冷冷颼颼」句。全段劇詞精鍊意切。尤以回龍句，不似一般之由哭兒起，開口即以憂國情緒表出，實較高明親切。其句爲「內無粮，外無兵，好不憂愁」；以次「兩狼山，打一仗，失機敗走；到如今，困蛟牙，出入無由。我悔不該，命七郎回營請救，怕只怕潘洪賊想起前仇」。（二）

海嶠譚薈

科舉軼聞（一）

諸葛文侯

舊時的科舉制專以文章取士，政府按其科甲類別與等第，使獲雋士子各享有相當祿位，決無向隅之嘆，制度謹嚴，信用昭著，視今日的文官考試情形，有足多者。所謂「十年窗下無人問，一舉成名天下知」之說，并非虛語。

科甲中最高貴的一級就是進士及第，俗稱「點翰林」，其中又以一甲進士及第的一二三名爲更榮譽的，即所謂狀元，榜眼，探花是也。第四名列爲二甲的首座，名曰「傳臚」，位居三甲的就叫作「賜同進士出身」，近代名人曾國藩便係三甲進士。

投考進士的資格只限於各省暨京兆區域的舉人。定例：這些士子的文章由特派閱卷大臣分別取錄決定後，將前十名的文卷進呈皇帝審核欽定，方可拆開密封，依姓名次序公佈之。皇帝對於閱卷大臣所擬定的等次，很少變動，唯滿清光緒乃有破例，予以移易的情事發生，如吾湘進士及第的陳榮爵，已由閱卷大臣銓衡爲第一名的狀元，光緒帝臨時將他移到第四名，而以原列第四名的駱成驤升爲狀元。原因是駱的對策文章首兩句爲「臣聞殷憂所以啓聖，多難可以興邦」，這時光緒帝正想變法圖強，有所作爲（事在戊戌政變以前），見着這兩句文章甚符「宸衷」，大加激賞，而陳榮爵的狀元乃告吹了！同樣情形，某科進士及第的原列第一名王國鈞，因慈禧太后於拆開密封時說了一句「這名字多麼難聽啊！」——諧音如「亡國君」三字——臨時亦就予以改變了。名字居然影響到人生的前程，殊出意外。

公佈進士及第名次的方法亦很特別，事前擇定日期和時辰教預試的人羣廳集宮門正殿前跪候消息。屆時，皇帝升座，先由太監高呼入選二甲第一名（即第四名）的姓名，謂之「傳臚」，然後將狀元，榜眼，探花這三人名單遞給「傳臚」手中，教他進跪於皇帝御座前方，按名次大聲唸讀，俾衆週知，即告禮成。至於其他的及第進士，另由皇帝召見一次，再以上論分別授職任官，或派任各部主事，或分發各省即用知縣，俗稱這類候用知縣爲「老虎班」，封疆大吏不敢有所扞格稽延，否則便要交吏議，受處分的。

據陳榮爵鄉前輩談，他當年在宮殿前跪聽進士及第消息之際，首聞太監高呼他的名字，以爲自己眞是中了狀元，喜不自勝。繼而太監教他向前跪，遞給他一張紙條，上寫着一甲進士第一二三的姓名，然後輕聲對他說道：「皇上就座在上面，你要按照名次，大聲誦唸」。這纔知道狀元公另有其人，自己是個第四名的「傳臚」而已。陳氏長沙人，聲帶先天就有些沙音，他用長沙語音讀了三位高中進士的姓名後，距離稍遠者皆不明白究竟是何名字，皇帝更不會聽懂呵！陳氏又說他這次在京城目擊着狀元騎馬遊街的現象，殊堪發噱。狀元公只是騎着一條驢兒，前面由太監雇用兩名乞丐，掌旗，行行進市街中，并不如世俗所想像的那樣熱烈熱鬧，祇不過虛應故事罷了。

陳榮爵寫小楷極工整而精絕，光緒戊戌年康有爲在北京的「公車上書」，就是陳氏繕寫的，當時內閣大學士翁同龢見之，贊歎不已，詳詢係出自何人手筆，認爲奇才云。

覺齋藏書贈台北市立圖書館次文訪韻

李騰嶽

向往京華叟石渠。今看萬卷被鄉閭。
早同鄴架珍叢璧。豈必神山覷佾輿。
病起情懷貫胞與。老來蹤跡寄林於。
朶雲遺我驚人句。絕異尋常尺素書。

覺齋詞長寄示贈書唱和詩次韻

曾今可

散步春堤狎綠渠。歸看珠玉躍窮閭。
無慚共許陳驚座。頗似今之陸接輿。
惠彼後生欽慷慨。快余先睹幸依於。
莘莘學子穿秋水。待讀珍藏所贈書。

三 吳清雙方軍事部署

三桂原以滇蜀阻隘難進，非舉兵之地，擬行至中原而後發難。惟以廷臣催其進京急，恐遲延失機，乃於是年十一月二十一日以復明爲號召，自稱天下都招討兵馬大元帥，舉兵北伐。同時貴州巡撫曹申吉，提督李本深；雲南提督張國柱等皆起而響應之，聲勢撼動中原。其進軍分爲兩路，一路命其部將王屏藩率軍進四川；一路命馬寶自貴州出湖南。

迄十二月中旬，清廷聞變後，即一面詔令閩粵兩藩勿撤，以孤三桂之勢；一面作如左之軍事部署：

一、先遣都統巴爾布等率滿州精騎三千由荊州守常德；命都統珠滿率兵三千，由武昌赴守岳州，以遏三桂東進湖廣之路。

二、命西安將軍瓦爾喀率騎兵星夜馳赴四川，以絕三桂自滇入蜀之路。

三、命都督尼雅翰，赫業席，布根持，穆占，佟國瑤等分赴西安，漢中，安慶，袞州，鄖陽，汝寧，南昌諸戰要地駐守，聽命順承郡王勒爾錦爲寧南靖寇大將軍，統帥諸路進剿。

吳三桂抗清之戰

華雲

清廷作如上部署後，至翌年二月，復以陝西地當重要，刑部尚書莫洛爲經略，率滿兵駐紮西安，併假以便宜行事，會同該地之將軍總督，相機進取。蓋清廷之戰畧，以荊州與西安爲軍事策源，南扼常德以阻三桂軍之東犯；西遏三桂軍進擾西北之企圖，此項戰署決策，甚是。

四 吳進軍中原與六省响應

康熙十二年終，三桂東進之軍攻克沅州，清總兵崔世祿被擒；翌年一月三桂東路軍主力，張國柱，龔應麟，夏國相等大軍繼進，於是，清湖南提督桑額自澧州退夷陵（今湖北宜昌），巡撫盧震棄長沙而遁。二月初旬清廷派遣駐岳州、常德之軍，巴爾布，碩岱，珠滿等，亦以三桂軍進展之疾速，與士氣之銳，至荊州，武昌後，不敢再進。因此，常德，長沙，岳，澧，衡等地四府一州，先後陷於三桂之手。三桂已下湖南，乃即四出宣言，以復明爲號召。於是，廣西將軍孫延齡，提督馬雄；四川巡撫羅森，提督鄭蛟麟，總兵譚洪，吳之茂；襄陽總兵楊來嘉等，據各省響應之。越月耿精忠亦舉閩省響應，鄭經亦於五月自台西渡配合反清。僅數月之間，六省均復，各方響應，聲威所及，中原震動；清軍駐荊，襄，武，宜諸郡者，亦均莫敢攖其鋒。

唯三桂至此，既不東進畧取金陵，以爲北進之根據，更不圖乘勢乘機，銳取中原；而僅命其將分扼岳州、洞庭峽口之機，佈防禦之策，坐失振奮之氣勢，致失可乘之機宜。三桂之眞才，於是畢見矣。或云：三桂以子孫俱在京師，冀免被誅；雲貴根據地，亦不願輕棄。因此徘徊湖湘，竟妄圖清廷裂土議和，劃江爲國，其才智之短淺，氣魄之衰弱，豈是成大業立大功者？爾後三桂破滅之機，即自種於此。（二）

貂蟬

——「影劇與歷史」之四

周遊

貂蟬是我國古代四大美人之一，她那美麗的代名詞是「閉月」。與西施、昭君、玉環並駕齊驅。如論她的智慧才識，可以說是駕乎三者之上。在戲劇舞台上和小說中，貂蟬表演得更精彩！而今「貂蟬」由舞台、說部，又搬上了銀幕，更見有聲有色，引人入勝。

可是四大美人之中，惟獨貂蟬一人「不見經傳」。她在三國，尚爲一位撲朔迷離的小姐，至少她周圍繞着一層漫漫的薄紗，看不見她的廬山眞面目。然而她活在大家之心目中的，又好像呼之欲出的一樣。眞的，三國時究竟有無此一美麗的動物？或者全係揑造？是値得探索的一個謎。

提起了貂蟬，就離不開所謂「連環計」：這一部戲，她就是其中的女主角。如果沒有她，可能董卓就殺不了。那麼董卓再加上一個呂布，就好像「如虎添翼」，若再加上一個學問淵博的蔡邕，三國的歷史可能將已改寫過了。但貂蟬是否有其人？

如說有，她的芳名用不見經傳。如果說根本是小說的揑造，那麼在「三國演義」未成書之前，她何以就活在人們的心目中呢？在元代的雜劇（三國演義之前），早已把她搬上舞台。還有詩人筆下的「傳粉女郎大旗下」的她，在呂奉先的身邊，她是誰？在董卓中的少妻，和呂布傳中的「與婢女私通」的婢女，和董卓的中閣內的婢女又是誰？元人雜劇中所記載的：「貂蟬本忻州任昂之女，小字紅昌」是憑空虛構呢，抑正是貂蟬小姐的倩影呢？如硬說她不存在於三國時代，那她眞可算得是一位「無名英雌」了。

根據董卓傳的記載：「卓嘗使布守中閣，布與卓侍婢私通。」此一侍婢，是否爲王允所遣？値得來一個「大膽假設」：是的！須知呂布是三國一位漂亮的美男子，而且武藝高強，又是一個將軍，使董卓的聲威，可說是令人羨煞的人物；他爲什麼偏偏看上了董卓中閣內的一個婢女？而「布又恐其事洩，心不安」？此點在三國志董卓傳中記得明白，只不過沒有書名其爲貂蟬而已。須知，在史家的筆下，如此類女人是很難把她寫在傳中的。再以實情而論，該一侍婢如果長得普通，董卓大可以把她賜予呂布，呂布也不必「心不自安」了。照此以度其情，此侍女應不是等閒人物！（一）

妲己與炮烙

周燕謀

武王便問道：「此銅柱乃是何物？」子牙道：「此銅柱乃是紂王所造炮烙之刑」。武王道：「善哉！善哉！不但受刑者甚慘，只今日孤見之，不覺心胆俱裂。」

炮烙在中國古書上的記載是很多的，茲列舉以觀：

史記殷本紀：「紂乃用重辟刑，有炮烙之法」。集解「列女傳」曰：「膏銅柱下，加上炭，令有罪行焉，輒墮炭中。妲己笑，名曰炮烙之刑。」索隱云：「鄒誕生見蟻布銅斗，足廢而死，於是爲銅烙，炊炭其下，使罪人步其上」。與列女傳少異。又史記禮書：「紂剖比干，囚箕子，爲炮烙，殺無辜」。

韓非子：「紂爲炮烙，以傷民性。」又「文王侵盂克莒舉酆，三舉而紂惡之。文王乃懼，請入洛西之地，赤壤之國方千里，以解炮烙之刑，天下皆悅。」（三）

內政部台報字第〇三壹號內銷證

自由報

THE FREE NEWS

第五四三期

中華民國僑務委員會頒發
台教新字第三二三號登記證
中華郵政台字第一二八二號執照
登記爲第一類新聞紙類
（半週刊每星期三、六出版）
每份港幣壹角
台灣本售價新台幣弍元
社長：雷嘯岑
督印人：黃行審
社址：香港銅鑼灣高士威道二十號四樓
20. CAUSEWAY RD 3RD FL HONG KONG
TEL. 771726　電報掛號：7191
承印者：田風印刷廠
地址：香港灣仔高士打道二一二號
台灣分社
台北市西寧南路壹壹零號二樓
電話：三〇三四六
台郵撥儲金戶二五二九

從大馬糾紛看世局發展

洪江

以日本首相佐藤榮作的特使之名義，先跑耶加達，再趕吉隆坡，之後還到曼谷打一轉，進行活動，想把蘇加諾與東姑拉曼兩人拉攏撮合，本月初間，在東京來一次高峯會談，以期和平解決大馬糾紛的川島正次郎，現在看來，他的使命，十九已經告吹了，雖然川島還不曾正式的承認失敗——應該說是日本政府尚未承認失敗。

其實，即使蘇加諾與東姑拉曼，這次眞的在東京會談一次，要說便可使得雙方糾紛，得到和解，任何人均知其無異痴人說夢。此中關節，日本政府自然看得很清楚，川島個人，亦未嘗不心裏有數。明知其事不可爲，而却貌似作古正經以爲之，說穿了，無非假戲眞做，藉求從中漁利而已。當然囉，設使居然而弄假成眞，他們就更加得其所哉了。

這就是所謂國際政治。而整個大馬糾紛，自開始以迄現在，更就是今之世局的一個極好的具體而微的縮影。它既有共產集團的處心積慮，亦有自由世界的瞻顧徘徊，同時亦不缺乏投機份子的取巧利用，欲求獵得若干「現實利益」，而把公理正義等等，置諸腦後。至於因此最後難免把大局弄到不可救藥的境地之事，則彼此彼此，都是完全無所容心的。

大馬糾紛雖說是今之世局一個縮影，但以正常人的正常眼光視之，它却畸形極了，好像：

第一，印尼與大馬之間的關係，固然勢難兩立，不但早已超過「冷戰」的範疇，甚至亦已踰越了「溫戰」的格局，但却儼然還算不得「熱戰」已在進行之中。

第二，雙方一方面已撕破了臉，兵戎相見者幾已二年，互有死傷，蘇加諾印尼派遣小部隊進侵大馬，已不知有幾十百次，被大馬所俘虜的印尼兵，去年十一月的數字，便已超過兩百名。但一直，雙方均極力諱言戰爭之不足，更時常自欺欺人的散放和平空氣，一直不會關閉「和談」的門戶。即如川島此次的奔走，據說東姑拉曼與蘇加諾，均曾對他表示過「誠懇的願和心意」。在這方面，蘇加諾的表演，更特別有聲有色，淋漓盡致。

第三，在這場已經很死了些人，今後還不知將有多少條人命會繼續犧牲的糾紛中，「小人動手」的，一直祇限於蘇加諾印尼單方面，它永遠掌握主動，要打便打，要不打便住手，大馬則始終祇是消極的兵來將擋，而且決不「入侵者」加以越境追擊，較例外的兩次，祇是去年十一月與本月，大馬曾經派出飛機前往印尼投放傳單之類的宣傳品；因其所投僅爲「紙彈」而非炸彈，故基本上大馬仍不失其爲「君子動口」的風度。

亦就因爲糾紛有着畸形的特性，隨而亦就不斷的表現出種種光怪陸離、似是而非的觀念與行動。而這些，儼然又以大馬本身，以及同情大馬、甚至實行協助大馬防衛國土的國家，表現得出色當行。這些怪誕而錯誤的觀念與行動，舉其尤顯著者，便得下列：

（一）硬不肯承認雙方早經劍拔弩張的局勢是嚴重的，尤其絕不肯承認，一場似模似樣的戰爭已經殆難避免。

（二）硬不肯相信蘇加諾早經說過不知若干遍的要「粉碎」大馬的狂言是認眞算數的，反之總在自我陶醉的以爲，祇須多少給蘇加諾若干好處，後者便可以滿足了。大家始終在那裏幻想：總有一天，蘇加諾是願意坐下來談判，從而使糾紛大事化小，小事化無的。

（三）站在大馬身後拔刀相助的國家，如英國，如澳洲及紐西蘭，它們所願意承擔的「義務」，顯見祇限於協防大馬而已。印尼不打過來，它們便感到萬事大吉，它們是絕不會打過去的。另外如美國，它一開始便是同情大馬，目前且給了大馬若干象徵性的援助，但拖泥帶水，扭扭捏捏，生怕惹得蘇加諾不開心。甚至如英國與美國，即使天天被印尼「羣衆」指爲「帝國主義」，使館被搗毀，國旗被扯下，新聞處被焚，以億爲值的投資企業被沒收，却還要逆來而順受，唾面自乾。

（四）大馬糾紛的眞正對手方，明明是共產集團，毛共有份，蘇俄亦有份，但英美總不願公然揭穿之。而蘇加諾印尼，更明明已經同共產集團密切勾結，甘心做其馬前卒，而且公然實行賣命動手做其火中取栗的猫脚爪了，但美國甚至英國却一直不重視這個「現實」，而繼續做其一廂情願的大夢，極力做工夫，硬以爲還可以把它拖得轉來或收買得過來。

（五）若干別有用心的投機國家，即如日本，則以「第三者」的姿態出現，奔走其間，大賣力氣，說是希望雙方和平解決；但無非是兩面討好的，一以自高身價，再則以取得貿易的利益，爲能事者。在這方面，還是美國始作俑者，去年年初，小甘迺廸就曾以詹森特使的身份，東來大肆活動，比這次川島正次郎還要表現得「熱中」。

凡此種種，充分的表現，共產集團一直處於主動進取的地位，自由國家則大禍臨頭，還自我逸樂宴安，僅重視眼前貿易小利。戰後約二十年來的歷史，亦正是如此。但有必需清楚的指出：大馬糾紛的現狀，對共產集團與印尼絕對有利，對自由世界與大馬，則有百害而無一利。這種局勢繼續拖延下去，利與害的增加將絕對是與時間成正比例的。以眼前而論，受命於共產集團的蘇加諾印尼，其「粉碎」大馬的行動，固然是小規模的，滋擾性質的，五六萬馬英澳紐軍亦儘有能力從容應付。但是總有一天，印尼派兵入侵的規模會加大，頻率會增劇，到那時候，大馬將感到難於招架，現有五六萬馬英澳紐軍亦將爲之疲於奔命。而且由於大馬糾紛并非孤立事件，它可以影響別的國家、別的地區；別的國家、別的地區可如影隨形的同樣變化。好像越南之戰，其不幸更加惡化了，可以斷言，還祇是「小抖亂」的蘇加諾印尼，便會「大舉」爲禍了。那時的局面如何，美國英國亦曾想到并計及不呢？爲什麼一定要等大禍鑄成再去尋求解決應付之道呢？

有機可乘

不知危險

今日與明日

洛奇訪華

美總統特使洛奇到台北訪問，曾兩度晉謁蔣總統，討論越戰前途。洛奇爲美國傑出政治家，艾森豪威爾總統任內曾担任駐聯合國代表八年，對於維護中國代表權，曾出了大力。所以洛奇不但是我們的盟友，還是患難之交，對於他此時來華，決不能等閒視之。

洛氏曾與尼克遜拍擋競選副總統，失敗後被甘迺迪總統任爲駐越大使，對越南情況也有相當了解，此次受命訪問遠東八國，自必有重大成就。

釜底抽薪

今天整個世界的禍根是毛共，不但在越南，在寮國，在非洲，在拉丁美洲均受到毛共之害，甚至東歐的保加利亞最近發生流產的政變，也與毛共有關。所以毛共已成爲舉世公敵，要想世界長治久安，非剷除毛共不可。

最重要的一點，要提醒美國當局的，毛共今天羽毛尚未豐滿，本身無力製造飛機、軍艦、潛艇，更不能製造核子武器，已經猖獗到如此程度，若假以時日，所有重武器全部能自足自給，如今日的蘇俄時，東南亞是否還有寧日？美國到時又當如何？退出東南亞呢，還是冒着打一次核子戰爭？與其到了那個時間進退兩難，何如此時先發制人？

圍堵與報復

二次大戰後，美國對共黨政策有兩種：最初是圍堵政策，設計人是美駐蘇大使肯南；以後則是報復政策，設計人是前國務卿杜勒斯。圍堵政策結果，已經關入鐵幕的國家固然無法自拔，而鐵幕邊緣的中國大陸、北越與北韓，也都相繼淪陷。因此杜勒斯重新釐定政策，改圍堵爲報復。可是，政策雖然確定，美國當局並未認眞執行，只有這次的轟炸北越，算是具體而微。但是，美國並未找出主兇，眞正發蹤指使的是毛共，要報復就要從毛共起。光是炸越共仍然是不夠的。

支持國軍反攻大陸

眞正一勞永逸，解除遠東共禍與人類浩刦之道，就是美國以海空軍協助國軍反攻大陸。這本來是最高一着棋，美國當局却始終遲疑不決。過去是恐怕中美一旦採取聯合行動，蘇俄將會參戰；經過這次轟炸北越可以看出，即使國軍在美國支持下收復南京、上海，蘇俄也不會行動。蘇俄假若會有行動，將是在毛共崩潰時乘機出兵攫取中國東北及新疆，其用意也並非支持毛共，只是爲了侵吞中國的領土。那將是另一回事，與世界大戰更無關了。

（何如）

自由談

題外的話

台灣基隆地方法院檢察官當庭拘押該市議員張子歧案，引起軒然大波，向未平息，其中是是非非，一時不易判定，因爲張子歧被控誹謗，以及張氏提起自訴等問題，正在法院偵訊之中也。但有兩點題外的話，值得談談。

司法行政部於事發後兩天內，一面將該檢察官戴玉山調離基隆地方法院，同時對於戴氏誤拘汽車司機的瀆職行爲，移付公務員懲戒機構處理，可謂眼明手快，處置得當，無形中消弭了若干爭議，既示息事寧人之旨，亦彰尊紀明法之意。至於張議員的被控與自訴事件，仍由法院依法進行，不受妨礙，這是對的！無論任何問題發生了，只要大家在理性與法治的範圍內說話，即未有不能作合理解決者。假使司法行政部對該檢察官的過失行爲，稍事袒護，實行官官相衞主義，很可能使事件擴大惡化，而激成意外的後果，那不是「天下本無事，庸人自擾之」嗎？

對於議員在議會發言是否應負法律責任問題，有人搬出過去對省縣市參議會時代的高等法院判例來，認爲議員的言論如果涉及刑事問題，應受追究，這是扯卵談，不足爲訓的。那時參議會時代是訓政之治，那時的法令章制，有許多皆與現在憲政之治的精神大相背馳了。論理：政府於憲政開始之際，唯一急務就要把舊有那套汗牛充棟的法制令甲，予以全盤審核檢討，提出意見，交由立法機關核議，或存或廢，或酌予修改，纔是法治精神的應有措施。咱們忽略了這項基本工作，以致過去在革命、訓政、剿匪、抗日諸階段中所頒訂的一切法令照樣沿用如故，這是對現行憲法的一大諷刺！所以，今日的行政與司法官吏，對人對事採取任何不合理的處置手段，皆有法令根據，無可訾議，決不負違法之咎的。

我始終不明白，行政院早應有「法制整理委員會」，幹嗎不能把舊有那套不合時宜、不符憲政精神的法令規章，加以全盤整理，作一勞永逸之計呢？立法機關亦應該自動的將若干惡法檢核審議，分別廢除，方爲負於人民的委託、期望吧？

馬五先生

檢討台灣省行政座談會

中央既很重視議題份量亦重 害於形式主義所得殊爲有限

本報台灣中部記者熊徵宇

「如何加强交通安全措施以減少車禍的發生」，這項議題，似乎是省府業務會報可以解決的，縣市長們可能提不出在其職權內有效的辦法。

我覺得，討論這提案時有個有趣的插曲值得談談。

這個中心議題由交通處長陳聲簧報告完畢以後，曾任警務處副處長多年的省委陳友欽起立發言，指責陽明山大車禍的發生，不能儘怪別人，交通處也應該自我檢討。陳友欽指責公路局監理所驗車及核發駕駛執照即或沒有收「紅包」，也免不了「人情」。

像這樣的提案，要縣市長怎樣去討論？

改進需要尋求

「改進縣市鄉鎮財政工作」與「貸欵增建國校教室」這兩項，在十二項中心議題中，是比較有成就的，因爲增建教室問題，獲得有八點原則，雖然貸欵的對象還沒有確定。

改進縣市鄉鎮的財政，這兩年來，財政廳在各種方法上不斷的尋求，比如建議中央修正財政收支劃分法把省縣市的課稅收入重新作合理的分配，增多縣市的財源，這案政院已經採納，在立法院審議中。而稅課收入的整頓，縣市補助分配標準的改進，與劃分縣鄉鎮支出的範圍以及改進鄉鎮的財務管理，都下過一番工夫，可以說，實實在在的稱得上是改進。

把那些實施要點告訴縣市長們是有必要的。

一案兩個結論

至於「河川管理規則」辦法，還在行政院審核，等公佈後有討論的問題再說，何況也不是在這密鑼緊鼓的會談中可以搞出結論的。

總而言之，有些問題份量不夠，而有些問題的份量太重，把這些問題湊在一起，要在二天多的時間內來獲得結論是不可能的。

「第一期實施都市平均地權檢討案」，是這次座談會中一項重大的議題，所獲的決議「有兩點結論」：其一是「能否將地價稅之一部份，用以推行都市發展？」將請省府參照辦理。其次是「各縣市局應即設置社會福利基金管理委員會，切實負責保管運用社會福利基金。該項基金絕對不許挪作他用」。

這兩個不同的決議，只是討論都市土地漲價的收入是怎樣用，對於這一政策行政上的措施事項沒有提出深入的檢討。

問題沒有深入

比方說，四月初，立法委員黃煥如、胡純俞、侯庭督等四十二人，在院會中，共同提出書面質詢，指責行政院對都市土地漲價不歸公的措施，以及重訂地價工作，過於草率，有違國父遺教，且與憲法第一四三條規定不符。這種深入的檢討却完全沒有。

固然在縣市長的立場上，面對省府主席，非民意代表對政府官員可比，但是有些該說的話而不說，就「有負選民的負托」了！

但也許是因爲時間不夠。

望能溝通政情

像這次全省行政座談會中，份量太重的幾個問題，可能還要舉行若干次的會報之類會議，而所通過的四十二項一般提案，可能大家已經記不清楚了，所以要求功效，是談不到的。

黃達雲主席決定每年舉行一次行政座談會，藉以溝通地方政情。原則上我們同意有助於省政建設的發展；但是我們願望，明年舉行的全省行政座談會儘量把一般提案減少，把中心議題加强。比如黃主席就任不久，五十二年所舉行的全省行政會議，提出六項中心議題，是比較有充份的時間讓人發言，深入研討的。

這類會議的時間，最多祇有三天，若果把聽處的全部業務報告，改爲重點報告，擇最必要的問題讓縣市長們來研討，所收得的效果一定比較大。

有些會議上的傳統與形勢，我們可以改革，尤其是像這樣的座談會。（下）

今天的立院院長 黃國書原名葉焱生

他改名換姓的經過知者不多 其間隱藏了一段愛國的史實

（本報台北航訊）立法院長黃國書，本來不姓黃，名字也不叫國書，他的眞姓名是「葉焱生」。黃國書是他廿二三歲東渡日本留學時候才改的姓名。黃院長這段頗少人知的秘聞，其間還隱藏着一段愛國史實。

本來姓葉，名字叫做焱生的現任立法院長黃國書，是台灣省新竹縣人。從年輕時候開始，他因爲身受目睹日人統治台灣的痛苦——那時全台灣省同胞，都呻吟在日人的鐵蹄蹂躪之下，過着牛馬不如的生活，於是，一股反壓迫，反奴役，爭生存的志氣，併合着「民族正氣」的激揚，產生出奮發激昂的革命意志，他參加了台灣省的地下抗日活動，獻身抗日工作，抱定爲民族復興而獻身的偉大志願。

當時，本省因在日人的嚴密統治之下，抗日的活動非常困難，而祖國大陸却是推動抗日活動的最好基地。他爲擴大抗日工作，增加抗日效果，初中畢業後，便立即返回祖國，以便能多做一些抗日工作。同時，他在台灣的抗日活動，亦已逐漸引起了日本人的注意，勢非轉移地區不可。因此，他於民國十二年便返回祖國大陸。

國內決策方面判斷，日本人侵略成性，將來中日間難免一場大戰，而日本人又視台灣爲既得利益，資源人力都可取給於此，決不甘心輕易放棄，故將來收復台灣，勢非從事武力準備不可。因此，培植本省軍事人才，實爲收復台灣的必然步驟。

他，今日的黃國書，當時的葉焱生在這一決定的鼓勵下，遂於民國十五年東渡日本，考入日本著名的士官學校學習軍事。可是，他，當時的葉焱生在台從事抗日活動的事，因早已引起了日本人的注意，如果還以這個名字去日，豈不是等於「自投羅網」？爲了逃避日本人的麻煩，這位當時的葉焱生，便改名爲黃國書了。

葉焱生改名黃國書，據說，是有取義的，姓「黃」代表「黃帝的子孫」，「國書」更有明顯意義。

黃國書出生於民國前七年一月二十日，民國十五年東渡日本入士官學校求學的時候，正是廿二三歲的青年。因爲赴日讀書啣有特殊使命，因此特別留心日本各方面情形，加意結納革命志士，爭取革命的動力。所以在日本士官學校的幾年中，軍事方面學術科，他都有卓越的心得。

返國之後，黃國書在國軍中服務，積功升至炮兵中將，於抗日戰爭中，曾立下功勞。

抗戰末期，黃國書棄軍從政，當選立法委員。返台後，立法院長改選，黃氏獲一致擁護當選爲副院長，後來又當選爲院長，以迄於今。

黃國書現在設籍於台北市中山區圓山里四鄰，「黃國書」三字，因其具有歷史意義，且曾沿用至今達數十年之久，故也並未更正過來。

現在是黃國書之名日漸響亮，爲中外人士所共曉，反而是「葉焱生」的本名湮沒無聞。恐怕除了他本人與少數人之外，很少人能知道黃國書這段改名換姓的曲折秘聞。而且立法院長黃國書這段改名的珍貴史實，即使在立法院也只有少數委員知道而已。（吳越、四月廿二日）

愛爾蘭的流動民族

倫敦通訊

在每年春季，愛爾蘭各鄉村的道路上會看見許多流動民族，開始他們沒有目標的旅行。他們所乘的高頂蓬車，由强健的馬匹所拉動。在他們之中，兒童的數目佔大部份，所以非常嘈吵和熱鬧。

有人對那種民族，感覺羨慕，因爲他們好像毫無掛慮，既不要付租金，又不受辦公室的鐘點的限制，沒有規例，在康莊大路上過他們的美妙和高貴的生活。但也有人對他們仇視的，這就是那些流動民族所經過的農莊的主人，因爲那些馬匹會去吃他的穀類，柵欄被打開而走失了他的家畜，他的家禽會被偷走，他的被單和恤衫晒在籬牆內會被人用竹竿鈎走。

流動民族並不喜歡人叫他們做丁加（英語指粗工）。他們會反駁說：「我們是旅行商人，我們覺得榮耀的。」他們是愛爾蘭優秀民族之一，有久遠的歷史。他們的先祖在早期過游牧的生活，其中有的在伊利沙伯一世時代就開始過流浪式的生活，但大多數是在一八四零年間，愛爾蘭發生大飢荒時，離開他們的家園，四出覓食。他們有紅色或金色秀髮，白色的皮膚和藍色的眼睛。他們可以說是住在一個國家內的一個小國家，但沒有人算得出他們究竟有多少人。他們喜歡結羣居住，但沒有人算得出他們究竟有多少人。他們出售馬匹，毛毡，水瓶和馬毛。有些是極爲貧窮，但也有富有的。

他們好像同屬於一種神秘的同濟會，他們能夠很快的傳遞消息，快過打電報。假如有一個人犯重案被帶到公庭受審，每一個親友都會不辭勞苦到來觀審；假如犯人拿不出罰欵，大衆就會解囊相助；當一個人死亡後，他的所有的親友都會趕去參加他的葬禮。當靈柩抬到墳場時，大衆都要用手撫摸它一下，就算不能夠直接摸到，也要去摸一個曾經撫摸過那個靈柩的人。

他們的婚禮很鋪張，富有的人更會在所住的地方的橋頭設一個臨時的酒吧，無限量供應香檳酒給所有的人喝，無論相熟與否都能享受。在一個六時的日子，當他們喝醉酒就經常打架，他們是很公道的，一個對一個；不能用任何一種東西幫助，要赤手空拳。那些聽明的警察會領他們到草地去讓他們自己解決糾紛；假如去干涉的話，不難被痛毆一番。他們還會强調說：「我們沒有傷害到別人，祇是我們自己。好理閒事的人來干涉我們，遭受侮辱是意中事。」

愛爾蘭的流動民族每年在基爾羅珍連城舉行一個大賽珍會，這是一個狂歡的日子，脫胎於古代羅馬人的沙坦尼利亞節。有一隻大山羊被掛上一個特備的高台上，大衆在下面跳舞和唱歌，通宵達旦；有許多因鬧酒而打破了頭顱，也有人醉倒不醒人事。

流動民族不理會禁忌，像在勃蘭地十字架鎮的路邊有一株大樹，放有許多木製的十字架，這是在出殯時所用的十字架，在用過後放在那裏的；他們有時因找不到燃料，竟也會拿來燒的。

集體貪墨案初露眉目 屏東稅處主計主任 胡自新突奉調南投

（本報記者屏東航訊）屏東稅捐處主任胡自新，正值該處涉嫌官商勾結、吞沒屠宰稅鉅欵、集體朋分貪墨疑案，被揭發之際，突被省令調南投稅處服務，而引起此間各界議論紛紛。

屏東稅處屠宰管理員涉嫌勾結屠商、吞沒稅欵朋分疑案，業已於司調局派員調查後，移送法院偵辦中，其案情究竟如何，因負責偵查的機關守口如瓶，迄（四月廿三日）未發表任何偵查經過及案情實況；此間雖有甚多揣測性的報導，然其眞確性的程度仍須有待事實證明。惟案正在進行偵辦的初步階段，而該處主計主任突然調職，使各界人士對案情的來龍去脈，倍增揣測，不一而足。

按屏東稅捐處涉嫌官商勾結、吞沒稅欵朋分疑案，係由於屠宰管理員之一的周步超投案自首而揭破。然而傳說周步超之所以投案自首，係受主計主任胡自新的唆使；甚至連周步超的自白書上，都有胡主任的簽名蓋章；是是非非，衆說紛紜，實莫衷一是。

該官商勾結案之揭破，胡自新究竟因何被懷疑爲唆使周步超投案自首的？據瞭解稅捐處情形人士分析：（一）胡因年屆退休，故近年來對職司之事，甚少過問，一切責任均交由股長負責。爲此，處長伍日藹爲索取有關資料及解決其他問題方便計，遂捨主任而就股長。久之，胡以處長未尊重其職權，自此，不但收回股長代行之權，亦產生與處長間之隔閡，並揚言勢不兩立。（二）稅務員朱潭請調升爲主管宰屠股長職，爲處長所拒，乃懷恨在心，亦揚言走着瞧。正值朱員抱恨失意以際，胡自新乃以同情立場，網羅朱員，蒐集有關屠宰資料。（三）案在財廳接獲秘密檢舉，派員調查時，外間正風風雨雨之際，胡自新曾將案情翔實地向卜居此間某國代述及，同時言下頗有務必檢舉揭發之意。

基於上面的三點傳聞，也許正因言者無意，而聽者有心，致被疑爲檢舉人之一了。

不過，據某些人士的分析：大家都一致認爲胡自新乃是失敗者。其失敗的主因是既不以和平相處（三不管），又沒有妥協辦法（管而不認眞），更沒有具體而完整的一套（指管到底與幹到底的辦法與精神），所以衆認他的基本立場未能確定，致遇事紊亂，而不知何取何捨，乃造成整人不着，反被人整的結果。（袁文德）

由天地萬物到人 ——新道統的宇宙論

（論道統第五章）

陳健夫

究竟如何達到眞元之境？別無妙訣，唯有以智識爲實筏，思想爲南針，教育爲過程，走入智慧門，登眞理岸，便歸眞元境；方得認識眞元至理，運用眞元極則，處處了當，隨緣而了，隨遇而安，便自解脫諸苦。

從時空流轉中的萬象看此宇宙，誠然如佛家所稱爲苦爲空爲無常爲無我，（佛門大師多以此四事爲人生現象）。但從眞元學理看此世界，一切都得到眞元之氣，不生不滅，常住常在。此宇宙中仍有非苦非空非無常非無我的實有存在。否則此世界未免太殘酷黑暗，人生未免太悲哀可憐。由於實有非空非無我，乃顯得宇宙一片光明，人間充滿生機。

眞元之爲氣，是活潑生氣，是浩然正氣，乃極樂非苦，實有非空，有常非無常，有我非無我。天地萬物以至人類皆在此眞元主宰之下，運行不息，生生不滅。此即儒家所謂：「天行健，君子自强不息」的道理。此中有眞趣有妙諦，非片言可盡，姑以待來學者的領悟。

六、新宗教的開端

我今天所發表的眞元學理，乃是眞爲神學，哲學，科學，澈上澈下，一以貫之的。從小處細節看，這三種學問似乎是矛盾，但從重要關鍵看，却是一致的。只有一知半解的人，才各執一偏。

基督教謂有眞神創造宇宙、及萬物人類，其事見於創世紀，宇宙的造化無論如何是奇妙的。雖然康德曾聲稱自然界外觀的設計，并不能確證明上帝的存在，但如此奇妙的宇宙，究從何來？這究竟是一個大謎。「自然如何使人類進化，以及造化的原因是什麼，我們均不得而知。」這種本體究如何，康德亦稱不可知。孔子也說：「未知生，焉知死。」可知孔子將此未知者稱爲鬼神，所謂「敬鬼神而遠之，」可知宇宙原有此本體，而人不能知道。人類對這種不可知的存在，可見其智慧之高，眼界之廣，胸懷之濶，無以名之，而稱之爲「神」。此亦出乎人的本性，是生而有之的。如人遇患難則對神祈禱呼救；如孩童跌倒，必叫爸爸媽媽，同一心理。基督教說有神，不能拿出證據，但其理可通。我今天發明的眞元學說，也可以說，便是在學理上發現了神的存在。我所發見的創造宇宙的眞元，此本體的背後若非神的設計運用，是不容易造化至於如此神奇微妙的哩！眞元本體如此高明微妙，生養萬物，創造世界，人不可知，惟有神而明之。人們對神而明之的存在，尊之爲神。至於這位神如何創造世界，如何生養萬物，這秘密不易爲人所盡知。神學上可說上帝六日造天地萬物，科學家也可說一切都經過進化程序而創生，哲學上可以「道」來說明宇宙的創始發生，各有一得之見，即足以成其說。

眞元透過人的意識表達出來，於是而有宗教，道德，哲學；於是而有神，佛，聖人，哲人。前者爲人類的理想與模範，後者則爲人類生活的規範，社會的規範。人類自最初，即敬畏眞元，或奉之爲神，或尊之爲天，或稱之爲佛，皆是得眞元之景，得眞元之氣，感而遂通。名雖不同，其實則一。皆是就這個眞元本體有所發見，得其奧妙。

基督教的聖經記載神如何造化天地萬物，可視爲神的啓示，神的語言，以堅固人類的信靠，自無不可。但如一定確認神即是如此這般創造世界，則又未免渺視神的大能了。因爲神的造化大能，非人所盡知。人所知者，不論神學，哲學，或科學，都是微乎其微的。人只是一知半解而已。雖聖賢仙佛也只是一知半解而已。全知全能的只有一位眞神——眞元。

（十四）

岳武穆祠墓遺蹟小考

李仲侯

殿左有一樓，上供武穆考妣隨國公和及姚太夫人神主。右爲銀瓶閣，中塑武穆女銀瓶像；殿柱及照壁各有一聯，前者爲：「忠烈出重闈，抱恨父仇兼國恥；馨香隆百代，咸推孝子亦貞臣」。後者爲：「虎女甘隨親入地；蛾眉不與賊同天」。未著撰人，頗見氣概。

正殿兩傍，各有廂房三楹，左爲管廟人所住，右供武穆五子雲、雷、霖、震、霆神主，即所謂五侯祠。門廳左側並豎有穹碑一方，詳記民國卅一年修廟經過。查程崗僅居民百有餘戶，較周流尤小，其破敗程度亦更甚；然一代精忠，實生其地，懷古幽思，有令人低徊不置者。

精忠廟在湯陰縣城內西南隅，其地即名岳廟街。按湯陰雖武穆梓里，然因地非宋有，故由金迄元，祀典不舉，僅爲人於南關外立廟私祀，規模狹隘，制度未稱。明景泰元年，學士徐有貞出鎭彰德，因祭武穆先塋，奏請立廟如錢塘之制。由湯陰縣教諭袁純率士庶勸捐落成，賜額爲「精忠之廟」，徐有貞爲之記。厥後弘治十年，天啓元年，先後由邑令周鎬、楊樸廣其制度，並開拓殿後基地。有淸一代，亦屢加葺治。最後重修爲民國廿五年，迄今將卅年，中經戰亂，重以共匪蹂躪，其廟宇能否猶在，未可知矣。

湯陰岳廟，殿宇宏偉，與西湖岳廟可以媲美。計廟門外東西兩側各有牌坊一座，題「宋忠武王廟」。正中爲門廳三楹，額題「靖魔大帝」。入門爲肅瞻亭一座，亭內舊豎乾隆御製詩石碑，惟現已移置大門外左側。肅瞻亭左右並各有小亭一座，以備遊人憩息。正中爲大殿五楹，中供武穆塑像，傍有二將立侍，一捧印，一執旗，傳即張保、王橫。大殿兩廡並各有廂房四楹，惟其內已空無所有。大殿之後爲寢殿五楹，中供武穆夫婦塑像。寢殿東隅爲考妣祠三間，中供武穆考妣神主。西隅爲孝娥祠三間，中供武穆女銀瓶像。東廡爲長子祠三間，西廡爲四子祠三間，分供武穆五子塑像。

（十一）

漢文，漢字，漢學

陳曼卿

爰楚武始强（元前八世紀末）乃在春秋初葉，自此已受周之文化浸潤。後之楚莊霸業（元前七世紀末）猶有王孫滿（周）「問鼎」事，稍後敗晉師於「城濮」；莊王一再引用「周頌」之文，是即感染習誦已很久了。元前五一六，又有周考王弟，挾典籍奔楚。前後近約四百年的文風，乃能誕育此種繁富縣密，一代辭賦之風格。所以西漢時之賈誼，長卿，枚乘，子雲，莫不受其薰陶，相如，楊雄，子淵，更是一方之學，得其精髓眞傳。東漢崔、張衡，蔡邕等刻意賦，力追前賢，就是戰國以後文學，亦頗受其影響。實爲（楚學）對於漢代學術（除五經之外）關係至爲密切，故在這裏加此一段爲之說明。

經學以外的漢代學術

史遷述其父談：「六家指要」，分先秦學術爲「陰陽、儒、墨、名、法、道」。是即楚學猶散文一派，當推苦縣之「老子」爲代表了。近人說「老子」書成於戰國，而其學盛於漢初，應自曹參（相國）始。當文、景之世，帝尤好尚黃（帝）老（子）之學。儒學幾至無法抬頭，是爲漢初儒，道學術之爭的一段時期。

他如「策論」，則賈誼、桑弘羊、晁錯、淮安王劉安、桓寬、桓譚父子等爲代表。「東方朔諸人。陸賈、鄒陽、枚皋、古文」如王褒、陸賈、東方朔（枚亦近似）又自成一派。尤以史遷通古今之變，思前賢，述往事，豈甘爲前哲之奴（不爲前人所愚，）成爲一家之言，創爲「史記」，竟成了一部古代通史。迨及後漢彪、固、父子，踵摹其體，別爲「漢書」。女（昭）復就東觀繼之，乃成第一部斷代史的前漢書。

兩漢哲理：如揚雄「太玄」，王充「論衡」，王符「潛夫論」，仲長統「昌言」。太玄：實仿「易」之體裁而爲，但以不曾僞古、託古，故難爲當時所重。論衡：頗異儒學思想改革，與董仲舒則反是。其釋物、正時俗、別嫌疑、乃首倡「天演進化」者，破除「五行、讖諱」的創始人，實亦漢代大論文家。乃後蔡中郎得其書，謂爲「卓越諸子」。潛夫論：則昌「民本」，是孟子的漢代繼承人。昌言：乃爲當世言其所欲言之意。尤以張衡「渾天儀」，含「地動學說」，實爲我國古代與近代西方媲美的學術成就。惜其後無繼起者，而發揚光大，數爲絕學！至此學術浩瀚兩都。舉凡政治，經濟，宗教，思想皆備。他如張蒼、耿壽、尹咸、劉歆、張衡、馬續、鄭玄等。皆精孔子「六藝」的最後一門「數」學的人。再如張仲景、華陀、之醫。繪事中稱著者，首推宣帝時之「麒麟」，光武之「凌煙」二閣。迥爲史家備述的石刻，前章論「漢字」時已有說明，這裏不再提了。無專著人名的五、七言詩，亦起自漢代。「古詩十九首」當非一人之作。「李陵，蘇武，的酬答五言，有人疑爲後人所擬。七言則始自孝武「柏梁臺」。漢末蔡琰（文姬）歸漢之作，三篇中其一或二方眞，最少有一篇是另一由胡地逃還者擬作。統觀兩漢學術以及應用文體，不外散文、韻文、駢文、三種。駢文實開兩晉及南北六朝以後之來學。我們如果承認春秋戰國時的思想最發達，對兩漢的學術，自亦不可忽視。

兩學以後的經學

從漢代以後的文字記載，知道遠在戰國初年，平民學術興起，一時蔚爲風尚。百家踵事爭華，競鳴其學。秦六世倂强，咸皆憑藉中原學術以起家。始皇任用李斯，亦滅六國，此後就不許再有如先代的「言論自由」了。秦火藉火後，舉凡六經，百家語，方策之類，皆無一幸免。雖僥倖或存，然而都成一些斷簡殊篇的書了。（三三）

動物農場

英George Orwell著　陳其芝譯

第六章　豬蹄下的臣民與工業失敗

黃恩柏先生遵守約規，每星期一都到動物農場來一次。他嘴邊蓄著小八字鬍，身材短小，看來是一個足智多謀的奸滑人物。在處世待人方面，他表現的很像個法律顧問。他有先見之明的智機，認定「動物農場」一定會需要一個經紀人，而且這筆佣金也必然可觀。農場上的動物用一種畏懼和警戒的眼光，看着他來了又去，都盡可能的避免和他接觸。唯有拿破崙四足落地的站着，面對黃恩柏先生講話，黃先生則兩脚站立，用一種驕傲而又合作的態度應和著拿破崙新的安排與協定。現在動物農場和人類的關係與以前大不相同了。但人類對於現在正繁榮起來的「動物農場」的仇視觀念並未減少。每一個人都相信「動物農場」遲早非破產不可。同時他們也認爲風車的興建工程也必然失敗。他們曾相聚一起用圖表來證明風車必然倒塌的原因。否則，即使能完工，也不會引發動力。但是事實的表現正與人們的想法相悖，所以他們對動物們自己處理事務的能力與表現，不得不另眼相看。最顯著的事實證明是人們承認「動物農場」是名符其實的動物農場。再也沒有人以「大莊園」來稱呼它。而且對於鍾士先生奪回莊園的願望也不再熱心擁護，所以鍾士先生也就放棄了希望，在縣境內另覓居處去安身了。「動物農場」到目前爲止，除了由黃恩柏先生的經手外，幾乎還沒有與外界發生過任何接觸。但外界一直流言四佈的說，拿破崙正計劃和皮克湯先生的狐木農場或者非烈特先生的頻園農莊訂定貿易協約，事實上還眞沒有這類事情。

就在謠言滿天的同時，猪同志忽然搬進了農舍的屋中居住，並且在那兒定居了下來。動物們又再次憶及革命初期是不是也沒有通過這項規定；禁止動物居住房屋。但是牠們又再次地被斯奎勒的辯才所說服，相信事情並不像牠們想的那樣。斯奎勒說：猪是農場裏的首腦，牠們必須有一個安靜的工作環境。而且以一個領袖的身份與尊嚴（最近牠們開始尊稱拿破崙爲領袖。）住在房子裏比住在猪欄裏要適合得多。不管怎麼說，當動物們知道猪同志在厨房裏進餐，在客廳遊戲娛樂，並且在床上睡覺休息時，大家都表示不安與憤慨。只有白克薩像以往一樣的習慣，說一聲：「拿破崙永遠是對的！」就完事。但是克勞芙覺得確確實實地記得有一條規定，不准動物睡在床上。於是牠跑到大穀倉想來對照一下「七誡」的條文，誰知牠現在除了認得幾個字母外，就祇有瞪眼的份兒呢！只好又去把莫利爾拖來。

「莫利爾，」牠說：「你把七誡第四條讀給我聽聽。那上面不是說動物不准在床上睡覺的事嗎？」

雖然很吃力，莫利爾還是把七誡的第四條文讀了出來：「動物不得睡在有床單的床上。」

非常奇怪，克勞芙覺得在牠的記憶裏，從來就記不得第四條誡文裏還提過什麼被單；那麼牆上既然是這麼寫，大概也就是這麼一回事吧！湊巧斯奎勒這時路過這兒，陪着牠的還有三隻狗。牠又把這件事爲牠們合情合理地分析了一遍：

「同志們，你們最近是聽說我們猪同志睡在農舍的床上了吧？爲什麼我們不能睡呢？你們也不想想，那兒有什麼反對睡在床上的規定嗎？床的意思就是睡覺的地方。在馬廐裏的一堆稻草也是床，這是大家都知道的。規定中所禁止的是指鋪有被單的床，被單是人類發明的玩意。

（二十）

此處將憂兒心情如畫龍點睛，亦如作文點題，全詞深合忠憤大將風度若令公者之口吻。播聽此段，可以廢寢忘餐。

「雍涼關」則僅灌出場之西皮原板：「實指望扶漢家如同反掌，又誰知天不遂難測難量。曹孟德占天時兵多將廣，孫仲謀得地利霸佔東方：」一段。發音吐字，與妙無窮，聽來確實過癮。惜後面大段二簧快慢三眼未經錄音，可惜！

「魚劍藏」錄吹簫一段西皮搖板：「子胥宋鄭身無依，萬苦千辛凄復悲；父母的冤讎沉海底，俺好比鳳脫翎毛怎能飛！吳子胥呀，吳明甫呀，爹娘啊！」嗚咽悲哽，血淚成行，聞歌如見其人，甚感凄酸。且吐音之美無以復加，可稱此曲只應天上有，人間那得幾回聞！及今思之，彌覺神往。

「雪盃園」則灌二黃「一日離家一日深，好似孤雁宿寒林」等搖板，及元板數段，歌來頗見高古。

繼鶴齋譚劇

孫菊僊的八張唱片

東園

「三娘教子」則自「小東人」起至「母子們吵鬧却是爲何」句止，大段二簧原板。

「喜封侯」則歌西皮搖板：「在大街裝瘋魔誰人識破，只落得每日裏嘻笑哈哈」句及以下元板：「數只數韓元帥身遭奇禍，再三的不聽勸自投網羅：」句一段。

「搜救孤」則唱二簧倒板及快三眼，自「白虎堂上奉了命」，至「可憐他，爲孤兒，連累了，年邁蒼蒼受苦刑，好不傷情」！及三眼「背轉身來自思忖，惱恨屠賊起毒心，我與那公孫把計定，他捨老命我捨姣生。下殿來再與公孫論，我有言來你是聽：你若是執意不招認，這打人的王法不徇情。狠着心腸將你打！你、你、你、休得要胡言亂語攀扯好人」一段，詞句干淨俐落，不沾泥，不帶水，精華儘存，糟粕盡失，唱來自覺高古。余尤愛聽其所灌之硃砂紅痣一片，自「借燈」起至認子止，「你是我親生的兒名玉印」句，字字珠璣，確爲好聽。尤爲難能可貴。

「逍遙津」僅灌西皮兩段。

「桑園寄子」唱二簧三眼：「歎兒弟遭不幸……」一段，及哭墳快三眼一段；蒼勁奔放，彌覺可珍。

「烏盆計」則錄反二簧三眼一段，甚覺悲哀，極冤魂之哭訴慘象。（三）

滄海叢談薈

科舉軼聞（二）

諸葛文侯

湘人陳嘉言（梅生），清光緒年間，曾入翰林，官福建漳州知府。母氏嫻習詩書，尤擅長八股文，而以論語題材爲標準，嘉言幼承母教，性亦聰慧，善屬文，對其母所課寫的文章，皆熟誦不忘。當他投考鄉試（舉人場）之際，試題爲「觀過斯知仁矣」，嘉言即將母親宿構的全文錄出交卷，破題兩句是「即事見仁，物與我兩無恨焉」，主考官大爲欣賞，拔置第一名解元及第。

八股文章，有一定的「軌範」，從「破題」以及「小講」、「大講」以到結尾，殆爲官場中的公文程式，呆板的套文，千篇一律，使一般讀書人的心思才力，消磨於鑽牛角尖式的雕虫小技之中，終其身無以自拔，汨滅性靈，錮蔽思想，中國科學落後的基本因素，此其一也。讀書人既要以科舉的制藝爲弋取功名富貴，大家祗好腐心捷徑，殫慮於此，因而有許多聰明人士，憑着八股破題而斐聲士林。先伯父許葆吾公（遐齡，名鐘森），係許世英先生的門生），試題「他所善幼年應秀才試，試題爲「逃墨」，破題文句是：「他所謂逃之斯，天下又少一異端矣！」學使閱之讚歎不置，以案首拔入泮，相繼聯捷，成貢焉。

衡文取士的方法，亦有幸與不幸，而機緣的關係甚大，文章好壞不預焉。先叔祖筱秋公（名鵬飛），隸王壬秋先生門下，治公羊學。清光緒癸巳恩科湖南鄉試，主考官係閩人張亨嘉，亦第二場試題爲今文學「知我者其爲春秋乎？罪我者其爲春秋乎？」先叔祖用公羊義理發揮之，張氏閱及「王者節日……」無疑」，此必王壬秋弟子，乃拔列前茅，注京。越數歲，應禮部會試，時張氏方任都堂之侍郎，竭力爲先叔祖揚於名公鉅卿間，必以高第獲雋，先叔祖平日治公羊學外，精研勤習莊子，熟讀昭明文選，故其文章拔奇，而輔以兩次赴會試下第，氣距第二次回來，報罷。他把試卷取回之後，看衡文的考官在卷末批評道：「文章之道若斯，可以觀世變矣」。蓋主考者惡言公羊學，更不喜奇特結構的文章，當然摒棄不錄。乃深感「文章憎命達，機緣不遇」，并非虛語，從此絕意徒勞無益的科名，藉舉人大挑考試，出關到東三省作縣令，到民國肇建纔南歸。

清末最後一次各省舉行拔貢考試，吾湘桂陽州人雷渝及第了，他原係先叔祖筱秋公的門生，旋赴北京朝考，先叔祖經學部函介他到京晉謁學部侍郎張亨嘉，執禮請益，稱太老師，亨嘉頗善遇之，即將朝考場闈的一些細節告訴他，指出法定收卷時間固不能稽遲，但若文章太長，原有卷格不符謄寫，即可轉用底頁，且許用行書，如此即不愁屆收卷時不能完卷了。雷氏事前得知這種訣竅，入場後心情鎮靜，不慌不忙的寫作，如時完卷，榜發，取列一等第一名，即以七品小京官任用，幸運之至。

綜觀上述情形，可見科場中亦有流弊存焉。但科舉制度的本身，却很謹嚴，決不荀且，如果發覺舞弊情事，主考官必膺大辟，如清咸豐朝大學士滿人柏葰，即因科場受賄舞弊而予以腰斬的酷刑。凡從科甲出身的，自秀才、廩生、貢生、舉人以至進士，皆有一定的出路，并不須奔走鑽營，可坐而致也。我認爲這是國家作育人才的一種好制度。

吳三桂抗清之戰

羅雲

五　川陝方面吳軍之進展與失敗

正當四川響應三桂，陝甘動搖之際，清廷爲鞏固陝甘，乃使大學士莫洛率綠營步兵馳赴西安，而以董額率滿州騎兵繼之。

然三桂將王屏藩，驍勇善戰，初與清西安將軍瓦爾喀相持於川北，數出偏師截清軍輸道，絕棧道，劫糧秣於略陽。清軍遂由保寧退守廣元，在廣元駐守二月，總兵王懷兵率四千兵譁變，同時清將王輔臣亦懷異志，[illegible]莫洛於寧羌，以響應三桂；王屏藩乘之，由漢中出隴西，固原、定邊等地亦均響應，於是陝甘動搖，清兵震懼，清將董額乃集兵退守西安。同時，羌人亦紛起以應援三桂。在情況緊急中，清廷急詔都統鄂克濟哈星夜馳赴西安，另令尚喜等進攻岳州，以遏三桂東路軍之北進，而定動搖伺變之心。一面佈守西安，蘭州、延安等西北戰略據點，並抽調荊州、夷陵之兵援守西安，以挽救西北之危局。康熙十四年遂演成輔臣據隴右（秦州、臨洮、慶陽、綏德、延安、蘭州、鞏昌、定邊、靖邊、花馬池，均爲王輔臣所據）與清踞西安，而成對峙之局。

六　清軍之反攻

三桂既徘徊湖南不進，則清廷在江北岸之情勢和緩，乃得專力於挽救西北方面之局勢，轉鋒以擊湖南，遂其分頭各個擊破之策。

甲、隴右方面之反攻

康熙十五年，清命大學士圖海爲定遠大將軍，節制董額以下諸軍進擊王輔臣於平涼，一戰大敗輔臣等於平涼城北，圍其城以砲攻之，是年六月王輔臣復降清；王屏藩退據漢中，陝甘之局勢遂定。此時，清乃即命圖海留陝，以監視王屏藩之師，而令征南將軍穆占率滿兵南向，以擊湖南之吳三桂。

乙、湖南方面之反攻

方當三桂克六省，徇徙湘北未進之際，清廷即殺三桂子應熊及其孫世霖於北京，以沮三桂之志，並命尚喜進擊岳州，而尚喜首先致書三桂招撫，三桂不答，分兵東進，拔袁州、萍鄉，上高等縣，與耿精忠三兵合，攻陷贛省建昌廣饒等三十餘縣。及聞王輔臣起應陝西，乃即擬取道川陝，進取京師。於是，留兵七萬守岳灃諸水口，以拒荊州江北之清軍；又留兵七萬守長沙，醴陵、萍鄉，以當清軍岳樂之師，而自赴松滋調度，佈署船舶於虎口上游，以截清荊岳大軍之咽喉，揚言攻荊州，而潛分兵自夷陵以趨西北之鄖城、均州、南漳，但王輔臣旋即敗降於清，王屏藩退據漢中，圖海已固守陝西各要害；同時江西之清軍岳樂，以三桂西上，復率兵建昌、廣信、饒州，自醴陵、萍鄉直趨長沙，三桂既不得志於西北，復以長沙告急，乃自松滋救長沙，清荊岳方面之兵促之，但爲三桂所擊退，江湖之險，復爲三桂所據。然三桂已失其銳進之勢，而困於湘鄂之間，而有利之民心，亦轉趨觀望。時爲康熙十六年春。兼以聞之耿精忠，粵之尚之信（可喜之子），先後復歸清廷（耿精忠于十五年十月，尚之信於十四年被迫降三桂，十六年夏復降清），因而三桂之勢益孤。（三）

貂蟬

——「影劇與歷史」之四

周遊

根據呂布傳：「董卓性剛而褊……嘗小失意，拔手戟擲布，布拳捷避之……由是陰恨卓。卓使布守中閤（內室也），布與卓侍婢通，恐事發見，心不自安」。接着又說：「先是司徒王允以布勇武健壯，厚接納之。時允與僕射王孫瑞密謀誅卓，是以告呂布，使爲內應。布曰：奈如父子何？允曰：君自姓呂，本非骨肉，今憂死不暇，何謂父子？布遂許之，手刃卓。」值得注意的是：「布與卓侍婢通」之先，王允已經「厚接納之」了。如果王司徒沒有謀誅董卓而使用美人連環之計，則不致事先厚接納之了。

再退一萬步言，諸如此種陰謀詭計之事，作史者根本既無文獻可徵，亦并不足重視，（在那個時代，此爲實情）當然就不會提出她的名字出來的。而且，古人女子往往無名，只有姓而已，如某婦，某女，某婢，某妹等……是也。觀王允與呂布的一段對話，恐非臨時衝口而出，而是早有成竹在胸了。

李長吉所作「呂將軍歌」云：「榼榼銀龜搖白馬，傅粉女郎大旗下」。眞是寫得呂布與一個不知名的美麗女郎活靈活現。這兩句歌詞，殆即指此貂蟬其人者。梁章鉅的「浪跡續談」，也有如此記載，並收入他的「三國誌旁證」一書中。以呂布之人品英雄，他的眼下對象，絕不是一個不出色的女子，否則董卓也不會捨不得給他，可知那位侍婢絕非普通女子。呂布在董卓麾下，官拜騎都尉，而且又是董卓之心腹，視如父子，何患無好女子以妻之？而偏偏鍾情於一侍婢，與之偷偷摸摸，其人自非等閒之女可斷言也。

而「漢書通志」，更是明白的指出有貂蟬其人了。其文云：「曹操未得志，先誘董卓，進貂蟬以惑其君。」又「浪跡續談」亦云：「黃右原告余曰：『開元占經』卷三十三熒惑犯須女占，註云：漢書通志：『曹操未得志，先誘董卓，進貂蟬以惑其君』。此事異同不可考，而刁蟬之即貂蟬，則確有其人矣」。漢書通志今已不傳，惜哉惜哉！照上文觀察，刁蟬乃是本名，後因有貂蟬飾冠，却因此而被附會爲「貂蟬」歟！（二）

妲己與炮烙

周燕謀

呂氏春秋載：「文王處岐事紂，寬侮雅遜，朝夕必時，上貢必適，祭祀必敬。紂喜，令文王稱西伯，賜之千里之地。文王再拜稽首而請曰：『願爲民請炮烙之刑！』文王非惡千里之地，以爲民請炮烙之刑，必欲得民心也。」

大戴禮保傅及新書胎教均說：「文王請炮烙之刑，而殷民從之」。

荀子議兵篇云：「紂爲炮烙刑，殺戮無時，臣下懍然莫必其命；然而周師至，而令不行。」

淮南子亦載：「殷紂燔生人，辜諫者，爲炮烙，鑄金柱。」（俶眞訓）高誘注「鑄金柱，然火其下，以人置其上，墜降火中，而對之笑也。」（四）

內警台報字第〇三壹號內銷證

自由報

THE FREE NEWS

第五四四期

每份港幣壹角

社長：雷嘯岑

督印人：黃行需

20 CAUSEWAY RD 3RD FL. HONG KONG

TEL. 771726

台灣分社

越戰現階段與美國政策

周秦漢

從本年三月二日，美國爲了「迫使北越停止對南越的侵畧」，聯同南越空軍，出動百六十餘架飛機，往炸北越，投彈二百噸之役起，越戰算是進入了新的階段。儘管其後於四月七日，美國又自動的後退一步，由詹森總統公告天下，宣稱美國願意「無條件談判」解決越南問題，但大體上，美國政策仍舊未變，越戰局勢亦在這麼個階段中繼續打滾，卻亦不會有所改善。

在本年三月二日之前，美國空軍曾經四次轟炸北越。首次是去年八月，那是因爲美國軍艦在東京灣一再遭受襲擊，美國爲給予「報復」打擊，炸了北越幾個海軍根據地。第二與第三兩次，是本年二月七日與八日，第四次是二月十一日，都是爲了美國在南越的空軍基地或美軍兵營被襲擊，而對北越南部的幾個「支援與訓練」越共遊擊隊的根據地，加以「報復」膺懲的。而三月二日那一役，因爲不再是「報復」，而是意在「迫使北越停止對南越的侵畧」，所以意義迥不相同，從而把越戰帶入了新階段。新階段所代表的主要意義，有下列四項：

（一）美國正式指出，南越的禍亂，係由北越侵略而起，美國與南越打的是反侵略之戰——南越之禍係北越所造成，本爲幾年來的事實，但以往，美國諱言這個事實，現在纔把它揭穿了來，雖嫌太遲，卻到底是一項進步。

（二）美國「半介入」越戰，三四年於茲矣，但以往，美國都祗站在「顧問與訓練」的地位，駐在南越的美軍，充其量於「被擊時還擊」。自此以後，美國纔開始眞正捲入越戰漩渦，或勝或敗，美國都得負起最少一半的責任。這自然也是一項進步。

（三）以往在南越進行的戰爭，是消極性的，是企圖「關起門來打」的，事實上門又關不起來，北越部隊有好幾條路可以滲入，十分方便，要多少可來多少，因而被稱爲「沒有勝利希望的戰爭」。自此以後，美國的政策趨向積極，不單是守，亦要攻了——當然，本質上，轟炸北越在軍事上祗是「攻勢防禦」，在政治上亦祗是「以戰求和」，并不積極到那兒，但比之以往，卻亦多多少少有些進步。

（四）當時美國曾表示，除非北越停止侵略南越，沒有和談的可能。四月七日又說願意「無條件談判」，自屬一項後退，卻爲了對方要的價錢很高，至今堅持美國非退出南越無可談，故美國所作的後退表示，并不影響現實；何況美國曾說明：除非南越的獨立、自由，獲得確實的保障，美國將不在任何形式下退出越南？

越戰現階段的美國政策，詹森總統四月廿七日又曾把它重述一次，他說：「美國的主要立場，是贊成和平解决，抵抗侵畧和避免擴大戰爭」。證之以往兩個月來表現於越戰的種種事實，詹森所舉出的這三點，確實是美國政策的全部，既未有所保留，亦不會虛張聲勢。但應該指出，美國的這三點政策，實際係以「和」爲主要目標的，「戰」祗是其迫不獲已而使用的手段。好像詹森當時曾強調：「美國現仍願意隨時與任何政府談判越南一項和平解决辦法，而不附帶任何條件；如果有人懷疑我們的誠意，則他們不妨考驗我們」。又說：「我們對於尋求和平，將不感到厭倦，其情形正如我們不會在戰鬥中鬆懈下來是一樣的」。情見乎辭，非常的明顯。

尤其應該指出：美國此項「以戰求和」的政策，在華盛頓當局的心目中，自然是以爲可以達成其目標的，或最低限度是以爲可以有希望達成其目標的；但筆者的看法，卻認爲沒有這個可能性，形同緣木求魚。因爲美國的政策，與越戰的現實情形，未能配合，遠不足以適應需要。比方：

第一，眞正希望藉談判以和平解决越南問題的，祗是美國單方面，對方根本無此打算。對方誠然并不會公然拒絕談判，但它們卻堅持談判必需有先决條件，其最主要的條件，是美國完全退出越南。這無異於說談判無法開得起來，和平解决，祗是美國的幻想而已。

第二，美國曾經一再聲明，并沒有要摧毀北越政權的意思。換言之，美國是但求對方不再侵畧南越，便感到心滿意足。但對方卻是有其不變的「大慾」的，它們而且已經再亦不諱言其野心是：首先要趕出美國，推翻南越現政府，繼之是南北越「統一」——亦就是把這越南半壁江山亦給赤化掉，關入鐵幕去。四月廿六日美國國防部長麥納瑪拉公佈說：數年來北越滲入南越的共黨作戰人員已達三萬九千名，同天在西貢的美軍發言人亦證實：新近北越正規軍一個整營，已經進入南越作戰，且指出那是北越陸軍三二五師一〇一團的第二營；在在足以說明，對方不但公開聲言要赤化南越，它們而且坐言起行，很認眞的在求其野心的實現。這樣，那有和平解决的希望？

第三，美國的「以戰求和」，其作法卻特別的謹守愼爲，生怕戰爭擴大，約兩個月來的空襲北越，便居然很認眞的「手下留情」，自我局限於轟炸北越接近南越的三四流甚至「未入流」的基地，而不肯把打擊矛頭，指向河內海防周圍約四十個北越軍畧據點。這種避免打擊敵人要害的政策，假定亦可以稱爲政策的話，卻無疑是最愚蠢的政策。如此而欲「以戰求和」，如此而欲「迫使北越停止對南越的侵畧」，試問怎樣做得到呢？

對於越戰；美國現階段的政策，比之以往三四年，確實不能不承認已經有了若干進步。但事實卻充分的顯示，美國政策的這些進步，尙遠遠的與現實脫節，卻是華盛頓當局所不應該不承認的現實；并從而更進一步，針對現實，打起精神，認眞眞的做去。顯然：美國至今還以爲：越戰是可以「打成平手」收場的，華盛頓當局是想再重溫一次當年韓戰那種不明不白莫名其妙的結局的。但現實卻說明，今天的越戰，美國要不是打贏對方，便將是被對方打敗，絕無第三個結果。以美國當前這種不痛不癢自縛手足的打法，而企圖「以戰求和」，不但是斷斷做不到的，且還是「後必有災」的。

多多益善

渾渾噩噩

今日与明日

柬暴徒搗毀美使館

柬埔寨幾千暴徒在金邊搗毀美國大使館，撕下美國國旗，其情況較之美機初炸北越時，莫斯科的學生在美使館示威情形更爲蠻橫。

事情起因是美國新聞周刊有一篇通訊，報導柬埔寨皇太后在國內開設妓寨的事。此事之有無姑置不論，但因爲外國一個報刊的言論不滿統治者之意，竟然唆使暴徒去搗毀外國大使館，此事實創外交史的先例。即以印尼蘇加諾而論，已被美國編輯人協會投票選出爲危險人物之一，但是，因其次不滿美國新聞周刊報道他的私生活，也只是下令禁止發售，並未着印尼暴徒去搗毀美使館，此種事只有小兒科的施哈諾才作得出。

柬埔寨如何中立

施哈諾這幾年鬧的笑話，眞能寫一部書，最妙的是他威逼西方國家開會保證柬埔寨中立，如不照辦，即與毛共結盟，把柬埔寨變成一個共黨國家。

本來要別國保證中立，總要自己本身眞的中立才成，例如瑞士同奧地利，到是眞正中立，埋頭建設自己國家，不干預外間的事，瑞士連聯合國都不肯加入。柬埔寨的施哈諾是什麼作風，今天罵英國，明天舉行反美示威，所有共黨策動的會議無一次不參加，每次均以馬前卒姿態，表現得比共產黨還共產黨，試問這樣的一個國家別國怎樣保證它的中立。

大概在施哈諾腦中中立的定義是他可以管別國閑事，可以干預任何外國事務，但是別國的當局及輿論不得對他有絲毫微辭，由於泰國因報紙批評他，竟然宣佈同泰國絕交；柬埔寨處在這樣的一人統治下，而這個人又是神經病加幼稚病的混合體，怎能談到中立。

美國自找沒趣

本來美國是不願參加這麼一個會議的，後來由於英國的勸解，並準備藉這次會議討論越共和談問題，才由國務院發表一次聲明，願意參加。可是施哈諾竟然發表談話，拒絕美國同泰國、越南參加。其人之幼稚荒唐，眞使人笑都不忍再笑。

照施哈諾過去的說法，泰國同南越威脅柬埔寨的獨立，美國則是泰越的幕後主使者，應據此，所謂保證中立會議，由這三國保證才是。現在施哈諾卻不要這三國參加，不知道個會議怎樣開？開了又有什麼用？對這樣一個無知之輩，美國還費精神同他打交道，實在太不值了。

（何如）

怪事

美總統特使彭克、美國駐印尼大使鍾華德，最近聯袂在萬隆市參加會議後走出市街時，被印尼學生和羣衆噓罵，大叫「美國佬滾回去！」東道主對於友邦元首特使和其外交代表，乃有此極不友好的舉動，無論如何是大不應該的——除非兩國已瀕臨絕交邊緣！

然而，印尼政府對此當伊嘸介事，相應不理；而美國特使和大使亦表示啞面自甘的態度，且以學生羣衆未會加以傷害爲欣幸。印尼人之胡鬧失態，美國大少爺之卑以自牧，爭妍媲美，相得益彰，甚盛事也。

蘇卡諾和高棉王子施哈諾，都是才識譾陋的妄人，治國無能，專在國際間扮演政治小丑，向美俄實施唬籠嚇詐伎倆，投機漁利，他們的本國實在不成其爲國家，祇能說是一種部落而已。但美國對於這些所謂「不結盟國家」，不惜降身辱志，百般妥協。從好的方面說，這是「以大事小」的美德，亦爲國際領導人應有的風格，無可厚非的。

可是，反觀美國對於一般援受美援的眞正友邦，除卻英法與西德而外，動則顯示其頤指氣使的「君臨面目」，肆無忌憚。例如中華民國政府於兩年前向民間徵收國防捐，華府白宮亦表示異議，詰詢咱們政府爲啥要有此一舉？寮國反共政府不願跟共黨組織聯合政權，而美特使哈里曼竟申申而詈，聲稱「美國決不援助不聽話的國家」！至於美軍駐防這些友邦時，地位特殊，幹出任何非法行爲，亦不受駐在國的法律制裁，儼然以殖民地的宗主自居，極盡「以大壓小」之能事，不亦怪哉！

嗚呼噫嘻，我知之矣！美國是世界上的頭等民主國家，在山姆叔叔的觀念中，「民主」的精髓就是要遇事搗亂胡來，規矩老實的作風，即係不民主的表現。所以，蘇卡諾、施哈諾之流昌言「中立」，表示反美，深合乎山姆叔叔的胃口，認爲殊堪嘉尙。美國又是世界上特級的商業主義國家，凡屬資源充足而尙待開發的落後地區如印度、印尼之類，具有莫大的商業潛能，利藪所在，越是表示反美，越須遷就忍讓，因而美國對高棉與印尼的妥協政策，亦復不同，此美國特使與外交官在印尼忍辱自抑之所以然也。

憑着這種領導方法，若謂可以團結自由世界力量，克奏打倒俄共集團之功，你能相信嗎？

馬五先生

以泰東北及西南各府為巢穴
毛越馬寮共黨不斷滲入
泰國政府正予嚴密防範
顯圖發動游擊戰可能由陳平指揮

（本報曼谷通訊）此間的政治分析家僉相信，北平與河內現正在毘鄰寮國的泰國東北各府，及與馬來西亞接壤的泰國西南各府，積極進行傾覆活動。

一個自稱為「泰國人民之聲」的無綫電台，屢次在廣播中提及「泰國愛國分子」及「泰國獨立運動」，泰國總理乃他隆最近曾發表一項聲明，指出「更多泰國土生華僑，奉令從中國大陸潛回泰國東北各府，以從事傾覆活動」。

自去年九月有一項報告，述及中共已在北平設立一間外語學校，教導其他語言及泰語後，所謂「泰國獨立運動」這個名稱，便不斷可在這個秘密電台的廣播中聽到。

一九四二年成立，而在一九五八年被禁止的泰國共黨的領袖，據說刻在北平。這也是一件值得留意之事。去年十月，中共慶祝其偽政權成立十五週年紀念時，新華社曾報導，中共偽政權曾收到泰國共黨的賀電。

這電文，勸告泰國各團體與個人，結成一條「愛國民主統一陣綫」，以推翻曼谷政府。去年十二月八日，秘密「泰國人民之音」電台，宣佈「泰國獨立運動」成立。它與「南越民族解放陣綫」的成立，相隔恰巧四年。

去年十二月十三日，河內電台廣播這運動的文告；今年一月一日，北越共黨報紙也刊載「泰國愛國陣綫」成立的消息。

由那時起，「泰國人民之音」，便不斷煽動泰人推翻曼谷政府，并抨擊曼谷政府把國家出賣。

河內電台不斷廣播「泰國愛國陣綫」的呼籲與聲明，其情況有如它經常廣播「南越民族解放陣綫」的呼籲與聲明一樣。

在法國與胡志明越盟交戰期間，湧入泰國東北部的北越難民，河內政權雖曾一再促請，而不願返回老家，現時正為曼谷政府，帶來嚴重安全問題。

除了這些北越人之外，據說，寮共幹部，亦從寮國滲入。去年年底，泰國保安部隊，曾報告東北各府內，有大批游擊隊出沒。

泰東北各府在過去幾個月，發生若干破壞事件，及地方領袖、教師、官員慘遭暗殺的例子，其手法與南越共黨所採取的一模一樣。

自稱為「馬來西亞人民解放軍」的馬共游擊隊，自馬來亞共黨叛亂被剿平以來，即在泰國西南各府活動了五年。

據說，他們向泰國植膠工人敲詐欵項及強收「保護費」。去年十二月，泰國警察曾破獲一個森林營幕，其大足能容納二百五十名游擊隊，內有課室、球場、廚房及供游擊隊訓練的各種設備。這些游擊隊在警察抵達時已散去，雖則其後有一個共黨被殺。

泰國與馬來西亞邊界的泰國地方官員，懷疑「馬來西亞人民解放軍」與北平具有直接聯繫。他們指出，這些游擊隊時常舉行秘密集會，而且教導鄉村兒童說中國話。

泰國及馬來西亞官員，最近曾舉行會議，同意加强合作，以清除雙方邊界的共黨。他們似已肯定「馬來西亞人民解放軍」，是由恐怖分子陳平指揮，但陳平的眞正下落，卻未能明白。

大多數觀察家認為，陳平可以隨時來往於泰國與中國大陸之間。陳毅最近曾經說，「在泰國的游擊戰，今年年底以前，可能展開。」假如此言屬實，那麼這場游擊戰，極可能由陳平指揮。

法國錯輸血液致人於死事件
造成軒然大波並揭露政府烏龍
——巴黎通訊

法國新近發生一宗錯輸血液致人於死的事件，造成軒然大波，并因此揭露法國政府在這方面的「烏龍」。死者為新婚三個半月的美麗少婦莉妮，她的夫婿名喚皮爾。

莉妮是法國北部里爾的一名教師，她前往醫院受早產的改正手術，施手術過程中，由於流血過多，遂進行輸血作為補救，但回家後幾天，她竟然死了。

為什麼呢？這就是皮爾本人想知道的。同時，法國各地的社會人士也都支持他。皮爾是一間百貨公司的工人，眼見愛妻無故死去，自然拼命探索眞相了。果然他查出來了，原來該醫院的實驗室擺了個大烏龍。

什麼烏龍呢？原來輸錯血型。莉妮體內的血液應屬B型，但醫院方面竟輸給她A型，因為不同血型，莉妮便這樣死了。

法國的輿論界及電視台均協助波爾向醫院當局提出質詢，例如：怎會發生這樣致命的錯誤呢？為什麼輸血前不來一次驗血手續呢？

對于這個事件，法國羣情洶湧，于是醫院方面不得不發表下列的聲明：「如何判斷血型是一樁複雜及困難的事情，每一個細節都要兼顧周到，不過，發生錯誤的機會甚微，一萬次中只有一次。」

機會甚微！莉妮未死的前三個月，另一位十九歲的年青母親鮑維姬亦因相似的錯誤，死於康城醫院。結果，該醫院的醫生及其秘書被控以誤殺罪名。目前他們交保待審，開庭的日期仍未定。

鮑維姬因流產之故，流血過多，遂要輸血。她的驗血證書註明是A型正。經輸血後，她的精神不振，體力越來越弱，引起院方的懷疑，遂再驗血一次，結果她體內的血是O型正才對。但這個發現太遲了，她不久便死去。

她的丈夫乃控告該院實驗室主任杜里法斯醫生，他認為院方也有罪，因為不驗準他妻子的血型。杜醫生初說：「我已有充份理由說明我是無辜的。那病人這樣死去，我當然感到遺憾，但這只是命運的安排哩！」

衛生局已宣佈採取步驟來保障這方面的安全。

這宗與莉妮案是無獨有偶嗎？莉妮案三週前，另有一對夫婦也控告康城醫院實驗室，他們說有一次驗血的錯誤幾乎殺死了他們的兩位子女，事情分別發生于一九五六與一九六三年。

今年一月，即莉妮案發三個星期，一百〇八名人士自願前往巴黎醫院捐血，拯救一名兩歲大的孩童的性命，後來發現有兩名的血型與病人是不相符的。

莉妮死後，皮爾本人發覺里尼市醫院實驗室對於他的血型也弄錯了，他們說他的血液列入AB混合型正，但事實上，應是A二型負。

他倆夫婦的血型在那醫院均被弄錯，很可能是他們的血型結果是與另一對夫婦的結果互相換調了；如果這是對的話，那麼，那一對夫婦可能也快面臨一宗致命危險哩。究竟有方法追查出來嗎？這是人命攸關呀，但，至目前為止，似乎無人關心。

一位記者徵詢法國各大醫生對於驗錯血的意見，但他們的意見紛紜。一個說：「驗血過程中犯錯是很容易的。」另一個說：「基本血型A、AB、B及O等四種，很容易辨認出來的。」但一位退休名醫說：「血型還有許多種的，為了安全，驗血時應該十分謹慎，必要時，要多驗兩三次的。」

一位政府發言人說：「我們對於驗血方面，沒有正式規限的，任何醫生、藥劑師均有權替病人驗血，究竟他們的方法是否正確，我們不得而知。」

說出來，會叫人摸不着頭腦：輸錯血會導致死亡的。這麼大件事，法國政府竟視若罔聞，不設法補救。在英國，便絕少有上述情形出現。一位英國輸血站高級職員說：「英國在輸血所犯的錯誤，可能是全世界最少的一個國家。驗血這回事，像法國一樣，無需領任何特別牌照，但正確的方法，稍有醫學常識的人都懂，大概由於戰時救傷，人們已習慣輸血這回事了。美國方面的水準也不錯，平均來說，歐洲國家是較為差些的。」

因莉妮之死，最近在法國引起軒然大波，也許在不久將來，法國對於驗血方面會有改善吧！

辦法不錯．值得借鏡
香港有個自由車會
被許為有車者福音

（本報訊）香港有個「自由車會」的組織，入會者只需繳納微少的年費，便可得到免費教導駕駛技術，汽車損壞時免費修理，發生交通案件時免費法律指導，廉價抹車服務以及協助方便轉換牌照等；被許為「有車階級的福音」。此種民間組織，似乎值得台灣省方面的借鏡與仿效，爰簡略加以介紹如次：

香港自由車會，是許多人公認的香港汽車機構，這個機構之目的，是在保障和促進香港駕車人士的利益，并設法促成道路之增加和改進，同時還密切注意有關法律之制訂。

凡有意入該會者，祇需每年繳交會費廿四元（電單車十元），並填寫簡單的申請書，便可以成為會員，可以享受多種的利益。比如，會員的車輛毀壞時，該會便可提供就地形為會員服務，包括支付就地修理費用，或租用車輛將會員及其乘客由車輛損壞地點，送至會員住宅時的費用。會員車輛如未受保險保障而又遭遇損壞，須拉往車房修理時，拖車費用由該會負担，電召車房到場協助所支付的費用，亦可向該會領回。

該會又為協助會員解決行駛中車輛突然損壞之苦，已成立巡邏隊，由該隊隊員駕駛着一輛黃色裝有工具電單車，每日由上午八時至下午七時（週日和週六則為下午一時至七時），都駕駛該部盛滿工具包括電油、起重機、泵汽筒、滅火器及急救的藥箱，巡邏於港九和新界各地。巡邏員的任務是協助會員車輛在路上發生毛病，輕微機件不靈時便隨時進行修理，如汽車需要入廠修理時，該巡邏隊員不能負責修理時，便可徵求過路會員的同意，巡邏員直接與車房聯絡，召工程車前來援助。巡邏隊員是經過一段時期的救傷工作訓練的，如有意外發生時，彼等還可以就地對傷者施行急救。隊員對地方甚為熟悉，如遇天雨或大霧，巡邏隊員亦會對發生交通困難的人士，作安全之指導或建議。

巡邏隊不但是對會員毫無條件的服務，對非會員人士的車輛遇有困難時，亦會給予幫助，而且巡邏隊有嚴格的隊規，嚴禁其向任何人索取修理的酬金，亦不能向任何人士收取賞金。

會員除了上述車輛遭損時的服務外，還可享受多種福利。例如會員在涉嫌與某交通案件有關時，該會將會給予義務法律指導，（律師代表則不在此限），會員有所查詢時，可直接向雲咸街的香港自由車會接洽，請求指導，使會員能在訴訟之前明白法律。

會員如果投購各種汽車保險，費用也較廉宜，向該會領取有關申請表格，便可得到優待。

會員如駕駛執照或汽車牌照滿期時，祇要你通知該會，便能在到期以前收到所需的申請表格，和有關填表細則的說明書，使會員能及時而又不費力的換領執照。

還有，如果會員購買汽車渡海輪船票，也可向該會辦事處購買，這樣每過一次海，便可節省港幣一毫。該會還設有一定數量的員工，專門從事修車和抹車的工作，還有流動汽車抹車，一時找不到泊車位或汽車汚穢不堪時，也能得到服務，而紙是收取極低廉的費用，較其他的人的收費，既廉宜而又方便得多。

此外，該會還可以代會員將自用車輛運往各國，作暫時使用或長時期的使用。

香港空置新樓宇
多達二萬三千層
資金積壓約八億元

（本報訊）香港一方面有六十萬人待徙置，而另一方面，已建成，但無人居住的樓宇——不出租亦不出售的樓宇，據非官方但似相當可信的估計，達二萬三千層之多。積壓的資金在八億元光景。

據說：目前空置的樓宇區域遍及香港、九龍各區，其中不但有高級住宅，花園洋房，比較高價的唐樓也且連下價的租售不出。在官塘、荃灣、新蒲崗，三處空置新樓特別多，這些樓宇大都是較近期落成的。在九龍市區的尖沙咀、旺角及大角咀等地，則不少較早建好的樓宇，至目前仍無人居住。如大角咀區一條新街道，先後有前年底及去年中落成三幢大樓，每一幢大樓均有一百個以上的居住單位，至目前有一幢大樓只住百分之八十，有一幢大樓有半數單位未租售出去，另一幢大樓則更有七成的單位無人居住。在港島好些地區不少樓宇空置的時間也是相當長的。

而由於物業經營，多依賴銀行信貸支持，多空置樓宇多，物業市場積壓資金為數至巨，也不容易轉動。本年二月初旬發生罕見的銀行擠兌風潮，有很大一部分原因就是由於物業市場淡風和積壓資金所引起。銀行擠兌風潮過後，各中外商銀行對物業市場抽緊信用，使物業市場更呈頹風，而物業市場頹靡，反過來又影響了銀行業務。

本報啟事

本報高雄鳳山辦事處主任毛秉鈞已於本年二月一日解聘，除派員收繳積欠之報費及服務證外，今後該員在外之一切行為與本報無涉特此聲明

由天地萬物到人——新道統的宇宙論

（論道統第五章）

陳健夫

如中國磐古開天地，亦是其說之一，吾人對許多神蹟之類的事，不妨當作故事聽。人各本誠意，以堅强其信心，這是無害的。爲求眞理，則不妨將此作爲假設，擱置一旁。而用心的去深深思維。接近眞神，以求其啓示，得之於心。哲學家的任務，是求眞理。站在神的前面，神也會尊敬他。因爲神是喜愛眞理的。神不喜歡那些裝模作樣拿神作門面的人。

就神的意義論：

神乃象徵仁愛，和平，正義及至高無上的道德權威，對人類而言，與其說是宗教，不如說是道德；與其說是道德，又不如說是教育。神的存在，對人類的福祉，有益無害。人要迷信神，假借神，而爲非作歹，那責任不在神。神的教育意義，在使人獲得新生命，在啓發人的生命意識，鼓舞人的生命意志，啓示人的生命道路，指引人走向至善的道路。所以，神是正大的義諦，代表眞理。人信仰神，沒有錯誤。

神的意義，如要更具體的說，則有三：

神而明之，是爲思想上，理性上的神；感而通之，是爲情感上，生命上的神：誠而致之，是爲意志上信念上的神。西哲說：「天上的星空，心中的心靈」，這便是人與眞元相通的境界。神的觀念，是一種思想上的神，佛家的明心見性，是一種思想上的神。聖經上常說上帝在人心中，此卽意志上的或情感上的神。任何人在此天壤間，不能無此神。人若無此神存於胸中，便會覺得生命沒有意義。共產黨反對神，他們却以馬列爲神，其爲神則一。

神的觀念與科學無牴觸，科學家一樣可以信神。佛教中有若干大師比科學家還更有科學頭腦，他們硬是說無神。不但說無神，甚至連宇宙也加以否定。他們說宇宙是盲目的，這便是如佛陀所云「我執」。因爲要證明佛家是科學的，便說佛教是反對神的，因此便將一切與神有關的如宇宙，也加以否定。這是矯枉過正，未做禪定工夫之故。其實佛學中也只是反對外道，有如孔子的反對異端，并沒有否定神的存在。

我所發見的眞元，是最具體的存在，即是宇宙本體，人及萬物皆由他所生，眞元運用種種眞元極則，以創造宇宙，統馭萬有。其中高明微妙，不是人所能想像得到的。不論哲學家或科學家，只要發見一點道理，就要將他傳佈出來，用在世間，爲世上的人謀幸福，使世人明白生死，得大解脫。

這眞元學理，是一種哲理，有哲學的思維，有宗教的情操，有科學的邏輯。此一學理與世上的宗教，哲學，科學，皆無衝突，且能會通。人能懂得眞元至理，用心靈去體悟，便可打通人與眞元的交通，直入眞元境界。便可安身立命，世界人類，無分國別種族，階級地位，同爲眞元所造化，皆可自由平等的去體認眞理，進入眞元勝境。

此一新學理，可說是一新宗教，使人類思想豐富，充滿生命的光輝。打破一切宗教的門戶之見，也消除各種學理間的矛盾，使天下的眞理，歸於一致。這將是今後新世界的新思想新宗教的開端。

眞元學理創立，在哲學上可說是一次大革命，它將兩大傳統觀念都改變過來了：一、宇宙不以時間空間爲限，而有其超越時空的眞元間存在。將宇宙的領域加以擴大，不但從人的意識中認識時空流轉中的現象世界，而將人的生命投入宇宙永恆常在的眞元本體之中，對人生誠爲一大解脫。二、宇宙的本體就是眞元，不是物質，也不是精神。宇宙的本體是絕對完整的眞元，其中有心有物，但二者無法分離獨立。所以所謂「唯心」「唯物」的本體論，不能確立，應成過去。使人類重新認識宇宙的眞象，及人生價值。（十五）

岳武穆祠墓遺蹟小考

李仲侯

考妣祠東側爲尙書祠三間，祀武穆孫珂。岳氏宗祠卽在祠前，只有正殿三楹，規制殊屬狹小，旣與岳廟相通，亦可由正門出入。大門外，路南爲施將軍祠三間，中鑄銅（爲施全刺檜）像，鬚髮怒張，英氣勃勃。右側並有明張應登所撰諡義烈將軍施公碑一方，詳述私諡理由。階前羅跪奸黨秦檜、王氏、張俊、万俟卨及王鵬兒等鐵像五軀，內三軀頭已擊落，想見奸黨之惡，萬載之下，公論在人，猶有餘憤。廟內舊日懸聯頗多，現已無一存留，詢之邑人，僅得數聯，語旣不佳，且多傳訛，姑照錄之，聊備一格：

鐵案冤沉，想蒙難艱貞，異世同符西伯節；金佗細辯，欽傳家忠孝，千秋媲美侍中衣。

蓬頭垢面跪階前，想當年宰相；端冕垂旒臨座上，看此日將軍。　無名氏

王本恨金人，然以金視正，金亦眞知斯人可敬；檜自成鐵案，縱以鐵鑄檜，鐵還不如此案難銷。　刁顯祖

都邑南遷，帝王北狩，痛靖康君臣僉主和戎，君侯大節矢精忠，是大丈夫固宜若此；文官要錢，武將怕死，嘆河朔燕雲至今陷虜，故鄉廟貌遺千秋，問中國人應當學誰。　蔡雨田

岳陣頭在汜水縣南八里，地臨黃河右岸，爲南北交通要道，相傳係武穆陳兵大破金人之處。按武穆天性至孝，自北境紛擾，奉母命從戎報國，年二十卽投軍効用。時劉韐宣撫眞定，募敢死士，武穆與焉。劉一見奇之，使爲十隊長。以擒相州賊陶俊、賈進和有功，知相州王靖奏補承信郎，未報，得武穆王考和訃，徒跣奔喪還湯陰，執喪盡禮，毀瘠若不勝。會朝廷罷敢戰士，前命竟不下，武穆亦棄不復問。嗣復從平定軍爲效用士，稍擢爲偏校，破榆次縣城，補進義副尉，湯陰。會夜亡其告身，武穆又棄歸湯陰。康王次相州，武穆因劉浩見，命招賊吉倩，乃補承信郎。康王次北京，以武穆軍隸留守宗澤，敗金軍於滑州，遷秉義郎。至岳陣頭事蹟，據宗澤傳及河南府志等稱：秉義郎岳飛犯法將刑，澤一見奇之，曰：此將材也！留軍前。適報敵犯汜水，遣武穆破賊自白，以五百騎授之，使立功贖罪，且戒無輕鬥。武穆稟命卽行，陳兵於此，據其險要，大敗金人，凱還補爲統領，復遷統制。今呼爲岳神頭，又曰岳陣圖，蓋久而訛其音也。其地宋時不知作何狀態，現則爲河邊數十家之一小村落，平沙瀰漫，一無遺蹟可尋矣。（十一：完）

漢文，漢字，漢學

陳曼卿

漢初雖畧反秦弊，又值道學倘盛，武帝復用田[illegible]爲相，引用董子而見稱許其三篇「對賢良策」。至是崇儒術，黜百家，表彰六經，大開獻書之路。設置寫書之官，甚而旁及諸子。凡有得者，皆藏之金匱石室。公孫弘以經術「布衣起家，而策相封侯」。此例一開，怎會不使讀書人競相搜求呢？就是殘佚篇簡，片紙支字，益覺可珍了！殆經赤眉妖火，秘府今文典籍灰燼，舉凡僞古託古的學，更繼前此風起雲湧仿古法古之說，由是大行。距料百餘年後的東都，又遭董卓這一强人的一把野火，再次燔滅秘府儲藏文籍！但民間還是「野火燒不盡，東風吹又生」的，大批大批的製造出來。

西漢學風，暗中就在彼此剽竊抄襲，故儒學亦有「陰陽，五行（五行之說實起於戰國鄒衍），春秋災異」等玩意了。更因人自爲說，傳授各異，自也駁詁不休，「今文」間亦抄襲「古文」，待東漢「古文」僞盛，自然需要統一羣說了。於是許[illegible]、馬、鄭、諸家，頗有自恃淹博，率爾遍註羣經。雖强爲牽附，竄改羼臆，不管汗牛充棟，抑爲乖迕錯亂，就獨闢勝塲，俱「律令千載」以下，皆迷如沙漠了（僞經考說文糾謬，直斥鄭玄爲劉歆不世功臣：「僞經之光大，則賴鄭玄之功」。以我們今天看來，康雖因門戶之見，責之過甚，要不無原因呢）。

是故，馬、鄭、本已不能無僞。但漢學的如何變化，我們自亦不難窺知。東漢以後，佛教傳入中國，學人喜新厭舊，兼之儒、墨、道、法、等各家學說。其文字表面，率皆枯燥乏味，實亦因摩入諷理、諷事、過多，頗缺吸引人的長處，讀書人全在「訓詁」上用功夫、兜圈子，「入勝」更談不到了。魏王肅、晉杜預，復又大衍其緒。「尙書」復有鄭冲又僞造廿五篇。南北朝及隋代，非無兩漢，要皆鄭玄、王肅之爭罷了。一般文體，側重駢麗，旁婺聲韻轉讀。有唐一代，雖設「明經及第」一科，殆爲詩風所掩。亦僅限於文字聲韻平仄調叶上尤見功夫，似也忽畧了音韻方面的實質（語音）的應用和發展。陸明德、孔穎達、則什宗鄭、王，玄宗開元間以三禮、三傳、詩、書、易、爲「九經」。文宗開成後，更益孝經、論語、爾雅、爲「十二經」。五代北宋詞學，兼顧字句的通俗，或意景的高遠，儒者更捨棄名物「訓詁」，竟又趨向「哲學」一途。家法頓成陳迹，實亦揉合儒、道、釋、三家之學爲一爐共治。南宋朱熹增補孟子爲「十三經」。

元代罷經停用科舉，周德清爲適應統治者了解漢族文化，箸「中原音韻」一書。却爲不曉事故之輩說是：「因夷變夏」，與妖作怪之流。明代「永樂大典」，雖由解縉等將前代典籍，作了一次整理工作，但亦無足偁述。前後七子，一再提倡文法秦漢，實亦道多而亡羊。清乾隆時，惠、戴、諸儒，爲「經學而治經」，主實證，不尙義理。至是家誦許、鄭，而薄程、朱，專門「漢學」乃捨宋而復至東漢。嘉、道、咸、同、以後，更捨東漢而追迹西漢「今文」。至此才有「今文經學」與「古文經學」之分。如果我們用純學術的眼光衡量，漢儒古文學派的不經和那種作法，實在應受批評。但以文化的因革損益，和吸收混化，與演變的歷程觀察，而又不足爲怪異了。（三四）

動物農場

英 George Orwell 著　陳其芝 譯

第六章　豬蹄下的臣民與工業失敗

又說「：我們已經把被單拿掉了。是睡在氈子上而又蓋在氈子下，這也是很舒服的床呀。但是程度還跟不上我們的要求呢！同志們，讓我說得清楚一點，我們豬同志最近一直在全心全力的費腦用神，你們總不會剝奪我們應有的休息吧？難道要我們疲倦得無法執行職責嗎？你們絕對不希望鍾士先生再回來吧？」

動物們立刻表示同意牠的高見。事後，再也沒有動物談到有關豬同志睡在床上的事情了。過了不幾天，豬同志又宣佈了一道命令說，從今以後豬同志們要比其他動物晚起一個小時。動物對這件事也不抱怨什麼。

到了秋天，動物們雖然疲憊不堪，可是心境還很愉快。牠們又渡過了艱苦的一年，穀物在出售後存留下來的口糧也不多了！但是風車可以補償這一切的不足。因爲這個時候，風車已經完成了一大半。秋收後，又是一連串晴朗乾燥的日子，動物們工作得更爲辛苦，整日在工地裏行步維艱的與石塊爲伍。可是每當想到風車的牆壁又增高了一寸時，牠們也就感到自己的辛勞有了代價。白克蘭甚而在大家停工後，晚上再跑去工地工作一兩個小時，盈滿的月色紙照着牠獨自操作的孤影。每當動物有點空閒時間，牠們就會圍着這座尚未完成的風車轉了又轉，讚頌著那雄偉直立的牆壁，詫異地感到牠們也竟能以自己的力量建造出如此動人的工程。只有年老的班傑民對於風車，依然沒有高度的熱誠，牠仍保持一貫的作風，因循猴子獨特的性格默默地生活着。

十一月來了，西南風緊緊地吹送，由於過度陰濕，水泥無法調混，風車工程的進行也不得不停頓下來。有一天夜裏，暴風烈颼瘋狂地侵襲着農場，吹得農舍好像地動山搖，有些柱子吹倒了，大穀倉的房頂也給風掀翻了。母雞由睡夢中驚醒，發出粗聲厲氣的狂叫。同時牠們在迷夢中似乎聽到遠處還有槍聲。第二天早上，動物們從圈欄裏爬出來時發現旗桿倒了，園子裏栽種的榆樹像小蘿蔔一樣，被風連根拔翻過來。大家正看着這副破敗悽慘的景像，不覺另一個絕望哀鳴的驚呼，不約而同地發自每個動物的喉中——原來牠們目擊了一幅更可怕的場面：那雄偉直立的風車竟變成一堆廢墟了！

大家同時奔往現場，就連一向懶於舉步的拿破崙此時也跑在大家的前頭。是的，這一堆亂石就是牠們辛苦奮鬥的成績！被夷平的風車，腳跟處伴着四處飛散的碎石就是牠們費盡汗血的成果。大家悲傷得說不出話來，目瞪口呆地望着，拿破崙默默地走來走去，偶而用鼻子蹓開地面。牠的尾巴這時僵硬的在擺動，顯示出牠神情過度的緊張。突然，牠停止了尾巴的擺動，似乎有所決定地說道：

「同志們，你們知道誰應該對這件事情負責嗎？你們知道在深更夜半地來這兒破壞我們風車的敵人是誰嗎？史諾柏！」牠忽然提高了聲音叫道：「這是史諾柏幹的好事！牠惡意地破壞了風車，目的在打擊我們的計劃！報復牠被逐出動物農場的怨恨。這個叛徒在黑夜的掩護下，做了將近一年的破壞工作。同志們，就在此時此地，讓我宣判史諾柏的死刑。任何動物如果能執行這項刑罰，將封爲「第二級動物英雄」，並且獎以半個蒲式耳的蘋果！誰能活捉牠，可以多得一個蒲式耳的獎賞。」

大家都爲這意想不到的宣佈所震驚了，史諾柏竟會做出這樣的事來！羣情激憤，大家都在各盡所能地想方法來追捕犯罪的史諾柏，很快地牠們又發現了一個豬腳印，留在離風車很遠的丘地的草地上。（二一）

繼鶴齋譚劇

孫菊僊的八張唱片

東園

響。此片灌時，孫年將古稀，與晚年所聽者有出入，晚年殆臻爐火純青矣。民初，在津滬不時露演，人皆以老鄉親稱之。稱號由來，緣孫在某次冬賑義演硃砂痣假座下天仙茶園，適感風寒病嗓，座客已滿，瀕臨登場，而孫猶未至，主事者敦請再四，催場者連續頻催，孫以病嗓擬請改期再演，惟座客必要孫親自登場，否則退票。八善堂主事人大感焦額，乃倩園主趙廣順親往迎駕，並託其好友天津警察廳長楊以德勸駕，勉強扶掖登場，唱搖板「霎時間前後廳紅燈嘹亮，不想到年邁的人又做新郎，」嗓啞幾不成聲，台下頓感同情。孫於唱完兩句，走至台口，摘下髯口，向大家拱手打躬，口稱「老鄉親們吶！今天因為感冒，兄弟的嗓子啞了，不能奉陪，改天好了，再來鑿補。好在各位都是為了修好纔來，不是為的聽我，那麼我替窮人們謝謝老鄉親們啦」！說完打一躬，於是義劇算是圓滿結束。老鄉親話柄，街談巷議，而老鄉親之名因此亦不脛而走。後孫演劇，即直以此名刊登報章矣。（四．完）

海嶠雲談薈

憶陳果夫

諸葛文侯

現代名人陳果夫先生，體質素尩弱，而其志向頗不平凡。少年時在湖南私立「明德學校」小學部畢業後，曾入陸軍小學肄習軍旅之事，終以體格關係，未竟其志。及冠，委身上海某商店，司出納任務，當為乃叔陳英士先烈之革命工作效奔走之勞。蓋果夫先生賦性木訥而軀幹短小，狀若鄉愚，馳逐於十里洋場中，不招致他人注意，克達乃叔所付使命也。

愚於民國十六年初夏，因日本友人宮崎龍介在上海趨謁先生時，挽愚為舌人，始得親接果老謦欬，察言觀色，知其為內向型人物，不若乃弟立夫之瀟洒而有熱情。洎後陳氏昆季綜持國民黨務垂卅年，愚以厠身政界，鮮預黨事，與果老殊少往還，而與立夫常有接觸。迨對日抗戰期中，愚受命綰領重慶市教育行政，不時晤及果老，某日在渝市學田灣「衡舍」談話間，有中年婦人著粗布衣，登白布履，貌殊平凡，入客室對果老言事，愚認係陳宅女傭，漫不經意，旋聞其呼隔室陳世傑秘書之名，有所吩咐，不禁訝然。此際果老已察覺愚之隱衷，乃莞爾告語曰：「我幸有這位不漂亮的太太，否則像我這樣久已害着肺病的人，早就活不成了！」我以未能向陳夫人施禮致敬為歉，果老謂「她素來不講究客氣的。」愚為之肅然敬仰黨國要人如果夫先生伉儷者，始終保持革命黨人之崇高風格也。

據朋友談及果老肺病經過情節，頗與國事有關。當國府軍委會在杭州創設「筧橋空軍學校」之初，先烈陳英士先生之長子 夫，適在壯年，知友囑其投筆習航空事業，然母氏不同意，嗣經果老向嬸娘解說，贊許，夫乃入航校。未幾，於練習飛行中，失事喪命，陳夫人聞之大慟，見及果老時，抱頭痛哭而猛力撞向果老胸部，蓋怨果老曾勸其允許愛兒習航空也。果老突受茲刺激，登時咯血甚多，而肺疾遂日益劇化矣。

果老對人接物，語言不多而意誠詞信，決無一般官僚主義者圓滑敷衍氣習。民國十五年冬間，吾黨同志湯志先兄（現居台北）歸自日本，在南昌謁見果老，適有皖友李鑄青君著狐裘團花長袍同往，果老見之大不懌，事後責志先不應與土豪劣紳之輩交游，殊悖革命黨人志節。故果老自民國十五年投身國民革命行列以來，直至去世，數十年間未曾著西服或中國長袍，經常以中山裝為唯一服飾，亦從不向稠人廣眾中作長篇大論之講演。其為人也，謹愨篤實，自奉儉約。入其室，桌椅皆為樸素之本國產品；與之言，雖缺乏幽默感，但喜為來賓相貌作速寫。愚於民國卅三年在重慶最後一次與果老晤對時，彼持拍字簿、執鉛筆，雙手置小圓桌下揮動不已，愚偶爾俯首睨視，彼即莞然謂：「你談你的，我一面聽，一面給你作速寫畫像哦！」

愚以鮮問黨務，故與果夫先生過從多疏，認識自不深刻。然其顯達數十年，且操黨務與政治上人事進退之銓衡職責，而始終不貪財，不擅權，不好名，確然湼而不緇，固為彰彰在人耳目之事實，環顧當代顯貴人物，如果老者究有幾人耶？

吳三桂抗清之戰

羅雲

七　吳三桂之覆亡

康熙十六年三桂已失陝西、福建、廣東三大援，又失江西；三桂以局勢至此，乃圖轉而自救，遂命其將攻廣東之部隊及廣西之桂林，以解除其側後之威脅。但清軍於江西之岳樂所部，亦急攻湘東瀏陽、平江；三桂水師將林興珠復降清於湘潭，同時清陝西、荊州之兵，亦相繼增援岳樂軍，於是湘之東南永興、茶陵、攸縣、縣、安仁、興寧、郴州、宜章、臨武、藍山、嘉禾、桂陽、桂東，均相繼陷於清軍之手。此時三桂已六十七歲，僅保有雲南、四川及湘桂之各一部。三桂至此，為維繫人心士氣，以救窮蹙之勢計，乃自稱帝，並自長沙徙衡州，時為康熙十七年五月。到了是年八月三桂暴卒，嗣後湘川貴亦相繼為清軍克復；至康熙二十年（西一六八一年）清軍入滇，數戰吳軍皆敗，三桂子世璠服毒死，雲南遂全定。

八　我們的評論

吳三桂之才，祇能當一將之任，政略以上之才智與眼光，則遠非其能所及。關於此點，我們可以從其貿然引清兵入關於前；此次進軍中原，復失勢失機於後中明白地看出。就前者說：三桂違父命違皇命，為了自李自成手中救回其妾陳圓圓，竟昧於當時情勢，親自請調乞援於多爾袞（清），妄想清兵入關，於驅走李自成之後，中國子女玉帛任取之以去，然後割地賞之，即可了事。殊不知自明崇禎帝死後，自成稱帝，中原混亂，一旦清人入據燕京，憑你三桂即可控制乎？故明之亡，係因三桂之愚，予清人以因勢乘便之利而亡。主將對戰局關係之重要，由此可知。而三桂之才，止於一武夫，缺乏政治才器與遠見，亦暴露無遺矣。

就後者說，亦復如是。茲舉其於此役中失機失勢諸點如次：當三桂舉兵北上之時，清人統治未久，人心猶潛在變動，以慣於異族之壓迫，明之遺臣舊將，猶思明室而圖恢復者大有人在；況清之宿將，多已故世，將士漸安於逸樂，士氣軍力，已遠不如前。故三桂舉軍出滇之日，四方紛紛響應而起，湖南、陝西之清軍，皆不堪一擊，即使三桂失機徘徊於贛湘之間，而荊州之清軍，猶畏葸不敢前進。

設三桂軍至常德岳州之時，即乘當時之氣勢，銳軍渡江北上，逕取武漢，取荊州而直出中原，則必有如左之三利：

（一）乘當時民心士氣所形成洶湧之氣勢，及由此氣勢所造成有利之形勢，更進而乘之，并加強而擴大之，可促使清廷陷於土崩瓦解之勢。

（二）若三桂已進至中原，則川陝方面之進展尤速，可以達到兩方面之合勢；如此，則江南只以偏師進取，即又舉手而得，此亦孫子所謂「城有不攻，地有所爭」也。

（三）然後合勢以進取燕京，若如此，則中國之局勢，當可翻然一新。

可是三桂卻不此之圖，徘徊於湘贛之間，自失其時機與優越之氣勢，以致陝西之王輔臣受挫，王屏藩被迫後撤漢中，陝之清軍得以轉而南向，加強對湖南方面之攻勢；而江西江南方面之清軍，亦得以一面擊退耿精忠，一面攻擊湘東南，而威脅三桂之側背。這樣，形勢一變，三桂之勢日蹙，自然自救不暇矣。—完—

貂蟬

—「影劇與歷史」之四

周遊

又根據「小浮梅閒話」所載：「王允與呂布謀誅董卓，初無婦人預其事，惟後漢書呂布傳曰：「……使布守中閤，而私與傳婢通，益不自安」。然則鳳儀亭擲戟，俗傳固出有因，而所謂貂蟬者，殆即爲婢事附會而成之也」。又董卓傳：「卓朝服升車，既而馬驚墮泥，還入更衣，其少妻止之，卓不從。……」此女當非貂蟬。與布私通者，可能另有其人，不然必不致勸止也。又梁章鉅「歸田瑣記」云：「…按今演義所載周倉事隱據魯肅傳，貂蟬事隱據呂布傳。雖其名氣不見正史，而其事未必全虛！余近作三國志旁證，皆附著之」。三國志中周倉其人亦不見露名，與貂蟬之隱約如出一轍，不必因此而疑確有貂蟬其人也。

三國志呂布傳裴注所引之「英雄記」，「魏氏春秋」等，呂布身邊確有一位美妾，只不過以「婦」代表而已。「英雄記」云：「布欲陳宮、高順守城，自將騎斷太祖糧道。布妻謂曰：將軍自出斷曹公糧道是也。宮順素不和，將軍一出，宮、順必不同心共守城也。如有差失，將軍當何以自立乎？願將軍諦計之，勿為宮、順所誤也。妾昔在長安，已為將軍所棄，賴得龐舒私藏妾身耳。今不須顧妾也。布得妻言，愁悶不能自決」。觀此，可見呂布之妻並非凡婦，其出言亦甚有見地。

又據「魏氏春秋」云：「陳宮謂布曰：曹公遠來，勢不能久，若將軍以步騎出屯，為勢於外，宮將餘眾閉守於內，若向將軍，宮引軍而攻其背；若來攻城，將軍為救於外；不過旬日，軍食必盡，擊之可破。」布然之。布妻曰：「昔曹氏待公台如赤子，猶舍而來；今將軍厚公台不過於曹公，而欲委全城，捐妻子，孤軍遠出，若一旦有變，妾豈得為將軍之妻哉！」布乃止。其中「布妻」之文凡數見，惟不見其名，是否即為世人所稱的貂蟬呢？真難以為說。

又據三國志呂布傳注引「英雄記」曰：「布見備甚敬之，……請備於帳中，坐婦床上，令婦向拜，酌酒飲食。」又云：「建安元年六月夜半時，布將河內郝萌反，將兵入布所治下邳府，詣廳事閤外，同聲大呼攻閤，閤堅不得入。布不知反者為誰，直牽婦，科頭袒衣，相將從溷上排壁出，詣都督高順營。」又三國志關羽傳注引「蜀記」云：「曹公與劉備圍呂布於下邳，雲長啟公，布使秦宜祿行求救，乞娶其妻。公許之。臨破，又屢啟於公；公疑其有異色，先遣迎看，因自留之。雲長心自不安。」觀此等記載，呂布之妻必定是一個美麗的動物無疑了。因其事又牽扯到關公，故雜劇又有「關公月夜斬貂蟬」之事。

人或謂「三國演義」捏造了貂蟬。然則，在演義之前，又何以有「貂蟬」之名呢？現存元人雜劇考（羅錦堂編），無名氏撰之「連環記」，其中便有貂蟬其人。又有「關大王月夜斬貂蟬」雜劇。那麼元人雜劇中之貂蟬又根據何書呢？不能說沒有所本。（三）

妲己與炮烙

周燕謀

又「繆稱訓」篇：「文王辭千里之地，而請炮烙之刑。」其餘如「道應訓」、「要略」、「齊俗訓」各篇，均有炮烙之記載。

漢書谷永傳云：「榜箠瘠於炮烙。」又韓詩外傳：「紂作炮烙之刑。」

新序云：「作炮烙之刑，戮無辜，奪民力，冤暴施於百姓，慘毒加於大臣。天下叛之，願附文王」。帝王世紀亦云：「紂為銅柱，以膏塗之。」又太平御覽引「帝王世紀」云：「諸侯或叛，妲己以刑輕。紂欲重刑，乃先為大熨，以火熱之，使人舉不能勝，輒爛手。紂怒，乃更為銅柱，以膏塗之，加於熱炭之上，使有罪者緣焉。足滑，跌墮火中，紂與妲己笑為樂。」又同上引：「紂作銅柱，令男女裸形緣之，[illegible]」抱朴子詰鮑載：「天使桀紂之徒，得燔人[illegible]方伯，剖人心，破人脛，窮驕淫之惡，用炮烙之虐。若令斯人並為匹夫，性雖凶奢，安得施之？」漢代以後的古籍，如三國志魏志文德郭皇后傳：「紂以炮烙怡妲己。」

炮烙之非刑，因其慘絕人寰，除人間世暴君使用之外，陰朝地獄中也用以治其惡貫滿盈之鬼。如法苑珠林卷十三「地獄部」「晉居士趙泰」條，說趙泰在地中看見「鐵牀銅柱，燒之洞然，驅迫此人，抱臥其上，赴即焦爛。」又「太平廣記」一〇二宋義倫傳引「報應記」云：「看地獄……鐵牀甚闊，人多焦黑，形容不辨。」靈寶領教濟度金書云：「地獄，一曰刀山，二曰劍樹，三曰銅柱，四曰鑊湯，五曰[illegible]……」又「太上洞玄靈寶往生救苦妙經」中云：「遊地獄之中，見：……銅柱遍身。」除以上的暴紂，地獄中使用此非刑外，[illegible]之中也普遍地使用它以鎮壓人民反抗暴政，牠們是把香火放在人的腋下，煽風疾燒。

封神上將炮烙的慘狀特為形容，是為的[illegible]愈速。此殷就快滅亡了。荀子說得好：「紂為炮烙刑，殺戮無時，臣下懍然莫必其命，然而周師至，而令不行。」待其失敗時，人民的報復日期就到了。封神係採荀子的意義而描寫的。（五．完）

內僑警台報字第〇三壹號內銷證

自由報

THE FREE NEWS

第五四五期

中華民國僑務委員會領發
台敎新字第三二三號登記證
中華郵政台字第一二八二號執照
登記爲第一類新聞紙類
（本週刊每星期三、六出版）
每份港幣壹角
台灣零售價新台幣貳元
社長：雷嘯岑
督印人：黃行奮
社址：香港銅鑼灣高士威道二十號四樓
20 CAUSEWAY RD 3RD FL HONG KONG
TEL. 771726　電報掛號：7191
承印者：田風印刷廠
地址：香港灣仔高士打道一二一號
台灣分社
台北市西寧南路壹叁零號二樓
電話：三〇三四六
台郵撥儲金帳戶九二五二

美國的戰不勝論和現階段的越戰（上）

何浩若

一、不戰勝政策的事實與理論

① 韓戰中不准戰勝的事實

戰不勝論是美國特有的怪論。所謂戰不求勝就是不戰勝政策（No—Win Policy）。麥帥在美國國會作證的時候，說這個不戰勝政策，『不僅美國史無前例，即全世界亦史無前例。』不戰勝政策的事實發生於一九五〇年的韓戰。我們寫過一篇報導，叫做『麥帥遺策與亞洲反共戰略』，在那篇報導裏，我們引述了一篇康西丁的麥帥訪問記和盧卡斯的備忘錄詳細的記載着麥帥親口所講的，他如何可以贏得韓戰而美國的執政者堅決的不准他打勝仗。關於在韓戰所發生的戰不勝政策的事實，在這裏我們不再重複的贅述了。康西丁的訪問記和盧卡斯的備忘錄，因爲牽涉英國的出賣情報，曾經發生很大的爭論。但是美國在韓戰中不准統兵的將領打勝仗，經過美國國會調查，則確實是事實。茲引述美國國會調查韓戰的記錄於後。

美國國會的軍事委員會調查一九五一年的遠東軍事情況曾經邀約當日的美軍將領包括麥帥在內，向國會作證。麥帥的繼承人克拉克將軍向國會說：『奉命不准轟炸鴨綠江上的許多橋樑，而敵人的卡車軍火和戰士不斷的從那些橋樑上過來！』范佛里將軍向國會說：『我個人堅決的相信，高級外交官一定供給敵人情報，說我們不會過鴨綠江去攻擊他們的基地。』韓戰的美國空軍統帥斯屈特梅耶將軍向國會說得更清楚。他說：『你參加戰爭爲的就是要打勝仗。你不會參加戰爭而站在那裏不動等着打敗仗。可是我們規定要失敗。我們不准打勝仗。』

孤注一擲

共式和平

這眞是一針見血的話。歷史上眞有這樣的怪事！不怪麥帥要向國會說：『像這樣限制使用可能有的軍事力量來打退敵人的攻擊，眞是史無前例，不僅我們的歷史上沒有，像我所知道的，就是世界上的歷史也沒有！』

這就是在韓戰時所發生的不戰勝政策的事實。

② 不戰勝政策的理論

現在再報導一點『不戰勝政策』的理論。據歷次國會調查的紀錄說，自韓戰以後，美國根據這個『不戰勝政策』對共產集團的冷戰是節節失敗。共和黨的艾森豪總統沒有改變這個政策。民主黨的甘迺廸總統也沒有改變這個政策。不過從古巴淪陷以後，美國國會裏面的反共議員和朝野的反共人士都懷疑這個『不戰勝政策』。在一九六四年美國的大選中，共和黨的總統候選人高華德便寫過一本書叫『爲什麼不要勝利』（Why not Victory？）專爲攻擊這個『不戰勝政策』。不過一般人能知道這個不戰勝政策的理論，還得力於芝加哥論壇報駐華盛頓的記者愛德華滋，他在一九六二年六月十七日至十八日在芝加哥論壇報接連報導了這個不戰勝論的內幕。愛德華滋說美國國務院政策計劃者羅斯陶，起草了一本厚達二百八十五頁的政策指南。這本書認爲祇要美國能說服共產集團，美國絕無傷害他們的意思，共產集團也不會傷害美國。羅斯陶這個名字對讀者並不陌生，他是一個研究經濟發展的教授，原在美國麻省理工學院教書的。他也就是講工業起飛的。愛德華滋引述了他在一九六二年五月三日在美國尼華達州講演中的一段話，把不戰勝的理由說得很明白。他說：『有人問我們的政策是不是不戰勝政策？我們的答覆是這樣的。我們不期望在這個星球上我們永遠的分裂爲共產集團和自由世界。我們希望這個星球會在將來由所有的獨立國家爲了人類自由，根據自動合作的原則組織起來。將來不會是美國對蘇聯的勝利。』羅斯陶在美國的特種戰術學校演講：『將來也不會是資本主義對社會主義的勝利。』羅斯陶這裏所講的社會主義當然是指的共產主義。他這樣的說法寧是和列寧相同的。列寧說共產主義者最好自稱爲社會主義者就容易爲人接受。其實美國現在所實行的已經不是舊日的資本主義而是勞資兩利的自由經濟制度。羅斯陶是研究經濟史的。他說是不要資本主義的戰勝社會主義，又比不要美國戰勝蘇聯更妙了。

美國共和黨總統候選人高華德參議員是徹底反共的，他不同意這個不戰勝政策。上文說過，他寫過一本書名叫：『爲甚麼不要勝利？』在原書的第一百五十一頁，他說：『我懷疑我們這個國家是否從前有過這樣的[illegible]，在生死存亡對外作戰之際，政府一部份官員却自動的一口咬定[illegible]不勝利[illegible]的可能[illegible]而是失敗[illegible]

今日与明日

多米尼加政變

中美洲與古巴爲鄰的小國多米尼加最近發生政變，始而以爲是中南美習慣性的政變，無非是軍人爭權。那知演變到後來，眞相大明，原來是毛共從中策動，訓練叛徒，用經濟援助，故雖然在多國政府軍猛烈圍攻下，仍能據險抗守，至今尚在血戰中。

美洲國家組織得悉多米尼加政變是共黨份子奪取政權後，立即召開會議，授權美國出兵保護外國僑民。目前美國海軍陸戰隊已登陸多米尼加，並劃出一個非戰區，收容僑民。由於美國陸戰隊的登陸，政府軍聲勢大盛，看情形短期當可收平禍亂。就在此時，蘇俄駐聯合國首席代表要求召開聯大會議，討論美軍登陸多米尼加的問題，相信最近兩日一些共黨及準共產的國家將會發生大規模的示威事件，抗議美軍『侵略』多米尼加。共黨的戰術就是兩面，美國若不聲援多米尼加將會赤化；聲援又變成侵略。總之，要使美國陷於困境。

印巴交戰

印度同巴基斯坦的軍隊正在邊界交戰，這次規模很大，雙方都出動了坦克戰。就印巴過去的衝突來說，尚不失爲一個中型戰爭，主動據說是巴基斯坦。巴國何以要向印度挑釁？此中大可研究。印度方面指證是受了毛共的主使，雖然事無佐證，但由於巴基斯坦最近同毛共交往密切，阿育汗總統訪共區後印巴大戰即發生，十之八九是毛共從中煽風點火。因爲印巴之戰，不但造成亞洲不安，使英美也感覺爲難：英國是印巴舊日宗主國，今日仍隱然左右印巴外交，英國自不能袖手不問，但一插手必然兩面不討好；美國與巴基斯坦是盟國，中央公約、東南亞公約均有巴基斯坦，但美國一貫政策是重印輕巴—巴國因此憤而親共。此次印巴之爭若處理不當，可能導致巴國退出中央及東南亞公約組織，兩公約可能因此解體。

伊朗王遇刺

中東反共重鎭伊朗，國王巴里維日前幾乎爲衛兵開槍射死，事後逮捕兇手黨羽詰問，原來又是毛共主使。毛共顚覆多米尼加是想在美國後門再築一個炮壘，挑起印巴戰爭爲了製造混亂，刺伊朗王究竟是爲什麼？伊朗目前同毛共總算風馬牛不相及，要說因爲伊朗王反共，則亞洲反共領袖也絕非伊朗王一人，何以專門要刺伊朗王？其原因無非是遍地開花多造事故以增加混亂！相信自今以後，尚有其他反共領袖會成爲毛共刺殺目標。總之，慶父不除，魯難未已，毛共不滅，世界永無寧日。

（何如）

自由談

美國用空襲方法在越南大打出手，目的是要趕快跟越共媾和，條件是希望越共停止對越南地區的游擊戰，以免美國陷於泥淖之中而不能自拔。一廂情願，自我陶醉，何其傻也！

共黨素來擅長打打談談的戰術，但不像美國大少爺的天眞無邪，既不知彼，亦不知己。共黨每於勢窮力蹙之際，即大放和談空氣，用以使對方無法接受的先決條件，用意只在鬆懈對方的戰鬥精神，待時反噬；它到了可戰而有勝算的時候，馬上露出猙獰面目，縱然簽訂了媾和條約，也有理由予以撕毀，咱們中國大陸河山，就是這樣喪失掉了的！

美國在越南表面上既不願丟臉認輸，而藉空襲以示威逞強，內心裏又害怕戰事擴大，釀成眞正的局部戰爭，重蹈韓戰式的悲劇。心神衰弱，沒有一定的政策，好像在賭場中從事賭博，想贏錢而不敢乘機下大注，只是零零碎碎，陸陸續續地從袋裏摸出少數賭本來投擲，輸了又再摸，結果全部本錢陶光完事，決無倖理，俗語叫作『陰乾的』！駐越南的美軍，從原有的一萬五千人已陸續增加到四萬人，各式飛機亦加到了原有數目的五倍以上。由今之作風，不變今之戰略，將來縱然逐漸加到十萬名戰士，還是只有吃癟挫敗之一途而已。

可哂與可悲

美國對越戰的章法與作用如此，共黨瞭然在懷，竊竊暗笑，而白宮主人乃想出『無條件和談』的哀聲，且以共黨未予熱烈反應爲失望，這不是幼稚透頂的見解嗎？共產主義者如果是這樣容易對付的傢伙，蘇俄的十月革命根本就不會成功，共黨分子在世界上早該絕種了。

錯誤的行爲源於無知，而無知的心理因素就是我慢自負，遇事不求甚解。記得美國前任衆議員周以德說過：『美國人還是在共產主義的幼稚園中。』此言可謂深中肯綮，十分正確。美國的政治人物十九皆對共產主義的本質莫名其妙，却不肯虛心研究瞭解，更不知惜取失敗的教訓，大徹大悟，痛改前非，總以爲自己擁有優越的武器與金錢，無往而不利，其他都屬無關宏旨的事，美共即不足畏，別處的共黨亦是人，何畏之有哉？

美國朋友：你們這種想法與作法，未免教共黨太可哂，而使自由人類太可悲了！

馬五先生

高市車船管理處易長
佇看交通能否獲改善

（本報記者袁文德高雄航訊）高雄車船管理處易長，終在幾經波折後如願以償。新任處長殷銘春亦於上（四）月十五日接篆視事。

一向爲市民所詬病的高雄市公共車船管理處業務，這次在市長陳啓川的決心整頓下，不理會各方面阻力，幾經波折，終於達到易長的目的。這在陳市長來說，無疑是又一次獲勝！不過易長後的車船處業務，今後到底能有多大的成就？甚至能否有所改善呢？還有待於事實的證明。

據殷銘春處長語記者稱：在他到職後的十數日來，經過對各方面的瞭解後，認爲高雄市在地理環境及人口密度的先天條件上，對車船管理處的業務發展、有着絕大的影響。他解釋說：因爲有「①路綫過長（如五路車，自高市火車站起點，至左營北站止，計行程全長十九公里，而台北市最長行程僅八公里），票價低廉。②人口稠稀不等。常有一、二公里以上沒有居民，而減少乘客上下車機會。③贈送票與優待票太多，學生月票價格又低（按台北市學生月票售價二十八元，高市祇售二十二元），在這方面收入損失，年達一千二百多萬元，佔全年總收入三分之一强。」

有了這些因素，致使營運收入，受到極大影響；因而在車輛方面，縱有完整而更好的「添新汰舊」計劃，亦恐難以實現。其次是「①車掌小姐的服務態度傲慢。②車輛過站不停」等人爲因素，而引起市民的不滿與抨擊。

他又說：爲整頓業務，改善營運，目前的中心工作是「①糾正車掌的服務態度；②絕對做到有站必停，停必開門」的原則，藉以改觀市民們對車船處印象。而後從事於發展業務。

不過，市民們一般的意見是：殷處長就職伊始，能注意到這些，并積極整飭改進，固是值得讚揚的；惟對「客滿擠不上車」如何處理？未見有具體改進辦法，不知爲何？也因此，縱然把「有站必停，停必開門」的規定，實施得如何澈底，做的如何確實，但因對「車滿擠不上」未予妥善解決，那麼，恐怕終不免於前功盡棄的。唯一的解決之道，市民們認爲，祇有實施車輛適時「機動」調度方式，（例如五路公車，每日上午八時前、學生趕上學校，公務員趕着上班，在這種情形下，假如每車於起點即已滿載，則其他各站乘客，即失卻上車機會；如此必苦久等而徒見每輛駛過車脯，均屬滿載，勢必怨聲載道，歸咎車處了。所以，若能採機動方式，即甲車可於起點載滿學生由建國三路之捷逕，直駛市立七中，而後再按站駛往左營北站終點。乙車則空車駛離起點，按原訂路綫駛往下一站，開始搭乘乘客。餘依次類推，直到起點站不再有擁擠情形爲止。下午三時半以後，學生放學。左營北站又開始擁擠，而南站以下乘客，又多無法擠進車脯，此屬實情，故又必須採取同樣機動措施，疏散乘客。這樣既省油，亦省時。其他各綫，亦可按實際需要，參照實施，解決此一擁擠現象。市民以爲：此項辦法，如能予以採納試行，是可收事半功倍之效的。

台省地方教育佳音
財政收支劃分法通過
縣市可以征收教育捐

（本報台北航訊）關係重大之「財政收支劃分法」，已於四月廿三日在立法院院會中三讀通過，完成了立法程序，日內即將咨請總統明令公佈實行。其中明白規定有限度投權縣市徵收教育捐，將使地方教育經費獲得充分解決。此爲行政院和立法院密切合作，重視教育和與論的豐碩成果，值得大書特書。

按上項法案第十八條明白的修正爲：有限度地投權給地方縣市議會，可徵收敎育捐，擴展教育經費。其關於地方教育預算的規定有：「各級政府對他級或同級政府之稅課，不得重徵或附加；但縣市教育科學文化支出比率，年度預算中超過憲法規定最低標準百分之卅五部份，經各縣市議會議決，並報經行政院核准，得在縣市稅課中不超過原稅捐百分之三十徵收地方教育捐。各級地方政府不得對入境貨物課入境稅或通過稅。」

同時立法院經濟委員會召集委員魏惜言及教育委員會召集委員王大任二氏，均分別發表意見，咸以此項法案通過後，地方預算將較寬裕，尤其是在教育經費方面。魏王二立委說：由於省統籌的部份減少，同時縣市議會在有限度的範圍內可以徵收教育捐，則地方教育預算在憲法規定的百分之卅五以外，能加三成稅捐，則每年可增加新台幣四億元，以五年計之，則可有二十億的教育預算。如此一來，目前在台省較大的縣市中，國校原有二部制和三部制的教窒莊問題，郎可獲得圓滿的解決。而實施志願升學，亦即延長義務教育的問題，更可迎刃而解。百年大計的地方教育，從此應可步入正常的進步的境域，確是好事。祇是師資問題仍屬相當嚴重，政府有責任特別注意，并加以解決。（吳振祥）

葡萄牙南部欣發現
紀元前二萬年石畫
——里斯本通訊

有一隊工人在葡萄牙南部的伊斯科路山區採取雲石，當一個大石面被火藥炸開成一個洞口時，有一個鑛工劃着一枝火柴進去觀看，在微弱的火光中見到有許多骨骼、頭顱和陶器。這樣就發現在伊斯科路巖穴內的石畫，轟動了全世界的考古家。特別是那些研究舊石器時代的專家。後來照調查所得，推測可能是在公元前二萬年前的作品；這比較年前在西班牙北部阿爾泰美拉所發現的石畫（約有一萬二千年歷史）和在法國中部拉斯哥斯的石畫（約有一萬五千年歷史）年代更遠，所以成爲現已被發現的人類最古的繪畫。

在葡萄牙的消息傳得很快，在幾個鐘頭後就有許多村人到達，他們進入那深一百六十五尺的巖穴，拿走在裏面值錢的頭顱和精美的陶器。但後來警方迫使人們原璧歸趙，但也有漏網的。一個機警的當地新聞記者馬上拍長途電話通知在里斯本大學担任史前學的講師山度氏博士，他立即駕車到來。

那個巖穴在新石器時代，約在公元前六千年，曾被用做埋葬之所。山度氏博士對在那裏的人骨和碎片並不覺得有趣味，因爲葡萄牙遺留有不少在新石器時代的東西；他想對那個巖穴作進一步的考察，得到雲石鑛場的主人和蒙提摩亞市長的幫助，派人日夜看守，後來更用一個鐵閘將穴口關閉。在發現後十一日就開始作科學上的研究，直到在一九六三年夏季爲止，山度氏博士向政府建議將那個巖穴作爲一個紀念館。在里斯本的周圍一百哩內的地方，考古家都知道那是舊石器時代有人居住的地方，雖發現不少古代人民遺留下來的用具和雕像，但是發現繪畫，這還是第一次，所以他們對此都非常重視。依照傳統上的推測，在葡萄牙內舊石器時代的人是來自非洲北部，但另一說是他們可能是來自西班牙北部。照山度氏博士指出，在伊斯科路巖穴所繪出的一隻山羊，正和在法國伊保地區所發現的相似。又有一隻鹿也像在法國莎塞地區所發見的相似。

山度氏博士在一九六三年至一九六四年冬季再繼續研究，在伊斯科路巖穴牆上的繪畫，向它灑上清水，圖畫便玲瓏出現，通常所見是黑色，但也有紅赭石色的。他決定這是上古石器時代最佳的美術代表作，這叫做法蘭哥金達貝安派，年代可能是在公元前一萬七千年。但照法國研究中心的阿比高利在本年正月去研究後，他同意山度氏博士的指示，他估計它有一萬五千年到二萬年的歷史。這兩個考古專家都認爲伊斯科路巖穴是曾被利用來做祈禱和唸咒用的祀神之地，在牆上所繪的獸物形狀是原始人在每日生活上的一種主要象徵。阿比高利更指出在牆上有綫紋格子的乳鐘乃是用作一種簡單的樂器，敲它會發出各種音響。現在那個巖穴內的繪畫仍繼續由專家研究，相信更會有新的發現。

英國大律師的酸甜苦辣
——倫敦通訊——

當他步入法庭時，是一個惹人注目的人物，頭戴白色假髮，身披黑袍。容貌出衆。他是永遠穿着同一服裝的演員。他究竟是誰？大律師是也。

以他來說，盤問是最富刺激。由于當事人的前途，有賴于律師的雄辯及才智，因此，作爲律師，生活是刺激的。

大律師仍是今日合作時代中僅存的少數孤獨行業之一。在法庭上，他們孤立無援，沒有人可以幫助他們。但人們對於這種行業，却有煩言。

做律師的基本條件，是出身好。出身於工人階級的青年，難望成爲法官。而做法官，是大多數大律師所希望的。

刻在英國執業的二千零七十三個大律師中，大多數是在公立學校畢業，然後進入劍橋或牛津大學讀法科。在英國高等法院法官中，出身于普通學校的，僅四人而已。

在郡立大學攻讀法科的人，難望出任高等法院法官。幾世紀以來，律師總是在初期經歷艱苦的，這種情況，目前仍是一樣。

希望成爲一個大律師的青年，首先須籌一百七十鎊加入四法學院，以及支付律師考試費。此外，另須繳付一百鎊按金。

遠自中世紀以來，欲做律師，必須加入四法學院中之一間，否則不能執業。在加入後如被開除或停牌，亦不能繼續執業。

四法學院是一種極具權威的同業公會，它們聯合起來，組成一個法律教育委員會，這委員會爲學生舉辦演講及每年舉行三次律師試。

即使在大學裏獲得法律學位，亦未能立即執業，仍須參加法律教育委員會的考試。進修的最短時期，至少三年（今年六月後將減爲兩年），而在這三年期間，學生祇有消費。

在這期間，你每年須在學院的古老大廳至少食餐十二次。十八世紀時，由于食品粗劣不堪，學生祇食了第一度菜——生蠔，便食不下咽了。

最後，學院院長宣佈某人成爲大律師，但仍未能賺錢，反而須繼續支出，向有經驗大律師繳費百鎊，跟他實習一年。

在倫敦執業的大律師，共有一千五百人，在各郡執業的，約有五百人。

能幸運的入一家律師行，可能會從其他工作太忙的大律師方面獲得工作。在律師行租用一張辦公檯（此時你仍無力租用整個房間），每年租值約爲一百五十鎊，此外另加電話費，其他雜費及聘用一文員的薪水。

這文員是大律師的經理並助手。律師不能與大律師討論案情及收費問題。這說明爲什麼這個文員，能使新大律師成功或失敗。

新大律師一旦加入律師行，開支日大，許多年輕大律師，在開業不久，生涯已不俗，因爲他們受聘於政府，爲那些無錢聘請律師的被告辯護。

戰時走紅的大律師希士廷，無意中交上好運。當時有個律師擬請哈特大律師辦理一案，但哈特因事未能出庭，故這律師乃依照名單次序，改請希士廷辦理。

觀於上述，一個年輕大律師須等候時機。因此許多大律師在晚上教書，或爲雜誌撰稿。不過這些工作，報酬並不多。

每一年必有若干青年薄律師而不爲。不過，現時放棄鬥爭的律師，爲數甚少。甚至名成利就，做律師也不是很寫意的。正如英國法學教授韋廉士博士說過：「一般人對於律師的收入，往往誇大其詞」。在英國大律師中，年入五千鎊者有一百五十人，超過一萬鎊的有二十人，超過二萬鎊的有十二人。

成功的大律師，經常生活在可怕的壓力下，有時眞是廢寢忘餐，席不暇暖。

配糧不一致却均吃不飽
廣東農村普遍陷於飢餓
瘧疾流行醫藥極度缺乏

（本報訊）清明節的時候，香港曾有不少人返大陸探親并掃墓，據本報記者所獲這些人透露親眼目擊的消息，粵省同胞生活，甚爲悲慘，飢餓現象到處皆然，從而疾病叢生，又苦乏醫藥，言之極堪痛心。

據曾返珠江三角洲各縣和廣州以北的清遠、佛岡、龍門、從化等縣的人稱：鄉間瘧疾流行甚盛，原因是蚊蚋孳生，而鄉人營養不良，抗病力弱，醫藥又極度缺乏，致病者日多，使勞動力大爲降低，春耕春播受到重大打擊。粵共現正徵調城市醫護人員組成巡迴醫療隊，下鄉摸治，但這些醫療隊的有效針藥也很有限，不足應付。據一位返鄉僑胞說，他清遠原籍的田心村，鄉人患此病的不可勝數。醫療隊的一名醫生，到該村不及二日，也染上了病而急返廣州醫治。

粵共在清明前便大事宣傳打破拜山的「迷信」，並發動「掀起生產高潮」運動。據曾返鄉掃墓的人說，鄉人爲了不敢違抗中共的拜祖宗政策」，同時在「掀起生產高潮」中，日夜被驅下田勞動及參加會議，檢討、學習等活動，勞累不堪，致雖想拜山也抽不出時間。

飢餓現象已在若干鄉間呈現，青黃不接時期，勢將更甚。就本報記者所接觸的人（曾返鄉的人）所透露，各地配糧額絕不一致。甚至在同一個縣中，各公社也不相同。以中山縣而言，有些公社每人每月可配米二十五市斤，但有些只配十五斤的穀子。其數額之多寡，得視各該公社上一造之收成如何及其儲備糧之厚薄而定。但一般說，都是不夠吃的。

鄉人，特別是青年，幾無不在找機會逃亡。凡有親友由港澳回來，都打聽有無來港澳及找到工作的機會和可能。有不少僑眷則向共幹行賄，設法申請出口。

由於口糧配給不足，黑市米的交易甚爲活躍。該管共幹則藉此大撈油水。

由天地萬物到人
——新道統的宇宙論
（論道統第五章）

陳健夫

眞元學理使宇宙與人生發生最密切的關係，一方面將宇宙縮小到個人之身，一方面又從人生實質上擴大到宇宙，使人生從觀念到實際上，達到一個並非玄虛的形而上的新境界。這與古時學者空談玄虛性理的宇宙觀，本體論完全不同。眞元學理使人知道是生存在一個眞實實質的作爲頂天立地的的世界中，其中幷無虛假。因此，人必須眞眞人，不悲觀或樂觀，皆應盡其爲人的責任，使生命進入眞元，光輝篤實。

七　眞元至理與眞元歌

茲作眞元歌及眞元至理，以爲全篇總結：

（一）、眞元歌

眞元爲始祖，坤乾乃父母，宇宙是我家，天地爲吾廬。

天上或地下，萬類所從出，衆生本平等，萬物皆自由。

生命恆自爲，萬象放光輝，妙有本非空，人心自迷妄。

非心亦非物，是物亦是心，即此是眞元，一動轉乾坤。

知識爲寳筏，思想是南針，便入智慧門，登彼眞理岸。

人爲萬物靈，獨得此中趣，脫離諸般苦，常住眞元境。

（二）、眞元至理

（一）、太初之世，時不可稽，茫茫宇宙，混屯大氣。其中有物，發而爲熱，放而爲光，凝而爲力，形而爲神。開天闢地，乃成洪荒。星球密佈，遂有時空。運動開展，於是而有天地，萬物生長於其間。其事綿密，由進化而成，不知歷幾億萬年。人類智慧，罔由測知，莫可詳考。其爲物也無狀無名，吾名之曰眞元。

二、眞元之爲物，爲靈爲氣，亦精亦神，亦心亦物，超時超空，入時入空，無象而有象，無形而有形。自由運動，有法有則，散佈星球天壤之間，潛入大地萬有之身，天地因之而立，萬物因之而生。眞元實爲天地萬物進化之始源，人類之元祖。

三、眞元有極，有力能控宇宙，復能宰萬物。天地爲之轉，萬物爲之生。眞元之初，有絕對力，有無量能，是爲太極。太極出而生運動，運動生而光輝放。天地因之成，萬物因之生，是爲太極法。萬物恆自爲，各自爲進化，或生或滅，恆自爲以歸至善，是爲自爲法。萬物始生始動，各以陰陽兩極展開，乃成矛盾，有矛盾而後運動生，運動生而後進化成。是爲矛盾法。萬物運行，相對平衡而動，消除矛盾，入於協調和諧，是爲相對法。萬類生於矛盾，入於協和，終入和諧圓通境，萬類萬事因之而成，是爲圓通法。宇宙萬物，由無而有，由有而無，皆循進化路，由漸而生。日新月異，突飛猛進，是爲進化法，萬類由因而生，由緣而成，結善因，得生善果。世無無因之果，亦無無果之因，由因而起，由緣而成，是爲因果法。天地有重心，萬物有重心，萬物爲流轉。事事有重心，相互爲吸引，是爲重心吸力法。世事由新而舊，由舊而新，由生而死，由死而生，萬物生滅流轉成種種相，是爲生滅法。除妄念，成正覺，脫生死，入常住，循理觀（佛教中禪宗之坐禪參禪，天台宗之止觀，賢首宗之法界觀，法相宗之唯識觀，淨土宗之十六觀等是）而事修（佛教語，意謂人之妄念從身口意三業而起，如三業幷用，妄念即無由生）入世間而自爲，不忍人世之沉淪，渡衆生以入眞元，是爲世間法。立誠心以歸眞元，信靠援引而得救（耶穌語。謂得眞神贖罪之意）雖愚夫愚婦，皆得自求解脫，是爲信救法。眞元統轄諸法，乃成極則，遂創宇宙，生養萬物。世間萬事萬物，恆平等，無不自由，在此極則中，流轉不息，虛幻其表，實有其理，其間變幻萬端，創進無極，以入於眞，以歸於善，以達於美，終入圓通造化微妙之境。（十六）

夷區采風錄

李仲侯

民國卅七年春，西昌警備司令部成立川康滇三省邊區邊務設計委員會，負責釐訂開發三省邊區整套計劃，對轄境漢夷民族，發展交通，開發資源，促進文化教育，建立民主政治，都須作詳細規劃。工作開始，先從調查着手，四月成立邊務考察團，分五組出發，每組三人。筆者兼該會第一組組長，奉派與沈羅二君（現均陷匪）担任第一組考察工作，以越嶲昭覺大小凉山爲考察範圍對象。我們一行四人，於四月廿二日行抵昭覺，聞前途有夷匪搶刧，商旅不通已三日，乃請當地政府派兵護送，經雷波馬邊而進入峨邊。峨邊縣城旅館雖多，但沒有較爲適意的，爲避免臭虫蚤子騷擾，寄居離城約二里許之樂羣墾社。該社經理宋國瑞君，係四川袍哥界有名的舵把子，爲人孔武多力，諳習夷語，待人亦很誠懇，辦事具有幹才，兼墾社聯合會會長，甚孚衆望。

大凉山是西康雅礱江與金沙江的分水嶺，大小相公嶺是其中的一部份，最高峯達海拔一萬五千尺，周圍數百里，山勢峻拔，林木蓊鬱，是西康著名的大山老林，也是中國有數的原始天然林區。山中松、杉、楠、柏，無不備具，多屬千年以上的古木，從未採伐。也是西康最有希望的資源，凡金、銅、鐵、鎳、煤等礦，都有很豐富的蘊藏。此山爲夷族之家，名雖屬西康管轄，實際是一個化外之區，向爲政治力量所不及，既無禮教去範圍，也無任何法律可以去制裁。過去祇有商人，郵差，外國教士有時還可以出入其警戒線，因爲教士能以醫藥救人，如夷區內瘧疾異常猖獗，施以金鷄納霜服之，輒有效，故對教士頗爲敬重。但不許胡亂來，據傳昔時有一法國教士，曾强姦一個夷族女子，夷人認爲强姦、私戀、苟合，是一種奇恥大辱，罪在不赦，登時就被這女子的父母集合附近族人，把這教士縛在樹上，活活將其燒死。

散居大凉山的黑夷，歷號爲猓猓族，究竟是那一種，至今還沒有定論。有的說是蚩尤的後裔，有的說是漢時司馬相如通西南夷的子孫，有的說是湘黔兩省苗族分徙去的一支，也有說是孟獲的後代，衆論紛紜，找不出確實根據。夷族自己則流傳一種自高自大的神話，說他們是天生三個兒子中間的長子，次子是番人（藏族），三子纔是漢人；因爲天愛幼子，故分給漢人平原富庶之地，次子給予丘陵地帶，他們是長子，故予以高山多瘠之區。又有說：他們原始是住在宜賓一帶有山有水的富庶地方，後來屢遭漢族征伐，被逼進入山區，就成了化外之民。故他們世代相傳，亦常有打回老家去的口號。（一說或不無幾分可靠。）或許他們當日是川南一帶的土著，如今日台灣的高山族，有一部份，始初曾在宜蘭、基隆居住過，如基隆就曾發現過許多番社的遺跡。總之他們都是我們中華民族的一份子，我發現他們和我們漢人實沒有什麼大的特異之處。（一）

漢文，漢字，漢學

陳曼卿

「漢學」一詞，始於清代，也就是指的「兩漢經學」。我們由紀曉嵐的四庫提要總序「經部」裏，可以知道一個梗概。後來曾國藩又說：「當乾隆中葉（十八世紀末）海內魁儒畸士，崇尚鴻博，繁稱旁證，考核一字，累數千言不能休，別立職志，名曰——漢學而與宋學對峙。」那嗎自是清儒捨棄了「宋學」的不切實際，而鑽摩「漢學」了。執是之故，凡文籍「考訂、訓詁、校勘、典章、制度、心性、理氣」等之學，要皆可附從了。

但這些問題，全是從漢代就已開始了，正如漢儒所謂「六藝」，就與周禮保氏不同。保氏六藝，指的是「禮、樂、射、藝、書、數」，漢儒（古文學派）則以「易、書、詩、禮、樂、春秋」爲六藝，稱「六經」爲大六藝，「禮樂射藝書數」爲小六藝。

如果說「談封爐之灰飛」，筆者再追錄太史公自序「六藝經傳以千萬數，累世不能通其學，當年不能究其理」之說，我們要知道「子長於中秘之書，郡國之藏，蓋無所不見」的。兩千年前，他就已說出此話。

漢書藝文志也有「後世經傳，既已乖離。博學者，又不思多聞闕疑。……碎義逃難，便辭巧說，破壞形體。說五字之文，至於二三萬言……故幼童守一藝，白首而後能言……毀所不見，終以自弊」的大聲疾呼，指得明明白白的了。但東漢以後的儒者復又變本加厲的形之於筆墨者，如鄭玄就「遍注羣經，百餘萬言，黃巾時，賊毀皆知」。萬言，「史記」一書名高千古，是故後世之治文學者，恆師其義法。治史學者，每襲其體裁，然而今天還有一些穿鑿附會養成似是而非的博學鴻儒，不看世界，却做出一副「悲天憫人」的「清談廟略」態度，只知經邦，昧於稽古，故作驚世駭俗之言。實則是矜其所得，而諱其所失，明其所長而亡其所短。不究兩漢枝分派別，於時世潮流何所裨益？

概自先秦以還，二千餘年中，著述浩如淵海，人們見到的有幾多？讀到的又有幾多？實則，知也扁狹，不知之者實在太多！然讀書在明理，發前人所未發，道昔賢所不道，固甚稱宜。而在今天已採「錄音」爲教學者，還是仍然曚蔽懵懂，猶之乎指「擊石拊石……」爲教育所不可或缺的事，那實在是不足爲訓。

重卦論經

在香港一位相識不久的朋友，一個偶然的機會，他向我提起「經學」。初時，我還以爲是時下一類或閑談的什麼「×經×經」。後來，他告訴我：「五經，十三經」。這倒使我爲之一怔了！談過之後，就向一位素爲我佩其好學，而又虛心，也參加研究的朋友，借了他的「筆記」來。不看猶可，看了之後，幾乎使我伸出了的舌頭，縮不入口（三五）

平劇在走海！

娑婆生

近讀隴西散人大著「京朝與海派論」，非常精闢，深爲欽佩。評論而如此落筆，台省所少見者。散人與落拓青衫，早有一時瑜亮之稱。其文章之高超，能言人之所不敢言，向不作一窩風的捧，是好必譽，有錯當言。尤其在今日台灣的劇壇中，撇開票友不談，所有伶工，似乎有點鄙視海派，但是結果多向海邊走。凡是海派典型的戲，講求布景與配襯音樂，現在非如此則不能美，是求美則不能不趨海。因此青衫曾說過，此地無硃砂，黃土也足貴。簡單言明，在此劇壇已可說沒有京朝謹嚴那份氣息（票友除外），也不足怪。教戲的能否看過民國以前的戲嗎？學戲的最早是民卅以後的，當然是似京朝，像海派，依據劇本來演唱，是這麼回事，毫無疑義，百分之八十，走向海邊。但還不夠，乾脆把佈景音樂推出，不是簡簡單單嗎？我常有客觀看法，就是君子不能作僞。如果作僞，更不如小人。而對平劇之走海者，極端贊同。以利益爲前提是主要。不要問格派乃多餘的。多數忠義的也好，提倡鬼戲也好（有人愛之），看賣座的紀錄爲要。管它海派不海派！

例如復興劇校的貂蟬，在美演出，譽滿國外。那是外國人要這樣做方能叫座。等待回國演出，佳評如潮。有那富於平劇見解的朋友，看了來問我，爲什麼唱腔如此少，而舞蹈那末多，好在那裏？我說你的見解有點落伍，那是爲外國人排的，回國後的劇評人照例一樣的贊美與狂捧；這所謂中外一致。你可以撇開平劇的看法去欣賞，的確不能說壞。這是改革的一步驟，未可厚非。

某劇團到歐洲去演，把蝴蝶夢大劈棺，改稱紙人（The Paper man），大受歡迎。外人當爲有魔術的表演，無却無道具，焉得不好？可是新華快拍梁紅玉，在水戰一場，未用多少船隻，即不像眞。可以知道電影與舞台，處理便大有不同，不能一樣。

劉豁公常與相談：崇尚京朝的，以爲了不起，把海派看成不値一文。其實現在演的，多屬於海派方面，如銀屛公主、蓮花庵、人面桃花、八美圖、新玉堂春、新西廂、白蛇傳、將相和（京朝的全部西皮，沒有如借東風的二簧）等，還是海派吃香。有那一位能眞演京朝的格局？其實京朝跡近封建，大可毁棄，要像楊小樓的武戲文打，可以嗎？沒有，也不怪。長板坡那份穩，狀元印那份帥，別姬那份威，學得起來麼？現在原子時代，講究眞刀眞槍，要勇猛無比，才能過癮！

處於現在的立場，我們期待反攻回去，中興復國；要奔大陸，必走海邊。就劇藝來說，也是如此。要撲滅匪氛，不是溶化變質，所以嚴格訂定，走海邊，不能責。演鬼戲，也可以。爽性大大的來表演，把所有鬼戲一網打盡，以我們正義的鬼，去銷滅那惡形的魔鬼，謹防鬼氣太重，冲淡正義，而凡人也吃不消。所望好好的來演，是獰鬼，是厲鬼，變不了雅好的鬼，那科學萬能，沒有這技巧，不信去問問美國原子能專家。政府是否特准提倡鬼學，試聚百人而問之，贊成者多？沒有反對的嗎！我寫走向海邊，是勸人不必再崇京朝，根本是辦不了的。

編者附誌：「動物農場」續稿未到，暫停。

印尼風土人情

燕謀

亞洲新興之邦的印度尼西亞共和國，是一九四九年十一月二日成立的。荷蘭人在一五九五年首先到該地區殖民；一六○二年至一七九九年間，以荷屬東印度公司統治一切。一六一九年，建置巴達維亞城。十八世紀末葉，曾轉手法國，一八一六年重歸荷蘭。一九○八年，立法自治。一九四二年日軍入侵，一九四五年聯軍收復之，開始醞釀成立印度尼西亞共和國，幾經戰亂，並得聯合國調解，終於一九四九年八月廿五日至十一月二日，由印尼荷蘭在海牙會議，作最後決定而成立。

第二次大戰前是荷屬東印度之印尼擁有馬來羣島的爪哇、拜卡、馬都拉、西里伯、東南部、施南、巴里、琅波、佛羅勒斯、婆羅洲東南部、帝汶西部，以及其他小羣島，面積凡五十七萬餘方哩，人口幾達一億之衆。

悶熱的首都：印尼的首都雅加達，係由荷蘭建置於爪哇的，原名巴達維亞，在西爪哇的北海岸。全城分為三部分：一、舊城在大河兩岸，溪流縱橫，一切建築街景，充滿荷蘭情調。二、新城街市公園之美，引人入勝。三、港城在城中心六哩以東，包括巨大港灣。巴達維亞在一六一九年建成之前，本名「雅加達」。歐洲人在一六一○年，首先設立工廠於此。荷蘭總督柯恩易名巴達維亞。雅加達氣候悶熱，荷蘭人稱這城為「巴達維亞」，本意為「歐洲人的墓地」。因為該城建於沼澤之上，因熱而致死的人，不知多少。

人口最稠密的地方——爪哇島：爪哇是世界上人口最密集的地方，平均每方英里逾一千人。爪哇人以往都生活得很好，因為火山喂了他們。全爪哇共有五十多座火山，有的仍舊活着。過去火山噴出的山灰，足有幾千億噸之多，因此他們所生產農作物，都不用肥料卻有很好的收成。在這種環境中，很自然的培養了爪哇人的藝術氣質，他們愛用的樂器是鑼、竹琴和鼓。戲院在爪哇很重要，觀衆大多是不識字的村民。

爪哇人本來都信佛教，無論在宗教或歷史方面，都受印度的影響很大。但到了一二九二年，馬可孛羅遊歷印尼的時候，回教已傳入，並流行全島。但回教並沒有獲得完全的勝利，因為他們要爪哇婦女戴面紗，可是美麗而固執的爪哇婦女，卻報之以輕視的微笑。

海上仙鄉：以輕歌妙舞聞名於世界的「巴里島」，位於爪哇東盡頭，全島面積二、一三六方哩，人口百餘萬。這島上有最令人迷惑的城市，即是「星加里甲」，該地氣候之佳，景色之麗，女人之美，被許之為「海上仙境」。農產一年三收，蔬菜菓品，俯拾即是。島上無論男女老幼，無不能歌善舞。（一）

乙巳年名家書畫展

王世昭

藝術雖超越時空，但與時空有密切的關聯，為什麼？因為藝術如超越時空便失所憑依，而藝術如不超越時空，則將使藝術變作商品或貨物。

書法雖囿於法，而離於法，則其法自見。繪畫雖囿於點綫面，而點綫面之成，則始於經營意匠。書法言提按使轉，亦言輕重疾徐，說到繪畫，則又何獨不然。

書法，為中國獨有的藝術，下筆雖始於一點，神而化之，則有八十餘變。中國畫雖始於一劃，而提按使轉輕重疾徐之結果，化而為描法十八種。此十八種白描，為中國一切畫之基本工夫。故無論作書與作畫，能明此理，則將事半而功倍。

一年一度的中國當代名家書畫展覽都由台灣詩壇主辦，主持人則是黃景南先生。黃先生對於挹揚風雅，鍥而不舍的精神，我覺到不管怎樣，意義是深長的，影響是廣大的，所以樂予協助，也樂於參加。

我覺到中國好事之徒太少，因為人生難得是知己，愛好執着於一種事物，以始終如一的精神支持到底，這便叫作傻氣。傻氣與聰明相差一間，故說他聰明也好，說他傻氣也好，對於人類總是有益的，對於社會總是有益的，對於時代也總是有益的。

我記得當去年書畫展的時候，我向黃先生建議，台灣詩壇所主辦的當代名家書畫展，應以干支冠其上，成為永久性的書畫展。黃先生從善如流，去年真的加上「甲辰」二字，今年當然為「乙巳」了。甲辰書畫展為祝太平老人八秩晉六壽誕，那麼今年應該加上「紀念太平老人八秩晉七冥誕」，這樣，太平老人與台灣詩壇永久聯在一起，而台灣詩壇也永久和當代名家書畫展聯在一起了。

我相信藝術這一樣東西，和任何學問一樣，做到老學到老，永無止境。而書畫這兩門，則亦一山更有一山高，也是永無止境的。而我又相信凡百藝術，只要不斷努力，一定日新月異地進步。所以，今年書畫展一定勝過去年。而況據黃先生今年展出太平老人的作品特別多。故我更相信，當代收藏太平老人精品的收藏家，自以黃先生為首屆一指。

我心裏想，假使有可能，當太平老人國葬之日，我如果能再來台灣一轉，那個時候，我便有機會參觀國內諸名書畫家的大作，那又何幸如之。然而，可惜老人已離開我們而去了，撫今思昔，什麼都變了，壬寅之於乙巳，首尾只有四年，好快的四年呀。右軍將軍說：「後之視今，亦由今之視昔。」天運循環，人生如夢，百年一轉眼，什麼是你的？什麼是我的？長留於天壤之間的，除了精神生活與物質生活所遺留下來的成績品之外，還有什麼？因此，我認為中國當代名家書畫展是有意義的，而作為主催的台灣詩壇，以及黃景南先生，也都是有意義的。

貂蟬

——「影劇與歷史」之四

周游

而一種故事，已經編演成為了戲劇，必不是短時期內的事，而必是經過相當長的歲月了。由此又不能不推到「說書」。說三分在唐末以後便已經有了。劇本根據說書。說書則又根據史書與民間的「口碑」而成。凡正史上不見的，都是由於「口碑」而來的。口碑並非全不可靠，如現代史事未必皆備，未必人人有傳，正史不見者，仍可留存於民間的口碑中流傳着。三國時代是一個大動亂的時代，諸多事情，史家未必一一收攬無遺，何況彼時書寫之不便，傳播之不便，何得詳記也？

元人雜劇中的貂蟬，說為忻州任昂之女，小字紅昌。這未知又何所本？據說因她在靈帝時被選入宮，掌貂蟬之冠，因名為貂蟬。此乃附會貂蟬之冠而來。貂蟬可能是由「魏民春秋」所云之「刁蟬」，而附會了貂蟬之冠的名字。而貂蟬冠在三國時尚未有此名稱。貂與蟬是「惠文冠」上的一種特別飾物，它是用以代表文、武職的。自漢至北齊，在各代輿服志中均無此名。據漢書輿服志云：「武冠，一名武弁大冠，諸武官冠之。侍中，中常侍加黃金璫，附蟬為文，貂尾為飾，謂之趙惠文冠」。胡廣曰：「趙武靈王效胡服，以金璫飾首，前插貂尾為貴職。秦滅趙，以其冠賜近臣。建武時，匈奴內屬，世祖賜南單于衣服，以中常惠文冠。……」晉書卷三十七彭城穆王權傳附其孫弘傳云：「入繼本宗，拜國子祭酒，加散騎常侍，尋遷大中正密書監……杜門讓還章、印、貂、蟬。作杜門賦以顯其志。由是更拜光祿大夫。」可見貂與蟬是二物，是代表為侍中、中常侍所戴以分別職級之物，而非冠名也。此可知所謂貂蟬冠而名人之不足信。

根據最力的就是「漢書通志」，其中所謂「先誘董卓，進刁蟬女」，可能就是後來元雜劇及演義之所本的原始史料。因為後來的侍中、中常侍的冠上，有貂與蟬二種特別飾物，因其同音復同一蟬字而致附會。貂蟬一定是一個美人無疑，不然呂布不會那樣偷偷摸摸，提心吊胆的私通，一方面董卓因其美而不肯舍，因此一雙假父子因爭一女人而告破裂。否則，呂布依董卓乃大有可為者，而又何能與王允謀殺董卓呢！關於此類事情，在當時乃是一種內幕新聞一類的事情，正史當然不會採用，否則三國志將不止此也。尤其史家之筆，只記其大者著者，女人中如孫夫人竟無傳，貂蟬更不用說了。又如魯肅傳中所隱現之人為周倉，當時關羽麾下知其說話者為周倉，而魯肅及東吳之人未必知其為周倉也，而陳壽更不待言了。又如今有某巨公赴某地考察，隨員中人物則不甚為人注意。數十年之後，惟知某年某月某公赴某考察，而其隨員之為某某則無可考也。

貂蟬之名未見於正史，僅見諸「漢書通志」，而其書又已失傳，使人不無遺憾。而正史中僅以侍婢、傳婢、或妻、婦等名詞以代之，應該實有其人。再從呂布與董卓為此女而爭鬥，又由關公啓曹欲得之為妻，復有曹疑其有殊色，便「先迎看而留之」看來，此姝乃一絕色佳人無疑矣。時無論古今，地不分中外，天下最能迷人者，第一還是美人兒。要使某帝王崩潰，最好的武器就是進美女了。古代的例子太多了，貂蟬為此而犧牲又何足怪哉！所以筆者的結論，刁蟬八成是有其人的。而且她還一位傑出的美人兒。（完）

上海銀行與陳光甫

滌秋

談到民營的銀行，率由自力更生，才有成就。尤其上海銀行，以資本六萬元起家，艱難締造，十年以後，其存欵數字，高至千萬。且更發揮技能，猛進不已，成為江浙財團重要的一環；當年在上海的聲勢，與北四行（鹽業、中南、金城、大陸）並駕齊驅，更造成了南四行（上海商業、浙江實業、浙江興業、中國通商）的陣容，能左右與安定金融，其事蹟甚多，但起點祇有幾端，約畧言之：

一、擺攤主義　在上海銀行未在一個地區遍設分行以前，任何都市，每一地區，祇有一個分行。例如上海，不論何處取欵，必須往外灘。而外灘既非商業區，又非住宅區，路途相當的遠。所以個人存欵，還是不免在錢莊，蓋取其方便也。上海銀行首先開辦各地區分行，認為是「擺攤主義」，當時僅上海一市，就有十個以上。凡每一地區，就有一家上海銀行，用能大家將欵移存，幾有囊括之勢。後來各商業銀行仿行，以示競爭。最後中交兩行亦復如此。但這種措施，乃該行首創而奏效者。

二、一元儲蓄　該行為鼓勵各個家長，為子女儲蓄，舉辦「一元儲蓄」，即銀幣一元可以開戶存儲。要多固歡迎，惟限存一千元為度。當時同業多笑其迂，以為能吸收多少存欵？實則不知揣摹民衆心理，他們如果真的存一元，也決不為此一元，化了車費去取。願多存的自然不少了。自舉辦以後不到三年，該行總處統計，一元儲蓄之額，竟至五百萬元。是聚沙成塔的成功！其他同業後來也辦理之。

三、創辦中旅　國內旅運社，在民十以前，實是闕如。來往旅客購買車票、船票，必須向經辦的公司洽買，於是而受足閒氣。陳光甫先生創辦中國旅行社的動機，是他到通濟隆買船票到雲南去，大受洋奴的刁難，一氣之下，回來就計畫創辦此旅運。初辦之時，即火車票也不受委託，就登廣告，希望旅客來接洽，上午付欵，下午取票。路局看到該社售出之票，每日一二百張，而且票欵從未短少，遂決意委託，減少站上擁擠，將空白車票交付，由其運辦售出手續，當時給票。（可惜台灣省未能實行）以後輪船公司，亦由鐵部委託，出國船票購買，非常便利。信用昭著，得各該公司來函贊譽，而中旅之名大著。國內大都市均有設立。逮及抗戰，遍赴後方的民衆，交通行李，皆達到目的。此新興而特異的事業，於是喧騰國際間矣。

集句與偷句

漁翁

凡著述之成書曰「集」，而集古人句以為詩或聯，往往佳構若天成。據夢溪筆談云：集句始自王荊公。而蓼花洲閒錄，則云宋初已有之，至石曼卿遂大著。然傳咸集詩經句以成篇，則又權輿於晉人矣。

古人集詩句以為聯者固多，而以「勸君更盡一杯酒；與爾同消萬古愁」，一為李太白「將進酒」，一為王摩詰「渭城曲」，均盛唐詩人，可謂天衣無縫。其「湖南王湘綺」「風流」不遜袁簡齋。少時有西安之遊，眷一妓名「秋雲」，情感彌篤，後再訪，而秋雲已埋玉三年矣，悼惜之下，集唐人詩句成聯以弔之曰：「竟夕起相思（張九齡）……尋人去後；（劉長卿）他鄉復行役（杜甫）……（李欣）」嵌「秋雲」二字，絕妙也。

有用古人成句而易以一二字者，則為偷句。古之詠梅詩，以林和靖之「疏影橫斜水清淺，暗香浮動月黃昏」為最佳。但五代時，江為詩云：「竹影橫斜水清淺，桂香浮動月黃昏」；林取之，換「竹」「桂」二字，遂成名句。而江為之詩反不如林和靖之名。又如晏殊「無可奈何花落去」與王琪之句，亦其例也。

又李嘉祐詩云：「水田飛白鷺，陰陰夏木囀黃鸝」；王維云：「漠漠水田飛白鷺，陰陰夏木囀黃鸝」。杜甫云：「獨當省署開文苑，兼泛滄浪學釣翁」；杜甫詩云：「夜足沾沙雨，春多逆水風」。以上皆唐代名詩人，彼以「巫山夜足沾沙雨，巫峽春多逆水風」，加二字而為七言，而後之人不以偷句為病，且無論五言、七言，皆成名句，故兩存之也。

自由報

THE FREE NEWS

第五四六期

內僑警台報字第〇三壹號內銷證

中華民國僑務委員會頒發
台教新字第三二三號登記證
中華郵政台字第一二八二號執照
登記爲第一類新聞紙類
（半週刊每星期三、六出版）
每份港幣壹角
台灣零售價新台幣貳元
社長：雷嘯岑
督印人：黃行審
社址：香港銅鑼灣高士威道二十號四樓
20, CAUSEWAY RD 3RD FL.
HONG KONG
TEL. 771726　電報掛號：7191
承印者：大同印務公司
地址：香港北角和富道九六號
台灣分社
台北市西寧南路壹壹零號二樓
電話：三〇三四六
台郵撥儲金戶九二五二

美國的戰不勝論和現階段的越戰（中）

何浩若

二、戰不勝論的來源

在民主國家對抗共產集團二十年的冷戰中，民主國家對共產集團的分析，有一個最大的錯誤，就是在馬恩列史毛一個系統的發展之下，忽畧了國際共產黨的一枝友軍。這一枝共產黨的友軍，在五十年前，便已在民主國家的大本營—美國—埋伏了一枝第五縱隊。這是需要說明的。現在一般人的看法和匪情專家對國際共產黨的分析，都認爲馬克斯和恩格斯都是德國人。他們所主張的共產主義革命應當發生在工業發展的美國和英國，但是竟發生在工業落後的俄國，遂使俄國人列寧和史達林取得國際共產黨的領導權。到中國大陸被共產黨竊據以後，才有赫毛之爭，發生赫魯雪夫和毛匪澤東爭奪領導的地位。

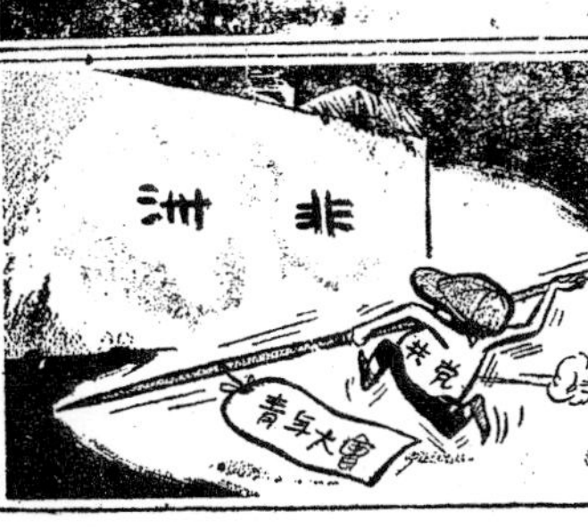

無用傢伙　有機可乘

因此上述諸人的看法以爲主要的共產國家是蘇俄和中共，發展的系統是馬恩列史毛；主要的民主國家是英國和美國，以美國領導着所謂自由世界的民主國家的陣容。這樣的看法原是不錯的，但忽畧了歷史的發展。馬克斯和恩格斯雖然都是德國人，但是他們思想的完成却是在英國。列寧的布爾雪維克黨也與英國有着最不平常最密切的關係。我所指的國際共產黨的友軍是說英國的費邊社，而費邊社在五十年以前在美國孵育的第五縱隊則是美國共產黨和他們的同路人。

① 馬克斯與英國的關係

馬克斯一生有很長的時期是在英國。他生在一八一八年。他寫共產黨宣言雖然是在一八四八年，他還不到三十歲。他寫資本論，也不到五十歲。他的資本論差不多完全是在英國寫就的。英國的工業革命發生得很早。勞動價值說是手工業時代的產物，但是爲勞動價值說作具體的說明的是亞丹斯密氏，是一個英國人。馬克斯的階級鬥爭論源出於馬爾薩斯的人口論和達爾文的進化論。馬爾薩斯說人口比食物增加得快，因此人類必須爲生存而鬥爭，在鬥爭的時候，弱肉強食，那是一種自然的趨勢。達爾文承認他從馬爾薩斯獲得鬥爭這一觀念，但他以爲適者纔能生存。這樣才完成了他的天演公論。馬克斯以爲在生存的鬥爭中，勞動者必須聯合起來，不擇一切手段，才能鬥得過資本家和資產階級，因此他主張階級鬥爭。馬克斯的學說除去辯證法是受了黑格爾的影響以外，他的勞動價值說，剩餘價值說，生產過剩的經濟恐慌論，階級鬥爭論一直到階級鬥爭工具的國家論，大部份都是受了英國學人的影響。英國的學說，又是受了英國工業革命的影響。要明瞭這一背景，才能理解首先局部接受馬克斯的學說的不是德國人和俄國人而是英國人。這些英國人是誰呢？這些英國人就是費邊社的社員，也就是後來漸次演進組成的，在英國數度執政的工黨。

② 費邊社的理論和方法

馬克斯死在一八八三年。馬克斯死後一年，在一八八四年，英國的學人便成立了費邊社。上文說首先局部接受馬克斯的思想的是英國人，其實一種思想是根據許多事實發展出來的，很難說是某一個人的思想。英國開始工業革命以後，共產主義和社會主義的思想是很普遍的，不過理論上有出入，執行的方法也各有不同而已。費邊社反對階級，同樣是無神論者，也贊成組織世界性社會主義的國家。所謂無階級、無神，天下一家的觀念和共產主義是相同的。但是費邊社反對暴力的階級鬥爭，主張和平的取得政權。費邊社的社員和理論家蕭伯納在一九〇一年寫過一本書叫「我是誰和我想什麼？」在那本書的第二百十九頁，他說：

「馬克斯的資本論不是一本講社會主義的書而是一本反資產階級的書。資本論原是爲勞動階級寫的。但是工人很尊重資產階級並且想做資產階級。馬克斯就從來沒有抓牢過工人階級。眞正把旗子染紅的是像我一樣的有革命性的資產階級的兒子。在社會裏面，中上階級是革命份子，無產階級是保守份子。」

蕭伯納在這裏說「把旗子染紅」可見他和費邊社對共產主義的目的是相同的。不過和費邊社完成世界革命的手段不同。他不靠工人起來完成世界革命，他要赤化知識青年，造成輿論，取得政權，然後世界革命便自然會成功。費邊社的方法論是席德萊韋伯提出來的，叫做「不可避免的漸進論」。那就是說從慢慢的赤化知識階級起，再漸次的於不知不覺之中改變法律政治經濟的觀念，使一個英國人變成一個社會主義者，就像變成一個保守者的一樣容易，而且不可避免。費邊社是不搞政治運動的，但是他們滲透所有的文化機關和政黨，使之於不知不覺中赤化。這裏所講的赤化並不是筆者替費邊社塗紅帽子，而是根據蕭伯納所說的，他們自己要把旗子染紅。費邊社在五十多年以前是用這樣的方法，在今天民主國家的大本營埋伏那獲得二十年冷戰勝利的第五縱隊的。

③ 列寧的布爾雪維克和費邊社的關係

我們說明了費邊社的理論和方法以後，再報告列寧和布爾雪維克黨與費邊社的密切關係。當費邊社成立以後，蕭伯納夫婦和韋伯夫婦便在倫敦的亞德斐街十號樓下，創辦了倫敦經濟學院。蕭伯納夫婦便住在樓上，簡陋的情形可以想見。

今日與明日

柬埔寨與美絕交

柬埔寨那個「小兒科」的元首施哈諾，居然宣佈與美國斷絕大使級關係，但仍保留領事級關係。究竟這算不算斷絕邦交，似乎當代法學家也說不清楚。這就是施哈諾之所以爲施哈諾，生來是個小兒，到老未長成大人，眞是可笑。

施哈諾宣佈與美斷絕外交的原因，據他自己說是因爲「美國新聞與世界報導週刊報導他母親開妓寨，究竟眞象如何，雖不得而知，但以「美國新聞與世界報導」的地位，也絕不會無中生有造柬埔寨皇太后的謠言。

因爲泰國報紙罵施哈諾幼稚，無賴，施哈諾憤而同泰國絕交。現在又因爲「美國新聞與世界報導」發表了他母親的事，與美國斷絕大使級關係，其荒唐幼稚，堪稱舉世無雙。

其實施哈諾有心同美國絕交，決非突然，從去年底起，美國新任大使到任後，施哈諾不肯接受國書，僵局至今尙未打開，這次只是又進了一步。

施哈諾的眞面目

施哈諾是親共的，這點無人否認。他是由畏共而媚共，最後則走上親共之路而不能自拔。不過，親共國家多得很，柬埔寨全國人口沒有紐約多，施哈諾那塊料若是生在美國，絕不能當選一名衆議員。

美國應拿出強硬態度

論到左傾程度，印尼的蘇加諾，阿爾及利亞的本貝拉，皆較施哈諾爲甚。何以印尼與阿爾及利亞未同美國斷絕大使級關係，却由施哈諾來放了第一炮，其理由安在？說來也許讀者不能相信，只是爲了製造新聞，藉此出風頭。翻開近三年的報紙來看，施哈諾平均每三個月要製造一次大新聞，一個月製造一次小新聞。讀者不妨等着看，最多一個月時間，施哈諾又要藉故罵美國一頓，以表現他的不結盟姿態，引起西方國家的幻想。

但是，施哈諾却長期在欺侮美國，花樣層出不窮，美國對之竟然束手無策。無論施哈諾予以何等侮辱，全部逆來順受。美國自己也許不覺得難爲情，但東方盟國，尤其是越南同泰國，美國也許以爲退讓可以安撫柬埔寨，不知事實恰恰相反，美國愈退讓，施哈諾愈囂張，絕無絲毫好處；爲美國計，應當立即宣佈與柬埔寨斷絕全面外交關係，所有美國外交人員、僑民，一律撤退，從此一刀兩斷，可以少了許多不必要的紛擾，像這種當斷不斷的辦法，終究會被這隻小螞蟻咬了一口，所受損失，也許比在南越還要大的多。（何如）

自由談

過時的門羅主義

美洲小邦多明尼加發生了由共黨指使操縱的軍事叛亂，美國總統詹遜毫不考慮地就派兵萬餘人前往護僑應變，且向世界聲明：美國決不容許再有共黨政權建立在美洲地區。其意志之堅定，決策之迅速，行動之果敢，可謂至矣盡矣，蔑以加矣！

可是，美國對於美洲以外的共黨政權，雖以「美帝」爲死敵——如中共政權者，不特孰視它援害亞非各洲小邦的共黨釀亂、敎唆美洲各小邦的共黨作亂，而且隨時想方設法，希望與中共政權修睦論交，和平共處，却忘記了它是在幕後策動美洲地區共黨作亂的總樞紐。美國甚至亦不贊成中華民國政府對中共實行軍事討伐的戡亂計劃，這不是舍本逐末的愚昧思想嗎？

看白宮主人對多明尼加之變的作風，即知美國依然抱持着「門羅主義」舊觀念，也就是孤立主義之積極抬頭，但求美洲一隅能得安全，於願足矣。門羅主義如果眞能維護美洲的安全繁榮，專就美國利益設想，固屬未可厚非。然而這是決不可能的事，僅憑常識即可判斷的。事實很顯明，門羅主義在今日如其尙有效用，古巴的共黨政權即不會建立起來，而多明尼加的變亂更不致發生了。

廿餘年前，希特勒政權在德國出現後，法西斯主義盛行於歐洲，全球爲之驚震，而希特勒再三聲明他無意過問美洲的事情，若有人懷疑他要跟美國作對，乃無異於說他要摘取天空的星斗云云，言詞殊懇摯。但羅斯福總統高瞻遠矚，認定法西斯主義有若時疫然，無處不傳染侵襲的。他於二次大戰揭幕伊始，即在芝加哥發表著名的「防疫論」演說，呼籲美國人奮起撲滅法西斯疫症，放棄「自固吾圉」的防疫思想，免貽後患。他把輿論造成之後，立即實行參戰，美國且以「民主國家兵工廠」自任，因而贏得最後勝利，使美國一躍而居於民主國家的領導者，實現了「萬國衣冠拜冕旒」的盟主地位，流風迄今未逮。

現時的世界形勢，適與二次大戰前夕一模一樣，只是法西斯主義換成了共產主義，而美洲的安全情況却遠不如當年了。反觀今日美國當局的對外政策和措施，其識見與氣魄，渺乎小矣。羅斯福地下有知，一定頓足而歎曰：「吾黨之小子狂簡」！

馬五先生

大陸青年工人和青年農民 對毛共採消極不理會政策

毛共暴跳如雷加以「斥責」却全無效

（本報訊）慘遭毛共奴役的大陸青年，尤其是青年工人和青年農民的思想搞不通，是中共最感困擾的問題。因青年工人農民思想上普遍有個對僞政權消極反抗的疙瘩，這個疙瘩不但給農業生產帶來了重重困難，而且促使工業生產方面的矛盾日趨尖銳，產量也因而減少，毛共在束手無策中，乃玩弄兩個花樣：一、是誘騙青年農民將所見所聞的不利于「集體」的各種情況，積極給報刊寫信寫稿揭發，以便于展開階級鬥爭和生產鬥爭。二、是唆使各廠礦企業的工人向「黨」領導「反映情況」亦即「打小報告」。企圖用這種卑污的手段來打擊消極怠工和進行反共活動的工人。但據四月廿三日毛出「工人日報」招供，毛共這一惡毒的措施，已遭受工人普遍反對，例如有些工人說：「向領導上反映情況，實際就是要我們『打小報告』出賣老朋友。」有的認爲「向領導反映情況是存心整人，踢工人的飯碗。」

毛共「工人日報」又承認：各廠礦企業工人對毛共這一迫害措施，目前出現兩種現象，一種是採拒絕態度，對所發生的一切事故和看到的各種反共言行，既不反映也不揭露，任其繼續發展。另一種是胡亂反映，而被反映的工人，多係共幹的「狗腿子」（按即爪牙）藉以洩憤。在此情況下，使原已充滿矛盾的各廠礦企業，矛盾更加尖銳化，不僅造成工人與工人會間關係惡化，同時使不少工人對領導共幹，不加調查清楚，隨便聽信「打小報告」而亂扣「帽子」加以批判打擊，引起沸騰的反感。

毛共「工人日報」對這種現象，暴跳如雷的會提出如下的斥責和糾正，據稱：「有些人不願意向領導上反映情況，說這是『打小報告』，甚至認爲是存心整人。完全是對黨不負責和不忠的表現。」又說：「有的人反映情況不全面，不確實，領導上根據這不全面、不確實的反映，對被反映的人進行了不恰當的批判，因而引起被批判者的不滿。造成很多不必要的糾紛和混亂……今後無論何人向領導反映情況時，要力求全面，確實，既不誇大，也不縮小，使領導上更全面地瞭解情況。對領導來說，在聽取反映時也要全面地聽，沒有把握的，不要個單從事。」但對於毛共「工人日報」這些「官話」，大陸工人和農民，由於「早就學乖了」，當然「相應不理」。

山東棲霞礦場工人 熱望國軍早日反攻

（本報訊）毛共棲霞縣艾山輝綠礦場，是由烟台市「礦業局」領導，於一九五七年春成立，由棲霞縣礦務委員會徵工開採，該礦場所產輝綠岩石，在產量上不算甚豐，但其質量極佳，超乎淄川縣十里莊輝綠岩礦場產品之上。

礦場所在地在山東省棲霞縣西北十七公里之艾山嶺，產品淺綠色，質堅耐，磨擦不大發熱之輝綠岩石。

用途：產品經過輝綠岩廠加工，磨成輝綠岩粉，配合化學藥劑，鑄成輝綠岩板，輝綠岩磚、管，耐酸粉等。又用於工礦者：如輝綠岩水力流轉器，開礦場之排礦口吸礦口等。

這種輝綠岩石加工鑄成之產品，有極高度之耐磨性，和高度抵抗各種腐蝕能力。據該礦場之技術人員稱：這種礦石比較鋼鐵產品，其耐磨性高達十五倍至二十倍，其效用在今日之工業發展上佔極重要地位，最主要的，是用於礦山冶金煉焦，水電站，及化學工業等易受蝕磨損之設備。

產量：每天開採約二十餘噸。

工人：職工五十餘人，開採工人約七百餘人，分爲三個大隊，每大隊各自分區開採。

供應：艾山礦場所出產的原礦，全部用汽車運至烟台市集中，然後由烟台用船運至旅大市沙河口春柳村「國營輝綠岩廠」提煉。

棲霞爲濱海縣份，毛共爲防國軍在沿海各省登陸反攻，近月正舉行民兵演習，空氣十分緊張。礦場工人，亦有一部份參加民兵訓練。惟大部份反共之工人，內心極爲興奮，正準備到時策應國軍反攻。

中國菜館揚威異域 美英德法到處有之

·紐約通訊·

中國菜館，在歐美各國越開越多，外國人對於中國菜的興趣，也越來越濃了。在二次大戰前，中國菜館只有在紐約和舊金山的唐人街才有，可是戰後，無論在任何國家的大城市中，如巴黎、倫敦、柏林等，都可以看到，而且數目還在不斷地增加中。

不但如此，許多中國菜式的罐頭，在市面上也隨處可見，無論任何一間特級市場中，你都可以發現到有許多中國菜式的罐頭，與西菜式的罐頭，混雜在一起。很多外國家庭主婦，都喜歡在家中弄一兩味可口的中國菜，以接待家中的客人，這種風氣，尤其在美國境內，更是普遍。

由於她們要經過學習之後，才能知道弄中國菜的秘訣在那裏，因此有許多這種型式的烹飪學校便應運而生，當然大部份的「教授」，都是中國的僑民，但是其中也有少數是由外國籍的專家主持。

很多家庭主婦，她們在家中設備現代化的廚房中，往往可以看到一種中國自古相傳下來，用作爲炒菜的鑊，和蒸東西的蒸籠，放在擦得光亮的煤氣爐或電爐上，在她們的家中，大概只有這個地方，是攙雜着濃厚的中國色彩。在路易安那州，有些中國餐館更兼做售賣中國式廚具的生意，甚至連我們平口所用來煑開水的銅煲，也能夠採購得到。在波士頓有一間叫做「重慶公司」的商號，是專門售賣中國東西的一間商店，那裏有近百種不同的中國貨，每年的營業額達到四百萬美元之多。

「重慶公司」創設於一九四七年，由美國人包魯齊斯所主持，他是一位年青有爲的商人，當時他正在一間明尼蘇達食物公司中工作，每日負責用車載運青荳送往各用戶。後來他在自己的老家發現當地的主婦們，正對中國的烹飪着迷得入狂，於是他便決心經營這種生意，經過一段很短的時期，他積存了一筆不太多的現款，開始在工餘向中國菜館買了一些麵條回來賣，結果生意興旺，使他賺進了不少的錢；進一步他便辭去原職，將全部時間放在經營生意上。後來他更在電台上作廣告。現在人們可由該公司中購到炒麵，芙蓉蛋、燒肉……等不同菜式的罐頭。只要帶回家在爐上燒燒便是精美可口的菜色了。

在美國第一間的北方菜館，是於一九四六年在紐約開設的一間。後來北方菜館更分開幾種不同的菜色，如北平館子、上海館子或天津館子，各色各樣，與南方的廣東菜館分庭抗禮。無論你想吃魚翅羹，紅燒蹄膀，宮保鷄丁，敘化鷄：：等各種菜式，都可以在任何菜館中吃到，而且還有穿着中國式的旗袍的侍女，在旁邊殷勤地替客人服務。不過價錢並不太便宜，所以吃客以外國人爲多，偶而在該處的中國老饕也會去打打牙祭。

大局不堪聞。緬懷此老兵 麥帥活在美國人心中

美爾蘇舒德原著

受批評家指責，朋友敬愛，敵人所畏懼的德忌拉斯麥克阿瑟將永久被認爲是美國的最偉大的將軍之一。假如當時美國人能聽從他的話，他們的處境將會變成怎樣呢？麥帥逝世一週年了，目前國際情勢極爲緊張，許多美國人緬懷從事，想念他們的英雄，下面是著名作家美爾蘇舒德關於麥帥的囘憶。

我仍然保有它，它是一個二寸的白色襟章，有德忌拉斯麥克阿瑟將軍的造像，題有「班丹的英雄」字樣。

當我在十二歲大時，我的父親帶我去參加一個商人的午餐會，演講人是一個剛從澳洲囘來的軍官，在第二次世界大戰早期，盟軍的情況看來離開勝利很遠，但是那個軍官給我們希望，他說：「我曾跟麥克阿瑟在班丹，我極有信心告訴你們，麥克阿瑟將領導我們戰勝日軍。」他繼續講述麥克阿瑟在班丹時的措施。我最的大希望是能夠在麥克阿瑟的部下服役。

在十年之後，我幾乎得到一個機會在韓國受麥克阿瑟的指揮，但不幸剛遇杜魯門總統免除他的重要軍職。我的隊伍中的一個軍曹曾對我說：「小兵，你確是幸運，麥克阿瑟可能是一個偉大的將軍，但却是一個很嚴酷的總司令。」我聽到在東京的美軍在八月的大熱天時要將軍服的領上的鈕子完全扣緊，同時要遵守極嚴格的紀律。

當麥克阿瑟返回美國時，無數人（包括曾受他嚴格訓練的部屬）都到來向他致敬，他對大衆演講，他的演詞將成爲美國的民間傳說，他說：「老兵永遠不死，他們不過是消逝而已。」他出此言也許他認爲他將會被忘記，批評他的人也許會認爲他想求得永垂不朽。無論那一種理由，他將不會被人忘記。

在他逝世後不久，有人揭露出麥克阿瑟會向艾森豪總統提議，壓迫史達林結束冷戰，麥克阿瑟說這使艾森豪担任一種救世的工作，那個計劃是恐嚇俄國，美國將重整德國和日本的軍備，可能包括有核子武器，除非史達林肯答應讓波蘭，東德和中歐的人民有自行選擇政府之權。

麥克阿瑟在生時所拍的照片，最受人歡迎的一幅，是當他囘到非律賓時所拍的，當他接到羅斯福總統的命令離開班丹，他曾答應「我將囘來」。當他得償所望後，成爲全世界的首頁新聞，我所記得在那幅照片上，麥克阿瑟將軍穿着黃褐色軍服，戴上他的著名軟軍帽，徒步涉水到沙灘，這是有深刻印象的情景。

照我的老軍曹告知我，登陸艇載麥帥接近岸，祇離開約一百碼，閘門打開後，軍隊蜂擁而出，涉水上到海灘。

在麥克阿瑟將軍逝世前不久對他的私人醫生說：「我是盡我的能力，我曾有幾次跟那個惡棍死亡相鬥，不把它看在眼內，但這次它用細縛緊着我。」他是一個勇敢不害怕的人，他不避忌跟許多首領有衝突。當他仍未舉葬前，報章刊出許多未發表的麥帥在生時的私人談話，他認爲由於英國的意見不同，又受美國國會的干涉，以致失去本來聯合國軍可在韓戰得到的勝利。麥帥不是一個反英份子，但他曾說，「我認爲假如邱吉爾是首相的話，他能夠救這個世界。」杜魯門總統又不贊成麥克阿瑟在後來所提出的戰略，而將他免除軍職，實爲可嘆！

麥克阿瑟又披露在第二次世界大戰期中，他在太平洋戰區所收到整個國家動員力量，僅佔百分之九。所以他雖領受過國會的榮譽獎章和二十枚勇敢勳章，但他絕少配帶。

在一九三〇年間的早期，麥克阿瑟像邱吉爾一樣，向國人警告德國和日本大增軍備，須要嚴防，但忠言逆耳，不被曾人注重。

麥克阿瑟喜歡戰術，他曾說過：「當我聽到槍彈的聲音，覺得很悅耳。」因此有人認爲他是嗜好戰爭的人。當他到馬尼刺任新職時，華盛頓的某份報章的社論有說：「多謝上帝，戰販已離開到馬尼刺去了，現今他可做呂宋的拿破崙。」當他在一九三七年有意退休時，很少人理會，因爲受到許多軍人的妒忌，他是在美國陸軍中最年輕的參謀長，他在三十八歲時已做了准將。但是報章的言論是順從大多數人的論調。麥克阿瑟並不理會，但有一次他在忍無可忍時曾控專欄作家杜德佩遜，要他賠償詆譭損失費一百七十五萬元，但後來他又撤消控告。

麥克阿瑟非常勇敢，他曾爲毒氣所傷，重傷過兩次，因在槍林彈雨下勇敢作戰，得過獎章十三面，和政府褒揚七次。他在一九四五年赤手空拳到日本去。在那裏約有三百萬敵對的日本人仍預備跟佔領軍戰鬥，邱吉爾曾稱讚「這是在整個戰爭中最冒險和勇敢的事件」。他的勇敢記憶在每個人的心中，當他被取消軍職的消息傳出後，許多人詰責美國的主腦。當麥克阿瑟在國會作最後演講後，有一個議員高聲呼說：「上帝在肉體上，上帝的聲音！」前美國總統胡佛很莊嚴的說，他是「聖保羅再投生於一個來自西方的一個偉大的陸軍將軍。」

著名報人諾曼古辛氏說麥克阿瑟不是一個戰士而是一個和平的人。古辛氏寫出：「他的主要工作，是穿着一個軍人的制服而造出來的，他也並不是想人來記憶他的功績。」麥克阿瑟曾說過：「爲求和平，我願將我在從前戰時所得的榮譽盡力以赴。」他又說過：「全面裁減軍備是不可想像的，正像解除消防局而去救火，或是廢去警察局而阻止犯罪一般。」

無論對麥克阿瑟的批評是合理或是狂妄，麥克阿瑟是得到人們的記憶，正像杜魯門在解去那個將軍的軍職時的譏諷言詞：「麥克阿瑟的聲譽經已存於人間。」

由天地萬物到人

——新道統的宇宙論

（道統論第五章）

陳健夫

人雖有大智慧，莫能測高深，唯神而明之，存乎一心，是謂眞元極則。

四、人知父母出，不知此身原是眞元身。眞元一點靈氣，散佈萬物，萬物因之而生，人爲天地萬物之精英，其靈氣特著而盛，故稱萬物之靈。但人爲世間物，世間物多物慾，遂離眞元身，陷入物慾界，便爲魔障，脫不得身，乃受諸般苦，直如入地獄。或爲生老病死苦，或爲喜怒哀樂愛惡欲。有如幼兒失父母，迷路不知返。何等可悲憫！度衆生脫諸苦，別無妙法。唯有以知識爲實筏，思想爲南針，教育爲過程，令入智慧門，登彼眞理岸，便歸眞元境，便處處隨緣而了。了患難，了生死，了了當當，無入而不自得，是何等快樂！但得體察眞元之氣，在我心靈，至大至剛，至美至善，便自解脫。須知世間如囚，肉體如獄，得此人身，便喪自由。惟有徹情眞元，心泰相通，看破一切虛幻，便復我自由。從此化世間爲天堂，變地獄爲天國，猶如幼兒復歸母懷，豈不極樂？豈不極樂！人世多險阻，世間多悲劇，皆由失却自由身，陷入魔障間，且堅强自持，勿悲哀，勿嘆息，勿服從私欲，勿起邪思妄念。殺人罪孽重，自殺不可逃。勿懷恨，宜寬恕，愛人如己，以直報怨。嚐百苦，忍萬難，咬緊牙關，立得起來，勿爲名利謀，勿爲得失憂。但保此眞元一點浩然正氣存我胸中，堂堂正正做人，便可震驚千古，造朽業。何讓往聖！

六、人在世間，宜善體眞元好生之德，修身養性，以求神志清明，勿爲魔障所囚，或以上智靜思頓悟，立時超渡。若或中品下愚，則不妨呼求天主眞神，懇切祈禱，或唸阿彌陀佛，呼慈悲佛，各以所信，亦可因信得救，皆無可無不可。途徑萬千，法門千萬，隨境而悟，因緣而覺，何限一格，何限一宗，雖旁門邪道，亦自歸化感服。世界萬國萬族，皆屬眞元一體，不妨因時因地，各本其傳統而歸依，固無相抵觸。各教各宗，各種各族，不必互爲高下相爭之論，不必妄自尊大，歧視他人，奴役異族。但本眞元至理，和睦相處拯救世間，則四海之內，心同此理，同此心，無不可通。

七、天道自爲（老氏無爲，其意或失）而無不爲。循自然，奪天工，恒平等自由相對平衡而運動，雖矛盾百出，終必協調和諧入於圓通。名與利之所在，莫爲衆人先。道歸，勿爲天下後。世運艱阻，宜開先路，以爲前驅，當仁勿讓。時至事遂，急流勇退。君子坦蕩蕩，無我，無執，不以家爲天下謀，但以身爲天下先，則天道大公，自爲而無不爲，以入於眞元，德被天下，四海歸心。雖濃霧當空，不足蔽日月之光。此眞光造化至理，萬事萬物因之而成，違之不祥，反之得咎。

八、眞元生養萬物不以私有，而以養人，是何等仁慈。人須勞動，而後得食，不可坐享其成。地利所在，宜求公享，不可自私。財富所集，絕之於衆。不宜聚貨。老幼婦孺及無告者，皆得有所養。天之所覆，地之所載，貧富互濟，強弱互助，四海之內，無分男女階級種族，皆共同生產，公平消費。但循民治，無須共產。悉本和平，無恃鬥爭。眞元盛也，自古未有，是謂大同。（十七）

漢文，漢字，漢學

陳曼卿

如果說，照清末今文家所言：「六經皆孔子所作」的說法爲可信？那麼這位經師，竟在孔氏之學的「經」上，每篇都加了一項「重卦」，（八卦中的所謂卦象）他「知眞大胆」！（此處借用讀書什誌十八期胡適之先生「讀後感」語）這簡直實在「害人」。

我們知道五經，十三經是「國故」。包括上古時代的傳說，和一些社會文物制度。到了漢代，被一批儒者用作名利捷徑，競相標新立異，滲入己意，增補不少的僞理，僞事，作成曠古以來罕有的一些，亦眞亦假，眞假難辨的僞史、僞書。再經許、服、馬、鄭、諸批「古文大師」强牽附麗的渲染。比如：

詩經裏的「二南十三國風」一稱「十五國風」。

書，易，禮，樂，春秋，皆殘缺不全。唯獨詩經「三百五篇」完整？雖然，漢書藝文志也說：「三百五篇，遭秦而全者；以其諷誦，不獨在竹帛也。」這種解釋，誠然是理由。但我們要一想到秦時之「閭里情僞，地知傳舍」的那種情形，就整有七年；漢初的天下戰亂，民不聊生，直到惠帝「除挾書之律」，前後共計有二十二年。兵連禍及，繇役災害，老者填於溝壑，少者散之四方，還有諷誦「詩」的情緒，腦袋不搬家，才是怪事呢？

「毛詩」一出，魯、齊、韓、三家也爲之遜色。再又加上什麼「詁訓」、「申（小序）」、「申明毛義」，以馬注，鄭箋，本來是一些男女愛情的民間謠，也可以說，那是一部「謌謠總集」；但給他們一形聲繪色的加上了什麼「文王之化」，與「后妃之德」；分出些什麼「正」，「變」；又是「刺某」，「美某」的妝點，得像眼目下的一些「廟會扮相」，還要入神。使得兩千年來的學人「束髮受書，白首窮經」，直在「箋注」、「訓詁」裏面兜圈子。講說了大半天，也還不能談歸正題，皓首銀頭，還是不能一經難通！我們以宋代的歐陽永叔、鄭樵、朱仲晦、王柏、諸儒的不輕從「毛」「鄭」增字解釋」可知。淸代俞樾雖是今文大師，他的四世孫還是離不了「訓詁」方足以「知詩解詩」的說法。

今天我要正告那自命「經師」的學人，「五經」並非一人可以包辦得了的。民國以還的史學界，他們有一特殊傾向研究如像「經學」一類的古籍，因陸懋德先生一篇文章，而改變路綫，也是先從「諸子」入手，得到一個概念，然後「治經」。所以他們在這方面比較清代的今文家都有進步。距今三十年前，他們更採用所謂「科學方法」研究所謂經學，雖也有不少創見，奈因貪多，所以弄成得失相參，幾至得不償失！「五經」、「十三經」，就已被多數的讀書人遺忘有二十年以上了。

如何研究經學

我們知道，「詩經」雖是屬於「文學」領域，但其中的一些「鳥、獸、艸、木」，乃是屬於「自然科學」，也還要借重動植物學家哩。最要緊的，是要把這二千年來披飾在「詩經」上的——錦衣珠翠全部除下，還「詩」一部「詩經」的本來面目。目前是個求眞的時代，而不是兩漢時代的作僞時代了！因此，更不能再在「經」上加添甚麼重卦（卦象）。如果這樣去作，那無異是把孔明的戲裝也披到孔子的身上，「未必能使人心服」！何況，孔子當時只是用「詩」來作教材！（三六）

夷區采風錄

李仲侯

如要說夷人與漢人有不同的特徵，就是他們身軀比較碩大，目微凹，鼻高，額扁平，顴骨稍突，頰微陷，髮黑而粗，手足掌均大。他們的特性與漢人不同，就是强悍嗜殺。夷族分布區域頗廣，凡四川之雷、馬、屏、峨、西康之寧屬及貴州西部，雲南北部，都有居住。而以寧屬之大涼山爲大本營。據調查，全部夷人有說一百萬的，也有說八十萬的；不過大小涼山，總要佔該族人口百分之六十以上。

我們在峨邊大約住了二十天，此縣位於大渡河支谷，越巂河上游右岸，縣城瀕臨河岸，街市湫隘，這裏的大渡河，即古時瀘水，諸葛武侯出師表所謂「五月渡瀘」，有人說就是在這地方。峨邊居馬邊，雷波屏山之極北，南部高亢，越巂河北注大渡河而達於嘉峨的文化區域。不過我們考查歷史，知道唐代剿撫夷人，都以嘉峨爲出發點，並將輜重後勤於此地，始可進剿。諸葛征蠻，到過此地，或事屬可信，蓋境內夷民畏其威，感其德，其受化皆較雷馬爲深。漢化之黑夷，亦比較他處馴順平靜。峨邊人口較多，密度亦較大，生產方面以包谷、洋薯、雜糧爲最多。以其地居一，二六〇的海拔高山上，灌溉不易，故產稻米極爲有限。又因部份夷人漸趨漢化，故峨邊一帶部份森林，頗能開發盡利。

因爲大涼山一帶爲川康滇三省接壤的區域，都亦是漢夷交界地方。前清時，尚設有土司來鎭撫他們；入民國後，改土歸流，廢除此項土司制度，漢夷間的隔膜，乃愈難銷釋。又以涼山以東，盆地肥美，更爲其所羨覬，故時常逾山而東，侵畧漢人的田產牲畜。雷、馬、峨三縣，深受其害。昔時防兵雄厚，夷人畏威，尚能蟄居深山。自從抗戰發生，國家多故，他們又復猖獗。他們的口號是：「你有飛機大炮，我有深山老林」，完全用一種游擊戰術來困擾進剿的部隊。我們在那裏調查時，三縣所餘，皆僅縣城附近及河谷兩岸一條地帶了。就中馬雷尤甚，峨邊較輕。計雷波爲夷所據者已十分之九以上，馬邊達十分之八，如由馬邊上行，僅能達於四十五里之峯溪，再上部爲夷區。昔日沿河道路皆已荒蕪，人口亦甚爲稀少。

夷人勢力這樣猖獗，他們不是完全沒有組織的，他們雖過的部落生活，但對家庭社會階級劃分甚爲嚴格，所以動員起來，也很容易。夷人階級，計可分爲黑夷、白夷、娃子三大類。黑夷爲夷人正統派，在夷人階級中最高，漢人都呼之爲黑骨頭，他們地位尊貴，不直接從事生產，以領袖自居，除督率其娃子從事生產事業外，即以打鎗及到各處代人說事，調解紛糾，以出陣參加作戰爲常務。遇有軍隊進剿，只須由最高夷酋通知，即可動員全家出伙。（二）

動物農場

英 George Orwell 著　陳其芝 譯

第六章　豬蹄下的臣民與工業失敗

拿破崙又嗅了嗅，表示那的屬於史諾柏的，而且來的方向可能的狐木農場。

「同志們！我們不能再耽擱了！」在拿破崙鑑定了足印後宣佈：「工作必須要完成！就從今天起，我們要立刻開工重建。整個冬天，不論天晴天雨，我們都要不斷的工作，我們要教訓教訓叛徒，讓牠知道我們是不輕易被破壞的。同志們！請記住！我們的計劃不容任何變更：風車一定有實現的一天。努力前進！同志們，風車萬歲！動物農場萬歲！」

第七章　動物所追求的社會

一個苦風悽雨的季節剛過又是一個凜冽嚴寒的冬天，雨雪交加冰雹具下，這個冰天凍地的時節直到二月底才開始化解。可是動物們依舊不眠不休的在進行着重建風車的工程。牠們知道外界的人們密切地注意着風車工程的進展情形，牠們也知道，如果風車的工程不能如期完成，這些善妒的人類將更爲高興，亦更爲滿意的。

人類假裝不相信風車的倒塌是由於史諾柏的破壞。他們反而說風車倒塌是因爲根基不牢固。動物們雖然知道這並不是眞正的原因，但是牠們依然把風車的牆基由十八吋的厚度增加到三呎厚度。牠們的工程進行受到了阻礙。但是許多工作仍然是在冰凍刺骨的天氣下進行着，因之工程顯得更艱巨了些，而且動物們的信心與勇氣也沒有以前那麼堅强。天氣冷得難以承受，食糧的配給又不足以吃飽。除了白克薩和克勞莱乃具信心外，所有的動物都顯得沒精打采地。斯奎勒不斷地演講，說服務爲快樂之本，勞動爲神聖的大道理。但這些言辭都沒有白克薩的幹勁及牠那句「我要更努力工作」的格言使得動物們受到鼓勵。

正月裏，食糧的缺乏情形更嚴重了。穀類的口糧被大量的削減，取而代之的是馬鈴薯。可是牠們卻發現大多數的馬鈴薯由於冰凍得過久，都壞得不堪食用，不是變軟，就是腐爛，剩下來可以果腹充飢的實在無幾。有好些日子，動物們除了糠皮拌甜菜外，沒有一點別的食物可吃。饑荒的威脅，似乎已經展現在牠們的眼前了。

這種缺乏食糧的事實必需對外界隱瞞。因爲自從風車倒塌後，人類像得到了鼓勵一樣，重新又開始編造及散佈謠言。他們說動物農場的動物正受着流行性的時疫襲擊，已經死了許多動物，同時動物們自身爆起內鬨，不斷地自相殘殺，甚至到了彼此相食的地步。拿破崙很明白，如果外界人類知道牠們糧食缺乏的眞情形，一定又有嚴重的不利影響發生，因之拿破崙決定利用黃恩伯先生每週一次的來訪機會，展開一項反宣傳的計劃與行動。從前，動物農場上的動物與黃恩伯先生之間很少有接觸的機會，說得更確切一點，根本就沒有過任何接觸。現在，拿破崙親自挑選了一羣動物，其中大多數是馴服的羊，給牠們秘密的指示，叫牠們在黃恩伯先生例行來訪的時候，隱現在遠近不同的地方，談論着牠們糧食增加的情形，並要故意讓黃恩伯先生聽到或注意到。拿破崙又命令動物們把倉庫裏已經空了的糧食桶用沙石裝滿，上面覆蓋一層穀類或食料。牠用一種巧妙的藉口帶着黃恩伯先生去參觀牠們倉庫裏的存糧。（廿二）

印尼風土人情

燕謀

巴里島直到本世紀才被人知道。巴里到今天，仍是一個印度化的島嶼，回教徒想打入，結果失敗。荷蘭人的遭遇也是一樣。直到一九〇六年的可怕的一天，島上的男女老幼，用矛用棒死命抵抗荷蘭人的槍炮，引起荷蘭軍隊在島上的一場大屠殺，全島才被荷蘭人佔領。

叢林之王：蘇門答臘有一個廣濶的沼澤區，面積達六百英里，其中人烟絕跡，可以說是世界上最大的一個原始區。有一條深而暗的河流經蘇門答臘，水被染成撒而沙，（熱帶產的一種藥草）色，河岸兩旁樹上爬滿了猴子，空地上到處是各式各樣的鳥兒，野象羣在沼澤中猛撞，廿英尺長的大蟒蛇蜿蜒的避開鱷魚；但叢林之王，還是龐大的蘇門達臘斑虎。

火山造成的大奇跡：早在三百多年前，印尼勿里洞發生過一次空前劇烈的火山爆炸，濃烟竟達十五天之久沒散去，星星的光芒閃耀了一個多月。尚幸在當時勿里洞是一個無人居住的荒島，只有百分之十九的禽獸遭了殃。這個時期，隔海岸的人在海面上拾到被震動而死的魚類達五十噸以上，其劇烈的情形不問可知。

一九三二年，挪威一隊亞洲遊歷團抵達印尼，聽說勿里洞在歷史上有這麼一次空前劇烈的火山爆炸，便專程前往探看奇景。火山拔海三千公尺，礁石處處，草木不生，禽獸絕跡；登陸環繞一週之後，發現火山之腰間有一洞口，寬僅可容人身，洞內一洞漆黑，一陣陣忽冷忽溫之氣，使人感覺毛骨悚然。

遊歷家們很胆大，亮着手電筒進洞去，只見凸凹不平的小道，間有小撮青草；直向洞內前進了約九個小時，這時才意外的發現了奇景。仔細一照，才知道已抵達洞底，前無進路，却發現了一塊天上人間模樣的佳地：前面是面積一百八十呎的地方，長着各種奇花異草，吐出陣陣芳香。有五個小湖分現在東與西北和中央，湖水清澈明鏡，可照人容。最使他們不勝詫異者，水中竟有幾十尾身軀狹長的怪魚。在洞邊長有數不清的濃密樹木，高達十五呎以上，他們把樹葉和果實摘下來，可以證明世界上任何一個國家沒有這種樹，顯然只有獨存於火山洞內。他們入洞至出洞，前後共費時二十一小時，外面的人以為他們死在洞內了。有人疑惑洞內的奇景是用人工造成的，但島上的居民力證在挪威亞洲遊歷團第一次探查之前，從無人敢去看一看。現在雖然歡迎任何人自由參觀，可是有胆量入洞一觀究竟的人，二十年來還沒有超過五百人。（二）

我的臉盆

勞克

八個月前，我在新竹逛街。從這條街逛到那條街，再從那條街又逛過來。電影看過了，咖啡室也坐過了，又是一個人，沒有什麼地方好去。

當我逛到一家雜貨店時，我的腳步停下來。裏面有個如詩如畫的姑娘，大眼睛黑而且美。她正站在櫃檯邊上。

我走了進去。

「買什麼？先生」聲音清脆而甜，就像巧克力糖似的。

我說我先看一看，是否有我需要的東西要買。

「歡迎你隨意參觀。」

於是，她從櫃檯裏面走出來，十分大方與禮貌。

她還用手指點着這個，又指點着那個。白嫩的小手就像剛在牛奶裏拿出來似的，修長的手指，就像玉製的牙筷似的。

「這些價錢都不貴，先生。假使你先生要的話，可以打個八折。比方，這臉盆就是最好的質料。」

說着，她的手就在架子上把臉盆取下，還說了臉盆的許多優點。

「這個臉盆，最少可以用五年。」她說。

我對她笑笑，說：假使用不到五年呢？

她的眼睫毛揚了起來：「祇有十塊錢的事兒，」她輕輕的說：「就這一個吧，我不會要你上當的。我給你包起來。」

我就這樣買了那個臉盆。

這臉盆並不大，是雙料，鉛製。拿在手上輕輕地。

她把臉盆包好遞給我，我望住她，輕聲對她說：

「可以知道你的名字吧？」

她笑笑，像三月的桃花。

「你這人真好玩，有點斯文樣兒。」

「告訴我吧？小姐。」我近乎哀求。

「好吧，」她的牙齒輕輕咬住嘴唇：「娟娟。」

「多麼美啊，就和你的人一樣。」

她害羞的，扭身到櫃台裏面。

我買了一個臉盆，換來小姐的微笑和姓名。我回去時，是很愉快的。

本打算再去看看她，却突然接到命令到金門，而且馬上要坐車到高雄。

到戰地，可以不帶什麼東西，很多人就都不帶臉盆，而我却帶了一個臉盆。很多人有點怪，佔的地方又多，大，帶了豈不是個累贅。可是他們不知道這臉盆中還有一段故事，我也沒有告訴他們。

臉盆經過車子的顛動，船上的搖幌，以及搬來搬去，我到碉堡時，臉盆成了扁形，我還是不忍把它甩掉，這臉盆有娟娟的微笑，有娟娟的甜蜜語言。我把臉盆修理一番，還勉強可以使用。只是外表高低不平，就像凸的廂子似的。

「你該換一個臉盆，」伙伴們看到我臉盆就這樣說。

伙伴望住我，說：「不，決不！」

「這上面有什麼故事？」

「不是什麼美麗的故事，如有點來由的。」

「可以告訴我們吧？」

我本不告訴他們的，他們迫着沒有法兒，我便一五一十說了出來。

我說完後，他們問：

「你有沒有給她的信？」

「沒有。」

「你真是傻瓜，為什麼不給她寫信呢？」

是的，我也許是傻瓜，但我的心靈美極了，也快樂極了。

乙巳年名家書畫展敘

黃景南

三原于右任先生以開國重勛，朝野盛望，主創台灣詩壇，十餘年來，使海濱吟唱，蔚然大盛。詩壇同人，為于公祝壽舉辦書畫展覽，已亦十年。今于公以八六高齡，騎箕天上，甘棠蔽芾，遺愛存焉。詩壇為紀念老人，仍定於于公誕辰之日，每年賡續書畫展覽，以期迄於無窮，年仍百家之數。晚近風習，漸趨近功，當面輸心，交同市道。于公以汪洋浩汗之胸襟，具嘉善矜才之遠抱，功業文章，自昭史冊，待人律己，尤著風儀，固足以破一時之風氣；而諸家詩抽妙思，悉本性情，筆寫幽期，盡於真摯，所堪珍重者，乃在此而不在彼。景南荒海鄙人，微不足道，而愚戇性成，惟所善而固執之。欽藝事之優能，愛古風之淳樸，雖不能至，心嚮往之，敬當從諸公之後相終始焉。

荀劇摘記

婆娑生輯

近今國劇欣賞會，多次討論，集中在求變舞台顏色，必須尋求劇本，以作改觀。余曾告直生兄，如欲達此任務，應由教育部依照頒發金馬獎辦法，每種給以酬報稿費，相信可有百齣能得。若欲不費一文而得劇本，在此生活不太容易，欲責其貢獻，實戛乎其難哉。余近閱友人藏本，得荀劇本事與唱詞，亟錄以示伶票，倘亦可自為尋摹之，加以排演，未始非一法也。

香羅帶本事

明烏程守備唐通，婦林氏幽嫺有令色，一子尚幼，延蘇人陸世科授經焉。林屢譽陸才，唐疑其有私，意不懌，林不之覺也。唐因公至杭，比歸值陸有病，其子以父衾覆師，誤雜其母所繫羅帶於衾內。唐見之，益怒，迫林夜叩陸氏室門，以覘究竟。陸正色規責，解館以行。唐始釋然，與林和好如初。俄而唐從大將陳麟征海寇，途擒盜，縛以婦帶，斷首委尸而去。邑人謬指尸為唐，鳴於官，而唐戚杜某數詣林告貸，隸役誣其姦，官遂並逮二人。時陸已登第，授巡按，識帶為昔日齋中物，觸及前事，證林不貞，坐以殺夫論死！將刑矣，會唐歸來，獄竟以解。

（唱詞）我兒夫是英雄才高志大。論韜略不亞那漢室虎牙。天生就封侯骨分毫不假。到將來凌烟閣必定有他。山河統一久承平。盜弄潢池起戰爭。夫婿常懷澄清志。請纓欲效漢終軍。強對菱花整鬢雲。却教脂粉掩啼痕。愁隨秋水添三寸。心比秋蓮苦十分。白璧微瑕成話柄。紅顏薄命本天生。可憐一種淒涼恨。首蛾眉害煞人。三從四德遵明訓。西帳待月我何曾。忍淚含羞輕啟請。教人皂白兩難分。先生不可太執性。事要從權莫守經。先哲陳言口莫論。嫂溺援手快救人。你說我水性楊花不貞靜。他那裏正顏厲色責淫奔。到此時何須惜性命。拼著玉碎與珠沉。縱然不念夫妻分。難捨堂前母子情。細思今宵如夢境。無端平地起風雲。我若不忍心頭恨。膝下嬌兒可憐生。過眼雲烟都莫論。萬般由命不由人。三魂逝入幽冥境。恩愛夫妻兩離分。交頸鴛鴦成孤另。妻嬌子幼靠何人。覆盆千古恨，有口也難分。天可憐我是個含冤的寡婦。法場上都道我是殺人的曾參。香羅帶造定了冤孽鐵證。今死得個好不分明。說什麼善與惡蓋棺論定。我不能留芳遺臭名。（上）

花木蘭

——「影劇與歷史」之五

周遊

花木蘭在銀幕

花木蘭首先是在舞台上活躍，近年來將她搬上了銀幕，更是令人羨煞英雌之幸。在舞台及銀幕上的花木蘭，的確是多彩多姿，如話劇、歌劇、舞劇，全國的各地方戲劇等，木蘭都有演出。以之寫成小說的，更是不可勝數。電影上「花木蘭」已有兩部，其中有一部有「月光曲」一首，男女互道想思愛慕，真是想入非非。有的電影上所拍的花木蘭的男主角是何元度，而有的花木蘭的男主角，則為李廣。花小姐分明是隋唐時代的產物，偏偏要配上漢代的李廣，竟把李將軍復活到唐初來談戀愛。社會人士看了不免懷疑。觀者缺乏歷史常識，確是很令人驚奇的。下面先看看銀幕上的花小姐：

花木蘭小姐尚義村人，及笄之年，練就一身好武藝，箭法高明。且善紡織。其父花弧，視木蘭如掌上明珠。花弧在青年時代，衛國執干戈，屢事征伐，武藝亦甚高強。因年事已高，退休在家。

突厥入侵，朝廷徵兵應戰，花弧亦在被徵之列。他雖然年老多病，亦決心應徵赴敵，以為縱然戰死沙場，馬革裹尸，亦所情願，且亦不愧軍人本色。但木蘭孝行天賦，甚為乃父赴敵擔憂，表示願代父從軍。然而花弧不許可！木蘭的姊木蘭，弟木棣；乃弟木棣，時年尚幼；對於乃父之應徵事，均感無能為力。木蘭憂國憂家傷時，無心織布，歎息抒機。

翌日，花弧重披征袍，準備應徵赴將軍府報到。是時堂侄花明亦應徵前往從戎，特前來拜別請教。花明同時偕來一位翩翩少年，器宇英俊，花弧說該少年因慕花弧武藝，願意前來領教領教，試試能否效力於軍。花弧以該少年，忠心報國，其志可嘉，欣然樂為奉陪；但花弧卒因年老力衰，被該少年擊倒地上。但只見那個少年即刻向花弧跪倒，一面口稱爹爹，恕孩兒木蘭不孝之罪！原來該少年乃是木蘭喬裝，以探試花弧的意向者。花弧見是女兒木蘭，又喜又驚，木蘭道：「孩兒因爹爹年事已高，而且體弱多病，此去邊關殺敵，恐難勝任。孩兒情願代父從征，故而喬裝，以試爹爹。請爹爹恕孩兒不孝之罪！」

花弧聽了，深為感動，心想：木蘭雖是女兒，老夫常以男兒視之。不期今日果能不讓鬚眉。這樣被她擊倒，足見她武藝不弱，可以應徵從戎。當下答允了。木蘭見父親已經答允，芳心欣慰非常。花弧並囑花明隨照顧。木蘭代父從軍，喬裝前去，父母姊弟親鄉送行，叮嚀珍重：戰事平息，即刻返家團聚，以免二老懸念。木蘭一一領諾，一家大小，在此時此地，各自落淚。最後還是花明催促，木蘭始隨之就道。這是一幅木蘭從軍圖，在中國歷史上，她成了「巾幗英雄」的典範。（一）

法國人筆下的賽金花

匡正

清末一代名妓賽金花，轟動國際，國人撰其事跡之各項著作，不下數十種之多，綜其內容，則殊有出入。至於外國人執筆述其事者，甚罕見。茲篇所述，則為八國聯軍攻入北京時之一法軍少尉盧夫多立田執筆，名曰「賽金花軼事」。此法國人筆下的賽金花，較國內所流行各種版本之內容，自更有參入，特介紹於此，俾作喜愛賽金花故事者參閱焉。（一）

內僑警台報字第〇三壹號內銷證

自由報

THE FREE NEWS

第五四七期

中華民國僑務委員會登記證台教新字第三三二號
中華郵政台字第一二八二號執照登記爲第一類新聞紙類
（半週刊每星期三、六出版）
每份港幣壹角
台灣零售價新台幣貳元
社長：雷嘯岑
督印人：黃行
社址：香港銅鑼灣高士威道二十號四樓
20, CAUSEWAY RD 3RD FL. HONG KONG
TEL. 771726　電報掛號：7191
承印者：大同印務公司
地址：香港北角和富道九六號
台灣分社
台北市西寧南路壹零號二樓
電話：三〇三四六
台北郵政信箱二九一六號

美國的戰不勝論和現階段的越戰（下）

何浩若

但是執教的學者和初期的學生都是第一流的人物，包括羅素、威爾斯、拉斯基、凱恩斯、麥唐納和印度的尼赫魯這班人。列寧的布爾雪維克是一九〇三年和孟什維克那些人分裂的。列寧住在倫敦，時常到歐洲大陸去。他有沒有加入費邊社，現在無從考證。根據一九三一年蕭伯納訪問蘇俄發表演說，頌揚列寧爲世界文化的救星和『最偉大的費邊社員』，列寧應當是費邊社的社員。在那次演說裏面，蕭伯納還說到費邊社的方法就是滲透顚覆陰謀欺騙。這些方法差不多完全爲列寧所採用。他說列寧自稱爲社會主義者，社會主義者應自稱爲自由份子，才能實行不可避免的漸進方法。（見上引斯當麥著『誰敢說是實國』第廿六頁）可見蕭伯納是道地的列寧的同路人。列寧自一九〇三年和孟什維克分裂以後，到一九〇七年已經有布爾雪維克黨員十七人散處歐洲各地。他要開布爾雪維克的第一次大會，但是沒有經費。他和費邊社的負責人商量，便由一個費邊社員費爾斯，一個美國肥皂商人，捐出三千英鎊，作爲開會的經費。同時由麥唐納替他們在倫敦城的東邊借了一個教堂叫『兄弟福堂』作爲這十七個人的住宿之用。這十七個人的黨過了十年，到一九一七年便增加到四萬人而取得了俄國的政權。七年以後，到一九二四年與費邊社有密切關係的英國工黨也取得了英國的政權，由當日招待那十七個人的麥唐納組閣，韋伯當了第一任勞工部長。上面費邊社幫助布爾雪維克的記載是引自摩赫德所著『俄國』革命第八十一頁。

等候機會

計劃周詳

⑷費邊社和美國前進份子的關係

遠在十九世紀末期，英美兩國便開始文化交流，交換教授和學生。在一八八八年，在費邊社成立四年以後，席德萊韋伯便來到了美國。一八八九年，美國經濟學會便在哈佛大學散發『社會主義在英國』的小冊子。到了一九〇五年，韋伯這班人便在美國創辦了一個與倫敦經濟學院性質相似的學校，不過這個學校後來沒有像倫敦經濟學院發生那樣大的影響。這學校便是紐約的蘭德社會科學學院。到現在，這個社會科學學院仍然重視亨利喬治和一般社會主義的學說。另一個組織便是各大學的社會主義學會，首先成立這個學會的便是哈佛大學。有名的記者李普曼便當這學會的會長。接着哥倫比亞和普林斯頓等大學也繼續成立了這個學會。根據赫賓德氏的記載當日許多有名的學者參加這個社會主義運動。到中國來講演的杜威也是其中之一。羅素也來中國講演過。羅素也是費邊社的社員。杜威羅素在同一時期來到中國講演也許是巧合的，但是對後來中國青年的思想無疑的有很大的影響。費邊社在美國發生聯繫最早的是哈佛大學，發生影響最大的也是哈佛大學。美國最有名的共產黨，[illegible]，居禮，魏佛，張伯，普勒斯門，都成爲美國的政要，也都是哈佛大學畢業的。很巧合的哈佛大學的畢業生如廿廼迪又被選爲美國總統。[illegible]特別前進的哈佛派便成爲美國政治上一枝很大的力量。羅斯陶班第這班人都是與哈佛大學有很深的關係。除去哈佛大學以外，美國知識階級受着費邊社的影響的也很廣泛，形成了美國知識份子左傾的一個潮流。在反共最敏感的自由中國，也許以爲這些左傾的知識份子都是共產黨。這也是不正確的。其中自然有很多不暴露身份的美共，但是大多數還是所謂自由份子跟着共產黨的屁股後面亂跑亂喊，因此稱之爲『同路人』。我們要知道，贏得了二十年冷戰的第五縱隊，不僅包含了美國共產黨而且包含了這一大批『同路人』。而且所謂有力量的美共，在達成任務以前都是不暴露身份的。公開身份的美共，都是一些不重要的腳色。

如上所述，我們可以瞭解，美國的共產黨和左傾份子是源出於英國的費邊社而不是源出於蘇俄。蘇俄和美共沒有關係。俄國革命以前，托洛斯基便在紐約和黑社會混在一塊。革命的時候還帶同去一批紐約的流氓去充紅軍。不過知識份子的左傾是受費邊社的影響。上文說過，費邊社不主張暴力革命的鬥爭，他們要用『不可避免的漸進方法』把旗子染紅。簡單的說，他們是主張和平過渡，是主張和平共存的。因此祇要蘇俄主張和平共存不損害美國，美國的共產黨和同路人以及所謂自由份子是不主張美國戰勝蘇俄的。這就是美國的戰不勝論的來源。我們要知道美國的左傾份子是源出於英國的費邊社，英國的費邊社在歷史上又是與俄國的布爾雪維克有着最密切的關係的。

三、戰不勝論和現階段的越戰

（本文因篇幅所限，不擬評論現階段的越戰，祇想說明現階段的越戰與戰不勝論[illegible]

[illegible]

現階段的越戰將來究竟怎樣呢？（下轉第二版）

（下轉第二版）

今日與明日

越南形勢

越南戰爭既不能和，也只有繼續打下去，美陸軍源源投入戰場，越南軍人委員會又宣告解散，今後全由文人執政，政治方面似可稍爲安定。本來安內才能攘外，內部不團結安能對外？一旦越共席捲全越，任何爭名奪利皆化爲烏有——越南軍人應當明瞭此點，把個人利益看輕一些，國家的事就好辦些。

美機大炸北越，在軍事上的成就尚未能顯著看出，但是政治上卻看出了幾點：首先是毛共同俄共的鬥爭日趨緊張。毛共目前已把反美箭頭指向反俄，人民日報又發表「中共論反法西斯戰爭四條經驗」，把俄共主腦人員又罵得一場胡塗。這樣下去，有一天俄共頭目感到不能忍受，要還擊時，可能再發生一次一九六二年「五七」新疆大逃亡事件。

中越共的三角關係

在中俄共鬥爭中，感到難處的是北越胡志明，最近北越留俄學生在列寧格勒示威，被俄共警察打傷逮捕了八十多名。這一次的鬥爭，把胡志明牽入漩渦。

北越學生示威反美，無疑地是受毛共直接指揮，但是既然鬧出事，就落到胡志明的頭上。直到今天，只見毛共在惡聲叫罵，越共尚未開腔。胡志明對此當然感到頭痛，若不向蘇俄提出抗議，似乎無法交待，若提出抗議同蘇俄決裂，又中了毛澤東的圈套；一時尚難決定，直到今天還在保持緘默中。

俄共目前對中共不尚空談，不似毛澤東以口舌文字作鬥爭武器，而是見之實行。原在三月五日被蘇俄打傷的四名中共留俄「學生」，當時據說因傷勢過重，在莫斯科無法治療，由毛共接回北平，送到協和醫院診治。中共宣傳部長陸定一還親往慰問，一時宣傳的像煞有介事。俄共卻不聲不響，到了四月十日，突然宣佈這四名學生曠課已久，開除學籍。

毛共對此大感憤慨，向蘇俄提出抗議，面交蘇俄駐北平「大使館」。那知蘇俄「大使館」不肯接受，竟然原件擲回。這在共黨內部像這種事情，也還是前所未有。追根究底，都是美國轟炸北越所引起。可見對付共黨是非强硬不可的。

美國政策已經進步

最近美國對多明尼加所採取的措施，可以看出美國當局的政策已日漸進步。像轟炸北越、派兵多明尼加兩事，若在艾森豪威爾時代是不能想像的。這不僅因爲詹森總統見解高於艾森豪威爾，同時，美國現處的形勢也使他不能再猶豫了。

（何如）

自由談

一枝獨秀

中華民國的政事文物，比較英美各國固然瞠乎其後，但亦有一樁事情決非歐美各邦所能企及，殊堪慰幸也。

英美諸國的郵政業務，發展原在吾國之前，咱們的郵務與海關制度，都是經過西洋客卿設計創進，且由他們從中指導有年，纔奠定了基礎的。可是，專就郵務而言，今日我們的效能，允屬青出於藍，凌駕英美而上之，這并非空口講大話，有事實可資證明。

例如郵遞信件，英美各國的郵局到了星期六下半天即停止工作，星期日更不必說了。其先的五天之中，每天派送信件最多不過三四次而已。至於普通平郵信件之遺失，所在多有，如果收信人的住址門牌號數稍有錯誤，即使是在同一街堂或公寓裏，亦不願費神查詢，而予以原件退回的處置。稍爲笨重的物品，郵局照例拒絕寄送。有時候甚至電報亦送錯，今年元月某夕，我在香港寓所接得一件英文電報，拆開一看，不知所云何事，也不悉發電人是誰，然電報掛號的號碼又與本報登記的「7191」數字無訛，經以電話詢問後，纔知道是辦事人員錯點了鴛鴦譜，把別人登記的「7193」號碼混到敝寓了！粵語叫作「擺烏龍」！

現時我國的郵務，除却派送一般信件之外，還有「限時專送」——四小時內必須送到——這類特快郵件，每天平均要派送八次以上，星期日亦無例外。對於掛號信，派送後三天之內，即有郵務人員向收信人家查詢是否收到？該信了？係某時某刻收到的？信面收信人的寓所門牌如有錯誤，只要街道名稱不錯，一定清楚送到，決不隨便退回。前年我客居台北青年會時，女兒從美國來信，封面只寫着「台北青年會」，并無街道名字，原信亦收到了。郵局亦可以替人民遞送棉被、電風扇、留聲機……等類物品，這是世界各國罕有的服務精神，值得咱們驕傲吧？

中國郵政制度比較健全而少所破壞，不像一般行政體制之紛更無常，因而郵務的效率亦視政治機構爲高。這證明制度關係之鉅大，得其人信守不渝，實事求是，績效自然昭著，而業務亦必蒸蒸日上，謀國者其懼思之，不讓郵政一枝獨秀乃可！

馬五先生

試辦「綜合性中學教育」省立左營中學表現良佳

（本報記者黃多生高雄航訊）為適應當前世界潮流進入太空科學競爭時代的需要，省立左營中學奉命所試辦的「綜合性中學教育」，為時雖僅一年又半，然其業績，已倍受各界人士的重視。

按左營中學原屬高雄市立，先後達十四年之久，其間雖曾經歷任校長苦心擘劃，惟因建校經費有限，致校舍及其他設備等，多未臻理想。民四十九年十月一日奉令改為省立後，大興土木，修建校門，圍牆，傳達室，特別是教室十六間（內包括特別教室一間），幷開闢運動場等，算是像個樣子了。五十二年八月，趙仰雄接長校務，經調整師資，充實設備，聲譽蒸蒸日上。而於五十三年十一月奉省令試辦「綜合性中學教育」。

綜合性中學教育，在台省係屬初創，現僅有省立左營、竹東兩所中學在試辦中。按趙仰雄校長於民國五十年間，曾啣命赴美考察是項教育行政，歷時逾年，會普遍參觀美國十一州的七十餘所中等學校，對美國現行綜合性中學教育，極具心得。

據趙校長語記者稱：「綜合中學」是為了讓自低能的學生到天才的青年們，均有各種發展學習的環境，幷使每一個受中等教育的學生，能依自己的智慧、興趣開拓個人的前途，發揮最大的潛力，期使學生們將來進入社會，得盡最大的貢獻。所以綜合中學的任務，首先必須從陶冶學生的品行做起；要從學生們身心的健全，情操的優美和正常的培養中，來發展學生們各自最大的特點。其次，綜合中學教育的特徵，是課程平衡，尤其任何課程，都不僅限於以教科書為教材的範圍，而是着重以實際問題啓發學生的思考力。故通常皆採用討論、研究、座談、實驗示範、演習、操作、搜集、觀察、分析與電視等各種教學法，必期能使學生了解事物的因果關係，歸納成完整的概念，認清活動的價值。甚至每一個科目，每一個單元活動的內容，都力求適合民主科學與生活教育。此外着重個別輔導，學校依據輔導計劃，去瞭解學生的個別差異，也是綜合中學的另一特徵；因為每一個學生的家庭背景，校外生活的狀況、能力、興趣、智力的商數及未來的志願，都包括在調查與測驗範圍之內。

趙校長又說，因綜合中學教育，是「一、發揮青年天賦潛能健全身心，為將來研究高深學術之準備及指針；二、緩和升學競爭，因材施教，培養社會有用人才，使高中畢業不升學之學生人盡其材，啓發學生學習工商家事興趣，使學生能獲得自立基礎及謀生技能；四、輔導學生抉擇志願，盡其所長，學以致用，」是一種打破升學、孤立與形式主義作風的教育。是以，趙校長說：該校為達到此一因材施教、人盡其材、學以致用的目標，特訂定方案，於中學主科外，分設工藝、農藝、商業、家事等選科，如電工、冷凍、汽車駕駛修護，中英文打字、手工藝、園藝、美容、樂隊等。而在學生進度方面，則經過測驗（智力、性向）、調查（人格、興趣），根據所得，製定學生個案卡後，即行選課，而後實施輔導。尤其對不升學的學生，必依其興趣，予以分科教育。至於教學時數，各科課程均規定一學年授完，每週實習二小時，每生選習一種，各科限制：汽車修理及駕駛科限高二男生；冷凍及空氣調節科限高三男生；商業農業部門各科限商科女生；家事部門各科限高二、三女生。

據悉：省立左營中學自奉命試辦綜合性中學教育年餘以來，由於校長趙仰雄對此種教育具有深刻研究心得，再配合他的負責認真，及不斷研究改進，確實已有可觀的成就，而為各界人士所讚譽，將來成果美滿，殆可預卜。

美國的戰不勝論和現階段的越戰

——上接第一版——

我想這一連串的問題都是本報讀者所希望獲得解答的。我們不希望對戰爭將來的發展作任何確定的預測，戰爭的局面是很難控制的。我們祇希望就上文所引述的事實來說明現在的情形。第一點須要說明的就是羅斯陶的第六點計劃並不違背不戰勝政策。他的第六點計劃有一個很重要的附帶條件，那就是祇要北越停止對南越的侵略，美國就立刻停止對北越的轟炸，而且美國隨時願意和北越無條件的舉行和談。這很明顯的表示美國並不要戰勝北越，美國願意拿出十億美元來開發東南亞並且予北越以經援。這些都是經過詹森總統在四月七日的講演中正式提出來的。美國的輿論甚至有人批評詹森總統不應當以金錢購買和平。但是共產集團對詹森所提的無條件和談的反應怎樣呢？詹森是四月七日在巴爾的摩爾大學講演的，四月八日米高揚便在歡迎巴基斯坦總統的酒會上說『美國在越南的行為是野蠻的。只要炸彈仍然落在北越一天，就沒有談判可言。』四月九日北平電台指責詹森的和平談判為『一片謊言與詭計』，並說詹森是『一個大騙子』。同日北越廣播也說美國和平談判的聲明『只是詭詐與欺騙的手法。』這說明了什麼？這說明了不戰勝政策和第六點計劃合在一起也行不通。現在已經走到戰爭邊緣了。不過等到雙方劍拔弩張眞要大戰的時候，自然會有人出來講和的。也許會有一方軟化下去。不論越戰的發展怎樣，羅斯陶的第六點計劃並不違背戰不勝政策。再說美國在北越的戰爭距離勝利還差得很遠，讀者用不着為不戰勝政策擔心的。至於既不要打勝仗，何以又要去轟炸北越這一問題也很容易解釋的。羅斯陶的不戰勝政策是對蘇聯講的。他說『將來不會是美國對蘇聯的勝利。』但他並沒有說：『將來不會是美國對中共的勝利。』現在還有許多人主張美國和蘇聯聯合起來打中共呢？美國早就聲明，中共如敢介入越戰，美機即將轟炸中國大陸。美蘇聯合起來打中共是不可能的。中共如敢介入越戰，美機大舉將中共的核子設備炸燬，蘇聯未必不願意。把中共核子設備炸燬以後，美國再與蘇聯和平談判，也並不違背不戰勝政策呵！讀者不要以為筆者洩露了天機。事到今日，彼此都是心中雪亮，毛匪澤東才不肯上這個當呢？但是不論怎樣，即令雙方都有固定的政策與計劃，但是誰也不能控制戰事的發展。我們對越戰的將來不敢作任何的預測。不過不論將來的發展如何，自由與民主將會獲得最後的勝利的。

來函照登

敬啟者，頃閱五月一日貴報（第二版）所刊屏東記者袁文德君報導集體貪墨案初露眉目屏東稅捐處主計主任胡自新突奉調南投新聞一則，內容諸多失實，特為說明於次：

一、自新係於四十八年九月奉調屏東稅捐處服務，迄今將近六年，因賦性愚戇剛直，固守主計法令與立場，工作上自難盡如人意，乃於五十二年六月起，即向省主計處沙前處長請求他調，迄後現任劉處長到職，亦曾數度託人關說並兩次面請他調，均以無同等職缺可調，以致遲延迄今。最近因南投稅捐處主計主任病故出缺，主計處乃正式發表調動。自新因體弱多病已另行呈請原地調理退休。可見此次調動，純出於本人之請求，省主計處有案可查，與其他案件截然無關。

二、屏東稅捐處發生之吞沒屠宰稅款集體朋分一案，因非主計主管業務，事前毫無所聞，迄後稅務處派員來調查，始知其事。舉發人周步超，自新素不相識，並非孩提之輩，豈能因人主使而投案自首，蹈入法網？自新如預知其事，站在主計監督立場，依法可向上級機關檢舉，而不必假手他人。其謂在周步超自白書上簽名蓋章，尤屬無稽之談。

三、袁君於稿末指自新為失敗者；然則勝利者為何人？令人不勝惶惑。

四、總之，清者自清，濁者自濁，事實當可大白。自新服務公職，撫躬省察，尚知潔身自愛，無愧於心而已。

以上各節，特依出版法之規定，函請貴報惠賜原文照刊，以代更正，無任感禱。此上

香港自由報

原任屏東稅捐處主計主任胡自新敬啟

五月五日

南斯拉夫女性狂野放蕩

——本報譯稿——

在共黨國家裏，以南斯拉夫首都堪稱為狂野的自由愛情城市了，據說，這個地方是充滿黑髮愛情飢渴的青年女人，年青的美女與男人的數目比較，是衆寡懸殊的，約為三對一。在南國首都伯爾格萊德，單身男子獨自在餐室吃飯，除了美味的菜色，餐室還供應一個可愛的用膳女伴，可謂週到之至。

在伯爾格萊德的「莫斯科酒店」開房的規定，訪客到半夜一概要離開的，不然要加收雙倍的住宿費。這間算是最華麗的酒店，是不准應召女郎入內的，表面上似乎沒有妓女。可是在酒店向侍者打聽，才知道南國首都有的是出賣肉體的靚女，她們不乏是受過良好教育的女子。一間酒店有兩個進出的大門，大堂祇供住客之用，但是任何人可以到那附設的餐廳，倘若在吃飯時找到年青的南斯拉夫女人，帶到樓上的房間去，繞過大堂而上樓，一樣可以「得其所哉」的。

美國作家李奧海曼有過下述的一段經驗：他在「莫斯科夜總會」飲雞尾酒之時，即遇到一個美女的注視，因為西方國家的人，從衣飾上容易認識，她上前去自我介紹：「我的名字叫沃雲嘉，我是伯爾格萊德病菌研究院的助理員，現在是暑假，我担任嚮導，你需要我的服務嗎？」這是一個南斯拉夫女子兜售肉體的開場白，她旣然是有執照的業餘嚮導，可以大模大樣帶西方國家遊客「觀光」了。

南國對人民還有多少限制，到了午夜，軍警用強力的探射燈，掃射那些歷史性的紀念物，堡壘高塔，並三五成羣搜索，以看是否還有男女在暗處造愛。如果在午夜十二時至翌晨八時之前，一對男女被軍警抓到，即押送「人民法庭」依法查辦。可是在晚上八時至十二時，這一段不犯禁的時光，已夠南國的熱情男女們利用了，尤其是放暑假的七月及八月，天氣酷熱，南斯拉夫的房屋設備很劣，室內熱如火爐，許多有情男女，乘機湧往卡林馬登公園乘涼，絕對的性放縱自由，即在這八個星期內上演。

在南斯拉夫愛情是絕對自由的，甚至素有熱情之稱的南太平洋天堂島嶼，亦不能望其項背。這是與女人胡混的勝地，她們都是好女子，特別是南國女人對西方國家男人傾慕不已。

要說共黨國家而無娼妓，未免對他們過份恭維了。在莫斯科的娼妓生意是如此蓬勃，阻街女郎在克里姆林宮的牆脚站着兜客，伯爾格萊德那能例外？南國京城的阻街女郎是活躍的，其他主要的省份也一樣。不過有分別之點，是每逢每年的六月及七月是旅遊季節，警察把所有當娼的女人，都一齊抓起來，暫時送到勞工營去做苦工，以維持國家的體面。據南國內政部的官員透露，三萬名出賣肉體的女人，要去替「進步的社會」做苦工還債，他們由朝至暮在勞工營工作。

南斯拉夫女人對于性慾問題是很公開的，她們通常都是健美，體態豐滿，栗色的秀髮，胸脯高挺，有着南歐女人的最大三圍尺碼。她們與其他共黨國家的女人，好像被包在一堆破舊布裏不同，南國女人穿衣在苦中求講究，盡量在粗布荊衣上發揮體態美。何況美容院是存在的，營業時間很寬，由五月十五日至十月一日，每天由上午六時至午夜，一般來說，她們是把自己盡量美化的。

在多瑙河畔的小鎮，隨時有艷遇，就以其中一個頗富清幽氣息的史密特里伏鎮來說，在那些掛着賣海鮮的飯店，即可以開始寫你的浪漫史。女侍雙峯高聳，很長的秀髮結成兩條大辮子，在白色的罩衫裏，是眞空的，她們不戴胸罩，寬大的裙子露出均勻的玉腿，使外國遊客不免多看幾眼。其實她們是隨便可與吃飯的客人調情的，手足之慾不禁，大可以兜搭結為臨時的枕畔人，別人不會干涉的。

在南斯拉夫的鄉村地區，居然能看見許多非共黨國家欣賞不到的春色。健美的村女，成羣赤裸走入溪流中沐浴，她們互相戲弄撫摸，不過要當心的是，她們的父親發覺有男人在場，也許持獵槍趕來干涉。但是在四顧無人的小河或小潭，可以跟她們下水，實行做其戲水鴛鴦。奇怪的是有若干地方，沿河流有男女在裸浴，好像是一個公開的裸浴場，岸邊經過的人，也熟視無睹。

西方國家的遊客，如果是單身漢很容易結識一個南國佳麗，在鄉村的溪流中，滌盡身上臭汗，最後前往她的家裏去吃烤馬鈴薯，由她帶到香閨去，參觀她的大床，獲得最好的「當地習俗」的欵客招待，可以做入幕之賓了。

南斯拉夫的少女極為好動，她們平日很節省，儲下一筆不大不小數目的錢，步行往奧地利，作遠足旅行。在冗長的公路上駕車，是釣上一個女伴的最好方式，而且百發百中。幾乎成為規矩的是，她登乘你的汽車搭順風，她當晚必然是你的伴宿人。

要是說南國女人隨時向外國遊客奉獻肉體，未免流于誇大，但是，的確有相當百分比的南國女子，準備與外國人鬼混的，自由戀愛鼓勵她們大胆去找發洩，是主要原因之一。

由天地萬物到人

——新道統的宇宙論

（論道統第五章）

陳健夫

九、眞元至理，天下萬物同出；眞元極則天下衆理同歸。耶穌得眞元之最，故稱曰神；釋迦得眞元之性，故稱曰佛；仲尼得眞元之理，故稱曰聖；默罕默德得眞元之默示，故稱先知。神也，佛也，聖也，先知也，其道一本眞元，普照大地。耶穌、釋迦、仲尼、默罕默德，皆得登我新儒堂，居最高位，爲萬方尊。蘇格拉底、柏拉圖、亞里士多得、康德、黑格爾、伏爾泰、叔本華、太戈爾、托爾斯泰、牛頓、愛廸生、愛因斯坦、孟子、荀卿、老、莊、程子、朱子、陸象山、王陽明、竺道生、慧能、保羅、彼得、約翰、路德、甘地、孫中山、華盛頓、林肯諸賢，或爲論道，或爲論學，或爲物理，或爲政事，皆得窺眞理，各有其一得之見，不相抵觸，而互爲發明，皆得登我新儒堂，爲我師我友，各闡眞理，各抒己見。

十、懿歟盛哉，眞元至理，有如大海汪洋，百家爭鳴，萬衆同歸，齊放光輝。感謝神之啓發，吾今確信宇宙眞理，殊途同歸。世間萬類，上至星球，下至萬國，統歸於眞元一尊。是謂天下大同，世界一家。

願我世間人，無分東西、無分教派、無分男女、無分階級、無分種族，化除汝我，相互尊敬。相互容忍。從茲發大願心，自愛愛人，自救救人，同歸眞元，傳佈大道，啓世運之新機，開乾坤之新局，拯救衆生，得大解脫，使人類免於末日，同登眞元極境。故作眞元至理，敘其經緯，傳諸永遠。無量，無量。爲萬衆所歸依，救世間諸般苦。（本章完）

夷區采風錄

李仲侯

白夷原爲漢人被黑夷擄去，輾轉掠賣，生活習慣，完全夷化。以後如自身能勤儉工作，逐漸積有私產，將身價償還主人，乃由其主人作主娶妻建屋，或佃種主人之地，或佃其他黑夷之地，多能勤奮自守，自立家業。故白夷財產，也有超過其主人的。

至於娃子，又可分爲四類：一曰當家娃子。當家娃子的身份比較一般娃子要高一等，因爲他們已成爲黑夷最忠實的奴隸，凡是黑夷家中的耕作和畜牧，都交由他管理。二曰鍋莊娃子，僅僅是幫同當家娃子來辦理燒飯和一切打雜工作。三曰二代娃子，即白夷的娃子。凡白夷之富有者亦可收買男女娃子，担任家中一切苦工。四曰難民，即爲漢地擄去的漢人，逼着他做種種苦工。這四種娃子，他們的地位身份，雖然比較黑夷低，但主奴之間，在生活待遇上，又不像文明人分得那樣嚴格，如果是甘心情願做娃子，一切都服從主人，在精神上亦很痛快，照樣有他們的生存權利，他們的身份並不受任何人輕視。

不過，漢人被擄初去當難民，這是一件非常痛苦的事，初到夷地，生活、語言、風俗與習慣完全不同，已感痛苦；同時還被迫要作種種苦工，也有原來家資富有的，要被迫作工，其苦更不堪言。如果被擄去的漢人對夷人不甘心做他的奴隸起而作反抗行動，他就會用一些堅硬的繩索或鐵鍊把這人綁起來，除非確實眞心歸服的時候，很難得到自由。假若想僥倖逃走，絕少能越過他們嚴密的警戒綫，一旦捉回，必遭嚴刑拷打。有時他們用山野中的一種毒毛草來作刑具，把被擄者的衣服脫光，用那些毒草向他（她）們身上去摩擦，可憐他們一受到毒毛的刺激，頓時周身發腫，奇痛難熬，搶地呼天，無人解救。黑夷使用這種殘酷方法，無非迫使被擄者不敢作逃跑之想，初被擄時，監視最嚴，輾轉鬻售，一夕之間，驅使行百數里，牽來牽去，成了待宰的羔羊，務使其舉目無親，生還無望，直至完全夷化而後已。

黑夷雖强悍，然大都忠實儉樸，好體面，表面上也很重情感的樣子，尤其對同族多互助合作之美德。對白夷採恩威兼施，平等互惠之策畧，對漢人亦能屈能伸，重兵壓境，則率衆投誠，兵力稍薄，則每因細故，大舉叛亂，又性嗜酒，每飯必酣醉，醉則狂泿無禮。多疑，作事非常固執，故寃仇難解，而喜好報復。最愛佔小便宜，故好刦漢物，擄漢人。白夷大多原係經商的漢人，性情狡黠，黑夷許多壞事，都是由白夷教唆而成。白夷自習夷俗後，性情益變狡詐，尚小慧，挑撥離間，鼓動夷人，魚肉漢人，此等白夷，對漢人的弱點了解，對漢人的消息也容易探知，故每次夷人爲患，白夷自願充偵探，打先鋒，擄掠漢人男女財物以自肥，並對夷人誇示以爲得計。（三）

新儒顯微鏡下的人性光輝

——解答了哲學上一個大難題

論道統　第六章

陳健夫

宇宙是個謎，人也是個謎。談到人，便想起人性的問題，人究竟是善是惡？常聽人說人性如何光輝，這句話實在太含糊了。人，是千古之謎。究爲善爲惡？更是千古之謎，令人百思不得其解。爲了圓滿解答這千古之謎，新道統有比儒家傳統的學說較爲徹底完整的看法。在此要將人性光輝從頭看，從頭檢視一遍。

一、承認罪惡即是道德

新儒學首先否定孟子人性善之說：孟子說：「性善」，其動機原是勉人爲善，與人爲善，原是一種道德教育。其實，人性，何嘗盡善？想不到世人却不深察此中道理，而以此自我安慰，自我滿足，甚至自我陶醉，那就鑄成大錯了。須知我們人類乃是有罪之身，贖罪之不暇，豈可妄自稱爲善良！今日人類實應對其罪惡作深沉的反省與懺悔。

人性誠然有善，然未必盡善。原來我們的孟夫子，他不僅是一位學者，而且是一位救世的政治家。他胸中確有一番救世苦心。他之倡人性善，全是爲了救人救世，純從道德觀點立論。至於這學說在哲學思想上是否顛卜不破？他老夫子，恐未必深究。（十八）

漢文，漢字，漢學

陳曼卿

「尚書」：照舊有的說法，那是左史紀的言；「春秋」：是右史紀的事；那是「官書」。同是現代的史學材料，而是屬于「史學」部門，應由史學家去整理。「禹貢」：屬于古地制，應由現代的地理學家去分別考訂。

「易」：是數學家與哲學家的事，如果自信是從事於「數學」或「哲學」部門的工作者，自不妨多下功夫。但主要的，是要把「經」上兩千年來掩蓋着的積塵掃除，就「上、下經」文，去探討商、周、二代久已失傳的故實，將它重新整理出來。如非有新出的地下文物，就是「天眼通」恐怕也無能爲力，還是無給於事的！可參王國維氏：「殷虛卜辭中所見先公先王考」，證諸此言非虛妄之語。

西漢末葉的「僞三禮」：而是社會制度問題，應由社會學家去清理。十三經：除上述之外，也應逐一的分門別類，詳細劃分與規劃，由不同領域，不同部門的專家、學者，分工合作。尤其是「爾雅」：那是兩漢時人修補和增竄，拼凑出來的一卷雜扮書，直到漢晉之間才成書的。亦應由多方面的如：文字、語言、考古學、自然科學、社會學的專長學人，分頭努力，這樣可望整理出一部「國故」的新鮮面目。

我們不要忽畧，十三經：是起自周初，直到西漢末葉；內容應是一千三百餘年的「政治史料」，所謂「官書」。爲學更不宜貪多務得，治學（研究）尤宜考辨精審。

抗戰前，國內的史學界，「治經」雖有一部份成就，但他們也失之於貪多。而所採取的方法，也不能不承認他們的「考辨」仍有不少地方，還欠「精審詳確」的事實。

．八九年前，見到一本還是海外異常煊赫的名學者大箸，上面竟把「五行生尅」，（早期實稱生勝）的次序也引用錯了。這不能怪我們的名學者錯，也可能是「五行」本身就有問題！應當是照學者大箸上的生尅次序才是。本來「五行」這玩意就是人爲的，人們想怎樣排列它的次序，就可以怎樣排列。但却被街邊的「測字佬」、舌的，認爲不同他們的孝、甚至說：那是「強不知以爲知」！其實，就是貪多之失。照一些讀者的觀點，那部「學者大箸」，很可以不用「五行」。就是用，也不必列出它的「生尅」次序來。但我們的「名學者」，大箸上却引用了，而又將次序列錯！後來，似是改了（但已售出的，却無法一一收回去再改）。

前不久，見本報五一五期「國學卮言」深以爲奇！「國學大師」也有這種無獨有偶的美談。

古來盛名天下者，間有錯誤，固所難免。然而竟一而再也不自知？而就顯得突兀了！再之後，就去找了幾本「大師」的名著參閱。同時，還有一種是被某些人認爲：「高水準」的刊物，證之並非手民之誤，的確是「大師」的原文。（三七）

動物農場

英George Orwell著　陳其芝譯

第七章　動物所追求的社會

於是精幹的黃恩柏先生就這樣不知不覺地被矇騙上鈎，深信動物農場並不缺乏糧食，而且不由自主地對外界人類作義務的報道與宣傳。

對外界宣傳工作雖然收到了顯著的功效，可是內部的實際需要迫使牠們不能不想點辦法從其他地方弄些吃的東西來。在這一段時期中，拿破崙難得在公共場所露面，牠整天呆在農舍裏，農舍的門口還有幾隻面貌兇惡的狗把守著，牠出來巡察時更有六隻狗簇擁着，威風凜冽，眞十足的官家派，要是有別的動物接近，狗就立刻發出威脅與警告的吠叫。牠也不再出席星期日的例行集會，只是把命令交由另外一隻猪來宣佈下達。執行這項任務的經常是斯奎勒同志來担任。

一個星期日的早上，斯奎勒宣佈說目前母鷄們又到了生蛋季節。拿破崙同志已經和黃恩柏先生商談並簽訂了每週交納四百隻鷄蛋的合約，所以母鷄必須把牠們所生的蛋全部交出。這四百隻鷄蛋的代價，可以支付穀物及食料的所需，維持動物農場到夏收季節，或者維持到境況有所轉機的時候。

母鷄們聽到這項命令後都嚇得驚叫，牠們事先雖然也曾經被警告過，說這種犧牲是無可避免的，但是牠們不相信事情會眞的發生，況且牠們正準備下些蛋到來春孵小鷄呢！所以牠們抗議說這種命令簡直是一種謀殺行爲。於是動物農場在趕走鍾士先生之後又發生了第一次類似叛變的事件。三隻黑色小母鷄決心領頭來破壞拿破崙計劃的實現。母鷄們一起飛到樑頭上去下蛋，蛋一下了就掉在地上摔得粉碎。可是拿破崙的處理方法却也來得迅速而且絕情。牠命令停止母鷄們的口糧，任何動物違反命令而給予母鷄們一粒穀物均以死刑論罪。而且這項命令由狗來監督執行。這樣過了五天，母鷄們不得不豎起白旗與拿破崙妥協，乖乖地又回到窩裏去下蛋。就在這短短的五天時間裏已經有九隻母鷄死亡。牠們的屍體埋在果園裏，對外宣稱牠們是死於鷄瘟。黃恩柏先生對這件事一無所聞，他仍舊每週一次按時到動物農場，用大貨車運走四百隻鷄蛋。

在這段時期，沒有誰見過史諾柏，但有謠言說牠躲在鄰近的某一個農場裏，不在狐木農場就在頻園農莊。拿破崙這時跟鄰近的農場已經建立了一種較佳的友善。因爲在動物農場裏有一堆存了十多年的木材，都是些挑選出來的很好山毛櫸木料，而且保管得很好。黃恩柏先生建議拿破崙把它出售。可是皮克湯先生和非特烈先生都想要。拿破崙也不知道到底賣給誰好。

一件令人值得意會的事情就在此時傳出，拿破崙想把木料賣給非特烈先生時，就有謠言說史諾柏藏在狐木農場。當牠與皮克湯先生行將達成協議時，又有謠言說史諾柏躲在頻園農莊。（狐木農場主是皮克湯，頻園園主爲菲特烈。）

平靜的早春，動物們却忽然發現了一樁驚心動魄的事情，那就是史諾柏經常在夜間出沒於動物農場。據說牠每每在黑暗的掩蔽下，偷偷地溜進農場，從事於各種破壞工作。牠偷竊穀粮，踢翻牛奶桶，打碎鷄蛋，踐踏苗床，啃壞果樹皮，弄得動物們坐立不安，連睡覺時都在提心吊胆的。總而言之，農場裏沒事便罷，一遇有事那準是史諾柏幹的。窗壞了，史諾柏幹的；排水溝塞住了，也一定是史諾柏晚上來幹的好事；儲藏室的鑰匙丟了，大家幾乎是異口同聲的說是史諾柏偷走的。最奇怪的是當牠們在粮包袋下面找到了鑰匙時，牠們仍然相信那是史諾柏的傑作。（廿三）

印尼風土人情

燕謀

火山復活記：一八八三年五月，一艘商船緩緩駛進爪哇的巴達維亞，當時巴達維亞是印度洋的主要港口，也是荷蘭殖民帝國的一顆明珠。巴達維亞以西，有一個小島名克拉卡達，全島便是一座「死火山」。由於船長宣佈克拉卡達島發出怪響，不禁引起一些乘客的興趣，大家便僱了一個小艇前往一探究竟。

克拉卡達在巴達維亞西方約一百哩處，形態像隻烟斗，島上有三個火山口，其中之一名拉卡達山，高一千四百呎。許多人都爬到拉卡達山上去，看到火山口噴出的蒸氣，聽見山內發出隆隆之聲。勾留良久，他們始興盡而歸。

一個月之後，克拉卡達發出的怪響，較以前更大了。到了七月間，克島周圍二十五哩以內各小島的居民，日夜都得把耳朵塞起來。八月初，克島的少數土著不得不遷出那裏。土壤變得灼熱，地底下的聲音震耳欲聾。但是，這時巴達維亞還聽不到甚麼。

八月二十六日，巴達維亞開始聽到克島的咆哮了，一連串的爆炸聲，天空滿是黑色的灰塵，中午的天空，呈現着夜半時的灰黯顏色。克島方面傳來的聲音，一到夜間，便特別響亮。晚上吵得人們不能入睡。有地窖的人家，晚上只好到地窖中去躲避，其餘的人則爬到樹上去。有的到教堂，大家紛紛祈禱，有些人一若末日已經降臨。

八月二十七日早晨五時三十分，克島發出一聲前所未有的爆炸聲，巴達維亞牆垣隨之倒塌，窗戶都被震開。十時零二分的另一次爆炸聲，用盡人類所有的詞彙，也無法予以形容。據倖免於難的土人說：「那是一切聲音之父」。在那一天之內，四萬人遭受無辜死難。由倫敦皇家科學會紀錄到這次巨響的科學家說：他們確信這是上帝的聲響。一個基督徒說：他以爲聲音是上帝的怒吼。距克拉卡達一千一百哩的婆羅洲，這聲音引起了監獄的暴動，犯人以爲婆羅洲已受到敵人的攻擊。爆炸後的四小時，距克島三千哩的羅得格斯島也聽到了。爆炸後，海潮高達五十呎，以每小時三百五十哩的速度，撲向印度洋的各方面。六小時之後，浪頭到達澳洲。九小時後到達加爾各答，十七小時後到達好望角。在海潮狂嘯奔流途中，毀滅了各式船隻五千餘艘，其中一艘是荷蘭的主力艦，被海潮舉起以後，拋到兩哩外的一個小島上去。直到距克島三千哩的地方，海潮仍高一尺半。

女人娶男人的奇特：印尼女子服裝也很特色，她們的上衣寬而敞，對襟長袖，但是沒有衣領。質料多半是白色有花紋的薄紗，紐扣用金色大粒銅扣，也有用鑲鑽石的金紐做衣扣的。（三）

看『玉簪記』新劇後

馬五先生

本月五日爲復旦大學創立六十週年紀念日，旅台復大校友是夕在台北中山堂舉行紀念典禮後，特邀請空軍「大鵬劇團」名角徐露，鈕方雨二位女士演出平劇「玉簪記」，藉申慶祝同樂之意。愚以來賓身份，承紀念會主持人趙孟完（聚鈺）先生惠贈入場券，初次聆及這齣新編的平劇，殊娛視聽。

記得十二年前，我在台北初次聽徐露演唱「探母回令」時，她尚在稚齡中，適齊如山先生跟我坐在一道，我聽徐女士出場唱過「巧蝶開」一那段西皮搖板後，叩詢如老：「她是不是南方人？」如老笑謂：「您這頭一猜，就猜着了！她是個江西老表。這孩子實在可造之才，若得良師指教，而自己又謙抑不自滿的話，將來必可成名。」洎是以後，我很少聽她的戲，直到前年在中山堂看她演「思凡」一曲，唱、做、唸皆大有進步了，臉上亦能表達劇情，乃證明當年齊如老的批判很不錯。這次係第三度欣賞她的藝術，見其姿容已較前豐麗，嗓音圓潤而嘹亮，不愧爲後起之秀。「玉簪記」是由崑曲改編的，表演一個比丘尼陳妙常六根未淨，與其禪師的侄兒潘必正因聽琴而互相愛慕，私訂鴛盟，陳妙常終於逃禪追奔於潘必正懷中，效卓文君與司馬相如之所爲。劇情並不複雜，但場子很緊湊，技藝亦殊熱烈，處處給觀衆以高潮的印象，足證編劇者是此道中的能手，比較一般舊劇新編的章法高明多了。

愚入場時，第一幕「禪殿」已演出三分之一。徐露飾陳妙常，正在引吭高歌着南梆子一大段，覺得珠圓玉潤，甚爲悅耳。迨坐定後，繼聽她一段西皮二六，唱到「粗知音律解琴心」句的「音律」二字，頗有頓挫抑揚、婉轉低徊的韻味，好聽極了，對徐女士的劇藝，不禁刮目相看之感。「赴約」一場唱出反二簧倒板和四平調，平穩而已，但做工的表情殊細膩。「送別」一場以飾潘必正的小生鈕方雨爲主體，徐露沒有甚末戲。最後「追舟」一幕，唱的是崑腔，做工甚多，身段亦不賴。飾「翁」的李君，好像是四川人，「沒來頭」這類川諺，脫口而出，逗人發噱。鈕方雨原係「大鵬」的花旦台柱，她飾小生潘必正，扮相固然俊秀，但嫌其做工缺乏已成年而帶有書卷氣的士子風度，間有「傖」與「瘟」的地方，小孩兒的氣味頗濃厚，殊不適合潘必正身份也。

這齣戲共演整兩小時，是夕前面沒有墊演小戲，亦無壓軸戲，到十點半鐘就告散場，可謂恰到好處。舊時平劇演出的例規，名角必演大軸，前面至少亦要演兩齣，然後名角登場，到散場時已在深宵一二時了，這種陋習應該糾正爲是。

散場出來，老友黃少谷兄坐車先送我回寓，咱們在車上談到徐露女士今後的劇藝進修問題，由於她現時在台灣沒有比她更高超的名師之故，除却藉唱片與錄音帶，聽聽梅蘭芳、杜近芳一流人的唱腔，自己琢磨採取而外，別無上進之途了。環境所限，無可如何。徐露的才華適宜於梅派戲，今日在台灣的梅派藝員，祇有金素琴一人較勝羣流，但她不願僅作職業藝人，樂意給票友們談戲劇之道。徐露的技藝如其到此止步了，那是很可惜的！

荀劇摘記

婁溪生輯

一陣昏迷魂魄散。耳邊又聽有人言。我在法場遭刑憲。陰曹地府又重圓。

香羅帶一旦成疑竇。半世清貞付濁流。三字獄成冤須有。險些假冒委荒邱。

春閨計劇情

淄川狄翁，有季常癖，嘗宦遊，被劫龍歸。生二女，長適同邑宋生，有母風。生喜狎邪遊。新婚之夕，即挾妓歸，女奪之，不服，忿激死。生毖女娛妙才慧美，復委禽焉。妙姊之悍，遂一反其所爲。陽縱生揮霍，陰使佃家女紅香僞飾妓以惑之。未幾金盡霧產，復以密計授之生舅呂某，謀賭其產而逐生夫婦外出。生被逐，展轉流爲丐，乃謀妙才夜走盜呂，妙才泄其計，思以懲創之，因而獲生，痛加捶楚，迫書悔狀。生經奇辱，遂毅然反悟，痛失改悔。呂察其誠，仍以原產歸妙才。由是治理井然，上下交睦，生亦敬畏其婦，足不踰閫，發憤攻讀，得入黌門以終老。

（唱詞）雨霽風清炎暑淨。鶴聲蛩語晚蟬喑。田夫壟上輟耕種。漸少荷鋤戴笠人。無非僥倖今不論。催科竟自託女婿。車聲軋軋穿荒徑。行過前村到後村。

安排巧計如神算。好似三國女貂蟬。撒下滿江鈎合綫。暗中獻出巧連環。作事須通常與變。守經不得就要從權。官人枉自烟花戀。叫彼離開無底船。

東牆欠了烟花債。宿柳眠花不回來。巧定機關他不解。方知閨閫有奇才。河東獅吼眞無賴。令人齒冷笑裙釵。

溫柔鄉裏有情趣。多少男兒被色迷。怎知我暗費心機。今朝用鎰千般計。不識迷人知不知。

呂叔清爲人無禮義。以大壓小把人欺。幫嫖賭本是你引誘。兒夫着了迷。佔去房屋施巧計。全然不怕萬人譏。這般行爲傷天理。只恐你報應臨頭後悔遲。

東牆忽起穿窬念。自古書生作賊難。吩咐家丁休懶惰。燈光不滅少貪眠。生擒活捉休放轉。供狀還須寫一篇。叫他從今難折辯。成功只在這一番。

罵聲東床無禮義。終朝只被酒色迷。長街乞討難度日。又起貪心動賊機。天良喪盡眞無恥。反把爲娼來勸妻。自去思來自去憶。分明禽獸著人衣。（下）

花木蘭

——「影劇與歷史」之五

周遊

潼關道上，從軍健兒絡繹於途。天將黃昏，花木蘭、花明趕到溪口，投店歇宿，結識壯士王奎等衆，於是結伴同行。賀元帥府設在潼關，木蘭等到了帥府，投了公文報到，即奉帥府傳令，明日校場比武點名。次日，木蘭全身戎裝，英武非常，在比武場上，所向無敵，連戰三十二人，當者披靡。賀元帥見木蘭武藝高强，在未臨大敵之前委以司倉管理車輛，載運軍糧，以應軍需。時軍糧運輸指揮官李廣，亦是少年英武，見了木蘭，甚是投契，特爲木蘭設宴接風，李廣高歌助興，木蘭演出戲面舞，皆大歡喜，盡興而散。木蘭被伙伴們勸酒，個個盛情難却，因此喝得大醉。是夜，木蘭原應值夜，但因酒醉不能担任，由李廣爲她代勞，事後木蘭芳心感激異常。

北方軍情緊急，運輸繁忙，木蘭馳驅效命，不讓鬚眉。征戰期中，她屢建奇功，官已升至都尉。賀元帥特別器重。李廣亦同在賀元帥帳下，二人彼此投契，已成爲肝胆相照之交，情義深摯。惟李廣不知木蘭爲女子之身，乃一片誠摯純潔之友情而已。

一夜，木蘭巡視軍營，發覺宿鳥驚飛，頓悟爲敵兵偷襲，於是即刻報告元帥，力陳所見。元帥聽了木蘭報告，認爲卓識，即刻調兵遣將，埋伏已定，突厥王果然前來偷營，木蘭領伏兵四面包圍，突厥王驚恐，却又正遇木蘭當頭殺出；混戰之中，木蘭身中冷箭，但她帶傷不退，槍挑突厥王落馬，唐兵大捷。突厥王被擒，願隨賀元帥赴京請罪，烽火乃暫告停息。

木蘭箭傷之後，幸賴花明、李廣時相照應治療，傷勢大有起色。賀元帥以此次大捷，木蘭應居首功，乃表奏朝廷加封官爵。木蘭以戰亂已平，思親情切，一則因自己乃是女兒之身，軍旅不便，於是陳情婉謝，請求元帥體念父母老邁，願即刻返鄉，事奉雙親。賀元帥見木蘭一遍孝心，更加深愛不已，只得准其所請。待木蘭傷癒，元帥特爲設酒，一則慶功，二則爲她餞行也。木蘭興高采烈，起舞高歌助興，酒至微醉，賀元帥乃向木蘭當面提親，願招木蘭爲婿，木蘭對此事惶恐異常，只得支吾以對。當晚李廣親來與木蘭道別，木蘭心願托以終身，向李廣暗示，李廣不解，以爲木蘭稱願爲他作媒。

翌日，木蘭告別元帥，由李廣率隊送行，同僚袍澤情重，互道珍重，木蘭深爲感動；然恐露出破綻，只好硬着心腸與花明揚鞭而去。賀元帥回朝，奏明聖上，聖上撥銀千兩，予花賀二家，聯姻禮物，賀元帥派李廣率同衛隊，抬着禮物，浩浩蕩蕩往尙義村而來了。（二）

法國人筆下的賽金花

正匡

盧夫多立田之作品，描述賽金花的出身，戀愛故事及拳匪之亂，層次分明，大略皆與國人之紀述相同。但賽本爲北方產，他則誤以爲南人，此與國人一般所傳述者不同處。盧多夫立田在其作品中先敍述道：

雖然揚子江下游山谷中多產美人，但五歲時的賽金花，除了天賦的美麗外，還有奇遇。她的世界比其他有名的美人壯濶。她以她的美麗救過一城的人免於屠殺的慘禍。她以一個平民之身，在皇帝宮殿裏享受起，幾等於皇后的尊榮；而事實上她也睡過龍床。一如大多數中國女孩子一樣，她至少也經過纏足的痛苦。每隻腳的四隻腳趾反摺到腳底，用布裹纏，強令達成這一形態，骨節與筋胳都受了過度壓抑而痛苦，腳面腫了，亦有一部腐爛成疽，化成惡臭之氣。但當時中國婦人是不顧的。她們忍受，直至全隻腳的形狀有如新月形，這便是一般通稱的纖巧小腳了。

又說：賽金花的忍受能力是從她母親鼓勵美麗得來，她最後完成一雙那時中國人讚譽爲最美好的「香菱」。

盧夫多立田少尉，自謂曾參考過論述中國女人的書纔下筆寫他的冊子的。該兩本書一稱（Beauty Meat Everything），一爲（The Chinese Woman），所以他說得很清楚賽金花小脚已屬自虐得難能可貴。

盧多夫立田又說：在那個年紀，當西方孩童們忙着在家裏抱小娃娃四處走的時候，賽金花已然是浮在蘇州河上花艇的歌者了。那些花艇是精工裝飾的船，四處鑲以大理石、紅木傢具和紅漆小室，其大堪容十個賓客用餐。鴉片烟味兒和籃子裏的花香充滿了一艇內空氣。

浮在河上屬於富人享受的船隻——浮宮，可別爲兩種：一種是租用的，可自攜歌者上船；另一種是花船，消費特高，船上有應召的歌者。

賽金花幼年的資質開花了，成爲各方渴望的人材。她的艇被人爭着久訂，夜夜笙歌。也因此，花艇把她的生命更打開了，一度闖入珣爛斑燦環境的吊橋。（二）

自由報
內政部台報字第〇三壹號內銷證
第五四八期
20, CAUSEWAY RD 3RD FL. HONG KONG
TEL. 771725
承印者：大同印務公司
台灣分社

多國政變與美軍登陸干與事件

宋文明

本年四月二十四日，加勒比海的多明尼加共和國又發生了新的政變。這一政變爲自一九六一年五月底以來多明尼加的第三次政變，也是該國政治情況日趨複雜的一種新的證明。從拉丁美洲的一般政情來說，這種政變原本司空見慣，毫不稀奇，但這次多明尼加共和國的新的政變，卻比過去其他政變有不同的意義，也比其他政變帶來了更嚴重更複雜的後果。

多明尼加共和國的這次政變，與過去該國及其他拉丁美洲國家的政變相較，約有三點主要的不同。即：

（一）過去拉丁美洲各國的政變，主要皆爲軍方所發動所主持，而這次多明尼加的政變，則由軍方、政客，及「革命的羣衆」三方面所聯合策動。

（二）過去拉丁美洲發動政變的武裝部隊，大半皆維持着一種一元化的局面，并多由資深軍官所領導，而這次發動多明尼加政變的軍隊，并不是由資深軍官們領導，而是由一部份激進的中下層少壯軍官所領導。

（三）過去拉丁美洲的政變，只求改變一個政府或一種政策，而這次多明尼加的政變，除了同樣要求改變一個政策之外，也在追求一種新的社會目標。

換言之，這次多國的政變，明顯具有三個特點。即這次政變中多國的軍隊已完全分裂，這次政變具有相當廣泛的羣衆基礎，而且這次政變也不再僅僅是一種「宮廷革命」，而是一種「宮廷革命」與「羣衆革命」的混合品。正由於多明尼加的這次政變具有這些與過去一般政變不同的特點，所以這一政變發動之後，由成功而失敗，再由失敗而捲土重來，充分表現出了一種羣衆鬥爭的堅韌性，也使多國比過去任何一個拉丁美洲國家更接近全面內戰的邊緣。假若不是這種特性，多國這次政變，很快即爲對方海空軍所敉平，迅速恢復原狀，也不會引致美國出動大軍實行干與了。

美國對於這次出兵干與多國的決定，曾有過各種不同的解釋。它先解釋說這是爲了保護旅居該國的美僑安全，然後又解釋說，這種行動不僅爲保護美僑安全，而且也爲了保護其他國家僑民的安全。最後，又作一種全新的解釋，表示這種作法，完全是爲了防止共黨由此奪取多國政權。這種種解釋，似乎都有理由，但從美軍登陸規模逐漸加大看來，所謂防止共黨奪取政權一說，可能是其中一個最主要的理由。因假若美軍這次登陸只是爲了保護美國及其他各國僑民安全，這種任務便比較容易作到，美軍停留時間也不必維持過久。可是美國政府已明白表示，除非共黨奪取多國的危機已經完全消除，美軍將繼續停留於多國境內，便可見後一說法的可靠了。

美國恐懼多國若陷於共黨統治，將對整個美洲帶來更大災禍，這種認識是值得諒解的。因若共黨果眞控制多明尼加共和國，又不僅將使卡斯楚的古巴如虎添翼，更難對付，不僅將使它的近隣海地及波多黎谷很快遭受影響，而且也將使整個拉丁美洲從此更陷於多事與不安。但問題就在於美國的這種恐懼是否有其事實根據呢？依照美國說法，已有五十八名與共黨有關的領導份子參與這次政變，并指出其中若干人係直接接受古巴的指揮。多國政變當局否認此法。但縱使這種說法完全正確，也不足以證明這批共黨份子已操縱了這次政變。因在任何一個拉丁美洲國家，都有大批共黨份子存在，而且也都在每一次的政變中尋找機會，以求擴張其政治影響，這種情形絕不以這次多明尼加的政變爲限，也不以這次政變爲更甚。因此，若說國際共黨份子利用這次政變，或在這次政變所造成的長期內戰和混亂中，共黨將有可能乘隙蹈瑕，以圖最後實行控制，都沒有什麼不對；但若說共黨份子已控制了這次政變，或這一政變的本身即爲共黨所策動，顯屬不合事實。既然事實不是如此，美國對於這次多國事件所最應致力的作法，不是別的，而是設法防止多國陷於長期內戰或出現游擊隊一類的騷擾活動。要達成這一目標，并不一定要訴諸直接的軍事干與。縱使美國認爲只有實行直接的軍事干與，才能阻止多國陷於共黨之手，這種行動也必須待之於更多的事實。因美國只要決心以美軍對多國的控制已達到何種程度，都可隨時進行，易如反掌，而絕不會因時間稍久而有所不同。可是現在，在整個情況尚未明瞭以前，即實行這樣早的大規模干與，美國一方面表現了美國政策的不夠穩重，及對一般國際情況的發展缺乏自信；另一方面亦帶來了若干重大的副作用。這便是：

（一）美國這種行動徹底破壞了自羅斯福以來所頗苦心培養的睦鄰政策，使美國在拉丁美洲的聲譽受到損傷。

（二）美國這種行動已危害泛美組織的完整性，使過去泛美組織開除古巴的決議與行動失去了法律依據。

（三）美國這種行動在長遠的意義上，將會加強拉丁美洲青年的反美意識，而使更多人將由此而趨於左傾。

總之，在過去的三十多年中，美國用了極大的努力和心思，才把美國陸戰隊以往在拉丁美洲所留下的痕跡慢慢予以消除，而現在美國與拉丁美洲的關係開始進入一個更完美的新階段，又發生了這一多明尼加登陸事件，那麼今後美國必須要再用幾十年的功夫，然後才能把這一痕跡重新洗刷掉。換言之，這次美軍的大規模登陸多明尼加，在判斷上有錯誤，在外交上固然是退了三十年。現泛美組織雖已通過決議，將美軍登陸部隊改換泛美組織的部隊，減輕美國色彩，而其基本事實仍未改變。

自取滅亡

人肉炸彈

今日與明日

南韓政變流產

南韓重要軍官七人企圖發動政變，推翻朴正熙總統，陰謀被破獲，全體主腦人物被捕，政變已經流產，朴正熙仍然按照原定計劃訪美。從這裏可以看出朴正熙在南韓已經建立了一個穩固的政府，不似南越日日在風雨飄搖中。

此次政變醞釀原因報紙未有詳細公佈，但是，依據判斷，恐怕與韓日和約有關。韓日之間簽訂和約，恢復正常外交關係，在遠東來說，自是一件可喜的事；但在韓國人民的情緒上却有異樣的感覺。

日本統治韓國共計三十七年，以日本人的野蠻、卑鄙，對殖民地人民的殘酷，中國人對此都有深切認識，韓國人自然也不會忘記。加之韓國獨立後的李承晚總統，畢生爲復國奔走，是一個典型的民族主義者，李承晚執政時，對日本人也極盡了報復之能事，如著名的「李承晚綫」，不准日本漁船過此綫捕魚，否則立予逮捕。二十年來，日本漁船因誤闖李承晚綫而捕的，最少在千艘以上。韓人因視李承晚綫爲民族主義的象徵，此次突然廢除，予韓人刺激頗深。尤其是韓國漁民，無論在技術、設備方面，均非日本對手，過去二十年所賴以維持漁業的，也就是李承晚綫，此時一旦廢除此綫，將影響到今後生計，故韓人反日運動，自和約草簽以來，此起彼伏，情況十分嚴重，內容也相當複雜。

多米尼加局勢好轉

此次多米尼加政變，政權幾乎落入共黨之手，美國政府劍及履及派兵之多，名義上雖是保護僑民，實際上則與多國反共力量以重大鼓勵。截至現在爲止，情況已經好轉，在自由人士主持下的新政府已經成立，且命令叛軍投降，雖然叛軍尚未接受，但已計窮力絀，看情形短期將趨於瓦解，多國仍可恢復民主自由的政體。

自由世界與共產黨的鬥爭，過去所以屢戰屢敗，就因爲太拘於紳士風度，處處有所不爲，遇上了共產黨的流氓手段，自然吃虧。其實紳士的態度只能對紳士而不能對流氓，遇到流氓只有採取強硬手段，實行以拳頭對付拳頭，則流氓自然就會軟下來。甘廼廸對付古巴危機是如此，詹森對越南、對多米尼加，均是用的同樣手法；雖然在目前有許多人不能諒解，但是，如想到一旦多米尼加變成古巴第二時，則共黨在中美洲又多一個火箭基地，多國兩百萬人口又變成奴隸，同古巴人民一樣，有得做，沒得吃，失去了自由，也失去歡笑！想到此，就可以了解美國此舉的得當了。

（何如）

自由談

自作自受

當一九五○年韓戰發生前，印度尼赫魯政府正是拼命爲中共張目助勢，表示其開明前進氣概之際，我曾在「香港時報」撰文指斥其謬妄，并預言「總有一天，我們將聽到尼赫魯站在喜瑪拉亞高峯上，向自由世界發出SOS的呼聲。」現在我這項預言似不幸而言中了！

印度曾被中共軍隊進攻，并得喪師失地，招架無能，迄今尚在向聯合國呼籲求救的狀態中。最近又被巴基斯坦軍事侵襲，無力抵禦，印度指巴軍係受中共教唆支持，急向北平提出抗議，又說巴軍使用美援的坦克大炮作戰，希望美國從中斡旋。我不知印度回憶尼氏過去對毛共政權大捧特捧的一切諛媚言行，作何感想？是悲啼，抑是苦笑呢？

一個担當國家大任的政治人物，不顧念本國的立國精神和利害，也不瞭解自己國家所處的環境及其所具有的實力如何，祇想利用國際間一時的矛盾現象，投機取巧，妄事縱橫捭闔，搔首弄姿，企圖偶然間即成爲政治暴發戶，這不是愚妄已極的狂想曲嗎？

尼赫魯標榜中立主義，對國際問題倡言「不結盟」政策，表示對美俄兩大集團國家皆不作左右袒，藉以乞取美俄雙方的援助，一廂情願，洋洋自得。假使他眞是置世界理亂於不聞，自固吾圉，埋頭建設，雖然到頭來還是擺脫不了國際局勢的影響，但在冷戰階段中，未嘗不可以做些建國的事業。詎料尼氏志大才疏，好出鋒頭，表面嚮往社會主義，內心裏却潛存着濃厚的帝國主義思想，而以他對西藏問題的表現爲最好的註解。他公然要承襲大英帝國的「遺策」，認定素爲中國政府和人民所否認的「麥馬洪綫」，是解決西藏疆界問題的「法定」界說，而仍以西藏的保護者自居。即此一端，尼氏的眞面目可謂畢露了。

目前的世局還是在混沌冷戰態勢之下，然印度已招致了中共與巴基斯坦兩面夾攻的煩惱，大發抗議呼籲之聲，岌岌乎難以自保，一旦局勢趨於惡化，首先大喊「救命」的便是印度無疑，自作自受，理有固然，咱們等着瞧罷！

馮五先生

在越各種軍事人員數逾二萬
毛共早經實際介入越戰
唯恐招致打擊不敢公開承認

（本報訊）毛共軍事支援越共，實際早經在積極進行中，最近幾個月來，其規模更愈益龐大，不過仍盡可能的以「偷雞摸狗」的手段爲之，企圖藉此掩人耳目，而不致引致美國的「報復」打擊。

據確切消息：毛共早經在北越首都河內設立了「援越軍事顧問團」，受這個團管轄指揮的人員早經以萬爲計——兩月前便已超過二萬之數。

這些毛共人員包括：參謀人員，中下級指戰員，各種軍事技術人員，以及「神炮手」，「神槍手」之類。毛共這些軍事人員，以往多係從駐在廣東，廣西，雲南等省境的共軍抽調的，最近則已開始從較遠駐地的共軍抽調而去——到越南之前，這些人都曾經接受特別的訓練，其中包括簡單的越語訓練。

毛共支援越共的軍事人員，都分別佈置到越共的部隊中去，下至連營均有，它們的名義據說也是「顧問」，實際則往往直接指揮作戰。毛共這些人員，大部份在北越境內的部隊裏，但隨北越正規軍滲透入南越的，估計亦早已超過一千名。這些毛共軍事人員，多能講簡單的越南語，設若被俘亦冒稱是越南人。

（本報訊）毛共正在趕修金福鐵路。金福鐵路路綫是由浙江金華爲起點，經永康、縉雲、麗水、青田、溫州、平陽到福建的福鼎、福安、寧德、羅源、連江到福州。

金福鐵路因沿途山嶺很多，要建許多隧道，工程較鷹厦鐵路困難得多，而且路綫也較鷹厦鐵路長三分之一。金福鐵路要建十二座大橋樑，和許多小橋樑，因爲橋樑材料缺乏，延誤工程進行，據說原定在一九六三年要完全通車的計劃，迄仍無法實現。

金福鐵路的修築是分段分區進行的，福鼎到福安的土方工程已經建好，鐵路路基較汽車路爲高。金福鐵路由福鼎到福安一段有些地方，據說要開鑿隧道，因爲要經過大山的關係，這些隧道很長，聽說工程很大，目前還未建好。

由浙江平陽經前倉、靈溪、藻山、前岐、白石坡到福鼎的路綫土方工程早經完成，目前最大的困難爲鐵路橋樑和隧道的修建。由於軍事上的需要，目前正在趕工中。

屏東商會商展一月
贏得笑話成籮四字

（本報記者袁文德屏東航訊）繼台中、台南、高雄等市舉辦商品展覽後，屏東縣商會爲慶祝成立十五周年紀念，亦於上月舉行爲期一個月的商展會。從各項活動節目所顯示，屏東商展僅得「笑話成籮」四個字。且有人說大有文章，這可不明底細了。

自三月中旬始，屏東縣商會即一面着手籌劃，一面柬邀全省各大小公司、廠商參加，並同時透過新聞，展開宣傳工作。當時的氣勢之大，勁頭之足，一般人預料，此次商展將有一番空前的盛況與驚人的成就與作爲。甚至有的人會私下思忖，在這次商展中將可買得一些價廉物美的眞正國產商品了。然竟事出意外，商展於四月十六日午后揭幕時，據非正式統計，七十餘攤位中，竟有四十六空席。

在這次參加商展的公司，廠商中，除了旭光，新亞，東亞等三大日光燈公司，早於揭幕前幾天在會場的四周，裝置了立體六型日光燈，藉以宣傳，但亦爲屏市中山公園及商展會場，平添了不少聲色之美外，此外有茶精公司，新竹玻璃廠等幾家較像樣的公司及廠商，其餘僅是些賣賣膠拖鞋，女用膠質小皮包，肥皂，牙膏之類的小型廠商了。最後主辦單位爲填滿空席攤位，甚至連冰水，珠仔盤（賭博魷魚用的一種器具），西瓜零售（每攤一元）等，皆成了商展的正式攤位。難怪有人這樣說：這是什麼商品展覽會，簡直像是攤販臨時聚集場嘛！

綜合此間地方人士的批評，可說對這次商展主辦單位，是一無好感可言。原因實在太多，僅提出幾項較具體事實來說說：

一、產品展出，內容有欠充實。據有人分析，這是受了上次高市商展的影響，廠商多裹足不前所致。其實這種說法，也還有些勉强。據瞭解，其原因乃是：（一）外交太差，接洽、交涉宣傳不夠，致未使較大公司，廠商對這次商展有深刻印象，自然就未能熱烈響應參加。（二）場地租金費標準訂得太高，且手續又繁雜，使人望而生畏。（三）當地廠商未被柬邀參加，即使有之，亦是祇那店門口已懸掛了「結束大拍賣」的皮鞋店之類的陳年舊貨而已。

二、康樂台居然公開獻演「三點」式舞。商展場舉辦康樂節目，原本是「娛樂觀衆，招覽顧客，宣傳產品」的手段之一，「味王」過去「味全」「雖曾在歷次商展中演唱對台成爲笑柄，卻亦未見有如此醜瀾而有傷風化的扭屁股三點舞之出現。

三、民立電台原在商展場設有服務台，因何沒有服務，就撤回人員，其中到底有什麼未能妥協的問題，是爲外界人士所不很瞭解的疑竇。事後雖有服務台，但已把原來的「民立廣播電台」，改爲「廣播台」了。這件事雖然屬於電台與商展主辦單位的「私事」，可是大家還是喜歡狗咬老鼠，多管閒事，去議論一番的，但當然找不出「癥結」來。

四、大會摸彩是否合法？有人認爲這是屬於一種變相的賭博。按台中市商展時舉辦摸彩，是購買門票一張，附帶贈送摸彩券一張。而屏東商展，既不要購買門票入場，而何以在場內又舉辦摸彩？每券雖祇新台幣五角，但可以任意無限制性的購買，此非屬於賭博而何？雖有人認爲舉辦摸彩是可以的，但必須事先呈請主管機關核准，否則依法無據且是應該移送法院偵辦了。

五、這次商展，一般的推測，僅就場地出租與摸彩二項收益，爲數約五十萬新台幣之鉅。然則，這筆收入除合法開支外，盈餘金額屬縣商會所有呢？抑屬主其事者所有？未見有合法交代。如屬商會所有，而商會因何需要籌措這筆經費？因爲本屆商會理監事改選後已舉辦了好幾次營業性的活動了。但到底如何？眞相至今不明。主管當局是否有注意此的必要呢？

花都巴黎的衣食住行
—巴黎通訊—

言語便捷外加表情

毛毛雨連綿下了幾天，巴黎今天陽光普照，大放光明。大清早，意外，聖母院清楚在望，週圍沒有了霧，沒有了以往幾天那般的灰沉沉的氣氛。

太陽露臉，氣溫上升了六度，怪不得人們在街上的那邊這邊，都在交頭互論天氣，笑逐顏開。街上，公園，廣場，露天的地方都擠滿了男女老幼，大家都出來曬太陽了，好不熱鬧。

法文是一種充滿情感的語言。巴黎人說法文像比賽一樣地快，我在香港學得的法文來到巴黎一半是「抬亭」了！法國人說法文比其他說法文的像瑞士人、比利時人等一般都說得動聽，此外還加上手勢，聳肩，拉面孔，和一系列特有的感嘆詞……交談兩三分鐘，你好像看了一次表演。

物價高昂居大不易

吃在巴黎，和香港比較起來，貴得像把銀紙吃下肚裏一般。咖啡座是巴黎街頭、街角特色之一。一杯咖啡你可以從早坐到黑，慢慢欣賞街景和行人的姿態，侍役決不會趕你走開的。一杯咖啡八十生丁。同樣的咖啡在餐廳裏是一法郎二十至五十生丁（一法郎約值港幣一元二角）。

走進餐廳進餐，挑最廉宜的吃，是意大利粉或中國式的炒飯。一碟炒飯加上些蛋絲，價值三法郎五十生丁。有一次在一間中式的飯館裏吃上海式的粉絲湯——四法郎，加一碟蛋絲飯，連小賬便是八法郎。這一頓晚餐，倘若在香港北角的上海館子裏解決，三元便可連小賬在內了。

巴黎著名的「拉丁」區，是巴黎大學所在地。附近住大學生、教授及窮藝術家等。（藝術家差不多都窮，窮也因是爲了藝術）這兒的物價比其他地區一般都廉宜些。吃，有大學生餐館，三法郎便包括一道湯、魚或肉類。住，小型酒店林立，七八法郎一天，不貴；不過長年客滿，已經不算得是酒店了。

在歐洲住酒店，客房裏一般都沒有浴室的，除非你聲明要套房，那又當別論，價格自然不同。巴黎有市政局附屬的公共浴堂之設，隔日開放，內有冷熱水設備，「門票」七十五生丁，可以讓你洗個痛快出來。

地道電車最爲快捷

巴黎的公共交通最發達的是地道電車，交通網貫通全市，五十五生丁一程，價廉快捷。

你從東到西，只要轉車一次。在車站的入口處有一幅地圖，找出你要去的地方，按一下電掣，燈光着時，便同時告訴你應在那地方轉車。

記得有一次在路上看見三個人，一動不動地一起站在一塊下面像是排水溝般的鐵柵上。看了良久，好生奇怪。慢慢打從他們身邊走過，走在鐵柵上，只覺一股熱風自下而吹上來，一聽，車聲隆隆，這才恍然，原來下面正是地道車車道。人們站在鐵柵上面可以取暖。不知巴黎其他地區還有多少這種鐵柵！可以肯定，穿裙的女子就不會自上面走過了。

酒類繁多平過咖啡

巴黎的街道整天都很清潔，因爲街旁到處都是垃圾箱。電影院、公共車上都不准吸烟，人們從遵守公德以至習慣了保持公共衛生。這是我們應該學習的！在街上很少看到有人邊走邊吸烟的。這兒美國香烟如「總督」、「雲絲頓」等售三法郎三十生丁一包，法國烟只售一法郎二十，但烟味不及舶來品香而濃，然而，法國人吸烟不像香港人那樣搏命！

喝酒在法國和吃麵包一樣的普遍。普通一杯紅酒比一杯咖啡還廉，只售五十生丁（說到酒，種類繁多，有分餐前酒，餐後酒；吃湯配一種酒，吃魚另一種，吃肉類又配另一種，在什麼時候喝香檳也有研究，內裏還有一大堆學問在，不過我們習慣上一般都叫酒）。嘗見一些中下階級的人羣集酒吧咖啡間，不論時間，不分男女，一杯在手，悠然自得。

明刑弼教的新竹少年監獄
——本報記者朱武州

前些天記者趁赴北之便，路經新竹，順道拜訪新竹少年監獄典獄長尹屛東，承其引導參觀該監獄各種新穎設施，并仔細介紹該監業務概況，記者深覺有向社會報導以增了解之必要。

編制與收容額

該監現有編制員額計七十八人，設典獄長一人，綜理全監事務。秘書一人，處理文書及各課之聯繫事項；課長三人，主任教誨師及醫師兼課長各一人，人事、會計、統計主管人員各一人，分別辦理各該單位應執行之事項。另教誨師四人，作業導師三人，課員八人，會計書記官與雇員各二人，藥劑師一人，主任管理員五人，管理員三十九人，司機一人，監丁三人。

受刑人收容名額，原核定爲四四七名，實際收容人數，常逾定額，約在六百名左右。該監爲少年監，原僅限於收容少年受刑人，爲數恆約百餘名。復爲疏減他監超額，兼收刑期不滿七年年齡卅五歲以下之青年受刑人，所以就常常超額了。

調查分類

調查分類制度，爲現代行刑之重要措施，該監推行此項制度以來，成效卓著，且時時有所改進。在實施上，設有調查分類接收中心，內分設個案資料室，集體講習與個別談話室，指派教誨師一人主持其事，對新入監受刑人施以集體生活講習與行刑要旨。亦以個別談話及通訊方式，進行直接或間接調查。調查資料經有系統之整理，分析，研判，擬定個案處遇計劃，由接收小組集會初步審核，調查分類委員會作最後決定，始分別執行其處遇。以五二年爲例：全年接受此項調查受刑人計一〇〇三人。在累進處遇方面，評分力求切實平允，考核謹嚴，依法分級處遇。五三年上年度適合編級者一八四人，進級者三二三人，核准假釋出監者七十二人，且無再犯情事之發生。

厲行教化

受刑人之教化，以教誨及教育爲主體，康樂活動及美化環境爲輔，配合實施，茲分述如次：教誨分爲個別（以個人爲對象，因人施教），類別（以罪質爲主，分類施教），集體（以講演方式行之，集體施教）三種教誨。教育係採分班教育。教學目的在充分灌輸其智識，繼續原有教育程度施教，完成國民義務教育，均按照規定課程教材及進度施教。且舉行平時測驗，月考，期考等成績測驗。又爲加强教學之推行，設有小型科館一座，置有各種標本，模型。此外爲推廣受刑人職業教育之訓練，先後與新竹社教館及省立新竹商職，合辦實用技藝訓練班五期，科別包括縫紉，商業簿記，編織，廣告畫科，會計珠算等。

康樂設施，因限於經費，只能逐年充實。現設有廣播中心一座，每日轉播電台節目，并主播音樂欣賞，教育講座等怡情益智節目。圖書閱覽室及康樂中心各一間，藏有各類圖書約三千冊，訂閱報紙雜誌多種，供受刑人閱讀。又經常定期舉辦球類，壁報，影劇等活動。并將久廢之游泳池修復，夏秋之間，天氣炎熱，鼓勵水中活動，派有擅泳職員專任指導。（上）

新儒顯微鏡下的人性光輝

——解答了哲學上一個大難題

（論道續第六章）

陳健夫

自孟夫子以後，他的性善學說，代代相傳成爲正統，既成正統，便是一種權威了。因此，後代的學者從不敢懷疑它，只好就這個立場加以發揮闡揚，到了宋明大儒程顥、程頤、朱熹、陸象山、王陽明諸大賢，他們何嘗沒有覺察到人性并非盡善哩，但仍不得不就性善說的傳統而自圓其說。陽明苦學二十餘年，到五十多歲，才恍然大悟，指出一個良知來。其實這個「良知」乃是陽明先生功效已到，才體會出來的。陽明天資之高，學養之深，豈是凡夫俗子所可及的。陽明胸中的良知，豈是一般常人所易體悟的。他何嘗不知人性的未盡善，否則他又何必費許多精神講什麼「存天理，去人欲」。所謂「致良知」，這個「致」字，便自有一番革除舊性的意思在內。人性若盡善，又何致良知的必要呢，豈非多此一舉？

大學開篇以明明德始，以格物致知爲工夫。中庸首句以「率性修道」始，以「教」致「道」，其中原有一番去惡的意思。自正心修身至格物致知，自「率性之謂道」至「修道之謂教」，原都是爲著去惡的工夫。人若純善無惡，又何必去之？西方的哲人也說過：「人心比萬物都詭詐，壞到極處，誰能識破呢？」（耶里米書17，9）又說：「我躺臥在性如烈火的世人當中，他們的牙齒是槍箭，他們的舌頭是快刀。」（詩篇57）無怪上帝嘆息：「後悔造人在世上，心中非常憂傷。」（創世記6，5）救世主耶穌也曾爲此坦率的告訴世人說：「除了上帝一位之外，世上再沒有良善的！」（馬可福音10，18）可見中外聖哲皆未嘗認可人性盡善盡美。孟夫子發惻隱之心，我深信他有一番救世苦心，并非真的沒有看到人類的本色。他老人家痛心當時的人太沒有仁心，因此他倡導一個惻隱心，乃是爲了補偏救弊而發。大衆的眞相，他不肯一語道破，恐怕揭穿了這個秘密，人們更將無所忌憚，無所不爲，他將救世無術了。所以他「不得已也」的拿出少數人（孟子道性善，言必稱堯舜）的榜樣來勸勉世人，誘人向善。故此，指出一個惻隱心。這個惻隱心乃針對人類殘忍不仁之心而發，可見殘忍心原是有的。

新儒學否定孟子性善之說，進一步指出人的天性是自私自利的。

人類這自私自利的天性，本是由乃祖乃宗遺傳下來的，雖是聖賢豪傑，在他血質中，也自有這自私自利的劣根性存在。原來人乃血氣所生，血氣之中，乃是一團如火如荼的慾望。這慾望中，最堅強的就是自私心。

「自私心充滿了人間，普天之下，有幾個不自私的人呢？所謂聖賢，所謂君子，便是能夠用理性來控制自私心，不許他胡作妄爲的第一等人。但是自私心仍然不可以完全滅絕的。所謂小人，則一切視聽言動，無不奉命維謹，遵守着自私的意志而行。自私心發達的小人，往往可以爲了自己一人的利害關係，出賣父母，出賣人格，出賣朋友，出賣妻子，出賣國家民族，就是他自己的靈魂，他也可以出賣的。」

我們的新道統不認爲人性爲善。這是純客觀的觀察。雖孔子也不過說「性相近，習相遠」，而且孔子也常常爲人性的不良而浩然嘆息。他常說：「吾未見好德如好色者也」。言外之意，就可想而知了。

因爲人性并非善良，乃心病叢生。人的心病實在可怕，世人的聰明，往往變爲愚蠢，世人看見禽獸的可畏，却看不見自己的可畏。世人看見肺病的可怕，却不知道心病的可怕。那裏知道這心病實在比任何禽獸兇惡，比任何肺病都嚴重。或者禽獸與肺病都是有形的，人們一目了然。而這心病却是無形的！來無蹤，去無影，使人無從認識其面目。因此世人對它也就不害怕。又因從來的醫生，都是諱莫如深。不肯將此種病象揭露，世人對此大病從不覺察，實在是莫大的悲哀。肺病的死亡是可以統計出來的，而這心病的禍害，却是無可統計的。心病所給予世人的災禍，眞是比洪水猛獸還要厲害千萬倍。（二）

夷區采風錄

李仲侯

大、小涼山的夷族體系，也分六十多個支派，內部情形異常複雜。甚至一個祖宗，原本一脈相傳，也分成若干不同支派。因爲有這樣複雜關係，彼此之間，很不容易協調，往往因小事而發生糾紛。糾紛一起，即是所謂打冤家；一旦戰火點燃，就各就他們統轄勢力範圍之內，結合全族的人和所有的娃子（奴隸），你攻我殺！一年打不完，二年再來，這樣的再接再厲，總要拼個你死我活。甚至三年五年繼續打下去，決不罷手，總不罷休。

這種械鬥情形，在野蠻民族中，本視爲家常便飯，他們之間，雖有一種人名叫畢摩的，有類乎我們漢人中的師公，認識倮文，能爲夷人卜休咎，也有權力排難解紛，夷人認爲是他們中間的知識分子，地位比較常人要高一等。但是他們的權力，也祇限於糾紛未擴大前，他可以從中仲裁；如果爭執動了干戈，就超出了他的權力，無法可施了。他們如果彼此打冤家的時間過久，兩下殺得難解難分，也許陣地上突然出現一個女子，站在彼此交鋒之間，以命令式的口吻，大呼不許開火！一方面她把所穿的衣裳舞一舞，對壘雙方聽到了她所發出的警號，馬上就得停下刀鎗，跑去團團圍住，聽候她的調解。假若有一方不聽從她的調解，她最後唯一的殺手鐧，就是把全身脫個精光，跪在地上，呼籲和平。如果再不聽從調解，她就會在陣地上當衆自殺！這樣一來，就會激動公憤，女子的母族，也會參加戰鬥，糾紛愈益擴大，逼着雙方祇好停止戰爭，聽候調解。蓋夷族歷爲母系社會，女子地位一向爲他們所尊重。

我們在峨邊，有一天宋君邀去參加離此約十多里一個夷人家的結婚宴會。這夷人素與宋君契好，據說他祖先當過土司，本人亦曾去過重慶，漢口，年約五十，人頗開明，可說已漢化，家中有一間大客廳。那天是他第二個兒子結婚，我們合夥送了一大罈酒（夷族以酒爲最上禮品），十來斤巴鹽，一疋白布，他非常高興，待我們以上賓之禮。這客廳裏有五桌客，所用餐具都很齊備，菜餚也大部份漢化，主人敬菜敬酒，非常殷勤。但是看到外面許多夷人用膳，就很簡單了，男女雜沓，每人手執一個木杓，蹲在地上，圍着好幾個大菜鍋，無非是牛羊肉之類，男的醉酒歡呼，女的載歌載舞，鬧成一片。大概即夷區所謂跳鍋莊之類，不過還算文明。我們坐在最上面一桌，但未看到新娘新郎，由主人陪着，也沒有什麼拘束和不自在的地方。（四）

漢文，漢字，漢學

陳曼卿

再說，文字這玩意，人們喜歡如何用，就可以如何用的。但是，要用「典故」，就不能不顧其出處的恰如其份，使辭句固然顯得格外流暢，優美！要是將一些不能「相提并論」的詞藻，強爲牽合，不僅會弄巧成拙，有時簡直會弄成「笑話」。

因之，使筆者也就想到那一般認爲「高水準」的刊物，其「水準」之「高」，也就可以概見了！

有人說：「該刊異常崇拜大師」！這種說法，就更有問題？豈有刊物崇拜人的道理。講說這話的人，繼續又補充了一句：「是刊物的主持人」。這倒還說得過去，也講得通，自也合乎情理。

不過，「大師」的疏虞，行文欠斟酌，也未免失之於謹愼！但所謂「高水準」的刊物，連這種並不艱深，亦非辭典上，在付梓之前，竟也毫不加以商榷，致使「大師」令譽，玉上青蠅，未免涉及對大師「放屁都香」之嫌了。

所以說，文字的應用，我們既不能乖悖，而違常理。亦不能遠一班慣例，而悖乎常情。因爲文章總要給人看的，同時也是給來者學的，如果只供自己（獨個兒）欣賞，那又當別論。

有等人，在今天還搞用「佶屈聱牙」的方式爲文，故意使人看不懂，自以爲高古。此不僅是在開時代的玩笑，那何異是給來學的重重困難！

這兒附帶還要提醒「悲天憫人」的「閉門造車」者。要認清今天是個甚麼時代，凡是著作、文章，都是給人看的給人學的。最低要求是要給「讀者」容易看懂，易於明白。就是濟世仙方，也要給當道者易於採擇，容易推行。如果是使人看了橫七豎八的，反而糊塗，甚至越更糊塗！那簡直是在浪費自己的筋力；同時，也浪費了讀者的時間，更浪費了宇宙間有限量的物力。

假使是知人論世，尤應弄清楚它的本末源流，筆下只顧指責人，更應當想到自己的作品，要做到不被人挑剔，爲今世抑後世「立言」，處處都應當謹愼，絲毫不可輕率。

我想此文也如同那街邊的「賣卜佬」的說法，「經學」自兩漢以來的聚訟，凡是讀過兩篇綫裝書的都知道，我們既不能「強不知以爲知」，更不宜貪多而務得！尤不宜誇己所習，亡其所用的再在那上面加添什麼重卦（卦象）一類的東西。前人雖也有「引傳解經」的事例，但是，那種例子不同。一部「左傳」上就曾引用「周易」六次；其他，以「易」占者，也不可勝數。可是，其內容，情形，性質，皆各不相同。「五經」，「十三經」，乃至於「十四經」。（十四經，見：淸皮錫瑞，經學歷史）而是各有其獨立性的。其內容性質也各不相同的古籍。兩漢時期，就已被漢儒粧點成滿頭珠翠，錦衣百襲，弄得面目全非的不勝負荷了。（三八）

動物農場

英 George Orwell 著　陳其芝譯

第七章　動物所追求的社會

更可笑的是乳牛，牠們愼重其事的說史諾柏在黑夜乘牠們熟睡時悄悄地溜進牛欄，吸吮着牠們的奶。老鼠在那個冬天也給農場上惹了不少的麻煩，所以大家又公認老鼠是史諾柏的同路人。

拿破崙下令徹底調查史諾柏的一切陰謀活動行爲。在狗的護衛下，牠小心謹愼地巡視着農場的每一個角落，其他所有的動物都跟在後面，保持着一段相當距離，拿破崙每走幾步就對着地面上的爪蹄印嗅一嗅。據牠說，牠能用嗅覺來鑑別氣味的差異。就這樣牠幾乎嗅遍了農場上的每一寸土地，在穀倉，在牛房，在馬棚，在雞圈，在菜園，都有史諾柏的足跡。牠的足跡幾乎踏遍了整個農場。每當拿破崙在足印上嗅過一次之後，牠就深深地吸一口氣，隨之發出一種可怕的吼叫：「史諾柏來過這裏！我淸淸楚楚地嗅到牠。」在牠叫史諾柏的名字時，那羣護衛牠的狗便錯牙咧嘴地咆哮一陣。

動物們都嚇昏了頭！史諾柏似乎變成了一種看不見的影子，充滿了農場的每個角落，用各種不同的手法威脅牠們，迫害牠們。這天晚上，斯奎勒召集了所有的動物，牠臉上帶着一副緊張嚴肅的表情，宣佈說有一個非常嚴重的消息要報告。牠神經不正常地跳着叫着：「同志們！我們發現了一件意想不到的驚人事實；史諾柏已經把牠自己出賣給頻園農莊的菲特烈先生了！他們現在正計劃進攻我們，陰謀奪佔我們的農場。史諾柏就是這次行動的嚮導。但是比這更糟的是我們自己！我們當初總以爲史諾柏的叛變只因爲牠有虛榮心，或是有野心，但是我們都錯啦！同志們！你們知道什麼才是眞正的原因呢？從一開始，史諾柏就和鍾士先生秘密地結盟！牠是鍾士先生的密探。這裏有文件可以證明這些是事實，這些文件是剛剛才被發現的。從這些文件中，同志們！你們應該覺悟了！你們可以淸楚地看出牠的企圖，同志們！牛欄大戰，幸虧牠沒有成功！牠原來是存心要破壞我們，毀滅我們的呀！」

動物們如置身於五里雲霧般地茫然！這麼說，史諾柏這種行爲要比破壞風車更鄙劣得萬倍。動物們在未採信斯奎勒的話之前，牠們默默地想了一陣子。牠們記得，或者牠們以爲記得那次由史諾柏領導攻擊的牛欄大戰，每一個回合後牠如何召集大家振奮士氣，鼓勵戰志。甚至於當牠被鍾士先生的槍彈打傷時，牠仍然不停地奮勇進攻。要叫自己去相信牠是鍾士先生那邊的盟友，實在有點困惑難解，就連一向難得發出疑問的柏克薩也感到莫名其妙了！於是牠躺了下來，捲曲起前蹄，閉上眼睛，盡力地思索，希望自己能想出所以然來。

我不相信，我親眼看到史諾柏在牛欄大戰時奮力拼命。在那次戰役後，我們也立刻授予牠『第一級動物英雄』的榮譽。」柏克薩這麼一說。斯奎勒接口道：

「那就是我們錯誤的地方。同志們，我們現在未發現到牠的那些秘密文件，牠確確實實地是在誘致我們進入迷途，步入不幸的境地。」

「但是牠受傷了啊！我們都看見牠脊背上流了很多血呢！」

「那正是他們計劃的一部份，」斯奎勒大聲地叫了起來。「鍾士先生的槍只是故意擦破牠脊背上一點表皮，這是爲了史諾柏而設計的戰略，給牠一個暗示叫牠離開戰場，好讓人們來淸除戰場。同志們，如果你們看得懂文字，我可以把這件事的紀錄拿給你們看。」（廿四）

毋忘在莒與田單復國

·匡認·

祝吾君「毋忘其在莒」也。使管仲「毋忘其束縛而從魯」也。使甯子「毋忘其飯於牛之下」也。

「毋忘在莒運動」的呼聲甚囂塵上，所以揭櫫的意義，是「效法田單復國的行動和以寡擊衆的戰鬥精神」。在這幾年來各項運動中算是最值得記取的。這種運動能夠激發出田單那樣的人才，和田單那樣的精神，這正是我們全國軍民共同一致的願望。

「毋忘在莒」和「田單復國」，却是兩個不同意義，不同時代，不同性質，不同人物的兩個史實。以今日的實際環境來說，我們正需要的是「田單復國運動」。但事實上又以「毋忘在莒」爲運動的名稱，所揭櫫的意義却又是「田單復國」的精神爲「毋忘在莒運動」行動的準則。「毋忘在莒」是出自春秋時代，（公元前六百八十四年、周莊王佗十二年至十三年間）；田單復國在戰國時代，齊襄王在位的時候（公元前二七九年壬午，周赧王延三十六年。）二者相距四百多年之久。「毋忘在莒」的意義是教人在安富尊榮的時候，不要忘了過去艱苦的日子，是警惕的話。「田單復國」不用說，誰也知道是戰鬥的、積極的、現實的。前者是消極的，十分顯明。語云：「名不正則言不順，言不順則事不成。」我們播遷海隅已十餘寒暑了，大家思鄉情切，沒有人不想即刻打回大陸去，所以祇要是反攻復國的運動，大家莫不景從，義無反顧。而對於「毋忘在莒」的含義，却少有人注意推敲。一種運動其名稱發生疑義，則將影響其效果，可能使「事倍而功半」。因爲「毋忘在莒」與「田單復國」，是兩個不同的故事，有史乘可稽考，沒有曲解的餘地。證據勝於雄辯，現在先把兩個故事的本末細說明白。

一、祝吾君毋忘其在莒也

史書載：當周莊佗十二年正是齊襄公在位，政治腐敗，排斥異己，小人奴才得勢，所謂「君子道消，小人道長」的時候。國內政治情況非常之糟，除了在朝的集團之外，還有可數的三大集團：一是以鮑叔爲首所擁護的小白集團，一是以管仲、邵忽所擁護的公子糾集團，一是公孫無知集團，擁有實力的公孫無知集團，預有陰謀，圖謀政變。幾個政治集團時有明爭暗鬥，危機四伏，齊國的政治劇變就在此種情況下發生的。鮑叔與管仲兩個集團比較稍爲接近，管鮑的私交頗好，他們兩人都感到齊國的政治危機難以避免。不久，在公孫無知的政變前夕，鮑叔保了小白出奔到東邊的莒城作政治避難去了，管仲和邵忽保了公子糾出奔到隣近的魯國尋求政治庇護。（[illegible]）

乒乓史話

林雲軒

彈丸般的乒乓球，技術發展到了驚人的地步，好手對壘，眞個是「快如閃電，疾似流星」，揮臂猛扣，亦確乎像是天崩地裂，雷霆萬鈞，在枱邊往往看不見球，只見一道白光來回閃耀而已。

乒乓球起源於何時何地，至今猶未有統一的說法。有人說它發源於歐洲，也有人說是來自印度、日本。不過來自歐洲的說法比較可信。因爲這種球最初是在餐枱上玩起來的；在歐洲，據說一部分人對運用球桿玩弄桌球覺得太費腦筋，就用一種羊毛紙製成而質輕的球，利用它的彈跳力在餐枱上用兩塊板子玩起來。所以最初叫做枱球。後來發明了賽璐珞化學原料，球體改用這種新原料做成，打起來乒乓有聲，又改叫乒乓球。據說「乒乓」這兩個字原本是沒有的，爲了替當時的枱球改名，才造出這兩個以聲代形的名詞。

不管乒乓球發源是亞洲或歐洲，英國已被一致公認是乒乓運動的發祥地。英國在一八九〇年就成立了世界上最早的乒乓球團體——英國乒乓球總會。一九〇二年英國一個貴族沃特爵士正式制訂了比賽規章、制度，並在英國推動乒乓球比賽。由於乒乓球易學，男女老少都可以玩幾手，很快就在歐洲發展起來。特別是在英國，在二十世紀最初年代，已深入到各個郡的學校和團體，專門論述乒乓的技術論文亦常見於報端。各個學校、團體之間的乒乓比賽常常舉行。與此同時，德國、奧地利、匈牙利、荷蘭、法國也都受英國的影響，廣泛開展了乒乓運動。

一九二六年，由德國人李蒙發起，成立了世界乒乓聯合會，參加籌備的有英國、奧地利、威爾士等國。她們是「世界乒聯」的最早一批會員，接着瑞典、捷克等國同年加入。印度當時還沒有獨立，由於英國的影響，印度是亞洲最早發展乒乓球運的國家，當時是國際乒聯的第一個亞洲地區的會員。

大約是一九二〇到三〇年代，乒乓球初傳到上海，最初稱它做枱球，因爲設備簡單，許多學校中都設置枱球。在學生中打乒乓蔚爲風氣。後來上海有一些公共打球的地方，像「新世界遊樂場」就是早期的公共球場之一。

隨着世界乒聯的成立，一九二七年在英國倫敦舉行了第一屆世界乒乓錦標賽。參加這一屆比賽的有英、匈、印、捷克、德國、威爾士等國。匈牙利榮獲第一屆團體和男子單打、雙打冠軍以及女子單打、雙打冠軍。女子團體賽到一九三四年方才舉辦。

第一屆世界乒乓比賽舉行後，各國對這種球類的興趣更大，決定以後每年舉辦一次，由國際乒聯主持其事。從此乒乓球在世界各國更加蓬勃發展，申請加入國際乒聯的國家越來越多。到了二次大戰時期，由於戰爭關係，曾停止八年未曾舉辦，戰後從一九四七年起才告恢復。一九五七年起，改爲每兩年舉辦一次世界乒賽。但是以洲爲單位的小型國際比賽則幾乎年年都有。

早年的世界乒乓賽，幾乎全是歐洲選手的天下，自第一屆至第十二屆（一九二七——一九三八），亞洲區僅印度一隊參加。到第十三屆（一九三九）時方才增加了巴基斯坦。第十八屆（一九五一）時才又增加越南。非洲地區，埃及到第十一屆才參加。美洲方面，美國在第九屆（一九三五年）方始參加。在一九五四年第二十屆大賽日本隊崛起之前，匈牙利曾奪過十一屆男子團體冠軍，捷克得過六次冠軍，女子三次奪得錦標。其餘爲英國、奧大利、羅馬尼亞男子的天下。而印度除了在第一屆與英國曾並列男子亞軍外，此後即一蹶不振。

散淡之言

散淡人不是燕京散人，但是劇學很深，因爲他看名伶的戲，確是不少。我對他的認識，是在薰風雜誌，讀到大著「梅歐閣談壓」，源源本本，把當時的事實，說得清清楚楚，很可欽佩。他能登台串戲，却沒有以劇評人自居。看一場戲，能說出那些地方，有可研究。不是大家多應拜趙培鑫爲師，那樣捧法，有點恍如墜入五里霧中。由楊寶森而到趙培鑫，多是現今的師表，平劇的革新，就是這樣？

最近看到散淡人的一篇記台大平劇社演出，談到眼神最要注意的，如何纔能表出年逾五旬的漢大丞相的風度，這是要着。寥寥幾句，我想能唱失空斬的伶票，多應有此認識。

劇事雜談

·婁婁生·

也即我提供昭泰兄那段故事，即孫化成師所說，譚氏見趙雲得勝回來的表情，與帶馬謖的，嚴肅態度，完全在眼上透露這喜與恨，妙到難以形容。

其次，他說道，要談失空斬，便不得不以譚鑫培爲規範，余叔岩就稍差勁，（問題在斬謖所唱調門不夠其朗。）楊寶森更不成……楊的戲可以「平平穩穩，規規矩矩」八字概括，沒有絲毫特點可稱，不值得贊歎。現在居然被稱爲「楊派」，這派字在那裏可見？是駭人的事！

就其論列，與我的觀念，正復相同。我在劇談中曾提及，若以余派傳人來說，除了孟小冬以外，即以楊寶森「不尙花腔謹飭可稱」，八字評點，也算余派的一脈。究屬自己尙無獨稱一派的資格！這是什甚緣故？台灣的伶票，學譚余尙難神似，不得已而求其次，祇好學學寶森；要抬高他的身價，遂定爲「楊派」以示標榜，洋溢在空氣中，你也楊派，我也楊派，似乎寶森夠得上宗派，甯非笑話？尤其他的錄音唱片紛來，更爲助威。即不夠奉承的文昭關，也一播再播。這冷戲從前不夠列壓軸的，竟大紅特紅。何以至此？學的人太多，也即大顯其低調！

陳定山兄也談過，楊寶森的戲，如捉放宿店、探母等還可以，若論昭關，總覺有點差勁，不夠其悲憤也。即以失空斬而言，後段的斬謖，不能勝過譚富英，那「怒上心頭難消恨」一句，富英很夠勁頭。再說，富英的腔就比楊爲難學，此間無人能唱。而富英不見得比寶森差到那裏去。戰太平很有個樣兒，一切身上功夫，究竟是坐科多年，來得神氣。定軍山亦有譜兒。何以台灣無人提到，是沒有人肯去學他，幾等於忘之。

然因散淡之言，略抒所感。我們要以公正的目光來看，不可一味阿私。談交誼而論劇藝，先有成見，不作持平之論，安可以言改革？沒有很好的嗓子，爲了遷就，祇好學楊寶森。如有天賦好嗓，大可不必削足就屨、降格去學。也即我曾告彭孟明兄，應學余而棄楊，以格調究高一着，也可以綿延下去，爲此理也。

花木蘭

——「影劇與歷史」之五

劇遊

時花明與木棣正在田間耕耘，喜見舊同袍，連忙迎入村中。木棣走告花弧，說京中有官兵訪問阿姊來了。花弧甚喜，整衣相見。木蘭聞李廣到訪，喜出望外，即刻出堂相見。李廣眼見麗人兒好生面善，怎奈一時想不上來，感到靦覥。木蘭猛省自己已改變爲女裝，李廣不識，致使兩下尷尬，因此害羞起來，即刻抽身回到後堂去了。

花弧睹此情形，乃將木蘭喬裝代父從軍之事說了一遍。李廣大爲驚奇，心中暗想：眞不愧爲巾幗英雄也。又想到：她做媒之說，已是有意於我，只怪自己不悟，錯過機會！幸而今日又能相見，這也是三生有幸！花弧解得木蘭之意，當即挽留李廣在家盤桓幾日。因此李廣得以親近木蘭，歡笑終日。然恐元帥盼望，只得小住便告辭，返京覆命。臨行，木蘭爲之送別，並以繡荷包相贈，李廣以隨身寶劍相回贈，彼此用作定情之物。臨歧依依，木蘭、李廣二人洒淚而別。木蘭眼望李廣身影消失，方悵悵回家。此後滿[illegible]待早日「鸞鳳和鳴」。

小說中的花木蘭

銀幕上的花木蘭可算得有聲有色，兒女私情，忠孝節義，全都有了。但最後木蘭與漢代李廣訂情而別，謬誤莫此爲甚。小說上的花木蘭與銀幕上的木蘭大不同了。花木蘭所投之軍，是在突厥可汗，她在胡人陛下，向大唐侵擾。最後是被唐兵活捉了，因與竇建德之女，均願以身代父罪，唐高祖嘉其孝道，把她二人遣返故鄉。返鄉之後，可汗知其爲女，强逼爲妃，木蘭在父親墓前拜別後就拔劍自刎了。結果是一悲劇。

在一部歷史小說「隋唐演義」中，講木蘭的約有三回。隋唐演義題爲羅貫中所著，清褚人穫改撰。全書一百回，其中五十六回題爲「啖活人朱粲獸心，代從軍木蘭孝父」。（三）

印尼風土人情

燕謀

下身五彩羅紗長裙，就是所謂紗籠。赤足穿木屐，出街足穿繡花拖鞋，下身圍條圍裙，花色素淨。回教徒戴着尖圓平頂的禮拜帽。

對於婚姻尤其與其他地方大不同，就是女人娶男人。在印尼一個女人結婚比任何事情更隆重，連村酋長在此日也被統治了。這一天是一個女人一生最值得炫耀和回憶的。結婚時是由女方將新郎接回女家去，雙方感族大事宴叙。他們吃喜酒有一個怪風俗，就是男家的來賓必須在太陽未沉沒以前離開女家，女家本家必須在半夜才准入席，一直狂歡到黎明達旦。他們也懂得鬧新房，但鬧的對象却是新郎，唱歌跳舞，極盡戲弄之能事。婚後丈夫必須十天「歸寧」一次，妻子隨行。在家庭間，並不因爲女人娶男人而認爲女人地位高。大抵她們還不解名利，只求好好的生活下去便心滿意足了。（完）

法國人筆下的賽金花

正匡

十二歲時候的她，嫁了一個敬愛她的人，那人是一個學者而兼外交官（洪鈞），年齡已接近五十，而外交官之妻並無反對；賽金花接受了作爲一個新娘應該得到的東西——厠具、衣服、大牀、一衣櫃，四個皮箱和一個木盆。這木盆是準備爲出生小孩用的。

當這外交家被派到德國和俄羅斯有使命的時候，他帶了這個美麗的小老婆一齊去。

[illegible]在柏林，賽金花獲得一種新感覺。她看見德國女郎們碧藍的眼睛，柔和的髮，優美的乳房，也欣賞西方社會諸情百態。正因爲她的打扮奇異，頓然成爲衆目投集的人物。因爲她的美麗，也煽動各方。所以男人們都追着她的馬車，兩邊夾迫她。

有一天，她在城裏走，有急步之聲發自她的身後，一個男子趨到跟前，立正端詳一下，立即拍動腳跟行個軍禮，笑着表示對她敬意。他是一個漂亮的德意志軍官。他那齊正的身材，筆直的腰肢，寬壯的肩膊，令賽金花神往。這是她第二次努力用她的美色投注於一個她所願意作爲伴侶的人。雖然只暫時一面，究竟這人的印象難去，使她深深地嵌藏心上。（三）

自由報

內政部警台報字第〇三壹號內銷證

THE FREE ...

第九五四期

每份港幣壹角

社長：雷嘯岑

督印人：黃行吉

20, CAUSEWAY RD 3RD FL. HONG KONG

TEL. 771726

台灣分社

後果堪虞

多明尼加

古巴

候機會

為一般的公教人員生活設想

陳侃

漢宣帝劉詢有言：吏不廉平，則治道衰。今小吏皆勤事而俸祿薄，欲其無侵漁百姓，難矣！

頻年以來，常聞社會輿論和政府當局發出「調整公教人員待遇」之說，政府亦曾有調整的事實表現。可是，由於客觀條件的限制，始終未能適應現實需要，作根本解決之計。原因是文職的公教人員待遇增加了，六十萬國軍將士自不宜向隅，而目前國庫的收入殊不足以語此。職是之故，調整待遇問題在理論上原屬義所應爾，在實質上亦確有必要，民意機關迭向政府當局建議質詢，輿論界常常發出呼籲之聲，而政府深感心餘力絀，窮於肆應，這是衆所共喻的情形。

可是，這問題無論怎樣繁難，終須設法作某種限度的區畫解決。因為物價總不免逐漸上昇，日常生活費用即相應增高了，然公教人員的收入數字，却相去甚遠，乃構成吃不飽、餓不死的生活狀態，此不特影響工作情緒，減低行政效率，且釀造貪污瀆職的惡風，實在不宜忽視。筆者有一位曾任政務官的友人，於修建其住宅內已告傾圮的車房時，該管派出所的警員指為違章建築，加以干涉，經傭人從中商洽，對方要索紅包台幣五百元乃可。事為某君所悉，殊震怒，即據情轉告該管警員的上級長官，結果紅包當然不能再談，該警員且受到了嚴厲的處分。吾友聞之，頓起惻忍之心，即詢問該警員何以有此荒唐行為，對曰：「實不相瞞，因家中有一兒子患急病，醫院非先付五百元醫藥費不肯收容治療，一時急不暇擇，鑄此大錯，痛悔之至。」當時吾友慨然以五百金相贈，且保證決不教旁人知道，但對方堅辭不敢接受了。似此情形，我們對該警員除却表示無限的憐憫心情外，實不忍有所指摘，孰為為之，孰令致之，殆由於待遇非薄而實逼處此，即證明「今小吏皆勤事而俸祿薄，欲其無侵漁百姓，難矣」的說法，古今一揆，尤屬不刊之論。其他類此情況而為吾人所未知者，更僕難數。譬如一名催征吏，每月俸祿所得不過台幣數百元，即使沒有室家之累，亦不足以維持個人最低的生活費用，希望他們潔己奉公，廉正不苟，無異置貓兒於魚蝦市場中，而期待它不偷食，可能嗎？觸類旁通，再想到一般低級的司法人員，在處理民衆訴訟事件時，要他們忍飢耐寒，砥礪廉隅，杜絕苞苴，漠視儻來之物，雖聖賢其猶病諸吧？司法官吏、警察、稅收吏等，都是經常直接與民衆接觸的公務人員，他們如利用職權，侵漁百姓，弊端之廣泛，民怨之普及，可以想見，而政府的整個信譽乃大受損害了！人亦有言：按照現時情況觀察，一個高級行政官若發生貪污行為，一定是集體性的，即上下共同舞弊瀆職，分享成果，否則難逃中下級僚屬的耳目，變生肘腋，很快就會暴露的。原因是低級公務員活不下去，「臣朔飢欲死」，豈肯讓長官一人腦滿腸肥而無動於衷乎？同樣的心理，下級僚屬如利用職權，收受紅包禮品，長官亦祇好不聞不問了。這樣問題亦祇有從待遇非薄的義理中，纔可以求得正確答案。

至於一般擁皋比，執教鞭的教育界人士，不堪生計窘困與生活熬煎的痛苦，亦相率違背良知，而以「求財」為急務。首先是兼課越多越好，一個大學教授，每星期有兼課五十小時者，分身既無術，祇好輪流缺課，或派遣學生去代課。中小學教員於拼命兼課以外，就利用機會招徠學生從事補習，博取額外的收入，所謂「惡性補習」風氣，便是這樣產生的。此外即學校巧立名目，向學生徵收學雜費，更有憑藉教師職權，向學生强銷書籍的。種種不正當的情形，所在多有，報紙上披露的，不過是其中的幾分之幾而已。身為師表的讀書人，內心上何嘗沒有義利之辨與羞惡之思呢？怎奈生活逼人，誰能遣此，「衣食足而後知榮辱，倉廩實而後知禮義」，為着解除眼前的生活威脅，而以營利為主，顧不得許多了！

所以，今日的公教人員生活困苦程度，實以最大多數的中下級行政人員暨教師為甚，少數的上層份子，他們辦法很多，表面上的俸祿收入雖然有限，事實上並不感覺貧困，試看他們的日常起居飯食狀況，若與其廉俸所得互相衡量，如果他不是素封的豪富人家，那就太不可思議了。

基於上述情形，我們認為調整公教人員待遇問題，可先就低級人員設法酌予調整。尤其是公務員，凡居於科長以下的職位者，辦理日常公務最多，所謂「科員政治」是也，然待遇却最少，勞力與報酬過於懸殊，太不合理了。又如一個警士或巡官的工作能力，未必遠遜於其所長局長，而一個催征吏的職責，亦不比其上級的處長之類為輕鬆，但待遇則有霄壤之別。歐美諸先進法治國家，對於警察與司法官吏的待遇特優，戰前的日本亦然，理由是這般公務人員經常接近民衆，容易發生毛病，影響政府威信，乃優其待遇，使他能夠養廉，自動的奉公守法，有所不為，倘有貪黷行為，懲處亦特別嚴厲，這是對的。

假使政府先就各機關的委任職人員待遇，酌予提高，然後逐步籌劃薦簡任職人員的加薪問題，則在歲出預算上，當不致驟增龐大的數字。若將行政院最近宣佈全體公務員一年增發兩個月薪金的支出，集中於增加委任職人員的待遇上，相差必不甚鉅。而一般高級官員，縱然沒有這兩個月的加薪收入，亦不會感到困苦的。關於各級學校的教員待遇，國立和省立的同樣調整，為數更有限，但須嚴禁胡亂兼課補習。不沾滯於法制的一般性，而以適應現實需要為主，一家哭，何如一路哭，為政之道，固應如是也。

（下轉第三版）

今日与明日

廖文毅返台

在東京攪「台灣共和國」，自為大統領的廖文毅，終於迷途知返，鳥倦思還，斷然解散了在東京的偽組織，回到台北。這件事外電譽為是中國政府的一大勝利，廖文毅自己則說是為了響應總統團結的號召，共同進行反共大業。無論如何，這是一件相當可喜的事，為國家計，為廖氏本人計，可以說是兩全其美。希望由廖文毅開其端，一些在外搞搞震的政客以及共產黨人，都能大澈大悟，回到祖國來，共同完成反共建國的大業。

在海外還有一些人的反對政府，其態度已超出一個在野黨派的身份，而實際已流於叛國。如某學者最近在美國組織什麼協會，發行刊物，勸告遷台北的中國政府不要同毛共爭正統，並指蜀漢與南宋均因爭正統而亡。此人專門搞政治，現以望八之年，仍孜孜不休；但是，他實在不懂政治，此事已為國人所公認。及至他這篇大作發表後，國人對他的歷史知識也大感懷疑，任何人都知道，漢宋之亡與爭正統何干？若不爭正統，也許亡得更早些。中國政府情況與蜀漢、南宋更不同，若放棄正統，就要自行廢除中華民國國號，讓出聯合國席位，以台灣國自居，到時將會是一個什麼局面？這位放言高論而終身一事無成的學者，其見識較廖文毅相差太遠！猶幸海外妄人，如此老者尚不多見，總算是國家之福。

毛共再爆核子裝置

毛共又在新疆爆了一枚核子裝置；本來能爆第一次，就可以爆第二次，原無新奇之處；不過毛共此時，正當北越被轟炸得無法支持，毛共的支援也只限於示威遊行時，突然爆炸一枚原子裝置，對北越來說，也許有點强心作用。但是，此種裝置，除去勞民傷財，為天空中多製造一些原子塵之外，實在沒有任何用處？

值得注意的是美國突然傳出停炸北越的消息，用意在迫使北越接受和談。此事之能否成功本不可知，而美國在此時停止轟炸北越，將會給毛共一個誇大宣傳的藉口。今日北越[illegible]體鱗傷，只要美國堅持炸下去，雖然未必就能把北越炸得崩潰，但是最低限度也可破壞在南越的共黨的戰力；為美國計，[illegible]共增加宣傳的資料；一定要炸到越共政權能擺脫毛共的羈絆，誠意求和，越南戰爭始有解決的希望。毛共雖然試了兩次原子爆炸，但就其實際的作用來說，並不能挽救其滅亡的命運。（何如）

自由談

移風易俗之道

馮王先生

凡是移風易俗的事情，決非政府以令甲和公告所能奏效的，要在居於社會上層階級的人士以身作則，樹之風聲，持之以恆，使一般羣衆發生感應作用，自動的有所不為，構成時代新風氣。古人說：「風俗之厚薄，繫於一二人心之所嚮而已」，便是這種道理。

頻年來，時聞自由中國政府當局提倡「節約」之聲，強調「毋忘在莒」的義理，申儆國人，共度憂患生活，固其宜也。可是個人的日常生活實際上并不相率講究享受，而孜孜汲汲以追求財富為急務，以終老是鄉為原則，所謂「光復大陸」、「打回老家去」的呼聲，只當作應景的口號而已。何以見得呢？見之於一般人士對於婚喪喜慶這類日常事宜的措施，大家講排場，鋪面子，喜帖、赴告滿天飛，不管關係如何，更不問交誼深淺程度。普通一般的公務人員，每月廉俸所得不足以贍養室家妻孥，再加上雪片飛來的喜慶帖子，每份人情至少亦非耗費五十元台幣以上不可，實際上即耗去俸祿收入的三分之一，試問何以過活呢？因此之故，遇有機會，就利用職權以抓錢，上焉者悍然貪污，玩法納賄，次焉者乘隙抵罅，侵漁公帑，沒有政治權力機會的教書先生，即想出「惡性補習」的方法，向着學童身上尋財路，為的都是在解救日常生活的困厄，其行固然可鄙，其情亦復可憫，而其心實在可悲。推本窮源，而[illegible]奢靡風氣應負最大責任啊！

最近國防部曾舉行集體慶生會，自部長蔣經國先生以至在部內服務的士兵，凡屬同日出生的，一律參加用茶點為禮品的慶生會，每人所費不超過台幣二元，但其意義和儀式甚為隆重，以視呼朋引類，稱觴上壽，大吃大喝以耗費鉅萬金錢的情形，雅俗奚似哉！我認為這是「身教」的楷模，值得稱讚提倡，而在社會上有地位的人應該見賢思齊，一致實行，庶可望獲致若干節約的績效。至於一般社會大衆，對於關係不深，交情膚淺的親友們發來的招邀喜慶典禮帖子，大家相應不理可也。這樣一來，不特足以消弭日常生活的浪費，養成社會新風氣，且可能減少政治上的一些貪污罪惡，功德無量。誰能不受流俗的困擾誘惑，誰就是足以担當大任的英雄豪傑，其各勉旃！

嘉義縣女護士謝夏命案 沉寂五個月再度成新聞

——本報記者劍聲台北航訊

　轟動一時的嘉義縣女護士謝夏命案，沉寂了五月之久，最近由於體毛求證的問題，再度引起各方的注意。尤其司法界的人士，極爲重視。因爲該案在去年十一月九日，經嘉義地檢處檢察官李兆欣將被告劉堂坤提起公訴，另一被告李發因罪證不足予以不起訴處分，即將全案移送刑庭審理，並於去年十二月十一日由刑庭楊佑庭、顧知、李國欽等推事組合議庭審理；由於主要的證據體毛發生問題，所以未繼續開庭調查。

　現在，此間人士才知道，嘉義地檢處將該案移送刑庭時，未把證物——體毛隨同案卷移送，僅將文書送交刑庭。體毛證物到那裏去了？原來是該地檢處送往日本檢驗。如果不是該地檢處首席檢察官張耀海對報界發表談話，說體毛經日本鑑定寄回後，「鑑定的結果仍與台北刑警大隊所鑑定者完全相符」，大家還不知道這一段情？

　該案起訴的重要證物，是經刑警大隊鑑定後把劉堂坤起訴，把李發不起訴。就法理言，刑警大隊的鑑定是可靠的，是眞實的，不然的話，嘉義地檢處是不會起訴的。換句話說，該地檢處既然依據鑑定而把劉堂坤起訴，就不應該對該項鑑定懷疑，既然懷疑該項鑑定眞實性，就不應該草率地據以把劉堂坤起訴。等到弄清後再起訴也不遲。現在，嘉義地檢處檢察官李兆欣既根據刑警大隊鑑定而起訴，起訴後，又把這個重要的證物體毛送往日本鑑定，似乎自己也在懷疑，甚至可說自己打自己的耳光，自己否定自己的立場。究竟是怎麼一回事呢？司法當局不該從實調查一下麼？

　其次，在我國司法史上沒有前例的是：刑事案件經公訴後，檢察官不把「重要證物」隨案移送刑庭審理，而把重要證物留下送往國外鑑定。請問：刑庭依據什麼調查？記者查遍刑事訴訟法沒有這樣的規定，也沒有賦予公訴人這樣的權限，這是否有違法瀆職之嫌？

　所謂女護士謝夏陰毛中的一根陰毛與被告劉堂坤陰毛相同的說法，令人懷疑係無稽之說。據刑警大隊實驗室主任陳玉振檢驗報告：經初步檢驗結果，認爲謝夏五十一根陰毛中選擇之十根陰毛中的特徵，與劉堂坤之陰毛特徵相同；除此而外，這十根特徵相同的陰毛，「男女性別」及「個人別」，尚須繼續測定陰毛的指數，及觀察橫斷面，須送國外機構作進一步切片檢查。本案爲保全送驗資料起見，故未繼續進行檢驗，僅以初步檢驗結果提供參考。因此，李檢察官以這樣的鑑定而把劉堂坤提起公訴後，再把陰毛送往日本鑑定。但殊出意料的是日本「鑑定的結果仍與台北刑警大隊所鑑定者完全相符」。

　據說：這根陰毛如切片檢查，須送美國檢驗，而檢驗費需要美金六十萬元。由於這筆費用太大，所以未進一步檢驗。假使此說是眞的，就眞的很值得檢討了。因爲政治哲學的基本原則「國家爲人民而生存，人民非爲國家而生，人格有無限的價値，國家的目的是爲人民的公益」。本此原則，謝夏之死，固然要把眞兇依法嚴懲，但不能因此而把無辜之人誣爲兇手。美國前任總統胡佛說：「如果我們的政府官員只選擇他們所贊成的法律去執行，如果我們的公民只選擇他們所贊成的法律去遵守，我們的整個自治政體便將趨崩潰」。因爲「你能暫時欺騙一切人也能永久欺騙一部份人，但你不能永久欺騙一切人」！

　記者對司法當局的明智措施，因爲沒有把該檢察官列爲「優良司法官」而表揚，然而台北報紙已經「越俎代庖」對其「表揚」了。而鄭部長在謝夏案發生後，曾三次去嘉義，但過法院大門而未入，因爲怕影響該案審判，這是對的。不過，我們希望司法當局要做到毋枉毋縱。

多明尼加與哥倫布

——本報資料室

　中美洲小國多明尼加發生了共黨叛變，不禁使人關心發現新大陸的哥倫布遺骸的安全。

　哥倫布的遺骸，是一五三七年從在西班牙塞維爾城的拉斯古華斯寺院遷移到多明尼加的首都聖多明各，經過兩個多月的時間，橫過大西洋，因途中遇風，致航擱航程。同船運送的，尚有哥倫布在彌留時的遺囑——死後願葬於聖多明各，他最喜歡的地方。由於受多種事情的牽阻，在經過許多年之後才能實現。但在後來，人們又懷疑哥倫布的遺骸是否眞的葬在聖多明各城。

　當一六五五年，聖多明各受到英國艦隊的威脅，當地的主教急忙將哥倫布父子的遺骸秘密收藏，以免被敵人所毀。一七九五年，西班牙將海地島割歸法國，聖多明各就是在那個海島上（現今這個海島分由海地共和國與多明尼加共和國所有），但聲明仍保有哥倫布的遺骸，并將運到古巴的夏灣拿城。搬運的工作在那年年底完成。

　那時的確有一副棺柩藏着一個人的骨骸被運到夏灣拿安葬於哥倫比亞大教堂，但後來聖多明各人說那是屬於哥倫布的兒子廸高的遺骸。又據一說，聖多明各人不想哥倫布的遺骸離開他們的城市，就以廸高的遺骸來瞞騙負責移柩的西班牙專員。

　一八七七年聖多明各大教堂改建，工人發掘出一個石棺，內藏有哥倫布的孫兒路斯的遺骸。更有一個大的空的墓穴，這就是在當年西班牙人曾將那裏所葬的棺木搬到夏灣拿去的地方。隨又發現一個大的地底墳墓，後來便決定那是哥倫布歸葬的地點無疑；曾經有人主張發掘，開棺查看，但遭多數人反對，認爲這是對死者不敬的舉動。他們就再築一個華麗的陵墓，在一八九八年十二月五日舉行竣工大典，由多明尼加總統主持揭幕，各國多派代表前去觀禮，西班牙和古巴沒有參加，因在同年九月，西班牙人將葬在夏灣拿城被認爲是哥倫布的遺骸再運返塞維爾城安葬。他們認爲那才是眞正的哥倫布的遺骸。

　多明尼加曾經發出一套郵票來紀念哥倫布陵墓的完成，其中圖案有刻一八七七年九月十日在聖多明各大教堂發現的石棺，另有刻新築成的哥倫布陵墓，完全用古銅和雲石建造。在入門處有兩隻銅雕的大獅子，守衛着一面銅牌，刻有讚揚哥倫布的功績和文字，哥倫布的遺骸藏在一個用水晶製成的靈柩內，日夜有人守衛。

　西班牙人和多明尼加人各執一詞，都說哥倫布是葬在他們的國境內。到底那裏的陵墓才是哥倫布遺骸的眞正安葬地點，到今天實在仍是一個謎。

明刑弼教的新竹少年監獄

——本報記者朱武州

　優美環境可使人變換氣質，陶冶其心性，該監對於環境之美化，向極重視，諸如庭院佈置，花草園景之設計，務期美觀絕俗，清新宜人。近除新建古式月門花牆一座外，并於監內適當位置，製作「正氣歌」，受刑人公約等標語牌，促使受刑人耳濡目染，於無形中予以潛移默化，奮發進取，以符教育刑之旨。

發展作業

　爲達成訓練受刑人謀生技能，培養其勤勞習慣之作業目的，設有木工、籐工、印刷、縫紉、雕刻、農藝、紡織、營繕、洗濯、沙發、飼魚等科目，並配有專業導師，分科訓練。成品力求精長，更實行檢驗制度，品質水準甚高。雕刻品引起社會及外籍人士廣泛訂購。一般沙發及籐木傢俱之產品，亦甚暢銷。木工科出產之中小學課桌椅，廉價供應中北部各縣市公私立學校，每組較市價低廉約百分之三十。不但直接裨益受刑人謀生技能訓練，更亦增加國庫收入。

　該監外農場側面，有面積一甲之魚塘一口，飼放約萬餘元魚苗，復不斷修護塘堤，加强管理，每年收穫成魚數千餘斤，除支出外，年餘達數萬元。估計今後再加整理，收穫量將更爲增高。

衛生保健

　「預防重於治療」，該監平時極其注意環境衛生，廁所、溝渠，每日冲洗消毒，各處經常保持清潔。新入監受刑人，一律施以健康檢查。平時定期實施體檢，發現有疾病者，均經予以適當治療。由於衛生改進，防治得宜，故疾病大爲稀少。

　受刑人之給養保健，時求改善，除法定主副食外，並大批種植蔬菜，加倍供應，自製豆腐佐餐。又以發展作業收入增加，按月提成輔助受刑人副食費用，於受刑人營養，增進良多。利用奉撥修建費四萬元，興建大型熱水浴室一間，另自行設法購置蒸氣鍋爐及熱水淋浴設備，每人一週輪流溫水淋浴二次，受刑人保健，乃大獲改善。

　該監自奉命推行三民主義管教措施以來，已漸獲成效，養成了受刑人自尊自重心理，啓發其自覺自動，奮發向上精神。又施行自治制度，倡揚民主風氣，多方面提高其榮譽心與責任感。受刑人選舉各種自治服務員，（工場服務員及佐理員、組長、膳食監督員、教育正副班長）均有良好之表現。

加强聯繫

　一，增進少年家庭聯繫。該監與少年受刑人家庭切取連繫，增進了解，交換管教意見，於每年司法節舉行管教連繫會，柬邀各家長參加，並備茶點招待。會前特許家長與子弟聚談一小時。此一新措施，對管教之推進，頗多助益，因而已引起社會普遍注意與讚揚。

　二，舉辦假釋出監人通訊調查。假釋乃行刑處遇之成果，事前考核，允宜詳愼謹嚴，而出監後在假釋期間之生活工作調查，尤爲重要。因此，該監先後被假釋出監人，開始辦理通訊調查，計獲得正當職業者佔百分之九十七强，餘在尚未謀得職業前，均有生活保證人負責其生活，並謀求適當職業。

　該監所執行之少年受刑人，依法未滿十八歲之少年，多係正在求學階段，在監執行中，雖予以繼續教育，唯所獲教育程度，出監後無法獲得學校當局之承認，於其升學影響至鉅。該監有鑒於此，擬具少年受刑人入學甄試辦法，呈請層峯轉商教育部結果，准予試辦，已於五三年七月八日開學，分別開辦小學、中學各部。小學部日間上課，中學部晚間上課。其專門性課程，如英、數、理、化等，均向當地中等學校聘請專業教師授課。辦理以來，成績卓著。少年受刑人若在監補習初小高小課程，監方於每學年終了之月初，造具上項程度者名冊，呈報部院核轉省教育廳轉發縣教育科，定期命題派員蒞監，依其學力甄試及格者，由縣教育科發給資格證明書，其所證明資格與普通國民學校畢業資格相同。若在監補習中學各種學科，已屆初中或高中相當肄業或結業之階段，行將出監者，其手續亦依前項辦理甄試及格，發給相當初中或高中程度之資格證明書，俾作就業或升學之文憑。前二項之證明書，不書「監獄」字樣，以維出獄人自尊心。

　在如此措施之下，該監實已極少有牢獄之氣氛，實在值得大書特書。（下）

屏東二三事

本報記者袁文德

　△自從四月一日開始全省上映日片，此間屏東戲院檔期，也一連串排出大盜賊、盲劍客、虎牙三部日片，其票房紀錄之高，是出乎一般人所想像的。

　賣座力叫高的主要原因，當然是受了：①久無日片，一般觀衆看膩了西片，冀求換換胃口；②台省同胞的愛好問題，這固屬反常的現象，但還是人爲因素的開放日片進口政策所造成的。

　最不應該的是，屏東戲院居然利用觀衆心裏上的弱點，乘機把票價抬高三分之一强（按屏東市首輪戲院的票價，通常訂定全價七元，半價四元，如有長片或較好片子則略加至八元，九元，十元不等。然而這次屏東戲院放映大盜賊，虎牙二片，票價均一躍爲十三元，半票也賣七元），實屬空前罕有的例子。尤其「虎牙」一片，放映僅祇八十五分鐘。記得一年前，放映西片「最長的一日」，片長需時三點二十分鐘，僅收全票價十二元。而今台省物價穩定，戲院竟可隨心所欲的漲價，豈有此理。

　△屏東縣第八屆村里長當選名單，縣政府已於五月七日正式命令公告，依照規定，自公告日起，十五日以內爲法定訴訟期間。迄記者發稿日（五月九日）止，已有四件訟案，其中請判決村長當選無效，選舉無效各兩件。

　照省府命令規定，村里長當選任職期間，僅適用公務員法，但又無公務員任用資格，同時更非薪給職，而是每月可領到特別費新台幣一〇〇元的公僕。然而大家對此職還是競爭激烈。從村長落選而興訟的事實，可以說明三點：

①民主政治的教育水準不夠，候選人常以非法手段，達到當選的目的。②地方派系代替了民主政治。③好訟。

　△屏東縣府爲了辦好五十五年廿一屆省運會，在幾度絞盡腦汁，希望籌妥運動場修繕費時，卻都受到輿論的抨擊而作罷，縣長張丰緒爲籌妥這筆龐大的經費，終於放棄一切意圖加捐加稅或舉辦省運彩券搖獎等辦法，而減縮五十五年度各單位的業務經費，編訂了五百萬元預算，以作場地修繕及增建體育館之用。從這件事的表現上，可以看出這位年輕縣長的性格，與他那勇於任事的精神。

新儒顯微鏡下的人性光輝

——解答了哲學上一個大難題

（論道統第六章）

陳健夫

我今天却不顧世人如何的感覺，要將這病的真象向世界說明，希望大家都能認識這心病的嚴重。已經有這種病的，趕快醫治，沒有這病的，也可以趁早預防，提高警覺。

這種心病的發生，是由漸而致，并非突然發生。心病的形成：大部份從祖先遺傳下來，凡是祖先所惡的，子孫也可能受不良遺傳。因爲一切血質細胞特有的機能，都是可以遺傳下來的。根據這種學理推斷人羣一切心病，有的由於祖先遺傳。我將這道理列成一個遺傳定律。在這定律之下，證實了凡是父母之一代，祖之一代，曾祖之一代乃至更遠的祖先，若是心術良善正常沒有病態的，則他的子孫，也可能是身心健康沒有病態。假若父，祖，曾祖都是心病嚴重的，則他的子孫也可能有可怕病態。所以心病多來自天賦遺傳。我們由這種遺傳定律，同時又發現一因果律，凡是一個人得到嚴重心病，大半是他的祖先所種的因：種瓜得瓜，種豆得豆，乃是天理自然的定律。有因必有果，沒有瓜何能得瓜？無因自無果。只要種了因，早晚總有果出來。佛家說『種善因，得善果；種惡因，得惡果』却也見得是。世人的心病不僅由於先天遺傳，還有後天教育的關係，一個人若受到良好的教育，也可改變爲善，若又受到不良的教育，那就更是惡上加惡了。我們由這個定律可知道後天的教養在心病的治療上佔有非常重要的地位。凡是一個文明進步的國家，他的教育必然發達。可見由教育入手，已是自古相傳下來的一種治療心病的特效藥。

這種心病的發生，其狀態十分顯著。心病潛伏在人心中，時機到了，必然要發洩出來。這心病發作狀態，正如其他病症同樣顯著。一般的病多因寒熱發生，而心病却由一念而起。平時心中潛在的病，一接觸到外界事物，此時便起一念，這個『一念』是事物的反應，是最實的，最有力量的。病即從此發生。此念一發，不可收拾。當人們一念初發時，很迅速的發展到全身各部門，所有血管氣血都起了變化，即是細胞也開始運動，準備有所動作。比如一個人發了淫病，一念初起，精血即刻出動，呼吸開始緊張，手脚發生痲痺，下部發生一種熱氣，於是躍躍欲試，必得之而後甘心。（三）

夷區采風錄

李仲侯

夷人的婚姻有三個特點，就其訂婚來說，是買賣性質；就其迎娶來說，是搶掠性質；就其選配來說，爲同族遠親性質，對異族而婚，嚴行禁止。結合多由父母或主人主持，第一步須按階級選配，不准混淆黑夷於白夷間。當家娃子與白夷娃子之間，都相互不通婚姻。但同姓男女亦不結婚，以免種族退化。第二步講身價，身價以黑夷女子最貴，普通須銀二三百兩，猪酒布等禮物所費亦多。聘最貴的身價有至數千兩的。財產愈富的貴族女子，其身價愈高，蓋其賠嫁亦較多也。賠嫁的物，無非是一些牛羊及男女娃子之類；但管理權，則嫁後仍屬於女子，直至生產子女後，才與其夫共同管理。白夷女子的身價較低，普通僅五六十兩，最貴者亦不過百兩。至於鍋莊娃子與第三代娃子之身價則更低，只須備猪一隻及酒一罈，即將來成家立業，自由生活時，亦只將女娃子老板原出之買價交還即妥。其數大致爲二三十兩，最貴亦不過四五十兩。

夷人迎親，還遺留一種古怪的習俗：當女子出嫁前夕，由她父母邀請有關戚屬，舉行一個特別晚會，由嫁女子當場表示捨不得離開父母和可愛的家庭，往復泣訴一番，表示依依不捨之意。第二天男女家庭均各準備筵席，款待邀請來的一些親戚朋友，以示慶賀。男家迎親時，選擇壯丁多人持酒布等物與新郎同往，女家方面已準備了若干壯漢，各持木桶一隻，內盛冷水，靜待迎親人到來；待男方接近門口時，女方家長即發出口號，把所準備的冷水一齊對準迎親的人潑將出去，以表示抗拒。男家則蜂擁入室。文明一點的，在女家共食酒肉，並助以歌舞及其他遊戲；新郎於紛亂中乘隙將新娘搶抱背負而逃。女家尾追之，至相當距離而返。新娘於途中則大聲啼號，表示不願前往。有些野蠻的，於進門潑水後，即發生格鬥，彼此在女家門口扭作一團；新郎就乘隙跑入女方家中，到每個角落去搜索新娘所在，總以新郎無法捉到她爲能事。萬一被新郎發現了，女的則千方百計掙脫，甚至實行毆打，演變到頭破血流。也認爲是結婚過程中的光榮。他們的禮俗規定要這樣去做，無非是表示男女雙方都要有能力，有勇氣，顯示男女的結合，不是一件隨便容易的事。

我們由宋君引導，曾陸續訪問過峨邊附近十一個夷村。他們的房屋，大都是一律，與我們漢人所建三開間房屋相像。居室的講究與否，就與貧富有關。富有之家，大多用篾席將一間大的房子，隔開成三間，一間作臥室，一間作飯廳兼客室，一間作養牛馬之用。人畜同居處，已成習慣。不過講究一點的，多半上面有個吊樓，用以[illegible]作賓客住宿之用。他們的房屋，無窗戶設備，白天晚上一樣的黑漆，空氣一點也不流通；幸而他們經常在外活動，房屋作用，不過視爲夜間安息之所，大都已習以爲常了。（五）

漢文，漢字，漢學

陳曼翊

餘　論

「經學」這一名詞，說得嚴格一點，倒不如有清一代的經師們說得透闢。那雖不是純粹的漢儒製作，也無異是『漢學』。蓋「孔子修成，康之道，述周公之訓，以敎七十子」那也是首載之於淮南子「要畧篇」。戰國年間，諸子競相「創敎興學」，已有不少「託古改制」的爭端。孟子一書講：「書曰」，「詩云」。但他却是第一個首先就疑古的創始者（盡信書不如無書，我於「武成」取二三策。這是說明孟子的取捨）劉歆果如清季「今文家」的說法，那嗎他也決不會在七畧（向、歆父子專集）中蟫錄各書之下，加注甚麼：「依託」，或「非古語」，抑「近世[illegible]」等一類的考語；又如神農篇：「六國時諸子疾時……託之神農」的文字了。（這裏不過略舉數例，並非有意在爲劉歆張刷）他的「爭立左氏」，事實上左氏也有左氏的價值。

我們讀史記的「太史公自序」寫得明明白白：「左丘失明，厥有國語」（按：「明」，「昧」二字，乃是對稱詞）假定此一「左丘」在爲史官之時，因其失明而昧，乃以國語代史。揆諸當時，「諸侯力政，不統於王。」周室已經成了徒具虛名的（空架子）了。但又不能廢棄「史」的記載，乃引用各侯國間的國語（文書）作「史」的一項事實。筆者的文字拙劣，自不敢言考據，何況是一些「故紙堆」。但「史記」一書，史家素來倘爲頭等資料，史遷又無書不讀。這樣解釋，並不是要廓清以往的聚訟，而是對「左丘」這位史官的處置，多尋出一絲綫索。因他的「失明」。或倘之爲因革損益，昧於取用史的資料，才用「國語」來代替「史」的一項事實。乃至影響到後來的司馬子長，雖遭腐刑，也發憤完成他的一部「史記」。

東漢王充，論衡裏的「疾虛妄、藝增、儒增」等篇，也對「漢書」舉出不少疑點。唐、劉知幾「史通」，更是發前人之所未發的說：「拘於禮法，限於師訓，雖口不能言，而心知其不可者，蓋（疑）亦多矣。」這種毫不徇情的批注，的確是前所未見！

宋人因印刷發明，所見古代書籍，自較前代的輾轉傳抄爲多，故對可疑的古書，幾已全被檢舉。明、清、兩代諸儒，咸多效法孔子好尚（信而好古）！故宋濂、梅𬸚、胡應麟、顧炎武、黃遵憲、毛奇齡、胡渭、閻若璩、戴望、莊存與、惠棟、萬斯大、斯同、戴震、袁枚、姚際恒、龔鼎慈、劉逢祿、魏源、邵懿辰、崔述、牟默人、廖季平、康南海、崔適等人，雖非博淹今古，而皆學冠一時。他們的立說，也有不少可取之處。即如：盧文[illegible]、畢沅、孫詒讓、謝墉等的校刻；汪繼培、嚴可均、馬國翰等的輯錄；還有汪中、王念孫、王引之、俞樾、孫星衍等的精研功夫，皆不可沒。（三九）

爲一般的公教人員生活設想

（上接第一版）

人總是有是非羞惡之心的，公務員不應該貪污瀆職，這道理誰也知道，任何一個官吏，決非生來就是貪污成性的冥頑不靈之輩。貪污風氣之所以滋生，基本原因是俸祿不足以養廉，其次由於一般社會生活之奢靡不正常而感受刺激，衝毀了義利之辨的心理防綫，享受慾油然而興，難以尅制，若再有犯下貪污大罪而倖免刑戮的情事存在，如司法官高嵩、王鎭之流，雖納賄鉅萬亦未罹於大辟，無形之中即助長了一般公務員行險徼幸、姑試爲之的貪污慾念。所以，政治隆汚的因素，是集社會生活、時代風氣和政府紀綱諸條件而造成的。要消弭貪污現象，積極辦法在使大多數公務員都能夠過着粗茶淡飯的安定生活，消極辦法是要議親議貴，毫無假借的嚴懲貪官污吏，樹之風聲。回憶對日抗戰時期的公務人員生活比現在更困苦，但政府曾將貪污瀆職的中樞兵役署長陳沛民，四川敎育廳長楊廉，又將成都市長楊全宇等貴人物置之大辟，又將生活糜爛的行政院參事羅君强撤職查辦，因而政風乃不苦今日這末窳敗。我們一面建議政府設法提高各機關低級公務人員的待遇，同時更盼望政府本着抗戰時期整飭紀綱的精神，用重典懲治貪官，且以綜覈名實之道，對於知恥自愛、有所不爲的廉吏，特加獎擢，藉勵人心而滌澆俗，曷勝企幸！

動物農場

第七章　動物所追求的社會

英George Orwell著　陳其芝譯

又說：「我更敢保證，牠可以成功的，假如不是我們的英明領導者—拿破崙同志精明幹練的話。我相信你們也記得，當鍾士先生和他的長工們走進院中時，史諾柏忽然轉身逃走了，而且有不少的動物還跟在牠後面跑，難道你們不還記得就在那驚慌失措面臨失敗的刹那，拿破崙同志奮不顧身地衝上前去，大叫『該死的人類！』用牙齒猛咬鍾士先生們的腿嗎？當然你們會記得那個勇敢的場面的。」斯奎勒一邊說，一邊還在來回地跳着。

當斯奎勒活龍活現地講述着戰時的情景時，動物們也覺得有那麼一件事。不管怎麼說，牠們記得在千鈞一髮之際，史諾柏轉身想逃是眞有其事。但是白克薩仍然不能釋然。

「我不相信史諾柏從一開始時就是個叛徒。雖然牠以後所做的事是另一回事，但是我却相信在牛欄大戰時，牠是箇好同志。」白克薩最後這樣地表示。

斯奎勒用平靜而肯定的語調說：「我們的領袖拿破崙同志……」「：斷言——肯定地說，史諾柏從一開始就是鍾士先生的奸細。同志們，這是眞的，在沒有革命很久以前拿破崙同志就懷疑牠是鍾士先生的同路人了。」

「哦！那就是啦！」白克薩說：「只要是拿破崙同志說的，那一定是對的，」

「同志！這才是了不起的精神！」斯奎勒大聲說道。可是動物們却看到牠對白克薩拋射了一個不屑的眼光。牠轉身走了幾步又回過頭來，意義深長地說：「我警告你們每一個動物，你們在農場中該睜大眼睛細細觀察，因爲現在我們有理由相信史諾柏的奸細就隱藏在我們中間，站在我們身邊。」

四天以後的一個黃昏，拿破崙命令所有的動物到院子裏去集合。都集合好後，拿破崙才由農舍中走出來，身上佩帶着兩枚勳章，這是牠最近頒贈給牠自己的「第一級動物英雄」，「第二級動物英雄」勳章，九隻狗邪惡的散立在牠的四週，不時發出汪汪叫聲。動物們一箇箇噤若寒蟬，戰戰慄慄地畏縮在一旁。牠們預感到將有恐怖的不幸事件發生了。

拿破崙冷森森地掃視了一下牠的羣衆，吼出一聲尖銳刺耳的鳴。九隻狗隨聲跳上前去咬住了四隻猪的耳朵，在一陣驚懼哀鳴中四隻猪已被拖到拿破崙的脚前，猪的耳朵正流着紅紅的鮮血，狗不停地舐着那鮮血。不一會，那些狗露出了瘋狂的獸性，突然，其中有三隻狗猛地轉身撲向白克薩！幸而白克薩及時驚覺，伸出前蹄，早已把一隻來犯的狗平空踢倒，那隻狗自半空中摔下來，在地上慘叫不已。其他兩隻一見來勢不妙，就夾着尾巴逃開了。白克薩一面用蹄子踩着地上的那隻狗，一面用詢問的眼光看着拿破崙，希望牠給一個暗示，把狗踩死或是蹄下留情。拿破崙見此場面神色驟然一變，隨即命令白克薩鬆開蹄子，讓那狗走。白克薩剛舉起蹄子，那隻負痛（帶傷）的狗即亡命而逃。

會場頓時呈現出一片死寂。四隻猪瑟縮地立在前面，牠們都好像犯了滔天大罪般的顫抖不已。拿破崙叫牠們自動坦白罪行。這四隻猪原來就是反對拿破崙廢止星期日集會的那些猪，牠們也毫不思索地講出了罪行。牠們說從史諾柏被逐的那天起，牠們一直秘密地保持聯繫，牠們之間有協議！一起來破壞風車，更共同密謀將「動物農場」轉手給菲特烈先生經營的活動。（廿五）

毋忘在莒與田單復國

·匡謬·

公孫無知政變得手，弑了齊襄公而自立。可是，公孫無知的基礎欠穩固，一則他是名不正言不順，在二千多年前的時代，人民對於「篡」「弑」認爲是大逆不道的，不管那君主酒囊飯袋，臣民是不得隨便動他的。所以在公孫無知政變不久，齊人的愛國份子便起而把公孫無知政權推翻，殺了公孫無知及一干重要叛亂份子。雖然打倒了公孫無知，但政治危機却更形暴露，最重要的是國本動搖，中樞無主。於是齊人便派遣使者到魯國去迎公子糾回國來繼位。魯莊公是一個有雄圖的人，時有稱霸諸侯之志，隣國發生了如此重大的危機，豈可讓這大好時機輕易溜走？尤其是大夫施伯，是一個足智多謀的人物，也是一個齊國通，他建議莊公，不要即刻遣回公子糾，先要求他簽訂條約，然後再讓他們回去。魯國君臣打的如意算盤，乘機來個「政治勒索」，所提出的條件當然十分苛刻。齊國的使者不敢接受，但是時間却不容許再拖，因爲拖則恐怕國內又要發生變化。使者決定回莒城去迎接小白，小白獲大夫高傒的幫助，得「捷足先登」，回到齊國，繼了位，是爲齊桓公。魯國聽說齊人迎小白去了，馬上挾持了公子糾一干人，兵臨齊國，可是已經慢了一步，鮑叔已經有了準備，未能得逞。

桓公卽位之後，對公子糾、管仲和邵忽就大爲不利了，因爲他們已經失去利用價值。此外可能因爲他們還會引起魯國的一些麻煩。齊桓公要封開國元勳鮑叔爲太宰（首相），鮑叔却不願接受這第一職位，他要把這第一大官留給流亡魯國的管仲來做。他堅辭地對桓公說：

臣是一個庸碌的人，君已加惠於我，使臣不致凍餓，已經是主上的厚恩了。如果要治理國家，則不是我的能力所能勝任的。此一重責大任，那唯有請管夷吾回來，他是匡世之才。管夷吾比臣強的地方太多了。

第一、寬惠愛民，我不如他。第二、治國不失其柄，我不如他。第三、忠信可結於百姓，我不如他。第四、制禮可法於四方，我不如他。第五、執鼓立於軍門，使百姓更加勇敢，我不如他。

桓公說：管仲在乾時之戰，曾射過寡人一箭，幸而中鈎，差點把寡人射死了。他的罪已經是到了死罪的邊緣了，怎麼還要他來作宰相呢？

鮑叔說：管夷吾以前的事，那是各爲其君，今天如赦了回來，他還不是照樣會爲君上出力的嗎？（二）

舊友

勞克

要是在台灣，現在不僅穿香港衫，還可以跳進冷水裏游泳。可是，金門戰地就不行。我穿了棉毛衣，還有點那個。

有一天，我見到舊友王志明，我告訴他我的身體不大好。

「什麼病？」

「不是病，體質上沒有抵抗力。」

「這話怎麼說？」

我說在夏天，我還穿棉毛衣，就是最好的說明。

「你比我強。」他說：「我除了穿棉毛衣，還穿上風衣。」

啊，眞的！我也看到很多伙伴，衣服都是穿的很多。

王志明之不大怕冷，我是知道的。但他現在穿了這麼多衣服，就令我吃驚。事實就是這樣子，我也就不再說什麼了。

我最了解王志明的。認識他最久，相處的也最久。

那是五年前，在火車站的一個故事。

我們都坐在候車室。我們互不認識。他穿着軍衣，我是學生裝。

我們都是等南下火車的進站。

有一個五十來歲的老太太，穿着布衣服，眼睛似乎不大好，她伸出手來，向每個人討錢。有的給了五角，有的人一個子兒也不給，還把臉孔車到一邊。

當老太太走到他身邊時，他在衣袋裏掏了半天，却脹紅了臉，空手在袋裏伸出來。

我們都望着他。

他不理會我們的表情。他把老太太緊緊的抱住，又親老太太的額頭。

他說：「我祗有這些，請你原諒我。」

老太太掉下感動的淚珠。

我們也都被這高貴的動作，感動得不得了。

於是我們也就把自己的所有，都送給老太太。老太太說：

「你們太好了。我不會忘記你們。」

老太太走後，我走過去和他握手。

我說：「你的不同凡响的舉動，使我願意和你交個朋友。可以吧？」

「我叫王志明。」

「我是××。××大。」

「我在軍中。」

然後，我們談了些其他的。

他也是南下，我和他同車，談的話也就多起來。

「你到南部會友？」他問我。

「不，」我說：「是找一個朋友。」

「也是大學生？」

「不是。他也是軍人。」

這把他的興趣提起來，問我他叫什麼名字？在那個單位？

我一一說了出來。

「你到過他那單位吧？」

「沒有。」

「我做你的嚮導。」他說。

下了火車，他就很快把我帶到營房。找到我的朋友。

從這後，我和他保持着往來。

他曾一度到金門，參加眞正的炮戰。

他在炮戰中，表現出軍人的本色。英勇，絕對不怕死。他得到金牌。他也負了小傷。

他還突擊過大陸。他說：共匪的暴政，使大陸老百姓的生活瀕臨絕境。大陸上同胞，對共匪是敢怒而不敢言。他（她）們希望國軍提早反攻，消滅共匪。

我大學畢業的第二天，接到他在金門給我的信。他說：

「……

「當你踏入軍營時，我希望你到戰地來。不要以爲這地方是危險的，恐怖的。須知，越是戰地就越是安全。

「再說，人到世界上來，就要有一番作爲的。所以，你到戰地來，便隨時可有轟轟烈烈的表現。做個戰地的英雄，比留在後方混日子好得多。……」

我就這樣來到戰地。並有機會多同他在一起。（四）

劇事雜談

·娑婆生·

麒派四進士

四進士一戲，所謂「節義廉明」，是爲可貴。一齣戲而包含意義如是，卽不簡單。演出的格調，要分三種，是孫派、麒派、馬派。孫派是不易學，但品格絕高；四十五年前，在北平第一舞台所演，孫飾宋士杰，九陣風飾萬氏，吳彩霞飾楊素貞，郝壽臣飾顧讀。列大軸，上場已夜半十二時矣。後來在中和園、廣和樓見連良演出，記得在中和是王幼卿飾素貞，在廣和是李連貞，餘則記不起來。到上海纔見麒氏的演出。就兩人的技藝，麒以資格關係，究屬老辣，似勝馬一籌。定山兄也曾言過，與拙見相似。而劇圈中也似以麒氏爲定型，成爲其獨沽而傲視。

票友能演四進士者，在台灣的不少，而軍中劇團祗有哈元章學馬派，很可以。胡少安也不錯，類似馬派而非麒。記得薛宗淵兄來台，於演追韓信後，在一女中演此，那次我拉到朱殿卿配顧讀，似乎使萬氏楊素貞失色。後來李畬田兩次演過，第一次由戴綺霞助陣，聲色奪人；第二次改用丑角扮演，不過孫雪冰的楊素貞，却極出色。兩位名票實不輸於內行，有過之而無不及。

麒派名票朱聯馥兄，他是來台以後，未動戲劇之念，迄四年前，始稍活動，曾與瘦碧約叙，勸演四進士，力主請戴綺霞，總未如願。自雅歌集恢復，去年四月，始演開山府打嚴嵩，那不過試試嗓子而已。常想到四進士，不知在何年何月才見。上週聞訊，已有演期，爲之大快！因爲這是週慶，大可同樂；但不知那些名票陪同演出，頗有念於萬氏。昨收到招待券，所選萬氏爲銀牡丹，這是與素琴演潘金蓮的王婆，風致綽約，適當之至。再加于玉蘭的楊素貞，也稱妙選。由麒派的朱聯馥，郝派名淨的李閬東，俞派小生徐宗達三位聯演，又爲四進士傳一段佳話。且待觀後，再行報道。

鳳仙多藝

楊鳳仙女士，以空軍從業之餘，研究平劇，完全是自研自揣，沒有專拜老師。積十七八年的時間，她的平劇是大有進展，能唱的戲，不下三十餘齣。余於四十六年在台中參加中台雅集，初見演四五花洞，其扮相之美，唱腔之佳，竟爲大訝！始知中部名票實有不少人。後來知王叔銘將軍前在空軍總部爲總統慶壽時，演出十二五花洞，卽有其份，他如羅倫、侯榕生亦是參加。在中台雅集第二次，她又演投軍別窰，直可以媲美名伶。後來在空軍總部演蘇小妹，是她得意之作，前面是青衣，後面是小生，那份俊俏，實在說比劉瑛爲好看。迨奉調北來，先後陪李畬田唱打漁殺家、戲鳳、趕三關等，皆很精到。所惜是貂蟬連帶白門樓，迄未演過，總想求其實現。尤其在王叔銘將軍赴美之前，大鴻演一次四郎探母，以趙玉菁離退，特指派鳳仙唱蕭太后，經過鑽鍋而登場，絲毫未露是新學。以她劇藝之豐富，被選爲業餘最佳的旦角，獲得金像獎，皆是努力所致，並非倖獲。（未完）

花木蘭

——「影劇與歷史」之五

周遊

演義說木蘭的出身，很值得參考，所以引述一下。演義說：

那女子姓花，其父名花弧字乘之，拓拔魏河北人，爲千戶長。續娶一妻袁氏，中原人。（拓拔魏爲北魏人，故特明白表示其妻爲中原人）園內有一株木蘭樹，培養數年，不肯開花，乃其妻生木蘭時，此樹忽然開花茂盛，故取名木蘭。後又生一女，名又蘭；一男名天郎，尚在襁褓。花乘之尚未有兒子時，視木蘭如兒子一般，教她開弓射箭……講治兵之法。

在她的事跡中，恰與銀幕上相反。

一、演義所應徵的是突厥曷娑可汗，乃始畢可汗之弟，襲其兄位，而爲西突厥。與電影故事相反。

二、木蘭之父名弧字乘之，妹名又蘭，弟名天郎。電影故事有姊名木蕙，弟名木棣。又與演義不同。

三、花弧在演義中爲北魏西突厥曷娑可汗國人，電影中則爲陝西人，而且是唐朝太宗時候的人。

四、木蘭爲西突厥征伐，乃是向唐朝侵犯。電影中則爲唐朝受到突厥侵略，而木蘭從軍乃爲反西突厥之侵略而戰。

五、演義木蘭爲唐兵俘擄，電影故事則是戰突厥有奇功，恰恰與演義相反。

六、木蘭之母演義爲袁氏，電影中未着姓氏。

七、演義木蘭最後因可汗相逼欲婚，木蘭自殺以死。而電影則是與李廣訂婚以終。二者全相反。

八、演義寫木蘭代父從軍一節十分生動。在她父親應徵時，木蘭心中一段感想，是値得一述的，木蘭道：當初戰國時代，吳與越交戰，孫武子操練女兵，若然，兵原可以女人爲之。吾觀史書上，有繡旗女將，隋初有錦　夫人，皆稱其殺敵捍患，血戰成功。難道這些女子，具是沒父母的？當時是逼於王事，勉強從征，反得名標青史。今我木蘭之父，如此年高，上無哥哥，下有弟妹，今若出門，全家依靠何人？倘若不幸戰死沙場，骸骨何能載歸故鄉？莫若我改作男裝，替他老人家頂補前去……少報父母之恩，豈不是好？……」演義上這一段木蘭的自述，深有意義。她有代父從軍之志，在她之前似必有女人從軍的一點前例可徵。可惜電影沒有如此交代。

九、演義上木蘭之父母已有不同的結果：父乘之不久卽病故；母族改嫁魏氏。此與電影及木蘭辭不符。木蘭歸家父母姊弟尚在也。

掀起木蘭小姐的面紗

木蘭由樂府「木蘭辭」之著錄而得名，木蘭小姐又以戲劇、小說而尤彰。但因「木蘭辭」無作者姓名，故直到而今她尚頂着一襲朦朧的面紗。她的姓氏，籍貫，時代，最爲人們所迷惑，眞是撲朔迷離。下面舉出來探討一下：

一、木蘭姓魏，爲隋代譙郡城東魏村人。大清「一統志」江南通志潁州列女傳云：「隋木蘭，魏氏，譙郡城東魏邨人也。隋恭帝時，募兵戍北方，木蘭父當往，而老羸，弟妹稚，乃請於父，代行……」此一說也。（譙郡今安徽亳縣）

法國人筆下的賽金花

匡正

在許多次秘密會見中，她和這個高大的軍官——華爾達斯伯爵發生不平常關係了，在公園中，在夏屋裏。

那外交官是個不懷老婆行徑的男人，他一任賽金花往外交際。但終於有一天要回返中國去，他帶走了賽金花和一個在柏林出世的女孩子；但女孩子出世帶來了白皮膚，他還以爲出世地上所關哩。

一年復一年過去了，賽金花的丈夫死了。她自己再度出來北京的妓寨當起紅姑娘來。她也同時養起一些賣唱的姑娘。

一九〇〇年，拳匪之亂興，在中國的北部妄自稱霸，騷動整個社會。當暴動最劇烈時，見到歐洲人就殺。德國的使館人員在自己地域附近給一羣暴亂的拳衆包圍。德國和英俄法等國的聯軍便從大沽口打入，清除拳亂。拳匪亦稱「義和團」，在抗無可抗之下，陳列了「不潔淨」的物體並施咒在上面，企圖驅走來犯之敵。他們在北京城牆飾以花綵，又掛了一些夜壺和女人的纏脚布。但魔術不靈，京城迅被攻下。（四）

自由報

內僑警台報字第〇三壹號內銷證

THE FREE NEWS

第五五零期

中華民國僑務委員會頒發
台教新字第三二三號登記證
中華郵政台字第一二八二號執照
登記為第一類新聞紙類
（半週刊每星期三、六出版）
每份港幣壹角
台灣零售價新台幣貳元
社長：雷嘯岑
督印人：黃行哲
社址：香港銅鑼灣高士威道二十號四樓
20, CAUSEWAY RD 3RD FL.
HONG KONG
TEL. 771726　電報掛號：7191
承印者：大同印務公司
地址：香港北角和富道九六號
台灣分社
台北市西寧南路壹壹零號二樓
電話：三〇三四六
台郵撥儲金戶九二五

退化的歷史觀

韋政通

春秋戰國，是中國文化發煌的時代，在這時代，各家的歷史觀，幾乎有同一趨向，這趨向就是「託古」。如儒家稱堯舜，道家尊黃帝，墨家推崇夏禹。這種史觀，遂使後世相信「愈古愈好」。因此，退化的歷史觀，可說是中國文化的特徵之一。——漢代公羊家和禮記禮運中，均曾有類乎進化的三世之說，但在歷史上未起何影響，儒者們深信不疑的，仍是堯舜三代。

退化的歷史觀雖為先秦各家所同趨，但以儒家信之最篤，言之最細，對後世的影響也最大。據論語載：

「子曰：大哉堯之為君也，巍巍乎，唯天為大，唯堯則之。蕩蕩乎名無能名焉。巍巍乎，其有成功也。煥乎！其有文章。」（泰伯篇）

「子曰：巍巍乎，舜禹之有天下也，而不與焉。」（同上）

「子曰：無為而治者，其舜也與？夫何為哉，恭己正南面而已矣！」（衛靈公篇）

又據中庸「仲尼祖述堯舜，憲章文武」之語，孔子在當時贊堯舜的話可能不少，只是被弟子正式記錄下來的不多。

孔子為何讚堯舜？我們可作如下的推想：

①可能在當時就有一些關於古史的傳說，說堯舜如何如何，孔子承襲了這一說法，只是偶然說說，並沒有深刻的用意。

②是因孔子提倡德治，又怕人微言輕，無徵不信，所以利用（或虛構）了關於堯舜的傳統，叫它貼上儒家的商標，以便於宣傳。於是堯舜時代變成儒家德治理想盛行的時代；堯舜變成儒家心目中典型的聖君。

③孔子以一布衣，崛起於公卿之間，在貴族政治還未崩潰的時候，階級尊卑觀念仍甚普遍之際，要宣揚他的教義，恐有諸多不便；但搖身一變而為堯舜教化的宣傳員，與公卿輩就容易相處得多。從這一角度看，孔子可能是借古聖之名，抬高自己的地位。

④在貴族政治時代，一個平民，要想把自己的思想傳揚後世，對歷史發生影響，不是容易的事。孔子因此造成以堯舜為首的道統，證明自己只是一個道統的繼承者，後世的人，只要相信道統，就不能不承認孔子承先啟後的地位。

到了孟子，孔子的讚堯舜，通過他豐富的想像力，和強烈的道統意識，原屬於虛構的，或傳說中的道統，就完全變成整齊一派相承的歷史。你看孟子對這段歷史的精彩描述：

「天下之生久矣，一治一亂：當堯之世，水逆行，氾濫於中國，龍蛇居之，民無所定，……書曰，『降水警余』。降水者，洪水也。使禹治之，……然後人得平土而居之。」

「堯舜既沒，聖人之道衰，暴君又作，壞宮室以為池，民無所安息；棄田以為園囿，使民不得衣食。邪說暴行又作，園囿池沛澤多，而禽獸至。及紂之身，天下又大亂，周公相武王，誅紂伐奄，三年討其君……天下大悅。」

「世衰道微，邪說暴行又作，臣弒其君者有之，子弒其父者有之，孔子懼，作春秋。」

這自然是歷史與孟子的構想混合而成的敘述，主要目的在指出從唐堯到孔子的道統歷程。這描述最後還有一段總敘：「昔者禹抑洪水而天下平；周公兼夷狄，驅猛獸，而百姓寧；孔子成春秋，而亂臣賊子懼。……我亦欲正人心、息邪說，距行，放淫辭，以承三聖者，豈好辯哉，予不得已也。」（滕文公篇）孟子這一段話的作用是三方面的：

①孟子的時代，既是「楊朱墨翟之言盈天下」，孔子在當時的地位，可以想見。孟子是孔氏的忠實信徒，為了維護孔道，發揚儒術，於是更強化了孔氏「託古」的技術，樹立了嚴正的道統。

②道統的旗幟豎了以後，孔氏和孟軻自己成了中國古代文化真正的繼承人。

③孔孟既成了古文化的繼承人，那末凡是與孔孟相悖的學說，就必然被視為不合正統的異端邪說。

這些作用在歷史上的影響，下面將要提到。這裏要強調的一點是，孟子這段話，不僅為歷史退化觀提供了理論的依據，且也為歷史的退化觀提出事實的根據。把堯舜禹湯德治的神話，描繪成了歷史事實，後人一與現實對照，怎不叫人有「愈古愈好」的退化想法？

在孟子盡心章末還有一段道統論：「孟子曰，由堯舜至於湯，五百有餘歲；若禹、皋陶則見而知之，若湯則聞而知之。由湯至於文王，五百有餘歲；若伊川、萊朱則見而知之，若文王則聞而知之。由文王至於孔子，五百有餘歲；若太公望，散宜生，則見而知之，若孔子則聞而知之。由孔子而來，至於今百有餘歲；去聖人之世，若此其未遠也；近聖人之居，若此其甚也；然而無有乎爾，則亦無有乎爾！」

孟子雖主張五百年必有王者興的一治一亂說，但由「無有乎爾」之歎，恐怕到他自己為止，以後就是有亂無治了。徵諸後世歷史，儒者一開口就瞧不上眼「三代以下」，這說明確已中了孟子道統論的毒。而孟子的道統論，就應用到歷史上去，就成了歷史的退化觀。這裏我們以毛詩序作個例子，它在中國文化上影響不小，它的基本論點，就是本於孔孟的道統論，引而申之，觸類而長之，幾乎到了荒謬絕倫的地步。顧頡剛「毛詩序之背景與旨趣」一文說：「詩序之方法如何？曰，彼以『道政治盛衰』，『時德優劣』，『篇第先後』之四事納之於一軌。凡詩篇之在先者，其時代必早，其道德必優，其政治必盛；反是，則一切皆反。」（下轉第二版）

盲眼的人

為誰辛苦為誰忙

今日與明日

處處烽火

多明尼加的問題尚未解決，玻利維亞又發生暴動。兩件事的經過雖然完全不同，但骨子裏卻是一貫的。多明尼加叛軍一開始就被共產黨滲透，雖然領導革命的叛軍首領並非共黨，但是叛變如若成功，政權必然要落入共黨手中，問題只是時間的長短而已。

美國對此，自有確實的情報，所以詹森總統劍及履及派兵入多明尼加保護僑民，支持反共力量；接着美洲國家組織也起而行動，決以武力調解多國內爭。到此為止，多國已不會再落入共黨手中。於是滲透的共黨份子恐怕一旦叛軍失敗，或接受和談，都對共黨不利，因之採取聲東擊西之策，又轉移到鄰近國家去，首當其衝的就是玻利維亞。

玻國這次事件起因非常簡單，只是為了驅逐左翼工黨首領到巴拉圭去。於是共黨就乘機暴動，幸為軍警鎮壓下去，但是問題尚未解決。若應付不當，很可能釀成事端。

法國遇事掣肘

共黨的侵略如此之急，自由世界內部的團結卻呈現分崩離析之勢。法國目前對美國政策已經變成了為反對而反對。美國在越南政策法國反對，美國在多明尼加政策法國也反對。最近兩年來，無論美國作的什麼事，包括試爆核子武器，法國無一不反對。不僅反對而已，甚至如拋售黃金以打擊美元，竟然想以經濟壓力拖垮美國。美國過去的當局無論怎樣對不起戴高樂本人，但是對法國卻有恩無怨，法國此種以怨報德的作風，是斷斷要不得的。

日本猴子野心

另一個以德報怨的國家是日本。廖文毅在日本搞台灣獨立運動十幾年之久，中國政府屢次向日本質問，日本朝野皆諉稱不知，認為是廖文毅個人的行動。現在廖文毅回國了，台灣獨立運動解散了，中國人都感到高興；失望的除毛共人員，就是日本朝野了。

當廖文毅上飛機時，發表一個簡短聲明，述說返回中國，日本全國大小報紙對此消息隻字未登。廖文毅回到台灣之後，所受到中國朝野的熱誠歡迎，日本報紙又隻字未載，只是惋惜廖文毅政治生命從此完結。原來一個人背叛祖國時有政治生命，向祖國輸誠之後就沒有政治生命了！不知政治生命究竟何解？由此可以看出，廖文毅的行動，百分之百是日本人支持、慫恿，大部份日本人還在作東亞共榮圈的舊夢。大概吃了兩顆原子彈尚未足蔽其辜，又想多吃幾顆了。

（何如）

自由談

君子之過

馬五先生

會在海外搞所謂「台灣獨立運動」的廖文毅氏，最近幡然覺悟，回到中華民國行都所在地的台灣老家了，殊堪欣慰。

人的思想、言論和行為，在其生活過程中，受着主觀條件和客觀環境的支配與影響或刺激，不免時有變遷，這是常事，而以思想的變遷關係最大。思想發生了變化，言論與行動即隨之轉移，祇要是光明磊落的覺今是而昨非，卻無礙於個人的人格。所以近代學人兼從事政治活動的梁任公，常說「不惜以今日之我與昨日之我宣戰」，對於別人批評指摘他的話，乃至於老師康有為罵他是「梟獍」，皆無所容心。然世人對他的崇敬心情始終如故，就因為他的出發點不是為着滿足自己的私慾，而其態度很坦白光明也。

廖氏以望六之年，思想已屆成熟階段，毅然迷途知返，國人皆表示稱許，再看看祖國的一切現實情況，相信他的思想將告定型，而盡其力之所及，獻身於反共復國的時代使命了。

政治上的是非恩怨，原不足道，非待身後經過歷史家的客觀裁判，即不容易得到正確的定評，一時的毀譽得失，有如過眼烟雲，不值介懷，梁任公的風格是妥當的。回憶近五十年來的政局，時在動亂紛爭之中，現在凡屬行年五十歲以上的人，或多或少的都曾捲入過各種動亂的漩渦裏。今日若有人談到過去的歷史陳跡，祇有學習梁任公的風度，泰然不以為意，讓後世史學家作公正的論斷。如果沒有這點涵養工夫，還要以聖賢豪傑自居，企圖一手掩盡天下人的耳目，把自己過去的某項慚德，說成是一種美行，別人偶爾提及當年的史事，即悻悻然視為不共戴天之仇，報以惡聲之外，不惜告狀打官司，這就是醜態百出，徒然令人齒冷罷了。

廖文毅氏於回國之日，聲明解散自己所組織的「台灣獨立」政團，誓志作一名反共復國的戰士，態度朗爽，詞意明確，不失其為勇於改過遷善的大丈夫氣概，比較那些言偽而辯，滿懷私慾的政界渣滓人物，高明多了。昔賢謂：「君子之過，如日月之食也」，廖氏有焉。

石破天驚事前絕對秘密
廖文毅改邪歸正前前後後
策動他回頭是誰的乃其母兄弟妹
政府寬大政策十分明智影響重大
國際浪人從此失去興風作浪機會

（本報台北航信）久在國外組織政治團體，倡導「台灣獨立運動」，且自封為「台灣共和國大統領」的台省雲林縣人廖文毅，忽於本月十四日由日本東京乘坐ＣＡＴ翠華號飛機，回到台北來了！

在廖氏離開東京發表解散「台灣獨立運動聯盟」，聲明今後要為祖國反共復國大業而努力的宣言之前，關於廖氏迷途知返的消息，不特台灣社會各界人士毫無所悉，即日本方面亦情然罔覺，迨廖氏到達台北前的刹那間，官方人士只告訴新聞記者以「日內有大新聞發表」這句話，乃是廖家總未想到乃是廖文毅輸誠政府這樣的一大新聞，滿以為不外是立法院通過電力用費加價之類的消息而已。可見這樁重大事件的保密工作做得相當完美，殊堪稱讚。假如事前稍有洩漏，廖氏可能在東京即受到某種阻碍困擾，甚至於個人的安全亦將發生問題啊！

據記者訪查所得的內幕消息，廖氏在今年三月間即已改變思想，決計去逆効順，策動他作此突變行動的幷非外人，而是他那位九十二歲的老母和他的兄嫂弟妹們，方法是由老母據述祖國進步繁榮實況，以及倚閭望兒歸來敘天倫之樂，藉慰風燭殘年的慈母心情，繼述政府寬大為懷，不究既往等情節，製成錄音帶，經其家人攜往東京給廖氏聆聽，因而他的心理上受到激動。加以他那「台灣共和國」的兩個「部長」級人物，為籌措政治活動費而從事販毒行為之故，被日本官方予以拘捕，另有一位原在印尼營商的台籍華僑陳某，自被印尼政府排出後，走到東京投入廖氏旗下，担任「財政部長」，最近這位「陳部長」認定「台灣獨立運動」決無前途，曾在東京發佈文件，宣告脫離廖氏集團，頗使廖氏不無日暮途窮之感。他受到上述兩種刺激後，乃幡然改變初衷，抱着懺悔心情回國來實行戴罪圖功了。

廖氏是雲林縣的富有人家，他的財產約計在新台幣六億元以上，因為他在海外有叛國行為，政府除下令通緝外，幷將其財產予以籍沒在案。廖氏既已反正來歸，政府第一步即撤消他的通緝令，繼將發還他的財產，殆屬應有之義。待他休息相當時期後，很可能依其志願，給他以為國家効力的機會，或在中樞，或在地方從事行政工作，讓他深切地體驗政府寬大政策的眞實性，知所奮勉。他於到達台北的第二天（本月十六日），遄返雲林縣西螺鎭老家，跟久別十八年的老母相見，當時母子們互相流淚訴說哀情的凄涼景象，較諸戲台上演「四郎探母」見娘一場的表現尤有甚焉，人性的自然流露，彌足珍視。

政府這次處理廖文毅案的寬大政策，十分明智，無論對內對外，皆有深刻而良好的影響。就對內言：過去國內人士和旅居海外的僑胞對政府具有疑問或不滿情緒者，今後必將改變觀念，增加對政府的向心力，殉成精誠團結的新興氣運。尤其是最近台籍人士彭明敏等因為犯有叛亂行為而被處徒刑事件發生後，社會上蜚語常聞，神經過敏的人，不無自相驚疑之感，現在瞧着廖文毅且受優容，其他的顧慮自不足道了。就對外言：由於廖氏十餘年來在海外唱反調之故，國際間每有台灣人與內陸人不融洽的說法，某些別有用心的國際浪人，且隨時蠱惑台省同胞昌言「獨立自治」，以間接助長廖氏的反叛聲勢。如今廖氏自動向祖國輸誠，痛悔前非，又得到政府不咎既往的寬容待遇，滿天煙霧，一掃而空，國際浪人再也沒有對台灣興風作浪的口實與機會了。所以，政府這次對廖案的處置方法，是政治上最成功的一着，値得喝彩的。（五月十七日於台北）

屏東水利會劉漢家案
地方人士望秉公處理

（本報記者袁文德屏東航訊）此間地方人士對監察院查有不法實情的案件，為時已隔三月，而未見處理下文，多表不滿，幷一致呼籲監院重視民意，主持正義。

緣此間農田水利會劉漢家以易姓而後取得事務股長一職，經本報五十三年十二月十九日（第五〇六期）揭露後，監察院會深表重視，幷即函飭台灣省水利局據實查報。而省水利局原本對該案的來龍去脈，知道得一淸二楚，實毋須再予調查後呈覆的。然該水利局竟意圖推卸責任，竟不親自派員查報，而將監察院公函原文以(54)水人字第六五八九號函轉飭屏東縣府主管單位澈查具報憑轉。當時會有人士推測：認為該劉漢家移花接木，易姓取得事務股長一職的查報案，勢必循情包庇，不了了之，縱為應付上級命令，亦將是避重就輕，敷衍一番了事。作此看法的理由之一，是因為張豐緒縣長與水利會長藍家精亦有姻親關係存在也。然却為衆所始料不及，承辦單位竟以該案實情：「查本案原據該水利會五十二年六月十二日屏水城人字第一四七二號利鴻興等四員送審單乙案，經核該劉漢家周松喜等二員均係新進人員，有無違反水利會人事管理規則第五條之規定，應予先行註明，俾便參核，經本府屏府建利字第(36472)號令飭查明具報憑辦，幷將原案及附件發還。據該會屏水城人字第(2349)號呈，為遴報人員劉漢家等無違反人事管理規則情事，請予核轉。本府乃以屏府建利字第(45393)號函函請貴局核辦，經貴局水人字第(32258)號函略以「該會擬任劉漢家為組員兼事務股長乙節，應俟案核復」。復經貴局五十二年九月二十日水人字第(34675)號函，略以「劉漢家為組員兼事務股長，核與水利會長及各主管不得引用配偶及三親等以內之血親姻親為同一單位職員」之規定，應不予備查，經本府以屏府建利字第(59438)號令轉該會在案。復據該會五十三年二月二十四日以屏水城人字第(0775)號呈送黃漢家乙員職員送審單、履歷表、戶籍謄本、證明文件乙案，經本府以屏府建利字第(10509)函轉貴局核辦。幷准貴局五十三年三月三十一日水人字第(9168)號函，核定黃漢家為該會事務股長在案」，簽請縣長核示，而張縣長立即按所簽核准，幷於五十四年五月二十一日以「屏府建利字第八八〇三號函呈復水利局在卷。

據此間某人事主管語記者稱：按照該案調查報告中指出該水利會人事主管翻閱似有涉嫌包庇、偽造證據擅職之嫌，因他明知漢家爲藍家精妻弟，而竟敢公然函復縣府無違反水會管理規則情事，曚蔽上級，顯有明知故犯之意。同時省水利局亦明知劉漢家係藍家精妻弟，而雖易姓爲「黃漢家」，依法令解釋，幷未廢除與藍家精之間的妻弟關係，主管人員竟然不察，而准其違法任用，顯屬有意的。地方有識之士的幾位代表對記者說：據該案既已查明實據，同時已三月之久，而何以未見監察院處理下文，深爲不解。幷一致籲請監院能重視民意、主持正義，秉公處理。

香港本季賽馬廿二天
投注二億零七百多萬
較之十年前不止超過一倍

（本報訊）一九六四至六五年度的賽馬季節結束了，下一季度於秋涼後的十月九日才告開始。

在整季的廿二天賽馬當中，全部博彩彩池（包括獨贏、位置以及本季新增的當日孖寶、連贏位、科加士、）的投注總額數為二億零七百萬餘元，此為十一年來馬場中「交易」額最高的一個季度。在這兩億多元中，香港政府抽取的博彩稅，以及馬會抽取的佣金，共佔去三千餘萬元。在這一宗大「交易」中，一億七千多萬元從這一批馬迷手中轉入另一批馬迷手中，他們之間自然有輸有贏；但香港政府和馬會却是穩定的了；當然，如果將馬票、小搖彩票的稅收加進去，自然為數更大了！

兩億多元的投注總額，雖然是十一年來的最高紀錄，但這裏面依然可以看出馬場亦似商場一樣吹起淡風。根據何在呢？第一，馬會在去年擴建會員看台，本季初已開始啓用，公衆看台的容量乃相應增加數千個席位，但是在全季的廿二天比賽中，能夠出現「爆棚」現象的次數並不算多。第二，馬會於本季中增設三項新的博彩彩池（即連贏位、科加士、當日孖寶），這本來是一項「新刺激」，在估計中是會吸引馬迷的；但是，馬迷在博彩的過程中，並沒有利用額外的注碼投落在新彩池中，而是將「獨贏」、「位置」的一部份注碼移到新彩池中去，因為在二億多總注碼中，投獨贏、位置的總注額是一億六千多萬元，這一個數字比之未設新彩池的去季之投注總額（二億零三百萬元），少了四千多萬元；試想想，在馬場容量增加和增設了新彩池的今季，投注總額只比去季增加三百萬元，這不能不說是吹淡風的結果！

還有一點，本季賽馬下半年度，即由復活節賽馬起的連續五個賽馬日中，平均每天的投注總額僅過八百萬元，比較上季同期每個賽馬日均逾一千萬元之數，顯然已大大減少。須知道，復活節賽馬潮乃在四月份後，而在此之前的三月份，正是銀行出現風潮之時，銀行風潮對商場各方面在當時都起了一些壞影響，可以說：「博彩」這個範圍內也體現了這一種影響。

當然，上面所述的只是問題的一個方面，在另方面，賭風在港九日見熾烈，字花固久久無法撲滅，外圍馬、外圍狗以及其他雜賭在港九每一個角落幾乎都可見之。生活上的不安定有時會誘致一些人去冒險博彩，而博彩氣氛的濃厚又會引致另外一些居民陷入此歧途。根據統計所得，這十一年來，博彩的人數和注額都在逐年增加，即使不將「外圍馬」的注碼計算在內，兩億多元（比十年前增加了一倍）的數目不就已使一些居民不勝負荷了嗎？而在馬迷當中，能夠眞正「博」得到者除了香港政府、馬會以及少數的圈內人士外，廣大馬迷中究有幾人？

以下是十一年來投注額的遞增情況：

年份	場數	投注總額
五五年	一一九場	七八，六七三，三四五元
五六年	一二六場	一〇一，〇三七，〇四五元
五七年	二〇八場	一一一，九二九，三六五元
五八年	二三四場	一一三，七二三，八一〇元
五九年	二三〇場	一三〇，六一六，七〇五元
六〇年	二〇六場	一三〇，四八六，四二五元
六一年	二〇四場	一四二，六九六，三一〇元
六二年	二〇七場	一六八，二九四，八八五元
六三年	二一五場	一九八，八九九，九五〇元
六四年	二〇三場	二〇三，九九四，五七五元
六五年	一九五場	二〇七，〇三七，七四〇元

從總的方面說來，商場上出現的一些問題對馬場有所影響；但其惡劣效果，則遠不及博彩風氣之盛而帶給其他正當的娛樂事業以及消費性行業的不利影響。

退化的歷史觀

（上接第一版）

其善人之朝，不許有一夫愁苦；在惡人之世，亦不容一人之歡樂；善惡之界畫，若是乎明且淸也。」

讀詩序原文以後，再讀顧氏的評述，會覺得他言之不虛。這就是受孔孟道統論毒害的一個典型例子。

道統論落在歷史上，衍申歷史的退化觀是必然的。這種史觀對後世的影響，翁之鏞先生說的好：「我國古代惟以經過託古改制的渲染，過分美化了古代文明，所以三代不如唐虞之盛，西漢不如三代之世，唐宋以降，更等而下之。……一代不如一代。到了我們生長的一代，當然更是衰落的末代了。如此推論，末代的命運，早為歷史所注定，怎能還會進步呢？」（「中國經濟問題探源」三一頁）

我承認這種歷史觀，曾對民族的凝聚上，發生過消極的安定作用，因在這種歷史定命論下，人不能不「知足常樂」，「樂天知命」。這在四夷文化都不及我們的閉關自守時代，這種史觀和學說就像麻醉藥一樣，可以長期使人沉醉在往昔的，但在虛構的光輝歷史中，做那永遠不醒的美夢。可是近百年天地變了，沉醉的中華民族，被洋人的大砲轟醒了，和人家對照之下，百事不如人，這才激起學習西方，迎頭趕上的呼聲，由傳統的自誇自做的心理，一下轉為自卑自鄙，這突如其來的變化，亘古未有，我們的心理完全跟不上我們迫切的需求。我們要向前進，但源遠流長的黃帝子孫的血脈裏，却有一種力量將我們向後拖—這就是道統的幽靈在作祟。一個多世紀，我們學習西方的成績如此不平，復古思想顯然是一個主要原因。在今天，我們不能不批評道統，揭穿道統的迷，並唾棄違背人類意願的歷史退化觀。

新儒顯微鏡下的人性光輝

——解答了哲學上一個大難題

（論道統第六章）

陳健夫

「又如一個人發生殺念，此念一起，便咬牙切齒，握緊拳頭，內部血液緊張起來，身體作準備姿態，必殺之而後滿意。凡心病皆是這般狀態。心病發生，心理，生理，各部門同時激烈變化，這時候的種種狀態也是和普通病症一樣，是可以化驗出來的。假如有人用科學儀器將它製成各種圖片，豈不是很好的資料麼？當一個人一念初起，發生各種心病，自己不及時診治，便愈發不可收拾，可以殺身，可以破家，可以亡國……這後果是不堪想像！心病的禍患實在比一般的病要嚴重千萬倍。一般的病，最多不過死一人，但這心病往往不止患者一人死亡，甚至一家，一族，一國都從此滅亡。世間百病雖兇惡，那及得這心病千萬分之一。世人如翻開歷史，必可發現多少英雄豪傑，多少淑女美人，都因這心病而死亡、敗家，甚至亡國滅族。這驚心怵目的病禍，那一頁歷史沒有記載？那一天的報紙沒有報導？那一本小說沒有描寫？祇可惜世人眼中只看見針刺，卻看不見粱木。眞是哀莫大於心死，可悲可憫。」

論到這種可怕的心病，都是由人的食色之性而起。這種心病的眞象，如殘酷、如陰謀、如欺騙、如淫亂、如掠奪，眞是罄竹難書，難以盡述。可說人類的歷史，頁頁都有供述。「可惜人們從不肯承認這些心病，更有聖賢為之辯護說法，人們便自信是天地間的良善。」

所以，誠實的說，文化發展到今天，人性尚未完成。但「人眞是最有趣味的動物，人本來脫胎於禽獸，卻口口聲聲否認人是禽獸。提出一連串的漂亮口號，什麼「人是情感的動物呀！」「人是理性的動物呀！」「人為萬物之靈！」可是說來說去，又漏出一句什麼「人之所以異於禽獸者幾希。」可見聖人雖然聰明絕頂，卻始終沒有辦法將人從禽獸中截然劃開來。兩者的差別，即令勉強劃開來，也不過「幾希」之微！古今聖賢，費盡心機，何曾將人類完全從禽獸中救出來了哩！

我從實驗室中得到一個正確不移的定論：「人的獸性并未完全消除！」請世人不要驚異，不要害怕，我們知道人的老祖宗本是禽獸中最聰明的一種動物。不知經過了多少代的進化，才變成為人。雖然變成為人，但他那原始的血液總是一代一代的遺傳下來的。誰能否認在人的血液中沒有一點原始的禽獸血質呢？既然多少遺傳了一些禽獸的血液，如何能根本自別於禽獸呢！試看人的身體構造，肌肉組織，五官四肢，與禽獸又有什麼不同呢？我想雖以今日科學如何昌明，生物學家也無法將人同禽獸的一切身體結構完全區別出來。人的耳、目、口、鼻，同禽獸的耳、目、口、鼻，豈有兩種的作用麼？所以明，很顯明的，我們由物體上的比較分析，證明了人與禽獸在血質上在結構上都是同一源流，同一模型，同一作用的。人雖在名稱上不是禽獸，但在血液同組織上，實無法絕對自別於禽獸。人的生理既無法絕對自別於禽獸，則一切由生理而發生的欲念行為，又何能別於禽獸呢？常人恒說什麼「獸心」，「獸欲」，雖是罵人的話，也許是人的本色，人的本性。人的一切欲望同禽獸一樣，這又是理有必然。

誰能說人性善呢？須知人之作惡實更甚於禽獸。「世人應明白，禽獸的惡不過是直覺的本能，它所能作惡的範圍是非常之小的。但是人卻不是如此，人有聰明才智的惡質，千萬倍於禽獸，禽獸的聰明才智，不及人類千萬分之一。人類因有聰明才智的罪惡，於是慾望也擴大了，作惡的本領也加強了，罪惡的範圍也廣泛了。因此，做盡世間罪事的是人。說盡世間好話的也是人。原始人雖說野蠻殘酷，但無論如何不及人類今日這等程度。這不過原始時代，人類文化簡單，不會像今天這文明世界，人類會運用許多仁義道德之說，拿出五花八門的宣傳手法來掩飾自己的罪過吧了！原始人殺人手段拙劣，今天卻大非昔比。（四）

夷區采風錄

李仲侯

由於房屋過分簡陋，居室又不重視衛生之故，夷人常患癩病、天花、瘧疾及傷風等傳染病。如住於低窪之地，尤易生病，此所以夷人皆視水田為多鬼之所，而任其荒廢，大半皆居高燥之山坡。又因其日常跋涉於崎嶇山地間，身體有適當運動，故小病較少；但上舉的四項傳染病，死亡甚烈。我們訪問那裏的時候，聽到因傷風症、天花而死亡的就很多。對此等傳染病，夷人無法治療，皆委之於鬼，只請畢摩（師公）以禳之，備酒雞，祈禱免災。如病重則繼以打豬、打羊、或打牛。至打牛而病還不愈的，則認為人事已盡，將病人送入深山崖洞中，隔離後用長竿送食，或置數日之糧，而聽其生死。這都是偏於迷信，不過其中亦不無合乎科學原理，蓋此等傳染病，傳染甚速，死亡甚多，夷人無相當治療法，從事於隔離，亦無不可。此外或打雞犬，或置草束於路畔，都表示該地發生了傳染病，以提高行人的警覺，戒其勿來此地行走。如屋主因傳染病而死於屋中時，則家人於葬後，都相率遷移，另建房舍居住，只留一二僕人應照門戶而已。

對因普通疾病而死亡的，則將屍停於竹籬笆上，放置屋檐下三日，不用棺木，以白布裹其首，用毛披毯覆蓋。病人將氣絕時，則一面派人預備牛羊豬等，以為死後招待親友之用，一面派人通知親友（携酒）來弔。滿三日後，將竹籬抬至山野，用柴草作架，停屍其上，舉火焚之。待焚盡後，歛灰於罈，掘小坑埋之。因傳染病而死亡的，則不停屍，輕者焚之，重者於將死之前，即掘深坑以活埋之。

夷人因居住高寒地帶，很少出產稻谷，大多靠蕎麥、包谷、洋芋充飢。都磨成粉子做成巴巴，不需蔬菜佐餐。每到冬天，則用蘿蔔來補充。他們不喜飲茶，習慣於喝生水。酒是其唯一嗜好。夷地之糟房頗多，酒有二種：一為泡水酒，一為燒酒，原料都是玉米。如遇貴賓及宴會，則更佐以肉食，小則打雞打豬，大則打羊打牛。夷人殺牲不用刀，係以木棍或鐵錘打死，故曰打。其手法甚為敏捷。普通於牲畜氣未斷時，即剝皮剔骨，取肉入鍋，煮至半熟，就取出敬客。敬客之後，大家取而分食。不論打牛打羊，皆一次吃完，隣居都有分食機會。

（六）

漢文，漢字，漢學

陳曼卿

這裏再提供治先秦諸子者的參考，中國古代學術，似應從兩漢開始。由四史中先得一個全貌，然後再（逆推）追述先秦。比方「孔學」，也應從「漢學」中去探討。研究有研經的途徑，治史有治史的方法。如果研究諸子，更要明瞭某些地域學風及其足蹟所至地區，而又吸收某一地區的學行，以及當時所處環境，其立論觀點、對象、背景等等？皆不可忽略或欠缺的。同時「我們就無須向：「隨書經籍志」，宋之「太平御覽」，明「永樂大典」，清代「圖書集成」等這些類書裏面去兜圈子。譬如「治經」，我們就得舉出下列各個特殊地區作為例子：

（一）齊魯學系：

假設以尚書「堯典，舜典」為此一地區之學。而求其成書之年代？（但應注意「太史公自序」裏只提到孔子「論詩、書」一語的。）

（二）鄭衛學系：

假設以詩之「周南、召南」如何變為鄭聲？

（三）三晉學系：

左傳——國語（附「爾雅」漢書藝文志有「解古今語」的說法）與此一地區之學的關係如何？

毛詩——周官（三禮）特別注意三晉吸收王室儀注。

（四）三楚學系：

荀況（王制）

屈平（離騷——楚辭）

吳越春秋

（五）西秦學系：（暫列舉下之兩則）

禹貢

呂覽（與楚學有無關聯？）

四、五、兩項雖非全屬「經學」，但三楚與西秦承襲「經」的淵源頗深。這樣地劃分，看去顯得散漫，可是對於進一步的研經治史，可能有點用處。這樣一來，雖不比晚近史學界的收穫豐碩，自不難求得比前此所得，較為真實確切，而也是僅憑「故紙堆」中去尋求事實的真相。

還有，我們從「文句」或「詞義」裏面，只要弄清楚或熟習了某一地區與某一時代的學術體系之後，就可以分辨出某書是屬於某一地區，（或某一學系）而是成於某一時代的作品了。但如果照清季一班治「小學」的方法，認定兩漢「經書皆古文所寫」？恕筆者就不敢從同了。

再如我們此刻所閱讀的書報什誌，排印時多採「仿宋」字體，倘於千百年後，得見今日之書報，能不說今日還是用的仿宋字體嗎？事實上撰稿人都用行草，有的甚至像十七帖，更有人在大倡簡體字了。所以，我們一看「淳化閣」或「三希堂」法帖，所收集的字形、字體，不僅可以明瞭魏、晉、以來各朝代的書寫體式；而且可以深悉各朝代的「文義」與「詞序」、「句法」和「虛詞」的運用的大要情形咧。（四〇）

補正

上期（五月廿二日版）本欄最下第九行，黃「遵憲」。實為明末清初三大儒之一，昌治「古文」由「六經」及「史」、「漢」入手之餘姚黃「梨洲」，特予補正。

動物農場

英 George Orwell 著　陳琪芝 譯

第七章　動物所追求的社會

牠們又說史諾柏曾經私下告訴牠們說牠自己是鍾士先生的密探，而且是數年前就開始活動的，在牠們一坦白完罪行，狗羣就撲上牠們撕咬着牠們喉嚨。同時拿破崙又用恐怖的聲音詢問其他動物有沒有應該坦白的事情。

三隻領頭反對捐獻雞蛋的黑母雞站了出來，牠們說史諾柏曾經托夢給牠們，鼓勵牠們去反對拿破崙同志的命令與計劃。牠們同樣地接受了悲慘的命運——被狗咬死。隨後走出來坦白的是一隻鵝，牠說在去年收成的時節曾偷過六粒麥穗，而且在夜裏偷偷地吃掉。一雙羊坦白說牠曾在飲用的水池中洒了一泡尿，牠之所以這樣做是受了史諾柏的囑託。接着有兩雙羊供訴牠倆曾經謀殺了一隻非常忠心於拿破崙同志的老公羊，牠們追着用火燒牠，直燒得牠氣絕身亡。這些坦白認錯的動物，沒有一個逃過狗的銳齒，都是當場被狗活活的咬死。一個一個的坦白，一個一個的死亡，屍體埋在拿破崙的脚前，像小山，窒息的血腥氣味濃厚瀰漫了全場。這種腥味是從鍾士先生被逐以來所不曾聞到過的氣息。

在這場慘劇結束後，除了狗和豬外都是爬着出去的，動物們滿心的恐懼與悲戚，牠們想不出還有什麼比這肆意屠殺的場面更使牠們驚心動魄的事情。眞想不到在動物羣中竟有膽敢與史諾柏結盟謀反的，而牠們血淋淋的下場也有點過於悲慘了！在過去，這種血腥恐怖的殺戮也發生過，但最使牠們難過的是這次大屠殺竟發生在自己同類手中。自從鍾士先生離開農場後，從沒有發生過動物殺動物的悲劇。牠們此時經過那尚未完成的風車工程地——小土丘，大家不約而同地都躺在草地上緊緊地擠做一堆，好像想借彼此相擠來取得一點溫暖與慰藉。克勞芙、莫利爾、班傑民，還有牛、羊、鵝羣和母雞們都有同一的想法。只有那隻精靈的貓在集會前已經跑得無影無蹤了。還有就是白克薩獨自在那兒不安地踱來踱去，尾巴不停地揮動，間或發出低哀而驚懼的嘶鳴。最後牠說：

「我不明白也不敢相信，這種事情會發生在我們動物農場裏，這一定是我們本身的錯誤。總之，依我看來，大家該更努力地工作。從現在開始，我要早起一個小時來工作了。」

牠拖起那沉重的蹄子走向礦場。到了那裏，牠又辛勤地拖了兩趟石塊到風車工地去。然後才因夜色已經深罩而回去休息。

其他的動物圍着克勞芙仍躲在草地上，誰也不言語。從牠們躲着的這個小丘，牠們幾乎可以一目了然地看盡了動物農場的一切：那塊長長的草坪一直延伸到大路邊，曬穀場、飲水池、禾草地、耕地上的麥子依然那麼青葱豐碩，農舍紅色的屋頂在炊烟的籠罩下是那麼柔和。這是個晴朗的春日黃昏，來自水平綫的夕陽反射在翠綠欲滴的草原上，綠得更有春意，倒塌的藩籬也鑲上了黃色的金邊。這一切都是農場上罕見的美景，而且這座農場竟是牠們自己的財產，每一寸土地，每一莖小草。在這裏，牠們曾經孕育過無窮的希望。當克勞芙把眼光停留在山坡上時，她眼眶裏充滿了淚水。假使牠有能力來表達牠的思想，牠一定會告訴你現在的情形絕不是幾年前牠們叛變打倒人類的目的！這種殺戮與恐怖的慘狀也絕不是老少校當年發表演說時，鼓勵牠們去追求的理想。（二六）

桓公說：那末管仲現在魯國，怎麼能使他返國效力呢！

鮑叔說：派遣使臣向魯國交涉，一面以武力作爲後盾，不怕魯國不把管仲放回來。

桓公說：魯國的施伯是一個足智多謀的人物，假如他知道要用管仲，不予遣回，又如何辦呢？

鮑叔說：先在魯國京師製造輿論，說寡君有一個不令之臣，現在魯國，寡君請求把他引渡回國，明正典刑。這樣魯國也就不會疑心了。

桓公於是就採納了鮑叔的建議，依照鮑叔的計劃而行。就叔一面準備武力作爲後盾，先行要求魯國殺了公子糾，先除掉一個齊國的亂根。魯國懼怕鮑叔，只好接受，把公子糾殺了。邵忽跟着公子糾殉死。管仲不死，但他已經成爲階下囚了。接着齊國的使臣到了，魯莊公便召了大夫施伯計議。施伯確是見事明白之人，他已認定齊國決不是要殺管仲，而是要管仲爲政。於是向莊公說：管仲乃命世之才，他在那國，那國便會富强；如果把他放回齊國，那將是魯國的長期大患。爲今之計，不如把管仲殺了，以死管仲交給齊國使者覆命，一舉而兩得。

毋忘在莒與田單復國

·匡謬·

施伯雖然識得齊國的計劃，企圖以死管仲遣回。可是齊國的情報人員早已佈滿了魯國君臣左右，並且相機作製造輿論的工作。施伯建議魯莊公要殺管仲的消息，很快傳到齊國使臣的耳中，於是，再向魯莊公說道：「寡君的意思，是要活的管仲回去，因爲寡君要親手殺管仲於羣臣之前，才消得寡君心頭之根。所以請貴國交給我活的管仲，方能覆命。」

鮑叔並親自領了大軍駐在齊魯的邊境，以威脅魯國。莊公懼戰爭，祇得接納了齊國使者的請求，將管仲細綁起來，交給齊國的使臣。齊國的使臣接了管仲，回國覆命。到了齊國境地，然後將管仲解了細綁，沿途洗了三次澡，用香料薰了三次身體。

齊桓公聞報管仲歸來，即親自到郊外迎接，請管仲上了自己的座車，同車而回。這種景象，眞可說是恩榮寵幸已經到了最高的巔峯。也只有桓公才能做得到。在此之前則只有文王可做得到。管仲事桓公，如太公之遇文王，文王奠定八百餘年之江山，桓公之能九合諸侯，一匡天下，寔非偶然。管仲回到齊國，桓公即封他爲太宰（首相），納管仲之謀，卒成爲歷史上有名的霸主。管仲相桓公，成就其偉業，會受到孔子大大的讚揚，孔子說：「微管仲，吾其披髮左衽矣！」（三）

『二八佳人』

馮燕謀

在某報副刊，讀到「方外」先生所發表的「談二八佳人」大作，以一位法國漢學家，把「二八佳人」翻譯成爲「十六位美麗的姑娘」，認爲那是有根據的，並且「小心求證」，找出他的根據來，可喜可讀，允爲「佳人佳作」也。我當然不知方外先生是男作家或女作家，冒味概以「佳人」稱之，這正和方外先生所說的：「其說於通俗意義，容有未合，但在考據上並非鑿空也」。「二八」可以翻譯成「十六歲」，也可翻譯成「十六位」；所以，我也可把「佳人」解作「英俊的男士」，又可解作「美麗的姑娘」，如「十六位」和「十六歲」一樣的，並非鑿空也。

言歸正傳：方外先生說：「前些日子，一位「方內」朋友在本刊寫了一則「方塊」文章，稱引另一位朋友的轉述，說法國漢學家把「二八佳人」翻譯成「十六位美麗的姑娘」，並且拿來作博士口試的試題」云云。

所遺憾的是：那位朋友所轉述的「二八佳人」是出在中國什麼人的作品中？僅僅是「二八佳人」四個字，在成語中既沒有，那應該在什麼的作品中；如果是在什麼人作品中，那「二八佳人」四個字的上下文義必有所指，如左傳襄公十一年：「鄭人路晉侯以……女樂二八……。」這無疑的是十六位女音樂家。方外先生的證據，都是引用爲十六人的記載，所以我也不妨引十六歲的根據，如李太白詩的「正見當壚女，紅粧二八年」。這不明明是十六歲的女紅粧，或者「二八佳人」而無疑了？關於「二八佳人」連在一起，方外先生說：「想從辭書裏去找這一條，是找不到的。」很正確，我也會「小心求證」，正如方外先生所說是「却找不到通俗得近於市井語」。而「二八佳人」一辭，在舊說部中却是常見的。

方外先生所見「方內」朋友轉述的，也可能是說翻譯工作的一些笑柄，偶舉一例而已吧。如果眞以之作博士試題，可能不致於如此簡單了。

漢學家之譯「二八佳人」爲「十六位美麗的姑娘」是否正確，那要看「二八佳人」是在什麼地方，如果單單以「二八佳人」而論，當然是如方外先生所找根據，並非鑿空。如果「二八佳人」還有上下文義可指，那就未便置可否了。

「二八」是代表乘數所得的數字，它可以用作十六人、十六歲、十六日、十六夜。十六人和十六歲前面都引證過了，不再舉例，下面再看十六日和十六夜的證據。如鮑照詩云：「三五二八時，千里與君同」。此謂陰曆月之十五六日也；又迦才「淨土論」云：「二八弘規，盛乎西土」。此謂觀經十六觀，佛家修極樂淨土者。「二八」又指十六個賢士者，如「後漢書」張衡傳：「二八遷虞兮，嘉傅說之生殷」。此「二八」，指八元八凱也。更有以「二八」喩物之數者，如「聞見後錄」中：錢昭度有食黎詩云：「西南片月充腸冷，二八飛泉繞齒寒。」又有以「二八」三八之數作解謎者，「樂府解題」井謎云：「二八三八，飛泉仰流」。二八加三八爲五八，五八爲四十，「四十」爲「井」字。

辭書上面的「佳人」有二解：一是美女，一是美男。漢書外戚傳：「北方有佳人，絕世而獨立」。佳人本是美好之意，所在古代則非爲姑娘所專有；「公子」亦非爲男士所專有，姑娘也稱「公子」，此在詩經中常見者。東漢陸閎好學有令德，建武中爲尙書令，美姿容，光武見之歎曰：「江南固多佳人」。所以筆者冒昧地稱方外先生爲「佳人佳作」，無論男士女士，都可找到根據也。「佳人」一詞到了晉代以後，始爲姑娘們所專有了。男士則稱「佳士」。晉書任愷傳：「愷子罕，才望不及愷，以淑行自稱，爲清平佳士」。是「男佳人」至此變爲「佳士」了。

在古詩中「佳人」多見，却未見「二八佳人」者。好色賦云：「天下之佳人，莫如楚國，楚國之麗者，莫若臣里東家之子；（女子）增一分則太長，減一分則太短；眉如翠羽，肌如白雪；腰如束素，齒如含貝；嫣然一笑，惑陽城，迷下蔡」。這種「佳人」，眞是「絕代佳人」也。而杜工部有「絕代佳人」詩：「絕代有佳人，幽居在空谷」。還有稱公孫大娘亦爲佳人者，杜工部詩云：「昔有佳人公孫氏，一舞劍器動四方」。可見詠「佳人」之詩頗多。但翻遍辭書、唐詩、千家、唐宋詞集，「二八佳人」爲「十六位漂亮的姑娘」也好，爲「十六歲的紅粧」也好，總見不到她們的芳蹤，不知那位法國漢學家，在中國何處見到過那「十六位漂亮的姑娘」的？如果以之作爲笑談，「二八佳人」我也可以把它翻成爲「十六位英俊的少年」也！

花木蘭

——「影劇與歷史」之五

周遊

二、木蘭爲直隸完縣人。直隸完縣志云：「木蘭墓，在完縣城東，木蘭完縣人也。」又引杜牧「木蘭廟詩」以實其說云：「彎弓征戰作男兒，夢裏曾經與畫眉，幾度思歸還把酒，拂雲堆上祝明妃。」此二說也。（直隸完縣，今之河北省保定府西南，有木蘭墓在焉。）

三、木蘭河北商丘人。商丘志云：「商丘營郭鎭有孝烈廟，元元統二年，邑人侯有造者，作祠廟辨正記，言舊廟中鐫石刻，金大和時，營城鎭酒都監烏林答文，稱昭烈小娘子，宰相木蘭公女也。……」此三說也。

四、木蘭姓朱，爲湖北黃陂人。湖北通志祠廟云：「木蘭廟，在木蘭山下。」名勝云：「木蘭山，在黃陂縣治北六十里，其上有木蘭將軍塚。木蘭者，朱氏女。」此第四說也。

五、木蘭姓花。明人徐渭：「四聲猿傳奇」以爲姓花。而世傳一般小說戲劇皆本此，而名花木蘭。而花姓之說，蓋本於李義山詩而起。義山木蘭花絕句云：「洞庭波冷曉侵雲，日日征帆送遠人，幾度木蘭舟上望，不知原是此花身。」花木蘭之姓花，乃因木蘭花而得之。此五說也。

六、木蘭之籍貫尙有二說：「太平寰宇記」以爲黃岡人，姚瑩康「輶軒記」以爲古武威涼州（今甘肅）人。前說失之千里，後者涼州頗近似。此六說七異也。

以上諸說紛紜，莫衷一是。愚見以爲木蘭之三大疑案，在「木蘭詞」中求證。蓋舍木蘭辭之外，別無可信之史料。茲據木蘭辭分別舉證如下：

如「可汗大點兵」之「可汗」，又「可汗問所欲」之「可汗」二語，可資按其時代。

考「可汗」之名，始於魏太武帝，則木蘭最早也不能超過北魏。杜牧爲中唐人，其時已有木蘭廟，而白樂天亦有「怪得獨龍胭脂粉態，木蘭曾作女郎來」之句。可知中唐時期木蘭故事已流行在民間甚久了。

又如「歸來見天子，天子坐明堂。」又曰：「可汗問所欲，木蘭不用尙書郎。」「可汗」與「天子」並稱，足見「可汗」與「天子」實爲一人。稽考北史、隋書、唐書，兼稱天子與可汗，僅唐太宗與梁師都二人；梁師都號大度毗伽可汗，又稱解事天子。唐太宗則既稱天可汗，又稱大唐天子。（五）

劇事雜談

·娑婆生·

鳳仙多藝（續）

前二年，她以工作太忙，體力不勝，很少演出。或有所演出，輒在郊區公家機關，祇有在政幹受訓期間，看到探母的鐵鏡公主，與大登殿的王寶釧，餘不多見。去冬開始，她又漸活躍，開始復有表演，孫若蘭女士合唱春秋配，反串李春發，旣俊且俏，唱得亦好。二月份雅歌集演唱的四郎探母，她飾演楊宗保，更是頭頭是道，熟諳生動。近今師大慶祝兒童節，越所忠勇社舞台慶祝空軍婦聯分會成立十五週紀念，再演拾玉鐲。兩次演此戲，風姿之佳，做作之細，不知者以爲是白玉薇所授，實則自己所研討也。

空友諸同人偶或相詢，以我屢看鳳仙演出，却未見有隻字的評談，却是爲何？因以奚幽同人：鳳仙聲名卓著，而我於四十九年在香港大文台，寫有一篇「有鳳來儀」，已言之甚詳。因她所演每次皆精采，未有口皆碑，不須再多嘵舌。未能如所謂劇評人多作阿諛，有看必評，甚於此也。不過在此次忠勇劇社演後，有些意見，頗望徐正民英夫人以鳳仙，因該社對於劇運，不遺餘力。蘭兩位爲主幹，多排些整齣，如貂蟬、紅鬃烈馬、金山寺代斷橋祭塔等等，則更見其多采多姿。同時再望空友同人，亦作示範的小集，演出一二回；因爲有人才而不演，猶如棄寶於野。不知其能邀考慮而實現否？固甚企盼之也。

毋忘在莒

總統在金門前綫巖石上親題「毋忘在莒」四字，由駐軍勒石昭示，使守衛將士，每個心目中，不要忽視此事，磨礪以須，以待復國。此有意義的揭告，深印在每一軍民的心腔，感人深深，如田單復國的一幕。

今年國內軍中劇團，爲遵奉昭訓，掀起毋忘在莒的運動，紛紛排演此劇，以激起民衆之勿忘勿忽。其事至可欽稱。但徧觀各團所演，有以老生爲主體，有以旦角爲中心，於是演出的事跡場次，便有不同。竊以爲不解。應該歷史祇有一種事跡，似乎不宜各演各的。按此戲，多半本之黃金台、火牛陣兩齣，似不可以側重旦角。因爲這是歷史性的戲，與尋常側重歌舞的不同，不可以相距過遠，使觀者看了，難道有幾種不同的「毋忘在莒」嗎！設使外賓問到，究竟那一齣是完全符合，因爲各劇都是對的，不過是添註而有不同。但按正理，却不可各異，形成五光十色的毋忘在莒。而此齣的「戲核」，究竟是什麼？必須歸納，而成一律，不是用此名而可隨意編製！筆者認爲此點非常重要。

現在各劇團紛紛演過，在其所管轄的有關單位，似宜加以檢討：究竟那一劇團所演的，爲確合史跡？不宜以大同而小異，聽其自由去演。在宣傳的意義，也必須祇有一路可尋，庶幾不至節外生枝，令人迷惘。因此就是要把劇本整理，導入正軌，方爲合理。此事可由劇團將劇本繳送，再由教育部編審戲劇單位商同國劇欣賞會，予以釐訂。顧到老生地位，及旦角的輔配，成爲極有意義，兼是很具價值的戲。也就是說，毋忘在莒，足以冠絕各劇而是突出的，是筆者所深禱而企望之者。

法國人筆下的賽金花

匡正

因爲拳匪做成對外國人遇人皆殺的事，入城的聯軍也見人就殺，以致屍首積得滿街，無辜市民死了不少。正當搜屋殺戮繼續下去時，有兩個德兵衝入賽金花之屋中，賽金花用德語和來犯者打話，說及她從前在德國的過去，說及她所知的人，又說及她的朋友華爾達斯伯爵。「這是奇妙了！」其中一個德軍叫起來：「伯爵如今是在北京哩！」

其他一個德軍告訴她：伯爵現正新任聯軍統帥。經過這層關係，消息傳達到這位統帥，那時他正入住北京皇宮，立刻請賽金花入宮去。一對舊戀人便重新聚首。（五）

內儀警台報字第〇三壹號內銷證

自由報
THE FREE PRESS

第五五一期

每份港幣壹角

社長：雷嘯岑

督印人：黃行奮

20, CAUSEWAY RD 3RD FL. HONG KONG

TEL. 771726　電報掛號：7191

承印者：大同印務公司

台灣分社

權力與權利的濫用

李聲庭

孟德斯鳩有一句名言，他說：「握有權力的人非把權力濫用到極點不可。要防止權力的濫用，只有把權力分別幾個人行使，以權制權。」權力這個東西是非常危險的。權力握在一個有野心、有偏見、有私慾的人手裏時，沒有不被濫用的，歷史上的例證多得不勝列舉。今天民主國家的權力分開由幾個機關行使，已經使得濫用權力的機會減少了許多，但不是說因此濫用權力的機會便沒有了。濫用權力的結果，人民的自由直接受到損害，所以民主政治的第一要義是分權，以減少對人民自由的威脅。可是擁護權力政治的人却不贊成分權理論，認為權力一分，「一個人或一個機關所享有的權力太小，不足以滿足他個人的野心，偏見與自私。」這種說法是非常危險的，而且是違背民主政治的原則的。民主政治而不分權，那末與專制統治和獨裁統治有什麼分別呢？專制與獨裁的特點是一個人掌握了所有的權力，他可以為所欲為，不受任何方面限制。這種情形見之于中國以前千多年的歷史，見之于歐陸的路易十四到路易十八時代，見之于希特拉時代，目前又見之于蘇俄及其他共產國家。在這些情形之下，人民是奴隸，從來不享有什麼自由。然而倡導權力政治的人便志得意滿，認為這樣一來，他的主張實現了。但是希特拉今日還存在嗎？路易十八又是如何死的？歷史上許許多多的慘痛教訓還不夠我們今日提高警覺嗎？

權力濫用的例子可以說是無處沒有，最近發生的一例便是基隆地方法院檢察官濫用職權羈押基隆市議員張子歧的事。張子歧議員在基隆市議會質詢時，提及一國民學校教員齊治的事，齊治認為張議員有妨害名譽的罪嫌，向基隆地方法院檢察處告發。檢察官戴玉山于接受本案之後，即票傳張子歧偵查。檢察官偵查案件時，依刑事訴訟法的規定，是具有各種權力的。但這些權力的賦予是使檢察官偵查案件時便于進行，而絕不是給予檢察官以發洩其野心，偏見與自私的工具。可是一些不夠格的檢察官則不免利用刑事訴訟法所賦予的權力而加以濫用，濫用結果當然侵犯了人民的自由。被告張子歧並無刑事訴訟法第七十六條所定的情事，而且完全無必要的情形，這位檢察官却逞私慾濫權羈押。像戴玉山這種人不僅不配作檢察官，即作一名公務員（戴玉山已調司法行政部）也有問題。既可濫用權力，作一名公務員同樣可以濫用權力。據報紙所載，當時檢察官是「拍案」叫押，這種「拍案叫押」的神氣足以威風，目無法紀的劣態，難怪引起大衆的憤怒。這種利用國家所賦予的權力以發洩個人的野心、偏見與私慾的惡劣作風，這幾年來已是層出不窮，到此已達極點。今日作官的而不濫用權力的人真是太少了。戴玉山第一天逞威風，無理扣押張子歧還不過癮，第二天又以基隆市公共汽車司機與車掌[illegible]。檢察官有指揮[illegible]，隨時指揮當地警察[illegible]基隆地方法院檢察處[illegible]。這種作風正是孟德斯鳩所指的「非把權力濫用到極點不可」的一個最好例證。幸而戴某不過一區區檢察官，權力有限，[illegible]地步；[illegible]老百姓還有人權嗎？[illegible]學法律的人，[illegible]維護人權，反過來濫用權力和羈押人權[illegible]罪人，我們要聲討。

同樣情形，基隆市議員張子歧雖然在檢察官的淫威之下作了受害人，因此贏得一般人的同情與支持；但他在議會發言是濫用權利，與檢察官濫用權力的情形一樣。這一點為一般人所忽視，因此作者特別指出來。

議員在議會內所作言論與表決對外不負責任，是民主政治的一項原則，我們極力擁護，絕不讓人來稍加摧殘。這裏所謂對外不負責任，是指在法律上不負責任，是指法院對于議員在議會內發言以致誹謗了個人時沒有管轄權，或者說應以不起訴處分。這一點英國已有了案，百年的歷史可以作證，在美國更有最高法院的判例可以覆查。不過除了不對法律負責外，並不是說議員便可信口開河以發洩他的私慾而不負其他責任。至少作者認為議員在議會內發言第一應向良心負責，第二應向選民負責。

向良心負責是指一個人的良知良能而言。除非那個人完全無良心，否則他在議會發言便應當秉諸良心，而不是為人情與賄賂而發言，更不是為發洩自己的私慾與憤恨而發言。議員能夠拿出良心來比課他以法律上的責任更重要，否則議員一旦利用他的權利而亂講話時，其所發生的危險後果與檢察官的濫用權力羈押人一樣是可惡的和值得我們聲討的。

其次，議員發言是要對選民負責的。議員是人民的代表，他所發言的對象應是人民的公僕而不是人民本身。人民賦予議員以言論免責權的意思是鼓勵他督促人民的公僕時儘量指摘與批評，即使構成刑法上的誹謗，也不成立罪名。如果議員誤解言論免責權的原始目的，倒過來加以濫用，不向人民的公僕開炮，反而咬人民一口，這便是議員權利的濫用。議員權利的濫用與檢察官權力的濫用一樣可怕，一樣具有危險性。可惜這次基隆市所發生的事件，一般人只注意到檢察官濫用權力的可怕，而忽略了議員濫用權利的可怕。議員在議會內發言不受法院的追訴，是民主政治的一項原則，但這項原則所賦予議員的免責權利，如果為議員所濫用，則民主政治又岌岌可危。這一次張子歧議員在議會內所指摘的是一位國校教員，是張議員濫用了他的發言權，雖然在法律上我們不課他以責任；但他這種人不配作議員，與戴玉山之不配作檢察官一樣。我們可以這樣想像：如果張子歧一旦作了檢察官，也會如戴玉山一樣濫用權力羈押被告的。濫用權利與濫用權力一樣，對人民的自由（名譽也是自由權之一種）是一種威脅的。現在戴玉山濫用權力的結果已受到應有的制裁。但願基隆市的人民記取這一次的教訓，對凡是濫用權利的議員于下次選舉時，提高警覺，不要再為他的花言巧語或故作弱者的乞憐狀態所騙。

民主政治不容許任何人濫用權力，也不贊成任何人濫用權利。

信口開河　一脈相承

今日與明日

毛共核爆趣聞

毛共第二次試爆核子裝置，本來這也是早在意料中的事，舉世並不感到驚奇，因為大家都曉得它所爆的，毒害什麼東西，大陸人民有餘，威脅世界和平還差得甚遠。不料就在此時，日本朝日新聞駐北平記者却發出了一個「獨家新聞」，說毛共二次核爆是用飛彈射出的。這個消息發出後，美國倒未驚，毛共却先急了。

稍微有常識的人都知道，目前製造原子彈、氫氣彈都不難，難在運送。二次大戰時美國投在日本的兩顆原子彈是用B二九空中霸王式飛機投擲的；到了今天，再想用飛機投擲核子彈已經是絕不可能的事，因為在雷達網與地對空飛彈配合防守下，美俄都很少可能用飛機把核子彈投到對方國境去。因此才拼命製造飛彈，已經獲得成效。美國製造的阿拉斯加飛彈，俄境內任何目標都在射程之內，至於由原子潛艇發射的北極星飛彈，更是今日自由世界的重要保障。美俄均有發射核子彈頭的飛彈，是不爭之事，只是強弱多少之分。現在「朝日新聞」的記者為了向「新中國」獻媚，居然說毛幫也用飛彈放射核子武器，其成就已駕英法之上，在該記者自以為這次可是替「新中國」立了大功，那知拍馬却拍到馬腿上去，毛幫不但不敢領情，馬上聲明沒有這回事，賭咒罰誓說自己沒有飛彈。

可恥與可憐

日本人的趨炎附勢，恬不知恥，在世界所有民族中穩居首位。而「朝日新聞」之媚毛作風，已經作到了至矣盡矣的境地。駐在北平的記者自然要先意承志，專為「新中國」吹噓，可是出於根基太淺薄，未曾深思。在毛幫未爆核子彈之前，美國原不把它放在眼裏，及至爆了第一顆核子裝置之後，美國戰略家已經主張先發制人，乘毛幫沒有放射武器之前，先毀滅它可以危害人類的力量。美國一位記者曾公開寫信給毛澤東，說明美國飛彈已瞄準毛幫原子試驗場、重工業基地、機場、港灣、兵營，只要毛酋敢掀起大戰，担保可在二十四小時以內，消滅毛幫整個有生力量。這封信雖以私人名義發出，但因所舉出大陸各項目標均與事實相符，毛幫自不能認為虛聲恐嚇，對此正惴惴不安時，「朝日新聞」記者却發表了這樣一項新聞，在毛幫看來，簡直是有心窮害，等於發出訊號促使美國飛彈趕快發射。因此不但否認，還要查問消息的來源。看情形這位記者也許會被當作美帝國主義特務而驅逐出境呢！（何如）

自由談

美國總統詹森最近通令查禁政府各級公務人員接受外界的餽贈，并實行登記政府人員的私有財產，旨在消弭貪污風氣，可謂明智的措施。

英國的辦法更進一步，對於在海外殖民地從政的官吏，如果擁有超過他正當俸祿收入額的鉅量資財，亦予徹查究問，決不寬假。政府統制着全國金融，任何人皆沒法任意隱瞞，或隨便變動私有財產的。

英美各國對於防範官吏貪污行為，除却法令的效用不折不扣以外，還有一項高明的手段，那就是藉重輿論上的「扒糞運動」。一個官吏祇要被新聞記者揭發了貪污事實，政府當局和國會議員即急起調查，依法究處，議親議貴，毫不含糊。所以杜魯門總統在任時，他有一位親信的副官長式幹部人物，因為接受了朋友贈送的一件貂皮大衣，被報紙揭發不廉，馬上予以撤職處分。英國保守黨麥美倫內閣的國防大臣，因為私生活腐爛，跟交際女郎斷混，經輿論檢舉後，曾對國會發假誓，終於黯然去職，斷送了政治生命。

說難

英美這類蕩滌貪污，整飭政風的方法并不稀奇，但在咱們中國就行不通。儘管教官吏登記私有財產而他們的財貨可以隨時變成外滙，轉移到異域去，一旦實行登記起來，我敢担保，他們都是些比我還要貧乏的清寒人家哩！談到禁止接受紅包禮品，政府迭發明令，嚴切申儆在案，事實如何，大家心知肚明，無須贅述了。至於提倡節約，禁止官吏上酒家，咱們政府頒佈的令甲，較諸英美更嚴厲而繁密，結果只是具文而已。縱有達官貴人如英國的國防大臣普洛佛穆者，蕩檢逾閑，有忝官箴，亦託詞於「私生活」，與公務無關，自可置之度外，報紙如敢揭發，慎防吃誹謗官司，招來報館關門大吉的後果！

因此之故，吾國舊有一切的政治制度和社會組織，乃至於生活習慣，皆能夠付諸革命的洪爐中，化為灰燼，唯有傳統性的貪污行為和腐敗政風，革命之神却始終無可奈何，自慚形穢。這原因究竟何在，謭陋如區區，百思不得其解，佛言不可說，不可說，其斯之謂歟？

馬五先生

從「特急電」看台灣省議會

本報台灣中部記者 熊徵宇

五十二年夏天，我在本報三五八期，以「台灣省議會的三個隱憂」爲題，用五千多字，談過省議會的一些問題。歷時兩年，那些內在的問題，已經發展到議長與議員互難容忍的程度，於是議長與副議長聯名發出「特急電」請求議員們出席開會；而議員們一再「拉開面情」，提出檢討。於是修改議事規程焉，目的乃在如何提高議員們的出席率？如何加强組織的權限？如何建立議會的威信？

但就我個人採訪省議會八年來的認識來看，目前的這些做法，不可能發生太大的效果。要求用這些方法與方式來達到目的是不可能的。這些做法只是一種不得已「混不下去」的維持。假如說這些作法，只是百孔千瘡時的一種「急救包紮」，也不爲過份。

若果不從領導者的本身着手，若果不從各個組成份子的身上着手，若果不從議會政治的基本認識與精神觀念上着手，若果不從政黨提名的嚴格放核上着手，要使台灣省議會健全起來，那希望是有點近乎渺茫的。

議會廟堂 指佛吃飯

民主政治的理論不容我淺薄饒舌，但它需要一定的條件，因時因地而循序漸進，否則就弄得四不像，只見其害，未蒙其利。

已故的英國名政治家邱吉爾生前說過：「民主政治可能是一種最壞的制度，但在人類尚未發明更好的政治以前，我還是贊成民主政治」。這是一種很深厚的，具有幽默感的理想認識。民主思想是反抗暴君專制的產物。但是在一個產業不夠發達，人民知識水準不夠高的國家，實行民主政治，就得處處留心，小心翼翼[illegible]份子强化起來，健全起來，逐漸趨向於民主政治的理想境界。

而台灣的議會政治，實行已十九年，就省議會言，[illegible]子越來越差，國家與政黨化很多力氣徒自培養一些自以爲是的特權份子，造成一些新的財閥，把他們用各種方法獲得競選勝利的滿足與驕傲帶進議堂；處處爲自己的利益着想，事事爲自己的地位打算，甚至於連例行的會議都不出席，還談得上什麼民主理想政治抱負？

人物型態 八仙過海

可以說，除極少數用心於選民的議員以外，大多數人，是把議會當做廟堂，他們指佛吃飯；藉選民之名，做利己之事，在民主政治的金字招牌之下，在政府官員之間，把議會當作交易所。

我這樣說，并不過份。我們可以就事實來談。我們先談省議會的人物型態。

自從第二屆省議會結束，第三屆成立以來，省議會就在有形無形之間有一種精神散漫的陰霾；這倒不是說因爲當了十七年議長的黃朝琴離開了議會才有這種現象，而是在黃朝琴任內的末後兩年就有的。但是黃朝琴在某些背[illegible]而現任的議長謝東閔缺乏這些。所以慢慢的弊病包容不住。搞政治就離不了小圈子的支持力量，這一點在謝東閔可以說是一完全沒有。而所謂黃朝琴派的議員，議會還存在不少，這些人對謝東閔當然不大服貼。（一）

屏東稅處貪案之揭破與胡自新間關聯種種

（本報記者袁文德屏東航訊）集體貪墨案初露眉目，屏東稅處主計主任胡自新突奉調南投一稿，經本報五月一日（五四三期）第二版刊出後，胡先生即以「內容諸多失實」爲由，於五月五日函本報更正，其更正全文亦經本報於五月十五日刊載。記者爲求該新聞報導正確，遂再經多方求證，茲誌如次：

據有關方面證實：屏東稅處涉嫌官商勾結，吞沒鉅額屠宰稅欵，集體朋分疑案之揭破，周步超向司調局投案自首，祇是迫使有關當局非處理該貪墨案件不可而已。因該案早於五十三年十月六日嘉義稅處案發的當月，該處主計主任胡自新即已將案情來龍去脈，據實向財政廳提出秘密檢舉了。因廳長周宏濤將案延緩至次（十一）月廿四日，始指派督察室主任傅維新南下，進行首次調查。傅維新於當天下午搭觀光號快車抵高雄市，是晚下榻神州大旅社二三二號房間，次（廿五）日上午周步超在另一位（姑隱其名）稅務員陪同下前往應詢。其應詢筆錄內容，在在證明胡自新所檢舉是實情。大意是這樣的：

「五十二年八月至十一月期間，我（周自稱）和何水漢、陳水土等三人，均爲屠宰場管理員，當時的處長、秘書均現任，課長是徐晟祿，股長是鄔孫。經由屠商黃牛吳伯榮、林清雄、吳添興等三人串通勾結，每月負責漏逃稅豬隻三〇〇——五〇〇頭不等，每頭稅欵是二〇〇元，將所得吞沒之稅欵，每月扣出一二、〇〇〇元，作有關機關的交際活動費用：屠商黃牛吳伯榮等三人分取其中三分之一，餘剩三分之二，除打印工人每月津貼四〇〇元，管理員則每人分七、〇〇〇元，其餘……。」

此後傅維新曾數度南下作進一步調查及核對有關資料，至於有無事實證據？周廳長究竟如何處理？這裏保留不談。

檢舉人等因鑒於屢次向有關當局提出秘密檢舉，而均遲遲未見處理下文，又因周步超調基隆稅處服務，乃更加氣忿，周某遂再以「吞沒稅欵，朋分後之餘額，由課長代購奧米茄（Omega）手錶一隻，二兩重黃金鐲一對，一兩重黃金鍊一條，及現金五千元，偕同他（周步超本人）逕往共公館」爲由，向司調局投案自首，因而導致本案直轉直下，露出生機，而引起各界矚目注視。

又據某人士向記者證實：胡自新主任因何憤而向各有關當局檢舉此涉嫌官商勾結，吞沒稅欵集體朋分疑案，其主要原因是省財政廳規定該處五十四年度修繕經費預算一〇〇、〇〇〇元。而處長則以「縮小業務費用，擴大事務經費」方式，硬性將廳令規定之一〇〇、〇〇〇元預算，改批爲三五〇、〇〇〇元，使主計執行預算上發生困難，因而杯葛。處長認爲主計主任既然不予合作，於是自五十三年中秋節以後，即取消每月給予的二、〇〇〇——三、〇〇〇元私下生活津貼，致造成此一所謂「勢不兩立」的局面。

學風純正成績斐然 嘉義東石中學辦得好

教育廳長允優先改省立

（本報嘉義航訊）本月十五日爲嘉義縣立東石中學創校十週年紀念，該校校長朱繼聖爲了響應蔣總統號召的毋忘在莒運動，不舉行擴大慶祝儀式。當日上午九時，該校校慶紀念會完成後，僅舉行八百公尺接力賽，排球友誼賽，下午邀請省立嘉中足球籃球隊作友誼賽等體育活動，藉資助興點綴而已。此外又有各科作業成績展覽，計分爲：（一）自然科學，（二）社會科學，（三）英語教學；（四）國文數學。女生部計有：（一）家事成品，（二）工藝成品，美術作品等，均表現良好成績。

該縣縣長何茂取因公務羈身未克親臨參加，乃特派教育科督學張英偉爲代表，前往觀禮，致辭時讚揚該校已有之成就，并盼繼續發揚光大。另家長會主席亦會致辭讚揚與勉勵。

按該校校長宋繼聖金陵大學畢業，又曾赴美入維基尼亞及哥倫比亞教育學院研究，回國後從事教育工作已近廿年。接長該校則自民國四二年開始。該校校風日趨純正，學生成績優良，升學率和讀書風氣之高，口碑載道，宋氏領導之功，實不可沒。省教育廳潘廳長蒞該校視察後，除嘉勉外并面允優先升格爲省立中學。（蔣蘆民）

土耳其扒手另有一格

當心腹大便便婦人 與十二歲以下孩子

——伊士坦堡通訊

在土耳其的大城市伊士坦堡，目前已經有許多小孩淪爲扒手，這些小扒手中有一個十歲的女孩奧莎蜜。

扒手莽撞 警署告狀

有一天，奧莎蜜的母親（二十六歲）前往警署，要求將四萬四千多里拉（土耳其幣制單位，約合港幣二萬三千多元）的欵項改爲屬於她的女兒所有。她說，那些金錢本來是她的女兒賺來的，但是由於他的父親恐嚇她，所以便將這筆欵項交給她的父親。

警方人員很懷疑年紀小小的奧莎蜜能夠賺這許多金錢，於是便展開調查這筆金錢的來源。

警方人員發現，奧莎蜜的母親是一個著名的女扒手，但是由於懷孕的緣故，曾經被免除了入獄的刑罰，因爲在土耳其的法律裏，懷孕的婦女是不判入獄的。

奧莎蜜對警方人員說：「我的父母親把我毀了，他們沒有把我送進學校讀書，特別是我的父親，他常常向我要錢，如果沒有的話，而且常常罵我。」

年紀小小的奧莎蜜已經有十六次打荷包的案底，但是，每一次被捕後都得到釋放，因爲土耳其的法律，是要在十二歲以上才能被判入獄的。

據伊士坦堡的一些人傳說，奧莎蜜打荷包的技術十分高明，因此有人就出約等於十六萬元港幣的代價請她作一定期間的工作，以圖盡量利用她的技巧。

好心扶她 錢不見了

一名曾被打荷包的男子向警方說：「那時，她（奧莎蜜）在德森廣場附近一條街上突然跌倒在我跟前，我彎腰把她拉起，但是她却沒有站起來，可是她的手上却有些錢。我完全不覺得，她已經打了我的荷包。假如當時她有時間急急把它收藏好的話，我是不會懷疑她打了我的荷包的。」

他續說：「我把那三百五十里拉（約等於港幣二百二十四元）奪回，並緊緊地拉着她，準備把她帶上警署。突然，有四個女人走來，向我襲擊。跟着，她們便乘私家車逃走了。」

伊士坦堡最近已經增加很多小扒手。據說，他們是在嬰孩的時候就有人開始教以各種扒竊技術。當他們會走路的時候，他們的母親就帶他們到外邊去實習。

五歲開始 盜竊生涯

一個五歲大的孩子，常常就表現出相當高的打荷包技巧，他們當然是經過特別訓練的。一般說，他們的父母認爲他們技巧成熟，可靠，而且在被捕時不會說出其他人的名字時，往往就帶他們一起活動的。

但是，當這些孩子達到十二歲的時候，他們就停止作打荷包的活動，因爲十二歲的年齡，是一個可以被判罰的年齡。

這時，他們過着懶洋洋的生活，飲酒，賭博，在公共場所流連竟日，而那些女孩子則過着一個短期的，不大活動的生活。

但是，當女孩子結婚，而且又懷孕時，她們又開始活動了；最大的原因，就是因爲她們得到法律的保護——懷孕婦女是不會入獄的。

腹大便便 用作掩護

這一來，婦女生了一個又一個，而她們也跟着活動一個時期又一個時期，直至她們的小孩子長大，又和她們一起，出外打荷包。

伊士坦堡的警察雖然陸續向那些扒手展開偵查和逮捕，但是她們逃避判罪的機會正多呢。

最近伊士坦堡在報章上曾展開一個「反扒手」運動，這是否有效，那是值得人們懷疑的。

伊士坦堡的大報紙，都用顯著地位刊出有關預防扒手的方法，而且又詳細分析扒手是怎樣活動，怎樣去認識她們，和怎樣避開她們等等。

警方提出警告說，要提防那些「大肚」的婦女，她們大多穿黑白色農婦裝和頭戴白色頭巾。不要幫助她們橫過街口，或者幫助她們推一輛破壞的汽車，不要接近這些婦人的孩子。這些人常常都在舟車上活動的。

新儒顯微鏡下的人性光輝
——解答了哲學上一個大難題
（論道續第六章）

陳健夫

歷史上打一百次仗所死亡的人數，也抵不過今天的一次小規模戰爭。人類所發明的仁義道德，其力量甚弱微，只有槍炮利器卻是眞實的。戰爭尙是有形的，還有許多無形的陰謀殘害，這世界人爲的罪惡即是全世界的統計家集中起來，也統計不了。即令全世界的文學家集合起來，也寫不完。人類這些成就，豈是禽獸及得上的？人之所以異於禽獸，或即在此而不在彼。

我說人性尙未完成，這却并非是我個人的偏見，而顯然是一種眞理。孫中山先生也嘗說過：「就人類的來源講，基督教說世界人類是上帝六日造成的。近來科學中的進化論者說，人類是由極簡單的動物慢慢變成複雜的動物，以至於猩猩，更進而成人。由動物變到人類，至今還不甚久。所以，人的本源便是動物，所賦的天性，便有多少動物本性。換一句話說，就是人本來是獸，所以帶有多少獸性，人性尙少。」由以上所剖析，我們人類實在沒有充分證據自稱善良。人們應坦白承認，我們人是有罪惡的。在這眞理之前，人們實在應該誠實的低首認罪，努力悔改。

美國已故總統羅斯福不瞭解納粹黨徒如何喪失人性，以殘暴殺人爲樂。有一天他讀了坎而克茄德的著作，才恍然大悟的說：「坎而克茄德所給我對於納粹的解釋是前所未聞的。我從來想不出這個道理，爲什麼明明是有人性的人們竟會幹出像那樣一類的行爲出來？他們是有人性的，但却幹出像魔鬼一樣的行爲。讀了坎而茄德的著作，才使我明瞭人性中一定有一種什麼東西，所以那些德國人會變得這樣兇狠惡毒。」

羅斯福對於納粹那種「魔鬼一樣的行爲」，「從來想不出這個道理」，大概傷了不少腦筋，結果他在丹麥神學家坎而克茄德的著作中找到明確的答案，原來坎而克茄德的名言是：

「人類生來便有罪，除了靠上帝的慈悲和幫助，他們是毫無能力可以改造自己的。」

想耶穌在世之日，也會受魔鬼試探四十晝夜，人生在這富貴繁華，光怪陸離的世界，實無時無刻不在被魔鬼引誘試探之中，人生能不被魔鬼引入陷阱，實在是天大的幸運。做人實實在在應該時時警惕反省，提高警覺，喚醒生命力，方保得平安。

人是極易犯錯誤，極易陷入罪惡深淵的，世界上實不可能有一個不犯錯誤的人！因此，人要有警覺，及時知道自己的錯誤，認識自己的罪惡，而勇敢的承認罪惡，沉痛的反省懺悔。古人說「日日新又日新」，又說「昨死今生」，皆是爲人生尋出一條自新的道路，寓意實在很深！

唉，人實在是最不安分的高等動物，當他食飽衣暖，便發生了淫慾，於是盡情的去追逐歡樂，甚至不惜損害他人利益，破壞他人幸福。當他知識豐富，能力高强時，便發出野心，不擇手段的去追求權勢地位，甚至不惜驅使千萬人戰死沙場。世間的悲劇，人間的痛苦，皆是從此而來。人性中這等惡劣的成份與傾向，我們積數千年來的痛苦教訓，實不應再諱疾忌醫地諱莫如深了。長此以往，將來病入膏肓，便無可救藥，悔之晚矣！難道人類的命運，人類自己不會挽救，而必待上帝的末日審判麼？

新儒學主張人們作罪惡之反省，原是一種內省的功夫，是一項高尙的道德教育。中庸云：「反身而誠，善莫大焉。」曾子說：「吾日三省吾身」，皆是反省功夫。但將罪惡淸除，便是善了。大學格物致知之功，原在於是。但須注意者，這個反省是人格自動的反省，反省者只對自己人格負責，不對任何人或任何權威負責。這個反省，不是被動的，不是强迫的，完全是一種道德的自我教育。

從前王陽明講學，首以立志、爲學、改過、責善、相勉勵。我這新儒學，開頭便要求人們作深沉的反省，認識罪惡，并對罪惡宣戰。通篇宗旨盡在反省改過四字中，原是一種高尙的人格教育。（但不是坎而克茄德那樣的神的格言）志須從此立，學須從此成，善須從此生。人能隨時隨地反省改過，便是無量功德，立地成佛，却不必閉目唸什麼「阿彌陀佛」，也不必張口講什麼仁義道德。

（五）

夷區采風錄

李仲侯

夷人男子無論老少，都於額頂留二寸寬，一寸長的頭髮，名曰天菩薩。女子在幼時於頭頂留一小部長髮，其餘都剃去，稍大乃滿頭留髮編辮；出嫁時，把髮編成大辮，白天盤於頭上。男子常以黑色長布纏頭，先將布之一端折爲長尖其形有如牛角，以代天菩薩，置於額前，然後以布條裹纏頭部。常看到四川人亦以白布裹頭，但無此天菩薩。據說，這天菩薩最忌他人用手接觸，如强迫觸及，甚至發生鬥毆。女子則無論老幼，於白天都以布裹其髮，未嫁女子及少婦，都以二三寸寬的藍布條纏裹頭部；如已生子，則改戴娘家所送的黑布帽。其帽後部有一寸寬如寶劍形的紅布條一根。耳部裝飾，男子於左耳下端穿一孔，帶一兩大小的紅瑪瑙或珊瑚珠。女子於兩耳各穿一孔，有帶長串各色小瑪瑙及珊瑚的，也有帶很大的銀耳環的。

夷人上身所穿的衣服，除女子有項領，頭部有各種銀質繡花項圈外，其餘則男女相似，於肩膀及胸際都有各色花邊。不過貧窮男子，多不穿內衣。男子下身多穿單褲，褲腳甚大，寬約三尺。女子則不穿袴，祇穿長折裙，貧者長及足脛，富者則拖於地，不露足。少婦多以紅色綠色布條，綴成裙之下部。男女皆赤脚。遇雨天則著竹蔴編成的草鞋，鞋之前後，都釘有脚馬，以防泥滑。在小腿部，男女都纏有裹腿，因夷人居山中，日常須奔馳於山嶺間。

此外，夷人還有一種重要衣服，式樣男女相同，大小各異，日穿夜蓋，避雨禦寒，有時還須作行囊之用，把一切零碎物件都放置其中，夷人稱爲「擦爾挖」，形像漢人的披衫，原料都用羊毛。亦有兩種，一稱毡衫，係用彈弓彈羊毛，加以一種膠樹，用木棒壓製而成，價較廉，每件祇需銀二三兩。這種「察爾挖」，普通都係白色。還有一種叫牟子，係將羊毛紡綫織成毛布，縫成牟子，多染爲深藍色，價値較高，每件需銀四五兩。（七）

漢文，漢字，漢學

陳曼卿

自秦將蒙恬之筆（據晚近在長沙左家公山的戰國木槨墓，發現了一枝製做精巧的兎毫筆，完好地保存在竹管中。證明那是楚國漆工用來繪「捲雲紋」一類線條畫的工具，他們皆用漆如墨者。由此足證前說，筆非蒙恬所造，而是由他奏請大量製造，普遍才獲得使用的作書工具）大量通行以後，書寫就不似以前那樣，不是刀筆，就是用竹籤沾（左缺手旁）漆來寫文作書的困難了。

我們現在所見到的先秦彝器銘文，那是當時出於「貴族明勳受賞」的重器，而是「齊莊中正」的作品。也不要以爲前後數百十件的秦、漢碑銘，就認爲西漢不是「篆書」，也是「古文」。我們只要用「居延漢簡」或「流沙墜簡」兩者之一，皆可以說明西漢時代是省益隸體的「八分」書法。東漢不是「古文」，也是「隸書」的說法，自不能成立了。這完全是由於環境而決定其使用的一項事實。概自「蔡侯紙」一經普遍，文體書法的演變，說來很使人難於置信。今日凡是通曉書法的人，可能都知道東漢「張芝草書，池水盡墨」的故事，地點在今甘肅，接近當時西京（咸陽）地方。

我們不要忽略，當春秋末年，乃至于整個戰國時期。諸侯卿相，皆爭相養士（當時所謂四民的「智、勇、辨、力」之輩）都是僅次于「十家」後稱「諸子」，即漢代所言「九流」、「百家」，之類的人物。這當中固不乏「談天、雕龍、堅白、異同」之流。

諸侯中，如越：「句踐有君子六千人」。齊：「稷下談者亦千人」。還有，魏文侯、燕昭王、太子丹、「皆致客無數」。

卿相中，最爲後世稱道的有，戰國末年的四君子。以及秦之呂不韋「皆有客三千人」。又秦、漢間，張耳、陳餘、之號多士。漢興，代相陳豨：「從車千乘」。文、景、武之世，吳鼻（左缺水旁）、淮南、梁王、魏其、武安等「皆爭致賓客」。就是魯共王、河間獻王、史書雖未提及，我們不難想像，因時世潮流的趨向，他們不無同樣好尙。

前面已經提到：「五經、六經」因嬴政的無道，令燒天下詩、書、百家語，長年累月的不斷焚燬，前後達十一年之久。

又：漢初的籍火燔滅咸陽，灰燼秦之府庫文書；東漢初，赤眉的一把（妖）火，再焚西京宮室；乃後，董卓這一强人，又再一把（野）火。前後四百三年中，四次空前浩劫！「內庫燒爲錦繡灰」的斑斑事實。

西漢繼世，搜求先代典籍，廣佈於史書記載者，舉不勝舉。其殘缺不完，已是不言可知。再經兩漢諸儒作什採篇章，僞古託古的牽入己意；復又製造一些謬理、謬事，仿古法古的造作出大批謊史、謊書。

蓋自西漢建元（武帝年號）崇儒術，黜百家，立五經十四博士。直到東漢熹平（靈帝年號）三百七十一年中，「五經」猶無定本。蔡中郎書册鐫石的「漢石經」，實乃八分（即隸書），則多採自「古文經」；與魏正始（廢帝年號）時的「三體石經」，爲古文、篆、隸（三種字體），根據晚近出土校勘，兩者內文亦未盡全合。

由魏、晉、至宋代，因離亂戰禍，由北而南的大量遷徙。

（四十）

動物農場

英 George Orwell 著　東其芝 譯

第七章　動物所追求的社會

假如說牠對將來的遠景還有所憧憬的話，牠所冀求的就是一個動物社會，充滿了和平，沒有飢餓，沒有鞭打的苦楚，也沒有血腥的空氣，大家一律平等，每個動物都各盡所能地工作，强者自動地去保護弱者，就像牠以前在老少校演講時，用牠的前腿圈住那羣無父無母的小鴨子一樣。牠不懂得爲什麼牠們現在不敢再表示自己的意見，牠們看着那些兇惡的狗到處咆哮，牠們眼看着自己的同伴在陳述錯誤時的戰慄，又被狗撕得皮破肉爛的慘狀。但在牠的思想裏沒有一點點反叛的念頭。牠知道即使這種恐怖生活要繼續下去，也是比鍾士先生在的時候要好得多。而且目前最重要的事情，還是阻止萬惡的人類重返農場。不管農場上發生了什麼事情，牠還是要一如往昔，保持堅貞，努力工作，貫徹命令，服從拿破崙同志的一切領導與指示。但是流血與恐怖生活並不是牠和其他動物們所希望及奮力以求的目標。這更不是牠們大家拼命苦幹，建造風車或面對鍾士先生的槍彈的理想！牠腦海裏充滿了這一類的思想，但牠無法，也是無力用言辭去表達出來。牠總想用什麼方法來代替言語，祇要能夠表示出牠的想法與觀感；可是怎麼也想不出來。終於牠開始唱「英格蘭的動物」這支歌來表達牠的感覺或做爲發洩，其他圍着牠的動物也隨聲附和地唱了起來，牠們的歌聲和諧一致，低沉、緩慢、淒淒切切，牠們從來沒有用這種心情和聲調唱過。就這樣，牠們唱了三遍。

正當第三遍的歌聲將落時，斯奎勒在兩隻狗的獲衞下，行色怱怱，似有什麼嚴重事情發生般走近牠們。說道：拿破崙同志下了一項特別命令：「英格蘭的動物」這支歌已被禁廢，從現在起，不準任何動物再唱這支歌。

所有的動物都驚呆了！

「爲什麼呢？」莫利爾這樣問。

「我們已經不再需要它了！」斯奎勒生硬地說：「『英格蘭的動物』是一支革命的歌曲。而今我們革命任務已經完成。今天下午懲罰叛徒是我們革命行動的最後一個步驟。無論在內、在外，我們都得到了勝利，打敗了所有敵人。『英格蘭的動物』這支歌所揭示的理想社會我們現在也已經建立成功，顯而易見的這支歌必需淘汰，因爲沒有再唱的價値了。」

在這羣被吓呆了的動物中，雖也有些想提出一點反對意見，但那羣羊又習慣地鳴叫：「四足者善，兩足者惡」來打擾大家，於是就這樣在羊的鳴叫中結束了非正式的集會。

從此以後，「英格蘭的動物」的歌聲再也不能在動物農場上聽到了。爲了補替這支歌，動物詩人梅尼姆斯又編了另一首短歌：

「動物農場，動物農場，
我在之日，你將永遠安全無恙，」

以後，每個星期天升旗時都得唱這支新歌。但是在動物們的感覺上，不論是曲調也好，歌詞也罷，終究比不上「英格蘭的動物」來得優美動人。

（二七）

毋忘在莒與田單復國

・匡謬・

管仲可敬，桓公可頌，而鮑叔更偉大。如果不是鮑叔這樣一個偉大的人物，桓公非僅不能稱霸，連性命恐也難保，那裏會有「九合諸侯」呢。鮑叔的偉大，二千餘年來實在是不多見的人物。他不但「知人善任」，他更知得澈底。他幫助管仲，認爲就是幫助齊國。他要把一個君主的政敵，而且是一個仇人，想辦法弄回來做齊國的首相，位在自己之上，受到桓公那樣恩榮寵信，可說已經使羣臣側目，但在鮑叔的心頭，却是一種大大快意的事。他快意的是：桓公能聽他的建議，重用了管仲，更看到管仲這一個命世之才，今天能爲國家貢獻才能，那無疑是齊國的大幸，是齊國全體人民的大幸。他將國家利益擺在任何利益之上，他個人的利更根本毫不足道了。這比起歷代許多自命爲偉大人物者來，鮑叔不知偉大了千萬倍！以一個開國元勳，論資歷、論功勞、論才能，他做首相，是當之無愧的，情理所應爾的，誰也不會反對的。但是鮑叔就不接受第一號顯官，讓給管仲，其識其見，其光明磊落，其偉大精神，還了得嗎！下面不妨以管仲自己說的話，來看看鮑叔是怎樣一個人。

管仲說：

我貧困的時候，曾和鮑叔做生意，賺的錢我總是多分些；鮑叔不以我爲貪心，因爲他知道我太窮了。我爲鮑叔策劃的事，結果愈弄愈糟糕；鮑叔不以我爲愚，因爲他知道時機有利與不利。我曾經三次做官，而三次被撤職；鮑叔不以我是一個不肖份子，因爲知道這是時機尚未成熟的關係。我曾經打過三次仗，而三次都是吃敗仗；鮑叔不以我是胆小，因爲知道我尚有老母在堂，還不到效死的時候。公子糾失敗了之後，邵忽殉死，而我不死，被魯國囚起來，受了許多的侮辱；鮑叔不以我是一個無恥的人，因爲他知我是不羞小節，而是恥於功名不成的人。唉！生我的是我父母，了解我的，就祇有鮑子啊！

史記「管、晏列傳」說：「鮑叔既進管仲，以身下之，子孫世祿於齊，有封邑者十餘世，常爲名大夫。天下不多管仲之賢，而多鮑叔之知人也。」

鮑叔這樣的人還不夠偉大嗎？如果他把個人利益擺在國家之上，那裏還有管仲的一份！不是被魯莊公殺了，也會被桓公宰了的。不僅是齊國一國的歷史要重寫，以孔子的話我們可知，周朝的天下，也可能要短少幾百年哩。（五）

精采的白蛇傳

朱滌秋

白蛇傳一齣，已成家絃戶誦，人所共知。不論電影或平劇，以及地方戲，民衆皆予歡迎。過去名伶也有不少演出，以前年聯友社在三軍托兒所的一場，有陳美麟，張正芬，畢正琳，戴綺霞，梁正瑩諸位，較爲突出。大鵬今次公演，於二十日晚推出白蛇傳，竟告滿座無隙地。其序幕是遊湖借傘，現形盜草，水門金山，斷橋重會，合缽歸眞，士林祭塔。共有六段落，約廿場。人還是嚴蘭靜、徐渝蘭分飾白素貞，朱繼屛、嚴利華、黃晉分飾青兒，程燕齡飾許仙，角色支配相當稱職；不過用高慧蘭與程分飾許仙，則份量還可加重，下次似可再加考慮。此戲的精采，完全在唱做之得宜，既好看，又動聽，引起場中的掌聲，造成甫歇而又起，連續不斷，其能奏功，完全在蘭靜而輔以渝蘭也。

蘭靜的成功，全在以前學戲，多走正路子，不去旁門涉獵，基礎打得很着實，始終學梅，此爲我迭向其父秋心先生言之。梅派有了根底，再研張腔，可說唾手而得。因爲君秋所唱是梅核而程皮，其曲折仿程，發音仍是梅，蘭靜當然優爲之。所以每演而唱張腔，無不吸引許多觀衆。在此齣中，遊湖、盜草、斷橋、合缽，由她担任。遊湖本是花旦，蘭靜應付得不錯，在勾引中，仍見溫靜端麗。盜草是出乎意外，居然持劍開打，雖不十分火熾，但動輒中矩，未有軟弱，是難爲她，恐怕是第一次動武的，確是在用功。以後類似小動作的武戲皆可能演，戲路更寬，可喜。斷橋那場唱腔的音色之美，簡直把張腔學到家，大胆說一句，恐台灣伶票沒有能趕得上這樣好聽。那訴情的一大段，如怨如嗔，佳腔迭出，句句有彩聲，當然不太容易。邵佩瑜固然不錯，但尚有距離。動作之間，亦恰到好處，攔住小青那兩個姿態，是美妙的鏡頭。合缽的唱，也是同樣，驚愧神色與哀苦的悔怨，皆能表達如眞。因此堂中的觀衆，百分之九十，已趨一致的評斷說：「蘭靜的唱，已可趕過徐露，在做的方面，如能再加細琢，無疑是大鵬的當家旦角，高踞首座。」並非個人的謏辭。

徐渝蘭，即復興劇校的徐復玉。在校時未露十分光芒，因前有角兒籠罩。自離校後，參加大鵬，及電視公司平劇社，忠勇劇社，不時常演，藝乃大進，差不多常常看見。而金山寺一齣，幾乎是她看家戲，我是第三次看到。就是降香一場，繁重的唱詞，複雜的身段，美妙的台步，忽東忽西，忽進忽退，確好看而動人，場中靜肅凝目細看，非常過意。祭塔一場更有高潮，大段唱詞，極其婉轉。將來此戲再加幾份研究當是她成名之作。四大名旦以尚小雲爲獨步，打泡必貼此戲，渝蘭當可接杖。多貼演即多進步，大概爐火純靑，已是不遠。此次青兒由甯華助陣，更爲難得，以後緊記要請選此角兒，方能嚴絲合縫。

三位靑兒先談嚴莉華，她這次捧妹妹，甫離龍吟劇團歸來，原先也是大鵬當家武旦而兼刀馬，能演的戲，不下卅齣，反串小生更爲精絕，固不遜於徐露。曾經杜月笙夫人青睞，親授紅梅閣唱梆子，爲當省獨一無二，實可誇稱。她打出手之好，爲後起的善竹華、林萍，猶未能勝之。與素貞配搭在降香一齣，一白一青，在台上無是好景。出手雖僅露三四趟，姿式的美，當然是北市的第一人。我告大鵬主持人，以後要派她演的戲，武旦戲比專武工的打戲（無武旦配的）較爲好看。（上）

聽穎若近唱

穎若館主盛岫雲女士，謝絕菊壇已近兩年，觀衆均非常惦念。近自港省親歸來，友朋敦請，始於九日在藝術館演出全本六月雪，也是最近劇團中，程派大吐氣之時際。穎若似猶慮不足，復請名坤票沈規臧夫人，加唱三擊掌，也可以說，是程派的一絕。因爲此戲祇有從前的大路子唱法，我曾聽過賈洪林與彩霞唱過，列爲開鑼第二齣。後來硯秋把它掠過來，在紅鬃烈馬中，程氏祇有此戲與武家坡，他不唱探寒窰與大登殿。黃桂秋又以三擊掌與探寒窰稱能。獨梅氏僅唱武家坡與大登殿。各人的選擇不同，多有他們的絕竅，以往名伶的作風，與現在完全不同在此。沈夫人沉浸程派，亦有年所，功力唱腔，迥非後起者可及。她與遏雲曾合唱武家坡大登殿，也是前面唱三擊掌，後面唱大登殿，遏雲配代戰，沒有很深的火候，也對付不了。因聽穎若而再聽，覺得很爲欣幸，夠得一稱。

穎若的程派戲，其唱腔是周長華所薰陶，周是爲硯秋司琴的，所以行腔吐字，深得其法，能把程的有似游絲腔音，多多表現出來。程派的妙處，是高低疾徐，多有曲折，唱得纏的實似是而非。我曾希望愛蓮再多研討，是低音大有可以揣摹，頓挫要不落雕琢，穎若的夠味在此。試聽在監的慢板，法場的反二黃，其哀怨如訴，恍忽如聞三峽猿啼，把心中的衷曲，在唱中傳出，恐怕除遏雲而外，再無敵手。有幾位劇評人士，閉目凝聽，到了好腔，舉手擊掌，也是難得看到。而我於穎若，亦無間言，希望有機會再唱！

劇事雜談

談演香妃恨

・婆婆生・

「香妃恨」一齣，是劇評名宿劉豁公所編，編成以投趙君玉，趙排練完成，在上海演出，連賣半個月的滿堂，這是以往的事實，無容否認。十二年前，在台北永樂戲院看顧正秋演出，覺得有些似不合拍，亦遂置之。後來遇到豁公，即以詢問，據云：曾問正秋，此劇本所自來。始知在上海戲院後台，由苦哈哈來兜售，斥費銀元一千餘所得。豁老即告其中署有舛誤，如再演出，當爲修正。顧乃頷首而別。

前年秋，馬驪珠擬排演此戲，豁老因是世交，即以付之。後來明駝以場子過多，（約廿餘場）而一時找不到這位乾隆帝角色，即輟排未演。最近聞說復興戲劇學校，仍請顧說此戲，擬予演出，但一時趕不出來，留待七月份再演。

我的看法，認爲此戲上演，宜請教於劉豁老，糾正舛誤。然後顧可駕輕就熟，先予指點再演，比較更爲合理。吾人對劇藝固不必故步自封，完全在求「眞善美」，並且對於冗場可以刪去，旨在緊凑。豁公亦認爲甚是，以剪裁劇本，是更須編者的動手。復興亦不缺手，顧雖經驗甚豐，恐亦不肯貿然從事。免除依樣畫葫蘆，不致畫蛇而添足，明慧如正秋，想亦不以爲非，爰據鄙言，藉作參考。

花木蘭

——「影劇與歷史」之五

周遊

新唐書梁師都傳云：「師都，夏州朔方人。隋大業末，據郡稱大丞相，聯兵突厥，畧定雕陰、弘化、延安。自爲梁國，潛皇帝位，建元永隆。始畢可汗遺以狼頭纛，號大度毗伽可汗解事天子。貞觀二年遣將攻之，其從父弟洛仁斬師都降。自起至滅十二年。」觀此傳中之「天子」、「可汗」、「尚書郎」、「同行十二年」、「壯士十年歸」，大度毗伽可汗，解事天子等，足可以與「木蘭詞」中對照參證，庶幾不差也。

據梁師都傳，他曾號大可汗及天子，與詩中所稱相同。唐太宗打敗東突厥，征服四夷之後，天子對內稱皇帝，對外稱天可汗。而「策勳十二轉」，恰與唐代官制相同，唐之功勳即爲十二轉，一轉爲武騎都尉，由此漸高，高至十二轉即爲上柱國。「同行十二年」，與「策勳十二轉」，蓋唐代喜言「十二」，又雅重郎官。其「木蘭不用尚書郎」，乃就當時風尙而言。所以，雖然師都與太宗同爲天子、可汗，但以官職而論，乃爲唐人。又木蘭從軍，乃是黃河以南而向北方去，與所謂「朝辭爺孃去，暮宿黃河邊」相合。如說她是梁師都的轄地就不對了。「朔氣傳金析，寒光照鐵衣」，則她出征役區當在朔方。

木蘭之籍貫，可拔詩中「朝辭爺孃去，暮宿黃河邊」，則其家必在黃河以南。又「旦辭黃河去，暮至黑水頭」，黑水惟雍、梁有之。禹貢言黑水有三：「華陽黑水爲梁州」，「黑水西河爲雍州」，「導黑水至於三危，入於海」。疏引水經注云：「黑水出張掖雞山，南流至敦煌，過三危山，南流入於南海」。詩中既言黑水頭，則其家必在西北，既近黃河又近黑水。前諸說之黃陂、黃岡二地，簡直直與黃河黑水差了天壤之地；即亳縣、商邱、完縣，雖近黃河，然離黑水殊遠。故木蘭的籍貫，當在今之陝西河套及蘭州以東一帶爲是。所謂「燕山胡騎」乃是唐代在甯夏東南置燕州，以羈縻胡虜，而非薊縣之燕山。辭中「東市買駿馬，西市買鞍韉（左缺革旁），南市買轡頭，北市買長鞭」。如不是在西北地區，何能隨處買到？如爲豫、皖、鄂、地之人，多爲步卒，不善騎射，而鞍馬不能隨市可得。韋元甫有木蘭歌云：「……朝屯雪山下，暮宿青海旁；夜遶燕支虜，更携于闐羌」。可以參證。因其可與「木蘭辭」中「旦辭黃河去，暮宿黑水頭」相印證。

唐人作木蘭詩者，以韋元甫爲最早，其他如杜甫、白居易，均有關於木蘭之詩。至於木蘭的姓氏，因辭中無法推知，不比時代、地籍有據，姓魏，姓朱，皆可能是妄說，是隨意加以爲定說。而姓花、姓魏、姓朱之，在木蘭辭中毫無一點影子。我們則不能隨意亂說；臆斷也有點影子或線索，否則是站不住的。（六・完）

法國人筆下的賽金花

匡正

賽金花提出一個要求，是整個北京市民的安全。由這時間起，聯軍不得擾屋，不可亂指人民是拳匪，就加殺戮。這一請求，華爾達斯伯爵都答應了，而且馬上做到。一場大恐怖，由此結束。

出走熱河的滿淸皇室，遺下精美的宮庭，伯爵給她披上絲袍，娛遊逍息於各個殿堂，晚上睡在中國最有權威的女人床上。

她是人民的功臣，女中的豪傑，她救過全城未被屠盡的大半生靈。在那段日子裏，她享受一切尊貴，和伯爵並肩出現人前，可以說是皇后。但是她也知道他們親近的期間不會太長。他們的愛情也不會有結尾。到撤兵條件簽訂之日，就是他們傷心分別之時。伯爵的馬一出城關，他們永不再見了。

盧夫多立田少尉自拳匪之亂後留在上海甚久，賽金花的軼事及晚淸社會風俗情形，她搜集得不少。據說這篇賽金花軼事，便是其中之小部份。

名妓賽金花這段事跡，距今已好幾十年，伊人晚景凄涼，一身之奇遇可謂五光十色，多彩多姿。而結局不佳，令人真深歎息。盧多夫立田所寫這冊「賽金花軼事」，不盡不實之處甚多，特別對賽金花出身一段，寫得十分簡陋。該冊子却偏重在描繪晚淸中國之種種陋俗，如纏足、鴉片烟、以及義和團的迷信愚昧等等；意存諷譏，甚至詆譭，頗爲顯然。因而加醋加酷的極力渲染之處不少，絕談不到信史。（六・完）

內僑警台報字第〇三壹號內銷證

自由報

THE FREE NEWS

第五五二期

中華民國僑務委員會登記
台教新字第□□□□號登記證
中華郵政台字第一□八□號執照
登記爲第一類新聞紙類
（半週刊每星期三、六出版）

每份港幣壹角

台灣寄售價新台幣貳元

社長：雷嘯岑

督印人：黃行審

社址：香港銅鑼灣高士威道二十號四樓
20, CAUSEWAY RD 3RD FL. HONG KONG
TEL. 771726　電報掛號：7191

承印者：大同印務公司

台灣分社

關於教育觀念問題

——從台省第十次校長座談會黃主席講詞說起——

楊淸藻

台灣省立中學校長第十次座談會上，省府主席黃杰在會中指出：加强生活教育，並應端正學生思想，兼及行爲外表，應隨時訓練學生進退禮儀，無形中可陶冶學生守法精神，「問題學生」便自可消除。

對於這位首長的教育觀念，在原則上，我們深表同情。但是，學生的思想究應以何種標準端正之？那種方式與思想可以端正學生的思想？又進退禮儀與法律的知識有若干聯繫？吾人願就上列各節，加以討論，或者也有助於今後教育的發展。

第一，黃主席謂：生活教育，應以端正學生的思想爲主，然黃主席並未指出思想端正應以何種標準？什麼樣的思想爲標準？是「端正」的思想？這裏稍欠踏實且易於引起思想上的混淆。所謂思想一辭，在今日而言，非但抽象，而且龐雜。我們中國自海禁初開以來，西方思想輸入，百家雜陳，有自由、平等、博愛的思想，有人權主義的思想，有民主主義的思想，社會主義的思想，無政府主義的思想，馬克斯主義的思想，自由主義的思想，存在主義的思想，虛無主義的思想，以及基督教的思想……在我們中國有莊子的思想，老子的思想，墨子的思想，佛家的思想，楊朱的思想，儒家的思想，道家的思想，諸子百家無不皆有其思想；然而各家的思想無論對宇宙、人生、國家、社會、倫理、法律、政治、經濟，皆各有其一貫的主張與態度。今日的學者，見仁見智，咸認爲各有其眞理。因此，影響做人，作事的方式，也不盡相同。現在各校教員每人所受教育的程度不一，哲學思想的影響也不一致，所以，規範學生行爲的標準亦互異。如何選擇一種標準的思想以規範學生？便是思想上一個困難的問題，似以黃主席在講詞中，以儒家籠統的法則來規範學生，但儒家的思想是否全盤適應於今日中國社會，仍是一個疑問。故黃主席端正學生思想一辭，如何端正，有待研究。

第二，黃主席說：訓練學生的外表及進退的禮儀，無形中可陶冶學生守法，「問題學生」便自可消除。由黃主席這一觀念，我們可以體察到，黃主席的思想是：祇要學生有禮節，便可不犯法了。現在讓我們來分析一下，禮節與法律究有若干依存的關係？禮節爲一種社交的適宜與應用行爲，他的背景是以社會的習慣爲依歸，而習慣又因地域的不同而各別，故禮節亦因之有不同的內容與方式。這類內容與方式，各地域並無明文規定，乃以個人熟稔當地的風俗習慣而來。法律者，則具有明文規定，條欵分陳，它的精神一部份取決社會道德，究其實質，是判別是非與權衡利害的知識學問。故學生的犯法，是對利害與是非缺乏判別的知識與能力不足所致，它與禮節並無依存的關係。善於交際的學生，未必不犯法，而有法律知識的學生，又未必盡諳交際之禮。禮儀與法律是兩種截然不同的學問。禮節，它雖帶幾分謙遜的心理內容，但却無力抵抗違法的心理動機。訓練學生的禮儀兼及外表，便可消除「問題學生」，或者使學生不致犯法，是否可能，實値得我們再加以研究。

現在吾人對於思想一辭，作進一步的探討。所謂思想，Ider這東西，根據心理學的解釋，是動物腦神經或交感神經對外界事物反映產生的一種活動。尤以人類的思想，在學術上來說，無論什麼思想，其本身並無不妥之處，進而讓其自由發擇，因爲人類的思想，它啓發人類的智慧於無窮，導致文化的昇華，文明的創造，物質的發達，社會的進步，它造福人類，對人類有一種無比的推進與創造的動力。人類之尊重思想自由，並訂法律以保護之，便是基於此理。事實上任何人不能，也不可能指導另一個的神經如何去反映，當然也就無法防止一個人如何去思想。如果一個人認爲自己的思想是端正的，便要以自己爲標準去端正他人，除非對方很機械，否則便很難辦得到，亦沒有人果眞去如此做，因爲這樣做，便無形中構成對他人思想的壓迫，防礙了他人的思想的自由。要別人如何想，或指導青年人如何想，這在共產黨人是如此，因爲他們害怕青年人的思想不與他們一致，所以要糾正青年人的思想，這雖可收到短暫反映的效果，一旦當青年人的見識豐富，反映多了，則其原來指導的思想即行改變。因此，在自由制度的社會中，要端正他人思想，便構成很大的錯誤。從學術上而論，這一方式對於青年人，非特阻遏了他們的腦神經與交感神經的發育，同時，壓抑了新生的機能，並抑制了一種智力的成長和發展，使青年的智慧至老死而不能充分發揮，於生理與心理是一最大的斲傷，對國家則構成摧滅百年生機的有效摧毀力量。

又所謂「不良少年」與「問題學生」也者，根據社會調查資料及心理研究所得，發現其犯罪的行爲，組織××幫，××派，並非什麼思想不端正的問題，他們的組織背景，多基於某一種中心觀念。即傳統社會中的所謂：忠義，道義，俠義，打抱不平，或替天行道，助弱鋤强等式微思想。在他們自己的組織中，訂明條例，每個人都須遵守而不能踰越，而這種精神又復爲我中華傳統文化所提倡與推崇，咸認爲是一種美德，在他們一種主觀主義而不自覺的意識中，認爲從傳統的觀念中去模倣或實踐前人的行爲美德又有何不對？但他們並不知道，現代工商業國家社會，其內容與條件均與農業國家社會的內容條件不同而有所改變，職業分殊，學問已成爲一種「器用化」的設具，社會的秩序與制度非單純的道德觀念與王權思想所規範，換言之非半部論語治天下的時代，它是以分門別類的學問與錯綜複雜的法律條欵所維繫着。從法律立場而言，人權是平等的，今日社會是法治的，每個人的自由都受到法律的保護，由主觀的行爲一旦擴張，無論其寓意是善與惡，便必會侵犯他人的自由，須受到法律的制裁。但是，他們從家庭到學校，從未接受現代社會的培養；沒有法治的觀念，沒有法律的觀念，便不能權衡與顧慮到主觀行爲的後果，其主觀行爲往往容易越出法律的範圍，侵害了他人的權益，構成了違法的行動與事件，這應是法律觀念不足所致。

（下轉第二版）

危險訊號

魔爪

今日与明日

大局緊張？

最近傳來的消息，毛共軍已經有三十萬人集結中越邊境，隨時準備入越，好似將不惜與美國一戰。毛共果眞出兵，是否已得到蘇俄同意，尚難斷定。

另外美國一位千萬富豪伊頓，旅行蘇俄及東歐各國歸去後，竟揚言一至四個星期內，世界大戰必然爆發，除非美國停止轟炸北越，始可挽回。

伊頓是赫魯曉夫的資本家朋友，赫魯曉夫雖然下了台，繼任人對伊頓依然很客氣，所以准他隻身去蘇俄及東歐遊歷。伊頓所看到的、聽到的，其眞實性究竟達到什麼程度，是大大可疑的。照我們看法，毛共目前仍然是用的偷鷄戰略，知道美國在越南的强硬態度，不論在國內，在國外，均有强大的反對力量，毛共此時的陳兵越邊，正好配合美國國內反對力量，迫使美國退出南越。基於這一事實，我國的通訊社，報紙，對於毛共軍即將入越的消息，實以少報導爲妙，以免被敵人利用。

南越局勢惡化

就在美機大炸北越的同時，共軍在南越也採取大規模的攻勢，破壞橋樑，伏擊美越部隊，其手段一如在中國大陸所採用的完全相同。但美越軍沒有對毛共作戰的經驗，不免處處陷於被動挨打的地位，加以美軍目前的戰略僅僅以轟炸削弱北越的作亂力量，到現在似乎爲時太晚。

所以美國在南越作戰，必須要徹底消滅北越政權，否則照現在這樣打法，死傷人數日日增加，形勢所迫，終有一天美國當局會改變政策，以全力投入越南戰場吧？也只有這樣，才可以取得最後勝利。

美國後院的烽火

多米尼加問題尚未得到解決，雖然由於詹森當機立斷馬上派美軍入駐，已使多國暫時免於赤化，但前途仍然難料。在毛共却藉此掀起反美浪潮，在世界各地均有示威行動，如日本居然出動了百萬人示威。雖然這些示威者都是毛共按人發給示威金所收買來的，但其聲勢之浩大，也頗使日本政府頭痛。

在南美，玻利維亞元首被叛黨行刺未中，竟然掠去保安人員四名，其猖獗情形，至足驚人。哥倫比亞也屢傳政變之聲，瓜地馬拉國務部長也被反叛份子刺死。這一連串的意外，直接間接，都同毛共有關。所以說，要想世界和平，必須消滅毛共，除此之外，別無他法。目前美國所行的頭痛醫頭，脚痛醫脚之策，决非辦法。（何如）

自由談

不合時宜之談

中國素號稱爲「禮義之邦」，降及現代，所謂「禮」也者，雜亂無章，漫然莫名其妙。談到「義」呢，那更是不堪聞問，可用「人慾橫流，是非混淆」兩語概括之。

社會禮俗的大端，莫過於婚喪儀制與國民服式等項。可是，中華民國肇建已歷半個世紀了，對於婚喪典禮祇見其五花八門，瞎搞一陣。維新的不妨旅行結婚，登報同居，或把死屍丟入大海裏；守舊的儘可納采問名，花轎親迎。國粹鼓吹與西洋樂器作交響之聲，或於安葬死者時，棺槨齊備，講究穴地風水之外，還要請名人點主，求行政元首題詞，更須組織「治喪委員會」，將一般顯貴的政治人物，皆列爲治喪委員。如此這般的儀禮，究竟是根據國家那種法規？抑沿襲某一時代「約定俗成」的習慣？誰也答復不來，也沒人加以過問，大家任意爲之，高興怎末搞就怎末搞。你說他太新奇，他說這是原子時代應有的進步措施；你笑他太陳腐，他說這是保存中國歷史文化的傳統禮節。至於服制，每一個國家皆有「禮服」與「常服」的規定，吾國旣規定藍袍青褂爲禮服，而又認許穿西服革履亦不違制，事實上便是等於沒有制度！

義是理性問題，中國儒家所謂「義者宜也」，屬於精神作用的活動現象，而以遇事明是非、辨善惡、別從違爲義之所在，求心之所安。然而，今人却以爲目的不擇手段爲立身行己的守則，只要能夠取得富貴利祿，任何卑鄙齷齪的行爲，一槪肆無忌憚，社會人士且稱譽爲能幹之士，是了不起的人才，縱有男盜女娼的事情，亦認定那是「私生活」，無關宏旨，夫是之謂現代化的人生觀！政府常有表揚好人好事的動作，對象十九皆屬天性善良的升斗小民之流，然對於一般奄有社會地位的壞人壞事，如政治上的貪官污吏與佞幸僉壬，智識界的名教罪人，士林敗類，國人皆曰可殺，而且惡迹昭彰之徒，熟視不究，實爲莫大的諷刺！

若照這樣的風俗習慣以立國，所謂「禮義之邦」，將蛻化爲「蠻貊之邦」，人慾擴張，正義萎縮，天下滔滔，欲求一明禮達義，知恥自愛者，終不可得，社會那能不敗壞，國運焉有不迍之理呢？愚固知居今日而高談禮義問題，乃係不合時宜的頑固思想，自鳴天籟，聊以遣懷而已。

馮子先生

從「特急電」看台灣省議會

本報台灣中部記者　熊徵宇

而由黃朝琴培養起來，雄心很大的副議長許金德，雖然擁有許多企業，財力大於謝東閔，雖然他在用許多方法爭取那些值得爭取的議員們，但是有幾位經濟力量比他差不多或者比他強的議員們各人自有主張，而跟着他走的，又不一定能在議會有太大的作用。雖然在生意和經濟上有些來往。

那些在財力上可以跟許金德抗衡的議員，各人都有各人的人馬，也可以說各自有其財團關係；而另外有一些完全沒有事業，或者是小康型的議員們，因爲不必要跟那些財團打交道，或是根本打不上交道的，在精神上，各自爲政，誰也不服誰，八仙過海式的各走各的門路。

而少數具有政治理想真正在爲選民服務的議員，又不屑於跟那些財團人物往來。在這些不同類的人物型態上，省議會就沒有個人的精神象徵，而領導中心，只是職位與規程。在人與人的精神聯系上是散漫的。而那些小圈子的結合，又都是基於利害，碰到嚴格的考驗，馬上可以分手對立，於是也就談不上有什麼政治理想。所以說，只是一種商業結合而非政治集團。親愛精誠，這裏沒有。黨同伐異，也談不上。

連正副議長擁有七十三位議員的時大政治組織之省議會，人物型態是如此這般，要求它發揮政治力量，就真的戛戛乎難矣！

他們在幹些什麼？

於是多數人只重視掛在西裝擬頭上的「省議員」那塊金質的「省議員」的證章，奔馳於省府廳處之間，乾杯於商業團體之中；在縣市鄉鎮發表演說，向中央當局陳情請願。銀行金庫，往來不絕；貿易機關，日常出入；而却缺乏興趣於省議會的例行會議。

那麼，難道說那些多數不大出席的省議員，經常都不到會嗎？當然不是的。有幾個部門的會議他們是一定來的。那要看他們自己的事業與所討論的問題或者提案的關係，要看他們對某一部門預算與決算的關係。有些機關平素有過交情，在預決算上不能不支持；有些與自己的事業有關係的單位，平素不大順手，不能不用「質詢權」來轟一頓，訓一下，給點顏色。或者是把全部質詢時間，列爲「十大德政」的朗聲讚頌一番。

諸如這些原因，他們一定出席。等到「任務」完了，坐着汽車回家。

那末，每次例會有沒有從開會到閉幕一直不缺席的省議員？有。但是搬起指頭來算，不到十個人。多是去去來來，所以有的時候要討論某種法規之類的立法案件，時常因爲人數的不足而不能表決。而那些省單行法規，都是與全省選民有權利福趾關係的。

特急電，「催請小組」

比如今年四月廿一日舉行的三屆四次臨時大會，除正副議長以外，七十一位應該出席的議員，只到了十七位，使大會不能以法定人數討論一項省單行法規，於是議長副議長聯名向各縣市發出「特急電」，催請大家到霧峯省議會來捧場，而且措詞用字，還力求和緩，把「以免流會」的字樣，改爲「以利大會進行」；於是到了會的十七位議員（平素的出席率比較多的），舉行了一次檢討會，將炮口對內，轟了一番。

有的議員要求紀律委員會在每次例會時，公佈缺席議員的名單，有的議員建議由各縣市選民組織一個催請小組，促督各縣市的省議員出席開會。真是一件出人想象的大新聞！

我們的議會政治搞到這步田地，默唸民權主義，怎不手悸心裂！

五月十日，省議會舉行三屆五次大會揭幕後，程序制度研究小組提出一份報告書，交請大會核議。那報告書，有四個要點：（一）改善議事日程。（二）強化預算綜合審查委員會的組織。（三）修正質詢法。（四）明定調查或研究小組的期限。這四個要點，當然，都是具有針對性的。我們從報告書中，對於第四個要點所作的說明，就可以了解我們那些對代表人民開會並沒有興趣的省議員們，平素是怎樣在執行選民的付托。

調查案件一擱數年

程序制度研究小組所提出的報告書中說：「查本會所組織之調查或研究小組，有歷經數次大會尚未進行，影響本會之威信至鉅。爲期促進調查研究小組之效能，對於小組組織後，經三個月尚未進行者，應由本會秘書處催請進行，倘經半年後，如無提出中間報告，而仍未進行時，即請議長改派其他議員組織之。」

這段說明，把省議員們誤事誤國的事實勾劃得非常清楚。我負責的說，真正談得上做「研究」工夫的，實在太小太少！如果有，那也不過是研究自己如何運用省議員的身份，去適合存在的社會型態與政治型態；維護自己的生意，找尋財富的門徑。（二）

今日歐洲「吃牛扒熱」

法國去年每人平均吃七十四磅　比人六十三磅英國人五十二磅

——倫敦通訊——

今日歐洲人視爲時尚的夠體面的享受，就是吃一塊色、香、味皆全的牛扒。據說，義大利南部的人，到了米蘭，第一件事就是吃一頓牛扒。在法國，牛扒素來都是全國上下最受歡迎的食物。在英國，一位屠夫說，有一半吃牛肉的人，都爭着購買淨肉做牛扒。

吃牛扒的狂熱，在一九六四年已經達到最高峯。近十年來，世界各地吃牛扒的人，普遍增加。法國人每人每年吃牛肉七十四磅，居歐洲人的首位。比利時人每人每年吃牛肉六十三磅，居次；英國人每人每年吃五十二磅，居第三位；較一九五九年時，增加了百分之十有餘。預料這個數字將繼續增加，但本地生產的牛肉，祇能供應百分之七十的銷耗量。牛肉銷耗增加，主要是因爲牛扒銷量增加，人們的生活越好，吃牛扒的人越多。即使在吃的方面，人人都喜歡效尤別人的。

然而，牛扒銷量的增加，也不祇因爲夠體面。魚子醬曾經一度被認爲是夠體面的食物，現在到底在英國不大受歡迎。到底牛扒有甚麼魚子醬所無的好處呢？如果你想想，你會發現牛扒有許多較魚子醬優勝之處。因爲牛扒而發達的伊雲士說：「牛扒是所有食物中唯一不會爲人吃膩的。牛扒到處都受人歡迎。」

牛扒的種類奇多。我相信如果每星期吃一種牛扒，吃足一年也不會重覆。而且牛扒容易消化，亦容易吸收，在一般受薪階級來說，價錢亦不算太貴。況且，牛扒易於包裹，可以放在袋裏，既清潔而又輕便；還有，牛扒很快便可以燒熟，在這個時間即金錢的世界裏，越來越受人歡迎。

對於英國人吃牛扒的狂熱，營養學家有什麼意見呢？家政專科學校校長考惠爾小姐說：「一種食物需求的人多，價錢自然昂貴，與其本身營養價值無關。譬如牛扒肉的價錢，比牛小腿肉貴達三倍，但是，兩者的營養價值是一樣的。同樣地，牛扒的價錢比乾酪貴三倍，而乾酪所含的蛋白質與牛扒相等，論熱量更比牛扒多一倍。」她還說：「可是人是不能單吃乾酪過活的。」

牛扒的製作究竟是烤好還是煎好呢？這位家政學校校長說：「烤或煎根本沒有甚麼大分別。問題是，如果牛扒燒得太熟，便失去原味和嫩汁。還有，一般人喜歡瘦牛扒，其實稍爲帶肥的最好，這種牛扒味道較好而且鬆軟。」

甚麼人最喜歡吃牛扒的多起來呢？當然是酒家老闆者，芥辣製造商，食油商，或者，自然還有擁有牛羣的蘇格蘭貴族。他們對着草原上的牛羣，想起將來的收穫，無不沾沾自喜。

奇怪的是，屠夫們對這個吃牛扒熱潮不甚高興。原因是價錢不斷提高，使利潤減低（他們說的）；同時，人人都要牛扒肉，以致供不應求。金文斯說：「試想，一頭牛，祇有百分之十五是牛扒肉，而人人都要牛扒。」

牛扒肉要花許多人工去整理和除骨等。腿肉的零售價錢比批發的高出一倍。如果價錢太高的話，肉商因怕難以售出，祇好微中取利。

對這個吃牛扒熱潮最高興的人，當然是酒館老闆。雖然，顧客的要求較前爲高，但任何人，如有一間舖面，幾張檯椅，一個煤氣灶，和一個好的廚子，都可以開設牛扒館。一位老闆說：「祇要三個星期便可訓練出一個燒牛扒的廚師。他祇要知道各種牛扒和烤灶的速度，便可以從朝到晚地工作。如果你叫他煮一隻鷄蛋，他可能不會，但他可以燒牛扒了。一般來說，牛扒的質素比廚師的技巧更重要。差不多每一個人都可以燒出一塊好牛扒。」

英國的大部分牛扒館都很令人滿意，既淸潔又服務妥當。一酒館老闆說：「我們的經營方法就是任顧客自己選擇牛扒肉，在顧客眼前將牛扒燒好，井井有條。但是，我希望顧客們稍爲改變他們的習慣，大部份顧客仍然要吃腿肉的。」

一家較小的牛扒館老闆綽號牛扒先生的，也有同感。他說：「做這行生意要注意肉的質素。我一向認爲蘇格蘭牛肉最好；這也許是那邊的氣候，水，及草原使然。我們把牛肉貯在華氏表三十七度的冷房，存放六、七天，我們還覺得這些牛肉非常滿意。可是，我們必要設法使人們戒除吃腿肉的習慣……。」

旅台湘人爲賬欵興訟

——有人向法院控告黃杰——

（本報台北通信）民國卅八年秋間，湖南發生水災，時值共禍猖獗，程潛、陳明仁等在長沙叛變，政府已移廣州，新任命黃杰爲湖南省主席，在衡陽就職視事。行政院曾核發湘省水災振欵銀元壹拾捌萬元，由中央振委會派陳鯤（現任內政部參事）偕同李樹森（國大代表）解赴衡陽交與黃主席查收急賑災民。距戰局迅速逆轉，新任省府主席委員等甫告就職而衡陽即淪陷了。黃主席兼任第一兵團司令，旋率部隊進入廣西，中央政府亦由廣州播遷重慶，當時旅渝之湖南省參議會議員暨中央民意代表若干人，曾集會詢問此項振欵發放情形，然黃主席適在戎馬倥傯中，無暇詳談此事，繼即率軍轉進越南，在富國島羈留兩年後，全軍繞道海回到台灣。

黃氏回台後，歷任警備總司令暨陸軍總司令諸要職，旅台湘人亦曾查詢上述振欵用途，不得其詳，迨黃氏就任台省主席後，旅台湖南省前任參議員等廿餘人，特集議商討此案，由原任省參議長趙恒惕致函黃氏，聲明推出代表四人與黃接洽，即約定在台灣銀行晤面，屆時黃氏對諸代表聲說該項振欵業已移作軍費，並經呈報行政院核銷在案。然代表們認爲振欵當時雖移作軍費，事後亦應由政府歸墊，庶符法理，蓋振欵原係湖南災民應得之資，不宜含糊報銷也。當時談話未得要領。

未幾，即有旅台湘民代表朱某等，向台北地方法院控訴黃前主席侵佔振欵，乞予依法究處，中經湘人出面調解，尚無結果，現該案仍在法院核處之中，黃氏並未出而應訴，告訴人亦未聲請撤消。此一非常訟案，究竟其中是非真象如何，記者未便懸揣，俟訪查詳明，再行報導可也。（五月廿五日浩然於台北）

毛共俄共關係益惡

契爾沃年科返莫斯科　毛共等於全不加理會

（本報訊）在毛共與俄共關係趨於決裂聲中，蘇俄駐北平「大使」契爾沃年科已於四月廿五日下午乘飛機離開北平返回莫斯科，到機場送行的只有毛共「外交部蘇聯東歐司司長」余湛和僞「禮賓司」人員。

在契爾沃年科離平之前，毛共頭目們都沒有接見和設宴作餞。從這些情況可以測知，毛共與俄共關係目前十分惡劣。將來新任蘇俄駐平「大使」亦將不可能改善雙方的關係。

又毛共藉列寧誕生九十五週年的慶祝活動，又展開反對莫斯科的宣傳。僞「中蘇友好協會」和僞「北京市分會」於四月廿二日晚曾舉行集會，由僞「代秘書長」李琦濤主持，共黨「中央馬克思、恩格斯、列寧、史達林著作編譯局副局長」作了「關於學習列寧革命精神的報告」。由題目中的「革命」二字，和蘇俄駐北平外交人員未曾參加兩事看來，可知該「報告」爲攻擊莫斯科現在領導人是「不革命」的一項文件。

關於教育觀念問題

——上接第一版

我們當前的社會，這種無法律觀念的現象，似乎已不止於在少數青年人的行爲上出現，而已普遍在整個社會成年人的行爲上發生。我們不必向其他的國家去比較，祇須在本省各公共場所、火車上、公園中、以及一個穿越交通要道而不遵守規則的行人便可以看出，他們對現代都市制度，毫無忌憚，其行爲的自由！——主觀的擴張，根本不作妨害或侵奪對方權益的考慮。這一方面是由單純的農業社會過渡到複雜的工商社會制度生活不能適應的現象；另一方面則是上一代的法律觀念不健全，不足以規範下一代的行爲所致。因此，我們的法治社會，至今日仍很幼稚。今後如何在家庭中、學校中、培養法律觀念，也許對於問題稍有裨益。質之於黃主席，不知以爲如何？

新儒顯微鏡下的人性光輝

——解答了哲學上一個大難題

論道統第六章

陳健夫

若人人諱疾忌醫，自稱善良，這世界的罪惡便將無可挽救！新儒學的人格教育宗旨是：「承認罪惡即是道德」。（此處所用承認二字，有改造自新之意，與國際法上所謂「承認」意義完全相反，應加辯明）。

二、生命力乃善之源

我們已坦誠認罪，承認人性並非善良。但我們檢討人類的歷史，人在世上許多善行，光輝篤實，這不是善麼？人性既是惡，這種善又從何而來呢？令人不解！

仔細研究之後，才知道我們人類除了那食色之性以外，還有最好的法寶，那就是生命力。現在就將我們新儒學的生命力學說作一介紹，便可完滿解答人性既有惡，如何又有善的大道理了。

先說一說，我是在何等情況之下發現了人類的生命力，先說這個小故事，也許同牛頓看見蘋果掉下地而發明「萬有引力」沒有兩樣：

對日抗戰初期，奉了教育部的命令在敵後地區視察教育，有一次，在途中看見一個農家婦女正在那裏與高彩烈的趕磨，即刻吸引了我的注意。我於是停下來，欣賞她這一藝術。我看見她那樣愉快的表情，她那樣熟練的工作，似乎毫無疲乏，毫無厭倦，只見她嚴肅愉快的進行工作，內心似乎充滿着一種什麼力量——像那火車頭上的蒸氣，又像那飛機上汽油燃燒時發射出來的力量，這力量是偉大無窮的。這究竟是一種什麼力量在支持着她呢？於是我在這大藝術之前沉思了。我一面走，一面想，接着又沉思了好些日子，才恍然大悟，呵！這是什麼力量呢？我當時無以名之，就叫它做生命力。原來人類的一切發明創造及種種奇蹟，都是由這不可思議的生命力而來。這生命力雖是愚夫愚婦也是一樣的豐富。自此以後，我隨時隨地都在考察這生命力的道理。

宇宙當中許多高明微妙的道理，一經人發明道破，也就覺得平淡無奇了。我發現的這種生命力，經過我細密的研究之後，便成爲一種生命力的學說。

原來，人羣之中不論上智下愚都有一種生命力，不過各人發展的道路同里程各有不同吧了。如像走路，有的向東走，有的向西走，有的走五十哩，有的走一百哩，也有的只走十哩就停止了，而有的一步路都不願前進，只站在人生的十字路口徘徊惆悵。人皆有生命力，而其運用發揮各有不同，便是這個道理。甚麼是生命力呢？當一個人在飢寒交迫的痛苦狀態之下，他知道克服環境的困難去取得衣食，來維持他的生命；當一個人在病魔威脅之下，他知道去求醫藥，他知道如何調治，用盡一切的工夫去保持他自己的生命；當一個人獲得物質生活滿足之後，他更知道如何將他的生命寄托在他所認爲具有意義的學問上，事業上，使他的生命價値充分發揚，他的生命將獲得充實而不空虛。這一切皆由於生命力。那一個趕磨的女子，他將他的生命意義寄托在那趕磨的工作上，他在這工作上，獲得了他生命的高尚理想，由此得到一種生命的樂趣，幷因此而認識他自己的生命意義。哲學家將他的最高的生命意義寄托在他那具有眞理的哲學思想當中，藝術家將他的最高的生命意義寄托在他那富有理想的藝術創作當中，這些人的生命意義和生命價値已不再被限制在現實的物質的及肉體的生命當中，而有他更高一層，更深一層的生命境界。皆非賴這生命力無以致之。這種生命力，自那趕磨的女子，至大學問家，大哲學家，無不具有。前者是在欣賞，而不知其所以然，一切都在不知不覺中過去了，這是不知不覺者。後者却知其所以然，從而有更大的創作發現，有更高的成就發展，這是先知先覺者。世間一般人，都在不知不覺中不斷的發揮着他們的生命意義同價値，他們對人生這種生命力的存在雖指不出來，却也有些領悟，不勝舞之蹈之，有他一種說不出的滿足。在他心中，正如五柳先生讀書一樣，雖然「讀書不求甚解」，但偶有所得，便自欣然忘食，別有無窮滋味在心頭。這時候在他心頭活躍的東西便是生命力。世人對他自己的生命力往往在不知不覺中運動着，其中自有一番樂趣，自有一番滋味。人人都可以多少領略一些，却始終把握不住它；只有少數人能將這種生命力的滋味領略出來，幷且充分發揮。（六）

夷區采風錄

李仲侯

夷人居深山中，無法利用交通工具，專靠兩隻脚跋涉於巉岩山澗間。他們常打赤脚，脚底生厚繭，堅硬如牛皮。無論男女，都以背兜負於背上，以裝行李。婦女帶小孩，如出門亦放於背兜內。夷人行絕崖陡壁間，如履平地；行於平地，反覺疲勞。故夷區內道路，全不修理。他們很少有循道路行走的。橋樑亦少見；僅在戶口密集的地方，搭有最簡單的獨木橋，其餘都涉水而過。夷區內傳遞音信，有通夷文書寫者，則用木刻；不通文字的，則刻特別記號於木板上，以代令箭。若遇緊急事故，或値漢族軍隊進剿，則由夷酋派人立於高山上狂呼，互相傳呼，頃刻間，即可傳遍各部落。

夷人都是小家庭制度，男女結婚後，便和父母實行分居，各立門戶。父母所有財產，如牛羊牲畜之類，須待父母雙亡後，纔可由其兄弟平分繼承。

夷人之家政，完全以女子爲中心，凡家中一切事務，都須取決於女子。對未嫁之處女，尤爲重視。男女中間亦保持有一種自然結合，在未結婚前，亦和近代的文明人一樣，有一段戀愛過程。除平常在家庭男女可以自由往來外，不論耕作，畜牲牧，或趕街時候，都是男女公開的社交場所，隨時隨地都有機會認識。經過一段交往認識後，彼此間有了情感，亦交互贈送禮品，藉作紀念。如果在戀愛期間，男或女的一方發現缺點，父母有糾正或勸戒停止往來的權力。他們伏處深山，很少有娛樂機會，惟一抒情解悶的，就祇有歌唱，歌謠是夷人最普遍的家庭教育。男女在未結婚前，三三兩兩吹着笙笛和口哨，合唱含着詩意的情歌。每逢喜慶及佳節，均舉行跳鍋莊，男女都著新衣，圍繞鍋莊，置酒菜其中，且歌且舞。每歌男二聲，女二聲，跳一轉，飯酒一輪。惟歌詞多屬男女淫褻之詞，不堪卒聽。也有勸農、勸孝、勸善的歌謠，但很少，祇有文化較高的夷人家庭中有之。

這次考察，我們連往返費時廿八天，關於此一地區之開發設計，都按照指示，擬有詳細計劃，呈報當局，以供採擇。張子著西銘有言：「民吾同胞也，物吾與也」。我們反攻建國成功後，政府如能對此一地區，積極加以開發，對夷胞加以輔導教育，不但該地蘊藏之資源，可以取之不竭，其人力亦可獲得其用矣。（完）

漢文，漢字，漢學

陳曼卿

五經、六經、七經、九經、的輾轉傳抄，能無絲毫謬誤舛錯？自十一世紀因印刷術勃興，直到晚近，近千年來的若干版本糾轕。研經者豈可漠然視之？

清中葉，俞樾的：「古書疑義舉例」，以及晚近劉師培的：「古書疑義舉例補」，楊樹達的：「續補」，馬叙倫的：「校錄」，姚維銳的：「增補」等。都是我們此刻研究——漢學「五經、六經……」乃至「十四經」，再再不可忽略，而也需得明瞭，逐步去加以考辨和解決的問題。

前面提到本世紀以來，約有二十多年的「整理國故運動」。那段時間，在「清華學報」三卷二期，載有魯籍宿儒陸懋德氏一篇：「讀顧頡剛古史辨第一冊」評論性的文章。至今還感到回味！大概是這樣，治學爲文「未能使人心折」，亦應儘其所能的做到「能使人心服」！

近十年來，筆者由一本專集中，同時讀到三篇頗有價値的文章。其一、是陳大齊氏的：「孔子學說的五個中心概念」。章法謹嚴，從不旁涉，的確是我們現代研究儒學，以及討論古代學術所應有的態度，實在値得效法。其二、是鄧公玄氏的：「孔子哲學在世界上的地位」。他將中、外「哲學」，分別列舉，作一種有意義的比較。旣不含混，亦不互涉，雖然也有人說他近於「武斷」，但鄧氏却言之成理。其三、是高鴻縉氏的：「色思舉矣考」。雖未使人心折，而却做到了「能使人心服」的地步。

我們中國，雖有近約五千年的文化歷史。但早期的傳說（包括若干神話，以及怪誕不經之談），直到孔子時代，方才獲得初步整理。當時所記錄的，或僅只屬于大綱，故須「師說」，加以補充。（蓋古代以好問爲美德，好學的人，是有疑必問的。）迨到戰國「諸子創教興學」，而於私家箸述，欲求得人深信，託古改制，競相演繹，自是意料的事了。秦、項之火，燔滅殆盡，西漢掇拾殘篇斷簡，襍揉竄改，乃後演變爲大批的作僞，竟使後世千載，篤信不逾（像「山海經」，「穆天子傳」，一類的神奇怪異）。處於我們今天這個時代，最好還是採取春秋上的謹愼態度，「疑以傳疑、信以傳信」，著以傳著」而治學，而爲文，自是再恰當沒有的事了。筆者自不敢謂爲——有所得，謹以此質諸當世「漢學家」的指正，並提供往後的「研經」、「治史」者的一項參考。

我們不要學漢儒的「尊古賤今」，亦不可「厚誣古人」，更不宜「薄責前人」。治學爲學，本應脚踏實地，如要發現兩漢時期的「假古董」，只要稍一留心，那的確是太平常了，筆者旣荒於研讀古史經籍，更拙於舞文弄墨，草率成篇，紕謬難免，而這也就是我這一孤陋寡聞的，所知道和見到的漢文，漢字，漢學。（全文完）

動物農場

英George Orwell著

陳其芝譯

第九章　特權階級與價值利用

白克薩撕裂的蹄子經過了一段相當時期的療養，總算是好了。風車的重建工作在勝利慶典結束後的第二天就又開始了。白克薩一天都不肯休息，牠想用工作上所獲得的榮譽來掩飾牠肉體上的痛楚。可是牠常常在[illegible]裏才肯毫不保留地告訴克勞芙說，牠的蹄子帶給牠莫大的痛苦。克勞芙就把藥草嚼得爛碎的敷在牠受傷的蹄子上，並且牠跟班傑民都勸牠不要再那麼賣命的工作：「一匹馬的精力是有限的，不可能永遠的勞累不休！」克勞芙雖然老是這麼勸牠，可是白克薩却說，牠唯一眞誠的願望是看着重建的風車能在牠退休以前完工。

動物農場裏最初制定退休法時的規定是：馬和猪十二歲退休；牛十四歲；狗九歲；羊七歲；鷄和鵝是五歲退休，至於養老的津貼亦有明文規定。但是在目前雖然還沒有那個動物眞的退休養老，而且那塊小跑馬場的空地又開闢來種了大麥。可是有傳言說在大草原的一個角落裏將闢出一塊空地作爲養老院的場所，好供退休的動物們休憩之用。聽說一匹馬退休，每天可以領到五磅的穀子，冬天還有十五磅的秣草，加上一個胡蘿蔔，如果可能的話，例假及紀念日還可以有一個蘋果。白克薩的十二歲生日是來年的中夏。

動物的生活依然艱苦萬分，這個冬天跟從前一樣的嚴寒，食物的配給也短少缺乏。除了猪和狗以外，動物們的口糧又被再度地削減。斯奎勒對大家說：若嚴格規定口粮的分配一律相等，是有違動物主義的精神。不管在什麼情況之下，斯奎勒都有辦法讓其他的動物們相信牠們的食物口粮並沒有眞正地被減少。雖然說表面上確有其事，但牠常常解釋說，是爲了暫時的情況需要，迫使牠們不得不調整口粮的分配。牠慣用「調整」這個詞意來代替「減少」，並且牠能夠證明說牠們現在的口粮比起鍾士先生在的時候有着很大的差異！牠用一種清晰迅速的語調，誦讀出一些數目比較詳細表；燕麥比鍾士先生時代增加了多少，乾草增加了多少，大頭菜又增加了多少，甚至於飲水都比以前的潔淨了許多。當然啦，牠們的工作時間也沒有以前那麼長，牠們的壽命增長了，牠們的子女亦有更長的童年期可以享受，窩廐中的稻草也加厚了許多，更沒有跳蚤咬牠們了。動物們也相信這一切一切的說明都是眞的。因爲鍾士先生的時代到底是怎樣的一種情形，在牠們的腦子裏已搜不出一絲絲的影子。牠們只知道牠們現在的生活的單調枯燥，常常挨餓受凍，更得忍着肚子去不眠不休的工作。可是牠們非常樂意去相信，過去的日子一定比現在更會苦些；何況，從前牠們是奴隸，現在牠們是自由的動物呢！祇憑這一點就不該去懷疑了。斯奎勒也從來忘不了用「自由」這兩個字來提醒牠們。

現在農場上的動物數字增加了許多。這個夏天，四隻母猪幾乎在同時生出了三十一隻小猪，這些小傢伙都是些雜色，拿破崙同志是動物農場上唯一的公猪，由此牠們的父系問題是不言而知的了。拿破崙同志買進了許多磚瓦和木材，宣佈說要在農舍的花園裏建一間教室，教育這批小猪，暫時利用廚房來當教室。小猪們限制在花園裏學習一切功課，不准外出，更不准牠們跟其他的動物混在一塊兒玩。也就是在同時，有了一條新的規定：任何其他的動物在路途上遇到猪同志時，必須站立在一旁；每逢星期假日所有的猪同志不分階級一律在尾巴上繫一條綠絲帶做裝飾，這是猪同志的一種特權。（二八）

毋忘在莒與田單復國

·匡謬·

由此一史實的明證，可知人才重要，用人舉人者更重要了。好多大人物，表面滿口「用人唯才，人事公開」，然而骨子裏却是「排斥異己」，「小圈子主義」，「派系主義」，時時恐怕別人跑在他的前面。而自己却老不長進，「尸位素餐」，忌賢妒能。諸如此類的官兒，比比皆是。

桓公稱霸諸侯之後，國家尊榮，富强康樂，在這安富尊榮的時節，桓公有一次大宴羣臣，就在這盛宴百官的場合，鮑叔對桓公說了「毋忘在莒」的話。在座的除了文武百官之外，管仲、甯子，都是主要人物。這裏先錄原文爲證。

「新序雜事」說：「桓公與管仲、鮑叔甯戚飲酒，桓公謂鮑叔，姑爲寡人祝乎？鮑叔奉酒而起曰：『祝吾君無忘其在莒也；使管仲無忘其束縛而從魯也；使甯子無忘其飯於牛車下也。』桓公辟席再拜曰：『寡人與二大夫皆無忘夫子之言，齊之社稷必不廢矣。』」

劉向在這後面注釋說：「此言常思困危之時，必不驕矣。」

而這也就是「毋忘在莒」的故事。

二、田單復國

田單復國運動，是在今日山東莒縣和即墨兩地展開的。爲戰國時代齊襄公在位的時候（公元前二七九年）。當時燕軍侵齊，連下七十餘城，最後祇剩下莒城和即墨兩個地方了。這最後的兩個據點，靠近黃海，齊人再也沒有地方可退，再退就祇有跳海的一途了。莒城是齊王（湣）與一般大夫據守着，漸漸形成了復國的政治中心，戰時的首都；即墨乃由田單據守着，成爲復國的軍事中心。軍事作戰中心雖在即墨，由田單負責，但是在人心方面，仍然以齊王所在地，爲人心之所繫，如果莒城的齊王不存在，單憑田單在軍事上的勝利是有限的。

田單可算得是一位軍事家，齊國的光復，沒有他是不行的。所以應當由田單說起。田單在齊湣王時代，祇做了齊國京都市的一名屬掾，（佐治的官、正曰掾、副曰屬。）他沒有發展抱負的機會，做了許久，仍是默默無聞。到了燕國任用名將樂毅爲大將，大舉伐齊的時候，他才初顯身手。

燕軍下齊，勢如破竹，連陷七十餘城。田單在此兵荒馬亂之際，胸有成竹，命令他的宗人，將所有車輛上的軸端鋸掉，另外傅以鐵籠，向安平撤退。（六）

端午、屈原與龍舟

·漁翁·

我國詩歌，雖早已見諸周代的「詩經」；可是作者無從查考，戰國時代，才出了一位偉大的詩人——屈原。屈原誕生於公元前三三五年，即楚威王五年，本名「平」，字「原」，後人稱字而不名。

他出世後，楚國已逐漸衰弱，國內分爲兩派：一畏强秦而主和，以圖苟安；一贊「合縱」而自主，以抗侵略。屈原爲愛國忠貞之士，力主抗暴，但在政治上無大權位，不能排擠主和派，且爲其眼中釘，於是由感慨而悲憤，寫成了一部著名的「離騷」以明志。

離騷，又名「楚辭」。司馬遷曰：「離騷，猶離憂也」。並評其作品：「其文約，其辭微，其志潔，其行廉，其稱文小，而其指極大，舉類邇而見義遠。……推此志也，雖與日月爭光可也！」屈原而後，有宋玉，嚴忌、鄒陽、東方朔，劉向之輩，慕而仿之，此世稱楚辭之所由來。

屈原所寫的詩歌，句句落在保國衛民方面，「九歌」的「國殤」篇，有云：「操吳戈兮披犀甲，車錯轂兮短兵接；旌蔽日兮敵若雲，矢交墜兮士爭先。」尤其「哀郢」：「皇天之不純命兮，何百姓之震愆？」一字一淚，令人不忍卒讀！此與風花水月之作大有區別。

據「荊楚歲時記」與「續齊諧記」兩書，均云屈原於五月五日，抱石塊投入汨羅江中。五月五日，即端午。每逢是日，總令人忘不了屈原。這一節令，由來最古，再加上屈原的故事，更具有深長意義。屈原的作品，可視爲開我國吟咏的先河，且爲愛國愛民族長歌當哭之傑構。亦因此，遂有以五月五日爲「詩人節」之事，以紀念屈原，亦藉此以發揚愛國意識、民族精神也。

端陽亦稱「端午」或「端五」。民間慶祝這一節令，較元宵與中秋，往往有過之無不及；花絮繁多，而以賽龍舟爲其中最重要之節目。

按龍舟之名，由來已古。穆天子傳：「天子乘龍舟，鳥舟浮於大沼。」注：「舟以龍鳥爲形制也」。後因謂天子之舟曰「龍舟」。傳中所記，爲周穆王西行故事；注之者，爲晉郭璞，小說書之最古者也。

迨戰國時，楚三閭大夫屈原，於公元前二七八年五月五日，抱石投入湖南之汨羅江中，當地居民，發動船隻，四處打撈，後並於每年此日，用競渡方式，以紀念之。

到南北朝時代，舟之形式，大爲改變，做照天子之舟，飾爲龍形，而成爲今日競賽之舟，已有一千三百餘年之歷史。王立之詩：「龍舟衝破浪粼粼」，即爲競渡而詠也。

此舉，起源於汨羅江畔之人民，漸漸地推行於全國每一角落。即海外，在陰曆五月五日端午節，一樣隆重舉行；參加競賽之船，命名爲黃龍、青龍……等，每船有二十四至三十槳，合領隊、掌舵、擊鼓，達三十人以上，比賽時，破浪乘風，爭先恐後之情景，足壯大觀。

競渡之風，當年盛行於湘鄂兩省，以屈原生於鄂之秭歸，而死於湘之汨羅，故紀念儀式之隆重，較其他地區更爲趨熱烈也。

洪波顯神通

影星洪波來台灣後，戲癮頗濃。他的平劇造詣不壞，很拿得出來，眞有個樣兒，絕不離經。去冬初試小欵，在托兒所與周金福演老王請醫。此齣列大軸，開演出平劇未有的格局，可是突梯滑稽，鎖住了許多的觀衆。眞有他的一手，確是「不賴」！

去年歲尾，國大聯誼會同樂晚會，洪波爲了程雪雁，特請金素琴唱鳳還巢。金雖是主角，但衆目所集，多注在雪雁，也眞難爲他了。不久前看十八扯，遇到浩棠，承告在下月洪波又要玩兩天，戲碼特別之至，經告劇目，我才說洪波眞棒，丑淨一腳踢，頗爲劇運增色。

劇事雜談

·婆婆生·

這場戲於五月六、七兩日在國立藝術館上演，首先談談兩齣新戲：（一）是六日的一兩漆，即小龍鳳配，三位丑角登場，吳兆南（普鬍子），周金福（鮑大嫂），吳劍虹（苟大哥），眞是丑角大會。（二）七日的七星廟，也是佘太君招親，金福的佘洪，程復琴的佘賽花，周復嬌的楊繼業，岳小霞的紅杏，乃是旦角大會。復琴復嬌多是坤角，配成夫婦，好在台北市多未唱過，難得呀難得！

洪波自己在首夕演戰宛城的曹操，配以環春的張繡，桐春的典韋，又是少有而少見。

再加程復琴的鄒氏，比武松潘金蓮中的勁頭，多加重些，要十分的蕩，不然曹操不會屈服的！次夕，他在蝴蝶夢大劈棺劇中，却扮二百五，是不大會說話的，要看他種種動作，到後來開口，大有噱頭。配上程景祥的田氏，上次在大鵬看到，我說了一笑話，幾乎把魂都勾去，這份風騷，在台北還不多。劍虹的春雲，那是比十八扯中還要有勁。

也算感言

近七八年來，凡研究平劇的人士，都有一種相同的感覺，說崑曲詞藻深奧，懂者絕少多；但是平劇也犯此病，懂者不多。無論如何每場平劇，來看的不過一千多人，決計到不了二千，而不能夠場場客滿。所謂能客滿的，無非分頭推票，有些達官鉅賈，每天包購若干張票，那或有可能。否則很難做到。唱三天五天，天天滿座，報紙上說的，總不免有點誇大的宣傳。在這種情勢之下，多是提出「改良」，以求通俗，結果改良的口號，不過是加配佈景，添置幻燈，增用音樂伴奏。這是無可奈何的措施，不過冲淡了平劇的素質，除了胡琴，月琴，三絃，鑼鼓照常使用，以及劇中人著平劇的裝束，可是音樂一奏，如果一幕一幕排列上來，有些類似話劇中用歌唱來表現的有何不同，故改良不得其法，便成歌劇。（未完）

影劇本事

西太后與珍妃

——「影劇與歷史」之六

周遊

語云：「物必先腐而後蟲生」。清朝開國以來，順治、康熙、雍正、乾隆諸帝，悉能治國，雖剛柔有別，均不失爲英明之主。乾隆以後，則一代不如一代，咸豐更是清帝中最無用的皇帝，糊塗昏憒，終日沉溺酒色，不理朝政，政治腐化不堪，外人已知清廷是個紙老虎，列强時有併吞瓜分之野心。

咸豐間，英法聯軍攻進北京，而京城圓明園中仍是歌舞昇平，漢女牡丹春與懿貴妃爭寵。旋聯軍逼進京城，咸豐帝便以獵狩爲名，出奔熱河行宮，由恭親王奕訢留京議和，辦理喪權辱國的善後事宜。

在熱河行宮內，咸豐帝衰病交侵，態度消極。宮之內外則互相對峙，醞釀巨變。宮外以宗室肅順爲首，聯合瑞華、杜翰等人，擬擁立近支親主載垣即帝位。宮內則以懿貴妃爲首；她在宮中原無地位，嗣生大阿哥，晉位貴妃，爲人亦很機警，皇后不生育，視大阿哥如己出，因此皇后與懿貴妃相處頗洽。

咸豐帝匿牡丹春，身懷有孕，帝頗有意使牡丹春進宮，肅順亦暗中助成此事。貴妃偵知肅順此舉有奪寵之意，乃先下手爲强，除掉牡丹春。咸豐帝因此悲戚過度，病益劇烈。肅順等人見機不可失，派禁軍守住宮門，勸咸豐帝遺詔立載垣爲嗣。緊急之間，貴妃抱大阿哥入寢宮，力斥肅順之非；皇后亦以大阿哥爲親骨肉，勸帝當機立斷，咸豐遂決。於是由懿貴妃所出之大阿哥即位，是爲同治。皇后稱東宮太后，生母貴妃則爲西宮太后，這就是所謂兩宮太后。同治年僅六歲，肅順等數人，以贊襄王室大臣名義把持朝政，並詔令恭親王等所有文武大臣不必來熱河奔喪，以便挾帝自重，號令天下，漸萌篡竊之意。

兩宮太后被逼深宮，形勢亦甚危殆，幸賴西太后運用機謀，密詔恭親王，奏請皇上返京，東太后亦竭力主張。肅順等不得已，乃奉帝返京。甫抵京，肅順即被西太后心腹榮祿奉詔拿辦，斬於蔡市口。其餘附從者或死或囚，鋤誅殆盡。同治帝重新即位，兩宮皇后垂簾聽政，恭親王晉位爲議政王，榮祿亦成朝廷重臣。

東太后賦性仁和寬厚，拙於智術。西太后獨攬大權，寵用太監李連英，擅作威福，兩宮之間，因此亦難免於傾軋。不久，東宮太后崩，其死因則成爲疑案。（一）

拳壇不堪問

這眞是一場史無前例的拳賽：在克萊與李斯頓的拳王爭霸戰中，僅僅六十秒之內，李斯頓即被擊倒，於是一場被預料最「刺激」的拳賽也隨而結束了。

到底，拳壇內幕如何呢？且看一個拳界中人怎麼說罷！

× ×

「如果你有兒子，你會允許他立志成爲一個拳師嗎？」

我曾有過這個志願，但，我的父親却一直極力反對。你會奇怪，爲什麼拳師不可爲呢？下面是較爲重要的幾個因素：

今天拳擊界裏黑幕重重，許多重量級拳手的打倒强敵，獲得勝利，往往是用不正當手段換來的。

一個沒落了的拳師遭遇悲慘，曾有一個過氣的重量級拳師，由於潦倒無以爲生，結果迫於行刦，以致身入囹圄。

在一次打架事件中，一個拳師在混亂中受到警方的槍傷。

最近這次拳王爭霸戰，以我個人的意見來說：克萊的出拳是比李斯頓快速的（他說這話時比賽只在籌備階段）。但他們彼此的技術却是不分伯仲的。

精采的白蛇傳

朱滌秋

朱繼屏爲陪邵佩瑜唱斷橋而紅的，扮相模樣很耐看，此次在遊湖現形的兩幕中，可說是楚楚動人，姿態極佳。尤其念白，低聲嗲氣，眞是耐聽。因此青兒並非普通的二旦，要與白氏能配合，這次佐蘭靜，一些也不差，台步很俏而自然。希望對她多多培植，俾可更進。

黃音是陪古愛蓮演侍琴始著名，她也會獨當一面唱過金山寺，很不賴。在邵佩瑜演斷橋時，爲程燕齡朱繼屏，此次改爲她與蘭靜，份量較重，因爲老練通達，資格有關。這次公演，因戲碼關係，她僅在斷橋合缽出演，似乎稍少，否則有屈能才！

大鵬的小生，大的一輩是鈕方雨楊丹麗，方雨宜於文，丹麗却喜武。次一輩要數高蕙蘭程燕齡，高可謂文武兼有，程女則近於文，這四位小姐把大鵬的劇藝，烘托得如火如荼，可見人才至要。燕齡也是斷橋而出名，此次飾許仙，從遊湖到合缽，確有一手，可知其劇藝進展，有相當程度。我曾看到她在後院練功夫，却說「沒有什麼，還差得遠。」知其頗自謙也。盼望她再努力，能接替方雨後陣，便可更上。（下）

內警台報字第〇三壹號

自由報

THE FREE NEWS

第五五三期

中華民國僑務委員會登記證 僑台報字第三二號
台教新字第三三三號
中華郵政台字第一二八二號執照登記為第一類新聞紙類
（半週刊每月出一冊六期）
每份港幣壹角
台灣零售新台幣貳元
社長：雷嘯岑
督印人：黃行蓄
社址：香港銅鑼灣高士威道二十號四樓
20, CAUSEWAY RD 3RD FL., HONG KONG
TEL. 771726　電報掛號：7191
承印者：大同印務公司
地址：香港北角和富道九六號
台灣分社

分權學說與民主政治（上）

田炯錦

一般學者所講的分權，只限於對政府權，亦即國父在民權主義講演裏所稱治權的範圍。如國父在五權憲法講演裏說：「各國的憲法祇有把國家的政權分作三部，叫做三權，從來沒有分作五權的」。法國學者孟德斯鳩……發明三權獨立學說，主張把國家的政權分開成立法、司法、和行政三權」。我們的憲法與各國不同，而係依據國父遺教制定，有政權與治權之劃分。所謂政權，國父謂「就是民權」，除了西方國家人民普通行使的選舉權外，並採瑞士及美國西部各邦所行的罷免，創制及複決三種民權，合稱四種政權；在中央由國民大會行使，在地方由人民行使。所謂治權，國父謂「就是政府權」，即將政府權力分為行政、立法、司法、考試、監察五權，分別獨立行使。這九個權（國父亦稱四權五能）對民主政治之推行，有什麼影響？茲分別加以分析申述：

一、我國漢唐時代君臣權能的劃分

交易　　髒物

中外的大思想家大政治家皆以促進人們的幸福為職志，也就是說他們以謀全國人民或全人類利益為着眼點。但在同一目標下，過去中國人與西方人手方法有所不同。中國人側重人治，西方人則側重法治。中國人過去以為祇要有好的皇帝，好的大臣，即所謂聖君賢相，即可有好的政府，給人民謀求福利。如儒家說：「政在得人」，「惟仁者宜在高位」，「子率以正孰敢不正」，「子欲善而民善矣」。因為他們認為好人當道政治即可清明，所以勉為君者作聖君，為臣者作賢臣。所謂「君君臣臣」，「君使臣以禮，臣事君以忠」，皆勉人在其工作崗位上，負責盡職；亦勉勵從政者自動自發的努力成好人，作好事。而在君臣工作的配合上，吾國的聖哲認為應該君逸臣勞，君的責任是選賢任能。賢才羅致之後，君主即可垂拱而治，讓群臣下各盡其能。孔子稱舜無為而治，孟子稱舜用禹、稷、契、皋陶、伯益而天下治，故在人治前提下，又提倡君道無為，人臣盡力。不止儒家持如此看法。

當時的道家，法家亦主張君道無為，祇要能進賢而退不肖，便能使天下治平。這種君道無為的思想，影響了秦漢以降吾國的政治制度。秦漢統一中國後，君權極大，一切權力皆屬於皇帝，但皇帝不直接行使其權，委諸宰相。當時分為內朝外朝，亦稱宮中府中。宮中的事係皇帝家事，由皇帝直接處理；府中事即國家政務，由宰相決策並執行。如認為宰相不好，皇帝可隨時免去其職；但宰相在職之日，皇帝對其決策納；建議，均予尊重授權。這種君相關係，對國父之發明權能劃分學說，有很大的影響。國父說明權能劃分的道理時，舉漢末諸葛亮與阿斗為例，阿斗有權，諸葛亮有能，直接做事。阿斗無能而將大政歸諸葛亮領導決定；但如阿斗不信任其他時，可隨時使其去職。故丞相才能盡其能，而君主保有這種授權之大權。君主授權丞相的事實，並不是在漢末才有，漢高祖創業時，早即對蕭何授權處理大政。不過以後有些皇帝往往有意或無意中侵奪宰相的權。但大體上說，漢代任丞相，而使其領導外朝，處理國政。當時皇帝對宰相非常禮遇。「在輿為下，御坐為起，入見對，御議政事，出則監察百官，董是非」（見漢書陳寵傳），宰相已做的事，必當追認；擬做的事，必當同意，倘不追認或同意，宰相即須辭職。故皇帝將國家大權授予宰相，而因保留進退宰相的權力，乃不怕其尾大不掉。這種君相關係，漢武帝以後逐漸破壞。由尚書、中書、門下三省長官，事實上行使相權。但到了唐朝，將三省權限劃分清楚，使其分工合作，共同行使漢朝丞相的權力。而皇帝對三省長官之禮遇與授權，與漢代君主對宰相同。漢唐兩朝為吾國最昌隆的時代，考該兩朝之所以強盛，固有很多因素，而為宰相者能得皇帝之信任，授權放手作事，實為一重要原因。宋及其以後各代，宰相決策領導的權力，而且不斷被剝奪殆盡，視同皇帝奴僕，每逢覲見，制需長跪，安能望其善自尊重，以天下為己任？明末黃黎洲氏對相權之低落，痛切指陳之，會導致國勢之衰微，實係有遠見之名言。

漢唐時代的君相關係安善，使君主有權以進退宰相，宰相有能以處理國政。但其君相關係，純係建立在人治的基礎上，而非建立在法治的基礎上。換言之，因為國家的權力，皆係操諸君主，宰相所以有權，係由於皇帝之授予及信任，並非有法律的保障。所以遇到好攬權之皇帝時，他可以隨時取回宰相的權力，而由他自己行使，或委託他的近倖行使。而宰相對之無可奈何。漢唐優良之君相關係即由於制度不能保障，以後的君主常不甘心將大權委託宰相，而宰相的權力，又沒有法律的保障，任由皇帝侵奪，無法對抗。故我國側重人治，乃有人存政舉，人亡政息的流弊。

二、西方國家法治的分權制度

西方國家則不然，他們側重法治。西方政治家思想家也在研究如何為國家及人民謀福利，但他們不把希望寄託在君主自發的聖明，臣下自動的忠貞，而研究如何建立法制，使其各守範圍，均受限制，不能為惡，而可向善。孟德斯鳩說：「長久的經驗告訴人們，凡獲得權力的人，都會濫用權力，若想防止權力的濫用，必須用權力來牽制權力」。故西方賢哲認為祇求有聖君賢相，自動的為人民謀幸福，是靠不住的。必須研求建立優良的法制，始可常保人民的自由與幸福。故他們很早即研究如何劃分政府各部門的權限，使其能互相牽制，以免侵犯人民權益，危害人民自由；同時能配合得宜，彼此權力保持平衡，既不能危害人民權益，且可積極的為人民服務。古代希臘哲人亞里斯多德已提出政府權分而為三以實現良好政治的主張，不過當時未能見諸實行。以後普來比亞分析希臘與羅馬勝敗興衰之理，認為羅馬之興盛由於能熔合三種政體於一爐，成為一種混合政體。由於每一種政體都有其代表機關，所以發生制衡作用，每一種政體都能牽制其他二種，使其不能作壞事，而實現最完善的政體。孟德斯鳩法普氏之意而加以改進，將其所謂一人多人及全民三種政體，按其性質分為行政、立法、司法三種機關，創立其三權分立學說。認為政府權分而為三，彼此牽制，以維持均衡。每一個權因受其他二權的限制，不能侵犯人民的權益與自由，而人民始可幸福安樂。

今日與明日

毛共廢除軍銜

毛偽政權突然戲劇性的宣佈廢除了毛軍的軍銜，這次行動不僅使人感到驚奇，而且也覺得可笑。毛軍在流竄時期，頭目與嘍囉之間是有職無官，所謂有職是也有軍、師、團、營、連各級部隊長，但是卻沒有將校尉的官階，平日只稱為師級幹部，團級幹部，以資識別。雖然其中也有顯著的等級畫分，如團長以上可以吃小灶，師長以上可以吃特灶，至於連、排長與兵士，除去津貼稍多，衣服伙食到是完全一樣的。

毛共軍參加韓戰之後，在戰場上受到聯合國軍的重大打擊，主持其事的彭德懷、黃克誠、鄧華等一批人，知道以游擊隊的方式去對抗現代化的部隊是不成的，回到大陸後，就主張正規化。當時由於彭德懷「奏凱」歸來，聲望正隆，毛澤東反對不了，於是就交由彭德懷、黃克誠主持正規化。其辦法大體分成兩點：一是厘定軍階，二是改參軍欺騙方式為正式的徵兵制。

軍銜也是非驢非馬，比起我國正式部隊的編制多了一級「元帥」，此外將、校、尉三級均多了一個「大」字級，但是卻沒有准尉。一時雞犬升天，「元帥」有十名，大將二十多，上將更多如屠場之豕。中少將更是不計其數。有一次毛共報紙上宣傳的將軍合唱團，隨便在北平城內就湊了百頭「將軍」來一次大合唱；其全部究竟有多少，就可想而知。

廢除的原因

毛共此次廢除軍銜，引起舉世注意，認為是將派軍入越的先聲，準備在越戰中被俘的軍官可以逃脫，所以制服徽章劃一。毛共也故意的說在韓戰時沒有軍銜也能打勝仗，言外之意，似乎廢除軍銜專為對外之用。其實這是烟幕彈，眞正困難還是來自內部。

本來毛軍中階級之分也很嚴，所謂特灶、小灶、中灶、大灶之分，已經人所周知，但頭目與嘍囉之間，差別還不算太大。到了後來分出軍銜，律發薪餉時，等級之差就更明顯了。大抵一個師長的薪俸可抵一連士兵。在各重要城市毛軍的軍官，更是天之驕子，生活驕奢淫佚，無所不為。不僅老百姓不滿，就是毛軍下級官兵也感到怨憤，造成官與兵之間，官與官之間的矛盾。毛共當局對此久已感到不安，但是若要陡然廢止，又怕已經封為「元帥」、「大將」等大頭目反對，一直到了最近，算是假借援越之名，一舉廢除了實行十年以上的軍銜，表面看來像煞有介事，實際不過是為了救亡而已。（何如）

自由談

美國的隱患

素來披着資本家的袍褂，專為共產主義者張目助勢，最近從莫斯科遊歷回國後，聲稱美俄可能在一星期到四星期之內，便要發生核子大戰的美國金融界大亨伊頓，證據就是美國在越南膺懲越共這回事。他描述俄共頭子柯錫金對他談到越戰問題的緊張而積極的詞色，像煞有介事。這才眞是對美國人民施展「嚇阻政策」，目的在激起民衆害怕核子戰爭的心情，羣聲反對美國干預越南反共戰役，讓共黨控制東南亞地區，不愧為俄共集團的策反元勳也！

華盛頓白宮當局對越戰的策略，明明是適可而止的以小打求大和，因為害怕毛共介入，乃以轟炸毛共區域、使用核子武器之說，從事嚇阻，這等於夜行吹口哨的心理，誰也瞭解的。俄共集團更洞若觀火，不予理睬，且利用美國華爾街大亨人物如伊頓之流，向美方實行反嚇阻魔術，柯會對着伊頓故意表演揎袖摩拳的姿態，伊頓回國來大發危言聳動的論調，良有以也，豈徒然哉？

一星期到四星期之間即觸發全面核子大戰的說法，白宮當局固然心裏有數，知其為胡說八道。但一般民衆不悉國際政局的內幕情形，難免聞之震驚，進而反對政府干預越戰，美國又是以遵循多數民意為施政圭臬的民主國家，如果伊頓的說詞得售，美軍在越南即有罷手之可能，這對俄共集團的利益何等重大呢！

美國一般高級知識份子，如各個大學教授以及紐約時報的作家等，經常揭着開明進步的自由主義招牌，作親共言論與協主張，如英人蕭伯納所謂「染紅自己的旗」，公然為共作倀，再加上資產階級巨頭如伊頓之輩，互相呼應鼓吹，自難怪美國的對外政策雜亂無章，莫名其妙了！美國務長官魯斯克近來對一般鷄蛋頭人士嚴詞抨擊，指為不識大體，漠視國家利益，可謂深中其弊的當頭棒喝。然而我依然為美國前途擔憂危懼，蕭墻之禍隱伏，一旦發作，寧有倖理耶？

馮子先生

從「特急電」看台灣省議會

本報台灣中部記者 熊徵宇

對於「調查」，省議員的興趣比做研究濃得多；但是那興趣，是以調查的對象為原則的。比如調查大雪山林業公司，或者是烟酒公賣局之類富有的公營事業機關，他們的興趣就特別濃厚。如果要他們化些時間去調查沿海漁民和農民的生活情形，或者是鹽工和鑛工的福利情形與人民請願之類，那就很難得動步了。

但是如果被調查的案件或者是對象跟我們議員先生自己所經營的事業有密切關係的話，那麼就是議長不派他，他也會請命而去；去「護駕」，或者是「露臉」。

考察業務如何收費

談到這裏，我有一問題，始終不能解答。我想問議會是多餘的。秘書處恐怕也沒算充份的由說出原因。

我不了解，省議會每年很多例行的「考察」，比如「公賣事業考察」，「林務考察」，「金融事業考察」，「公營事業之營運發展考察」之類，由省議會組織小組，由議會秘書處派出隨員，浩而蕩之，去「考」各有關單位，「查」各有關單位；回來以後，由議會派出的隨員執筆，撰寫調查報告。印成厚厚的一冊。

有些報告，具有見地；有些報告，跟各機構列席省議會所提出的口頭報告差不多。這種由小組各議員具名的「意見」，在近百分之三百的比率中所佔不到六分之一，其他的篇幅，是那被調查的單位所屬各分支機構的業務報告。

我一直覺得，像那種由他們提出來的業務報告，一字不易的印在「考察報告書」裏的意義何在。後來才知道，那些所有提出報告的單位，都向省議會付去一筆相當數字的錢，像對報館刊登業務廣告一樣。

這是使人非常吃驚的一件事。像這樣省議會考察的立場何在？以省議會行政經費的豐裕，以省議員各種待遇的優厚，似乎不必要被考察的機關來津貼印刷費什麼的。那麼，省議會何以用那種考察的關係向被考察的機關要錢？用什麼標準收錢？省議會是立法機關，這種行為，是合法？是違法？

這種公然的行為，在議會政治的尊嚴，與議員人格的尊嚴上，會產生什麼樣的後果？這一連串的疑問，我自己一直尋求不到解答。所以我以新聞記者的立場寫稿，以選民的立場對省議會發問。

四次會議多少經費

談到這裏，我們有了解了解省議會與省議員經費待遇的必要，看看有沒有必要向外面去「開源」。

根據省議會自己通過的本會計年度的預算看，我們可以把省議會和議員們個人的法定經費，分為兩部份數字。

省議會方面：（一）一般行政費（總務及管理）一百四十七萬五百八十元。（二）每年兩次定期大會，三百五十九萬八千八百五十五元。（三）每年兩次臨時大會，一百六十五萬八千四百零五元。

加起來，省議會今年的經常費，是六百七十三萬三千零六十元。這個數字內，包括七十三位省議員的經費。

省議員方面：（一）每次大會的交通費三千元，每年四次會議，共為一萬二千元。（二）以每年六個月的會期計算：膳宿費二千四百元；法令研究費二千四百元；小包車費一千八百元。

加上：（一）考察調查費。（二）公路、鐵路、飛機、長途電話費，綜合起來，每一位議員每月可向議會領取現金大約四千六百元。加上鐵路等費用，每一位省議員每月的待遇，約在六千四百九十多元。相當於兩位支高薪的大學教授，相當於十位支普通薪的公務員。

自棄於人威信何在

公民們納稅人，對省議會與議員交出全部的意志付托，每年負担這筆龐大的經費數字，請他們在民權主義的精神上，政治地位平等經濟地位平等的國策下，為大家督促政府，為大家追求福祉；但是他們連例行的定期會議都沒有興趣出席，弄出許多笑話，就不得不使人想到那些議員們的民主素養和政治教育的水準了。

像這樣失去公衆敬意的議員們，又怎樣能加强組織的權限建立議會的威信哩？

是改善的時候了

所以說，要健全我們的議會政治，必須要從組成份子的身上着手，嚴格於政黨的提名，支持具有健全政治素養的人參與議會，淘汰假民意代表之名專搞私人事業的「民意肩客」！

一方面，加强議會組織，鼓勵選民督促議會興趣；政府儘量減少對議會不必要的約束和干涉，使議充份發揮其功用。

像這樣，放寬民主的尺度；讓選舉辦得公公平平，讓議會有完整的權力；認眞執行議會的決議，才能使我們的議會像個樣子。

實在說，現階段的政黨與政府，對於各級議會，是負有培養與指導的責任的。台灣省議會今天衰敝到這個地步，固然是由於議員本身的不夠健全，但是政府也並不體面，灌溉了十九年的議會政治，不但沒有開花，甚至連芽都不發，檢證起來，確是到了必須改養的時候，大刀濶斧地從基本上去做。這樣，一部份盡職盡責的省議員也就必然得到內心的鼓舞，減少很多的「炮口對內」了。

（完）

國大代表候補問題 立委再向政院質詢

（本報記者台北航訊）由於認為行政院對國大代表候補人聲請案處理不當，立法委員田鍾南與艾時等，分別向行政院提出質詢。

立法院第三十四會期，田鍾南委員等十八人，曾於去（五三）年十月二十日向行政院提出質詢，迄今已逾六個多月，艾時委員等八十八人，在五月中旬，再度向行政院質詢，抨擊行政院既未答覆，也沒有改善措施，似有損民主立法治風度。

緣行政院於四十四年三月二十四日，發佈一項命令，規定「國大代表候補人，於政府公告期限內，未依限聲報者，即喪失其候補資格」；此顯與法律規定之「行蹤不明三年以上，並於政府公告期限內未向指定機關親行聲報告者」相違，因而應依法遞補者未遞補，致發生糾紛。五十三年國民大會年會，曾通過：「對於追隨政府來台之國大代表候補人，雖於依限聲報，但確非行蹤不明者，應准依法遞補，以維護憲政及加强政權行使案」，並決議送請政府確實依法辦理。該項決議，早經國民大會秘書處送達行政院，但行政院尚未轉知正在處理是項聲補案件之行政院依法辦理。

因此，質詢中指出：行政院處理訴訟案件，原應依據法理，秉公裁判，今對（國大代表候補人）凌承緒、凃思宗之聲補案，久懸不決，甚有積壓拖延達一年半之久，不知何故？形查行政院曾于五十三年十一月，及五十四年三月，兩次代電行政院查詢，行政院均擱置不理，似此作風，其將何以維護司法尊嚴？行政院結訂代表出缺遞補補充條例之立法原意，在限制大陸附匪陷匪，未隨政府來台者之資格，其主要條件，為行蹤不明三年以上。

而行政院竟在命令中規定：謂未依限聲報，應已喪失資格。如此斷章取義損害民選代表之資格，於法似有未合。案經司法院長謝冠生解釋詳明，中國國民黨通過政策性之指示，立法委員提出質詢，國民大會通過明確之决議，行政院迄未改正，是否損傷民權精神？

該質詢認為：內政部處理凃君聲補案，已據有凃君呈出之出入境及任職之證明文件，而向行政法院提出之答辯書，竟謂凃君行蹤不明三年以上，以明知為不實事項，登載于職務所掌之公文書，以損害他人；又在訴訟未決期中，將蕉嶺代表遺缺，以未親行來台聲報，而名次較後之候補，是否故意顚倒次序，製造糾紛？關於未依限聲報，但非行蹤不明之國大代表候補人，實際主張聲補者，僅有凌承緒、賀翊新、趙學淵、續琅、沈德仁、凃思宗等數人，均係三十八年追隨政府來台，已服公職數十年之忠貞幹部，行政院如能秉公依法處理，當可迅速結束。詎竟演至纏訟達數年之久。行政院對本案固執偏見，不惜違理悖法，傷害民主，使糾紛日形擴大，所為何來？云云。

有益於醫家的重要發現 癌症患者可由筆跡查出

——紐約通訊

最近，在國際癌症研究中心的醫學界中，有一個陌生的名字，吸引了不少癌病專家的注意。他是誰呢？他是簡氏，六十三歲，目前他每天都在紐約的史特蘭格診療中心對着顯微鏡做實驗。出乎人們的意料，他並不研究細菌，而是研究筆跡。

簡氏不是一名醫生，而是一名字跡專家。那麼，他又怎會在醫學界引起癌症專家的注意呢！原他公開說，從字跡中，他能判斷某人是否患上癌症。

他當然不是信口開河，在他的診療中心裏，他將七百名報名檢查癌症者的簽名字樣，來做實驗，結果成績很不錯。在未做實驗之前，他已指出，那種字跡是癌症徵候，那種不是。于是，醫生進行其檢查工作，而簡氏則從他們的簽名字樣作分析，到後來，看看兩方的結果是否吻合。

成績使人十分興奮，三個眞正在患癌的病人中，簡氏可以判出三個。由於這個發現，轟動了整個紐約市，日前，美國億富萬翁哈特福願意捐巨欵，協助他專心研究下去，這眞是一個莫大的鼓勵。

事實上，這個研究工作，簡氏早於戰前，在奧地利亞的司法部服務時，他已開始。他分析那些患者的兒童的字跡時，他便相字跡可映人體健康狀況的一面鏡子，祇要你知道其中的秘密。

追溯起來，自一九三四年以來，簡氏便建立了一個理論，如患癌症的人們，在字跡上必會顯露出來。當時納粹黨當權，他遂被迫離國，流亡於美國好幾年。初時，他的實驗報告，不大受人們注意。

在這段的艱苦時期中，他幹過了不少活動工作，最後到一九四五年，他才在一間紐約的醫院中，找到一份固定工作。是調查研究工作嗎？非也，是在實驗室中洗滌皿器。

在那裏工作一年後，在一個機會裏，他對實驗室主任查非醫生談話時，他說出自己的理想。

當時查醫生明白反應是：「天呀，為什麼你不說地球是三角形的呢？不過，如果你能獲證明，我自然會相信你的。」

於是查醫生准許簡氏每天化一個鐘頭，小心分析老人簽名的字樣。不久，其他的醫生對于簡氏的研究，也發生興趣。後來，紐約人壽保險公司津貼他，作大規模的調查，便是以該公司死亡紀錄文件上的簽名字樣為藍本。

結果，每十宗之中，有八宗是測中的。

究竟他怎能分辨出不健康的人士字跡確與衆不同呢，他這麼辭釋說：通常健康正常人士的筆跡是平滑而連續性的。可是，如果那人患上癌病或有癌症病徵，他的筆跡一點也不平滑，在顯微鏡下，可以看出其鋸形，像毛蟲之結條。病越重，其鋸形越顯。細心觀察之下，字跡結條的斷續，顯然是控筆的手發力不均之影响，為什麼有這個現象呢？不用說，癌影响神經系統，而神經影响了肌肉的運動。

這種反常的繼續字跡，執筆本人自己是不會發覺的，而且，在肉眼之下，亦無法看到。還有一樣最重要的，這與手顫，年老或神經不健全的情況下寫成的字跡，是有差別的，千萬不要拉雜談在一起。

簡氏自稱：從字跡中辨出癌症病徵，有數以萬計的紀錄。他說：「大部份的情形是這樣的，我從字跡觀察，知道某人已患癌病，他經普通檢驗，一點也沒有迹象，但後來，證實我的診斷是對了。大概其理由是這樣的，癌症的最初期，是神經系統失常，于是自然反映於字跡上面了。依據我的經驗，這種初期迹象並不一定會演變成眞正的癌症，但有時，要停留六年之久，才急劇變化。」

簡氏的革命性發現，並不是每人都同意，他也坦白承認，他的方法並不能完全代替正常的醫學檢查，而是作為協助性質，由於還有數點不大肯定，他要繼續研究下去。在最初期發現癌症有把握的話，這會挽回更多的性命的，因此，著名癌症研究協會中一名專家哈蒙醫生也極力支持簡氏的研究。

省立屏東中學實施兩項新猷

（本報記者袁文德屏東航訊）段茂廷於五十四年的二月接長省立屏東中學後，在經費運用開支上，作了下列三措施，並嚴格執行，頗收效用，是即：「（一）不得有假報銷的情事。（二）採購物品，凡達到通訊標購目標的，一律採用通訊標購方式，決不准私自議價。（三）儘量減少訂購不必要的書報雜誌。

又在教育行政方面，他實施了兩大革新：一、廢除「能力分組」。能力分組是前任校長曾經實施制度，雖然有弊亦有利，但最大的缺點，是造成成績較差學生的自卑感，他為了鼓勵學生向學，所以在本學期作試辦性的取銷「能力分組」。三四個月來學生成績以及學生在其他方面的表現看，此舉是得當的。

（上）

新儒顯微鏡下的人性光輝

——解答了哲學上一個大難題

（論道統第六章）

陳健夫

世間大學問家，大哲學家，都是由此出發，從而發現他的新生命的境界，而一般人却僅止於領畧其中某種滋味而已，却看不見生命力的本體。旣說不出來，更捉摸不定，把握不住，好像在五里霧中，只覺有點寒冷而已。」

「山東的乞兒武訓，做一輩子的乞丐，却辦了一輩子的學。俄國的愛羅先軻，瞎了一輩子眼睛，却創造了世界流行的童話。世界上像這等不幸遭遇及喪失生命機能的人很多，然而，這些人仍保有充分而堅强的生命力，他們在不斷的從事偉大的生命奮鬥，發揚他們的生命價值。………這種支持不幸者從事生之奮鬥的便是這人人不思而得，不勉而中的生命力，而且每個人都會知道如何發揚他生命力的價值，使他超越現實肉體的生命，却有了更理想，更高遠的精神境界。……原來每一個人都由天賦予他一種潛在的無窮無盡的寶藏——生命力，每個人可以不斷的發揚這裏面的財寶，這生命力實在是人間的至寶。」

宇宙造化萬物皆來自眞元，眞元創造萬物的生命力，人之生命力的構成發生，有其細密的科學體系，是出乎眞元的造化。

「像這樣一種堅强的生命力，它究竟有些什麼東西呢？爲什麼會有這樣無邊無際的强大力量呢？」

「我開始就發現了人類有一種適應環境的力量，人羣爲了在種種不同的環境中求得生存，他首先就必須適應環境。人類天賦有一種機能，對於宇宙間的許多現狀，都可以適應。這就是說人類在任何環境之下，他都知道應用他天賦的機能去適合各樣的環境以求生存。

「還有一種同適應力相接近的力量，那就是忍受力。當一個人在任何一種不堪痛苦的環境之下，他還願意生活下去，這時候他就不得不借助於忍耐力。忍受力最堅强的人，往往也是卓有建樹的人。世間有第一等忍耐力的人，也必定成功爲世界第一等的人。

原來人們天賦有驚人的忍受力，就是平常人也是有的。淸朝有個伶人程長庚，初次在北平出台，被人譏笑，後來閉門學習三年，一日演出，全座皆驚，呼聲震天，聽衆稱之爲叫天，時人從此譽之爲伶聖。這一切說明了一種正確的觀念，不論聖哲或平民，都一樣有這種不可思議的忍受力。可知忍受力原是天賦予人羣的。

人們對於不可避免的環境，會運用適應力，忍受力來奮鬥，以求得最適宜的生存；但是如果遇着一種環境，非適應力忍受力所能克服的，於是他不得不拿出更寶貴的力量以克服一切可怕的困難。當魯賓遜飄流到海島的時候，他一無所有，對於那荒漠的環境無從適應，也不堪忍受。於是在這種情況之下，他不得不征服環境來克服一切困難，爭取他的生存。魯賓遜終於能在荒島上生存下去，便是靠了他的征服力。拿破崙一生東征西討，從來沒有不克服的困難，人們常說拿破崙字典上沒有「難」字。像拿破崙這樣的英雄，像魯賓遜那樣的冒險家，他們征服了一切環境，克服了一切困難。原來人類自有始以來，便知道發揮他征服自然的力量。燧人氏鑽木取火，有巢氏構木爲屋，神農氏教民稼穡，這一批人類祖先，都是以征服自然，克服困難見稱於天下後世。這種史實充分說明了人類自最初以來便知道發揮他征服環境，克服困難的天賦力量來戰勝自然，改造現實。

「人們除了運用征服力去征服自然，改造環境以外，還有一種驚人的創造力。人類本有天賦的聰明腦子，一切都會創造。根據科學家的報導，人類的腦子聰明無敵。即以最進化的人猿而論，還得再隔兩百萬年之後，才可和人類相比。可見這種創造力也是天賦於人的。（七）

中英鴉片之戰

羅雲

一、英國入侵情形

方俄人在北部逐漸侵畧之際，東南沿海一帶，也有西歐國家利用通商作爲侵畧手段。在十六，七世紀時，主要侵畧者爲葡西荷英四國。其中葡萄牙人在明嘉靖十四年（西一五三五年）賄賂都指揮黃慶，開放澳門爲葡人之通商處；六年後，使澳門演變至爲葡人之殖民地，並設官治之。萬曆元年（西一五七三年），明廷命於半島狹處築城，劃城外部分以給葡人，除繳納地租外，澳門實已成爲第一個租借地。

英夷來華要求通商，始於明崇禎十年（西一六三七年），用武力自虎門入廣州售貨而去。因其使用武力，惹起中國反感，故爾後每求通商，皆不順利。

康熙二十四年（西一六八五年），清廷以海防已無顧慮，下令開放海禁，在東南沿海設置澳門、漳州、寧波、雲台山等四個國際貿易港口，許外人通商。後至乾隆二十二年（西一七五七年）因通商口岸太多，以管理不便，並恐夷風變俗，乃改令通商僅限廣州一地。

英人在華設立商館始於康熙五十四年（西一七一五年），由東印度公司在廣州設立。派職員常期駐守，中國人稱彼等爲「大班」。惟貿易仍不甚盛，蓋淸廷對來華貿易之外商設有不少限制。當時之外商，對淸廷之多種限制中，最不滿意者約有下列四項：一爲公行壟斷貿易；二爲生活上之多般限制；三爲船隻入口時手續繁複；四爲官吏的勒索。英國當時初握海上霸權，傲然自得，旣遭此種梗阻，乃亟思改進對華貿易關係。至乾隆五十七年（一七九二年）英國政府在東印度公司之努力失敗後，乃正式遣馬嘎尼，斯當東率隨從多人爲使，期與淸帝直接交涉，淸高宗於熱河避暑山莊接見，對英使所提通商及互換使節常駐兩國京城事予以拒絕。其後在北方交涉歷時約半載，終於失敗而南下回國。此次英使之收獲，厥爲對於中國之重新認識；彼以爲中國並無實力，難與新興英國抗衡，如果兩國間發生戰爭、則俄人乘隙而入，此一東方帝國，勢將解體。吾人以後來史實證之，馬嘎尼的眼光的確犀利。

馬嘎尼失敗後，英王曾幾度來信。乾隆六十年（西一七九五年）信中且提到曾出兵助淸廷作戰，高宗下勅諭答覆，賞物嘉勉，並否認於征討廓爾喀之役英軍之任何援助。

嘉慶二十一年（西一八一六年），英國再派威廉比德使華，再度發生覲見時三跪九叩禮之爭執，最後仁宗雖允變通，惟因其國書禮服未到，時間未約好，發生誤會，因之亦失敗而歸。（一）

哀江南製造局

李仲侯

我寫這篇文的動機，是我年十三曾在江南製造局兵工專門學堂肄業九閱月，（至該學堂停辦爲止）學習機械工程的理論和實習，辛亥革命及第二次革命，我都在該局度過，並親眼看到光復時，民軍流血奮鬥，進攻該局首仆後繼，視死如歸的那種革命無畏精神。

清咸同間、朝野感於西力東侵，勢極澎湃，倡言自强救國，其時曾國藩李鴻章督撫兩江，首先倡導，創立江南製造局，實行自己製器造船，上海爲通商口岸，交通便利，風氣最先，故易於傾其全力，慘淡經營，用自己的雙手，製出與外洋一樣的槍炮船艦，所不幸的，光復後這個製造局落入北洋軍閥之手，你爭我搶，大家視爲必得之禁臠，不思昔賢創造艱難，發揚光大，唯一的祇施以無情之摧殘蹂躪，不數年間，終至徹底毁滅，蕩然無存，致使中國重工業，至少倒退了廿年，以致後來抗日禦侮，一無憑藉，撫今追昔，猶有餘痛，自不能不致歎於軍閥貽禍國家民族之深且烈也。

江南製造局濫始，自應溯及咸同間之自强運動，自咸豐十年，京師設立總理各國事務衙門，表面雖爲外交總機構，實際在注重講求自强之道，當時凡識時務的各省督撫，莫不相繼興起，講求洋務，其時疆吏中，認識西洋文化優點最深的，當要算曾國藩和李鴻章，曾氏一方面主張修明內政，另一方面，極力主張革新自强，晚年他以全力創辦江南製造局，設翻譯館學堂，造就出洋留學人才，以新教育來發展新事業，促進中國現代化，實爲中國以大力提倡迎頭趕上西方文明的第一人，至李鴻章久在滬上與外人接觸，又與英法軍及華爾戈登所訓練之常勝軍，並肩作戰，英法兵及常勝軍皆用西洋槍炮，所向有功，李氏耳聞目覩，感觸尤深，故極力主張國防近代化，所謂：「師夷之長技以制夷」。

曾國藩對國際之認識，既較一般人爲高，雖亦視西洋之政教風俗，不及中國文物制度之優，然急則治其標，他認爲須急起直追力師外人之長技，方可競爭於列强之林，故於同治九年九月奏中述及自製船炮之經過有云：

「中國試造輪船之議，臣於咸豐十一年七月覆奏摺中即有此說，同治元二年間，駐紮安慶，設局試造洋器，全用漢人，未雇洋匠，雖造成一小輪船，而行駛遲，不甚得法，二年冬間會候補同知容閎，出洋購買機器，漸有擴充之意，湖廣督臣李鴻章，自初任巡撫即留心外洋軍械，維時丁日昌在上海道任內，彼此講求禦侮之策，製器之法，四年五月在滬購買械器一座，委派知府馮焌光、沈保靖等，開設鐵廠，適容閎所購之機器亦於是時運到，歸併一局，始以攻剿方殷，專造機器，至六年四月臣奏請撥留洋稅二成，以一成爲專造輪船之用，仰蒙允准」。（一）

動物農場

英 George Orwell 著　陳其芝 譯

第九章　特權階級與價值利用

動物農場上除了經濟情形有點困難外，這年算是成功的一年。農場上百事待興，建教室要磚瓦，細砂和石灰；風車用的機器；農舍裏用的燈油、獵燭；拿破崙同志專用的食品糖料以及農俱像鐵釘、麻繩、電纜、煤炭、馬蹄鐵、狗吃的餅乾、馬鈴薯等等都得購置。所以不得不把穀物和禾草售出一部分。出售鷄蛋的合同已經由每星期四百增加到每星期六百。母鷄們這一年又得拼命地下蛋，孵小鷄，再下蛋以滿足要求的數量。動物們的口糧在這年的十二月又削減了一些，到了二月又來了一次。爲了要節省油料，廐房的燈一律不准點用。動物們的節省是爲了應付開支，可是猪同志們却生活得極爲舒服與享受，牠們體重的不斷增加就是顯著的證明，在二月裏有一天的下午，從廚房那邊的釀酒房裏飛過來一陣溫馨，誘人食慾的香味，這種香味是動物們從來沒有聞過的。有的動物們猜想那可能是炒大麥的香味。牠們貪心地深深吸着飄過來的空氣。夢想着將有一頓可口適意，香噴噴的豐盛晚餐。可是事實上非但牠們那天沒有嘗到美味的麥片晚餐。第二天還得到了一項新的命令：從今以後所有的大麥要留起來供猪同志享用。果園旁邊的那塊地現在全部種上了大麥，而且牠們不久就知道了猪同志除了自己應得的一份口糧外，每天還有一品脫的啤酒可以飾用。拿破崙同志自己則每日一加倫。牠所用的酒壺是皇室用的高貴酒具。

如果說猪同志對這種生活還感到什麼苦腦的話，那就是牠們獲得了以前從不曾享受到的尊嚴以及那些歌唱，演講及遊行等活動。拿破崙更要求牠們每星期舉行一次「示威大遊行」，目的在紀念動物農場奮鬥的成功與勝利。在指定的時間，所有的動物都要放下一切工作，大家排成一個行軍縱隊，繞着農場的週圍前進。猪同志們經常是領頭走在前面，馬、牛、羊依序而進。後面跟着的鷄鵝等家禽。狗在隊伍的左右護衛着行進。走在最前頭的是拿破崙同志的那隻雄鷄。白克薩和克勞芙則撐着綠色的旗子上面畫有蹄子和角。還有標語的口號是「拿破崙同志萬歲」！遊行過以後，大家又得朗誦那首歌頌拿破崙同志的名詞。之後就是斯奎勒上台報告或者演說，牠演講的內容大部是關於農場上最近糧食增產的情況，接着是鳴槍禮成。所有的動物中，羊羣最熱心於示威遊行。如果有動物種狗同志及猪同志不在面前時，埋怨說遊行是浪費時間的事情，而且又得在冷風裏毫無意義的站得那麼久。此時羊羣就會自動地唱起：「四足者善兩足者惡，」來平息牠們的怨氣。不過大多數動物們對這種慶祝的方式還覺得蠻有興趣的呢！現在牠們知道牠們自己就是主人，一切工作都是爲了本身的利益，這實在是莫大的安慰與滿足。因此之故，那些歌聲，遊行，斯奎勒的數目字，震耳的槍聲，喔喔的鷄叫，旗幟的飄揚却可以使牠們暫時忘却自己的那個鹿鹿空空的肚子。

到了四月，動物農場宣佈成立共和政體。所以必選先舉一位總統，候選人只有拿破崙一個，無疑的，牠得到了絕大多數的選票當選爲統總。同一天，又公佈了一個新的文件，那上面是對於史諾柏和鍾士先生勾結爲奸的詳細說明。這份文件的記載，都是些動物們不敢想像的事實；在「牛欄大戰時」，史諾柏不僅是有計劃的使動物們失敗，牠更公開的幫助鍾士先生。事實證明，牠就是敵人那邊的主腦首要。並且高叫着「人類萬歲」的口號來參加這場戰爭。至於有些動物們記得牠背部受傷流血的情形，乃是拿破崙同志用嘴咬的。（廿九）

不久，燕軍又攻到安平，齊人無力抵抗，突圍而逃，馬車輜重爭道而行，那些過長的車軸，到了此時，眞是礙事已極，車輛互相毀折，輜重人馬多被俘擄；只有田單等人所有車輛輜重得以保全。最後田單率領這一批人馬撤退到卽墨。另外齊王和一般大夫卿相，則撤退到莒城才停止下來。

齊國政府播遷之餘，此時才畧加收拾，準備迎接一次殊死的戰鬥。燕軍聞齊王在莒，大軍圍攻莒城。齊將淖齒弑了齊湣王，堅守拒燕，燕軍屢攻莒城不下，相持下來。齊人一面尋訪逃亡的齊王的兒子法章回來繼位，以便收拾人心，這在當時是一件重要的舉措。

齊王之子法章逃亡之後，隱姓埋名，跟太史嬓家當了一名傭工，每日澆花浸水。太史嬓有一個女兒甚賢，見法章而憐愛之，待他很好，二人私相愛慕，法章且以實情相告。齊人四處尋訪，始將法章找到，返回莒城繼位，就是齊襄王。莒城的民心，因爲有了一種向心力，更加凝固起來。

毋忘在莒與田單復國

·匡謬·

莒城之得確保無虞，而且成爲反攻復國的政治中心，有兩個重要因素：一是法章繼位；一是王蠋的殉國。王蠋實在是齊國光復的無名英雄，他的義舉是値得大書而特書的。

王蠋在齊國不過是一個平民，但他的賢名四播，隣國咸知。燕軍入齊，就因他之名大，下令三軍不得侵擾晝邑，在晝邑三十里內不得進入。不久燕人以利誘王蠋，要以王蠋爲將，食邑萬戶。王蠋毅然拒絕之。燕人又加以威脅：如不降順，燕將引三軍，將晝邑殺得鷄犬不留。王蠋說：「忠臣不事二君，貞女不更二夫。齊王不聽吾諫，故退而耕於野。國既破之，吾不能存。今又刦之以兵，爲君將，是助桀爲暴也。與其生而不義，固不如烹。」王蠋義正詞嚴，拒絕了燕軍的威脅之後，便懸樹引項殉義。

王蠋之死，激發了齊國逃亡的卿大夫臣吏，大家認爲王蠋乃一介平民，而義不帝燕，我等身爲大夫，食王厚祿，爲什麼還不去爲復國建國而貢獻呢？於是紛紛歸來莒城。

另一面在莒城的政治中心，又推誠心、納忠諫、用人唯才，無論畛域貴賤，一律起用。在政治上發生了一種革新氣象，大家紛紛前來參與中興復國大業。不久之間，人心凝固，士氣昂揚，莒城才是成金城湯池，也成了齊國復國的政治中心。

再說田單在安平撤時顯了一次身手，隨同一部份官兵保守卽墨。燕軍攻莒不下，再回頭來攻卽墨。（七）

端陽節漫談

唐耕誠

陰曆五月初五日，俗稱端陽節，係我國一年四季佳節之一，其盛况與中秋節並美；而僅次於正月元旦春節，普遍深入民間，數千年來，歷久弗替。然其名稱不一，有稱爲端午，端節，重五，重午，蒲節，天中節，近年國人又有所謂詩人節者，則紀念三閭大夫，提倡愛國精神，意至善也。

疇昔故鄉端陽節日，食者、玩者，應有盡有，畧舉一二，稍舒思鄉懷國心情云爾。

端陽節食品，以粽子爲主，粽子古稱角黍，名品甚多，形製不一，有角粽，錐粽，菱粽，秤粽，九子粽，竹筒粽，而以竹筒粽相傳爲最久。據續齊諧記云：屈原五月五日投汨羅水，楚人哀之，至此日，以竹筒貯米，投水以祭。漢建武中，長沙區曲，忽見一士人，自云三閭大夫，謂曲曰：聞君見祭，甚喜；常年爲蛟龍所竊，今若有惠，當以楝葉塞上，以綵絲纏之，此二物，蛟龍所憚也。曲如其言以祭之，今五月五日作粽，並帶楝葉五花絲，卽其遺風也。又周處風土記云：端午進筒粽，一名角黍，粽子最初用竹筒裝置，以之祭祀屈原。日久，越變越多，竹筒反不用。此社會自然演進之理也。

次則粉團，亦爲端陽節不可或缺之食品。天寶遺事云：宮中每端午造粉團，角黍，以角造弓子架盤中，粉團中者得食。又歲時雜記云：端午作水團，又名白團，或雜五色，人獸花果之狀，最精者名滴粉團，有乾團，不入水者，可知粉團之製，由來甚久。與現在台北市上江浙小食館攤盤所售者外表似乎無分軒輊，內裹餡頭，則有高低之別，所謂家用與客用，食時自可分別也。

總之，製送糭子，均以糯米爲主裹；分鹹甜二種，鹹糭以火腿、瘦肉，香菰之類，甜糭裹以糖製蓮子，豆沙之類，既馨香，又甜滑，爲餽贈親友應節最佳美之禮品。

故鄉端陽節，家家戶戶，以艾爲虎，以蒲作劍，分插小門，大門窗口兩旁或門頂，謂可除妖驅魔。歲時雜記云：端午以艾爲虎，形至有墨豆大者，或剪綵爲虎黏艾葉以戴之。又云：端午以菖蒲爲葫蘆形帶之辟邪。更有購買紙畫張天師像，或鍾馗像，艾虎爲騎，菖蒲作劍，懸諸門上或廳堂者，端節表現神權，更爲濃厚。

中午過端午節食飯時，老少婦孺，皆飲雄黃酒少許，小孩更有用雄黃塗身畫花臉者，謂有驅暑袪邪，長保健康之功效。飯後，或出看賽龍舟，或赴河邊游泳，各適其適，各樂其樂，如今日學校之大放假者然。龍舟以木配成，飾爲龍形，爲端陽節競渡之用，其形狀，其作用，全國各地大同而小異。

關於端陽節各種情事，已大畧敘述矣。惟尚有詩人節一事，意義亦殊重要，可得而言焉。考諸史乘，屈原爲一忠君愛國之志士，文采富有，垂範後世。閒嘗讀離騷經，字裏行間，屈原之忠義情操，躍然紙上，而其文詞之穠華贍麗，在吾國文學史上，實爲詞賦鼻祖，亦爲詩學之主泉，是誠吾國第一愛國詩人矣。于右任先生，爲我國一代學人，道德文章勳業，爲世欽重，有見及此，生前特籾議建立端陽節爲詩人節，以紀念此一代愛國詩人。查台灣在日據時代，不禁止人民作詩，故作詩之人，較大陸任何一省爲多，自大陸人士播遷來台，詩風更盛，作品愈豐，詩教足以正人心，厚風俗，進而鼓舞士氣，轉捩社會趨向，裨益民族國家，固不僅扢揚風雅已耳，此詩人節之所以可尚也。（完）

西太后與珍妃

——「影劇與歷史」之六

周遊

同治帝體質素弱，年十九卽崩；西太后不惜違背祖制，立醇親王之子載湉爲帝，是爲光緒。以光緒帝爲西太后母家內侄，便於控制，仍施行「垂簾聽政」，掌握實權。

光緒漸長，遵制必選后妃，太后暗示取其姪女，帝不得已選立了隆裕皇后；另二妃意外落在珍、瑾二妃身上。本由帝親選后妃，待帝授如玉予西后姪女後，恐帝選上德氏女，將與姪女爭寵，遂命公主將繡荷包授予最末之珍、瑾姊妹。後來光緒偏寵珍妃，亦非西太后始未料及者。珍瑾入宮由貴人封爲貴妃。

是時國勢日弱，光緒帝思有所振作，着各省督撫籌儲建造海軍專欵。西太后却以天下承平，以聲色爲樂，有意將建造海軍專欵移造「頤和園」，權宦李連英更先意承旨，鼓吹甚力，而終被光緒帝反對。西太后疑爲珍妃所影响，蓋珍妃胸懷坦蕩，少不更事，平時據理直言，早已失歡於西太后也，而皇后及李連英又從中構煽，至此已如同水火。

甲午戰後，賠欵失地，喪權辱國，光緒帝乃接受工部主事康有爲之議奏，詔行新改，銳意維新，派任譚嗣同等維新份子，一日數詔，意甚操切。一班老臣，慄慄自危，乃環請於太后，太后忍而未發，但內心已隱有廢立之意。

廢立之說不脛而走，帝左右不能不爲之防範，康有爲等乃籌思保皇之策。譚嗣同力薦袁世凱才堪大用，光緒帝於勤政殿召見袁世凱，授以密詔，着馳赴天京，斬榮祿，帶一萬新兵入京，圍頤和園，請母后毋再干政。光緒實以天下爲重，初無不利母后之意。

袁世凱權衡利害，反向西太后告密，兵圍大內，拘光緒帝，禁於瀛台。而珍妃亦以「莠言亂政」獲罪，拘於北三所，形同囚犯。

此時山東等省，義和團議起，倡言刀鎗不入，扶淸滅洋，西太后及一般老臣愚昧無知，竟以爲「民氣可用」，縱使義和團燒使館，殺洋人，坐致八國聯軍攻進京城，太后見事急，改着漢裝，倉惶西奔避難去了。

光緒帝內外甚得人心，故珍妃力勸光緒留京主持國政，勿隨太后離京；太后則以死相脅，命珍妃勸光緒出奔，珍妃不屈，遂被宮監崔玉桂沉於井中。一代佳人，香消玉殞。

光緒帝萬念俱灰，隨同太后西奔，車伏在途，行色匆匆，夕陽殘照中，光緒潸然淚下而已。這種日暮途窮景象，也顯示着滿淸王朝卽將壽終正寢。（二）

劇事雜談

·婆娑生·

也算感言（續）

這種辦法，前幾年中廣公司晚會，演全本白蛇傳，差不多每場於幕後用輕微音樂來伴奏，遊湖即完全似歌劇，其後盜仙草並沒有多開打，祇做做樣子。到金山寺斷橋合缽祭塔，方恢復平劇的面目，他們唱唱玩玩，不能厚非。但是最近大鵬公演的紅梅閣，也循這個例子，那是確乎改良，不過埋沒了平劇的眞諦！

紅梅閣一戲，原先是梆子班擅演，改爲皮黃，是匪區先行改編，常常由收音機中聽到，趙燕俠唱的李蕙娘自思自的一段，音調很新奇而發音。其中遊湖，殺李並沒有很動人的表現，而放裴焚閣却爲這齣的核心。如在此核心，不能盡情發揮，便會精華湮失，或至渙散，因爲紅梅閣的故事是如此，不能談雅緻，也用不着淡雅的舞式，而須近於稍戾的跌撲，猶如寫文章一般，非六朝的駢文，而爲激昂的散文。從前人編劇，很有手筆，因此場的激昂，落到訣別的鬼怨，以淒涼來結局，有不盡的含蓄，具千鈞的力量。

大鵬改編的紅梅閣，以歌劇的眼光來看很美，用佈景音樂是夠條件，如以平劇衡量，則所謂已變其質。以平劇衡量，若謂是改良，似屬不當，或云不太高明，或云學得不夠像，演後一片歌頌，洋溢人耳，可是眞實之言，多云陳鴻年的兩談其事，比較妥適，狂嘻者認爲代表作！那是寄以捧諛而已。關於其中以墮落詩簡，仍至被殺，蕙娘不識裴舜卿，藏此似太不倫不類，與她無關的書件，留之何用？那是以故事牽入不近情理的安排！記得前次海光在介壽堂公演原定有樊梨花掛帥，由馬驪珠主演，此戲包括馬上緣，樊江關，蘆花河三齣合併。馬氏以此編教授之復興劇校學生，連賣三次滿座。因爲編製手法巧妙，而得成功。但到臨時忽改爲全本紅梅閣。當卽詢問爲何易改戲碼，她說試試跌撲。可見跌撲爲此戲的重要動作。尤其馬氏與戴綺霞路子不同，是另換一種別的姿態，使觀衆欣賞，果然演出之夕，全場贊美，愛平劇者大過其癮！

徐露果是大鵬的雋才，對此戲的唱，改編特別加多，似尚勝任。但在後面的放，怨雨場的動作，却還不夠。她很少唱鬼戲，而蕙娘似偏於花旦，以純正的靑衣來演此戲，則前半齣尚合。後半齣總是美一點，等於硬教她唱活捉三郎，雖大同小異，拼力把杜近芳趙燕俠腔音攙入，所以成爲歌劇，而非純正的平劇。照這樣改編，固然可以，但是變化了平劇太過！

古了侯杜

在中一元雙兄嫂輪値的崑曲同期，因爲室中極爲涼爽，得與外行人（女劇評家）長談的，多是有關劇藝的事，最奇怪的，是李少春葉盛蘭的自殺，簡直是共匪在自毀人才。當然他們有他一套自鳴的改革，倘不依從，祇有死路一條，是不講重視藝術的。而留在大陸的藝人，在混飯主義，也毫不用理智來觀測，以爲總可以混下去，却不及普通的義民，想盡方法，逃脫魔掌，早已註定「自取滅亡」，說不定，也許有跟着同歸於盡。

葉李既已自盡，也無法拯救，而我想到杜近芳侯玉蘭却苦透了，內心看到這樣的結局，將何以自處。何況共匪向來主張一杯水，豈不要「另嫁他人」。而所嫁的，是否能勝過葉李，如果是個跑龍套，那末精神上，有可慰藉嗎？這日子，的確有點一不太好受，難道絕對不能自拔嗎！誠不解你們有沒有思想，能夠愛國家而抱犧牲嗎？這個問題，實難解答，要看你們的良心裁判！

你們在改良平劇，把現代服裝搬上舞台，破壞了吾國幾百年來的傳統，文化精神，將來成非驢非馬。因爲事跡是近古的，那時有這樣裝扮？平劇決定搞垮，你們的責任，總算完成，侯杜的未來，是改革的大家，眞是出乎意料。葉李之死，無關緊要，合了烏龍院的話：天涯到處有賓朋，你們去捉摸罷！

蓮之詠歌

·匡正·

蓮之所以爲詩人墨客詠歎者，以其出淤泥而不染，濯淸漣而不妖，冰淸玉潔之精神，象徵君子也。歷代詩家詠蓮之佳作頗多，茲引其代表者述之。

蓮之涉及韻事者，源流甚古，詩經：「山有扶蘇，隰有荷花」。陳風澤陂：「有蒲與荷」。是皆情詩，以比興之筆寫入，不過藉荷花爲詩景之點染，是蓮之見於古詩者也。

屈平離騷有：「製芰荷以爲衣兮，集芙蓉以爲裳。」九歌有：「荷衣兮而蕙帶。」屈原以荷花作君子之喩，此蓮之見於騷者也。

漢之閔鴻芙蕖賦有：「乃有芙蕖靈草，載育川中。竦修幹以凌波，建綠葉之規圓。灼若夜光之元岫，赤若太陽之映朝霞。」曹子建賦有：「覽百卉之英茂，無斯華之獨靈。結修根於重壤，泛淸流以濯莖。其始榮也，皎若花光尋扶桑。其揚暉也，晃若九日出暘谷。芙蓉賽產，菡[illegible]星屬。絲條垂珠，丹榮吐綠。焜焜[illegible]爛若龍燭。」此二者皆以靈異之物目之，此蓮之見於賦者也。（一）

內僑警台報字第〇三壹號內銷證

自由報

THE FREE NEWS

第五五四期

中華民國僑務委員會登記
台教新字第三二三號登記證
中華郵政台字第一二八二號執照
登記為第一類新聞紙類
（逢三、六出版每週刊兩次）

每份港幣壹角
台灣零售價新台幣伍元

社長：雷嘯岑
督印人：黃行審

社址：香港銅鑼灣高士威道二十號四樓
20, CAUSEWAY RD 3RD FL.
HONG KONG
TEL. 771726　電報掛號：7191

承印者：大同印務公司
地址：香港北角和富道九六號

台灣分社
台北市西寧南路壹壹零號二樓
電話：三〇三四六
台郵撥儲金戶九二二二

分權學說與民主政治（下）

田炯錦

孟氏的分權學說已為歐美各國採用，付諸實行；但西方學者對若何分權，仍不斷研討，如杜格主張政府權應分為立法、行政二權，狄萊主張應分為設計、立法、司法、行政、執行五權，韋羅伯主張分為行政、立法、司法、選民、執行五權。由此可見他們對於法制遠較對於人的因素重視。是以過去有些西方國家，政府的高位，可由公民輪流充任；有些國家祇要那一黨選舉勝利領導政府，即可將以前在政府供職的人員，任意更換，甚至大部更換。「選舉得勝，即可分贓」，認為當然而不以為怪。故歐美分權的民主政治，雖然藉權與權間的制衡使政府不得違法枉為，人民的自由與權利得以保障。但因政府各部門互相牽制的權力運用失當，及其負責人員的缺乏能力與經驗，致其工作效率低落。他們固然不能侵犯人民的權益，但亦無能為人民謀幸福。

三、國父的五權憲法與權能劃分

國父學貫中西，精研各國憲法與其政治制度，捨短取長，創立五權憲法，以期建立有效能之民主政制。他的五權憲法要旨，在第一次世界大戰以前，祇是強調五權分立。他認為歐美國家將政府權分為立法、司法、行政三個部門，各自獨立行使職權，可以保障人民的自由與權利，是其所長。他說「三權分立，為立憲政體之精義，蓋機關分立，相待而行，不致流於專制」。但是國父認為我們不必學。所謂不必學，是叫我們不要完全照樣的去學。他在民元前六年「三民主義與中國民族之前途」演講裏說：「美國憲法又將孟德斯鳩的學說作為根本，把那三權的界限，更分得清楚，在一百年前算是最完美的了。一百二十年以來，雖數次修改，那大體仍然是未變的。但是這百餘年間，美國文明日日進步，土地財產也是增加不已，當時的憲法，現在已經是不適用的了」。我們若單看這節遺教，而未注意歐美政治發展的史實，將不會瞭解為什麼文明進步，土地財產增加，乃致其憲法不適用呢？在十八世紀前後歐美許多國家打倒專制，成立共和。革命成功之後，懍於過去專制君主壓迫人民的痛苦，對政府抱着畏懼疑忌的態度，務使政府三權分立，彼此澈底劃清範圍，以求實現法治而非人治。提倡放任主義與不干涉政策，以為少作事的政府，就是最好的政府。但到了工業革命以來，生產發達，交通便利，以致過去許多純私人的事，政府不能不督導，許多屬縣市的事，省不能不監督，許多屬省的事，中央不能不過問。各級政府的職務日繁，過去不重學問經驗而倖進的官吏與議員，負不了繁雜的行政與立法任務；而議會兼有監察權，政客們往往以私見壓迫行政部門，使其一舉一動都不自由，所以無法應付工業革命後社會上發生的各項新問題。致學者們及社會各方面人士，認為民主的政府雖然不侵犯人民自由與權益，但無能力為人民謀幸福，為國家謀安全。是以歐美有遠見的人士，當時亦呼籲如何改進政治。國父目視歐美民主制度之不能解決新發生的社會問題，同時認為過去我國重視人治，使考試權獨立，選拔人才，為國家進賢；使監察權獨立，整飭官邪，為國家黜退不肖，均有助政治效能之增進。是以國父認為西方之三權分立，仍不完全，應使考試權獨立，凡服公職人員均應經過考試合格，始能任職或候選。應使監察權脫離立法機關掌握，獨立行使職權，依客觀的法律，糾察公務人員之違失，以免由議會的政客們利用，不問是非，而以其為打擊對方之利器。同時監察權脫離議會，使議會不復能壓迫行政部門；考試權由行政部門劃出，亦可免其權限過大，壓倒其他四權。故國父初倡五權分立，旨在補救歐美民主國家在政治上不重人的因素之缺陷，及議會權力過大壓迫行政部門，使其動輒得咎，無能力應付新情勢之弊害。同時政府權分為五部門，各自獨立行使，不使任何一部門權力過大，亦易於使權與權間保持平衡。

第一次世界大戰前後，歐美人士目擊德國獨裁政制，對一切新發生的社會問題，能夠妥善解決，而且國力強大，使民主陣營，幾乎無法抵禦。逮戰爭後期，各民主盟國被迫採取德國集中事權的方法，英國組戰鬥五人內閣，法國授權克里孟梭總理，美國授權威爾遜總統，全權解決國內難題，應付敵人。因協約國家物資豐富，人口眾多，亦採用德國權力集中的方法，以對付敵人，德國及其同盟，遂致慘敗。但戰爭停止以後，英美各國議會，迅即取消授權，領導戰鬥內閣之英國首相勞合喬治，被迫下台，法國克里孟梭競選總統失敗退隱，美國總統威爾遜受制於國會，積忿成病，且不久大選失敗。以致民主國家贏得了戰爭，而不能贏得和平。

第一次世界大戰後，歐洲社會情形，非常混沌。西方政治學者對於民主獨裁政制之優劣，常多爭論。贊成民主的人，以為民主政府得人民之支持，基礎穩固，故英法等國起初雖失敗而不崩潰，德國起初雖雷霆萬鈞，勢不可當，但以後一遭挫敗，即行瓦解。故民主究優於獨裁。反對之者認為德國以後之所以失敗，乃因民主國家被迫採用獨裁的方法，憑侍着豐富的物資人力，以人之道，還治其人，始能將德國擊敗。社會一般人士，驚羨獨裁政府之有效能，而駭懼其蹂躪人民權益，是以他們對於有效能的政府，既想望而又懼怕。故國父在民權主義第五講裏說：「有一位美國學者說：『現在講民權的國家，最怕是得到了一個萬能政府，人民沒有方法去節制他；最好的是得一個萬能政府，完全歸人民使用，為人民謀幸福。』這一說是最新發明的民權學理，但所怕的所欲的，都是在一個萬能政府。……又有一位瑞士學者說：『各國實行了民權以後，政府的能力便退化了。這個理由，就是人民恐怕政府有了能力，人民不能管理。所以人民總是防範政府，不許政府有萬能。所以實行民治的國家，對於這個問題，便應該想方法去解決。想解決這個問題，人民對於政府的態度，就應該要改變。』……至於怎樣改變的辦法，至今還沒有想出。」國父說他想出了一個解決方法，是世界上學理中第一次的發明。他的辦法「就是權與能要分別的道理。」

（下轉第二版）

傻瓜

炮灰

今日與明日

毛酋病重之說

最近倫敦、莫斯科等地突然同時傳出毛澤東中風，即將斃命的消息。本來以毛酋的私生活來說，烟酒色全來，此人居然能活到七十三歲（按毛酋生於光緒十九年癸巳，西曆一八九三，依中國年齡計，已七十三歲），實在是人類一大刦數。若說毛酋朝夕之間就會暴斃，絕不使人感到意外。尤其最近有許多跡象，證明毛酋確已鐘鳴漏盡，奄奄待斃。

第一件事是毛酋會見美國人史諾，再三說他要見閻王了，可見其身體不妥，自己也深知，所以發出哀鳴。第二件事是外國駐在北平的記者，都在會場上見過毛酋步履蹣跚，行動要人扶持，隨時就會倒斃。第三是毛幫報紙最近發表毛酋去年六月到十三陵水庫遊水的事；毛酋是否去十三陵水庫遊過水，此處姑且不論，問題是既然去年遊水，為什麼竟要到今年才發表？是不是有意證明毛酋健康良好？

由以上許多跡象推測，毛酋即使尚未死，但已接近死亡則是無可懷疑的。

假若毛酋突變

假若毛酋突然服了天誅，旦夕之間死去了，大陸同胞自然可以鬆一口氣，海外中國人及全世界愛好和平人士都會拍手叫好；但望深處想，毛酋此時死去，對自由世界究竟是福是禍，可也正難說的很。因為毛酋一旦死去，無論誰繼其位，也要與蘇俄言歸於好，甚至反美態度也要緩和，對內推行修正主義，畧微改善人民生活，如此一來，毛共政權必然要較前鞏固，整個國際形勢也將轉與我不利。所以就今天來說，毛酋已經不是毛共的財產而變成包袱，且是一個沉重的包袱。毛酋不死，劉周林鄧諸酋自對之無可奈何，毛酋一旦死去，毛共政策必變，繼任共酋也很可能學習赫魯曉夫來一次鞭屍運動，以平國人之憤，同時又修好了蘇俄。所以說毛酋一旦死去，俄毛共黨必和，又將在國際場合上同惡共濟了。

毛酋應不會死

不論從人事天心來說，如若冥冥中還有一絲公道，毛酋決不會壽終正寢，若非為起義軍民所殺，如王莽之為手下所誅，即是被國家捕獲歸案，下對簿公堂，如陳公博、梁鴻志之流。實際上集合所有歷史上大奸大惡在一起，所犯之罪，也不逮毛酋萬一，若謂他能平安死去，真的是沒有天理了。

所以，就毛酋身體現況來看，他隨時可以死去；若以人事天心來斷，又不會馬上死去。雖然西方報紙再三傳說他病重，我仍然不相信他現在就會死去。（何如）

自由談

辨奸論

李鐵錚其人者，素昧生平，但知其曾任中華民國駐外使節，於大陸淪陷之際，乃攜其妻孥玉帛，潛赴美國作寓公矣。

迨去年三月間，李某在紐約「中國時報」譔文為毛共助勢，勸海外的中國人不要隨便反對共產政權，應該「靜以觀變」，竟有「今日誰在抗俄，蘇聯是否稱為反共」之語——意即暗示只有毛共在「抗俄」而已。我當時在本報著文闢斥其為「海外高等華人的邪說瞽詞」，大張撻伐，認為凡是投機取巧，坐觀成敗的可左可右之人，都是反共陣營中的垃圾人物，非加以掃除不可。最近聽說李某已實行投共，棄其外國老婆和兒女（事實上是妻孥們不願附逆），潛返大陸去了。這類政海渣滓，無論他是存在任何地方，對社會國家都沒有甚末稗益，幷不值得重視的，我所欲言者，在彼不在此也。

咱們反共復國之役，基本上是一場思想鬥爭，在政治上雖然要講究團結人心，集中人力，對人採取容忍態度，然對思想不正確的傢伙，如曾有親共言行而厠身於反共陣營中的投機取巧份子，却萬萬不宜忽視優容。必須清查其歷史紀錄，分析其生活過程，探究其品性表現，辨明忠奸，分清敵我，一是皆以淨化反共思想為本。廖文毅去逆効順，政府儘可不究既往，曲予容納，因在反共思想上無問題也。如李某之流，披着高級知識份子的「畫皮」，混在自由世界，投機欺世，偽裝學人，而暗中又向共產極權主義者獻媚取悅，預營狡兎之窟，若不加以清除，稍有風吹草動的情形，他便是反共行列中的時疫細菌，為害滋大！

觀乎李某之附逆言行，我認為前些年政府在台灣倡行的「自清運動」，殊有切實推進的必要。凡屬思想有問題的人，都應該嚴加注意，另眼看待，至於曾有通共媚共行為的，即須認眞清除，毋稍姑息。外賊易辦，內賊難防，若任其偽裝潛伏，佯作反共之士，搔首弄姿，招搖過市，一旦原形畢露，將貽噬臍莫及之憂。一般政治上的恩怨可以存而不論，思想上的順逆却不能妥協，這種虧我們過去吃得太多了，痛定思痛，豈可不特別警惕嗎？

馬五先生

高港增裝卸公司 省議會將起風雲

本報台灣中部記者 熊徵宇

因爲高雄港這幾年來的吞吐量急遽增加，爲配合停泊與碼頭使用效率，就得加强裝卸設備。於是省交通處根據「台灣省輪船裝卸承攬業管理規則」第五條的規定，公告增加甲級裝卸公司一家。

這公告四月一日見報後，各申請業者紛紛而來。在那些申請人中，還有三位省議員加入。還有一個具有雄厚背景的「工人合作社」。於是在那些申請人中，形成四股特別的力量。這四個特別力量，在公告以前很久就在向省交通處進攻。因爲申請人所應有的條件並不嚴格，而且利益又大，看來自有一番不平凡的角逐。

就省政府方面來說，這當然算不上是件大事，但是這一家裝卸公司的設立將來到底歸誰，却是省政府的一個考驗——在公平與公正的原則上的考驗。

我想這個問題值得談談。談談我所知道的一些高雄港裝卸公司的現狀和那四個力量的情形，以及我對這個問題的根本看法。

四家公司 歷史悠久

高雄港經理裝卸的機構，是港務局的棧埠管理處，另外有四家民營公司。

棧埠管理處的前身，爲通運公司，那時負担碼頭和鐵路的裝卸，五年前才改爲棧埠管理處。高雄港所有的裝卸工作，由管理處統籌統攬，在一種人工與設備的需要原則上，分配給四家民營公司協助裝卸，藉以提高效率，減輕貨主的負担。

而那四家裝卸公司，都具有悠久的歷史。四家大公司的組織之中，又包容有十二家小公司。那是說，由這四家大公司對棧埠管理處承攬，在某種原則上，分配給十二家小公司裝卸，各自有其規章，各自有其系統。只是那些小公司沒有正式的牌照。

「台通」每年賺八十萬

在那四家公司中，有一家名爲「台通」，爲現任省議員黃堯所有。去年的冬天次大會時，有幾位省議員在休息室替黃堯的那家公司算過賬，說他每年的純利，在台幣八十萬以上。而黃堯在兩三年前，就申請過另外再設一家公司，案子到過省政府和省議會。因爲那十二家小公司聯名向省議會陳情請願，執着管理規則第五條的規定，未經公告，不得增設。於是省政府把那申請拖了下去。而當時，黃堯不是省議員，雖然有幾位議員支持他，但那到底力不夠。而後來，因爲第二屆的省議員任期屆滿，這件案子也就隨着烟消了。

交通組 三角戰

如今物換星移，曾任第一屆省議員的黃堯，當選，而且交通處公告增加設立裝卸公司的當兒，省議會正在舉行第五次大會，而且黃堯又在交通審查委員會，當然是積慮已久，志在必得。

但他在交通審查委員會碰到兩個不太容易應付的對手：第一個人是台灣煤業鉅子李建和。李是交通審查委員會的召集人，聲勢自比黃堯高。黃堯既然擁有「台通」公司，這回當然不能再以自己的名義，而是由他的兒子以「港灣公司」提出申請。李建和則早已成立了一家「環島」裝卸公司」籌備處。

另外還有一位省籍的省議員，自己設有公司，他是那十二家小公司的標師。這位精於各種兵法的省議員也在交通組！

所以說，大而言之省議會，小而言之交通組的道場「三角戰」，對省府一定有很絕出的招數，很精采的陣圖，而且早已架式，已經在開始擺了。

合作社·有實力

另外的一股力量，個「工人合作社」，那可能透過黨團，那果認眞起來，大家只有落荒而走。

決定這家裝卸公司，交通處不一定能完全作主，需要由各有關單位所組的專案小組認定，所以說那四股力量的進攻目標，不光是局部的交通處，而是全面的省政府。

就我看來，省政府如果希望把這三位省議員都「擺手」，而使他們無所欲念的話，事實上是不可能的。確實需要一些最好的運用與最佳的處理。

就我個人看，若果在三位省議員之中難定取捨；而超脫那個環境；而批給那合作社也不是最佳的處理。因爲予舉衆以口實，比使省議員不開心更糟。我們不能爲小失大。

廢止民營裝卸 提高勞工報酬

可能我把問題看複雜了。但這個態勢並不簡單，原則在申請人具備的條件過於寬鬆；二百五十萬的資金證明與裝卸設備和營業計劃書，在有心人，不是難事。大家都具備這三個條件，省府又如何定取捨？難道說可以抽籤？能抽籤倒是個好辦法。

我覺得這種裝卸公司的存在，對於碼頭工人是一種剝削的，是一種古老傳統的靠水吃水的陳舊觀念，省府應該修正管理辦法，廢止民營裝卸公司的存在。既然裝卸工作是由港務局棧埠管理處統籌統攬，何以不能在充實與裝卸量相對的設備上，直接分配給工人做？發給民營公司，每噸一元七角六分，豈不是不必要的消耗？雖然民營公司在這裏有工具費與管理費。

如果政府直接把裝卸工作分配給工人，不是可以提高勞工的收入？廢止民營的利益當然困難，但是爲了提高勞工的收入，加强社會福利，是值得政府去做的；在勞工們微薄的收入而言，這並不是一件小事。（完）

黃杰雅量接受輿論
本報檢討行政會報導 經立即批交民廳檢討

（本報記者熊徵宇台中航訊）本報五月一日所載「檢討台灣省行政座談會」一文，已爲省府當局暨各廳處所重視，並將提出檢討，作爲今後此種會議之改進張本。

省府主席黃杰，閱讀那篇報導後，立即批交民政廳作爲檢討。前幾天，在省府大樓舉行業務會報時，黃杰對各廳處首長指出：

四月八日，在中興新村省訓練團舉行的全省行政座談會，準備工作不夠，受到外界的批評。

他說：「不要以爲人家批評我們，就生氣，我們應該接受別人的建議」。黃主席在動員月會時，也曾提及，希望省府同仁凡事要腳踏實地的去做。

黃主席這種接受輿論意見的高度雅量，深爲省府同仁所崇敬。

分權學說與民主政治

（上接第一版）

國父認爲政治裏有兩個力量，一個是管理政府的力量，一個是政府本身的力量。他把管理的力量叫作「權」，政府本身的力量叫作「能」。他熟知中國歷史，認爲漢朝皇帝與丞相權力的配合，就是「權」與「能」的配合。在專制政體下，一切權力屬於皇帝，而皇帝自己不直接處理國事，將處理國事之權，授諸丞相。但皇帝保有管理丞相之權，可以進退丞相，故不怕丞相權力太大危及他的皇位與安全。他舉漢末阿斗與諸葛亮的關係爲例，以說明權與能應劃分開的道理，諸葛亮因爲阿斗把政治的全權都付託他，故他有能。「整頓內部是由他，南征是由他，就是六出祁山北伐也是由他。」但阿斗保有進退丞相之權，要排斥諸葛亮，至爲易事；而爲了蜀漢的前途，他絕不排斥諸葛亮。民主政制不過是上下反一反，去掉君權，由全國人民取代專制皇帝的地位，成爲國家的主人；使政府居漢代丞相的地位。人民苟有權隨時可以進退政府，當不必怕政府權力太大。政府苟獲得人民信託，賦有大權，當能放手作事，成爲萬能。

人民保有什麼權，可以管理政府呢？國父認爲權力雖經緯萬端，但撮其要不外「人」與「法」二者。人民如能用選舉權以使政府首要進用，用罷免權以黜退不盡責者，當可管制政府的人。如能用創制權以訂立政府未肯制定之法律，用複決權以廢止政府不肯廢除之法律，當可管制政府的法。如此當不怕政府權大而不能管理。政府怎樣纔能萬能呢？國父認爲須要施行五權憲法。他說：「五權憲法就好像是一部大機器。大家想日行千里路，要坐自動車。想飛上天，就要駕飛機。想潛入海，就要乘潛水艇。如果要想治一個新國家，就不能不用這個新機器的五權憲法」。

五權憲法確較三權憲法優良，因爲它既顧及政治上人的重要性，而主張考試權、監察權獨立，以進賢而退不肖；又顧及法的重要性，而主張以憲法明定權能劃分，五權分立，使任何方面不能任意造法毀法，而致人存政舉，人亡政息。故實兼採中西重人重法之長，爲國家創立良好規模。現行憲法係依據遺教制定；雖然制訂憲法時，不能不博採衆議，調和折中，但主要綱領仍與遺教契合。不滿人意之處，不能說沒有，但任何國家的憲法，絕沒有被人人認爲滿意者。祇要國人能誠意遵行，並依法定的程序適時修正，當可實現萬能政府爲人民服務之宏效。不過兄弟認爲目下我們所應急者，尚不在憲法之如何修正，而在憲法所規定各部門之權力，如何妥善運用。在三權憲法下，同樣採內閣制的國家，英國運用得當，其政府穩固而有效能；法國第三第四共和不善運用，致每屆內閣壽命不過數月，百政廢弛。同樣採總統制的國家，美國藉以政局安定，富强甲天下；而南美各國禍亂迭起，國勢不振。

五權憲法的權與權間關係，遠較三權分立複雜；既有四種政權與五種治權之劃分，應若何使其運用得宜，而發揮人民有權，政府有能的宏效？而五種治權彼此應若何配合，一方面防止任何一權任意妄爲，同時不防害各權發揮力量，爲國家及人民謀求福利？三權分立之權與權間，彼此交互的關係祇有六種，已常因運用不善，而致政府無能；五權分立之權與權間，彼此交互關係，多達二十種，若將其連帶的交互影響計入，彼此間的關係，更爲複雜。應若何使其配合得宜，而得到互助合作？所以五權憲法誠然「好像是一部大機器」，但大機器較小機器頗難運用。三權分立之要旨，是想由權與權互相牽制，而達到平衡；但多數國家則因運用不當，徒見其牽制，而致政府無能，並未見其達到平衡，而使各盡其能分工合作。五權分立之目的，雖非在互相牽制，而在分工合作，但如運用不當，則政府各部門所受的牽制，當尤甚於三權分立。國父在民權主義第六講裏，用一個圖說明政權治權的運用：他解釋說「就這個圖看，在上面的政權，就是人民權，在下面的治權，就是政府權。人民要怎樣管理政府，就是實行選舉權、罷免權、創制權和複決權。政府要怎樣替人民做工夫，就是實行行政權、立法權、司法權、考試權和監察權。有了這九個權，彼此保持平衡，民權問題才算是眞解決，政治才算是有軌道」。這節話實係國父提示我們，祇將權能劃分開，及將五種治權分別獨立行使，並不能算解決了民權問題及政治效能問題；必得政權與治權都能善爲運用，使彼此間保持平衡，始可望民權發達，政治清明。至於治權彼此間的關係，在歐美三權國家，立法權與行政權若未能運用妥善，不是國會權力壓倒內閣，使其失去穩定，對國事不能有所作爲；就是行政首領權力壓倒國會，擅權妄爲，摧殘民權。我們爲五權分立國家，治權彼此間的關係更較複雜，更須各自妥善運用其權力，始可保持平衡，而達到分工合作。否則彼此磨擦衝突，將致效率減低，陷政府於無能。

省立屏東中學實施兩項新猷

二、實施早讀。因過去沒有這項規定起初，無論老師、學生，都只要在上課前趕到學校即可，所以當段校長倡導早讀，嚴格規定：凡導師及市區學生，每晨必須於七時二十分以前到校之時，導師即已感不便的，且以身作則，他自己每晨七時二十分前必定到校了。如此，大家不好意思，無論導師與學生，都祇好跟着做，現在則已習慣而成自然了。

段校長對記者說：學校如有壞的地方，或者我個人有不對之處，希望新聞界克盡口誅筆伐的責任，我們絕對接受，亦絕對改正，因爲這樣學校才辦得好，才可多爲國家培育出人材。（下）

新儒顯微鏡下的人性光輝

——解答了哲學上一個大難題

（論道續第六章）

陳健夫

同創造力并駕齊驅相互爲用的還有一種追求眞理的力量。兒童看見一切事物常有一種疑問「這是什麼？那是什麼？」兒童這種好奇心理的發展，到了成年便形成了追求眞理的力量，這種追求眞理的力量本是人類都有的。……所以那智慧如聖哲，與那愚下如芻蕘的人都同樣有追求眞理的才能。所不同的是一般人少有接觸同發揮的機會吧了！或者是知其然而不知其所以然。

人羣除了上述幾種生命力的因素以外，還有一種爲人人所不覺不察的一種非常重要的生命力，那即是勞動力。原來人類有手有足，每人都有勞動的本能，假如不去勞動，一個人的生活似乎缺乏什麼。一切新陳代謝的作用，沒有勞動便不能充分發育成功。可見一個人不能離開勞動而生存。所以，不論兒童或成年人都必需在勞動中滿足他的生活要求。不分貧富貴賤，都是如此。

生命力之中，有適應力，有忍受力，有征服力，有創造力，有求眞力，有勞動力，人羣這六種天賦的才力，便構成了人生最强大的生命力。人羣就憑了這偉大的生命力，爲天地立心，爲生民立命。開天闢地，旋轉乾坤，天地間那一等事業不是這生命力的創造呢！

人之所以有這六種天賦能力，是有個由來的。現在要再作進一步的分析：

原來，人類由於神經系統的組織嚴密，每次接觸到外界事物，便發生一種直覺的，迅速的，不待思索的，不必學習的本能衝動。這本能衝動完全是人身體各部份神經系統合作的自然作用，是與生俱來的。好像鐘鼓，只須一擊，它就會發出聲音，此起彼應，非常迅速。這就是恐懼本能。兒童突然聽見聲音，他就驚懼，他就隨時隨地預防危險。人類賴有恐懼本能，保護生命。兒童對於新奇的作用，或光綫，或顏色，它初次發覺時即刻發出好奇的衝動，這種本能是非常勇敢的，不顧任何利害，表示它的意志。笛卡爾以爲這種本能屬於純理性的活動，爲一切哲學的發端。兒童不須學習便知道尋求各種娛樂生活，這是一種求樂的衝動本能。我們人類有一種表現衝動，兒童得到他所喜愛的東西，他非誇耀不可，往往爲了表現他的本能，不惜累得滿身大汗。這種本能在兒童遊戲的時候最易發覺，到成人時更充分表現出來。這四種本能，恐懼、求樂、表現、好奇，是人類生而有之的，不須學習的，這即是生命力的源泉。

我們由這些本能衝動去考察，於是發現了生命力的由來。人類由於這些本能互相作用，又創造了更具體的力量，即是適應力、忍受力、勞動力、求眞力、征服力、創造力六種力量。這六種力量滙合起來，便構成了一種不可思議的生命力。這生命力的組織形成完全是由於生理的自然作用，其中一切發生均由於生理上的細胞組織，並非純由心理上所發生的現象。（八）

哀江南製造局

李仲侯

先是同治四年，上海虹口有美商鐵工廠一座，能造大小輪船及開花炮、洋槍等件，實爲洋涇濱中最大的機器廠。適有海關通事唐國華，因案革職，願集資四萬兩購買該廠以謀贖罪，連廠中必需之物，如銅鐵木等項材料，另值洋二萬兩，由海關道丁日昌借款採買；蘇撫李鴻章，即命改爲江南製造局，把丁日昌、韓殿甲原設的西洋炮局，歸併該局。一切事宜，由丁日昌會同總兵韓殿甲，補用同知馮焌光，候補知縣孫玉德，候補知州沈保靖等一同經理，擬訂章程，經曾國藩、李鴻章奏聞。大約局用房租薪水月需四千餘兩，添購材料月需在萬兩以外，那時用兵正急，鴻章先令造槍炮兩項，因原廠造船之機器居多，造炮機器甚少，由局中各委員詳考圖說，製造大小機器卅餘座，即用以鑄造炮爐。所製的開花、田雞等炮，配備炮車、炸彈、藥引、木心等物，都與外國所製無異。洋槍一項，需用機器更多，其製造亦與購自外洋者不相上下。後來容閎在外洋所採辦的機器運到，曾國藩亦令歸該局。閎原參曾氏幕府，至此以五品候補同知，指發江蘇，與丁日昌極爲投契，力助其成。

同治六年，在上海高昌廟黃浦江邊陸續購地一千零廿九畝，建築廠房三千餘間，將該局遷入，內分機械、翻砂、槍炮、子藥、炮彈、鑄銅、七廠，並在機構廠前面，另建船塢一座，仍名江南製造局。當各廠落成時，適兩江總督曾國藩巡視抵滬，於該局之創辦，特別注意，由容閎陪同巡視各廠一周後，並導觀由外國新購回之各種機器，面試機械之運動和說明應用的方法。曾氏對於各種機器，均係創見，感覺非常高興；容閎乘此機會，復勸其在局內設置兵工學堂，招中國學生肄業其中，授以機器理論和實驗，以期中國不必需用外國機器及工程師。國藩大爲贊許，不久在局內即有兵工學校之設立。

同治七年九月，曾國藩正式創建江南製造局之奏疏有云：「該局向在上海虹口暫租外廠，中外錯處，諸多不便。且機器日增，廠地窄狹，不能安置。六年夏間，乃於上海城南購地七十餘畝，（後逐漸擴充爲一千零廿九畝，詳上文）修造公所，其已成者，曰氣爐廠，曰機器廠，曰熟鐵廠，曰洋槍樓，曰木工廠，曰鑄銅鐵廠，曰火箭廠，曰庫房，棧房，煤房，文案房，工務廳，暨中外工匠居住之室（上列廠房名稱，係創辦時原始命名，後至光緒初年，均已更名，如本文前面所述），房屋頗多，規模亦備。……另立學館，以習繙譯，蓋繙譯一事，係製造之根本；洋人製器，出於算學，其中奧妙，皆有圖說可尋，特以彼此文字扞格不通，故雖日習其器，究不明其用器與製器之所以然。本年局中委員於繙譯甚爲究心，先後訂請英國偉烈亞力、傅蘭雅、馬高溫三名，專擇有裨製造之書，詳細繙出，現已譯成氣機發軔、汽機問答、運規約指、泰西採煤圖書四種。擬俟學館建成，即選聰穎子弟，隨同學習，妥立課程，先從圖說入手，切實研究，庶幾物理融貫，不必假手洋人，亦可引申另勒成書。此又擇地遷廠，及添設繙譯館之情形也」。（二）

中英鴉片之戰

羅雲

二、引起鴉片戰爭原因

英國於經營印度後，乃於一六〇〇年組成東印度公司，以掌理對印度之侵吞及對外商業開展；中國遂爲其經濟侵略之重要對象。復由於前述種種限制，未得遂其大量通商之目的，乃一面實行走私，一面大量將印度所產之鴉片，向中國傾銷。

清朝嘉慶元年（西一七九六年），朝廷鑒於鴉片對國民健康與經濟爲害巨大，乃下令禁止鴉片入口，並禁民間吸食。四年後，復行令禁種植，更因發覺外洋來貨甚少實用之生活必需品，空耗中國銀兩，乃主以貨易貨。嘉慶二十三年（西一八一八年）限制外船於歸去時，所帶白銀不得超過進口貨價十分之三。但鴉片走私，白銀外流，仍日甚一日。鴻臚寺卿黃爵滋遂提正本清源之法，即對吸食者處以死刑。林則徐爲湖廣（湖南湖北爲一區域）總督，不特贊成黃氏之說，而且在禁烟方面甚有成效。廣東既爲販毒中心，宣宗乃於道光十八年（西一八三八年）派林則徐爲欽差大臣，馳赴廣東，查辦海口事件。

林氏在清季汚濁之官場中確爲唯一特出之人物；光明正大，絲毫不苟。彼一到廣州，即切實禁烟，一方面作有效之調查，一方面作嚴厲之懲治，並責令同甘結，聲明事後永不夾帶鴉片，如再夾帶查出，人即正法，貨盡入官。」如行商敢於違令，則亦處以死刑。林則徐既下禁令，外商全部具結，惟英商拒絕，並率英商退駐澳門，阻英船入口。則徐遂於道光十九年（一八三九年）五月將英商迫繳之鴉片烟土二萬零八百十三箱（二百三十七萬六千二百五十四斤）悉數燬於虎門（時在國曆六月三日，爾後我國民政府乃定是日爲禁烟節）。五月二十七日又發生英人毆死華民林維喜事件，則徐令義律引渡兇手，對方抗命。七月，則徐禁沿海各州縣接濟英人飲食，九月令英人倘不具結及引渡兇手，即須退出中國海岸，否則以兵進剿。二十八日港脚當郎船繼英船坦麻士葛號正報入口，義律亟起阻止，以二十二日與英海軍官士密率軍艦兩艘自澳起航，二十七日馳達穿鼻，翌日遂與中國水師衝突，或以此爲鴉片戰爭之啓幕。

三、戰爭經過與不平等條約

甲，林則徐戰爭：

九月二十八日，義律士密强令當郎船折回，我水師提督關天培領船起而查究，從而發生衝突；士密誤以天培揮船出戰，遽開炮，天培身先士卒，持刀挺立桅前，令敢退者斬，一時士氣振奮，海戰一小時，敵船不支遁去。是役英軍傷者無數，陣亡二十一人，我方死傷亦畧相等。嗣後九、十月間，英軍三度進攻尖沙嘴，比官涌炮台，接仗六次，我均全勝。十一月初八日，詔將英船貿易停止，盡行驅逐，不必取結及令交兇，著出示列英人罪宣佈各國。一面加緊部署，整飭水師，購置洋船洋炮，搜集英國情報，以抗外侮。（二）

動物農場

英George Orwell著　陳其之譯

第九章　特權階級與價值利用

又到了炎熱的夏季，失蹤了幾年的烏鴉摩西，忽然又出現在農場上。牠仍是一副老樣子，毫無改變，不做工作卻只顧舊調重彈，講述牠那個「甘糖山」的故事。牠棲息在樹上，拍打着黑色翅膀，對那些肯聽牠故事的動物說：「同志們，在那邊，肉眼看到的那塊黑雲後面就是甘糖山，」說時並用牠那個黑喙嘬指着天空：「那兒是一個快樂永在的國度。在那裏，我們可憐的動物可以不用工作！享受着悠閒的生活。」牠說牠曾在一次高飛時到那塊樂土，看見那裏長年累月地長着苜蓿，亞麻餅，一塊一塊的甘糖懸掛在籬笆上。「有許多動物相信牠的話。因爲牠們想到自己目前的生活，除了飢餓，就是勞苦。難道世界上就眞的沒有一個比較好些的地方嗎？至於豬同志，牠們對待摩西的態度，就奇特費解了！牠們既不相信摩西那個甘糖山的故事，可是又准許牠無所事事地呆在動物農場上。更怪奇的是牠們竟每天還發給牠一小杯的啤酒去享用呢！

白克薩自從受傷的蹄子痊癒以後，工作得更爲努力了。說眞的，這一年裏，動物們的工作也太辛苦啦！像奴隸一樣。除了例行的工作，風車的重建外，從三月間又開始爲小豬們興建教室而忙碌。雖然口糧分配愈來愈少，又得長時間的操勞工作，可是白克薩却從不曾發過牢騷。牠是向來說到做到的，只不過最近的體力不若從前，感覺出有點力不從心。在外表上，牠也改變了很多，牠的皮毛不再那麼光潤，健壯的腰股也不若從前那麼挺俊有力了！雖然有些動物們說，春到草肥的時候，白克薩會重新健壯起來的，可是春天到了，牠却依然如故，有時候在農場斜坡上，牠死命地拖着一塊大石頭往上爬，牠渾身好像除了意志在支撐外，眞沒有半絲的實在氣力了。別的動物在這時候，可以看到牠的嘴唇在抖顫，牠能吐出的僅是「我要更努力地工作」，別無他言。一回又一回的，克勞芙和班傑民都警告牠注意身體，保護健康，可是牠一心只惦記着那大堆的石子，根本不把牠十二歲的生辰到了，應該享受養老金的事放在心上。

夏天的一個傍晚，農場裏紛紛傳播着一件有關白克薩的意外事故：白克薩獨自將一大車石頭拖到風車那裏去，誰知牠倒下去了！爬不起來了！在幾分鐘內，這件不幸的事也由兩隻飛來的鴿子證實了。

農場上大半的動物都跑到了風車工地來，白克薩在那裏躺着，車杠壓着牠動彈不得，牠頸子伸得長長的，可是連頭都抬不起來，眼神遲鈍，滿身汚汗，嘴裏在吐着鮮血，克勞芙跪在牠身旁哭着叫道：

「白克薩，你感覺怎麼樣？」

「我的肺？」白克薩用一種微弱的聲音說着：「不過也沒有什麼，我想你們離開我也能夠完成風車重建工程的，在這裏，已經囤積了足夠的石塊。我恐怕只有一個月的工作。不瞞你說，最近我倒眞想退休了。班傑民也老啦，牠們也會答應讓牠和我一起退休的，我們也有個伴兒了。」

「我們該做些急救的工作！」克勞芙叫道：「快去，不管那一個都行，快去告訴斯奎勒，讓牠知道這兒發生了什麼事情！」

其他的動物聞言，立刻往農舍裏跑，去向斯奎勒報告這個事件，留下來的祇有克勞芙和班傑民，牠也躺在白克薩的身邊，用牠長長的尾巴，在爲白克薩趕蒼蠅。（三〇）

毋忘在莒與田單復國

·匡謬·

卽墨大夫主戰，致遭敗死。於是城中共推田單爲大將；田單也義無旁貸，接受了此一神聖的任務，這才發揮了他的軍事天才。

不久，燕國的燕昭王死，惠王立。惠王與樂毅有隙。田單便施反間計，以離間燕國君臣，聲稱：「吾王已死，城之不拔者二耳，樂毅畏誅而不敢違，以伐齊爲名，實欲連兵南面而王齊；齊人未附，故且緩攻卽墨，以待其事。齊人所懼，唯恐他將之來，卽墨殘矣。」燕王不察虛實，使騎刼代樂毅爲將。樂毅被間，不敢回燕京，逃往趙國。燕士卒大憤。田單的反間計成功了。

田單第二步又安定士卒心理，使他們同仇敵愾。他命令城中人民，每飯必祭天地。天空的飛鳥看見白米飯，羣起飛落於城中。燕軍見了，很覺奇怪。田單便乘此機會，對全體軍民發表宣言道：「有神人下降助我，當有神人爲我師」。忽有一戰士道：「我可以爲師嗎？」說了回頭便走。田單將那戰士引了回來，請他東鄉坐下，以師禮事之。那戰士說：「我的話是欺君的，我並無能力教你！」田單說：「你不必再講了！」強以爲師。每出一令，必稱「神師」，對全體軍民發表宣言道：「我們今天最怕的一件事，就是燕軍割我們的鼻子！」這個消息傳到燕軍耳中，燕軍便把所俘的齊兵完全割去鼻子。齊兵聞知被俘的戰士被割了鼻子，死活不得，慘不忍睹。士卒個個誓死不屈。

田單安定士卒心理，旋又使敵方多做失人心的事。田單又對三軍將士說：「我們現在又怕燕軍掘我們的祖墳，而羞辱先人！」這消息傳到燕軍耳中，果然燕軍就在城外到處掘墳毀墓，暴屍骨於壙野，其目的在激起齊軍出戰。可是，田單正利用敵方的激戰心理，以加強士兵的同仇敵愾精神，卽墨城中齊國軍民見了，不由得怒髮三千丈，咬齒切牙，痛哭流涕，大家請求與燕軍，決一殊死戰。

如此一來，齊國軍民萬衆一心，士氣高昂。田單又自己身先士卒，甘苦共嘗，自己身兼版築，構築工事。又把自己妻妾及宗人都編組服務，與民婦同樣操勞。又命令甲士潛伏起來，命老弱婦孺守城，一面遣使向燕軍騎刼請降。燕軍長期遠征，聞聽齊人要投降了，莫不高興。田單又使城中富豪賄賂燕軍將士，請求投降之後，不要擄掠他們的妻妾。燕將大喜，不作任何準備，祇等待接收發勝利財。

田單見時機成熟，士氣人心皆可用，決定施以奇襲。（八）

海嶠叢談

不虞之禍

諸葛文侯

川籍軍人王學江，於大陸淪陷時倉黃逃至台灣後，未幾病故矣。王氏早已退隱林泉，卜居成都以「紳糧」地位，豐衣美食，周旋公卿列侯之間，與四川省議會議長向傳義（育仁）尤親密，畧負時望。迨共匪竄川之際，向傳義泰然不顧避地，而王氏乃樸被流亡他鄉，非其明智勝於向氏，蓋別有不得不出奔之因素存焉。

王氏於民初畢業保定軍校後，投効川軍陳書農帳下，積資洊任至旅長。時在民國十三四年間，革命思潮瀰漫全國，巴蜀軍人割據稱雄，爲迎合時代潮流，軍中亦設置男女政工人員，羅致一般智識青年以資點綴，中有三民主義者，共產主義者，無政府主義者，國家主義者，形形色色，併蓄兼收。共幹陳毅由法國勤工儉學歸來，亦受師長陳書農任爲師部政工人員，與王學江昕夕過從，常作狎邪游。陳部有一女政工畧具姿色，王學江陳毅二人競事追求。王恃旅長地位，財勢優越，陳以留洋學生，翩翩年少，而女政工乃鍾情於陳，亦因王氏之妻綽著悍聲，王又懼內特甚也。

民國十六年春，國府實行淸共，陳書農恐受共黨牽累，乃贈陳毅以程儀，囑其別謀出路，王旅長聞訊，料陳必東下重慶出川，卽派士兵化裝沿途要擊陳，擬置之死地以報奪愛之宿怨。詎陳殊機警，潛抄小路徒步東行（成渝公路尚未建設），終免於難。洎是天各一方，不通音問，王氏亦淡忘前塵舊夢，垂垂老矣。

越民國卅七年，湖北襄陽區綏靖正副司令康澤郭勛祺戰敗被共匪俘去，展轉解赴河南匪區集中營，共幹陳毅劉伯承以同鄉關係，曾訪晤康郭，閒談中，陳詢王學江現作何事？郭謂早已解甲歸田，在成都作寓公久矣。陳謂：「當年我在陳書農師部于役時，王學江爲着一個女人跟我爭風吃醋，後來我離開陳部東下出川，王竟派人到路上要殺死我，此仇將來非報不可！」郭漫應之。旋共匪釋放郭氏而囚繫康澤，郭回川後，以曾作降虜，抑鬱不復得意，隱居成都觀變，暗與共黨地工人員通聲氣。

民國卅八年冬間，國軍在巴蜀作戰不利，人心浮動，稍有社會地位或擁有資財者，紛作逃亡之計，而向議長與王學江等自信無礙，不擬別往，郭勛祺曾將上述陳毅所談故事告知王氏，謂他人或許可望倖免，唯君將來必遭禍，應知有以自處。王聆訊惶駭，急棄其室家財產出峽遠走，最後違難台灣以迄於死。

陳書農初亦流亡香港，旋因存儲香港工業銀行之鉅額金錢，被該行一川籍職員唐某席捲逍返大陸，生活頓受威脅。時陳毅任上海僞市長等職，聲勢煊赫，書農窮極無聊，致函陳酋敍舊告饑，陳酋復書命其回滬，保證生命無虞，書農竟靦顏投降，不知所終。王學江除在成都置有鉅量產業外，上海、南京等處皆多房產，一律被沒收無遺，家屬未逃出者，掃地出門，淪爲餓莩，委頓溝壑間以困以死，禍云烈矣！

諸葛文侯曰：王學江家有妬婦而好二色，幾罹奇禍，終致客死異鄉，不及歸正首邱，徒貽笑柄於人間，此可爲驕奢淫逸者昭炯戒也。

西太后與珍妃

——影劇與歷史——之六

周遊

西后禍國史實

慈禧太后（西太后）是十九世紀中國最出名的女人。也是實際掌握着中國政權的第二個女人（武則天其一），她操縱滿清皇室政治大權，前後達三個朝代——（咸豐、同治、光緒。）近代中國的衰頹，雖說是積因之漸，但她却是加深頹敗甚至瓦解的主要罪人。而且她也是中國歷史上沒有前例的淫穢與缺乏教養的壞女人。

西太后是滿洲人，未入宮之前小名蘭兒。系出赫赫那拉氏。其父惠徵，曾任徽寧池太道台（今安徽省）。她生長在南方，幼年未曾受過良好的家庭教育，但對市井娼寮所流行的歌曲，依聲向學，唱得殊動聽。因她在江南長大，所以稍通漢文。後來，她的父親死了，她便隨母及妹妹回到北京；家世就此中落，她才入宮充當宮女，被派在「圓明園」中。

因爲她唱得一口悅耳動聽的江南小調，咸豐帝便被她的歌聲醉倒了，不久就收她爲妃。

這是她跨上政治舞台的先聲（一八五一——一八六一）。升妃之後，她生了一個兒子（野史及傳說：這兒子是私生子，便是繼咸豐爲帝的同治帝）。從生子之後，她的地位提高了（主要爲東宮無子）。同時咸豐晚年沉溺於酒色，無心處理政務，因那拉氏識字，便把很多奏章交給她代爲處理。於是，她由嬪妃而實際成爲皇帝的機要秘書，她便開始嘗到政治權力的滋味。

英法聯軍之役，咸豐出奔熱河避亂，在熱河駕崩；同治繼位。那拉氏乃是同治帝的生母，雖非東宮皇后，到此時便自然而然成西宮太后。原來的皇后則爲東宮太后。同治登位的時候，還是一個無知的小兒，政事全由兩宮皇后主持，所謂垂簾聽政是也。東太后本性誠樸，不喜政治，不喜權力。於是，漸漸形成了西太后大權獨攬之勢。也因此她的胆子也就愈來愈大，無所顧忌，除與假閹人淫穢外，又召伶人入宮通姦，其面首中尚有內務府總管榮祿。（有傳說光緒卽爲西太后與伶人通姦所生而寄養於醇王邸，謂爲醇王之子）同治乃是患花柳病而死，西太后便立醇王之子爲帝，是爲光緒——實際上也就是她的兒子。她爲了獨攬大權，謀殺東太后，並在朝中廣結私黨；釀成戊戌政變，光緒被她操諸股掌之上。

珍妃，是一個苦命兒女，她的一生被西太后整得很慘。珍妃也是滿洲姑娘，出自他他氏。父名長叙，官至侍郎；祖名裕泰，官至總督。（三）

蓮之詠歌

·匡正·

宋顏延之碧芙蓉頌曰：「澤芝芳艷，擅奇水屬。練氣紅荷，比符縹玉。擢麗滄池，飛映雲屋。實紀仙方，名書靈躅。」此蓮之見於頌者也。

餘若吳之蘇彥英，晉之孫楚、潘岳與夏侯湛，對蓮皆作賦頌讚，辭藻芬馥。宋則有傳亮，梁有簡文帝、元帝等，皆有佳品。尤以鮑明之詞，最爲蓮中翹楚，文云：「訪羣英之艷絕，標高名於澤芝。青房兮規接，紫的兮圓羅。樹妖婚之弱榦，散菡 之輕柯。上星光而倒影，下龍鱗而隱波。戲錦鱗而夕映，濯繡羽而晨過。結游童之湘吹，起榜妾之吳歌。被碧塘之周流，繞金渠之屈曲。排積霧而揚芬，鏡洞泉而含綠。葉折水而爲珠，條集露而成玉。潤蓬山之瓊宵，輝葱河之銀燈。冠五華於仙草，超四照於靈木。」是爲北方情調之抒寫，爲北文學中吟蓮之代表作也。

以兒歌式寫蓮者，以漢樂府相和歌詞之江南曲爲最早，曲云：「江南可採蓮，蓮葉何田田。魚戲蓮葉間。魚戲蓮葉東，魚戲蓮葉西；魚戲蓮葉南，魚戲蓮葉北。」

江南多湖澤池沼之地，爲蓮菱藻荇之鄉，一葉扁舟，採蓮佳麗，自有無限之詩情畫意。（二）

劇事雜談

聽元雙的唱

名坤票沈元雙女士，她是小翠花的高徒，有些戲竟超過台灣一般伶工，小輩更難望其項背。猶記得十年前中廣公司爲一江山義胞周濟演出，第一天是段承潤的探母回令，第二天是曹曾禧的興唐滅巢，臨時接到香港轉來訃音丁憂，不能上台。朱玉堂兄非常着急，余告以速請元雙或可挽救。後來決定與寒山樓主鄒偉成合演坐樓殺惜，三天的票房記錄，以此晚爲特高，在一女中擠滿近千人，是當時北市所少見。元雙以患氣喘，謝絕劇壇，也近九年，而執教於美國學校，每週四十餘小時，當然已無暇及此，而視演劇爲畏途。

她是崑曲同期的曲友，因爲對崑曲有相當研究，大家多很佩服她的能上台彩串，如春香鬧學，思凡，琴挑，遊園等，俯拾卽是。十五年來輪值作主人，從未間斷。某次，在濟南路民衆服務社，曾與愛女元元彩串「學堂遊園」兩折，她始終做杜麗娘，而讓元元練習。去年同期我因赴台中未去看，已有兩年未晤，尤其常記掛元元已否出國，希望她學有所成而得好對象成家。此次晤及，元雙娓娓談到元元已在紐約中國博覽館一月有餘，預備再讀一年卽可畢業，並出示許多旅美彩色照片，爲之欣慰不已。是日，來賓不踴躍，除慫恿外行人（反串小生）與蘇可勝唱藏舟，是第一次合作。並由元雙唱整齣思凡。她的功力甚深，不唱則已，每唱多是整齣。三年未聽，室中冷氣減熱，屏息凝聆，爲最近一大欣快的事。

可勝頻頻相詢，元雙是否肯爲後輩說戲，以及在台有無弟子？答告：她的教務甚忙，而與外賓交往亦繁。以前零段爲人指點則有之，若言整齣，祇知以炎老所請，曾爲楊美珊說了一齣鴻鸞喜。至於元字輩的四位千金，（有姓蔣周夏三人）則學得很多。不過要注意：祇要是小翠花能演的她幾乎一手盡抓，你想『思凡』『臨江驛』，則恐不願教也。如想學其他，必須先請老師。從前曾爲鈕方雨介紹，結果方雨爲怕廢中教師反對而未果，眞是可惜。外行人學戲，我說：他們沒有智識思想，終久到了無利用的價值時候，會一個的倒下來，把平劇毀滅無遺，葬送到一乾二淨。廿年後，將所謂「越搞越糟」，祇有皮毛矣。

·婆婆·

國劇欣賞會

國劇欣賞會成立至今，也有不少的時日，在一班委員努力之下，也已有很多的表現。第一點，輔助各票社、各劇團的演出，至少已有了十餘場，使他們得到有利的推展，以後當可繼續源源不斷來做。祇要劇團票社誠心向欣賞會尊重，願受輔助，大概該會也樂於成人之美。此點在擴展與闡揚劇，總可起不太輕微的作用。

第二點，編劇劇本，也有八九種，不過此項工作，却未受分文的報酬，他們純是出於助人的精神而爲之，而受惠的演員，也已有人在中國劇自編自導，可是編出來的戲，却未見十分高明。對欣賞會編定的劇本，以花蕊夫人來作例，說是動員角色太多，無法遵排。再則要到劇本，要束之高閣，排演遙遙無期。又祇願去請教已退休的名伶，似乎覺得他一定高明。例如香妃恨，道本子原始編定人是劉老，而他們買到的，是後台人物所收，說是某名家所編，其實與某伶相去無幾。我誠不解，何以對欣賞會的劇本，敝屣如此？也可看出各自爲政的陋習。欣賞會旣肯編出劇本，而不採用，專門在老王賣瓜，這是何意思？（未完）

內僑晉台報字第〇三壹號內銷證

自由報

THE FREE NEWS

第五五五期

中華民國僑務委員會頒發台教新字第二三二號登記證
中華郵政台字第一一二八二號執照
登記爲第一類新聞紙類
（半週刊每星期三、六出版）

每份港幣壹角
台灣零售價新台幣貳元

社長：雷嘯岑
督印人：黃行書

社址：香港銅鑼灣高士威道二十號四樓
20, CAUSEWAY RD 3RD FL. HONG KONG
TEL. 771726　電報掛號：7191

承印者：大同印務公司
地址：香港北角和富道九六號

台灣分社
台北市西寧南路壹壹零號二樓
電話：三〇三四六
台郵撥儲金戶九二五二

自由、安全、容忍

段宏俊

我聽到過兩個故事，其中一個是關於黑人的：南北戰事以前，美國黑奴逃亡的很多，有一次一個被抓回的黑奴，在法庭中受審，法官問他：「主人是否對你虐待？」「不。他們對我很好，吃得飽，睡得好，住房精緻，一年四季還有新衣。」「那你爲什麼還要逃跑呢？」「因爲我是個奴隸。」他理直氣壯地回答。

另外還有一個故事，是關於猶太人的：一個猶太人流亡在國外，成就了很大的事業，也獲得了當地人的尊崇。臨終的時候，人家問他還有什麼未了之願，他回答道：「我的事業都在異國，像浮萍一樣沒有根的，我最大的願望就是看到以色列的復國。」這時以色列尚未復國。對於一個有國籍的人來說，是很難體會到亡國者的心情的。這兩個故事告訴我們，自由是每一個人所追求的基本權利，國家是每一個人精神的依附體。強調自由以致影響到國家的安全，這種自由決不是眞自由。反過來說，如果一味拿安全做擋箭牌，限制個人自由的正當發展，那麼正如一隻皮球一樣，打得重跳得高，物極必反，結果反而會遭致不安全了。

如何使自由、安全兩者獲得平衡、並把它納入合理的範疇，這是爲政者亟待解決的課題。也是社會走上正常秩序的必要途徑。

我們知道安全是一個國家，一個民族，甚至一個人生存所依賴的條件，羅斯福所謂的四大自由——免於匱乏的自由，免於恐懼的自由，發表意見的自由和信仰自由——都是人類求生存所必要而不少的。而四大自由中的前兩種自由，實際就是指安全而說的。人們如果沒有安全的生活，國家如果沒有安全的保障，那麼一切其他的自由，其他的權利，都是紙上談兵，都是空的。

國家處於戰事發生時，尤其特別強調安全，甚至爲了安全的緣故，而不得不限制人們某些基本的自由，諸如緊急命令，緊急處分，戒嚴法，總動員法，都是使人民的自由和權利，合法地受到限制。這些合法的安全措施，是人民所樂意忍受的，因爲每個人都知道，當安全和自由不能併存的時候，祗有捨自由而取安全了。這在最民主最尊重自由的國家，也是不可避免的，服兵役就是一個最好例子。

問題的癥結是究竟以什麼尺度去衡量自由和安全？以什麼樣的角度去看究竟什麼樣的自由會損害到整體的安全？

我們知道站在安全的立場而言，安全的措施愈嚴密，則安全愈能獲得保障。過去大陸的軍事失利，共諜大量滲透，竟連負責軍政大計如劉斐之流也是共諜，我們當時都朦然無知，這樣的戰鬥，焉有不陷入中共口袋的道理。到台灣以後，基於前車之鑒，我們的安全措施，非常嚴密，尤其在保密防諜這方面下的工夫尤深，終於奠定了這十幾年來的安定繁榮。可是物極必反，過份重視安全，相對地必然會影響到人民的自由和權利；而少數人的假安全之名作惡，這跟假自由之名作惡，同樣會導致社會秩序的破壞。

至於就自由的角度而言，自由是人之所以爲人的必要條件，法國大革命時所揭示的「不自由，毋寧死。」拜倫的那首傳誦一時的小詩：

「生命誠可貴，
愛情價更高；
若爲自由故，
兩者皆可拋。」

都道盡了自由的價值和眞諦。可是自由並不是爲所欲爲，我們不能就「自由」兩字的語意上，希望就此取得正確的解釋。自由應當有它的界綫和限度。密勒曾經很抽象地提出一個看法，他說：「自由以不妨礙他人之自由爲限度。」這跟孔夫子所講的「已所不欲勿施於人」的道理是差不多的。可是這祗是一種道德的自律，並不能明確地刻劃出行爲的範圍。惟其是道德的自律，一旦行爲超出自己的控制時，自由就構成安全的威脅了。如果我們在這裏所談及的自由，僅僅祗是一種法律所規定的自由時，那麼這種自由就是一種法定的權利。凡是權利都是相對的，自由也不例外。民法上所規定的「權利之行使，不得以損害他人爲主要目的。」正足以說明一切權利的本質。

既然我們假定自由是一種權利，那麼法律可以規定某種權利，自然也可以限制某種權利；這種規定和限制，可以看當時的情勢而作適當的措施，安全的顧慮當然也包括在內。因而嚴格地說來，法律意義的自由與安全是並無衝突的。然而自由的意義當不盡於此，否則人類在歷史上爲自由所作的犧牲，以及我們目前爲反對共產極權主義所作的努力，都毫無意義的了。因此自由不僅是法律上的一種權利，它還包含了其他意義的。

我們所瞭解的自由，實際來講，就是前面所引證的故事那樣，其內蘊着一種人的尊嚴。而人的尊嚴，就是人之所以爲人的條件。在這種意義下的自由，就不是徒然以法律的規定所能衡量的。法律是一個標準，這一個標準並不是死的，更不是一成不變的，美國對於不向國旗行禮的兩個案子的不同處理，就是一個最好的說明。在戰時爲了發揚人民的愛國心，這種行爲就被認爲是違憲的；在平時，爲了加強人民對信仰的自由，這種行爲就被認爲基於宗教的理由，而可以認可。這種衡量的標準，十足說明了國家對這一事件，站在必要的條件下，兼顧安全和自由而做的適當措施。這一種禁止或放寬，並不基於法律的解釋，或成文的規定，而是一種認識，一種上下共同的認識。這種認識必須基於眞正情勢的發展，而不是一種假想的認定，因此我們可以得到如次一個結論：

自由與安全是可以獲得平衡的；在平時這種平衡的獲得，祗要根據法律的規定，凡是合法的自由，都是不與安全相衝突的自由。在戰時或非常時期，自由是可以限制的，這一種限制，是無損於人的尊嚴的。問題是所謂戰時或非常時期，必須在當前急迫的危險情勢，方才可以作這樣的認定。過早的認定，會損害到基本的自由權利；過遲的認定，則整個危害到國家的安全。自由與安全的平衡，在平時或戰時都沒有問題，問題是將戰未戰之期。這就需要適度的容忍了。容忍的角度，應當審愼地看這件事情的出發點，和社會的實際情形，這需要客觀地認定，而不是主觀地取決的。國家如此，個人何嘗不是這樣？

毛酋：「不要帮忙！」

自作聰明

今日與明日

越南新形勢

自從美機大炸北越以來，各方面出現了兩個不同的消息：一是說美機炸北越更激起了越共敵愾同仇，所以才有廣義血戰，百里居伏擊。一是說美機轟炸已經炸潰了北越政權的神經中樞，目前北越共黨首領已分爲三派，即親俄親毛及中立，胡志明不能定於一尊。三派首領爲何人，外電未會說明，依據可知資料推測，親俄派當爲長征、黎筍，親毛派當爲范文同，中立派則爲武元甲。二說似乎矛盾，實際則可統一。由於美機之大炸北越，使北越多年軍事建設全毀，經濟情況更爲困難，河內政權已開始疏散，北越即將土崩瓦解；在此情形下，若不能在南越打兩次勝仗提高士氣，安定人心，局勢將益發不可收拾。於是北越正規軍出動闖攻廣義，最初確已得手，但及至美機趕到助戰，越軍兩營幾全被毀滅，以油彈狂炸越共軍陣地之後，越共軍即狼狽潰退，損失亦殊不貲。

由此可以看出，美機大炸北越，不論在戰畧與政畧上，均已獲得成功，確實把一頭狐狸從穴中熏了出來。不過，地面部隊尚未足以配合，否則勝利已不在遠。

毛共乾着急

目前最着急的是毛共，若一味置之不理，坐視北越政權崩潰，在道義上固不必說，因爲共產黨本無道義可言；但僅從利害上着眼，毛共亦不能袖手旁觀。可是直到如今，毛共對越南仍僅窮嚷而已。

不過，毛共目前的表現比起以前的示威、遊行、通電，似乎進了一步。最重要的一點，是毛共宣佈南北越分界的十七綫已不存在，暗示越共軍可以隨意南下攻擊越南政府軍。令人不解的是，不由越共宣佈，而由毛共越俎代庖，其意何在？是不是毛共軍也會過十七綫南下與美越聯軍作戰呢？依我們看，毛共仍無此胆量。它最大限度只是慫恿、驅使北越共軍南下作戰，如若美軍一旦發現越共正規軍，即對北越採取行動，如轟炸河內，甚至登陸海防，到時毛共仍然一縮頭置之不理。

周恩來之言

周恩來正出國活動，由巴基斯坦去了坦桑尼亞，用意在阻止蘇俄參加二屆亞非會議。周氏在此時發表了一項談話，說越南問題不會引起一次世界大戰；又說即使美軍進攻中國大陸，毛共也不會請求蘇俄援助。這兩句話，說明毛共已存作最壞的打算，對蘇俄已不存任何幻想。（何如）

自由談

愚騃的政治觀念

共黨在美洲多明尼加製造的叛亂行爲，經美國迅派軍隊馳往護僑鎮壓，旋由該國反共的軍事領袖英貝特將軍，協同文治派的反共人士組織執政團，大力掃蕩殘餘叛軍，擬徹底消除共禍之際，美國忽表異議，要求臨時總統英貝特，解散「執政團」，宣佈辭職，另與叛黨組織「聯合政府」。英貝特斷然拒絕，聲言即使與美軍作對，亦非剿滅叛軍不可。壯哉英將軍，可謂善於謀國者矣！

我眞不懂美國政治人物對共黨的認識何以如此幼稚？而對「聯合政府」這項政治把戲，何以特別愛好，雖一再上當吃虧，依然執迷不悟，始終未能忘情？中國大陸之淪於共黨，就是美國當局當年堅決強迫反共的中華民國政府，要跟共黨合作，成立聯合政府，否則停止援助，宣稱「一筆勾消」中華民國，并以種種方法妨害咱們政府的反共工作，打擊士氣與民心，唯恐共黨勢力不擴張。迨寮國共禍發作，美國又把在中國表演的所謂「聯合政府」惡作劇，照樣強迫寮政府接受重演，而寮國即永無寧日，寮共勢力終於瀰漫全境了。繼對安定的越南，亦認爲吳廷琰政府不民主，策動政變，打倒吳氏後，主張各黨派組織聯合政府，以與越共進行和談，因而越南的局勢日非，共禍至今爲烈！

如果說，失敗爲成功之母，覆轍不宜再尋，則美國政治人物所受到的「聯合政府」這項教訓，可謂創鉅痛深，沒齒難忘，更何忍以一再貽禍亞洲的錯誤政策，又施之於美洲的隣邦呢？這原因，從好的方面看，是美國一般高級知識份子，憑其滿懷的左傾幼稚病，相信「聯合政府」這項作風，係政治上的萬應靈丹，有意想不到的效用，雖共黨亦將受其感化，改邪歸正，不復釀亂了。從壞的方面設想，那便是白宮決策階層裏，已有若干共黨份子和其同路人滲透潛伏着，藉「民主」「和平」這類美好名詞，造作似是而非的理論，左右白宮對外政策，間接爲國際共產主義集團增強其「埋葬資本主義社會」的魔力，而前者只是替後者作墊脚石罷了。美國如不放棄「聯合政府」這種愚騃的政治觀念，勢將罪孽深重，不自殞滅，禍延全球自由人類而後已，那時節，悔之晚矣！

馬五先生

台北社會上的兩項輿情表示

廖文毅歸國輸誠後的處理方法

立委建議政府進軍海南島問題

（本報台北通信）台北現在是國家的政治中心所在地，社會人士對於國內和國際上的政治、軍事問題，格外留心，亦特別敏感。最近一般人談論最熱烈，表示意見甚多的事情，計有兩椿：一為廖文毅去逆効順、歸國輸誠的處理問題，一為立法委員袁晨騂質詢政府當局，在未實行反攻大陸之前，何不乘時進軍海南島以振人心的正式建議。

關於廖文毅輸誠事件，大家認為這是政府在政治作戰方面的一大勝算，羣聲讚許，人同此心，問題是廖氏回來以後的處理方法，從法律與國家紀綱設想，應該有所交代。他原係曾經政府依照法令通緝，並籍沒其財產的政治犯，一旦幡然悔悟來歸，政府雖寬大為懷，不究既往，但在法紀上不能不昭示政府的威信，或由總統明令特赦，或由法院予以不起訴處分的裁定，然後纔可以發還其財產，表現國法的尊嚴性。如果未經過這些法定手續，而廖氏即接受國家的公職（中國亞盟總會已聘任他為顧問），這在法紀上似乎有欠周到，而在社會的觀感上亦不無影响。有些純法律論的人士且認為由於保密關係，可惜政府未便在事前準備法律手續，否則可於廖氏抵達台北之際，即由法院派人到機場宣示政府的特赦命令，對廖氏作不起訴處分的裁定宣告，那就公私兼顧，一切問題都沒有了。到今天為止，國家元首對此事保持緘默，這是對的，假使如報紙所宣傳，總統真的召見廖氏，殊非所宜也。社會上的輿論如此，政府當局一定有所交代，以正視聽的。至於這項寬大政策之十分明智而正確，大家均無異議。

由於越南戰局日趨緊張，國際間早有藉重我國軍隊參戰之說，日前立委袁晨騂又有收復海南島的正式建議，洋洋灑灑，振振有詞，這都是刺激人心的重要新聞，然一般人士的反應，多採取保留態度。國軍援越問題，美國現行的越戰策略——以有限度戰爭而求和——如不改變，對我國毫無裨益可言，即令友邦向我國提出軍援越南的要求，我方亦應予以拒却，我們不能專為他人作嫁衣裳，而虛耗反攻大陸的實力了。至於進軍海南島一節，除非政府已取得友邦的協議，在精神與物質上實行支援，總有考慮之必要，否則此時此事，海南亦就大有問題。海南島距離大陸的雷州半島，相去甚近，而與台灣海峽相去甚遠，國軍若進攻該地而佔領之，固然不難，但匪軍的增援，補給與運輸，均較我軍為近便，我軍如其不大舉進攻粵桂，則海南島決不容易守住的，非仰仗友邦的海空軍援助不可，而這是目前很難實現的。就反攻大陸的全盤軍事計劃設想，海南島是否必爭之地，亦殊堪研究也。目前若進軍海南島，只是對越南戰局有多少裨益，對我們自己究竟利害孰多，抑係未知數。因此，袁委員的建議在台北輿論上，並未引起熱烈共鳴，政府當局如何答復，且待下回分解了。（六月三日穀生於台北）

民國三十八年夏秋間 湖南最混亂時期情形

自由報主筆先生大鑒：頃閱貴報中華民國五十四年六月二日第二版刊載「旅台湘人為賑欵興訟有人向法院控告黃杰」一文，拜讀之餘，頗有所感慨，特向貴報簡述一些當時的情形。

當民國三十八年夏秋間，正值湖南最緊張而又最混亂時期，記得黃杰將軍接長湖南省主席之後，省轄設於邵陽。未幾共匪一股由常德、沅陵繞道進入敘浦，佔據安江，於是把湘公路截斷了！原擬向湘西撤退的國軍，受到了嚴重的阻碍，乃由邵陽、桃花坪、洞口等處，向南轉往武岡屬地撤去了。但陷在寶、桃、洞各段公路上的大量軍車，既不能向西行駛前進，又不能後退！惟有沿途擺在公路上。有些忠貞可敬的司機，向民間借用鋤頭，自行由公路旁挖一條便車可行的路，將車駛離公路若干距離，再用些柴薪把車子偽裝起來，自己則躲入民間。其時本人目睹桃花坪也擺滿軍車；日復一日，情勢只有惡化，未有好轉！其時，有桃花坪市公路旁的瀛洲旅館老闆范龍光，見擺在舖門口的軍車，都裝滿了小木箱，以為都是子彈箱，一時在好奇心的驅使下（彼曾幹軍人），避開守護人的視線，拿下兩箱，拖入舖內。劈開一看，皆是銀洋！以後一共拿了若干箱，只有范龍光自己知道。據說，他將箱子劈開，取出銀洋，用便桶盛載，另蓋以大便，僞伏挑回其老家離桃花坪二十餘里的鄉村稚田冲，埋藏於田土內。陷共後，共匪獲悉了此事，於是范龍光曾受到嚴重的鬥爭，雖將銀洋盡行繳出，亦不被共匪取信！其時共匪刦去的軍車，不下百餘部之多，包括車上一切財物。至那些銀洋，究係軍餉？抑係省庫所有？還是那一十八萬元湘省水災賑欵？只有當局明白。現在旅台湘人為賑欵興訟，追究湘省水災賑欵一十八萬元。在名義上，似乎堂皇正大。據貴報載稱，該案黃氏並未出而應訴，告訴人亦未申請撤消。似此玄玄，旅港台其他湘人，希望興訟一方，不要藉名追究賑欵，圖飽私袋，揚棄眞正的湘省災民；又希望黃杰主席不要忍痛割肉補瘡，不問興訟人有無結案，應將案情公開，以昭大公。順頌

撰安

曾斌成謹啓

中華民國五十四年六月八日

廿三年前大屠殺波俘之罪行 証實蘇俄所為曾圖架禍德國

——華盛頓通訊

廿三年前即第二次世界大戰期間，曾發生自古少有的最大規模的殘殺戰俘罪行。那時是一九四三年初春，德軍佔領史莫倫斯基附近卡天森林一個蘇俄秘密警察憩息區，發現死屍纍纍，終於在集體墳場裏數出四千四百至四千八百個波蘭失蹤戰俘的部份遺屍。每個屍體的雙手都是被綁在背後以及頭部中槍而死的；許多屍體仍留有刺刀傷口。

德國當局立即指摘蘇俄是這宗集體屠殺的兇手，並繼續把那些屍體掘出，以便駐在德軍佔領區及中立國家的國際醫藥委員會和德國醫學司法委員會對這些屍體進行檢驗，然後確定這宗慘無人道的屠殺案發生的時間。

德國政府指出這些無辜波蘭人是在一九四零年即德軍進攻蘇俄前被殺害的。但蘇俄立即指摘這些波蘭人是德軍所殺死的，因為當德軍佔領史莫倫斯基時，德軍從蘇俄軍手中把這些波蘭戰俘擄走。蘇俄承認蘇軍在一九四零年春天至一九四一年七月曾利用波蘭戰俘在史莫倫斯基附近興建公路，其後對這些戰俘失却控制，以及他們不幸為德軍所俘並慘遭槍殺。

在集體墳場被發現的當兒，波蘭人民對德蘇雙方的說法，俱不相信。一九三九年九月，波蘭在東西兩方，同時遭受蘇軍與德軍的夾擊。蘇德兩軍都捉了無數波蘭戰俘，以及在被佔領波蘭地區，實施種族滅絕的暴行。

迨至一九四一年六月德國進攻蘇俄，蘇俄成為英國之盟國後，蘇俄簽署協定對其俄境全無自由的波蘭公民，予以赦免。英勇的波蘭軍官安得士因而獲得釋放，奉委為由在蘇俄的波蘭戰俘組成的波蘭陸軍司令。經過一個時期，當這枝陸軍整頓完畢時，發覺一萬五千個官兵，其中有八千三百至八千四百人是軍官階級，竟告失蹤。此舉使波蘭軍官，喪失了百分之四十五。

據調查披露這些失蹤的波蘭軍官，直至一九四〇年春天，仍被扣留于三個蘇俄戰俘營內。其時戰俘營已經撤走，其中部份戰俘被撥往第四戰俘營或以特別戰俘身份被看管。其餘的由那時起，即告無蹤無跡。在第四戰俘營獲得生還的人，約有四百名，他們提出這次大屠殺暴行動機的若干綫索，其中一個目擊者今仍健在，是在臨刑前幾分鐘僥倖不死的。

安德士將軍會成立一個戰俘調查辦公處；一切可獲得的資料均予蒐集及整理。在蘇俄所從事的調查，獲得很多矛盾的報告，而史達林却暗示這些戰俘經已逃走，可能逃往東三省。

在卡天森林掘出的屍體，披露這些死者，是來自三個蘇俄戰俘集中營之一——科施爾斯基的。

從德國佔領的波蘭區，一個紅十字會醫藥委員會，曾獲准會同一個國際委員會對這個墳場進入調查。波蘭紅十字會，曾派員現場鑑定各項證據。

最後當德軍撤退以後蘇軍再次佔領卡天森林時，一個蘇俄委員會曾對這墳場進行調查。國際及波蘭紅十字會與德國紅十字會，認為死者是在一九四一年冬季被害的。該蘇俄委員會在報告書中，聲稱這些人是在一九四一年八九月間為德人所屠殺，以及德人在一九四三年把屍體掘出，除去一切證明他們有罪的文件並把其他文件插入，然後再把屍體葬回原處，其後又在國際委員會面前掘出屍體，藉以嫁罪于德國。

所有證據可鑑定如下：（一）波蘭當局從一九四一年起開始找尋死者的下落，蘇俄軍官可能報告這些波蘭人已為德軍所俘，直至屍體被發現之後，蘇俄始含糊其詞。（二）墳墓裏並無蟲蟻以及死者的大褸並未腐爛，證明蘇俄所說的慘殺日期，殊不可靠。（三）死者的鞋靴完整，鞋跟差不多原封未動，證明蘇俄所謂這些波蘭戰俘曾築公路年餘的說法，並非事實，他們顯然是在被俘後不久即遭槍殺的。（四）在屍體中發現的文件（書信、日記及科施爾斯基集中營報紙）的最近日期是一九四〇年五月六日。（五）墳墓曾有新植的小樹。顯微鏡分析顯示這些樹是三年前即一九四〇年種植的。（六）墳墓裏的死者分組方法，與他們在一九四〇年離開科施爾斯基時一樣。仍留在營內的波蘭戰俘，曾留有離開集中營的同僚名單。這些名單後來被偷運出蘇俄，證實了上述的分組方法。假如死者曾被迫築路年餘，則分組次序，決不可能完全不變。（七）若干受害者被綁的繩索，無疑是蘇俄製造的。若干年青死者身上的傷口，是四角刺刀所造成的，而其時只有俄軍才使用這類刺刀。（八）德國曾請求國際紅十字會進行調查，但為蘇俄政府制止。（九）所有委員會除蘇俄委員會外，根據剖屍結果認定墳墓裏的死屍，至少已有三年，再次指出大屠殺的時間為一九四〇年春天。（十）但屠殺所使用的子彈是德國製造的。這證實了這些子彈是在一九三九年以前輸往波羅的海及蘇俄的。

蘇俄報告書對第五、八點全無提及。參加蘇俄調查的外國醫學代表，甚至波蘭共黨，對上述證據，均深信無疑。蘇俄的報告聲稱在屍體中發現的文件，日期為一九四一年六月，但波蘭亡政府所擬的報告，指出受害的波蘭戰俘，其時早已離開科施爾斯基了。

在紐林堡審訊中，曾指斥德國屠殺東歐人民的暴行，但它屠殺波蘭戰俘的卡天大屠殺案，亦未為世人所忘懷。屠殺案從未予以審訊，而美國軍事情報處的檔案裏，把它列為「機密文件」，其他一萬人又如何？他們從未露臉，但他們的命運諒與來自科施爾斯基的同僚們一樣。美國曾公諸于世，並成立一個委員會傳訊二百餘人作證及研究一九五一年至一九五二年的文件證據，該委員會認定這宗大屠殺，是蘇俄秘密警察的傑作。

屏東縣下年度預算 總額新台幣二億餘

（本報記者張之傑屏東航訊）五十五年度屏東縣總預算，縣府業經遵照省頒之縣市地方政府編製預算準則，及地方實際環境之需要，于限期內編訂完竣，一俟縣議會三次臨時大會通過，完成立法程序後，即可按照預算計劃執行了。屏縣五十五年度地方總預算，總額是新台幣二億二千零七萬元。歲入來源為：自籌財源九二九八萬元，佔百分之四二（包括稅課收入七一八五萬餘元，佔百分之三三，內屬宰稅、田賦、房捐為最大宗，規費收入九〇二萬餘元，佔百分之四，其他各項收入一二一萬餘元，佔百分之五），省補助收入一二、七二九萬餘元，佔百分之五八。但預算總額中，包含有平地鄉鎮、山地鄉、民眾服務處、防衛經費等在內，此等實際上並非縣府可資運用於縣政措施之財源，計為四、八五八萬餘元，故淨額為一七、五〇四萬餘元。又歲入總財源九、八〇二萬餘元，尚不足支應人事費（按人事費需一億一千四百六十三萬餘元）一、六六一萬餘元，一般政務之經費，即須由省補助以資維持一般政務，以資平衡預算外，並為確保推展經濟建設事業起見，乃另再撥一四八萬餘元，充經建使用。（上）

新儒顯微鏡下的人性光輝

——解答了哲學上一個大難題

論道統第六章

陳健夫

生命力本身的組成是具體的，而外面與它接觸的又是實際的事物。這就說明了我這裏所發見的生命力并非由於我的玄想而來，乃是最具體最充實的東西，其中全無空虛抽象的觀念存在。世間任何有機體或無機體可說是沒有一種東西的組織像生命力這樣嚴密，這樣複雜，這樣龐大的。眞是鬼斧神工，不可思議！

以上所說是生命力的基層組織。生命力有了這個基層組織，又再進一步建立了一個上層組織，這個上層組織包括三個大部門：理性、理智、意志。這三大部門就好比現代政府的行政、立法、司法，實際上分工合作，三位一體。

在這三大部門之上的便是一個統一權力的機關，我給他的名稱是生命意識。這生命意識代表生命力，對內對外發生作用：凡是外界有什麼接觸，生命意識馬上轉達內部的各單位；凡是內部有什麼要向外發表的，也由生命意識統一進行。這生命意識正如民主國家的元首，他的地位最高，他的權力卻在三大部門之內。

現在我將生命力的組成同它的系統劃成兩個圖如下。

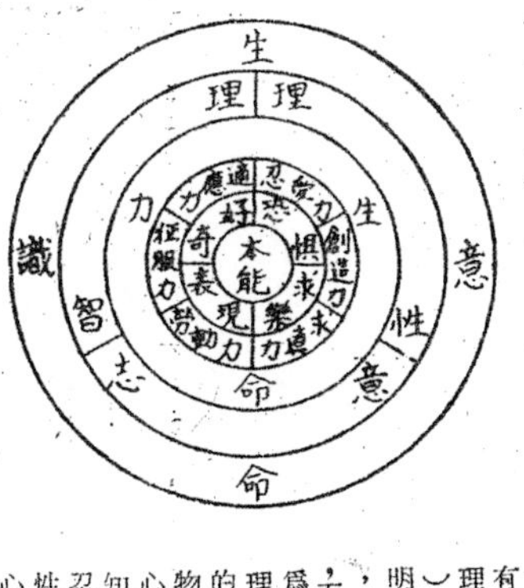

（一）生命力組成圖

生命意識　理性　意志　理智　本能

（二）生命力系統圖

生命意識
理智　意志　理性
生命力
求眞力　勞動力　創造力　征服力　進取力　忍耐力
表現　好奇　恐懼　求樂
本能

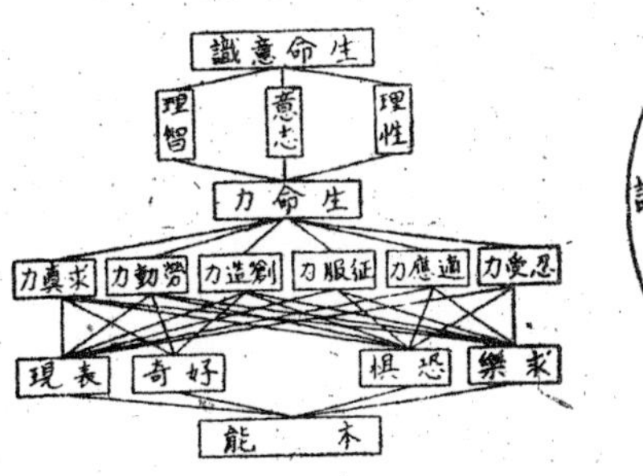

如上所述，生命力對外發揮力量的，有三大法寶：（一）理性（二）理智（三）意志。理性是一種明辨是非善惡的潛能，它能不爲情慾所動，而獨持定見。故理性爲善惡是非的權衡。理智是辨方向識途徑的老馬，它對萬事萬物都能理解，得之於心，故理智爲格物致知的工夫。意志是堅忍固執的意識。意是性之發，情之動，如心意初動，一念之間皆是意。志則是引導這個意向預定目標奔放，固執，這便是意志。由理性發煌而爲仁義禮智，四端的德目，（孟子所說四端之心原是發於這個生命力，並非發自食色之性，可知孟子說性善乃是由此生命力體認出來）因而有道德（良知的知）。由理智發揚而爲智慧，採用一切工具以求眞理，因而有哲學科學（科學之知）。（九）

中英鴉片之戰

羅雲

當時英領事義律報告英國政府，請求派艦與中國宣戰，英國會中反對攻擊之，稱此爲「英國永遠蒙羞之戰爭」，但議會中終以九票多數通過宣戰，於是戰端迺焉。

道光二十年（西一八四〇年）四月三日，英政府以此爲報仇而非戰爭之名義，下令要求中國賠償，否則用兵。另一方面，英將喬治懿律所率之艦隊（其軍力爲三戰列戰艦（炮七十二門，艇十五艘，武裝汽船四艘）及陸軍（步兵三個聯隊，附工兵炮兵等約數千人），則於六月二十一日到達廣東海面，並宣佈封鎖廣州。惟此時林則徐守備極嚴，英軍乃轉往厦門，又不得逞，再北進至浙江，而攻陷定海，乍浦。至此，清廷始感事態嚴重，覺得夷人不可輕敵。於是遂先革林則徐及鄧廷楨職，令俱在粵候勘。

乙，琦善戰爭：

六月三十日，敵留布爾利守定海（陸軍），懿律則率英軍進逼天津。清廷大懼，乃命琦善赴粵查辦。琦善乃一庸魯之人，一到廣東，卽盡撤林則徐所設之防。時懿律已因與義律意見不合而托病返國，義律實英人奸狡之最好代表，利用琦善胆怯，盡量要狹，然未得要領，乃於十二月十五日進兵攻擊沙角大角炮台，於是沙角之戰再啓。

沙角大角炮台，在虎門鎭遠、威遠、靖遠、橫檔、八台之外，是爲我之第一重保障。三江協副將陳連升以六百兵拒大角前，英以二十餘船，驅漢奸二千餘人先導，扒越後山夾攻；沙角隔水相對者爲穿鼻灣，英人以黑兵千餘人，漢奸數百嚮導登岸進攻，我軍雖奮勇抵抗，但以敵衆我寡，又無援兵，在彈盡勢劣之下，陳連升父子與張清齡千總均壯烈殉國，英人遂佔沙角大角兩炮台，而與我逼。是役我傷亡凡七百餘人，英軍僅傷亡四十餘。在戰事未發前，琦善與英議和許割地賠欵，以爲英軍退出沙角及交還定海條件；而清廷得報，怒斥烟價一毫不可許，土地一寸不能給。並宣佈英人罪狀，再撤琦善職，改命宗室奕山爲靖逆將軍，湖南提督楊芳等督師作戰。且在初五日，正式下詔宣戰。

奕山援粵，以外來兵炮攻具未集，暫止韶州。義律等採知和議中變，乃於正月初五日乘風潮大至，以兵船十八艘聚攻橫檔，永安兩炮台。我彈藥皆自省發，不可源源繼，守台兵士初以敵船多，觀望不前，水師提督關天培自出資遍賞之，兵士始入堅守，而敵船環繞攻擊，彼此抽換，炮火猛烈，卒以敵先發制人，且奕山楊芳大兵均尚未趕到，故戰至次日，守禦不住，敵兵擁入時，天培與麥廷章俱陣亡，兵丁各自逃走。（三）

哀江南製造局

李仲侯

製造局後來不但各種機器、槍炮、子彈、及輪船均可自製自造，無需仰賴外人；其最大的成就和對後來中國工業的貢獻，還是在創設繙譯館和學堂，首先延聘英人傳蘭雅、偉利亞力、美人林樂知、瑪高溫、金楷理等入繙譯館，均屬一時知名之士，於製械、造船及物理化學等，均各有獨到的造詣。繙譯館之組織規模，據江南製造局的原始的記載，僅設提調一人，口譯二人，筆述三人，校對畫圖四人，人各一室。日事撰述。旁爲刻書處，乃翻刻者所居。館中由外國人口譯，後來逐漸擴充，規模宏大，同時有優秀局員如徐壽、徐建寅父子，華衡芳、丁樹棠等數十人，朝夕居館講習撰述。中以無錫徐壽、徐建寅父子，金匱華衡芳爲巨擘。徐華諸氏，對於製造理化之學，研究極深，不但對製造工作最著成績，對於繙譯工作，尤有可觀。

據徐珂清稗類鈔載：「無錫徐雪村封翁壽，爲仲甫觀察建寅之尊人，精理化學，於造船造槍炮彈藥等事，多所發明，並製造鏹水、棉花、藥水、爆藥，我國軍械卽賴以利用，不受西人之居奇抑勒。顧猶不自滿，進求其船堅炮利之原始，悉本於專門之學，乃創議繙譯泰西有用之書，以探索根柢。曾文正公深韙其言，於是聘訂西士偉利亞力、傅蘭雅、林樂知、金楷理等，復集同志華衡芳、李鳳苞、王德均、趙元益諸人以研究之。閱數年，書成數百種，於是泰西聲光化電營壘軍械各種實學，遂以大明。」從這段記載，可見徐氏父子當日究心西學，深爲曾氏所器許，實可說是歐西文明輸入我國之嚆矢。

該書又云：「光緒初，有以格致理化專精製造名者，爲無錫徐雪村封翁壽。其人質直無華，幼習舉業，繼以爲無裨實用，遂專究格物知之學，討論經史，旁通諸子百家。積歲勤搜，凡數學、律名、幾何、重學、礦產、汽機、醫學、光學、電學，靡不窮原竟委。而製器尤精。江督曾文正公以其深明器數，博涉多通，奏舉奇才異能，以賓禮羅致幕下。文正常憤西人專攬製器之利，謀所以抵制之，遂委雪村創建機器局於安慶。乃與華衡芳、吳嘉廉、龔芸棠及次子建寅，潛心研究。造器製機，一切事宜，皆由手造。不假外人，程功之難數十倍於今日。同治丙寅（五年）三月，造成木質輪船一艘，長五十餘尺，每小時行廿餘里。文正勘驗得實，激賞之，錫名黃鵠。既而文正奏設江南製造局於上海，復命雪村總理局務。時百事草創，雪村於製造槍炮彈等事，多所發明，自製鏹水、棉花、藥水、爆藥，並爲化學工業之先導」。又云：「徐建寅字仲虎，壽之仲子也。從壽精研理化製造之學。壽與華衡芳試造黃鵠輪船時，苦無法程，日夕凝思，仲虎累出奇思以佐之，黃鵠以成。旋於上海製造局助成惠吉、操江、測海、澄慶、馭遠等船。及以道員奏留湖北候補，乃督辦保安火藥局。時外洋火藥不入口，鄂督張之洞慮告匱，仲虎慨然任之，指受衆工，自造機器，華做而製，越三月告成，燃放比驗，與來自外洋者幾無以辨」。（三）

動物農場

英 George Orwell 著

陳其芝 譯

第九章 特權階級與價值利用

過了一刻多鐘，斯奎勒從農舍裏趕到了，牠滿帶着同情與關懷的神色，並且轉告拿破崙同志對這件意外的不幸事情感到非常難過，尤其白克薩又是農場中工作最賣力的一位的同志！牠已經安排好，要把白克薩送到威靈頓城裏的醫院去治療。動物們聽說要把白克薩送到醫院去治療時，都感到非常的不安，因爲除了毛莉和史諾柏外，動物農場裏還沒有任何動物離開過農場，尤其是把動物同志送到人類的手中去醫治。可是斯奎勒又用動聽的言詞說服牠們。牠說威靈頓的醫院中有最高明的醫生，他們醫治白克薩的病一定比動物們自己來醫治更爲可靠。過了約略半個小時，白克薩恢復了一點精力，牠艱難地站了起來，蹣跚地拐回馬廐去。在那裏，克勞芙和班傑民早已爲牠鋪好了舒適的稻草床鋪。

兩天以來，白克薩一直留在牠的馬廐裏，豬同志送來了一大瓶粉紅色的藥品，那是牠們從農舍浴室的藥箱裏所找出來的。克勞芙每天餵白克薩吃兩次藥，每次都是飯後。傍晚時，克勞芙陪着白克薩說話，班傑民在旁邊替牠趕蒼蠅。白克薩表示牠自己對這次意外並不介意，並且說如果能夠復元的話，牠還可以再活三年。牠希望能在有生之年親眼見到一個和平安靜的時代，牠可以安閑地把時間打發在大草原的一個角落上，在那裏，牠將利用空閑的時間讀點書以增長心智。牠更希望能在餘年把那些永遠記不住的二十幾個英文字母也學會。

班傑民和克勞芙只能用工作後的餘閑時來陪陪白克薩。這天中午時分，有一輛馬車來接白克薩。此時動物們正由一隻豬監督着在種植蘿蔔。忽然牠們看到班傑民飛也似地從農舍裏奔來，動物們都感到奇怪。因爲牠們還是頭一回看到牠如此的激動。牠一面跑一面在大聲叫着：「快呀！快點來呀！牠們要把白克薩帶走了！」不等豬同志下命令，所有的動物都一起拋下工作，急急忙忙地跑回農舍。不錯，那裏有兩匹馬拉着一輛大馬車，車的側面還寫有文字，趕車的坐位上，正坐着一位看來非常狡猾的人，戴一頂低低壓在腦袋瓜上的黑帽子。白克薩已經不在牠的廐欄裏了。

動物們一窩蜂似地湧向馬車，牠們一齊大叫：「再見！白克薩！」「再見！白克薩！」

「笨蛋！笨蛋！眞是一羣大笨蛋！」班傑民氣急敗壞地叫着，用足趾在地上踹跳：「都是些笨蛋！你們難道就沒有看見車子旁邊寫的那些字嗎？」

動物們的叫聲立刻停息，沉默了好一會，莫利爾開始用心地拼讀那些字母。可是班傑民一把把牠推開。在那死寂的氣氛中，牠朗念道：「阿福特，西蒙斯——屠馬夫，製革專家：廠址：威靈頓；門市部：海特鎭；供應中心：肯尼斯。」

「你們懂了吧！牠們現在是把白克薩送往屠馬場的呀！」班傑民唸完後有點頹喪地加以說明。

動物們發出了一陣恐懼的驚叫，就在這時，那個馬車夫揚起了鞭子，帶着白克薩的那輛車子就往門口馳去了。動物們在後面跑着，尖聲的哀叫着。克勞芙拼命地跑到了最前面，可是馬車的速度也開始快了。克勞芙恨不能一躍而起擋住去路，牠悲呼着：「白克薩！白克薩！白……克……」白克薩似乎也聽到了外面的喧鬧與叫嚷，牠的臉貼在車後面的小窗口上。（三一）

津門三行談往

·巧蓮·

銀行事業，肦[?]立之道，其組織亦幾與一國之政體相同。必有中樞，再分各省府。而銀行則有總處與分支行，以收指臂之效。分支行的所在地，如爲大都市，其潛力輒能左右總處。尤其含有國家性的銀行，其總處必在首都。民十五以前在當時之首都北京。迨北都撤治，國府建立於南京，銀行總處論理應在南京，終因南京非商業重鎭，故設在上海；好在京滬半日可到，也極便利，處理業務亦易指揮。各銀行的分支機構，當以津滬漢粵爲四大區，在抗戰未發生以前，重慶尚未脫顯，香港未代替廣州，此四區的業務繁忙，存欵數字的高度，皆非其他地區所可及。

在四大區的分行，其主管人選（即經理），非資歷極深，爲人幹練，辦事有氣魄與派頭，內心無營私與植肥者，不能克奏事功，創造事業。若是庸懦之輩，徒有守株待兎之技，不足以應付。兹所記津門三家之經理，即中國銀行卞白眉，交通銀行楊蔭孫，中央銀行李達，（以資歷關係列後）是天津整個金融動脈，悉操於三家的掌握。關係華北的經濟，頗具若干的份量，是金融史的一段重要事跡。

卞白眉名壽孫，籍隸江蘇儀徵，他是世代書香，在揚州的大族卞家，未遜於洪氏。其弟仲弗燕侯，亦是銀行家，後來頗有聲譽，幾與乃兄相埒。白眉自留日學成歸來，其時中國銀行方由大淸銀行改組，人才極缺，遂進中行服務。民四，已升任總司劵，爲五總之一。中國銀行條例，未有聘用外國人士之明文。民五，袁世凱任吳興徐容光恩元爲總裁，金還副之。徐因留學英美，頗喜與歐美金融人士相往來，突然派任盧克司爲北平分行副理，是有違規定。徐氏正以袁世凱寵任，斷然行之。五總迭請收回成命，不獲，總司帳謝霖甫，總司劵卞白眉，總文書林之有（後來辦中國農工），總稽核范季美（後來進上海銀行），總司庫羅雁峯，聯名請辭職。徐氏以羅雁峯係在國外同學，予以慰留，餘悉批准。這是中行歷史的一大事。

在五總請辭事後，爲集中現金，謀作袁世凱在洪憲稱帝之用，發布鈔劵停止兌現的亂命，（經過已載銀行家雜誌）雖周緝之學熙（皖派首要人物），李伯芝士偉勸阻，均無效果。不意却加速了洪憲的崩潰。袁死徐去，由金仍珠（還）暫代，以天津分行事務，必須有幹才，幾度商懇，津行經理由卞白眉出任，是其後來事業的開始。

卞氏任津行經理，約有十五六年，其部下亦有三大將：沈次量鑰任文書總務，東雲章主業務，林鳳苞管滙兌。（一）

記松坡的脫險

朱滌秋

蔡松坡將軍在雲南起義，討伐袁氏，推翻洪憲偽朝，再造民國，功在史冊。不幸以體質孱弱，扶病督師，艱苦備嘗，大功告成，病勢日篤，遍遲[?]之時，幾致不能成聲，赴日就醫，終至不起。噩耗傳來，舉國震悼。近有名作家田布衣，寫述松坡與小鳳仙，記到松坡從北京脫走的一幕，蔡將軍自己沒有記述，後人所傳，人各有殊，都很動人。筆者懷疑，事跡不盡確。

（一）蔡在故意揚言要娶小鳳仙爲妾，夫人時常爭鬧，不斷吵鬧，遂議定離婚（假），夫人攜衣飾財物赴津，旋即去滬。蔡獨居北京，益加放蕩，大家認爲紈袴。某日，在長安酒樓宴客，飛箋召小鳳仙至，酒酣，大呼腹痛，遂如廁所作尿遁。客人均以爲返家了。天明，監視的士卒，知蔡未歸，又未在小鳳仙家，始慌張上報，不知蔡已踏上日輪而往日本矣。

（二）哈漢章爲父母祝壽，蔡往賀，參加雀戰，天明七時出，步入新華宮。袁所派監視人員在哈宅徹夜未眠，見蔡入宮，不虞有他，乃在傳達處小寐。蔡在辦公室稍轉，見監視人員懈，遂自政事堂出西苑門，喬裝人力車伕，逕奔車站，搭隴三等車廂中，安然逃抵天津。

（三）蔡自十月下旬起，經常請病假不辦公，不久借着和小鳳仙出遊的機會潛往東車站。梁啓超早派家人曹福買了車票在站等候，偷偷把車票塞在蔡手，直到上了車，兩人在車上，互不相識。

以上三種說法，與余在民六寓故都時聞友人所談，頗有差異。據說：蔡在出走的一晚，邀友在小鳳仙芳閣擺酒，座中尚有乃寬踞首席。松坡酒量特豪，幾至大醉。衆客均勸鳳仙攙扶入芳閣臥床休息；蔡即託鳳仙代爲張羅，進入房內，即行喬裝，從芳閣水關車站上已有僕代爲購好車票，搭十時後快車赴津，梁啓超派曹福在站迎接，伴往一位日本友人家中休息。次日，搭日輪赴港，未往日本。究竟孰是，姑錄存待證明。

小鳳仙說他中人之姿，所盡知。不過因與蔡氏這段因緣，後來從長，身價特高。當政府在中央公園爲蔡氏舉喪公祭，她素服往哭靈次，爭睹顏色者不下萬人。有名家爲其撰輓聯兩聯，竟是盛會中的絕品，確屬非常得體，這段佳話，更加哀艷無匹。首聯是「不幸周郎竟短命；早知李靖是英雄」。此聯簡截了當，極爲奔放，而對切甚當。第二聯是：「萬里南天鵬翼，直上扶搖，那堪憂患餘生，萍水因緣成一夢；幾年北地胭脂，自悲淪落，贏得英雄知己，桃花顏色亦千秋！」此聯的「憂患餘生」，「英雄知己」八字，份量何等之重！而「萍水因緣」「桃花顏色」八字，尤見千秋。在悼祭文字中，可說僅有。

國劇欣賞會（續）

看到這種情況，似乎欣賞會應予報請國防部（因劇團多隸軍中），教育部，請予核定，今後應否繼續辦理。倘使絕對可以，聽憑他們自拉自唱，那也不必勞而無功，徒費心血，付之汪洋。但站在國民的立場，應走監督地位，倘有涉獵匪區所本，提出討論，應否取締白，當理平劇編導工作，我實不明困難？同時他們爲什麼不把新劇本去研究，不尊重人家這份情誼，而昂然自大。你們有看過民國十五年以前的戲嗎？爲此敬告各單位的政治部對於此點，值得檢討，不可聽其自然。前次國防部頒布暫行禁演所可惜的，已學好的狀元媒新西廂無法搬出。因欣賞會在努力鑽研，結果是無動於中，說實在的話，不免使人有些驚心。竪子郎見，目的在發揚國劇。

劇事雜談

·婆婆生·

觀雪冰盜盒

名坤伶秦慧芬，近對劇技很有推出：初演紅綫盜盒，繼演木蘭從軍，皆以前所少見。她演盜盒未及兩月，而復與畢業的高材生孫雪冰，在電視平劇，亦上演此戲，可見其讚探苦研，着實用功，是可喜也。爲着此戲，特地不作週末旅行，靜靜登場。

在台灣首次演盜盒，是劉張淑瑛夫人，曾兩次唱過。她學自魏蓮芳，深得梅派三昧。雪冰學此戲，是得自慧芬指點；未及一月，即已學成，進展速度實爲可驚。惟觀罷聽後，覺得扮相已如慧芬改進，但仍不夠理想。依理紅綫初場的裝扮，應類似紅拂；而雲路的裝束，宜近乎十三妹。現在的是類乎火燒紅蓮寺的紅姑而已！值得再爲研究。紅綫扮得不當，不足以表現其抱負，是超乎尋常之人。也如演葬花，如林黛玉滿頭珠翠，就不像黛玉。此梅氏所扮之足以稱典型也。

電視公司爲適合時間，縮編原來場次，僅花園調薛，雲路赴征，帳幕盜盒，再行歸來。承嗣來訪，紅綫舞劍，計五幕。其中有佈景遮住薛嵩，而成臉部沾花，是不太宜。僅有五幕，則似太單調。應該在帳幕中上四將，較熱烘。歸來一場，要有田氏部下追尋，（不過慧芬有三次，似嫌稍多，一次也可以。）方合情理。見薛報捷，多了一位夫人，從前似乎沒有，却也不能生色。把辭薛而行的一場舞，搬到請田承嗣來看，也無關係；但是紅綫的下落，却無交代。刪場去冗，固是應當，不過最好把本事不加殘缺！

雪冰的唱腔，慢板二六，均能應付無差。在吞吐字音方面，因她嗓子稍尖銳，尚未很圓潤，要多吊吊嗓，使它在應用上，能隨心所欲。不落出有不順之處。還有劍要熟練，希望在家拿劍多作比畫，打算在明場一露，比侷促在鏡頭中爲舒適。我是有一句便講，不肯一味阿諛，目的在技藝之增進，使與起刮目相視之概，固不必在於自拉自唱也。

西太后與珍妃

——「影劇與歷史」之六

周遊

珍妃與瑾妃同時入宮，又是同父異母姊妹。她倆姊妹於光緒十三年被選入宮，冊封珍嬪。（淸循明制：位次是貴妃、妃、貴人、常在、答應。）又於同年冬被選爲妃。她被選爲妃之時，尚有一段插曲。按照淸廷慣例，有一種隆重的儀式，在儀式中，西太后私心設計，將她的姪女都統桂祥女兒排爲首名，次爲江西巡撫德馨之二女，末列爲禮部左侍郎長敘之二女——即珍瑾姊妹。太后上座，德宗侍立，公主及福晉命婦等立於座後。太后座前置玉如意一柄，紅繡荷包二對；選中后者授以玉如意，選中妃者予以繡荷包。太后對德宗說：「皇帝！誰隨你的意，你自己決定。合意者授她玉如意。」德宗說：「此事當由皇爸爸作主，子臣不能自主。」（皇爸爸即是德宗對慈禧之一種習稱。）西太后堅辭要德宗自選。德宗便持了如意走到德馨女面前將要授她玉如意，太后忽然大聲喊道：「皇帝」！因以口音暗示其首列者。德宗愕然，領悟了慈禧的暗示，不得已將如意授給了慈禧的姪女。西太后又恐德宗選上了德馨女爲妃，將來會與其姪女爭寵，便命公主將荷包授給末列的珍瑾姊妹。

但是，後來德宗並不愛桂祥女，偏偏寵愛珍妃，這却是西太后沒有料到的。

珍妃被選爲妃之後，居住「景仁殿」，她可以同光緒在「養心殿」同居。開始一段妃子生活，倒爲慈禧喜歡。珍妃喜書畫，慈禧便命內廷供奉繆嘉蕙女士教她。珍妃每天早起必定要去南海儀鑾殿（後來之居仁堂）向西太后請安之後，方可回景仁殿裝束。珍妃又愛作男子裝束，以爲戲樂。今流傳的照像，長袍爲洋粉色，背心爲月白色鑲寬邊，這是光緒二十二年間最時髦的樣式。珍妃又喜歡照像，此事深爲慈禧所不滿。她的厄運便從此開端了。

當西太后六十大壽時，値福州將軍出缺，隆裕欲將此缺爲她舅氏安插，因珍妃得寵愛，請她在光緒前關說，珍妃則竟以「誰說都是一樣」對之。隆裕后平日已因妒嫉而怨恨珍妃，於是，便到西太后那裏告了一狀，說珍妃恃寵而驕，欺壓皇后。隆裕本西太后姪女，亦是她提拔出來的皇后，聞言心中大怒。此時，光緒居瀛台、隆裕與珍、瑾二妃居同豫軒，西太后傳同豫軒侍妃的宮女太監等，到儀鑾殿，查問珍妃平日生活起居狀況，叱責備至，凜不可犯。宮監等惶恐萬狀，坦白言珍妃平日生活恭謹。西太后聽了大怒，責太監們隱忍不吐眞話，重杖太監宮女，皮肉爲之破裂。而實際上太監宮女所說都是實情。在重責太監宮女的時候，珍妃也正在側，因太監宮女不說珍妃不好，怒氣不息地命珍妃自己說實話。珍妃以皇帝所寵愛，而遭此重辱，痛不欲生。西太后大怒，遂將珍妃降爲貴人。（三）

毋忘在莒與田單復國

匡謬

他徵集城中牛隻千餘頭，牛身着以五綵龍紋之衣，牛角上縛以利刃，牛尾繫以蘆葦，浸了油脂，在城牆挖了洞穴，夜半將牛從牆穴中縱出，點燃牛尾蘆葦，牛尾被火燒痛怒奔燕營，另有壯士騎兵隨後衝鋒！燕軍只待接收，高枕無憂。夜半聞賊殺之聲，從夢中驚醒，牛尾火炬照耀光明！燕軍見如此怪物，大驚失色，莫敢抵擋。而觸牛者不死即傷，遂大潰！即墨城中五千精兵隨後掩殺，鼓噪追擊。老弱婦女皆擊銅器，聲震天地，燕軍大駭，顧命逃走！齊兵勢如破竹。燕將騎刧被齊兵殺死。燕軍擾亂奔走，齊人追奔逐北，所過城邑，皆起而叛燕而歸田單，七十餘城盡皆光復。於是迎在莒的齊襄王回臨淄。（九・完）

蓮之詠歌

·正匡·

此詩以古茂複沓之筆，寫出魚游於田田綠葉之間，何等生動諧美？梁武帝作採蓮曲一首，即參酌此諧調而成，樂府收集在淸商曲辭江南弄七首中。其子昭明仿作，即就譜諧詞，猶不免強硬趁韻，缺乏生氣也。

綜計樂府詩集中，以採蓮曲爲名之詩共廿有七首，有劉孝威、朱超、白居易等廿三家之作品，有云：「風起湖難度，蓮多折未稀」者；有云：「來時浦口花迎入，採罷江頭月送歸」者；可謂盛矣！

蓮花生長水國，綴之綺麗風光，其於人生，具有諧溫柔情調，於文學則具有南方之明媚色彩，故詩詞中，恆喜吟詠之。有談情說愛者，如「逢郎欲語低頭笑，日照新妝水底明。」王昌齡有：「摘取芙蓉花，莫折芙蓉葉；將歸夫婿看，顏色何如妾。」又常倫之：「棹發千花動，風傳一水香；傍人持並蒂，含笑打鴛鴦」等，皆佳作也。

有作採蓮之歌者，如王昌齡之「荷葉羅裙一色裁，芙蓉向臉兩邊開；亂入池中看不見，聞歌始覺有人來。」梁元帝朱蓮賦詠得更好者如：「於是妖童媛女、蕩舟心許。鷁首徐迴，兼傳羽杯。檻將移而藻挂，船欲動而萍開。爾其纖腰束素，遷延顧步。夏始春餘，葉嫩花初。恐沾裳而淺笑，畏傾船而斂裾。」（三）

內政部台報字第〇三壹號內銷

自由報

THE FREE NEWS

第五五六期

中華民國僑務委員會原照
台灣新字第三二三號登記證
中華郵政台字第一二八二號執照
登記爲第一類新聞紙類
（半週刊每星期三、六出版）
每份港幣壹角
台灣零售價新台幣貳元
社長：雷嘯岑
督印人：黃行賢
社址：香港銅鑼灣高士威道二十號四樓
20, CAUSEWAY RD.,3RD FL. HONG KONG
TEL. 771726 電報掛號：7191
承印者：大同印務公司
地址：香港北角和富道九六號
台灣分社
台北市西寧南路壹壹零號二樓
電話：三〇四六三
台郵撥儲金戶九二二二

春秋價值重估

韋政通

相傳春秋爲孔子所作，孔子在歷史上的地位，與日俱增，春秋一書的價值，自亦隨之水漲船高。在民國以前，知識份子生長在道統中，很少能擺脫孔子的權威，因此，春私一書在傳統中的一貫看法，也就相承不衰。直到五四以後，經過了「古史辨」的時代，道統的烟幕被揭開了，孔子獨尊的地位動搖了，春秋一書也竟有人敢當它是「流水賬簿」，這一尊一卑之間，眞成了兩個極端。要對春秋價值作一近眞的評斷，還須要通過一步疏導。

在兩漢以前對春私一書的評語：

①莊子天下篇：「春秋以道名分。」
②禮記經解篇：「屬辭比類。」
③荀子勸學篇：「春秋之微也。」
④賈子新書道德說：「此之紀也。」
⑤劉安淮南子泰族篇：「刺幾辯議。」
⑥董仲舒春秋繁露玉杯篇：「正是非，長於治人。」
⑦史記太史公自序：「辨是非，長於治人。」
⑧揚雄法言寡見篇：「說理莫辨乎春秋。」
⑨班固漢書藝文志：「春秋以斷事，信之符也。」

其中賈誼只說春秋是紀事的，經解是說春秋著作的方法，尚不涉及評價問題。其他七家皆屬具有價値意義的斷語。而「道名分」與「正是非」兩義，頗有代表性，此即形成兩千多年對春私的一種傳統的解釋。

天下篇所謂「春秋以道名分」，「道名分」即「正名」之義。孔子的正名主張，顯是由維護貴族政制而引發。他說：「天下有道，則禮樂征伐自天子出；天下無道，則禮樂征伐自諸侯出。自諸侯出，蓋十世希不失矣。自大夫出，五世希不失矣。陪臣執國命，三世希不失矣。天下有道，則政不在大夫；天下無道，則庶人不議。」（論語）因此，孔子「撥亂反正」之道，是希望由天子至庶人，皆能各安其位，使「實」如其「名」。這就是正名的要義所在。正名的主張被引發以後，套在仁的系統中，則「名」「實」的關係就成了「德」與「位」的關係。因此正名應用在春秋中，和「正是非」一樣，純是一「道德判斷」。對歷史採取道德判斷，遂形成後世儒者對歷史的正統見解，使儒者們對歷史永無正解。他們只知用一個道德原則去橫撐豎架，歷史締造的艱辛，在他們輕淡的一聲「三代以下」的歎息中，就全給抹煞了。要對歷史有正解，必須採取「歷史判斷」。可惜正宗的儒者幾無一例外地缺乏這種方式的判斷。歷來儒者，爲甚麼缺乏歷史的判斷？自孔子起的儒者對歷史爲什麼一直只限於道德判斷？探本溯源，仍當歸過於道德意識强度發展所致。單憑道德意識，實不足以眞實化歷史。這說明儒家的道德原理，相對着歷史言，始終停在觀念層次，在歷史的曲折之流中起主導作用的，仍是非理性的「生命」。這就證明道德判斷對現實歷史之無效。（司馬遷說：「春秋作而亂臣賊子懼。」這是說春秋效用的。但其效用如僅正於「懼」而止，實證明其並無效。）春秋大義，在現實歷史中的效用問題，荀子曾一度評及，他說：「春秋約而不速」，楊倞注：「文義隱約，褒貶難明，不能使人速曉其義」（勸學篇）。據此推衍，則「不速」可有「不能速見其效」之義。後來的事實證明，荀子的評語的確不錯。

傳統的儒者，罕知「道德判斷不足眞實化歷史」一義，因此堅持一貫的看法達兩千餘年，結果發生了嚴重的流弊。

第一，評斷歷史限於主觀的好惡──歷史事象多曲折，似有理又若無理，直接用道德意識評斷其得失，自不能如理而通其曲。何況一個人的道德意識的活潑呈現，並不能常有，孔子說：「唯仁者，能好人，能惡人」。然則一般的歷史學者，陷於「愛之欲其生，惡之欲其死」，實爲必不可避免的現象。如儒者們最喜說的堯舜桀紂，便是最佳例證。因此，若純由道德判斷歷史，限於主觀的好惡，實是萬不可免。

第二，不能滲透入歷史事象──一切史觀，都只是人對歷史的見解，歷史本身並不似人的見解那樣一致而有系統。歷史是人創造的，人的世界永遠是神魔混雜，天理人欲交戰的場所，因此歷史只是偶然與必然的結合，理性與反理性的綜合。而人對着這樣的歷史，若圖用道德意識去照察其中的是非曲折，則許多偶發的事件，悖理的現象，均將被忽視，而無法了解其在歷史演化過程中的意義。這就是宋儒所以瞧不起漢唐，而又不能識其價值的原因所在。

第三，造成史料的貧乏──我們一向自豪是世界上最具歷史意識的民族，也是史籍最豐富的國家，可是仔細看看，深入的想想，就發現：中國史籍雖浩繁，而史事却貧乏的奇怪現象。早就有人譏諷中國官修史書只是皇帝的起居注，在其中是不易看到中華民族活動眞象的。爲甚麼會有這種現象？就是因爲泛道德主義影響了歷史材料的選取，和歷史事象的描述。在中國，凡是非道德活動所能範圍的，泰半遭到擯棄，而不能入正史的記錄。許多事實上雖是殺人魔王的帝王，常被御用的史官大書特書時，也都是被理想化爲修德愛民的賢君了。

第四，缺乏信史──在道德意識的支配下，對人「隱惡而揚善」是必然的，這在個別的人與人之間的交往上，這便是恕道，縱然有流弊，尙不太大。這種恕道應用到歷史上，就是春秋所謂「爲親者諱」，「爲賢者諱」。「諱」，自然就得不到「親」與「賢」的眞象。我們只要對歷史上的名人稍加留意，如屈原，關羽，經歷史渲染的結果，早就喪失了本來面目。此外廿五史中的人物，大都用忠孝節義等幾個罩子罩上的，人物成了固定的模型。尤其是那些個人的行狀，祭文之流的東西，在「爲親者諱」的原則下，幾毫無例外地，都變成了正人君子，其實都是些僞善的木偶人。眞實的人物，有光明一面，必有黑暗一面；有偉大崇高的趨向，也必有墮落卑賤的趨向；兩面俱備，才是一有血有肉的人物。這樣的人物，在中國歷史的文苑傳中尙不乏人，因史家寫這部分的人物，本就是帶有貶的性質的。在儒林傳中，就更不易得了。

經過以上的疏導，對春秋的評價，如王安石視爲「斷爛朝報」，梁任公視爲「流水賬簿」，都不免存心輕薄。我們當然也不贊成。但也必須揚棄春秋代表人類常道之說。今後的歷史學的必須從泛道德主義的影響下的歷史諸觀念解放出來，徹底糾正上述諸病，然後新的史識和新的史學，才能產生。

可惡的烏鴉

亂闖！

今日與明日

亞非會議

即將在北非阿爾及爾召開的亞非會議，據傳將第二屆大會有六十幾國出席，規模較上次要大一倍。但內部複雜情況，較上次則不止大一倍了。

說到亞非會議，乃是尼赫魯的一大「傑作」，也是尼赫魯對自由世界欠下萬死不足蔽其辜的孽債。當一九五五年，原來的可倫坡會議五國，即印尼、巴基斯坦、錫蘭、緬甸、印度在可倫坡開會時，尼赫魯即席提議召開亞非國家會議，得到全體贊成，當即擬訂邀請名單。五國全承認毛僞政權，但巴基斯坦是東南亞公約及巴格達公約的會員國，本質是反共的，錫蘭雖然標榜中立，總理柯特拉瓦拉爵士也是反共的，當時巴基斯坦總理阿里即提出邀請中華民國出席的事，尼赫魯却搖頭說：「世界上沒有這個國家。」印尼的蘇加諾，緬甸的宇努，又是極端親毛共份子，會場全爲尼赫魯操縱，中國就被排除出會議之外；同時被排除的尚有大韓民國、越南共和國和以色列。

本來像那樣的會議，中華民國原不屑於參加；可是那次會議却把毛僞政權帶進了國際外交場合，周恩來就在那次會議上同納薩、施亞諾攀上交情。

目前的問題

尼赫魯到了挫骨揚灰時，也不承認爲毛共作倀之罪，只是片面指責毛共侵犯印度（其實毛共四處惹事生非，獨未曾侵畧印度）。可是由毛印之間的爭執，使亞非二次會議一拖十年，始終開不成。直到尼赫魯斃命後，印度在國際已淪爲配角，於是在新興的好事之徒阿爾及利亞本貝拉主催下，定於本月底在阿爾及爾召開。不過，這次會議雖然決定會期，是否能開得成，尚令人感到懷疑。

首先成問題的是會員國的資格，目前毛僞政權反對蘇俄出席，印尼則反對大馬出席，印度則大言不慚的警告同情大馬的國家，可以不必前往阿爾及爾，好似這次會議要完全由他支配似的。結果引起許多國家的反感。菲律賓同日本都已表示支持大馬出席，屆時蘇加諾將何以自處？是否再度退出？大家都在注視。另一方面，毛僞雖然反對蘇俄出席，已得到大多數會員國的同意，看情形蘇俄出席的可能性仍然較大。屆時必又是一番爭吵。由於這個會議的複雜性，許多自愛的國家都感到遲疑，查德已正式宣佈不參加亞非會議。相信西非國家步查德後塵者，仍有得是。像這種會議，即使邀請我們參加，我們也不會自貶身價出席的。（何如）

自由談

替越南的美軍算命

美國派到越南作戰的軍隊已有六萬人──即爲五個正規師，由今之戰畧戰術以探究未來的戰果，我敢大胆的預言：這六萬士卒能夠生還國門的，必不會超過半數，而越戰的勝利者乃是越共無疑也！

美軍在越南的戰畧，旨在不爲已甚，但期越共停止對越南境內的滲透、游擊行動，於願足矣，且許以十億美元的經援作開發全越之用。依照這套戰畧而使用的戰術，就是消極防禦，被動應戰，加之以示威性的有限度轟炸，希望達到停戰言和的目的而已。這種策畧正符合越共的願望，他們是沿襲中共當年在中國大陸上的叛亂法則，以點控制面，避免作陣地戰，一面利用滲透、煽惑手段，擾亂敵方社會秩序與人心，同時採取突襲的游擊戰術，逐漸消耗敵軍實力，決不跟敵軍打硬仗。

西方人根本就不瞭解共黨的本質是怎末回事，更沒有在東方地區從事游擊戰的本能，只憑着唯武器論的觀點，認爲共黨是可以嚇倒的。所以，美軍在越南一面揚言要把戰爭範圍推進到北越去，又謂中共如敢介入，便實行轟炸中國大陸各處軍事設備，一面又盼望共黨和談，相約互不侵犯，完全表現着色厲而內荏的怕事心情，共黨洞若觀火，豈肯能手？

從現在到九月，越南是雨季節令，美軍在這雨季中，行動大受阻碍，然共黨的游擊活動，乃更易發展，時間對共黨是絕對的有利因素，而對美軍則有損無益，六萬人的美軍，今天被共黨游擊隊突襲而死傷若干名，明天又傷亡若干名，結果是幷未打過一場硬仗，而實力逐漸消耗，永無休止，有如一條大象墮入陷阱之中，朝夕被老鼠和蟲豸噬嚙周身，久而久之，未有不困憊以致於倒斃的。美軍現時在越南的情形，正是如此！

美國當局對越戰的如意算盤絕對是幻想，若不改變策畧，縱然加派十萬人到越南來，最後的結局亦只有一句話：決無倖理！

馮冠先生

立委不滿汽車工業政策 紛紛提質詢一片責難聲

本報駐台記者 劍聲

立法委員們對行政院的「保護」少數特權商人的政策，大表不滿，紛紛提嚴厲的質詢，掀起一片責難之聲。尤其是有關裕隆汽車的問題，委員們不滿的情緒，正方興未艾。

立法委員胡鈍俞先生，是一位穩健者，在立法院不輕易發言，但言必有中。他在「經濟保護過於强烈」的質詢中抨擊行政院院長，指出保護政策，由於「執行偏誤」，「保護了民族中幸運臨頭或機會主義的少數人，而妨害全民族之經濟機會均等，造成富以億計的少數資本家，而以在台的全體民族，供其犧牲」。

少數資本家發財 多數老百姓遭殃

像汽車工業，以百份六十關稅，及禁止進口，限制設廠，使小轎車價格，高出一倍以上。胡委員說：「小轎車國際市價，及進口各稅捐，合併計算，為新台幣六萬元，而國產小轎車價十三四萬元。無人競爭，形成壟斷，專利所在，不求上進，汽車工業，永無抬頭之日。不獨國民行的問題無法解決，而三輪車夫轉業的問題，亦受阻撓。最難了解者，裕隆汽車公司現在的自製率，為百份之二十五，連台灣汽車衛星工廠之自製率百分之三十五，合稱為自製率百分之六十。凡申請新設廠者，必須有自製率百分之六十，方能核准，因此繼起無人。依理依法，新設廠者，應以裕隆開辦時自製率為準；退一萬步說，至多以裕隆現有的自製率百分之二十五為準。台灣汽車衛星工廠百分之三十五，應為新設廠所共有，不應為裕隆所獨有。據說新設廠如能取得衛星工廠之合同，可以計算，試問：工廠未經核准設立前，雙方如何可能簽立合同」？

為保護裕隆而訂發展汽車業辦法

胡委員說：行政院「發展工業辦法，於五十年四月六日，專為保護裕隆而訂立，今年三月十三日，又加修訂延長至五十七年。該辦法對國產汽車的性能、規格，出售價格，雖有限制，由於督導不力，成為具文。悠悠八年的保護，勢必斷送國產汽車工業的前途。行政院五十四年元月八日核定施行之工業輔導準則，仍然具有濃厚的色彩。」

行政院長嚴家淦為什麼要延長發展工業辦法來保護裕隆呢？因為「嚴院長的弟弟在裕隆汽車公司當經理」，這是另一位立法委員陳桂清在質詢時說的。

陳委員質詢說：「裕隆汽車公司是嚴院長的弟弟在那裏做經理」，「此次海關進口稅則，稅率修改由財政部、經濟部、交通部、內政部、經合會詳細會商修訂，經過行政院會議審查通過，方始送立法院審議。嚴院長弟弟吃裕隆汽車公司嚴慶齡的飯，拿嚴慶齡的錢，我們立法委員並不吃嚴慶齡的飯，不拿嚴慶齡的錢，我們只曉得民生主義，不要使少數人藉關稅特別保護發大財，走向資本主義道路。因為立法院多數委員不明稅則草案的主要目的，所以大家認為行政院不對。我今天特別提出來要求嚴院長說明海關稅則修正草案眞正的動機何在？是否仍像過去專為保護私人發財」？

陳委員說：「我與嚴院長私人交誼很好，但是我今天因為職責之所在，所以不能不講！裕隆汽車公司過去為了海關進口稅則，花了幾百萬元，幾乎把立法院拉垮，嚴院長是不是姓「嚴」？嚴慶齡是不是姓「嚴」？他的哥哥嚴隆祥是不是大漢奸？台元紗廠過去是不是政府查封？後來想出種種方法啓封，嚴院長多方便利其大發財」。像這樣的質詢，在立法院是很少有的。

裕隆值得保護嗎？「新出路」著文檢討

此外，由立法委員武誓彭所發行的「新出路」月刋，在五月號的「創刋」號內，有一篇專題檢討「裕隆值不值得保護」的文章，因為「新出路」是立法院某一政團的「代言人」，所以大家對這篇文章的反應極為注意。

該文引用一位立委的質詢：「裕隆公司製造汽車，本身祇提出廠房，大部機器是由日本廠商供給，資本則多向銀行貸欵。進口零件稅欵則由海關記賬，迄今尚未還淸」。從這一連串的問題中，所謂發展汽車工業的內情，如此而已！

在外滙方面，據「新出路」刋載的資料：裕隆自四十七年下半年起，到五十四年二月止，在這八年間，結滙進口，原料方面，僅五十一萬二千一百十六萬美元。機器設備方面，僅六十萬七千一百九十四美元。而車輛配件方面，則高達八百七十三萬三千三百三十五萬美元。查海關進口稅則，以往車輛進口為百分之六十，零件進口為百分之十五。就結滙及關稅而言，裕隆賺錢應為不爭之事實。裕隆所裝配的汽車價格應該低廉，也為當然之舉。至裕隆所稱自製率的百分比，則不無問題。

立法院對行政院發展汽車工業的政策，一片責難聲，一向有「人和」的嚴院長，將面臨嚴重的考驗和抉擇了。

美俄誰先登陸月球競賽 美國顯已穩居優勢地位

——本報資料室

「天空比黑色還黑，繁星閃爍，托襯着一輪白日……那裏沒有其他東西，也沒有其他的人……」

這是三月十八日蘇俄的李安諾夫中校「步行太空」後對當時所見到的情景所作的描述。這項描述，對美國而言，是具有雙重意義的。這些話的重點，在於「沒有其他的人」。不錯，蘇俄在太空競賽中，又增多一個「第一」了。

然而六月三日，美國太空人韋德及麥廸維乘着雙子星座太空船四號進入太空，並在太空「浮遊」了二十分鐘，依照計劃繞飛四天，復返地球，顯示美國在太空競賽中，已穩步前進，超過蘇俄。

然而美國人要想知道的問題是：在由人駕駛的太空飛行方面，蘇俄究竟領先多遠？美國的計劃現正填補了這個裂口？在所有太空成就中是誰領先？

這些問題都是難以答覆的，同時顯而易見的答案，未必是正確的答案。

蘇俄在由人駕駛飛行方面，似已領先，而在無人駕駛的太空飛行方面，領先的却是美國。美國曾成功地放射最多人造衛星及太空試探器械，取得最多有價值的科學資料，包括對金星的近鏡觀察照片在內。美國已拍得月球的近鏡照片，幷在發展天氣與通訊人造衛星方面，獲得了很大的進步。

若謂蘇俄在由人駕駛太空飛行方面領先，以及美國在科學結果與實用人造衛星方面佔先，這種說法，未盡眞實，因為美俄兩國的太空情勢實況，只在它對它的最終國家目標的關係中始可見到。

以美國而言，由人駕駛的太空飛行的基本目標，是在技術許可下盡量發展在太空的活動能力。這即是一種可以久留在地球軌道中的能力。它包括能夠在太空中活動；能夠隨意改變軌道；能夠建立太空站，及飛至月球、火星及其他行星。

據相信，蘇俄的目標，大致上也是一樣。為獲致上述目標，這兩個國家便像兩個旅客，沿着不同的路徑，向着一個遙遠的城市前進。因此，只有知道他們在自己的路途上走了多遠以及距離目標幾多，始能鑑定彼此間的進度。

現時仍未弄明的重要因素，是蘇俄所採取的路徑以及他們在這路徑上所獲得的進度。在這種情況上，雙子星座太空船的面體比蘇俄太空船較小，但這項事實並無多大意義。

雙子星座是一項工程發展計劃的一部份。在現時以至一九七〇年期間，雙子星座及太陽神的使命，是為美國的基本太空目標奠定基礎。

美國現正發展巨型的土星火箭，以作為全面計劃中的一個部份。具有推力一百五十萬磅的初期模型，經已試驗成功。迄今為止，進入軌道的最重載量為二萬磅。同時，具有推力七百五十萬磅的更強力土星火箭，刻已在研究中。

一艘雙子星座太空船的大小，是無指數限制的。因此美國太空計劃的進度，是顯而易見的。但蘇俄的情況，並無這麼明朗化。

美國國家航空及太空總署署長，早已承認蘇俄在太空競賽可能奪得很多「第一」。這包括多人太空船，太空人離船「浮遊」，兩艘太空船在太空上會合及不用着陸直飛月球等等。前兩個「第一」現已獲得。

但這兩個第一究竟有什麼意義呢？這證明蘇俄的太空計劃比美國的雙子星座計劃較為優勝？這個問題無人能作肯定的答復。

蘇俄太空人比美國太空人早幾個月浮游太空這項事實，似無什麼特別意義。同樣的，一艘雙子星座太空船比一艘蘇俄太空船較早改變軌道，亦無什麼重大意義。蘇俄太空人宣佈他的太空船在需要時也可以改變軌道，此說自無可加懷疑的理由。

蘇俄太空船使其太空人在無重量狀態下，獲得比美國太空人具有較多的經驗。但美國太空人在這一方面，當能及時迎頭趕上。

同時，蘇俄仍未顯示其具有土星級的火箭。這是美國航空及太空總署署長韋普認為美國有機會先登月球的理由。

推送蘇俄太空船的火箭，推動力超過一百四十萬磅。這是各節火箭推力的總和。第一節推力據相信為八十萬至九十萬磅。據忖測蘇俄現正發展更强力的火箭，但無人知道這些火箭何時始能在蘇俄的太空計劃中使用。

美國航空及太空委員會的施爾頓博士，認為蘇俄與美國放射太空物體的次數與成敗的比率，大致相同，即成功的比例佔百分之七十。他說：「在目前難以判定誰能佔先，美俄兩國所重視的計劃，各有不同，而解決問題的方法亦異。」

這項事實加上蘇俄對于自己的失敗秘而不宣，說明這種種問題，實在是難以解答。在登陸月球的競賽獲得結果之前，無人敢說蘇俄在由人駕駛太空飛行方面能擊敗了美國。

總括的說，以美國人力、物力、財力所居無有懷疑的優勢，可以判斷，首先登陸月球的，將是美國，而非蘇俄。

台灣南部新聞點滴

△屏東稅捐處及高雄港棧埠管理處，最近揭發之貪污案，皆因內部分贓不勻而有人自首，纔告暴露的。即此可知政府有關機關要想查出一樁證據齊全的官吏貪污事情，殊不容易，法律上的機械條文規定，完全不發生作用也。

△高雄縣府積欠台省各家報紙的報費已有數年了，最近該縣議會追加預算一萬元以為償付之資。但縣府主任秘書將該欵全數購買官報勞軍，因而引起一般民營報紙之不平，嘖有煩言。

△屏東水利會主管人之子經營保險業，强迫該會職員皆參加保險，各職員為着預防有解聘之虞，只好遵辦，這可名之為「飯碗保險」。

△台南市議會副議長杜某經營妓寮，逼良為娼，鬧得醜聲四播了，另有議員何某亦有擺賭教唆殺人的行為。這是地方自治的一大諷刺，亦為民主憲政生活的一大污點！

△新近在高雄左營蓮池塘建築之「私立鳴遠外語專校」校舍，佔地一萬六千坪，規模宏偉，業已建造了兩層，全部工程（共有教室卅間）於七月底可告完竣。此為在南部首期之大專學校，當地各界人士甚感欣幸。高雄市長陳啓川上次發表的競選政見，曾有一項說是要爭取在南部創設一所大專學校，尤對「鳴遠外語專校」新校舍建築情形，特別高興，認為自己的志願已告實現了。

△台南市漁會歷次選舉皆鬧得烏煙瘴氣，笑話百出，最大原因是主管官署人員皆捲入地方派系漩渦之中，未能以超然立場指導監督。此風不改，漁會的選舉永遠都是一團糟。（凌霄寄）

屏東縣下年度預算 總額新台幣二億餘

至於五十五年度預算，較五四年度，收入計增加一、八二七萬餘元，其中主要者，計有稅課收入增加八九九萬餘元，補助收入六五七萬餘元，規費收入二五四萬餘元（包括中學學費收入），其他收入（增減相抵後）一七萬餘元。

五十五年度屏東縣預算支出為：（一）教育文化支出一〇、〇六五萬餘元，佔百分之五八，居首位。（二）經建及交通支出一、五二五萬餘元，佔百分之九。（中）

來函照登

敬啓者近閱貴報五月廿九日刊載屏東記者袁文德君報導「屏東稅捐處貪污案之揭破與胡自新」關聯種種」一則，又有涉及自新之處，不能不再加說明於次：

一、五月十五日發表之更正函中，自新已說明該案自開步超自首舉發，經稅務處派員來處調查後，自新始知其事。如須知其事，站在主計監督立場，依法可向上級機關檢舉，而不必假手他人。即係說明該案絕非自新所主使，亦未於五十三年十月向財政廳密報。現聞屏東地方法院已函請稅務處將調查案卷調閱，檢舉者與密報者何人，袁君應可就近採訪，以明眞相。

二、屏東稅捐處五十四年度修繕經費預算案之處理，自新恪守主計法令與立場，與伍處長確有歧見，惟所爭者全為公務。至袁君謂自五十三年中秋節後即取消每月給予的二〇〇〇一三〇〇〇元私下生活津貼一節，全非事實。自新服務公職以來，尚知義利分明，除領取合法之薪津待遇以外，未敢妄取一文，更從未向主官提出不當之要求。因是無欲則剛，固守工作立場，堅定不移。

以上兩點，特再函請貴報惠賜原文照刊，以代更正，不勝感禱。

此上

香港自由報社

原任屏東稅捐處主計主任胡自新敬啓

六月五日

中英鴉片之戰

羅雲

敵艦乃越虎門直入內河，由是靖遠、鎮遠、威遠，及鞏固各炮台亦先後失守。敵更撲烏涌，琦善令兵千餘防堵，及戰，又敗；湖南提督祥福及其屬將皆死。敵乃順利進至獵德黃埔。綜計虎門之役，我傷亡四四〇人，被俘一三〇〇人；烏涌之役，我陣亡四四六人，失蹤六〇〇餘人。而兩役英軍僅傷亡十餘人，蓋以炮火不敵故也。

時清廷已革琦善職，解京拏問，以巡撫怡良暫署琦善職權，而以祁貢繼督兩廣。外商頗以貨物滯銷有怨於英，義律轉有和意。

二月十三日，湖南提督楊芳至廣州，深覺要害盡失，守軍孤單，無可為戰。於是一面部署軍事，一面對敵暫為羈縻，以待奕山趕到再定對策。二十六日敵再與我衝突，佔永靖海珠炮台，直達商館。但至二十八日，中英忽又宣佈停戰。

丙、奕山戰爭與平英團的制敵：

是時中英兩國均爭取時間，積極增援，英政府命樸鼎查為貿易監督，並授議約全權。以駐印度陸軍少將臥烏古及海軍提督巴克率印度戍兵續東向。而楊芳，奕山，隆文等，亦均先後率兵到粵，至閏三月間，清軍計增兵一萬二千五百名，預料即可續到四千名，另並招募水勇三千人。

粵人素性排外，與滿人外省人頗多隔閡，又因洋船為生，故頗多厭戰。而另一方面，各方密請開仗者亦多，加以張必祿的慫恿，奕山遂決意作「孤注一擲」的冒險。其當時之決策為：「俟火具趕出，以黑夜用快蹬艇數十，每隻備三百餘斤鐵炮一尊，佛郎機炮四個，並各種火器，使攻敵之三板船，與兩岸陸兵前後兜擊。」

四月初一日奕山佈署定，分兵三路出：一屯西寧炮台為中路；一屯東炮台為左路；一屯泥城出為右路；將突攻敵船於珠江，始商於楊芳，芳拔劍頓足，謂事必敗。奕悔已莫及。初，珠江敵船遭奇襲，損失頗重。然翌日風潮轉順，敵乃大舉反攻，直撲炮台，火箭四射，炮戰激烈，致清軍不敵而潰敗，廣州亦陷於一片火海中。不得已、命知府余保純縋城出，與義律議和。議定賠銀六百萬，清軍先離省城遠屯，敵船亦退出虎門。奕山含混入奏後，清廷竟「覽奏欣悅之至」，因而下令沿海撤防，以為中英戰爭至此可告結束。

英兵進廣州後，大肆刦掠，引起居民的反抗；舉人何玉成奮起組織平英團，集數萬人於三元里起義，攻擊英軍，斬殺甚衆；經此打擊，英人始稍斂跡。（四）

新儒顯微鏡下的人性光輝

——解答哲學上一個大難題

（論道統第六章）

陳健夫

由意志發展而為行為。意志的開始，即有行意，因而發生行為。哲學科學重於求知，道德在乎反省，二者皆不能離開行為，故以篤行為歸。這便是生命力的知行合一的道理。（附圖）生命力具備了這種偉大作用，所以人性通過生命力，便無不止於至善了。所以我常說，大學之道在明明德，在親民，在止於至善；中庸的天命之謂性，率性之謂道，修道之謂教，這個「明」「止」「率」「修」的工夫，便是生命力的作用。倘無這生命力為之主宰，德何由而「明」，性何由而「率」？道何由而「修」？可見得這生命力是人類的大頭腦，大根本了。

生命力妙用圖(A)

知行合一
知　行
科學　道德　行為
智　德　意
理智　理性　意志
生命力

人的力量發自本身，心為一身精華，為全體力量的集中點。心在平時收斂積聚甚為豐富，潛有極大的力量。故心實為一身的主宰。但心僅是一種力量，自己不會運用發揮，還須通過生命力，始能盡其妙用。否則心所發出來的力量便是人慾，若聽其自發，必至流為罪惡。賴有生命力為之策劃運用，心這個力量方不致亂用，而能中和中節。如何使這個心既靈且明，成為一身最善的主宰，這工夫不能求之於心，而必須聽命於生命力。故生命力實為人心的指南針。聖賢所夢寐以求之的天理良知別無他物，便是這個生命力。但聖賢只能體會省察而得，却不能發現其具體存在。所以學者便很費力氣，很費工夫。往往下學而不能上達。如今我指出的這個生命力，是如何具體而實際的存在。所以學者便很費力氣，很費工夫。往往下學而不能上達。如今我指出的這個生命力，是如何具體而實際的存在，可說稱之有名，指之有物，好學之士，自不難下學而上達了。我這生命力學說，因此也可說是科學的良知論了。

由於人類具有這奧妙的生命力，人心人性雖不免心粗氣浮，慾念多端，但卒然通過生命力而止於主善，這便是中庸「率性之謂道」的道理。「率」是引導的意思，幷非聽其能然。將「性」引導通過生命力的工夫，便是道。如心通過生命力的理性，便是道心。性通過生命力的理性，便是天理。心通過生命力的理智，便是智慧。情通過生命力的理性，便是中節。所謂發而皆中節謂之和。人心人性倘不通過生命力，而逕自發放，亂施猛力，便是慾心妄念，罪惡皆從此起。……人生一切不正當的慾望（人欲），原都發自吾心，而惟有我的生命力，足以操縱控制，止於至善。這便說明了生命力與心性的關係及其妙用了。

下列生命力妙用圖，表示得很明白：

生命力妙用圖(B)

心臟系統
情　性　情　情　情
神經系統
意志　理性　理智
生命力
志向　天理　中節　智慧

人性雖未盡善，但生命力所發揮出來的，却充滿善良，因此世間總還是善人多而惡人少。

生命力所給予人羣的啟示，完全是善良的，生命力實在不可能作惡。人有時利用生命力以作惡，那却是性之使然，而非生命力的當然。（十）

哀江南製造局

李仲侯

該書又載：「咸豐辛西（十一年），金匱華若汀太守衡芳，從曾文正公於安慶軍中，領金陵陸軍械所事，與徐壽繪圖，自造黃鵠輪船一艘，推求動理，測算汽機，實為我國自造輪船之始。同治初，文正奏設江南製造局於上海，則為之建築工廠，安置機器焉。製造局之火藥廠，設於龍華，若汀監理之，自製鏹水，以節漏巵。朝夕巡視，則其潛心研究，勤勞工作，於此可見一斑矣。」可見中國之有輪船，初發軔於安慶機器局，集大成於江南製造局，皆為曾國藩所首創。後來左宗棠創設福建造船廠，實較江南製造局造船成功已落後一年；其一切規模，大都係仿自江南製造局，擴而充之。如以曾國藩為中國創造輪船之鼻祖，實受之而無愧焉。

綜計江南製造局已編譯印行之書籍，據可考見者，共九十八種，其中自然科學佔四十七種，工藝軍事佔四十五種，大都以工藝兵書為最多，理化書次之，算術又次之，其他天文、生理、政治、史地、商業諸書又次之，法律、農業書籍為最少。

至同治九年，復將原設上海廣方言館全部遷入局內。該館係仿京師同文館例，創立於同治元年。分設機器、鍊金、打樁及司機、鐵木工、行海法、水陸攻戰、外國史地各科；遷局後，增加地理、繪圖兩科，並設英、法、日各語文班，聘外人教授。至兵工學校，曾造就無數之機械工程師和通曉中西科學之學者，後來中國最初幾批留學生，多取材於此。

協助創立江南製造局最為出力的，要算容閎。容閎是廣東人，原在香港西塾讀書，道光十六年赴美留學，咸豐四年畢業於耶魯大學。同治二年被薦入曾國藩幕府，曾派他赴美負責採購機器，是為中國向外採購機器之始。容閎之赴美，曾幷請撥洋稅二成，以一成為專造輪船之用，業見曾氏前奏。有了這筆巨款，購料造船，自然不成問題。至同治七年七月，第一艘輪船竣工，曾氏取四海波恬，廠務安吉之意，命名曰恬吉號，船身長十八丈五尺，濶二丈七尺二寸。先在吳淞口外試航，由銅沙直出大洋，至浙江舟山駛回。曾氏在江寧聞訊大喜，立命開赴南京，他親自登舟，向上游采石磯試行，上水每時行七十里，下水行一百廿里。曾氏曾經辦理外交甚多，深悉外人遇事要挾，恃彼船堅炮利，蠻不講理，於今能親眼看到這艘新輪的船身，鍋爐，機器及一切應有設備，都全由製造局員工按圖索驥，自己研究製造出來，與西洋所造者，全無兩樣，自然感到萬分高興。試航之餘，認為事事滿意，惟指示明輪改為暗輪一項，應再加研究改善。（四）

動物農場

英George Orwell著　陳其芝譯

第九章　特權階級與價值利用

「白克薩！白克薩！跳出來！快點跳出來呀！牠們正把你帶去送死呢！」

「快點出來！白克薩！快一點出來吧！」所有的動物也跟着齊聲大叫。可是現在的馬車跑得比以前更快了。白克薩是否聽懂了克勞芙所叫的是什麼都成問題。不過呆了一會兒工夫，白克薩的臉從窗口消失了，接着有一陣很大的蹄子踢木板的聲音。白克薩希望能把車子踢個洞跳出來吧，假使時間長一點，牠也許會把馬車給踢爛了呢。可是現在牠踢木板的聲音愈來愈弱了，天啊！牠已經筋疲力竭了！在絕望中，動物們開始懇求拉車的那兩匹馬：「同志們！好同志，求求你們不要把你們的兄弟帶去送死吧！」誰知那兩匹笨馬，笨得連發生了什麼事情都不知道，牠們祇知道貼緊了耳朵，步子跑得更快些。白克薩的臉再沒有出現在窗口。所有的動物到現在才想起去把那五個欄門關起來，可是太遲啦，馬車在轉瞬間衝出了動物農場，上了大道。白克薩自此以後，再也沒有誰見過。

三天以後，消息傳來了：白克薩雖然接受了一切可能的照料與醫療，仍是回生乏術，牠已經死了！死在威靈頓的醫院中。斯奎勒告訴大家這個不幸的消息，並說在白克薩彌留之際牠還在牠身旁。

「這是我所見到的最為感動人的事了。」說着牠舉起了前蹄，擦去眼角的一滴淚水。「在牠臨死時，我守在牠的床邊，牠虛弱得連說話的氣力都沒有！在我把耳朵貼近牠的唇邊時，才聽清楚牠斷斷續續的意思。牠最感遺憾的是牠沒有在死以前看到風車的落成。牠並且微弱地鼓勵我們說：『前進吧！同志們！為了我們反叛的榮譽而前進吧！動物農場萬歲！拿破崙同志萬歲！拿破崙同志永遠是對的！』這些都是牠臨終的最後遺言，同志們！你們聽到了嗎？」

說到這裏，斯奎勒的態度忽然變了。牠沉默了好一會兒後，又用懷疑的眼神掃視了一下所有的動物，隨後用一種激怒的聲音接下去說，據牠所聞，在白克薩臨走的時候，動物農場裏盛行着一種謠言，有的動物們見到車子有「屠馬夫」的字樣，那麼白克薩就一定被送去了屠馬場。這真是令人不敢相信的說法，也是笨到家的想法。當然，在牠激昂慷慨地陳述的時候，牠並沒有忘記搖擺着牠那短短的尾巴，牠說，牠知道所有動物同志們都了解牠們可敬畏的領袖拿破崙同志，牠決不會做出這種事情來。不過牠對大家解釋說，那純粹是一場誤會。是那輛馬車所引起的誤會。事實上那輛馬車原來真是屬於一個屠馬夫的，可是賣給那位有名望的外科醫生已經是很久的事了。只在那位醫生沒有把原來的文字擦掉罷了。

這種解釋使動物們長長地吐了一口氣，頓時感到輕鬆無比。斯奎勒又進一步地對大家說明白克薩的病房及床位，看護小姐服務的週到精神，拿破崙同志的慷慨，牠買最昂貴的藥品給白克薩服用等等詳細情形。至此，動物們所有的疑心都消失了，牠們對死去同伴的悼念得到了慰藉，因為牠們相信白克薩至少還死得其所呢！

這個星期日的集會，是由拿破崙親自主持的，這次的儀式中還有對白克薩追悼致哀樂的節目。牠告訴大家說想把牠們死去的同志的遺體運回農場是件不可能的事。但是牠已盡到最大的努力把牠好好地的安葬。還特地訂了一個很大的桂花花圈送到白克薩的墓地去。豬同志們還要為牠卓越的事跡舉行一次追悼紀念宴。（二二）

此三人是其得力的輔弼。卞處事着重用才，不阿私，而極公正。對外有魄力而果斷，因此後來任銀行公會主席，三年一任連任四次，達十二年之久。其時軍閥恣睢，天津地區極不易應付，他任主席，不論鉅細，皆很負責，且均順利完成。其最精彩者，是津口劵擠兌。當中行前次發布停止兌現事，後來北京地名版的中交鈔，市面遂有市，最高約六折，最低僅四折，視市場的吐納爲消長。不得已另發天津張家口地名的鈔劵，十足兌現。但是從黎元洪被驅，馮國璋代攝，以迄徐世昌、曹錕繼任，這八九年間，政潮迭起，謠言滿布，傳中交兩行庫存不多，發生擠兌。初時其勢甚惡，中交兩行在行門口架起木柵，每人限兌十元，於是風聲鶴唳，兌者更甚。卞氏最大決心，以謀平此風潮，首先向滙豐、花旗、麥加利、華比、道勝……正金各行，借現洋一百五十萬，約定一月歸還，加付利息，各行以卞氏德望，均允之。卞氏抽出部份應付兌現，即電上海分行宋漢章請運現洋二百萬。宋查津行存款不足三十餘萬，復電：請換現元一百萬兩（上海通用的銀兩）照運。卞復去電：三日內撥到。宋氏甚疑卞氏的財源何來？三日後收足現元約九十餘萬兩，急飭行員速由海輪運津一百萬元，十日內共運兩次。當此四百箱現洋，由碼頭運進中行，人心大定。同時收購現銀，由天津造幣廠鼓鑄。擠兌風潮旋即平息！或云：此即卞門智的精采一幕。

津門三行談往

·巧蓮·

楊蔭孫名德森，籍隸江蘇吳縣。在蘇州地方所出銀行家，前有楊氏，後有貝氏，皆卓爾不羣。他在清宣統年間留學比利時，習銀行經濟。銀行界裏比國留學的極少。民三歸國，其時交通銀行艱辦未久，極需延攬人才，楊氏因被羅致。彼才技不凡，見識淹博，民七薦升至京行經理。在京行任內，頗有擘畫，但猶是胡筆江之副手。其時中國銀行新交通系之任鳳苞振采（任協理）陳贏生福頤（任總處主任）常予掣肘，僅兩年即辭去。後來西原借款成立，曹潤田汝霖主持中日滙業銀行，器重楊氏之才，聘任經理，日方亦同意。其後施省之肇曾等辦新亨銀行，全權委託楊氏，又辭滙業事，由李祖恩光啟繼之。新亨業務雖不繁，獲利不少，民十四結束，每一股東有千元股權，可得二三千元，中國的銀行收歇，無有如此者。梁燕蓀士詒復任交通銀行總理，欲加強天津分行業務，聘楊氏爲津行經理，仿照歐美規例，簽訂聘約，以三年爲期，每年酬薪三萬元（每月二千五百）。其時各銀行經理俸給之較高者，每月至一千五百，於楊氏爲特例。（二）

林采芝

諸葛文侯

林采芝者，粵籍，而生長海外華僑社會之名女人也。姿色不惡，擅交際應酬，且工心計，曾使若干當代顯貴人物拜倒石榴裙下，甘爲情虜，然最後乃死於非命，殆所謂「美人自古如名將，不許人間見白頭」者歟！

民國十五年大革命前夕，林采芝自海外歸至廣州，於社交場中邂逅湘省軍人程潛，遂成密友。追程氏領第六軍出嶺北伐，林以軍部秘書名義隨行，甚受寵愛。唯程氏已蓄有姬妾三人，林不敢屈居其下，對程多所要索，程殊以爲苦，漸生秋扇之念。時第六軍軍部參謀處長程沛民，即對日抗戰時任兵役署長因貪污伏法者，係陸大畢業生，適在壯年，軀幹雄偉而嫻於言詞，頗受林女垂注。程潛乃爲轉圜，沛民赴湖南軍中，出任師長職務，聲勢甚盛，林女頗示羨慕。而沛民之原配妻室四川鄉里未出峽也。程潛即向沛民與林女作伐，締結鸞盟，沛民在長沙舉行盛大之結婚禮，自何鍵以次，諸文武顯要人物均與，吳尚、龔浩等皆預焉，時是爲民國十七年間事。

未幾，程沛民糟糠之妻自巴蜀攜兒女馳至湘，以大婦身份主持家政，林女憤甚，指沛民重婚，訴之於法，旋經吳尚等從中緩頰，協議離婚，擬給林女贍養費一萬元，由吳尚出具期票兌現，風波得告平息。然沛民固無此財力，而吳尚係一旅長，亦無從代墊鉅款，期票竟成空頭，林女大怒，昕夕向吳追索擾攘，吳唯有善言安撫搪塞耳。既而吳妻因病逝世，兒女乏人照料，吳氏爲和緩林女逼債計，挽其作家庭教師，俟徐籌償逋負，林女允之。吳尚素性風流，沉湎女色，旋與林女訂婚，而其軍職亦奉命遞升師長（屬李品仙之第八軍），駐防湘西常德，即涓吉在長沙舉行婚禮。詎洞房花燭之夕，吳部衆竟在防區突告譁變，時人謚林女爲「禍水」，然吳對林寵甚，家事盡由林女主持，銀錢更涓滴歸其掌握。林對吳之前妻所生兒女頗歧視、吳有妻弟熊震亦任湘軍團長，覩朋輩受林女凌虐，殊不平。

吳尚以好色故，壯年即罹肺疾，林女爲吳投資作人壽保險，同時迎合吳氏癖好，常僱用青年姣俊之女性傭在家，故意縱使與吳勾搭，佯示大方，吳更對林寵信，認爲不可多得之賢內助，每舉以誇稱於朋儕間，實則林女意在促損吳之天年，一旦溘逝，即可領取人壽保險公司之巨額賠償費也。逾歲後，吳氏果然因肺疾加劇不支，終於喪生矣！吳死後，熊震等爲之料理喪葬事宜，詢林女以吳生前積蓄情況，林舉證瀝述並無分文存欵諸狀，謂可派人向各方清查，以明虛實。熊等無以難之，然對林女之狠毒險詐，忿恨至深也。

吳尚係湘南益陽人，熊震與朋輩扶吳櫬歸葬本鄉，林女託故不欲偕往，熊責以大義，强其執紼隨行，於吳氏告窆入土之際，執林女扑扶垂死；生葬以殉。一代尤物，香消玉殞於荒山僻野中，可悲也夫！

諸葛文侯曰：林女初與程潛暱，而潛之第六軍殘破不振；繼與程沛民成婚，沛民不旋踵蹶敗；再歸吳尚，吳又挫落以死；最後自身亦不得善終。紅顏薄命之說，豈眞可信耶？異哉！

望龍展光

台灣的各劇團，有一似乎劇界的狀態，就是南部的不能北來，而北部的也不南行，好像一道鴻溝的。南部的「龍吟預光」，很少到台北公演，無非是樑柱不全，恐難成理想。因此吾人要朱殿卿的精技，馬驪珠的妙藝，周麟昆的麒派，實在一二年不能一見。不知何以如此的怯，而落到大鵬、陸光、明駝、大宛等輪流在北市揚威？同是軍中劇團，難道有如許的差別？深爲疑之。

聽戲看劇，有一普遍大家多有的脾氣，看了太多，不免有點發膩，除非特新戲。百觀以後，覺得好也不過這地步，不能有奇跡。如大家唱虞姬恨，是個例子。總想過些時候，換換胃口。即以從前梅蘭芳在上海，至多唱上三十餘次，絕沒有唱到一年。梅氏如此，難道此地的劇團，能勝過梅氏嗎？

由於觀衆有這樣心理，希望痛快地看朱殿卿的淨角泰斗，周麟昆的麒派典型，盼望龍吟，展看預光，能到台北作一次表演。只要抱定不計成敗的勇氣，相信也不會賠貼旅費，不過賺得多少，絕對不會走一趟，賺上五萬八萬，總之對北市觀衆的期許，有些安慰，也聊表寸心，到此爲止而已。

爲了聽說有北來之訊，特寫數字，以表敬意。順便要求殿老如能與驪珠一露虞姬恨，麟昆能唱路遙知馬力，皆足以震撼北市的劇團！人生如戲，爲留令名，以示後輩。在此展望之中，盼勿多考慮而即決定，幸甚。

劇事雜談

·婆婆生·

談生死恨的新舊

名坤票羅倫女士，將於六月間上電視平劇，這是一新耳目。而她提出的劇目，是生死恨。是否改編的韓玉娘，尚不得而知。梅蘭芳爲了玉娘與鵬舉不能團圓，才定名生死恨，是富有意義的。現在劇團奉命改稱韓玉娘，便不能使人驚奇，等於叙述某人的事跡。若以嚴格論，稱爲韓玉娘應找有結尾，不能以死了之。依照陶宗儀輟耕錄所載，是玉娘鵬舉得到團圓。改稱以後，僅一暈厥而蘇醒，似尚不夠。爲何不予加編一點，落到吾國的老法一套，有情人成眷屬？

生死恨從前祇有梅氏的一種本子，現在又有所謂「新」的本子，曾見金素琴與其弟子徐增壽演過。其最大顯著，是勸程逃走，祇有一次，張萬戶就聽信讒言，把她賣掉。論理勸一次即挨打，就不宜再有第二回！員外納妾並無安人，爲求子息，應該如此。也有人說，賢惠的夫人，常爲子嗣爲夫納妾，有安人也無所謂，而玉娘表述以後，員外不忍奪入之妻，才遣送尼庵，爲免場子單調，有之也可以。

生死恨要唱得好，必愼選程鵬舉，不知羅倫是找那一位？可不能湊付，即能唱砸！有人問我，蘇三艷史，爲何不用王小玲，而請高戈平，放映出來，這漂亮的扮相，一些也沒有。我說：這是提調的主見，他要不太好看，已放在妙算中。高戈平唱呂伯奢很好，甚至獨挑一齣老生戲，也可以。惟獨小生，則似乎帥不了，而大煞風景！

我認爲演戲選配角，不能以情誼用事，否則不能精采。茲因羅倫將演，希望稍改主觀，以劇藝爲前提，這一要則。尤其刪減冗場，要能銜接貫氣，不然棄了精萃，便不生色。因談生死恨的新舊，併附述之。

西太后與珍妃

——「影劇與歷史」之六

周遊

光緒二十年（甲午，一八九四年）帝漸長成、當時中國處在外患日亟之中，圖治之心乃切。見朝中各大臣皆是西太后私黨，老朽昏庸，且不聽號令，乃擢升編修文廷式爲侍讀學士，由七品升爲四品；並命文廷式常教珍、瑾二妃課讀。二妃之兄志銳升侍郎。於是西太后大滋疑忌，處心積慮，要將珍妃這眼中釘拔去爲快。自是平日小有不敬，西太后必嚴刑責之，她說是正宮之中的體制。

一日晨，慈禧傳珍妃到同豫軒，行到流水音，遇到西太后。太后見撑船太監未着袍，怒其大不敬，命重責之。因爲時間尚早，宮杖尚未到來，便命以所乘的轎竿撻之。時隆裕及珍瑾二妃聞聽說太后已經到了，惶懼萬分，因而昏倒在地，人事不醒。西太后此時也急了。急忙到瀛台告知光緒，帝憤而說：「死就死了，從此永不立后」！詞意堅決。自此之後，珍妃與西太后之間益增嫌隙。珍妃因喜攝影，暗使太監於東華門開設照相館，以爲沖洗照片之便，不料事爲隆裕后所知，密告於西太后，她活活把那個倒楣的太監打死。又因珍妃之兄志銳爲光緒用爲腹心，謫往烏里雅蘇台。文廷式乃託病出京而去，倖免於罪。光緒的師傅翁同龢，革去毓慶宮差事，使他不得與光緒接談。光緒因失去股肱。翁出京之時，榮祿賄以千金，執手嗚咽，貓哭老鼠，其實革去翁的職務，就是他獻計給西太后的。

說西太后是中國歷史上最壞的女人確不過甚，她比起武則天不知差幾百倍。她不但不要光緒及一些大臣讀書，學習新法，並且教她的兒子吸食鴉片、賭博、縱淫等事。章太炎爲「冠運材傳」中述說：「……乙未十月，西后復專政柄，（按她在光緒十六年曾下過歸政之詔）杖二妃（珍瑾二妃），蓄志廢立，日逼皇上爲蒱博之戲（賭博）。又賞皇上以鴉片烟具，勸皇上吸食。而別令太監在外造謠，說皇上失德，以爲廢帝之張本。……」

西太后將光緒一干親臣全部拔除，寵妃珍妃幽禁在「建福宮」，後復遷到北五所的三所之中，令宮女二名監管，門外反鎖，飲食僅由檻下送進。珍妃原住的景仁宮即被封起，守宮太監也全部被逐。（五）

蓮之詠歌

·匡正·

梁武帝之西洲曲中，采蓮句子，尤甚哀艷動人。曲云：「……開門郎不見，出門採紅蓮。採蓮南塘秋，蓮花過人頭。低頭弄蓮子，蓮子清如水。憶郎郎不至，仰首望飛鴻。飛鴻滿西洲，望郎上青樓……。」廻環婉轉，蕩人心肺也。有採蓮作開心遊戲者，如孫光憲之「菡萏香蓮十里陂，小姑貪戲採蓮遲；晚來玩水船頭濕，更脫紅裙裹鴨兒。」斷句如：「金槳木蘭船，戲採江南蓮。」如「吳姬越艷楚王妃，爭弄蓮花水濕衣。」等是也。以上詩情曲意，香艷綺麗，非等閒之品，是蓮在文學中，乃特具風格矣。

詠蓮之詩多矣，而唐之李白，則別開生面，其寄個人身世，寓託深遠。其一云：「涉江弄秋水，愛此荷花鮮。攀荷弄其珠，蕩漾不成圓。佳期綠雲重，欲贈隔遠天。相思無由見，悵望涼風前。」這裏欲贈隔遠天，請問受贈者爲何人？相思無由見，見者又爲誰呢？其二云：「碧河生幽泉，朝日艷且鮮。秋花冒綠水，密葉羅青烟。香色空絕世，馨香竟誰傳？坐看飛霜滿，凋此紅芳年。結根未得所，願託華池邊。」其自况之高，香色空絕，馨香誰傳四句，又是何等悲怨？以「結根未得所」兩句結束，更可醒悟世人矣。以實用目的而寫蓮者，有張籍之詩云：「秋江岸邊蓮子多，採蓮女兒憑船歌。青房圓實齊戢戢，爭前競折蕩漾波。試索綠莖不尋藕，斷處絲多刺傷手。白練束腰袖半捲，不插玉釵梳妝淺。船中未滿度前洲，借問誰家家更遠？歸時共待暮湖上，自弄芙蓉逐蕩槳。」唐人寫蓮者尚多，如韓愈、姚合、鄭谷、朱超等。而近體詩外，尚有宋之問秋蓮賦等，不一一具錄。（四）

內僑警台報字第〇三壹號內銷證

自由報
THE FREE NEWS

第五五七期

中華民國僑務委員會登記
台警新字第三二二號登記證
中華郵政台字第一二八二號執照
登記爲第一類新聞紙類
（逢星期三、六出版）

每份港幣壹角
台灣售價新台幣貳元

社長：雷嘯岑
督印人：黃行書

社址：香港銅鑼灣高士威道二十號四樓
20, CAUSEWAY RD 3RD FL.
HONG KONG
TEL. 771726　電報掛號：7191
承印者：大同印務公司
地址：香港北角和富道九六號
台灣分社：
台北市西寧南路壹壹捌號二樓
電話：三〇三四六
台郵撥儲金戶九二五二

一場糊塗

狼來了！

「亞非會議」前瞻

洪江

所謂「亞非會議」的第二次會議，幾經艱難困苦之後，本月二十九日，看樣子將在阿爾及利亞的首都阿爾及阿，正式打響鑼鼓，實行粉墨登場了。據截至本月十五日晚間的消息，在被邀請的六十五國之中，有四十九個國家已經決定參加會議。十五日距離集會期還有兩星期，估計期中尚有若干國家陸續表示接受邀請，屆期可能有五十好幾國前往赴會，不能不算是「盛會」。十年前的亞非會議首次會，參加的國家，連毛共僞政權算在內，只得二十九個單位，兩相比較，倒亦是很可觀的「進步」。

亞非同爲大洲，擁有最多的國家，其中許多國家都是剛掙脫殖民統治羈絆獲得獨立自主的，一般又均是產業鮮經開發的「落後地區」，地理的鄰近，歷史的政治的經濟的甚至社會文化的傳統共通之點，其所面臨的問題，亦大同而小異，彼此結合起來，增進交誼，有無互通，相互幫助，爲共同的福利而戮力奮鬥，確實有其必要。但眼前這個亞非會議，却從開張大吉的首次會，便走了歪路邪路；這次的會議，就其籌備過程言，更極盡離經叛道開歷史倒車之能事，當然不可能希望其開出好花，結得善果。

亞非會議的第一次會議，是一九五五年四月十八日至廿四日在印尼的萬隆舉行的。那次會議，由於領導者不得其人，命題立意犯了大錯誤，方向既乖違，行事自荒謬，引狼入室之餘，授柄魔鬼，太阿倒持，落得個利未見而害先現，貽禍至今爲烈。不但需得費一番大手脚，要把它糾正過來，甚至有需要另起爐灶，實行從頭做起。

亞非會議首次會所犯的大錯誤，主要有下列三件：（一）發起并領導這會議的人是當年印度總理尼赫魯。尼赫魯其人，志大才疏，心地尤其不純正，愚而自用，胡作非爲，將來的歷史家會肯定，他主政印度十幾年的「成績」，是深深的害了印度，這個國家之不定，對於我們這個人類世界，他亦是罪孽深重，難邀饒恕。搞亞非會議搞得一團糟，正就是尼赫魯的一大罪狀。亞非會議領導非人，表現自然一榻糊塗了。

（二）尼赫魯當年，係以中立爲名、親共媚共，是實的投機取巧手段，挾共產集團以自重，而力向自由世界勒索敲詐，自鳴得意的。他搞亞非會議的眞正目的，亦無非以亞非國家爲籌碼，以增益他作惡的資本而已。所以，他所畫出的藍圖，乃是妄想把亞非形成國際兩大勢力夾縫中的「第三勢力」。在這樣是非善惡不分之下的所謂勢力，實際僅能發揮爲共產集團効勞、賣命，以腐蝕、分化削弱自由世界的效用。十年來的表現亦正是這麼一回事。這那裏是亞非國家眞正的利益所在？

（三）亦就在尼赫魯如此存心與作法之下，毛共僞政權被拉進了亞非會議——當初計議召開亞非會議時，曾有的國家當局主張，邀請中華民國參加，尼赫魯的答覆竟說：「世界上無此國家」。尼赫魯本意，也許只是利用毛共，却不知自量，利用轉而爲毛共所利用。其勢這次的亞非會議，比上次會更不堪聞問，亦種禍於此。尼赫魯晚年，總算已發覺他當年所犯的錯誤罪惡，竭力想改，可惜爲時已晚，還未能徹底自我糾正過來，他自己的生命便完結了。但尼赫魯所留下來的惡劣影響，却不但不曾跟着他死亡，方興未艾，亦就顯然變本加厲了。

尼赫魯晚年，有了若干程度的覺悟，亞非會議首次會於十年前開過後，因爲這會議立刻轉而成了毛共搞其國際統戰的大招牌，其勢洶洶，不可名狀，尼赫魯駭怕了，乃以退爲進，多方阻撓，使毛共急於要鼓動開的第二次會議，一直開不起來。及後，毛共多方做工夫，到處使銀彈，總算於去年四月，在耶加達召開了亞非會議第二次會議的預備會議。亞非會議第二次會議，原本定於本年三月十日舉行，卒以未能搞成，而展期到本月廿九日。

毛共爲了搞成這次亞非會議，費了多少民脂民膏，究竟花算無可計算。爲此，周恩來等人年前從底所做出的明顯的奔走，便得下列：周恩來與陳毅於前年底至去年四月，先後訪問十四個亞非洲國家；本年三四月，周恩來和陳毅又分別訪問了阿爾及利亞、埃及、巴基斯坦、緬甸、尼泊爾等亞非國家；本月初周恩來又訪問了巴基斯坦與坦桑尼亞兩個國家；另外陳毅又曾前往印尼參加「萬隆會議」十週年慶祝會。凡此充分顯示，毛共對於這次亞非會議，是存有大陰謀，準備着著實實加以利用的。它的矛頭，顯見欲指向三方面：

其一，攻訐自由國家，特別是攻訐美國。

其二，分化不結盟集團，進而控制之，利用之。

其三，擴大對蘇俄的意氣之爭，欲由此而爭取共產集團的領導權。

這其中的第三項，從毛共的竭力企圖不許蘇俄參加亞非會議，可以見之。但這是毛俄之間的事，誰勝誰負，均與人類幸福前途無關，自然亦與亞非國家的利益不相干。毛俄間雖口舌之爭，煞有介事，而在天之狀，……

們那個狐群狗黨的首要課題，是「埋葬」自由國家……毛共這次將企圖以越南戰爭爲題目，以「反美」爲口號，……配合越南戰爭……很值得全世界……至於分化并進而利用不結盟集團，較值得重視。不結盟集團，正就是亞非國家；這次亞非會議，……亦經兩次發展到五十……毛共因與蘇俄……盟約，無法打進去……見其勢力日重，眼紅……當然……但之，最值得……分化之，進而利用之了。

這次亞非會議，毛共當然還是要……文章，這亦才是它……能否成功……是可以肯定的……胡鬧一氣，亦是可以肯定的。

今日與明日

南越又鬧政變

南越又發生政變，主政的文人內閣潘輝括總理已將政權交還軍人；不過，在新的政府未組成之前，仍任過度時期政府領袖，領導看守政府。

南越自從軍人交出政權，由立法議會選出潘克丑任元首之後，歷任兩次政府，即陳文香與潘輝括。就人品來說，陳、潘兩人皆負清望，在過去十幾年擾攘不安的政局中，沒有絲毫污點；論到材具也都有相當抱負，確實想爲國家作點事。但是兩人皆未能久安於位，其故安在？

今日越南政局，基本力量有三，即軍人、佛教與天主教。佛教與天主教始終處於對立地位，軍人則介於其間，有時與佛教聯合，有時則與天主教結盟，完全視環境而定。陳文香內閣之倒，是由佛教徒發難，軍人暗中支持。當時軍方首腦阮慶希望藉佛教力量推倒陳文香內閣，引起政局混亂，乘機再攫取政權。不意陳文香雖被推翻，阮慶也被驅逐出國，形成兩敗俱傷之局。元首潘克丑乃任命潘輝括組織內閣。共歷時三個半月，也算是一次「長命內閣」了。

潘內閣倒台原因

本來潘內閣是可以有所作爲的，由於美機出動轟炸北越，韓、澳、紐紛紛派兵赴越參戰，使整個形勢爲之改觀，南越人心士氣均穩定下來；更由於軍方已沒有眞正的領袖，對政權沒有野心，原來的最高統治機構軍事委員會已經解散，內閣只向元首同議會負責，已不需向軍人負責，更容易處理事務。不意天主教又起而搗亂，把穩定的政局又搞亂了。

佛教徒之反對陳文香，天主教徒之反對潘輝括，與當年佛教徒之反對吳廷琰不同。當年佛教徒之反對吳氏兄弟，確因受到壓迫，因此獲得世人同情，激起了軍方對政府的敵意，終於把吳廷琰政府推倒。此時情形則完全不同。不論佛教、天主教，在南越皆不會受到迫害，反過來，宗教却進一步要干涉政治，向內閣推薦部長，不被接受就起而反對。佛教徒之反對陳文香，天主教徒之反對潘輝括，皆由於此。

今後形勢

越南這次政變，似乎不是軍人採取主動，而是潘輝括總理自覺無法應付局勢，將政權交付軍方。同時，潘克丑也辭去元首之位，使南越勉強成立起來的文人政府又根本解體了。而軍人方面，又缺乏強有力的領袖可以控制全局，勢必又如走馬燈一樣換個不停。在此情形下，眞正有心援越的鄰邦，也都會感到躊躇了。（何如）

藥石之言

自由談

日本政界元老吉田茂最近發表對越南局勢的談話，批評美國的作風甚爲透闢。他認爲「美國人不瞭解越南的特性——他們的歷史，他們的生活方式以及他們的社會。美國人應在越南作些什麼，自己已有先入爲主的觀念，而盡力去付諸實施。」他根據過去美國佔領日本時期的經驗，指出「美國對這個國家的最佳措施，只有他們自己的意見，而不聽取別人的意見，就是這種行動引起了反抗」。「我相信美國人現在還是如此，而且正在喪失其他民族的愛戴與信任」。吉田這番話，眞是甘苦有得的藥石之言，不知美國朋友聞之作何感想？

美國於大戰後對自由世界諸友邦實行援助計畫，使其獨立自由或復興的誠意與作用，是無可懷疑的。然結果常聞受援國家多有不滿美國的言論，而美國人自己對於援外政策亦有「以金錢購買友誼」的觀感。這原因即如吉田茂所說的，一點不差。美國人遇事太天眞不求甚解，而其自信自負的心情又極強烈，決不相信別人的話。然他自己的見解并不高明，例如強迫一般膺受共禍的友邦，跟共黨組織「聯合政府」，以及教一些產業窮乏、文化落後的受援國家，必須實行美式民主政治等等，即其明證。別人對於美方的主張若有異議，便以「停止美援」相脅迫，再不然，就指對方是「敲詐美國」。一派優越感和面有德色的神情，令人不堪忍受。

每一個國家民族，皆有其歷史傳統的特性，猶之乎每個人皆有其個性，人與人之間，要想成爲可共患難的朋友，唯一條件就在彼此瞭解個性，進而互信互諒，久而……美國實施以財力物力援助友邦獨立復興的宗旨是正大的，作用亦很宏偉，不失其爲世界盟主的泱泱大國風度，由於對受援國家的特性不瞭解，只是憑着自己的尺度以衡量別人，因而美國所得到的援外成果，怨懟之聲多於感謝之意。這眞是得不償失！反過來說，如果不是美國實施援外計畫，許多自由地區早被共禍淹沒了。爲着拯救自由人類的浩劫，美國與受援國家必須建立互信互諒的交誼，而以先求瞭解彼此的特性爲第一義——美國亦有其特性。吉田茂的說法，值得注意也。

馬五先生

對五十五年總預算處理 屏東縣議會舉措為人詬病
縣府各單位業務經費被刪減約半 議會本身類此項目却均照案通過

（本報記者袁文德屏東航訊）屏東縣議會六屆三次臨時大會，對屏縣五十五年度總預算，略有刪減與增加，其中最主要的刪減為縣府各單位業務費；至於議會本身預算，則大概照案通過。被許多人評為驚人傑出的表現，而頗為議會以外的地方人士所詬病。

縣議會此次召開臨時大會，其主要意旨，就在審議屏東縣五十五年度地方總預算。大會為對預算案的增、減訂立標準，會於分組審查前舉行秘密會議，決定了刪減各單位旅費、文具費及餐費等原則。假定議會本身類此項目亦予刪減，足示「大公」，然而並不。因此消息傳出，引來到處一片議論譏諷之聲，結語是「人不為已，天誅地滅」八個字。

據某財政主管語記者稱：屏縣五十五年度地方總預算二億二千餘萬元，照說在議會遭過刪減百餘萬元，實在並非過份。不過，這次議會所刪減各業務單位的經費並非編列不近情理的預算開支，而是旅費、文具費之類的預算。那些預算，雖然三二年來物價已微有波動，却並未經調整增列，如此而遭刪減百分五十，當使業務推展倍受影響，是值得重視的。舉一個例，教育科原編定開會用餐費，每頓每人份新台幣一○元，結果亦要遭到同樣命運，刪減為五元，不是太過份了麼？

又據某幾位主管語記者稱：議會刪減各業務單位預算，必須在合乎情與理的原則下為之，否則難免遭人物議，到議員諸公的態度，與立場。如此的刪減，對業務推展的影響，自在意中，這是否地方之福呢？

而且議會本（五十五）年度經費預算，已由原來的二、○二二、二一九元，增至為三、一五八、五四二元，其中除去正、副議長公館建造費六○○、○○○元被刪減一○○、○○○元外，其他則如數通過，是何道理？尤其是議員地方建設研究費，省府通令規定每人每月四○○元，專案調查二○○元，這次屏東縣府編列的地方建設費，每人每月是一、○○○元，增加了六○○元，議長特別費亦由每月六、○○○元，增加為每月一○、○○○元。便均照案認可了。「公」在那裏？

按屏東縣議會議員的收入是：兩次大會交通費三百二十元，膳宿費三千三百六十元；兩次臨時大會交通費三百二十元，膳宿費二千四百元；專案調查二千四百元；地方建設研究費一萬二千元；合計全年共得二萬零八百元。平均議員每人每月收入是一千七百三十三元三角三分。如此待遇，比縣府一位荐任級科長待遇要高過一倍，而頗有向省議員每人每月平均收入六千四百九十多元迎頭趕上的趨勢。

共產國家間諜無孔不入 倫敦審訊東德商業間諜
——倫敦通訊

倫敦正審訊一宗共產國家幹的商業間諜案。這個共產國家是東德。這案子可反映共產國家的間諜無孔不入，如水銀瀉地，什麼方面的東西都是它們盜竊的對像。

這宗商業間諜案的高潮之一是：一班晚上的特別快車，正駛往東柏林。車內匿藏有若干枝牙膏。牙膏之內，是一筒三十五糎的菲林，是秘密情報的縮影。這些東西是與斯丹的一名英國人所有，他把它交給一名東德的職業間諜。

在法庭上，旁聽者聽了也心驚胆跳，——全部過程比任何一部緊張小說更精彩，其中包括陰謀、賄賂、密碼、特拉科加廣場約會，還牽涉及倫敦的一間酒店及咖啡館。證物呈堂時，有一本寫上東德地址的日記簿。人證呢？數名保安人員監視兩名男子前往倫敦紅燈區看脫衣舞。

被告兩名，是四十二歲的羅拔斯及三十八歲的康維，他們均居于米德錫的哈勞區，曾在柯達菲林公司任職。他們被反貪污部起訴，他們的罪名是與蘇伯特與哈伯特兩人共同接納賄賂，進行與柯達公司有關的行動。他們被控從蘇伯特處接受一千馬克作為報酬。

主控官巴瑪對法官說：蘇伯特是替東德一間國營的工廠服務，其任務是探取有關工業上的情報，他說：「換言之，蘇伯特是一個商業性的職業間諜。」

一九六一年十一月，他被派來倫敦，與羅拔斯接頭，當時羅拔斯是在柯達公司裏任職。蘇向羅拔斯提出有條件的要求，如果他肯盜取攝影化學的公式，報酬是六十四鎊。結果羅拔斯答允，他們曾在倫敦各區頻頻會面，雙方成交了許多次。

到一九六二年六月，蘇伯特發覺另一個人對於柯達攝影的秘密，比羅拔斯知道得更多。他便是康維；與羅拔斯在同一部門工作，但因職位關係，他對攝影方面的認識更多。

他們三人來往交易已有過幾次，到一九六四年一月，他們才被英國保安人員發覺。

巴瑪在法庭上說：「初時，保安人員以為這個間諜工作會牽連國防秘密，所以進行嚴密監視。說到這種職業間諜，在國際市場上，競爭相當劇烈的，監視的過程是這樣——保安人員在北堤巴蘭道見蘇伯特與康維會面，他們一起走進一間咖啡館，他交給康維一個信封，裏面是一千馬克，然後他們同往皇宮酒店，康維這時交一份文件給蘇伯特，上面是解答有關在柯達公司工作的問題，它們全部被攝在三十五糎的菲林上。

「這件交易完成後，蘇伯特與羅拔斯會面。他們共進午餐，然後分頭交款。話分兩頭，蘇伯特返回自己的酒店，向哈特報告經過；哈伯特是來接替蘇伯特的，他們與康維將在奧斯丹見面。

「但羅拔斯突然出現，把藏有卅五糎菲林的牙膏交給哈伯特，並解釋菲林的內容。這些牙膏被藏于開往東柏林的一班夜車的洗手間內。事後，警方曾前往搜查羅拔斯與康維的寓所。在羅拔斯家，他們發現一本日記，其中一頁是一月十一日下午三時至十一時的記載。

「蘇伯特這麼寫道：他與哈的約會是當日上午十一時，然後下午三時才返回。此後還提及一個東德的地址。如果他想與某人接觸，在緊急時，可以利用郵寄明信片，上面寫上指定密碼。目的便是便利聯絡。」

在法庭上蘇伯特作供時，有時說英文，却有時說法文，還攙雜一些德文，辛苦了通譯員。他說他是一位化學專家，他承認他曾替東德DIA工廠供給工業上寶貴資料。他受命于曼法特及希斯兩人。他與羅拔斯首次會面時，由於雙方不認識，他遂打了一條特別標誌的領呔，他曾在倫敦，奧斯陸及布魯塞爾等地與羅見面。羅拔斯曾對他說將前往莫斯科。

蘇伯特說：「我的僱主對我說，吩咐羅拔斯前往莫斯科會見曼德特。同時，哈伯特給我一份文件，其中是十個問題，叫羅拔斯或康維將它們解答後送回。後來，康維將答案攝在菲林裏。於是，我將這卷菲林秘密藏于火車的洗手間，那班夜車是直往東柏林的。

「我最後一次與羅拔斯會面的情形是這樣的：他交給我一些有關柯達公司在東歐銷售其他秘密資料。哈伯特給他一千七百馬克，還加三百馬克，作為旅費。」

蘇伯特坦白說：他認為做一個商業性質的間諜，並不以為恥，如果對國家有損的話，他願意向英國當局報告詳情的。據他所知，一切由羅拔斯與康維供給的資料，已送往東德政府的工業計劃部。

一名保安人員在法庭上作供，描述蘇伯特與康維在史蘭特會面的情形：他們會面的地點是皇宮酒店，在那裏，康維給蘇伯特一包東西。事後，康維與羅拔斯在一起，同往紅燈區看脫衣舞。

柯達公司的高級職員拉斯里說：公司每年耗資數以百萬鎊計，作為研究工作的經費。他記起，在一次宴會中，當他與其他高級職員談及工廠保密的問題時，羅拔斯與康維在場，他們甚感興趣。

太平洋之謎——復活節島
——本報資料室

復活節島或稱拉巴紐島，在南太平洋東部，離開英屬，彼特加恩島東約一千四百哩，離南美洲的智利共和國約二千哩，面積僅約三十平方哩，從遠處眺望它祇有一堆亂石；但是它的名稱頗為動人，這是由第一個發現它的荷蘭海軍上將羅赫雲所定的，因為他在一七二二年復活節那天發現這個小海島。

復活節島是一個荒蕪的地方，現今智利政府將它作罪犯放逐的墾殖區。在那裏除有幾株無花果樹外，祇有少量的香蕉、甘蔗、棉花、烟草、馬鈴薯、蕃薯和蕃茄種植，大約有四分之三地方是草場。

據麥美倫勃朗教授研究，復活節島本來包括有多個海島，都已沉沒，祇剩回復活節島。一九二八年探險船卡尼其號曾到附海洋探險，發現復活節島跟沉在海底的多個海島是相連的。

假如交通方便，復活節島無疑能吸引許多遊客，因在島上有許多畸形的大石柱。但你若要去訪問，相信你會難倒你去詢問的旅行社，因為那裏是不容易到達的，每年祇有智利的炮艦去一次，運所需要的東西去，此外極少有船經過。

復活節島上，約有居民二百人，他們多是波里尼西亞族的人。他們沒有什麼組織，沒有酋長，但很和睦的同住在一個名叫亨加羅亞的村落。他們沒有使用金錢，仍行以物換物的交易。

西班牙航海家高莎里尼在一七七○年到復活島去，將它歸併入西班牙的版圖，改稱聖卡羅，他們到海島東部的三個小山丘上，豎起一個十字架。四年後，英國探險家庫克艦長到來訪問，他在海島西面的一個海灣下碇，現名為庫克海灣。他在島上祇居留三日，沒有考察各處，他後來對人說，因為當地的土人慣於偷竊外來人的東西，庫克頗受損失而不敢久留。在一七八零年法國探險家黎見羅前往訪問，他贈送許多羊，山羊和豬，更有許多植物的種子給土人，那個法國人對他們的恩惠頗大，但結果，也要損失了一頂帽子。

一八八八年智利政府正式佔領復活節島，幾年後，智利與英國公司在島上約領二萬五千畝草地，專利育養四萬隻羊，每年可剪羊毛約十二萬五千磅。

在第一次世界大戰時期，復活節島曾被德國海軍利用做南太平洋的海軍基地，但曾在那裏停泊的德艦，在福克蘭羣島戰役，被英艦隊所敗，無一返回這個基地。

復活節島的地土屬火山質，動物祇有蜥蜴，大老鼠和野貓，更有各種海鳥，當地有最多蒼蠅和蟑螂。

在復活節島上最特色的東西是畸形的石人像，數目超過五百五十個，最高的高達七十尺，估計重一百噸，其餘多是高三十多尺，也有高六尺或以下的。所刻的人像，相貌都相似，特別顯著的是有大的耳朵。人像多是大身像，但大部份因地土的變化，已被埋藏在泥土中。本來都是豎立的，但現在有許多已倒下，變成面對天空。在一像頭頂也有像戴上帽子的。現在復活節島居住的人對那些石人像絕不關懷，他們也不知它們的來由，他們認為跟他們絕無關係的，並不是他們的祖先的遺物。

考古學對那些石人像的來由尚有多種推測，有人說那些是從一千哩外的地方運來的，又有人說現今的復活節島地方是一座大火山的頂，其餘都沉落海底，所剩餘的土人迷信免再受他們的天神懲罰，所以就雕刻出大石像來做贖罪。用來雕刻石人像的石質是跟當地接近火山處出產的一樣，同時所發掘用來雕刻的鑿子等等也是用同樣石製成的，更有些石像是尚未完成的。從這些情形看來，石人像在當地製成的。但是雕鑿者是誰？他們的動機是什麼？仍是復活節島之謎，也是太平洋之謎，更是世界上最大之謎。

十分可笑的傳說 高玉樹居然活動競選下屆副總統

（本報台北航訊）據傳現在台北市長高玉樹，為了挽回其就任台北市長以來市民對其逐步增加之惡感，已開始活動簽署提名競選下屆中華民國副總統，成敗不問，用意但在藉此抬高其身價。

按高玉樹在競選時期，大發其政見，曾開出許多支票，然而他就任台北市長以後，對那些支票，連想都不去想他一想，似乎抱着說是說，做不做有什麼關係的態度，所以在市議會中，連他以前的擁護者議員林水泉，也指罵高玉樹只會欺騙，只會虛偽，做事敷衍了。據說，高玉樹感覺到在今後，所餘三年任期內，難免使台北選民更失望，遂想出一套自抬身價的辦法——競選下屆副總統來了。據傳他已積極活動，發動簽署，不惜每人給以新台幣五萬元為代價；如以一百人計算，即須新台幣五百萬元，即三百人則為一千五百萬元，此數雖鉅，但據說他以為藉此宣傳——當選自絕無可能，仍是合算的。

屏東縣下年度預算 總額新台幣二億餘

（三）衛生及社會支出二七二萬餘元，佔百分之一、五。（四）警政及民防支出二、八八四萬餘元，佔百分之一七、（五）其他各項行政支出二、四二三萬餘元，佔百分之一四、五。

屏東縣五十五年度預算施政重點：（一）甲）經濟方面：（一）興築土庫至里港，屏市至三地門等柏油道路。（二）擴建恆春尋廣嘴漁港，次要河川、鄉村簡易自來水廠。（三）推行綜合性企業化養猪、猪瘟防治、猪人工授精、水土保持、植物保護、種子保養工作等。（乙）教育文化方面：（一）增建平地國校教室五十九間。（二）山地教室九間。（二）增建中學教室三十一間，並設枋寮初中一所，內埔中學竹田分部。（三）爭取五十六年度廿一屆省運會，籌建體育館，擴修體育場，充實各項體育設備等。（下）

新儒顯微鏡下的人性光輝
——解答了哲學上一個大難題
（論道統第六章）

陳健夫

卽令是一個極惡的人，在他生命力可能發揮作用的時候，多少總有着善良的意念潛伏着，從而發生一種不可抗的影響來支配着這一個人的行爲。聖賢教人端在喚醒這一點良知良能，誠然是有所見到。

生命力爲粹然至善，人若獲得這個源頭，天機活潑，生命必進入高明博大的境地，便自然而然的，一點不作爲不勉强的，以宇宙內事作爲己分內事了。聖人之道所以萬古長存，歷久不衰，便是由於人類具有這個至善的生命力的道理。

人們必須承認，凡是由物質產生的病痛，決不可能完全用心理的或精神的觀念去醫治，仍須用物理的方法去診斷才會有效。人心的惡念決不是一些空洞的「天理」「良心」之類的道德觀念所易爲治的。治心如治水，我們必須用治水的原理去治心，才是根本辦法。大凡治洪水，一定要開導疏濬，使它有一個出路順流而下。若是不用這個方法，東邊築個堤，西邊築個壩，東堵西塞，那一定不免洪水橫流，氾濫成災了。古人用宗教禮教來治人欲，也就是犯着這個毛病，所以不能發生很大的效果，不能連根拔掉。因此人欲也成了黃河之水，永遠總是那樣混濁不清，橫流爲禍了。現代的人也省悟了，知道不能再沿用舊法治水，必須運用新的科學方法才能有效。同樣的道理，我們今天治這個頑固的心病，那一套古老的哲學已不能施之而有效，古人已經屢試而不能見效，我們今天也應該創立一種新哲學，前人的道路既然阻塞不通，我們便應該從新開闢一條新道路。我今發明的生命力便是這個新哲學的開端，便是一個新道路的方向。也可以說，這是科學的良知論。

宋儒呂東萊也嘗說過，「窒慾之道，當寬而不迫，譬如治水，若驟遏而急絕之，則橫流而不可制。故人不禁欲之起，而速禮之復。」這與我意不謀而合。祗是東萊也別無妙訣，只指出一個禮，却也未見得濟事，我今發見的這個生命力却是人人可學而能的，比禮與良知有效得多了。所以說這生命力是治心病的特效藥。是今日的科學良知論。（十一）

哀江南製造局

李仲侯

後來製造局連續建造測海、操江、威靖、海安各輪。滬局造成的第五號輪，船身長卅丈，機器馬力四百匹，配炮廿六尊，吃水十九尺，爲中國自造的第一號大輪。到了光緒初年，福建造船廠早經成立，以造船、訓練海軍爲其職務；各省又多採購外輪，江南製造局就專向槍炮方面發展，造船業務亦與製造局劃分，另設立江南造船廠。製造局至辛亥革命時，已擁有各種機器四千餘部，所造槍炮子彈，種類繁多，均與西洋所製者無殊。

我於宣統三年六月到上海，那時吾母去世，吾年祇十三。我叔父平階公在光緒十年隨鄉先進蔣德鈞（號少穆）進入江南製造局任文案（蔣曾任四川龍安知府十年，後在上海候補，曾一度代理製造局提調），我叔原任蔣家西席，藉緣入局，最後積資升任總文案（等於現時機關之秘書長，或主任秘書）。我到滬是準備進兵工學堂讀書，因手續尚未辦妥，叔要我先學會滬語，以免鄉音過重，於學英文有礙。日則赴炮隊營鮑友晉先生處習國文，每日點讀左傳三四篇，講解了凡綱鑑十多頁。晚上則在寓所附近英文夜館學英文。鮑先生是炮隊營洪管帶（已忘其名）的文案老夫子，蓄着一把山羊鬍子，道貌岸然，人倒挺和藹，教書亦很認眞。他原本是一名秀才，屢試不第，憤而去習刑名，年已垂老，與洪管帶是同鄉，特禮聘入幕。同學一起祇七人，四個是上海，兩個是湖北，祇有我是湖南。炮隊營座落黃浦江邊，周圍用土築成很高的四方型營壘，營外垂楊夾道，風景宜人。進營門是大操場，四周營房，都用紅磚砌成，當中筆直一條跑道，我們在最上棟中間右偏一間房內讀書。

辛亥那年，自從革命軍在武昌起義，消息很快就傳來上海，那時洪管帶時常找鮑老師去談話，他回來有時表情顯得很嚴肅。我們年幼，根本不注意到時局的嚴重發展。（五）

中英鴉片之戰

羅雲

丁、敵艦北擾與不平等條約：

此時義律弄巧成拙，英外相對其向清廷所提條件並不滿意。道光二十一年四月二十一日，英政府宣佈否認義律之措施，要求較前更多之賠償，并將義律撤換，改派在印度之樸鼎查爲全權專使，再行率兵北上，先後攻陷厦門市（七月十日），定海（八月十七日），寧波（八月二十七日），吳淞（道光二十二年五月二十八日），乃入鎮江（六月中旬）而進逼南京（六月下旬）；其別隊一部於二十一年八、九月間，並犯台灣北部。清廷知已無力再戰，乃派耆英爲全權大臣，登艦與樸鼎查議和。迄道光二十二年（西一八四二年）八月二十九日，簽訂了南京條約，算是結束了鴉片戰爭。熟悉歷史的人，都知此爲第一個不平等條約，它開啓了此後列强侵畧之門！此「萬年和約」計十三條，主要內容如下：

一，准英人於廣州福州厦門寧波上海等處貿易無阻。准英國於上述五地設置領事管事等官，並可直接與各地方官公文往還。

一，准香港一島給英，並任便立法治理。

一，賠償白銀二千一百萬圓。

一，和約施行後，仍准英軍駐守舟山海島及鼓浪嶼，須俟賠償之欵全數交清後，始行撤退。

此約旋於次年六月二十六日在香港互換。兩星期後，耆英與英人再訂章程八條，其第七條規定：「英國商民既在各口通商，難保無與內地民人交涉獄訟之事，應即明定章程：英國人歸英國自理，華民由中國訊究，俾免釁端。他國夷商，仍不得援以爲例。」於是領事裁判權乃亦開始行之於中國。

道光二十三年，耆英到廣州與英人訂立「中英五口通商章程」，英國軍艦乃得進入通商五口。在虎門條約中，英人取得在五口議定界址之居住權，以及「將來（中國）設有新恩施及各國，應准英人一體均沾。」之權利。是又爲租界與片面最惠國待遇之開始施行於中國。

四、我們的評論

基於上述各節觀察，清廷幾乎無一是處，眞可謂爲集保守，自大，狂妄，愚昧……之大成者。而英人乘隙侵凌，燒殺掠刦，陳兵議和，苛刻條件，實屬駭人聽聞。茲分別概述清廷之失策如下：

一，外交政策的搖擺不定：先是以「海防無顧慮」（其實，東南沿海，毫無堅固國防設施可言，史料足徵。所謂海防無顧慮，實爲自大輕敵心理之作祟），設國際貿易四港口，以爲「嘉惠遠人」，繼則因「管理不便」，恐夷風變俗」，復改令通商口岸僅限於廣州一地。此其一。既准外人通商，「嘉惠遠人」，自應給以合理待遇，乃清廷愚昧之極，對來華貿易之外商設有多種限制，而行商稅吏巧立名目，額外要錢名目多達六十餘種，致引起外夷之不滿，並助長走私風氣之旺盛。此其二。英政府爲改善對華關係，先後兩次派遣使節與清廷直接交涉，均因清廷堅持外使覲見須行三跪九叩之禮而失睽外之方；復對來使所提通商及互換使節常駐兩國京城之議峻予拒絕，致引起英人極端不滿。此其三。既知西洋來貨甚少實用之品，空耗銀兩（據清廷估計：自道光三年至十八年、白銀外流之損失，數達三億兩以上），而主以貨易貨之策，並嚴行禁烟之政；可是林則徐一經依令執行，發生事端後，朝廷反不支持。此其四。……至於其他種種不智之外交措施尚多，茲不贅述。由此可見，鴉片戰爭肇禍之兇實非林氏，而應由清廷負完全之責。

二，無敵情，無戰畧，無戒備：清廷既不同意賠償焚燬英鴉片烟損失於先，自應立即鞏固東南沿海之防務，嚴行戒備，並策定可行之戰畧。乃清廷一味輕敵，既不知敵之情，復無對抗策畧，更無作戰準備（僅林則徐防守較嚴），致英軍于試探廣東福建沿海，以戒備較嚴未得逞後，轉往浙江一舉攻陷定海乍浦，進逼天津；再舉攻陷虎門，陳兵廣州。至此清廷始知「夷人不可輕敵」其愚昧無知，可見一斑。

三，一戰換將，再戰求和：英軍進逼天津，清廷不思有效對策，反撤換林則徐，而任命一庸魯輩負此方面大任。迄英軍利用琦善弱點，盡量要挾，進攻虎門，又再撤換琦善，改命奕山楊芳督師作戰，楊於英軍攻陷虎門、進兵廣州之際，竟不知設法抗敵，即匆促進行和議。清廷與其抗敵將領等懦弱無能至此程度，實令人浩嘆不已！

四，約前無原則指示，約中無鴉片限制，約後無圖强之方：清室外紀曾描寫宣宗當時心境：「條約既定，帝閱之，徘徊于廊下，直至夜分。從者時聞帝嘆之聲，或自語曰：不可不可！夜三鼓，忽頓足攜約欵入殿，以硃筆批准，收入封筒，令太監送到軍機處。……勿令人盡見。帝雖批准條約，乃茹苦含恨，不得已而爲之，此中國朝廷第一次受歐州之壓迫也。」嗚呼！享受慣了洪福之滿清君主，約前既無一原則性之指示，現在慚愧迷惘又有何用？再者，此次戰爭起因，係由于英人販賣鴉片，但是在條約上反而沒有提到有關鴉片之限制規定，從而使英人得以利用協定關稅，大量輸入鴉片，貽害中國無窮。此外，由于耆英與英人訂立之「中英五口通商章程」協議英享有「將來中國設有新恩施及各國，應准英人一體均沾」之權利，爾後遂使意大利、瑞典、比利時、荷蘭、普魯士、西班牙、葡萄牙等國相繼派遣使領到粵要求援例均沾利益；迄道光二十四年，美使顧盛亦至澳門，與耆英訂立中美五口貿易章程（因訂于望厦，又稱望厦條約），全享英人既得權益；而中法條約，則更享受保護傳教之內容。此後，中國之一蹶不振，而受盡外夷侵凌，實即種因於此。讀史至斯，能不叫人痛心疾首！（五、完）

動物農場

英 George Orwell 著　陳其芝 譯

句話是用自克薩生前的兩句格言做結尾的。這兩句話是「我要更努力的工作。」「拿破崙同志永遠是對的。」而這兩句話是全體動物們都應該引用而且要身體力行的。在舉行追悼宴的那天，一個雜貨店的馬車從威靈頓運來了一個大木箱，木箱直接被送進了農舍。當天晚上，農舍裏又傳出來高揚的歌聲，雜着吵鬧聲。還有酒杯碰撞的聲音。到了十一點鐘，一切歸於寂靜。第二天中午，農舍裏依然沒有絲毫的動靜。也不知是那隻豬傳出來的消息，說豬同志們弄來了一筆錢，才買來那大箱的威士忌酒。

第八章　動物的外交策畧與人海戰術

（編者附誌：此章應在上章之前始合。因郵寄收到時間顚倒，致前後調錯。合補刊如次。）

幾天之後，這場大屠殺所帶給動物們的恐懼漸漸地淡忘了，有些動物想起，或許是牠們以爲自己記得在「七誡」中的第六欵規定：「任何動物不得殺害其他的動物。」雖然動物們不敢在豬和狗的耳目所及的地方提起這回事，但牠們總覺得這種肆意殺戮同類的行爲是違反誡規的。克勞芙要求斑傑民把那條誡文念給牠聽聽，但是斑傑民仍以其一貫的態度表示牠不願意介入這一類的事件中。克勞芙祇好找莫利爾替牠讀：「任何動物不得無故殺害其他動物。」在動物們糊塗的記憶中，「無故」這兩個字原來似乎並沒有，這或許是牠們又記錯了吧。照這麼說，殺戮那些與史諾柏結盟的動物不是很有道理嗎？因爲牠們都是叛徒啊！

這一年動物們的工作比往年還要辛苦些，因爲風車要重建，而且牆基的厚度要比原來的增加一倍，也就是說造風車的工作比原先多了一倍。同時要在指定的時間內完工，此外再加上農場中的那些例行工作，使得動物們勞苦萬分。有時牠們感覺到工作的時間要比鍾士先生在的時候更長了一些，食物也沒有當時的好。星期天的早晨，斯奎勒照例用牠的足趾夾着一張長紙條，對大家宣讀那上面的記錄，那上面盡是些數目字，各動物階層對食糧增產的情形，有的增加了百分之二百，有的百分之三百，甚而有百分之五百的記錄。動物們也不得不像煞有其事一般地相信，因爲牠們對於革命以前的情形是一遍模糊，亦是一無所知，反正時間就是時間，過去和現在也沒有什麼不同，在牠們的有生之年，唯一的希望就是能夠多吃到一些食物而少聽到那些統計的數目字。

拿破崙現在不輕易在公共場所露面，一切規章與法令都由斯奎勒或者其他的豬來代爲傳達宣佈，在十天半月中牠也會偶而出來一次，但每次在牠露面時，身旁隨侍的除了狗衛隊還有一隻黑公鷄走在前面。這隻鷄好似一個佈達員，在拿破崙發表演說之前，先喔喔地叫上一陣。據說拿破崙現在在農舍裏也不和豬同志們生活在一起了，牠獨自佔住了一個寢室，由兩隻狗來侍候，牠吃飯也是獨自享受着小廚房。而且經常把鎖在客廳裏的玻璃櫥內的上等磁具拿出來使用。另外牠還有一項通令，就是在每年牠自己生日的那天鳴放禮炮，像其他兩個紀念日一樣（六月革命，十月牛欄大戰）。拿破崙現在也不能只稱呼爲「拿破崙」了。而必需敬畏地稱呼牠「我們的領袖拿破崙同志」。豬同志又喜歡發明一些新的稱謂及頭銜。（卅三）

津門三行談往

·巧蓮·

楊氏之聲華，在平津頗為著稱，當其來就任津交行經理，凡駐津各外交團領事，皆來道賀，為天津從來未有之事。迨總處南遷後，合約期滿，又再讓賢，由李鍾楚繼任。其後為鍾鍔、徐柏園。楊氏南歸後，宋子文派任建設銀公司副總經理，惟體力不健，祇任二年，隱居吳門。計馳騁銀行界近廿年。

李達字宏章，籍隸上海，聖約翰大學卒業，與宋子文為同學。後留學美國。其時國內有三李達，一為名教授，一投共黨作倀，一在銀行界。李氏學成回國，在東北工作，曾於哈爾濱服務中東鐵路有年。民十七，中央銀行在上海成立，業務局長顧立仁，副局長周德孫。民十九，周應錢新之所召，任四行儲蓄會經理，遺缺由周守良繼任，但以分支行日增，業務局事務倍忙，增設副局長一人，宋子文派李達充任。民二十，中央銀行設天津分行，李氏慣居北方，頗願前往，經宋氏允派，遂成事實。開幕之日，副總裁陳行特自滬赴津，為壯聲勢，以卞楊兩氏在津，不得不爾也。惟分支行成立，副總裁親臨，也僅此一遭。李氏抵任以後，知資歷經驗，學識，皆未必能勝卞楊，而己居銀行之銀行地位，如何以取得同業之協調，必求在「人和」着手；因此講求氣派，注意魄力，亦奉准得予交際；因此時常宴客，講究菜肴之佳，酒料之美，格局之靜，幾乎每月與同業均聚會二三次，彼此情感頗融洽，始與中交抗衡，等量齊觀。天津鉅商皆稱李氏謙和易於接近，此「和為貴，謙受益」，是李氏安居津門四年的法寶。津門三家，論地位是中央、中國、交通，但以人謀關係，則中央以創設較後，而中交的潛勢力甚厚，終因同負政府使命，精誠一致，對當時華北金融，極多建樹。因為追憶如上。（完）

發明與市俗

林資

當美國文豪馬克吐溫在一個小城市的火車站月台上大笑一塲時，他就失去了一筆大財。早一晚，他在那個城裏演講，現在等候火車離開，許多出名的市民向他送別；有一個穿着衣裳楚楚的高大男子走過，向他脫帽後，很溫柔的說：「我想你一定是基利文斯先生。」馬克吐溫點頭示意，那個男子繼續說：「我想基利文斯先生，我跟你作片刻之談。」馬氏回答那些人都是他的朋友，有話可以隨便說。那個人就拿出夾在腋間的一個黑色小箱子，隨即說：「基利文斯先生，在這裏有一個小儀器，可能改革人類的交通，我經已獲得註冊，它能夠使相隔幾哩的人，利用綫條，可以互相談話，我叫它做電話。」

馬克吐溫答說那是很有趣味的東西。那個不速之客說：「基利文斯先生，我需要一筆小本錢來發展我的發明，假如你肯給我一千元，我將把我的盈利給你四分之一。」馬氏說他對投資事不生興趣。那個人說：「我需欵孔急，我願意減收半價」，馬氏拒絕，說他曾遭許多發明家和江湖客所包圍過，但他對他們的邀請都拒絕了。那個人就增加到一半的盈利，假如他能得到馬氏的投資一千元，馬氏仍然拒絕。那個人就願收五百元。馬氏也表示不接納。那個人說：「老實對你說吧，我急需欵週轉，我答應給你四分之三盈利，祇要你肯投資五百元。」馬克吐溫再次拒絕。那個男子便向他道歉，說費了他許多時間，戴上了帽子後就離開了。當他僅走了幾步，馬氏就大聲叫他：「喂，你叫什麼名字呢？」那個人停了一會說：「阿歷山大嘉拉咸貝爾。你為什麼要問呢？」馬氏答說：「我想用這個故事做資料，這是我在十年來聽到的最大的笑話。」馬克吐溫同在他身邊的人都大笑起來。後來這個故事傳開，聽到的人都認為那是馬克吐溫的最新的笑話。

其實，這種故事並非新奇，不過情景不相同而已。每一個新想頭，一個新的發明，一個社會和科學改變或一個發明，在當初都會受人所譏笑或揶揄。假如你想知道下一代的進行和享受，祇要尋出現今人們所譏笑的是什麼？這個笑柄可能是明日最大的發明。但是大衆對新奇的東西，多認為不能有實在的利益，支持的人更會受到詆譭，無論他的地位和階級，都是同樣看待。

拿破崙對文明世界的最大貢獻是甜菜糖工業，他可說是這種農業和科學發明之父。當他發動戰爭後，英國的皇家海軍截斷了從西印度羣島運到法國的蔗糖，這個封鎖使到在法國和被法國征服的國家的人民都很不便，因為蜜糖和其代替品都不夠用，拿破崙對德國科學家從甜菜或葉素所提煉出來的糖極感興趣，他嫌那種糖較蔗糖苦，同時色澤較差，但在科學上它是可吃的糖，拿破崙就出二萬五千法郎給凡能將那種糖變成白色的人，又另出二萬五千法郎獎給能提煉得更佳和更高成份的糖，由這兩項獎金而促成今日的甜菜糖的工業。但在當時拿破崙受到各方面的諷刺，就算最接近他的人，也作批評。現在巴黎的博物館收藏有一幅漫畫在當時所繪的，描寫一個保姆抱着拿破崙的兒子，她將一條甜菜的根塞進那個嬰孩的小嘴裏，對他說：「啜，嬰孩，啜，你的爸爸說這是糖呢。」

費拉第在一塲演講中，介紹他新發明的發電器，有一議員走去對他說：「這有什麼的好處呢？」費拉第回說：「也許有一天你們會想出辦法對它抽稅。」現今各電機工業付與政府的稅眞是驚人呢。

當韋特兄弟在美國達頓城外試驗重過空氣的飛機，飛行成功後，當地的報章用很小的位置刊登那個仍被當作是傳說的新聞，事後在達頓城有一個老頭子說：「決沒有人作這種飛行，就算是有，也不會是達頓城的人，因為他們不會這樣愚笨的啊。」

美國在去年曾出一種郵票紀念世界上第一個太空飛行先導者羅拔葛德，圖繪他的遺像和他所放射的火箭。但要知道羅拔葛德曾受到他的同事的攻擊，認為他破壞了他們的大學的名譽，去試驗用流質燃料的火箭。他又被控告在他的本州放射火箭，認為有害社會，若再犯就要入獄，葛德不得已要到極少居民，在美國西南部的羅斯威爾城外繼續試驗。現今羅斯威爾城人民認為那是很榮耀的事，但在當年也有人反對。

若果譏笑的歷史可能是成功之道，那歷投資者可以不用請教經濟顧問，祇要尋出現今有最多人取笑的東西而向它投資，明日他們便會購買，製造和使用呢。

西太后與珍妃

——「影劇與歷史」之六

·周遊

珍妃從此便與人世間隔離，一直關到庚子七月十九，聯軍入京，西太后便下了毒手，狠心的竟將珍妃推入井中活埋。根據宮監唐冠卿日記，聯軍入京之際，西太后將珍妃喚出來處死的一段經過說：「……少頃，聞珍妃到請安畢，並祝老祖宗吉祥。太后說：『現在還成話麼？義和拳搗亂，洋人進京，怎麼辦？……』忽大聲曰：『我們娘兒們跳井吧！』妃哭求恩典（妃知逼其死），且說：『未犯重罪。』太后說：『不管有無罪名，難道留我們遭洋人毒手嗎？你先下去，我也下去。』妃叩頭哀懇。旋聞太后呼玉桂。玉桂說：『請主兒遵旨吧！』妃說：『你何敢逼我』？桂說：『主兒下去，我還下去呢！』珍妃怒道：『你還不配』！余聆此（太監自己）不知所措。忽聞太后疾呼曰：『把她扔下去吧』！遂有掙扎之聲，繼而砰然一響，想珍妃已墜井矣！斯時，光緒帝居養心殿，尚未之知也。後玉桂發疽死。」

據野史記載，推珍妃下井的人是內監總管崔某。又據姓白的宮女說：「慈禧出走到長安時，復封妃為神。一日慈禧假寐時，即夢見妃說：不必加封，吾已成神。並歷數西后十惡大罪。后醒而不語者半日，咽喉盡腫。回鑾後，出妃屍於井，顏如生，粉脂尚存，只失紮腿一飄香帶而已。」

野史所記未必可信。一說是聯軍入京，日本軍守護禁城，內庭晏然，乃由日本軍將珍妃屍首挖出，葬在西田村。曾文正之孫曾重伯，為悼珍妃，曾作了十二首「落葉詩」，朱祖謀、王鵬運賦「落葉詞」以哀之。茲錄惲毓鼎學士賦詩悼珍妃云：

「金井一葉墮，淒涼瑤殿旁。殘枝未零落，映日有輝光。溝水空流恨，霓裳與斷腸。何如澤畔草，猶得宿鴛鴦。」

還有朱彊村「落葉詞」，也是悼珍妃之作。珍妃之死，確為往史宮廷中少有之奇冤；時王半唐、朱彊村等名流皆留京，憂傷抑塞，無以自遣，乃流露於文字，相與以「落葉」為題吟詠，以寄悲慨。後有人集印一冊名「落葉詞」流傳，即吟珍妃之作也。（完）

劇事雜談

·婆婆生·

趙源演東南飛

在夏聲學校畢業的趙源，自因病離開大鵬後，把身體養好，恢復健康，對劇藝不斷的鑽探。前次演二度梅的杏元和番，已見其能在潛修，是可稱許。最近在本月六日，又將於藝術館演孔雀飛，是他在北市第一次上演。妙在戲的安排：此戲完塲後接文章會的玩笑戲，是故作逗人的心理，等於非看完東南飛不可。其心思運用，何其巧也。

孔雀東南飛是已故名伶程硯秋編以授北平戲劇學校諸生，但後來演得最成功的，是張君秋，以此獨擅。在台灣演此戲的不少，除去票友，因與伶工有別，不予並論外，比較上以陳美麟、劉貞模為能手，皆是唱程派腔調。趙源以劇技標準很高，善於表情，是富有內在的揣摩，故其織絹訣別二塲，必有深刻的表現，我將特別欣賞其技能。不過劉蘭芝是貞烈之人，此中應加體味，尤其自怯自卑，要特加描摹。

他很少演玩笑戲，在大鵬時代，雖曾與程景祥演過雙搖會，夠得上稱妙，所惜派戲人，未將哈元章、馬榮祥為配街坊，楊丹麗配相公，故猶未如火如荼。此次打櫻桃，有劉玉麟、于金驊、于玉蘭，堪稱一時儁選，陣容很强，將與徐蓮芝一爭短長。我所望者，李東園兄將演全本桑園寄子（代團圓），頗想趙源一露金氏身份，這並非完全裏子，當年老鄉親唱時，曾請尚小雲，做到聲容並茂，有先例也。

李東園的劇事

八年前，劉豁公在暢流登有「孫派於今有傳人」，為李東園在新疆義演時演托兆碑事，於是台灣劇團中，始知尚有孫派傳人，論說起來，是一奇跡。

東園研習孫派，殆不下卅年，而其演出，在老鄉親逝世後，多是佐孫的琴師徐鏡波操琴。頗能傳出孫派的奧妙。在津所演不下於四十次，與許多名伶如孟小冬、譚富英等並列。其最盛者為黃河賑災義務戲，他演三日的戲是逍遙津、火燒葫蘆峪、胭粉計、七星燈、全本烏盆計。而勝利後為籌慰勞榮軍大義演，定有四郎探母代回令；其同台角色，更空前：公主丁紫雲，太后袁宗保，近雲館主，六郎哈寶山，太君李多奎，把中國戲院，擠滿了二千多人，為天津少有的盛況。

東園來台以後，亦曾粉墨登場，唱過四郎探母（士林官邸），三娘教子（華山烟廠），逍遙津（警務處三軍托兒所），托兆碰碑，硃砂痣，拾黃金（三軍托兒所），失空斬（台中），以及去年所演全本鼎盛春秋，為最艱鉅。將來也許有烏盆計，火燒葫蘆峪，桑園寄子的推出。此次所演，無非是暮示芒尖，要談博雜，當數此君。以其能演之戲，約有六十餘齣，而取滎陽火焚紀信，罵楊廣接南陽關，澠池會完璧歸趙將相和，喜封侯割袍斷義，大保國探皇陵二進宮，雍涼關罵王朗等劇，或許在二年中，可以隨時登場。如果得成事實，應屬自由中國劇藝的一大好音。

蓮之詠歌

·正匡·

至宋，歐陽修有：「池面風來波艷艷，陂間露下葉田田；誰於水上張青蓋，罩却紅妝唱採蓮。」杜衍有：「鑿破蒼苔漲作池，芰荷分得綠參差；曉開一朵烟波上，似畫眞妃出浴時」。此外楊萬里對蓮尤感興趣，如至建昌詩云：「梅雨芹泥路不佳，閑來小歇野人家；綠萍池沼垂楊裏，初見芙蓉第一花。」又一首云：「紅白蓮花開共塘，兩般顏色一般香；恰如漢殿三千女，半似濃妝半艷妝。」上引蓮花詩是何等境界！其他吟蓮詩之佳品多，不能具錄。

「幽夢影」作者張潮，也是一位偏愛蓮花的人，而亦是最能欣賞蓮花的人。他在該書裏說：「凡花色之嬌艷者，多不甚香。瓣之千層者，多不勝結實。甚矣全才之難也！兼之者其惟蓮乎？」由於蓮花潔白而美麗的花朵，不同凡俗，很清潔地挺然站立着，生存淤泥汚雜之中，她開放出潔白的鮮花，偏能出於汚泥而不染！也因她有此特質和精神，蓮花就成為清淨純潔的象徵，為佛教中八大象徵之一。

故佛教派曰蓮宗、佛龕曰蓮龕、佛座台曰蓮台。相傳六月十九日為觀音菩薩坐蓮台之日，又曰蓮華台、蓮華衣、蓮華世界。據說菩薩和佛，喜歡坐在蓮花之上。菩薩脫離了混濁的凡世，正和蓮花出於汚泥而能保持清潔一樣。善男信女更相信，觀音菩薩能把死去的善人靈魂，接引到西方極樂世界蓮花朵上，惡人死後永遠入於地獄。故蓮花也就神而化之了。因此農曆六月廿四日，俗傳為荷花生辰。據羣芳譜記載：「六月廿四日為荷花生日。」故仕女稱荷花為花神之一，婦女每届此日，有祝荷誕之舉。此種習俗，以清代江南為最流行，而尤以蘇州為盛。

（五）

內僑警台報字第〇三壹號內銷證

自由報
THE FREE NEWS

第五五八期

中華民國僑務委員會登記
台灣警備總司令部登記
每份港幣壹角
社長：雷嘯岑
督印人：黃行審
社址：香港銅鑼灣高士威道二十號四樓
20, CAUSEWAY RD 3RD FL. HONG KONG
TEL. 771726　電報掛號：7191
承印者：大同印務公司
台灣分社
台北市西寧南路
電話：三〇三四六

從三項發展看越戰

周秦漢

南越執政者更迭；英聯邦總理會議組織「越南和平團」；美國增兵南越加強作戰，包括本月十八日出動駐紮關島的B五十二戰略轟炸機遠道而來，轟炸越共；同為有關越戰的大新聞，發展前途，值得注意。本文試作初步的分析與觀察。

南越以潘輝括為總理的「文人政府」，由於打算局部改組其內閣，與元首潘克丑意見不合，而發生所謂「憲法權力」問題，爭持不休，潘克丑拒加批准，釀成政潮；加以南越部份天主教徒，以潘輝括壓迫該教為藉口，發動倒潘運動，在西貢遊行示威，更是火上加油，使潘輝括自感心餘力拙，無法解決，乃主動請求南越軍方「調解」。軍方調解的結果是：潘輝括內閣，元首潘克丑以及臨時議會的國家委員會，共同宣佈辭職，把政權交給軍方；而結束了「文人政府」之治，軍人重行起而執政。

在潘輝括為政期中，由楊文明時代便存在的軍事委員會（其領導者已數易其人），會宣告解散，不再過問政事的，却就因為這次兩潘政潮，使其被動的再行成立，主動的執掌大政。新的軍委會係以阮文紹為主席。軍委會經任命空軍總司令阮高奇組織「戰時內閣」，并經於十九日正式成立，負起「挽救國家於危難」的責任。

阮高奇內閣是吳廷琰被殺以來的南越第九個政府，平均每一政府僅得兩個月生命，有如走馬燈然，要想他們有所作為與建樹，可謂不盡人情。南越政局無法安定這項事實，充明證明當年美國公然鼓動南越軍人起而搞政變、宰掉吳廷琰，是一個很大很大的失策。

從楊文明推倒吳廷琰開始，每一次南越政府的更迭，無不與軍方有關，每一次均被稱為「軍事政變」。這一次却稍為不同，軍方本無意干政——他們是被請而來的，就算他們是「喧賓奪主」的乘機把「文人政府」推倒，自我執掌政權，他們或亦出於形勢所偪，不得已而為之。所以，亦祇有這一次南越換政府，雖然仍與軍方有關，却不好稱之為也是「政變」——外國記者報道消息時有的就依然使用政變字樣，殊不足為訓。

據外國記者的報道，這次阮高奇接受軍事委員會之命出而組閣，期中曾遭遇美國人反對的困難，但軍委會與阮高奇未加理會，還是組成了新的戰時內閣。美國人反對阮高奇組閣的理由，據外國記者的報道，是嫌他缺乏行政的經驗，有相當程度的可能性。美國的眞意所在，是希望南越軍委會仍維持「文人政府」的面貌，藉示民主，而資號召。這未嘗沒有道理，也不消說係出於一片想好的赤忱，但總未免流於刻舟求劍，膠柱鼓瑟。約半年前阮慶終於被逐下台，最低限度有部份原因，係由於他與美國大使泰勒相處不佳，乃是公開的秘密。這次阮高奇組閣，雖未接受美國的意見，而亦未聞因此招致不歡，値得欣慰。至於阮文紹、阮高奇能否有所多大作為，固不得而知，但相信對於維持越南軍的高昂鬥志、作戰士氣，南越應必能勝任愉快，維持南越軍的肯戰與能戰，實在已屬南越唯一的資本了。

英聯邦總理會議本月十九日宣佈籌組的「越南和平團」，雖然英聯邦二十一國的意見五花八門，矛盾百出，但成為事實，只是原擬的五代表減為四個，團長則仍為威爾遜。但即使居然有了這個組織，毛共及毛共控制下的北越，會否不加擋駕？且就算毛共與北越還有萬一的機會讓這個「和平團」到了河內，到了北平，它們居然願和的希望，就恐怕還不到幾千百萬分之一。理由很簡單而明白：自由國家愈是表現得求和心切，對方將愈加自大，討價的口吻，正如廣東同胞口語的「吊起來賣」，而致和平終不可得。

但這「越南和平團」的組織，也不是完全沒有好處：它幾乎完全不可能取得和平，但却可以因此使得共產集團存心「埋葬」自由國家的「陽謀」益加大白於天下，所謂「和平共存」只是騙人的鬼話而已。這是政治上的利益；換言之自由國家因此在宣傳上坐收大利，[illegible]對方蛇蠍為心，[illegible]兇終必擴大，臨頭無可倖免。這一宣傳上的利益，姑無論「和平團」能否敲開毛共與北越之門，均可一樣收得。再者英聯邦現有廿一個單位國家，遍佈全世界五大洲，人口為全世界四分一有強，本身是一個不可以忽視的力量，共產集團眞的拒和平於千里之外，其必將為愛好和平的全球人士所譴責，那應無疑義，儘管它們一黨向來只認拳頭，絕不關心於什麼公理、正義以及「世界輿論」。

另外還有一點，所謂「是本月廿九日的第二次亞非會議」，將在阿爾及爾開始舉行，亞非國家中有若干因為曾備受舊式殖民帝國主義的壓迫，心存忿恨，鬱鬱不平，但却對於更殘暴、更惡毒的新殖民帝國主義——共產集團的「厲害」，或尚懵然莫覺，乘機以為可取巧的撈得一把，會議對於越戰大肆攻訐美國，是意料中事；現在「英聯邦」搶先搞出這個「和平團」來，亞非會議上要在越戰問題上做文章，就困難些，無論如何不夠「精彩」、「動人」了。[illegible]

四處為患

無從補救

今日與明日

毛共又罵俄共

毛共人民日報及紅旗雜誌聯合發表一篇九千字長文，痛罵俄共領導人比赫魯曉夫更壞，表示要同俄共鬥爭到底。毛共何以在此時向俄共展開猛烈攻擊？雖然由於一貫政策，但也有幾個近因，爆發了這次狗咬狗骨事件。

第一、周酋此次去非洲訪問，坦桑尼亞鍛羽而歸，所有希望去活動的國家一律不願邀請，最慘的是肯亞竟然不准周酋飛機過境。肯亞是承認毛偽政權的國家，此種行動，確實是史無前例。周酋在非洲跌了這麼大的觔斗，實在無法向一些附毛之徒如蘇加諾、施哈諾交待，只好痛罵俄共以轉移目標，提高身價。

第二，周酋此次到亞非許多地方活動的結果，深深感到阻撓蘇俄出席亞非會議已屬不可能的事，既然遲早要在阿爾及爾碰面相罵，倒不如此時搶個先着。幻想蘇俄也許怕引起更大衝突，知難而退，更收一石兩鳥之效。

不過，布列日涅夫，柯錫金之流，又何嘗是善男信女？恐怕馬上就要展開反擊，一場好戲，可能就要開台了。

亞非會議的展望

這次在阿爾及爾召開的第二屆亞非會議，由於阿爾及利亞當政者本貝拉狂妄無知，一開始就種下許多麻煩，蘇俄與馬來西亞之出席，只是犖犖大者。其次還有些本不應發生的問題，例如直到今天，亞非會議籌備委員會竟未向越南共和國發出請柬，謠傳將邀請所謂「南越民族解放陣線」出席，作為南越的「合法政府」，假若眞的這麼作，試問有地位而自愛的合法政府，誰肯出席？非馬聯盟的十四國已經表示拒絕，其他考慮拒絕出席的還有甚多，可以意料到這場會議必然是吵鬧一番而散。

毛酋健康之謎

由於西方國家及蘇俄均傳出毛酋即將斃命的消息，毛共無計奈何，終於闢了一次謠，就是印尼合作議會議長阿魯季・卡塔威納塔最近訪問北平，六月十日下午三時半會和毛酋作了一次長談，還攝了一張照片，在座的還有頭號傍友郭沫若夫婦。在毛共的宣傳大員看來，有圖為證，總可以闢謠了！可是有人仔細看來，毛酋一張苦喪臉，就好似從棺材裏拉出來的一樣；阿魯季夫婦站在兩邊，他們挽着毛酋兩臂；據阿魯季說他們是在挽着臂行進中照的，這張像。但任何人都可以看出，實在是阿魯季夫婦扶着他才能勉強站起來照了這一張像。當然毛酋並未死；但是要再說他健康，就未免太可笑了。（何如）

自由談

政風腐敗之源

馬五先生

現階段的中華民國各級行政機關，其處理日常政務之低能效率，可謂夐絕古今中外，蔑以加矣。近十餘年來，當局最高當局發出提高行政效率的訓示，而社會輿論亦不斷的批評、指摘政風腐敗，認為非嚴加整飭，即不配談反共救國的話。

可是，上峯儘管告誡，輿論儘管抨擊，而各級官吏之泄泄沓沓，因循敷衍如故也，遇事假藉法令規章，實行「整人為快樂之本」如故也，一種芝蔴綠豆般大的事情，必須通過若干的所謂「有關機關」，讓當事人奔走駭汗，窮年累月而不得要領如故也，甚至同一機關已經核定的事項，換一個主管長官又可悍然否定，不知法紀體制為何物。充分表現着笑罵由人、好官自為的麻木不仁狀態，非之無舉也，刺之無刺也，臉厚如城墻，心黑如漆炭，不亦怪哉！

為甚末構成這樣前無古人的怪象？最基本的因素只有一項，即所謂「人事凍結」政令是也。官吏職位既是鐵飯碗，祇要沒有重大的過錯，照例上班下班，在公廨看看報、說說笑，回家來吃吃飯、睡睡覺，而服務的能事已畢，行有餘力，就喊喊「毋忘在莒」的口號，寫寫擁護總統「革新、動員、戰鬥」號召的標語，即不愧為忠貞幹練的公務人員了！

種瓜得瓜，種豆得豆，在「人事凍結」政令之下，當然產生這種沒有絲毫行政效率的超官僚主義政風，勢所必至，理有固然。反正台灣安如磐石，一切日常生活情況，都比在大陸時代舒適多矣，更樂得不求有功，但期無過的混下去。如果一旦打回了大陸，人事凍結令撤消了，有能力作官吏的人才亦多了，鐵飯碗即有扎破之虞，豈不大可憂慮耶？

所以，今日的腐敗政風，實以「人事凍結」為厲階，每個公務人員的惰性觀念皆很深沉，大家抱着吃安樂飯的混世主義，[illegible]服務之本，整人為快樂之本，甚末輿論的攻擊，社會的清議，台諫的糾舉，皆不値一顧的。憑着如此這般的工作精神和方法，而欲達成反共救國的復興大業，寧不可哂而又可悲乎！老聃曰：「法令滋彰，盜賊多有」，信乎其有徵也。

兩項主要陰謀俱未獲逞 周恩來訪非洲碰一鼻子灰

好幾國實行擋駕根本不許他前往 結果遍體鱗傷一無所成狼狽而逃

——紐約通訊

時隔十八個月，周恩來又在非洲出現了。他這次出現正在中共第二次核爆之後，美國恢復對北越的報復轟炸之時，及北平激烈咒罵蘇俄無援助北越誠意之日，其目的是十分顯然的。

周恩來自以為他的資本是（一）趁着中共二次核爆試驗的餘「威」，他可以向落後非洲吹噓，威脅；（二）趁着美國恢復對北越的報復轟炸，他可以作顛倒是非的反美宣傳；（三）趁着蘇俄對北越無積極援助行動之時，他可以攻擊莫斯科的「出賣革命」；而欲以其巧言令色將中共描繪成一個革命，進步，可為非洲國家的榜樣。

他訪非的第一站是坦桑尼亞，這是中共在非洲進行顛覆活動的大本營。作為坦桑尼亞一部的麥西巴，其地方政權仍在親中共的「革命委員會」掌握中。當周恩來到達坦國首都時，他親眼看到在公路兩邊擔任警戒的坦國軍隊均手持中共製造的自動步槍。同時當歡迎儀式進行之時，隨周恩來到達的共幹們，已在忙着和坦國貿易專家共策退出東非經濟聯盟的計劃了。

破壞東非經濟聯盟，正是周恩來此次非洲之行的主要任務之一，另一主要任務，不消說乃是為第二次亞非會議作一些佈置工夫。此一經濟聯盟包括坦桑尼亞、肯雅、烏干達三國。這三國過去都是英國的屬地，其港口、貿易、幣制、關稅、郵電鐵路交通及稅制等，都是統一的。目前在中共的陰謀策動下，這個結合已面臨瓦解的危機。

據來自非洲的幕後消息指出，中共的經濟顛覆人員早已在大力煽動坦桑尼亞和肯雅斷絕貿易關係，並退出英鎊集團，建立新幣制。中共的貨物已開始大量輸入，同時外傳坦國已印就新的貨幣，只待和肯雅的貿易關係斷絕即可開始流通。

此間某非洲外交人士稱：坦國總統乃若瑞之所以主張與肯雅斷絕貿易關係，可能是為達到兩種目的，其一是坦國的貿易入超，不利情況可因而中止，其二是坦國可在「援助」的條件下廉價自中共取得其必需的物資。但這是一種短視，危險，與虎謀皮的看法，最後受害者仍是坦桑尼亞。

在周恩來的原訂計劃中，他訪問非洲的第二站是肯雅。肯雅總統肯亞塔的政策是中立的，但肯雅副總統奧定加却是一個為中共所收買的內奸，早已準備利用周恩來訪肯雅之行大肆活動。不過肯亞塔總統對中共在非洲的陰謀早具戒心，特別是最近一批援濟剛果叛軍的中共軍火，自坦桑尼亞經肯雅運往烏干達的途中被肯雅當局截獲之後，肯亞塔對中共在非洲煽動亂叛的行為更加憎惡，因而當周恩來在坦桑尼亞高呼「非洲的革命時機已經成熟」之時，肯亞塔立刻聲明表示：「肯雅對什麼革命都不感興趣，不論其是何來源。」這項談話是明顯的表示肯雅絕不歡迎周恩來的訪問。此外烏干達、參比亞、阿比西利亞原都在周恩來訪非行程之中，但它們都藉故擋駕，甚而幾內亞、加納也不表歡迎，所以，當周恩來到達坦桑尼亞後，看到風頭不對，急忙改變計劃狼狽飛返北平。

坦桑尼亞總統乃若瑞雖然為了回報他訪問北平時所受到的盛大歡迎，對周恩來予以招待，並在雙方共同聲明中和周同聲大罵一番「帝國主義」，但他在國宴中感謝中共的「援助」時，會義正辭嚴的說：「我們要維護主權的獨立和國家的尊嚴，反對任何外人利用我們目前需要外援來統治我們……我國絕不受任何方面的指使，絕不放鬆對顛覆活動的警戒，我們的原則是國家及自決的自由是絕不出賣的。」這話可以解釋為罵「帝國主義」，亦未嘗不可以解釋為說他是皮裏陽秋的警告周恩來。

周恩來在坦桑尼亞首都機場下機後乘車前往拉姆市時，一個站在樹上看熱鬧的人不當心觸動了一個蜂窩，結果黃蜂亂飛，秩序大亂，許多人被螫傷。這個意外，正是周恩來非洲之行的具體寫照。他的陰謀活動，已觸犯了眾怒，結果不但一無所成，反被螫得遍體鱗傷，狼狽而逃。

中共為防軍隊叛變 開始在攪所謂民主

（本報訊）中共以最近時局緊張，為防止軍隊叛變，開始在軍中實行「三大民主」。何謂「三大民主」？即所謂「政治民主」、「經濟民主」和「軍事民主」是也；企圖用以籠絡軍心。但於實行三大民主過程中，中共却特別強調學習毛澤東思想和加強黨的領導，亦即加強內部控制。遇有內部出現所謂極端民主化而削弱團結和戰鬥力時，則以所謂「整風」的方式展開鬥爭焉。因此，中共所謂的「三大民主」，實際不過是一種欺騙的宣傳而已。

英議員多屬面團團富翁

——倫敦通訊

美總統詹森在作競選運動準備時，認為公開宣佈他個人擁有財產一百二十五萬英鎊，對他的地位毫無害處，他的政敵參議員高華德，則承認自己的財產較少，數目是六十萬英鎊。

沒有一個人眞的相信這些數字。在美國的政界，一個人須要大量的金錢去爭取選票。但如果自認擁有財產太多，選民會把你看作公子哥兒。如果你說出擁有的財產太少，你又會被人看作窮措大。

在英國，這種情形是不會有的。但英國政界的人士，他們的財產所值多少呢？

國會資料服務有限公司的政治研究員兼研究主任羅夫，着手編製英國議員的業務分析的時候，他發現他們很不願意把他們的財政狀況公開出來。

保守黨一名發言人說：「我們不慣把入息的來源公開。我們不應贊同這樣做法。」

自由黨說：「最重要的是一位國會議員是否盡職。可是，如果是為公衆利益的，我們不會反對。」

工黨說：「我們完全沒有意見。我們沒有考慮過這事情。」

雖然這樣說，但人所共知，三黨的領袖都並不是窮人。

一般人都相信荷姆爵士在貝維克夏擁有好大數量的土地。威爾遜和格拉蒙都是生活富裕的，雖然詳細的情形，是他們與他們的銀行經理之間的秘密。

羅夫的研究，發現上屆國會的議員，有一半以上是有大量的商業關係的。五十八人是物業公司的董事，五十五人是投資信託公司的董事，五十四人是出版公司的董事，四十三人經營零售業，三十九人從事海外投資，另有三十九人是出入口公司董事。

六名好福氣的國會議員，是金鑛老闆，最低限度也與金鑛有關係。這六人中有兩人是鄧肯．桑第斯和佛德勒克．歐勞爾（兩人當時都是部長）。雖然沒有人確知當選的代表身份價幾何，但在那裏有一項數字却是鐵一樣的擺在那裏。那就是，國會議員們去年通過的三千二百五十鎊的年薪。

當那項提案付之表決時，英國的國會這一次却差不多沒有發生爭辯。但若干富有的政客是不須對這約六十二鎊一週的入息打主意的。照目前所得稅的征抽法，西里爾．布力克爵士（溫布頓的保守黨議員）沒有它也可能生活過得很好。布力克爵士是一名地產經紀，他所担任的董事之職，比任何其他國會議員為多，大都是在地產公司的。

保守黨兩名男爵每人都與十種以上的大商業有關係。羅拔．卡萊爵士經營服裝與運輸業，彼得．羅伯茲爵士經營鋼鐵業。

前保守黨議員費蘭第太富有了，所以在一九六二年的時候他認為他應該辭去空軍部政務次長的要職，以免被人指摘他的職務與他家族的利益衝突。他把本人所佔的股份轉移給他家族裏的另一個人，便要損失六萬鎊。他在他的家族事業（一千三百萬鎊的費蘭第電子公司）所佔的股份，估計價值二百萬至三百萬鎊之間。

這筆巨大的錢，可保證他獲得大量的選票，在美國是這樣。但是英國便無補於事。根據選舉法，選區裏的一名候選人，競選時所花的錢，不許多過九百鎊。

以往有錢的議員都是右翼黨派，但今天，左翼黨派的議員，富有的也甚多。

工黨議員喬治．史特羅斯對他的家族的興隆金屬經紀業務，是佔有份兒的。另一工黨議員伍杜洛．瓦特是亨丁頓伯爵的女婿和合股人。瓦特是印刷和報紙業的主持人，對證券和投資也有股份。

另一位富有而事業蒸蒸日上的出版家，伊安．麥斯維爾，是工黨議員。他在柏金門出版公司所佔的股份，據說價值超過二百萬鎊。

前工黨領袖蓋斯基爾，一九六三年一月逝世的，遺產八萬三千零十三鎊。

多數人都會同意一個人的地位是靠他自己而非靠他的錢。但如果你真的想知道一個國會議員的入息來自何處，你可以在名人錄或董事姓名指南等書查出。這些出版物往往對一個人的經濟情形，提供一些綫索。你也可從公司聯會的文卷中查出一切公司的股東和董事及私股公司的股東。一間私股公司的註冊地址，有時也提供一種綫索。如它與一個國會議員的住址相同，那麼他或他的家族的人一定與這間公司有一些關係了。

好像一個天然大冰箱 世界最冷之國——耶吉特

——本報資料室

離莫斯科約三千五百哩，在北極圈內有一個名叫耶吉特的國家，那是屬於蘇俄的一部份，面積大過英國十倍，但居民僅有五十萬。在冬季，該地氣溫總是在零度下六十五度，外來的人都不容易抵受的。當地的情況仍跟在十七世紀時代俄國的哥薩騎兵初到駐防時差不多。在第一次世界大戰結束後，才有正式的鄉村，最大的一個是在北極圈內的非哥揚斯基，曾被用作充軍之地，在那裏不需要有許多警衛守員，因為冰天雪地比最牢固的監獄更為有效，逃走者都不能夠有生還的希望。

多個世紀以來，在那裏的河流是唯一的來往交通綫，因當地被翠山所阻，不易通過，在冬季，利那河，世界數大河之一，結冰後，變成一條康莊大路，仍有用馴鹿曳行的撬雪車，居民認為那樣便更可靠，雖也有汽車和貨車在凝冰深三尺的河面上行駛，但若果遇到機件壞了那就難以應付了。那些散開的鄉村，最接近的，相隔也六十五哩。隨着時代的進展，現今在許多村鄉也設有飛機場來運輸郵件和藥物等等，但也要看天氣的情況怎樣，假如在零度五十七度之下時，飛機是不能夠起飛的。

現今在耶吉特的國民多以捕獵和畜牧為生，他們有的隨着所畜的馴鹿，隨處去找牠們所吃的青苔，有時一塊草地僅夠馴鹿一天的食糧，他們就要趕到別的地方，他們就成為一種流動的民族，生活是困難的，他們所得的保護是細小的營幕，用手提的火爐來取暖。

當地出產許多種有長毛的野獸，像狐狸、松鼠、黑貂、銀鼠和熊等等。獸皮是主要的輸出品，獵戶捕獸的技能高超，可以說是冠於全球。

在耶吉特的居民，最冷的時候，穿的衣服也不多，這由於習慣上或是在遺傳性不怕寒冷的關係。他們更覺得在夏季，溫度升到華氏二三度時反而不舒適。

耶吉特好像一個天然的大冰箱，耶吉特常有史前的動物遺體發掘出來，由野狗爭吃。不久以前，當地的科學院長曾在冰層發現一隻甲蟲，藏在冰塊中，他就將它放在桌上，留為紀念。當冰解後，那隻甲蟲從它的一百多萬年的睡眠中醒來，從窗門飛回森林裏去。

傳說在耶吉特仍可尋到活的恐龍。在拏山後有個名叫拉宮古的大湖，常有怪獸出沒。前年，俄人曾組織一個探險隊去調查，他們先派出一隻馴鹿，當牠游到湖中心時就失蹤了。後來派出一隻狗，也同樣沒有蹤跡。突然有一隻黑色怪物從平靜的湖水中出現，發出可怕的聲音，隨即再跳入水深處去，自此以後再沒有人敢去調查了。

省財廳安全室主任 劉道平侵佔公款

經調查屬實聞將嚴辦

（本報台北航訊）省財政廳安全室主任劉道平，因利用職權到處招搖，引起財稅單位忿懣，致被人檢舉他侵佔公款。案經安全局派員前往財政廳調查屬實，並已將其詳細罪證報請安全局長沈之岳，財政廳長周宏濤，對於此一違法失職之案，至表重視，聞將依據案情嚴予處理。

安全人員侵佔公款事件，在台灣尚無所聞，此案發生後，諸多財稅單位人士對記者表示：財政廳安全室主任劉道平，前因某案，曾入獄半年，自任財廳安全室主任後，行為不檢，任意招搖，如往返台北高雄之間，均以飛機代步，而如因公往各縣市財稅單位，所到之處，必索酒宴，且有時攜其眷屬或妍婦，公然出入各稅處，財政機構，接受各種招待。本案下文如何，不久可見分曉。（六月十二日）

新儒顯微鏡下的人性光輝

——解答了哲學上一個大難題

論道統第六章

陳健夫

一個人失去了生命力的支持，他的內心必定是空虛徬徨，妄念便乘虛而入，無所不爲。生命力是人身的原子能，你若遇見魔鬼，發生邪思妄念，你祇須喚起生命力，便即刻得到解脫。生命力眞是治心病的靈丹妙藥哩。可是，人們應勿忘這種生命力的發揮，決非像農業社會那種全憑講求格物致知，懲忿窒慾的修養工夫所能濟事的。今日爲工業社會，原子時代，應有待於社會制度，生活內容的改善與開闢，從文化教育，政治經濟多方面去開闢新的道路，使生命力有向善之路可走，方不至流落罪惡深淵，這才是根本大計。

生命力是人身上最强大最實際的原子能，在人生的意識中它是無敵於天下的。人身中沒有任何一種力量可以與它抗衡的。因爲力經常放射出來的是光，是熱，是力，有光則無所不照，有熱則無所不透，有力則無所不及。一切是非善惡，生命力都能明辨而固執之。生命力發出來的光不是照自己的，而是照衆人的，照世界的。生命力所放射出來的熱，不是溫暖自己的，而是溫暖衆人的，溫暖世界的。生命力所放射出來的力，不是爲自己的，而是爲衆人的，爲世界的。可見整個生命力的存在，都是爲衆人的，爲世界的。生命力所放射出來的光，熱，力等，有一個共同的特性，它們都是向外的，利他的，大公無我的，捨己救人的。生命力有無量的光，熱，力，因此它也毫無限制的放射出來，從不因自私而保留什麼，也從不爲自利而求得什麼，它是宇宙中至善的，是人間最偉大的愛。

生命力所發出來的是完全的善。凡是生命力優越的人，他所成就的一定是善。所以許多哲人學者，總比一般常人富有同情心，惻隱心。孔子食於有喪者之側不能飽，孟子遠庖廚，聞其聲不忍食其肉，周宣王以羊易牛，韓愈爲鳳留飯，華盛頓十八歲時從水中救一女孩，林肯十二歲扶一醉人歸家，達爾文兒童時喜收集鳥卵，每巢只取一個，深恐傷了母鳥的心。有一次打了一條狗，懊惱不了。歷來的宗教家、哲學家、政治家、革命家，許多偉大人物都一致的表現了這種生命力的至善之愛。可見生命力優越的人，他所成就的一切，也必然是至善的。所以我嘗說「人心本是惡之根，生命力乃善之源」，這生命力學說，眞可說就是今日的科學的良知論呵！

爲作生命力之歌，以爲結論：

宇宙萬有皆生命

生命流轉生光輝

自天之上至地之下

生命力之流

無往不在，無在不往。

奇哉，妙哉，生命力眞善美，

矛盾多端復平衡

協和疏暢達圓通

運行演化無窮極

大千世界滿光輝

三、善惡相對論的成立

人性是非常具體的東西，決非一個抽象觀念可以代表。所以向來討論人性問題的，都不免偏於抽象的空洞的觀念。我今却要眞實告訴世人，人性即是人心之性能。所謂人性，原是指那顆血肉的人心而說。從人類的生理上來看，人身上每一件物體，都有它一種獨特的性能。耳司聽，目司視，口司食，鼻司嗅，每一物體，都有它專一的性能，專一的責任。人心位於臟腑，居於全身最重要的部位，實爲一身之主。心既然居於如此重要的位置，成爲心臟系統的中樞，自然有它獨特的性能，有它專一的責任。這心的性能同責任是性，心司「性」，世人所稱「人性」即是從這顆人心發出。世人大概指這「性覺」「性能」等等統而言之叫做人性。大學以治國平天下，修身齊家歸之於「正心」，以下「誠意」「格物致知」都是爲的正心。孟子所說仁義禮智皆生於心，又說「正人心」，王陽明更明白說，「其在於天謂之命，賦於人謂之性，至於身謂之心。心也，命也，性也，一也。」可知自古聖賢以心爲性。（十二）

中法越南、閩海之戰

羅雲

一、戰爭導火綫

當英法聯軍合攻中國之時，法國更以餘力與西班牙組織聯軍，共攻越南；咸豐九年（西一八五九年），法軍佔西貢。同治元年（西一八六二年），法軍陷越南之邊和、定祥、嘉定三州，二月更陷永隆州、佔康道爾島。五月九日，締西貢條約，有割地、賠欵、傳教自由、通商自由及越南割讓土地與他外國須受法國許可等欵。六年，越南下交趾六州悉爲法軍佔領。十一年，法人因欲得紅河航行權，攻陷河內，法海軍大尉安鄴乘勢下東京三角州之北寧、海陽、南定、寧平、興安諸鎮，勢力復伸展於越北了。

越南久列中國藩封，人種地理關係尤爲密切。自咸豐後，太平餘黨戰敗輒走鎮南關外，值越南政苛，小民輒投附之。凡中越毗連邊界，多據地爲雄，又分多股，中越會剿，無歲無之，久久未能肅清。我國名將馮子材屢奉命出兵與越南會剿，斬其魁首吳鯤（吳亞終），但亦未能根絕。同治九年（越南嗣德二十三年），越南遣使齎方物來謝，且告法人逼狀，求中國保護。有劉永福者，本吳鯤黨，所部皆黑旗，號黑旗軍，據勞開（保勝）稱雄，與據興安之黃雄黨黃崇英相犄角。安鄴既入河內，招撫黃崇英爲己用，得數萬衆，聲勢愈壯。越王（「嗣德帝」）招撫永福，永福應之，繞馳河內。十二年十一月，安鄴大舉攻山西，忽報越南順化政府遣使求和，安鄴簡從赴會，爲黑旗軍要殺於河內省城外。法人復大舉進兵，越南懼而行成於法。自是越王以永福爲三宣副提督，雄據一方，聲名震於中國。同治十三年正月二十七日，法越締西貢政治條約，法承認越爲獨立國，越願受法監督保護，並割下交趾六州與之。

光緒元年（西一八七五年），我總理衙門及駐法公使曾紀澤對法聲明否認安南獨立之語，法置之不理，而謀通紅河上游，雲南愈急。時我正有事於伊犁及朝鮮，對法不敢爲積極之談判。比至光緒七年十月，我對俄外交告一段落，軍備自左宗棠平回後自問頗有起色，而海軍船政續有興辦，會閩撫督辦船政會辦海防丁日昌直督北洋大臣李鴻章等，皆以越事請派船游弋偵伺入奏，於是清廷乃諭令李鴻章、左宗棠、劉坤一、張樹聲、劉長佑、慶裕、杜瑞聯等密爲妥議。（一）

哀江南製造局

李仲侯

九月十三日是上海起義光復之日，那天上午七八時，我還約隔壁王力武（湖北人）一同去上學，到時鮑老師就朝着我們說：今天營裏有事，休讀一天。我們馬上就揹起書包回去。由營門出來，快要轉彎上馬路時，遠遠望見斜橋方面來了一大隊學生，每人手執一面小白旗，我亦未注意，以爲是那處學堂叫學生出外募捐的（後來纔知道，正是革命軍派出的宣傳隊）。經過大街，都與平日一樣，全無半點異狀。吾叔寓所在槍炮廠背後，離馬路不遠，我們放學回家，常去馬路上散步嬉遊，離馬路不過一箭之地，可透視局內洋槍樓上的一切。製造局佔地甚廣，周圍都築有好幾丈高的圍墻，祇有洋槍樓突出圍墻之上，故遠遠即可看到。

是日未見叔父回寓，侍役楊阿順亦隨叔去局未返（叔父本有車夫劉三喜亦未歸），我陪嬸母中飯後，正在睡午覺，大約三時左右，突被嬸母叫起，看她已是忙作一團，在收拾行李。一面聽到製造局方面，排槍聲連續不斷的响着，間歇有些炸彈爆炸，轟然之聲，驚震耳鼓。嬸說革命軍來了，準備隨陸伯母去浦東避難（陸老家住浦東），要我趕快出外進局去請叔父回家。我拔脚就走，向製造局大局門跑去，往日大局門前廣場上買零食、擺地攤的在百處以上，都已無影無蹤。大局門的鐵欄柵，仍是敞開，不過未見有人出進，祇見很多人圍在廣場牆壁前，看軍政府貼有一張門大的佈告，壓尾寫着皇帝紀元四千六百零九年九月某日字樣。

我擠入人叢中，蹺起脚，看那張佈告，正看得出神，冷不妨，背後有人在我肩上一拍！反眼看，是文案處錄事劉楚材；他是湖北人，年約卅，不久纔補上錄事，曾求我叔找事，來過我家不知多少次。乃急忙問他我叔中午未見回家，不知現在何處？他說：十點剛過，張總辦（號楚寶）在上房請你叔和徐文案道和去談話，我在文案處就未見他們出來。下班時，聽到同事說，張總辦對您叔父他們，大發脾氣，馬上把他們扣押起來了，現留在衛兵隊。我想下班吃飯後，打聽確實消息再來報告你嬸，在這裏遇着了你最好。我問聽差和拉車的何以亦未見回？他說恐怕他們走漏消息，已一起看管不准行動。我聽了這話，就急忙向大局面衝去，他雙手扯住我，說不能去。他說剛纔不到半點鐘，就在對面五福齋樓上，親眼看到革命軍一二百人，個個雄赳赳的，手裏托着快槍，胸前佩帶炸彈，由斜橋方面飛奔而來。總局的鐵欄柵原先是鎖着的，被先來的民軍，一到就投擲了好幾枚炸彈，便把鐵柵炸開，後面擁來的隊伍一直就衝進去了。你去看，鐵柵門不是炸垮了一扇嗎？他又靠攏我耳朵說：聽說昨晚江海關劉道台和田知事都跑掉哩，閘北的巡警都被革命軍完全繳械。剛纔看到革命軍進攻大局門，好勇敢！看樣子，這次滿清眞的要倒了。（六）

動物農場

英 George Orwell 著

陳其芝 譯

第八章　動物的外交策畧與人海戰術

牠們更尊稱牠爲「動物之父」；「人類的尅星」；「羊羣的守護神」；「鴨羣的摯友」以及其他種種類似歌頌的稱呼。斯奎勒在演講時，有時會像演戲一樣的聲淚俱下讚揚着拿破崙同志的才氣橫溢，智慧出衆，而且心地仁慈，廣愛衆生（動物）；牠無時無刻不在關心動物，愛護動物，尤其對那些尚在人類掌握中的不幸者仍然在其他農場上受人類奴役的所有動物，更爲關懷。簡而言之，拿破崙同志就是動物的救世主，一切計劃的推進，豐功偉業的建樹都是在拿破崙同志的名下才有成就。你可以常常聽到有隻母雞對另一隻母雞說，在我們領袖，拿破崙同志的領導下，我天天可以生下五個蛋。兩頭牛一起去池塘邊飲水時也會喊着感謝我們的領袖拿硬崙同志！這水多麼清涼可口呀！農場中的動物對拿硬崙同志那種虔誠的敬崇，可以從這首名叫「拿破崙同志」的詩中看出來，這首詩是梅尼姆斯的傑作：

你，拿破崙同志！
你，失怙者的良友，幸福之泉。
你，生命的主宰。因爲有你，
我的生命才會歡躍。
你那沉靜而威嚴的眼，似高空的太陽，

×　×　×

你，愛的創造者，施恩的聖堂。
日有兩餐豐食，臥有潔草美塲，
大小動物
靜息廐中，是你關顧所賜，
你，拿破崙同志！

×　×　×

若我是稚猪，成長前，
呀呀學語，扶牆習步時，
先學會
忠心，誠信，對你，
你，拿破崙同志！

拿破崙同志對於這首詩也備加贊賞。並且牠要牠們把這首佳作寫在穀倉的壁上，與動物主義的「七誡」遙遙相對。在這首詩的上面還由斯奎勒用白顏料繪了一幅拿破崙同志的側面畫像。

在這個時候，經由黃思伯先生的拉綫，拿破崙和皮克湯先生，菲特烈先生正從事一項全面性的商業協議。農場上那大堆木料還沒有賣掉，菲特烈先生對這批木料比較熱衷而且急欲買進，但又不肯出高價。同時更有謠言傳云：菲特烈先生跟他的同路人正在計劃着攻擊動物農場，摧毀那座風車，那是一座使他們妒恨交加的建築物。在傳聞中，史諾柏仍然躲在菲特烈先生的頻園裏。時屆炎夏，動物農場上的動物又被三隻母雞處以決刑而感到震恐。牠們的罪名是「謀刺拿破崙同志」。這個謀刺行動是史諾柏主使的。因之一項新的保護拿破崙同志的安全措施立刻實行：每天晚上在拿破崙同志睡覺時，由四隻狗在床的四週分別守衛，另一隻小猪，名叫平基的，則專門爲牠在吃飯時試嘗食物裏是否有毒的任務。

拿破崙把木料賣給皮克湯先生的協定已經有了眉目，在同時牠還打算跟他議訂一次正式貿易條約，動物農塲與狐木農塲彼此交換產品。（三四）

袁隨園姬人錄

·漁翁·

歷代文人享高壽獲清福者，莫袁枚若。袁字子才，又號簡齋，築隨園於江寧城，優游其間，垂四十餘年，時人稱之爲隨園老人。袁一生，姬妾之多，殆不減十二金釵，茲就其確鑿可攷者，寫在下面：

淸乾隆九年，陶姬來歸。陶姬亳州人，時年僅十四，爲袁納諸姬中之最早者。經袁親施教化，能詩，工棋，頗通文翰，故得袁歡心。不幸二十五歲而病沒矣！名花早隕，袁亦傷之。

乾隆十三年春，袁到蘇州，承富人唐靜涵以侍婢方聰娘相貽。聰娘貌美，兼善烹飪，袁出入必偕。亦不幸於四十九歲而卒。

乾隆十七年，袁納金姬。

乾隆十八年，袁納陸姬。

乾隆二十一年，袁納鍾姬。

乾隆二十五年，袁納張姬。

以上五姬，均蘇州人，且均在二十歲內，又皆靈敏秀麗。

乾隆三十五年，袁又納（一）陶姬，秦淮人；（二）金姬，白下人；最後納吳七姑，維揚人。

計袁以納亳州陶姬爲納寵之權輿，而以納維揚七姑爲其殿焉。

袁所納之二陶姬，以亳州產者爲大陶，秦淮爲小陶。當時袁尋春儀徵，泊舟燕子磯，時在四月十五夜，夢水神裘文達公借一麗人來，雲裳霞帔，飄飄欲仙，告袁曰：「此水龍十三王女侍桃兒也，願作霓修，謹以爲贈，請留之。」醒而異之，越十餘年，便納陶姬，知四月十五夜生也，追憶前夢，不禁大詫！而陶與桃同音，認此女爲龍王侍兒之轉世，仙骨珊珊，不類塵俗，若有夙慧然。

袁晚年，遊竹西，在花柳叢中，無當意者；惟吳七姑一人，容貌不凡，且通書史，欲以五百金相聘，爲七姑所拒。後謝未堂司冠以八百金訂聘，未及迎歸，知袁垂青在先，即命人送歸隨園，不取其償。袁喜出望外，作表感謝，有「東山太傅，其度量非人所能及」之語。

袁所娶諸姬，率無熊羆之兆，惟鍾姬生一子，時袁已六十餘矣。因得子遲，故有：「六十生兒大覺遲，郎將遲字喚吾兒」之句，名之曰「遲」。當鍾氏之來歸也，袁夢人贈桂花一枝，初不得解。後人以桂花開於中秋，袁壽八十以上，六十生子，正如一年之中秋。又謂桂爲得子之預兆也。

袁生平所最篤嗜者，臨水登山，尋花問柳，雖年屆古稀，猶挈姬人小住西湖，往往渡江至禹穴蘭亭。又過太湖，登石公、縹緲諸峯，鄧尉探梅，洞庭攬勝，平山堂下，每作數月之流連。花枝招展，藏與同遊，著手皆春，無花不賞。其老而彌篤者，殆天性使然也。

或問袁：色可好乎？曰：「可」。請申其說，則曰：「惜玉憐香而不動心者，聖也；惜玉憐香而心動者，人也。不知玉不知香者，禽獸也」。即此，無怪有人稱袁爲「風流才子，名教罪人」也。

海嶠叢談

地理與人文關係

諸葛文侯

地理形勢與山川景況之大自然環境，對於當地居民生活習慣、文化思想皆濟具影響力，因而構成該地區一般民衆之特性。吾國人常謂北人性格穩健沉雄而失之遲鈍，南人伶俐慧敏而失之浮躁，即係基於大自然環境關係而然也。法國著名學人盧梭——即創立「民約論」者——在生時游覽意大利屬區之科西加島，視其山川形勢非凡，即預言當地將產生非常之偉大人物，嗣後果有拿破崙其人出現矣。英國人如其不以航海起家，殖民地遍於全球，而始終侷促生息於英倫三島之間，則其民族性必不致構成所謂「紳士派」、「老狐狸」之特徵。

吾國流傳之堪輿說，旨趣固與上述義理相符，未可謚爲迷信之談。唯淺識者昧於人文地理之學，僅知侈言一丘一壑對人生未來之禍福利害關係，而沾沾於所謂「陽宅」「陰宅」之位置問題，謬陋孰甚！

明代人楊救貧善言地理形勢與人文影響，著有「撼龍經」「疑龍經」以闡述中國各省與地結構狀況，指出每一行省全盤山川靈秀集結所在，頗多創見。如論吾湘之地理形勢，認爲南嶽殊不足以當「勝地」之任，倡言「南來莫錯認南嶽，雖有弱星元氣弱，更有迴龍繞大江，天外三峯薄如削」等語，而司馬頭陀所著「鉗記」，尤重言湘潭山川形勢之優越點。該縣距長沙九十里，省境瀟、湘兩大水流自上游瀉湃而滙合於縣區後，即構成靜渟之深淵，故名曰「湘潭」；陸地則上接南嶽蜿蜒磅礴之氣，至該縣乃告凝聚矣。

粵稽史乘，湘潭文物鼎盛，邁越省會長沙，其他各州邑更不能相提併論，生產力既富有，而奇才異能之士輩出，如淸季迄民國以來之近代著名學人王壬秋（闓運），不學自通而天才橫溢之詩僧八指頭陀，業木匠而後成全國名之畫家齊白石（璜）），以彈劾滿淸貴胄振貝子（慶親王之子）納坤伶楊翠喜爲妾，而直聲震動舉國朝野之名翰林趙啓霖，列名洪憲帝制禍首之楊晳子（度），皆爲湘潭人氏。

若夫叛國巨憝之共酋毛澤東，亦籍湘潭，然係張獻忠、李自成一流人物，才學無可稱述，又當別論。毛生長該縣西鄉韶山村，與湘鄉接壤，該地帶舊名「烏石寨」，素爲盜賊淵藪，適如陝西之延安寨，故湘潭人每見橫惡無賴之輩，輒稱之爲「烏石寨人」，示鄙薄意。何鍵主湘政時，惡毛共禍鄉禍國，曾聽受市井間之風水傳說，派員協同湘潭縣令，將毛共祖墳予以掘毀。

前任湖北省主席，夏斗寅酷嗜堪輿家言，鑽研彌篤，殆臻迷信境界，民國十七年春，南京中山陵墓建造伊始，愚偕夏氏登山游覽，夏慨然謂：「總理遺體以卜葬北平西山白雲寺爲最佳，如瘞南京紫金山上，中國將永無寧日矣。」詰以何所據而云然耶？答曰：「君試舉目俯視周圍地形，但覺一片浮動飄蕩之景象而已」。愚笑頷之，內心頗嗤其爲不經之談。詎自孫公奉安紫金山迄今，國家內亂、外患迭作，果無寧日，不亦怪哉！

地理與人文關係，尚有一普遍之共同特點，即水鄉之民性胥靈活足智，而生長山嶽間者，則多見其爲橫拙倔強，比比然也。至於吾國各省區之一般民族性格，亦各具特徵，尤屬習見共喻之事實，生理學注重環境與遺傳之說，有以也夫！

克里孟梭幽默美國

第一次歐洲大戰時，有法國「老虎總理」之稱的克里孟梭應邀赴華盛頓訪問，受到官方盛大歡迎，不在話下。

當他在紐約登輪啓行返國之前，記者們紛紛提出問題，集中於問他此番遊美的觀感如何。

「我在貴國旅行，沿途見聞一切都好，只是總覺得缺少了一些什麼——」。說着，老虎總理便轉身指着港口的自由女神像，道：「原來便是敵國首創並且不遠萬里贈送給貴國的自由——你們竟一直將她幽禁在斯塔島上，不准她登上美洲大陸嗎？」

美國記者倒爲之面紅耳赤。

三國史微言

·燕謀·

甲、三國史蹟之撰述

三國史蹟，當世已有撰述。

魏書　魏黃初大和中（公元二二〇——二三二），命尚書衛覬、繆襲草創紀傳，累載不成。又命侍中韋誕、應璩、秘書監王沈、大將軍從事中郎阮籍、司徒右長史孫該、司隸校尉傅玄等，復共撰定。其後王沈獨成其業，勒成「魏書」四十四卷。然其書多爲時諱，殊非實錄。

吳書　吳大帝之季年，（二五一年頃）命太史令丁孚、郎中項竣共撰「吳書」。然孚、竣皆非史才，其文不足以紀錄。至少帝時（二五八——二六三）更勅韋曜、周昭、薛瑩、梁廣、華覈等，訪求往事，相與記述。並作之中，曜、瑩爲首。當歸命侯時，（二六四——二八〇）昭、廣先亡，而曜、瑩徙黜，史官久闕，書遂無聞焉。覈表請召曜、瑩續成前史。其後唯曜獨終其書，定爲五十五卷。

國志　晉一三分，海內大同，著作陳壽乃集三國史撰爲「國志」，（始名國志）凡六十五篇，篇爲一卷。魏志三十卷，「紀」四，「傳」二十六，有后妃諸王、方技、夷狄。蜀志十五卷，吳志二十卷，君臣俱謂之傳。時有夏侯湛者，亦撰「魏書」，見陳壽所著「國志」，便毀己草而罷。及陳壽卒，梁州大中正范頵，表言：「國志明乎得失，辭多勸戒，有益風化，願垂採錄！」於是下詔河南尹就家寫其書。陳壽之作，本爲一家之私史，至是乃被采爲官史。

此外，尚有魏京兆魚豢私撰「魏史」，事止明帝。其後有孫盛撰「魏代春秋」，王隱撰「蜀記」，張勃撰「吳錄」。異聞際茲錯出，其流最多。及劉宋之世，（南北朝之初）文帝以「國志」載事傷於簡略，乃命中書郎裴松之兼採衆書，補注闕遺。松之受詔爲注，雜引諸書，亦時下己意。綜其大致，有六端：一曰引諸家之論以辨是非；一曰參諸書之說以核譌異；一曰傳所有之事詳其原委；一曰傳所無之事補其闕佚；一曰傳所有之人詳其生平；一曰傳所無之人附以同類。其注網羅繁富，多陳志數倍，六朝舊籍至今所不傳者，尚一一見其點滴。且多首尾完具，不似酈道元之「水經注」、李善之「文選」注所載皆剪裁割裂之文也。故考證取材不竭，轉相引據，而後之言「三國志」者，皆以裴注爲定本焉。

三國志刻本　三國志刻本，宋元之舊本已不易覩。據邵懿辰「四庫簡目標注」所載，知傳有北宋刻本，宋刊單「蜀志」，宋刊單「吳志」，及元大德丙午宋天錫刊本等，寥寥數本而已。明本則多，有嘉靖蔡宙等刊本；有監本，注作大字低一格；萬曆甲申祭酒馮夢禎校刻頗佳；有陳仁錫刊評點本，注亦大字；又有毛氏汲古閣刻「十七史」本等。自淸季以還，刻本繁多：若武英殿附考證本，席氏掃葉山房本，若金陵、成都兩局刻本，若新會陳氏覆刻殿本，俱尚易得。就中以殿本及局刻本爲通行。此外坊間縮刻及影印之本，則不勝枚舉矣。（一）

七仙女

「影劇與歷史」之七

周遊

銀幕上的七仙女

天宮裏的歲月，是嚴肅的，淒淸的。七仙女是玉帝的第七位女兒，厭倦天堂生活，羨慕人間男耕女織，頓起凡心，在獲得六位姐姐的同情與支持下，不惜冒犯天條，獨自降臨人間。

漢時丹陽的董永，家貧父死，賣身傅員外家爲傭三載，以葬父骨。他的一片孝行，深深感動了七仙女的芳心，她變化了一個村姑，迎董永於途中，佯稱投親不遇，淪落異鄉，求董永援手；並明白表示願以身相委，以期終身。董永以自顧不暇，何以娶親養家，乃婉言相却。七仙女便詔土地神相助，煞費一翻唇舌，才把董永說服。由土地主婚，作法使槐蔭樹講話爲媒，結成夫婦，並相偕到傅員外家上工。傅員外爲富不仁，刻薄成家，以董永攜妻前來，增加供養負担，頗表不滿。七仙女知其意，自薦她能身任紡織，又能洗衣漿衫，而且織絹甚速。傅員外仍故意爲難，提出苛刻條件，意欲使她知難而去，要她在一夜間織成十疋錦絹，否則董永三年長工改爲六年。七仙女滿口應諾，但提出如織得成必須把三年長工改爲百日。傅員外以此其實爲不可能之事，當然答允。傅固不知她爲仙女下凡也。

當夜，七仙女燃起天香，求救於天上六位姐姐下界幫忙。她的六位姊姊果亦全體動員而來，在兩個時辰以內，織成了十疋錦絹。傅員外聞知，心中驚奇，堅以爲係偷來的，但終以無失主又無見證，如其告官，反而落得誣告之罪，不被罰一千也要被罰棒八百；因此罷論，履行諾言。七仙女在傅員外家裏朝夕勤勞，男耕女織，好容易熬過了百日，清償工債，恢復自由，雙雙收拾行李，踏上了歸途。其歸心似箭之情，不可言狀。

在歸途之上，二人歡喜之至，行至槐蔭樹下，勾起他倆甜密的回憶，雙雙駐足休憩。董永偶檢衣物，始知愛妻已是身懷六甲，更是欣喜若狂，對妻愛護備至，即刻要去爲她覓取飲食。七仙女面對這位多情夫婿，眞是「只羨鴛鴦不羨仙」了。

不料董永離去之後，天上玉帝命托塔天王李靖，率領四大天王，前來命令七仙女即刻返回天宮。七仙女不忍與董永分離，抗旨不允。托塔天王只得回天宮復命。但不久奉命又來催促，並表示：如她不即刻返回天宮，就要將董永碎屍萬段！要她考慮。

七仙女正進退維谷，董永已摘得棗、梨回來給她吃；七仙女便借得「棗梨」二物暗示「遲早分離」。董永不解其意，七仙女祇得取出扇來幻詩一首給他觀看，董永始知愛妻乃是仙女下凡，並驚痛玉帝已下令七仙女即刻回宮，夫妻姻緣斷絕就在眼前，不禁痛不欲生。正在難割難分之際，托塔天王三次出現，要七仙女即刻返回天庭。董永牽衣不放，苦苦哀求，遂被天將作法擊昏。七仙女恐怕董永遭誅，祇好答應回去。

（一）

蓮之詠歌

·正匡·

國父孫中山先生，非常重視蓮之全德意義，曾於一九一八年，爲了對田中隆、犬養毅、頭山滿等日本志士，幫助中國革命之友情，表示謝意，贈送田中隆一幅自書的單條「至誠感神」，同時還特別給他四粒中國蓮子，孫中山先生說：蓮花在中國是高潔的象徵，因此以蓮子相贈，藉以象徵中日的友情和同志的結合。日人因之而組織了一個「蓮子會」。田中隆將所贈蓮子珍藏垂四十年之久，始交大賀一郎培育成功。張默君曾賦詩，並請畫荷名家高逸鴻，繪「一本雙蓮圖」，贈日本蓮子會以作紀念，此乃中日蓮史之一佳話也。

（完）

自由報

內僑警台報字第〇三壹號內銷證

THE FREE NEWS

第五五九期

中華民國僑務委員會發
台教新字第三二三號登記證
中華郵政台字第一二八二號執照
登記爲第一類新聞紙類
（半週刊每星期三、六出版）
每份港幣壹角
台灣零售價新台幣貳元
社長：雷嘯岑
督印人：黃行奮
社址：香港銅鑼灣高士威道二十號四樓
20, CAUSEWAY RD 3RD FL.
HONG KONG
TEL. 771726　電報掛號：7191
承印者：大同印務公司
地址：香港北角和富道九六號
台灣分社
台北市西寧南路壹零零號二樓
電話：三〇三四六
台郵撥儲金戶九二五二

看大局·說反攻

唐楚晉

大局正在變，正在往有利於我們的方向變，是清楚明白，顯而易見的。

大局變的速度，還不夠認眞快捷，且亦并非直綫向前推進的，有若干時候，又還不免於枝節橫生，阻障叢出，而顯得有些搖搖擺擺，往往更有向後倒退一步兩步的現象，亦係實情。因之，在一直熱望反攻復國的我們中國人的眼光裏，很嫌局勢沉悶，甚而感到焦急，感到難耐，憂心忡忡，如坐針氈，乃是完全可以理解的了。

但大局正在往有利於我們的方向變，確是顚撲不破的事實。儘管發展并不盡如人意，而其走勢，則十分的顯明。而且這個「勢」，已愈來愈更形成「潮流」，誰亦擋之不住，一切人爲的阻遏努力，必然終歸徒勞。這潮流浩浩，浩莫之與京，急轉直下的那一天，豈特必然要來到，而且很有可能來得比我們所敢於預料的，更要早，更要早得多。

也所以，一直熱望反攻復國的我們全體中國人，特別是我們的政府，有必需格外提高警覺。尤其有必需，格外戮力，趕緊充實我們的戰備，才能夠適應這個必然的變局，把握這個變局。同時亦唯有如此，我們亦才有能力主動的去創造去催生這個變局。

日前大局的關鍵，端在越南之戰，其餘一切醞釀與活動，全都環繞越戰而運行。它們的發展，能影響越戰者不多；越戰的發展，却力能給它們最大的影響。目前越戰的發展形勢，固然笑話連篇，但其主流爲向好而非轉惡，總是可以肯定的。目前的形勢，不但比一年前爲好，即比之兩個月前，一個月前，亦要好得多。駐紮關島的美國戰略空軍遠出作戰，是其一。河內以北的連續被炸，又是其一。一年以前，美國在越南的軍隊，只二萬多些，目前地面部隊五六萬，加上兩萬多經常活動在越南海岸的美國第七艦隊官兵，已超過八萬的數字了。這豈是年前什麼人所能想像到的？

美國對於越戰，到今天還存着重重幻想，不求打勝，但望「嚇和」、「逼和」。尤其是其最大失策。尤其，雖欲「嚇和」「逼和」，而却不肯「一盡其全力」，而自縛手脚，生恐觸及對方要害，更是莫名其妙之至。然而這只是誤於天眞的幻想，同時其實亦只是却爲從根不想打，伏而以爲現實所不能不打的一種「變」的過程。形勢所趨，對方既然，志在不得南越不能休，美國的幻想，終必爲現實所粉碎，爲勢之所必至，亦理之所當然。單就從三月開始的轟炸北越這項舉措，亦就顯示，美國的幻想正開始破滅之中，將來更會完全放棄幻想，從而認眞的打，盡力的求勝。

美國轟炸北越，四個月了，到現在，一直不肯把矛頭對準河內海防一帶約四十個越共軍事重鎮，甚至只是些二三流、甚至不入流的目標，主要的爲想交通綫的這亦是誤，於想和解越戰的一念之差，所表現出的可笑章法。但是，美國炸北越交通綫幾個月，却仍未能阻止北越正規軍的滲入南越，狠狠的打擊美國部隊，這都是最現實的失敗教訓，美國當局不會不知道，他們眼前還不曾接受；但形勢所趨，美國當局終有一天會自我糾正的，有現實亦逼得美國非自我糾正不可。

美國由於至今還在幻想可以嚇和、逼和北越，尤其由於特別就心，尤其大規模捲入越戰，於是而節節增兵入越，以爲單靠美國部隊，便可以達成目的。美國所活動派兵參戰的盟邦，至今僅爲澳洲、紐西蘭的稀少象徵部隊，是一韓國的兩千兵，亦祇是非戰鬥部隊，最對於在亞洲擁有最強最精部隊的中華民國，還未打主意借重。但幻想終歸是不能應付現實的。美國到了吃過大虧之後，美國便會改弦易轍了。不必担心着急，這時候，美國終會到來的，且爲時不至於太過遙遠，不可期。

形成大局的徹底變化，好轉之阻障的一心幻想，又不單是美國。美國之外，英國家許多國都想和解，有此心的，搞和平的邦，那個「一南越」，那個「和平團」，便是其一例。乃不知和平必然取不到的，越戰之果，乃屬一命中註定，徒然的一勞，平「和平」而已。經過英聯邦「越南和平團」的一次插曲，很有可能，不但從根毀滅了美國希望和解的幻想，甚至很有可能由此而使得許多自由國家亦爲之一醒，另打主意，當前的越戰，屬大局契機所在。一確

方面是共產集團自認己居優勢，另一方面不肯輕易放手；另一方面美國所作的維護南越自由的那項保證，事實上亦確實

[illegible]

我們救國救民、救世界最爲緊要的歷史性使命！

不由自主

醜態畢露

今日與明日

英聯邦的和平使節團

英聯邦二十一國總統總理在倫敦開會，討論越南問題時，竟產生了一個和平代表團，準備往華盛頓、莫斯科、河內、北京、西貢，斡旋和平。這個代表團由英國、迦納、錫蘭、千里達、奈及利亞五國總理（其中迦納是總統）組成。

代表人物之產生，當是由於二十一國總理選出，但一開始，對於組此代表團已發生爭執，極右的澳紐，極左的坦桑尼亞、肯亞，都反對派代表團前往調處；而被推爲代表團員的迦納總統恩克魯瑪，居然提出先決條件，要澳洲撤回派去越南的部隊，要紐西蘭撤除已經通過的派軍去越南的決定，當經澳紐兩國拒絕。最初大家估計，恩克魯瑪也許在北平一定之下不肯參加代表團，但結果到沒有出過激行動，倒是錫蘭總理辛納那基加以事忙爲理由，拒絕參加。

各方的反應

美國對英聯邦派出和平代表團，內心即使不贊成，也不便反對，表面上仍然表示歡迎。共方就不同，從莫斯科到河內，均保持緘默；從這情況十分顯然：北越共黨即使有心接受和談，但也作不了主，要看毛幫顏色；因爲毛對越南南方「民族解放陣綫」有絕對控制權力，如若胡志明突然接受和談，南越共黨突然站出來反對，將使局勢變得不可收拾，所以胡志明不得不[illegible]。莫斯科方面更不敢多表示態度，其本身願意贊成和談的話，一旦宣告否定，必然會引起毛共攻擊，只好閉口不言了。看正有權力能說是與否的應是毛共，但毛共也是有所顧忌不敢公然正面表示拒絕。總之，英聯邦總理此次斡旋越南戰事，可以斷定絕對無成。

阿爾及利亞政變

本月十九日阿爾及利亞發生政變，推翻了鐵幕外最左傾的本·貝拉政權。此事前途演變如何，尚難預料，但是對北非影響，實在不小。本·貝拉在阿爾及利亞革命首領中，本是二等角色，原任副總理，一次在摩洛哥飛往突尼斯途中，爲法國機師騙到巴黎，坐了七年鐵窗風味，以後阿爾及利亞革命軍成功，正式成立政府，但在阿爾及利亞臨時政府中，他以後拉攏軍人，推翻了當時的基德總理，自組政府，執政四年，現在也被推翻。本·貝拉並不是共產黨，但明證，本·貝拉是鐵幕外最親共的人物；他對外親共，對內獨裁，此次被推翻，阿爾及利亞人民自是一大解放；而同類型的人物如迦納的恩克魯瑪，馬里的凱塔，甚至阿聯的納薩，都將敲起了喪鐘。（何如）

新舊官僚的異同

馬五先生

對事敷衍因循，律己裝模作樣，虛僞不誠，不負責任；古往今來的官僚人物都是如此，這般，毫無二致，其間祇有程度上的差別而已。

據我的經驗閱歷所及，吾國舊時的官僚主義者，一切作風，實比現代的同類型的人物似覺優良。何以見得呢？晚近於北洋軍閥政府時代，一般官僚人的行爲上，就對人而說：當年北洋政府中的各部總長乃至於內閣總理，凡有因事請謁者，無論是貧賤的民衆也罷，素昧生平的青年學生也罷，例亦必會親自出接，公務叢脞，亦必教左右高級幹部或幕僚代爲延洽，詢悉來由，

[illegible]

檢討保護汽車工業政策

本報駐台記者 張健生

行政院為了配合第四期四年經濟建設計劃，再度核定將「發展國產汽車工業辦法」扶植期限延長四年，從五十四年起至五十七年止，並修正了原辦法條文。自從這一辦法與消息公佈後，各方面都有強烈的反應，而反對保護特權的聲浪，來自民間的各級民意代表，議員的「炮口」雖朝着政府開，但目標仍殊途同歸於裕隆公司。

行政院於四十八年提出扶植「發展國產汽車工業辦法」在立法院交付審查時，不少立法委員即表示反對，其理由：一、台灣缺乏鐵的資源，兼以鍊鋼設備條件不夠。製造汽車的主要材料為鋼鐵，如缺少鋼鐵，何能自製汽車？二、國產汽車的國外市場狹小，國內用戶有限，既不能大量生產，何能減低成本而大量傾銷？汽車製造業自給自足，都有問題，遑論發展擴充，進而跨入國際市場，與其他先進國家的汽車，互爭雄長？

儘管立法委員們不少反對行政院的原提案，但在新興工業與國防工業口號下，立委們不得不同意該辦法。

有關立委們最近的質詢，本報第五五六期已有報道，茲就監察院財政委員會第二八三次會議議程所列：有關保護國產汽車工業問題，提出感想，請予調查案，加以分析檢討。

冶金工業毫無基礎

汽車工業包括冶金機械、電氣、化學等工程，為一高度技術的工業，其投資之大，設備之複雜，為衆所週知的事。就本省目前工業環境而言，冶金工業毫無基礎，即最起碼的能用於製造汽車的鋼鐵，亦無供應，其他更無論矣。這個基本問題尚無法解決，請問，拿什麼原料去造汽車？老實講，一家只有三、五百萬元設備的工廠，就說能自製汽車達百分之六十，這恐怕也只有我們的資本家纔有這種神奇本領。現在，經濟部竟說裕隆汽車工廠的自製率已達百分之六十，不知憑着什麼為根據？如果這樣的官話不假，為什麼不詳細公佈自製產品項目和名稱，給國人知道呢？否則，不是有意庇護，就是裝糊塗。最近，立法院在審議海關進口稅則修正案時，已有許多立法委員坦率的指出國產汽車曾用各種方法，進口零件。請問，今天在台灣有多少國產汽車？有多少日產汽車？有多少中日合作的產品？每年修理用進口零件有多少？美金若干？進口的數量和修理用的實際需要成不成比例？如果超過實際數額，那麼，超出的這些進口的零件用到那裏去了？只要到外貿會查一查便知道。

據說，與中日合作自製汽車有關係的永太貿易公司，進口日產UD3型引擎二、三百部，這是為國產自製最新型大客貨車用的，如到該公司查一下，即知道這批引擎賣給誰了，用在什麼地方了？這件事似乎有澄清的必要，監察院應該認真查一查，把所謂真相向社會公佈，這樣，大家便更清楚地明白了。

國產汽車大出洋相

如果在紐約博覽會展出一種「國產小汽車」，就認為可以代表我們的工業進步，那我們真要佩服經濟部的大胆和勇氣！美國有汽車王國之譽！而我們的國產小汽車，美國人比我們自己更知道得清楚，因為美國人都能看懂英文，而國人多數不識英文，同時，美國人和我們在工業上打了十多年的交道，對我們工業情形比什麼人都瞭解，試問，他們會相信嗎？況且，官方聲明國產汽車自製率只有百分之六十，還有百分之四十須依靠別人，亦就算不了真正的國產品吧！再就博覽會展覽的國產小汽車，和日本的日產汽車公司出品的小汽車，有那一點不同？外型和內容都無變動，即名稱也是一樣。

日產株式會社出產的汽車命名Blue Bird，我們的國產汽車連英文字也一字不改而命名Blue Bird，這有什麼不同？我們不妨看一看台北街頭的計程車，除了前面有一塊和四個輪子蓋有「裕隆」標誌外，後面右角上還有一排Datsan的招牌，這種產品可以代表國產嗎？這是我們工業進步的標本嗎？為什麼要到紐約去展覽？假如目的不是出洋相，那又是為什麼呢？

保護政策極不合理

我們真不懂，凡是政府對汽車工業有什麼動作，機器工會一定有寶貴的意見，其他工業界人士很少說話。政府保護「國產汽車」已有四年了，因保護而使特權商家獲得的利益有多少？這些利益是得自關稅特惠、市場獨佔、賣價比原廠在其國內的售價高出一倍。這種只保護享受特權階級而又放任的辦法，合理嗎？

我們的國產汽車，實際上「裕隆」只是製配工廠而已，這裏有證可舉。（上）

四「狂」獲勳引起風波

——本報資料室

由英國利物浦四青年組成的所謂「狂人樂隊」（原文Beatles，或譯「披頭」，尤佳；不但音相近似，四狂亦確實披頭散髮，怪模怪樣也），曾經瘋魔了英國，也轟動了世界各重要都市，如美國、澳洲、紐西蘭，以及歐洲若干城市乃至於香港，都有過這些青年的蹤跡，不僅他們的表演為英國賺了數以百萬鎊計的外滙，他們所灌的唱片，所拍的電影，乃至於模仿他們的髮式而做成的假髮，以及根據他們服裝而做成所謂「狂人裝」，都從許多青年中間刮去不可數計的金錢。他們的影響力，遠在美國的「貓王」皮里斯萊之上，他們從音樂中所贏得的金錢，超過世界上任何古典的和現代的音樂家。然而，這是不是意味着他們的「音樂」是世界最好的，那眞是天曉得！有人說，他們根本談不到是音樂家，他們胡湊的什麼調調兒，根本談不上有什麼音樂價值。然而，天下竟有那麼多青年如醉如癡，對那四個披頭散髮的小夥子入了迷，着了魔，以得到他們的簽名題字為榮；有些女孩子甚至千方百計想接近他們，寫信給他們求婚，以得到他們的好感引為精神上的極大安慰。這是什麼道理？是他們的風度有特別令人着迷之處嗎？也談不到。四「狂」之中有一狂的相貌簡直醜得像隻猴子，那裏談得上什麼漂亮？貌既不驚人，而技又如彼，居然瘋魔了千千萬萬的青年，實在說不出什麼道理，只能算是二十世紀的「奇跡」吧！

然而，英國女王於本年六月十二日誕辰作其一年一度的頒獎之時，竟將帝國勳章MBE，頒給被目為狂人的「披頭四」。據英國首相威爾遜的解釋，是因為四狂替國家賺取巨額的外滙，功在國家，不得不予授勳，以資獎勵。威爾遜據說是經濟專家，而英國目前又正在鬧窮，難得有幾個小夥子到外國去賺大把外滙。因此，這位首相建議予「狂人樂隊」以勳章，倒也情有可原，無可厚非。

然而，想不到這一授勳，卻招來了大麻煩，引起了很多人的不滿，寫信給首相和英女王表示抗議的，如雪片飛來，達數千封之多。更使英國政府狼狽的，是有些獲得同類勳章的，大有羞與為伍之概。見諸外電報道的，首先是前加拿大國會議員杜蒲斯將勳章退回。接着還有一些得過勳章的也步杜蒲斯的後塵，紛紛退回勳章。

有位名叫赫恩的五十四歲的作家，以前曾當過警察，一九四四年因在意大利追捕武裝匪徒有功，獲得英帝國勳章。他得知「四狂」受勳，心頗不平，寫了封信給英女王，說女王承認狂人的貢獻「最為不智」。同時他一併將勳章退還。

一位現年七十歲的大衞‧李斯上尉，以前服役海軍有功，得過O‧B‧E勳章，並附一函解釋說：「我曾經以獲勳章而極其引以自豪。但是，現在勳章已經蒙垢，四狂的勳章已將勳章的一切尊嚴掃地無餘」。

另一位曾是戰時英雄，現任學校教師詹姆斯‧貝格，也打算將他所得的勳章退還，因為勳章「已經半文不值」。

有位海防士兵因在某一次沉船時協助警方救九個水手的生命有功，而得過M‧B‧E。他也於六月十五日晚間表示：「我很討厭這件事，並且考慮將我的勳章退回」。

截至此時，至少已有六人因不滿女王頒給勳章給四狂，而將他們所得的勳章退還給女王了。對於英國最高統治者，這得算是一件極其掃興的事情。

在英女王收到的幾千封信中，也有人表示給四狂授勳這件事是做得對的，不過，正如路透社指出：抗議給四狂授勳的人數大大多過贊成授勳的人數。但是，在國會方面，倒是支持了女王此舉。有七位工黨議員為此特在國會提出動議，為「狂人樂隊」辯護，說他們給英國賺得了大把美元。並且說他們給數百萬計的人帶來了快樂。同時，發起這們動議的一位議員還罵那些退回勳章的人是愚蠢和勢利眼。

台省高院刑庭庭長王明焱被監委葉時修等提案彈劾

（本報記者台北航訊）台灣高等法院刑庭庭長王明焱，因審理前某報記者李世芳（又名李青來）利用合會詐欺一案，被控有違法失職情事，案經監委葉時修等調查屬實，並提案彈劾，移送公務員懲戒委員會懲戒；至於刑事部份，應由懲戒會依公務員懲戒法第二十二條規定：懲戒機關對於懲戒事件，認為有刑事嫌疑者，應即移送該管法院審理。

李世芳原係某報記者，案發後，即被解聘。李自四十五年起至五十年止，先後為集合會八個，邀集陳端等數十人參加；李自己則參加劉寅讓等合會一百多個；入人之會已經標回，尚欠劉寅讓等為會首之死會金未繳，其自己為會首的會，經陳端等標得，未付給會金；總計差陳端、劉寅讓等人會欵約百餘萬元等情不諱。核與被害人陳端、劉寅讓、龍鑄九等在地院刑庭陳述一致。劉寅讓等於五十一年十月間，向台北地院提起自訴，控告李世芳連續詐欺，案經地院判處李世芳有期徒刑三年。李不服上訴高院，案經該高院審理一年七個月，於五十三年八月廿七日判決：關於地院之詐欺原判決撤銷，改判李世芳無罪。

因此劉寅讓等又向監察院控訴高院庭長王明焱違法失職，理由是：李世芳之犯罪事實，地方法院依刑法三三九條第一項：「意圖為自己或第三人不法之所有，以詐術使人將本人或第三人之物交付者，處五年以下有期徒刑。」而判罪。李世芳不服上訴，高院刑庭自應就其事實經過，是否應構成詐欺罪責，予以調查審究，以為裁判基礎。乃該王明焱既未分別調查證據，對於第一審所認定之事實，也不否認。惟以「……每擇有聲望之人為莊首，使其保證會欵，必能照數收回，如有中途散局或繳不足額情事，概由莊首負其全責，其用意無非欲鞏固會欵之信用，使人樂於入會而已。故莊首對於得會人係居於保證之地，嗣後即或推卸責任亦祇屬民事上之違約問題，自無詐欺之可言，最高法院著有判例可資參證。」云云，為李世芳避免刑責，其以台灣通行之合會會首認為民國廿八年時期之莊首，係居於保證地位，既與案之事實不符，已比附不類。更不問其有無詐欺行為，以為既居保證地位，即無詐欺罪可言。揆之犯罪之有無，應依事實認定之旨，尤有未合。而王明焱引用之判例係斷章取義，不能謂非枉法。

該推事王明焱既未分別調查究竟有無詐欺，遽謂：「至收取各會員會金未付給得標者，以及標得參加各會會金之後，因經濟拮据未及給付，亦屬民事債權債務不履行問題，自不涉於刑事範圍」。此項不問犯罪事實經過，認為不涉於刑事範圍，竟以理想推定之詞，其居心為被告李世芳開脫，尤為顯然。

同時，該案自五十二年三月廿八日收案日起，至五十三年八月廿七日宣判日止，共歷時十七個月之久，若按照「刑事審限規則」所定之廿二日內審結的規定，已有不合。況法院先後定期訊問七次，被告李世芳僅應訊二次，即五十二年十二月五日第三次訊問到庭，及五十三年八月二十日第七次訊問到庭。該推事王明焱展期五次，每次相隔時間多至三、四月，任聽被告申請改期，監察委員認為有意為被告避免刑責。所以提案彈劾。

按照阿美族原始村落形式 花蓮建成「山胞文化村」 另配以現代化的電器設備

（本報台灣通訊）為發揚民族舞蹈及配合發展觀光事業，耗資三十萬元，在花蓮縣阿美族聚居的田埔村所興建的一座「山胞文化村」，經已全部落成，並正式開放，任由各界人士參觀。

「山胞文化村」距離花市僅三公里，即宜昌國校對面，全村佔地一千五百坪，完全仿照阿美族原始村落的形式而興建，並配以現代化的電器設備，規模宏偉壯觀。村內建有高達三丈餘的古代神像一座，祭神舞場一處，普通舞場三處，陳列館一座。此外並有一艘已有七百餘年歷史的獨木舟，也陳列在村內，以供觀光人士欣賞。

在積極提倡發展觀光事業聲中，「山胞文化村」的興建完成，無疑的已為花蓮添一極富歷史意義和古色古香的觀光勝地。阿美同胞，以該村創設伊始，除經常在村內演出阿美族歌舞外，並將出售手工藝品，以供遊客的觀賞和選購。

新儒顯微鏡下的人性光輝
——解答了哲學上一個大難題
（論道續第六章）

陳健夫

從生理上可以知道心爲一身之主，全身氣血均集中於此，自然都需要求一個出路，一鍋水尙要蒸發，豈有一身氣血却不要發洩的道理？沸水發出來的是蒸氣，人心發出來的却是慾望。這人欲乃血氣所生，其中充滿了妄念。妄念所集，不是惡還有些什麼呢！氣血所發出來的是爲人欲，這人欲充滿了妄念，豈有滿足的時候？人心猶如大海，永遠不可滿足。人欲發出來，得到了滿足，人心裏就舒服，就快樂。得不到滿足的時候，人心裏就憤恨，就憂悶。現代心理學不論是行爲主義或心理主義，都一致承認人性具有權力欲望。爲了權力欲望，自然必至流爲罪惡而後止。可知人心本身就是一團欲望，這團欲望再遇着外界事物的誘惑，於是生出無數的欲望。世間一切聲、色、貨、利，都在人心欲望之中。人心是一個最小的物體，但世間萬事萬物，都與它發生最密切關係，其主要媒介便是人欲。人心中充滿了這掛在世間萬事萬物之上的人欲，倘無生命力爲之掌握運用，則人性隨時有造成罪惡的機會。從心理生理上已充分證實，人欲之易於流入罪惡，原是人情之當然。人心中若有時空虛，他必會感到苦悶徬徨，無所寄託。人正如猴子一樣，他若有一天不做點壞事，就會感到苦悶。這一切便是人欲所發生的作用。人性實在易流於罪惡，我這些話，都由生理上講起。相信這道理是有科學根據的。

古聖先賢最初發見「人心惟危」的道理之後，便創立了一心力之學，這種心學，便是聖賢相傳下來的最基本之學，最高之學，故謂之大學。大學之道，千言萬語，皆不外尊德性，自明明德，以至至善，皆是尊德性的學問。道問學，其歸宿仍是尊德性。所以大學以修身正心爲本。大學上「正心誠意」「格物致知」之教，全在這個心上做工夫。心之爲物，何以使人如此難以對付？心性之未盡善，於此可以想見。只是聖賢不肯一語道破。學者當於此處思量省察，始可悟見眞理。原來人心乃居於人身血肉之軀最內層最中心的精華結晶，最有權力，也最有影響。人身百體無不受命於心，心之性能，是謂性。這個性得自天賦，故謂「天命之謂性」。由性而發情，人心充滿的欲望，即由情而發洩，當性情向外找出路，求發洩的時候，其力量極猛，非心所能約束操縱，全把控不住，所以心性既發，自必難免流於罪惡而後止。大學之所以先明明德，以求止於至善，中庸之所以「率性」而後謂之「道」，「修道」而後謂之「教」，這明－止－率－教皆是一番培養生命力的工夫。所以人必須用全盤工夫，盡其「明」「止」「率」「敎」之功，方能把握此心，不至流爲罪惡。若此性此心全是善，又何必費如許工夫？可知人性原非盡善，事理至明。孔子之學，本是這個宗旨。但孔子的學問傳至孟子，荀子，便各執一偏，有失其眞了。孟子主性善，荀子主性惡。荀子性惡一說，全是從人性的弊端而說，已將人類光輝的生命力加以否定，自非主理；孟子主性善，一心在「善」字上用工夫，便是執着，不免有所偏。有所偏必有所蔽，有偏有蔽，對眞理的全貌，自難以盡識。自孟氏而後，直至宋明大儒，皆由孟以窺孔，執着性善一說，又論氣質又論性，便轉說轉糊塗，不知所云了。

孟子說性善，雖善辯，却不能自圓其說。宋儒雖闡揚出學說，仍是不能自圓其說，說來說去，總要露此馬脚。朱熹說過「人雖極惡大罪，未嘗無道心」。可知朱子也承認人有「極惡六罪」的。既如此，便否定了人性善之說了。明朝的王陽明，悟個「良知」，費了四十年工夫，這豈是普通人做得到的。（十三）

哀江南製造局

李仲侯

時，劉楚材附着耳根正對我說，一眼望見大局門內遙遠的角道上，有一隊武裝兵，飛也似的跑出了大局門。廣場上的人羣，就搶先向廣東街那頭奔跑，我跟劉楚材也急速閃進附近一條衖巷，跑進一家打鐵店後面躲藏；祇聽到外面人聲鼎沸，跟那有人說：革命軍敗退了。我們躲藏好一會，再跑去廣場，看到大局門的鐵柵又掩上，炸開的那個缺口，有好幾名槍兵把守，戒備森嚴，不准任何人出進。我看無法進局，就拉着劉楚材一同回到嬸母處，要他證實叔父被扣的消息，以免嬸母怪我未見到叔父而挂罵。

嬸母見到劉錄事說知一切，知革命軍已退，營救叔父要緊，終止了浦東之行，囑我和五嫂在家看視弟妹，他獨自一人去陳會辦（寧鄉人）家談話去了。臨行並囑劉錄事再去探聽消息，隨時來報。日暮嬸母歸寓，說陳會辦亦上文案瑞介來對嬸說：張總辦扣留叔父的理由，說是他和湖南革命黨人譚人鳳向有往來，最近會檢查出譚寄李總文案的書信，信中有很多不可解的隱語，疑惑總文案與革命方面一定有勾結，故對他追問很嚴；他回答不出理由，就把他扣留在隔邊聽差的房內，派兩個衞兵看管，也未審訊他，僅失去了行動自由。未久，劉錄事會來過兩次，亦探不出什麼消息。直至夜半叔父仍未見歸，嬸母乃急得團團轉，白天打好的被包，也未去解，大家倚裝假寐。夜半過後，忽然聽到局內又是槍聲大作，不斷夾雜炸彈聲，大炮聲，戰況比白天更顯得幾分激烈。外面漆黑一片，枯守很久，我倆偷偷地摸去屋後馬路邊，路上行人絕跡，槍炮彈仍不斷響着，望見洋槍樓一帶火光燭天，燃燒甚烈，快要變成一片火海。

我返家遇見陸伯母，他說街上放了哨，不許人行動。全院子共五戶人家，都站在院中心，面面相覷，打探不出消息，一伙兒都成了熱鍋上的螞蟻，束手無策。嬸母坐在客廳角上，向隅而泣。天快要亮，我靠在屋內藤椅上，不知不覺矇矓睡去。忽然聽到叔父叫門聲，他拖着疲倦的脚步，進門後，樣子顯得十分狼狽。全院子的人都團攏來問訊，聽叔父講大概情形是這樣的：

昨日（十三）下午攻製造局的革命軍，大約不過一百三四十人，起初來勢兇猛，將總局鐵柵門炸倒後，即直衝二柵門。

那時蘇統領已有準備，對準來犯的革命軍就是一排槍擊倒五六人；一面憑藉鐵桶柵向外轟擊。那邊亦開槍猛攻，但局方有砂包作掩護，祇一二人受傷。革命軍拋擲炸彈，想炸毀鐵柵門，不料一時失手，倒反炸傷了自己五六人。相持不到一句鐘，革命軍方面已死傷三四十人，隊形就漸漸散亂。（七）

二、中法初期戰爭與劉永福

我國疆吏詞臣大抵皆主出兵，並激勵劉永福以爲助。時適有吏部主事唐景崧以與劉同籍廣西，自請爲之遊說。清廷旨允。光緒九年，景崧抵保勝，見永福陳策，永福從之。以三月出師逼河內。先是，法人藉口西貢政治條約有代出兵剿匪之條，於光緒七年脅越王逐永福，越王佯調解而陰令永福勿移。光緒八年三月，法海軍大佐李威利率兵三百敎兵數千用炮攻陷河內，九年二月，法軍援兵至，再陷南定省。越月，更陷河陽、廣安、寧平等省，進逼劉軍。永福逆戰於懷德府之紙橋，四月十三日大敗法軍，斬李威利，法兵死傷甚衆，嬰城固守。唐景崧爲永福作檄文，遠近爭相響應。是時永福勢大盛，有衆廿餘萬，清廷賞十萬金犒軍，越王封永福義良（一等）男爵。

法國會聞軍敗訊，決議即以駐暹羅領事赫爾曼爲越南東京理事官，總轄文武政務；命西貢司令官波也少將即赴東京指揮陸軍，以五月率軍入河內。七月十三日，再與劉軍戰於

中法越南、閩海之戰

羅雲

懷德府下，復敗績。十四日，法軍詭計決堤，水淹劉軍，入夜竟渡膽，兵立屋脊，賴土人讓渡龍丹相救；劉軍遂退屯丹鳳縣。八月一日法軍復大舉，劉之先鋒黃守忠最得力，苦戰三晝夜，屹立不退，法軍終不得逞，遂轉以水師攻越都順化。時法海軍少將孤拔於六月率援兵二千至海防，與赫爾曼合議避實擊虛，且欲以越王命令挾制劉軍及其友軍。

順化越政府和議不決。光緒九年六月十六日越王崩，遺詔以長子瑞國公應禎爲嗣，主戰派等不悅，以太后命廢應禎而立嗣德弟朗國公洪佚，改元協和。七月間，法艦十九艘來攻、下令戒嚴。

七月十七日法軍卒佔順化城外炮壘，越王遣使求和，二十三日越法結順化媾和假條約，第一條明定越南甘受法之完全保護，雖與中國交涉亦必由法國爲介。其餘各條，亦皆出讓主權條欵。同月，越遣使告急於我。八月，法以越王媾和之命傳至越北，越北軍遵令停戰，劉軍亦稍有散者，永福以全軍退至山西城後二十餘里。

是時左宗棠，彭玉麟等均主戰甚力，但爲李鴻章所反對，結果，不出大軍直與宣戰，僅派隣近少數兵力助守而止。九月，法軍復以艦十二艘兵二千攻上姥下姥、兌澳，越兵清兵禦之，血戰三日，法軍敗走。十月，越復廢協和帝而立嗣德之第三子昊，是爲建福帝，再宣佈順化條約無效。

劉軍得耗，復進駐山西城，滇軍三營，粵軍三營俱赴援之。此時山西已成孤城。十一月十四日，孤拔以兵八千進攻，法兵蔽野而來，騎馬快槍，水陸均施開花炮，彈至如雨。劉軍苦禦之，連戰兩晝夜，彈竭，乃退守入城。十七日，法軍得補充，復猛攻一日，劉軍因城中眷屬哀號，致使兵無固志，乃拔隊退興化，山西遂陷。

（二）

動物農場

英 George Orwell 著　陳其芝譯

第八章　動物的外交策略與人海戰術

雖然一切交往接洽都由黃恩伯先生經手，但拿破崙同志和皮克湯先生，已經有了相當的友誼關係，可是比起於皮克湯先生之終屬人類，動物們對他還是不敢信任，但是比起那位令牠們又恨又怕的菲特烈先生就好得多了。夏去秋來，風車工程一天一天地接近了竣工地步，可是謠言也越來越多了。據說菲特烈先生召集了廿個人手，武裝齊備，正極積從事進攻動物農場的活動，而且已經賄賂了當地的官府與警察當局，假如他能佔據動物農場，而且在行經營時，官方將不予干涉。最使動物們害怕的傳聞還是從菲特烈先生農場中洩露出來的消息，說人們虐待動物是如何的殘酷毒辣，他們用鞭子把老馬活活的鞭打至死；牛羣被活活地餓死，把狗送進火灶上活活地燒死，在鷄的腿上綁上鋒銳的剃刀片作搏鬥，眞是血液沸騰，動物農場上的動物聽到了自己的同類受到如此殘暴的娛樂，氣憤填膺，恨不得立刻用赤手空拳打到狐園農莊去，趕走人類，解放動物。只是斯奎勒不斷地勸誡牠們要沉着忍耐，聽從拿破崙同志的一切策略。

就在這種情況下，反對菲特烈先生的情緒逐漸高漲着。星期天的早晨，拿破崙又在大穀倉裏露了面，牠對動物們解釋說牠從來沒有把木材賣給菲特烈先生，與如此無賴的一個人類交往，眞是自貶身價，有失威嚴與體面的事。派遣鴿子到四處去傳播叛變消息的工作仍在繼續進行，唯禁止到皮克湯先生的狐木農場去而且「消滅人類」，「打倒菲特烈」之類的標語要大量傳散。在這個夏天又發現到史諾柏的另一個陰謀活動。史諾柏在夜間悄悄地到農場裏來，把純淨的麥子滲雜上許多草種子。有一個參與這次破壞活動的公鷄在牠向斯奎勒坦白認錯後，受到吞食毒莓自殺的處罰。動物們英雄上的動物現在眞的相信史諾柏從來就沒有得到過「第一等動物英雄」獎章的那回事了，這是牠們從前深信不疑的事實。到今天才知道那原來是在「牛欄大戰」之後，由史諾柏自己製造出的新聞。其目的只是偽裝及掩飾牠在戰場上所表現的懦怯行爲。雖然在開始的時候，動物們還是疑信參半，有點困惑難解，但是斯奎勒的口才終於說服了牠們並叫牠們相信自己的記憶力有點不中用。

時至深秋，動物們都已經勞苦筋疲力竭。因爲秋收是特別忙碌的時節，風車也得在此時完工。雖然機械設備還由黃恩伯先生在交涉購買之中，但一切建築工程總算是告一段落。動物們驕傲而激動地繞着風車來回的賞欣。眞的，牠們經過千辛萬苦；用一些簡陋非常的工具，憑牠們沒有經驗的爪蹄竟能克服了許多意想不到的種種難題，以及史諾柏千方百計的陰謀破壞，毫沒有影響到牠們如期完工的計劃，這怎能叫牠們不興奮而又驕傲呢！況且這次的風車工程比第一次更堅固更厚，比原來多兩倍厚度的牆壁，再也不怕任何暴力來摧毀了！再想到當時的工作是如何辛勞，失敗的打擊使牠們如何的頹喪，甚而絕望，生活又是如何的痛苦與艱難！而今，風帆在飛舞，直流電也在流動，怎能不使牠們歡欣若狂呢？一切艱苦與疲憊都已一筆勾消，牠們發出了勝利的狂呼！繞着風車狂叫亂吠！拿破崙也由牠隨侍的狗羣及那隻黑公鷄護衞着來到場地檢視工程，並且親自向勞動的動物同志們恭喜道賀，更命名風車爲「拿破崙號」。

（三五）

蘇俄的排猶觀念

·呂寶水·

——民國五十四年六月十二日自由報第五五五期刊載一篇華盛頓通訊稿，題爲：「廿三年前大屠殺波仔之罪行證實蘇俄所爲曾圖架禍德國」。閱後想起一九六一年英文日本時報曾刊載「蘇俄的排猶觀念」一文，與自由報所載者揭發蘇俄屠殺罪行有類似之處。「蘇俄的排猶觀念」一文，係日本某記者所寫，本人閱後，曾譯爲中文郵寄台北某報，未見刊載。今檢尋舊譯稿尚在，因覺不無一讀之價值，特寄上以饗讀者。——呂寶水誌

蘇俄的天才青年詩人伊夫格納·伊夫士森科（Evgeni Evtushenko），這個莫斯科知識青年的偶像，因發表「巴比雅」（Babi Yar）一詩，再度引起被批評的風潮。因「巴比雅」一詩的題材處理是與蘇俄排猶觀念有關的。「巴比雅」這個題材，早就被蘇維埃報紙所禁忌。

一個專訊報導着：「醫生畢竟無罪？何以人民那樣被屠宰？……」這幾行詩是出現在史太林死後不久，蘇維埃的一個二十歲無名作家的一首叫做 Stantsia Zima—"Winter Station" 的長詩裏。作者的名字是伊夫格納·伊夫士森科。

他一旦成名，洛陽紙貴，但不虞之譽，有求全之毀。因有種種異端之嫌，黨的評論使他繼續的受到攻擊。因他在一首詩中結語，用這樣的字眼：「新鮮的空氣！我們需要新鮮的空氣。」又在另一首詩中寫道：「我正在製造自己的資歷，因我無爲。」

近數年來，伊夫士森科曾是莫斯科知識青年的偶像，有馬亞可夫斯基（Mayakovsky）其人曾訪問過他，他不但有不太正派的詩篇出版，而且常參加文學討論與朗誦詩章。據意大利共黨報紙 Unita 敘述朗誦其詩篇的情形是：「大多數的聽衆都成爲學生，其詩之受歡迎是衆所共賞的事，連幼黨也能吟味伊夫士森科的詩篇。」蘇維埃的支持者們，現正用許多罪名與偏差來攻擊他，包括「標新立異」與其所主張的「探索成功的捷徑」。

剛從一九六一年九月十九日訪問古巴回去的伊夫士森科，發表了一首「巴比雅」的詩篇，這個題材的處理，在蘇俄是並不時髦，因此，剛回國的他，把自己帶入風暴中，受到攻擊與辱罵。

巴比雅是在基輔的城郊外，於一九四一至四二年間，那裏有數萬當地的猶太人被納粹的清除隊殺死。（一）

戲詞的正格、變格之演化（上）

艮厂

「路是人走出來的」。「格」更是基於主客觀的需要，約定俗成的一種法式或標準。「格」字的本義就帶着有變革和正常的涵蓋。它從無到有，更由「正」經過新的演化——「變」，形成「變格」。積久成習，變格再被大衆認定爲正格。陳陳相因，如是就逐漸進步了。

詩本來就是一種自然的韻律，而沒有「格」的。後來才有所謂「幾言詩」。唐代的「近體詩」所以被稱定爲律詩、絕詩等規格的原因，其目的就在造成「衡文」的標準模型；而反作用乃使它「僵化」了，成爲只具形式而缺乏生動內容的呆板文體。如是，就產生了所謂「詩餘」的「詞」；更進而演化爲「詞餘」的「曲」；再綜合而形成了具有「唱」、「白」，「演」，並用音樂烘托、伴奏，具體表現一段人生故事的戲劇演出了。

現在且把範圍縮小到唱詞的演化方面來。在旋律的正格上，多半是由慢而快的，由高吭而低沉的；反之，由快而慢，低沉而突然拔高，就必能令聽衆的「耳目一新」了。皮黃戲普通對於板槽的安排，多半是由「散」的倒（導）板、搖板而正板、慢板，再轉「二流」（廣義地指二倍於流水板、快板的拍子，平劇的二六乃二流音譯之訛誤，或者省寫的留傳）更加速成爲快板或流水板的；也有在「二流」以後再唱「散」了的。漢劇伶王、老生余洪元，在其自導（劇本可能乃湖北名士劉某某的手筆，再經過內行刪改，潤色而成），自演的「興漢圖」的「探病」一折中，表現劉先主探望「裝病」的諸葛先生時，所用的詞，就是先唱二黃原板（二流）：「多只爲，孤（的）二弟王，（在）麥城遭難；手足仇，比父仇，不共（與）戴天！」諸葛亮哼：「臣不能等了！」劉備接唱：「無（計）奈何，進前去，把好（轉正板）言和語，相勸，孤的先生，你把，愁煩事：……」習慣了皮黃規律的觀衆，驟然聽到這樣「變格」的唱法，都將不禁爲之擊節讚賞。這正是余伶王的聰明，可愛處。四郎探母中「叫小番」的「嘎」調也是如此的。

詞句的字數，本係順應天籟而沒有加以限制之必要的；但放任的結果就不免有如「脫韁之馬」難於對音樂的旋律「就範」之感。是以必然產生了規格。皮黃劇由於先天乃來自於「詩」「詞」和「曲」的，所以，也就很自然地接受了它們的遺產。蛻變自「七言」詩的二、二、三，和蛻變自「五言」詩兩句的三、三、四，也都不乏其演化的軌跡可資蹤循。由詞或曲直接來的，則更僕難數。所以，如果編劇者或演唱者敢於或能夠在句的字數方面，給以變化的安排，作不規律的增減，甚至搶眼時，更將令欣賞者對某一份的「唱法」、「氣口」，和某琴師、某鼓佬伴奏，烘托得「嚴絲合縫」，嘆爲觀止。近人新編的戲以變化的安排，作不規律的擬規律的增減，甚至搶眼時的驚險中，不必細述。讀者有興，無妨隨時追尋，欣賞。

三國史微言

·燕謀·

陳壽這個人

陳壽字承祚，巴西安漢人也，少好學，師事同郡譙周。仕蜀爲觀閣令史。宦人黃皓專弄威權，大臣皆曲意附之，壽獨不爲之屈。由是屢被譴黜。遭父喪，有疾，使婢丸藥，客往見之，鄉黨以爲貶議。及蜀平入晉，坐是沈滯者累年。司空張華愛其才，以壽雖不遠嫌，原情不至貶廢，舉爲孝廉，除著作郎，出補陽平令。先撰蜀相「諸葛亮集」奏之，除著作郎，領本郡中正。始撰魏蜀吳「三國志」，凡六十五篇。時人稱其善敘事，有良史之才。張華深善之，謂壽曰：「當以晉書相付耳」。其爲時重如此。

或云：丁儀、丁廙（缺广頭下同）有盛名於魏，壽謂其子曰：『可覓千斛米見與，當爲尊翁作佳傳。』丁不與之，竟不爲立傳。又曰：壽父爲馬謖參軍，謖爲諸葛亮所誅，壽父亦坐被髡。諸葛瞻又輕壽。壽爲亮作傳，謂亮將略非長，無應敵之才。言瞻惟工書，名過其實。議者以此少之。

張華舉壽爲中書郎，荀勗忌華而疾壽，遂諷吏部遷壽爲長廣太守。辭母老不就。杜預將之鎮，復薦之於帝，宜補黃散。（謂黃門侍郎或散騎常侍也）由是，授御史治書。以母憂去職。母遺言令葬洛陽，壽遵其志，又坐不以母歸葬，竟被貶議。後數歲，起爲太子中庶子，未拜。元康七年（晉惠帝丁巳歲，當西元二九七年）病卒，年六十五歲。

陳壽除撰「三國志」外，又撰「古國志」、「益都耆舊傳」（益都當作益部）十篇，餘文章傳於世。凡此，皆「晉書」八十二陳壽本傳之大略也。

自來著錄之家，如宋晁公武，陳振孫，俱采壽書，而尚論略異。晁氏謂：「其銜諸葛孔明髡父而爲貶辭；求丁氏之米不獲，不立儀、廙之傳類；亦未必然也。」（郡齋讀書志）陳氏則謂：「乞米作佳傳，以私憾毀諸亮父子，難乎免物議矣。」（見「直齋書錄解題」）一則於本傳或云之辭謂其必然；一則深信不疑，惜其難免物議；持論有不同，要皆惑於傳文矣。蓋索米之說，自北周柳虯、唐劉允濟、劉知幾皆信之，其所由來者尚也。至清朱彝尊、杭世駿、王鳴盛等乃力辨晉書之誣。大旨謂：

壽於魏文士惟王粲、衛覬等五人立傳，粲取其興造制度，覬取其多識典故。若徐幹、陳琳、阮瑀、應瑒、劉楨等，僅於王粲傳附書。今粲傳附書云：「沛國丁儀、丁廙、弘農楊修、河內荀緯等，亦有文采。」又於劉廙傳附書云：「與丁儀共論刑禮」。如此已足矣，何當更立專傳乎！且壽豈不特不爲傳而已，於陳思王傳云：「植既以才見異，而丁儀、丁廙、楊修等爲之羽翼。」於衛臻傳云：「太祖久不立太子，方奇貴臨淄侯丁儀等爲之羽翼。」是奪嫡之罪，儀、廙爲大。又毛玠、徐奕、何夔、桓階之流，皆鯁臣碩輔，儀等交構其惡，疏斥之。然則二人蓋巧佞之尤，安得爲之立佳傳哉！（二）

七仙女

——「影劇與歷史」之七

周遊

臨行，她含淚留字於槐蔭樹上，約定「明年春暖花開日，槐蔭樹下交子。」並說明此後雖然天上人間兩隔離，但相愛之情永矢不渝。董永醒來，仙蹤已渺，讀槐蔭樹上留言。惟一泡眼淚，遙望天空斷腸而已。

以上是「七仙女」在銀幕上的情節的大概。本片故事的全部內容，是描繪仙凡戀愛，頗凄惻纏綿。然與本來的董永故事旨趣不符。如照董永故事以觀本片情節，整個故事中心宗旨在何處呢？本來董永是一個孝子，列入二十四孝裏面，他是以孝行感動仙女。電影上他賣身葬父，然而他既無孝行顯示，無表現；和他其他孝行毫無表現；就何能感動仙女？蓋仙女之所以下凡，就是因爲他的孝行的緣故，不可不講也。在片中，董永的唱詞又有矛盾。董永賣身，是因爲「爹死無棺木」；父親已葬了，辭別破窰上工途中，然何又唱「不知那家要傭傭人」？董永賣身給誰家，他自己豈不知，竟唱「不知那家要傭傭人」，太自相矛盾。這是作詞的人的粗心大意吧？又從整個劇情來看，亦尚是一個欠完整的故事。據聞已在籌拍續集，那亦是一種神話故事。本來在「七仙女」中，就應該一次演完的，現在又來一個續集，不過是爲了多賺觀衆的錢而已。

「七仙女」之所以能夠賣座，完全是因爲邵氏及電懋打對台的關係；報紙爲之宣騰，而無形中替他們做了廣告，而且效力頗爲宏大。兩部七仙女都很賣座的原因，都不外乎如此這般。如論貨色，二者都嫌粗製濫造。最慘的是台北的觀衆，兩部片都去看一看，究竟誰好？結果都差不多！但有說邵氏的七仙女好的，也有說國聯好的。那是各人的愛惡而已。兩部七仙女是各有千秋，各有缺點是無不可諱言的。

事的傳說及歷史根據

「七仙女」故事，是「天鵝處女型」的神話故事，在民俗文學中有相當地位。男主角董永，在中國歷史上的記載很早，而且文獻是足以徵信的。漢桓帝時山東嘉祥縣武梁祠的畫相中，就有董永的行孝圖，在畫像石刻題有「董永千乘人也」字樣。千乘，即今山東嘉祥縣。武梁祠乃是漢桓帝元嘉元年（公元一五一年）所建。那麼董永至少是桓帝以前的人了。民間任何一種傳說，如果發現他已見於記載，或者戲劇、小說等，那個故事，必是相當長久了。武梁祠石刻圖其名爲「鹿車載父」，畫面是董永的父親執杖上車，董永在旁作役。迨至後漢末曹子建的「靈芝篇」中，亦有董永的記載。文云：「董永遭家貧，父老財無遺。舉假以供養，傭作致甘肥。責（債）家填門至，不知何用歸？天靈感至德，神女爲秉機。」而劉向「孝子圖」稱「後漢董永」。但該文有矛盾，有人認爲非劉向所撰。因劉向爲前漢人，他何以知有後漢？故有人疑其採自「搜神記」，其實非也。「搜神記」乃晉人干寶之作，而在干寶之前的三國時已有了董永故事的記載，曹子建「靈芝篇」的董永故事就可以把它推翻了。「後漢董永」一記入劉向的「孝子圖」中，當然是後人的竄改。董永故事的流傳是相當久了，至漢末收入子建的作品，可知董永在後漢，董永已與七仙女結過婚了。（二）

記胡葉之緣

·朱滌秋·

胡宗南將軍，是北伐抗日的名將。其治軍之嚴，與處世之謙，於近代軍人中，堪稱是一位模範將軍，早爲人所稱道，有口皆碑。不幸尚未反攻大陸，胡將軍於三年前逝世，也是國家一損失。茲值三週年祭，讀到文壇所載一篇散文，是「一張照片」爲胡夫人葉蘋女士所寫，才知道此段秘辛，也是可傳的軼聞，爲記此追憶往事。

當民國十九年，她才十六歲（指葉女士），考取了浙大農學院附設的高中，一稱農高。和她一起考取的同學，有小姜，小朱，小江。但和小江是在入學考試前，就認識的，又同一寢室，就成爲好朋友。小江的哥哥是黃埔四期畢業，那時在杭州保安司令部充大隊長，家住在清波門，小江每個星期六回家，有時約她同去，他嫂嫂非常賢慧，對她有如妹妹一般，她也就把小江家當作自己的家了，時常都去。某週的星期天，她和小江在房裏看小說，忽然看見窗外站着一個又高又大的男人，約有三十歲光景，問她們看什麼書。小江沒有抬頭，回答一聲：「小說」。她覺得小江不禮貌，對他笑了一下作爲招呼。他進來問是不是喜歡看翻譯小說，如果喜歡，他家裏什麼書都有，可以借給她們。（一）

內僑警台報字第〇三壹號內銷證

自由報

THE FREE NEWS

第五六零期

中華民國僑務委員會頒發
台數新字第三三三號登記證
中華郵政台字第一二八二號執照
登記爲第一類新聞紙類
（星期三、六出版）（每週刊行兩期）

每份港幣壹角
台灣零售價新台幣貳元

社長：雷嘯岑
督印人：黃行齋
社址：香港銅鑼灣高士威道廿號四樓
20, CAUSEWAY RD 3RD FL.
HONG KONG
TEL. 771726　電報掛號：7191
承印者：大同印務公司
地址：香港北角英皇道九六號

台灣分社
台北市西寧南路三〇號二樓
電話：三〇三四六
台郵政信箱二九二一號

人才的風格和運用

陸嘯釗

孔子曰：與其不得中庸，必也狂狷乎。又云：狂者進取，狷者有所不爲也。此蓋失於周全之道，而取諸偏至之端也。然則有所不爲，亦將有所必爲者矣。既云進取，亦將有所不取者矣。——范曄後漢書獨行列傳

世界上任何具有獨立特行色彩的人，無不非狂即狷，可是在中國歷史上，衡量人才往往取中行而捨狂狷。因爲獨立特行的人，必定有他自己的理想；這種人不僅不易駕御，反足僨事。如果用人全在俯首聽命的標準上着眼，這種看法自然也有他的道理。事實上，獨立特行並不是固執己見，這是一種做人處事的應有原則。如果把狂狷兩字，僅就表面上的字義去衡量的話，那就差之毫厘，失之千里了。

我總覺得歷史上任何耀眼人物，氣質上多少都有一點狂狷成分，成功固然成功得多采多姿，縱或失敗，亦依然不失爲是一個響璫璫的腳色。無論成功失敗，他仍然是一位深具吸引力的人物。這一種吸引力並不是由於他槐梧奇偉的儀表，滔滔不絕的言詞，博古通今的學識，威稜顯赫的權勢！而是一種氣態——一種「誠於中而形於外」的氣態。這種氣態造成一個人高亢的志行，獨來獨往的風格，堅守原則而不隨隨流俗，使許多學問比他好的，議論比他好的，相貌比他好的，權勢比他大的，一齊拜倒他的腳下，心悅誠服地接受他的意見。這比以氣態折人、言詞折人、相貌折人、權勢折人來得有力。

戰國策裏有一段故事：

齊宣王見顏斶（斤旁下同），曰：『斶前』！斶亦曰：『王前』！宣王不說。左右曰：『王，人君也。斶，人臣也。王曰斶前，斶亦曰王前，可乎？』斶對曰：『夫斶前爲慕勢，王前爲趨士；與其使斶爲慕勢，不如使王爲趨士。』

這是有所不爲的典型例子，最後顏斶終於以氣態折服了齊宣王。戰國策另外記載了一段唐睢不辱使命的故事，「伏屍二人，流血五步」的布衣之怒，終於折服了「伏屍百萬，流血千里」的天子之怒。這不僅是言詞折人，而是言詞背後的氣態咄咄迫人！這種受命於國家危難，義無反顧的決心，正是狂者進取的氣態。這才是典型的英雄、俠客、豪傑、烈士的作風。

說到咄咄迫人，我們想到了「咄咄」的另一段史事；漢光武和嚴光是布衣交，劉秀做了皇帝，想起了他的老同學嚴子陵，親自登門造訪，嚴光高臥不起。皇帝無可奈何，祇有走進他的臥室，摸摸嚴光的大肚子說：「咄咄！子陵不可相助爲理邪？」聊以自我解嘲了。嚴光的有所不爲，這正說明了狷者的風格。

中國歷史上的皇帝，唐太宗是最善於用人的一個，爲常人所忌的獨立特行之士，到了他的手裏，卻變成了忠心謀國的良臣，終究造成了最燦爛的貞觀之治。唐太宗和魏徵之間的故事，就是一個最好的例子。

魏徵在李世民爲秦王時，原是東宮建成的人，玄武門之變，李世民殺了建成、元吉，登上大寶以後，魏徵不僅沒有獲罪，反被重用。魏徵這一個人原是個不畏權勢，祇論是非的人，他的犯顏直諫，就連皇帝也敬而畏之。魏徵「每事廷辱」皇帝，使得唐太宗「常不自得」，甚至氣得要殺此「田舍漢」。可是魏徵依然故我，皇帝也就無可奈何了。魏徵死後，唐太宗臨朝跟侍臣說過這麼一段話：

「夫以銅爲鏡，可以正衣冠；以古爲鏡，可以知興替；以人爲鏡，可以明得失。朕常保此三鏡，以防己過。今魏徵殂逝，遂亡一鏡矣！徵亡後，朕遣人至宅，就其書函得表一紙，始立表草字皆難識，唯前有數行稍可分辨，云天下之事有善有惡，任善人則國安，用惡人則國亂。公卿之內，情有愛憎，憎者唯見其惡，愛者唯見其善。愛憎之間，所宜詳愼；若愛而知其惡，憎而知其善，去邪勿疑，任賢勿貳，可以興矣。」

這種忠心耿耿的態度，若非狂狷之徒，孰能達此？

民國成立以後，黃膺白可以算得是其中突出的一個。他是深明「有所進取，亦有所不取；」「有所不爲而後可以有爲」的人。因此他總是國家危難之際，不計譭謗，出而任事；等到危機一過，他就悄然引退了。他一生中受謗最多，癸丑討袁，人家把軍事失敗歸咎於他與北軍合作，人們罵他跟軍閥官僚同流合汚；主持對日外交，更被人誤會他是賣國漢奸。這種「我不入地獄，誰入地獄？」的精神，不是具有大勇氣的人，安能達到這一種境界。一直等到蓋棺論定的時候，一切眞相也就大白了。他生前說過這樣幾段話：

「我一生做事，總是遇着危險。每當國家有難題發生時，我乃出而任事，不久即復引退。此余之命也，我則安之。」

「凡吾所爲，千秋後世，必有識之者。其功罪我所不計；惟耿耿此心，自信無負於國家耳。」

「用之則行，舍之則藏，仲尼行藏之道，平生所拳拳服膺。而立身報國，尤奉之爲圭臬焉！」

從這幾句話裏，我們可以看出黃膺白先生的生平大節，進退出處。生前雖然有很多人反對他，可是處事待人無往不利，正是他那種「誠於中而形於外」的狂狷氣態，能夠折服別人的道理。

政府退守台灣十幾年來，在上者雖有反共復國之志，社會上卻多少有點苟安心理，因此產生了不少「儒林外史」的人物，「官場現形記」的腳色。相形之下，獨立特行之士益發顯得可貴了！這是相當可悲的現象。

我們認爲一個整體力量的形成，必須有一個中樞，像一塊磁鐵一樣，把這些鐵屑結合在一起，這樣的結合，才是自然的吸引。

（下轉第二版）

毛酋：「到東南亞去！」　觸景傷情

今日與明日

阿國政變眞象

阿爾及利亞政變到日前已漸明朗，新的革命委員會推倒本·貝拉，並不是完全私人爭奪權利，而是包含着政治路綫的鬥爭。革命委員會主席布諾丁上校是個職業軍人，軍人十之八九反共，阿國最近兩年來在本·貝拉有意引導下，已經變成了鐵幕以外最左傾的國家，可能比南斯拉夫還要左傾；軍人對此，自然感到不滿，伺機要予以打擊。而這次的第二屆亞非會議卻變成了催命符。因爲一旦亞非會議開成，本·貝拉聲望更高了，以後再想推倒更爲困難，所以才選定在開會前十日發動政變，推翻了歷時三四年的本·貝拉政權。

政變發生後的兩項措施值得注意：一是釋放了獄中所有政治犯，其中包括阿爾及利亞對法作戰時的首任總理阿巴斯，他是偏右的人士，被本·貝拉投這監獄，囚了數年。一是逮捕了大批共產黨人，據說已達四百多人。目前阿爾及爾的共產黨人已經銷聲匿跡，不敢露面。

毛共的難題

毛共對此次亞非會議抱有操縱的野心，所以一方面拒絕蘇俄參加，一面又與印尼勾結排斥馬來西亞，周恩來、陳毅帶領了大批人馬，總以爲勾結了本·貝拉，聯合了蘇加諾，拉攏了納薩，買通了恩克魯瑪，召喚來施哈諾，再加上阿育布汗同杜爾、凱塔等人從旁捧場，可以全部掌握了亞非會議。那知霹靂一聲，本·貝拉倒台了，亞非會議立時有解體之虞。英聯邦的十三個亞非國家，包括阿育布汗、恩克魯瑪及周恩來最近剛剛訪問過的坦桑尼亞總統雷爾在內，一致要求亞非會議展期。至於緬甸則乾脆聲明不參加了。此所以，亞非會議即使不致流產，也將面目全非。連最愛出風頭的小抖亂施哈諾也看出苗頭不對，宣佈派首相出席，自己不去亮相了。

美機炸河內以北

毛共在亞非會議受挫，北越情況更慘。美機在河內以南似乎已炸無可炸，目前已轟炸河內以北地區，距離中國邊境不足百里。如若毛共軍隊越境，或者飛機在境邊巡邏時被美機碰上，都會釀成事端。美機既然轟炸河內以北，自然不會再爲毛共留庇護地，只要毛共軍敢越境參戰，到時美機就一定要越境追擊，毛共除非龜縮，否則就是送命。在內憂外患之下，毛共還在拼命惹事生非，大搞國際統戰，不惜與美俄爲敵，其結果如何，任誰都看得出，大概快了。（何如）

政治人物的悲劇

馮五先生

大韓民國開國元勳李承晚以九十高齡，近在檀香山流亡中，患內臟出血，病情嚴重，恐將不起。漢城官方聲明：李氏去世後，可許歸葬國家公墓，因其名字已不在黑名單之內了。所謂「黑名單」，就是當年南韓軍人與學生們，藉口選舉不公平，策動政變，迫使李承晚總統辭職去國後，大捕政治犯的名冊也。我在報上看到這項電訊，不禁感慨系之。

李承晚先生如果不是爲選舉問題而激起內部的變故，他始終居於開國元勳地位，無論在朝在野，都受到韓國人民的尊崇，一旦溘逝，且將享有「國葬」的身後殊榮，不成問題。只以一念之差，應付失當，被迫流亡異域，衰病侵尋，無家可歸，這眞是太可悲憫了！

吾思之，吾重思之，李氏晚景落得如此凄涼的結果，講漂亮話，就是他對國家的責任感過於濃厚，硬要及身得見韓國之統一獨立，成功自我，死而後已。實際呢，乃是「權力中毒」的心理作祟，拿得起，放不下，終致陷於身敗名裂的下場，不亦大可哀乎！

政治權力之爲物，有如嗎啡、海洛英，很容易沾染上癮而中毒的，非有高度智慧和勇氣的人，要想淺嘗輒止，戛戛乎其難哉！試看咱們吸香烟的同志們，要想戒除這種不良嗜好，亦就深感困難，即小喻大，對於政治權力能知適可而止，避免中毒的，殆可稱爲聖賢之流亞矣。曠觀中外史乘紀錄，祇有北美合衆國的開國元勳華盛頓一人足以當之，此外即尋不出第二個了。假使華盛頓不急流勇退，陷入了權力中毒的境況，雖終身坐鎮白宮，亦是極可能的，然其遺給後世人的影響與信仰，決沒有今日這樣優越而偉大的情形，甚至於美國的歷史亦得重寫啊！

政治生活實在是汚穢成分居多，毛病就出在「權力」上。權力總是教人感覺不愉快的東西，府怨叢謗，所在多有，祇善於運用權力的政治家，要不恣意把權力使用到極端，即可獲致「出汚泥而不染」的後果。惜乎李承晚先生對此點義理缺乏瞭解，竟使民族英雄而蒙受政治罪人的待遇，寃哉枉也！

場面罕見。難怪尷尬
省議會鬧「家務」「事變」
提學歷嘔氣副座許金德
廳處長不知如何是好記者席一樣訝然

（本報記者熊億宇台中航訊）這兩個月來，鬧過好幾次家務的台灣省議會，前幾天，舉行預算綜合審查大會時，又當着省府各廳處長和單位的官員一百多人，搞了一陣時間不短的「事變」。

當時省府的官員們，確實有些尷尬。大家正襟危坐地等待議員們對於預算的編制質詢問難，想不到議事槌一響就是那種連珠轟轟兩位議長的激烈場面。

他們既不能發言協調，又不能退席不聽，大家坐在位上，不知如何是好；記者席上，一樣訝然！

那種場面是不多見的，所以我稱之爲「事變」。

那事變發生在省議會自己預算上。案由剛唸完的時候，嘉義籍的女議員許世賢立起發言說道：

「我不懂議長副議長的研究費爲什麼要比議員多？而議長又比副議長要多一點？議長每個月三千六百元，副議長三千四百元，議員兩千四。這個差別，該怎樣算？是不是議長比副議長研究得多？副議長研究得多一點，而議員研究得最少？」

許世賢最後說：

「這種研究根據什麼？是知識嗎？但是副議長的學歷並不比議員們高」。這句話，副議長許金德聽來是不好受的，特別在大庭廣衆之中。因爲發言的許世賢，是日本九州帝國大學的醫學博士。而許金德的學歷只是台北第二師範學校畢業。議長謝東閔雖然沒有學位，但是在國內中山大學政治系畢業。所以一提到學歷，就是許金德最刺心的，所以他頸紅脖粗的悶着嘔氣。

接着張富又指責議長副議長的特別辦公費不當，問許金德身爲預算綜合審查委員會的召集人，審自己的預算時有什麼感想？

於是吳一衛、陳華宗、黃奇正、吳泉汝等，羣起發言，說好說壞的鬧作一團。最後還是財政組召集人陳重光，費了一番唇舌圓場，進行各廳處預算的審議。

事後聽說許金德對於這次的「事變」，確實非常傷心。事實上，就議會政治言，許金德雖然沒有什麼建樹，對省民的權利與福祉雖然沒有提出任何貢獻，但是對「議會同仁」實在下過很大的功夫。比如說，趁議長謝東閔去年出國的期間，就對同仁們謀了兩大福利：第一爭取擴建議員會館，使兩位議員同一個房間，不久就可以一人一房；第二是爭取了議員們公費分赴東南亞和日本考察。由他一手搞成，乃在收攬人心，使自己在中央和省碰過不少的釘子。如今落得這般現象，就難怪他大失所望了。特別是他不願意人提的學歷，偏偏有人要提，在他的雄心鴻圖上，打擊是不輕的。

檢討保護汽車工業政策

本報駐台記者 張健生

外貿會第五零二次會議，通過裕隆汽車公司今年度上半年結滙進口製造用零件一批，其輛數金額及折算每輛實用外滙美金數如下：

青島小客車六十輛，美金三二三、一九〇元，每輛（FOB）實攤金額五三八・六五美元，其整車（FOB）照進口四〇%計算，每輛美金一、三四六・六五元。

UD柴油客車一百輛，美金一三五、六六〇元，每輛（FOB）實攤金額一、三五六・六〇元，照進口四〇%計算，其整車（FOB）每輛價值美金三、三九一・五〇元。

UD柴油貨車二百二十輛，美金一九三、三二六元，每輛（FOB）實攤金額一、三三三・三〇元，照進口四〇%計算，每輛價值美金三、三三三・二五元。

青島牌變型輕型貨車（1200CC）一百八十輛，美金七三、七一〇元，每輛（FOB）實攤金額四〇九・五〇元，照進口四〇%計算，其整車（FOB）每輛價值一、〇二三・七五美元。

客貨兩用車一百二十輛，美金七一、七九六元，每輛（FOB）實攤金額八九七・四五元，照進口四〇%計算，其整車（FOB）每輛價值美金一、四九五・七五元。

由此觀之，日產出口FOB價格太高了。以青島牌小客車而言，在東京整車連輪胎，價格爲五十六萬日幣，合美金一、五五五・五五元，這包括應付之貨物稅及其他稅捐，廠家及經銷人利潤、費用在內。日貨出口與國內銷售價格通常要差廿五%至卅%，如以二十五%計，其出口價格爲一、一六六美元（日產汽車同類牌型售於其他國家每輛爲八百二十美元至九百美元），除去裝配費一百美元，輪胎卅五美元，以及油漆等費用，則對台灣出口價格應在一千美元以內，如此，則結滙數價已超過五四%，若再除去輪胎及本省衛星工廠供應的零件，則裕隆本身自製多少，已不難估計了。

政府放縱　商人投機

就大型客車而言，我們所知道日本任何工廠出口到台灣的，和日產同類型的底盤，可以說沒有一家結滙數值沒有超過美金二千八百元一輛的，這個價格包括代理商的佣金及裝配整理的費用在內，以此計算，則裕隆結滙數值也超過五〇%以上。如果由貿易商進口引擎或零件來裝上去的話，請問還有那一部份是自製的？主管當局爲何不調查一下呢？裕隆結滙時，爲何不將零件名稱一一詳列，而用攏統的大項目？這一點是不是主管機關有意放縱，給予投機取巧的機會？

據統計：五十二年四月，只出產六輛。五十二年七月，竟高達二百二十一輛之多，這是正常的現象嗎？這不是完全爲配合市場需要而隨時進口裝配的嗎？我們爲什麼不堂而皇之叫做裝配工廠，硬要打腫臉充胖子，說是自製品呢！在工業初期的國家，如非、泰、和澳洲等國，都有汽車裝配工廠之設，這並非丟臉的事。

在日本和美國的汽車工廠，除設計部門絕對秘密不讓人參觀外，其他部門是歡迎參觀的。但裕隆汽車工廠卻不讓人參觀。假如每一零件都是自製，生產量有多少，讓人參觀有什麼關係？這樣的話，則外界一切疑慮都不攻自破了。

引擎曲軸　並非自製

至於開放設廠的問題，政府在表面上是不限制的，但硬性規定自製率百分之六十，否則是不准的。就是美國汽車工廠的FORD和GM自製率也不到六〇%，何況經濟部公佈自製部份必須包括幾項，而這幾項是根據裕隆現有設備而規定的。

即使如此，仍有商權的地方，如「引擎體汽缸活塞總成」，活塞在本省已有工廠生產，產品也不壞，但裕隆現在做的Dleset引擎，這種引擎所用活塞，與一般不同，UD引擎是二衝程，負荷重，磨損率極高，須在活塞外層加護硬度極高的合金，處理這表層的技術很不簡單，機器設備費不少，裕隆有這種機器設備嗎？（中）

誰知壺中酒杯杯皆辛苦
嘉義酒廠製作考究
成品出色宜乎暢銷

（本報記者高羽台灣航訊）人們只曉得台灣省菸酒公賣局出產的「雙鹿五加皮」、「虎骨酒」、「烏雞酒」、「參茸酒」」，這四種藥酒的味道好，助滋補，殊不知那些藥酒的原料，全靠好的高粱酒。

原料酒好，藥酒自然也好。而高粱酒的優劣，在於發酵的成績。公賣局的嘉義酒廠，在這方面下過很大的工夫，他們不但是在發酵的操作上，有嚴格的控制，而且對於蒸溜機、冷卻器以及酒醪裝料的方法，和處理酒尾的改良，都有深入的理論與實踐。

別以爲製酒的學問不大，要釀好酒，確實很難。

比如說酒麴的繁殖，菌類的選擇，水質的純淨各種問題上，處處都是學問，一點也馬虎不得。否則就釀不出甘甜香味的酒來。

沒有最佳的高粱酒，好的藥酒無從產生。記者前天到嘉義酒廠去看了一回，參觀過他們的工作現場，那些技術上的嚴格，眞是一言難盡！由高粱飯到高粱酒，由高粱酒製藥酒各種過程的複雜與嚴密，眞使人有「誰知壺中酒杯杯皆辛苦」的感想。

嘉義酒廠從四十二年起就展開外銷，每年爭取十萬美金以上的外滙，得來也眞不容易。而行銷日廣，消耗日增的高粱酒和各種藥酒，其所以獲得人們的喜愛，實在不是偶然的。

台灣同胞與紅露酒

本報台灣記者高羽

提起紅露酒，台灣同胞就會眉開眼笑；八十歲的老人和五六歲的小孩都會感到親切。台灣同胞的「拜拜」特別多，而不管是那位佛爺的聖誕或者是祖先的忌辰，只要是拜拜，都大宴親友，每逢請客，少不了紅露，眞是家戶皆喜，人人杯歡。像紹興人沉於花彫、山西人愛醇原汾，四川人獨斟橘精，湖北人熱燙麥酒一樣。

老紅酒．福建來

這種酒，說起來有一段富有民族性的光榮歷史，所以在本省同胞的心裏生了根。

紅露酒，淵源於福建省安溪縣的老紅酒，延平郡王鄭成功打敗荷蘭人光復台澎以後，遷移來台的大陸先民們，多數是福建南部的人，因爲懷念故鄉風土，親友相聚，藉慰鄉思。就在台灣自己製造老紅酒，當年住在台北縣的大富翁林本源，宜蘭縣的耆紳黃純青，曾經在本縣設場製造，供應省民。

到民國十二年，日本人將菸酒收爲國有，在樹林、宜蘭、花蓮三個地區設廠，大量生產製造。並且把老紅酒分爲金鷄、黃鷄、兩種。直到本省光復，才改名爲「紅露」。

燉雞補．成品黃

日本人何以要用鷄來爲酒命名？有道理的。因爲以台灣居民的經驗，婦女生產後需要用「老紅酒」燉鷄，最爲滋補營養，很快恢復健康。故以鷄名。

紅酒之色，由紅麴而來，初釀成的紅露，在沒有儲藏以前色澤赭紅；兩年後，出應市，則成黃色，所以日人稱爲「黃鷄」。稱其成品酒之顏色也。

政府光復台灣後，以其歷史淵源的「老紅酒」，定名「紅露酒」，當然比較風雅而不失其原意。

營養高　味醇厚

這種爲本省人民所不可缺少的酒，主要原料是糯米和紅麴，而紅麴又是使用本省的在來米製成的。

紅露酒經過很多研究很多改良，在酒齡的延長與品質的提高方面，公賣局下過很大的功夫，特別是對於色素的成份和營養上的價值，曾經請過多位化學專家研究。所以色澤怡目，芬芳醇厚。

廠很大．技術精

公賣局生產紅露酒的酒廠，是接收日本人的酒廠重新擴建的，在樹林，宜蘭，花蓮三個專門釀製紅露酒的處所，以樹林廠生產最多，該廠有員工五百多人。

但是三個廠的生產技術是同一步調的，分別研究，共同改良。

樹林是紅露酒的老家，宜蘭爲發祥地。

文化深．歷史久

這種紅露酒，最好是加溫喝，有一點熱氣，濃香郁醇，酌在杯中，別具風味。又要放在乾燥的地方，不能讓日光直射，本省酒仙，最會保存。

這酒當年隨着先民，遠離大陸渡海來台，曾爲延平郡王柳營慶宴，曾被日本改姓移名；省民慶祝台灣光復，曾用這酒祭祖狂歡。酒好文化深，歷史更光榮。

人才的風格和運用

——上接第一版

擇人的要件首在志行，眞正有原則有理想的人，決不是唯唯諾諾的「葉斯曼」（Yes Man）。非常時期必須擇用非常的人才。唯有非常的人才，才能完成非常的事功。孔子曰：「不得中行而與之，必也狂狷乎！」事實上，中行之才，祇能適合平時，臨危受命，決不是中行之人所能担當得了的。世界上沒有完人，而狂狷之徒，是唯一比較接近完人的人。狂狷之徒寢究以終，鄉愿之流自然就大行其道了。

有一點我們必須提醒的：今天的考試制度，錄用方式，祇是一般常格用人。特立獨行之士的追求，必須破格用人。孟子曰：「大有爲之君必有不召之臣」。正是這個道理。正因其「不召」、在權力管轄的運用上，是相對的：一方是「貴貴」，這是一般的權力服從關係；一方是「尊賢」，這就屬於人才運用的問題了。設或呼之即來，揮之即去，那麼人才的尋求，永遠祇有從竹頭木屑裏去挑選了。

行政院長嚴靜波先生說過破格用人的話，確是切中時弊，可是這還是不夠的。重要的是眞正以國家爲前提，不把國家作爲私器，爲國求賢，除了容忍以外，還需有積極的行動，決不是說說就算了！

怪力亂神與法律叢談

法就是天

·陸嘯釗·

在知識未開的初民社會，迷信鬼神，認爲天地山川，奇禽珍獸，無不是神靈的化身。於是乎高高在上的「天」，愈是不可捉摸，愈是無法思議，愈成了無知人們最尊重的一位神了。等到人們把一切自然現象和社會秩序聯繫在一起的時候，「天」也就成了一切行爲的最高裁判者，賞善罰惡也就聽天行事了。

天有不測風雲，一切氣候的變化，在初民的心理，都是對善惡的報應，風調雨順是對行善的獎賞，那就是對作惡的懲罰了。設或兇荒洊至，「天」冥冥中主宰了一切，「善有善報，惡有惡報，若有不報，時辰未到。」從而，「順天者昌，逆天者亡」的思想也就相應形成了。

可是，以上所說的賞善罰惡，祇是認爲天對羣體行爲的總評價。爲了免於「連坐」，個人的惡行，不能不單獨有所懲處。神權政治就是這樣產生的；而法律也就變成了神權政治下替天行道的工具，國家對犯罪者所科的刑罰，也就成了秉承神意所施的報應。

在這一種觀念之下，孽（Sin）與罪（Crime）是混而爲一的，宗教的罪惡與世俗的罪惡是不可分的。換句話說，神的律法就是世俗的法律，違犯其一就是違犯其二。違犯宗教規條者，應受世俗的制裁，而違犯世俗的法律，同樣也爲神所不喜，並應接受宗教上的懲罰。這一種想法，幾乎是全世界古代法律的共同形態。古代的中國法律，雖然表面上不易找出宗教力量的影響，可是從深一層觀察，古代的中國人也是有這一種觀念存在的，書云：「天秩有禮，天討有罪。」漢書刑罰志謂：「聖人因天秩而制五禮，因天討而作五刑。」都是此種意識的表現。

其實，這一個時期所謂善惡邪直，並沒有什麼是非標準的，因此也就無法確定什麼行爲準則了。宗教與世俗的法律既合而爲一，所謂法也就是天了。天所好者就是善，天所惡者就是邪，因爲他們相信，祇有神（天）能洞察人間的善惡邪正，因此原始的法律，對於一切爭訟的是非曲直，不得不借助神所宣示的神蹟，來判決他有罪或無罪了。這種判決的方式，我們稱做神判法（Gottesurteil, Ordeal.）。

神判法是原始民族所通用的一種判決方式，當人類的智慧無法斷定某一個犯罪嫌疑人是否眞正犯罪時，便不得不乞助於神靈了。神判法最簡單的方法，是考驗一個人是否能面臨危險，逃過危險，出死入生。非洲、澳洲、印度等地區，目前仍然引用實施的很多。印度的娜拉達（Narada）法典整整有一百零二條條文規定了神判的方式和種類。古希臘人常將人浮在海上，又有使人從懸崖上跳下的習慣。毒藥是非洲Ashanti人常用的一種方法。Ju-Ju人則使嫌疑犯在充滿毒蛇與鱷魚的池裏游泳過去。他們相信神對於一個無辜者的生命，決不會見死不救的，否則便證明了他有罪，同時也執行了懲罰。

除了這種出死入生的方式以外，有許多社會祇乞求神靈的判斷，執行部份則由人類自行爲之，因此這種神判並不具有生命的威脅，測驗時最多只受肉體的痛苦能了。有的甚至連肉體的痛苦也不具有。前者諸如從滾水中取石，赤足從鐵藜上走過，以有無毀傷來判斷他有罪無罪，都是一些很普遍的方法。後者如非洲Ewe人將鹽粒投入沸水中，看是否一分爲二，如不分裂便證明無罪。這種以物爲試驗的方法，也是神判法中所常用的。

像以上這麼許多不同的習慣，法理和條文的記載，雖然包含了各種不同的方法，程序和判斷，可是他基本的目的却祇有一個，就是人們依賴神靈的力量以求得正確的裁判。因此，我們可以得到一個結論，法就是天，原始社會的法律與宗教的關係是非常密切的。

本報連載之陳健夫先生所撰「道統論」，以陳先生將出版專書，本報不再刊登。

編輯部啓

中法越南、閩海之戰

羅雲

光緒十年正月，法陸軍中將宓約以援軍七千至東京，合原有駐軍兵數共一萬六千五百。孤拔專任司令長官。先是，淸廷既怒順化條約之橫暴，復知在越法軍將校之不和，詔雲貴總督岑毓英、兩廣總督張樹聲統軍入越，任劉永福爲越南經畧大臣，命桂巡撫徐延旭進軍諒山，滇巡撫唐烱進軍北寧，任彭玉麟爲欽差大臣總理粵省軍務。及時，徐延旭唐烱之兵與黑旗兵共三萬餘守北寧，總兵王德榜以兵五千守太原，岑毓英以兵一萬九千守興化。二月十五日午前，法軍猛攻北寧城，徐延旭與提督黃桂蘭先走諒山，黑旗兵隨而潰。二十二日法軍復攻太原城，王德榜稍戰卽退。三月十七日，法軍以全軍攻興化鎭，岑毓英所部之兵未戰先逃。自是紅河上流諸要地，全翻三色旗矣。

三、諒山衝突與中法閩海之戰

自中法開釁以來，李鴻章絕對主和，蓋其平素倚海關雇用洋員爲耳目，深信中國非法國敵手。徐延旭等敗訊至京，皇太后遂排主戰論，以鴻章任全權大臣，與法議和。光緒十年四月十七日，鴻章與法使軍中佐福祿諾結豫定媾和簡約，以法不侵中國邊境，不犯中國國威，不索軍費及中國承認法越前後條約並允許南境通商爲條件，中國軍隊撤退越南。而鴻章更暗允於五月十三日撤退諒山駐軍，但阻於淸議，未敢明告政府。桂巡撫徐延旭兵挫，鴻章以舊屬潘鼎新代之。五月十九日，法兵北進至屯梅谷松我駐軍防地外，潘欲急退，奈爲朝旨所阻。閏五月初，法軍與我相持於諒山外之觀音橋。初三日法大股來犯，而我方友升援軍適至，不久、大批糧彈亦已運到，遂獲大捷。是役，據粵督張樹聲電謂殺法兵教匪約千餘；據李鴻章電謂僅傷亡法兵四十餘人。是爲諒山衝突，亦卽中法開戰之原因。

法軍陸戰失利，復肆虐於海。孤拔奉法使巴特納密訓，定炮擊福州，佔領台灣之計劃。時我以張佩綸守福州船廠，會辦福建海防，以劉銘傳守台灣。部署初定而法軍已至。六月十五日，敵先撲基隆港。銘傳以無軍艦，難與爭，乃先誘之登岸，然後以曹志忠、章高元、蘇德勝、鄧長安等四提督邀擊之，法軍潰敗，死官三、兵一百名。其後敵復三犯滬尾，皆受創而退。七月一日，中法兩國電令公使撤旗歸國，孤拔轉攻福州船廠。

時浙閩總督何璟，船政大臣何如璋，及會辦福建海防張佩綸等皆密承李鴻章電旨，嚴令我南洋艦隊祇准防禦不准進擊。佩綸氣燄甚盛，何璟等人皆拱而下之。佩綸至船廠，令我軍艦十一艘環衛船廠，各管帶白非計，斥之。六月下旬，法軍率鐵甲巡航艦二、一等巡航艦二、三等巡航艦一、炮艦三，運送船一，水雷艇三前來，均投錨閩江口，我數萬兵士及各艦管帶遙與之對，無不切齒欲戰，會請先發制人。佩綸阻之。由是我國海陸軍全立於束手待斃之地位。（三）

哀江南製造局

李仲侯

一則炸傷自己人喪氣，二則局方有三四百人抵抗，寡難敵衆。快要退却時，局方隊伍就衝出猛擊，登時被俘獲二人，其餘都呼嘯退去了。局方亦未窮追。

叔父是上午十時許被張總辦叫去問話後，就被看守在聽差的房內。下午天還未黑，遙遙望見蘇統領帶着兩個人，先囑咐士兵把他們用繩索綁在花廳前院一株桂花樹上，然後走來報告張總辦。張總辦連日看到各地革命軍風起雲湧，知道大勢已去，對這件事的處理很感躊躇；但蘇統領的表示則很堅決；還報告張總辦，留守護軍營的一哨人，都已下令調來局內，共同防守。

我叔繼續講下去，他說：黃昏時，革命軍領袖陳英士隻身親自來見張總辦，那時蘇統領亦在座，說沒幾句，蘇統領就喊衛兵，把一條鐵鏈將陳鎖在會客廳一把太師椅上。（後來邵元冲先生著辛亥革命及滬軍都督時代的陳英士一文亦載此事。）不久，本局李提調（號平書）跑來保釋陳英士，蘇統領堅執不肯，祇把綁在桂花樹上那不知姓名的二人開釋了。

到了晚上三四點鐘，革命軍大隊伍來了，聽說有三四百人，勇猛衝，銳不可當。蘇統領親自督隊在二柵門左右埋伏，待其衝抵時，一齊突起放槍猛轟，革命軍又死傷三四十人；其中一個姓王的隊長亦說被擊斃了。攻勢稍挫，局方連用大炮猛轟，亦未見退。相持不久，洋槍樓靠近機械廠後面一帶，忽然起火燃燒，烟燄沖天，勢不可遏，延燒甚速，附近各處，都快要着火了；革命軍就趁着火勢，集中兵力，幾度猛衝，對準二柵門連續拋上一二十枚炸彈，把鐵柵炸倒，大隊就如潮水般湧進！起火原因，據翻砂廠王廠長向張總辦報告，是在雙方打得最激烈時，革命軍有一小隊人馬，在製造局圍牆外架起高梯，翻牆進入翻砂廠木工房，帶了幾桶火油，將木片刨花淋油放起火來，頃刻間，就大火熊熊，各處都燃燒了。洋槍樓是木造的，靠近翻砂廠，更易着火。自從革命軍衝入了二柵門，局中秩序大亂，炮隊營紛紛潰退。其中有一隊，早已樹起了白旗。張總辦和蘇統領一切也顧不得了，祇帶領左右十多人，飛也似的向北門逃走，大概逃往浦東。惟陳英士仍鎖在那張太師椅上，革命軍到來纔把他救出。我亦藉此混亂機會逃回來了。

叔父說完，劉楚材又在外面跑來，這時天已大亮。早飯後，叔父催劉到文案處探看情形，我亦自動跟他去，看到各路消防隊，正在撲滅各廠火燄，局內機械廠的大自鳴鐘上面，高懸一面白布大旗，上有「光復」二字。又看到好些人臂纏白布，向儲械所搬運槍枝，懷疑到戰事尚未停息。在文案處兜了一周，情形還好，沒有損失，當差的老頭阿福，依然笑臉迎人。那幅情景，至今已事隔五十餘年，今日書之，猶宛然在目。（八）

動物農場

英 George Orwell 著　陳其芝 譯

第八章　動物的外交策畧與人海戰術

兩天之後動物們受命到大穀倉裏參加一個特別會議，當牠們聽到了拿破崙同志的說話，知道牠已經把那堆木材賣給了非特烈先生，大家免不了驚駭訝異。而且非特烈先生明天就放貨車來搬運木材。原來拿破崙同志表面上在跟皮克湯先生進行友誼的週旋，暗地裏却已與非特烈先生訂定了秘密協定。

動物農場與狐木農場的關係現在又告決裂了，所有侮辱與惡意攻擊的傳單不斷地傳送給皮克湯先生。牠們今後的工作是散播革命的火種，其目標由頻園轉向狐木農場，把「打倒非特烈」口號改爲「打倒皮克湯」。拿破崙同時對動物們保證謠傳：非特烈先生將攻擊動物農場的流言，完全是空穴來風，而且有關非特烈先生殘毒虐待動物的故事也是誇張其詞的大謊言。所有這些閒言閒語，可能都是史諾柏和牠的同路人假造的。並又證明史諾柏沒有藏匿在非特烈先生的頻園農莊。據說牠現在還住在狐木農場，而且生活得極其奢華享受。那是因爲皮克湯先生給過牠一筆可觀的養老金，這已經是幾年前的事了。

豬同志非常讚賞拿破崙同志的奸詐與幹練，牠存心僞裝與皮克湯先生保持友誼關係，目的是要使非特烈先生提高木材價格，因而才賣出來十二磅的價錢。斯奎勒更對大家說，事實上拿破崙同志的最高的美德是不相信任何人類，甚至對非特烈先生亦是如此，非特烈先生企圖用一張紙寫上欵項數目來支付給拿破崙同志，也就是用支票付欵，但是拿破崙同志非常聰明的婉拒了，而且要他在搬運木材之前，先付給五鎊眞正的現鈔作爲定金。非特烈先生已如數付淸，這筆錢剛好夠買一部風車所需要的機器設備。

隨後，在大穀倉裏舉行一個特別聚會，爲的是要讓這一羣動物見識一下非特烈先生所付給的現鈔。拿破崙同志的臉上掛着滿足與疲憊的微笑，躺在大穀倉的講台上，台上有稻草鋪成的地鋪。錢放在牠的身旁，摺得整整齊齊，放在一個由廚房裏拿出來的磁碟子裏。動物們排成一個長長的縱隊，一個跟一個地睜大着眼睛看了一個飽。輪到白克薩的時候，牠還用鼻子深深地嗅了兩下，薄薄的紙幣竟隨着牠的呼吸跳個不停，並發出嗤嗤之聲。

三天後動物農場上又發生了一樁嚇人聽聞的事情：黃恩伯先生面頰慘白，急急匆匆地騎着腳踏車衝進了農舍，把車子一甩就直往拿破崙的寢宮裏跑。不一會，由拿破崙的房間裏傳出來一陣悽慘絕望的與吼叫哀鳴。這突然的事件立刻傳遍了整個農場，像引燃的野火一樣，大家都知道非特烈先生給拿破崙同志的現鈔都是僞造的廢紙。非特烈先生不費分文，白白地騙去了那麼一大堆的木材！

拿破崙立卽召集全體動物，用氣極敗壞的聲音，宣判了非特烈先生的死刑。牠說，只要非特烈一旦被捉，就立刻叫他下油鍋活活的煎死。同時，牠又警告大家說，非特烈既然做了這件無恥的欺詐行爲，他很可能帶領他的同路人，隨時對動物農場發動一次規模的攻擊。哨兵立刻派到動物農場的各個出入口去守衛。同時四隻鴿子接到了緊急命令，去到狐木農場傳送一項講和的請求書信，希望能與皮克湯先生重新恢復已經破裂的邦交與友誼關係。

動物農場在第二天就遭受了攻擊。當守衛的哨兵匆匆忙忙地跑進來通告大家說非特烈與他的同伴已經穿過柵門進入農場時，動物們正在吃早餐。（三六）

蘇俄的排猶觀念

·呂寶水·

奇怪的巴比雅事件，這個被蘇俄政府所忽視的地方，却被保持爲戰爭的墓地，同時攻擊外國政府（如挪威）不同樣的作這種戰爭墓地。

十三萬個巴比雅遇難者，已經沒有什麽値得永久紀念了，一部分顯然成爲一堆廢物，另一部分正計劃改成一個足球場；一年前曾有一個勇敢的蘇維埃作家內克拉所夫（V. Nekrassov）對於此案抱怨官僚的愚蠢，沒有任何顯著的效果。

無論如何，一般的說，伊夫土森科詩中的反猶太觀念，同時在一九六一年的蘇俄的確是棘手之點。當然，排猶觀念在官方是不存在的，甚至於蘇維埃憲法中有條文規定激發民族意識是不許的。雖然如此，但從未有人聽說因此而受到法律制裁。當史達林處置猶太作家時，以此具文約束史達林是確無用處的。現在，反猶太觀念是爲官方所蹙眉的；因此，伊夫土森科並不會僅因排猶觀念而受到處分，其批評必須暫停於一些理念上的兜圈子，以便詆毀伊夫土森科（他是一個純蘇俄人）成爲一「猶太的民族主義者」。官方的理由是只有猶太的民族主義者會申訴排猶觀念……。

這個奇異的理由，追溯若干年前，有其命運的結果，蘇維埃宣傳已構成利用納粹反猶太政策。最近出版紀念冊關於「歐洲猶太人的解體」（By R. Hilberg），引用一九四一年七月白俄羅斯格殺打撲（Gestapo）報告：「猶太人顯著的壞消息是關於我們對他們的態度。他們不知道德國人如何的處理猶太人。……否則，他們的問題，我們不知在德國將猶太與非猶太作某種距離是否多餘的。」

由於重要資料被知悉之結果，其解釋就明顯了。莫斯科與柏林是締約的，但如何能解釋這奇異的事實，最近已出版的有數百種書與數千篇論文對抗艾德諾總理（他決非一納粹者），當時被納粹有系統的解決六百萬猶太人。蘇俄拒絕公開。

伊夫土森科批評者之一，D．史太利夫，在文學Zhizn寫了一個故事，爲此種態而一掬同情之淚：「一個猶太種蘇維埃官度員，彼曾於一九四六年服務於德國，被聯軍邀請他去參加爲被殺的猶太人的紀念儀式服務，他率直的拒絕道：『我不懷疑你的善意，但此種服務是一種侮辱，假如有人認爲如此衆多的有色人種都在反法西斯戰爭中被殺，我是一個國際主義者。』」

許多民族國家的人民，的確在反法西斯戰爭中死了不少，但只有一個民族是被有系統的殺害，一個事實，此猶太官員可能是不知道的，他可以是一個國際主義者，但史達林及其後繼者，訓示或永久的繼續對蘇俄的猶太人在各方面採取限制的方法。（二）

評介：南太平洋風雲

洪流

原著：Richard Powell　譯者：段肇京　定價：十四元

二次世界大戰，對我們來說那應該是一個最熟習的故事；我們受害最爲慘烈，我們的抗敵時間也最爲長久。可是，我們除了一些口號式的標語之外，竟沒有一本描寫戰爭的小說。這不能不說是我們的低能，也是我們這一代人的麻木。低能爲敵人造就復興的機運，麻木則使我們忘懷了自己的本份。世間最悲苦的事，是莫過於遺忘了自己的過去，更少憧憬於將來。過去爲人們振奮胸襟，增加勇氣。將來的憧憬，那乃是一個希望。人是活在希望裏，沒了希望，那是人什麼？他只有回到墳墓裏去，去尋求他個人最後安息。所以，我們需要關於戰爭期間的故事，看我們英勇的三軍，是如何的活在槍林彈雨之中。也該知道我們的敵人，他們又是如何慘酷。八年的悠長歲月，我們値得描寫的太多了！

我們放棄了的，我們的敵人却在做。我們戰時並肩作戰的盟友也在做。我們讀過了「南太平洋風雲」之後，我們除了慚愧無地，也還有一些驚慌與惶駭。爲什麼那樣一個俯拾卽是的故事，我們竟沒有人寫？

「南太平洋風雲」是描寫一個名叫伐拉隆的軍官，他在某一個時期裏被人誤會爲逃兵，怪他不能同他的陣地共存亡；雖然他奉有電令，可是在那種十目所視、十手所指的情況下，他辯解無地。他只有默默的忍受。直到另外一個機會的到來，他馬上又變成了士兵心目中的好長官，長官心目中的好部屬。

故事曲折，但不離奇；幽默，但不流於粗俗。曲折使人愛讀，幽默使人忘倦。尤其是在開頭著者寫出美國戰時婦女在戰地的不受歡迎，她們甚至剛剛抵步，一下飛機的當口，竟連她們需要的盥洗間也沒有。這並不表示戰地後勤人員的顢頇無能，而是受了上級不重視的影響。伐拉隆則以一個現職中校的身份爲她們解決了問題，而那種解決只是舉手之勞。我們且看書中的描寫：

「……他拿起了寫字枱上的墨水瓶，向活動房後面的那一茅舍走去。茅舍的門樑上是兩個鉤子掛着的。他取下了將官級的牌子，翻轉來，用自己的水筆蘸着墨水在上面寫字。「這就行了，」他說。

上尉說：「哎呀，長官，你這是幹什麼？」「讓那些婦女隊使用這廁所。」

「但是，中校，這廁所是將官用的。如果有一位來了，而且要——」

「我負完全責任。等她們用過以後，你就可以把牌子翻轉，就可以去幹自己的事了。現在去告訴那婦女隊中尉，說你替她們安排好了衞生設備。」

這是一段多麽精彩的描繪。以一個軍階中校的軍官，竟會爲一個婦女隊的全體做些事，十足的顯示出美國人的幽默，及他們的人性平等的原則來。

伐拉隆在包威爾的筆下，漸漸的成爲一個英雄人物。那種英雄事跡，多少總帶有一些偶發的，或是幸運的成份在內。假如我們明白了包威爾的寫作路綫之後，那我們就會更加明瞭了，我們且看看譯者的介紹：

「作者自一九四三至一九五五年曾寫武俠奇情小說多種，一九五七出版文藝小說「費城人士」，一九五九出版文藝小說「拓邊者」，歸去來」；又經常在各雜誌上寫短篇小說……」

在我們這裏武俠小說頗受人側目的今天而段肇京先生敢於譯出這樣一本頗有武俠風格的長篇，給與寫作武俠小說的朋友們的啓示，那是無限量的，就是不要把「英雄」局限在過去幾百年的時代，以及天下無敵手的「唯我獨尊」的幻想裏。

七仙女

——「影劇與歷史」之七

周遊

不僅劉向「孝子圖」沒抄襲「搜神記」，而「搜神記」倒反而抄引了「孝子圖」。在「搜神記」中引了「孝子圖」的故事可以爲證。「搜神記」引「孝子圖」云：「有董永者，千乘人也。少失其母，獨養老父……其父亡歿，無物葬送，……」這不是「搜神記」因襲了「孝子圖」之明證嗎？

由於曹子建的「靈芝篇」可證董永故事在「搜神記」之前，由於後漢桓帝時的武梁祠中的董永壁畫，可以證明劉向的「孝子圖」。「孝子圖」記其事，武梁祠刻其圖而記其事，可知董永故事之流傳，一定很久了。而山東地方所流傳的「七仙女」故事，至今尤膾炙人口。

稍後於「搜神記」，南北朝時代，宋武帝建元年，便因爲孝子董永之故，特分安、陸縣東境置孝昌縣了。迨至後唐莊宗同光二年，因爲避諱而改「孝昌」爲「孝感」縣，以迄于今。該縣北六里董家湖，湖西有董永遇仙及古跡；湖之南岸有董永墓。古跡雖不一定能確定董永爲該地人，而宋武帝因董永行孝故事而改名孝感縣以勵人子，則當可信。

明代也有董永故事的記載。明「一統志」卷六十六「安陸仙釋傳」云：「董仲，漢董永子，母乃天之織女。故仲生而靈異，數篆符鎭邪怪。」而明代已有人寫成董永遇仙的小說問世了。明刊本「雨窗欹枕集」卷上，有「董永遇仙傳」。董永遇仙傳爲何人所撰，雖不可考，但由此可知，在宋元以來，其傳說並未中斷。

清人一心子撰「遇仙記」，顧覺宇撰「織錦記」，都記其事。織錦記以董永之子爲董仲祀，謂仲祀字仲舒，這可能是假漢代大儒董仲舒之名以惑人？或者是給董仲舒開玩笑？而「雨窗欹枕集」中的「遇仙記」，內容與敦煌變文所記大致相同，惟將董永之子董仲改爲董仲舒，把董仲的老師改名嚴君平。此一改變，乃是採取了晉人「博物志」。「博物志」記織女事涉及嚴君平，「博物志」云：「舊說云：……遙望宮中多織婦，見一丈夫，牽牛渚次飲之。……至蜀郡訪嚴君平則知……」（見指海本博物志卷三）。下面所述敦煌變文董永故事，一部份由此變來。

明代尚有兩位小說家筆下有一則關於董永故事的笑話，不妨引博一粲，笑話說：「董永行孝，上帝命一仙女嫁之，衆仙女逡行，皆囑咐曰：『此去下方，若更有行孝者，千萬寄個信來！』由此可知所代的「七仙女」故事已相當流行。今日的「七仙女」故事，可惜未將此點採入，此點大有激勵孝行的啓示，同時更寫出了人性。自明代小說流行，有些文學家便以處女待嫁之心理來度仙女之心，將「天上人間」的空間拉近了十萬八千里。今日人心苦悶，也許有人作此遐想呢！

以上是「七仙女」與董永故事的歷史性記載。其下再將專搜神話故事的「搜神記」中「七仙女」故事，以及中國各地「七仙女」故事的傳說，分別列述，以便參覽。（三）

三國史微言

·燕謀·

或曰：右爲陳壽一人之言也。答曰：王沈「魏書」，一則曰「奸以事君」，一則曰「果以凶僞敗」。魚豢「魏畧」稱：「文帝欲儀自裁，儀向夏侯尙叩頭哀求。」又張隲「文士傳」，亦稱「異盛譽臨淄侯，欲以勸動太祖。」則知陳壽所書儀、異之事皆實，而壽之用心實爲忠厚。毛玠者，儀之所譖也，壽不屬之儀，而第曰「後有白玠者。」白者爲誰？非儀則異，壽爲諱也。尙得謂因索米不得而有意抑之乎？

又街亭之敗，壽直書「馬謖違亮節度，爲張郃所破」。初未嘗以私隙咎亮。至謂「亮將略非其所長」，則張儼、袁準之論皆然，非一人之私言也。（引見淸王鳴盛十七史商榷）王鳴盛曰：「朱、杭所論最爲平允。」更且從而申說之曰：『壽入晉後，撰次亮集表上之，推許備至。本傳特附其目錄並上書表，創史家未有之例，尊亮極矣！評中反覆盛稱其刑賞之當，則必不以父坐罪爲嫌。廖立、李平爲亮廢竄，尙能感泣無怨。明達如壽，顧立、平之不若也！亮六出祁山，終無一勝，則可見爲節制之師於進取稍鈍，自是賢者之過。』此乃更進一解矣。（引見十七史商榷。）

以上各家諸說所引丁儀、丁異、諸葛亮等，陳壽「三國志」各傳，尙稱公允。所可異者，各家竟無識陳壽迴護之筆，帝魏而寇蜀、吳，尤以吳志爲甚。吳大帝及后妃，竟亦名傳。其爲曹魏纂竊迴護，復又爲司馬氏纂奪而迴護。此犖犖者，皆失春秋之筆可知。陳志之體例、錯誤、刋誤，立傳之繁簡及重複遺漏等，全志甚多，而攻錯者不識大者，而求小疵，何也？

迴護惡例

陳壽有良史之「史才」，但缺之「史識」與「春秋史筆」，影響後世史家甚大。尤其對纂奪僭竊之野心暴徒予以鼓勵，自晉迄五代之野心家，莫不效之。察其迴護之筆，俯拾卽是，若以「後漢書」及「續漢書」對照觀之，則得失可見。三國志裴注雖失之於濫，然諸多可發陳志所未逮；詳閱其注，尤見陳壽迴護之筆。范曄之「後漢書」成書則晚於三國志，范曄修史於劉宋，則不因襲陳壽之「迴護」。觀獻帝紀，則見春秋精神盎然矣。其下畧舉犖犖著者以證之。

陳壽魏志卷一武帝操：「天子以公領冀州牧。」

范曄獻帝紀曰：「曹操自領冀州牧」。

魏志：「漢罷三公官，置丞相」。

獻帝紀：「曹操自爲丞相」。

（三）

戲詞的正格、變格之演化（下）

㠯厂

至於唱、白的部署，依所謂「正格」，多半都是：白後「叫起」「來」「唱」；或者唱後再白的。而白中加唱，唱中夾白，甚至在唱中插入「叫頭」或「哭頭」，這些也都可以說是代表突破「正格」的「變格」。膾炙人口，一般公認爲麒麟童代表作的「追韓信」（關於它在海派平劇中的演化，容當另述），經過周信芳低啞的嗓音道白：「將軍！千不念，萬不念，念我蕭何與你一見如故！」突接唱下句的餘四字「三生有幸」，就是學自秦腔的。平劇中的武家坡（秦腔掛五典坡）平貴、寶川在「八月十五月光明」後的對唱：「我問他，好來？」平貴接唱：「他倒好！」「再問他，安寧？」「倒也安寧！」等，類似這樣一句分由兩人接唱的方式，在秦腔中的例證頗多；尤以「蘇武牧羊」爲其典型的代表。大鵬遠征歐洲，爲了縮短演戲的時間，將「小放牛」的問答變成旦唱：「天上桫羅？」丑應：「王母娘娘栽！」等，不知是巧合，抑是經過高人的指點，結果遂使舞台上的氣氛更形緊湊，和諧。「二進宮」中，徐、楊對唱：「文站東」「武列西」，再合唱「各自分班站立在兩廂」；和以後三人的「句接」，也都是令聽衆很賞心、悅耳的「變格」哩！

內僑警台報字第〇三壹號內銷證

自由報

THE FREE NEWS

第五六一期

中華民國僑務委員會頒發台教新字第三二三號登記證
中華郵政台字第一二八三號執照
登記爲第一類新聞紙類
（半週刊每星期三、六出版）
每份港幣壹角
台灣零售價新台幣貳元
社　長：雷嘯岑
督印人：黃行晉
社址：香港銅鑼灣高士威道二十號四樓
20, CAUSEWAY RD 3RD FL.
HONG KONG
TEL. 771726　電報掛號：7191
承印者：大同印務公司
地址：香港北角和富道九六號
台灣分社
台北市西寧南路壹零號二樓
電話：三〇三四六
台郵撥儲金戶九二五二

欣聞日、韓締約建交

雷嘯岑

大韓民國與日本建交談判，歷有年所，迄無成議，最近兩國簽立了關係正常化的基本條約，國際上凡是與日、韓締交的友邦，一致表示欣慰，認爲這是促進東亞和平安全秩序的盛事。然南韓的在野黨和一般青年學生，却鼓譟反對，進而游行示威，與軍警發生衝突，而前任臨時總統尹普善，且以「民衆黨」領袖身份，到國會中實行絕食抗議，指日韓建交爲賣國行爲，殊堪詫異。

韓人過去膺受日本帝國主義的殘酷統治，創鉅痛深，不堪回憶，因而對日本具有不可磨滅的民族仇恨，殆屬人情之常。可是，立國於現代原子世紀之中，不特地球上的距離日見縮小，即各個星球間廣漠無垠的大自然間隔，亦藉科學能力而漸告通達，任何一個國家，絕無閉關自守，遺世而獨立生存之可能了。韓國壤地緊鄰日本，關係尤爲密切，從整個國家的生存發展設想，棄嫌修睦，建立邦交，實爲義所應爾，理所當然。若始終基於民族情感的仇恨心理，不顧一切的怒目相視，冰炭不容，結果是愛國適所以誤國，殊非謀國之道。戰後十餘年來，日韓建交談判不易協調的問題，即爲賠償與漁業二項，現在彼此互相讓步，原則上業已達成協議，其他的細節，將來自可迎刃而解。所以，我們對於南韓政府當局這項外交決策，認爲是明智的。

南韓青年學生懷着一片樸素的愛國情操，對日本沒有好感，不問事實內容如何，反對日韓建交，情有可原。然一些政治人物如尹普善等，亦以虛矯偏激心情，罔顧國家利益，表示反對，藉外交問題爲武器，以冀達到內部政爭的目的，實在不足爲訓。尹氏所持的反對理由，謂日韓關係正常化的協議條約是賣國行爲，究竟賣國的事實安在，并未指出，只是籠統的加以「賣國」罪名。這種言論如出於青年學生之口，固無所謂，以一個曾經擔當國家大任的政黨領袖而有此說法，似屬失態，亦未免令人失望吧？自從李承晚總統因辦理大選失策，激起全韓青年學生不平之鳴，以致釀成魚爛之勢而被迫去職後，南韓內部每次發生政潮，皆由青年學生首先發難，示威游行，乃成了家常便飯，亦有如刻板文章，青年學生無形中竟蛻變爲一般政爭的唯一工具，妨害青年學業與其身心修養，莫此爲甚。我們希望大韓民國的政治人物，取鑑於過去中華民國政府在大陸時，毛共以及一些爲目的不擇手段的無恥政客們，煽誘青年學生干政鬧事的覆轍，珍視國家生存利益，以培育國脈，愛護青年爲第一義，切忌以青年學生作政治鬥爭壇前的先鋒隊，似此行爲，縱使徼幸得逞於一時，而其貽害國家民族前途，是無可估計的。若論民族恩怨，我們中國人自甲午（一八九四年）中日戰役以後，直到民國卅四年日本對中美英俄盟軍無條件投降爲止，半個世紀之中，所受日本帝國主義侵略摧殘的禍害，其程度并不亞於韓國在日本統治時期的情形。但吾國於抗日戰爭勝利後，即聲明不報復主義。宜解不宜結，在民族國家的個別組織未改變以前，國與國之間，隨時發生爭議衝突，原不可免，要在彼此識大體、明禍福，不爲已甚，纔有共存共榮之可能。

日韓兩國建交後，前途是否樂觀，這就看日本方面的想法與作法如何了。我們很贊同韓總統朴正熙對日韓建交的觀感，他一面呼籲本國人民揚棄與日本相處時所懷的失敗主義和自卑感，而以一種獨立和企業的堅定精神，對日採取積極態度。」同時警告日本朋友：「應覺察未來的兩國關係，乃繫於貴國對韓國及其人民的態度和誠意程度，而非剛剛簽訂的文件條約，請勿忘記我們將注意及此」；他要求日本「不要忽視韓國人民的陰鬱表情和複雜情操，不要忘記韓國人民在尅制舊日惡感和嫌隙之餘，而伸手相握的感覺」；「假使韓國人民再度發生日本人畢竟不可信託的感覺，則各種條約均將失去意義。」朴氏這番話，既誠坦而又篤實光明，確係由衷之言。老實講，就我們平日對朴氏才智的粗率衡量，殊不意他能發出這種立己立人而不失其爲磊落懇摯、語重心長的政治家之談吐，日本人應該牢記在心，視爲藥石之言。今後處處表示着「以大事小」的謙抑態度，事事抱持着和衷共濟的方針，先把潛存的舊有民族恩怨心情予以滌蕩，奠立互信互尊的心理基礎，則兩國建交前途，絕對可以樂觀。假使日本仍挾其先進國家的氣概，發抒其島國民族固有的狹隘精神，滿懷優越感，則以韓國人那種陰沉倔强的性格，加之以新刺激，一旦橫決，將無平復之望。日本不能過着鎖國生活，必須在經濟上向外發展，而越出島國之門，即與韓國相接觸，日韓如無親睦邦交，損失最大的還是日本，朴正熙先生的見解，值得日本人拳拳服膺的。

在二次大戰以前，日本利用國際資本帝國主義者互爭雄長的機會，一躍而躋於世界強國之列，採取遠交近攻的外交策略，而以侵略中國與韓國爲急務，悍然甘作西方帝國主義者所謂「東亞憲兵」，結果是所有亞洲地區的人民皆視日本爲仇敵，最後竟嘗到了亡國的慘痛滋味，到現在，日本留在東南亞地區諸民族國家間的惡劣印象，尚未消除。論日本的工業潛能和科技水準，無疑在亞洲是首屈一指，應居於先進領導地位的，而日本的經濟出路，亦以東亞地區爲最上的捷徑。日本民族性既不適宜於共產赤化生活，在政治上即跟一切自由國家利害相同，休戚與共，對於東亞諸自由國家，尤有親密結交之必要。戰後首先與日本復交的是中國，嗣以毛共釀亂而竊據大陸之故，日本政府所表現的對華外交行爲，令人頗爲失望。如今日韓繼起建交，亞洲各地區人民，莫不注視其未來發展，作爲他日跟日本論交的借鏡，日本如能好自爲之，樹立新策略，滌除舊瑕疵，表現着再生的新面目，使亞洲人相信日本是可親近、信託的友邦，日本即自然而然的穩居亞洲領導者地位，非西方國家所能撼動也。

因此，我們認爲朴正熙對日韓簽約建交的演說旨趣，實際是替日本借箸代謀者爲多，就看日本政治人物能否體會力行，自求多福了！

卡斯特羅的援助！

親者痛仇者快！

今日與明日

英聯邦和平使節團被拒

由英聯邦二十一國推定的越南和平使節團，終於被蘇俄及毛、胡兩僞政權拒絕。雖然這個五人代表團盡量迎合左傾，甚至加上正爲毛僞政權利用的坦桑尼亞總統尼雷爾，巴基斯坦總統阿育布汗，結果還是未能成行。

值得注意的，首先拒絕的是蘇俄，胡志明却在最後提出反對。胡志明不在一開始就反對，可見北越共黨方面，確有大部份人士主張接待和平代表團，商量和談問題。蘇俄何以拒絕得如此之快？大概蘇俄已經得到情報，毛共也有意和談，而今日越南戰爭之不已形成美毛之戰，是蘇俄求之不得的事，蘇俄自不願馬上和談停火，所以首先拒絕了英聯邦和平代表團，迫使毛、胡也無法接待，只好跟着拒絕了。毛共此次拒絕英聯邦和平代表團，在宣傳上落於下風，更使世界各國看出誰愛和平，誰在發動戰爭。「老大哥」擺下的這個圈套，可實在害人不淺。

亞非會議流產

勉強掙扎了幾天的亞非會議，終告流產，延期四個多月後舉行。而屆時亦未必眞能舉行。本來自從上月十九日阿爾及利亞左傾獨裁者本·貝拉被推倒後，有識之士即知道此次會議非流產不可。

因爲阿爾及利亞政變之後，首先牽扯的是法理問題。阿爾及利亞新政權不但推翻了舊統治者，而且連行政體制都變了，新的統治者不稱總統改名委員會主席，是一個道地的新政權，自然要經世界各國的承認，在國際上才算合法。截到現在爲止，正式承認此新政權的似乎只有叙利亞與印尼兩國。毛共雖然由其「大使」曾濤向阿外交部表示支持，但也未宣佈予以外交承認。

按照一般外交慣例，在國際會議的場合，地主國的代表團長必然會被推爲大會主席；而今天的阿爾及利亞政權根本未經世界各國承認，其代表團長又怎能出任大會主席？此是一個無法解決的難題。

其次，阿爾及爾市內愈來愈不安定，支持本·貝拉的民衆學生仍在示威，雖然被軍警鎮壓下去，但暗潮起伏，仍未平息。最近亞非會議的會所竟然發生爆炸，更使人們對當地治安失去信心，許多代表均主張無限期延期。毛共同印尼雖然大聲疾呼，拼命想要如期舉行，結果還是一閧而散，徒使人留一個無知的感覺。

（何如）

越南軍人專政

越南政局自從吳廷琰總統垮台後，一直是在動盪擾攘的情況中。美國方面强調文人政府之說，然越南幾次改組的文人內閣，皆因宗教徒與僧侶們不斷鬧事而無法安定，最後祇好把政權交給軍人之手。少壯軍官阮高奇一經登台，即宣佈全國進入戰爭狀態，採取非常措施，一道命令可以停止三十多家的報紙出版，聲言决不向吵鬧者屈服，對新聞記者的抗議置若罔聞，同時頒佈無定期的戒嚴令，限制都市人民的若干生活自由權利。這都是文人政府所不能做的獨裁專政行爲，宗教徒與僧侶們默不作聲，一般野心政客噤若寒蟬，美國朋友亦祇好如粵語所云：「冇晒表情」了！

凡是獨裁專制政權之出現，盡係由於內部動亂不已，人民在長期間沒有安寧過活之日，社會秩序反常而然的。過去德國希特勒與意大利的莫索里尼獨裁政權，若非內部政爭不歇，民衆厭亂思治，也就不會產生。一個國家如其沒有涵攝各界而爲羣倫所信仰的政治領導人物，而侈談民主憲政生活，即未有不陷於隉杌不安的喪亂局面者，喪亂無已時，唯有乞靈於武力以期安定。於是乎，軍人政府乃應運而生了。軍人本其治軍禦敵的知識和習性，看不慣、也聽不進甚麼民主憲政這類吵吵鬧鬧的事象與理論，乾脆痛快，以權力爲求治工具，宅心亦復愛國愛民，自覺理直氣壯，誰要表示反對，即視同戰場上的敵人，非予以消滅不可！

美國人不瞭解越南的實際情況，硬要越南實行美式民主政治，有如强使剛告解放的纏足婦女，穿着高跟鞋大跳其查查舞，那有不蹶躓傷身之理呢？如今阮高奇內閣之所爲，論體制是十足的獨裁政治，論效能强於文人內閣遠矣。從越南全局利害設想，阮氏的作風實屬未可厚非。否則四郊多壘，而內部紛擾無寧日，結果只有敗亡而已。吳廷琰地下有知，一定含笑曰：吾道不孤也，美國人其三思之！

馮之先生

已定期八月中旬舉行 監察院長選舉頗有難題

出席人數有問題少數亦舉足重輕 有意問鼎的人沒一個有當選把握

（本報台北記者張健生航訊）監察院院長選舉，定於八月中旬舉行，距今只得個半月，假使順利的話，行憲後的第二任院長即告產生。但現在有意競選而又積極佈署的人，沒有一個人有絕對的把握能夠當選，可是誰也不肯放棄這個機會。

按照憲法規定，監察院長副院長，由監察委員互選（九十二條）。正副院長之選舉，須由全體監察委員過半數之出席方得舉行。所謂「全體」，依據監察院以往副院長選舉的解釋，係指監察委員總額而言。查監察委員應選出的人數為二百二十人，但實際當選者為一百八十人，其中二人當選未出席第一次會議，而正式辦理報到手續者為一百七十八人，因此，監察院院會與幾次副院長選舉會以及行同意權都是以正式辦理報到手續者為總額的依據。

在一七八名監察委員中，除去在大陸死亡者六名，在台灣死亡者二十一名，附匪開缺有案者九人，因案判刑除名者一人，辭職者一人，總共應除去三十八名，現有的名額即為一百四十人，也就是所謂總額的人數。

但是在台灣的監察委員只有八十一人，包括在日本的丘念台，在美國的陶百川，柴峯等三人在內。

在八十一位監察委員中，無黨派者三人，民社黨籍三人，青年黨籍七人，國民黨籍六十八人。

然而國民黨籍監察委員分為四派；計有：

（一）多數派：現由湖南籍監委陳大榕負實際責任。如陳肇英、陶百川、吳大宇、曹啓文、黃寶實、于鎮洲、馬慶瑞、錢用和、劉延濤、丁淑容、鄧惠芳、楊貽達、張岫嵐、康玉書、馬空羣、王文光、張秉智、郝遇林、陳江山、陳嵐峯、陳訪先、李正樂、蔡孝義等二十四人是也。此外，與多數派接近的有：民青兩黨的李緞、毛以亨、葉時修、陳翰珍、劉永濟、丁俊生、胡阜賢、楊羣先等八人，以及無黨派的宋英與被開除黨籍的曹德宣等二人，所以俗稱多數派。

（二）少數派以南京籍的孫玉琳為首，另有王宣、王竹祺、王贊斌、丘念台、田欲樸、朱宗良、金越光、段克昌、侯天民（監委黨部書記長）、袁晴暉、高登艇、陳志明、陳恩元、陳達元、陳葵仙、陳慶華、張國柱、張維貞、張維翰、黃芫軒、楊宗培、熊在渭、劉巨全、劉耀西、鄒景福等二十六人，外加社會賢達張讜貞一人。

（三）以代院長李嗣璁為首的一派，有余俊賢、崔震華、郭　愷、郭學禮、張一中、張志廣、張建中、曹承德、蕭一山等十人。

（四）以安徽籍金維繫為主的一派，有王澍霖等八人。

餘有李不避、崔淑言等三人，不屬於院內任何政團。

除前述派系關係而外，尚有地理淵緣、歷史背景、客觀環境的因素；換句話說，在每一派系中尚有人事的因素和政治的因素在內，無法使大家團結在一起。

由此觀之，監察院正副院長的選舉，第一個先決的條件是全體委員過半數之出席，以現有全體名額之一百四十名計，則過半數之出席應為七十一人。按照常理而言，過半數之出席應無問題，然而實際上在台灣而又立即可出席會議委員只有七十七人，另有四位不能立即出席會議。有的臥病在床，有的旅居海外。在七十七位可以出席正副院長選舉會議的監委中，有十三位不屬於執政黨籍，有六十四位係執政黨員，假使非執政黨籍監委全體不出席，或青年黨七位監委不出席會議，正副院長選舉事宜，根本就搞不成。

這問題有關方面相當憂慮與頭痛，因此，有人主張請大法官解釋監察委員總額問題，因為有國民大會代表的前例可援。殊不知監察院每月舉行院會，都是根據全體委員五分之一以上之出席的規定而開議的，假定全體委員的名額發生問題的話，則過去監察院所有的一切院會，豈不都成了問題嗎？

由於青年黨籍監委與多數派接近，而多數派方面到目前還未推出院長候選人，儘管其中有一二人躍躍欲試，但係個人的行動而非團體的決定，所以青年黨籍的七位委員對過半數之出席有決定性的影響。而這七位委員中有六人屬於青年黨臨全會派，與執政黨雖有接觸，然不一定會跟人走。於是形成少數控制多數的局面，如果事先不協商妥善，假定形成水火之勢，則監察院正副院長選舉會議極可能難產。退一步而言，若由政黨幕後的安排而不發生過半數之出席的問題，則現有四個政團，誰都沒有超過出席人數（七十一人）過半數之票數（三十六票）而順利當選。

現在經已公開表示競選院長而積極活動者，有少數派中雲南籍的張維翰，以及河北籍代院長李嗣璁。此外，傳說中的有湖南籍的陳大榕（多數派），安徽籍的金維繫，以及河北籍的郝遇林暨南京市的孫玉琳諸位委員。

目前的跡象顯示，丘念台決定放棄競選院長，而另一台籍監委陳慶華有意問鼎副院長。如果現任副院長李嗣璁不辭副院長而競選院長，於法並無不合，僅僅是風度問題。若李氏當選院長，應辭副院長。否則，副院長可以不必改選。選情發展，千變萬化，在未開票前，誰都無法把握，誰也不能作肯定的預測。（六月廿日）

將調越戰場的「天兵」部隊 美第十一空中攻擊師真相

——本報資料室

美國第十一空中攻擊師，有將調赴越南作戰之說。空中攻擊師是美國的「天兵」部隊，是一種新建不久的部隊；——今後美國陸軍是否均將走向「天兵」化，此刻言之，或尚嫌太早，但並非不可能之事。

美國建立這支「天兵」部隊——第十一空中攻擊師，其來源正是年前在南越一次剿共戰役中，用直昇機迅速增援獲致勝利，得到啓示的結果。這師美軍眞的調越作戰，可以算是「無巧不成書」了。

駐于美本土喬治亞州賓寧堡的第十一空中攻擊師，是一支在實驗中的部隊，配合着最大胆的軍隊機動的新貌，其中不少是在越南戰場取得的經驗。基本上，美國陸軍的機動新概念，都包含在第十一空中攻擊師內，他們準備用直升機與飛機代替車輛及有履帶的卡車。倘若這支「天兵」試驗證明可行及獲致成功，則一切成為行軍障碍的崎嶇地形，諸如泥濘、河流、山脈、森林，再不致使步兵望而興嘆了。

賓寧堡陸軍訓練營的高級軍官說：「這也許聽來像神話，可是現代最有效的調動軍隊方法，是使他們離開地面，升到空中去。」美國防部長麥納馬拉是支持這個觀念的，陸軍航空的開支預料到一九七〇年，將增至二億五千萬美元。

第十一空中攻擊師，是經過幾年的爭論，才編成的，有了東南亞叢林戰的教訓，建立特殊部隊的方案，包括在十年的陸軍發展計劃內。到了一九六二年中期，陸軍實情調查委員會，承担一個新責任，進行研究及發展簇新、大胆及新奇的地面戰爭觀念。美陸軍的革命性的第十一空中攻擊師，是這一個思想下的產物，十一空中攻擊師也是世界上第一支「天兵」。

據師長夏利·金納特少將說：「第十一師的奇異特點，不僅可以從空中輸送出擊的部隊，而且可把其他的特種兵，例如大炮、火箭、通訊及補給單位，均可直接控制，由天上輸送，不必拖着一條地上的尾巴。最主要的還是本師完全不受地形限制，這是以前任何部隊沒有的能力。」

第十一空中攻擊師的作戰方法是這樣的：飛抵戰區上空，先由飛行快速的鷹式戰機偵察敵人陣地，隨即以配備火箭的UH—一B式直升機，把出現的敵人坦克車擊毀，巨型的坎諾克式直升運輸機接着把重武器，一〇五米釐口徑榴彈炮與小約翰式飛彈降落地面，降落區是先由師的「騎兵」（直升機）偵察妥當的。炮兵開始轟擊敵人集結點，運兵的VHIDS式直升機，以八十英里的時速抵達上空，一面降落攻擊前進。據野戰演習所知，由炮兵轟擊以迄步兵達到地面攻擊，全部祇是三分鐘時間。

目前第十一空中攻擊師已展示了它的越過河流及山脈的能力與高速輸送力。到了本年七月，這支兵力的總數約有一萬六千人，擁有飛機四百五十九架。陸軍既擁有這樣巨大的機動力，海軍陸戰隊方面已表示有興趣，也有意把自己的兵力改為擁有空軍出擊的能力。」

負責空中攻擊師訓練的研究及發展處長阿瑟·特魯杜將軍說：「為了此項高瞻遠矚的訓練計劃，我們正在學習更多的問題，經常實施我們所瞭解，走向發展未來十年的新式配備與技術。「目下着重發展的是VTOL與STOL式兩種飛機，能垂直起飛與降落，及以普通的機翼高速向前直飛。許多種VTOL式飛機已予試驗，此刻比較優異的是XC一四二A式飛機，能載卅二名全副作戰配備的士兵，或八千磅貨物，時速四百三十英里。

最後陸軍是希望此類的飛機，完全不需要跑道，既有直升機的性能；又可當作普通快速飛機使用。STOL式飛機是過渡階段作用的飛機，祇需要很短的跑道起飛，實驗的一架，能載全副武裝士兵五十五人，能降落在一個球場。S六四式空中起重機，是用兩個巨型的渦輪引擎做動力，能載重九噸或六十名士兵，能在任何地形降落。它更能拖起損壞了不能飛的直升機。

更進步的大胆計劃，將係把整個空中攻擊師的士兵，變為每一個人都能飛天的「神將」，科學上的虛構神話，將來變為事實了，每一個兵都乘搭飛行機器，把美國的步兵變成世界上最堅靱的飛天神兵。

這些空中步兵怎樣行動呢？他們配備空中腳踏車，來往自如，祇要廿分鐘的訓練，每一個士兵都能運用此飛天機器了。其他配備的還有無翼飛機，像一個橡皮做的「東粟餅」，可停在樹頂做偵察巡邏任務。「飛碟」是陸空軍所製直升直降飛機，形狀是圓的，但可以直降飛空中。吉普車也是步兵要配備的飛車之一，未來的軍用運輸機的飛屬在空中攻擊師內，是能翱翔於空中，不需要跑道，消耗的燃料極少。

特別是設計在森林作戰的單人直升機，輕便異常，還有最驚人的「跳躍直升機器」。背在士兵的背部，他能像有神技一般，躍上天空一千英尺之高，眞是名副其實的天兵了。

價既不廉 物亦不美

檢討保護汽車工業政策

本報駐台記者　張健生

關於「出軸」，也是不易自製的。據說，裕隆已往是進口又粗又壞的加工，並不是完全自製的。現在，是不是有自製的能力？是不是有這種設備？而「彈簧」，是簡單的工具，只要進口彈簧鋼加工處理即可，而彈簧鋼則非進口不可。當年，裕隆和日產合作時，所訂自製率是逐年增進的，經過六七年的時間，和政府的保護政策，才有今天的情形。裕隆第一部汽車是四十七年三月問世的，這部汽車是「中日合作的混血兒」，而非純種。然時至今日，為期五年的合約早已屆滿，裕隆並未依約做到完全自製，看樣子非延長期限不可。然政府却規定新設工廠，必須有自製率百分之六十，這是公平合理的辦法嗎？這是不是保護家族工業呢？

保護民族工業，當然無可厚非，但變相的保護私人工業，這就值得檢討了。凡是工業發達的國家，像日本，政府對出口工業產品，完全免稅，對內銷則採重稅政策，尤其貨物稅課征得很高。然而，我們連貨物稅也免了，然售價並未因免稅而低廉，如以現行稅率來計算，每輛車的關稅和防衛捐的差額很大，便宜部份是國家補貼的。幾年來累積的結果，政府短收稅欵，幾達億萬元。

政府扶植國產汽車工業辦法延長四年，其中以「省油」、「耐用」、「舒適」、「價廉」為主要的理由。這是針對小汽車而延長的。

所謂「省油」，照政府的規定，一公斤汽油要走十四公里，而裕隆出產的小汽車，根本不合規定，如不信，向任何計程車司機一問便知了。至於大客車大貨車，政府根本沒有規定。由於車子的種類太多，馬力載重都與用油有關，不知根據什麼而規定。

「耐用」原是一個空洞的名詞，究竟一輛汽車走多少公里報廢才叫耐用，沒有明文。現在的國產大小汽車，到底用多久？平時修理費保養費比其他廠牌省多少？拋錨的次數比非國產汽車多呢還是少？只要到公路局和公車處，以及計程車調查一下，即可獲得答案。

至於「舒適」，凡是坐過國產計程車的人都知道，如果乘客不是矮子的話，坐進去脚也伸不直，個子大的更難受，談不到什麼舒適，却是名符其實的「小」汽車。因此，有些外國來台的觀光客會向政府建議改善。

「價廉」嗎？比人家的貴一倍。該項辦法值得檢討，可議之處太多了。

誰亦並不反對保護裕隆，但保護必須有限度，不能像這樣無限期的保護私人利益。過去，政府不惜以總動員法去保護唐榮鐵工廠，保護的結果，不但不能挽救唐榮，政府反而增加一個包袱，這個包袱到現在還沒有完全放下，即是最顯著的例證。

（下）

本報駐台灣各縣市記者一覽

本報駐台灣各地通訊記者，向由台灣特派員暨台北分社主任直接遴聘具報備查（特派員與分社主任兼任記者職務），茲將全部名單列表公布如左。嗣後如有假冒本報記者名義，在台省各方面招搖生事者，希勿受騙，即扭送當地主管機關依法究處為盼。

計開

台北記者：張健生　周燕謀

台中記者：熊徵宇　王長樂（兼）

台南記者：曾振軍　朱武洲

高雄記者：袁文德（兼）

屏東記者：袁文德

嘉義記者：陳柏卿（兼）

基隆記者：李仲侯（兼）

怪力亂神與法律叢談

神羊折獄

·陸嘯釗·

很多學者認爲中國有史以來，法律規範就脫離了宗教規範了，從表面上觀察，我們實在不易發現神判在中國法制史上的地位，至少在成文法上，我們找不到任何一條有關神判的規定。而且根據現存的歷史資料，我們也的確沒有一套像漢謨拉比（Hammurabi）曼紐（Manu）摩西十誡那樣的出自神授的法律。在我們祖先最早的意識形態中，根本沒有像希臘人那樣以爲每一條法律都是神所擬定的觀念。如果我們作進一步的研究，我們祇能說中國在這方面的進展，較之其他民族要來得早一點罷了。

南宗和（T. M. Nathulhoy）說中國人也有神判法，他引證了一個姦殺例子，認爲如果不能斷定那兩個人頭是不是姦夫姦婦的，便將人頭投在水桶裏，一劇地攪動，看那兩個人頭是否相向，抑或相背，以資決定。他所說的荒無故實，純然是胡說八道。中國中古時代的法律，根本就沒有殺姦的規定；明清律雖有捉姦專條，但條文上規定得明白白，一定在姦所獲姦，登時將姦夫姦婦一併殺死，纔能引用這條法律，實證條件非常具體，無需要用其他方法來證明的。羅勃生（Robson）說神判法是普遍的習慣，在世界上祇有中國找不到神判的痕跡，這一句話也不合乎歷史事實。

中國最早的法律思想，也是脫胎於鬼神之說的，因此免不了也經過神判法這一階段。法律的「法」字，最初見於西周的金文，原是一個「灋」（水旁下同）字。在說文中，這個「廌」字本身就包含了一段神判故事；因此我們可以推斷，在殷周時代的法律思想，仍然不脫神判法的思想。

「廌」這個字，講的是一隻獨角獸折獄的神判故事。相傳皐陶治獄的時候，把犯罪嫌疑人抓來，一排兒站在獨角獸的面前，凡是有罪的，牠就用角撞一下；凡是無罪的，牠連碰都不碰，「斯蓋天生一角聖獸，助獄爲驗」也。

關於這一隻獨角獸古籍裏記載的很多，「解廌」、「獬豸」、「觟䚦」都是牠的名字，有的說牠像牛，有的說牠像羊，有的說牠像鹿，有的說牠像麟；不管像什麼都無關宏旨，如果傳說是眞的話，這個「四不相」就是我們中國最早替天行道的法官老爺了，難怪後代的御史台刑部的官吏，都要戴起解豸冠來了。

解豸在遠古也許眞有其物，但是否像傳說中那樣神乎其神，恐怕就未必了。在神權政治時代，藉一隻罕見的珍獸，亂碰亂撞來折獄，大致是可信的，基於當時如此多的記載，有一點我們可以肯定的。這種神獸裁判法的思想，在殷周時代不僅是當時社會一個很普遍的想法，也是當時社會司法實務經常適用的一個裁判方式。墨子明鬼篇裏有一段記事，正好可以拿來作爲佐證：

「昔者齊莊君之臣，有所謂王里國，中里徼者，此二子者訟三年而獄不斷。齊君由謙殺之恐不辜，由謙釋之，恐失有罪，乃使之人共一羊盟齊之神社，二子許諾，於是泏洫。摋羊而漉其血，讀王里國之辭；既已終矣，讀中里徼之辭未半也，羊起而觸之，折其腳，祧神之社而槀之，殪之盟所。當是時齊人從者莫不見，遠者莫不聞，著在齊之春秋。」

在這件案子裏，獨角神獸乾脆變做一隻不折不扣的羊，「助獄爲驗」進而變成了實際執行刑罰的劊子手了。

中法越南、閩海之戰

羅雲

七月三至五日，皆大風雨，六日晨，孤拔告各國領事及外籍以本日正午開戰，而我艦隊仍不知機在即。法艦升火，佩綸始大怖，遣學生魏瀚往乞緩攻，未至而炮聲作。午后一時，法艦開炮，頓轟碎我艦一艘。我艦應戰，諸炮台亦發炮應戰；須臾我揚武號中敵水雷破碎。法艦且戰且進，轟廠及羅星塔炮壘先後被敵炮毁；振威艦被擊沉；飛雲、福星、福勝等管帶陳英、許壽山、督帶高騰雲、呂翰、管駕葉琛：二至四時，敵艦擊沉小船無數，入夜船廠及沿岸村落，悉被焚燬。翌日，上溯敵艦，擊破船渠，下流敵艦，擊破金牌閩安二峽炮台。初八日，閩江沿岸各炮台悉爲敵艦陸軍所毁無遺。是役法兵戰死十二名，我軍戰死實數則在三千之外，南洋艦隊二十二艘與閩江諸炮壘全燬。

閩江開戰同日（中曆七月六日，西曆八月二十六日），清廷覺得忍無可忍，始詔勅宣戰。

南洋艦隊既燬，孤拔回師擊台灣。八月十三日，率軍艦八艘攻基隆，奪之。又率軍艦四艘攻淡水炮台，並以步兵上陸，因遇孫開華之伏兵，大敗而退。旋法艦封鎖台灣西岸，擾沿岸，劉銘傳，楊岳斌拼力防禦，卒使敵不能越基隆市街一步。十二月，法援兵至，復犯月眉山，賴提督曹志忠、林朝棟率兵冒雨鏖戰五日苦戰後，月眉山獲保全。

翌年正月十五日（西一八八五年二月十五日），孤拔聞我海軍欲解台灣封鎖，游弋石浦乃率艦七艘襲之，追至黃海擊沉馭遠、鏡清二艦，順路入長江口，封鎖寧波，炮擊鎮海炮台。浙江提督歐陽利見以兵備道薛福成爲謀主，在鎮海預有布置，得不敗，相持月餘，法艦受創而退。正月十八日，法軍在基隆得援，大舉進攻，苦戰連月，卒陷基隆東南及淡水河上諸要地。二月十五日孤拔更佔澎湖，至四月廿九日孤拔死於澎湖。中法海戰，至此告一段落。

四、左宗棠張之洞的挽救危局

先是，越北之我軍統歸潘鼎新節制，自接七月初六日宣戰詔後，復與法交戰，兩戰皆北。其後潘自統大軍駐諒山，使湘桂粵蘇軍蘇元春、陳嘉以十八營守諒山中路，楊玉科方友升以九營守西路，王德榜以十營守東路。十二月十九日（西一八八五年二月二日），法軍攻中路，我軍苦戰三日，初以包抄得勝，而潘突調龍字四營回諒山，遂不支。二十三日，陳、蘇及董履高等軍先後敗北，廿八日法軍進攻威坡，葉家祥先奔；董中炮折足，軍潰；潘棄諒山奔鎭南關。三十日法軍奪諒山，獲糧械無算。潘猶恐法軍追及，又自鎭南關退幕府、退憑祥、退海村、退龍州，關內民衆大譁，衆軍皆受其累而潰。淮軍飽掠龍州，運糧軍多攫餉匿逃，游勇掠刦，難民爭船東下，廣西秩序完全混亂，幾瀕危殆。此爲光緒十年臘月至十一年正月越北我軍潰敗之概略情形。

左宗棠於光緒十年七月奉命，以欽差大臣督辦福建軍務出京，是在張佩綸既敗之後，至天津，與李鴻章爭協餉，不諧。（四）

哀江南製造局

李仲侯

後來知道上海光復全由陳英士先生領導。當武昌起義，他本打算在南京發動，響應武昌；南京同志，以爲鐵良、張勳擁有重兵，倉卒不易發動，主張商議在浙江發難；大家又以爲杭滬交通太便，如上海未入革命軍之手，浙江先動，極爲危險，因主張上海發動以後，浙江立即響應。英士先生乃立刻回到上海，部署進行。上海方面軍隊，事先本已有一部份聯絡，又加上了這一番佈置，遂於九月十三日組織一部份同志，委託高子白、楊譜笙等進攻製造局。駐防局內的軍隊，一部份本已表示贊成革命，惟蘇統領係一極端頑固軍人，表示反對，故十三日下午進攻製造局的革命軍，就被他擊敗下來。英士先生極爲憤慨，抱定一種不成功便成仁的決心，就自己實行徒手進製造局，向反抗軍隊開導；不料到局後即被蘇統領扣留。上海光復，除製造局發生一場劇烈戰爭外，其餘都比較不費，即告成功。

進攻製造局之先，英士先生曾與製造局提調李平書建立了革命關係，李曾任知縣，是上海有名的紳耆，兼商團公會會長。是晚進攻製造局的敢死隊三百人，雖由同盟會員丁槐領隊，商團的武裝隊員，幾已大部份參加，最難得的，是伶界中人如夏月珊、夏月潤兄弟和潘月樵等，都是團隊中的中堅份子，進攻時都抱必死的決心，奮不顧身。如夏月潤當先，連擲廿枚炸彈，把鐵柵炸開，身受重傷；潘月樵、夏月珊兄弟，當戰局危急時，翻過圍牆，進入木工廠放火，使戰局急轉直下，成爲莫大之功績。至吾叔與鄉前元勳譚人鳳，原本同鄉舊識，譚常協助黃克強先生在長江發動革命，抵滬時常相過從，當然早已秘密加入爲革命黨員。光復後，我常看到譚先生手中總持一根三四尺長的旱烟桿，一純粹一口湖南安化土腔，披一領老藍布長衫，與吾叔談革命典故，口沫四噴，不可一世，完全是一副鄉下老學究樣子，人幾不知其爲革命元勳也。

上海自辛亥十一月十三日光復後，公推陳英士先生爲滬軍都督，李平書爲民政總長，沈懋昭掌財政，并由伍廷芳辦外交。後來清廷派代表唐紹儀與民軍議和，民軍方面即由伍廷芳代表，在上海公共租界市政廳舉行南北媾和會議。其時李燮和爲總司令，設立吳淞軍政府，專管籌備練兵，與滬軍政府劃分界限，凡上海治安秩序由滬軍政府負責。滬上自光復後，所有苛捐雜稅一律取消，氣象爲之一新。

光復後的製造局，雖由李平書兼總辦，但他是上海民政局長又兼商會會長，事務非常忙，無暇來局，一切局務，由陳會辦代爲負責處理。吾叔因參加革命之故，仍任總文案。我未久即進兵工學堂，學的是機械繪圖科，亦有英算史地諸課，每逢星期二四下午須去機械廠實習。護軍營自從洪管帶敗逃走，鮑友管先生亦未知匿跡何處，以後我即未去過護軍營。（九）

動物農場

英 George Orwell 著　陳其芝 譯

第八章　動物的外交策略與人海戰術

動物們雖然各盡所能奮不顧身地迎了上去，可是牠們這次勝利卻不像「牛欄大戰」那麼容易。牠們的敵人有十五個之多，其中有十二個人持有武器，而且挨近五十碼的距離時，就開始射擊，動物們都是些血肉之軀，怎麼擋得住槍彈的爆炸與穿透呢！雖然拿破崙和白克薩竭力阻止動物們向後撤，可是牠們仍然節節後退。而且牠們已經有許多同志負傷掛彩了！情勢迫使牠們不得不躲到大穀倉的牆後面去，從洞孔與牆縫中緊張而又小心地往外窺視。整個大牧場，包括風車在內都已經落入敵人的掌握之中。到了這種地步，連拿破崙同志都有點不知所措了。牠又在那兒踱來踱去，尾巴也在不停的揮動着，渴望的目光不時拋向狐木農場那個方向，假如皮克湯先生能帶領他的人來幫助作戰，那麼牠們今天還大有勝利的機會呢！可是，就在這時候，昨天派遣去狐木農場的四雙鴿子回來了，其中有一隻帶有皮克湯先生用鉛筆寫的一張便條，上面寫着「咎由自取！」

這時候菲特烈先生和那群人已經散佈在風車的四週，動物們正死命的盯着他們看，不期而然地一陣動物的哀鳴發自牆後。原來有兩個人拿着鐵撬與錘預備把風車敲毀。

拿破崙扯直了喉嚨鼓舞士氣，向動物們高叫：

「他們打不壞風車的，同志們！我們風車的牆壁建得那麼堅固，即使他們費上一個星期的時間，也打不垮我們的風車，同志們！面對現實吧！振作起精神！」

可是班傑民依然全神貫注地看着人們在那兒工作，那兩個人拿着鐵錘鐵撬，正靠在風車的基腳下鑽孔打洞，而且是悠閑自娛似地在進行。班傑民點了一點頭說道：

「我早就知道！你們看看，牠們在做什麼呢？他們是在風車的基腳下挖一個洞，然後用火藥把那個洞再塞滿！」

動物們都嚇昏了頭，呆呆地等在那裏，事實上牠們現在也不可能離開牠們的掩護地方而冒險地跑出去。不一會，牠們只見人們四散跑開，接着是震耳欲聾的轟然一聲，鴿子們都被震到天上去了，其他的動物除了拿破崙外，都把臉和肚子緊緊地貼在地上。過了好一會，牠們才敢起來，可是當牠們從地上爬起來的時候，只見一團黑烟冲天，風車也和烟而起。一陣風微微的吹過，烟被吹散了，風車也隨烟而消失於無形！

動物們一眼看到了這種慘景，不覺恢復了當初的勇氣。牠們先前的恐懼與絕望，現在卻變成了不可遏抑的憤怒。牠們要報復這殘酷而鄙卑的作爲。一陣復仇的怒吼隨即掀起，還沒有等到命令的下達，動物們已經昂首衝向了敵人！這回，牠們不再介意如雨點一般的槍彈。這眞是人海戰術啊！原始的野蠻與殘忍的戰爭。動物們祇顧橫衝直撞，人們則祇顧用槍猛烈射擊。一頭牛倒下了！三隻羊倒下了！兩隻鵝也當場陣亡了！至於其他的動物，也無一不披彩帶傷的。就連在後面坐鎮指揮的拿破崙同志，也照樣把尾巴打裂！尾巴尖飛得不知去向。同樣地，人們也有些損失：有三個人的頭部被白克薩的鐵蹄踢破了，另一位的肚子被一頭牛用角撞個對過通！還有一個人的褲子被吉西和藍鐘（兩隻小狗）撕得稀爛。當拿破崙的侍衛隊——狗同志，受命採用迂迴戰術，突然出現在人們的側面，狂吠衝咬時，使人們爲之膽寒，當他們發見到已遭包圍的危險時，非特烈先生立刻警告大家走爲上策，於是羣膽怯的人們立刻衝出重圍，跑向牧場。（卅七）

蘇俄的排猶觀念

·呂寶水·

二年前，伊夫土森科出版了「蘇俄」一詩後，他被當作一個蘇俄的布爾喬亞民族主義者而受到譴責。他變成一個無國家限制與偏見的以世界爲國家的侏儒。詩人阿歷克賽．馬爾可夫在文學Zhizn上批評他是缺少愛國主義，因其不覺得蘇俄兵士在第二次世界大戰中死亡有同樣的悲哀意義。

甚至有一個批評伊夫土森科隱藏着反排猶觀念，畢竟在他的詩中顯露出如此眷顧的對待猶太人，的確是值得懷疑的。史太利科夫堅强地建議愛倫堡（Ehrenburg），彼曾於一九四四年並且不止一次提到那些被殺的是猶太人。

當年青的伊夫土森科從布爾喬亞理念的觀點寫此詩時，愛倫堡據說有正確的歷史背景透視，並有合法的政治途徑（史太利科夫忘記提到，此一共同被告在TheGuardia中已指出愛倫堡再寫關於巴比雅而陷於非常突出點，即彼不能或不願提到一九四四年之事件）。

伊夫土森科在被批評中，說他應寫關於世界主義，新的電力廠，及準備二十二屆黨大會的題材。

假使他必須寫關於巴比雅「何以他必須將此轉到一九六一年的題材？」一個批評者平靜的質問着，認爲他應該帶蘇俄人民英勇的對抗納粹法西斯主義戰爭上。

史太利科夫質問他，認爲他不應該作「小布爾喬亞」，涉及「猶太民族」，「現在這些都許可嗎？」言下充滿嚴正的忿怒與懷念史達林治下絕對監察檢查的舊時代。

雖然敢寫有關反猶太觀念的詩，那些是官方的辯論，但究竟什麼是他的罪名呢？首先他不應該處理反猶太觀念。因爲那個問題可能反對於文字了，僅存紙灰了。現統治者敏感的是不令記起屠殺無辜的猶太人嗎？他們在對待蘇維埃猶太人的觀念上他們不喜歡純化，與其孤立他們，毋寧是去促進他們同化。蘇維埃統治者的眞理就是不願記起不同的理由，當地民衆對於屠殺猶太人的反應認爲在「無產階級的國際主義」的光榮史頁上是並不存在的。

起初，蘇俄政府並未警告當地民衆關於納粹的企圖，若干烏克蘭人，直接間接參與其事，若干丹麥人及荷蘭人可能不是「無產階級國際主義者」，但他們幫助數千猶太人激起他們本身的生命危機，更可以這麼說：蘇俄人與白俄人民尙有其個別性的。（三）

評介「到那裏去看民主」

洪流

著者：李聲庭　定價：十四元

這是一本二十五篇短文彙集而成的一個集子，而以「到那裏去看民主」，作爲集子的書名。由這裏我們就可以看出著者的意思是在告訴人們如何是才民主。

民主離不開法治，離開法治的民主，那是假民主。它可能是印尼蘇卡諾的「指導民主」，也或許是匪幫的「人民民主」。「指導民主」與「人民民主」，都是「民主」之大敵，都非我們所要求的民主。民主不需要「指導」，只是依法而治，政府守法，人民守法。而大家所守的法，必須一致，不能你守你的法，我守我的法，或者你要守我的法，而我不守你的法，那不是民主，更非是法治。法是共同擬訂的，加上共同遵守，才是法治。在歐美各民主先進國，他們所表現的法治就是如此。絕不能自己制法，而强人守法，那是暴君的統治。更壞的是自己制法，强人守法，而他自己却置法於不顧。

著者不但特別强調眞民主與假民主，他並且提出自由與民主是併行不悖的。並且特別指出：自由權是民主的內容，也是民主的方式，離開自由權什麼都不要談了。因爲自由權的內容包括有人身自由與言論自由，如果限制一個人的身體自由而使他去享受民主，那是天方夜譚式的神話，那是絕不可能的事。爲了民主，就要爭取自由權。而自由權中最重要的就是人身自由與言論自由，所以說爭取民主就是爭取人身自由與言論自由。著者說：但有些地區人民的人身自由與言論自由只象徵的存在，當權者一旦不高興時，人民就隨時有被關和封嘴的危險；共產國家就搞的這一套。此外一些假民主的地區，也極力學蘇俄的樣。因此這些地區的人民可以說無人權。這是多麼沉痛的話。

著者在談過怎麼去看民主之後，又寫了兩篇關於他個人敎憲法的原則與方則，以爲著者個人提出對憲法的研究態度。如果我們不太健忘的話，我們就會記得在十年發生的一些故事，本書的著者在政大被人解聘，理由是半年只解說了憲法的八個條文。假如我們不看著者的辯護，或是對憲法沒有很深刻的印象的話，那我們一定會說：那位敎憲法先生，一定是遲到曠課，上課聊天，不然爲什麼只解說了八個條文？假如我們能深一層的加以研究，那可出乎我們的意外，據說是派系的傾擠與立場的不同。

再次的憲法上的一些慣例，我國憲法所保障的人身自由，我對中國政治制度的看法，新聞與出版自由的歷史淵源及其發展，論法律平等保護，宗故信仰自由與自由思想，論教學自由，行政機關在法律上的特權觀，行政法院越權解釋憲法等，都是關於憲法內容實質的論文。從這裏邊可是看出著者治學的方向以及他所信仰的，乃是民主、法治與自由。

最使我們驚心動魄的是壓軸大戲的：何必挾外人以自重？著者舉出二個實在的例子，來說明庚子拳亂後的中國，仍然到處瀰漫着一股挾外人以自重的毒氣。這股毒氣不除，我們就無法建在我們的自信，我們就是事事學人，被人家牽着鼻子走進墳墓，作一孤苦無告的行屍。

七仙女

——「影劇與歷史」之七

周遊

「搜神記」中的「七仙女」故事有三個相似：

（一）第一個「七仙女」故事是出在豫章（今江西省），男主角未著姓名，仙女七位，一仙女婚後生了三個女孩。仙女最後是竊取羽衣後，連同所生三個女孩一並携去。是一個悲劇收塲。故事是這樣的：

豫章新喩縣有一青年，一天，他在田野間工作，偶然看到七個身穿了羽衣的少女，飄飄然到了地上，各人都把所穿羽衣卸下，幾個人在那裏毫無顧忌玩耍。這位青年悄悄地走了過去藏起了一件羽衣，然後向她們走近。那些少女看到有人來了，都急急忙忙披上自己的羽衣化成飛鳥而去，只有一個少女飛不了。青年便强她爲妻，成爲夫婦之後，給他生了三個女孩。後來這位仙女從她女兒那裏探知羽衣所藏的地方，把羽衣盜了出來，化爲飛鳥而去。不久，她又回來把她所生的三個女兒一並携去了。

這一個「天鵝處女型」故事，是很原始的一個型態。這位青年是誰？究是董永或其他人？無明白記載。

（二）第二個「七仙女」故事，是出在千乘（卽今山東濟南以西），男主角就是董永，故事的大概與今日電影「七仙女」故事差不多，仙女只有一位，沒有生子。故事大要是這樣的：

漢朝千乘地方，有一個青年姓董名永，十分孝順。他幼喪母，代人耕田以養活他父親。不幸老父突然病故，董永貧窮，無以營葬，只好賣身以葬父親。主人同情他的孝順，出錢爲董永辦理喪事，只要他幫三年長工便算了。董永守了三年的喪，然後去到主人家上工償債。在上工的途中，遇到一個少女，甘願做他的妻子，並且幫他工作，董永勉强應允了。便一同到主人家上工。主人問少女會做什麼工作，董永答說：「會織絹」。主人雖然答允留她織絹，但條件很苛，要她在十天之內，織完百疋錦絹。董太太在十天之內果然織成十疋錦絹。三年長工滿了，在離開主人的一天，少女對董永說道：「妾乃天上織女，因君孝行可嘉，天帝命我助君完丁。」說畢，織女便凌空而去了。

這個故事，由原始形態漸漸有了眉目了。男主角有名有姓了，仙女則爲織女。

（三）第三個「七仙女」故事，男主角名曰田崑崙，不是董永。仙女則有三個，其一婚後生一子，兒子的老師名叫董仲。董永的兒子做了宰相。這一故事內容情節比前者更爲生動，大要這樣的：

青年田崑崙，家境貧苦，年已弱冠尙無錢結婚。在他家園附近，有一池塘，池水清洌。一年秋季，稻禾成熟的時候，田崑崙正慢步田間，忽然看到三位少女在那池中洗澡，他大爲驚奇，想走過去看一看，到約百步他藏起一女衣服來，忽然看到兩個少女已變成兩隻白鶴，飛到樹上停着，一位少女不能化成白鶴，仍在池中。田崑崙躲草叢中看着。最後兩隻大的白鶴飛去。最後，那位少女只好向田崑崙說：「我們姊妹三人，偶然在此玩耍，想被你所看見。我兩個姊姊已拔羽衣飛去了，我的羽衣被你拿去，不能起來，求你把衣服給還我，我好上岸來。」青年田崑崙想道：「我若把羽衣還她，豈不是飛去了？」於是向她說道：「你要天衣我不給你，我可以將我的衣服給你換上？」仙女起初不肯出來，並對青年田崑崙說道：「不給算了」，後來仙女看到天黑就會飛走了，只好答應田崑崙，同他一齊回去。拜見了田崑崙的母親，結爲夫婦。不久就生了一個兒子，名叫田章。（四）

三國史微言

·燕謀·

魏志：「天子使郗慮策命公（曹操）爲魏公，加九錫。」

獻帝紀：「曹操自立爲魏公，加九錫」。

魏志：「漢皇后伏氏，坐與父完書云：『帝以董承被誅，怨恨公（曹）。后廢黜死，兄弟皆伏法。』」（君上皇后受逆臣之法，受逆臣之誅，被逆臣之黜，此種大逆之臣，尙稱號爲公，無隻字貶謫，壽失之甚矣。）

獻帝紀則曰：「曹操殺皇后伏氏。滅其族，及其二子。」（滅族弒皇子，操之心如何，可謂路人皆知矣。）

魏志：「天子進公爵爲魏王。」

獻帝紀：「曹操自進號魏王。」

魏志：「韋晃等反，攻許，燒丞相長史王必營，必與嚴拒討斬之。」

獻帝紀：「耿紀、韋晃起兵誅曹操，不克，夷三族。」

魏志：「漢帝以衆望在魏，乃召羣公卿士，使張音奉璽綬禪位。」

獻帝紀：「魏王丕稱天子，奉帝爲山羊公。」（此爲後世史家開一惡例也。後世篡竊者，咸假此「禪讓」之名，而行攘竊之實，而且尤變本加厲矣。）

魏常道鄉公遜位，晉封爲陳留王，及薨，亦追謚爲元皇帝。則魏志亦應稱元帝；乃僅以陳留王紀事，而絕無元帝之稱，則又異於山羊公之書法。據魏略云：「師遣郭芝入宮，大后方與帝對奕，芝奏曰：大將軍欲廢陛下。帝乃起去。太后不悅。芝曰：大將軍意已定，太后但當順旨。太后曰：我欲見大將軍。芝曰：大將軍何可見也。太后乃付以印綬。」是則齊王之廢也，全出於師，而太后得而知也。按情度理，后廢子則形於自廢，天下豈有此理耶！而魏志反載爲太后之令，極力言齊王不孝無道，以見其當廢也。其誣齊王及太后而爲篡奪者迴護明矣。

高貴鄉公之被弒，帝以威權日去，心不能甘，發於凌雲台，親討司馬昭。昭令賈充拒之。時相府兵尙不敢動，充卽諭成倅、成濟曰：公畜養汝等，正爲今日。濟乃抽矛犯帝，刃出於背而崩。（事見習鑿齒「漢晉春秋」及郭頒「魏晉世語」、孫盛「魏氏春秋」三書）三書，可見信而有微。然陳壽魏志但書「高貴鄉公卒，年二十。」（未見絲毫弒跡。）反曰爲太后之令。於情於理，皆不可信。更言高貴鄉公之當誅，欲以庶人之禮葬之，並載司馬昭奏稱：公率兵向臣，臣卽敕將士不得傷害；騎督成倅弟成濟，橫入兵陣，傷公，進至殞命。臣輒收付廷尉，結證其罪等語。轉似不知弒君之事，而反有討賊之功。惟其本紀如此，故別傳亦無散見其事，此乃曲筆迴護之甚者。論者或曰：「身仕於晉，不敢不爲晉諱也。」然則曹魏則爲隔朝之事也，何以爲諱也？（四）

記胡葉之緣

·朱滌秋·

等他走後，問了小江，才知他是小江哥哥的同學，姓胡，在杭州民國日報當總編輯。小江管他叫胡大哥。以後他（胡大哥）每次來江家，都帶書來，大家混熟了也就叫他爲胡大哥。日子久了，他記不清她們已看過的書，乾脆提議，到他家去挑選。於是每逢週末，從筧橋進城，叫黃包車直接從車站到他家去。

第一次去的時候，見他家書房並不大，三面有書架，靠右的一邊空處，在牆上掛着「一張照片」。她進去未曾看看書架的書，就給照片吸引住了。那是一個青年的軍官，穿着整齊的服裝，腰間束着皮帶，一張極英俊的臉，濃黑的眉毛，烱烱的眼神，鼻樑高挺，綫條抑柔和而帶笑意。她呆呆的看，站的背後的主人，就笑着問她「認得嗎？」她滿臉緋紅，未曾回答。主人就說：這是大名鼎鼎的胡師長，你們不知道嗎？她說：你是她好朋友嗎？他於是很興奮講給她們。（二）

內僑警台報字第〇三壹號內銷證

自由報

THE FREE NEWS

第五六二期

中華民國僑務委員會登記
台灣新字第三三三號登記證
中華郵政台字第一二八八號執照登記爲第一類新聞紙類
（半週刊每星期三、六出版）

每份港幣壹角
台灣零售價新台幣貳元

社長：雷嘯岑
督印人：黃行書
社址：香港銅鑼灣高士威道二十號四樓
20, CAUSEWAY RD 3RD FL.
HONG KONG
TEL. 771726　電報掛號：7191
承印者：大同印務公司
地址：香港北角和富道九號
台灣分社
台北市西寧南路[illegible]號二樓
電話：三〇三四六
台郵撥儲金戶九二五二

從聯合國二十週年紀念談到代表權

宋文明

從一九四五年六月二十六日聯合國憲章簽字算起，這一國際組織已整整經過了二十年的時間。一個全面性的國際組織，能經過二十年的時間，而又沒有顯出太衰敗的跡象，在人類歷史上已屬難能可貴，不可多得。所以當上月二十五、二十六兩日，聯合國一百一十四個會員國代表齊集舊金山歌劇院，爲這一國際組織慶祝其二十週年誕辰時，莫不爲這一國際組織的將來感到歡喜。

當二十年前聯合國憲章在舊金山舉行簽字時，全世界對於這一國際組織的前途，具有兩種不同的看法。一種認爲這一國際組織爲人類新時代的一種開端，從此這一世界將會逐漸實現全面和平，而得以消滅一切戰爭；另一種則認爲這一國際組織只不過爲兩次重大國際衝突中間的一種緩衝安排或插曲，終將難逃國際聯盟失敗的覆轍。尤其由於當時這一國際組織的首倡者羅斯福總統的剛行逝世，以及蘇俄趁戰後空虛已開始對於外在世界暴露出猛烈的擴張野心，國際氣氛逐漸趨於不安，後一種意見更爲之抬頭。但是經過這爲時二十年的實際考驗，證明這一國際組織雖未如樂觀論者所料的已實現全面和平，消滅了一切戰爭威脅，但也并未如悲觀論者所說的完全趨於衰敗和破產。

就實際的眼光來看，二十年來的聯合國，有其失敗，也有其成功。有使人沮喪的理由，但也有使人欣慰的所在。它雖沒有實現和平，可是假若沒有聯合國，這個世界所遭逢的重大災難和變亂，勢將不止這些。因此，現在全世界一般輿論和各會員國政府，雖對聯合國的有些措施經常發出不滿，但在基本上，它們仍是堅決支持聯合國，而對聯合國存有極大希望。

最明顯的事實是，如今這個爲數一百數十個國家的世界中，除了蘇加諾所領導的印尼，因圖謀混水摸魚，幷一時嘔氣，宣布退出聯合國以外，其他所有國家不僅沒有採取過這種退會行動，而且還時時深恐聯合國的行動會對自己國家的聲譽有所損傷。這就充分證明，聯合國對全世界各國仍有其重大價值與意義在。

現一般對於聯合國的詬病，大半皆集中於大國否決權的過份濫用上面。假若過去這些年，作爲大國之一的蘇俄，嚴格尊重聯合國憲章對使用否決權的規定，勿以私害公，不作濫用，則聯合國對於維持國際和平與安全，無疑將會發生更大作用。所以過去二十年聯合國的未能盡如理想，蘇俄的濫用否決權，阻礙聯合國行使正當職權，實應負其中最大部份責任。但濫用否決權是一回事，而根本取銷否決權又是另一回事。今日聯合國的所以不同於過去的國際聯盟，未能完全走上衰弱無能的道路，主要差別就在現在的聯合國對於大國的地位與責任作有一種特殊安排，也就是在於否決權的規定。假若把這種否決權規定完全取銷，使大國和小國一樣平等，居一樣地位，採一樣行動，使聯合國的一切均單純聽從會員國多數來作決定，恐怕這個聯合國連一天都存在不下去。所以對於這一問題，我們應以冷靜的態度與頭腦來作處理，絕不能因噎廢食，更不能人云亦云，高唱完全廢除否決權，以自毀其立場。

在去年底開始的聯合國第十九屆大會，由於欠費問題的糾葛，使聯合國完全放棄了固有法定程序，僅以會外協調辦法，處理若干最必需解決的事項。這種權宜措施，雖使聯合國的正常活動得以繼續進行，不致陷於中斷，但也使這一國際組織面臨了一種法律上的危機，由是整個威信連帶受了影響。所幸最近以來，經若干國家的幕後折衝，以及另外有些國家的自動捐獻巨欵，以支付聯合國的和平費用，這一危機已顯出緩和跡象。在未來數月之內，這一問題的終將獲得解決，大致將不會有何疑義。

可是聯合國本身的危機愈益接近解決，在台中華民國政府在聯合國內所遭遇的困難，則又愈爲增大。去年十九屆大會就由於聯合國內部危機的困擾，不舉行表決，我國政府的代表權才能再度安然渡過。但在今年，由於欠費問題已顯出和解跡象，以及其他情勢的變化，這有關代表權的整個爭執又再度趨於緊張。如：（一）本年二月二十七日聯合國宣布成立三十三國特別委員會，以徹底磋商和平費用問題，美英法蘇四國以當然資格參加該會，而中華民國政府被拒列入。這件事情已使我國在聯合國內完整的大國地位受到嚴重損害。（二）本年六月十一日，聯合國裁軍委會以八十六票對零票，另以十九票棄權，通過於明年初召開裁軍會議，邀請中共參加。這一決議，不僅證明了中共在聯合國內已越來越受重視，而且也已表現出中共參加聯合國的可能性增加了。（三）現任迦納籍的聯大主席季松沙基和美國籍的副秘書長彭區，先後發表談話，表示對中共的進入聯合國採取一種和解態度。前者於上月二十日說，聯大會議正傾向於予中共以席位。後者於上月二十四日說，中共的被帶進聯合國將不會等待太久，這不是一個使中華民國政府喪失席位的問題，而是一個聯合國會籍普遍化的問題。以上這種跡象已在指明，假若國際情勢繼續以現行這種方向發展下去，而沒有其他重要的變化，在下屆聯大會議中，中共的被允進入聯合國一事，將會造成一個重大的爭執。雖然現在距離下屆聯大開幕之日，尚有兩月半的時間，將來結果如何，未可預料，但一般趨勢確是朝此方向作發展。至於屆時中共對此問題究作何姿態，是否提出一些其他條件，那自是又當別論了。

總之，聯合國已經過二十年的考驗，已完全立穩腳跟，除非世界發生又一次大戰，國際局面完全改觀，聯合國將會無限期繼續存在下去。不過，它所遭遇的各種紛爭與困擾，在可限見的將來，亦絕無趨於緩和的可能。

不勝煩惱

一落千丈

今日與明日

周、陳鎩羽

周恩來帶着陳毅去阿爾及爾開亞非會議，滿以爲仍可重溫十年前舊夢，大搞國際統戰工作。那知天不從人願，阿爾及利亞突然發生政變，最親毛共的本．貝拉一朝而垮台，至今生死未卜。第二屆亞非會議因此也胎死腹中。雖然經過周恩來拼命搶救，仍然無濟於事，死雞撐飯蓋，白撐了一陣，還是捲起行李，鎩羽而返。

毛共這次失敗，雖然由於阿國政變所致，其中也還有些因素，是由毛共自己造成的。外電估計周陳兩箇回到北平將被整肅，到也並非玄想。

毛共渴望開會

毛共此次在會議之前就使出渾身解數，會議開幕前夕更到處活動，滿以爲可以把蘇俄踢出會議，取得控制權。及至阿爾及利亞政變發生後，任何人都看出會議決難如期舉行，只有毛共方面仍然拼命吹擂，說大會一定如期召開。周恩來在開羅停留期間，使出渾身解數磅緊納薩，甚至兩人有一次參觀某處走出時，臉上都扮出一付笑容，本港的毛報也據此著論，說是只看周「總理」同納薩總統的臉色，就可證明會議一定開得成。結果却終於執笠了！不知毛報又作何解釋？

失敗的因素

亞非第二屆會議籌備委員會最後開會時，十五個籌備委員中，[illegible]只有[illegible]「國家」？[illegible]如迦納[illegible]開會，但[illegible]放出[illegible]除去英法之外，[illegible]反俄，[illegible]柬埔寨，[illegible]何敢反法？而且也不願去反蘇俄。所以大家都不願如期開會，捲入是非漩渦。

另一方面在阿爾及爾也有些意外變化，如反對新政權的力量似越來越大，學生、工人示威之事不足，在亞非會議會所又發生了炸彈案。這一連串行動，有些蛛絲馬跡可以看出有外來因素存在。加之東歐共黨國家的阿爾及利亞學生，也紛紛舉行示威，可以看出十之八九是蘇俄策動的。毛共在鎩羽之後，大罵帝國主義修正主義破壞，大概也有所本。不過無論毛共事後怎樣大罵，最後失敗是無法挽回了。即使十一月眞能如期開成大會，恐怕也面目全非，不是現在的環境了。（何加）

自由談

談劃清敵我界

政治上的敵人，有明敵與暗敵之分，明敵易與，暗敵難防，不可不察也。

所謂「明敵」，如在野的反對黨派，以及社會各階層的知識份子羣中，凡對現實政治措施有所不滿者，均屬之。這些敵人所表現的反對言行殊不一致，但大家有一種共同的心理，即愛護國家民族，也因而敵對的程度和時期亦有制約。

「暗敵」則異是。他們乃以思想與信仰爲言行基礎，認爲有我無敵，有敵無我，永不變易妥協的，如共產黨徒及其同路人，即係最著者。他們并無國家觀念，在未得勢之下，潛伏在地區每一角落，表面上對現實政治不特無異議，而且隨時流露着忠貞無貳的詞氣，批評、謾罵共產黨以資掩飾，暗地裏卻運用各種技術，危害現實政府的生存發展，嫉忌反共人士。例如老共幹冀朝鼎於廿餘年前，潛伏在我中央銀行，竊據高位，雖經人揭發他是共諜，而該行總裁營言願以生命財產擔保其忠貞。迨共黨在大陸僭立政權後，他以顯貴人物的身份，寫了一篇「我怎樣搞垮國民黨政府的財政金融」的丑表功文字，描述他當年隱蔽原形，取得信任，然後利用我財經界某二位大亨的力量，代爲擬訂若干貽害財政金融的方案，付諸實施。這就是「暗敵」中的典型例證。

爲政之道，貴能兼攝萬彙，優容異論，消弭反側，化敵爲友，而使智勇辯力之士盡入彀中。可是，這義理只能適用於「明敵」，對「暗敵」却不宜輕率運用，否則隱患無窮，必有噬臍莫及之憂。辨識「暗敵」的主要方法，即須從清查其平日的思想、信仰入手。如果他過去曾是共產邪說的信仰者，又跟共黨沆瀣一氣的幹過叛亂行爲，平素有意無意的替共黨嘲諷脫罪，說共黨只要放火而不殺人，謀財而不害命，則自由人類即可跟他們共存合作，且謂總有一天，自由中國人士將與毛共聯合以抗俄帝的。這種人，無論他怎樣在表面上裝出反共烈士的姿態，終歸是屬於「暗敵」之列，非我族類，其心必異，決不能與廖文毅一流人相提併論。廖氏過去對政府雖有反動言行，但他并不親共媚共，始終愛護國家民族，完全是「明敵」的本質，一旦迷途知返，政府自可予以寬容的。世人多倡言「劃清敵我界限」之說，謹引申其意義如此，藉供參詳云爾。

馬星先生

財部處理新竹公司逃稅案
立委侯庭督不滿特提質詢
立委陳桂清亦指摘財部若干措施不當

（本報記者張健生台北航訊）政府為挽救財政上的問題，隨着民國五十五年度中央政府預算案而送立法院審議的財稅法案，計有：發行公債條例、證券交易稅法、海關進口稅率修正案、房屋稅條例、電力加捐等，還有地方稅中之教育捐；這都是事非得已，納稅義務人當然知道政府的苦衷，而必然支持。

然而財政部同時卻似乎縱容新竹客運公司四千萬逃稅案，誠屬不可思議之事。新竹客運公司自民國四十一年至五十年間，連續逃稅所得額竟達兩億元之多，其應補征之營業稅、所得稅等共約新台幣五千餘萬元，案經司法行政部調查局桃園調查站會同新竹縣稅捐稽征處核算清楚，認定確有逃稅行為，並經該公司負責人親具切結，承認不諱。新竹縣稅捐處亦開出補征稅單兩次，指令該公司補繳營利事業所得稅四千萬元各在案。

依所得稅法第八十二條的規定，納稅義務人如有不服，可申請復查，然必須先繳補征稅額二分之一稅欵。假如納稅義務人有困難，得經稅務機關核准，提供相當担保，免先繳補稅額二分之一的稅欵。新竹客運公司依法申請，自應依法提供担保。所謂相當担保，依所得稅法施行細則七八條之規定，係指：黃金外幣及結滙證，按政府規定價格計值；或政府發行經規定可十足提供公務担保之公債，按面額計值；或銀行存欵單摺，按存欵本金額計值；或其他核准上市之有價證券，按提供日前一日證券市場收盤價格之七折計值。殊料財政部竟法外施惠，以「情形特殊」為理由，而准該公司申請復查所提供之担保如房地產、車輛等。似此，財政部對新竹客運公司曲予優容，甚至破壞法令之尊嚴，所為何來呢？不但如此，據立委侯庭督質詢所說，該公司獲准改用房產車輛担保後，再向財政廳申請復查，但較法定期限遲了兩天，乃發生爭執，財政廳乃呈請財政部核示。據說這件公事在財政部積壓半年多了，沒有下文。這樣大的一宗逃稅案，蝸行牛步，是不辦，應該的嗎？侯委員認為：中央政府五十五年度國家總預算赤字差額甚鉅，財政部不惜增加捐稅，發行公債，多方彌補。證券交易稅即使稽征順利，每年也不過三千萬元，而新竹客運公司一家逃稅即達四千萬，如果財政部把這宗欠稅迅速追繳，又何必開征證券交易稅？而一般人議論主題的「電力費電燈費臨時捐」，也不過多收一億而已。一方面增稅，另一方面發公債，似縱容逃稅，又如何解釋呢？

此外，立委陳桂清也指責政府處處便利私人發財，例如烟酒公賣局的貨運是那個包辦呢？烟酒公賣局盛酒的罎子，是那個包的呢？原來，貨運是由新竹貨運公司包辦的。新竹貨運公司是那個辦的呢？在台灣省議會有地位的人。行政院財政部聽而不聞，視而不見，裝聾作啞，政府要那個發財，那個就發財，要那個不發財，那個就不發財。由此可見，我們的財稅政策固不無可議處，我們的行政措施，更有不夠適當處，在在有待於切實調整與檢討，才是國家之利。

粵農民配糧被削
成人亦僅十三斤

（本報香港訊）新近曾返大陸探親人士向本報記者透露二事：一、廣東省農村粮食配給被削減，一般都陷入半飢餓狀態；其二、毛共擴大「邊防」，與港澳鄰近地區一律劃入「邊防區」，檢查嚴密，意在防止同胞逃來香港或澳門。據原籍惠陽的林君說，他家鄉的配給，現時成人亦僅十三斤米，實在無法吃得半飽。

拿破崙被流放的島嶼之一
地中海愛爾巴島今昔

——羅馬通訊

在一百五十年前，即一八一五年，拿破崙從愛爾巴島逃脫回法國南部登陸，集合支持他的人，組成一枝強大軍隊，浩浩蕩蕩向北進迫巴黎，法王路易十八聞風竄走，英國與其盟國的軍隊趕到抵抗。是年六月，拿破崙進攻離比利時京城不過幾哩的滑鐵盧，與盟軍大戰，盟軍主帥乃英軍司令威靈頓公爵，法軍被擊敗，拿破崙被迫要再次遜位；計他回國執政為時不過三個月，這是在歷史上著名的「一百日」。拿破崙投降後被解到地中海的聖赫連那島，終身幽禁，他在一八二一年五月五日逝世。

由於有上述的一段歷史故事，所以歷年到愛爾巴島遊覽的人很不少，他們去憑弔那個法國英雄所到過的地方，找尋他在當年想再度稱雄，逃走時所踏過的海灣。

除了西西里和薩丁尼亞兩個海島外，愛爾巴島是在地中海最大的義大利屬海島，面積八十六平方哩，有高山和蒼綠森林，更有美麗海灘。氣候溫和，它離羅馬約一百五十哩，但從義大利本土乘載汽車的渡船，費時七十分鐘便可抵達，往來頗密，每人收費約美金一元。汽車收費則為每輛五元。當地有第一流旅館多間，每天膳宿費在內，由美金九元到十二元。

拿破崙留在愛爾巴島的時間雖短，當一八一四年四月盟軍攻入巴黎之後，拿破崙遜位，即被送到那個海島幽居，但他遺下許多事跡。當時，他是一個「自由俘虜」，在愛爾巴仍有他自己的小王國。他仍有他的宮殿，島民聽從他的命令，仍侍奉他像一個國王一般。拿破崙命令開闢隧路和海港，築建堡壘和戲院。他又發出告示，着島民努力於農業和漁業生產，他曾對他的庶民說：「我將是你們的好父親，但你們也要做我的孩子。」

拿破崙的宮庭設在山間的一座別墅內，他的母親和他的迷人的妹妹寶蓮也到來訪問他。但拿破崙時常盼望他的第二個皇后瑪利露絲到來，卻始終沒有實現，有人認為如果她能惠然肯來，跟她丈夫同住，拿破崙也許不會離開他最喜歡的海島，那麼也將沒有滑鐵盧戰役的發生。

當拿破崙在島上厭倦於看海景時，他會到深入內地的一個更美麗的地方，名叫聖馬丁諾去，那裏有一座華麗大廈，是島人建築來贈送給他的，有高的大柵門，最惹人注意的是一隻放在門內的石刻大鷹，象徵拿破崙的勢力，對開的道路，沿途兩面種有棕樹。屋內佈置堂皇，所有的傢俬的位置跟拿破崙未離開前一樣，仍沒有被移動過，島上的導遊者，會向遊客講述有關拿破崙在這屋內的趣味故事，指出他最喜歡坐的那張椅子等等。

在愛爾巴島有一百多哩的汽車路，更有不少古代羅馬人所開闢的道路。愛爾巴島有悠久的歷史，那裏早以出產生果、酒和魚聞名。在四千多年以前，島人已有開採鐵鑛，古代希臘人叫它做亞泰利亞，意即焚燒的海島，因為熔鐵的火光遠遠即可望見。

愛爾巴島的地土肥沃，陽光充足，島人懂得享受，他們多在露天過活。城市中心有一個大廣場，古代羅馬軍隊經常在那裏操練。現今每個週末都有樂隊在那裏演奏，大家在海邊設有露天茶座，在閒談或吃茶點，等待渡船。在村鄉都有小食店，設在樹林叢中，花香撲鼻，空氣新鮮，出售美餚和佳釀，置身其地實有在世外桃源之感。青年情侶在吃了晚飯之後，多會牽手漫行散步談心。

在愛爾巴島沒有乞丐也沒有犯罪的人，據說島人離家外出時，多將門匙插在門外，表示沒有人在家，想進去的親友就可隨便開門進去等候。這種情形在別處真是殊為少見。

在島的西部的栗樹叢中有一間精緻的石築隱修院，據說拿破崙常靜居三幾天來躲避訪客，特別是婦女們。他到那裏也有另一個原因，從那裏可望到在天涯間的深山，那就是他出生的地點，法屬科西加島。

由於愛爾巴島跟拿破崙有過一段關係，同時在那裏可看到拿破崙的遺物，所以現今遊客們又叫那個海島為「拿破崙的海島」。

英國火車意外事件遞增
肇事者多是些無聊之徒

（倫敦通訊）在鐵路隧道口微弱的燈光照射下，兩個小學生携着從鐵路工人所住的木屋偷來的工具，悄悄的躡足潛進隧道裏面去，把鑲嵌在鐵軌接合點的七十枚大螺絲釘拔走了。

跟着，他們聽到一列於上午十時三十分從格拉斯哥開出的火車正在疾馳而來的聲音。當這列火車駛到隧道裏面被拔去了螺絲釘的鐵軌上面時，車廂立刻隆然的向旁傾斜，車廂內五十九名乘客跟着被震動拋離座位。幸好這列火車的行駛速度不快，加上隧道壁把傾斜車廂擋住。這樣才不致鬧出大亂子，乘客僅虛驚一場。

這件使人覺得牙烟的事發生於去年三月間，地點是英國蘭福魯郡的上格連諾克車站附近的一條隧道裏面。那兩個頑皮的小童，一個年紀十四歲，另一個十五歲，他們後來皆被送進少年罪犯感化院去。

不過，類似的意外今後還可能會隨時發生。而且，下一次所發生的意外，不僅是一宗有驚無險的事件，而可能釀成一宗死傷纍纍的大慘劇。因此一次惡作劇可變成一宗大謀殺案，兇手乃是無聊之徒。

在一九六三年內，英國發生五十宗由於惡意損壞所造成的火車意外事件，比一九六二年多了六宗，而去年所發生的這類意外事件會比前年更多。年齡不同的火車破壞者，正時刻危害着旅客的生命。

再舉一些最近所發生的惡劣事件的例子：在告羅士打附近，有人把一堆堆的混凝土塊堆在鐵軌上面，因此一列客車被撞着，幸好當時火車行駛速度並不快，所以僅累乘客虛驚一場。在約克郡的羅多拉頓地區的鐵軌上面，也有人弄此惡作劇。在克福郡的蒲士邦尼隧道，有一些無聊之徒爬上一道十二呎高的牆壁上面，把七根直徑十吋長的大樹幹拋到鐵軌去，幸好當一列火車駛至時，司機及時發覺，才避免了橫禍的發生。

類似的事件很多，而這些事件都是無聊的破壞者所幹出來的，這使英國鐵路當局每年損失達五十萬鎊之鉅，時間的損失就難以計算。

火車司機也經常成了被作弄的對象，在柏德福郡的魯頓地區附近，一列快車的司機曾面對這樣的驚險鏡頭：當他將列車駛近一道天橋時，發覺橋下懸垂着一張椅子，高度對正他的臉部，當火車頭隆隆的撞向那張椅子時，他的眼睛發黑，幸好椅子及時跌下來，不致與他的臉部碰個正着，但這確已使他不禁捏了一把冷汗。在克福郡的夏班頓地區，有惡作劇者把磚頭擲進司機室去。在森馬薩地區，有人把鑲鋼咀的箭頭附有燃燒着的布碎射向火車去。而一些從氣槍射出的石子或子彈更每天威脅着火車上的工作人員的安全。

此外，鐵路上的交通訊號設備也常遭毀壞，電綫被割斷，用銅器製成的設備被竊去，這樣大大地妨碍了火車的服務效率。而火車上的座椅被割破，車窗被擊毁，電燈胆被竊去，這些事件更時時發生。在一九六三年末季內，僅在南部地區的火車中，就有九千張座椅被割破，大部分均是被刀片或鋒利的小刀割破的。平均每星期有八百張座椅須要修理，二百五十個車窗被擊毁。在南部地區，這些事件大部分發生在晚上九時後離開倫敦車站的二百五十列火車中。

英國警方對付這些不法之徒的胡鬧，雖然加派了便衣警探在火車上巡視，但由於這些破壞事件多數發生於不知不覺間，因此，警探們也為之束手無策。

在一九六三年內，英國共有七個人因越過火車軌而被輾斃，二十三人受傷。這些死傷的不幸事件，正好給鐵路當局人員作為宣傳鐵路交通安全的材料，在學校向學生展開宣傳。有些地區的學校已開始作這樣的宣傳。而每個學生都是應該知道在鐵路上玩耍的危險性的。但有些成年人對於這種宣傳卻置若罔聞。

桃園縣議會好表現
刪減本身預算經費
違警罰鍰收入亦刪減

（本報桃園航訊）桃園縣五十五年度歲出入地方總預算，業經縣議會第六屆第三次臨時大會於六月廿四日三讀通過，計歲出為新台幣一一六、三五二、四二〇元，預算的歲入部份，刪減違警罰鍰五〇、〇〇〇元，這是各級民意機構審查預算時少見的特點。而政權行使支出原列預算二、五三七、〇九八元，刪減了一〇、三六八元，雖屬區區之數，但代議士這種客觀立場，更足令人喝采。

茲誌其歲出總預算如下：（一）政權行使（縣議會）支出：二、五二六、七三〇元。（二）一般行政支出：六、七六八、七八九元。（三）民政支出：二、九六〇、一七八元。（四）財務支出：六、五九六、二四九元。（五）教育科學文化支出：八四、六二八、二八九元。（六）經濟建設支出：八、三六五、一五八元。（七）交通支出：二、四九三、五〇〇元。（八）警政支出：一八、七一二、〇四三元。（九）民防支出：一、一一九、七三九元。（十）衛生支出：一、四七四、四〇四元。（十一）協助及補助支出：一六、二五五、六〇一元。（十二）社會及救濟支出：四〇二、〇〇一元。（十三）公教人員退休及撫恤支出：五〇〇、〇〇〇元。（十四）債務支出：一〇〇元。（十五）縣營事業基金支出：九、五〇〇、〇〇〇元。（十六）其他支出[illegible]。（十七）預備金[illegible]。

按歲出的總預算中，以教育科學文化支出為最大宗，已越過憲法規定應佔總預算百分之三十五。其次是警政支出。陳長壽縣長會強調：「發展工業」，但預算的經濟建設支出，實為較弱的一環。（黃鴻遇）

怪力亂神與法律叢談

刑訊代替神判

陸嘯釗

我們曉得神判法是人們無法用自己的智力來判斷案情時，不得不乞靈於神的一種方法，等到人們的智慧已足以使嫌疑犯吐露眞相時，當然就無需神的裁判了。世界各國無不經過以刑訊來代替神判的階段。

歐洲在十三世紀時，刑訊在司法上才成爲有系統的獲得證據或口供的方法。從這時開始，刑訊方代替了以前的神判法。例如英國在一二一五年才正式廢除神判法的使用，意大利也是從十三世紀開始方自古羅馬法中學得刑訊而應用於刑法，後來法國也開始如法泡製，不久就傳播全歐。

就這一點來講，我們足足比歐洲國家進步了一千五百年，從公元前二百多年以來，秦漢時代開始，中國的法律就從秘密法時代，進入了成文法時代，訴訟的手續，審判的方式，證據的取捨，都比以前進步多了。而自白既爲證據之王，三木之下，那怕不招，自身智力既足判案，國家司法機關，實在也再用不着假神判法來作威作福了。神判法的思想，從此被國家裁判權的圈子裏踢了出來，也就成了理所當然的事了。可是，我們在這兒所認定的神判法在中國秦漢時代業已絕跡的看法，祇是說在規定的法律程序上找不到神判法的規定罷了，至於官吏的個人行爲，仍然可以找到神判法潛在的功能。

論衡裏有一段記載，很值得我們注意：

李子長爲政，欲知囚情，以梧桐爲人，象囚爲形，鑿地爲埳，以盧爲槨，臥木囚其中。囚罪正，則木囚不動；因冤侵奪，木囚動出。

我們雖然不能把李子長的個人行爲，作爲當時法律上的習慣程序，可是我們也不能看作全然是李子長個人的創造，至少可以目爲這是神判法思想的意識反應。至於利用一般民衆對鬼神的敬畏心理，官吏裝神扮鬼以求解決疑案的那就更比比皆是了。宋朝包文正探陰山的故事，已是家喻戶曉的了。海瑞辦案也常用這種手法，充分利用人們的宗教意識，來取得自白，下面有一段關於他的故事：

淳安縣一小家婦，自母家歸，避雨一野寺中。寺僧延入，而婦有姿，師徒皆欲淫之；乃婦意在其徒，師怒殺婦埋園中。次日，母與夫家尋不得，交訟於邑，互謂殺之。公一時不能決而疑。適有門子，得罪當譴，公曰：「汝故以得罪逋出，遍踐村市，但探得此事，當宥汝罪。」久之門子入此寺，僧師徒以是美男，皆與狎昵，有小沙彌語洩，而沙彌也不甚悉。入以白公，公曰是矣。翌日過寺中焚香，頻仰首向天自云曰：「知道了。」獨一僧於衆中色變，公即令縛之曰：「上天已語我，殺其家婦者爾也。」一訊吐實，掘屍出其園，抵二僧死，而兩家疑解。

像上面這則故事所記載的，從「焚香」「頻仰首向天自云」，到「獨一僧於衆中色變」，最後「一訊吐實」，全套程序均未出神判法的窠臼，祇不過犯罪情狀在事前業已查究明白，利用一下人們對鬼神的敬畏心理，來取得法定證據罷了。

至於愚人自愚，誠心誠意的祈求神助，以期解決疑案的，就官吏個人來說，名幕汪輝祖就是一個最好的例子，他不僅說過「城隍之神有益吏治」的話，而且自供「審理命案多叨神庇」，那是道道地地的假神說法了。其所記載的劉開揚一案，荒謬絕倫，鬼話連篇，那才眞正是神判法思想的復活呢！

中法越南、閩海之戰

羅雲

抵江寧，見江督曾國荃，得其助，遂疏請以江寧布政使梁肇煌辦理後路糧台兼辦南軍裝協餉。梁與蔣毓英、王德榜、劉銘傳皆爲舊交，於是閩台浙桂粮餉軍裝多由江寧籌撥，補充不匱。十月，宗棠抵福州，閩江諸海防已粗備，法軍封海，幸宗棠已先檄軍十二營潛渡台灣，會辦福建軍務楊岳斌領之。十一年正月，法軍謀以元旦襲廈門，宗棠預令諸統領悉數集兵閩南沿海，法兵至廈門海外，望見諸山皆恪靖軍紅旗，知難而退。旋寇長門、亦不逞。再窺台北、忽見遍山亦皆恪靖軍紅旗，正驚愕間；我軍突起襲擊，遂奪回四堵五堵。此爲光緒十年十一年冬春間閩海我軍轉危爲安之概況。

張之洞于光緒八年任晉撫時，即一意主戰，奏請迅發新兵，且宜由兩廣選將練軍以攻越。十年四月，之洞任兩廣總督。七月初六日，遂下動員令。及潘鼎新旣屢敗，桂省告急。李鴻章獨極力支撐潘鼎新。之洞急奏遣提督馮子材總兵王孝祺兩軍自廣東入越協剿，左宗棠亦薦湘軍宿將王德榜幫辦軍務，而戰局始有轉機。子材孝祺至龍州時，法軍已陷諒山，潘鼎新於諒山敗後，淮軍已潰不成軍，幸賴子材與孝祺扼鎮南關，廣西按察使李秉衡挺身綏靖，人心稍定。子材建議於關內十里之關前隘，跨東西兩嶺間築長牆三里餘，外掘深塹，以爲之守，孝祺軍屯其後爲犄角。是時，蘇元春、陳嘉軍屯其後五里之幕府，蔣宗漢方友升，潘鼎新屯幕府後六十里之海村爲殿，皆在馮王兩軍之後。王德榜一軍獨屯油隘，在關外東三十里。布置初定而法軍已至。

五、馮子材的戰績與班師

光緒十一年正月二十七日，法軍數千騎伺光村，馮軍擊退之；二月二日，法寇扣波，馮軍又擊退之。法軍揚言二月八日犯關，馮料敵必於初七日出兵，決計先發制人，潘鼎新阻未得，子材孝祺初五日出關襲敵，破其二壘。初七日，法果悉起諒山之衆併力入關，直撲關前隘長牆，攻中路廣西軍營壘。法以開花炮隊循東西兩嶺進攻，向下轟擊，以槍隊撲中路。攻擊部隊係以「眞法兵」居前，「黑兵」次之，「西貢洋匪」又次之，「教匪」「客匪」爲殿，我軍死傷甚衆，東嶺五壘爲敵據三，幸孝祺率小隊抄敵後仰攻，敵始稍却。戰至黃昏，蘇元春援軍至，合力拒敵；王德榜自油隘夾擊文淵之對山，斷法軍補給路綫。初八日晨復大戰，敵來益衆，炮轟益緊。子材居中，蘇元春助之，孝祺當右，陳嘉、蔣宗漢當左。敵逼長牆，子材與諸統領作「有退者，無論何將，遇何軍皆誅之」之約，然後以七旬之年，短衣草履，持矛大呼，率兩子躍出長牆，揮軍應敵。（五）

哀江南製造局

李仲侯

民國二年我在上海讀書，記得曾發生過歷史上兩件最大的事，後一件涉及到我所讀的學堂停辦，因而輟學。其一是黨國元勳宋教仁先生之被刺。宋於三月廿日晚上十一時在滬寧鐵路站，被袁世凱派人暗殺。事先本就傳說有人來滬謀刺宋先生，他亦迭獲友人密告函件，勸其戒備。宋竟夷然處之，謂光天化日之下，政治鬥爭，豈容行使這種卑劣殘忍手段。迨是晚十時許，宋到車站，同行及送行者多人，在議員接待室小憩；十時四十分由吳仲華引導，與黃克強、廖仲愷諸先生向車站出口處進發，宋夾在黃、廖二人之間，纔到剪票口處，槍聲即起，宋登時即曰：我中彈矣！時適已故于右任先生趕至，一面追覓兇手，一面護宋至鐵路醫院治療。吾叔平階公與宋教仁先生爲同鄉雅契，在滬時有過從，翌晨閱民立各報，得悉噩耗，大爲震驚。上午提早下班，挈余同至鐵路醫院探訪，至時適已十一點鐘，宋在醫院，正値開刀割解，取出子彈，門外鵠候而立者甚衆，醫生囑付：任何人皆不許接見。叔携余轉至車站出口處，鐵柵旁邊尚遺有血跡可尋，巡警數人在旁看守，不准近前。延至是晚三時許，此一代匡時偉人，自被刺中彈不到卅小時，即賚志與世長辭矣。那次未獲與宋先生臨終面訣，迄叔認爲是終生一大憾事。

宋逝世後數日，捕房即獲兇手武士英，置諸獄，審出他原是應桂馨家的保鑣。應素習武術，一向在滬橫行霸道，不把捕房放在眼中，不料東窗事發如此之速，應被滬軍督都速捕，並抄查其家，搜出袁政府國務總理趙秉鈞和趙的秘書洪述祖與應來往密碼電本，並親筆函札，纔知應桂馨、武士英實由洪述祖買通，專司跟蹤宋氏及施行暗殺之責。應亦供認不諱。上海地方法院乃票拘趙秉鈞到案，案必牽及袁世凱，袁乃迫趙服毒自盡，俾將洪述祖絞刑，應桂馨論斬而結案。

自宋案發生後，國父中山先生已徹底瞭解袁世凱到了無可救藥的地步，想趁着人心極爲憤激時，立刻起兵討袁。國父於三月廿日由日本到上海，即召集同志會議，主張速戰速決。因爲袁氏手握大權，令由己出，要想打倒他，必須出其不意，先發制人。加之宋案鐵定，已經公布，全國恨袁之情緒，達於高潮，正因緣時勢，以億萬人誅一獨夫，自極易爲。可惜當時一些黨中要份子却主張穩重，先要訴諸於國法，並主張由國會提出彈劾案，用來解決這樁非常的事件。袁氏怎肯低首下心來聽法律的擺佈？後來果然不出國父所料，不特置彈劾案於不顧，而且經過國會通過，即與英、法、德、俄、日五國銀行團訂立善後大借款二千五百萬英鎊，作爲打擊黨人的武力準備。隨後又以利誘威脅來聯合共和黨、民主黨、統一黨爲進步黨，以與國民黨對抗。並於是年六月以一紙李烈鈞、胡漢民、柏文蔚三督時，一般黨人，纔瞭然於國父的先見而決心討袁了；可是袁氏已經布置就緒，雖然從七月十二到九月十二這兩個月間，各地紛紛舉兵討袁，結果都通通敗了。（十）

動物農場

英George Orwell著　陳其之譯

第八章　動物的外交策畧與人海戰術

可是動物們緊追不捨，一直追到牧場的盡頭，還趁着人們爬出籬笆時的剎那多咬了幾口，多踢了幾蹄子。

動物們又勝利了！但是勝利的代價是牠們的生命與鮮血。牠們慢慢的步回農舍，沿途看到牠們親愛的同志大多伏在地上陣亡時，不覺熱淚盈眶。不一會，牠們走到了風車的舊址，一陣靜默的悲哀又籠罩了牠們。是的！風車又完了！牠們的勞力一點痕跡都沒有了！就連那麼厚的風車基脚都炸得粉碎如泥！想在原地重新再建也是不可能了。因爲那些石塊被炸得無影無蹤，有的碎石都飛在百碼以外的地方。乍看起來，風車原來的地址，似乎從來就沒有過風車那回事！當牠們接近農舍時，遇到了無故不參加戰鬥行列的斯奎勒，牠正搖頭擺尾滿懷得意地笑迎着戰勝榮歸的同志們，從牠後面農舍裏又傳來一聲槍響。

「爲什麼要放槍呢！」白克薩問道，

「慶祝我們的勝利呀！」斯奎勒叫着，

「什麼勝利不勝利的？」白克薩說時，膝上正流着鮮血，一隻蹄子上的馬蹄鐵也掉了，蹄肉也炸裂了，而且腿上還留有十多粒槍彈沒有出來。

「什麼勝利？同志！我們不是已經把敵人趕出了農場？距離我們動物農場的神聖土地嗎？」

「可是他們摧毀了我們的風車，兩年來我們辛辛苦苦工作的成果都付諸流水了！」

「那有什麼關係呀！只要我們高興，我們可以再建另一個風車，就是再建十個八個也不難呀！你難道不爲我們這次轟轟烈烈的勝利而感到高興嗎？我們現在所站定的神聖土地險些兒被敵人强佔！我們感謝我們的領袖拿破崙同志，因爲牠的領導，我們才把敵人打得落花流水，收復了我們每一寸失土。」

「是的！我們奪回了所有屬於我們自己的！」白克薩說。

「這就是我們的勝利啊。」

牠們一跛一跛地往回走。白克薩的腿，因爲皮下有子彈沒出來，使得牠痛楚難當。但在牠的腦海裏，還清楚的覺得從頭再建風車，是牠責無旁貸的重任。而且是一件非常艱巨的工程。同時牠也是第一次感覺到牠自己已經是匹十一歲的老馬了！現在身上的肋肉與脛骨也沒有當年那麼堅靭靈活了吧。

在動物們的面前飄揚起綠色旗幟，耳旁又響起了七聲禮炮，拿破崙同志也在絮絮不休地誇讚牠們英勇作戰，無畏犧牲。這樣牠們才知道確確實實的打了一場大勝仗！而且也正在舉行慶功大會。對於陣亡的動物也有一個莊嚴肅穆的喪禮，來追悼牠們，柏克薩和克勞芙拉着靈車，拿破崙在前頭引道繞着農場遊行。兩天的慶祝活動：有歌唱，演講，鳴炮，同時給每一個動物額外地分發了一個蘋果，每隻鳥類多了兩盎司的穀粒，狗則多給三塊餅乾作爲特別慰勞。這場戰役定名爲「風車之役」。拿破崙同志又給牠自己頒贈了一項新榮譽，佩戴上一枚綠色勳章。總之，上上下下現在是一派歡樂，那件由菲特烈先生僞造現鈔所造成的不幸事件與沉悶的氣氛，早已忘得一乾二淨了。

幾天以後，猪同志在農舍的地下室裏找出了一些威士忌酒，那是牠們最初搬進農舍時偶然發現的東西。

（三八）

克倫姆充市長為救助猶太人而被處決，但這是唯一被外界所知悉的事例。這亦是何以如此激烈的對待此青年詩人的附加理由。因他的政治上的天真帶來憲法上及黨的理念上嚴重的反排猶觀念。蘇俄猶太人是被懷疑的，因為他們不幸是分屬於分散於全世界的社區中，但除蘇俄外，不像亞美尼亞有其堅強的集中。

在十九世紀、二十世紀蘇俄有一頁淒慘的猶太勢力的紀錄顯露出來，但必須加以說明，即蘇俄的情報機關領導人物，常採堅定的立場以最野蠻的本能去對付透露過度驚駭聽聞的洩露者。

高爾基是一特出的事例。布爾塞維克的第一代對於革命前的情報機構的遺產並未離題太遠，分歧尚少，反猶太觀念在列寧時代未必是排猶的。

水滔滔的自伏爾加與莫斯卡瓦流下，伊夫土森科是在高爾基的傳統中，因此，亦許尚有其不少同類。但官方的批評却在極不同的傳聞中。下面是伊夫土森科所寫的詩：

巴比雅

巴比雅沒有什麼紀念的！——
斜坡上的絕壁只是墓石。
我怕啊！
今天我古老如猶太之民，
現在我彷彿是一個猶太人，
如今，我釘在十字架上死了，
就是這一天，我帶着釘牢的標識，
我彷彿是屈雷富斯（Dreyfus），
可敬的公民檢舉我，審判我，
我在監獄中。
我陷入圈圍，被攀與嘲罵！
婦女們穿着鑲有布魯塞爾花邊的裙子，
呼喊着，在我的面上揮動着陽傘，
我彷彿是一個貝洛斯脫克（Byelostok）的兒童，
流血四濺地板。
俄羅斯麥精酒與洋葱臭，
舉止粗暴的食堂生火者，
一腳把我踢在一邊，我痛苦無告，
我徒然與反猶太人申辯，
咆哮着：「殺猶子（Yids），救蘇俄」。
一個店員正在打我的母親。
呵，我的蘇俄人民！
我和你實是國際主義者，
但那些分不清的手，
徒然大聲的喊着你最純潔的名，
我知我的故國多好，
他們的脈搏沒有顫動是多卑鄙啊！

（四）

蘇俄的排猶觀念

·呂寶水·

觀「意大利式離婚」

汶津

義大利味十足的馬西洛馬斯多尼，由兩位駐車警員（象徵法律）之間穿過；進入餐車之前，先對車廂中的妙齡女子矚目頃刻。寥寥幾筆，這位第一號人物已被點染了大半。故事的氣氛也隨男主角的回憶而濃郁地展開。

有條不紊，且又無比簡潔地介紹市鎮，那些教堂，那宮殿，那一家子。醜聞的焦點：父親，傀儡式的老母，魯智深型的居夫姑父，熱戀中的姊妹，及出身殯儀館的未婚夫，以及兩位女主角——愛不絕口的美臀嬌妻，純屬癡情的表妹。幾乎所有的表演都集中於這位風流、落魄兼而有之的貴族後裔，但他卻是自始至終未嘗大變的一位；變的是乃妻及表妹（他的第二任嬌妻）。此類影片的編導多半不忘在喜趣中包孕諷意，女子的善變，當是本片的紅心之一。

僅僅夫妻二人的床上戲，已凸現出導演的才情。那種嬌諛惹人煩心；相對的顏然反使人同情。當馬西洛自陳他私下愛着表妹時，他的表情充溢着悲愴無奈，但乃父的強佔陽台、逾牆對窺風光，立即又沖刷了那份沉鬱感。歐洲喜劇之高於美片處，關鍵之一即在情調上時時有所抑揚。

教堂中幾位家人的風姿也是極具蝕刻性的。少艾的表妹回眸一盼，成就了劇情的主線。鏡頭在夫妻共寢與街頭驚鴻之間交錯，巧妙自然地交待了男主角的矛盾。海濱的花叢中有詩意的照面；然後埋身沙中的妻子構成了幻想中的沉溺；鏡頭一轉，太空人升空的新聞標題昇華為一去不返的女飛行者——不必假借佛洛伊德，已導出了尋求解脫的中年男子的心象。而後花園幽會一幕的前前後後，也極富情緒上的張力。街頭群眾有三度愈形重要的穿插：初則嘲父，介紹多情的家世淵源；次則談殺，助長主角的棄妻想像；末則幸災樂禍的綠幘加首的男爵，直指結局。這是編導的又一暗靶：「羣眾」無所謂同情心，荒謬的人生亦無以構成完整的喜劇。

洗衣女妒殺太保情人的案件（精彩的「Dishonor」之回響！）更使男主角胸有成竹。那位傳道士式的大律師，由引用聖經伊始，便晉昇為全片的第二主角，——他是意大利式離婚的肇始者！他的口才當令凱撒的愛將安東尼為之遜色，他的煽惑力頓化手沾火藥味的女子為英雄。這位律師的扮相與聲腔，是可以與男主角的動人表演爭雄。

頻頻聳嘴角的馬西洛獲得了最合意的劇本。他或淒其，或灑落，時而憤慨，時而冷漠；基於最悠長的熱情不為不惑之年而減，他完成了一最高貴的小丑典型。編導者奔放的想像力轉化為男主角的；動作、計謀與預想中的律師議論，交織為雙重喜劇意味的緊湊戲段。錄音機中的雜音又湊合了幾秒鐘「湯姆瓊斯」型的卡通節奏。一妻一壁畫藝術家在長椅上與這位男主人同用咖啡時的轉移鏡頭，便已是諧趣十足的；嗣後再參入一位多情女侍，更使此數世紀前的古殿頗形熱鬧。在此所有人物毫不浪費，借鏡頭向未簡縮至最精粹的地步。

妻子出走的意外沮喪和匿名信歸擋的驚人泰然，都似是特為馬西洛安排的施展長機。一百◯三度的高溫狀態與重新走入人羣時「我不入地獄、誰入地獄」的風姿，更保證其終於不為幕後的律師壓倒。

在路邊迎着行列中的表妹猛吻一段，魯莽得頗有茫然之趣。巧合的安排使姑父氣死，則已是順理成章的了。妙在其銜接的渾然。

，受吻、受唾與受辱，幾使他變成一個耶穌型的迷失者。可是奔赴海島舉槍之際，又何漫畫筆調！開庭，律師師出有名，其振聾發聵的言辭，卻淡淡地由主角口中代述。而編劇者的主矢終竟中的——法律、習俗、宗教（由裸影片所引申者），嗚呼尚饗！

三年的徒刑外加大選前的例行大赦，翩翩貴公子乃以故里英雄之姿匆促下車，故妻墓木將拱，表妹仍守候在教堂門前。鐘聲響（For Whom the bell tolls?）喜劇終；但結局之前，又展出了頗為絕情的一筆，令純若仙子的新娘也墮入了編劇為她安排的象徵命運中。貞潔乎！純情乎！

辛辣而輕鬆，是本片的綜合評語。英語對白配以義語歌聲，諸若天工。至於全片的地方色彩，如入芝蘭之室，沉浸既久而或忘其芳馨。

總之，馬妻（丹妮拉羅卡）之妙在放，畫家之妙在拙，律師之妙在悍；男主角則竟兼客並蓄，時而有出蘭德倫的瀟洒，時而又如三船敏郎之魯躁。情急時悄然自語，更增光輝。馬西洛的表演，「進乎技矣」！

三國史微言

·燕謀·

曹操之征陶謙，陳壽根據世語，而不採吳書。世語謂：曹父嵩，在泰山華縣，操令泰山太守應劭送至兗州；謙密遣數十騎，掩殺曹弟德於門下，嵩穿後垣欲逃，先出其妾，妾肥不能出，嵩與妾皆遇害。是嵩之被難，為陶謙使人殺之也。（曹騰傳，應劭傳皆同此說）。而韋曜「吳書」則謂：「謙本遣張闓護送，闓見嵩輜重多，乃殺嵩，取其資奔淮南。」是嵩之被殺，由於張闓覬其貨財，而非陶謙本意也。韋曜與吳書不必諱言，亦不必諱陶謙。而吳書所記事，必係張闓南奔之後，自言其事，當可信。如闓無覬曹嵩財貨之行為，則何以南奔為？陳壽未加審擇，妄載之也。

且嵩未被害之前，曹操未嘗加兵於陶謙之徐州。後漢書陶謙傳亦謂：別將守陰平者，利其貨，遂襲殺嵩。而陳壽採三國志則僅採世語，謂嵩為陶謙所害，故曹操日後之屠城徐州，乃有口可藉也。故有曹操之征陶謙，所過皆屠戮，凡殺男女數十萬人，雞犬無遺。其坐謙殺嵩致討之罪而不暇辯其主也。曹為三國時大屠夫，乃有如山鐵證，皆詳三國志裴注中。以陶謙而論，魏志前云：「太祖（曹）父嵩去官，後還譙。董卓之亂，避難琅邪，為陶謙所害。故太祖志在復讎東伐。夏，使荀彧、程昱守鄄，復征謙，拔五城，遂略地至東海。還過郯，謙將曹豹與劉備屯郯東，要太祖，太祖擊破之。遂攻拔襄、賁，所過皆殘戮。……」注中孫盛評之曰：「夫伐罪弔民，古之令軌，罪謙之由，而殘其部屬，過矣。」而陶謙亦未嘗為暴亂；其讓徐州之風度，千古美談。謙死後，張昭等為之哀辭曰：「……：守以溫，仁令舒及處，遺愛於民……。」陶謙之非暴亂可知。曹操何得弔民伐罪之有耶！又於陶謙傳中，見曹操之殘，傳曰：「……初平四年，太祖征謙，謙兵敗走，死者數萬，泗水為之不流。……」此種殘殺，在三國時代，無可匹於曹操者。

魏文帝曹丕甄夫人之死，習鑿齒「漢晉春秋」謂由郭后之寵，以致於死。殯時被髮覆面，以糠塞口。是甄氏之死，實被陷害者。

而魏文帝紀但書云：「夫人甄氏卒」。毫無瑕疵。而魏志「文昭甄后」記云：「黃初元年十月，帝踐阼。踐阼之後，山羊公（漢獻帝）奉二女嬪於魏，郭后、李陰貴人並愛幸，后愈失意，有怨言。帝大怒，二年六月，遣使賜死，葬於鄴。……」有謂此伏筆表現其為良史。按此亦隱有迴護之心也。蓋弒則弒，殺則殺，篡則篡，屠則屠，褒則褒，貶則貶，為何含混其詞？良史云乎哉！

魏明帝太和二年，諸葛亮陷天水、南安、安定三郡，魏遣曹真、張郃大破亮於街亭。魏志則大書而特書矣。而是年冬，亮又圍陳倉，斬魏將王雙，則不書。三年亮遣陳式攻克武都、陰平二郡，亦不書。又黃初四年，蜀將魏延大破雍州刺史郭淮於陽谿；五年，亮出軍祁山，司馬懿遣張郃來救，郃被斬，皆不書。但只書「亮攻祁山不克」而已。（五）

七仙女

——「影劇與歷史」之七

周遊

光陰荏苒，轉瞬就滿三年，時田崑崙出門未歸。一日仙女以檢點天衣在不在為名，將天衣騙到手裏，披在身上，便凌空飛去了。

仙女所遺一個兒子田章，時已五歲，因無母愛終日啼哭。當時在鄰近的地方，有一個道行高超的人，名叫董仲，知道這件事，就告訴田章說：「明天中午，你到水池邊去等着，你看到三個身穿白練裙的仙女，兩個會抬頭看你，另外一個佯裝沒有看到你的，就是你的母親。」田章聽了董仲的話，第二天中午，果然看到三個仙女，在池邊割菜。大的兩個仙女看到田章，對小的仙女說道：「三妹！你的兒子來了。」那小的仙女雖然含羞帶愧，但却忍不住悲從中來，只好認下。於是三姊妹一齊用天衣把田章帶回天宮去了。天公看見外甥來了，非常歡喜，便教了他許多超人的本領。田章在天上住了五日，就等於人間十五年。天公就對田章說：「你現在學的本領不小了，再給你八卷天書，將來可獲榮華富貴。但你將來入朝做官，必須多加謹慎。」

田章返到人間，當然是一件奇聞，不久即傳遍了全國。皇帝知道了，立刻拜他做宰相。想不到他後來觸犯了皇帝，被流放到西北荒漠地方去。一次皇帝在外打獵，捉到一隻大鶴，交給廚子烹調，廚子却在鶴的嗉囊裏取出了一個小人兒，身高三寸二分，頂盔貫甲，而不停地呀呀亂罵。廚子大驚，即刻報告皇帝；皇帝甚以為奇怪，便即召集文武百官來問，大家都感奇怪，但總不知道怎麼回事。不久，皇帝又在外打獵，拾到一枚門牙，長三寸二分，帶回宮廷。召集文武百官認識為何物，大家都不認識是什麼東西。皇帝無法，就出了榜文，公告全國，誰能說出他的由來，賜賞黃金千斤，封萬戶侯。可是始終沒有人來應徵。當時許多大臣集會商議，大家一致認為：只有田章一人可以認識。於是皇帝就派人去將田章赦回。問田章道：「聽說你博學多識，萬事通曉，你可知道天下有所謂巨人嗎？」田章回答得非常詳細。現在皇帝方才知道田章真正是仙女所生之子，非同凡俗。於是恢復他的官職，償以黃金千斤。

以上三個「天鵝處女型」的故事，都是「七仙女」故事的各種形態。而同時是收在「搜神記」中。第三個故事中有一種痕跡，雖都是屬「天鵝處女型」，三者形態相似，惟第三個故事寫出一個董仲，本來董仲乃是董永的兒子，為什麼又在此？由此可知，這個故事，是本於董永故事的影響而來，因為董永之子乃仙女所生，可能將董永之子附會在其中。所以後來的七仙女故事，董仲的老師就有幾個不同的。（五）

記胡葉之緣

·朱滌秋·

胡師長是浙江人，黃埔第一期的高材生，畢業後參加革命軍作戰，被分發在教導第一團何應欽將軍麾下，充任見習官代理重機關槍班長。在棉湖戰役，他以班長身份，帶着一班士兵，扛着機槍，往前衝鋒，衝破了敵人一個陣地又一個陣地，把敵人殺得七零八落，棄槍而逃。因這次戰役，他昇為上尉。接着參加北伐，眞是戰無不勝，攻無不克；打到上海，他已升為第一師第二團團長。帶着一團兵，由閔行偷渡黃浦江，佔領了莘莊、龍華，奪到兵工廠，進而光復上海，把青天白日旗插遍全市。（三）

內僑警台報字第〇三壹號內銷證

自由報

THE FREE NEWS

第五六三期

中華民國僑務委員會頒發
台教新字第三二三號登記證
中華郵政台字第一二八二號執照
登記為第一類新聞紙類
（半週刊每星期三、六出版）
每份港幣壹角
台灣零售價新台幣貳元
社長：雷嘯岑
督印人：黃行騫
社址：香港銅鑼灣高士威道二十號四樓
20, CAUSEWAY RD 3RD FL.
HONG KONG
TEL. 771726　電報掛號：7191
承印者：大同印務公司
地址：香港北角和富道九六號
台灣分社
台北市西寧南路壹壹零號二樓
電話：三〇三四六
台郵撥儲金戶九二五二

政府應率先尊重考試權

張筌

六月十八日的「中央日報」「每日專稿」有記者石敏先生寫的一篇「考試權之爭」。在這篇專稿中，指出了二件政府機關對考試院考試及格的人不予信任，要另外再舉行考試才予任用，而被石敏先生認為這種機關的考試，『是高於高考的考試』。

這兩件事的大意是：最近稅捐處等機構，舉辦了一次考試，在應考資格中，把高考及格列為應考的條件。另一件事是一位退役軍官，經考試院舉辦的特種考試退除役軍人轉任公務人員考試及格，而現正服務於某省營事業機構。最近編制出缺，要他再參加該機構的「甄別測驗」。於是引起了考試院的注意，立刻開會決議，要省府在前者應考資格中，把高考及格這一條剔除；同時對某省營機構的拒用特考及格人員而需要另行甄別測驗，加以調查。這兩件事說明了一個本質，是考試院的考試權未被尊重。

考試權在我國憲法中是一大特色。國父當初主張把它從行政權手中拿出來獨立的目的，作用多端。其一在防止任何私人，破壞人事制度；其二在濟選舉之窮；其三，在達成專家政府的目的。所以考試權的運用適當與否，或考試權的是否被尊重，對國家政治興衰關係極大。因為考試的最大特色是平等。他不問門第出身，貧富賤貴，都站在同等的地位參加競爭；由是亦可杜塞旁門左道，鼓勵青年勤學進修。所以行政院院長嚴家淦，在去年四月十九日的人事行政學會大會上發表演說謂：

『我國在傳統上一向把用人看作與政治興衰密切相關的因素，其實，人的重要，古今中外莫不如此。在民主政治社會裏，制度與法治雖然極為重要，但制度是要靠人來建立的，而徒法不能自行，百川歸海，還是人的問題。』所以嚴家淦以為：『站在人事行政的角度上看，我認為如果我們能做到考試，選拔，訓練與任用的配合，我們的人才將能得到較有效的運用。』

嚴家淦所說的『考試，選拔任用，』是考試院的職權。而『訓練』則是行政院以下各級政府的職權。所謂「配合」，即行政機關，必須依據考試院「考、選」合格中的人「任用」。這在憲法第八十三條已有明白規定。該條說：『考試院……掌理考試、任用、……事項。』同時「公務人員任用法」第四條也明白規定：『公務人員之任用資格，以考試及格或依法考績升等或在本法施行前依法銓敘合格者為限。各機關擬任人員於本機關以外選用時，以考試及格者為先。無適合與擬任職務相當之考試及格人員時，以依法考績升等或在本法施行前依法銓敘合格而適合該職務需要者任用之。具有第一項任用資格之考試及格人員，應由銓敘部編列候用人員名冊，分發各機關備用。』由此可知，公務人員之任用次序是：①考試及格人員最優；②考績升等為次；③銓敘合格者最末。

其中無任何明示或暗示的法意，允許各機關自行考試任用。如故意違背此項規定，該法第十六條規定：『銓敘機關應通知該機關改正；情節重大者，得呈報考試院依法逕請降免，並得核轉監察院依法處理。』省政府等機關的任用人員自辦考試，並將考試及格者列為應考資格之一，顯然違法。筆者以為，近年類似情事層出不窮，國父所苦心創造的五權憲法，主張考試獨立，受盡國人輕蔑，不予重視；而那些莘莘學子的考試及格證書，虛而無用。貪緣奔競之風，假自辦考試之烟幕，弄得烏烟瘴氣，故嚴家淦就任之初，蔣總統即勉以建立人事制度與考試制度。但這些年中，言者諄諄，聽者藐藐，一點沒有改善的跡象。因此筆者以為，考試院應妥用考試法第十六條後段的規定，把考試制度人事制度確實建立起來。使那些辛勤自修的青年學子，得到一點發展抱負與報效國家的機會。

行政機關不宜自辦考試，國父曾明白指出其理由，是因為行政機關沒有「獨立性」。它既是以黨的活動為重心，其人事有從屬的關係，而且它有獨斷獨行的特質。在這種情形下，實求考試公正獨立，是難以取信於人的。所以國父要把它獨立於行政機關之外。因為考試院是獨立的，故憲法第八十八條規定：『考試委員須超出黨派以外，依據法律獨立行使職權。』又典試法第十七條規定：『辦理考試人員應嚴守秘密，不得徇私舞弊，潛通關節，遺漏舛錯，違者分別依法懲處。其因而觸犯刑法者，加重其刑二分之一。』故考試院每次舉行考試，辦理考試人員一律入闈。行政機關的考試無此責任，亦無特色。因此我們應該信任考試，實踐國父遺教。故筆者反對任何行政機關的假藉考試。省府主席黃杰在五十二年十一月五日的台省人事行政會議中說：『人事是政治革新的動力，人事制度的健全，直接和間接都可以促成政治的進步。假如說貪緣奔走之風，仍然到處可見，一個職務的調整，有若干人請託介紹，有這證明我們的制度還有一些漏洞存在。也曾有人說，要找一個適當的職位，他的各種條件都已具備，但是主辦單位還要留難。這就顯示我們少數人事人員操守發生了問題。假如我們操守不廉潔，不正直，又怎麼可以擔負轉移社會風氣的任務呢？』所以黃杰強調：『人事人員依法執行業務，尤其要知法守法。法令是公平的象徵；如果人人守法，必然會事事公平。』但幾會何時，這次行政機關的自辦考試，又是違法的。特加申論如右，願國人共勉！願大家尊重考試權，庶不致使五權憲法流為形式。

遇險記

盲目的和平

今日與明日

英聯邦代表團碰壁

英聯邦組成的和平代表團預備調解越南戰爭的事，到了目前算是徹底失敗，身為事主的北越政權也繼蘇俄毛共之後，正式拒絕了代表團入境，還照例把組織代表團的英首相威爾遜罵了一頓。

不過，北越的論調卻較為特別，他既不似蘇俄一口拒絕代表入境，指越戰是越南人民的事，不必到莫斯科商量；也不似毛共一味罵威爾遜是替「美帝國主義」服務，卻指責英聯邦國家未承認越共是北越合法政府，因此，不能接待。

北越此種口吻，在西方國家引起了兩種揣測：一種認為北越語調溫和，仍有接受和談的意向；一派則以為北越政權旨在騙西方國家承認，一旦真的承認了它是合法政府，最後還是要拒絕調查團入境。

兩種揣測可能都有理由。不過，經過這次考驗，俄、毛、胡三個共黨之間，確實步調凌亂，不能一致，乃是鐵的事實。

毛共最不願和

三個共黨之間，最不願越南實現和平的是毛共，因為在毛共頭子眼中看來，越南戰爭將把美國拖得筋疲力盡，最後還要自動退出。橫豎毛共不正式參戰，美機就無法炸大陸，死的是越南人同美國人，損失的金錢物資也是越南同美國的，均與毛共無關。假若真的引起大戰，正好趁機拖蘇俄落水。所以在毛共看來，越南戰爭對它是有百利而無一弊，自然不會輕易談和。

毛、胡之間有無歧見，尚無跡象可尋，但這次對付和談代表團的態度，已顯然看出並非絕對一致。毛共對此似乎也有所準備，除去加緊控制北越親毛派高級頭目，並對中下級也設法拉攏，務使親毛派人物在黨政軍中均佔上風，即使越共高級頭目想走蘇俄路綫，也不敢輕易改變。

毛共還有一步重要的棋，就是扶植南越共黨；這個在毛共一手指揮下的「南越民族解放陣綫」，全由親毛份子所組成。即使北越想和，但是得不到這批人的同意也無從和起，結果也只有一味打下去了。

西方的收穫

英聯邦代表團此次行動雖然未成功，卻也有相當的收穫，首先是探出了共黨的實況，俄、毛、胡三共黨之間的矛盾呈現於世人面前；其次也使一批所謂中立份子明白了共黨的真實面目，究竟誰要戰爭，不要和平，經此一役，全部露原形了。

（何如）

自由談

在台灣的人士，近來倡導一「毋忘在莒」運動，甚盛事也。這是反攻復國的應有精神，誰曰不宜！

一種運動要想產生預期的效用，必須大家一心一德，身體力行，在日常生活上表現着實踐化的作風，光是喊口號、貼標語，湊湊熱鬧，那就大可不必多此一舉，徒亂人意。

「毋忘在莒」的本質，是大家怵於國難嚴重，相率臥薪嘗膽，刻苦自勵，各盡所能，隨份報國，而將個人的休戚榮辱，置之度外，社會大眾固應如此，政府官吏更應該以身作則，樹之楷模。就國家現階段的情況而言：中原淪於寇盜，政府播遷台省一隅之地，負有復國救民的職責，一般文武顯要，居留職，即須以贖罪的心情，勤於本職，唯恐努力不夠，對不起國家，辜負了人民，不特貪污瀆職的事，自動的有所不為，即擅作威福，妄自尊大，遇事因循敷衍，不講效率，隨時過奢靡生活，擺官僚架子的惡習，亦應自律自尅，予以滌除。這樣纔是眞正的「毋忘在莒」生活，對民眾發生激勵作用，貞下起元，蔚成新興氣象。

吾為此懼

假使中原河山不能光復，台灣雖然安全，生活亦頗優裕，大家終老是鄉，生為流浪之人，死為異鄉之鬼，試問究有甚末人生的意義和價值呢？尤其是在政治上紆青紐紫的袞袞諸公，將來除却在歷史上沒法交代，成為史家筆下的罪人而外，還要給後世子孫留下一種無法磨滅的恥辱。言念及此，誰猶不知自愛自重，勵行含辛茹苦、將功贖罪的生活，而還是泄泄沓沓，不事振作，講享受，擺排場，逞威權，貪財貨，那便是哀莫大於心死，終陷國家民族於萬劫不復之境而後已，可悲孰甚哉！

一項運動之成功或失敗，關鍵就在具有領導羣倫地位的濟濟多士能否改變舊觀念，創進新機運？觀念若不改變，而侈談新運動，表面上轟轟烈烈，像煞有介事，實際是故我依然，廢話一堆，所謂新運動，適成其為自我諷刺的玩藝罷了。前幾年總統號召大家「革新、動員、戰鬥」一窩風響應，也搞出許多革新計劃或方案，結果怎樣呢？懲前毖後，吾為此懼！

馮正先生

鄧翔宇指政府偽造公文書 質詢嚴院長「應如何自處」

本報駐台記者張億生

立法委員鄧翔宇指責行政院違反立法院決議案，損失鉅額稅款，而財政部關務署長周德偉，並偽造公文書欺騙立法委員，因此，質詢負有監督責任的行政院長，「應如何自處」？請嚴家淦院長明白答復。

該質詢指出：行政院前次修訂海關稅則草案內，曾有：「四十七年四月十二日以後進口之羊毛毛條，人造纖維稅捐，紡按新稅率計課，用恤商艱，並請立法院備查。」一節，經立法院鄭重決議，認爲於法不合，立法院未便備查，仍請行政院依照舊稅率計課，以崇法治在案。

海關新稅率自四十八年八月十二日起實行；在新稅率施行前，經財政部特准記帳之羊毛毛條，人造纖維之進口稅捐，自應依照立法院決議，仍照舊稅率計課，實無可以變通之餘地。鄧委員以近年政府機關泄沓成風，竊慮主事人員，對此嚴正決議，難免因循延宕，乃於四十九年十月間，就此事向行政院提出質詢，略謂：「就四十七年四月十二起，至（四十八年八月十二日）新稅率實施前一段時間估計，按舊稅率與新稅率計課之差額，總數約爲三千萬元左右。現已時經年餘，未審主管機關已否依照立法院決議，按舊稅率計課征收足額」。旋准書面答，略謂：「前准記帳之羊毛、人造纖維進口稅捐，均係按舊稅率百分之八十五及百分之一百四十計課足額征收，並由投信機關担保，各廠商尚能依照規定期限繳納」云云。

詎鄧委員近閱監察院公報刊載彈劾財政部關務署長周德偉瀆職一案，竟大謬不然。主管機關多方運用職權，圖利商人，擅准以內銷成品移作外銷產物，俾得假退稅之規定，冲銷應補之稅捐。且復再三准其延展期限，俾得有充裕時間，繼續以冒品出口，將應補稅捐，冲退無餘。似此爲圖利商人，而不顧國庫鉅額損失，違反立法院嚴正決議，且以明知爲不實之事項，登載於職務上所掌之公文書，而以之欺騙答復立法委員之質詢，使憲法所規定之立法院決議權與立法委員質詢權，均被其摧毀。官邪至此，痛心曷極。負主辦之責者，悍然違法，應如何究辦？當監督之任者，顯然失職，應如何自處？

按照慣例，行政院對立法院質詢案處理之程序，向由被質詢之主管機關視質詢內容而分別答復，該項答復送行政院秘書處，而行政院秘書處接獲該項答復文後，既不調查，也不變更內容，甚至一字不動，加上「經飭據某某部答復如下」，而函送立法院。鄧翔宇的質詢，是由行政院飭財政部關務署答復的。

據說鄧委員本來是不知道行政院的答復係偽造的、欺騙的，因案經監察院調查海關退稅制度弊端而發現，並提案彈劾財政部關務署長周德偉「偽造公文書，欺騙立法委員質詢」，按委員乃提質詢案，「質詢」，而「當監督之任者，顯然失職，應如何自處」？之詞，均屬創擧。這等說法，行政院不誠實。果其然也，行政院今後將何以領導政府各級機關呢？

從公務人員退休互助辦法說到公務人員儲蓄和養老制度（上）

丘峻

銓敘部近以公務人員平素致力公務，迨年事漸高不堪再任繁劇時，政府給予退休，養以俸薪，於酬庸助勞之外，重在安定其生活，使之贍養無慮，惟此非常時期，政府以財力所限，退休給與一時難達到理想要求，遂使年老者徘徊瞻顧，因生計問題，欲求退而不可得，年青者則因前途阻塞，無以進身報效國家，直接影響行政效率與新陳代謝者至鉅。問題所在，咸感困擾。鑒於此一情況，爰試倡行公務人員退休互助運動，本同舟共濟之旨，發揚推己及人之互助精神，集有限力量爲巨流。倡議之後，與斯議者響應，綜合各方意見，詳加研繼起擬具退休互助辦法草案初稿一種，並對其中重要原則，詳予說明，再分送各有關機關，徵求意見，以期集思廣益，早獲定案，呈經考試院會同行政院公布施行。

茲爲便於評議起見，先行摘錄本辦法草案及其說明要點如次：

一、實施目的：推行退休互助辦法之目的，在藉互助方式集腋成裘，達成安定退休人員生活，從而促進新陳代謝，增加就業機會，開拓升遷調轉領域。故就參與互助人言，因互助而提供未來養老儲蓄，保障退休後生活，使無後顧之憂；又因新陳代謝之正常化，升遷與就業環境同獲改善；是其終極目的，在使老有所安，少有所用。

二、實施範圍：預定以公保被保險人爲範圍，除民意代表等不適用退休退職法規者外，共約二十二萬餘人，凡屬各機關編制內之專任有給人員，包括其聘僱人員在內，均爲參加互助之對象，其服務之機關則爲參加互助機關。

三、辦理機關：互助對象既衆，參加互助之機關亦將多達二千七百五十餘單位，互助事務勢必繁，互助金收支尤鉅。辦理機關擬暫分爲下列三者：（一）設置公務人員互助推行委員會，由審計部，行政院主計處，財政部，經濟部，教育部，台灣省政府，銓敘部等有關機關各派代表一人組成，掌理有關互助事宜及互助金之收支，其內部辦事人員以由各組成機關分別調兼爲原則；（二）各機關主計單位爲其所屬人員互助金之扣繳單位，人事單位爲互助事項主辦單位；（三）銓敘部爲計劃督導主管機關。

四、互助方式：凡納入互助範圍之互助人，依有關退休法規辦理退休退職時，其餘互助人各致送一定數額之一次互助金。

五、互助金之給予與負担：互助金依其支付形態，一爲互助人依法退休時應給予之金額，次爲互助人每月應行分担之金額與標準。在退休人員言，互助金給予額愈高，對於生活之幫助愈大；惟在負担人言，給予與負担兩者既成正比，自以負担越低越合理。如何使受領者能獲實惠，納費者不感負担過重，兩得其平，殆爲考慮之關鍵所在。

（一）給予金額：互助措施原在協助安定退休人員生活，以輔退休金之不足，互助金額自以不超過其退休金，且兩者總和所攀生之收益，能以養生而不高於現職人員待遇收入爲適當；因此，每一退休人員之互助金暫定給予新台幣五萬二千元左右。

（二）分担標準：

甲、個人負担部分：（一）分担方式，以官等爲標準，分爲委任以下，薦任，簡任以上三級，各定其分担標準，官等高者多出，低者少出，至於年齡，服務年資，負担能力等因素，則已大致涵蓋於官等之中，分別有所兼顧。（二）負担標準與數額，每退休一人，其餘互助人致送互助金標準，定爲委任以下人員二角，薦任人員三角，簡任以上人員五角。爲兼顧互助人之負担能力，規定每月互助金扣繳額，平均以負担退休一八五人爲度（約爲公務人員總數百分之一），超過者由政府補助。依前定標準計算，每人每月互助金負担總額爲：委任以下人員三十七元；荐任人員五十五元五角；簡任以上人員九十二元五角。未分簡、荐、委官等之人員，其互助金比照前項規定辦理。至依法應征召服兵役保留原職人員或留職停薪人員，在其服役或停薪期間，得暫免扣繳。

其次，再就互助金之可能負担與退休時之所得，兩者作一比較，約如下表，藉明梗概。

職等	互助金負担數：平均繳納年數	合計應納金額	退休時所領互助金數
委任以下	30	一三、〇〇〇元	五二、〇〇〇元
薦任	25	一六、六五〇元	五二、〇〇〇元
簡任以上	20	二二、〇〇〇元	五二、〇〇〇元

乙、政府輔助部分：（一）補助原則，本草案審度實際情形，對於公務人員個人每年負担退休人數，以佔公務人員總數百分之一爲限，約計二，二二〇餘人。退休退職人數在百分之一以內者，其互助金由公務人員自行負担，無須政府補助；如每年度退休退職人數超過公務人員總數百分之一時，其超過部分則由政府撥給經費補助。又補助費分担方式，擬按中央、地方機關參加互助人數比率（約爲中央十九%，地方八一%）分別列入年度預算。其次，公營事業部分約佔公務人員總數百分之二、七，其互助金政府補助部分，似可援照公務人員保險費通則由各該事業機構自行負担。（二）經費估計：全國現有公務人員約二二二、〇〇〇人，中央佔總數之十九%，地方八一%，預定每年可能退休人數約爲總數百分之三；百分之一以內者，互助金由公務人員自行負担。超過百分之一時，由政府負担，平均每年退休人員給予互助金五萬二千元計，每年度政府可能負担補助費情形，概略估計列表如次：（單位千元）

預計退休比率	預計退休人數：每年人數	公務人員自行負担金額	政府每年負担金額：合計	中央	地方
1.5%	三、三三〇	一一五、四四〇	五七、七八一	一〇、九七八	四六、八〇〇
2%	四、四四〇	一一五、四四〇	一一五、五六二	二一、九五六	九三、六〇五
3%	六、六六〇	一一五、四四〇	二三一、一二四	四三、九一三	一八七、二一〇

鶯歌壽李綴記

婁婆生

我經辦雅歌集的聚會，最近爲了請人做主人，不易請到，再有既做主人而不付負担的份兒，大傻瓜就沒有勁，改成不是每月舉行，仍是不定期的聚會。這樣有許多愛好同志，豈不是沒有聚晤的機會？乃想出一個慶生雅集，邀聚十二位意氣相投的老友，成爲一組，每月一次，唱唱吃吃，壽翁是客，其餘是主人；另約文武場名票，從三時到晚八時，用餐是四冷菜備喝酒，餘則吃麪，求其經濟。總算組成兩組，在台北的稱「賢」組，在北投的稱「良」組，共有廿四位同好。

王英老曾說笑話，希望你做到「賢良忠正」四組。但如果實現，則又將忙得不可開交矣。因爲組成已過農歷四月，而良組的第一位，是李東園兄，就在鶯歌民衆服務站新廈舉行。首先見面道賀，說「取榮陽」準演不誤，藉助毅清。

在蕉娜剛走的次日，大家齊集鶯歌，依然細雨濛濛，良朋情意可感。最感謝的是張兆槐兄挈高徒吉瑛小姐，並文武場同志四位，我躭心的就可篤定。次則潘美娜夫人守信用，不遠十里而來，熱忱可佩，這是重友誼的。所以這雅集，青衣未缺。博悟兄興緻更可佩，當場揮毫，寫一大壽，約近三尺，落在紅紙，懸之中堂，配以紅燭雙輝，聊以應景。此雅集情形如何，容予綴記。

開場我首唱盜魂鈴，奇怪嗓音在家，博悟笑我像王少樓。眞是如此，豈不也是名票？算了不夠資格？次由吉瑛、少鶴唱法門寺叩閽，那眞響朗。接着博悟與劉廷桂（桃園警局）唱失空而不帶斬，以取吉祥，唱得很好。潘美娜唱宇宙鋒，可說圓朗有神。任夫人唱上天台，那段「姚皇兄……」，也像余氏。獻廷忽要試嗓，上台吊了幾句散板，覺得很可以，擬定整齣。王之老一向唱老旦，忽改唱老生，與羅老合唱坐宮，韻味渾厚。賈福增兄已久不見，承蒞臨唱草橋關，還是七八年前的好音。博悟要求東園父子各唱一段，仲雄賓娃唱文昭關，味兒很好。東園唱行善得子的硃砂痣，那幾句「我教你的急」，博得滿堂鼓掌。景嵐唱羣英會，眞是鏗鏘動聽，好久不聽到矣。時屆七時，相率用膳，味甚可口。

在吃飯時際，蔣如棠兄爲言，請多維護吉瑛小姐，使其享名。余謝不敏，我沒有資格捧人，而向來抱公平態度，願意雪中送炭，當貼車錢爲找老師。飯後吉瑛、獻廷的整齣三娘教子登場，各段均佳，尤以慢板儘板，簡直十足梅味。獻廷的薛保，不是學馬，而近於余氏，大有陳大濩味兒。初聽其唱，覺得功夫很深，博悟再鼓餘勇，唱沙橋餞別，又讓夫人唱空城計的慢板。這對伉儷於戲劇研究到家，讓幾位姪輩看家，來與此集，殊可感。大軸爲東園、少鶴、景嵐之珠簾寨解寶的一段，沒有皇娘，而兩位生角，純是重唱，很吃力。但兩位均能游刃有餘，頓挫迭起，場中報以采聲不斷。近來東園對此戲的唱，迷戀甚大，也許與獻廷的教子，同在兩月內推出演明場，正在計議中，於不少化費中一露，是顧曲者的好音。

怪力亂神與法律叢談

向鬼神討公道

陸嘯釗

前面我們已經說過，神判法在中國的成文法時期，就已經絕跡了，偶而官吏作爲問案的工具，也祇是問案官吏的個人行爲，並不是法律上的習慣程序。

可是漢朝以後，道教興起，鬼神之說，益發深入人心，當時人們的心理，認爲鬼神是不可欺的，邪惡的行爲可以逃過人間的耳目，却無法欺瞞神明。人類的行爲無論善善惡惡都必爲鬼神所洞悉。於是人間寃曲不得伸的時候，祇有轉而向鬼神討公道了。

這種心理的形成，很可以看出當時社會司法的實際情形，也是對中國古代司法的一個絕大諷刺。

我們知道「訟則終凶」這句話原出於易經，原意並不是要人棄絕訟事，祇是要人對訟有一個適當的節制罷了。直到孔夫子不顧實際地唱出了「必也使無訟」的高調，大家才把「訟」看成了罪惡。而政府的嚴刑峻法更造成了一個表面上的「無訟」局面。但是「民生有欲，不能無爭，爭者必有訟。」一板子政策事實上是不能解決訟爭的。老百姓既然不敢循由正當的法律途徑，一伸是非曲直，祇爲自謀解決權利的爭執了。在這種情形之下，中國古代的司法，無形中變成了雙軌制。一是國家制定法所規定的訴訟程序，另一是民間習慣自謀解決訟爭的方式。基於道教鬼神觀念的影響，神判法的思想，終究在民間的爭訟形態上借屍返魂了。「子不語怪力亂神」，孔夫子的理性主義不僅使人們「敬鬼神而遠之」，相反地却使老百姓寧可捨棄人間法的裁判，而聽任那些「怪力亂神」的荒謬決定。這固然是迷信的力量使然，可是「無訟」觀念的惡劣影響，也應當負相當責任。

關於民間神判的史料，在正史裏是找不到的，我國治法制史的學者，也很少接觸到這類問題。可是就稗官野史，筆記小說裏發現，民間神判的方式，最常見的，一起有三種：

一、蛇神判：兩廣地處南方，溫濕多蛇，民間由於信仰三界神的關係，蛇神判的方式，非常流行。在清初屈大均所寫的廣東新語裏，有這麼一段記載：

「廣有三界神者，人有爭鬥，多向三界神乞蛇，以決曲直。蛇所向作咬人勢則曲，背則直。或以香花錢米，迎蛇至家，囊蛇而探之，曲則蛇咬其指，直則已。」

同樣的記載，我們也可以在李調元的南越筆記裏找到。這一種神判方法和印度娜拉達法典所記載的毒蛇神判，是差不多的。

二、沸油神判：印度娜拉達法典有沸油神判，中國古代同樣也有沸油神判，方法幾乎是完全相同的。這一種探油鍋的神判方法，在古代的亞洲，是非常流行的，不過伸手入沸油，直者無傷的記載，就有點靠不住了。「廣陽雜記」和袁枚的「續新齊諧」都有關於沸油神判的記載，我們相信這一種神判方法在中國民間是存在的，目的大概在求「臨鍋服罪」罷了。至於那些神乎其神的記載，恐怕都是道聽途說或作者自己的想像吧？

三、杯卜神判：道教裏有一些神，是掌理陰間司法的，在傳說中，五嶽大帝、城隍、關公、十殿閻王都是具有這種權柄的偶像，從而由陰間的法官，變爲陽世的法官，也就成了順理成章的事了。杯卜神判就是神前求卜，以決曲直。這種神判方式，在中國民間是非常流行的。今人沈從文的小說裏亦記載有杯卜神判的故事。

中法越南、閩海之戰

羅雲

諸軍曉子材如此，因皆爭出；關外千餘客民，均來助戰，適馮軍西路扣波五營亦來夾擊，戰鬥愈烈，陳嘉率東嶺衝敵，傷亡最重，已失三壘，七上七下，自受四傷而不退。其後我東嶺西嶺軍皆得勝，轉而前來兩面夾擊敵之主力，鏖戰兩日後，法軍大敗，我軍任意斬殺。教匪先逃，法兵黑兵則多被殲。是役計斃敵兵千餘名，軍官數十，殘敵退出關外十里。

初十日，子材親率十營出關攻文淵州，敵先遁，斃紅衣法酋一，遂克文淵。十二日，諸軍三路合攻諒山，先道之軍士卒多傷，午後諸軍至，戰鬥激烈，而進攻愈力，潘瀛執旗先登諒城河北岸之丘驢壕，克之。十三日拂曉，子材軍渡河復攻，遂克諒山城，鹵獲物資無算。自後分途追剿，十五日陳嘉軍克谷松，子材軍追敵至觀音橋，同日克屯梅，進軍拉木，逼攻郎甲；李秉軍進貴門關，連日俘獲極衆，克復越境一省一府一州，擒斬法軍官數十，法統帥尼格里受重傷。是時越官越人爭來通款，北寧黃廷金糾衆二萬餘人皆建馮軍旗號爲響應，河內、海陽、太原等處皆受子材約信，西貢亦以重金購綫通款。子材遂決定于二十五日率全軍進攻北寧。

在另一方面，是時岑毓英之滇軍亦告大捷；於二月初七、初八日連破法軍於臨洮、廣威、永祥等地。是役滇軍得到劉永福的助攻。二十三日，滇軍遂迎化府。

當此之時，法國之主戰內閣因費理已倒，我粵湘桂滇諸軍正待會師河內，而李鴻章不知我勝敵敗之底細，以英籍總稅務司赫德爲介，以英籍稅務司金登幹爲使，已於二月十九日與法締結和草約于巴黎。清廷諭令諸將班師入關，限三月一日停戰，十一日撤兵。馮子材會電請張之洞「請上摺誅議和之人，士氣可奮，法可除，越可復」。惜乎清廷根本不加理會。

四月廿七日，李鴻章復與法使巴特納成立媾和條約于天津，內容要點爲：

1. 中國承認越南爲法國之保護國。
2. 中國於老開以上，諒山以北，開爲商埠。
3. 法國撤退在基隆、澎湖之軍隊。
4. 中國於南方數省建築鐵路時僱用法人。
5. 兩國派員勘定邊境，協定通商細則。

結果法國不僅佔得越南，而且侵入中國南部，是亦稀世奇聞之一。

六、我們的評論

光緒初年，列強專以侵奪我們的屬國爲事：日本滅琉球，英國併緬甸，法國侵暹羅，藏邊三小國——不丹、尼泊爾、哲孟雄，早爲英人囊中之物，我們都無暇過問。只有越南和朝鮮的問題，却引起了中法戰爭和中日戰爭。因爲越南朝鮮和中國的關係，比一般屬國不同，年遠情深，唇亡齒寒。

中法戰爭結果之後，英美人曾評論說：「這戰爭雙方均未得到光榮的勝利。」但在事實上，却是我國受到的損失太大。就我們的眼光觀察，清廷簡直是打得糊塗，和得更糊塗。在此種情形之下，中國的國勢又焉能不江河日下？

劉永福可以說是我國的民族英雄，他原在廣西天地會黨人吳元清部下，後來黨會失勢，才率衆入越南，立中和團黑旗軍，代平白苗之亂，受越王官職，據保勝，拓地七百餘方里，得衆二十餘萬人，儼然爲「北圻長城」，其豐功偉績，眞足永垂不朽。（六）

哀江南製造局

李仲侯

民國元年十一月，袁政府派陳洛書爲江南製造局督理，這個局就變成了袁世凱私人的火藥庫。第二次革命將快要爆發時，袁氏派海軍中將鄭汝成率陸軍第四師抵滬，并派重兵駐防製造局。當七月廿二日上海討袁軍舉事，推陳英士先生爲討袁軍總司令，駐紮南市。維時吾叔已回湘，我隨叔父住在局內，當討袁軍進攻製造局時，吾等還至徐家滙天主堂側邊一間樓房內，十多人擠居一室，天時猶異常炎熱，實在不大好受。偶而跑去聚賓館或鴻運樓吃紅燒鼈魚肉，其味亦未見佳。幸而不到一週，戰事即結束，我們也就回了局。討袁軍會兩度猛攻製造局，因袁軍水陸防守均極嚴密，故討袁軍無法取勝。袁氏隨即發表鄭汝成爲上海鎮守使，薩鎮冰督辦淞滬水警。製造局督理陳洛書撤職，由鄭派陸軍第四十三團第三營營長駐局中，第一批勒令遣散員工一千六百餘名，各處重要負責人都由鄭汝成派袁系私人接管，局內員司，鄭爲位置其私人，任意除免，大家都不安於位。過去所辦大小學堂一律勒令停辦，翻譯人員亦全部遣散。吾叔因此提出辭呈，由鄭汝成派一位私人秘書接辦。我因學堂停辦，亦就輟學了。

江南製造局自從曾（國藩）李（鴻章）艱難締造，逐漸擴充，一切業務，均在蒸蒸日上；不幸遭袁世凱私心自用，以滬上兩次革命，都以攻擊製造局爲發難之焦點，爲鎮壓黨人，剷除革命根源，不惜將這全國唯一能製造各種兵器之工業中心，力加摧殘。袁氏以江南軍火製造局設於華洋交錯之上海，容易受革命黨人煽動爲理由，始初擬全部遷往北京，納入私囊，其走狗鄭汝成馬上迎合意旨，引張之洞在江督任內，曾經奏請遷往萍鄉之建議爲由，亦主張北遷。無如遷廠須龐大經費，無法籌措，乃責成上海市商會籌募巨款。市商會雖然附和，也樂於這樣做，惟終因所費過巨，難於實現。自從袁氏命陸軍部接管該局後，深懼革命黨起事，率性想把它全部停頓下來，到民國三年，復令繼續開工，月僅撥款三兩萬元，作爲工料，專造大[illegible]、炮彈、機械三廠雖得復工，但情形已大非昔比，把原有快槍廠撥歸湖北兵工廠，槍彈廠撥歸德州兵工製造廠，先後運走機器一千五百多部，弄成五馬分屍。從此製造局僅月造手槍百桿，機槍三四挺而已。

民國五年，淞滬護軍使楊善德又將龍華分廠取消，改建爲護軍使署，製造局的規模，至此更不成格局了。北洋陸軍部更根據兵工組織條例，改爲上海兵工廠。（十一）

動物農場

第八章　動物的外交策略與入海戰術

英 George Orwell 著　陳其芝 譯

那天晚上，農舍裏傳出來一陣之高吭的歌聲，似乎動物們意料之外的是牠們聽到了「英格蘭的動物」那支歌詞夾雜在聲浪裏，這使大家驚異不已。差不多九點半鐘的時候，動物們看見拿破崙同志頭上戴一頂鍾士先生的黑圓頂帽，從農舍的後門口跑了出來，繞着院子跑了一圈後又消失在門口。第二天早晨，農舍裏顯得特別靜寂，沒有任何一隻豬同志的動靜。一直到九時許，斯奎勒才出面。牠拖着蹣跚的步伐，帶着沮喪的表情，眼色遲滯，尾巴沉重地拖着，那付無精打彩的樣子，活像是害過一場大病。牠集合動物，向牠們宣佈出一項不幸的消息：

「拿破崙同志即將與世長辭了！」

一陣哀號聲隨之而起。農舍的門口馬上鋪好稻草，所有的動物都輕手輕腳地踩在上面靜默地等待。牠們眼睛含滿了淚水，不時輕悄悄地彼此相問，假如牠們的領袖拿破崙同志死了以後，牠們該怎麼辦？一個謠言又適時地傳開了：史諾柏處心積慮的想在拿破崙同志的食物裏下毒藥，終於如願以償了。約在十一點鐘的時候，斯奎勒又再度走出，這回牠告訴大家拿破崙同志的臨終遺命：「喝酒的動物一律處以死刑。」

到天黑時，拿破崙同志的病勢已經大有起色，第二天早上，斯奎勒對大家說領袖同志的病已將痊癒。那天晚上牠又開始了工作，據說拿破崙同志第二天拜託黃恩伯先生，在威靈敦鎮上爲牠購買一些有關釀酒的書刊。一個星期以後，又傳出領袖同志的命令：果園那邊的小牧場原先是專供動物們工作之餘作爲憩息散心用的，現在要闢爲耕地。動物們表示說那地上的牧草早已枯竭，必得重新播種，誰知牠們的領袖拿破崙同志的原意是把那塊地專門用來種植大麥呢！

這時候農場上又發生了一件怪事，這件事對動物們來說，遠不是牠們所能理解的。在一個深夜十二點多鐘，農場的庭院中，忽然發出一聲轟然巨響，所有的動物都從廐圈中衝了出來。在明月的高照下，牠們發現在大穀倉寫有「七誡」的牆腳下，放有一個斷折的梯子，斯奎勒同志昏迷不醒地倒在梯子旁邊，牠身旁有一個燈籠，一把刷子，還有一桶打翻了的白漆。狗同志們以快速的動作跑近斯奎勒的身邊，立刻圍成一個圓圈，使所有的動物不得靠近。當牠一能行走時，牠們就把牠護送回農舍去。這場戲除了班傑民以外，沒有任何一個動物能想得通其所以然。但是班傑民是點頭作知其然狀，而不作任何表示。

幾天以後，莫利爾跑到大穀倉的牆前重溫「七誡」時，却發現誡文中有點不對勁的地方。牠們一直以爲誡文第五條是「所有動物不得飲酒」。可是現在却是「動物們不得飲過量的酒」。這次又是動物們記錯誡文了。牠們忘記了「過量」兩個字。（三九）

編者按：農物農場小說業經出版專書，本報下期起停止刊載。

蘇俄的排猶觀念

·呂寶水·

他們的反猶太型態與壯觀的
「蘇俄人民的聯合！」
我彷彿是安那法蘭克（Anna Frank），
嬌嫩如四月裏的細枝，
我鍾情了，
我不需空洞的言詞，
我要我們彼此相視，
我們能看的能臭的太少啊——
既不是樹葉，亦不是天空。
但我們還能做些許，
我們深情的擁抱在暗室裏。
　有人來了嗎？不要怕——
　這就是春色撩人的本身，
　來呀！吻我吧！
　有人迫近門口嗎？
　不，這是冰塊碎裂的聲音
呵……
　野草沙沙作聲的風滿巴比
雅，——
　叢林嚴肅的俯視着，好像
在裁判，
　這裏，每一樣東西都在隱
祕的呼喊，
　同時，摘下我的帽子，
　我覺得我漸漸轉變成灰色
我僅是一個隱祕的呼喊者，
喊遍埋葬在此地成千成萬的墓地，
我是被射殺在這兒的每一個老人，
我是被射殺在這兒的每一個少年，
這兒任何事物決不忘記決不分離！
當排猶者埋葬時，
讓「國際主義者」引出來吧！
我身中沒有猶太人的血統，
但我被排猶者當作一個猶太人來忿恨，
就是為了這個理由，
我是一個眞正的俄國人！（五・完）

觀「我愛吉蒂」（上）

汶津

平心而論，德國（西德）人在二次大戰後出品的電影，其水準實在瞠乎法、義、英之後。即有少數作品如「橋」等較爲深沉，亦無以掩抑那股子以歡樂笑鬧與合唱音樂爲主調的熱潮。德人在屢經歷史的創痛後竟不落於頹廢，不增其沉鬱，日耳曼民族的本色之一），而反在文化的各方面顯示一番開朗的新生氣象，固使人驚詫與歎羨；但在戰後影壇上的表現，則不免過受美國風的薰染（其生活亦然），而難逃膚淺平庸之譏，甚至使苛求藝術意蘊的觀賞者望而却步。

但，我們終於看到：在通俗情味中含冶深遠旨趣，日耳曼民族的智慧再度閃爍於那方與記錄片共享的小銀幕。

戰後德籍明星享譽國際影壇而又能保持本國風格的，莉露普華（「戰地鴛夢」、「長相思」等片女主角）之後，羅美雪妮黛該是獨一無二的了。迄今爲止的羅美，也像早期的赫本，純以氣質勝，而其純眞如天籟的氣息，尤較赫本濃郁多多，但至「我愛西施完結篇」中，細心的觀衆不難發現編導者已開始在將智慧賦予淳情（毋寧說，在助她發揮上帝的另一項賦予了），有意無意地把她塑造——烘托爲一個女子的模範，進而，一個理想的人格。而「我與吉蒂」更展進並肯定了這種嘗試。

「義大利式離婚」的印象該還未自善品的觀衆心中抹去，然則本片在某種意義上——明確的說，在編劇與導演的部分工作上——實可與「義」片抗衡；當然這並不意味着本片也有「義」片剪接、運鏡、妙奪天工的男主角那幾項成就，但就主題的包蘊而言，其境域尤爲廣濶。

同「義」片一樣的，觀者心理上毫無準備，顧名（或看劇照）思義，這只是一張上乘（羅美的氣質保證了相當的高雅性）的娛樂片。開始，布幕中央展出一縮小的銀幕，幕後聲鄭重其事的推荐會議之都日內瓦，還使人直認作那是以莊出諧的老花招。然後介紹人物——羅美及其父母，隣人；英外相叔姪及其隨員，只覺導演（亞佛烈韋德曼）手法之平平無奇。

歡迎貴賓的行列中，以羅美的飛奔上班與外相之姪（卡爾波恩，羅美在西施片中的老搭檔）的一面邂逅伏了一筆，觀者仍是不關痛癢，至多爲未來的羅曼史存下一念而已。下一步又安排了她的美容院老闆和修過幾張「名傾」的老師傅，佈局亦猶碌碌。不至看到劇終，眞不覺此種傳統的介紹人物法的緊密。

外相握傘（慕尼黑的張伯倫！）拔栓，奇峯始起。前文的隱伏有了第一度的呼應：「大人」（Excellency）與（羅美父母眼中的）「小孩」爲一隻小狗而相聚，且共享童心童趣，以至相偕步入豪華酒店。於此羅美的擅長又得盡意發揮，而那位久乏心靈假期的老政治家正與她棋逢敵手。一個炫稚，一個賣老，一縱任其平民風，一渾忘其尊顯，再加穿梭躬腰的侍者，當桌烹炊的廚師，旁門躡入的攝影記者，渾成紅花綠葉之妙。轉入平民化的酒肆，外相出手剝蝦的稚態與羅美的傳述庭訓、議論政治兩相對應，更增戲劇感。百聽不厭的輕音樂中（生活享受無關貧富），攝影記者終於得手，又調配上酒肆老闆之受寵若驚，求簽名以待筷，終將氣氛控制在樂而不淫、諷而不傷的格局中。

外相困擾於當前的艱鉅任務，却乍享生活的眞實樂趣；羅美口中的政治，竟與他在招待記者後的衷心語不謀而合；於是羅美的怪手勢又發抒了本片主題的一脈。

大千世界的生活！踏上公共汽車（下野後的麥米倫！），却受同車凡夫的濟助，但此種尷尬的笑聲絕不是二十年的案牘生涯所曾賜予的。承上啓下，這是一個至富暗示性的轉捩點。

以報上的大幅照片爲中心，鏡頭在各種人物間推移。與女父對窗呼應的胖鄰居，導演固借重了他的鄉土情調和音量充沛的收音機；而羅美工作的美容院，更成了多事的戲園子（那位老闆正是芸芸政客的的副本）。這裏以措手不及的方式，轉映了一位斗膽約女的年輕顧客，——「眞理報」記者的出現，該是全片最不落痕跡的一著，由於片初羅美曾有「一揮手即男子蜂擁」的伏筆，導演故令人不疑有他。卡爾波恩「綁票」羅美，則仍妙在背景（包括日內瓦風光，小店的羣孩；務須赤足涉渡的溪流等）安排的匠心。卡爾似乎永遠只能做一個「稱職」的演員，也許吃虧在太俊；好在主戲原在羅美，觀衆不致悻悻。

三國史微言

·燕謀·

魏志曹操、袁紹傳書官渡之戰云：紹遣淳于瓊率萬人迎糧，操自率兵破斬瓊；未還營而紹將高覽、張郃來降。紹衆遂大潰。」此則因張、高二將之降而紹軍始潰矣。

而張郃傳則曰：「郃告紹遣將急救瓊。郭圖曰：不如先攻其本營，操必還救。紹果遣輕騎救瓊，自以大兵攻操營，不能下，已而破瓊。紹軍潰。郭圖慚曰：郃軍之敗，出言不遜。郃懼，乃歸曹。」照此傳則又因紹軍潰後，郃懼郭圖之譖而降操也。紀與傳皆出自陳壽一人之手筆，而歧異如此也。此又可見郃爲魏之名將，故于其背袁降曹之事，必著其不得已之故爲之解說也。

華歆奉曹操令，入宮收后。后藏壁中，歆牽后出，遂將后下暴室暴崩。

魏志：「漢皇后伏氏，坐與父屯騎都尉完書云：帝以董承被誅怨恨公，辭甚醜惡。發聞，后廢黜死。」

董承受衣帶詔，討賊也。帝恨操專權罔上無君也，恨不得誅而後快也。壽書「后廢黜死」！臣黜君乎？黜后乎？世惟有君黜臣，無臣黜君之理。壽書之爲「黜」，謬甚。何不直書「后與父完共謀誅曹操，密授詔董承，事洩聞。后與父完爲曹操所弒。」春秋精神盎然矣。

劉放、孫資二人，爲二巨佞之輩，時論多惡之。有曰：劉放、孫資在中書，久掌機密，夏侯獻、曹肇等惡之，指殿中雞棲樹曰：「此亦久矣，其乎能幾！此亦出於忌者之口」。其後明帝臨危，請以司馬懿輔政，而至權移祚易。故當時無不病二人之奸邪誤國。晉書荀勗傳以爲傾國害時，爲劉放、孫資之惡。可知二人之惡名至晉世猶爲人所詬病也。而陳壽作二人傳，極言其身在近密，每因羣臣諍諫，多扶贊其義，並時陳損益，不專導諛言。此又直以劉放、孫資二人爲正人之列，此與當時物議實大相反也。蓋因二人雖不忠於魏，而有功於晉，晉人喜之；陳壽晉臣，特爲之立佳傳。此陳壽不僅諱曹魏，諱司馬晉，更諱及有功於晉之人。如上言張郃傳亦然。

乙、注三國志之裴松之

裴松之字世期，河東聞喜人。年二十，拜殿中將軍，員外散騎侍郎。晉義熙初（公元四〇四年）爲吳興故鄣令，在縣有績。入爲尚書侍部郎。（六）

七仙女

——「影劇與歷史」之七

周遊

（四）敦煌變文中所記的「七仙女」故事。此種文獻，原在敦煌石室中，一九〇七年斯坦因在敦煌石室中收去的古籍約有七千卷手寫本，「董永變文」即爲其中之一卷。現藏於倫敦博物館。敦煌變文中的「七仙女」故事，乃是一種唱詞，全文計有九百三十七字。故事中的男主角是董永，董永之子董仲，仲的老師是孫[illegible]。這「七仙女」變文故事，是一部「七仙女」的全部（前後集）故事。詞文如下：

孝感先賢說董永，年登十五二親亡……家裏貧窮無錢物，所賣當身葬爺孃。便有牙人來勾引，所發善願便商量。長者還錢八十萬，董永只要百千强。領得錢物將歸舍，揀擇好日殯爺孃。父母骨肉在堂內，又領攀發出於堂：……六親今日來相送，隨東直至墓邊旁。一朝掩埋總已畢，董永哭泣阿爺孃。直至三日復墓了，拜辭父母幾田常。父母見兒拜辭次，願兒[illegible]健早歸鄉。又辭東[illegible]西舍，便進前程數里[illegible]。路逢女人來委問：此個郎君住何方？何姓何名依實說，從頭表白說一場！」郎君行孝儀，見君行孝感天堂。數內一人歸下界，暫到濁惡至他鄉。帝釋宮中親處分，便遣汝等共田常。不棄人微同千載，便與相逐事阿郎。董永向前便跪拜：「少失父母大悽惶！所賣一身商量了，是何女人立門傍？」董永對言依實說：「女人住在陰山鄉。」女人身上解何藝？明機妙解織文章！從前且織一束錦，梭齊動地樂花香。日日都來總不織，夜夜調機告吉祥。錦上金儀對對有，兩口鴛鴦對鳳凰。……二人辭了便進路，更行十里到永莊。却到來時相逢處，辭君却至本天堂！娘子便即乘雲去，臨別吩咐小兒郎。但言好看小孩子，董永相隔淚千行。董仲長年到七歲，街頭遊嬉道邊旁。小兒行留被毀罵，盡道董仲沒阿孃。遂走家中報慈父，汝等因何沒爺孃？當時賣身葬父母，感得天女共田常……董永放兒覓母去，行往直至孫[illegible]旁：夫子將身來警卦（[illegible]卦），此人多應覓阿孃。阿孃池邊澡浴來，先於樹下隱潛藏。三個女人同作伴，奔淚直至水邊旁。脫却天衣便入水，中心抱取紫衣裳。此者便是董仲母，此時羞見小兒郎。我兒幽小爭知處？孫[illegible]必有好陰陽。將取金瓶歸下界，捻取金瓶孫[illegible]旁。因此不知天上事，總爲董仲覓阿孃。」

觀變文董永故事，同時爲二親雙亡。所謂「所賣當身殯爺娘……揀擇好日殯爺娘……父母骨肉在堂內……董永哭泣阿爺娘。……少失父母大悽惶……。始終與「耶娘」「二親」並舉。可見董永父母乃是同時死了的。

（五）明「一統志」的「七仙女」。董永的兒子董仲，乃是織女所生，身通法術。「一統志」卷六十六安陸州仙釋傳云：董仲，漢董永子，母乃天之織女，故仲生而靈異，數篆符籙禁怪。」（六）

記胡葉之緣

·朱滌秋·

進入上海那一天，集合全團官長衛士，乘敞蓬車，直入法大馬路、愛多亞路、跑馬廳、南京路等街道，繞行大上海一週。所經過的地方，人潮如海，夾道歡呼。本來這是租界，我們軍隊不能進入，這次以不可一世的聲勢，陣容堂堂，威風凜凜，長驅直入，巡捕看到這情景，不敢出阻。不但替上海市民出了一口氣，更爲中華民族爭光。從此國民革命軍威震中外，舉世聞名！

他愈說愈起勁，她愈聽愈入神，那天回校以後，一直想那張照片上的人，眞盼望有一天能夠見到這位胡師長，看他到底是怎麼樣的英勇！後來經過無數的耳食傳聞，無非是治軍極嚴，愛兵如子，所到之處，不許騷擾，而革命軍北伐之初，有口號是「十不怕」，也即爲「不怕死，不怕險，不怕饑，不怕窮，不怕遠，不怕疲，不怕苦，不怕痛，不怕硬，不怕凍。」這位師長，就十足的做到。對於她則印象越深，仰慕越切；可是見他的希望，却在悠閒的歲月中，未能來到，而她已高中畢業，轉到上海，考入大學，度其自由活潑的生活，這個記憶常縈繞她的腦海中。

當她唸到大學三年的春天，在清明時節，適有假期，和綺嫂到杭州探親。有一天，到兩師家中拜謁，他在樓上處理公事，叫她在下面等候。那時百花吐艷，就憑倚窗邊，欣賞景色。不久，聽見脚步聲，回頭一看，是一個陌生人，穿着深灰色嗶嘰的中山裝，身材不高，方臉寬額，濃眉大眼，鼻樑很直，嘴形很美。（四）

內僑警台報字第〇三壹號內銷證

自由報

THE FREE NEWS

第五六四期

中華民國僑務委員會登記證
僑教新字第三□□號登記證
中華郵政台字第一二八□號執照
登記爲第一類新聞紙類
（半週刊每星期三、六出版）
每份港幣壹角
台灣零售價新台幣貳元
社長：雷嘯岑
督印人：黃行審
社址：香港銅鑼灣高士威道二十號四樓
20, CAUSEWAY RD 3RD FL. HONG KONG
TEL. 771726　電報掛號：7191
承印者：大同印務公司
地址：香港北角和富道九六號
台灣分社
台北市西寧南路壹號零號二樓
電話：三〇三四六
台郵撥儲金戶九二五二

再論現階段的越戰（上）

何浩若

一、劍拔弩張的世局

從美國人看越戰，尤其是那些不深刻研究國際現勢的人，已經覺得大戰近在眉睫，無法避免的了。隨便舉一個例，拿今年五月廿四日的新聞報導來說吧，美國實業家伊頓的談話就是十分驚人的。伊頓已經八十一歲了。他是美國一個有名的鐵路公司的董事長。他才訪問蘇俄回來。他說他和柯錫金與米高揚談過話。他說蘇俄的部長會議主席柯錫金是非常的緊張。據他的觀察，假如美國不立即停止轟炸北越，美蘇間的核子大戰於一星期至四星期爆發。他肯定的這樣說。他說柯錫金親自告訴他，美國已經向蘇俄宣戰，他沒有第二條路可走，祇有盡一切的力量來作戰。他說米高揚也同樣的這樣講。這一條新聞是由美聯社傳佈到全世界的。台灣的各報也都揭載。但是美國的新聞報導，並沒有說明伊頓這個人的背景。伊頓（Cyrus S. Eaton）是美國有名左傾的共產黨同路人。他家財千萬，卻專和蘇俄的領袖們勾結。當赫魯曉夫得勢的時候，據說他是唯一的美國人隨時可以見到赫魔的。他和柯錫金米高揚談過話絕不是吹牛。談些什麼，是不是如他所說的就不知道了。美國有許多百萬的富翁，專門喜歡和共產黨勾結，捐欵支持美國太平洋協會顛覆中華民國的美國共產黨費爾德（Frederick Vanderbild Field）就是一個大富翁。從一九三九年到一九四〇年，寫白皮書的吉塞浦（Jessup）是太平洋協會的會長，費爾德是該會的書記。現時距離伊頓的談話，恰好四個多星期。我敢和各位讀者打賭，你看本文的時候，美俄絕沒有也不會發生核子大戰。伊頓爲什麼要這樣講呢？嚇美國人，替共產黨做宣傳。奇怪的是美國的報紙在報導這則新聞的時候，不把伊頓的背景說出來，無形中替共產黨幫忙。至於台灣的報紙糊裏糊塗的登出來卻有糊塗的好處，危言聳聽，可以振奮人心。

二、會不會發生世界大戰呢？

就在伊頓發表談話的同一天，一九六五年五月廿四日，國務院的政策主持人羅斯陶（Walt W. Rostow）和美國參議員郎羅素（Russell B. Long）同時說一樣的話。郎參議員是在芝加哥講演，羅斯陶是在阿里剛州的波地倫城外交政策委員會說明政府的政策。他們兩人異口同聲說假如中共參加越戰，美國可能使用核子武器。伊頓既然危言聳聽，難道郎羅素和羅斯陶不怕美俄發生核子大戰嗎？現在一般人都以爲中共在越南和美國作戰以後不會發生世界核子大戰的。是誰說的呢？眞正出人意料之外，是周恩來說的。據合衆國際社六月三日開羅電，周恩來接見阿聯的阿木薩瓦（Al Mussavar）報記者說，祇有美國和蘇俄才能發生世界大戰。現在中共和美國作戰，中共是不會向蘇俄求援的，因此美俄不會因越戰而發生核子大戰。但是假如美國攻擊蘇俄，中共不要蘇俄求援就會根據中共和蘇俄的攻守同盟條約去援助蘇俄的。周恩來的話說得清楚，祇有美國攻擊蘇俄才會發生世界大戰。可是台灣的報紙在翻譯這段新聞的時候，眞是胡說亂道，纏夾不清，說什麼『如果美國因越戰而攻擊中共，中共不會要求蘇俄援助，但如果在其他情況下遭受攻擊，中共即將要求蘇俄援助。』這完全與原來的英文報導不符。要知道，周恩來是在外強中乾的吹大氣，口裏講不要蘇俄援助，心裏害怕美國，想蘇俄援助。從周恩來的談話可以看出蘇俄不會因中共援助北越而和美國發生核子大戰。伊頓的談話，完全是宣傳的烟幕，這是讀者研究當前國際局勢所必須了解的。

三、越戰進行中的匪俄鬭爭

現在讓我們來看一看越戰進行中的匪俄鬭爭。五月廿七日眞理報的社論說：『認爲祇有世界戰爭才能實現社會主義陣營的團結和全世界共產主義運動的團結的意見是不正確的。馬克斯和列寧主義者追求他們的工作，不是等待世界戰爭的爆發，而是以進步的民主勢力的聯合行動來避免這一連串可能觸發大戰的事件。』這可以說是蘇俄對中共匪幫最尖銳的攻擊。這不啻說中共要挑撥蘇俄和美國進行核子大戰而坐收漁人之利。至少中共要推翻和平共存的原則來團結共產主義的陣營。蘇俄如果和美國進行核子大戰，就不啻放棄了和平共存而向中共投降。

眞理報因此開門見山的說，認爲祇有世界大戰才能團結世界共產主義的陣營是不正確的。中共也知道蘇俄不會向中共投降，因此周恩來說，美國和中共在越南作戰不會引起世界大戰。不過周恩來打腫臉充胖子說不會發生世界大戰的理由是因爲中共不會向蘇俄求援，又厚着臉皮說，假如美國攻擊蘇俄，中共不要蘇俄請求，就會自動站在蘇俄一邊。這充份的表現了周恩來和中共匪幫的一副可憐像。

四、中共不肯在越戰中和美國講和的理由

然則中共爲什麼又不肯和美國言和呢？這在中共一方面講，也有不得已的苦衷。毛匪澤東和蘇俄爭領導權，硬說蘇俄的和平共存是向美國投降而進行白種人的大團結，因此毛匪提倡人種差別主義，要聯絡全世界的有色人種向無色人種宣戰。蘇俄的和平共存是要西守東攻緩和美國的備戰，原是一種陰謀。但是毛匪澤東硬說蘇俄是向美國投降，蘇俄有苦難言，無法解釋。和平共存是一種烟幕。假如蘇俄在理論上的爭論遷就中共，說和平共存是假的，豈不前功盡廢？因此蘇俄祇好硬着頭皮貫徹和平共存的主張。

這樣一來，毛匪澤東便振振有詞要聯絡有色人種來完成世界革命了。可是，在民主國家和共產集團對抗的局勢中，忽然鑽出一個戴高樂來。正如歷史學者湯比所說的，戴高樂彷彿是一個不聽話的小孩，時常會鬧出亂子來。現在戴高樂主張由法國聯合蘇俄向英美講和。假如法俄和英美言和的局勢成功，就不啻無色人種的大團結，那裏還有毛匪澤東和中共匪幫的戲唱呢？毛匪澤東最大的陰謀就是要挑撥美俄的核子大戰。美俄進行核子大戰而互相轟炸是於毛匪有利的。也正因爲如此，蘇俄才主張和美國和平共存。

吾斯之未能信

自由談

最近美國駐在越南的軍部，爲着進攻距西貢卅五公里越共游擊隊一個據點，從關島調來廿五架重轟炸機，投彈五百噸，而其戰果幾等於零。這樣的反游擊戰術，殊堪驚詫！

越南陸軍有七十多萬人，加上八萬美軍，兵力已逾八十萬人了。越共游擊隊以營爲單位，潛伏在每個據點的兵力，最多也不會超過兩千人，爲甚末不以優勢陸軍爲陸攻主力，捕捉敵人而消滅之，竟使用拳頭以打螞蟻，專事轟炸呢？結果祇能破壞一些建築物和道路橋樑，殃及若干老百姓而外，越共游擊隊所受損失微乎其微，費力極大而收效甚小，這不是原子時代的奇怪戰爭行爲嗎？

華盛頓方面的軍方人士宣稱：要消滅越南境內的共黨游擊隊，需要十比一的兵力，纔有制勝把握，因而準備增派五十萬軍隊到越南作戰云云。這是粵語所謂「講大話」，絕對做不到的。何以故？美國全部的正規軍不過廿一個師，有五個師駐在德境和其他的歐洲地區，還有五個師分駐在東南亞和韓國各處，留在國內的最多不過九師人，即令掃數派來越南，亦不夠五十萬人了。若重新動員，殊不可能，因政府并未對外宣戰，國會不致通過，人民亦必然表示異議，在眞正實行民主政治的美國，政府決不能隨便下令徵兵，否則便是違憲！

越共滲透到南越境內的兵力，據美方調查，綜合正規軍與游擊隊，最多不過十萬人，憑着越南和美國駐越的現有實力，如果眞正作戰的話，即足以掃蕩敵人而有餘了，決無繼續增兵之必要。假使始終像現時這樣的戰畧戰術，美國縱然能夠派遣五十萬兵力到越南來，還是吃敗仗完事。空軍轟炸儘管猛烈，對越共的心理上發生不了很大的嚇阻作用，在軍事上更沒有決定性的戰果可獲，美國企圖藉此使越共同意和談，徒見其心勞日拙而已。

既然沒有從事反共戰爭的決心，而又聲言必不退出越南，難道就憑着飛機投彈掃射的兒戲方法，即可克敵制勝嗎？吾斯之未能信也！

馬五先生

今日与明日

毛共的新攻勢

現在有許多跡象可以看出，毛共已決定在東南亞發動一個全面的「民族解放戰爭」，重心仍在南越。目前南越共黨游擊隊，實際已在毛共直接指揮之下，最近所發動的一連串攻勢，所用的「圍點打援」的戰畧，不由得使人想起三十七年間毛共軍攻濟南、圍錦州的那套戰術，完全搬到越南運用。若說南越共黨裏面沒有毛共軍事頭目在指揮，是絕不可能的事。

沙撈越形勢可慮

就當周恩來同蘇加諾在開羅舉行幾次秘密會議之後，印尼的游擊隊突然襲擊沙撈越邊界的警署，擊斃幾名警方人員，其中且有沙撈越首席部長之弟。

印尼游擊隊所用的恐怖戰術，與以前登陸大馬一套方法完全不同。此種手段最初見之於毛共在井崗山時，以後就成爲發動革命鬥爭的策畧之一；南越共黨未成形之前，也就是用的恐怖政策，先控制了邊界居民，然後發動游擊戰。毛澤東常自詡游擊隊是魚，人民是水，不過這種水却不是天然的，而是人工製造的。目前毛共又在沙撈越製造水了！一旦條件成熟，即將發動游擊戰，到時北婆三邦，均將感受威脅。此日若不能未雨綢繆，前途實在可慮。

泰國也發生問題

泰國將成爲共黨下一目標，已成爲公論。不過，大家過去都只注意泰國東北部寮人聚居地區，認爲是毛共策動叛亂的理想地區；而最近消息傳來，泰東邊境却發生衝突，柬埔寨軍隊衝入泰國境內被擊斃數名，小抖亂施哈諾反指泰國侵畧，又揚言要向毛共求援。可以看出，毛共的「革命戰畧」已在改變，在南越地區沒有虎倀可用，只好由共黨幹部自行出馬；但在沙撈越同泰國，因爲有兩名虎倀蘇加諾與施哈諾可資利用，所以就指使他兩人出頭。將來可以預見的，所謂印尼游擊隊與柬埔寨正規軍，皆爲毛共一手訓練指揮，但在表面上却利用他們作貓脚爪。這種樣的戰爭屬於兩國的邊界爭執，美國絕不能如在越南一樣，挺身介入，只有坐視泰國同沙撈越遭受侵畧。

拔除禍根

對於美國保衛自由世界的決心，亞洲人民並不懷疑；但在政畧方面却大爲不安；目前所行的頭緊顧頭，脚緊顧脚的辦法，只有使東南亞逐漸淪入共黨魔掌。釜底抽薪之道，只有消滅毛共，才能奠定世界永久和平。（何如）

好人難做

無法可施

重要訂正

本報上期第一版論文首段內「中央日報」，「央」字誤植「共」字，合亟訂正。——編輯部

台灣証券市場面面觀（一）

本報駐台記者 張健生

十個月前我在本報發表一篇「台灣證券市場的畸形」的文字，其中有：「台灣證券市場公衆投資人，眞如「盲人騎瞎馬」一樣，只能到處亂撞。」有人担憂，如不改進的話，終有一天，一般公衆投資會傾家蕩產的。」同時我也提出主張，希望「政府應從經濟上着手，切忌以政治手段去作干涉的行動，否則，證券市場易造成紊亂。」這些意見，或許由於人微言輕而被擱置，所以未獲有關當局重視，但事實上居然不幸而言中了，實在遺憾。

繼任人選不夠理想

正當證券市場不景氣的時候，經濟部突於六月十四日宣佈：最近台灣證券市場發生不正常的現象，奉行政院核准改組證券管理委員會，主任委員林崇墉副主任委員賀其榮免職，所遺主任委員一職由台灣銀行總經理毛松年繼任。台灣證券交易所市場自六月十五日起暫停交易十天。並着手整頓證券市場。

此一消息經大衆傳播公布後，各方面都殷切期待政府拿出有效的辦法，來挽救證券市場不正常的現象，有些人竊竊私議討論繼任人選是否適當的問題，也有人爲前任林主任去職而惋惜。大家所討論的是：毛松年先生是否本行專家？是否勝任愉快呢？

繼而由「私議」而成爲立委們公開的質詢，金紹賢委員認爲新主委毛松年先生專才，而行政院竟課以如此重任，顯違國家施政常軌云云。劉平委員等二十五人，共同主張，敦請中央銀行總裁徐柏園氏主持財經證券市場，因徐氏係財經領袖，國之長城，有胆有識，當爲證券救星。另有毛松年之好友，私語記者謂：「我沒有向毛氏道賀，且替他將來可能因任斯職而倒霉」

改進原則明智合理

首先，就「當前證券市場八點改進原則」而論，其中有優點也有缺點。優點部份：在證券市場所謂大戶如陳逢源、蔡萬春交易的期間，所謂大府出來維持台糖台電，以及一部份證券經紀人則希望改組後的證券管理委員會能繼續過去林崇墉時代的「政策」，或應由政府出來維持台糖台電股票的價格，而改進原則第一條，即開宗明義的說：「證券管理與證券業務分開」，身不直接參加證券買賣，證券交易管理事宜，自應與投資業務一致。因而此輿論界一致認爲是最明智的最合理的決定。了不應該管的事情，既要決策，又要執行自己的決策，還要自身直接參加證券買賣業務，又要去管理別人買賣業務，無異身兼「立法」、「司法」、「行政」、「監察」大權，試問如何能站在超然的立場去處理公正的裁判呢？

就是造成證券市場紊亂的根源。凡是市場交易，要自由市場的意志，去從事自由的選擇，有買有賣，任由投資者自由選擇作爲基礎，才能建立起一個完全自由的市場，像杭州張小泉的剪刀，只此一家，並無分店，使顧客沒有自由選擇的機會。這好比選舉中國小姐，名額有三名，而中國小姐候選人也只有三人，使評審委員無法選擇，只好分一二三名次，名次既已決定，所以，這個新決策原則是合理的。

糖電股停交未說明理由

改進原則第二條說：自五十四年六月二十日起繼續暫停「台糖及台電」二股交易五日內，另行公告，民間所持有該兩項股票於短期內另行辦法處理之。

吟秋社小聚

吟秋票社，是北市唯一的特殊集合，社友人數，不過十四五位，而全是坤票，尤其皆是鉅賈的寶眷，完全基於愛好而作研究，不與外界人士往還與接觸，純是孤芳自賞，不作炫耀，確是從事劇藝，尋唱腔如何求精妙。雖多取材於錄先生，但以本省的口音，能唱到完全像眞，實不是簡單而容易的。經過尋求研討，現在每位坤票，至少也可以唱五六齣，或至七八齣，這樣的用功，令人不勝寄予佩服。亦足見平劇並不是未能推展，而在缺之如此的勇士。我很盼望各位名坤票，何妨學她們的榜樣，從事發掘！

她們平時聚集二三同好，在一起吊嗓，有在一三五，有在二四六，到了每月由那一位輪值作東，先在家中唱唱，大都自下午二時起，至七時半止，備有多樣的水果，與各色的茶點，到了八時方始用餐，多是整桌筵席，輪值的主人，差不多要化費在兩千以上，信乎其樂融融，氣氛諧和，非常怡情，也是其他任何票社所無之，與往日大陸上的大票社措置，很有相似，眞是玩票。是月中，承香葉夫人折簡相邀，參與其列，招待之周，已如上述，就聽到所唱的，略予談談。先得感謝各電台所播，如秋江媒，赤桑鎮，梅妃，生死牌等，皆多能是推陳出新。不過有些仍唱老戲，如銀屏公主，鳳還巢，罵殿，搜孤救孤，文昭關等也不少。總而言之，學青秋，學許，學近芳，學余言，皆頗酷肖，不能一一盡評。香葉夫人的銀屏公主，那是功夫更深，韻味更好。她們每來雅歌集，輒謙遜唱不好，不意在此小聚之中，能得悉聆，實是耳福，因爲記之。

台北劇事小記

婆婆生

蓮芝演出的配搭

坤旦徐蓮芝在休養三月後，終於在十四日演出紅娘，演得好壞，觀衆自有評價，也不必過份的捧。總之在小輩中，有如此靈活的身段，與很好的唱腔，尙不多見。寬評不能以一切，妥加頌揚也是必要。此次演後，有特別的，是配角與文場，確實有記述之必要。

張君瑞經最後決定請劉玉麟，也是玉麟夠朋友而相助。有人說恐怕會蓋過蓮芝，其實他們兩人在南部已唱過，深得表裏，而是晚的精采，劉是大有助力。琴童手金驊，幸有其三哥頂替，看起來穩，不太俗，但少噱頭，實則從前的童，固無時代的新科渾。驚鴻到場，很是老練，她何可以請假暫離，是此才。惟崔夫人先是老辈很早臨場，此在北市唯一的老旦王鳴詠，堪謂樂裏甘草。

再談文場，京胡原約朱少龍，以勞軍而不果，其兄春甫自己出馬，一切伴奏人物，皆是北市輕易看不見的。郭科長的二絃，程應龍的二胡，劉東鎮的月琴，晉敏的大弧，魯順的秦琴，皆爲一時的名手，至來自何方，則不易打聽，總之極新的伴奏，來賓頗多，達官與賓眷，會主委也到臨，最特殊者爲劉玉琴李湘芬兩女士，她們是來仔細觀察，這後輩演技無不是否合乎劇情，也是前輩的風度，惟美麟困在方城中，僅由弟子代表觀陣，回作口頭報告，不無悵悵也。

從公務人員退休互助辦法說到公務人員儲蓄和養老制度（中）

丘峻

銓敘部所擬公務人員退休互助辦法草案，其要點大致如上，可謂意至佳而法未盡善也。所謂公務人員退休金，實即等於公務人員一次過的養老金，既然如此，我們開宗明義要說明的是：這一退休金或養老金應全部由國家負担纔符合原來立法的本意。蓋「公務人員平素致力公務，迨年事漸高不堪再任繁劇時，政府給予退休，資以俸薪，於酬庸勛勞之外，重在安定其生活，使之贍養無慮」；所以退休金之應全數由國家負担，自屬天經地義的原則。「惟際此非常時期，政府以財力所限，退休給與一時難達到理想的要求」，「爰試倡行公務人員退休互助運動，本同舟共濟之旨，發揚推己及人之互助精神，期集有限力量爲巨流」，「達成安定退休人員生活，從而促進新陳代謝，增加就業機會，開拓升遷調轉領域」：故就參與互助人言，因互助而提供未來養老儲蓄，保障退休後生活，使無後顧之憂，又因新陳代謝之正常化，升遷與就業環境同獲改善，是其終極目的，在使老有所安，少有所用。」際此非常時期，這一互助辦法，未始不是『權宜之計』，勉強或可實行；但畢竟不是正常的常規，也就是『不足爲訓』的措施。

我們再把這一辦法稍加分析，即可發現其不合理的情弊：第一、互助金之負担標準分爲簡荐委三級，每月扣繳自三十七元，五十五元五角，而至九十二元五角不等，而各人所得之互助金額則一律爲五萬二千元左右，這是一種；第二、互助金負担之時期各有長遠短暫，由一個月以至三十年共分若干階段，而各人所得之互助金額又一律爲五萬二千元左右，這又是一種。這兩種情弊，可謂既不合理，亦不公平，怎麼可以做得通呢？

我們更從事實上看看：關於前者，依照委任以下人員，每月扣繳三十七元，以三十年免息合計，應負担互助金額爲一三、〇〇〇元，與所得退休金相較，多拿了三九、〇〇〇元；荐任人員，每月扣繳五十五元五角，以二十五年免息合計，應負担互助金額爲一六、六五〇元，與所得退休金相較，多拿了三五、三五〇元；簡任以上人員，每月扣繳九十二元五角，以二十年免息合計，應負担互助金額爲二二、〇〇〇元，與所得退休金相較，多拿了三〇、〇〇〇元。這樣一來，便是出錢最少的拿得最多，利益最大；而出錢最多的反而拿得最少，利益也就最小了。關於後者，假如互助辦法於本月份公布實行，即有人於本月份或下月份奉准退休，那末，這一退休人員或可不出分文或至多負担一個月互助金，便可拿到五萬二千元左右的退休金；又有人，簡任以上服務到十九年十一個月，荐任任職到二十四年十一個月，委任以下工作到二十九年十一個月，其間互助金負担時期，各足相差五年；若再與前一種退休人員相比，則其相差竟多至幾及二十年，二十五年，以至三十年不等，前後情形相差如此之甚，而各人所得退休金又同爲五萬二千元左右。這兩種情形，可謂更不合理，益不公平，又怎麼能夠推行得下去？究其結果，與其『在退休人員言，互助金給予額愈高，對於生活之幫助愈大；惟在負担人言，給予與負担既成正比，自以負担越低越合理想』的立法原意，適相違背。假如將這種情弊加以修正爲：每人互助金的負担與所領退休金的數額及互助金的負担時間和所得退休金的數額，均成爲正比，則雖較爲合理而公平，在此非常時期，縱屬暫時勉強可行，亦無足取法，也畢竟不是我們應走的正當途徑。

至若有人從委任做到荐任，或由荐任做到簡任，甚或從委任開始以次調升到簡任以上，其任職遷遷情形更爲複雜，則其互助金的扣繳與退休金的取得也益形錯綜，其間待遇上的不合理和不公平必因之而加劇。此固屬進一步的說法，而亦爲不可避免的情事。萬一退休互助辦法眞要實行的話，則草案中所未提到的這一個重要問題自不能不加以考慮，以求能善其事的。

還有個最重大而又最要的關鍵，我們絕對不能忽視的是：這個公務人員退休互助辦法係由銓敘部制訂，呈經考試院會同行政院直接公布施行的，這僅是一種行政命令，沒有經過立法程序，不能算是有效的法律。將來中央和地方政府根據這樣一個行政命令編列預算，立法院或省議會以至縣市議會，都得以「於法無據」的理由將其豫算全部刪除，而且這是無法避免的一幕鬧劇。到那時，辦法雖好，其奈經費無着何！

以上所說的，都是關於公務人員退休互助辦法的分析與評議，說到這裏可以暫且告一段落。往後再說，我們的話頭便要轉到公務人員儲蓄方面來了。

公務人員儲蓄，一如互助金之按月扣繳，同屬硬性規定，也似強迫性質；然自己儲蓄自己受用，義務與權利，屬於同一個人，無疑是天公地道，合乎情，合乎理，而又合乎法。

現在依照公務人員退休互助辦法所擬定之互助金負担標準數額和服務期限，而轉變爲公務人員儲蓄辦法，則委任以下人員每月扣納三十七元，服務三十年，本息合計爲一〇〇、二四四．五〇元；荐任人員每月扣納五十五元五角，服務二十五年，本息合計爲八五、五五七．六〇元；簡任以上人員每月扣納九十二元五角，服務二十年，本息合計爲七八、六八七．一〇元。爰將這三種數目分別併入第一個表中，以資比對。

職等	互助金負担數		退休時所領互助金數	互助辦法轉爲儲蓄辦法退休時所得本息金額
	平均繳納年數	合計應納金額		
委任以下	30	一三、〇〇〇元	五二、〇〇〇元	一〇〇、二四四．五〇元
荐任	25	一六、六五〇元	五二、〇〇〇元	八五、五五七．六〇元
簡任以上	20	二二、〇〇〇元	五二、〇〇〇元	七八、六八七．一〇元

從上而這個比較表看來，由互助辦法轉變爲儲蓄辦法後，各級公務人員每月各依照同樣標準數額扣納互助金至期限屆滿退休時，委任以下人員可多拿四八、二四四．五〇元，荐任人員可多拿三三、五五七．六〇元，簡任以上人員可多拿二六、六八七．一〇元。那末，儲蓄辦法可使公務人員多獲收益，是儲蓄辦法之優於互助辦法，已可概見。

怪力亂神與法律叢談

賭咒罰誓

陸嘯釗

從古代到近代，盟誓制度的目的，都在求得發現眞實，換句話說，宣誓是爲了强化法律程序中供述的眞實性，因此對於虛僞的供述，必予以嚴厲的制裁（例如：Codex juris Canonic Can. 1316—25）。

在中國古代法中，所謂盟誓，就是賭咒罰誓，這是利用神罰的宗教報應意識所引起的內心恐懼，以期達到法律上所希望的效果。因此這種制度的存在基礎，與神判思想是息息相關的。

最早的盟誓都是用於征伐，甘誓、湯誓、秦誓的作用都在激厲士氣，以求克敵致果。曲禮云：

「約信曰誓，將與敵戰，恐其損敗，與將士設約示賞罰之信也。」

由此可見這時的盟誓，與刑訟並無多大關係。盟誓與刑訟連在一起，首見於周禮注疏卷卅六秋官司盟一節中的記載：

「有獄訟者，則使之盟詛（不信則不敢聽此盟詛）（疏）（此盟詛謂將來訟者，先使之盟詛，盟詛不信，自然不敢獄訟，所以省事也。）」

這是法律對鬼神力量的借助和依賴，把宗教制裁和法律制裁連繫在一起，目的在對爭訟雙方，先來上一番心理攻勢，以求發現眞實，並使人民不敢無故興訟，以求減輕訟累，這比起「四十大板」的清訟之道，在意識上還是高明得多。

官方刑訟的盟誓，除了在周禮中曇花一現以後，也就此無影無蹤了。因爲盟誓制度和神判思想同樣地由官方流入了民間。

我前面已經說過，中國古代的法律訴訟程序可以分做兩種，一種是官方的法律程序，一種是民間的爭訟習慣，這兩種訴訟方式，同樣地支配了中國幾千年來的生活秩序。關於宣誓的形式，在民間的爭訟制度中，有非常具體的記載，在泰泉鄉禮卷五鄉社，有疑則誓一節中這樣寫着：

「若鄉老聽一鄉之訟，戶婚田土財貨交易等情，不肯輸服，與社倉出納保甲疑難之類，皆要質於社而誓之。

凡誓鳴鼓七聲，社祝唱跪，誓者皆跪，社祝宣誓，詞曰『某人爲某事，若有某情，敬誓於神，甘受天殃遭瘟，招禍兇於其身，覆宗絕嗣，滅其家門，惟神其照察之。』誓者三頓首而退。」

「鳴鼓七聲」「三頓首而退」，這是何等隆重的儀。式「天殃遭瘟」「覆宗絕嗣」，這是何等惡毒的誓言。在一個神權社會裏，果報觀念既已深植人心，這樣的安排，自然容易使直者氣壯，曲者心怯，從而由宣誓間所流露出的表情，徵象，再加上「五聲聽獄」的手法，就不難判定犯罪的有無，和事實的眞僞了。因此宣誓制度對罪狀的揭發，在證據方法未曾科學化的古代中國，實居重要的輔助地位，至於藉賭咒冥罰來判斷犯罪的有無，就流於迷信了。

這種古代法的宣誓制度，不獨中國爲然，在英美法的審判程序中，依然有所保留，而大陸法的證人具結何嘗不是脫胎於此。至於中國民間，指天罰詛，城隍神前斬雞頭盟誓，更是屢見不鮮。由此我們可以看出鬼神觀念宗教意識的潛在功能了。

中法越南、閩海之戰

羅雲

中法開釁之後，初鴻章與法使福祿諾結豫定媾和簡約之外，更唔允提前撤退諒山駐軍，及徐延旭兵挫，鴻章竟選以怕死無能的淮軍舊屬潘鼎新代之；及潘既屢敗，廣西岌岌可危，鴻章猶極力予以支持；最後左宗棠敗法軍於閩海，馮子材敗法軍於諒山，而鴻章却以不知敵我情勢貿然與法簽訂喪權辱國條約……凡此，俱爲甚不智與失策之處。

福建海防的責任是如何之重大？統率南洋海軍的將領又該如何愼重的選擇？可是清廷却視如兒戲，竟派一不諳軍事、新得鴻章信任的詞臣張佩綸担當方面重担。結果，他一聽炮聲就逃跑了不說，使南洋艦隊二十二艘，閩江諸炮台及左宗棠苦心創辦的船廠就此毀於一旦，這該是中國多大的損傷？清廷昏庸，於此又獲得一明證。

綜合地說，中法戰爭之役，我軍之所以能轉敗爲勝者，其關鍵完全在於張之洞，左宗棠的出任艱鉅，通力合作，用以與李鴻章的勢力相抗。蓋戰爭之恃於軍備者半，恃於士氣者亦半。在左宗棠、張之洞出任艱鉅之前，李鴻章抱持失敗主義，其所用人如張佩綸則下令「只許防禦、不准進擊」，如潘鼎新等則揣摩鴻章之心，每電鴻章，必以「敗固不佳，勝亦從此多事」爲說，治軍以節餉爲主，預存「終歸和局」之心……這樣又安得不敗？及張左既出，而粵桂閩滇四省軍事始有新部署，軍餉軍需亦始有新來源。所以說，此一戰爭我軍之所以能轉敗爲勝者，功在左宗棠張之洞與馮子材等人也。（完）

哀江南製造局

李仲侯

自民國十年齊盧戰事發生，雙方都以搶奪這個兵工廠，爲戰爭的勝負成敗關鍵，以致這個殘破不堪的製造局，更受到了空前未有的兵刦，好些機器材料，都被軍隊盜運盜賣了。到十三年江浙戰事再起，全廠爲軍隊盤踞，整個局務，陷於停頓。至十四年段祺瑞執政，幾經發還廠命令，雖然僅剩存一個空殼了，但軍隊開拔要費，撤還善後更要費，費均無所出，幾經商洽，用上海總商會墊款六十八萬八千元，將全廠地產作爲抵押，由商會招募民團看守廠房，以免被人放火燒掉。是年二月初，張宗昌、孫傳芳簽約撤兵，由商會派員前往接管，重要機器固已一無所存，檢查倉庫僅剩下一些零星槍殼砲彈之類，也被浙軍裝上好幾卡車，運往南站去了。那時陸軍總長吳光新還跑來上海向張孫兩軍閥奔走調停，很費去一番唇舌，最後陪同商會接管人員，巡視一周，當將各廠大門加封上鎖，此一軍閥視爲生死必爭必奪的殘骸，至此始無一兵一卒盤踞其中，而先賢華路藍縷，手創的一點民族工業，至此乃掃地已盡矣。

民國十六年革命軍北伐，該廠由前敵總指揮張性白接收，改名爲國民軍上海兵工廠，僅維持一個小規模開工，每月可造槍彈近三百萬發，擬謀復興，無奈被軍閥破壞過甚，欲振乏力，苟延殘喘，到了民國廿六年六月，始全部結束，將機器亦全部遷出歸併金陵兵工廠。後軍政部擬將廠址一併拍賣，商會以債務連同本息八十多萬元未清，派員晉京請願，這塊地皮也無形中歸商會所有了。自曾李創局至宣告全部破產撤銷，前後歷時共六十八年，從此江南製造局，徒存歷史上之名詞。

昔庾信仕梁，居江南，梁亡後，乃作哀江南賦，唐杜甫詩：「庾信平生最蕭瑟，暮年詩賦動江關」，即指此賦而言。楚辭：「目極千里傷春心，魂兮歸來哀江南」，這是指江南土地僻遠，山林險阻，誠可哀傷，不足處也，信用其語而其意實異。予遠離南來，棲遲海島，倏逾一十五載，退休之後，侘傺無聊，午夜夢回，偶憶童年舊事，情景宛然，以商婦琵琶：「夜深忽夢少年事，夢啼妝淚紅闌干」的心情來寫這篇哀江南製造局，擱筆後，感覺信可哀矣。（完）

天下三奇雁蕩山

雁蕩山是中國十大名山之一，以山水奇秀出名。千山萬峯，懸泉飛瀑，變幻莫測，與匡廬的瀑布，黃山的雲海，稱「天下三奇」。雁蕩山的物產也非常豐富，古有「雁蕩五珍」之稱，即雁茗、石斛、香魚、觀音竹、山樂官鳥。雁蕩山的茶樹長在高山上，一千公尺，質量很好，尤以雲霧籠罩的毛峯茶名聞全國。

魯班公輸子

漁翁

陰歷六月十三日，爲魯班公輸子的誕辰，凡屬泥水建築工人，莫不於是日休假，并虔誠慶祝，以紀念這一建造業的偉大祖師。

據文獻著錄：「魯班姓公輸，名班，字依普，世尊爲公輸子。」又孟子趙注：「公輸子魯班，魯之巧人也。」或以爲魯昭公之子。因爲他是春秋時代的魯人，故簡稱之曰「魯班」。與墨子同時，少受業於鮑老董之門，長則經營宮室，製造舟車，雕鏤刻畫，無不精美。論語所謂「公輸子之巧」也。

今日木工所需用的鑽、刨、鋸、墨斗，都是他所發明。尤以所造雲梯與木鳶，爲當時作戰器械，見重於世。一日，又曾南遊至楚，爲楚惠王做雲梯以攻宋。他製的木鳶，能一飛七百里，飛到宋城窺察動靜，等於今日之偵察機，因此而名噪一時。

後歸魯國，不問世事，隱於歷山。魯班不但能造房屋，建橋樑，製舟車，與夫戰爭工具之設計，且明堪輿之術，對棺槨下葬的設計，亦具擅長。蓋死葬之禮，在古爲一大事，爲當時人所重視。

我國著名的「鄭家橋」，據「小放牛」的歌劇：「鄭家橋，魯班爺修，玉石的欄杆聖人留。張果老騎驢橋上走，柴王爺推車軋了一道溝」。雖然這橋爲隋朝李春所修，因爲魯班是建築的先師，所以飲水思源，把這偉大的工程，歸諸魯班身上，以示崇仰。

我國對這一建築發明家，古無所祀，及至清朝，始在北京崇文門外街市上，築了一座「公輸子祠」。於是又推行於各州縣，而供奉者，多係建築泥木工人及有關的商號焉。

我們成語之「班門弄斧」，按班門，即魯班所居，因他是我國歷史上最偉大的名匠師，若在他門前弄斧頭，便是不度力，不自量。梅之渙題李白墓詩：「采石江邊一堆土，李白之名高千古；來來往往一首詩，魯班門前弄大斧。」因采石磯上有「捉月亭」，過往所題，率無佳句，經梅如是一題，自後過者，不敢再捉筆矣。

評介「嘯岑文存」

著者：雷嘯岑先生

洪流

民國三十九年，當我政府偏促台灣，國人惶惶不安，海外寓公宣言投共之時，自由人半周刊誕生在香港。以個人不帶任何色彩的眼光來看它，確實可說是海外唯一爲政府辯護的報章，既不偏左，亦不持右，不偏不倚，頗守中庸之道，筆者在那時就頗爲喜好它。而寫作諸名家，更是耳熟能詳，例如左舜生，伍憲子，成舍我以及陳滄波諸先生。筆者在那時更愛讀的是「自由談」馬五先生的專欄文字，中外古今無所不包，評騭人物，議論時事，更是馬五先生的當行之作。後來知道馬五先生就是雷嘯岑先生的時候，筆者更加欽佩不已，因爲雷嘯岑先生不但短篇的專欄引人入勝，就是長篇的時論，亦動中肯綮，常有言人之不敢言之論。這倒並非雷先生的筆下「托有四十生的大炮」作爲後盾，以炮手或敢言著稱，而是雷先生筆下的不瘟不火，毫無火爆氣味，爐火純青的功夫眞是到家。

寫雜文或是時論，最大的忌諱就是怕收不住筆尖，控制不了寫作人自己奔放的感情。因而不是流於尖酸，就是過於刻薄。魯迅的雜文則是兩者兼容，所以才能享譽於中國文壇，但那不是最老辣功夫，只是投讀者心理之所好罷了！再有就是以獨得專條的內幕方式，來取悅讀者，人們心理是以先睹爲快，新聞記者每有接觸秘密的機會，說內幕，談沿革，確也稱快於一時。更有以罵盡世人爲職志的，台灣現實就流行這一套，李宗吾氏的厚黑學，在台灣找到了教徒信仰者。

馬五先生的雜文，則無這些使人讀後稱快一時，久而生厭的毛病。而馬五先生的時論，則更是一絕。隨處都流露出他個人獨特的風格。談事理以理服人，引史實以資爲鑑，處處都看到作者個人的智慧處與可敬之處。

這集「嘯岑文存」雖然作者自謙『談不到「藏之名山」的話』但我們可以這樣說：它足以爲這個時代提供了「一代治亂興亡的背景及其迹象」，對「文化思想之創進發展」，當然有其意義的。

在這本文集的每篇文章後面的日期來看，已經超過了十個年頭，在十個年頭斷續寫成的時論文字，不爲時代所淘汰，不爲無情歲月所淹沒，自有其本身特具的條件，就是內容言之有物，不阿人所好，或是作一些投當政者心理所欲的教條文字。

文章流於教條八股，不但使人讀後生厭，其實也大違宣傳之道。宣傳應是眞實的報導，欺騙只能矇混無知於一時，而不能期之到底。魔術師的傑作就是如此。當魔術師在大禮帽裏大取其雞蛋的時候，觀衆也只是欣賞那種快捷的手法，至於那些雞蛋的來處與去處，則是無人過問的。因爲人們都曉得它是假的。所以凡是虛僞而又「假」的事物，雖然他手法可與魔術師媲美，但也只能取悅於一時，而無可能使人得到永久的滿足。

嘯岑文集則有很多的地方，使讀者感到非常的滿足，因爲他言之有物，並且還能持之以恆，絕不是宛如過眼烟雲，因時間而消逝得無蹤無跡。譬如：反對黨問題就是如此；雖然反對黨的發起人已成階下囚，但關於反對黨的形成與運用的幾篇文字，在現在讀起來，更加有着無窮的回味。

這本文集最足發人深省的一篇是：「政治上的『門神』式與『灶神』式人物」這一篇了。用門神與灶神來表示兩種截然不同人物的性格與作爲，並且作者特別强調門神式的人物並非是不忠貞份子，而灶神式人物也不當然爲忠貞份子。這是特別令人值得警惕的事。並且「門神式的人物，平日蕭然在野，沒有既得利益的顧慮，亦很少政治恩怨存在，一旦爲國家担當衝繁僻難的大任，他就可以不顧一切的興利除弊，發抒自己的抱負，表現時勢造英雄的績業，而國家的中興機運即降臨了。」

金友琴往事憶述

金戈（上）

　　友琴姓華，字韻秋；因她父親（金儒）出繼給金姓，故改姓金。她家是京兆人，僑居石家莊開飯館的。友琴的唱戲，好像是命定的一般。她既生就了美人姿態，又有一付清脆的嗓音，從小就喜歡聽戲，聽了就照着唱——自然她並不知道唱的是些什麼。在她六歲那年，她爸爸因爲石家莊的市面不景氣，便把飯館結束了，舉家遷回北平。又因她生性好戲，特地請小水上飄范國璋，教她秦腔的青衣花旦。她學得非常的快，不多幾年，已經學會了很多戲。十三歲上，就在魁花園正式登台，藝名叫金秀玲，一齣富春樓，居然閧動九城。

　　當時有人向她爸爸說，梆子戲唱到現在，已[illegible]更張，學唱皮黃戲啦。金大爺深以爲然，便將秀玲改名爲友琴，拜在新國瑞門下學唱二黃。爲了想要把她造成一個出色的坤角，特地託人介紹，讓她繼拜精於音律的老伶工王輔庭爲師。因之她的劇藝，愈益精進，先後在燕舞、慶樂、華樂、新明、開明等劇場獻技，得到社會人士的好評。就在這時，她鴻驚星已經照命，竟於無意之中，獲識我的朋友陳逸齊先生；逸齊是我的把兄，也是一個標準的戲迷，時爲中央觀象台秘書，公餘之暇，既以聽戲爲唯一消遣，所有的戲台，幾于無處無他的足跡。那時和金友琴同班的有一個兼唱老生小生的金桂芬，藝術了無足觀，却長得相當的美。

　　逸齊兄巨眼識人，認爲她是個可造之才，每天必要邀請三五個朋友前去捧場。儘管她的唱與做平淡無奇，逸齊兄總要協同去的朋友鼓掌喝彩，不厭其煩。我也正是常被邀請幫同叫好的一員。某天夜戲，雙鬧英唱男斬子，金桂芬被派爲楊宗保，照例是被綁着悶坐在帳外（實際是台口）候斬，一動也不動，致使慣於爲她叫好的逸齊兄，再也沒有法兒捧場，他那內心懊悶，自不待問。正在生氣，忽聽雙鬧英唱：「問老娘斬他該是不該」，他便忍不住的嘆起來說：「不該不該。你這個渾蛋，還不快點兒把她放下來！」逸齊兄說還未了，旁邊一位大胖子突然嚷道：「你這可該透啦」！

　　逸齊兄聽了，不由的滿面濺朱，抓起茶碗來，就要向胖子打去！幸虧我眼明手快，趕緊把牠奪了下來說：「大哥，你怎麼啦？咱們聽戲是爲了找樂，幹嘛跟旁人鬥閒氣呢？」「不，這小子非常渾蛋，我非教訓他不可！」「「好，啊」——大胖子站起來說：「你不聽戲儘嘆，還要動野蠻打人。咱們外邊閙去」！說着就要望這邊撲，逸齊兄也正搶着向那邊奔去，幸得雙方的朋友們拼命勸止，才得告一段落。

　　這時友琴剛卸裝準備回去，聽到前台吵鬧，不免在帘內張望一番，對逸齊兄之忠於所捧之角，內心感到相當敬羨。由此每日登台，眼光不離逸齊兄的左右，有時順着戲裏的情節，竟向逸齊兄啓齒嫣然，可謂極挑逗之能事。而逸齊兄對她，似亦未嘗無意，由此日漸親近，其熱度直欲駕金桂芬而上之。

觀「我愛吉蒂」（下）

汶津

本片有數絕：[illegible]

三國史微言

·燕謀·

　　松之以世立私碑，有乖事實，上表陳之曰：「碑銘之作，以明示後昆，自非殊功異德，無以允應茲典。大者道勳光遠，世所宗推；其次節行高妙，遺烈可紀；若乃亮采登庸，績用顯著；敷化所蒞，惠訓融遠，述詠所寄，有賴鐫勒；非斯族也，則幾乎僭黷矣。俗敝僞興，華煩已久，是以孔悝之銘，行是人非；蔡邕制文，每有愧色。自時厥後，其流彌多。預有臣吏，必爲建立。勒名寡取信之實，刊石成虛僞之常。眞假相蒙，殆使合美者不貴。但論其功費，又不可稱。不加禁裁，其敝無已。以爲諸立碑者，宜悉令言上，朝議所許，然後聽之。庶可以防遏無徵，顯彰茂實，使百世之下，知其不虛，則義足於仰止，道孚於來葉。」

　　朱高祖北伐，領司州刺史，以松之爲州主簿，轉治中從事史。既克洛陽，召爲世子洗馬。後除零陵內史，徵爲國子博士。[illegible]

（七）

七仙女

——「影劇與歷史」之七

周遊

以上是見於各種記載的「七仙女」故事。[illegible]

[illegible]（七）

內政部登記證內警台報字第〇二三號

自由報

THE FREE NEWS

第五六五期

每份港幣壹角

社長：雷嘯岑

社址：香港銅鑼灣高士威道二十號三樓
20, CAUSEWAY RD 3RD FL.
HONG KONG
TEL. 771726　電報掛號：7191

承印者：大同印務公司
地址：香港北角和富道九十號

台灣分社
台北市西寧南路
電話：三〇三四六

再論現階段的越戰（下）

何浩若

毛匪要破壞法俄和英美的妥協，唯一的方法就是在越戰中拖着美國不放。不錯的，美國現在可使用優勢的核子武器。但是在越南的雨季中進行森林游擊戰，用核子武器就像用拳頭打螞蟻，不能發揮作用。無論從那方面講，中共匪黨為拖着美國不放，一定會大規模的介入越戰，而且絕對不會和美國講和的。中共不肯講和，即令法俄和英美達成協議亦將毫無用處。美國雖然屢次揚言將增兵若干萬，而且必定會獲得最後的勝利，其實在雨季中進行游擊戰，美軍的地位是十分危險的，而且也沒有充份的把握。何況越南內部又四分五裂意見紛歧，不能以全力支持美國作戰。要知道，美國的目的，祇是想把越南境內的共匪肅清，這應當是件很小的事。現在用牛刀割雞，居然殺不死這隻雞，雞竟敢反噬殺雞的人反而有了危險。在如此局勢之下怎樣辦呢？我們的觀察，認為越局的演變，將尋求另一解決的途徑，必須要在中國大陸開闢第二戰場。周恩來在開羅接見阿問記者說，如果美國不攻擊蘇俄，祇攻擊中共，就不會發生世界大戰。這項訪問是用英文報導的，美國人應當都聽到了，更不會像台灣的記者不懂得英文的意義而加以誤解的。

五、如何避免核子戰爭來解除世界和平的威脅

現在再從另一方面說明另一問題。蘇俄和中共鬥爭最大的爭點，就現階段講，就是蘇俄主張和美國和平共存，而中共則主張暴力革命使用核子武器發動世界大戰。在現階段，中共的核子裝備還不夠單獨進行核子大戰。據上所引的眞理報五月廿七日的社論說，在現階段中共祇想挑撥美俄間的核子戰爭。但是眞理報認為發動世界大戰來團結共產主義的陣營是不正確的。眞理報並沒有放棄世界革命，但是認為馬列主義目前追求的工作不是等待世界大戰的爆發，而是要以進步的民主勢力的聯合行動來避免一連串可能觸發大戰的事件。」這些話是很合美國的胃口的。一部份美國的所謂自由份子，不惜主張戰不勝論和不戰勝政策，也是為了怕刺激蘇俄，並且覺得蘇俄既主張和平共存，也許將來還真能和平相處。但是中共便不同了。中共而且公開主張暴力革命，以打倒美帝為目標的。現在中共的核子裝備還不能單獨進行核子大戰。什麼時候中共就會有氫彈呢？什麼時候中共就可以單獨的發動核子大戰呢？這一個問題的答案，將決定民主國家的戰略。

根據美國聯合社今年五月廿四日美國名記者馬洛（James Marlow）的報導，協助美國製造第一顆氫彈的原子物理學家勒普博士（Doctor Ralph Lapp）說，中共在兩年至三年之內就可以製造氫彈。

馬洛這一消息的報導太驚人了。馬洛強調中共的野心和共產主義的目的，是要以暴力完成世界革命，而且公開反對和平共存。馬洛說到美國的門羅主義祇可以適用於一時，當中共有了進行核子大戰的裝備以後，當不容許美國在亞洲立足，而且必須要以暴力完成世界革命。美國自認可以和蘇俄和平共存，寧可實行不戰不勝政策。蘇俄和美國相同。但是中共便不同了。中共公開反對和平共存，而且積極主張核子大戰，不惜殺傷世界人口全數的三分之二，在人類的廢墟上重建文明。假如美國要避免氫彈子戰爭，即令美國也無法避免核子戰爭，將來這一戰爭也不出兩年至三年的時期。這兩年至三年，轉瞬即至。正在這時候又發生一個比韓戰更艱苦的越戰。美國和戰兩難的越戰將怎樣報導呢？筆者決策裏所知道的事實，都是國際局勢演變的演進，美國將來的決策可以看到，不僅美國人可以讀者也就是像本報的讀者。

六、中華民國在越戰中的地位

現在再從自由中國一方面來觀察越戰的發展。我們曾經屢次的報導，毛匪澤東不怕美國，不怕美國是紙老虎。不論美國是紙老虎，老虎有沒有核子牙齒，中共都是不怕的。在越南雨季的時候，在森林游擊中進行的戰爭，核子武器是沒有用的。核子拳頭打不死螞蟻，螞蟻祇能用手指捻死。記者不止一次的用螞蟻來形容大陸民眾。用螞蟻來形容大陸的人口，螞蟻實在太多了。現在的問題不是要捻死螞蟻，而是要解放螞蟻。螞蟻並不再咬人，而是咬毛匪澤東。毛匪澤東是迫不得已的。中共所最恐懼的，不是美國的核子武器，而是怕螞蟻反噬。因此，中共所最恐懼的是蔣總統和中華民國。祇有蔣總統和中華民國才能號召和支援大陸人民的革命。中華民國反攻大陸之日，即大陸人民爆發革命之日。革命戰爭是不是一種特殊的革命戰爭，不必計算雙方的力量的。因為在革命戰爭中，敵人的武力就是革命者的力量，敵人的武力就是革命者的力量。敵人的武力越大越好，越大越易成功。要輕而易舉的打倒這個為害世界人類和平的暴政，祇有幫助中華民國反攻大陸，發動大陸人民的革命。美國的顧慮是怕引起世界核子大戰。現在局勢的發展，不但蘇俄的眞理報說不會引起世界大戰，就是代表中共的周恩來也說不會引起世界大戰。不知道領導民主國家為自由而戰的美國，還有什麼顧慮？美國不是要避免核子大戰嗎？何況還有幾萬美國的軍隊在越南面臨死亡的危機呢！

七、美國朝野對自由中國的認識和反攻大陸時機的成熟

世界的轉變已經使美國朝野明瞭中華民國的重要。發行最廣的紐約每日新聞，不斷的主張援助中華民國反攻，並且說自由中國的軍隊素來是蔣總統的王牌。紐約時報也一反常態的獨家報導了自由中國的馬俊視察在雲南車里游擊戰的輝煌戰績。六月五日美聯社報導，美國參議院共和黨領袖竇克遜（Senator E. Dirksen）主張增撥一億美元加強對華軍援，要使自由中國六十萬大軍進入備戰狀態。六月三日紐約時報記者杜平發自台北的通訊也說：「在越戰的壓力下，美國軍事計劃人員對中華民國的武裝部隊已日益重視其戰略上的重要性。」杜平繼續說：「多年來祇強調中華民國武裝部隊的防衛任務之後，現在對他們的攻擊力量和防衛力量更重要的衡量，正在這一重要的演變而清楚的趨勢。」據六月三日華盛頓美聯社報導說：美國眾議院軍事委員會委員長威爾森和共和黨眾議員今天建議詹森總統：如果中共參加越南戰爭，就將中華民國反攻大陸。

（下轉第二版）

洩氣之至

各懷鬼胎

今日与明日

泰勒辭職

美國駐越南大使泰勒將軍最近突告辭職，詹森總統已任命前任大使洛奇繼任。泰勒辭職的理由是說當初就任時即同總統議定只作一年，目前任期已滿，故爾告退。但由於此一消息的突如其來，引起西貢越美軍方的驚疑，就我們看來，事實也未必如此簡單。泰勒將軍文武全才，半世紀以來的美國軍人，論到器度、學養，麥克阿將軍之外，不作第二人想。泰勒將軍曾在韓戰統率過聯軍和毛共作過戰，對共黨伎倆有深切認識，故對共黨戰略一貫主張強硬。過去因不滿艾森豪威爾政策軟弱，半途辭去陸軍參謀長一職，並自請退役。甘迺廸總統上台後，下令泰勒恢復軍職，起先做白宮軍事顧問，後調任參謀長聯席會議主席。詹森總統在泰勒將軍任期未滿時，半道改任為駐越大使。越南戰局有今日的發展，絕大部份是泰勒將軍的決定。最近泰勒同華府述職，突然宣佈辭職，估計當與再擴大越戰有關。泰勒將軍可能主張炸海防、河內，而未獲批准，故辭去大使職務。

美國國內妥協份子

美國政策雖然堅定，但安協份子勢力仍大，且多為知識份子，民主黨基礎就建立在這批人身上，政府對他們的意見自不能完全置之不顧。平情而論，自二月七日大炸北越以來，詹森總統所對抗的國內外壓力是相當巨大的。此種壓力，不僅杜魯門、艾森豪威爾兩人抗不住，即使甘迺廸，是否能抵擋得住，也要打個問號。詹森總統之決心與毅力固然可佩，更重要的是泰勒將軍的贊襄策劃。但願泰勒將軍一去，不要人去政息才好。

和比戰難

今日越南形勢雖然打下去很難有結果，但和也卻和不掉。不說別的，就以和談條件而言，相信任何人也提不出一個計劃來。所謂和，不過只是口號而已，眞正要到會議去談時，相信還是會決裂的。英國派出的一個副部長去北越，本來大家寄以幻想，結果卻又被拒絕了。原因雖然多端，但是在此時雙方皆無法談和也是事實。所以，即使泰勒將軍去職，美國方面眞的有心談和，最後仍然是一種幻想，到最後還是非打下去不可！只是多繞幾個圈子，使局勢更惡化一些而已。所以，看越戰，實在想不出任何可以和解之道。（何如）

自由談

不科學的禁令

美國紐約州議會通過一項法制，今後所有出售香烟，必須在香烟盒上註明着「多吸生命危險」等字句，中央參眾兩院亦有同樣的協議。當然的結論，如不遵照辦理，便是違法，應受處罰的。這眞是美國的玩藝，有趣之至。

吸香烟對於生理上害處多而裨益少的理論，世界各國早有若干人士苦口婆心的說教不歇，家喻戶曉了。但香烟消費量的統計數字總是直綫上升，而且種類繁多，層出不窮。還有比香烟毒素更深重的嗎啡、海洛英等，吸上了癮馬上就性命交關，決無倖理的，各國政府更嚴刑峻法予以查禁，然吸者自吸，滿不在乎，美國人亦無例外。可見人類生活乃有許多矛盾情況，不能以常理相繩，吸香烟殆屬小焉者的矛盾行為，要想用法令來限制，收效將等於零！為切實保護國民健康計，率性頒佈命令，禁止製造香烟，更不許種植烟草，違者重罰之，到不失其為仁政。光是勸告人民莫多吸，實係廢話，所謂「多」的份量有何標準呢？這與香烟製造商宣稱加有濾嘴的產品即可避免癌疾的說法，同屬滑稽之談。既不能禁止烟商營業，又教他們用標語宣傳吸烟有生命危險，此與吾國先賢孟軻所說「矢人唯恐不傷人，函人唯恐傷人」的理性言論，恰恰相反，不特自相矛盾，亦復不近人情也。

世人因嗜酒而滋生血管硬化、腸胃敗壞、心臟衰弱等疾病，因而死亡或殘廢者，所在多有，然則亦不妨製訂法令，教酒商在酒瓶上黏着「多飲有生命危險」的標語。依此類推，凡認為人生不良嗜好的玩藝，如撲克牌、麻將牌之類，都應該在牌面上刻着「多玩有生命危險」字樣，以資警惕，也不能說是沒有必要吧？果若是，便叫作「文明中毒」，殊堪發噱，為政之道，固應如此耶？

我並非認為吸香烟是對人身有益，能夠不沾染這種嗜好最佳，既省錢，又省事。但不以為吸香烟的禍害有甚於嗜酒與嫖賭等行為，硬要特頒法律以禁制它。若謂吸香烟容易招致癌症，何以又有人並無烟癖而死於癌症呢？美國人的噱頭，太不科學了！

馬五先生

台灣証券市場面面觀（二）

本報駐台記者張健生

「在暫停交易期間，必要由金融機構按一般質押放款規定對台糖台電股持有人酌予短期融通」。但未說明這兩種股票繼續停止交易的理由。現在，台北市銀行公會已初步決定，凡持有台糖台電股票之人，可依六月十四日證券交易的價格，以七折計算，向金融機構質押貸款，但必須台糖台電股票持有人過戶後，始得辦理貸款手續，否則，不予融通。而質貸期間爲三個月，利息爲一分一厘。

改進原則第三條停止附買回條件交易，係針對現實的應急辦法，也是重點之一。凡「附買回條件交易」（即套利交易）自五十四年六月二十五日起停止實施。有關未交割餘額處理事項，由證券交易所迅即擬訂報核」。事實上因附買回條件交易已到了不能再繼續實施的階段，不能不宣佈停止了。按照「附買回條件交易未交割餘額處理辦法」第四項規定由銀行乙種經紀人平均承受，這是無可奈何的事。證券公司受託做套利交易，但股票行市繼續下跌，不但要付利息，更無力承受，倘若參與套利的銀行、合會、保險公司依法向經紀人追償，則經紀人是有限公司，資本只有六十萬元，而交易額則高達四、五千萬元，試問，經紀除了宣告清理而外，還有什麼辦法？這樣一來，不僅追償不到錢，恐怕還要牽累到其他的經紀人和客戶，豈不形成社會問題嗎？故改進原則的這一規定可以說是沒奈何的事。但令人費解的是，政府明知經紀人的資本額只有六十萬元，爲什麼不及早令其調整資本額呢？

立委抨擊改進原則

該原則第五條規定：「證券交易已開征交易稅，其證券交易之所得暫緩稽征綜合所得稅」。所謂暫緩稽征交易所得稅，而非免征，暫緩課征的目的，旨在緩和證券市場的人心，避免刺激，至於是否因「暫緩」而凍結證券交易稅呢？就不得而知了。

不過立法院對此行政措施，曾有異議。立委劉平等認爲改進原則是無辦法的原則，台糖台電公股領導市場，成爲套利的對象。政府既對台糖台電公股毫無辦法，何必提出空洞的「原則」？手忙腳亂，不知所措，慘狀畢露，反而影響人心。台糖台電股停市而凍結，週轉需款，競拋民股，如謂公股停市，民股有利，無異癡人說夢。主管當局豈能不知？何以出此，殊屬費解。至於證券交易綜合所得稅，爲一巨稅，唯其開征，有其必需之條件，現行稅法，無明文可資依據，獎勵投資條例修正後，曲解亦失其憑藉。而改進原則所謂「暫緩稽征」，不啻明言不久即將開征，予投資者當頭一棒，更增摧毀市場之力量。

台灣證券管理，援引世界最新穎之理論，頒布世界最完備之法令，而不能面對事實解決問題，徒法不能自行，政治不可尚空談。證券市場爲高度工業化社會之事業，領導必得其人，得其法，方能恢復市場之信心。

證券市場改組後，政府所採取的辦法，仍要乙種經紀人進場，仍需要低利貸款，這與前主委林崇鏞任內的做法沒有兩樣。毛主委希望銀行買點股票，如果投資性的購買，即屬違法。

再論現階段的越戰

（上接第一版）

他說：在那種情形下，中國大陸人民將團結在蔣總統的領導下，協力推翻北平僞政權，從而消滅共匪的核子潛力，及實現二次世界大戰以來邁向和平最大的一步」。威爾森是共和黨全國黨委員會主席，也是衆院軍事委員會中排名第六的共和黨議員，他是就一事評論。他說：「蔣總統擁有一支東南亞最精銳，受過最嚴格訓練的軍隊，準備隨時進攻中國大陸。如果中共進攻越南，我希望詹森總統支持中華民國以五十萬或更多的陸軍，登陸中國大陸。」「我想不出嚇阻中共在越南侵略的更好方法」。

如果自由中國陸軍登陸中國大陸，其結果將如何？對於這一點，威爾森非常樂觀。他說：「如果來自中國大陸的報導可靠，則被共黨統治了十六年的中國大陸人民，很可能團結在蔣總統的領導下，協力推翻北平政權。中共核子作戰潛力的消滅，可能是二次世界大戰以來邁向和平的最大的一步。」

威爾森向詹森總統的建議說得太清楚了。美國應當援助自由中國反攻大陸，使中國大陸的人民團結在蔣總統領導之下，推翻北平政權，消滅中共核子作戰的潛力，這應當是二次世界大戰以來邁向和平的最大的一步。我們的看法是，假如國際形勢不容許自由中國反攻大陸，我們要獨力反攻，當然是比較困難一點。但是現在國際形勢迫切的要求我們反攻，我們當然是無不反顧，責無旁貸。現在反攻的機會來了。讓我們萬衆一心來完成「邁向世界和平最大的一步」的任務吧。

從公務人員退休互助辦法說到公務人員儲蓄和養老制度（下）

丘峻

其次，依照互助辦法所擬各級公務人員每月扣繳標準數額，最多者高至九十二元五角，最少者亦達三十七元，在這樣一個經濟環境之中，在各人生活如此困難情形之下，也殊嫌過高。筆者以爲每月最高以不超過五十元爲宜。現在，我們試就委荐簡三級人員，在五十元限度以內，可分爲：十元，二十元，四十元；十五元，三十元，四十五元；二十元，四十元，六十元；二十元，三十五元，五十元；四類。第一類，每級相差爲倍數。第二、四兩類，每級相差均爲十五元。第三類，每級相差爲二十元。像這樣一種公務人員的負担與收益，就負担言，自以愈少愈妙，但負担過少則收益無多；就收益說，則越高越好，但負担又不宜太多；所以在這四類負不同的等級中，似以第四類較爲適宜。今試以第四類之差額儲蓄作一負担與收益對照表如下：

職等	儲蓄金負担數		
	平均儲蓄年數	合計應儲金額	退休時所領本息總額
委任以下	30	七，二〇〇元	五四，一八六．二〇元
薦任	25	一〇，五〇〇元	五三，七六一．七〇元
簡任以上	20	一二，〇〇〇元	四二，五三三．六〇元

我們觀察上列對照表，可以清楚地看出一個特點，儲蓄辦法比較互助辦法是負担較輕而收益反較多，這正是公務人員求之而不易得的福祉。若能再進一步，將此項儲金比照軍人退役金和教師退休金稍爲提高利潤，那更是公務人員所馨香而祝禱的善政！

我們不妨再就「互助」與「儲蓄」兩種辦法的各種負担和收益情形，合併製作一表，以資比較，俾作更進一步的瞭解。

職等	互助金或儲蓄金負担數額				
	平均負担年數	金別	每月供納數	合計應供納互助金或儲金額	退休時領得互助金或儲金本息總額
委任以下	30	互助金	三七．〇〇元	一三，〇〇〇元	五二，〇〇〇．〇〇元
		互助金轉儲金	三七．〇〇元	一三，〇〇〇元	一〇〇，二四四．五〇元
		儲金	二〇．〇〇元	七，二〇〇元	五四，一八六．二〇元
荐任	25	互助金	五五．七〇元	一六，六五〇元	五二，〇〇〇．〇〇元
		互助金轉儲金	五五．七〇元	一六，六五〇元	五八，五五七．六〇元
		儲金	三五．〇〇元	一〇，五〇〇元	五三，七六一．七〇元
簡任以上	20	互助金	九二．五〇元	二二，〇〇〇元	五二，〇〇〇．〇〇元
		互助金轉儲金	九二．五〇元	二二，〇〇〇元	七八，六八七．一〇元
		儲金	五〇．〇〇元	一二，〇〇〇元	四二，五三三．六〇元

根據上表所歸納而顯示的意義，既可免除互助辦法中不合理和不公平的最大弊病，又正符合互助辦法的立法重心所在「退休人的退休金給予額愈高愈好，而互助人的負担則越低越合理想」的最高善意。

研討至此，我們可以作成總結論了。但這個總結論仍得分爲下列多方面來敘述：

（一）公務人員退休金相當於養老金，其金額最好以使退休人員能「養生送死」爲原則。如能將退休金改作養老金爲更好，或於退休金外能再籌施養老制度則尤佳。不論是退休金也好，養老金也好，均應全部分別由國省縣市庫負担撥付，纔是國家對公務人員的眷念酬庸之道。

（二）在此國難期間，提倡公務人員退休互助辦法，固屬不得已而然，就將此一辦法改爲公務人員儲蓄辦法，仍係權宜之計，姑藉此而出公務人員於退休後的困苦之境。那末，退休辦法改善，退休金提高，甚或養老制度兼施之後，儲蓄辦法仍可繼續推行；但不能以有儲蓄辦法，而不改善退休辦法，不提高退休金額，而更不籌施養老制度；蓋退休金和養老金與儲蓄金是絕然不同的事體，決不能混爲一談的。

（三）公務人員退休互助辦法僅適用於「各機關編制內之專任有給人員」，而公務人員儲蓄辦法則盡包括所有公職人員，是範圍廣大而普遍。倘再將儲蓄對象範圍擴大而及於軍警教育界人員，甚而至於公營事業人員，咸受其惠，則國家這一德政更能獲得國人普遍的歌頌。

（四）公務人員退休互助辦法，既不合理，又不公平；而公務人員儲蓄辦法則負担與收益適成正比，是權利與義務恰巧各各相等。

（五）公務人員儲蓄辦法較之公務人員退休互助辦法，負担較少而收益反較多，即供納較少而所得較多也。

（六）公務人員退休互助辦法規定：「對於公務人員個人每年負担退休人數，以佔公務人員總數百分之一爲限。……其互助金由公務人員自行負担。……如每年度退休退職人數超過公務人員總數百分之一時，其超過部分則由政府撥給經費補助。又補助費分担方式，擬按中央、地方機關參加互助人數比率（約爲中央十九%，地方八一%）分別列入年度預算。」按照退休退職人數爲百分之一・五時，每年政府負担金額爲五七、七八一、〇〇〇元（中央一〇、九七八、〇〇〇元，地方四六、八〇三、〇〇〇元）；百分之二時，負担金額爲一一五、五六二、〇〇〇元（中央二一、九五六、〇〇〇元，地方九三、六〇五、〇〇〇元）；百分之三時，負担金額爲二三一、一二四、〇〇〇元（中央四三、九一三、〇〇〇元，地方一八七、二一〇、〇〇〇元）。將來大陸各省次第收復，公務人員以次遞增，則政府負担金額亦即隨之逐漸增加，爲數必將驚人！如改採公務人員儲蓄辦法，則政府無絲毫財政上之負担，將每年所節省的大量金錢移作別種有關國計民生事業的經費，其有助於國家和地方建設者將是何等的重大！

（七）又因全國公務人員之儲蓄、國庫、省庫，以至縣市庫，將必日見充裕，更使國家地方經濟、財政、金融，日形活潑，進而運用得宜，自可福國利民，誠可謂儲財於國，藏富於民。豈非公私兩利，相得益彰？

（八）公務人員退休互助金，必須服務至退休年齡，依限退休或提前退休，纔得清領；否則，任何理由退職，都不能享有這一權利。若照公務人員儲蓄辦法則不然，在任何情形之下退職，均得隨時聲請取回所儲本息，不受限制。此乃互助辦法之所無，而爲儲蓄辦法的特色，亦即儲蓄辦法之有長期實惠於公務人員者，正在於此。

總而言之，退休退職人員的福利，莫大而且莫善於「養老制度」。「養老制度」可與儲蓄和退休辦法並行而不悖，或將退休辦法併入於「養老制度」之內，亦無不可。値茲非常時期，籌施「養老制度」，固非易事，自有待於從長計議，以求逐步達到使命，完成此一善政。至於公務人員儲蓄辦法之遠勝於公務人員退休互助辦法，是無可致疑的了。筆者這種芻蕘之見，深盼當局考慮及之，實所企幸！

少數大戶枉法詐財

證券市場不正常的現象是怎樣產生的？據立委金紹賢質詢行政院說：在五十三年度中，台灣證券市場有三種現象：一爲大戶操縱，造成股市小回大漲；二爲發行公司對其股份滲水出售；三爲經紀人不守法做生意，低勢欺墊股，又自行買賣，而與大戶及少數發行公司勾結虛招，爲衆所週知之事。

在此情形下，一般人不明就裏，僅以利之所在，遂趨之若鶩，迨各操縱者乘高價脫手後，股價即急瀉，無組織的善良人民受其害者，不知若干，當時未見政府頒佈緊急命令，羣謀挽救之道。曾幾何時，行政院忽於四大證券商週轉不靈之際，毅然挺身而出，宣布停止交割，即停止證券商之支付，豈非有失公道？

怪力亂神與法律叢談

法律借助神力

・陸嘯釗・

盟誓所以能夠獲得人民的信服，全賴一種宗教制裁的力量，換句話說，也就是基於對鬼神公正的信心。

中國道教的神道，並不完全是陰陽殊途的，有時候神就是人，有時候人就是神，傳說中的包龍圖就是一個例子。日審陽，夜審陰，說起來似乎非常玄妙，其實跟神判法的心理基礎完全一樣，無非是利用人民對鬼神的敬畏心理，以求眞實的發現罷了。

我們看過「狸猫換太子」這齣戲劇，包公扮着閻王夜審郭槐，終究取得犯人的自白。這種手法雖然不爲今天的法律精神所容，可是比起動輒打屁股政策來，畢竟還是要高明得多啊！

盟誓也好，裝神扮鬼也好，這些辦案方式所以能在中國生根，原因是中國的神道觀念，關於善惡的報應，並不一定是在來世，冥罰陰譴也並不限於人死以後，欺瞞鬼神，報應可能就在眼前。這一種潛在的鬼神意識，很有助於民間神判思想的成長，也使官吏得以利用解決疑案。因此各級政府不僅對此種迷信不加禁止，有時甚至更有意地助長迷信的傳播，以期達到統治的目的。這種用心在明代規定的府州縣官祭厲的祭文中表現得極其清楚：

凡我一府境內人民，如有忤逆不孝不敬六親者；有姦盜詐僞，不畏公法者；有曲作直，欺壓良善者；有躲避差徭，靠損貧富者；似此頑惡姦邪不良之徒，神必報於城隍，發露其事，使遭官府，輕者笞杖決斷，不得號爲良民，重者徒流絞斬，不得生還鄉里。若事未發露，必遭陰譴，使舉家并染瘟疫，六畜田蠶不利。如有孝順父母，和睦親族，畏懼官府，遵守禮法，不作非爲，良善正直之人，神必達之城隍，陰加護祐，使其家道安和，農事順序，父母妻子保守鄉里。我等闔府官吏，如有上欺朝廷，下枉良善，貪財作弊，蠹政害民者，靈必無私，一體昭報。

在這篇祭文中，充分表示出宗教制裁力量和世俗的道德法律相結合，道德和法律必須依賴求助於鬼神，才能有效地治理社會。由此足見古代中國道德和法律本身力量的薄弱。

我們知道祭文中所列舉的罪行，也並不是違反了神的律法（中國的鬼神似乎沒有像基督教摩西十誡那樣的一套律法）。因此這些罪行，可以說都是世俗的，道德的，法律的，而不是宗教的。同樣所側重的制裁，也是法律的制裁，而不是宗教的制裁。官府所期望的祇是眞實的發現，罪狀的揭發，未露部份仍由法律機構來執行，祇是在罪狀未露的時候，才請求鬼神予以陰譴冥誅罷了。因此，可以說法律的制裁祇是違反神意的報應，這種說法與西洋的神意報應說是不謀而合的。

罪狀已發，法律制裁；罪狀未露，宗教制裁；這樣嚴密的報應觀念，足以抑止一部份善民的爲非作歹，在犯罪的預防上，確有它存在的價值。因爲邪惡的行爲縱然可以逃過人間的耳目，鬼神無私，且能洞察一切，人們當然不敢欺蒙正直的神明。這樣，法律、道德、加上鬼神，自然交識成一嚴密的法網，天下也就自以爲無寬民了。

—之六—

林肯的啟示

段造時

西洋歷史上值得崇敬的先賢先哲很多，唯筆者對美國開國元勳華盛頓將軍，及美國第十六任總統亞伯拉罕．林肯先生更爲欽佩。而於平民出身的林肯總統，更有着深厚的情感。此非但爲其事功驚人，其學問以及其偉大的推己及人的博愛精神，更令人肅然起敬。

一代人哲的黑奴解放者，林肯先生——其傳記之夥，可說是汗牛充棟。其人之生活，反映在他的性格，興趣，主義，和偉大的成就上，皆可爲片斷研究。在詩篇、戲劇、及許多的電影中，也都曾以他的事功爲素材。美國共和黨之壯大和黨人直至今日，仍把他當做最偉大的榜樣。

美國之立國精神，可由林肯之精神而表揚。美利堅合衆國因華盛頓將軍之領導而獲締造，而美國之壯大，以至有今日之富強甲天下，實因林肯總統之鍥而不捨的精神有以致之。若沒有林肯之艱辛奮鬥，美利堅合衆國能否生存到今日，實爲未知之數：或許在一千九百六十年以前，早已分崩離析而瓦解了；或許在當時已四分五裂成了各自爲政、各自獨立、步武歐洲小國林立的後塵了。

但由於亞伯拉罕．林肯的偉大魄力和無私的精神，終於挽救美國於危亡。當時南北對峙的美國，因其努力而統一。

所以，可以這樣說：華盛頓是美國的國父，而林肯則是嬰兒時代的美國之褓姆。

遠溯一八六一年的三月四日，林肯就任美國總統，在他的就職演說中，就曾開宗明義的說：「我支持憲法，合衆國是永久的。」足證其統一合衆國之決心。而其解放黑奴的理由是：「不能容許一半自由與一半奴役的存在」。在廿世紀六十年代的今天，這「不能容許一半自由，一半奴役」的偉大實識，已成爲我們人類反抗共產主義的有力標榜。

林肯出身於貧困之家，在自力苦讀中成名。早年他農耕爲食，但他在荷鋤操作之時，仍念念不停的背誦詩篇。甚至他家裏窮得連買紙筆的錢都沒有，他還步行到遠地的藏書家處，借閱他喜愛的書籍。林肯爲了增廣見聞，更曾徒步數十里外去聽一個當時名人的演說。由於他的自力苦學——終於成爲當地的法律事務專家。此不世出的政治家，由一個小鎮的巡廻上訴法庭的律師，而議員，而總統，而建功立業，流芳百世，名垂千古。

有很多事情，在表面上看起來，命運之神似乎是很不公平的，一代仁哲偉大如林肯者，上帝竟會賜給他一付奇醜的臉龐。但出此處更可知道，偉人之偉大處，乃在於其精神之偉大。

（上）

籬邊的榴花

趙碧君

自從譚正中當選了第三屆省議員，小鎮上就起了一陣騷動，像一顆石子投入湖心，平靜的水面漾出層層漣漪。不消說譚府上終日賀客盈門，鞭炮聲不絕於耳；其中頂頂忙壞了的是幾位太太們：那些家裏有「男大當婚」的少爺和「女大當嫁」的小姐的，忙着託人做媒；那些無兒無女或是兒女年紀並不[illegible]的，就熱心地忙着爲別人[illegible]兒女做媒。維仁里譚府大門門檻也差點兒被這班人走得稀乎腦兒爛。別的還不打緊，這下子可樂壞了譚家的老車夫關武，笑壞了小下女阿秀，累壞了這一雙嬌女佳兒的母親譚太太。

三教九流的賀客和做媒的太太們進進出出，出出進進，譚府的大門開了又關，關了又開，把個老車夫關武忙得搖頭擺尾，就差渾身沒散了班兒。可是爲了這是他家老爺當選省議員的大日子和少爺小姐的喜事，忠心爲主的關武直樂得屁是屁汗是汗，抽着空擋兒還忙裏偷閒地哼上兩句走了腔的京戲。

阿秀年紀輕輕的最是口沒遮攔，心裏有什麼就說什麼。每當做媒的什麼太太出了大門，她就飛也似地找關武和新請來幫傭的馮大娘去說長道短：

「馮大娘，我敢跟你打賭，咱們少爺要是願意娶劉家的那位風乾美人，我就把眼珠子挖給你踢球。」

馮大娘笑了起來：「阿秀，你的眼睛大是大，只怕給我當球踢可還嫌太小。劉小姐人像燈草似的，大少爺自然不要。我看大寮鄉朱家的大小姐，也許合意……」

「大寮鄉的朱小姐？在這個小點刺兒地方，自然數她是塊頭牌啦，」阿秀嘴一撇，頭一擺，滿臉不屑的樣子，「可是早兩年在台北時，中和鄉的黃二小姐長得多俊哪：聽說還是什麼女中的校花哩！朱小姐給她拾鞋都不配。咱們少爺連黃二小姐都瞧不上眼，她？哼，做夢！」

「我早就說嘛，這些太太簡直是白忙，白操心。」關武搖搖頭，「這也難怪，老爺當選了省議員，再說小姐少爺的這一表人才，她們那會不一盆火似的？不過，話又說回來啦，大都市的土也比這小鎮裏的泥帶點香氣兒，咱們小姐少爺是見過世面的人，怎會瞧得上這些『草地郎』？她們忙死了也是白搭。一盆冷水澆頭，這叫乘興而來敗興而返。」

「我看也不見得，」馮大娘不以爲然，「早上來的那位洪太太給小姐提親，男家是鍾鎮長的少爺，我們老爺的樣子像是很中意。」

「你這就是新來乍到，不明白底細，」阿秀插口說：「這門親事穩不成功。第一，老爺中意，壓根兒就沒個屁用。老爺一切得聽太太的。太太不中意，他便做不了主。太太早說過鍾家那小子長得賊頭鬼腦，她一瞅見就生氣。你想老爺就是中意又能怎樣？第二，咱們小姐，去年就考進了省立大學，那姓鍾的在這鬼地方的中學畢業兩年了還沒跨進大學門呢！」

「那麼警察分局唐局長的少爺呢？人家是在大學裏讀電機的。」

「嘖！嘖！那天胡老太太帶來的相片，我也偷着瞅了一眼，不可得了！模樣兒長得跟菜市場門口賣豆漿油條的胖子老張一模一樣，大嘴、塌鼻子、麻子臉、外帶一對招風耳！要是咱們小姐嫁給他，簡直是一朵鮮花插在牛糞上。」

馮大娘還是不以爲然：「照你這麼說，全鎮上就沒有人能配得上這門親事？」

「說實話，咱們小姐少爺都不願意這麼着急，頂早也要等大學畢業再談……」關武的話還沒說完，便被叫門的電鈴聲打斷，原來是市場後街的郭太太駕到。那郭太太是有名的「大炮」，爲了她的表姪女兒已經來過三次，這一趟是第四次「攻勢」了。

（一）

評介「烽火中的雷鳴遠」

著者：趙雅博

洪流

世界上的每一個人都有權利去愛他自己的國家——但共產極權世界除外。如果他選擇了另外一個國家爲他所愛的對象時，起碼在中國那是一件「大逆不道」的事，嚴重的時候還會引起刑法上的犯罪制裁。

現代中國人則已經有了這種心理準備，大至於毛澤東的愛俄國以及喊史達林爲爺爺等等，小至於留美學生的積極爭取永久居留權。毛澤東的愛俄國是喪心病狂，是賣國的犯罪行爲；留學生的爭取永久居留權，則引起了多少人的羨艷。某位國會議員曾說：「我是美國人的爺爺。」——原來這位國會議員的令郎在美結婚生子，依據美國法律當然爲美籍公民。這位議員先生的話，不知是有感而發，或是矜伐自喜的作了美國人的爺爺，但最少在這句話裏，我們多少都能聽到一些凄涼的況味。也使我們覺到五千年歷史文化的華夏民族是老朽了，老朽得可以作人爺爺！

我們現時的青年，如此拚命的去想做美國人的爸爸，但在抗戰前，倒有人以其極喜悅的心情，來作中國人，那就是天主教司鐸——雷鳴遠神父！

雷鳴遠神父的大名，在年紀稍大的一輩裏，或是北方生長的年輕第二代，都是耳熟能詳的。他有句格言，就是：「不要看我的眼睛，不要看我的鼻子，要認透我的赤心，我是不折不扣的——中國人！」因爲他原是比利時人，他生時除掉愛主之外，就是要作中國人！

所以他選擇了中國爲他工作的對象。

雷神父的傳記在歐西各國，有着幾種不同文字的版本，中文的則只有趙雅博教授著的雷鳴遠神父傳。雷鳴遠神父傳是寫他的一生大功大德，使人讀後頗有景行仰止的感覺。而現在新出的烽火中的雷鳴遠，則是專門描繪雷鳴遠神父在抗戰期間爲國宣揚的史實。

一個入籍的外國人，我們在先天的心理上只希望他不破壞我們現有組織就夠了，何敢奢望他愛國猶如我們一樣。可是雷鳴遠神父不然，他不但愛國，而且還要加倍的愛國，並且還要「死了還要抗戰」，「死了還要爲中國服務」。不錯，他不但死在抗戰的時期裏，他也死在抗戰上。關於這一點在本書的附錄，方豪教授的大文中附錄的國府褒揚令中可以得到證明。

雷鳴遠的一生，都是在爲中國服務，早年的「老西開事件」，「國籍主教運動」，以及晚年的爲抗戰軍士成立的「救護隊」，「戰地督導團」等等。老西開事件是以一個外國傳教士的身份，來爲中國爭取主權。國籍主教運動在非公教人士的心目中，雖則不起多大的作用，但他也是爲了中國人的主權而在奮鬥。至於晚年的抗戰生活，則更是多采多姿了！七七抗戰不但在我國歷史將佔有絕大的篇幅，就是雷神父的一生裏，也是一頁多采多姿的瑰麗七彩寫眞。

由新關血戰直到中條山，他疲倦，他挨餓，但他並沒倒下去，他在激厲士氣的言辭裏，有着這樣幾句話，他說：「旅長領你們打日本人，我則負責你們的休息，戰死的我負責保送到天堂去大休息，受傷的我負責送到後方醫院小休息。」他這類格言式的話語，多得不可勝數，由此地我們也可以看出他是多麼的坦誠與熱情。

這本「烽火中的雷鳴遠」，是本傳記，但趙教授用了文藝的筆法，使得他書中的人物都躍然紙上。中國的傳記差不多都刻板得像模子裏倒出的一般，這本則不然，他付給書中人物以活力，使他們生龍活虎般的勇敢奮鬥，或是無助的哀禱！這是一個新的嘗試的成功，希望作者能多給我們幾本這種類型的傳記。

本書也是編輯上的一大成功，內容溶合了三種材料，但我們絲毫看不出「剪輯」的痕跡，固然是作者的文學修養高深，以及作者的技巧高深。最後我願借用附錄中段宏俊先生的一句話來結束本文，就是：

「本集是：近世的傳記文學上的輝煌鉅著，天主教傳教歷程中的珍貴史篇。」

在這期間，她與金桂芬，曾經作過多次的激烈鬥爭，結果，金桂芬完全失敗，她就做了逸齊兄的第三小星。在我回到上海一兩個月短的時期，再度看到她，她已是兩個孩子的母親了。但看她的姿容，依然像一個少女郎。她與逸齊兄，本是好合無間的，但自到上海後，因與二姨太同居，便不時的與逸齊兄發生磨擦，終於宣告仳離。

數年之後某月日，上海各大報上，同時刊出一條凸出的北平新聞，大意云：十餘年前，紅遍大江南北之坤伶金友琴，現爲某師炮兵團團長徐×第二夫人。近因酸素作用，斬斷侍婢手指，昨已鋃鐺入獄矣。

不料在兩年後的一天，逸齊兄跑來向我說：「老弟，你可知道，金友琴又到上海來了。」「怎麼，友琴來了？你怎知道的呢？」「她還住在我那裏，要我請你介紹她搭班子呢。」「您跟二嫂？」「看她實在可憐。原來她已爲徐某所棄，成了無家可歸的人了。我看在孩子份上，特地撥出一間屋子來供她食宿。」又說：「在可能的範圍內，請老弟給她介紹一個唱戲的地方，讓她去自謀生活吧。」我說：「究竟過了許多年，唱做一切有沒有變化呢？」他說：「大體上還跟從前一樣，嗓子差一點，軟六子還能應付。」我說：「那就等我和黃老板等談談看吧。」

金友琴往事憶述（下）

金戈

×舞台的黃老闆全生，是和我有相當友誼的，而金友琴的劇藝他也知道，因之經我一說，他就允給五百元包銀，讓她先唱一個時期，如果有叫座力，再行酌量增加。當時我感到了相當的興奮，特地到逸齊兄那裏去向她說知。「喲！五百元！那怎麼行呀？」金友琴說：「我給隨手、跟包、梳頭的工錢，就得這個數目，我不是白唱了嗎？勞你的駕，再給我們提提要求吧。」我說：「要能給一千元，我就給他唱一個時期——」「那麼我跟黃金生的交情，大概要他加個百兒八十的，還有可能，但教人家增加一倍，這個話就難說了。」劉四爺的話，一點兒沒錯，我看你還是將就些吧。」逸齊兄說：「少了，不夠開銷，還不是唱如不唱嗎？」我說：「那就等我再跟黃金生商議一下，你瞧信吧。」

爲了要逸齊兄減少麻煩，我特與全生再度商洽，全生這人也眞夠交情，除了包銀增加五百元外，並答應在他家裏，騰出一間房子來給她，跟包們生活亦然。這應該是再好沒有啦，然而金老闆還不滿意，我也祇得聽之了。也許，金老闆有悔於心，羞見我的面吧？她竟於某一日，偷偷的帶着逸齊兄要了幾個錢，不聲不響的回北方去了，亦就從此，音訊杳然，失去了金友琴的下落。

吳稚老二三事

匡正

黨國元老吳敬恆，號稚暉，德望崇隆。故人皆稱稚老敬稱之。稚老不僅博學多才，而且詼諧健談，其生平詩文行誼，頗多諧趣，往往而令人絕倒。茲誌其二三，爲讀者開顏一助耳。

民國十五年夏，稚老赴穗，時政軸要員、社會名流等，咸集於天字碼頭迎迓，江岸撐起巨幅「歡迎吳稚暉先生」標幟。侍船靠碼頭，爭湧入船迎接，殊知四處遍覓尋，竟無蹤影。維時稚老正蜷伏在統艙中與一廣東小商聊天，忽聽艙外人聲喧嘩，乃問商人「外面何事？」商人道：「憑說歡迎什麼吳暉」稚老於是走了出來，霎時被歡迎人羣發現了，猶如衆星拱月，將稚老擁出船去。而與之聊天的小商人則爲之瞠目結舌焉。

民十五年，値「聯俄容共」時期也，一日稚老被邀公開演講，共產黨徒亦多在場。稚老素以嘻嘻哈哈之情調聞，乃在此發表一篇最精采的演講，其大意云：「國民黨實在太老了！也太陳腐了！共產黨的確又新鮮又漂亮。不過國民黨好像一頂破氈帽，摘下來落在地上，被人家踏上幾腳，「拾起來抖一抖灰，戴在頭上，仍然還是一頂氈帽。共產黨呢？固然是新鮮，也正如廣東人所說的「電燈胆」，可是一不小心，掉在地上，嘩喇一聲就粉碎了！」此語始畢，博得滿堂熱烈掌聲。

章士釗辦甲寅雜誌時，稚老時在國語週刊發表文章痛斥之，且擬一訃文，宣佈其死亡：「不友吳敬恆等，罪孽深重，不自殞滅，禍延敵友學士大夫府君。府君生於前甲寅，無疾而終，不友等親視含殮，遵古心喪，旣（非苫）塊昏迷，不便多說。哀此訃聞」。可謂妙而又謔也。

昔林主席（森）逝世時，各位元老們有意推崇稚老任國府主席，事先試探稚老之意向，他搖頭道：「這千萬使不得！我有一怪癖，每天必到野外拉屎，各位想一想，那還像個元首嗎？」稚老淡泊於名利於此可見。

民三十三年四月一日，稚老八十生辰，時政府設陪都重慶。稚老在報上刊出一啓事一則云：「敬恆如原壤之老而不死，害人不淺。誤傳所謂生辰，驚動所尊禮之同志，所敬愛之親友，皆加寵眷，函電並馳。甚或賜以賀帖，贈以珍食，惶惑無地。本當一一叩謝，但不說明實有生辰其事，故敬於斗室遙拜，叩頭無算而已。」可謂幽默妙極矣。

稚老昔留學法國，一次在巴黎銀行取款回家，中途遇匪，迫交欵項。稚老從容對匪徒說：「這欵係主人叫我送給朋友的，你若拿了去，我回去恐口說無憑，主人不相信，怎麼辦？好！請你在我的衣角上多留幾個彈痕，我就憑這向主人交代，好不好？」匪徒以其土頭土腦，信以爲眞，於是連發數彈，衣上彈痕纍纍。吳再把帽子拿下來，請匪徒在帽沿上發上幾彈，但匪始發一彈，子彈已盡，立現驚惶之狀。稚老知其子彈打完，乃回頭揚長而去，匪徒亦急急逃走了。

三國史微言

燕謀

右畧引評於「宋書」卷六十四。據其卒年推之，當生於晉簡文帝咸安二年（三七二），計晉亡之歲，松之年四十九。是其跨代歷仕，殆與陳承祚同。惟壽隨入朝，有類俘獲；松之則久託劉氏，乘時流轉，爲稍異耳。觀松之之請禁立私碑，「防遏無徵」，識卓也。裴書得其補綴，誠爲[illegible]爽。裴以史學世傳其家，宜哉！

按裴氏所引羣籍，多至一百四十餘種之富，其與史無關者，尚不在其數。實可謂空前之注疏者。茲將注引書名詳列於後，俾有志者便覽焉：

司馬彪續漢書（字紹統，晉秘書監）。謝承後漢書（字偉平，吳武陵太守）。華嶠漢書（字叔駿，晉少府）。張璠漢紀。袁宏漢紀（字彥伯，晉東陽太守。隋志作後漢紀）。王沈魏書（字處道，魏秘書監）。魚豢魏畧（魏郎中）。韋曜吳書（字宏嗣，吳侍中）。胡冲吳歷（晉，尚書郎）。張勃吳錄。環氏吳紀（名紀，晉太學博士）。陰澹魏紀（官左將軍）。袁暐獻帝春秋（字思光）。孔衍漢晉春秋（字舒元，晉廣陵太守）。孫盛魏氏春秋及晉陽秋（字安國，晉秘書監）。習鑿齒漢晉春秋（字彥威，晉滎陽太守）。王隱晉書（字處叔，晉著作郎）。虞預晉書（字叔甯，晉散騎常侍）。干寶晉紀（字令升，晉散騎常侍。一作晉書）。劉艾靈帝紀及獻帝紀（漢侍中）。樂資山陽公載記（晉著作郎）。獻帝起居注（不詳撰人）。魏武故事（不詳撰人）。司馬彪九州春秋（紀漢末事）。王粲英雄記（晉志稱漢末英雄記）。曹瞞傳（吳人作，不詳姓氏）。郭頒世語（頒，亦作班，晉襄陽令。隋志稱魏晉世語）。虞溥江表傳（字允源，晉鄱陽內史）。魚豢典畧。魏末傳（不詳撰人）。獻帝傳（不詳撰人）。譙周蜀本紀（字允南，詳譙周傳）。王隱蜀記。傅暢晉諸公贊（字世道，晉秘書丞）。泰始起居注（李軌撰）。陸機晉惠帝起居注（字士衡，晉平原內史）。孫盛魏世譜、蜀世譜。三朝錄（不詳撰人）。晉百官名（裴注云不知誰所撰也，皆有題目，一作百名志）。晉百官表（疑與上百官名同一書）。晉中經簿（荀勗撰，字公會，晉中書監）。三輔決錄（趙岐撰，晉摯虞注）。先賢行狀（不詳撰人，唐書藝文志有李氏海內先賢行狀三卷）。魏名臣奏（不詳撰人）。漢末名士傳（不詳撰人）。張儼默記（吳大鴻臚）。魏文帝典論。蔣濟萬機論（字子通，魏太尉）。傅子（晉司隸校尉傅休奕撰）。袁子（晉給事中，袁準撰，號正論）。司馬彪戰畧。葛洪抱朴子（字稚川）。虞喜志林（字仲甯，晉博士）。干寶搜神記。荀勗文章敘錄。摯虞文章志（一名文章流別志）。殷基通語（吳零陵太守）。應劭風俗通（字仲遠）。張華博物志（字茂先）。決疑要注。杜氏新書（不詳撰人）。顧愷之啓蒙注。（八）

七仙女

——「影劇與歷史」之七

周遊

忽然在離他不遠的一堆巨石上，出現了一位黃花閨女，好似仙子降臨人間一般的美貌，穿一身的粉紅衣裳，飄飄然如雲彩一般。成柱意欲上前請教，不料那位仙女反而先問他：「你看到我的金簪嗎？」聲音清脆悅耳。成柱聽了，連忙從懷中取出金簪，還給她。仙女笑着接過金簪，道了一聲謝謝，將身兒一搖，飄飄然而去。成柱很想再見到那位美麗的動物。

有一天的晚上，成柱又在鹿山割草完畢，坐下來吃乾糧。他伸手往袋中一摸，空空如也，他的乾糧沒有了。心想這可能是野獸吃了，他只好挨着餓回去。自從那晚遺失乾糧之後，接連有好幾晚都一樣，不見了乾糧。他心中又氣又驚，他決心要找個水落石出，究竟被什麼東西偷吃了。次日晚，他把乾糧仍然放在石頭上，他不割草了，自己躲在一旁。當晚月色皎潔，視綫清晰，一會，只見鹿山頂上，有團光亮東西滾滾而出，出現了一隻八角鹿，毛皮光澤可愛。八角鹿好像很熟悉似的，又照樣吃成柱的乾糧了。成柱急了，即忙跳了出來，一把將八角鹿抱住，厲聲說道：「原來是你每天偷吃了我的乾糧呀！」八角鹿開口說話了：「小哥！別急，我吃了你的乾糧不會白吃，我要替你找個好的媳婦。」成柱聽了放手說道：「不要白費你的心機，我連自身難顧，怎能養媳」？八角鹿又道：「這個媳婦能幹非常，你不用爲她的生活發愁。」接着八角鹿對成柱說道：「後天晚上，月亮出來的時候，九天仙女要到仙女泉洗澡，你看上了那一個如意的，拿了她衣服就跑。」成柱聽了八角鹿的話，心想仙女要來洗澡，就想起那失金簪的閨女，或許她就是九天仙女，決定要看一看。到第三天晚上，成柱躲在「仙女泉」，靜靜地等待

月亮出來了，泉水與月光相映出皎美的月景，忽然紅光四射，一個美麗的閨女站在泉邊，一身大紅鮮裳奪目。接着又一道紅光，又出現一個閨女，和第一個同樣美艷。一連出現了八個閨女，都是美艷動人。成柱心想，那天那位閨女，爲什麼沒有來？正焦急間，從天飄下一團粉紅的彩雲，仔細一看，正是他心中想着要看的閨女，仍是她那天的打扮。九位仙女一齊到「仙女泉」洗澡。成柱滿心歡喜，跳了起來，抱了那一堆粉紅色的衣裳，轉身就跑！跑不一會，聽得後面有人叫喊，聲音嬌嫡，回頭反顧，正是他心愛的閨女眞的趕來了。成柱站住了。「成柱，你爲什麼跑呢？我又不是不知道你，我知道你是最勤儉老實的青年，我願意和你過日子，你樂意嗎？」成柱喜出望外，求之不得，做夢也沒有想到的事，今晚竟成爲事實。她不但不嫌成柱貧窮，而且一天到晚織布，織出許多美妙的花朵，有的如雲彩一般，輕軟異常。因此二人過得很好的日子。

（七）東北的「七仙女」故事，男主角是董永，女主角是七位仙女。中間插入的是白兎報恩故事，也十分動人。

孝子董永，以每日打柴侍俸老母，母子二人相依爲命，一天，老母身染重病，想吃肉餡餃子，董永無錢買肉，苦悶無計可施。（八）

記胡葉之緣

·朱滌秋·

當她和他眼光接觸，就像閃光射入心腔，有點亂跳。好像在那裏見過，卻想不起來。正在有些窘態，王副官進來，很恭敬對那位客人說：「軍長，先生請你上樓去。」他去之後，她眞想跑掉，但老師不久下來了，很高興對她說，這位是胡軍長，他的學問好得很，多多的向他請教。指她向胡介紹：這位葉小姐，在上海大學畢業，讀政治經濟系，很有造就。胡郎點點頭，微微一笑。

雨師因爲南京有電報來，要他當天趕去處理要緊的公事，二十分鐘後出發，胡軍長說要去車站，問她要不要一道去。她心裏很想去，但情難抑，口裏卻說是。車站裏人潮洶湧，好像還有隊部上車，胡軍長沒有和她同車，可能還要送別人。老師秘書何小姐揮手送別，當看着何小姐的手帕揮動，遠遠的消逝，她就緩緩向車站出口方向走；聽得後面有人說：「葉小姐，我送你回去吧！」回頭一看，這位將軍又……「不必了，謝謝您，我自己回去。」他好像沒有聽見，跟着她到了車站門口，停着一輛黑色轎車，當她走到離車子還有幾步，他卻一個箭步，跑到車旁，把門打開。她仍然是推辭，他不理會，笑嘻嘻用他那空着的左手，很自然的把她挽上了車。（五）

內政部登記證內版台報字第〇三一三號

自由報
THE FREE NEWS
第五六六期

中華民國僑務委員會登記證 台教新字第三一三號登記證 中華郵政台字第一二八二號執照 登記為第一類新聞紙類 （半週刊每星期三、六出版）
每份港幣壹角 台灣零售價新台幣貳元
社長：雷嘯岑
督印人：黃行簡
社址：香港銅鑼灣高士威道二十號四樓 20, CAUSEWAY RD 3RD FL. HONG KONG TEL. 771726 電報掛號：7191
承印者：大同印務公司 地址：香港北角和富道九六號
台灣分社 台北市西寧南路壹壹零號二樓 電話：三〇三四六 台郵撥儲金戶九二五二

中國社會變遷與天主教發展

段宏俊

天主教傳入中國，最早是在元朝，教友大約有三萬多人（見德禮賢：中國天主教傳教史」。）元末教皇還派過一個專使 Manignolli 來華。明清之際，利瑪竇、湯若望、南懷仁這些教士，多是以天文、曆學、算術獲得帝王的信任，而發展其傳教事業的。當時他們都能尊重中國習俗禮式，因此很能從潛移默化中影響了中國社會。後來由於多敏諾會方濟各會排斥耶穌會的做法，教皇始下禁令，不准用中國禮式；當時的中國政府也就以牙還牙禁止了傳教，而天主教遂因此由興盛而式微了。

這種情形一直到道光二十二年，南京條約成立，開五口通商，方始改變。教士遂接踵由五口進入內地，一時東南數省都有十字架的標記。等到中日戰爭以後，西化是尚，天主教挾西洋之技藝，對中國社會之改變，雖不無影響，然而宗教的基本精神，並未為中國人接受。

我們知道，中國傳統的儒家哲學，很容易使中國的學者變成一個不可知論者，對神的存在根本就抱着不可知的心情。孔夫子「敬鬼神而遠之」的心理正足以說明這點，所以就產生了「子不語怪力亂神」的看法。因為，他們是相信人類的智慧僅限於人類的經驗。清末為施行新政，雖廢除了科學制度，使儒家思想因此一時失去依附，但社會上所更替的洋務運動，天主教所挾的西洋技藝雖不無借重之意，可是神的觀念，却不是正統的儒學者所能接受的。而傳統的這種不可知論的心理基礎，更使懷疑論者和唯物論者發現中國是塊肥沃的繁殖溫床。

民國成立以後，社會劇烈發生變化，舊的體制都根本去除了。以往由政府維持的宗教儀式也不復存在了。而在新教育制度下，四書五經都成了老古董，孔夫子的名字和保守主義一概也一一的被一些新派人所摒棄了。這時社會所受吸引的是西方的自由、民主、科學以及社會主義的思想。儒家的一套固然乏人問津，天主教的宗教精神，依然仍未為人們所認清。

相反地，以後的演變，由於受了蘇俄及共產唯物思想的影響，有組織的反宗教運動從一九二二年開始了。一九二二～一九二六年及一九二七年間，心腸別具的共產黨徒把反宗教運動如火如荼的展開，到處鼓動民眾反對宗教，天主教更是主要目標，因為唯物思想根本與一切有鬼神的觀念，都是不相容的。而共產黨徒為了達到政治上的目的，更把天主教與資本主義相提並論，聲勢所及，為有不遺怏的道理。

可是，由於天主教在教育、文化、慈善事業方面的成就，和努力適應中國的習尚，反宗教的迫害，不僅沒有收到預期效果，反而激起社會一般人的諒解和同情，天主教的教義也逐漸為人了解。

當時一些有識之士，眼看舊的生活體系，已日趨崩潰，為謀求中國自混亂中走上一條光明之道，和建立當時社會所亟需的基本國民道德，因此也多方探求，希望從基督精神中找到他們所需要的救國之道。而一度被擯棄了的儒家思想也重新再被考慮，政府不僅恢復了祭孔，並且把儒家精神和基督精神結合起來，作為排斥唯物思想的工具。從此天主教總算在中國社會裏生了根。

天主教很懂得要想在民族主義思想濃厚的中國社會發展，光挾西洋的技藝是不夠的，第一必須重視中國固有的文化傳統，第二必須重視中國人的愛國情緒。關於第一點，天主教所做的是把天主教的教義和儒家思想滲合在一起，儘量尊重中國社會的習俗；關於第二點，天主教做得更具體了，一九二五年上海「五卅」慘案以後，天主教不僅反對外國在華的治外法權和中國關稅由外人管理，更放棄了過去不平等條約中有關天主教的保障。進一步更是有計劃的使中國人士担任中國教會的領導職位，幾所教會大學也委了中國人出任校長。一九二六年，天主教教宗並且在羅馬祝聖了六位中國主教，這是自十七世紀以來第一次委任中國人担任主教。以後在一九二六至一九三〇年，又有五位中國人陞為主教。到一九四〇年，至少有十九個教區，劃歸中國人管理。更有很多在華的外國教士，紛紛加入了中國籍，視中國為自己的祖國，甚至為中國獻出了自己的生命，雷鳴遠神父就是其中最顯著的一個。

民國二十年九一八事變發生，日本侵華，使天主教在中國，又興起了一個轉捩點。民國二十六年七月七日蘆溝橋的槍聲一起，中國的抗日聖戰正式揭幕了，大部份的中國腹地，一塊一塊淪入日軍手中，很多傳教士被迫離華，一九四一年留在淪陷區的英美籍教士，不少被日軍囚禁起來，而數以千計的教士，更追隨政府，轉到後方，使天主教傳教士的命運跟中國的命運深深結合在一起。

在這一段抗日戰爭時期，天主教教士為維護人權和正義，甚至付出自己的生命，這一種殉道精神，深深獲得一般人士的敬仰，也加深了人們對天主教的認識。因此在這一段期間，中國比任何一段時期，都適於天主教義的傳播。社會上對天主教也纔認真有了一個正確的認識。

抗戰勝利，基於戰爭的殘酷教訓，人類指望宗教來補償的強烈的空虛感覺，以及恐懼核子武器帶給人類災害的厭戰心理，使人們愈來愈感到孤單、寂寞、和心靈的空虛。很多人認為皈依宗教才是對苦難的解脫。這一種心情，使人們對天主教的教義更易接受，中國社會對天主教也起了向所未有的重視。天主教的傳教也由此進入了一個新階段。（下轉第二版）

有苦自己知

乘機搗亂

今日與明日

越共的階梯戰術

就當美國國務卿聲明暫時不炸河內、海防時，北越政權却宣佈派出志願軍赴南越作戰。其實南越的共黨游擊隊，大部份是北越派去的，南北越共黨部隊，在過去原是一體，又何待於此時派志願軍？越共此種做作，約略言之，其陰謀共有三點。

第一，試驗美國的決心。本來美國駐越南大使泰勒將軍原是主戰時，此次突然辭職，一般估計可能與美國政府不願擴大越戰有關。越共可能以為美國政策會軟下來，先以志願軍之舉作為投石問路之舉，如若美國不予理會，則可更逐步擴大戰爭範圍。

第二，加強對越共游擊隊控制。自從南越戰爭擴大之後，大批幹部均自中國大陸受毛共直接訓練派遣，漸非胡志明所能制；目前胡志明對南越共黨，幾乎如蘇俄之於毛共，表面看來是一個團體，實則各懷彼此，互不相下。胡志明目前無法與美國談和，一方面固是受了毛共壓力，另一方面也實在由於南越共黨尾大不掉，無法措手。此時藉口派志願軍，加派一批幹部到南越去，也許可以扭轉形勢取回控制權。

第三，為南越共黨游擊隊打氣。共黨遊擊隊雖然不斷發動攻勢，但是內心的惶惑却無可掩飾，軍中也充滿了失敗思想。北越政權此時派志願軍前往，對南越共黨游擊隊士氣，自然可以增加刺激，以堅定其鬥志。

越戰的主動權無疑操於美國之手，美國如若提出嚴厲警告，只要北越共軍正式參戰，美軍即登陸海防，相信胡志明就縮沙了。

美機炸滇越邊境

美機轟炸北越，越來越向北推進，近日竟然轟炸了越邊境的老街，已引起了毛共的巨大恐慌，聲言已準備好兵力迎擊美軍云云。其實全是虛張聲勢，一種色厲內荏之形象，顯露無餘。從各方面情形來看，美國要解決毛共，消除東亞禍根，此時應為最佳時機。其故有三：

一、毛俄爭執日烈。蘇俄對毛共危機不會插手相救；及至發覺毛共政權即將覆滅而思予以援手時，就已經來不及了。

二、自由國家空前團結。除法國外，重要盟國如英、加、澳、紐及亞洲的中、非、泰均一致支持美國行動。

三、容易找藉口。過去美國若攻打毛共，易遭左傾國家反對，今日因越戰擴大，波及共毛，所受壓力則較小。

（如）

自由談

必輸的政治賭博

英國首相威爾遜對越南戰事熱心，主和，派遣代表四出活動，雖受到越共的譏嘲，拒却，依然自作多情，而鍥而不捨。

很顯然，威爾遜如此不憚煩的強作和事佬，事前跟美國當局已有協議，而且威氏此舉很可能亦是被動的成份居多，因為美國始終不願對越共真正作戰，祇想藉轟炸威力以嚇阻共黨不為已甚，恢復原有的南北越分治狀態罷了。

美國構想的越戰解決方案，一定歸於幻滅，已為常識所能判斷的事，毋待贅述了。共黨今日在越南的叛亂行為，完全是沿襲毛共當年在中國大陸上那套顛亂伎倆，即以破壞、控制農村來切斷都市的生存命脈，使其陷於孤立；又長期使用突擊戰術以困擾敵人，消耗其人力物力，終致趨於疲憊之境，內部即自然動盪不安，民眾厭亂思治，因而對現狀大不滿，這都是有利於共黨的情勢。尤其是美國方面，將來在越南久陷泥淖，國會議員必然大叫特叫，要求停止沒有勝利希望的越戰，主張美軍退出越南，如果南越政府不同意，白宮就可以宣佈「一筆勾消」對越南的援助，讓共黨控制全越亦不在乎。所以，現時越共與美國在越南的一切作法，都是毛共與美國當年在中國大陸上所作所為的翻版文章，毫無異樣。

英國在二次大戰後，國力衰頹，常有自傷淪落之感，一面藉英語民族，本是同根的特別關係，緊緊地靠近美國，對於國際問題互演雙簧，同時對於與英國沒有直接利害衝突的事如東南亞公約之類，又表示獨行其是的姿態，以期保持一等強國的資格，用心良苦。當年英保守黨首相艾登對安南問題攪出「日內瓦協定」，把安南分割為南北越而沾沾自喜，認為是英國促進世界和平的一大功績，實則今日的越南戰禍，就是導源於日內瓦協定，而以英國為禍首也。

現在工黨首相威爾遜又想師承艾登的故智，利用越戰問題作政治資本，慷他人之慨，昌言和談，企圖白手成家，與美國裏應外合，維護世界盟主的地位於不墜。據我看，威爾遜這次所投下的國際政治賭注，準輸無贏，非失望不可啊！

馬五先生

林番王病歿出缺後 未來基隆市長誰家天下

在野黨夠聲望夠力量的其實難得其人 執政黨如非早作協調佈署亦未必穩勝

（本報基隆通訊）基隆市市長林番王終於病死了。在他纏綿病榻之時，因爲此君年紀已大，具有政治慾望的人士，爲着布置未來市長的爭奪戰，便已在基隆政壇上掀起一片政治暗潮。這股暗潮，越來越洶湧，好像隨着這個號稱世界雨季最長的海港的漫天風雨在互相呼應。

最顯著的事例，近時基隆市議會的派系紛爭，就已進入尖銳化。如月前四次臨全會，由於仁愛區議員陳興，楊福在在議場爭鬨，大打出手，會導致仁愛區全體里長計劃發起罷免楊福在案。同時傳說議會有所謂十四人集團醞釀罷免議長林太郎之舉。其中女議員蔡黃雲對另一女議員黃林彩雲，曾向基隆法院提出誹謗之訴。最近中正、信義兩區，又突然掀提罷免議員賴枝萬（現任副議長）的新風暴。罷免案自上月廿六日正式展開行動，至廿七日下午止，參加連署的兩區公民，爲數據說已達千人以上。賴以副議長仍兼市漁會秘書，在漁會最具權威，提出罷免的理由是：一、賴枝萬自當選議員以後，在議會製造派系紛爭，影響議會團結。二、以漁會作政治資本，不顧漁民福利，造成漁會分裂；並涉嫌挪用公款。三、操縱漁會選舉，造成漁會恩怨；同時漁會代表數十人要求召開臨時大會清算上屆理事會賬目，追查公款虧空等等。

這一連串的紛爭，一連串發動的罷免，簡單言之，都是私人派系，各顯神通，各築陣脚，各爲着派系的利益，實現將來市長提名的迷夢；祇顧目的，不擇手段，一切的一切，正圍繞着這個目標在進行，在鬥爭着。

談到基隆市長的過去，我們看到四十九年前任市長謝貫一經歷三度民選，先後在任十一年之後，依法自然再也無法競選，林番王三度和謝角逐，都敗在他手下，直到謝無法再幹，國民黨提名基隆市黨部主委李國俊出來競選，想憑藉謝貫一坐鎮基隆十一年的聲望，傾全力支持。旁觀者亦咸認李氏既具雷霆萬鈞之勢，必得無疑；不料民社黨員林番王以屢戰屢敗之餘，運用一種特妙的權奇戰術，全以哀兵制勝。他以老漁翁的姿態出現，十日灘頭坐，一日遍九洲，竟最後出手擊敗了李國俊，而平步青雲，躍上市長寶座。

由於李國俊之不爭氣，謝貫一亦隨之倒了霉，交卸市長後，冷漠漠的寄居台北謝清雲岳母娘的一間偏屋裏，翟公辭官，門可羅雀，以謝之熱中仕進，一旦失勢，侘傺無聊，自可想見。後來出任美援會顧問參事等職，俸入雖厚，非志之存。最近纔發表高雄加工出口區管理處籌備處主任，篳路襤褸，以啟山林，他以垂暮之年，膺此創新之局，有許多朋友爲他高興，也有好些人爲他捏把汗，這樣一個開天闢地的草創工作，無異疆場鏖戰。自美援停後，發展台灣經濟的重點，無疑的都寄放在擴張外貿上，所以此事爲各方所萬分關切而矚目，希望謝氏能放開胸襟，趨向宏毅一途，脫擺舊日一切情感包袱，多羅致海內外第一流人才。能否有所作爲，那就要看他最後的一把傻勁了。

且說林番王初任市長，曾被家庭糾紛困擾一段時期，鬧過很多笑話，其餘四年歲月，總算平安派司過去。到上年第五屆市長選舉，國民黨提名現任省議員謝清雲與林番王對壘，彼此棋逢對手，爭激烈，前所未見。當投票前夕，雙方出馬大遊行，尾隨林番王、謝清雲車轍之後的，各都擁有好幾千人，一切競選的花樣，都全部出籠，看熱鬧的市民，等於看迎神賽會一樣，填滿了每條街巷，市中心區如愛三路仁四路等處的交通都被阻塞了好幾個鐘頭，聲勢之浩大，眞是遇着牆壁也會倒下來。乃投票結果，還是林番王多出萬多票而篤定江山。

林番王連選連任後，聲望之高，得未曾有。可是人世變幻，好景難常，突於去冬害了一場大病，進入台大醫院療治，有的說是肺結核，有的說是肺癌，究竟什麼病？迄無定論。林氏出院以後，仍舊病軀懨懨，時好時壞，不能做過勞操心的事，醫囑靜養，祇好常去台北女兒處打針吃藥。本年六月二日爲林氏第二任市長就職週年紀念，他發表一篇五千字的長文，題名：「就職一週年後的展望」，列舉未來三年歲月中他要振起精神邏辦教育建設等等，倒也說得條條是道。紀念那天，他並親自出席招待記者，猶是滿腔雄心，對今後施政計劃，津津樂道。他還批評台大醫生對他的病狀檢查判斷得不夠確實呢！可是歲月不饒人，林番王以六十七歲的高齡，當衝繁疲難之重任，病魔纏身，逐朝伊夕，殘年風燭，終於不治而死了。

林番王死後，基隆市長出缺，依法應該補選，不在話下。縱觀偌大一個基隆市，言政治人物，實屈指可數。在野黨中，老耄倔強，具有高度政治慾望的，除了林番王外，殆未見第二人，其餘的人度德量力，也未敢輕易和國民黨爭衡。國民黨老一輩如黃樹水，如蔡炳煜，似已成過時人物。中年崛起，熱心政治的，有謝清雲，蘇德良，其他蔡火炮也應算一脚。最近也有人說：現任民政局長朱品院，精明強幹，辦理民政十數年，與人無恩怨，窮鄉蔀屋，遍歷早遍，說他如競選市長，他的基本票，毫無問題。不過從古以來，好像正人君子，一貫與「窮」字結下不解緣，孔老夫子親受在陳絕糧的教訓，還在告誡後世人士要守固窮之節。窮鬼尤喜與書呆子爲伍，故韓愈有送窮之文，廉吏可爲而不可爲。最近確實聽到有好些人歎息朱品院太窮，窮得連些許競選資本都沒有，如果國民黨能賞識於牡蠣黃之外，應加意予以培植，使之脫穎而出，這倒不失是一塊眞材實料。總之，基隆市演變到了現在的局勢，執政的國民黨應即未雨綢繆，早作萬全準備，對未來市長提名，不妨早與各方協調部署，定於一是。萬不宜放任各派系聽其紛爭，你攘我奪，各自爲戰，才有勝利的把握。

屏東縣建設局長 康玉湖被密告事件

理應澈查使其水落石出 是非善惡必需清楚明白

（本報記者袁文德屏東航訊）屏東縣府建設局長康玉湖，奉省令與南縣劉萬選局長對調，這是張豐緒就任五屆縣長一年後的第三位業務單位主管調動。有的人認爲，康玉湖的調職，一如人事主任，教育科長的調動，是無可厚非的事。不過，基隆地方人士的反應，却大都認爲康玉湖的調職是與地方政治派系有密切關連的。最顯著的原因，據說是康玉湖曾公開支持林石城競選二屆縣長（現任省府委員），而使現任縣長張豐緒的父親張山鐘敗北。因此，十年怨恨，終於有了報復的機會。但此說是否事實，理應存疑。

而就在此時發生了密告康玉湖的事件。而且縣長張豐緒又把告密信於辦公室內公開讓往訪的議員、記者看，而撰爲新聞。於是更因而人言嘖嘖。

密告康玉湖的人具名「林文魁」，這「林文魁」的住址有二處：一、是高雄市五福四路二〇七號。二、是屏東市桂林街六號，「林文魁」在密告信中，指康玉湖自四十年到職後，就向投標商人收取工程圖說費，每份新台幣三十元；每年數十次，每次有數十家廠商參加，年有三十萬收入。這筆錢不發收據，不繳縣庫。直至四十八年省審計處抽查時發覺後，始予繳庫。因而要求張縣長澈查究辦。幷謂如予以「包庇」，則連張縣長也要控告等語。

據深諳法律的人士之分析：由該密告信內容判定，檢舉人雖利用了二個以上住址，地址，但仍以縣府職員的成份爲高。再就他對康玉湖吞沒圖說費一事的瞭解之詳，他竟不用眞實住址、姓名向司法機關提出檢舉，僅向縣長密告，殊令人懷疑，他的動機，幷非眞正有意要檢舉康玉湖吞沒該圖說費，而祇是乘康玉湖調職之際，開康玉湖玩笑，打擊一下康玉湖。又稱：張縣長於接獲該密告信後，不管事實眞相如何，論理，應即批交有關單位調查，以憑處理；而不應既不將該密告信交查，却任意將之交由往訪的議員、記者瀏覽。因此縱然張縣長是無意藉此公開打擊康玉湖，但該事實既被記者撰成新聞，公諸社會，這就難免外人要東想西想了。

這件事應該弄個一清二楚，不可以就此作爲了結。因爲否則，今後祇要誰跟誰有什麼過不去之處，他就可以任意化上一張八角或二元的郵票，到處投書，雖無中生有的揑造事實，却可收得中傷他人的效果，天下豈不大亂？還有，假定憑這封密告信，果眞查出康玉湖有貪墨劣蹟，而繩之以法，更才是他罪有應得。至若假定查無事實，那亦應該公開發新聞，最好幷由張縣長發佈新聞，替曾經是他下屬的康玉湖洗刷名譽，免得冤枉了人。台灣省是民主法治之地，是非善惡，是必須分明的。而康玉湖自己，也應該自請根究其事，俾便向社會作一個明明白白的交代。

台灣証券市場面面觀（三）

本報駐台記者 張健生

過去，證管會主管人員公開宣稱，有蔡（萬春）、翁（明昌）、陳（逢源）等人，去年挾大批資金，在證券市場興風作浪，操縱把持，迭次虛抬股價，迨至極限後，又均將所持股票抛出，獲利由八千餘萬元至二億餘元，悉數席捲以去。證券市場因鉅額資金驟遭抽走，奇高之股價遂陸續下跌。而有些發行公司如塑膠股票上市之始，用不正當方法將某股票（票面一百元一股）價格虛抬至九倍（九百六十元）有奇，迨達目的後，其大股東某君竟將其所持股份全部售出。

最近，該塑膠公司董事長王永慶說：該公司股票如跌至每股一四五元時，將出面收購二十萬股云云。由此觀之，該王某所持有之股票，是否全部售出，只要有關方面調查一下，眞相即可大白。假使有違公司法一六三條規定之情事，得科一年以下有期徒刑。

投資者失敗 投機者成功

金委員認爲前述之發行公司與大戶的行爲，顯係利用一般散戶之無知，以欺枉手段，詐取他人財物。一般的詐欺等罪犯，均經國家依法懲處，科以重刑，而此輩「大金光黨」，不僅犯普通詐欺罪，抑且擾亂金融，破壞戡亂時期國家經濟秩序，獨不見司法機關警察機關予以合法之制裁，社會正義之不存，善惡之難分，殆無甚於此者。因此，台灣證券市場，不但沒有「投資」成份，即投機成份亦爲「詐欺」所掩蓋。凡是善於詐欺者乃爲最成功者，眞正欲投資的人，望市場而却步。

蓋投資一詞，常爲人所誤用。因投資分爲財務投資與眞正投資。財務投資係基於個人私利之計算，買入財產之謂，如土地，貨物以及股票等買入是；但對國民生產，國民所得，毫無作用。眞正投資乃增加資本財的生產，如建立新工廠，製造新機器等是；似此投資有助於國家經濟成長。當前證券市場的不正常現象，不但已有事實證明，而且目前的事實還告訴我們，將來仍然會存在。這種不正常的現象不僅僅由於市場組織不健全，而在於當前的台灣工商業者的一般狀態。換句話說，這種狀態因農業轉向工業仍與理想中的狀態保有一段距離。

空軍建立政戰點制

點點有政戰器材 處處有文康活動

（本報台北通訊）空軍總部爲強化基層政戰工作，即將實施一項建立「政戰點」的嶄新制度，爲推行這一政策而舉辦的空軍政戰幹部講習，自六月廿二日起，分別在台灣各空軍基地舉行。

空軍總司令徐煥昇上將，在告空軍基層官兵書中指出：空軍政戰點的任務，將以加強政治教育，展開文康活動，整飭軍紀，鞏固安全與貫徹命令爲主要工作項目。空軍爲推行這一新制度，已將連隊級以下的分遣單位，視人數多寡區分爲甲乙丙三種，指定各單位負責人以兼任政戰幹事身份，負責推行政戰點工作。

空軍總司令要求在即將建立的空軍政戰點中，一定要做到「點點有政戰器材，處處有文康活動」。因此，空軍總部政戰部已特訂製了千餘套各類型的文康箱，該項文康箱設計新穎，携帶輕便，實用美觀，每一文康箱中包括有定期書刊，康樂器材及體育器材等數十種，已於六月廿二日起撥交各政戰點運用。

中國社會變遷與天主教發展

（上接第一版）

民國卅八年中共竊據了中國大陸，使天主教的殉道精神，又接受了一次嚴重考驗；表面上，中國大陸上已經聽不到天主的福音，實際上基督的種子，已經深植在人們的心裏。

而在台灣，宗教生活早已成爲人民生活的一部份；天主教的教義，跟共產邪說尤格格不入，便是反共精神的主體。這是中國天主教的命運第二度跟中國的命運結合在一起。

由這一段天主教在中國社會地位轉變的歷史，我們可以知道，中國的天主教是在血中生血中長的，「殉道人的血，是未來教會的種子。」血流的多少，與宗教的發展，是成正比例的。天主教不僅是以言詞傳教，最要緊的它是以行動傳教。

怪力亂神與法律叢談

冥誅與果報

陸嘯釗

官府借助神力以求揭露罪狀，無論盟誓，裝神扮鬼，或者拜托城隍老爺幫忙，這種自欺欺人的手法，畢竟是可一而不可再的。犯罪之所以能部份抑止，鬼神報應觀念的深入人心，是最大原因，尤其明清小說或筆記裏，把冥誅陰譴，說得活靈活現，更是增加了無知人們內心對鬼神的敬畏。

小說或筆記裏有關冥誅陰譴的記載，我們不能把它看作全然是個人的創造，認爲與過去的或當時的社會習慣或社會意識絲毫無關，因爲任何荒謬的記載，都是一種對於社會反應（Social Survival）的遺留。「續新齊諧」卷四記載了一段溫元帥顯靈的故事：

陽湖令潘本智之太翁開錢莊，忽失銀千金，仁和令李公學禮，親爲踏勘，于灰中查出陸百金，李公以爲諸伙計之事，欲押帶赴縣。太翁云：「此輩皆志成力作之人，必不爲此罪，我家奴僕甚衆可也。」衆伙計云：「非主人仁厚，我輩皆當受刑；雖然，我輩亦當赴元帥廟，明明心。」衆始到廟門內中，一人忽閉目大叫：「莫打莫打，我說我說，你可將竈中四百金，令汝兄弟捧到廟。」衆人見此光景，同搜其家，四百金宛然在竈。其兄遂頭頂四百金送廟中，李令取其親供判云：「此冥法也，非官法也。」候其安靜，帶縣發落，未幾其人已投水死矣！

從犯罪嫌疑人的集體盟誓明心，以獲得自白，到官府憑自白獲證定罪，我們可以看到神判的完整程序。犯罪嫌疑人所以能坦然作供，主要仰係畏懼冥誅陰譴；至於說到溫元帥顯靈，祇不過故作其神罷了。

神話中的冥誅陰譴，是非常可怖的！我們看「清稗類鈔」迷信類裏的一段記載：

李司鑑，永年舉人也。康熙乙巳九月廿八日，打死妻李氏。上憲行縣查審，司鑑在府前，忽於肉架下携屠刀奔入城隍廟，登戲台，對神而跪，自言神責我，不當聽信奸人，在鄉黨顛倒是非，着我割耳。遂將左耳割落拋台下。又言神責我不應騙人銀錢，着我剁指。遂將左指剁去。又言神責我不當姦淫，使我割腎。遂自閹，昏迷僵仆。時總督朱勤愍公昌祚題參，革究擬，已奉論斬，而司鑑已伏冥誅矣！

割耳、剁指、自宮，都是古代肉刑的一種，讀書人隨手一編，摻入一點當時流行的果報觀念，就此拿來恐嚇庶民了。同時從這篇記載，亦忠實地反映出當時司法的黑暗，像李司鑑這樣殺妻害民的土豪劣紳，上憲雖已行縣查審，不使其服於官法，使其遭受冥誅，足見當時人民對於國家司法的公正失去信心。社會秩序的維持，道德、法律都已失去力量，祇有冥冥中的鬼神來主宰了。

我們再看下面的一段記載（清稗類鈔：編卷百七十二），這種意識尤其表現得明白：

鄉人吳悔，從其妻之諸母周氏，借白金五百兩，而不立契券，實欺之也。既久，遂負而不還。周陳於官，悔行賂，不能直而罷。周忿，出白城隍神，日祝云：「令彼謀財者，得疾蛆出。」已而，悔妻得疾，常覺癢，搔之得物如筋，色紅白，蠕蠕而動，如此日復一日，初無損也。數次，人以爲果報云。

在官貪民刁的社會風氣之下，鬼神之說雖屬迷信，然而借果報觀念勸善懲惡，未嘗不有益世道人心。這是法治觀念未能健全建立的悲哀。

——之七——

林肯的啟示

段造時

美國精神因林肯而發揚；而林肯精神之表現，乃在於「格特斯堡」的演講辭中。在那短得不到十句，兩百六十七個字的講稿中，字字珠璣，無不有力的說明了人類自由平等博愛的偉大眞精神。他說：「八十七年前，我們的祖先，在這大陸上創立了一個新的國家。此一國家孕育於自由，並委身於「人類平等」的使命。現在我們正進行偉大的內戰，考驗此一國家；甚至考驗任何致力自由平等的國家，是否能永垂不朽。我們今天，在一場戰爭的偉大戰場上集合。我們來此是要把這戰場的一部份，獻給那些爲國家生存而犧牲的人們。「我們這麼做是很應該的。但是，以更大的意義來講，我們不能奉獻出一塊地，也不能使其成爲神聖之地。曾經在此奮鬥的男士們，活着的或死去的，他們的奉獻，遠超過我們增減的力量。全世界很少注意，同時也不會永遠記得，我們在這裏所講的話。但是永遠忘不了他們在這裏的豐功偉業。現在應該由我們活着的獻身於未完成的工作，——而這些工作，已由曾經在這裏作戰的人予以推進。

「今天在這裏的我們，應該委身於留給我們的偉大的任務。鑑於這些光榮的死者，我們應該加倍戮力於他們所鞠躬盡瘁的原則。在這裏，我們已有高度的決心，務使死者不致白死；使這個國家在上帝的恩賜下，而有自由的新生。而民有、民治、民享的政府，將永存於世界之上」。

林肯在這篇偉大的文獻裏，所昭示於世人的「民有、民治、民享」的崇高目標，成爲今日世界上民主政治的最高原則，永遠爲世人所追求。而其所昭示自由，民主，平等的精神，亦是聯合國憲章所包含的原則。林肯雖已死去將近百年之久，但其偉大精神，永遠爲世人所追念。

「格特斯堡」講辭，是在一八六三年十一月十九日美國內戰陣亡將士公墓落成禮上發表的。時在美利堅合衆國開國八十七年之後，而美國南北戰爭正在苦戰之時。我們中華民國立國迄今已五十四年，然而我們的國家如今正在風雨飄搖之中！但我們不要忘記，今日我們所稱羨的美國，它在立國後的八十七年，仍有南北之戰。即是五十年前的美國，內部治安亦尚成問題，搶劫銀行之事，層出不窮。廿世紀之初，美國所謂「扒糞運動」，亦風行一時，此後美國始步入眞正現代化，而爲今日世界第一個富強之國。然則我們中國人又何憂何懼？只要我們有決心，有勇氣，敢作敢爲，向民有、民治、民享的三民主義新中國的目標戮力不懈，則成功可必！一時的坎坷，算得什麼呢？

（下）

籬邊的榴花

趙碧君

關武悄悄地說：「太太少爺小姐不急，倒急死了這班人。」

阿秀抿住嘴一笑：「這位郭太太啊，可眞是個二百五！上次咱們太太接過她那寶貝表姪小姐的玉照，連瞧都沒瞧一眼，就朝旁邊兒一扔，這還不識趣，一勁兒叨嘮叨嘮叨嘮，叨嘮不過癮。第一炮轟不響，接着第二炮，第三炮，還不夠，這回已是第四炮啦。」

「別這麼貧嘴，」馮大娘心眼兒忠厚，不喜歡她這麼刻薄，「人家總是一片好心，你就省兩句吧。」

「好心是好心，不過我看她還是死了這條心的好。」

但是人們總是不到黃河心不死，那些太太們爭着要將結年玉貌的千金嫁給譚鴻儀，爲她們的翩翩公子匹配譚鴻琳，可是譚太太翻來覆去永遠是那麼一套話：

「他們一心在唸書，年紀還小哩，……待我問問他本人：他爸爸的意思是再過兩年不遲，嗯，我要是再好也沒有了；不過現在時代不同啦，作父母的也做不了主。鴻儀說過的呀，要他能夠自立才肯提親。話是不能說錯，自然是立了業才能成家，我也贊成的。至於女孩子麼，嫁個我也巴不得早點做婆婆抱孫子；但是沒法兒叫他們聽話。本來嘛，這門親事我是再中意也沒有了，做母親的總指望女兒嫁在本地，就跟在眼前一樣。可是鴻琳這孩子偏調皮，她說：「不出嫁不是更在眼前麼？」一句話說得我倒不出別的調兒來了；一個女孩子也跟男孩一個樣兒要自作主張。說句笑話，做父母的全被兒女給打倒啦，你說對不對？……」

……」瑜瓏剔透的譚太太就這樣謝絕了所有的媒人，她的話說得那麼俏皮而又委婉，臉上的笑容表現得是那樣親切而溫雅，禮數是那麼的週到，應酬功夫叫人雖明知其虛僞也仍然喜歡她那份虛情假意。所以那些媒人離開譚府的時候，即使是掃興，失望，也還是懷着滿心的好感。但是，譚太太她的客人的「好感」，可在客人走了之後十分鐘立刻化爲烏有，她那僞裝的笑容變成了一臉的不屑和驕傲，委婉俏皮的談風立即轉換爲尖刻鋒利的饒舌：

「哼！簡直是癩蝦蟆想吃天鵝肉嘛。別說是局長的兒子，就是縣長的兒子，我們也不稀奇？看不上眼還不就是看不上眼！那些天靈蓋縮在褲子裏的小子也想要我們鴻琳麼？也不去撒泡尿照照鏡子，配得上配不上？……」嘿，別說是給我做媳婦，就是給我做下女我還嫌她模樣兒粗俗哩！老實說，我要是眼光這麼低，要了這家人家的女兒，孫子都快進幼稚園啦！」

「唉，前客剛走後客又來，照這樣下去，倒要爲她們吃點補品補補才行哩。可眞把我給累壞啦！」

雖說如此，譚太太的胃病却因此痊癒了。爲什麼沒有「累壞」反而「累好」了呢？想起來，大概是她老人家的虛榮心得到了滿足：自己的丈夫這次當選了議員，難免有點兒洋洋得意；再說這些川流不息的媒人來來去去，做得親家的總歸是風光體面的事。

着急的倒是譚正中，他很不贊成太太這種目中無人的作風，一旦給人家碰了釘子，不留餘地，拒人於千里之外，得罪多了鄰里友好，必致影響下屆議員選舉自己的基本票數。再則他想到自己的年事已高，覺得兒女的婚事，不宜耽擱，最好早點男婚女嫁，盡了做父親的心願。（二）

評介「孟武雜譚」

洪流

著者：薩孟武

作爲一個政治學者，對衆人之事是有着特殊敏感的。故而薩先生這二十一篇文字輯成的集子，也有着不同凡響的精闢之處。

開卷，薩先生以「閑談歷史」作爲七篇文章的總題。當我們讀過這七篇文章的時候，將會覺到薩先生治學之精，以及範圍之廣，着實令人欽佩。「歷史上的四種人物」，以簡約的筆法將五千年歷史文化的中國政治人物，約略的分成四種，而各舉出其代表性人物，再付與應得的評語。何種人物可安國？何種人物可亡國？都有其特殊精到之處，並證之史實以爲立說之根據。次爲「西漢皇帝的狠與忍」，也是一篇力作，著者說：「由法家思想，就發生了『狠』的心腸。由黃老主義，又發生了『忍』的心情。應忍處忍，能狠處狠，這是西漢皇帝成功之道」。再次是「孔子爲何辭去大司寇之職」，著者表現個人的獨特見解，也更說明了一個政治家應有的風度。第四篇「蘇東坡、歐陽修與司馬光」，是篇頗富趣味的文字，但我們讀後倒有無比的沉重。蘇東坡太聰明了，所以他只留給我們幾首詩詞及幾篇大文。而歐陽修的聰明不如蘇氏，所以他除了幾篇短文之外，還有新唐書與新五代史。最不聰明的可能是司馬光了，但他最有耐性，花了十八年的光陰，著作一本編年體的資治通鑑。作者又說：民國以來，二千字論文專家，如過江之鯽，而此鯽魚竟能一躍龍門，成爲一代宗師，不知後人看到此種現象，作何感想。第五是「古代的考試制度」，將中國考試制度自漢至清，分析詳評。再次「西漢監察制度與韓非思想」，這是一篇不可多得的佳構，並附表以說明之，以見言官之職責是何等的清高。末以「中國歷史上的國都」爲殿後，薩先生談歷史上國都之沿革，而明定都之必要條件，作者說：「歷代國都無不奠在北方，只惟偏安割據之時，才定都於南方。其唯一例外則爲民國十六年以後，中華民國定都於南京之事。在這區區二十餘年之間，中央政府竟播遷了兩次，一次遷於重慶，一次遷於台北」。作者雖沒明白指出我國應定都於何方，但他已經告訴我們取捨之道了。

第二個總題是「劇談」。也是薩先生受人攻擊最厲害而防禦作得最薄弱的吃力不討好的文字。香港報紙說台北是狂人城，而台北的某藝術工作者，論薩先生爲「半票觀衆」。「半票觀衆」之創辭雖頗富幽默之感，但作爲惡諡則又含有「無知」之意在內。我不欲爲薩先生辯，但事實總是事實，梁山伯與祝英台電影之票房紀錄，則始終是高據首座的。或者說因爲凌波以女扮男之故，那又錯了。花木蘭以及稍後的雙鳳奇緣，又何嘗不是以女扮男？但其票房紀錄，則始終不高。藝術本無絕對的標準，觀衆欣賞的程度，更無高下之別。所以，惡諡他人爲「半票觀衆」，適足證明自己的無知，或是媚外狂而已。

第三個總題是「教育上的許多問題」。從惡補談到大學的教育制度，應興應革，當廢當立，薩先生都有着不同於別人的見解。

第四個是「國政漫談」。作者以沉重的心情，道出法治之應如何？民主與自由的分際。

第五個總題是「憲法法律雜談」。假如我們不太健忘的話，我們還應記得故行政院長俞鴻鈞氏的被彈劾，而引起的監察與行政的憲法之爭。依法而爭是民主政治的常態，但我們有一位不自己出名的自封「憲法學者」在中央日報上刊了一篇專論，而惹起作者的一評與再評。雖然事情已經過去，但鑑往知來，更可給我們一個莫大的教訓。

最後一個總目是純粹的雜文。而內容也牽涉很廣，從私權宣言，到評「國家長期發展科學綱領」，言人之所未言，道人之未道，作者以一貫的愛護民主、自由、法制的心情，去評論一些人與事。總之，這是一本絕對值得一讀的好書！

敦化小集

七月十一日爲名教授高熾昌先生的誕辰。高君在卅九年孑然一身，與家人分離，毅然來台，從事教育，近十五載。慶生會假同人爲其公祝，假台北敦化南路李宅舉行。西時起清唱，是日特客爲名坤伶施雋，名老旦孫復順，名學票秦雨英，而美娜夫人每次必到，是華中甘草，不可或缺，否則全是生行，而無旦角，情調不免枯燥，心甚感之。

此次清音，也有特點，是每位均唱兩段。壽翁高君嗓音特高，在正工調，先唱失街亭，後唱二進宮，音透戶外。地主李獻廷兄唱著頭與博望坡，皆學馬氏，很掛味兒。教部王麥李之子，首唱釣金龜，再奏店的一輪明月；老旦有松介眉韻味，老生又極似余派。東園唱兩計，一爲空城，一是烏盆，大家聽到劉世昌是蘇州閶門人，妻子姓王，頗以爲異，唱得汗流浹背，氣韻很足。最難得是馬勇老，以六五高齡，竟唱三四本太眞外傳，與穆桂英掛帥，均十足的梅味，也見其研究有功夫。雋菁經力勸之下，唱賣馬、烏盆計（元板），她已有一年不唱，依然耐人動聽。博倩爲代其太座，特別出力，唱全齣舉鼎觀畫與上天台的徐皇兄，皆以前未會聽過，是近乎余派，範慢板元板，打龍袍的二六大段，非常響徹，絲絲入扣，座中贊佩。美娜大嫂唱生死恨宇宙鋒，皆梅派名劇，是吳重周芳華兩位操琴，襯托得好，臉音非常宛轉動聽，高音更是入神。在靜園吃宵夜之後，羅沛老唱鎮壇州，李景嵐唱罷英會，秦雨英唱追韓信，可以代表余葉（盛蘭）獻三派典型，韻味很不錯。時近十點因已唱廿一段，大家興盡而作歸計。

國劇繽紛續錄

姿參生（一）

七星燈的難演

電視平劇，最近有個原則，很想羅致名票，每月裏演一次，以增加興趣，在發揚國劇的過程，是一項高聽遠職。就是筆者以前講過，總是幾個劇團輪流，當然不壞，但也不到那裏，未免使觀衆有點兒膩味。所以姚顧問有這樣的主見應該樂助其成，也是與外行人同樣的觀念，絕不求絲毫的報酬，也不想插足求顧問劇事，可是略貼車錢去跑腿，想把它付之現實。像這種不求名不爲利的做法，恐怕在台北市劇圈中恐怕不多。這項工作，因有人來托請東園兒演五丈原，星期有要緒魏延馬岱，而王平四將，司馬懿，求有福寧一兩一尺，如有帶延司馬懿昭父子三人，士卒等，初次交換意見，就此演出角兒來不超過十一人，尤其預算用費，萬元我想不會成事實。而講聽說演出角兒，而不是聽東園其義助，他以爲電視公司如唱，經就嗓音已漸恢復，想演一場而輕就熟的，果就談之下，他明白了我的來意。幻夢！取榮陽不帶火焚紀信，角色就少，可是已在答允，料想但說不的。也王已在排練，未知是否尚有問題？不過西蜀可以看出今日的振興？也祇好在綠音中，的確求得是不易事，加以編輯，算了。

宦海波濤

海嶠雲煙

諸葛文侯

吾國對日抗戰中期，中央政府在重慶爲調劑物資，促進生產計，特設「物資管理局」，派湘人何浩若綜持業務。何氏係留美治經濟之學而兼習軍旅之事者，在政海人事關係上，與財政部長宋子文較接近，而與行政院長孔祥熙，則淵源也。某日，物資局庫藏庫中，因工役勞汽油桶不愼，致生火救，幸未釀成災害。

是時適值行政院例會未散，孔院長即席據得報告，謂物資局正焚燬卷冊檔案，情節可疑。孔以轉語在座之經濟部長兼資源委員會主委翁文灝，翁言不知有此事，旋更衣之便，急以電話詢問何局長有無焚卷行爲？何謂僅工人開啓汽油桶引起火警，旋撲滅，公物毫無損失，焚卷之說，從何來？翁回至會議席上，亦未將其所得實情具報孔院長，預會諸顯要於散會後，揣測紛紜，莫衷一是。

是日午後三時，何氏方在樓上辦公室工作，該局主管會計人員急促來請示，謂國民參政員沈尹默到局，查閱歷年帳簿，何知沈來意不善，殆誤信焚卷之說而然，欲使其猝不及防，無從彌縫也。即囑將該局所有銀錢出納諸簿冊交沈參政員查閱之。沈氏約略省覽，知其完整無缺，未加詳查即還諸會計室。旋登樓晤何局長寒暄，何謂：沈參政員消息眞靈通，本局工人於儲藏室取汽油不愼發生小火警，僅越數小時，而參政會即聞悉其情，煩勞大駕蒞局查究，爲國宣勤，良堪贊佩。嗣後仍盼沈先生隨時監督指導，但望勿奔走權門，徒作政爭工具耳。沈知爲語含譏刺，唯有苦笑頷之，匆匆道別而去。

物資局下設「花紗布管制局」，以財政次長穆藕初兼任局長職，主管公用棉紗布匹採購事宜，而由物資局發給採購證，俾便通過各關卡也。物資局派駐西安工作人員楊某，係留英工學生初入仕途者，一日採購被所保存之棉花採購證忽失去二十張（每張可運棉花二千包），報告總局，重慶總局并無直接電台，然一切電報皆交由「農本局」電台拍發，而農本局電台係隸屬花紗布管制局，原電到達渝市，首先送穆局長過目，穆氏係孔院長親信幹部，未將原電遞交物資局，而密呈孔院長，指物資局有勾結商人購運棉紗走私漁利之嫌疑，否則採購證何致遺失如許張數耶？似應轉報最高當局核處。孔院長韙其議，乃據密呈極峯鑒核，據情飭簽軍統局長戴雨農詳查具報，此時何浩若尚懵然不知其事也。其僚屬已發生禍患。既而戴雨農調查結果，認爲物資局尚無勾串商人舞弊貪污之事實。在官邸一日舉行會報最高當局，何二局長皆列席，穆乃當衆宣示物資局駐西安人員遺失採購證一案，何氏謂尚不知情，如確有舞弊行爲，自應束身司敗，聽候懲處。繼詢問採購棉紗之現金係歸何人掌管者？何答以依法係由花紗布管制局司現金支付之責。穆亦云然。於是，最高當局勃然斥穆氏扣藏電報，故意陷害同寅，其心可誅，即命左右，予以扣押，聽候法辦，旋退入休息室，舉座相顧驚愕，何入內陳情，乞寬宥。穆局長謂如此則今後物資局勢將難以恪盡職責，穆氏推行業務。未幾，穆氏亦省釋矣。

諸葛文侯曰：若官場有如戲場，人事之恩怨，是非所造，此起彼伏，乃至莫可究詰，其情至卑，其理至污，士大夫讀書明理，而相率以趨入仕途爲榮，恍似撲燈蛾耶？異矣！

七仙女

——「影劇與歷史」之七

周遊

一日提着斧頭上山打柴，忽然看見一隻又肥又大的白兔，他心想道：白兔肉不是也可以包餃子嗎？於是他提斧追上去，兔子跑得很快，但前面橫着一條小河，兔子終於被董永活捉了。董永舉起斧頭要把兔子砍死，忽聽得兔子竟會講起話來，兔子說道：董小哥！我知道你很窮，你如果能放了我，我什麼都給你。董永大吃一驚。兔子說罷，董永把牠放在地上。兔子落下就在一滾，變成一個白髮老頭，笑對董永說：「小哥！我家就住在這裏附近河邊，向前走十步，向後退三步，一所朱漆大門，就是我的家門。你不是想買肉嗎？我給你一枝米筆，以後你可以不要買米了，把買米的錢省下來買肉吃。你要多少米，只要你說一聲，就會出多少米！」董永接過筆來一看，這筆和普通筆一般無二。抬頭再看白髮老翁已不見蹤影了。董永放好了筆，欣然地回到家裏，便把借來的事原原本本告訴了母親，董母是疑信參半，董永隨即試驗一下，果然從筆尖裏吐出米來。從此董永母親的病好了。

一天，董母對董永說：「吃米不忘賜筆人，你去看望兔大哥好嗎？」董永聽了董母吩咐，即去到河邊，往前走十步，後退三步，只見叢林密茂，不見朱漆門，他朝前走去，一直看不到紅門。他看看天將晚了，舉斧砍下，忽聽得一聲響亮，他眼前竟出現的一所大紅門！董永趕緊敲門，只見白髮老頭出來了，一看是董永，笑嘻嘻把他接進門去。董永說：「謝謝你賜我的筆，母親命我特來謝你。」老頭問董永：「你娶了親沒有？」董永回答說：「我這樣貧窮的人家，自顧不暇，那能娶親呢！」老頭等董永說畢，就帶他到後堂，看到椅上坐着一位如花似玉的閨女。老頭道：「這個小姐做你的媳婦好嗎？」董永心中暗想，好一個美麗的姑娘。老頭隨即替董永介紹：這是我的女兒，我將她許配給你。董永喜出望外，急忙叫了一聲岳父大人，老頭道就算道吉日，就在此地拜了天地成了親吧！二人當着老頭面前四禮八拜，然後又拜過天地，旋即攜女歸家。董母見兒子娶了一個美貌而賢慧的媳婦，喜之不勝。媳婦不但美而且賢，且能織布，織布織絹織得十分好。自是

董永打柴，生活日漸好轉。光陰荏苒，一連三年，生下一子一女。一天，董永的妻子對他說：「董郎，我今天老實告訴你，我不是凡間人，我是天上王母之女。我在此上三年，正不過天庭三日，三天不歸，王母知道，我就是冒犯天條，就要受到處罰。」董永聽了，忍心丟下兒女不顧嗎？我也不能離了你呀！」忽然一聲巨響，娘子早已不見了。董母說道：「哭有什麼用呢？你何不再去找兔大哥設法罷？他是你的介紹人呀！」董永聽了，心中露出了一綫曙光。董永找到老頭，老頭聽了董永的話，也很生氣，對董永說：「這是王母幹的，你坐上我的葫蘆，閉雙眼，去到天宮找她去」！董永照老頭的吩咐，乘葫蘆到了天宮，眼見又是一種境界，宮闕華麗雄偉！董永一心想找她的娘子，那有閒心觀賞美侖美奐的宮闕。便一直往殿上走去，看到一個老太婆坐在上面，瞧着董永時，厲聲喝道：「董永！你來天宮何事？」董永很生氣的答道：「找我的妻子。」王母道：「好，你既然找我的女兒，你認出誰是你的妻子，你就帶他去吧！」王母說罷，隨命仙女走出。一會兒屏風後面走出七個仙女，個個如花似玉，個個都和董永的娘子一般無二。董永見了，又喜又焦。王母在上面說：「董永！你找吧！誰是你的妻子？找錯了我就要打死你！」（九）

三國史微言

·燕謀·

徐象三國評（隋志有三國志評二卷，徐爰撰，是否即此，待考）。孫盛異同評（或作異同雜語，又作異同記，又作雜記，其實一也）。孫綽評（字興公，晉建廷尉）。太康三年地記（不詳撰人）。皇甫謐帝王世紀，高士傳，逸士傳，及烈女傳，（謐字士安）。張隱文士傳（隱一作隨，一作衡，隋志作隱）。汝南先賢傳（周斐撰）。陳留耆舊傳（魏散騎侍郎蘇林撰）。零陵先賢傳（不詳撰人）。楚國先賢傳（晉張方撰）。益部耆舊傳（蜀，陳術撰，術申伯）。益部耆舊雜記（同上）。會稽典錄（虞預撰）。華陽國志（華撰）。王範交廣二州春秋（廣州大中正，太康八年上）。王隱交廣記。荀綽九州記（字彥舒，荀勗之孫也，晉下邳太守，有冀州紀，袞州紀）。襄陽記（不詳撰人）。異物志（後漢議郎楊孚撰）。列異傳（不詳撰人）。陸氏異林（隋志爲魏文帝撰）。葛洪神仙傳，應 書林（字休連）。山濤啓事（字巨源）。衛恒四體書勢序（字巨山，晉黃部郎）。左思蜀都賦（字太冲）。庾闡揚都賦（字仲初，晉給事中）。荀氏家傳。袁氏世紀。盧江何氏家傳。會稽邵氏家傳。傅暢裴氏家記。庾氏，孫氏，阮氏，嵇氏，孔氏，劉氏，陳氏，王氏，郭氏，諸葛氏，崔氏之譜。鄭元，荀彧，禰衡，吳質，任嘏，王弼（何邵作傳）孫資，嵇康（兄嵇喜作傳），華佗，辰作傳），趙雲，虞翻，諸葛恪，荀勗，程曉，潘岳，潘尼，孫惠，機雲之別傳。王朗家傳，陸氏世頌，陸氏祠堂像贊。高貴鄉公，陳思王，王粲，諸葛亮，傅咸，姚信，張超之集。凡百四十餘種。誠洋洋大觀者也。

裴注之商榷與攻錯

三國後世史家之於裴松之注，亦頌讚互見。頌者，以其網羅宏富，如蜂之採蜜，兼採廣搜，蔚爲大觀。其直接與史實有關者竟達一百四十餘種之多；無關正史而有關旁證者尚未計入，其失，則在盡搜頭木屑，失之於濫；可謂有其博之必有其濫也。歷代史評家如紀曉嵐，錢大昕，王鳴盛，趙翼等，皆有攻錯之文，茲舉如下：

王鳴盛曰：劉知幾史通第五卷云：「裴松之『三國志注』，廣承祚所遺，而聚異同，不加刊定，恣其擊難，坐長煩蕪，觀其書表獻，自比蜜蜂兼採，但甘苦不分，難以味同萍實矣。」知幾譏松之與劉昭（續補後漢志者）同，要之皆未可廢。（引見十七史商榷）正史在於嚴正精潔，注疏貴在補其闕遺，以廣異聞，而備有志者之參考焉，此尤無可厚非者。裴松之而後，對裴注以外之異聞實不多見，此亦可知松之搜採之富矣。猶之於承祚之國志，失在於簡，此爲二者相反之對照，長短得失互見之也。（九）

本報特別啓事

本報前所刊佈駐台省各地通訊記者，尚有四名漏列，特補刊如左：

台南市：吳先勛

桃園縣：黃鴻遇

高雄市：黃冬生

台南新營：蔣鑑民

內僑警台報字第〇三壹號內銷證

自由報

THE FREE NEWS

第五六七期

中華民國僑務委員會登記
台教新字第三一三號登記
中華郵政台字第一一六二號執照
登記爲第一類新聞紙類
（半週刊每星期三、六出版）

每份港幣壹角
台灣零售價新台幣貳元

社長：雷嘯岑
督印人：黃行霽

社址：香港銅鑼灣高士威道二十號四樓
20, CAUSEWAY RD 3RD FL.
HONG KONG
TEL. 771726　電報掛號：7191

承印者：大同印務公司
地址：香港北角和富道九六號

台灣分社
台北市西寧南路漢口街二樓
電話：三〇四六
台郵撥儲金帳戶二九五二號

取締惡補之我見

王琳

日前，報載宜蘭地檢處張敬修首席主張援用刑法第二百八十六條取締惡補，用以維護學童健康。頗爲各方重視。教育當局且擬邀請教育及法律專家研究其是否可行，而爲全面取締惡補之說。高檢處亦以檢察監督之立場，下令所屬十六位檢察官集體研究。但其結果均未見發表。凡此專家研究，開會討論，或係重視輿情的爲官之道，我們且不理會，這裏臚述一點筆者的意見。

首先，筆者特別強調一點，就是筆者當然絕不反對取締惡補，但必求其合理合法，左道旁門式的頭痛醫頭，腳痛醫腳的辦法，筆者卻不以爲然。因爲那樣勢將更加造成惡補的猖獗，非但不足以撲滅惡補，反更助長其凶燄。我們且看在民四十至四十五年的時候，惡補因爲客觀環境之需要，應運而生，輿論界大張撻伐，教育行政機關加以行政制裁，舉國滔滔，視之猶如水火猛獸！而曾幾何時，惡補依舊，學童健康江河日下。檢討起來是我們輿論界的反應不夠熱烈？還是我們教育行政機關的制裁未能貫澈？其實都不是。惡補之由秘密而公開，由公開而地下，當然有其遠因。但若於正課時間保留，補習時間整體發賣的商賈式教學方法，則是我們自五四以來的精神破產之餘緒，師道尊嚴到此已破壞無遺，說來令人痛心。現在計窮智竭，又乞救於法律，會有效嗎？

教育首先注重的應是傳道授業，而不是知識的買受。同時知識也無法以貨幣價值去衡量，以定其價格之高低，更無法以所謂供需律去調節其需要與供給。這都是老生常談，教育行政的主事者，不是不知。但仍祇知乞靈於制裁，而不知從根本求其解決之道，是何原因呢？不是偷懶，便是無知。

再有就是我們統計劃表之應用於教育行政主管以表現工作成績的，也是造成降低知識水準的主因。祇知沾沾自喜於升學率與就學率之高達世界水準，到頭來只能表現在統計圖表的本身功用上，而不是實質的教育之成績。教育到底是百年大計，而不是數字所能一概表現的。

或者把惡補歸罪於升學主義，而說小學升中學，中學升大學的這種教育制度不夠健全。那更是一偏之論。且不論世界各國都在施行這種制度，而我們自己施行這種制度，也已有半個世紀；乃在以前從未發現其缺點，但一到集中全國教育行政人員與優秀的教育工作人員於台灣省之後，則產生了這麼個天大的怪物，眞是值得研究與討論！教育行政人員對此應該自省自反，現在正是最後的一個時機。

我們在通常的習慣裏，老是把教育行政與眞正的教學工作者混爲一談，那是大錯特錯。最要不得的事。教育行政人員之由教學工作者中逐步提升，也是降低教學工作者素質的一個絕大原因。教育行政人員是負責學校的興建與教學工作人員的遴聘，該是純粹的行政工作，這其實也祇是作官人的想法而已。

而實質的教學工作者，則是自守其傳疑解惑的學術授受，教學工作者的興趣是看到自己教學成績，而不是分數的高低，更不是校舍的堂皇，與學生制服的整齊劃一。這種純粹的教學工作者，要有其不易的忍辱負重的性格，應該不急於求其成績之表現，更不是升學率之高低所能定其優劣的。「得天下英才而教育之」一樂也。孟軻在三千年前就曾表示過一個教學工作者的旨趣的，它更是人間的純眞，也是人性最崇高的昇華，獨樂其樂，不是以作官爲職志的人所能瞭解的。並且，教育工作人員與教學工作者，不是純然的長官部下的隸屬，更不應該有階級觀念的存在，也該是常識了。勝利後台灣省教育行政人員命令教學人員爲其捧茶掃地的那種君臨天下的作風，說來豈不令人髮指！

岳武穆說：文官不愛財，武將不怕死。而一個教育工作者更應該不愛財。此處所講的財，當然是指非份之財，而不是應得的財。財富誰人不喜？但君子要取財有道，在這「道」的分際上，才能表示出君子與小人之別。惡補的施行者，最主要的在於收取「補習費」之財，不然他也沒有那多的精力去爲人日以繼夜的補習了。爲了求取補習費而置民族幼苗的健康於不顧，筆者無以名之，只能說他的罪名更甚於叛國。

取締惡補之聲，不絕於耳，而取締之道，也是層出不窮。由行政而法律，由行政罰而犯罪之制裁。但能眞正的解決嗎？那比緣木求魚更加困難！最初是免試常識，到頭來，常識只變成了功課表上的名辭，而不是學生所應學習的課目。因爲在升學競爭如此激烈的情況下，只有拼命的去教授另外應考的課目呀！而我們在某中學的錄取分上竟發現最低分爲八十九點幾的時候，眞使筆者驚訝欲絕。可能是天下英才全數集中在我們中國，而中國的最智者都集中在台灣省了？

當初免試常識的理由是減輕學童負担，但那只是轉嫁而已。只把輕鬆了一面的重担，加在另外的兩個科目上面而已。學童的知識限制在升學的需要上，懂得了一加一等於二的算術以及相反辭的國語，對於他爲什麼讀書以及應該如何作人的道理，或者台灣省在中國的那個方向都不知道了，因爲那不是考試的科目！非考試的科目，可以不教，也可以不學！甚至可以連自己國家國旗的模樣都不知道，這還有什麼可談？

再後又有會考題限於課本的內容範圍之規定，更是非驢非馬的四不像的考試制度。考試本來已是一個不太健全的測驗方法，而又特別局限於課本的狹小範圍裏，將學童的知識限制得喘不出一口氣來，更得別談自由發揮與興趣了。這種模型裏出來的學童，說得不好聽一點，只是課本的奴隸而已。

我們不要再在大題目上作小文章，應該挺起胸膛，認淸惡補之來由！不要以政治方法的太極拳去解決關繫着民族存亡的幼苗，任令其遭受無情的摧殘，以及有計劃的壓抑！

饒饒孩子們吧！在他們幼小的心靈裏，請不要嵌進「貪財」與「小部份」的觀念。他們的世界應該是開濶的，也應該是純潔的；不要用孩子們作爲你個人爭取權位與財富的踏腳石吧！也不要競相歌誦無法兌現的美麗辭藻吧！

陰謀專家

毒蜘蛛

今日与明日

李宗仁回大陸

傳說已久的李宗仁回大陸事，竟然成爲事實，於七月二十日返抵北平，並曾發表書面宣言，以毛共試爆原子彈爲榮，並指責美國「霸佔台灣」。

李宗仁其人從北伐到抗戰，原也有藉藉聲名，過去國人震於其虛名，總以爲其人有一套方略。但自代總統之後，原形畢露，十足飯桶。以前所以僥倖成名，半由運氣，半由其左右輔佐得人。及至隻身遠走美國與舊日袍澤隔絕，受共黨包圍，於是言語荒謬，行爲乖張，識者早知其晚節難終了。

何以爲情

李宗仁回到北平，當下時不知作何感想！大家都記得勝利後李宗仁任軍事委員會委員長北平行營主任，獨當一面，節制整個黃河以北，儼然是半個中國的主人；也就靠了這一項資本，加上安徽、廣西兩省的財力，得爲副總統。一將功成萬骨枯，這一個副總統的選出，安徽、廣西兩省民衆多少賣兒鬻女的血淚錢！假若那次李宗仁不當選副總統，則後來政府內部不致分裂，大陸也未必會丟得這麼快！李宗仁更不會揹着中華民國代總統的招牌到美國去招搖撞騙，腼笑國際，自絕於國人，變成了眞正的孤家寡人！共特也就不致乘虛而入，何致自投羅網毀了一生歷史！追源禍始，當初在安徽、廣西幫他搜刮選舉費的兩名大爪牙，才眞正誤了李宗仁，害了國家，實在萬死不足蔽其辜。此二人若尚有一絲良心，淸夜捫心，也會背脊冒冷汗的。

不過，李宗仁若稍顧臉皮，即使不談信仰，不論是非，此日也不致於回北平向毛共諸首稱臣禮拜的！試看李宗仁回到北平時，毛、劉、朱三酋均未去機場迎接，仍然等候李宗仁去朝覲，俯仰之際，何以爲情！稍有廉恥，當有無地自容之感吧？

誰利誰害

有人說李宗仁回大陸是毛共一大勝利，相對的自然是政府的一大失敗。我們仔細想想，實在看不出有何勝負之可言。假若說毛共得到李宗仁就是勝利，先問李宗仁能派什麼用場？則說是向海外反共人士招手，則親如其子，近如妻弟均未隨往。說是號召廣西人民支持越戰，更是笑話！姑不問李宗仁在廣西尚有無號召力，先說毛共敢把李宗仁送回廣西去發動民衆嗎？充其量不過委爲民革主席，政協副主席之類而已。所以說李宗仁之投共，眞正只害了一個人，就是他自己。（何如）

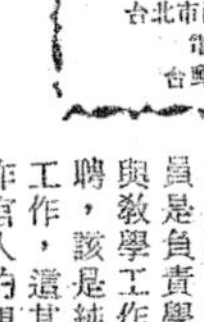

自由談

流亡在美國的前任中華民國副總統李宗仁，最近潛往瑞士，并經於本月廿日投奔毛共。我對這項新聞，絲毫不感到驚詫，更無惋惜的價値，因爲李宗仁的政治生命早已完蛋了！

你看他當年身居代總統的職位，先以許術脫離中樞，置在華南前綫苦戰中的數十萬國軍於不顧。繼又掮着代總統名號不放，私自去國，聲言執行「總統」職權，竟在海外發號施令，胡行妄爲，丟醜失格，貽笑萬邦，直至國民代表大會正式罷免他的副總統職務，纔告黔驢技窮，無法作怪。像這樣的作風，即是一個僅受過小學教育的庸愚人物身歷其境，亦絕對不會有的。因此之故，「草包李宗仁」的評判詞，在中國人之中，連親共乃至投共從逆者，一致充口而出，成爲定論了。向年我在海外跟一位在野黨的領導人士談論國事，提到李宗仁時，他急忙答道：「那是草包，不足道也」！

政治草包

毛共爲着深深感到外受台灣國軍反攻，內有大陸民衆普遍抗暴的各種威脅，凡屬過去在政治上混過的非共人士——特別是國民黨人，認爲尚有點剩餘價値，總想利用一下，以期發生若干效能，對於李宗仁這塊爛招牌，認爲尚有拾取以裝點門面的少許作用，自不待言。可是，李宗仁的草包本質，在大陸上的一般知識份子，誰也都認識深刻，相知有素了。毛共若利用李宗仁去應付那些舊時的國民黨人暨所謂「民主黨派」人士，徒見其心勞日拙而已。就知識與物望而言，李宗仁尚不及以土劣起家的張瀾遠甚呵！所以，李宗仁的居然投入毛共魔窟，根本不值得奇怪。他的政治信譽早已掃蕩無存，他的才能又是一個「草包」，對任何政權都是負債而非資產，他本人祇有趨於「吾日暮途窮，故倒行而逆施之」的下場，理有固然，何怪之有？人的歷史是自己創造，也由自己纔可以毀滅，與別人的好惡無關。李宗仁已矣，希望搞政治的朋友們，瞭解此義，好自爲之，不要爲李宗仁所竊笑，幸甚！

馬王先生

台南市教育界怪象百出 集體報名居然也出毛病

為何如此？責任誰負？如何解決？

（本報台南市航訊）今年本市除市立中學聯合招生外，大部份私立中學亦參加聯考。國校畢業生名義上可以隨意選擇投考對象，自由填寫本人投考志願；但實際上投考志願之填寫，幾乎完全被國校老師們一手操縱。

幾乎所有的國校老師都把自己事先擬定好的志願，依次寫在黑板上叫學生們照樣填寫。當然第一個志願是市中或是市女，以後就隨老師和各學校間之「關係」，而把餘下的金城、延平、南寧、忠孝四個市立中學先後排下去，第六，第七，則多為偏遠的安南以及尚「無影無蹤」，而已獲准成立的安平（現暫稱為金中分部）。等市立中學排完了，纔輪到各私立中學。

多數家長，近兩年來已受慣了國校老師們的擺佈，提不出什麼異見來。可是部份家長，尤其是已有子女在市立中學念書的，很知道市立中學每況愈下的底細，不願再上盲從的鬼當；看到幾個私立中學，如瀛海，建業等，都已在急起直追，埋頭苦幹，尤其是慈幼、德光等幾個教會學校，更辦得有聲有色，更都沒有像市立中學那樣的，要收每科一月五十元的鐘點費，另外還要到老師家裏去補習！所以都願把自己子女的志願在填了一兩個市立中學之後，（難改的積習）就先填教會學校，填其他好的幾個私立中學，再後纔填寫餘下的幾個市立中學。可是在國校老師看來，這簡直是「造反」！硬不讓學生如此做。欠修養一點的老師，還立刻把這類學生的報名單撕掉，叫學生再買一張重填。有的還乘機把私立中學指揮萬桑的破口亂罵了一頓，硬要強迫學生把市立中學統統填在前面。只有少數例外的：那是經過家長們「長期」交涉的結果。

國校老師們這種無法無天的做法，確實為了飯碗問題，實太可憐，也值得原諒；但教育當局應該還得要想個斧底抽薪的辦法，免得小學生們經過了十八層地獄，最後連托胎轉世的命運，也得全被他人支配，那麼，豈不太慘了？

台灣証券市場面面觀（四·完）

本報駐台記者 張健生

証券市場無法穩定

證券市場的特徵就是不穩定。所謂不穩定不是說證券市場是受經濟循環的影響，而是說在它的本來性質上就含有內在的不穩定性。因為證券的供給目的在於資本募集，作為投資之用；而證券的需求目的却取決於流動性的偏好。這兩種性質根本相異。前者是發行公司按照業務預期而進行，所以比較穩定；後者則取決於證券市場每個客戶的一時的偏好，所以不僅不穩定而且變動極大，甚至連購買證券的人也都不知道下一步驟怎樣。在事實上，影響證券市場價格的主力不在發行公司，而在需求證券的每一客戶。有時候，證券發行量不變，而證券交易却非常頻繁；有時候，證券發行量有變，而交易量反而沉寂，其故安在？由於證券市場本身有其決定的因素，與工商業的投資無關。

證券價格的變動，並不能代表資本邊際效率——紅利——的實際變動，而多頭與空頭的目的也不在紅利，而在於證券本身市價變動所構成的差額。如沒有這種差額便沒有交易。何況購買證券的人不是真正的投資人，他們純係出於一時流動性偏好而活動，流動性偏好純甚於心理的因素，這種心理因素是一個沒有法子計量的因素。因此，證券管委會所要對付的就是這種無法計量的心理因素，事實上，是沒有有效的辦法可以來對付的。所以，如在今日的台灣，要想有一個穩定而正常的證券市場，比先進國家更難；如能做到使大戶與發行公司不勾結爐抬市價，已屬難得了。根據過去的經驗，恐怕連這一點也無法做到，因為我們的專家固然沒有先進美國那樣有毅力和決心，縱然有毅力有決心，也會受到政治上的阻碍。比如說，若干經營證券交易的中央與地方民意代表，不是經常利用特權質詢去影響證券市場的心理以創造機會嗎？

嚴禁虛買賣 切忌太緊張

證券交易之利弊：在證券交易所成立後，投資人隨時可以出售證券，收回投資，使投資獲得流通；同時可以減少浪費，鼓勵投資。而大企業家可以向大眾募集資本而不限於親友或向銀行貸款。這是證券交易的優點。

凡事有利必有弊，證券交易當然不例外。而證券交易之最大弊端，就是可使投機操縱者得以插足其間，興風作浪，擾亂金融。由於投機操縱者，在證券交易中比在其他各種交易中更為盛行，所以成為最大之弊端。

因此，證券本身之管制，在制度方面，在單行規章方面，應嚴加規定。除此之外，政府在管理方面，應充實監理員之職權。同時，證管會應禁止不法之交易，如經紀人互相串通作「虛買賣」，或哄抬某一股價，或抑低股價等不法交易。如明定禁止經紀人自做買賣，如場外交易之管制，如新證券發行上市等等。這些雖為治標之辦法，但如果做好的話，則台灣證券市場種種怪現象，不但減少，甚至可促進證券交易走上正軌。

總之，證券市場在先天的條件下與一般市場不同，業務經驗與豐富的學理，嚴密的制度與謹慎的措施，不一定會有預期的效果。但管理者切忌自己牽入漩渦，切忌隨着市場變動而緊張，甚而手忙腳亂。換言之，管理者在心理上應該沉着，放心大胆地按照原訂計劃按步就班去做，即不至如目前這樣的一團糟。（七月四日）

台南市亟需一個像樣的圖書館

本報記者 朱武州

台南市是台灣省第一個「古城」，號稱「文化古都」，鄭成功當年登陸的古跡，遍佈城內與市郊，國姓爺的故事更家喻戶曉。這些追跡與故事是我們的前代用血汗寫成的史詩。目前台南市人口快近四十萬，每月尚且以千人的增殖率上昇。延平郡王時代台南市為「反清復明」的文化、政治、經濟、反攻指揮司令中心。隨延平郡王來台的先民們遺跡，留目皆是，確非台省他縣市所能及。

在發展社會教育或古都文化以及觀光事業上，自應朝國有文化道德上去着力，而非僅是裝修一下「赤崁樓」、「成功祠」、「安平古堡」，以及拼命建超國際水準的「觀光飯店」、跳脫衣舞的，便認為是了不起的進步。談到社教工具，亦不該祇限於塑造一個英雄銅像，建一個甚麼廟堂，立一塊先賢墓碑，造一所博物館便夠了。圖書館之設立，實在更為重要。誰亦不能否認社會教育最主要工具仍然是「書」。

然而台南市立圖書館自光復初期，接收了日據時代遺下之日文書籍一萬七千多冊，西文書籍四百餘冊，添置中文圖書兩千七百餘冊，共計二萬餘冊，迄今歷時十餘年，逐年增添，現擁有中文書籍兩萬餘冊，西文書籍一千五百餘冊。從這數字看，該館逐年增加之中文圖書，十倍於光復初期。但以一萬七千多冊日文圖書比較，中文圖書兩萬餘冊，祇多其七分之一弱，這在中國土地上，在台省「文化古都」之台南，仍不能不說是「特殊反常」現象。

試看該館日以繼夜川流不息為市民學生前往閱讀，以及座上客常滿的情形，任誰都了解其供不應求粥少僧多的現實。又以該館按月統計之借書數字看：每月平均有一萬三千人，借閱圖書達兩萬冊上下。合計每年至少有十五萬人向該館借閱廿四萬上下圖書。若以一市民一書為圖書館努力標準，則需四十萬冊，以借閱人數為準（如前述）以五折計，仍需七萬五千冊。依該館逐年購書數量，欲達此目標，則非廿年莫辦。

據聞：該館預算每年約七萬元，尚須開支：（一）夜間開館，（二）各種設備補充，（三）語文補習班，（四）修繕館舍，（五）印刷物品，（六）旅費。到底能剩多少錢來購置圖書呢？

又悉：本年度館方曾書面呈請在各觀光名勝地區及離市區較遠之區域，為便利觀光人士及市民閱讀，主張增設分館；但尚未送到議會之前，在市府即被判無期徒刑了。

最近報載北市一拾荒老人王貫英將歷年積蓄數萬元悉數購書贈圖書館，宜蘭縣增設羅東分館預算十二萬元，經縣府及議會增為廿八萬元之事；依此看來，豈不愧煞這些「朝坐公廨議事席，暮為英雄酒女客」者，「口說禮義廉，心算官勢錢」者，「三絕吹拍罵、貫打太極拳」者！

更使人悲傷的是，台南市雖為「文化古都」，然在一些政治佞幸人物的腦海裏，除追逐私利外，其他全不介懷了，圖書館更加談都不要談。

不久以前，在台南市火車站附近由某鉅子兼有「王」字之稱者所經營的觀光飯店開業，有某部長親為剪綵，該鉅子且宣稱：不以牟利為目的，純為桑梓父老兄弟姊妹服務為職志云。然而洋婆子脫衣舞，即以此飯店為最早，其他觀光飯店，亦羣起效尤，是即所謂服務了麼？

假如「服務」是多辦幾間學校，免得孩子們給惡性補習搞得面黃肌瘦，又使住違章建築及軍眷區的市民們，多有幾間公廁，建平民住宅廉價租與平民，那就好了。把南市圖書館充實起來，使市民得以不再苦無去處，致使傷風、敗俗、下流、腐敗、墮落之事大行其道，那就好了。

甚于此，深盼有關當局用點心思，把台南市立圖書館辦好，而不僅是「經之營之」，「府會攻之」，便是功德無量了。

應全力促其實現的：高雄曹公圳灌溉區耕作制度改善計劃

（本報記者袁文德高雄航訊）橫跨高雄縣市的曹公圳灌溉區耕作制度改善計劃，目前正在農復會、農林廳、高雄縣市政府、農會及高雄區農業改良場等有關單位全力合作下推行中，期使該區域內的水稻能普遍由二期作的在來稻改為蓬萊稻，並於二期作收割後休閒期種植大豆，裨益農民增收，改善農村生活。

據悉：曹公圳灌溉地區面積，總計有一萬一千餘公頃中，有八千多公頃目前尚未妥善利用土地，種植較有經濟價值的作物。在這八千公頃的面積中，除知甘蔗區及低窪地排水不良，無法妥為利用休閒期，種植有經濟價值作物外，有五千多公頃的面積，可由二期在來稻，改種蓬萊稻以後，不但產量可以提高，並可使生育日數減短，於十月十日左右便可收割。如即行又種植大豆，其利益既優厚，且又不妨害下期稻作。何況本省目前大豆之需要正感十分迫切？

據農改場負責人語記者稱：過去曹公圳地區所以未予妥善運用二期作後休閒栽種大豆，其主要原因是：（一）由於栽種在來稻，生育日數過長，影響大豆下種。（二）最重要的是該地區缺水灌溉豆田，而影響到大豆的成長。今後為配合推行改良計劃，特聯合水利當局解決，並同時提早二期作放水時期，期以配合推廣蓬萊稻與大豆。並說：根據估計，如該項改善計劃，能獲得各有關方面支持與農民的通力合作，二期作如改種蓬萊稻，並按照綜合指導栽培技術耕種，則每公頃的水稻可增收九百公斤；以五千頃計，就可增收四、五〇〇公噸。每公噸以三、八三〇元計價，即可增加一七、六三五、〇〇〇元之收益。在大豆方面，每公頃平均產量為一二〇〇公斤，五千公頃可增產六、〇〇〇公噸。如果再將更新大豆改良面積一、四〇〇公頃計列在內，每公頃還可比在來稻增加四〇〇公斤，合計可增產大豆五六〇公噸。再把新增產與改良增產合計，每年的大豆可增加六、五六〇公噸；每公噸大豆以新台幣六、〇〇〇元計算，即有三九、三六〇、〇〇〇元。因此，曹公圳計劃如果順利推廣完成，一年就可增加新台幣五六、九九五萬元之收入。

又說：曹公圳灌溉區推行農業改善計劃，係分三年完成，五十四年決定一、五〇〇公頃的示範，面積地區包括有鳳山、鳥松、大寮、三民、苓雅等鄉鎮區。五十五年再增加一、五〇〇公頃，鄉鎮也增加仁武、小港、大樹。五十六年計劃將全可以推廣大豆的地區完全實施，鄉鎮區也增加橋頭、梓官、林園、左營、前鎮等。

據說：大豆栽培的「禾根豆栽培法」，在高屏地區是採用的，它是利用水稻收割後，將大豆播種在禾根的傍邊，而不須整地。這樣既可節省人工，同時也同樣可以有良好的收穫。

據改良場場長語記者稱：曹公圳大豆推廣計劃，並非僅對一個地區的耕作制度改善，而是台省大規模的耕作制度改善之開始。因此深望各有關機關能予全力支持，尤其該灌溉區農民更應放棄老的栽培方法，勿固執己見的不願做共同秧田，而接受新的技術栽培指導，使該工作計劃能予如期順利推展成功，早日普及全省，以增進農民收益，與促進農村的繁榮。

怪力亂神與法律叢談

救生不救死

·陸嘯釗·

神判思想的基礎，主要是建立在報應觀念上。「善有善報，惡有惡報」，不論是道教，還是佛教，都是特別强調因果報應的。這種思想意識，在行爲的自律上，有很大的作用。

冥誅，災異所以懲惡，福報祥瑞所以勸善。上天所忿怒的就是惡；上天所喜悅的就是善，冥誅，災異，福報是對個人的賞罰，災異，祥瑞是對全體的賞罰。這種邀賞懼罰的心理，對整個刑訟事實的形成，有極大的關係。而無形中對社會秩序的維持，犯罪傾向的減免，更有潛移默化的功用；但是中國法治社會的未能建立，也未始不是這個原因。

古人的心理中，多把政事不修認爲是致災的原因。自佛教東傳以後，更把殺生認爲是造孽的行爲。而刑獄枉法殺人，寃氣直冲雲霄，尤其上干天怒。因此官吏個人爲了怕誅及無辜，報應自身，往往處理刑獄，寧縱毋枉。這種救生的不救死意識，在「魏書」一四十八卷「高允傳」裏表現得極其明白：

「吾在中書時有陰德，濟救民命，若陽報不差，吾壽應享百年矣！」

這是何等自私的思想！以這種思想來推行法令，跟黃老之治又有什麼兩樣？罪疑唯輕是對的，如果罪證硬實，而故爲之出，這祇是方便大開受賄之門罷了。這種道理朱熹說得非常透澈，他說：

「今之法家惑於罪福報應之說，多喜出人罪以求福報。夫使無罪者不得直，而有罪者得倖免，是乃所以爲惡爾，何福報之有？」

「今之法官惑於欽恤之說，以爲當寬人之罪而出其死，故凡罪之當殺者，必多爲可出之塗，以俟奏裁，則率多減等；當斬者配，當配者徒，當徒者杖，當杖者笞。是乃賣弄條貫，舞法而受賕者耳，何欽恤之有？罪之疑者從輕，功之疑者從重……今之律令亦有此條，謂法所不能決者則俟奏裁。今乃明知其罪之當死，亦莫不爲可生之塗以上之。」

「今人獄事只管理會要從厚，不知不問是非善惡，只要從厚，豈不長姦惡？」

這在一層層報應的重重迷霧中，總算撥出了一片青天，對法外施仁，曲爲脫罪者，不啻是當頭棒喝。從這一段文字中，我們也可以看出法律的規定是一會事，法律的實施又是一會事，不了解這些，祇從歷代的成文律例去研讀的話，我們永遠無法獲得中國古代法律和中國古代社會的真相。這種姑息作風，實在是中國法治的致命傷，甚至連強姦殺人這樣惡性重大的罪惡亦不辦死罪。方大湜的「平平言」卷三就說到這一點：

「因姦致死人命必應擬抵，切不可聽救生不救死之邪說，致死者含冤地下。」

這已經明明白白地點出了，中國古代社會的姑息寬縱風氣，和「救生不救死」的觀念錯誤。這種正確的看法，多少有助於中國法治的形成。因此中國歷史上的一些明白人亟圖糾正，朱熹是一個，陳宏謀又是另一個，他在「飭各屬辦案條件檄」裏諄諄告誡道：

「留養之道，國家法外之仁，非可冒濫；例內控請留養，各有應得處分，乃有狡黠之徒畏罪規避，詐稱親老丁單，妄希留養。聽者不察，或意存姑息，有心開脫。書役窺知意旨，因而乘機詐索，串通保鄰人等，扶同具結。在被害之家，或未悉底裏，或不知義例，既經官爲審辦，往往未敢置喙。上司據結勘轉，驟覺難察，遂得循例聲請。或謂此等事可種陰德也，不知殺人之人倖逃法網，則被殺之人含冤地下；爲生者計，獨不爲死者計乎？」

把「救生不救死」的弊端，條分義析得非常徹底。固然「大德曰生」，要維持道德，我們可以根本廢除死刑；如果法外施仁，「救生不救死」，那就根本破壞了法律的衡平。

—之八—

籬邊的榴花

趙碧君

可是譚太太堅決反對，她就不願意和這小鎮的人結下親，要不是爲了自己的丈夫在這個縣份裏有大量的舊部屬，和可以獲得全部眷村的選票支持，砍頭她也不會搬到這鬼地方來落戶。如果她的兒女都在這兒婚嫁，那她只有老死在這倒霉的地方了。

鴻儀和鴻琳也就利用母親的這一點心理，可以高枕無憂的省却許多麻煩。他兩兄妹，起初聽說有人做媒還有一些氣憤，但是三兩起後，也就司空見慣，反而覺得好玩，當做別人的熱鬧看了。

但是有一次，柳河對岸忠孝里的宋家，爲了慶祝譚正中當選省議員，宋家和譚家是世交，宋德文和譚正中的大哥年歲相彷，所以自幼看待正中像個小弟弟一樣，及至正中長大成人，宋德文已經宦遊江浙，在杭州、無錫一帶做過幾任不大不小的官，很有一點政聲。抗戰勝利以後，棄官從商，積蓄不匪。他膝下三男兩女，大少爺和二少爺係朱氏夫人所生，都在外縣市成了家，不大回來；其餘側室羅氏所生。朱氏夫人過世後，側室羅氏扶正，就是現在的這位宋太太。羅氏今年也快六十了，兒子玉艮已經結婚成家，只是從小被羅氏溺愛，不肯好好唸書，所以肚子裏沒有什麼墨水；但是人倒精明能幹，混的本領，應酬的功夫，都極到家。再加地經營儲蓄合會，營業項目分現金合會與物產合會兩種，業務蒸蒸日上，因此在這小鎮上倒眞吃得開。他的兩個妹妹，大的叫錫華，小的叫蕊華，已年過雙十，尚不曾許人。

譚正中搬來這小鎮之後，拜訪各處親友，唯獨在柳河對岸忠孝里的宋家，却不曾去過。他並沒有忘記兩家是「世交」，只因爲宋德文過世之後，似乎不再有去的必要；這一位宋太太雖也見過幾次，譚正中不頂瞧得起她，由於先入爲主，姨太太總歸是姨太太，扶正了，也還是偏不正的正。譚正中雖是個好好先生，然而也沒有「屈尊」去過一次。至於宋玉艮，那是做小輩的，理應他先來拜見才是。

果然，那宋玉艮雖不愛詩書，却深爲達禮，在他們遷來小鎮不久就來拜望老伯。接着譚太太爲了自己的丈夫有意出馬競選第三屆省議員，想到他的世姪玉艮在地方上頗有點路子，於是便親自上門去拜訪宋太太。這位飽經世故的羅氏夫人，自然比小鎮上別的太太見過世面，懂得人心，加之一張嘴又能說會道，察言觀色，隨機應變，見風轉舵，全是她的拿手好戲，所以譚太太竟和她一見如故，兩下十分投機。第二天宋太太也過譚家來回拜，譚太太也放出手段來，敷衍得風雨不透。因此這次譚正中出馬競選議員，宋玉艮便義不容辭地出來做助選員，四處拜託拉票，不眠不休，也着實賣了些力量，這次譚正中能當選，宋玉艮功不可沒。按理說，自然是應該先由譚正中來答謝這位世侄的，沒料到反被宋太太搶先請了祝賀酒。

（三）

韓愈其人其文

漁翁

我國文學，以唐宋兩朝爲最盛，如韓（愈）柳（宗元）歐（陽修）蘇（軾），皆以文章大家著稱。[illegible]經史皆窺，引李耆卿文章精義云：「韓如海，柳如泉，歐如瀾，蘇如潮」，而以韓爲首是瞻。所爲文，深探本原，閎深奧衍，爲後世所宗。

韓愈，字退之，唐鄧州南陽人，此本新唐書本傳；而舊唐書本傳則作昌黎人。又辭源載：「其先世居昌黎，宋熙寧中，因追封爲昌黎伯，故世稱韓昌黎。」是昌黎爲其祖先所居，後移遷南陽，而飲水思源不忘故居也。卒諡「文」，故人又以「韓文公」稱之。

父名仲卿，有文名，生子三，長曰會，次曰介，三即愈。愈生三歲而孤，育於長兄會處，旋會卒，賴嫂鄭氏鞠之。性明銳，幼刻苦好學，日記數千言。及長，通六經百家學。年二十五，成進士，累官吏部侍郎。時裴度爲相，當討淮西，愛其才，聘爲行軍司馬，贊襄殊多，淮西之平，與有力焉。

有姪曰韓湘，又稱韓湘子，世傳八仙之一。幼列文公門下，昆仲皆力學，而湘獨異趣，見書不閱，對酒則醉，醉而歌，落落不覊。乃叔責之，湘笑曰：「湘之所學，非叔所知。」即執筆作言志詩云：「青山雲水窟，此地是吾家。後夜流瓊液，凌晨散絳霞。琴彈碧玉調，爐養白硃砂。寶鼎存金虎，丹田養白鴉。一壺藏世界，三尺斬妖邪。解造逡巡酒，能開頃刻花。有人能學我，同共看仙葩」。叔閱之，乃曰：「此庸言欺人，非大中至正之道也。」

文公生平以儒學爲正宗，力闢釋道，故對湘之所爲，不愜於懷。而湘以所志，不見賞於叔，乃當衆聚土覆盆，頃刻花開，且花瓣上有：「雲橫秦嶺家何在？雪擁藍關馬不前」之句，並曰：「事久乃驗」。而文公猶以此乃幻化之術耳。

在朝鯁直無所忌，德宗時，上疏極論宮市；憲宗時，迎佛骨，皆坐貶。諫表直述歷朝因事佛而亂亡相繼，求福不獲，反更得禍，末云：「乞以此骨付之有司，投諸水火，永絕根本，斷天下之疑，絕後代之惑」。又曰：「佛如有靈，能作禍祟，凡有殃咎，宜加臣身」。慷慨激昂，語不稍遜，致開罪於帝，貶潮州刺史。潮屬粵地，即今之潮陽，距京都八千餘里。行至粵東五華境，時大雪，忽有人冒雪而來，視之，即湘也。（一）

評介「近代史料舉隅」

洪流

著者：吳相湘

歷史研究的基礎，在於史料之蒐集；而在近代史方面蒐求史料作得最有成績的，毫無疑問的應該是吳相湘先生。吳先生個人以一個歷史學者，於教授之餘，努力於史料之蒐集，值得國人同聲讚揚。

世界近代史不但呈現一種多彩多姿的形態，就是在中國也出現了五千年來的一個大變局，「中共」之由孕育而肇亂。帝國主義之侵華，八年的抗戰勝利到五强之一的强國地位，我國這一代人，應該可以傲視於世界各國人士之前。可是在我們這個過程裏，又有多少悲劇的形成？又有多少可歌可泣的史蹟？說來令人痛心，除掉少數的專家學者在作着這一時代的總結之外，好像國人都麻木了。這一代的人，好像都應該休息一番，因爲他們離鄉背井，拋離別子的倔促在中國的一隅，那有閑情再注意到這一代悲劇的來由！幸虧現代印刷技術的日趨進步，在少數專家學者，有心之人的協助，總算保守住一點經過的痕跡，也刺激了麻木的人心。因爲近代中國於我們這一代太熟習了，熟習得莫名其妙的失落，爲什麼？只可以說：我們太熟習，反而變成最生疏的事物。那好像是雲深不知處，甚或我們都懶得去撫摸它一下。這並不是我們過於慵惰，而是怕觸着瘡痛；那實在是我們國人最大的病源，諱疾忌醫是最要不得的心理。但我們又不得不面對現實去撫弄它一番。上代給了我們一些什麼？我們又能給下一代一些什麼？我們只能含着一腔的悲痛，來敘述前輩與我們的悲劇，給將要來到的一些教訓，翼待知來，庶幾避免悲劇之再擴大與重演。

史料是直接的爲好，但第一手的直接史料，我們保有多少？一些當時人的回憶錄之類文字，應該是最直接與原始的了。吳先生在這方面編有幾套叢書，都是大部頭的著作，大得在購買力薄弱的今天，不是一個中產階級所能負担得了的。中國讀書人好像與貧窮結了不可解的緣份，窮而後工，雖然並不是指貧而言，但中國讀書人的毅力，則是世界上最大的了，大得孜孜矻矻，白首窮經，讀書人的一得之樂，那是超出世界上任何已能保有的財富。讀書樂，是沒有目的的，假如存有任何目的，那就不是中國讀書人的本色了。

爲了補救中國讀書人的貧與窮，吳相湘先生又出版了這冊提綱式的史料，它指示讀書人那裏有着那種的史料，又那一種的史料，它裏面又包涵了一些什麼？它不但節省了讀書人的貧，也給讀書人節省了不少的時間與精力。俗語說：一寸光陰一寸金，雖然光陰不能用金錢來購買，但這種儉省是有其重大意義的。

這本「舉隅」共有六個部份，四十五篇文字。文章雖有長短，但其所表現的目的與方式則一。第一個大部份是著者所編輯的四套大型叢書的序言，介紹這四種大部頭書籍的來由與內容。第二個部份，則是較詳細的各別介紹，雖不是包容全體，但也對幾個重要的部份，提出了指示，尤其第五十一頁開始的國父傳記二三事，雖是短短的四千字，却道出了大問題。國父的百年誕辰就是今年，但我們連一套國父傳都拿不出來，後代子孫不肖如此，眞是無話可說。吳相湘先生以舍我其誰的姿態，以個人的財力與時間來作這件工作，我們應該深慶得人了。

第三個部份是對日史料的說明，也是我們浴血八年[illegible]的一隻苦果，這隻苦果已由中日兩國的子民共同分嘗了。第四個部分，是近代中國禍亂之由，也就是俄帝與匪共方面的。俄帝與共匪竊據了我們大好河山，我們應該不要忘了它們。第五個部份是清代的，也是吳先生個人致力最勤的部份，從清朝帝后的衣食談到紫禁城的種種，那是故宮檔案工作的成績。第六個部份只有一篇，就是著作個人傳記的序言，不消極，不怕强項，那是吳先生的最好自繪像。

國劇繽紛續錄

（二）婆娑生

談取滎陽

名票李毅清在藝專館演鳳還巢，特約名票李東園助陣，先擬唱七星燈孔明禳星，後以排練不及，因毅清所請是明駝劇團角色，所用衣箱亦是。東園所曾排過的是陸光劇團，不能合湊。於是改戲碼，也不知如何而定取滎陽。因僅三場，實不夠情調與一般忠義氣氛，但是已定，不便作主張。可是演過以後，有多人質詢，覺得不甚愜意。包先生在大華晚報寫出不應不演掛圖替主幾場，固然甚是。可是看者不知其中的因素，而成此四不象也。

票友演戲，內行（配角）有些苛求，在所難免，由來已二三十年，此取滎陽的三場，僅項羽張良陳平，及四太監四龍套，鍾離昧季布，正配五人，邊配八人，即須費近兩千。文武場面約一千四百，價已極高，如演全則加隨何、曹參、周勃，後劉邦、四宮女，（原來八女）四綠龍套，四大鎧，竟兒大太監，加原來五位正配，約計廿三人，要演二小時半，費用較此次三千四百，加兩倍，約近萬元。是毅清所揹太多，而與鳳還巢相湊，要有五小時，實在不可能。現在已有意演全，排練要一個半月，（內行懂的太少）需費兩萬，所以舊戲重演，是不甚可能也。

取滎陽一稱紀信盡忠，又名興漢圖。當韓信定三秦，平燕趙，揮師東征，於是項羽再度敗績，圍困垓下，才落自刎烏江，開漢代基業。在此時適韓信領兵西剿，劉邦僅率少數人馬，留在滎陽，作犄角之勢。項羽適因戰敗回彭城，原無再行來戰之意，經范增力爭，趁此空隙，直撲滎陽，一鼓而擒劉邦，予以消滅。不意有紀信以容貌相似，而有替死之義行，是項羽在千思萬慮中所想不到者。如何發動替死，全在張良以晉文公圍齊景公故事，慷慨陳辭，才激動紀信的一腔熱血，毅然赴義，此齣張良極爲吃重。在劉邦與紀信訣別，知其有老母妻子，慨允撫養，聲淚俱下，故在後段則紀信非常繁重，一般演者，皆前段飾劉邦，後段飾紀信，蓋爲此也。

在驛館掛圖表忠義，是張良述晉文伐齊，景公被圍，情勢危急，御者逢丑父堅請景公與其易服，孫裝齊王，結果景公潛逃。晉文獲得僞飾之齊景公，嘉其忠義而釋之。項羽則不然，當獲得紀信，想到此人如此之忠，留在楚營，必爲大患，又復棼之，心中一腔怒氣，用火焚紀信以絕後患。紀信破口大罵，因有火彩，並須跌撲，也有吊毛身段，極有精采的表現，無力功不能勝之。

海嶠聞談薈

古今人不相及

諸葛文侯

不佞自從脫離學生生活，涉足文教界與政治場中以來，垂四十年於茲矣。憑四十年之經驗與閱歷，胸中潛滋一大疑問，至今惶惑莫解，即今昔一般政治人物立身行己之風格，遠不相侔，昔人多敦厚樸實，而今人每見其爲斗筲之器，渺小狹隘，殊不足觀。遠者姑勿論，試以近代人物爲例證，藉明吾說焉。

曾國藩於左宗棠初在湖南巡撫駱秉章幕中作「文案師爺」之時，因罪吏議而奉朝廷嚴令查辦，將遭「就地正法」之禍，特出頭，挺身予以營救得免後，復奏薦左氏襄辦江皖軍務，稱讚其「才堪獨當一面」，旋分兵授左氏援浙，逐漸蜚聲騰達，官成方面大員。迨左氏與曾乃抗顏，稍不相能，常以譏議曾氏缺乏爲言談之資。然曾國藩雖已位極人臣，終且封侯拜相，而對左氏曾未稍持怨恨之言行，終其身保持犯而不校之風度，此一事也。

同治二年夏間，曾軍圍攻南京苦戰不下之際，李鴻章方領淮軍戍上海，得英人戈登之助，自外洋購入新式武器，號稱「洋槍隊」，戰鬥力特強，維時清帝嚴旨飭令李氏派兵協攻金陵，以期迅奏膚功。然李氏私語左右，謂太平軍已成強弩之末，曾軍必可克之，淮軍不宜乘機攘奪曾九帥（國荃）及其恩師（國藩）之功，而託詞覆奏清廷，謂洋槍隊訓練尚欠嫻熟，盛夏作戰，容易走火失事，稍緩時日，自當馳援効命云云，藉以搪塞朝命，未幾，南京即告克復，曾氏兄弟獨膺懋賞，榮寵有加，此又一事也。

假使今人而處曾國藩之地位，必以左宗棠忘恩負義，忌恨在心，恃其功高爵顯之權能，非將左氏擠抑而殘毀之不可。若使今人而有李鴻章之武力與機會，朝廷既令其協攻南京，大可爭取奇勳，求之不得，所謂師友恩義，何足顧念哉！今人但知爭功利，言鬥爭，而視謙讓涵容爲不合時宜之腐敗觀念，世亂日亟，有由來也。

辛亥革命後，民國肇建，湘人蔡鍔（松坡）被推任雲南都督，越歲奉命北上京職，而以都督職位交付唐繼堯（蓂賡）承之。迨袁世凱稱帝，蔡氏潛入昆明與繼堯策劃興兵討袁，於發難之前，召集軍事會議時，唐氏對衆宣稱：都督一職仍請蔡公擔任，藉資號召，已則願意領兵北伐，勉効馳驅，詞意殊懇摯。然蔡坦然語衆曰：蓂賡如以我爲好友，請勿作此言，唯望使我提師討袁，濟以餉械足矣。彼此表示道義之交，絕不爾詐我虞，沾沾於個人利害得失問題。旋組「護國軍」，分兩路出發，各路統帥皆非雲南人，而士兵與下級官盡係滇省子弟，繼堯坐鎮後方，飛芻輓粟，增援前綫不輟，對蔡氏與李烈鈞方聲濤諸統兵大員，親愛精誠，始終如一，從無猜忌防範之意念，公誼私情，融洽無間，故能完成再造民國之宏業。

唐繼堯乃一舊時代軍人耳，所受文武教育，胥屬有限。然其爲人處世之風格，磊落豁達，不失爲英雄豪傑之士，而對國家亦卓著勛績，無忝所生。設使如今日政治人物之尚派系主義，重個人利慾，目光如豆，胸襟如瓶，每以有色眼鏡觀天下人，驕佞自私，罔識大體，則其成就將如莊子所謂偃鼠飲河，不過滿腹而已，奚足道哉！奚足道哉！

三國史微言

·燕謀·

紀曉嵐曰：松之之受詔爲注，其初意似如應劭之注「漢書」，考究訓詁、引證故實。故於魏志武帝紀「沮授」字，則注「沮音菹」；「獵平」字，則引續漢書郡國志，注「獵平，縣名，屬渤海」；「甯」字，則引漢書「高祖二年，與楚戰，築甬道」，乃注曰：「甬道音勇」；則引文侯之命，則引公羊傳，則左傳；「致屆」字，則引詩；「緩爰」字、「率俾」字、「昬作」字，則引書；「糾虔天刑」字，則引國語。至蜀志郤正傳，釋誨一篇，句句引古事爲注，至連數簡。如彭羕傳之「革」不老，華佗傳之「本似「專」，秦宓傳之「棘革」異文，少帝紀之「叟更」異字，亦間有所辨證。其他傳文句，則不盡然。然如蜀志譙周立傳，注其姓曰：「譙救切」。魏志梁茂傳中忽引「博物記」注「蘊」字，亦間有之。蓋欲爲之而未竟，又惜所以成，不欲刪，故或詳或畧，或有或無，亦頗爲例不純」。又曰：「其中往往嗜奇愛博，頗傷蕪雜。如袁紹傳中之胡母班，本因爲董卓使紹而見及，乃注曰：「班嘗見太山府君及河伯，事在「搜神記」」，語多不載」，斯已贅矣。鍾繇傳中乃引「陸氏異林」一條，載繇與鬼婦狎昵事。蔣濟傳中引「列異傳」一條，載濟子死爲泰山五伯，迎孫阿爲泰山令事。此類鑿空語怪，凡十餘處，悉與本事無關，而深於史法有礙，殊爲瑕疵」。（引見四庫全書提要）

趙翼之「陔餘叢考」記曰：「裴松之注三國，號稱詳覈、其進書表云：「奉旨尋詳，務在周悉。」「宋書」紀文帝閱其書，曰：「此可爲不朽矣」。然鍾繇書法，絕妙古今，本傳不載，注中自應補入。而裴注不及一字。華歆從逆姦臣，管幼安覩之殆猶糞土，則其先朝席捉金之事亦應附載，以見兩人之相懸，本傳既遺，而注亦並不及。則世期之脫漏亦多矣。」又曰：「今按松之所引書凡五十餘種（所舉與錢大昕略有異，而大概相合）……皆注出書名，可見其採輯之博矣。范蔚宗作後漢書時，想松之所見各書尚俱在世，故有補壽書所不及載者。今書間有流傳，已不及十之一，蔚宗等當時已皆閱過，其不取者，必自有說。今轉欲據此偶然流傳之一二本，以駁壽蔚之書。多見其不知量也」。（引見二十二史劄記）

七仙女

——「影劇與歷史」之七

周遊

董永老實說：「我認不出那一個是我的妻子。」於是無奈，只好返回人間，因爲疲倦過度，就在地上睡着了。睡中她的妻子託夢對董永說：「董郎，在天宮我不敢認你，明天你再來天宮，可携帶一雙兒女前來，到時我的母親就不會拒絕了。」董永醒來原來是南柯一夢。

次日，董永果然携了他一雙子女再往天宮。王母命令天兵監視董永，如他認不出來，即刻將董永打死。並不許七位仙女吭一聲。七位仙女都是一模一樣，董永當然認不出來。天兵就把董永拖過去行刑。小女兒見了父親被天兵拖去要打死，哇哇啼哭！這時候，那第七位仙女實在忍不住了，回過頭去也哭了。董永看到了，就上前去一把抓住她，叫道：「就是她、就是她！」

王母在座上見了，氣得發昏叫道：「好個不要臉的丫頭！」仙女哭道：「我要董郎兒女一同下凡去！」董永對王母哀求道：「大人無細言，你說讓我認出了我的妻子，就讓我帶走她呀！」王母到此時也無法再加拒絕。董永携了妻子兒女四人一同返回人間，過着他們天倫之樂的幸福生活。

（八）江蘇「七仙女」故事。男主角是董永，七個仙女，故事情節與「七仙女」電影差不多，不過最後的續集的傳說更熱鬧。董永遇仙前情不必再談。自從「仙姬送子」之後，董永的兒子漸長，七歲時就讀私塾，同學們常常譏他是私生子，沒有母親。董仲氣不過，就啼啼哭哭去報告老師，他的老師是鬼谷子。鬼谷子就告訴董仲說：你要找你的母親不難，你在七月七日晚上，到東邊那橋上去等候，你看到有七位漂亮的仙子從橋上走過，那最後的一位就是你的母親，你上前一把抱住她，叫她「媽媽！你爲什麼不認下孩兒！」她自然就會認你的。董仲依照老師的吩咐而行，到了七月七日的晚上，董仲就在橋邊等候着，半夜裏遠遠金光閃閃，照得眼睛都睜不開，七位仙女飄飄然地走上橋來了。董仲等那六位仙女走過時，就跳了出來，一把將七仙女抱住，哇地一聲媽媽！雙足跪在地上，叫一聲「媽媽！你認下孩兒吧！」那六個仙女飄然而去，七仙女只得把董仲認下。並且問董仲說是什麼人教你這樣做的？董仲在母親面不敢說謊，只得老實說了。七仙女很生氣，隨即在身上取出二隻壺蘆，一紅一綠，對董仲說：「我是天上七女，現在不能再下人間，我這裏給你二個壺蘆，一個留着你自己用，你要吃什麼，就說一聲，伸手在壺蘆裏拿就是了。另一個紅色的壺蘆，你放進老師的房裏，不要給老師知道。」董仲聽了又喜又憂。七仙女說完，飄然而去。董仲依照母親的話去做，他把紅壺蘆放進老師房裏，忽然起一陣烈火，將老師房屋燒得淨光。老師的臉被火燒紅了。許多有關天機的秘書全部燒了。董仲有了壺蘆，要吃什麼就有什麼。小子光揀好吃的東西想，不幸吃的多了，後來竟被脹死了。

「七仙女」電影中的董永，就是丹陽的人，「家住在丹陽，姓董名永……」可見「七仙女」電影故事還是採取了江蘇董永故事的一部份。至今江蘇丹陽、金壇尚有董永遇仙的「望仙橋」、「董姑村」、「董永墓」等遺跡。（十）

（丙）三國志總評

商訂體例

陳壽三國志史體甚濫之緣由，實起於「迴護」，此亦爲後世學人史家所詬病者。三國以後之史家，竟有起而效之，奉之爲模式者，此風延及歐陽修作五代史，及修舊唐書，始復春秋筆法。陳壽生歷三朝之臣，仕晉最久，其爲晉迴護，故不得不爲魏迴護；因其迴護，故其體例濫矣。其犖犖大者，如帝魏而蜀、吳，魏則立本紀后妃，吳、蜀二主則但傳而已。以魏爲正統，二國皆僭竊也。更如稱謂，曹始則稱祖，次則稱公，次則稱王，死則帝之。此皆不合史例，且違春秋筆法，故其體例甚濫。後代史家論斥者頗多，趙翼尤烈也。下分舉之。（十）

記胡葉之緣

·朱滌秋·

她想，這簡直是軟性的綁票嗎！天下竟有這樣強要送客的事。可是坐在車中，心情却很愉快。到了家門口，想要請他去吃飯，畢竟認識還不到三四小時，又不好意思，只好向他道一聲謝謝，算了。他也沒有表示，說聲再見，就叫司機開車走了。

吃了午飯，想安靜一下，使頭腦清靜一點，略作休息。那知剛進房裏，外邊的門鈴又響，女傭來告：二小姐，外面有客要見。他穿一套西裝，態度瀟洒，問她有沒有興趣到湖濱散步，她覺得有點累，不想出去，提議，在家坐坐談談。他也樂於接受，一談有好幾個鐘點：從杭州的天氣，談到西湖的風景，再從西湖談到有關十景的典故。原來他在杭高唸過書，對於杭州情形非常熟悉，是老杭州。雖然她在杭州也唸三年書，但和他比，却像陌生多了。他那麼的健談，充滿着感情，聽他的話，看他表情，是不能不被吸引的。坐到天快黑，他說有人請客，揚長辭去。晚上，綺嫂問她什麼時候認得這位先生，什麼地方人，她就把一天情形告訴綺嫂。她聽了笑着說：二妹，我看這位軍長的攻心戰術，可厲害着呢，妳要當心！（六）

自由報
THE FREE NEWS
第五六八期

內僑警台報字第〇三壹號內銷證

中華民國僑務委員會登記發
台教新字第三二二號登記證
中華郵政台字第一二八二號執照
登記爲第一類新聞紙類
（半週刊每星期三、六出版）
每份港幣壹角
台灣零售價新台幣貳元
社長：雷嘯岑
督印人：黃行奮
社址：香港銅鑼灣高士威道二十號四樓
20, CAUSEWAY RD 3RD Fl., HONG KONG
TEL. 771726　電報掛號：7191
承印者：大同印務公司
地址：香港北角和富道九六號
台灣分社
台北市西寧南路[illegible]號二樓
電話：三〇三四六
台郵撥儲金帳戶五二二[illegible]

爲國家長期發展科學負責 當局進一言

黃少游

國家爲長期發展科學乃有國家長期發展科學委員會之組織與設置；國家爲長期發展科學乃有長期發展科學之計劃；同時國家爲實施長期發展科學之計劃方有長期發展科學計劃之預算或經費之籌措。總而言之，統而言之，所有的計劃，組織與措施，其目的之所在都是爲國家長期發展科學。惟長期發展科學之道如何？根據「國家長期發展科學計劃綱領」所載，共有六項：（一）充實科學研究設備；（二）設置「國立研究講座教授」；（三）設置「國家客座教授」；（四）設置「研究補助費」；（五）添造「學人住宅」；（六）補助各大學及研究機構之學術研究刊物。其經費來源計有以下四個方面：（一）政府原定的「長期發展科學計劃經費」預算；（二）政府從五十年度起公營事業淨盈餘中提成撥充的「長期科學技術發展基金」；（三）美援科教經費；（四）各種教育文化基金的捐助。計自一九五九年至一九六三年「美援經費」共計美元部份一百一十九萬四千六百元；台幣部份共計一億三百二十九萬四千三百二十五元。「國家發展科學專款」或「長期發展科學計劃經費」共計新台幣二千二百五十萬元。又從五十年度起至五十二年度止，由於立法院的提示政府決定從公營事業淨盈餘中每年酌提成數充發展科學技術研究的經費而名爲「長期科學技術發展基金」共計新台幣五千一百二十萬元。以上數字尙不包括一九六二年即五十二年度以來之經費。其數字亦可觀。惟關於以上經費中美援經費之用途，據悉美國國際合作總署駐華美援公署，自始即表示只能用於以上「國家長期發展科學計劃綱領」所載六項中之第（一）（三）（五）（六）四項，換言之即不贊成用在設置「國立研究講座教授」及「研究補助費」二項之上。四十九年度該會奉政府命辦理遴選科學技術人員出國進修，於是又添列出國進修一項，現共爲七項。惟此七項中其他項姑不論，最爲我教育界及學術方面人士所不滿者，亦即美國國際合作總署駐華美援公署自始表示反對之左述兩項辦理之不當與不善：

甲、設置「國立講座教授」。按此講座教授之設置是從五十年度得到中華教育文化基金董事會及亞洲協會捐款以後開始的，每一講座教授月助台幣三千元，又爲使講座教授研究工作能順利進行起見，每位教授得聘助理研究員人員專任兩人或兼任四人。其待遇較之其他教授額外高出三倍之給與（按現在大學專任教授每月約支新台幣二千元），可謂得天獨厚。據該會宣稱：「設置國立講座教授有三層用意：一是對於已有研究成績的學人表示一種崇敬；二是改善其工作條件使他們可以得青年人襄助，也使青年可以直接受他們的訓練；三是改善其生活狀況，使能安心從事科學研究」。惜乎辦理以來，五十年度二十七人，五十一年度三十人，五十二年度二十八人，其中究有若干是「已有研究成績的學人」？其中若干「也使青年人可以直接受他們的訓練」？其中若干已「能安心從事科學研究」？這很使我們大多數在教育界和學術方面苦幹的人懷疑。同時他們科學研究卓越的表現和成績是什麼？在那裏？否則是以科學研究爲名而以分肥爲實。不但對教育界、學校造成特殊不平的等級和怨氣，且使眞正的學術研究界蒙欺名盜世的大羞。因爲國家任何名器不可隨便假人，若果國立講座教授眞正都是十足的「已有研究成績的學人」，是應該「表示一種崇敬」，否則是不應該把國家的名器拿來便利他人或自己「營私舞弊」「送人情」安撫，收買及安置其私人之方法。

乙、研究補助費　據該會宣稱也有「三個目的：（一）鼓勵研究工作，（二）提倡專任風氣，（三）改善學人的生活狀況，使他們得有比較安定的環境，能專心從事科學研究工作」。其「研究補助費分爲甲乙兩種，申請者均須在一個機構爲專任人員，且必須提出研究計劃與定期研究報告。申請資格，甲種爲各院校教授和研究所的研究員副研究員；乙種爲各院校的講師助教和研究所的助理研究員，助理員。補助金額，甲種爲每月新台幣「六〇〇元；乙種每月八〇〇元」。此種甲乙兩種補助費，雖不如國立講座教授之特別優遇，但一般從事於科學研究之教（授）師（講）亦未盡可容易的不經人事關係特別活動而得之。其得之者亦未盡合乎研究補助水準。至若研究成績似亦如講座教授同一之未曾向科學及學術界提供及引起海內外人士之讚揚與嘉許：充其量不過如該「會年報結語中所說：「這幾年來學術水準不再降低」，及改善了少數受惠者之「生活狀況」而已，至於是否已「安心從事科學研究」似乎又祇有天知道了。

除上尙有奉政府命令舉辦的丙、出國進修。辦理以來亦未盡如理想。第一是甄選不嚴格和認眞（即未破除人情），第二是出國進修後很少有優異成績的表現和優良服務的提供。

國家長期發展科學委員會的重要的任務，是在長期發展我們國家的科學，現在負此責任的，一是我國公法學者憲法權威中央研究院院長王士杰先生，一是我國科學家前成功大學校長及現任教育部部長閻振興先生，他們兩人在科學方面都學有專長，肩負此任，非常適宜；所以希望他們兩人今後用科學的頭腦，科學的精神和科學的方法，來認眞促進國家科學之長期的進步與發展：

（下轉第二版）

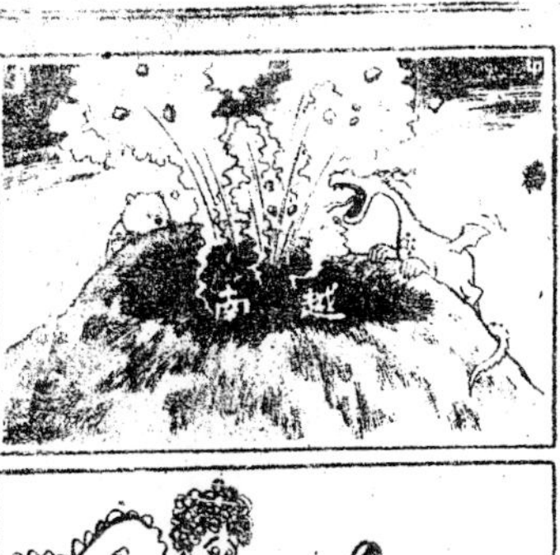

自取滅亡

夜長夢多

今日與明日

哈里曼赴俄

就當戴維斯在河內碰壁之後，美國國務院巡迴大使哈里曼又去「莫斯科」「休假」。對於哈里曼此次赴莫斯科，美國當局並不隱諱其負有特別任務。哈里曼是美國政界元老，論資格今日美國政壇無人可比。一九四八至一九五二年繼共和黨巨頭杜威任紐約州州長，一九五二年杜魯門即支持哈里曼競選總統，結果在初選中敗於史蒂文生之手。一九六〇年甘迺廸當選後，初任主理遠東事務助理國務卿，以後改任副國務卿，再任巡迴大使。在美國外交決策人士中，哈里曼曾任過駐俄大使，一般被認爲親俄派代表，與蘇俄當局熟人也較多。此次赴莫斯科曾經與柯錫金作兩次長談，內容自是有關越南問題。不過，哈里曼成功希望並不大，因爲解決越南問題的關鍵在北平而不在莫斯科也。

河內邀恩克魯瑪

戴維斯在河內住了幾日，不但未見到胡志明，甚至連北越政權一個部長都未見到。英聯邦的和平構想至此已完全破碎。不料奇峯突出，胡志明突然邀迦納總統恩克魯瑪訪問河內。恩克魯瑪是英聯邦二十一國中最左傾的當政者，胡志明邀他訪問自然含有深意，因此引起了西方國家的再度幻想。平情而論，胡志明實在抵受不了美機的轟炸，有心要和談，但是又擺脫不了毛共的控制；這次邀恩克魯瑪往訪，旨在解開死結。不過，問題還要看毛共態度。對於將來情況演變，只看毛共是否也邀恩克魯瑪訪問北平？如若連這項普通禮貌都沒有，越南問題的和談當然又成泡影了。

威爾遜打算訪俄

倫敦傳出消息：威爾遜將訪問蘇俄。本來，在威爾遜上台之初，英俄兩國首相曾有互訪之約；以後由於越南問題形成僵局，此項訪問陷於停頓。威爾遜將訪問蘇俄，柯錫金是否也訪倫敦，蘇俄官方並無透露。不過，威爾遜之訪俄與哈里曼之莫斯科「休假」，雖然份量不同，但本質上原無差別。哈里曼訪俄談不出結果，威爾遜去也同樣無法解決。因爲會談主題若是裁軍、聯合國、西柏林，蘇俄尙可代表共黨集團發言，只有遇到了越南問題，蘇俄却是不敢插手，免得爲毛共所乘，半天吊起來，上下不得。

所以看目前局勢，遠東若不能除去毛共這塊毒瘤，無論用何種辦法去尋求和平皆是空談。美國對越南問題已經盡了一些力量，轟炸已到了老街，再向前進一步就是雲南、廣西，大局的發展快到決定關頭。（何如）

切中時弊之言

美國專欄作家阿爾索普，最近著文指斥其本國一般知識的雞蛋頭人物，多是些愚昧無知之輩。說他們在一九四八年以前，常常對那扼殺自由主義的兇惡敵人——即史達林領導下的制度，加以讚美，或爲之辯護；現在又揚言毛澤東的共產主義是未來亞洲的潮流，而指摘美國政府自拒絕這種未來的潮流席捲越南。他們最時髦的表演工作，就是參加示威遊行，反對「美帝國主義」在越南的不義行爲，或者聯名上書美總統，抗議白宮的對越南政策。美國的高級知識份子羣中，居然尙有頭腦清楚，思想明白如阿爾索普這類鳳毛麟角之士，深堪佩慰。

馬克斯邪說之得以在一般落後地區猖獗流行，馴致竊國稱制，完全是由於各該地區一些讀書欠通，而又自封爲學人秀士的無聊份子標奇立異，掮出社會主義幌子，不知所云的胡說瞎扯，搖惑人心，有意無意的詐騙知識青年和中產階級人士，盲從附和，因而喪務封持以釀亂的結果，而以英國的費邊主義者爲禍首罪魁。蕭伯納所謂「染紅自己的旗子」，正是這般僞知識份子搖唇鼓舌，亂唱高調的基本魔術，今日美國那羣雞蛋頭裝出開明進步姿態，強作解人，爲毛共作假辯護，以與英國號稱爲哲學家的羅素史學家湯比互相唱和，就是受着費邊主義思想的影響而然。甚至於美國華爾街的大資本家伊頓，亦罔知死活，公然替共產主義作啦啦隊，愚蠢若此，實屬驚人！

、英美人士好彈「文化交流」的調調兒，我認爲最實際的文化交流作用，即應該把英國的羅素，湯比，美國伊頓和哈佛、耶魯大學那羣前進教授們，交流到中國大陸上去享受幾年「人民公社」生活，嘗嘗未來亞洲新潮流的勞動改造滋味，藉資實驗，詎不懿歟！

四十年前，中國一些對「社會主義」這項名詞亦莫名其妙的知識份子，只看了俄共布哈林之流所寫的宣傳小冊子後，即以開明前進人士的嘴臉，呆在各大都市的外國租界裏，高談其社會主義，爲俄共政權帮腔助勢，終於使共黨竊據了整個大陸河山。今日美國一般雞蛋頭人物的言行，亦復如是，瞻念新大陸前途，不禁慄慄危懼，阿爾索普之言，可謂切中時弊也矣。

基隆市長補選密鑼緊鼓

李仲侯參加黨提名登記

宣稱決心改革政風努力建設新基隆

（本報台北航訊）兼任本報基隆市記者李仲侯君，已參加執政黨基隆市長補選提名登記。李仲侯湖南湘鄉人，現年六十二歲。於民國十三年在廣州加入中國國民黨，曾任委員長成都行轅特別黨部組織組長多年，歷隨賀國光先生任科長、秘書。民國卅八年大陸陷匪之變，神州陸沉，西昌一角成為大陸唯一僅存的反共據點，他緊隨着胡宗南、賀國光二氏參贊戎機，多所策劃。那時西昌成了大陸反共抗俄的司令台，一切反共重要文告，均出自他的手筆。到卅九年三月底，共匪賀龍、劉伯誠各部匪軍十萬人進撲西昌，還打了最後一次保衛戰，死裏逃生，纔隨胡賀二氏來台。

李仲侯來台後，出任基隆市長謝貫一的秘書十年；民社黨人林番王繼任基隆市長，重其品學，聘為市府顧問。凡林番王對外應酬一切重要文字，亦皆出其手筆。這次林番王在任逝世，他參加國民黨登記提名競選補選基隆市長，各方甚為重視，因為他品學俱優，為人剛正，基隆大部份黨人都贊成他競選。李仲侯因與林番王的智囊團及左右人士，平素均極接近，如黨能提他競選，據說可以吸收林番王生前大部份的選票。茲覓得李仲侯君談話一則，特披露如下：

「本人束髮受書，即隨先叔父平階參加辛亥上海江南製造局革命。嗣後從政卅餘年，莫不以清廉自持。自民國卅九年三月追隨黨國元勛胡宗南、賀國光兩先生在大陸西昌與共匪作最後一次之生死決鬥後，奉命隨之抵台，旅居基隆已十四年。曾任基隆市政府秘書十二年，顧問二年。基隆已是我的第二故鄉。這次承蒙黨國先進、舊日同仁、各界賢達友好、旅基同鄉等一再敦勸鼓勵，參加基隆市第五屆市長補選登記提名。本人願以餘生之年，為本黨效力奮鬥，以期徹底實現黨的政綱政策。並抱定最大決心，改革當前基隆政治社會各方面的惡劣風氣，對建設新基隆的工作，克盡最大的努力。「民主政治讓好人出頭」這句口號，如此語不虛，我自問為一貞正的好人，希望社會輿論的先作一次公平的評查評判。又民主政治首重法治，而如何能夠行法守法，全憑官吏能否廉潔自勵為先決條件。本人受黨培植數十年，篤信主義，死生不渝。如黨能賜給我最後一次報國機會，獲得提名競選補選基隆市第五屆市長，我願意先將在基隆的財產公佈；如卸任時對我原來財產有絲毫的增益，願受國家法律最嚴厲的制裁」。

溫故知新藉供參考

活靈活現的「飛碟」故事

——本報資料室

最近世界各地又紛紛傳言發現飛碟，但均語焉不詳，究竟是怎麼一回事，尚不可知。按查至目前為止，關於「飛碟故事」，仍以一九五九年在巴布亞發現的神秘飛行物體，由當地的吉達惠牧師所編輯的報告書，較有系統，源源本本，活靈活現。這篇報告書是本年初才公開發表的。本文為該報告書的節錄，藉供本報讀者參考。

吉達惠在報告書中推測說：「那種神秘飛行物體可能來自別的星球，他以為美國和蘇俄不會在飛碟上花費時間和大量金錢，因他們對火箭和太空飛行器已有奇速進步。」吉牧師曾被問：他是一個神學家，又怎麼可以相信在另個星球上會有像人的生物？他回答說：關於造物主的事情，人類仍有許多是不明白的；耶穌也曾說過：「在我的父親之家，有許多間大廈……」這可能指在宇宙間的星球，有許多也是有人居住的。

據吉牧師說，當他初次聽到威廉基爾神父報告他在一九五九年六月二十六日曾看到由人控制的飛碟時，絕不相信；直到基神父給他看了一篇詳細的紀錄後，他才不能不相信。下面是那個紀錄的撮要。

在一九五九年六月二十六日星期五下午六時四十五分鐘，基神父吃過晚飯，在教會門前的草場上散步。他抬頭望望天空，看見在金星所在的位置，突然有一個發光的飛行物體，逐漸降落，向他迎面而來。除了基神父外，當時還有兩個在教會所辦的學校做教員的人看見這個形狀。那個神秘飛行物體有燈光，光度不斷增強或收縮，最接近時，離開他們的頭頂不過三百到四百呎，有時停留，有時旋轉。那個物體是圓形，有濶邊，但頂上部份狹窄。它好像有脚，它放出藍色的光，向天空作四十五度角。最奇異的，有四個人立在那個旋轉的物體的上層，有時出現兩個人、一個人、三個人或四個人。

在翌日在同一個地點，有同樣的事情發生，不過時間是早一點，是下午六時，太陽剛落山，要到六時四十五分鐘才完全天黑，基神父又望見有飛碟出現。但他未能肯定它是否就是他在早一晚所看見的東西。因為天尚未黑，他看得很清楚，在飛碟上也有四個人，其中有兩個俯身像做工，有一個俯望地面。基神父向他們揚手，那個在飛碟上的人也揚手。後來好像看到飛碟上的四個人更一兩揚手。在地面上的人也愈來愈多。基神父派人拿枝火把，向着那個神秘飛行物體作許多長劃。經過一兩分鐘後，那件物體停留，旋轉，側身傾斜，像鐘的搖擺。在地面的人歡呼，表示叫它降落。但完全沒有聲响或什麼反應，不久就消失了。事後在場目擊的三十八個人中，有二十五個在基神父的報告書上簽名，證明確有其事，其中包括有五個巴布亞教員和三個醫學助理員。基神父在新幾內亞島兩次看見飛碟的紀錄，使吉牧師發生極大的興趣，他渴望也可看到，可惜有一次，他來遲一步，錯失了機會。

在一九五九年七月二十一日晨早九時十五分，在巴布亞的一間學校的學生，由教員領導進入學校，有些學生望見天空有強烈的火光出現，他們就通知教師，大家都驚恐起來。那種光愈走愈近，當他們看清楚時，它是一個閃爍的金屬碟子形的東西，在上面還有一個深色的圈子。據其中一個教員指出，它是向北掠過，作三十角度，速率快過飛機。有一個教員想起吉牧師，他去找他，但好久才找到，可惜他到遲了一步，雖然帶了望遠鏡和照相機也無用，因飛碟經已消失了。吉牧師看見在場仍有一百個人還未散去，他就邀請幾個教員到他的辦事處，各給予一枝鉛筆和一張白紙，叫他們各自繪出所見的飛行物體。他們被分隔開來坐，不能看到各人所繪的東西，但結果所給的形狀都差不多。吉牧師就認為的確是有那事件發生，同時認為基神父的三十八個目擊者不會是幻覺。

吉牧師在他的報告書的末段，加上一個附註，希望世人應注意到那些神秘飛行物體，不要認為是無稽的故事。「假如是從別個星球到來偵察和訪問我們的，這是極為重要的事，應查明它們從何處來？有什麼用意？我們就應該預備，但不要懼怕和做出愚蠢的事情。假如它們不是從別的星球到來的，也要調查，因為危險性更大。除了這些原由之外，它也是有趣的科學問題，值得去作有系統的研究」云云。

「無條件投降」問世之地

卡薩布蘭加今昔風光

——摩洛哥通訊

卡薩布蘭加在二次大戰時聲名藉甚，這一方面因為在那裏國際間諜麕集，另方面則因盟國領袖曾在那裏開過一次會議。

卡薩布蘭加的名稱聽來頗為悅耳，這是阿剌伯語，意思即為「白色的宮殿」，因為在差不多兩百年前，那裏的土王所居住的宮殿是粉刷白色的。這座顯著的建築物，比美國的白宮建築得更早。

卡薩布蘭加是摩洛哥的最大城市，也是在非洲西北部的最大港口，地瀕大西洋。它也是非洲人口最稠密的城市之一，照一九六〇年的人口調查，全城居民約有九十萬，其中七十萬為阿剌伯回教徒，猶太人佔七萬，歐籍和其他國籍人佔十三萬。在摩洛哥的貿易有百分之七十五是經過卡薩布蘭加的。本地最主要出產是燐酸鹽，近年更設有鋸木廠、玻璃廠、士敏土廠、製磚廠、熔鐵廠和罐頭食品廠等。家庭手工業仍以製造地氈最馳名。

卡薩布蘭加的歷史頗為悠久，在十三世紀時代是一個漁村，名叫安花。後來變成一個海盜巢穴，專門劫掠教徒的船隻。直到一四六八年葡萄牙人將海盜驅平，在那裏建立了一個小城，但不久之後又放棄了。故在十六世紀和十七世紀，當地是沒有人居住的廢墟。一七七〇年阿剌伯籍蘇丹鴨杜拉重建舊城，更將它擴大成一個與外人貿易的海港，名叫卡薩布蘭加。跟着有英國、法國、西班牙和德國人到來經營商業。一九〇七年法國政府藉口土人將九名法國工人殺死，就派出軍隊將卡薩布蘭加佔據，併入法屬摩洛哥版圖。那個城市歸法國管轄後，曾有若干新的建設。

在第二次世界大戰法國淪陷後，法國的海外屬地有的歸由貝當元帥當權的偽政府，名叫維希政府；又有的效忠於法國流亡政府，或稱自由法國政府。初時卡薩布蘭加歸維希政府。但在一九四二年時，盟軍用海空兩軍猛炸那個海港後，破壞極大，同時又得在城內的地下工作人員協助，守軍也多倒戈，故卡薩布蘭加就轉而投入自由法國的懷抱。一九四三年正月，美國總統羅斯福，英國首相邱吉爾，自由法國領袖戴高樂將軍和自由法軍北非統帥朱立德將軍在卡薩布蘭加舉行會議，這就是在歷史上頗最著名「卡薩布蘭加會議」，他們決定另闢新戰綫，在西西里島和義大利南部登陸作戰。同時又決定戰爭要直到軸心國家接受無條件投降為止。故「無條件投降」的名詞是起於卡薩布蘭加。

卡薩布蘭加分做三個主要部份：舊城是設在海岸邊，阿剌伯回教徒所聚居的地方，有往日的圍牆，街道狹窄，在那裏有一間由蘇丹鴨杜拉所建的大回教廟。土人多是柏柏爾族，女子現多不照往日阿剌伯人的傳統風俗，用小帕遮臉。但是小孩子仍然剃光頭，祇留一撮頭髮，或梳成辮子，認為這種打扮，可使天神對他們有特別認識而加以保護。土人頗好客，喜歡用一種甜茶款待嘉賓。

猶太人另在一個地區居住；在多年前他們是被蔑視的人，他們祇准穿着黑色長袍，不准騎馬，碰見一個回教徒時要低頭，不能凝望，否則要被毒打。現今他們經已自由，不會受到種種虐待了。

歐洲籍人，特別多的是法國人，居住在城市中心區，名叫法蘭西廣場的地方，有新式的大廈建築，建設與世界各大城市一樣。有豪華的夜總會，城開不夜，有「非洲的巴黎」之稱，其熱鬧情況可想而知。

在卡薩布蘭加會議舉行之後，邱吉爾曾邀羅斯福在卡城多逗留一個時期，俾共同暢遊一番，這個在歷史上的附註，添增了卡薩布蘭加的顏色。

為國家長期發展科學負責當局進一言

（上接第一版）

第一、健全組織。即科委會與各種專門審查委員會合乎科學（有機的，效能的，經濟的），使之發揮組織的作用與功能。次在人事方面應精選及慎選適合於組織的客觀需要的人才（眞正的專家和學者）。總之一架機器內部的裝配一定要選用合乎科學水準和規格的器材，否則縱是設計或藍圖頁好，也是枉然徒費的。

第二、國立講座教授，科學補助費及出國進修等促進中國科學研究辦法，其效果既不如理想，亦未得社會及國人之讚許，似應改弦更張，實事求是，簡單明瞭，仿照瑞典諾貝爾獎金辦法或我國嘉新水泥公司獎金辦法，今後無論任何人，不管教師不教師，專任不專任，祇要他們能提出其平日科學研究而符合水準的成績（眞正有價值的著作或發明，經過嚴格的公正的審查合格之後，予以相當的或衆多的獎金。這樣可以使眞正科學研究的學術界如國父所說：「朝無倖進之臣，野無抑鬱之士」。這樣似乎比較現行的這三種對人不對事（即對人物不對成果）的辦法高明得多，有效得多，公正得多。因為科學委員會應該不是救濟機關，或慈善機關，而是在獎助在科學方面眞正有研究而有貢獻與成績提出為證的人，而不是藉科學研究這崇高的和聖潔的美名而來特惠於少數、極少數的幸運兒。

第三、科學研究與教學應該是兩回事，長於科學研究者不見得長於教學；長於教學者又未見得長於科學研究；如英國現在大學有專任研究而不教學的教授，有專門教學而不研究的教授。像我國現在的一些教師又担任學校重要教學又担任研究，既職務之外又研究，惜其結果，教學既未有成，研究也未有成，而所負學校之行政職責也被廢弛了。故過去科學會所規定的「專任」事實大多數並不是專任，而是眞正的兼任又兼任，如某君為某大校專任教授並兼任某大學院長或系主任之外又兼任科學委員會講座教授領科學補助費，此外尚有以其在校之地位交換在其他校兼課或其他私人機關任職者，科學委員會亦不認為是兼職，殊令人大惑不解！蓋「專任」與「兼任」自有一定的公認的解釋，科學委員會此一味取好於現實環境，對此絲毫不加以注意與考慮，造成今日社會一般對「講座教授」與「科學補助費」太濫太濫之惡評，非無由也。

第四、教育及科學研究為一種清高的事業，當局者祇要以公平合理的待遇足以敬重之，千萬不可把「科學研究」與「慈善救濟」混為一談，而且尤不可以造成學術及教育家名器輕授人以黨同伐異及少數人自我陶醉之惡風與多數人之怨氣，則教育幸甚！學術幸甚！

以上為就事論事，卑無高論，希望王院長與閻部長二先生亟圖考慮改進並更張之！

怪力亂神與法律叢談

災異與冤獄

·陸嘯釗·

古人常把災異作為冤獄的懲罰，冤獄平反天災也就消除了。這種看法，今天看來是十分可笑的，可是在中國古代社會，由於災異而使刑訟清減的理論和實踐，都起了極大的變化。像「清理冤濫」、「遣官按決」、「肆行大赦」、「親錄繫囚」，幾無不是由於災異而來的。因為災異是上天不滿國家政事不修的連坐具體懲罰，這一種把災異和冤獄連繫在一起的想法，我們引「南齊書」第四九卷，南齊廷尉御史孔稚珪的一段話，足以說明這個道理。

「法書徒明於帙裏，冤魂猶結於獄中。今府州縣千有餘獄，如令一獄歲枉一人，則一年之中枉死者千餘矣！冤毒之死上干和氣，聖明所急，不可不防致此之由。」

而歷史上所記載的一些關於冤獄的鬼話，更助長了這一方面的信念，「漢書」第七十一卷「于定國傳」裏就有這樣一則故事：

「漢時有孝婦少寡無子，養姑甚謹，姑欲嫁之，不肯。姑不欲累婦，自縊。姑女告嫂殺其母，孝婦冤死。郡中枯旱三年！後太守至，殺牛祭婦塚，天立大雨。」

像這一類的記載，在歷史上是很多的，「後漢書」第一〇六卷「循吏列傳」，「孟嘗傳」中，也記着一段因孝婦冤死而大旱，後得昭雪才降雨的故事。而在第十卷，「后紀」，「和熹鄧皇后傳」裏也有相同的記載。相傳在殤帝時連年大旱，據說就是為了冤殺淳于伯的緣故。宋太平興國六年，從春到夏，一直點雨不降，太宗皇帝馬上聯想到「獄訟冤濫」。基於這個緣故，歷代人君為了恐懼天降災異，就不得不在清理獄訟上下工夫了。我們看漢建武四年五月詔：

「久旱傷麥，秋種未下，朕甚憂之。將殘吏未勝、獄多冤結，元元愁恨感動天地乎？其令中郎官三輔郡國出繫囚，罪非犯殊死，一切勿案，見徒免為庶人。」

漢和帝永和十六年七月也有這樣的一道詔：「今秋稼方穗而雲雨不霑，疑吏行慘刻，不宣恩澤，妄拘無罪，幽閉良善所致。其一切囚徒，於法疑者，勿決以奉，秋令方察煩苛之吏，顯明其罰。」

自漢以後，歷代帝王，無不因災異而大清刑獄。唐代常因求雨而審理冤獄，這在「舊唐書」「禮儀志」上是寫得明明白白的。宋太宗時「雨雪稍愆，輒親錄繫囚，多所原減。諸道則遣官按決，率以為常，後世遵行不廢。」明制：「歲寒特旨錄囚，如霜降錄囚，夏月熱審之制。」囚犯因此常可以得到減免的機會。清代水旱兵災也常下詔書清理獄訟。犯人因災異而得福，不可不謂是中國法制史上的一大異數。

相反地如果「災異而不暫，刑自不已」，那麼就要再招致災戾了。武則天不悟天罰，刑殺嚴急，陳子昂上書說：

「冤人吁嗟，感傷和氣。和氣悖亂，羣生癘疫，水旱隨之，則有幸之……頃來亢陽愆候，雲而不雨，農夫失耒，瞻望嗷嗷，豈不尤陛下之有聖德而不降澤於人乎？倘旱遂過春，廢於時種，今年稼穡必有損失，陛下可不敬承天意以澤恤人？」

這一番話正足以代表一般人對於災異與冤獄的傳統看法。我們認為訟獄冤與不冤，唯有以證據認定，天降災異即認世有冤情，這種假借神意以清理冤獄的行為，畢竟不足為訓，以這樣的心情來判案斷獄，又如何能得其理之平呀！

——之九——

韓愈其人其文

漁翁

喜曰：「爾何久去不見耶？」且問此何地界？湘曰：「藍關也，叔尚憶昔日花上之句乎？」文公歎曰：「今始知爾為異人，非塵俗幻化也。」爰用花上兩句而賦七律一首：

「一封朝奏九重天，夕貶潮陽路八千；本為聖朝除弊政，敢將衰朽惜殘年！雲橫秦嶺家何在？雪擁藍關馬不前；知汝遠來應有意，好收吾骨瘴江邊。」

在途中，叔姪唱和甚多，湘告別，以詩贈之：「本為世用古來多，如子雄文世孰過？好待功成身退後，却抽身去臥烟蘿。」湘亦[illegible]：「為世都為名利役，吾今獨向道中醒；他時定見歸來去，[illegible]秋空一點盡。」湘臨行時，以潮州多瘴癘，恐難保育，即以藥丸獻，請服之可保無虞。文公曰：「我實不願魂遊海外，但得生人玉門關足矣。」湘曰：「叔可明哲保身歸，全家亦無恙」。後果如所言。

迨至治所，做了兩大特殊事業，值得後人歌頌者，其一以此地僻處遠陲，當時交通不便，致文化落後，普及教育，為施政切要之圖。於是命進士趙德為潮人師，自是潮州人士，皆從事於文學矣。其一為驅鱷魚；潮屬惡溪，即今潮安縣西北之惡溪，鱷魚為患，乃為文以祭之，末云：「夫傲天子之命吏，不聽其言，不徙以避之，與冥頑不靈，為民物害者皆可殺」！文投溪中，是夕，暴風震雷起溪中，數日水盡涸，西徙六百里，自是潮無鱷患。其文其事，至今猶膾炙人口。惟鱷魚為涼血動物，非具人性，豈以一紙之文即可驅之入海耶？其必有以驅之之法，或用戰具，或用毒品，使其兒危而相率徙去。後人以其文章，能泣鬼神，儆妖孽，故歸功於斯文。

嗣移袁州，潮人感其德政，為之立廟，以資紀念。宋時，復建新廟於城南七里之韓山，題曰：「昌黎伯韓文公之廟」。蘇東坡為撰碑文，有「文起八代之衰，道濟天下之溺」兩語，末引文公詩句，而以「公不少留我涕滂，翩然被髮下大荒」作結，其推崇有如是者。

文公生平以衛道自任，力斥佛老，而在潮卻與大顛和尚往還甚密。大顛建寺於城西南之靈山，曰「靈山寺」。後文公調任，詣寺話別，不盡依依，乃留衣為贈，後人於其地建「留衣亭」以紀念之。宋理學家周敦頤以詩諷之：「退之自謂如夫子，衛道深排佛老非；不識大顛何似者，數書珍重更留衣」。蓋文公所重視大顛者，在乎其人之可交，而非崇其所教耶？（二）

籬邊的榴花

趙碧君

到了那天，宋太太打發人來請，譚家老倆口自是去了；不料待會宋家的下女又來請少爺和小姐；鴻儀、鴻琳兩兄妹正在忙着清理行裝，因為他倆自春假起便請假在家幫忙父親處理競選的雜務，現在事情已大致料理完畢，準備後天回台北學校去上課，所以懶得去應酬。宋家的下女去了又來，說他們太太請兩位務必賞個臉兒，兄妹倆還在躊躇；結果宋玉貞竟親自來請，拘不過人家的厚意隆情，只好略微收拾一下便去了。

倆兄妹被玉貞帶進烟霧騰騰的大廳裏，宋太太一手拉一個，眉笑眼開，樂得什麼似的。話連珠價地從她嘴裏滾出來：恭維的、誇獎的、親熱的……而再再而三的說。

大廳裏有兩桌麻將一桌紙牌，全是些太太們，先生們大部份都圍坐在一起吸烟，談些這次競選的形形色色。其中也有他們認識的，但大半還是不認識，宋太太為他們一一介紹，弄得他們頭昏腦脹，在十幾雙眼睛之前，在混混沌沌的大廳裏，在烟氣粉氣人氣混合的空氣中，鴻琳簡直有點受不住。她只看見「郭大炮」和她母親坐在一起談得滿起勁兒，此外全不知道了。鴻儀倒不像他妹妹，好整以暇地笑着，直等到每張桌上的牌局都重入安靜狀態。

兄妹倆以為今天是宋伯母單請他家來「隨意小酌」的，那知她老人家一本正經地下請帖，請來這許多客人；但所有的客人都是他們的長輩，使得兄妹倆坐也不是站也不是，週身感到不對勁兒；而開筵的時間又還早。幸好，宋伯母這時跑來要帶他們到後面的小書房去：

「我也為你們找了幾位伴兒。」

走出大廳後門，外面是個噴水池，再過去是葡萄架式的涼棚，絢麗的太陽灑照着，鴻琳深深地呼了一口氣，好像如夢初醒似的。

穿過涼棚，就聽見一陣鋼琴聲有氣無力地彈着，尖尖的女孩子的嗓門兒，唱着「愛你在心口難開！」平板得既無情感又無靈感，而且人是人，琴是琴，各自為政，一點也不合節拍。

宋太太却炫耀地說：「這是蕊華在彈鋼琴，她的同學們練起歌來都在我這兒。」

不怪宋太太這份兒自鳴得意，在這小鎮上，家裏有架鋼琴，自然是很體面的了。

宋太太提高了嗓門在窗戶外面叫了兩聲「蕊華」，裏面的琴聲和歌聲戛然而止，靜悄悄的沒人答應。

「客人來啦，怎麼悄沒聲兒的？」宋太太一面說着便打頭走進小書房，原來裏面的幾位小姐們正忙着理頭髮，扯衣裳角，擦鞋子，搓手絹兒；如今見客人已經走進來，於是你推推我，我瞧瞧你，一個個扭扭捏捏的。

還是那位彈鋼琴的蕊華大方點，走上前去含笑對鴻琳說：「這位就是譚家姐姐吧？我們等你大半天了，你來了，媽也不打發個人告訴一聲，好讓我們到門口迎接你。」

鴻琳正待客氣，宋太太「嘖」了一聲，指着蕊華笑罵道：

「瞧你這小妮子倒編派起娘的不是來啦！好，好，你這麼會說，我可要到廳上招呼我自個兒的客人去了。」其詞若有憾焉，其實乃深喜之：「鴻琳，我們家這小妮子專愛賭嘴，你和鴻儀可別見怪啊！我到前頭去一會兒。回頭見，回頭見。」（四）

評介「中共史綱」

著者：劉珍

洪流

中國五千年的歷史，差不多落在一個固定的模式裏，就是治、亂，與、亡。可是這次「中國悲劇」之形成，打破了這種固定型式，出現了變局。主要的原因，則是從民國十年出現了一個「東方怪物」，牠原是北極熊的正族，直接繁衍在中國大陸，由寄生而壯大，到後來張口噬人。牠就是「中共」。

「中共」的歷史，在台灣也有着不少專家在研究，但那似乎只是書齋成品，很少有公開發表的著作。這並不表示我們缺乏對「中共」歷史認識的學者，而是因為客觀環境與主觀需求之不同，而無人直接發表那種著作。自從蔣總統所著「蘇俄在中國」問世之後，才陸續的出現了兩三種。在政府檔案未曾公開的今日，這兩三種著作已是難得之作了。

其中劉珍氏的「中共史綱」，可算得代表作，那是繼蔣總統「蘇俄在中國」的一種純史的著作。劉珍研究俄情與匪情歷有年所，他的著作一鳴驚人，使我們更認清了當前這個「東方怪物」從孕育到壯大的經過，那是一針見血的著述，劉珍不但指明了「中共」的過去，并循着它的過去而指出其將來的發展。

「殘民以逞」或「專制暴虐」等名辭，並不能形容「中共」，中共是另一種東西，牠的出生是「人工受孕」，這在本書的十九至三十四頁裏，有着詳細的說明。「人工受孕」代表其不正常的來歷，也正好說明了牠的出生不但違反了傳統，而在世界的思想潮流裏，也都少其根據。

由其受孕至誕生的過程中，俄共可說動員它的專家與金錢。牠雖然不太順利的出生了，可是牠應該有個褓母來撫育，這就是「中國悲劇」形成主因的「聯俄容共」。本書在第三章一共十六頁的篇幅裏，專門談的就是那個專題。牠先用非常的手段，混進了國民黨，吸取國民黨的乳汁，挑撥國民黨內人士的相互仇視，再進一步的去掌握。牠這個陰謀，雖未能完全的實現，可是也達到了牠發展的目標。

原形畢露後的「中共」展開了所謂「二萬五千里的流竄」，正是本書第四章的內容。牠因保衛牠的祖國——蘇俄而戰鬥，為組織「紅軍」而落草為寇，一再的做着破壞國家統一的工作，一再的流竄，最後流竄到西北的延安，才算暫時的偷安於一時。

偷安並不表示牠已經馴服，反而在全國對日抗戰的緊要關頭裏，牠偽裝愛國，一再的宣揚抗日，而這其實是牠的一貫陰謀的發展，牠堅持了「七分擴張自己的勢力，二分應付國民黨，一分抗日」的策略，欺騙世人，壯大自己。而在全國抗敵的緊急關頭裏，誰又能有餘力去理會牠？何況一致抗日，那正是全國人心之所向，也正是中華民族的一致願望？所以在這個階段，牠不但達到了偽裝的目的，且更加壯大，牠已由「人工受孕」到達了發肥的目的。

抗戰勝利了，但中國人並未享受到勝利的果實，這隻應享的熟透的蘋菓，中途被中共拾去了！這在本書的第六章有着詳盡的說明。日本人投降了，可是「中共」確下令進攻，牠進攻的目標是我們同胞的中國人！為什麼呢？牠不但要拾取這已經成熟的果實，而且要擴大牠的戰果。馬歇爾特使的來華調停，國內各黨派的「政治協商」，處處都是「中共」的陷阱。可是在八年抗戰，全國筋疲力盡之下，一讓再讓，到後來「白皮書」的發表，我國大陸也就如此斷送了。

美國人對於「中共」是存有甚多的幻想的，時間與事實證明那是一個政治上的悲劇，也是一幕可恥的記錄。但美國人已在韓戰裏得到他應得的懲罰。現在牠又到處「擇便而噬」，發動了滲透與禍亂。世界政治舞台上的當政者，應該是覺醒的時候了，認清它，並消滅它，才是世人之福。

談取滎陽（續）

在四十年內，伶工從未演過。光宣之間，客或有之，也是奎（張二奎）孫（菊仙）紹傳的骨子老戲。以劇情深奧，唱腔甚多，後起伶人棄而不敢去演，遂少流傳。

全劇序幕，計分（一）困滎陽霸王興兵，（二）分杯羹敵樓對話，（三）退黃羅張良定計，（四）表忠義驛館掛圖，（五）仗大義紀信替主，（六）詐楚營項羽焚信。從第三幕起，迄焚信止，情節緊張。尤以第五幕爲全劇高潮。今李東園想在舊戲重温之下，予以演出，但困難至多，以尋內行配搭，便多不會。尤其軍中劇團已不准隨便應演晚會，此戲項羽，後部劉邦，張良三位極重的配角，向何處羅致，實是一大問題。恐怕要藏花木蘭，難以成事，深爲慮之。再則劇中有四宮女，是想用美人迷惑霸王，跟隨紀信去詐楚宮，在最末一幕登場。也可見從前編劇具有深思，不使單調，並反襯來加重這幕的激昂，非閒筆也。

國劇繽紛續錄（三）

婆娑生

蓮芝近演後記感

散淡人在寫「無瑕美玉徐蓮芝」一篇，有極公允的結論：「徐蓮芝並不是好得不能再好的角兒，但至少可說：她是目前一塊出類拔萃的好材料。而且她年紀還小，又肯努力向上，我們應給她多的獎勵，給她打氣，所謂『與人爲善』，提拔人才。」這是作家和愛好平劇的觀衆，所樂於爲之的！此種論調，是現今台灣劇圈的誠厚至意，適在蓮芝病後，息養三月，重登舞台演紅娘的一夕，讀到的妙語。茲亦略述觀感，談談這演出的錯綜。

蓮芝的學藝，出自其嫂燕俠悉心教練，六年前，其年十四，始來台北紅樓劇場登台，爲名票余叔通李四昆仲所賞其才，曾介紹於海光胡少安，結果議酬已定而未成，以少安方藉生行爲自鳴，對於旦角，固不願邀[illegible]了。其後轉輾於預光雅吟兩劇隊，迄五三年爲了增進劇藝，願降低待遇，始北來就明駝之約，其目的爲已學卅齣，不免駁雜而未純，求加洗練，以資精到。但明駝主持人不能培護此材，欲以聽憑驅使，造就有拜秦慧芬爲師之一事。此事於慧芬並無有不良的主見，以爲收一可造的高徒，是一快事。不想主持人的措置，却使蓮芝疲累不堪，而致病倒的情事，乃至乞辭。這是她來自由間，未有依傍而受到之困頓。也可見北市劇藝機構，其行規似有勝於法律，不能自由者。

她在病後調養，幾近三月，體力全復。同人爲謀試予演出，以觀其藝，那知邀約既底，則此稱：「未便效勞，所處明駝見怪。」彼云：「要求明駝見諒，方可應命。」

讀徐霞客遊記（上）

汶津

徐霞客爲明末之隱君子，畢生以雲遊天下奇山異水爲樂，於仁人智者之趣外，更富西洋科學家窮究地形水源之精神。而所作遊記，多洋溢著情趣，簡淨可挹，讀之如與斯人同遊，而登山澤於枕席之間。

唐代文家柳子厚，亦山水小品大家，唐代新興的散文運動，除韓退之一派碑傳文及短小雜文外，柳作堪稱絕代之奇，且較前二者尤富純文學價值。然徐霞客遊記與之相比，仍覺光輝映發，不減前賢。茲略作二家比較：

一、柳文有意爲之，徐文渾然天成：子厚最著稱於世者爲柳州八記，而篇中諸語如「……以爲凡是州之山有異態者，皆我有也；而未始知西山之怪特。」「然後知吾向之未始游。遊於是乎始。故爲之文以志。」（始得西山宴遊記），「書於石，所以賀茲邱之遭也。」（鈷鉧潭西小邱記）「乃記之而去。」（至小邱西小石潭記）「余得之不敢專也，出而傳於世。」（袁家渴記）「惜其未始有傳焉者，故累記其所屬，遺之其人，書之其陽，俾後好事者，求之得以易。」（石渠記）「後之來者，有能追余之踐履耶？」（石澗記）。足見子厚有意鎔鑄山水之奇以爲名文，庶幾傳諸其人。而霞客則視遊山水爲人生第一事，無他事，無他嗜，日「皇皇遊天下名山。」「尋山如訪友。」「遙瞻（山之）丰采，輒爲神往。」「西望有山生死共。」（俱見日記及遊記），實將他遊記中的對象當作他的命根子。因而他雖無意以文章名世，筆下卻自有至性至情、有血有肉之文流出，不似子厚文人習氣，以山水爲抒寫之一種題材而已。因此，柳文可說是鍛鍊而成，徐文則是妙手偶得。

二、柳文往往有所寄寓，徐文則在抒情境：柳氏貶謫湖南，傷心人別有懷抱，「自余爲僇人，居是州，恆惴慄。」（始得西山宴遊記）故念念不能忘人寰諸情事。「外與天際，四望如一。然後知是山之特出，不與培塿爲類。」（同上）「悠然而虛者與神謀，淵然而靜者與心謀。」（鈷鉧潭西小邱記）「以其境過清，不可久居。」（至小邱西小石潭記）「古之人其有樂乎此耶？」（石澗記）「以慰夫賢而辱於此者。」（小石城山記）莫不或陽或陰的影射或表露自己的個性及遭際。霞客[illegible]天下事，[illegible]不受俗[illegible]窮之者[illegible]峻而已[illegible]光，俱有喜態。」「泉聲山色，往復創變。翠叢中山鵑映發，令人攀歷忘苦。」「五更夢中，聞明星滿天，喜不成寐。」

三國史微言

燕謀

趙翼二十二史劄記：「曹魏立本紀，蜀吳二主則立傳，以魏爲正統，二國皆僭竊也」。魏志稱操曰太祖，封武平侯，後稱公，封魏王，後稱王；曹丕篡漢後稱帝。而於蜀吳二主，不書帝，曰劉備，曰孫權，不以國待之也。蜀、吳二志與曹魏相涉者，必書曰曹公，曰魏文帝，曰魏明帝，以見魏非其國也。魏志於蜀、吳二主之死與襲皆不書：如黃初二年不書劉備稱帝；四年不書劉備薨及子禪即位；太和三年不書孫權稱帝。蜀吳二志則彼此互書：如吳志黃武二年書「劉備薨於白帝城」；蜀志延熙十五年書「吳王孫權薨」。其於魏帝之死與襲，雖亦不書，而於本國之君即位必記明魏之年號：如蜀主即位書「是歲魏黃初四年也」。吳孫亮之即位書「是歲魏嘉平四年也」。此亦何以於魏？即欲以見正統之在魏也。是正統在魏，則晉之承魏爲正統，自不待言也。此陳壽於晉，不得不尊魏也。然吳志孫權稱帝後，猶書其名；蜀志則不書名，而稱先主、後主；陳壽曾仕蜀，故不忍書故主之名，以別於吳志之書權、亮、休、皓。此又陳氏不忘舊國之微意也。」

非僅此也，陳壽立三國諸臣傳，有增減，繁簡不一。大凡魏各傳，史文則詳；蜀、吳二國諸臣則簡。附傳則有出入。故趙翼又引「陳壽立三國諸臣傳，較舊史有增有刪。如蜀吳各傳中，有以附傳見其詳者，如「倉慈傳」後歷敘吳瓘、任嘏、顏斐、令狐邵、孔乂等，以其皆良吏而類敘之。蜀楊戲「季漢輔臣贊」載於戲傳後，其中有壽所未立傳者，則於各人下註其歷官事，以省人人立傳之繁。又採益部耆舊傳，內增王嗣、常播、衞紀三人，由是蜀臣無遺矣。吳志陸凱傳增其諫皓二十事一疏，本得之傳聞，故云：「予從荊、揚來，此疏問之吳人，多云不聞凱此。且其文切直，恐非皓所受也。或以爲凱藏之篋笥未敢上，及病篤，皓遣董朝來視，因以付之。虛實難明。然其指摘皓事，足爲後戒，故列於凱傳之後云」。是其編纂多詳愼也。至方技傳內如華佗則敘其治一證即效一證、管輅則敘其占一事即驗一事，獨於朱建平傳總敘其所相者若干人，而又總敘各人。（十一）

七仙女

——「影劇與歷史」之七

周遊

九、四川的「七仙女」故事。男主角是董永，女主角是七仙女，媒介人物是槐蔭樹。董永的籍貫是山東（千乘）不是丹陽。故事情節與「七仙女」故事脗合。只是沒有土地。不必重複再述。電影「七仙女」故事，可能採取了很多的記載，和各地的劇本、彈詞等而成。

前面所說的幾個「七仙女」故事，主角都是一男一女，媒介人物，有獸類的八角鹿、白兔及土地，槐蔭樹等，合起來觀看，有人、神、動物、植物。我們可以觀察得出的「七仙女」故事，最初也不過是如劉向的「孝子圖」和曹子建的「靈芝篇」，是表揚一個山東的孝子董永，由孝子而產生了孝子必有好報，所謂「善有善報」的中國文化傳統精神。中國的天人合一精神，就產生了天上神仙下凡以配孝子。由於仙女孝子的結合，就留有一個「仙姬送子」的尾巴，所以又有「七仙女」的續集。仙女之子，當然有了不起的本領，所以又附會出許多董永兒子的故事及神話。綜合觀之，「七仙女」故事，也是由簡而繁，由少而多，由單純而複雜。同時由於神話，我們又可以看出中國文化所產生中國倫理精神、仁愛精神，天人合一精神。如由於小兒的哭聲，感動了仙女而不能忍，而激發了母愛的至德，爲人性母愛的至德至性。參加了獸類的報恩，也表現了「萬物皆備於我」、「愛屋及烏」、「天人合一」之物我一元論在神話故事中。神話故事的特色，那就是「天上人間」之距離微小，甚至相通。不是如西方神話，「神」是高不可攀的，超越一切的。中西的人神觀完全成爲對比。

七仙女的「遺跡」

一、湖北孝感的「七仙女」董永遺跡。

湖北孝感縣在漢時本爲江夏郡安陸縣地。至宋孝武帝孝建元年，因爲孝子董永故，乃析安、陸縣東境，置孝昌縣。後唐莊宗同光二年，因避祖諱，改孝昌縣爲孝感縣，以迄於今日。孝感縣城北有董家湖、湖西有理絲橋，相傳即爲董永遇仙之處。湖之南岸有董永墓，左墓爲永父，右爲永墓，相傳即爲董永賣身所建。董家湖附近，尚有裴巷，相傳即爲董永賣身爲傭的主人裴家所在。「搜神記」、「孝子傳」、及孝感縣志等，皆云董永賣身爲傭的主人是裴氏。而「七仙女」電影則爲傅員外。此外，還有「仙子池」、「昇仙台」等古跡。縣人郭鴻逵有「理絲橋」詩一首，詩云：「行至理絲橋，灣環逐水流。橋下水如鍊，橋上枝理連。肅行古所敦，欷歔漢孝子。誠意感神人，嘉名錫故里。不是昇仙橋，遇仙却在此。……」董永古跡爲該縣八景之一，名曰「董墓春雲」，詩人文士憑弔者頗多。清知縣羅廼有詩云：「傭身葬父孝名成，馬鬣猶存漢代墳。冉冉春雲長不散，曾迎織女到天門。」又縣人王東亦有詩云：「九原深處夢魂歸，萬古寒烟歛翠微。冰骨昔從湖上掩，春雲常向墓前飛。天門陂在人何邈？仙子台空跡已非。讀罷遺文追往事、陰花野草帶斜暉。」（十一）

記胡葉之緣

·朱溎秋·

姑嫂倆正在談笑，門鈴又響，女傭進來，說二小姐，下午那位客人又來了。綺嫂馬上格格大笑，她說：這不是攻心戰術嗎？那有一位普通朋友，這樣的積極？要不，他是着了我家小姐的迷了！她匆匆修飾，走進客廳，看她進去，他迎上來，和她握手，一邊問她：晚上來看妳，是不是不太方便。她想，你既來了，還說什麼，笑着說：沒有關係。於是開始聊天，她早聽說他對歷史有研究，便問他許多歷史上的問題，多對答如流，如數家珍，對每一件事常有獨到的見解。愈談愈佩服他。但是有關戰爭，以及對他的傳聞，却避而不答，只說太枯燥無味。這次談到十點多，辭去，約好明天去西湖探勝，說定九點來接。

次晨九時，我們坐車到湖濱公園，僱一隻小船下湖，先由平湖秋月轉到三潭印月，再到岳墳，弔岳武穆墓，走過跪在大門左右的秦檜夫婦石像，看見遊客對他們夫婦在吐唾沫，覺得歷史的審判，確是很嚴厲，也很公正的。中午在附近的杏花村吃飯，嘗嘗道地的甯波菜。飯後穿過蘇堤，划向裏西湖，那裏荷葉很茂密，和風吹來，陣陣荷香，情趣無窮。情侶們通常喜歡在這裏談天，尤其在初夏花開的時候。玩了幾處名勝，回到湖濱，已是萬家燈火。船上決定次日去爬玉鳳山，他對爬山似乎特有興趣，認爲奔馳在叢山峻嶺，呼吸大地的氣息，比漾盪於碧波之上，呼吸香味更有意思，她雖不完全同意，也願意有此爬山的旅行。但是翌晨穿好輕便衣服等他，他派參謀來告，昨晚接南京電話，連夜趕去了。她雖失望，並不怪他，因爲軍人以身許國，私人生活，永遠放在後面的。

過了幾天，她同綺嫂也回上海，那時住在法租界薩坡賽路，是一幢紅磚的三層洋房裏。忙着整理功課，去到學校，依舊上課。有一天早晨，她沒有上課，在家靜讀一本詩集，阿香跑進房來說：「二小姐，快下樓去，有一位先生，手上捧着一盆花，要見妳。」（七）

內政部台報字第〇三壹號內銷證

自由報

THE FREE NEWS

第九六五期

中華民國僑務委員會登記
台執新字第三二三號登記證
中華郵政台字第一二八二號執照
登記爲第一類新聞紙類
（每逢週三、六出版）半週刊
每份港幣壹角
台灣零售價每份新台幣貳元
社長：雷嘯岑
督印人：黃行實
社址：香港銅鑼灣高士威道二十號四樓
20, CAUSEWAY RD 3RD FL. HONG KONG
TEL. 771726　電報掛號：7191
承印者：大同印務公司
地址：香港北角和富道九六號
台灣分社
台北市西寧南路壹零號二樓
電話：三〇三四六

對於軍事援越的認識

雷嘯岑

近月來，美國報紙上常有借重我國軍隊援助越南反共戰役的意見發表，而白宮當局亦討論到我軍援越的問題。同時，咱們國內的輿論界和民意代表，更不斷地建議自由陣營應在亞洲開闢第二戰場，且主張我軍先行進佔海南島。不管這些構想是否有當，但因越南局勢之演變而使東南亞、乃至整個亞洲大局動盪不安，終將發生變化的情形，却爲勢所必至，理有固然。這種國際形勢之出現，對我們反共復國前途是有利的，也就是我們不宜忽視的大好時機，「雖有智慧，不如乘勢，雖有鎡基，不如待時」。因此，我們此時應該殫精竭慮，籌維至計，不能輕率從事，亦不可遲疑失機，謀定而後動，策之上者也。

軍事援越的先決問題

自由世界的安全是集體性，彼此息息相關，決無獨善其身之可能。從這種認識點而言，祇要美國和越南向我國提出軍事援越的要求，自屬義無返顧，蔣總統聲明願以十萬兵力赴援，即係表示集體安全的責任感。但是，越南今日的災禍乃導源於「日內瓦和平協定」，而越南的安全保障，「東南亞公約」國家負有全責，煌煌盟約，世人共見。然東南亞公約的八個構成分子之中，素來擁有最大發言權的英國和法國，或置身事外，昌言和談，或漠視信義，高彈反調；他如巴基斯坦早已同床異夢，爽約寒盟，剩下泰國與菲律賓，心餘力絀，愛莫能助。美國派遣大員游說列國援助越戰，實際毫無所獲，只好挺起胸脯，單獨担任越戰全責，迫而寄望於中華民國拔刀相助，這原是不合理的現象，把集體安全制給癱瘓了。再看美國對越戰的策畧，到現在還是執行着以戰促和、適可而止的不求勝政策，只要越共游擊隊退出越南境內，恢復「日內瓦和平協定」所規劃的南北越分治界綫，即可罷兵議和。假使不是越共政權嚴詞拒絕英國的和平游說代表，我相信越戰早已停止了。中華民國自第二次世界大戰時期以來，直到今天，對於集體安全關係與國際條約義務，始終重視信守而不懈，如雅爾達密約之出賣我國領土，亦顧全大局，犯而不校。現在的越戰係自由世界集體安全中之一大課題，我們先不漠視，力所能及，不憚應援，但對於戰爭原則與目的，事前必須弄清楚，我們不能盲目地打濫仗。

職是之故，就中華民國一貫的作風與立場設想，在採取軍事援越行動以前，要明瞭美國對越戰的政策是否有所改變？作戰目的是以消滅共禍、統一南北越爲標準呢？抑是以維持南北越分而治之、互不侵犯爲宗旨？如屬前者，即符合反共產奴役生活的集體安全利益，我們當然義不容辭，唯力是視。如屬後者，那便是將中華民國的軍隊當作「僱傭兵團」，只替他人作火中取栗的貓腳爪，有如法國當年為着保持「保大政權」而在安南設置的「外籍兵團」一樣，教他們攻下某一地區即給多少錢，招之而來，揮之即去，却不明白為何而戰？為誰而戰？這樣的戰爭，我們認為毫無意義，絕對不感興趣，唯有敬謝不敏。我們臥薪嘗胆，生聚教訓了十餘年的國軍實力，是反共復國的一副本錢，不容隨便浪費的。再看越戰態勢的未來發展：美國要想先行取得蘇俄不介入的諒解協議，決無可能，俄共固然沒有爲北越而悍然挑起核子大戰的勇氣與必要，但要他公然放棄「埋葬資本主義社會」的世界革命立場，寧堪想像嗎？毛共識破了美俄雙方的弱點，唯恐天下不亂，當然要盡力扶持着北越政權，戰鬥到底。自由世界人士喧嚷開闢第二戰場，尚在宣傳階段中，毛共的第二戰場——泰國，却隨時可以開闢，而泰國的防禦力量又有限得很，美國能夠再派遣十萬地面部隊支援泰國嗎？答案縱然是肯定的，但其用力之多，消耗之大，殊不異於對毛共的一場大戰，而其結果却是失敗的公算居多，情勢顯然，并不需要專家來分析，亦可瞭解的。

所以，美國現行的越戰策畧，如不變更，中華民國即令為着盟友美國的關係，而以十萬大軍馳援越南，亦係徒然浪費，無補大局。萬一泰國又告急了——這是很可能的趨勢——美國究將何以應付呢？那時節，毛共已居於優勢地位，美國縱然教英倫唐寧街十號的先生們向毛共低首乞和，其代價必不止於退出東南亞而已。美國若不甘屈辱示弱，到頭來還須跟毛共作一次大決鬥。於是乎，今日美國對越戰不求勝的苟和政策，適所以製造自身未來的更大災害，不亦愼乎！

不由自主

幸災樂禍

今日与明日

李宗仁的悲哀

李宗仁回到北平已經五日，毛劉朱三酋均未見到。毛劉兩酋均在北平，而且日日會客，見過烏干達的總理，索馬利亞的總統，甚至還有一些不相干的共幹，如什麼專業會議的人員，軍事院校、財貿學校的學員。只是不見李宗仁。這種情形當然是有意安排，先臨之以威，使李宗仁失去作人的自信，以後才能如同李濟琛、張瀾、沈鈞儒等人一樣，俯首聽命，「向黨交心」。照此看來，李宗仁要想在大陸「頤養天年」，只是做夢而已。

誰殺李宗仁

李宗仁已經死了，不但過去的光榮歷史死亡，連靈魂也已死亡，只剩下行屍走肉的軀體。誰殺死李宗仁？追源禍始，當年在安徽省刮地皮的那個「大吏」萬死不能辭其咎。據七月二十一日天天日報統計，李宗仁競選副總統時，安徽省貢獻了七千億法幣，而時任財政廳長的某人則承認只有三千億。試想這批大小貪官在安徽省搜刮的地皮決不會全部獻與「德公」，不過是所得的百分之幾而已。即以三千億計算，則全部數字有多少？安徽省總共不到三千萬人，每人被刮去多少錢？這是天文學上的數字，無法統計了。就靠這筆造孽錢，引致黨內不和，國家分裂，終致神州陸沉，大陸上死於共匪手下的人數，差不多趕上安徽全省人口的總和。直到今天並無人追究過責任。目前李宗仁已被送入枉死城，身敗名裂，說來還是安徽人賣兒鬻女的錢害了他。安徽人眞應向李宗仁表示歉意。只是當年刮安徽人地皮助「德公」競選的某「大吏」，不久前還曾來港，究竟與「德公」之間有無新的計劃，似乎也應該自清一下。因爲眞正去了北平爲害尚小，留在自由地區若不乾淨則爲害實大。根據過去經驗，凡是貪官污吏，有奶便是娘，絕無立場可言的。

毛共失策

毛共此次把李宗仁統回去，基本上是一大失策。假若把李宗仁留在美國，以反共幌子作親共言論以困擾自由世界，則爲害更大。既然把李宗仁統回去，自是希望能以李宗仁作爲標本，把桂系全部人員也統回去；既然如此，就應該對李宗仁特別客氣，例如毛酋可以到飛機場歡迎李宗仁，擁抱一番；當晚設宴招待，拿出對香港某市儈的手法，夾塊菜送過去請「德公」食；然後錫以高名，待以殊禮。如此一來，如某「大吏」之流，也許會怦然心動，設法去追隨「德公」，以爲可以開府安徽再刮一筆。像這樣對待李宗仁，試問誰還敢去？（何如）

進軍海南島問題

國人要求開闢第二戰場的目標，就是進軍海南島。這樣一來可以間接有助於越戰，解除美國第七艦隊的一大顧慮；二來可以表現反攻大陸的實際行動，振奮海內外人心，激發大陸人民的抗暴運動。這未嘗不是言之成理的事兒，可是，按諸實際則利少而害多。今日國軍要在大陸沿海岸佔領一個灘頭陣地，易如反掌，問題在能夠站得住脚，從而縱深推進，跟大陸民衆結合，以打倒共黨政權，還我河山。基於這種觀點，攻擊海南島即非理想的攻擊指標，沿海岸[illegible]

[illegible]「凡事預則立」、「謀定而後動」，國家前途是光明的！

自由談

讀報心得

最近台灣報紙上刊載一樁因男女通姦而毀容的訟案，甚爲熱鬧，法庭首次審訊時，旁聽人士竟有二三千名之多，這眞是亂世人心的畸形發展現象，可爲太息而隱憂也！

男女之間爲着姦情而演出悲劇，事極平常，嘸啥稀奇，他們鬧糾紛，打官司，更用不着大驚小怪的。然而，報紙上連編累牘的紀述男女雙方一切陰私情節，不厭其詳，注意了社會新聞的報導，而使新聞的「可讀性」暗受損傷，何苦乃爾呢！對於這項桃色新聞比較處理得當的，我看只有「中央日報」一家而已。

所謂黃色新聞之氾濫成災，亦非偶然的，這與武俠小說之流行原因相同，即政治性的新聞與言論太貧乏枯燥，對社會大衆殊少刺激性，而亂世人心又由於當前的非常時期和環境關係，煩悶抑鬱，無可排遣，祇好從色情與神怪的精神食糧中找刺激——也可說是自我麻醉——實行混世主義。就反共復國前途設想，這是殊堪隱憂的現象，非設法補救不可。補救之道無他，即在精神食糧方面加以改良，把政治性的新聞言論尺度放寬些，誘導一般社會大衆對政治新聞言論感覺興趣，同時限制黃色新聞和神怪小說之隨便散佈，這纔是合理的「宣傳政策」，纔是配合國策的應有措施。

我看到台灣報紙所載那項毀容訴訟案的初審紀錄，也有些奇怪之感。男方否認與女方有曖昧行爲，指對方「單戀」成嫉，舉證就是今年五月十九日女方寫給男方的一紙情書，法官當庭朗誦表示重視。實則這是他們兩人發生超友誼關係很久以後的反證，法官視爲有力的證物，似不免粗心之嫌，而女方辯護律師亦熟視無睹認不加辯釋，不亦怪哉！根本上，男方只是提出「傷害罪」的告訴，關於「單戀」與否的問題，應不在究處之列，又何必越出題外，談到「姦非」事件呢？要談亦應男案進行裁判吧？我無意過問訟案本身的是非，祇舉出這情書問題來，證明亂世人心普遍的不正常，大家只顧找刺激而擴蔽了理智，連吾儕新聞從業人員亦不例外呵！

馮五先生

未來的監察院長誰屬？

本報駐台記者張健生

監察院決定八月十四日舉行會議，選舉院長。自從去年十一月十一日，于故院長去世後，監察院長職務由副院長李嗣璁代理，這是依照監察院組織法第六條的規定的。李副院長代理院長的職務，已經八個多月，如果不選舉院長，仍由李副院長繼續代理下去，亦為法所不禁。目前，在八十一位監委中，只有三人表明態度，其餘的除去五位在國外，而在台灣的七十三人並未公開表示。監察委員陳肇英在院會中公開聲明不參加競選。雲南籍監委張維翰，與李副院長都對國會記者表示：報名應選。所謂「應」者，即「我應受之」的意思。由於監察院全體委員，都有選舉權與被選舉權，故據說無競爭的意思。

詩人御史，「清齋茗話」

素有詩人御史雅譽的張維翰委員，於七月十九日下午五時，在其寓所——新店大坪林明德新村——應國會記者之請而表示態度。他以「清齋茗話」來答覆國會記者所提問題。他說：「我是報名應選，我不競選」。因為「監察委員有八十一位，大家都有應選的權利和義務，而彼此間的學歷、經歷、品德等一切，大家都知道，用不着發表什麼演說，也沒有自我吹噓或自我宣傳的必要。」國會記者問他這次應選的動機與態度，他說：「我報名應選，不是為院長的頭銜，而是有意為全體同仁服務。凡是願為大家服務的同仁都可以公開報名應選。由於監察院長對外代表監察院，對內綜理院務，主持院會，並監督所屬機關，所以院長的職務與委員不同，因而期能選出一位有信義、有風格、有担當、有作為的人出而繼任院長職務，革新院務，提高工作效率，俾憲法賦予同仁之監察權更能圓滿行使，充份發揮效能，以慰于故院長在天之靈。則雖成功不必自我，亦必樂予支持，而寄殷切之望。」

七九高齡，健康極佳

這位七十九歲而精神與健康極佳的張委員，他很坦率的告訴往訪的國會記者們說：「你們一定想問我健康的情形，但又怕我不樂意談，我可告訴諸位：我是『窮且益堅，老當益壯』。」的確，這位高齡委員，週旋於記者群約一個多小時，就沒有一點吃力的樣子。國會記者問到他在四十七年間，競選副院長時，與李嗣璁有所謂「君子協定」，即當時張委員放棄副院長競選，支持李嗣璁當選，下次由張委員競選，李嗣璁放棄競選云。請張委員說明當時的情形。張維翰很有風度的笑着說：「這件事，最好請記者先生問李代院長好了」。國會記者對張委員的答覆，仍不十分滿意，乃要求他提供具體的資料。張委員笑着，指着牆壁上掛的一副于右老所書的對聯說：「這就是重要的資料。我放棄競後，于故院長做了一首對聯，並由于故院長親筆書寫」。該對聯：「守獨悟同別微見顯；辭高居下避易就難。」這足以說明當初的經過。他並把總統為此而召見他的情形說了一遍。

借運動員，作答客問

他在答覆有關執政黨是否提名的問題時，張維翰舉例來說明他的看法，並強烈暗示最好不要透過政黨提名。

他以百米賽跑為例；說一位政治家應有運動員的精神，公平合理的競賽，假使有人以腳踏車來代替跑步，則就違反運動家的規則，是不公平的。

他承認有人說他到各委員家中去「聯絡感情」，但否認「請賜一票」。他說：「我報名應選」，等於學生報名考試一樣，是不是能錄取？學生不能向「老師」要分數；「老師」怎樣評分？和評分多少？那是「老師」的事。他們給不給票？這是「老師」們的權利。

李代院長，否認「承諾」

當天的晚上李代院長在答覆某報記者的訪問時，曾表示「報名應選」院長，因此，翌日（即七月二十日）上午十時許，國會記者羣集監察院接待室訪李副院長，大家所提問題固然不少，而打破砂鍋問到底式的「追」問，恐怕很少有這樣的情形。李代院長在答覆每一問題時，都是繞圈子先說一篇大道理，而不作肯定與正面的答覆，所以有一位國會記者說：「我很笨，請李代院長對辭不辭副院長一事說得更明白些」。

李代院長堅決說：「我不像陳委員肇英那樣公開放棄應選，我想在八月十四日投票前一天決定是否辭去副院長的職務。外傳我在四十七年競選副院長時與張維翰之間有所謂協定云云。我沒有任何承諾（協定）」。

他說：「立法院長黃國書，競選院長時，在黨提名後辭去副院長。但劉健羣沒有辭去副院長而競選院長。因為監察委員獨立行使職權，許多院務必須由院長處理，因為我是以副院長代理院長職務，所以我正在為院務的問題，而在考慮辭不辭副院長」。

監察委員們對李代理院長否認與張維翰之間有協定，以及投票前一天決定是否辭去副院長的談話，私下議論紛紛。有些委員們對本報記者說，這就牽涉到所謂「信義」的問題了；有些委員則哈哈大笑而不語，也有些委員們要國會記者不要給監察院太難堪了。

曹啓文說：只能「守成」

曹啓文委員（多數派）告訴本報記者說：「監察院同仁原來打算由李代院長競選院長，我們另推陶百川委員作副院長為應選人，因為李代院長只能「守成」，而陶委員可以協助他推展院務，樹立監察院的尊嚴，使外界對監察院敬而畏之。由於陶委員堅持不競選，並來信婉謝大家的好意；後來，我曾寫信給他，無論如何要他下火坑，但去了好幾封信，不知道什麼緣故，迄今未見陶委員的回信。」

據說：屬於多數派的實際負責人陳大榕委員，他曾私下對其好友表示，除非執政黨提他的名，要他應選，否則，他是絕不會報名應選的。現在，多數派方面，對未來的院長選舉，頗為担心，他們所憂慮的是怕因選舉而再分裂。現在有人正打算在選舉前發表談話，促進院內團結。這件事，曹啓文、吳大宇等多人在二十日曾交換了意見。

現在，台灣籍監委陳慶華，對應選副院長一職，興趣相當濃厚，並且大肆活動中；是否成功，則就要看執政黨的決策而定了。假定提名陳慶華為監察院副院長應選人，據傳另一國會的人人事勢必更動。外界有某某任某院長將於九月間有消息之說，或非空穴來風。此事演變如何？在八月後將可見分曉。（七月二十一日）

省立高雄水職校　接二連三爆醜聞

（本報記者袁文德高雄航訊）省立高雄水產學校，先有營業組長侵佔公欵，事務主任收受商人鉅額賄賂之貪墨、瀆職案件，正由調查機關移送法院偵辦期中，復發生該校女學生陳屍海灘之事件，錦上添花，風頭甚健，成為南台灣社會新聞之「製造所」，深為大眾所矚目關心。

高雄水產職校，是台灣省三所省立水產學府之一，餘二為省立基隆及省立澎湖水產職校。該校校長李星輝，自民國五十年啣命主持校務以來，未聞對校政有所革新及建樹，反之據說該校事務主任羅芳定，即於李星輝到職之後，向營業組長葛鏡如囑咐：「魚肝翅佣金加付二成之事實，嗣後你不要管」等語。於是自五十年五月五日第三航次入港時起，直至五十四年二月二日的第十七航次入港止，先後達廿五次之多，計共收受商人莊延源贈與該校員工福利金新台幣七萬六千七百六十元六角，估為己有。復有該校營業組長葛鏡如，利用職司該校實習漁船「成功號」之經營的機會，竟以業務之便利，據說於五十四年二月初旬，向漁市場領取該校實習船第十七航次漁獲銷售貨欵六十五萬一千二百六十一元，而將該筆公欵截留二十萬元，侵佔化用。此兩貪墨瀆職案件被人檢舉後，復經司調局高雄站調查屬實，除羅芳定、葛鏡如依戡亂時期貪污罪條例移送法辦外；該校校長李星輝，亦被以「明知營業組長葛鏡如挪用公欵二十萬元，事務主任羅芳定違背向商人收受賄賂數萬元有據，竟予庇護，不予檢舉」為由，依同條例第十三條第一項之罪嫌，一併移送偵辦。

該校事務主任羅芳定及營業組長葛鏡如貪墨瀆職兩案件，刻正在高雄地院檢察處進行偵查之中，乃六月九日，又有該校高一女生王淑女失蹤，事後發現該王生竟陳屍海灘。消息傳出，轟動一時，所幸該命案經司法行政部法醫化驗求證結果，認定係屬自殺，使學校擺脫任何責任。惟該生因何厭世自戕？迄記者發稿日（七月十九日）止，有關治安機關尚未將具體事實經過公布出來。

高雄水產職校這一連串轟動社會的新聞爆發後，該校校長李星輝曾運用種種理由辯解，欲圖擺脫其明知部屬貪污有據而不予檢舉之刑責，惟是否能邀檢察官之偵查諒解，而得逃法網，尚有待於事實之證明。而就在該校兩職員羅芳定、葛鏡如被檢察處依法提起公訴，社會各界議論紛紛之際，省教育廳於七月十六日發表人事命令，調李星輝為澎湖水產學校校長，所遺高雄水產職校長職務，由胡曉伯接充。消息傳來，地方人士多認為：教育廳派胡曉伯主持高雄水職，不失為一項明智的抉擇，因胡氏主持基隆水產職校有年，經驗豐富，為人又廉潔，深信高雄水產職校將來在胡曉伯接長後，可望加以整頓改革，前途似錦。惟對於李星輝仍得調長澎湖水職校務，多感惶惑，懷疑其是否恰當？此案結果如何，俟有發展，當繼續報導。

有朋自遠方來

研究歷史問題　也談美國故事

（本報台北通信）有一位美國哈佛大學歷史系的博士研究生郭華德先生（Walter E. Gourlay），從香港拿着一封朋友的介紹信，到台北來尋訪本報雷社長，幾經奔走纔得晤面。郭華德說他是十年前畢業於紐約一所私立大學後，即經營商業，近年棄商從學，再入哈佛歷史系作研究生，準備提出博士論文，而以中國國民黨和共產黨的鬥爭問題為論文資料。他在美國已看到雷社長所寫的「卅年中國動亂」那本書，認為有些地方還不能徹底瞭解，特來當面請教。

他首先問道：「卅年中國動亂」一書為何不譯成英文在美國出版？那是可以賺錢的。雷答以「自己覺得沒有在外國出版的價值」。郭說：「不然，現時美國哈佛、哥倫比亞、加里佛尼亞這幾所大學裏研究中國問題的歷史系學生，都把這本書逐頁撕下來仔細探討，悉力求證，本人就是其中之一，如能譯成英文，閱讀的人更多了。」

郭氏最注意的問題是：俄共鮑羅廷當年對中國國民黨的影響力是何實況？汪精衛初與共黨合作，後來又變成反共最力者的經緯是怎樣的？馮玉祥跟俄共勾結的程度如何？民國十六年七月蔣總司令通電下野的真正原因安在？他說：自民國十五年革命軍北伐時起，直到十九年這階段中，凡在廣州、武漢、上海發行的著名大報，他都搜集成帙，至今保存着。唯報紙新聞紀載是表面現象，一定還有內幕情形，所以還須向中國人多叩問。但他堅決聲明：凡屬親共或者投共的中國人士，決不願跟他們談論這些問題，以防偏差失實。他問雷社長是那年加入國民黨，以及近卅年來在政治、文化界的經歷如何？他亦自我介紹是一個民主黨的黨員，彼此談得很契合而融洽。

雷社長亦曾叩問郭氏：美國一般高級知識份子——特別是哈佛大學的教授，何以思想多是左傾的？郭笑請：「知識份子原係少數人士，他們為要表示自己比普通人的見解不同，因而愛唱高調。若就左傾右傾問題說，你們認為左的，在美國人的心目中或許說他是右；而你們認為右的，美國人又感覺他跟共黨的思想無異。例如你們國民黨的組織方法，跟俄共的組織規制差不多，若就表面看，也就是最左的政黨了。」相與拊掌大笑。

雷社長再問：「美國華爾街的大資本家伊登，為甚末專門為共產黨張目助勢呢？郭輾然答道：「美國人給伊登起了一個綽號，叫作『莫斯科的信差』。俄共知道他是個百萬富翁，老悖無知，而又喜歡說話，故意在表面上對他特別客氣，如赫魯歇夫，米高揚，科錫金這些共酋，都跟他見面談論政治問題，利用他回到美國作『傳聲筒』，以廣宣傳。可是，美國並沒人重視他的言論，認為他是坐在天空中向着神祇說神話，不予理睬，你們何必重視他呢？」

最後，雷社長談到李宗仁投奔毛共區域這回事，認為美國中央情報局事前一定知道李宗仁的行動，何以置之不問呢？郭說：李宗仁並非美國公民，而是一個外來的旅客，他要到甚末地方去，美國人只好對他說聲Good bye而已。郭雷二人在幾次長談之中，彼此都很愉快，郭又希望雷社長介紹幾個曾在中國參預國共鬥爭之役的日本人，他準備赴日本東京旅行，順便跟那些日本朋友談談。

（七月廿三日浩然於台北）

臆言之什

——爲華僑書院藝術系書畫展作

蔡俊光

仲尼嘗云：「吾不試，故藝。」揚子雲長薄辭賦，亦云：「彫蟲小技，壯夫不爲。」劉華老垂誡子孫先行實後文藝，且曰：「一命爲文人，無足觀矣。」嗟夫！予命險釁，生不逢辰，頻經喪亂，疵癘交侵；兼之少罹多病，長遇坎坷，欲從戎則無力，欲躬耕則未諳閑稼，欲爲吏則不得推擇，欲負販則莫資索賴。不得已乃屈首受書，持爲活計，忝竊文名，不亦悲乎！今也，歲逢大荒落，時又三伏，雲蒸於上，雨翳莫下，矜此勞人，曷得其所？乞可小息，惟桐陰側，或以假寐，或以讀易；悠哉悠哉！何與於政爭之白與赤？何憂於人爲之鬼與蜮？詎客忽至，使也吠，驚我蝶夢，因我神思，携之入室，藹言如醉。客曰：「月之日，華僑書院藝術系司徒奇、周永沾，兩教授率諸高弟子，假座香港大會堂，出其多年所作書畫稿品，作盛大公展，願得鴻文以張其事，子其無辭。」予聞而變然！應客曰：「吁！曷訟可乎？」薔自念嶺表一布衣耳！生長於窮巷蓬茨之間，浮伏於迅風陵雨之世；既少遊覽廣覽之知，徧多困心積慮之苦。平居除讀書作畫而外，其他書畫博奕可以撫摹居之歡者，一無通曉。人之愚拙，斯可見矣。若乃強不知以爲知，還老子尚謂之病；果屬不智言之不當，對韓非直論當死。夫病與死，生人之所大恐也，抑予又何以造次爲哉？

雖然，司徒奇、周永沾、兩先生，固豈弟君子也。年來復與予共事而治，誼切同袍，盃酒嘗衡，殷勤賡採；挹彼清芬，注茲淺陋。觀乎司徒爲人，德行尊理而羞用巧術，業已名家而不以傍大。其所作山水人物，草木蟲魚，無不盡態極妍，窮神知化。方其下筆揮灑也，御六氣，攝二儀，心寄寥廓，目送歸鴻，栩栩然，官知止而神欲行；故其妙造毫端，力透紙背。詩云：「左之左之，君子宜之。右之右之，君子有之。維其有之，是以似之。」斯人之謂歟！昔莊子言：「宋元君將畫圖，衆史皆至，受揖而立。舐筆和墨，在外者半。有一史後至者，儃儃然不趨，受揖不立，因之舍。公使人視之，則解衣般礴，臝。君曰：可矣，是眞畫者也。」今之人，天下多有人自詡爲書畫大家，挾其沾沾者，依於跂躍之異術，即謂已探天地之奧秘，德薄行偽，譁衆取寵，以遂其貪多欲之志，可憎孰甚！此際果欲求一儃儃然不趨之眞畫師，則吾非司徒而又誰與？司徒有女，曰婉柔，曰婉文，皆已亭亭玉立，隨乃父學，筆下一丘一壑，自已過人。諺曰：「虎父無犬子」，信然。永沾先生，謙謙君子，有若無，實若虛，其狀朊然不櫰，若失其一。自謂：「游於書藝者亘三十年，墨守成法，樂此不疲。」夫士無冥冥之志，則無昭昭之明，無惛惛之事，則無赫赫之功。故君子篤信好學，守死善道，則其必能垂世立教，傳諸無窮。吾將於永沾先生驗之。

至於鄧（乃燕）徐（亮之）周（炎荔）馬（頌漢）諸書家，各皆精研八法有素，尺幅寸縑，都非凡品。幸其尚未蹤迹杜陵老誕，尚爲家令以絕此楷法，慨然以其千金珍藏者與畫圖一併展出，誠足以觀止矣！其餘在學諸子者，夙以出入名門，多見瀟灑俊逸，一時雖少骨幹，然亦嶙立，他日之成，諒可待乎？

乙巳夏六月，蜷伏明夷室寫於汗下如雨之際。

編者按：陸嘯劍先生之「怪力亂神與法律叢談」續稿未到，暫停一期。

韓愈其人其文

漁翁

在潮未逾年，奉調袁州刺史，雖離開瘴毒之區，而袁州地居嶺邊，崇山疊嶂，向爲盜寇嘯聚之處，爲患數郡，較鱷禍更甚，非文字可以使之斂跡，乃遣人召湘子來，施用異術而殄滅之，盜衆瓦解，民得安居樂業，咸感文公之德政，如潮人然。

在古文集中，以文公之作品爲最多，原道，原性，師說諸篇，與孟軻揚雄相表裏。從其遊者，如李翱，張籍，孟郊，皇甫湜輩，亦皆有名於時。當代後進之士，經其指授，即成大器，稱爲韓門弟子云。

可是，世人咸以文公之文章爲可貴，而不知其品德，更超軼文章之上。當幼而喪父，感長嫂鄭氏鞠育成人，及嫂卒，爲服期年之喪，較當時規定小功五月服加隆，蓋以報恩也。所作祭十二郎文，記兄嫂叔侄家事甚詳，至足感人。其天性之厚，爲人謀之忠，深得孔門中庸絜矩之道矣。

文公雖衞道，然頗有寡人之疾，環肥燕瘦，羅列庭前，貶潮時，多散求去，惟一幼妾名小桃者，願留家相守。及文公還朝，小桃果守未嫁，公喜占一首以贈之：「別來楊柳皆投主，亂擺春風直欲飛；惟有小桃園裏住，留花不發待郎歸。」遂鍾愛之。文人自古多風流，豈徒文公也哉！

文公晚年，因迷信服食養生之品，終以食硫黃雞中毒成疾而不起。其門人皇甫湜所作韓文公墓誌，與李翱所寫韓吏部行狀，隱約其詞，諱不明言，惟白居易詩：「退之服硫黃，一病迄不痊」；據陶穀清異錄云：「愈逮老，喜服食養生品，用硫黃攪粥飯餵公雞，不使與母雞交，千日烹庖之，名『火靈庫』；云可以長氣益精，間日喫一隻，始頗見功，終遂攫疾。」據傳疾篤時，宵中驚悸，夢見大神高丈餘，直入寢門，文公跪拜而醒，俄而病。時長慶四年十二月二日，年五十七。終求長生，反而促壽，論者惜之！

文公死後明年，門人張籍祭之以詩云：「公有曠達識，生死爲一綱；及當臨終晨，意色亦不荒；贈我珍重言，傲然委衾裳。」又說易時，湘子始度其魂登仙，載在韓仙傳、太平廣記、青瑣高議、酉陽雜俎等書。而俗傳作南天門土地，不稽之談，不妨作齊東野語觀也。（三）

籬邊的榴花

趙碧君

說完便走了，連蕊華她們的同學叫她伯母都不會聽兒。

蕊華給鴻琳介紹了她姊姊綉華，鴻琳就給大家介紹她哥哥鴻儀。這些女孩子頗感對他的稱呼之爲難，於是蕊華便說：「人家暑假便大學畢業啦，我們全都叫他譚先生吧。」

鴻儀連忙客氣地說「不敢當」；但是她們已經一陣風的叫起「譚先生」來了。於是一個個的自我介紹：那個年紀最小，圓臉，梁小辮子，剛才唱「愛你在心口難開」的是吳燕雲。坐在吳燕雲旁邊的那位戴眼鏡的，未開口臉先一紅，頭幾乎低到胸前：「我叫陳芳枝。」其中最胖的一個，銀盆大臉，彎眉細目，扁平的鼻子，看不清她的嘴是什麼樣兒，因爲她老愛拿着一條手帕遮住嘴，她婷婷嬝嬝地走過來，向鴻琳報了名，眼波卻瞟着鴻儀。因爲那手帕裏面的發音模糊不清，所以鴻琳請求她再說一遍。

「楊曉月，」她解釋着：「楊是楊柳的楊……」

「楊小姐是我們學校詩歌研究社的社長，」蕊華打趣道：「她的名字便是從『楊柳岸曉風殘月』中脫胎出來的。」

「死鬼，討厭，我不來啦。」她撒嬌地跑過去打蕊華，因此被人瞧見了剛才用手帕遮住的嘴，一口稀疏的大黃板牙，還帶點兒歪。

綉華不大開口，有點楚楚可憐的風致。蕊華很會招待客人，說些學校裏的笑話，叫人不感到寂寞。鴻琳她們談起目前台北流行的衣飾時，她就問這問那，表示十分有趣。談得差不多了，她又捧出許多照片簿子來看，其中一本內是貼的她們姊妹倆從小到現在的。兩人長得很像；不過在極小的時候就看得出一個是伶俐慧黠，一個是忠厚老實。其實綉華比她妹妹清秀得多，只可惜太清秀了，成了清瘦，就顯得十分單薄相。蕊華比她姊姊豐腴，人也活潑，看起來令人覺得她容光煥發，神采奕奕。她倆的皮膚都很白淨，鵝蛋臉兒，五官端正，雖不絕美，卻都是中上之姿，比起她們那三位同學，不知要高明多少倍。

蕊華和鴻琳雖是初次見面，卻談得十分投契，竟將自己僅存的一張相片送給她；由於鴻琳讚之者再，這個聰明的女孩子便立刻從照片簿上拿下來：

「假使你喜歡，我願意送給你。不過這是拋磚引玉。」

「我一定也要送給你。」鴻琳感動地說，她是最容易動感情的。

幾個女孩子談得很親切投機，鴻儀被冷落在一邊覺得無聊，便信步走出書房，穿過涼廊，來到花園裏。

宋家的花園雖及不上他們自個兒家的花園大，卻不似那麼荒涼，只是植理得雜亂無章，有點像是電影「文君新寡」中那老花匠的傑作。鴻儀站在籬笆旁，忘形地站着，忘記了這是宋家，忘記了書房裏那些扭扭捏捏的女孩子，甚至連他自個兒也忘記了……

忽然一樣東西打在他的臉上，他痛得驚叫起來，低下頭一看，原來是一塊硬泥，怪不得會那麼痛！他掏出手帕來擦擦臉，臉上還有餘痛。不知道是什麼時候，籬笆那邊站了個人，彎着腰，不知在幹什麼活？看後影無疑是個年青女孩子，那塊泥想來準是她扔的？鴻儀正待問她，誰知那女孩子卻先猛的轉過身來，繃起紅紅的蛋臉兒，亭亭玉立地站着！那情景，使鴻儀想起自家後園裏正在盛開着的榴花，令人見了眼前一亮。誰知對方卻指着鴻儀罵道：

「什麼事兒這麼雞貓子喊叫的？好像是你家裏死了爹媽還是什麼人似的？」（五）

評介「民風與政風」

洪流

著者：葉時修

作爲一個國家主義的青年黨人，而又是職司風憲的監察委員，他的言論與當道不無鑿枘，那是不足爲異的。但我們由葉先生的這個廿九篇短文組成的集子裏，則可看出葉先生的愛國熱誠與其努力的方向。

國家主義在中國是與共產主義同時誕生的，也可以說因爲有了共產主義才有國家主義者之組黨。在國內反共的西山會議派未曾實際發動其反共行動之前，青年黨人已在揭櫫國家主義而反共了。時間的無情與歷史因果的惱人，再加上蘇俄共產國際之陰謀，共產黨人已經竊據了我們的大好漢家河山，而反共最早的青年黨卻在反攻基地上鬧着分裂的悲劇，置其建黨初衷於不顧，而孜孜於領導權之爭取，那實在是可悲孰甚的演出。而作爲一個青年黨人，對於現實政情的看法，那也是應該異於通常人的，所以我們在這個集子裏讀到一些不爲某些人所喜聞的事與物，但本集的作者卻都給以了它們以評價。比如說：假出口眞退稅的司法案件中，因着王鎭之涉有刑訊及轉移羈押場所之法律事件，而冲淡了眞退稅案件之偵查，令人將眼光注視在法治的狹小範圍裏。監察委員之調查，澄淸事件之令人担心的刑訊，而也跟着發生了人權與法治的衝突。由這一案件，也使我們明瞭到事態的嚴重性，並且對法律的解釋也有了使人更加需要其縮小之必要，但也給與司法配合行政論者一個更深的警惕。

祇是在葉先生的這個集子裏，並不全是消極的批評，他也有積極的建議。新作風、新機運，迎新年、行新政，用新人、行新政，都是葉先生的積極的並有其建設性的言論的。針對時弊，痛下針砭，在當軸諸君雖有難以忍受的苦惱，但如果能平心靜氣的研究思量，則可發現那正是現時的需要；也可說是恰到好處的對症下藥。我們不能因人而廢言，反之應該多聽取一些反對的意見，以作我們今後施政的參考。「政治是衆人之事」，既稱衆人，當然包括所有的人。而在所有的衆人中，也有賢與不肖，或是智與愚之別；能夠聽到一些逆耳之言，反倒可增加人們智慧的。

貫串這本集子的中心主題，是以法制人權爲其脈絡，這是葉先生表現在文字上所追求的，也更是數百年來人們所積極追求的。但在世界的每個角落裏，隨時隨地的都在發生人權與法制的爭鬥；就是在共產極權的統制下，人們心裏所亟亟於追求的，也正是人權與法制。人就是人，絕對沒有另外的指標；而人是天生平等的，也就是國父中山先生所說的立足點的平等，雖然在後天裏，因着環境與教育的影響而發生了高下的不等，但那是無礙於出發點的平等而爲眞平等的。那是視乎自己努力多少的收穫，因而那不是不平等。所以我們爭取的人權與法制，是要人與人同，不要因着集團之不同而發生問題，也不因官位與財勢之不同而發生問題。本來這是一個老課題，但這項老課題時有新的內容充實，因而需要時常去求取人權與法制之澈底實現。

同時這本集子裏也有一些內幕的文字，比如青年黨的分裂與監察院長的選舉。爲青年黨的團結，不但動員了海內外的青年黨人，也勞動了國內一些長者，乃問題不但仍沒解決，反有更趨複雜的樣子。監院自于右老仙逝之後，爲了尊敬國之大老，監院院長的選舉，也曾耽延了不少的日子，但由近日報載的選舉日期已定，並且互選辦法也已修改竣事，院長選舉的幾個特殊問題，都已先後得到了答案，也是執政黨在政治上的一大成功。我們很願將來永遠看到這樣政事的藝術化。因爲藝術在人們的心理上會引起共鳴。

國劇繽紛續錄

（四）　娑婆生

蓮芝近演後記感（續）

我深不解，一個演員已經脫離，對其何須監聽？這亦是自由的作風？幸有名伶已退休的姜鑫坪，願意仗義，負責班底應相等項。名伶劉玉麟鼓勇助陣，解決難請的張君瑞，使精采的一齣紅娘，得再見於紅氍毹上，眞是幸事。台北演劇，有如許的微妙，亦有劇史以來，另一個型。

談到配角，最重要的張君瑞，由劉玉麟慨允，在演出的前一日，特由南部趕來，心緒爲之輕鬆一半。可是還有琴童鶯鶯崔夫人，雖已請定，恐有阻力，結果金驊有戲不能來，改請徐氏戚屬頂承，却還可以，當然趕不上金驊。崔夫人王鳴詠守信如約，鶯鶯約定趙小姐，在排戲時未到，又化二百元汽車費去請黃晉，她毫不推阻，允幫忙，在台上始見這美妙端麗的崔姑娘，眞是好極。

在劇評諸家，有許多總以蓮芝非正統而不太獎掖。但以這紅娘來講，恐怕除陳美麟以外，無第二人。試看她在台上，那樣活潑的身段，以及生動的台步，跳躍在舞台上，能說是玲瓏透剔，翩翩如舞。尤其是晚換了行頭七次，紅綠紫青，各有姸態。而那段反四平南梆子，唱得更爲低廻盪氣。歸來車中與徐郭兩兄交換意見，我認爲陳墨香爲荀編此戲，竭力在柔字上用功夫，如果唱的腔調，低音不能細如絲，即是不夠標準。蓮芝能把握此點，盡力發揮，所以能說到一個「好」字。臉部的表情，要與內心作配合，如果是呆板，當然便差。過於嬈蕩，則也失眞。所以紅娘並不易演，一顰一笑，一嗔一急，皆有分寸。她是未嫁的幼女，種種動作，亦是「義憤」遣毀諾；蓮芝却尚未嫁，能將天眞爛漫的氣氛，表現出來，此其所以在中南部能以這戲打出名氣，要非偶然！我祇望其再再努力，以躋未來的美景。

第一屆公路節晚會

中華民國道路協會五四年年會，即是第一屆公路節，特由公路局大道平劇研究社演出平劇，爲晚會特色。大道平劇社社員雖不太多，但擁有兩位生角名票，是李心佛先生與源濟居士。一位旦角坤票吳梅女士，可以說傲視台北市其他票房。原因是玩票近卅年，經驗足，功夫深，唱做好，資格老，非特是票界麟鳳，抑且可以敵過內行。當民國廿六年，心佛在北平各名票參與比賽，名列第二；今日台灣的生行名伶，恐怕尚是孩提之輩。但是後浪推前浪，以小神童胡少安來講，好像已是自鳴無敵？不過廿餘年後的心佛，依然不弱於後輩，此陳中一兄所云，台灣當中少有。（未完）

讀徐霞客遊記（下）

汶津

（遊天台山日記）「石巖中石脈隱隱，導者指其一爲青龍，一爲白龍，余笑頷之。」（遊白岳山日記）「下峯，則落照擁樹，謂明晴可卜，踴躍歸菴。」（遊黃山日記）「其下噴雪奔雷，騰空震盪，耳目爲之狂喜。」（遊廬山日記）俱見一種自然流瀉的天趣，不似予於憂苦中強爲求樂者。故其文處處生色；刻鏤固見功力（如「廬山北諸山，伏如聚螘；」「匯山諸峯，芙蓉插天，片片撲人眉宇。」），白描亦覺頗饒餘香。

三、柳文有玄學氣息，徐文則純乎抒寫。柳州文中，如「洋洋乎與造物者遊」、「心凝形釋，與萬化冥合」（始得西山宴遊記）「潭中魚可百許頭，……皆若空遊無所依」（至小邱西小石潭記）「噫，吾疑造物者之有無久矣！及是愈以爲誠有，又怪其不爲之於中州，而列於夷狄……神者儻不宜如是，則其果無乎？」「其氣之靈，不爲偉人，而獨爲是物。」（小石城山記）或多或少，皆有象徵的意味或玄旨之議論。霞客則直抒胸臆，實寫景物而已。且對於綴於景物中之人物，若僧、若道、若走卒，若遊伴，亦莫不加以適度之點染，使山水爭秀於眉宇，衣冠活躍於自然。如「主僧震光，已待我菴前矣。遂指菴北二峯曰：『公可先了此勝。』」（遊黃山日記）「有僧短髮覆額，破衲赤足者，即慧燈也。方挑水磨腐。……燈月一腐，必自己出，必徧及其徒。」（遊廬山日記）「余求榔梅石，觀中道士，噤不敢答；……」「觀主仍辭謝弗有。……觀主握手曰：公渴求珍植，幸得兩枚，少慰公懷；但一洩於人，罪立至矣。」（遊太和山日記）又將山石峯巔擬人抒寫，益增詩思：「峯頂叢石嶙峋，霧隙中時作窺人態。」（遊廬山日記）、「（山）若斷而復連者，移步換形，與雲同幻矣。」（遊九鯉湖日記）。

此外，柳文往往半爲汎寫，如「始得西山宴遊記」、「袁家渴記」；徐文則全屬身歷實境，取之不竭，遂尤多行雲流水之風姿矣。

冷寂的墳墓

桑德堡作　張健譯

當亞伯拉罕·林肯被鏟進墳墓，他忘懷了銅頭們和刺客……在塵土中，在冷寂的墓裏。

而猶力西士·格蘭特失他所有的反對者和華爾街，大鈔和輔幣化爲塵埃……在塵土中，在冷寂的墓裏。

波卡杭陶絲的身軀，可愛如一白楊，甜蜜如十一月的一紅山楂，或者五月的一枚萬壽果，她驚訝嗎？她仍能記憶嗎？……在塵土中，在冷寂的墓裏？

瞧瞧任何街道上的芸芸衆生，買着衣物和雜貨的，爲英雄歡呼的，或拋擲着碎紙花，吹噓着牛皮的……告訴我是否愛人們即是失落者……告訴我是否有人比愛人們所得更多……在塵土中……在冷寂的墓裏。

註：Copperheads直譯「銅頭們」，原意指美國南北戰爭中同情南方的那些北方人。

七仙女

——「影劇與歷史」之七

周遊

董墓之外，尚有董家祠，祠原在縣北門外董墓旁，明憲宗成化中，遷入城內文廟之東，與唐代忠臣張扑及楚令尹子文合祠，稱「忠孝祠」。明末祠毀於火。迨至清順治十七年，知縣張擢士重建，摒去張扑與令尹子文不入祠，專祀董永，改名爲「孝子祠」。

二、江蘇丹陽的董永遺跡：丹陽與金壇交界處有「望仙橋」，相傳即爲董仲尋母之處。附近有董墓、董姬村，都是董永與仙女之遺跡。（丹陽志及金壇縣志均有記載）

三、汝南的「七仙女」遺跡。汝南縣境有仙女墓，相傳即爲董仲爲思母而建的衣冠塚。

董永爲漢代千乘人（山東），是最早的記載，是可信的。後來增繹，附會是不可信的。好人好事都有人拉扯，例子很多，不值一哂。總之，以上所舉的各地及各記載的故事，都是「羽衣處女型」的故事，這種類型故事，後來附會到孝子董永身上而傳開的。再加上文人的筆下生花，助長了此故事的情趣，也傳播了中國各地。以下再合觀「七仙女」中的人物：

一、男主角有：董永、成柱、田崑崙、及不知名，以董永爲最多。

二、女主角有織女、三仙女的、一仙女的、七仙女的、九仙女的；大多數是鳥化爲人，最早的是織女。

三、董永的兒子有董仲、董仲祀、董仲舒，以董仲爲最多。另外有成柱及一男一女的。

四、配角、媒介人物：有土地、槐蔭樹、八角鹿、白兔、田常。

五、董仲的老師：有鬼谷子、孫臏、嚴君平等人。

六、除了山東地的「七仙女」故事最後爲團圓之外，其他多是悲劇結果。（十二．完）

三國史微言

燕謀

紀曉嵐「四庫全書總目提要」云：其書（三國志）以魏爲正統。至習鑿齒作漢晉春秋，始立異議。自朱子（熹）以來，無不是鑿齒而非壽。然以理而論，壽之謬萬萬無辭；以勢而論，則鑿齒帝漢順而易，壽欲帝漢逆而難。蓋鑿齒時晉已南渡，其勢有類乎蜀，爲偏安者爭正統，此孚於當代之論者也。壽則身爲晉武之臣，而晉承魏之統，僞魏，是僞晉也，其能行於當代哉！此猶宋太祖篡立近於魏，而北漢、南唐跡近於蜀，故北宋諸儒皆有所避而不僞魏。高宗以後，偏安江左近於蜀，而中原魏地全入於金，故南宋諸儒紛紛起而帝蜀。此皆當論其勢，未可一格繩也。惟其誤沿「史記」周秦本紀之例，不託始於魏文，而託始於曹操，實不及魏書（北齊魏收所撰、紀北魏事，）敘記之得體，是則誠可已不已耳。」

紀曉嵐所云「勢難」「勢易」者，皆無春秋筆法也。筆則筆，削則削，褒貶無可因時因勢而變也。其云「誤沿史記周秦本紀之例，不託始於魏文，而託始於曹操，實不及魏書」，則實乃公允之評也。

杭世駿「諸史然疑」曰：「董卓之死，在獻帝初平三年，操未秉政，三國未分，謝承、華嶠、司馬彪之徒撰後漢書，皆爲立傳。壽乃闌入魏志，何也？」

劉知幾云：「漢之有董卓，猶秦之有趙高；昔車令之誅，既不列漢史，何太師之斃，遂獨刊魏書？」

或者曰「魏志之首董，明首禍也。倘亦西漢世家項籍之意乎？」又曰：「陳壽仕晉，則當爲司馬氏諱，宣王、景王、文王不敢稱名是也。武帝親踐大阼，於孫叔然（名炎）則稱字以諱之，在高貴鄉公紀乃書『使使持節行中護軍中壘將司馬炎北迎常道鄉公璜嗣明帝後』；在陳留王紀咸熙元年乃書『中撫軍司馬炎副二相國事，以同魯公拜後之義』；九月乃書『以中撫軍司馬炎爲撫軍大將軍』；十月乃書『命撫軍大將軍新昌侯炎爲晉世子』；二年八月乃書『晉太子炎紹封襲位』。按壽以元康七年卒，武帝廟號已定，壽悉不諱何也？或曰：壽進三國志在武帝時，則書中當稱『今上』。今壽書法違戾，此是其疏也。」（按以上所云「陳壽進三國志在武帝時」，非也。陳壽本係私撰，史成，卒後由梁州大中正范頵表言，詔下河南尹就家寫其書」，非陳壽自進也。）

王鳴盛十七史商権曰：「武帝紀前段但稱『太祖』，建安元年爲大將軍，則稱『公』；自二十一年進爵魏王，則改稱『王』。雖似有理，然以爲公爲王，不如概稱本紀之爲直截，省卻多少葛藤。」又曰：「臧洪傳廣陵太守張超見其兒還，與語大異之，致劉兗州公山、孔豫州公緒，皆與親善」。按兗州刺史劉岱字公山，豫州刺史孔伷字公緒，皆起兵討董卓者，見太祖紀。今此段乃陳壽自筆敘洪事，非詞命，何爲於二州刺史稱其字乎？漢季風氣，好稱人字，此必壽沿襲他人紀載之言，未及改正耳。」（十二）

記胡葉之緣

・朱滌秋・

她下去一看，簡直要笑出來，原來是他直站在門前，捧着一大盆盛開的玫瑰花，綠磁瓦的花盆，恐怕有十斤重。忙和他招呼，把花盆放下，問他什麼時候到上海的。他說：才到一小時，一到就到花店買花送給妳。她深爲他情意感動，趕快請他上樓。他問她把花放在那裏，她就叫阿香來拿，他堅持自己捧上去，拗他不過，只好帶路到房裏。他親自把花擺好，索性請他在那裏坐下。這株深紅色的玫瑰，已開三朵，尚有四五朵含苞待放，花瓣光柔像絲絨一樣，花形極美，一看就知是名種。這麼大一盆花，擺好以後，他說：妳一定很奇怪，不送妳一束鮮花，却笨重地搬來一大盆。我的用意是：我送妳第一件物禮，要它生根發達，年年開花；瓶花幾天就壞，這會謝了再開，只要妳勤加灌溉，永遠會枝葉茂盛，芬芳常有的。她說：你的意思太好了，謝謝妳，請放心，一定好好的灌溉，使它開得更美，根長得更深。聽她這樣說，伸過手來握住她的手，半晌無言，我倆的心，在這一剎，就已經有默契了。不久，他在牯嶺參加訓練團，來信曾有一段說是：想到玫瑰開時，芳香滿室，對鏡梳妝，臨窗讀書，那種風神，不禁神往久之。後來上海情況危急，我送嫂轉杭州回家鄉，把這盆花帶回家去，和她兒時手植的茉莉種在一起。現在家鄉淪陷，事隔二十年，此花不知下落如何！

從那次以後，差不多三四個月，他有空就來看她，有時兩三天，有時一天，晚上就走。來時總約到公園，或海邊，或附近名勝古跡，去旅行散步。因爲有許多共同的興趣，對於時間短暫，捨不得是其一。也常常去聽音樂，很少去看電影，捨不得浪費時間在黑暗電影院裏。他很沉默却很健談，在一起是無話不談。不過不談政治，不談本身職務，除了知道他南京辦事處的地址，對他的防地，他的部隊情形，一無所知。事實上他從那裏來，到那裏去，她也不知道。這種行動的保密，公私分明，是基本的特性，不但那時如此，以後廿五年都是一樣。某次，他帶她到外國去玩，請她在猶太人開的西餐館，吃出名的印度咖喱雞飯，飯後去霞飛路俄國館子聽音樂，在那裏告訴她許多兒時的故事。（八）

內政部警台報字第〇三一壹號內銷售

自由報

THE FREE NEWS

第五七零期

中華民國僑務委員會登記證
台教新字第三三三號登記證
中華郵政台字第一二八二號執照
登記爲第一類新聞紙類
（半週刊每星期三六出版）

每份港幣壹角
台灣零售價新台幣貳元

社　長：雷嘯岑
督印人：黃行審

社址：香港銅鑼灣高士威道二十號四樓
20, CAUSEWAY RD 3RD FL.
HONG KONG
TEL. 771726　電報掛號：7191

承印者：大同印務公司
地址：香港北角和富道九六號

台灣分社
台北市西寧南路壹壹零號二樓
電話：三〇三四六
台郵撥儲金戶二九二五二

公營事業與經建路綫

陳　侃

吾國經濟建設政策，近卅年來，可說是幷無明確的路綫。遵照國父遺教中的民生主義所指示，除却有全國一致之性質，或爲民力所不能舉辦的企業，纔由國家經營而外，皆屬於自由經濟範疇，不在國營公營之列的。

可是，由於一向沒有明確的經建路綫，政府在大陸時期，國營與公營事業所在多有，說是統制經濟却幷不徹底，衡以自由經濟又顯然有別。政府移到台省之後，向着自由經濟路綫前進，把某些公營事業轉讓給民營了，然尙有若干不必要的公營企業如紡織業，影片業之類殘存着，專靠國庫維持其有虧無盈的業務，恍若無底洞，變成了國庫的附骨之疽，這是爲的甚末？

公營事業的痼疾

公營事業有幾種無藥可醫的痼疾，人所共喻。首先就是機構衙門化，員工官吏化，大家對事業沒有責任感，而人員冗濫，組織龐大，耗費再加浪費，無所愛惜，反正有國庫作後台，蝕本固不在乎，賺錢亦與己無關，誰也不願替公家設想。不特此也，公營事業創辦伊始，總是計畫遠大，規模閎偉，不像私營企業之謹小愼微，循序漸進，因而用人特多，行政費用超過了業務費。這些職工除開少數的技術人員外，多屬不文不武、非工非商的閒雜人等，而由一般董監事及其主管機關的長官介紹進來的，他們的地位和待遇，亦跟公務員相同。這種大而無當的場面一經構成之後，主持其事的董事長或總經理，縱想整飭爬梳，節省靡費，亦是不可能的了。員工的待遇既不能隨便增減，更沒有給賞分紅的希望，眞正有些專長的技工，很容易接受別人高價雇用的誘惑，顧而之他，剩下來的便都是些可有可無的二三流人才，那有不越搞越虧蝕之理呢！

其次是財務費用浩大。公營事業的資金，十九皆屬官股，縱有商股亦止於點綴品，微乎其微。官股限於法令，不能隨便增加，爲着發展業務，又需要大量的週轉金，祗好向銀行貸欵，貸欵當然要付利息，久而久之，每年應付出的利息，乃超過了資本總額。例如「中本紡織公司」的資本總額爲新台幣一千二百萬元，而每年要負担一千九百萬元的利息，平均每天要支付五萬元以上的息金，如何得了？他如公營的影片公司，其人員之衆多，費用之浩繁，更不待言，然每年只能拍製一部影片而已，私營企業如果這樣搞法，早就關門了！不特此也，公營企業機構不能造假帳，不能逃稅，亦不能隨便硬碰硬，貨物買賣，把貨價減低傾銷，尤其不能爲着生意經的關係而有額外開支，這有甚末方法可以跟人競爭呢？結果祇有越做越虧蝕的份兒，賺錢的話免開尊口！

再其次就是預算與審計制，把公營事業拖煞了。商業，是有濃厚的競爭性的，所以叫作「商戰」，戰爭的勝敗，時間關係極大。可是，由於預算與審計制度之約束，公營事業總沒法從事商戰，試舉一例以明之：現代的生產機器日新月異，精益求精，私人企業購換新機器，只要有錢，隨便可以向外面限時買進，毫無困難。公營事業却不然，先要按照法令編列預算，送交立法機關通過後，再依法經過審計機關核定許可，這才可以撥欵定貨。可是預算是有年度的，政府各機關的歲出總預算，照例在本年度終了以前就送交立法機關通過了，公營事業臨時添購新機器的預算，應編列在明年度的總預算書內，即令照案通過，也要到後年度纔開始可以實行，一耽擱就是兩年的時間，然私人企業向外購入新機器，最多不過三五個月就開始生產了。所以，公營與私營企業機構同時添購新機器，私營企業的機器已經裝置妥貼，早在晝夜生產之中，而公營企業請購機器的公文和預算，尙在衙門或議會之間開始旅行，不知何年何月纔能夠走完那漫長的公文旅途，試問憑甚末能力可以跟別人競爭呢？

還有航業一項，如認爲有全國一致之性質，就應該一律由國家經營，否則放任給民營可也。然而政府始終揑住一個招商局在手，年年虧蝕，負債累累，主管機關隨時談整理，訂方案，結果是窒碍重重，無從着手，祇好以國庫之力來維持其龐大的機構生存，永遠是食之者衆，生之者寡，有虧無盈，沉疴難起。最近交通部擬訂的一套治標計劃，雖經有關方面審核討論了幾個月，依然得不到結論。爲着整理一下在政府管理中的一項企業，尙且如此困難，寧非「政府有能」之說的一大諷刺嗎？

要有妥當而明確的政策

國家的一切建設，事前必須釐定政策，資爲圭臬，路綫分明，目標顯著，方法不妨因時因地而制宜，原則却不能隨便變更，放棄。我們的經建路綫既是朝着自由經濟的方面邁進，統制經濟的觀念即非揚棄不可，因而對於舊有那些不必要的一切國營企業，自應予以收縮，且結束，藉符體制，免國庫的沉重負担。如果要走統制經濟路綫，亦得實事求是，訂立明確的政策，俾衆週知，像現在這樣兼容幷包，沒有原則的作法，實在是國家的一大損失，連與民爭利亦說不上，因爲所有的公營企業總是蝕本，根本無利可爭啊！

記得對日抗戰末期，陳獨秀在重慶發表關於經濟建設的論文，他詢問政府將來是採取資本主義路綫呢？抑走社會主義路綫呢？我們當時主持宣傳業務的人，吞吞吐吐其詞，只說是要實行民生主義的經濟建設，而就「生產」與「分配」兩方面，作煩瑣哲學式的闡述，生怕談及「資本主義」字眼，便是不夠「民生主義」。實則資本主義的本質即係自由經濟，民生主義幷不否定自由經濟，資本主義現在已是進步的資本主義，我國的經建原則，明明是屬於自由經濟範疇，與民生主義不違背，何必要一味迴避呢？

政府對於全國一致之性質，或爲私人能力所能興辦的企業，有何不可讓給民營耶？我們不得不對經濟建設缺乏明確的政策着急，其他各項建設，也有同樣的毛病。如敎育問題，曾有中央大員建議停辦全國一切文法學校，敎育當局又主張只允許民間興辦農工職校，理由是要發展科學敎育，茲事體大，涉及國計民生問題，更不明瞭文化精神不是偏頗激切的作風所能發揚的。根本大計設想，也不顧現實的後果如何，而只就一時的興之所至以從事，沒有妥當而明確的政策，公營事業的情形，便是一面很好的鏡子，大家仔細取鑑罷！

無以爲敬

不合口胃

越戰在擴大中

越南戰爭無論美俄雙方怎樣抑制，局勢仍在擴大中，最近一連串的跡象可以看出，美國態度固然日趨強硬，蘇俄也有騎虎難下之勢。

美國方面，詹森總統一連多日召開軍事會議，商量擴大越戰的問題，最後果然是走向擴大之途。

蘇俄方面雖然未作眞正佈署，但蘇俄總理柯西金却一連幾次指責美國擴大越戰，將要負担一切可能後果。語氣凌厲，爲前所未見。

轟炸飛彈基地

七月二十四日美國空襲北越時，一架幽靈式飛機被越共地對空飛彈擊落，於是傳之已久的越共擁有地對空飛彈的消息，總算得到證實。此項消息傳出時，美國軍事會議尙未結束，對詹森總統，國防部長麥納馬拉，三軍部長及參謀長等人，當然是一大刺激；報紙即謠傳美國將轟炸越共飛彈基地，果然到了二十七日，美國飛機大舉出動，一舉毀滅了越共兩處飛彈基地。

這兩處飛彈基地在河內西北四十哩地，距離中國大陸近在咫尺，可能中越共黨誤認爲靠近大陸邊緣的軍事設備比較安全。而事實不然，美機一旦炸起來，是沒有什麼前方後方的，只要發現敵人蹤跡的地方就炸掉，即使炸彈落在中共區亦在所不惜。美國意圖已逐漸明顯，是要找出越共的後台老闆，一定要把後台老闆擠到前台見高下。毛共目前縮沙既然縮不下水，一味口動手勿動，嘴裏喊打，不過，毛共當先，是一回事，眞的要打伙時却不過。這項美機轟炸飛彈基地，却直接同蘇俄發生衝突，是否能逐漸和解還要看蘇俄態度而定。

越共加强攻勢

另一方面，越共却乘雨季大舉進行攻勢，目前南越各大城市之間的交通全被截斷，各城市之間的聯絡完全靠空運，其情況有類於三十七年時的東北九省。美國若不能在此時期打開這項僵局，最後可能與東北的情況相同。美國自不願退出越南，但是要想守住越南就要出動更大兵力，正式介入地面戰爭。如此一來，首先要和毛共短兵相接。一旦雙方打出一槍一彈，一個小型的亞洲戰爭就發生了。（何如）

律師界的自律觀

自由談

台北「中華民國律師公會」最近建議修改律師法，用意是有鑑於現時戴着律師頭銜的「法律家」太多太雜了。據調查統計所得，目前在台灣執行律師職務的共有三百餘人，其中依照訓政時期所頒法令而成爲「當然律師」的，即佔了半數，淨化律師陣營，殆有必要。

「當然律師」之中，當然不少精通法學之士，但冒牌貨色亦孔多，甚至有一生幷未踏進過大專學校之門，更不知法律爲何物的人，藉着特權居然扯起大律師旗號，大登廣告，聲言「保障人權」，穿起一套「法衣」，走上法庭胡說亂道，連民刑訴訟法亦莫名其妙，當場受到法官的譏嘲亦不在乎，丟醜失格，允屬奇觀。律師公會要實行「自律運動」，來一次大掃除以崇信譽，這是值得贊許的事，否則名器日濫，冒牌貨色充斥於司法界，結果將如市場上劣幣驅逐良幣的現象，莫可究詰，糟蹋了律師聲價尙係小問題，貽患於社會大衆，損害國家的法治精神，影響滋大！

不過，產生當然律師的亦是一種法——雖然可名之爲「惡法」——這種在憲政時期還適用的訓政時期法令如不廢除，律師公會縱有很好的自律辦法或方案，還是窒碍難行的。但要廢除「惡法」又不容易，因爲自現行憲法頒佈，國家實施憲政之治以後，舊有許多不合時宜的法令皆照樣通行着，豈僅「當然律師法」而已哉？爲正本清源計，最好是把那製造冒牌貨色的機器摔掉，然此時此事，似不可能，眞是搢紳先生難言之矣。

卅餘年前，各省軍閥割據，擁兵橫行，無所謂制法，隨便自封軍階，名器冗濫，尤以「少將」職銜特多。外國記者覩此情況，在報上發佈通訊，說中國「少將滿街走」，不知其數，詫爲見所未見。現在台灣亦有律師滿街走的氣象了，猗歟盛哉！律師公會有意淨化陣營，健全本身，然困難殊多，談何容易。我認爲不妨做一項消極的自律工夫，即修改律師公會組織法，規定凡非出身於國內外大專學校法律科，或在大專學校担任法學教授若干年以上，且有法學著作者，雖取得律師資格，亦不得加入律師公會爲會員。這樣雖然不能阻止冒牌貨色之產生，但涇渭分明，眞僞顯見，使世人知所鑑別，亦有奠立律師信譽的功用。

怪事處處有，中國特別多，不懂法律的人亦可以作律師，可謂怪中之怪也矣！

馬五先生

經驗宏富的水利專家指出

台北市缺少一個「胃」

僅築堤防水溝抽水站尚嫌不夠 還需要有蓄水池否則會釀禍事

（本報台北訊）一位年高資深經驗宏富的水利專家在談到台北市的排水系統時，感慨地指出，本市缺少一個消納積水的「胃」。

他說，台北市的水患來自兩方面：一方面怕基隆河和淡水河的河水倒灌進來，另一方面是怕市區積水無法排洩出去。前者已有堤防，可以「圍堵」了；後者也正在做清理水溝和興建抽水站的工作。但是水溝疏通，抽水站建好後，就能保證市區不再積水嗎？他的回答是否定的。他認為，在下水道和抽水站之間還需要有蓄水池。

這位曾經當過台灣省水利局長的專家解釋說：都市的抽水系統好像人體的腸胃結構一樣，人把水喝到胃裏吸收一下，再由肛門排出。都市的雨水，同樣要經過下水道、蓄水池和抽水站三道手續。他說：台北市目前只有下水道和抽水站，而沒有蓄水池，等於只有腸和肛門而沒有吸水的「胃」。

這位有四十幾年水利工作經驗的專家說：過去，台北市有很多農田，農田都比馬路低，下水道積滿水後，就往農田裏流；因此農田就成了都市的天然蓄水池。現在農田都變成了建築用地，沒有滯洪和蓄洪的水池，下水道又到處阻塞，所以一遇豪雨，市區都積滿了水，馬路就成了臨時「蓄水池」。

他強調說：即使水溝疏通，抽水站都建好，但仍需要有蓄水池。因為抽水站的抽水能量有限，如果碰到沛然莫之能禦的颱洪來臨時，好幾條向抽水站滙集的積水都要不但有「遠水救不及近水」之歎，萬一抽水站的抽水機發生故障，積水無法抽出，有被倒灌的危險！所以，為了減輕抽水站的負荷，在市區低窪的空地設幾個蓄水池，夠使下水道的積水能再由抽水站稍作停留，實在是非常需要的。

這位年屆七十的老水利專家說：蓄水池就跟人造的湖泊一樣，又說任何一個大的城市都有蓄水的湖泊。例如南京有莫愁湖和玄武湖，南京的雨水經過這兩個湖後，流入揚子江。杭州的西湖將雨水蓄滯後洩入錢塘江。這些都是作為蓄水用的湖泊。

這位經驗豐富的水利專家說：台灣省除了高雄市的蓮子潭和岡山鎮的阿公店水庫外，都沒有純粹的蓄水池。他認為台北市的番仔溝或雙園堤防內很多未開放建築的低窪地，都可利用作蓄水池，給都市做「胃」，排水系統就要健全得多了。（欣廸）

芝麻綠豆事，也要打官司

「美式生活」在訴訟方面

——紐約通訊

一名司機駕駛着一輛汽車駛至一支交通燈前面停了下來，突然，他的汽車被一輛汽車微地撞了一下，撞力輕微至僅可碰掉一支燃着的香烟的烟灰。原來，後面有一輛汽車碰到他的汽車尾部的「泵巴」去。

被碰撞的那輛汽車的司機立刻從車裏跳出來，對後面那輛汽車的司機說：「謝謝，我將會起訴你。」

「為什麼？」那位司機問道：「我連你的汽車的泵巴也沒有擦損。」

「是的，」前者說道：「但你看看我，它上面蓋滿了烟灰，我要起訴你，要你賠償我一條新褲子。」

上面所說的並不是一個虛構的笑話，而是發生在美國的為數不少的奇特的「車禍」中的一宗。在美國，事情小至掉落一頂帽子或扔掉烟灰，也會有人作為藉口而後出控訴，要求賠償。而這亦就是「美式生活」的一面；我們認為奇哉怪也的，他們却已習為故常，好似應該得很。

美國女歌星柏蒂．蓓芝，被人控告，要求賠償一萬七千五百鎊。控告她的是一個汽車司機，他曾把車子撞進一家商店的櫥窗去。事後他向柏蒂．蓓芝起訴，說她於事發前在邁亞密的一條街上行走，使他見了她後便分散了心神，以致肇禍。

還有比這更奇怪的官司：一隻受過訓練的黑猩猩，居然「控訴」電視演員達夫．加勞威，指他散播對牠譭謗的評論，使牠無法找到工作。這宗訴訟當然是由這隻黑猩猩的主人提出的。

在以前，美國從沒有像現在那麼多人起訴別人，要求賠償那麼多錢。根據統計，每兩個美國人便有一個會被控告或受到法律訴訟的威脅。

在美國是這樣，在英國也有不少人以雞毛蒜皮的小事作藉口大打官司，要求賠償損失。英國伊薩斯郡有一名男子起訴一個鄰居的住客，要求賠償一個先令，這一先令是一個球的價值。起訴原因是他的一個五歲的兒子把一個球踢進鄰居住客的花園裏，以致失去。

一個住於一間救世軍宿舍裏面的男子，他的行徑可稱狂妄之極，在過去四年來，他曾向各個機構提出法律控訴，要求賠償損失共達五千八百五十三萬五千五百五十五鎊，包括向英國「國家援助委員會」要求賠償的五百萬鎊及向無遺囑遺產管理人要求賠償的四千五百萬鎊在內。這個遺產管理人向高等法院提出申請，要那名狂妄男子宣誓是一個「討厭的訴訟當事人」。淺白一些來說，是要他承認自己是一個打官司當食生菜的人。打官司的結果，這個愛爾蘭人敗訴了。

在美國，「意外」是一筆大生意。哥倫比亞大學法律系教授摩理斯．羅森堡說：「與意外受傷案件有關的金錢總額每年達一百五十億美元，這筆金錢等於花在公衆教育上面的款項。」

只在紐約市一個地方，每年就約有一十九萬三千人提出訴訟，要求賠償受傷的損失，受傷的原因說是由於別人的疏忽所造成。在這十九萬多名起訴人當中，約有十六萬三千人獲得賠償。

在過去十年來，美國男人的骨頭價值大為提高。六十年前，一個美國人的一條腿價值約三百五十元。而今天，一隻大腳趾便等於這個價值；而一條腿的價值比這高了十倍。這是指受傷後要求賠償的價值。

有些官司的確是使人啼笑皆非的，例如不久前，美國有一家人度假後回家時，發覺家中的地毯和傢俬都被毁爛。原來，當他們外出度假時，忘記把一個窗門關閉，兩個鄰居的頑童便從窗門爬進屋裏去，弄得滿地是水，把地毯浸爛了。而這兩名頑童在屋內搗亂一番後，還飲酒作樂，不料却飲至醉倒了，並因此生病。

這件事你猜是誰提出訴訟呢？不是受損失的那家人，而是那兩名頑童的父母。他們控告那家人疏忽，忘記把那窗門關閉，以致使他們的兩個孩子爬進去喝酒喝病了。結果，這宗官司的起訴人竟打贏了。你說：這不好像天方夜譚故事嗎？

英國大憲章七百五十年

倫敦有莊重簡單慶祝會

——倫敦通訊

在英國泰晤士河上流，離倫敦二十哩的倫尼美地，英王約翰於一二一五年六月十五日把他的御璽蓋在一塊羊皮紙上面，後來邱吉爾叫它做「我們的權利與自由的最著名里程碑」。這就是大憲章，譯音麥克拿卡達，這是拉丁文。在上個月中旬，有許多頭戴假髮，身穿黑色長袍的英國法官和從外國到來的顯要們，聚集在倫敦，來慶祝大憲章七百五十周年，儀式雖極簡單，但極莊重。

我們也許聽過麥克拿卡達，大憲章的名字，它究竟是什麼東西呢？美國雖於本年六月十五日發行一種紀念郵票，在圖案上部份描寫一遊行的軍隊，下部份描寫一頂王冠，最下端刻「麥克拿卡達，一二一五」字樣，但是不熟悉英國歷史的人，不知所謂；但若知道的話，就會覺得這是深有意義的。

英國大憲章是民主和人權的象徵，也是英美兩國一般法律的基礎，這個大憲章是由英國的貴族所提出，迫使英王約翰簽署，它的經過情形頗為複雜。

照歷史的紀載，約翰是英國所有國王中最奸詐和最暴虐的一個，他曾用卑鄙的手段奪取王位。當英王李察一世參加十字軍東征時，約翰勾結法王，奪得李察在法國戰死，遺囑其姪雅打繼位，但約翰霸佔王位，拒將政權交付。雅打隨在法國戰爭時失蹤，有說他被約翰派人暗殺而死。後來英人在法國的領土也盡失。最後連諾曼地也從約翰的手上失去。

在不久後，約翰又跟教皇不睦。在一二〇五年康達貝利總主教逝世，在英國的教士們選出一個繼任人，但約翰又要由他本人選出另外一個，因此發生爭執，那兩個被選的人就同到羅馬，請求教皇作最後決定，誰知教皇另派一個名叫蘭頓的人充任。但約翰拒絕蘭頓入境，更去函指責教皇。教皇就下令英國教會停止活動，更將約翰驅逐出教。約翰更想到教皇或進一步的會廢去他的王位，他就設法先增強自己的勢力，傳說他曾不惜向回教首領請求幫助，但無效，他就搜集財寶來建立大軍。他隨處掠奪，征收重稅，恣意殺害平民，削減貴族的勢力等等，不獨在英格蘭如是，更到愛爾蘭。同時又進攻威爾斯，將各族族長的二十八個兒子拘禁，作為人質，當他聽到威爾斯人反對他做統治者時，他即將那些做人質的青年通通吊死。

約翰感覺自己並非教皇的敵手，因教皇已借得法國的兵力想進攻英國，他不想有大的變化，就接納蘭頓做康達貝利總主教，但蘭頓站在英國貴族方面，不肯跟約翰合作。在當時的英國所有人士，對多行不義的約翰都極厭惡，握有兵力的貴族就舉行示威遊行，要求約翰要接納他所提出的大憲章，主要的要求有：（一）英王或其他地方官吏非經所有人同意，不得任意攫取他人的木材，構建城堡或作其他王室用途；（二）除非債務人無法清償債務，不得藉故沒收土地；（三）人民有還從往來的自由；（四）制定度量衡標準，酒類穀物應予一定重量的包裝，布匹的幅度，應予一致。約翰最初不願接納，直到倫敦被貴族所佔在一二一五年六月十五日，約翰才勉強簽字。當時憤激的貴族們組織有一個二十五人的監察委員會，限定如英王不在四十日內履行那個大憲章，他們就會對他再不客氣，約翰食言約，結果又再引起一場戰鬥，約翰於一二一六年病逝。後大憲章於一二一六年，一二一七年及一二二五年數次修正，變成了很完滿。現今英國陪審制度及人員保護狀，以及其他多種有關人民權利的法律，可說都是大憲章的精神所賦予的。

在慶祝大憲章七百五十年的大會中，澳洲總理羅拔孟西斯爵士曾提醒大衆，大憲章的設立，表示法律就是國王，表示它是高於一切。美國律師公會會長小路易斯且維爾指出，大憲章代表自由人所享受的多種權利。

高屏道上見聞

本報記者袁文德

△殷銘春卿命接長高雄市公共車船管理處三月以還，在整頓該處業務的既定決策下，究竟革新在那裏？整頓了些什麼？

殷處長於就職伊始，曾公開發表談話說：本處業務向為市民所詬病，改善營運，整頓業務，目前的中心工作是「（一）糾正車掌的服務態度：（二）絕對做到有站必停，停必開門。」的原則，藉以改觀市民們對車船處印象。然後從事於發展業務。事後檢討，對上項中心工作原則，猶嫌不足，於是復又增列，除有站必停，停必開門外，停車時車掌必須下車，照顧乘客上車，尤其對老弱婦幼，必須予以扶持。

殷處長為整頓業務，改善營運的這番初步計劃原則，確是值得稱道的；然而事實究竟如何呢？且看「該處七月十五日由前鎮區駛往火車站終點的二路班車，車號一五——○八三一九號，由一○○九號司機駕駛，三一六三號車掌主持，約於十七時十六分駛至市府前時，候車站約有乘客五、六人，當時司機已把車駛過站地約二公尺，車未停穩，乘客遂一湧至；然車掌不但未能做到「開門、下車，照顧乘客上車」之規定，且反來個一聲哨笛，命司機開車！事後雖經乘客叫罵而停車搭客，總已是個疤了。這固然是一件小事例；可是殷處長的那套「冠冕堂皇」整頓、革新說詞，雖言猶在耳，而駕駛、車掌仍我行我素！如果日子久了，恐怕公車將要自起站到終點後再行停車的了。

△七月十五日，鐵路局由高雄開至屏東的「三二一七」班次柴油車，當時二節車廂裏，一直是擠滿乘客，不要說乘客無法找到查票員（列車長）補票，就是查票員想查驗乘客車票，恐怕也是辦不到的。

該班車除由高雄站直接售票搭乘旅客外，並同時接駁「一八九」次嘉義開高雄旅客。有時旅客車票購買，事先未能確定目的地，係屬常事。況列車（普通慢車）與柴油車之車價高低不一，當時車廂又確擠得水洩不通，造成車內無法補票之實情，而旅客到達目的車站，按規定價格補票，於情，理、法實並無不當之理。然七月十五日屏東車站出口收票員却認為旅客越站乘車，照章應罰緩百分之五十。（按柴油車由高雄至屏東車票價五元，如加罰百分之五○，即二元五角），否則不准旅客離去。其態度之壞，言詞之厲，實非筆墨所能形容。

鐵路局規定越站乘車應予罰緩的章程，似應在一般正常情形下執行，同時立法的精神，亦應該是對那些投機取巧的份子，才算恰當。如在車廂內擁擠不堪，行程又短，同時到站又自動照規補票的情形，就是另一回事了。法律不外人情，否則徒引起糾紛，何必呢？

衣冠禽獸

寶式

「狗是人類最忠實的朋友」，也是一些有錢人家的寵物。香港每年照例有狗展比賽舉行，到今年該是第十六屆了。那些穿得花枝招展的太太小姐們，把寶貝般的狗兒抱着或拖着出場的情景，可知狗的「身價」之高。而牠們每餐所食的珍饈美饌，花費比普通人所食的兩餐要大得多。

在英國，狗類的「公子哥兒」或「貴婦小姐」，不僅食得比普通人好，穿着也比許多人講究。本來與生俱來一身茸毛的狗兒是用不着穿衣服的，但英國的一些有錢人家，飽食終日，閒着無事可做，便玩狗為樂，他們為愛犬縫製日新月異的時裝，好與其他狗兒競相爭妍鬥艷。這種趨勢，最近越來越明顯，許多狗主們均紛紛起效尤，為狗兒縫製合時的新裝。去年冬天，英國平均二十頭狗中，只有一頭是有一襲外衣的。至本年三月間，已增至平均每十頭便有一頭置有服裝的，其中一些狗兒甚至每日更換不同式樣的時裝。因此製造狗服裝的製衣廠便生意滔滔，頗有供不應求之勢。

英國齊郡南特域克市的一間狗服裝縫製廠每年的營業額達一百萬英鎊之鉅。它的東主維爾達伊爾遜說：「我的這間廠每個月出產狗服裝一萬二千件，而訂單還源源而來，不能按期交貨。雖然我的這間廠有十四個工人日夜開工，但仍供不應求。」

伊爾遜的「顧客」們不僅穿外衣，並戴帽穿鞋，也有一些狗兒戴上耳環腳鈪之類的飾物，甚至穿上內褲。這些內褲飾有花邊，並連着一條橡筋腰帶，母狗穿起來便像束上一條貞操帶，樣子顯得怪異又滑稽。

伊爾遜說：「許多人購買這些東西是連同衣帽一齊的。」

在英國，城市中的狗是比較注重時裝的，鄉村中的狗則沒有那麼注重，比較純樸。這種情形與人無異。

狗的時裝用料是很廣的，以伊爾遜那間廠為例，包括羊毛、尼龍和皮毛等。價錢方面，一襲普通羊毛外衣售九先令，一件仿毛皮外衣售五十一先令。今年春季，這間廠還推出一種閃閃發亮的晚裝。

有一個裁縫名師專替最時髦的狗兒縫製新裝，他是三十三歲的達利柏加，他只接個人訂單，所有狗時裝都用手工縫製。他說：「我曾為男士們縫製高價的西裝，現在我用同樣的手工為狗縫製時裝。」他縫製的狗服裝的工價每件達四十二先令，而幫襯他的狗主很多。

「所有訂單都來自英國南部，」柏加說：「那地方的狗兒都喜歡趕時髦。如果他們不能帶狗來度身的話，我有特別的圖樣寄給他們，這樣我便能保證為狗裁縫得稱身適體。我的狗顧客大部份都是純種狗。」

這個裁縫師要花逾二小時才能縫好一件狗衣，而在伊爾遜的製衣廠中，用機器僅九十秒鐘便縫製好一件。但柏加主張改變狗的生活，使牠們穿得更舒適。現時他供應全英國寵物商店四種不同式樣的狗服裝。並正在計劃設計縫製一種狗睡衣，這種睡衣比外衣較大和較鬆，狗兒穿上了，即使在最冷的狗窩中也能保持溫暖。柏加的另一個計劃是設計一種用毛巾布作料的浴袍，這種浴袍能使狗兒在浴後保持溫暖。

在英國，以前只有獅子狗和臘腸狗之類的「斯文狗」穿衣服，但現在連狼狗、老虎狗、拳師狗和混血種狗等兇惡的狗都紛紛穿上各式各樣的時裝了，變成了文質彬彬的樣子，看起來不倫不類，牠們本來真正的面目被紳士淑女們掩蓋了。

編者按：陸嘯釗先生之「怪力亂神與法律叢談」續稿仍未到，再停一期，敬希讀者見諒。

籬邊的榴花

趙碧君

鴻儀怒道：「你怎麼可以無緣無故扔東西打人？又出口傷人？」

她雙手一叉：「我是打了你又罵了你，怎麼樣？」

「你還敢撒野？我也打得你罵得你。」

說着，他檢起原來自己被打的那泥塊使勁地對準她扔過去。她把頭一偏，躲過了：

「活該打不中；罵吧，我爹跟媽老早都上了西天。」

鴻儀不開口，檢起一粒泥塊就扔，又被她躲過了；又是一粒，又躲過了。越是扔不中，他就是越生氣；那女孩子却是洋洋得意，笑得前仰後合的。

「好，你有本事就等着，可別跑，我跳過籬笆來跟你算賬。」

「灰孩子才跑？你有胆子快跳。」

「我不收拾得你告饒不姓譚。」

「什麼！你姓譚？」

「我姓不姓譚與你何干？」

那女孩子走近籬笆，一臉的驚奇：「你就是那個譚鴻儀？譚議員家的……？」

他點點頭：「怎麼？我想你不見得認識吧？在你扔泥塊之前。」

她搖搖頭，傻笑着：「不認識。不過常聽她們說起你，我沒想到你就是他。」

「我就是他？」鴻儀的怒氣漸漸平了。

「嗯，你就是譚鴻儀我沒想到。」

「沒想到，那麼你以為我又是誰呢？剛才把泥塊打在我臉上的時候，你打的又是誰？」

「我誰也沒打，我原是無意，你不是看見我背着籬笆彎着身子的？我在挖土種花呢。」她低垂着頭，靦腆的。

「那你剛才為什麼不這樣說？倒要開口罵人？」

她笑了，俏皮的：「我歡喜罵嘛，你管得着？」

「噢，我管不着，」頓了頓：「你是誰？你是宋家的什麼人？」

「不要你管，我什麼也不是！」

「不是我要管，不過想知道一點兒……」

「一點兒什麼？」撥開他的話，她天真地問。

「一點兒——關於你的事情。」

「不高興。」頭一擺，她要走了。

鴻儀使勁拉住她：「好好，我不問就是。現在我可以跳過籬笆來嗎？」

「跳過來打人嗎？」他眨着眼笑了，甜甜的。

「不，幫你種花呀！」

「不勞費心。」

「那麼你跳過來。」

「為什麼？隔着籬笆說話不好嗎？」

「自然是再好也沒有了，因為省得打架。」

「但是隔着籬笆還是可以打——扔泥塊兒。」她又笑了，又黑又濃的睫毛簇在一堆，圓鼓鼓的腮幫子，淡褐色的皮膚，紅菱似的小嘴，笑起來露出雪白整齊的牙齒。這使鴻儀又想起家中後園裏正盛開着的榴花。他看得怔住了，大半天不說話。

「你幹麼瞪着兩眼，裝死嗎？」

他笑起來：「我在想一件事。」

「想——什麼？」

「想你真像一個人。不，我的意思是——你像我從前認識的一個人。」

「從前認識的？」她問：「在台北？」

他點點頭。

「女的？」

他又點點頭。

「是你的好朋友？」

「不是的，」他掀了她一眼，笑起來：「我不喜歡她。」

「為什麼？」

「她脾氣太大。」

她生起氣來：「鬧了半天，原來你是在轉彎抹角的罵人。」

（六）

韓愈其人其文

漁翁

在唐以前，士大夫崇尚清談，對文章皆喜駢體華麗之什，即唐初王楊盧駱四傑，亦競尚堆砌，流為靡靡之音。文公目覩一切，以為文在載道，不能徒尚詞藻，乃倡為採用秦漢古文體，另創一種作風樸實，言之有物之文體。當時柳宗元亦附和其說，世稱韓柳。由於文公振臂一呼，遂改造以後千百年之文風，所謂文起八代之衰者，蓋有由也。

文公歿後，門人李漢，知公最厚且親，為收拾遺著，得賦四，古詩二百一十，聯句十一，律詩一百六十，雜組六十五，書啓序九十六，哀詞祭文三十九，碑誌七十六，筆硯鱷魚文三，表狀五十二，合七百篇首，並目錄為四十一卷，顏曰：「昌黎先生全集」，用以傳於世。後之習古文者，多奉韓為圭臬。余以柳文，自史中來，溫麗靖深為可愛，而以韓文，自經中來，豪放奇險為更可愛也。

唐後之文豪大家，評論韓之作品，均稱許不已。蘇明允上歐陽書云：「韓子之文，如長江大河，渾浩流轉，魚黿蛟龍，萬怪遑惑，而抑絕蔽掩，不使自露，而人望見其淵然之光，蒼然之色，亦自畏避，不敢迫視。」

蘇東坡云：「唐之古文，自韓愈始。其後學韓而不至者為皇甫湜；學皇甫湜而不至者為孫樵。自樵以降，無足觀矣。」蘇家父子，為宋文大家，而推崇韓之文章，無微不至！歐陽修記舊本韓文後，有曰：「年十有七，試於州，為有司所黜，因取所藏韓氏之文復閱之，則喟然歎曰：學者當至於是而止爾。」末又云：「韓氏之文之道，萬世所共尊，天下所共傳也。」歐陽在未成進士前，得韓文之殊多，成進士後，更盡力於斯文，以成一家言，乃不忘本，因出所藏昌黎集而補綴之。

秦少游曰：「鉤莊列之微，挾蘇張之辯，摭遷固之實，獵屈宋之英，本之以詩書，折之以孔氏，此成體之文，如韓愈之所作是也。」認為韓之寫作，合莊列蘇張遷固屈宋各家而集其大成者。

他如黃山谷與王觀復書：「韓退之自潮州還朝後文章，皆不煩繩削而自合矣。」又曰：「退之作文，無一字無來處。」宋景文公贊云：「自愈歿，其言大行，學者仰之，如泰山北斗云。」以上所評，明如日月，非阿諛也。

（四・完）

評介「熱與力的年代」

洪流

著者：皮述民

如果青年是代表光和熱，美麗與青春的話，這本十二個短篇的集子就是一個相當好的證明。由作者的自序裏我們瞭解到：作者對這個短篇集子，是積十年寫作而成，也正代表了作者在十年裏的心裏狀況以及其趨向於成熟的經過。

現代的青年多數是苦悶的，求學就業之外，還徬徨於愛情與麵包的歧路上。尤其是在求學的過程中，由小學而中學而大學，每一階段都需要付出全副精力去準備升學的考試，要「過關斬將」，三更燈火五更雞的結果，如能被錄取，已是祖上有德，應可殺猪宰羊的「拜拜」一番。

制式教育害苦了這一代的青年，也為國家埋沒了多少不可知而有用的天才。讀小學是為了國民的義務，也可以說是為了行政官員在統計圖表上顯示一番我們的就學率。讀初中是為了上高中，讀高中是為了升大學，讀大學則是為了出國留學，以及去而不返做高等難民。

以上的簡單說明，代表了我們教育的有毛病以及現代青年的去向。民族國家的復興「爾輩後生」或者沒有插嘴的餘地，或者亦竟然無此興趣與修養。青年苦悶徬徨加上制度的不盡合理，處處都成了阻礙現代他們身心發展的絆腳石。如果你不按照前述的步驟而躐等前進，那你就變成了一個十足的叛徒，並且那也是絕對不容許的。君不見發明數學定理數種的某君，連續三年而仍徘徊於大學之門外，竟勞動了立法委員在立法院裏提出專案；但其結果，仍在未知之數。

文藝是反映時代的，作者在十年前能夠幸運的循着制式教育的當然結果而沒埋沒其寫作天才，那真是一件奇蹟了。如果說：我們的中國文學系，或是國文研究所就是為了培養寫作人才的教學場所，那才是天大的笑話。我們的中國文學系，所能培養的只是冬烘式的村學究，日處乾嘉妖氛的籠罩下，在為發霉的古籍作箋注作校補。筆者絕非百分之百的不贊成整理古籍，但現時代已經進入廿世紀的六十年代，我們仍然只知本着乾嘉學派的餘緒做其校釋，則未免太落伍了。

國故需要整理，那是一件不可否認的事實，但我們整理古籍有科學的方法與其目的。我們並非是為了某一字之異同而考釋，而是求其思想之淵源影響，以及其所發生的時代背景等等。或者中國文學系應該是文學寫作理論的發祥地，我們則沒有。好像從五四時代開始到現在，中國文學系從來就沒教育出幾個能寫作的學生。可是奇蹟出現了，師大國文研究所竟能教出皮述民這樣的作家來。但假如我們進一步去考證的話，作者也只是由師大的國文研究所得到一項碩士的學位而已，並非是教會了他應如何運用他的筆，描繪出他個人的感受，以及同時代人類心底的呼聲。

這本集子，十足的代表了作者由初學而成熟的經過，文字的短，並不能代表好與壞，而短篇自然也並非長篇中的一段，或是長篇的縮短。短篇也應該是完整的。筆者個人比較偏愛集中最短的「婚與嫁」。文末未註明寫作的時期，但似乎可以肯定它是一篇較晚的作品。因為它代表了作者思想與寫作的成熟，並且也清新可誦的短短地五千字，描繪出時代青年關於愛情的感受，實在是一篇成功的作品。並且文字也非常的精鍊，俏皮而不傷於纖巧，幽默而不流於庸俗。只有在背景上似乎是離開我們遠了一點；舞會是到處都有的，但不一定放在一個經理的家裏，因為經理階級，到底是少而又少的。

因此，筆者想起了一個問題，就是「文藝病」。五四以後的作品，是花前月下，害的是肺病；而我們現在的作者則由大自然拉回到臥房裏，或是心目中欲得未能得到的大客廳的舞會上，再加上不治的癌症，因而有了一段悱惻的愛情！集中的「折翼」就是如此。

國劇繽紛續錄（五）

娑婆生

第一屆公路節晚會（續）

而源清居士為名宦沈文肅公的後裔，沉浸譚派，殆近卅年，其賣馬的唱腔，因宛如叫天唱片，講究字眼，研討腔味，純粹以往的票友派頭，不好作新腔去尋寶森腔調，此所以可貴。他在去年兒童節答應的法場換子份，終於推出。吳蘇女士純宗梅派，談玩票年份，也在廿年以上，基於夫唱婦隨，始終未間斷，一度為空友票社之中堅份子，曾唱教子宇宙鋒雙會等戲，皆精到有神。而奇雙會與小生名票賈芸蓀合作，在台北更是少有，為了名家的演奏，這場晚會，自屬震動了北市的劇圈，茲略述實況。

開鑼由心佛跳加官，這份興緻與精神可佩。茅復靜的拾鐲是她在復興成名之作，看了不下十餘次，的確不錯。不過近來總是這齣戲，為何不換換花樣，而且也有點減場，不到四十分鐘即完，以後應注意。問題在於出手的打多打少關鍵。接着換子登場：源清居士神態很好，我即告鄰座，像蓄唐唱雙獅圖一樣，究屬帶有書卷氣息。是日天氣太熱，而雜粉繁，他體力不太舒適，但是唱得照常有神，很薛剛與見夫人的兩段，唱得很動聽，有叔岩的味兒。尤其要歸功於畢玉一把在手，襯托極妙。王鳴詠的徐夫人也冒上，頗得彩聲。

會審登場，見張鴻福配劉秉義，認為找得極好，當有精采。吳女士出場唱散板都察院聲自一則拔高，一則沉低，尾句極婉轉，全場報彩聲，以後慢板原板二六流水快板，皆字字清楚，腔音純繞，尤以快板更為出神。結尾的我看他怎樣施行，又與其相似拔高而轉低，確為鐵石作嚴。通劇是該拔高的不僱，嗓音充沛，祇有蘭芳通劇可似之。有那一位能過的？未必有其人！而文場的郭臘晨、潘振德、劉浩棠，華竟不凡，自是手揮，拉出調門，所謂絲絲入扣。尤奇者，絕未有以花過門博采，確是正派。

心佛的打鼓罵曹，恐是來台以後第一次演出，他近來劇興甚濃，在前暫時不斷臨此繁重的，而大家尤其注視的，是聽他打鼓。此晚嗓子很好，不論那段都唱得很灑落得體。他當然以職臣當道謀漢朝的一大段，聚精會神，全力以赴，得彩不少。而打鼓的罵曹深沉更佳。又要說玉清胡琴是帥，能托得入神。近年來有兩位琴師，俗在研究，是畢玉清、馬慶琳。現在唱老生用胡琴，有他們便能出色。余力勸東園何防改試一下，補取榮陽七星燈之所需。心佛此舉可說不韻，玉清助力，應在嘉許之中。此舉後抒見，絕非盲捧！

蔡司令自暴自棄

諸葛文侯

鄂人蔡繼倫（隆三），陸軍大學畢業生，體軀岸偉，賓大聲洪，性粗獷不諳飭，好作大言。民國廿一年夏，愚于役「豫鄂皖三省剿匪總部」時，偶遇蔡氏於當時漢口公安局長友人蔡孟堅兄家，楊嘯天（虎）亦在座，隆三為言急思續絃，殊鮮當意者，孟堅謂何妨登報徵婚，擇其尤者而納之，隆三曰可。即推愚執筆代擬徵婚啟事，誇述隆三資歷與財富，若非名媛淑女，希勿濫竽倖進云云。未幾，隆三乃以舉行結婚典禮聞，新婦即為應徵而中選者。

既而蔡受命為湖北第十區行政督察專員兼保安司令，駐鄂西鄖陽縣，轄區皆山地，共匪隨時出沒，蔡任事逾年，即以疏於烟禁縱吏議而去職，時總部秘書長楊永泰頗怪吾友范紹陔（熙績）薦舉非人，蓋當總部銓衡專員區域人選時，紹陔力主派蔡為第十區專員也。范氏曾以鄂省保安處長率軍赴鄂西剿匪，駐節鄖陽，蔡范竟因事水火不相容，終生隙末，不復往還。

對日抗戰初期，蔡被任為宜昌防衛司令，力權殊大，除負責構築國防工事外，諸如稽查商旅貨物以及難民入境等等，胥由防衛司令綜理之，隆三忘形恣睢，頗有貪贓好貨情事。自武漢撤守後，宜昌為入蜀孔道，官民經宜昌趨巴蜀者多於過江之鯽，旅客在宜昌購買船票，須附徵「防衛捐」一成，而蔡司令之貪墨口碑，更遍傳中樞矣，大府乃免其職，旋宜昌亦棄守。蔡至重慶寄居，日常生活豪侈無所顧忌，社會大衆為之側目，繼赴成都作寓公，故態依然。時鄂人賀元靖（國光）先生任軍事委員長成都行轅主任，蔡與賀原係熟人，更流連蓉城，其樂只且，初不知重慶軍部已有令究治其在宜昌任內之違法貪污控案也。

某夕，蔡與朋輩正雀戰於友人家，忽有着中山服者三數名排闥馳入，就問孰是蔡司令？情勢殊嚴重，衆愕眙詢所由，答言奉軍委會令特來逮緝蔡司令歸案，並出示公文暨身份證。蔡謂有事自當束身司敗，但乞稍緩時日以料理私事，可請賀主任擔保於旬日內自行投案，旋在座諸友偕同來員與蔡氏赴賀主任家面商，賀係好好先生，迫於友情，慨允擔保，不必逮捕，重慶來員即携保狀遄返軍委會復命。洎是蔡仍夷然居留成都，行所無事，賀主任曾語左右：「隆三若潛逃不歸案，我唯有代朋友受過，靜待處分耳。」友輩皆為蔡氏危懼，勸其潛往西安或他鄉暫避為佳，蔡漫然置之。越旬日後，重慶軍部電令賀主任派員護送蔡司令至渝應訊，不得違誤。蔡赴渝先向軍法總監部報到，同時由友好商請軍事參議院長陳調元，向軍法總監何成濬緩頰，准交保候訊，免予拘押，但囑蔡氏切勿向外活動，致誤大事。

蔡氏與當時軍政部次長曹浩森，參謀部次長熊斌皆素識，詢知曹熊於暇日每在軍政部何部長家，陪何夫人作雀牌消遣，竟隨時馳往何宅干謁求援，且欲參加雀局，曹熊沮其勿來，蔡大聲指責老朋友擺官架子，曹等苦笑而已。一日蔡又至何公館，適為何部長瞥見，以其係犯貪污案件之軍人，而常常出入軍政部長私邸，必遭物議，頗示不懌，曹熊聞之踧踖不安，相約停止娛樂以避之。陳調元聞訊，深怪蔡隆三不明世故，昧於法理，徒使朋友受窘，愛莫能助。旋經軍法總監部傳蔡到案訊究而繫囚之，舉證勘驗質詢，多屬事實，依法判處死刑，棄於市矣。

白蛇傳

——「影劇與歷史」之八

周邁

白娘子在銀幕上

那是徽欽二帝蒙難北上，康王趙構泥馬渡江，改杭州為臨安，形成南宋偏安的局面的時候。

在四川峨嵋山白雲洞裏，有一條白蛇和一條青蛇，苦修苦煉，變成人形，歷有千年道行。因為仙境寂寞，動了凡心，相約遊戲人間。幻成一雙美貌的女子，白蛇名白素貞，青蛇名叫青青，二人以主僕相稱。到杭州後，卜居清波門。一天，二人遊覽西湖，不料忽然天降滂沱，因欲避雨，遇到青年許仙，素貞心中已知他是千年前救她性命的恩人，決定以身相許爲報，暗囑青青為她做媒。臨別時，又以借雨傘爲名，約許仙明日過訪。經過第二天的約會，又加上青青的撮合，許仙和素貞很快就結為夫婦。

婚後，許仙得到素貞的資助，一起由杭州遷到蘇州，在城裏開了一家藥舖，前店後居，素貞更掛牌應診治病，因醫理精通，著手成春，一時門庭若市。一日，許仙在呂廟廣場，碰到一個茅山道士，指許仙滿面有妖氣，說他身邊一定有妖怪，他的夫人一定是一個妖精。許仙半信半疑。茅山道士並與靈符三道，要他趕快回去除妖，否則性命堪虞。許仙打算不妨試試看，如是妖怪，除了妖怪保全性命，如不是妖怪，仍是夫妻。不料他這種行動早被白娘子算出。即施法術將靈符失靈。同時青青更恨茅山道士多管閒事，即刻作法將道士攝到雲南去了。不久，白娘子已身懷六甲，許仙聞知，欣喜非常。因此對白氏並不懷疑了。

不料，金山寺的法海和尚來到許仙家訪問，說他的妻子是一條白蛇精，如不除去，性命難保。許仙聽了雖驚而不甚信，法海責他執迷不悟，囑他在端午節日，用雄黃酒以艾葉薰洒各地。午飯時，可用雄黃酒強迫她飲下，如是妖怪即現原形。許仙到了端午節日，一一照辦。到時白氏以因身體不適，拒飲，另倒一杯與青青，青青即借故避入後花園，立即現了原形。而素貞自己則因道行高深，因被許仙強迫飲了一杯，喝後腹痛如絞，難以休息，進入後堂，許仙誤以為動了胎氣，忙到堂前取了安胎藥，入房給白氏服，許仙掀開帳子，只見床上一白巨蟒，兩眼如燈，許仙當下被嚇昏倒地上。這時在花園裏面的青青，已回復人形，回到後堂，見許仙暈臥地上，趕緊入房。白娘子也已恢復人形，見到許仙已被嚇死在地上，白娘子見之，撫屍大哭。青青說：趕快到崑崙山盜取靈芝草，以救活他的性命。白娘子經青青提醒，即刻化一陣清風到崑崙山取靈芝，却被看守仙芝的白鶴童子與鹿童子發見，二人合戰白娘子，正在難分難解之際，南極仙翁突然降臨，因同情白氏，立命二童子放她去罷。白娘子拜謝仙翁，化清風回到家中，將靈芝救活許仙。許仙大為感動，表示永遠相愛不渝。（一）

三國史微言

燕謀

陳壽史材，皆依魏、吳二志，及各家傳記，諸多繁蕪，未加刪削，更正體例，且有據則長，無據則短，如魏、吳二志各傳較長，蜀志無史材可據，故短也。魏志史材最豐，敘事尤詳。

錢大昕二十二史考異曰：「按先主甘皇后、穆皇后，後主敬哀皇后、張皇后皆稱『皇后』，而孫吳諸后則降稱『夫人』。又蜀志稱昭烈曰『先主』，安樂公曰『後主』；後主之太子璿特為立傳，且正其太子之號。吳志則曰權、曰亮、曰休、曰皓，皆斥其名。可見承祚原以天子之制予蜀，未嘗倒蜀予吳也。」

又曰：「公孫瓚傳：『朝議以宗正東海劉伯安既有德義』。按紀事之文當稱名，承祚志多有稱字者，如此傳之劉伯安（虞），許靖、麋竺、尹默傳之宋仲子（忠），張裔傳之許文休（靖），彭羕傳之秦子勅（宓），尹默傳之司馬德操（徽），秦宓傳之任定祖（安），張允南（周），顧雍傳之蔡伯喈（邕），士燮傳之劉子奇（陶），皆是。若孫炎之稱叔然，則以避晉武帝諱也。」

又曰：「蜀志諸臣書年者，自諸葛亮、法正、龐統、馬超而外，勳德如蔣琬、董允、費禕；武略如關、張、黃忠、趙雲皆不書年。許靖、[illegible]逾七十於敘事偶及之，初不關乎褒貶。杜瓊年八十餘，孟光年九十餘，以上壽故書之。馬良兄弟死於非命，故亦書之。皆隨便文，非以爲褒貶也。」

又曰：「承祚志以簡質勝。然如曹植應詔之詩，却正之『釋譏』，華覈之章文，薛綜之獻詩，魏文帝策吳王九錫文，吳主罪張溫之令，許靖與曹公之書，周魴譎曹休之詞，駱統理張溫之表，胡綜託吳質[illegible]興亡，詎不關於勸戒，準之史例，似可從刪。楊戲季漢輔臣傳既全錄其文，而志不立傳者復注其行事於下，西州文獻，藉以不墜，厥功誠偉矣；然自我作古，亦非前史之例也。」

又曰：「李傳（李譔）云：『與同縣尹默俱游荊州，從司馬徽、宋忠等受古學。』按尹默傳云：『遠游荊州，從司馬德操、宋仲子等受古學。』一稱其字，一稱其名，雖文可互見，要爲體例未一，且不免重出之病。」

又曰：「三國志於當諸帝多不避，如后妃傳『追尊太懿皇后』，步夫人傳『有淑懿之德』，以至太師、軍師、昭烈、昭獻、昭文、昭德、昭告之類，不勝枚舉。蜀後主傳，景耀六年改元炎興，亦未廻避。而諸臣傳但稱景耀六年，不書炎興之號，最為得體。」

陳壽三國志，體例不倫，疵瑕甚多。尤其迴護之筆，為歷代史家詬病，影響後世甚鉅。上舉各家之說，有迴護而亂者，有稱號、稱名而棄者，有當立傳而不立傳者，有不當立傳而立傳者，有因史材而未正之者，有因史料而錄原文未加刪正者，有應詳而未詳者，有應採而未採之者，有當書名而稱字者，有筆誤者，有重出者，有誤記人數者，有詳其始而未終其末者，有終其末而未述其始者，有此傳同一事與彼傳一事而異者，有當帝紀而不帝紀、有當后妃而不后妃者，有因私情而立佳傳者，皆壽志之失者也。（十三）

記胡葉之緣

朱蔭秋

他祖籍寧波，三歲喪母，由叔父撫養，後來他父親到孝豐做事，才娶繼母，把他從寧波接去孝豐上學。當在湖州中學讀書，聞得國父領導革命，想去參加，只是年紀太小，又無門路，只有等待機會。湖中畢業以第一名保送到杭州高中。在杭州時加入國民黨，從此對黨務很熱心，曾去上海南京等地工作，所走地方很多，對於國家大好河山，有深刻的印象，認為大丈夫對國家民族，必有貢獻，不能屈居窮鄉老死。聽說國父創辦黃埔軍校，招考有志青年，他決定前去投考。可是家人以他是長子，對祖宗的責任為理由，不願他去冒險。他的去意已決，不顧一切的上路，身穿一件藍布長衫，足穿一雙草鞋，袋裏只有五塊大洋。臨走時，七歲的幼弟，送他上路，走到城門口，幼弟哭着說：大哥哥你這樣的出門，沒有吃的，沒有穿的，將來怎麼辦？他因天氣熱，太陽大，把手上的雨傘叫弟弟撐回去。說道：大丈夫不能忍凍挨餓，還能成什麼事業？你好好回去唸書，將來做個有用的人，大哥有點成就，一定會回來看你。（九）

內警台報字第〇三三號內銷證

自由報

THE FREE NEWS

第五七一期

中華民國僑務委員會頒發
台灣新字第二三二號登記證
中華郵政台字第一二二八號執照
登記為第一類新聞紙類
（半月刊每星期三·六出版）
每份港幣壹角
台灣售價新台幣弍元
社長：雷嘯岑
督印人：黃行誓
社址：香港銅鑼灣高士威道二十號四樓
20, CAUSEWAY RD 3RD FL.
HONG KONG
TEL. 771726　電報掛號：7191
承印者：大同印務公司
地址：香港北角和富道九六號
台灣分社
台北市西寧南路一〇六號二樓
電話：三〇四一
台郵撥儲金戶九二二二

由數項人事任命看詹森的政治才華

宋文明

美總統詹森最近曾發表了數項重要人事任命，也就是繼他更動司法部長及財政部長之後所作的最大一次人事更動。這一更動，一部份是由於史蒂文生的逝世所引起，另一部份則是由於別的原因。但不論基於何種原因，我們由此不僅可以看出詹森的一項用人標準，而且亦可看出他在這一方面的熟練的政治才華。這數項重要任命便是：

（一）任命最高法院大法官高德柏為駐聯合國首席代表，以接替史蒂文生遺缺。

（二）任命華府名律師，也就是詹森本人的好友佛塔斯為最高法院大法官，以接替高德柏遺缺。

（三）任命共和黨衆議員賈德諾為教育及福利部長，以繼塞布雷茲遺缺，而塞布雷茲則改任聯邦上訴法庭法官。而原任聯邦上訴法庭法官的黑人名律師馬紹爾則改任為司法部副檢察長。

這數項任命，牽涉到駐聯合國的首席代表，一位大法官，一位內閣閣員，一位副檢察長，和一位聯邦上訴法庭的法官。其中有的職位如駐聯合國首席代表，為美國外交使節中的首席一指的位置，而且還兼具有政府閣員席位。大法官一職，在美國民意測驗中，被認為僅次於總統的崇高職位。副檢察長職位本身，雖并不特別重要，而其首次由一黑人來担任，這一人選便顯出其重要性。至於遴選另一共和黨人來出任詹森政府的教育與福利部長，無疑更是具有一種重大的意義。

在這些任命中最為重要者，當屬高德柏的被任聯合國首席代表一職。在高德柏這一任命未發表以前，美國社會及輿論界對於史蒂文生的繼任人選，曾有過各種不同的揣測，但沒有一項揣測曾觸及到高德柏身上。其中被認為最可能繼承這一職位者，為現任國務卿魯斯克，其次，被猜測的人物，還有巡迴大使哈立曼，參院外委會主席佛爾布來特，參議員古柏，副國務卿包爾，駐印度大使鮑爾斯，以及現任副常任代表等。美國東部有一部份人，甚至公開聯電詹森，要求以共和黨閒人尼克森來出任斯職。可是詹森本人胸有成竹，毫不受這些猜測的影響，而突然發表由高德柏大法官來繼任這一職位，使美國社會大感意外。

詹森何以選擇一位素不過問外交事務的人物來出任這一聯合國重要職位？在今看來，詹森這一選擇係基於：（一）高德柏一如史蒂文生，為芝加哥名律師出身，且曾任長期的工會律師，這一出身及經歷，可以證明高德柏不僅為一排難解紛的好手，而且也具有豐富的談判經驗及才華。這種談判經驗及才華，為今美國駐聯合國首席代表所最需要者。（二）高德柏曾任美國最高法院的大法官，而美國的大法官又屬美國法治精神的一種象徵與最後憑藉，因此高德柏由此一大法官職位轉任美駐聯合國首席代表，並可證明美國追求國際和平法治的一種熱望與決心。（三）高德柏一如史蒂文生，屬於美國的自由派人物，而且有一點較史蒂文生更為重要者，即高德柏出身於芝加哥貧民窟，少年貧賤，此在一般非美落後國家代表的心目中，頗具有一種特別的吸引力量。有此三點，詹森的決定以高德柏繼承史蒂文生遺缺，出任美駐聯合國首席代表，眞是再好不過。

其次，詹森所以遴選華府名律師及其好友佛塔斯出任大法官，以接替高德柏所遺職位，也是基於一種非常重要的考慮。因自詹森繼任總統以來，佛塔斯即為美國政府之外詹森所經常諮詢的最重要顧問之一，尤其對於重要國內政策，他幾乎莫不參與。過去凡有政府重要職位，如司法部長及財政部長出缺，詹森總是首先設法邀請佛塔斯出而接任，而每次又為他所堅拒。這次在詹森再三邀請之下，終於接受大法官一職，是由於：第一，這一職位比較悠閒，更能合乎他的性格及生活情趣。第二，半世紀以來美最高法院有一項不成文的傳統，即為猶太後裔保留一大法官位置。現在猶太裔的高德柏離開這一職位，另一猶太裔的佛塔斯，便沒有理由予以堅拒。第三，也算他接受這一職位，對詹森個人多少抵償了一種友誼債務。詹森在宣布佛塔斯接受這一職務時所稱此一挑選，完全為工作找人云云，一面就在表示詹森對佛塔斯才華的賞識，另一面亦表示由此結束了一項長期的追逐。

在過去，甘迺廸政府執政初期，他曾重用許多共和黨的名義上人物，其中除了麥納瑪拉出任國防部長之外，在外交方面還曾先後任用麥克齊治、彭岱、泰克勞、狄恩、麥康、洛奇、福斯特、及赫特等人。可是至今任重要職務止，除了麥納瑪拉、麥克齊治、彭岱、洛奇、及福斯特等人繼續在詹森政府中供職外，其他均已先後離去。於是詹森如何設法使更多共和黨人參與政府高級職位，以擴大其政府的民意基礎，便成了一項刻不容緩的當務之急。尤其詹森政府現在最大恐懼所在，而可能成為日後競選之累者，一為越戰的可能擴大與延長化，二為國內教育及福利方面的大數目支出。這兩者若一旦成為共和黨攻擊口實，勢將使詹森政府面臨極大困擾。在這一要求下，他於再度邀請洛奇出使西貢之後，設法另物色一適當共和黨人，出長教育福利一部，實屬一種政治上的妙棋。

至於名黑人律師及民權運動者馬紹爾的脫離年薪三萬二千元的終身職聯邦法官，而改任年薪只有兩萬八千五百元的政治性官位副檢察長，一般認為乃屬一種不智決定。其實詹森的所以作此任命，以及馬紹爾本人的所以作此選擇，都有一個更大的想法存在，即馬紹爾即將以此為階梯，於不久之後，俟機調升為最高法院的破天荒的第一位黑人大法官。而這樣一種不尋常的任命出現，對於推動美國黑人的民權運動，以及由此爭取黑人選票，將奠下一項堅強不拔的根基。

總之，由以上這數項人事任命，不僅可以更進一步看出詹森的恢宏氣度，政治才華與手腕，而且也可以看出他具有一種認識人才與發掘人才的慧眼。其實，詹森過去對高德柏的瞭解，只限於在副總統任內兼任聯邦公平就業委員會主席期內的一段接觸。但在此短短期間，詹森即為高德柏處理問題時的一種公正精神與理智判斷所懾服，深深印入腦際，所以一有機會，即把這一人才置於最能發揮其所長的重要地位。最近由於多明尼加事件及越南戰爭，美國有一部份自由派人士，有意無意把詹森列入一老粗之類。可是看了以上這數項人事任命，我實在有點替詹森抱屈。

不知危險

自取滅亡

今日與明日

美國增兵越南

美國總統詹森與重要大員連開了幾天會議之後，決定大舉增兵越南，預定美軍將增至十二萬五千名。詹森此舉，獲得美國全體州長及絕大部份參議員一致贊同，公認為是對越戰唯一途徑。美軍增加後，對越共作戰負責較大，今後與越共作戰機會也較多。美軍不惜親臨第一綫剿共，其目的尚不僅對付越共，已隨時準備同毛共一見短長。日來毛共報紙大肆叫囂，甚至搬出了頭號「喪人」賀龍撰文說「解放軍」戰無不勝。可是賀龍一生就未打過勝仗。像這種夜行人吹口哨的表現，足徵其內心的恇怯。目前實在是消滅毛共的最好機會，越戰應該可以作一階梯。

和談的幻夢

受胡志明邀請的迦納代表團，在河內算是見到了胡志明，至於有何結果，目前尚未見公佈。可以預料得到的，決無滿意收穫，因為北越當局不問胡志明抑范文同、長征等人，均願和解，一方面由於美機大肆轟炸，北越工業基礎全毀，勢難立國，另一方面對南越游擊隊的接濟也日益困難，戰爭長此發展下去，不問誰勝誰敗，胡志明先完了。站在胡志明立場來說，安有不願和之理？但北越軍事、經濟大權操於毛共之手，毛共不肯和，北越即使想和也和不成。

毛共目前政策十分顯然，想藉越南戰爭困擾美國，更以越南局勢增加美俄的惡感。例如前日美機炸毀河內附近兩處飛彈基地，在該基地負責操縱飛彈的俄國人，自然也就同歸於盡。長此下去，美俄關係自然越來越緊張，毛共夢寐以求者在此。橫豎毛共不直接參戰，美機就不可能炸大陸，儘可隔岸觀火，其用心之險，舉世無匹。所以目前消滅毛共不僅去了自由世界的大害，就在共產集團來說，也是一件好事。

我軍援越問題

據美國方面透露消息，美總統詹森確實在考慮請求中國政府派軍援越的事，美國兩黨議員更大聲疾呼，認為是解救越南的不二法門。其實當今之世，能制毛共死命的只有中國軍隊；不過，要把我軍用到越南戰場，我們却期期以為不可。國軍所以能制服毛共軍，是因為以順伐逆，毛共軍久處淫威之下，欲反正苦無門徑，一旦遇上國軍必踴躍來歸，自可收事半功倍之效。若把國軍派入南越，語言不通，地形不熟，與美澳紐軍原無兩樣，以我之短攻敵之長，兵法大忌。所以國軍援越，應當反攻大陸，萬不可派去越南。（何如）

自由談

低級趣味

人們結婚與離婚行為，在往昔我國的舊倫理觀念之下，認為是人生最重大的事體，不能隨便鬧着玩兒的。尤其是離婚一事，大家都引為禁忌而諱言之。

可是，到了今日的所謂「文明時代」，大家於「打倒吃人的禮教」之後，結婚離婚極端自由，其情形殆如粵語所云「易過借火」！特別是以美國好萊塢的電影演員最為突出，今天結婚，明日仳離，夕共衾，朝成陌路者比比然也。他們把男女婚姻大事當作演戲一樣，滿不在乎，一個稍露頭角的所謂女明星如「力大喜禍夫」—「以利拆白太辣」之流，行年未逾三十，即不妨結婚離婚三五次，「做戲咁做」。歪風東漸，戾氣隨之煽揚，咱們中國的電影從業員亦就競事西化，視婚姻為兒戲了。

男女居室，原屬常事，或恩分蘋藻，或怨結靡蕪，社會上所在多有。我不詫異電影演員之夫妻乍離乍合現象，但很奇怪一般新聞記者獨對所謂電影明星的婚媾問題，特感興趣，常將寶貴的報紙篇幅，浪費於紀載他們的結婚離婚消息，而且連篇累牘，多多益善。誠不知這在社會教育上，究有甚末善良作用？在新聞學上又具有甚末「可讀性」的價值呢？

報紙上紀載社會新聞如姦盜命案之類的事情，描述稍多，人們即譏為黃色新聞，說是有傷風化。然對於報導電影明星隨便搞男女關係，鬧桃色糾紛，演家庭悲喜劇的消息，却唯恐不詳盡、不繁多，竟附於娛樂版之列，即百無禁忌了，不亦怪哉！

電影演員與社會其他各行業人士的日常生活情況，沒有甚末兩樣，新聞記者何必替他們專作無謂的起居注，而將他們隨便結婚離婚的行為，看成重要問題，要在報紙上大書特書呢？美國人喜歡從好萊塢的銀幕人物身上找刺激，尋開心，這是低級趣味的娛樂玩藝，我們似可不必靡然從風，取法乎下吧？

馬五先生

監察院院長選擧潮

兩大派勢均力敵 李嗣聰因利乘便

副院長未知鹿死誰手

（本報台北通信）監察院正副院長的改選期間，已決定八月中旬，目前院內院外人士，對於這檔事皆特別注意，議論紛紜，揣測亦很多。記者綜合各方面的消息和動態，摘要報導如下：

院長候選人與選擧方式

現在公開宣佈競選院長的有三人，即李嗣聰，張維翰，金維繫是也。三人的年齡以李氏爲較輕——尙未到七十歲——張金二位都是「望八」的耆宿了。因此，外間人士對李氏行情多看漲。但李在監委羣中的基本票數不過十餘張，若不能取得「友軍」的合作協助，即很難得到出席人數過半數的選票。監院中的個別組合，以陳大樁派的勢力較雄厚，約有三十張基本票，此外還有中立份子如宋英、黃莞軒，以及青年黨籍的七八位監委，都是同情於陳派的。次爲孫玉琳派，亦有基本羣衆二十五位，具備着擧足輕重的潛力。還有就是擁戴張維翰的約莫十來位，贊成金維繫的亦有五六位，其餘便是一些超然份子和民社黨籍的監委數名了。

現時可以出席投票的全部監委，共爲七十一人，過半數需要有四十票纔行。因此，事前若不跟「友軍」實力派協議合作，這三位候選人誰也沒有當選的可能。可是，所謂「協議」決非憑人情關係可以達成的，必須有交換條件，乃克有濟，唯一的交換條件就是副院長一席，換言之，甲方投了乙方院長的選票，乙方就得支持甲方競選副座。目前正式表示逐鹿副座的，有屬於孫玉琳派的馬空羣，有不屬於上述陳、孫兩大組合的郝遇林；勢力最雄厚的陳大樁派，皆屬望陳氏出馬，但陳氏採取應選而不競選的態度，即同寅們如其一致推許，他自然義不容辭，否則退避賢路，決不強求，看情勢，陳氏被推應選的成份很高。一因他年高德劭，信譽頗佳，且爲國民黨的老黨員；二則他平日在監院主張革新庶政，有敢言之風，與陶百川的作風相伯仲，大家希望他能藉副院長的地位，實現共同理想，爲監察院增高聲價。

關於院長的選擧方式，監委們早有聲明，須實行民主制，即由全體委員先來一次假投票，再由執政黨根據假投票中得票較多的人予以提名候選，這樣纔符合「民主集中制」的精神，像過去各項選擧時，每由執政黨隨便提出候選人，教大家投票如儀的方法，不適用了。至於副院長之產生，執政黨雖不提名，但院內各個組合亦得預爲推定人選，公平競賽，避免「一鹿在野，百人逐之」的混亂狀態，以期意志集中，化繁爲簡。

選擧前途的預測

在全體監委假投票之中，現任代院長李嗣聰必估得當選人的一席，不成問題，最後執政黨提名一位候選者，大概亦就是李氏。他在事前既然與上述兩大組合中的一組協議好了，其他大多數的委員皆屬執政黨黨員，在一切通過組織的紀律之下，自可得到全體出席委員過半數的選票。所以，頭一幕的院長選擧戲劇，不致發生波折，可以順利終場的。比較困難的是第二幕副院長之競選，執政黨既不提名，應選人必不止一位——至少將有三四位英雄出場——任何一派的組合份子，再加上李院長所能指揮的同寅合作，也恐怕難以贏得全體出席監委的過半數選票，因爲各個組合中的成員，屆時決不會一心一德的行事，總有若干人自由投票，不受團體約束，這是選擧中必然的現象。

陳大樁如果出馬，比較容易得勝，原因是陳派與李院長勢必結成聯合陣綫，只要陳派的組合成員沒有很多「走私」，即可取得四十票左右，加之以在院會投票時的外來同情票，過半數即不成問題了。不過，據陳氏對人閒談，認爲縱然僥幸當選了副座職位，除却增加一些日常送往迎來、交際應酬的無謂工作外，要想發展抱負，實現同寅共同主張革新庶政願望，談何容易呢！將來毫無成就，尸位素餐，即辜負了同寅的期望，內疚於心；若欲有所作爲，又將困難重重，徒託空談。到不如做個普通的監委，獨往獨來，遇事本其職責，盡其力之所及，求其心之所安，就個人說，實爲計之得者。

新修正的監察院長副院長選擧規則，因爲沒有淘汰作用——即第一次投票如無過半數的票數當選人，第二次應將原來得票較少的刷掉，而就得票最多的重選——只規定如無過半數的當選者，再行重選。有人耽心這樣很可能投票若干次尙無人合法當選，有如前次意大利國會選擧總統的情形，投了二十次的票，還沒有超過過半數的當選人，豈不浪費精神和時間嗎？也有人認爲我們的監察委員們，知識水準比較高，言行素稱穩健而識大體，將不致於重蹈意大利國會議員的覆轍。究竟孰是孰非，且待事實證明罷。

（七月廿八日浩然於台北）

拆房子透出了祕密

巴黎舊紅燈區風光揭露

老鄰居望屋嗟嘆電視機當場攝影

巴黎的舊紅燈區，伯斯亞街附近，有一間房屋正被拆卸，許多人圍觀如堵，其中不少是這條街的老居民，眼見這屋一塊一塊磚頭倒下，似乎表示歎息。在現場除有警察維持秩序外，還有電視機實地攝影。

不久，在地板下面掘出了幾枚金法郎，也沒有人感到奇怪，因爲從前住在這屋裏的女子們，喜歡把金錢埋藏在地下的，這已不成爲什麼秘密了。而且，她們往往嫁給有錢人之後，忘記了自己匿藏金錢的地方。

這間大屋是相當著名的，是當年紅燈區最富麗堂皇的妓館，裏面共有六十五間睡房，每間的設計都不同的，將各國的特式集在一起，尋歡客有時覺得身在日本，有時卻覺得身在柏林，甚至有時以爲身在沙漠的營幕內，這樣不同的情調，增加了氣氛。

房間的最大優點是那張床能夠搖動的，像火車卡廂行走中的時候一樣，床的搖動跟火車輪的無異，其中樂趣，確不足爲外人道了。這種機動床早于一八九〇年便有了，說起來，眞使人難以想像。

當時娼妓這門職業在巴黎是合法的，註了冊的妓女共有三萬七千名。與上述那間豪華妓館齊名的是出名女人瑪蒙特主持的「愛情酒店」。據說，單是室內裝飾已花了二萬五千鎊，包括栩栩如生的裸體油畫在牆壁上，以及絲質的被褥。女店主善解人意，對待顧客，祇要有錢，千依百順。有一次，一位豪客要將房客的床臨時改成一隻雀巢，瑪蒙特也立即遵命照做。許多海外豪客，爲了找尋「高尙」刺激，都愛從千里而來光顧巴黎的「愛情酒店」。另一位豪客卻堅持每週五晚床上鋪滿玫瑰，他認爲有玫瑰相伴做夢，夠晒香艷。放在床上的玫瑰當然要將花莖上的刺除去，單是這個拔刺功夫，就要花費廿五鎊。有一位本地富商，認爲愛情之床以僅容納兩個人爲標準，這樣才夠親熱，于是他乃叫女店主特製一張。瑪蒙特是一位奇女子，她靈機一觸，將一個大衣櫃改裝一下，便成爲對方理想中的愛情之床了。

一位年青的虐待狂者可以把一名少女關閉在一個「處女鐵箱內」，而且可以欣賞到一把利刃向她標過去，但這只是個把戲，事實，那少女可以從後面溜到一個房間。每一個房間都有防晉的設備。

瑪蒙特本人一直從未結婚，她何來這麼多錢開設這一間豪華酒店呢？她告訴人家有人資助她，但那人是誰呢？沒有人知道。警方曾調查她身世，但沒有成功。她的財富來源其實來自那班妓女，在過去四十年內，爲她服務的妓女，數不勝數，據大約的估計，其數目達三萬名。

這個酒店中的沙龍酒吧，是當地富家子弟趨之若鶩的去處，晚晚都滿座的。在這個酒吧內，有樂隊高奏音樂，但究竟樂隊在那裏，顧客是看不到的，因爲他們在另一個密室內演奏的。此外，最吸引人的是那些年青貌美的女侍，她們身上只披上一件薄紗，專替客人斟酒。客人如想一夕風流，有權挑選，據說每人可從六十個人中挑選一個，所謂燕瘦環肥，任君選擇也。

不過，在酒吧中出現的不是該酒店的第一流貨式，當時名妓之一是歌奴茜，後來她嫁給一名伯爵，獲得遺產五十萬鎊。另一位名妓叫拉歌絲，她誇稱在四個半年頭來，她要招待的客人太多了，身上從未正式穿過一件外衣，最多的一次是一條內衣褲。

這個紅燈區伯斯亞街一帶的妓館，在從前，在巴黎市民眼中，是一個迷宮。但現在因時代的變遷，這區成了舊鎖，要拆卸了，于是迷宮的秘密也揭露了。他們知道迷宮有泳池，土耳其的浴室，像監牢般的房間，還有一種食堂，一邊吃喝，一邊可以做愛的，桌與床同一物，眞是「食色性也」呢。

瑪蒙特的黃金時代，每在四小時內，要服侍五百對男女。在這個紅燈區，像瑪蒙特的「愛情酒店」那麼富麗堂皇，從前有百餘間之多，不過戰後，一間又一間倒閉下來。原因呢？沒有人知道，大概風水有關吧？只不過，一窩死，又一窩鳴的，現在巴黎一樣有紅燈區，不是在同一地區而已。娼妓是女性最古老的職業，亦是最恆久的職業，只要有男人的地方，也必有妓女的，這是一位著名法國作家寫過的。

（巴黎通訊）

兩千年前燬於火山的

古羅馬龐貝城富麗堂皇

——羅馬通訊

古城龐貝在羅馬東南約一百里，離那不列市只有十五里。古城的街道都是用石板鋪成的，很直，很整齊，在破壁頹垣的大小街巷中，隱約看見一排一排的商店和住宅。距離不遠的那座維索維阿斯火山，就是毀滅這古城的火山了。廢墟旁邊有間博物院，院裏所陳列的，盡是從廢墟發掘出來的石器和銅器，也有一些彫刻物和女人的裝飾品。有一間羅馬人的大厦，它的外表是破碎不全的，可是在裏面，仍然可以看見一點兩千年前的宏大規模。廳房鑲着大理石的牆壁，走廊上有石柱，空地上有浴池和噴泉，這裏幾座銅雕的女神像，那裏幾個石塑的人像，我們可以想像這個古城毀滅前的富麗堂皇。廳角落的黑暗廂房裏，有很多壁畫，顏色鮮艷，手工精緻，其中有的畫得春意盎然。在那裏憑弔這名聞世界的古城，彷彿親身經歷了羅馬人的富庶繁榮，也可以看見到羅馬人的驕奢淫佚。

龐貝城的毀滅，乃在紀元前七十九年八月二十四日，正在羅馬帝國的全盛時期，在被毀滅的前一天，龐貝已經有六百年的歷史。它周圍兩方哩，人口二萬多，有城牆護衞着。人民過着昌盛、繁榮、奢侈、華貴的生活，沒有戰爭的煩擾，而有高度的享受。它是有錢人的樂園，也是羅馬官員的遊憩之所。

那一天的中午，人們正預備午睡，商人關上舖門，行人揮手告別，一個廚師剛把八十一個麪包被放入烘爐，一個顧客正站在櫃檯邊算錢，突然間晴天霹靂，五里外的維索維阿斯火山爆發起來，一剎那之間，火焰、塵埃、飛沙走石，正同狂風暴雨一樣，把整個龐貝城籠罩，湮埋。從那個可怖的時候開始，一切生物的活動便永遠停止了。

我們現在能在這古城的廢墟流連，不能不感謝近兩百年來許多考古學家和歷史家的貢獻，他們把從廢墟上所搜集的零星物件，一一整理，逐件紀錄。由於他們這樣的細心研究，我們才知道龐貝的歷史，和它毀滅前一般居民的生活，文化，和藝術。

他們的驚人成就，不僅揭開了一個古城的秘密，而且開始了後人對於考古學的追求，據小統計，每年到這古城遊覽的約有五十萬人，凡好研究考古學，或對人類歷史和文化有興趣的人，都認爲有到龐貝城遊覽之必要。因爲天災人禍所毀滅的城市，雖然多得很，可是湮沒了一千七百多年才被發掘了又能大部份恢復原狀，還能蒐集許多珍貴的歷史材料，恐怕除了龐貝城以外，很不容易找出第二個地方。據說照着那古城原有的一街一巷而繼續發掘下去，還要一百年才可以全部完竣呢。

屏東稅處貪污疑案

起訴官員尙非全部

（本報屏東航訊）屏東稅處涉嫌官商勾結，吞沒屠稅朋分疑案，頃已經地院檢察處偵查終結，計大小稅官十七人依法被按戡亂時期貪污治罪條例第四條第六款，第六條第三款，第十三條等罪嫌提起公訴。

據說：該貪墨瀆職疑案，如今被提起公訴的，祇是其中的一部份，另一部份現仍在司調局派遣的幹員積極調查與搜集證據中，何時能予全案移送法院，目前尙難預測。

一些敏感人士認爲：另一部份資料仍在繼續調查，所涉及的是另一批高級官員。是耶非耶？有待於事實去爲之說明。

（袁文德）

怪力亂神與法律叢談

災異、福報與赦宥

・陸嘯釗・

我在「救生不救死」和「災異與冤獄」都曾提過，古人把殺生當做一種造孽的行爲，而且把災異和冤獄連在一起。如果冤獄的情形，有跡可尋，祇要細心清理訟獄也就行了。設或根本無跡可尋，那就祇有肆行大赦了。

歷代因災異而下令大赦的，屢見不鮮，漢代曾屢因日蝕地震火災赦天下；隋開皇十五年，上以歲旱，祠泰山以謝愆咎，大赦天下；唐貞觀三年旱蝗，責躬大赦；大歷五年以彗星減降死罪，流以下原之。宋太平興國二年以旱大赦，景祐先年以星變大赦；仁宗嘗因雨災謂輔臣曰：「一歲政事未當天心耶？」又曰：「赦不欲數，然捨是無以召和氣。」遂命赦天下。神宗熙寧七年已赦兩次，又因旱欲再赦，王安石以一歲三赦，是政不節，非所以弭災，乃止。總之據中國大赦考的統計，歷代因災異而赦者，星變十二，旱飢八，地震五，日蝕四。一共有二十九次之多。

以上是因爲天降災異，懼而赦宥罪人，希望藉此得以消除神怒，換得神的喜悅，去災降福。相反，如果風調雨順，國泰民安，年年豐登，季季祥瑞，那麼就是表示上天的喜悅，天賜洪福於人間了。帝王爲了報答天恩，使祂更高興，更多的降福，於是也就利用大赦以增和氣。漢代各帝曾因靈芝、甘露、鳳凰、仙鶴一類祥瑞而赦天下，梁武帝也曾因天雨調適而赦天下，這都是有史可稽的。

除了災異和祥瑞以外，有時也因爲想求得福報而肆赦，最顯明的例子就是祭祀了。我們知道祭祀的目的在昭報神明，悅神邀福，所以在祭祀時常赦罪人，尤其是最隆重的郊祭。漢代諸帝屢因郊祀封禪赦天下，梁武帝祠事最繁，赦亦最多，不但每郊皆赦，甚至受戒捨身，設無遮大會都要來一番大赦。在他的詔文裏有這樣幾句話：「虔恭上帝，祇事禋燎，……思與億兆同其福惠。」由此可以看出他大赦的動機和目的了。唐代郊天地皆赦；宋代常制，三歲遇郊則赦。明代亦常因郊祭而赦。蒙古人崇奉佛教，赦得更加濫了，每修佛室輒由帝師奏釋重囚，前後因此被釋放的有六百餘人之多。

祭祀以外，皇室遇有喜慶大事，如即位改元，冊立皇后，帝后誕辰，生皇太子，或立皇太子一類的事，亦都要來赦宥一番，目的也是爲了祈求福報。

從以上這些事，我們可以充分看出鬼神和赦宥的關係，或以免災，或以報天，或以祈福，誠如明史刑法志上所說的「凡有大慶及災荒皆赦」，及「或以災異修刑，或以覃恩布德」了。

濫行赦宥的結果，使中國古代的社會變得非常的混亂，也因此根本破壞了正常的法律秩序，「匡衡有一段話說得好：

「大赦之後，姦邪不爲衰止。今日大赦，明日犯法，此殆導之未得其務也。……今天下之俗，貪財賤義，好聲色，尙侈靡，廉恥之節薄，淫僻之意縱，綱紀失序，疏者踰內，親戚之恩薄，婚姻之黨隆，苟合、徼幸，以身設利。不改其原，歲雖赦之，刑猶難使措而不用也。」

這眞是一針見血的話，事實上的確如此，頻頻赦宥，不僅失去憫恤的意義，也使惡人更多了作惡的機會。因此除匡衡外，歷史上如吳漢、王符、孟光、胡寅、王安石、馬端臨、丘濬等都反對大赦，也就是這個緣故。

——之十——

籬邊的榴花

趙碧君

「絕對沒有這個意思。是眞的，那位小姐驕傲得像隻孔雀似的，看見誰都不愛理。」

「她長得漂亮？」

「所以我說你像她。」

她撇着嘴：「還是罵人，不來啦！」

「說你漂亮，也是罵嗎？」

「自然囉，好看的東西都是沒用的；而且，我知道自己不漂亮，你在挖苦我。」

「挖苦麼？明天我給你帶些榴花種籽來，你種在籬笆旁邊，來年五月開出紅紅的花，你採一朵戴在你這漆黑的頭髮梢上，你就知道你自己多美啦。」

「去，去，去你的。瞧，有人來請你去吃酒席啦，你的夢話留着你睡覺的時候再說吧。」她扮了個鬼臉，跑了。

「喂！別跑，告訴我你的名字可以嗎？你的名字……」

但是她還是頭也不回地跑了。

晚上，譚家兄妹打宋家告辭出來，在回家的路上，鴻琳居然興高采烈地談論着宋家姊妹：

「宋家的兩位小姐不壞呀：一個端莊，一個活潑；一個風姿楚楚，一個神采奕奕。」

「唔……是的。」

「一個艷如桃李，一個冷若冰霜；一個像低言細語的燕子，一個像能說會道的鸚鵡。」

「唔。」

鴻琳見她哥哥心不在焉，一逕兒「唔」呀「唔」的，惹得她咕嚕着小嘴，生起氣來：

「怎樣不說話呀？搭什麼少爺架子？」

「我搭什麼架子來着？」

「幹嗎我說話你不搭岔兒？像鋸了嘴兒的葫蘆似的。」

「不搭岔兒就是搭架子嗎？」

「嗯。」

鴻儀直搖頭：「好難伺候。趕明兒我是要運動運動媽了，還是趁早把你嫁給那個什麼姓鍾或是姓唐的小子吧；不然的話，我這『令兒大人』早晚被欺侮得找歪脖兒樹去上吊啦。」

鴻琳啐了一口：「得了吧，倒是咱們的『譚先生』怕是掉進情網裏去了；別悶聲不響的，還是運動運動『令妹大人』是正經。告訴你，我這兒有她的相片，就是爲你要的，別那麼狗咬呂洞賓，不識好人心。」

鴻儀有句話想說，但是又止住了。

停了一會兒，鴻琳側過臉來，頗爲關心地問：

「說眞的，你覺得她們怎樣？」

「她們？誰？」

「可不得了，咱們的『譚先生』眞是越來越政治家風度的！可是，剛才在酒席上，有那麼一個人，三杯酒下肚，心中若有所思：『她？是誰？』……」鴻琳笑得格格的，還俏皮地瞅了她哥哥一眼。

鴻儀說：「咳，你又誤會我了。」

「誤會就誤會，幹什麼還要加上一個『又』字？好吧，免得我誤會，你自個兒告訴我吧！你覺得宋家姊妹怎樣？且從實一一招來。」

「好一個『且從實一一招來』，不但政治家風度，還十足官僚習氣。」鴻儀忍住笑，止了正臉色，學着他妹妹先前的口吻：「宋家的兩位小姐不壞呀：一個豐腴，一個苗條；一個是櫻桃口，一個是楊柳腰；一個嬌滴滴，一個滴滴嬌。」（七）

富貴病

汶津譯

富人們儘管家財萬貫，仍然不能免除許多重負和病痛。這些毛病貧人們一無所知，實在是大幸。這些病不是由空氣傳染，却是在食盤、酒杯、旋轉椅和絲絨床上得到的。譬如說，阿姆斯特丹（荷蘭首都）的一位富翁便深悉此中底蘊。

他整個上午都靠在沙發椅裏，不停的吸着板烟——如果他還有點興致的話；此外便是向窗外凝視。一到中午，他便狼吞虎嚥，像一隻打穀機一樣，隣居們聽到他用餐的聲音，便會說：「是外頭的風聲呢？還是那位濶爺在[illegible]饕呀！」

於是他整個下午都在那兒大吃大喝，一會兒弄點冷的，一會兒搞點熱的，既不是爲了飢餓，更不是有那麼好的胃口，只因爲躭着無聊。一直到晚上，他幾乎沒停過嘴。別人眞搞不清楚他的午餐何時告終，晚餐何時開始。入夜，他把身子往牀上一躺，累得要命，好像整天在做打石子或砍木頭的苦工似的。種瓜得瓜，他就變成一個大胖子了，使他笨拙得像一隻裝滿穀子的大袋子一樣。吃和睡對他都漸漸倦之胃口了，於是有一大段時間，人們都鬧不清楚他到底是健康踰恒呢，還是貴體違和。人們只聽他自己說：他身上有着三百六十五種毛病，說淸楚點，就是每天換一種毛病。阿姆斯特丹的所有醫生，都曾給他過勸告。他吞食一桶桶的綜合性藥劑，一罐子一罐子的藥粉和藥丸，最後人們給他取了個綽號——兩腳藥房。可是一切藥石對他都全然無效，因爲他不耐煩遵守醫生的指示過活。他說：「混帳！照那樣做還算得是財主嗎，那簡直是猪狗不如的生活！」

最後他聽說有一位遐邇聞名的醫生，住在步行一百小時路程之外。據說此人眞是華陀再世，只要給他一診，百病皆愈，死神見了他也不得不退避三舍。我們的濶佬對這位名醫傾心之至，即刻馳函向他陳述自己百病纏身的光景。那位大夫據以判斷，立即洞然於懷，知道他所需要的不是藥物，而是節制和運動，遂說：「稍安毋躁，我將爲你治好它。」

因此那位醫生便寫了一封信給那位濶佬：

「好朋友，閣下的情況極爲嚴重。不過，如閣下願屈從鄙見，仍願爲君效力。閣下腹中潛居一飛龍，此怪有七隻大口。在下必須對此飛龍面諭一番，閣下宜親臨敝地，以便就診。但閣下千萬不宜乘車或騎馬，而須踏着鞋匠之馬（按：諧指皮鞋）來，否則那怪龍將大受驚動而吞食君之內臟，每次咬去七條腸。其次閣下不可多食，規定每天兩次各吃一盤菜，中午加一烤香腸，晚上佐以一蛋，早晨一碗葱肉湯。如其多食，則足使該怪龍更形龐大，乃至壓碎肺肝，到時爲君量尺寸者將非裁縫，而係棺材店老板了。以上爲鄙人之建議，如其閣下不肯一一遵循，保證來春不復聽見杜鵑悅耳之鳴囀。尙請裁奪！」（上）

評介「國際關係論集」

洪流

著者：李其泰

這本十三篇文章的論集，可說是已經總括了「國際關係」所應討論的總題。從美俄的外交歷史爲背景，論到聯合國的種種，每一個項目裏，都是包涵有若干問題的專題，可是在作者的筆下，則寫來如行雲流水，分析洞中肯綮，讀的人不但不致感覺枯燥，反有如作者所引孟德斯鳩名言：書籍的主要功用不祇是閱讀，而是啓發讀者的思想，啓發了讀者的興趣，以及鑽研的毅力。

篇首的「美國外交政策的歷史背景」一文，可稱力作，在國內教科書式的那一套之外，此作是有其永存的價值的。作者指出了美國的外交政策一直是在孤立主義籠罩下，此項政策是由一七九三年的華盛頓中立宣言而來，以至門羅主義，那更是孤立主義的代表傑作。孤立主義之功過，因時地與開國環境之變遷，實難給與恰如其份的評論。但本集的作者，却以歷史背景說明了孤立主義之變遷，後來爲了達到世界强國之目標而參與國際事務，結果是廢止中立法案的大部份條欵，而開始徵兵，於是漸進於領導自由世界集團的盟主地位。

蘇俄的外交政策歷史背景，則與美國迥異，地理位置與建國歷史都是使蘇俄成爲一個北極熊式的專制獨裁國家。這是作者論述蘇俄外交政策歷史背景的中心脈絡。並且，蘇俄的外交政策，是因階段的發展而有其特點，現在的布爾雪維克黨人是經過一段極艱苦的生死鬥爭而來的。作者曾說：當時蘇俄在政治上與外國隔絕，經濟徹底破產，社會秩序混亂，因而列寧接受了喪權辱國的布勒斯特里多佛斯克條約，這也就是蘇俄以退爲進政策的運用；一旦其統治權穩固，這個陰鷙、狡猾的北極熊，又利用其鬥爭與分化等手段，而進行其統治世界的願望。

本集大部份都是用在聯合國的分析上，首先出現的聯合國的會籍問題。本來這應該不是問題的問題，但它竟牽涉到聯合國的安危了。我國本是常任安全理事會的五强之一，可是在共匪的陰影下，國際陰霾密佈的今天，反倒成了一項大問題；雖然蘇俄牽共匪入會的企圖迄未得逞，但也構成我們的一項污辱，因爲我國到底是發起聯合國的主要之一員。

入會在蘇俄否決權的應用下，曾僵持了一段相當久的時間，從個別到整批，又由整批到個別，安理會經常的困惑在蘇俄否決權的支配之下，最後外蒙也入會了，我們作了多大的犧牲，那是言之痛心的。

隨着入會而發生的則是退會的問題。印尼蘇卡諾以「爲天下先」的「勇者」姿勢，首先打破了記錄，他以馬來西亞之任安理會非常任理事爲藉口而退會。聯合國已在風雨飄搖之中了，而聯合國的危機不是存在於入會及退會，而是表現在聯合國的財政危機！財政爲庶政之母，蘇俄集團與法國竟在爲剛果用兵的軍費事項下，步調一致，都在公開的抵制聯合國，十九屆大會因而形成一種流產狀態。

聯合國憲章早已不太合時宜，尤其是它的組織，部份受制强國的否決權，部份則因會員的日增，而顯得其機構之不合實用。三大集團各自有其打算，作爲自由集團盟主的美國應該有所抉擇了。

在本集中的「庇護與人權」，在表面上看來好像有些與所論的問題無干，但它並不是特殊的問題，而是人權表現的最佳說明。這是一項國際法原則，多少總有些侵害到國內法的領域。但它確是尊重人權的最佳表現，作者也給與它有條有理的分析；並把庇護的適用主體也給與明確的指稱，那就是政治犯。並且也指出那是基於人道的立場。

總之，這是一本好書，不厭百回讀的好書。有條分縷析的說明，有歷史性的敘述，見解更不落人窠臼，道別人之所未道，發別人之所未發。讀者眞該要一讀爲快。

國劇繽紛續錄（六）

鯊婆生

觀義責王魁

第一人壽保險公司三週年紀念同樂晚會，承鳳翔兄寄柬，又是央行舊同事毛家華兄雅奏義責王魁，禮應往賀而一聽，入場又荷毛大嫂相迎，並言多多指教，我非劇評家，眞愧如也。但畧談家華的劇技，在票友中堪稱是一名家，麒馬兩種路子，均能擅場，早年在上海，固亦錚錚人物，並非故作炫耀也。

當他第一次在中山堂演羣英會，颱風開始作虐，我是按時進場，環顧場中的劇評家，竟連如晨星都沒有，也可見人情如此。到後來再唱一捧雪烏龍院，可說無場不到。曾勸其棄馬而專務麒派，因爲在台灣的馬派，無人能唱得過李淑嫺，雖你的身段極好，但嗓音吃力。以後他頗以爲是。與劉瑛再演義責王魁於介壽堂，因許多人頗涎劉氏色香，而與名票合作，遂成錦上添花，把家華的唱做，大爲震動，也理所當然。演後余曾請以後應加活捉，此理想的殷桂英，應請陳雲霓夫人合作，可以大撼菊壇。就台灣的劇藝來講，譚余兩派除在票友中或可尋之，其餘伶票連馬派也少，多在讚揚賓森，欲求如麒者也鮮，惟票友則有之，君與聯馥宗淵殆成三鼎甲，內行僅有周麟昆張大鵬印九齡，但多不甚著稱。可是麒派戲是耐看動聽，觀衆歡迎，是現在的趨勢。我也正在爲下一代造一位學麒的小弟弟，且待努力。

家華身居要職，事業甚忙，生活也解決，可是沒有時間來玩票。前年曾爲我言，想唱「路遙知馬力」，覺得劇本太長，要予刪改，化繁爲簡，當允之，請交來托劉豁老審閱，人事匆匆，迄未報命爲歉。這次重唱義責王魁，大概時間匆促，而戲要小，遂定此戲。這次選的配角大佳，金福的張千，竇亮的王魁，把不過四場的戲，表現十分火熾，而身上的好看，也大加進境。但是無論如何請求，下次務請帶活捉，否則不免單調。如無幻燈映詞，十分之七八的觀衆，不知唱些什麼。他在罵王魁的一幕，眞是聲色俱厲，堪云到家，究竟天熱，汗流，頗在飲場，亦不足病。我想你是雅歌濤濤集老社友，總盼望爲雅歌集，畧盡意思，幾時再露一場精采之作，可留美名以紀念，不勝其企之。

箴劇評家

台灣日報近今刊出有關劇評的文字，一、簡志信著：請劇評家維持尊嚴。其意似乎現今的所謂劇評家，不太夠其尊重與嚴正，也即外間所謂有正派邪派之分。那位是正，那位屬邪，亦無人能歸納。究竟是否有邪正，也不知道。他說他的，各幹各的，無法來作檢討，祇好暫行歸檔，留待後來再講。（待續）

清嘯書談會

貨悖而入者不祥

諸葛文侯

因「蘇三起解」一齣戲曲而名聞全國之山西洪洞縣，有望族張姓，兄弟皆於滿清中葉進士及第，顯達當代，所營居宅殊閎敞，中有藏書樓，庋宋元明歷代鐫板書籍暨古今名人字畫甚夥。

吾國對日抗戰中期，國軍將領李默庵率部進駐該縣時，即以張宅爲其軍部辦公處，李氏與所屬高級幕僚皆下榻於其間，主人早已舉家避地他往矣。愚友李漁叔風雅之士，時任李部軍法處長，暇輒登張宅藏書樓瀏覽載籍，見其琳瑯滿目，甚爲欣快。一日，告語李軍長以樓中多珍品等情，李謂本軍不久即擬撤防轉進，此地必爲日寇侵佔，藏書將被敵寇刦掠而去，未免可惜，不如由吾人代爲保管，隨軍運往後方之爲愈。漁叔謂有忝軍譽，似不便，若携取少許，固無傷大雅也。於是，先派士兵守衛書樓出入口，禁止他人登樓，李軍長偕漁叔按日入內審覘各種藏書暨字畫，由漁叔司鑑定之責，擇其最珍貴者而取之，計李軍長擷取宋元明板本書籍數部，又清宮大內畫品數幀；漁叔僅携出翁方綱臨漢碑張遷碑手卷一摺，王文韶（夢樓）所書長聯一幅，另有署名「友石生」之畫一張，雖不知「友石生」爲何許人，以其繪事甚精，亦隨手併取之，備觀摹焉。未幾，李軍奉命撤防，而日始終未竄擾該縣境，地方諸無賴乘機將張宅什物暨所藏書畫等，竊奪一空，主人聞訊憤懣，指國軍搜刦民家，鳴控大府，而李軍開拔時從容出發，縣令與當地紳耆皆來張宅祖餞，衆目睽睽，藏書樓巍然無恙，載籍充盈，官紳指證無訛，控案乃不了了之。

繼而漁叔從前方乞假還湘潭故里小住，携歸其在洪洞縣張宅所取字畫數幀，併其家中原有收藏之歷代書畫，什襲庋置，以供親朋賞玩，蓋漁叔大父爲翰林，府君亦孝廉公，家藏文物殊富有也。旋有李軍長默庵之兄某（籍長沙）過訪漁叔於湘潭故居，其人固不學，然好談書畫之道，且以收藏家自負，親及前述「友石生」畫品，堅懇漁叔相讓，謂不靳代價，漁叔謂吾非書賈，寧能藉此牟利耶？某謂如此則願以何子貞（紹基）眞跡三幅聯語相易，緩日足下至長沙舍間攜取可也。漁叔雖弗樂，唯礙於李軍長昆玉之誼，且不明「友石生」係何時人物，亦覺無足珍視，遂允其所請而予之。

某携畫告別後，漁叔偶翻閱家藏談書畫之前人著作，乃知「友石生」係明初著名畫家王紱（號孟端），別署「九龍山人」，又稱「友石生」，其作品價值遠在唐寅（伯虎）之上，爲之悔恨不已，亟奔長沙尋某索還，蓋某所許何子貞聯語三幅，僅屬口惠，自可不履行也。詎漁叔行抵長沙後，而某已因事自縊死矣！遍詢其遺屬，皆不知有此畫品，亦不見有此物，漁叔太息痛悔，迄今猶耿耿於懷，不能忘也。旋漁叔故居亦爲火戰燬毀，文物盡化灰燼無遺。

諸葛文侯曰：漁叔爲愚談此故事畢，慨然謂貨悖而入必不祥，殆有眞理存焉。如近人易培基之盜取故宮書畫古硯，十九皆燬於「一、二八」日軍進攻上海江灣之役，即李默庵所取得之宋元明鐫板書，又何嘗不亦悖而出，化爲烏有耶？孔子云：「臨財毋苟得」，唯通人乃識其義，不足爲鄙俗之輩道也。相予然。

白蛇傳

——「影劇與歷史」之八

周遊

一日，許仙在外購藥歸來，又在小巷遇到法海，和尙不由許仙分說，把他刼持回金山寺。白娘子在家中已算知丈夫已被法海刼去金山寺，心中大驚。當即偕靑靑到金山寺，婉言懇求法海釋放許仙，讓她完成報恩願望。可是法海堅不允許，並傲然表示，除非把長江搬上金山寺頂！白娘子、靑靑以法海蠻不講理，更不通人情，即到長江邊上作起法來，頓時天昏地黑，狂風大作，江水翻騰，江浪洶湧如排山倒海，直往金山寺上湧來！法海雖也作法護寺，仍然處在下風。

素貞正要取勝之際，忽腹中痛疼，心知將要分，最後提出請求，請法海放回許仙。法海那裏肯允。素貞對靑靑道：腹痛將要臨盆不能再戰了。靑靑道：豈可半途功虧一簣！否則江水倒流，前功盡棄了。靑靑見白娘子已實在不能再作法了，急刻挽了白娘子就走。許仙被水困在金山寺，正在危急，高呼救命之際，南極仙翁降臨，許仙跪地求救。仙翁命許仙閉上雙目，旋將許仙攜到天空，再降落到森林裏。却見靑靑扶了白娘子在斷橋之下，產下一個男孩，許仙不顧一切，擁抱素貞，婉言安慰。突然天空霹靂震耳，素貞知法海追來，即叫許仙抱孩子逃命去罷！許仙不肯離去，要與白娘子共生死，最後由靑靑將孩子抱去杭州撫養。法海追到，要收服素貞，許仙大怒，挺身衝向法海，法海閃過，許仙頭碰樹幹而死。法海即取出金缽將白素貞收入缽中。

森林中一遍寂靜，許仙的幽靈和白素貞的幽靈，嫋嫋聚合，在另一個境界中，擁抱在一起。二人幽靈，冉冉上昇，宛像是一種仙境，彩雲朵朵，宮闕在望。二幽靈欣然飄飄，到了一個幻境中而消逝了。

「白蛇傳」又名「雷峯塔」，演人妖之戀。本劇有全本「雷峯塔」，下本還有「祭塔」。中國人的心理，往往不滿悲劇，總是悲劇之後，再來一個團圓。因爲許仙有了一個兒子，當然是戲劇的好材料。許仙的兒子許士林，長大成人，中了狀元回家祭祀被壓在「雷峯塔」下的母親，這當然是表現人子之孝。白氏雖被壓受苦，她的兒子作了狀元，也揚眉吐氣。因之觀衆或讀者心中才鬆了一口氣。

以前「白蛇傳」在銀幕上，是許仙作了一個狠心郎，他親自用缽把愛他如命的妻子收在缽內，交由法海壓在「雷峯塔」下受苦受難。他心中倒很快活。此次邵氏製作「白蛇傳」，以五彩綜藝體拍成，將以往的無人性的許仙，改變了一個愛情專一的好情人。這樣改編，很盡情理。物性尙能知恩報恩，而一個萬物之靈的高等動物尙不如一條蛇，實在是不盡情理，更不入性。本來「白蛇傳」的成書，就是有佛教宗派的鬥爭在其中作祟。由此改編，此一鐵面無情的人，則可交給法海和尙去做。在神道的立場，他是除邪爲本，揚善爲宗，所以改由法海充兒手是對的。如果加在許仙身上，實在有悖人情之常。所以本片故事這樣的改編，我是舉雙手贊成。

（二）

三國史微言

·燕謀·

拾遺刊誤

壽志刊誤者，史家早有見及，下爲臚舉之，以資商榷備考。

杭世駿「諸史然疑」曰：「陳思王集」有「仲雍哀辭」云：曹喈字仲雍，魏太子之仲子也。三月而生，五月而亡。「摯虞「文章流別」論曰：『建安中，魏文帝及臨淄侯各喪稚子，命徐幹、劉楨等爲之哀辭。』按魏志文帝九男，明帝而下，無所謂仲雍者，豈以襁褓而即夭，未就封國，故削去不載也。」

王鳴盛「十七史商榷」曰：「陸士龍集」第八卷與兄平原書云：靈再拜，誨欲定「吳書」。陳壽「吳書」有「魏賜九錫文」及「分天下文」，「吳書」不載。又有嚴、陸諸君傳，今當寫送兄。」所謂陳壽「吳書」者，似即三國吳志，非別有「吳書」。所謂嚴、陸諸君傳，嚴當是嚴畯，而陸似是陸遜、陸抗等。但機，抗子，稱謂不別異。未詳。至九錫文今載吳主孫權傳，而「分天下文」「吳志」獨不載，尤不可解。又考「薛綜傳，孫皓時華覈上疏曰：『大皇帝末年，命太史丁孚、郎中項畯始撰「吳書」。孚、畯俱非史才，所作不足紀錄。至少帝時，更差韋曜、周昭、薛瑩、梁廣及臣等五人共撰。」然則士雲所稱「吳書」，不冠以陳壽者，當即五人作。」又曰：「陳壽總求簡嚴，如劉表二子琦、琮，若於琦竟一字不提亦已矣。乃上文並出琦、琮，而下文但敘琮降曹後事，琦竟不見顛末。不特事跡不全，行文亦無結束。不如范蔚宗於傳末兼及琦云：「操後敗於赤壁，劉備表琦爲荊州刺史，明年卒。」」較爲完善。又曰：「袁紹傳注引「九州春秋」謂：「紹延徵北海鄭玄而不禮」。按玄本傳稱：「紹總兵冀州，遣使要玄，大會賓客，玄最後至，迺延升上座。與諸客辨對，莫不嘆服。應劭亦在座，北面願爲弟子。紹過畢玄茂才，表爲左中郎將，皆不就。」其事如此，安得有不禮之事！此注又引「英雄記」載曹公云：「鄭康成行酒，伏地氣絕。」此乃曹欲甚紹之罪，故造此語」。本傳又稱：「紹與曹操相拒官渡，逼玄隨軍，不得已，載病到元城縣，病篤不進而卒。」則安有行酒氣絕事？皆妄也。」又曰：「劉二牧璋傳：「張魯驕恣，璋遣龐羲等攻魯，所破」。「通鑑」作「數爲所破」。又「璋聞曹公征荊州，以定漢中，遣河內陰溥致敬於曹公。」以定漢中四字，殊不可解，必有脫誤。曹公定漢中，張魯遁走，在建安二十年，距此時相後數年。」又曰：「建安二十五年，羣臣勸先主，內有勸學從事譙周。顧氏曰：「譙周傳，建興中，丞相亮領益州牧，以周爲勸學從事。與此不同。」周卒於泰始六年，年七十二。當先主即位，年僅二十三，未必與勸進之列。從本傳爲是。」又曰：「蔣欽傳：「孫策之襲袁術，欽隨從給事。及策東渡，拜別部司馬」云云。按策本袁部曲，雖後絕之，安得有襲袁事？誤不待言。校者改爲李術，恐亦非是。考孫策之表用李術爲　江太守，乃在東渡以後。且志中亦並無襲李術事，則改「袁」字爲「李」字者非矣。竊疑「襲」字當爲「依」或「就」字之訛。觀隨從事之言，殆如宋治扶翼策，依就袁術耳。」

（十四）

記胡葉之緣

·朱滌秋·

弟兄兩人，揮淚而別。他苦撐到上海，向一位在上海做事的好友，借了五十塊大洋，就搭船到了廣州。談到這段往事，他聲調充滿感慨。從這故事，她對他有了更深一層的認識，想到他從小喪母，孤苦奮鬥的勇氣，更感動得想落眼淚。

廿六年六月，有一個早晨，胡軍長又來她家，對她說：快準備，我們到江灣去玩。江灣是海邊，是常去的地方。他說：一個人如果能常與海接近，一定能夠眼光遠大，心胸開闊，海的偉大，海的雄壯，人實是太渺小。到了那裏，照例到那一家以海味聞名的西餐館，揀了兩個臨海的座位，叫了大家慣吃的菜，坐着欣賞海上的風光。飯後，就到海灘走走，堤岸那頭有一個茶亭，擺着一些藤椅，那時沒有什麼人，他們坐下以後，他和她一搭沒搭的談着，氣氛有點不像平常一樣，過了不多久，忽然像下了很大的決心，轉過臉來，眼睛注視她，溫和而堅定向她說：霞，我們今年結婚，好不好？

（十）

內政部台報字第〇三壹號內銷

自由報

THE FREE NEWS

第二七五期

中華民國僑務委員會登記證台教新字第三三三號
中華郵政台字第一二八二號執照登記為第一類新聞紙類
（半週刊每逢三、六出版）
每份港幣壹角
台灣零售價新台幣壹元
社長：雷嘯岑
督印人：黃行雲
社址：香港銅鑼灣告士打道二十號三樓
20, CAUSEWAY RD 3RD FL. HONG KONG
TEL. 771726　電報掛號：7191
承印者：大同印務公司
地址：香港北角和富道九六號
台灣分社
台北市西寧南路三號二樓
電話：三〇三四六

民族歧視與國家和平
——兼談種族婚姻自由——

楊洧藻

最近，美國正鬧着人權問題，導致美國社會普遍的不安。這一人權問題，是由種族的歧視，可分為先進民族對落後民族的輕蔑，或白色人種對有色人種在精神上的壓迫，雖然這壓迫是屬於無形的，但是，間接產生了社會有形制度設計的不平等，於是，這無形的精神壓迫加上有形制度的不平等便構成了有色人種在人權上具有了向白色人種要求平等的正義之呼聲。被壓迫者，有了正義呼聲的條件，進而便有了行動的力量和行動的表現。假若這一問題不能獲得合理的解決，這一行動的力量和現象便永遠不能消弭。事實上，如果一個國家之內，有了這種不正常的現象長此存在而不能消弭，或者受到外力的支持，又或者外國的本身受到情緒感染的擴張，則此一問題便造成該國家不堪收拾的社會動亂狀態。我們瞭解了不平等而造成嚴重的問題之後，便進而了解不平等的利害與平等的重大意義。

人類的先哲——人權的奮鬥者，他們竭畢生精力，甚或付出了生命的代價，為人權平等，地位平等而奮鬥，便是透澈及底窺了人類的永久和平，必須建立在人權平等的基礎之上。

人權一辭，狹義言之，乃法律上所付與人民政治的權利；廣義言之，乃人民在思想上，生活上，所能享有及追求的諸自由權利。假定一個人不在法律上侵害他人之權利，便享有一切追求與選擇的自由。美國羅斯福總統的四大自由：免於匱乏的自由，免於恐懼的自由，發表意見的自由，和信仰的自由；以及聯合國的人權宣言，……揭櫫不能因種族，膚色，語言，宗教，信仰，性別，國籍，家世，出生，政治意見等的關係而被歧視。婚姻自由當仍屬上述諸自由權利之中者。人類的傳說，習俗，思想，觀念，均不能干擾婚姻的自由，與兩性婚姻的選擇，婚姻自由也更沒有種族歧視的思想色彩存在。

美國的人權運動，固是方興未艾，然在與異族通婚方面仍受到法律的保障，有關婚姻方面十四條修正法案，認定結婚的權利是受到保障之一，又是人類基本民權之一，即一個人有選擇丈夫或妻子的權利。換言之，如果一個人民的婚姻，受到干涉，法律便有保障人民這一權利的責任與義務。儘管美國有若干短視的頑固者，反對這種法律的擬制，但仍無法抗拒遠見開明人士，為促國家永久安樂和平的支持者一股偉大力量。

最近，我們也發生了一件由種族歧視而干涉到婚姻選擇的事件。男方是甫自軍中服役歸來大專畢業學生的高山族青年音樂家李祥泰，與他結合的對像是新竹籍的漢族女同學。女方的家長是新竹省立醫院院長，他反對這件婚事，並強迫當夜新婚後的女兒回家。其行為已越出法律的範圍，而曾造成轟動社會視聽的新聞。其所持的理由，很簡單，他們是世族，世居新竹，不能讓自己的女兒嫁給高山族。這是保守派一種觀念上的種族歧視心理所引起行為的干涉，男方沒有提出控告，政府故也無由過問。可是，這一現象所存在的並非單純的法律問題，它是牽涉到有關兩個民族間的問題，同時也是我國一個社會觀念的問題，因為此一觀念與行為刺激着另一民族間的心理與情感，隱藏着一種民族分裂的思想病根。假如被歧視的民族，文化的程度較高，則此一現象勢必普遍，刺激該民族之自尊。又若高山族男子一旦反對其本族女子嫁給漢族，則該族男女及平地男子發生的悲劇，便可想而知。據此以論，我國是眾多民族的國家，若國民的觀念與行為長此以往發展或存在，其後果便不難想像。因此，凡愛護我中華民國與中華民族之國民，此種思想與此種現象，似不應見其存在，也不希望其發生。

新竹省立醫院院長，反對此一婚姻，似受傳統觀念的影響所使然，所謂傳統的觀念，認係「落後民族低劣」，然而這一理論久已為世界科學家視為無稽，對人類早已揚棄了「純種」的思想。現在所有的科學知識，極少有主張人類各種族先天智力與情感的變化有不同的分別者。人類在同一種族中，若干生理的不同，可能更大於兩個不同的種族之間。在歷史與社會研究方面，支持種族歧視之說，或認為兩種人民所形成的社會與文化之不同，實微乎其微。在生理學上，沒有證據足以證明混雜可能產生低劣的結果。種族混雜造成的後果，無論優或劣，祇能溯源於社會的因素，與種族的本身無關。

同時，在現實中，我國很多人士與異族通婚，其子弟並無不良情形。世界若干被白人歧視的民族，其人民對人類具有偉大的貢獻 [illegible]

[illegible] 情，方能穩固 [illegible] 我們若要愛護我們的國家，希望中國永久的富強和平繁榮 [illegible] 建立在中國永久和平的基礎上。

蠻不講理

裝模作樣

今日与明日

檀香山會議

美軍將領在檀香山召開軍事會議，商量越南戰事，會議結果雖然未向外透露，但可以斷定的是：由軍人開會商量，必然是要大打一場，希望能打出一個結果來。

在此同時，美機轟炸也越來越近北方，中越邊境一定常在美機盤旋之下，因為當地沒有顯著的目標，美機即使無心越境，可能也很容易飛入中國大陸，毛共因為不勝其煩，所以連提最嚴重警告的勇氣也沒有了。

由於美機的迫近邊境，毛共已經巨大恐慌，據大陸來人說，廣州已經在疏散人口，入於戒嚴狀態。可以想見毛共也自知局勢危急，亦無心堅守華南，一旦國軍登陸，將準備撤退。

國軍援越

美國共和黨參眾兩院的領袖均正式發出呼籲，促政府正式請求中國政府派軍援越，輿論方面也提出同樣要求。此次檀香山會議可能會討論到這項問題。因此，可以推測我軍出動剿共，或只是時間問題。不過，國軍出動的最好戰場，是直接反攻大陸，開闢第二戰場，一舉可以全解亞洲之困。

只要毛共一滅，任何困難皆可迎刃而解。如若美國對此沒有信心，恐怕陷入大陸戰爭的泥沼，則不妨協助國軍先攻海南島，只要海南島一下，毛共對越南的援助也要打一個折扣，物資方面的供應固然困難，有關軍心士氣打擊尤大。而且，海南島攻下之後，東南亞各國又多了一個前哨，則泰國、馬來亞、菲律賓的安全固然增加，就連柬埔寨同印尼的左傾程度也會轉向。因為施哈諾同蘇加諾都是投機政客，兩人所以傾向毛共，甘為應聲虫，就是懼怕毛共的強大，想獻媚以自保。假若國軍一旦發動反攻，毛共滅亡計日可數，則看風轉舵的恐怕就不僅蘇加諾與施哈諾兩人了。

毛共色厲內荏

八月一日是毛共建軍節，毛共到了這一天，照例大吹大擂一番。今年則似乎黯然無光，只由賀龍出來唸幾句咒語，發表一篇長文。寫文章居然用得着賀龍，不能不算是「鐵幕奇談」之一。實際上不必說寫，就讓賀龍從頭到尾讀一遍，若沒有錯字及斷句，就算難得了。這文章何以不由林彪或羅瑞卿出名，而用得着賀龍，一方面固然因為賀龍是中共軍委會（黨內組織）副主席，另一方面也就因為這個軍人平日人緣較好，由他出面安撫被革掉軍銜的將官。由這裏可以看出，毛共軍本身已不穩，自沒有力量再談援越抗美了。（何如）

人鑑要義

讀近代名人曾國藩讀寫的書札、日記等，知道他對於政治上用人之道，悉心研討，領悟深刻，曾立下「廣收、慎用、勤教、嚴繩」八字訣，因而他在治軍、從政時期所羅致的幕府人才，諸多卓犖傑出之士，如李鴻章，左宗棠，薛福成，郭嵩燾即其最著者，同時在他指導之下的文武僚屬，亦鮮有以奸險佞之資，盜竊威柄，非法作惡，貽禍國家的情事，他一生的事業成就，非偶然也。

上述八字訣之外，故老相傳曾氏尚有鑑人才的兩句格言，即「條理看言語，風波看腳根」，這亦是放諸四海而皆準的不刊之論。一個知識份子在言談間語無倫次，或張大其詞而 [illegible]，或廢話連篇而不知所云，教他擔當政務，決無績效可觀，殆可斷言。至於稍有挫敗危難情形，即張皇顛喪，六神無主，逃避唯恐不及；或見着別人貪瀆自恣，無所顧忌，而自己亦踵起效尤，喪其所守。這類人的意志就很薄弱，也沒有一定的個性與節操可言，一切行為皆以畏難苟安，趨利避害為首務，無所謂良心血性，更不知正義為何物，希望他在非常時期能共患難、同生死，為着共同理想和事業而奮鬥到底，決無可能，不信，請你反省一下你過去經歷的事情，就恍然了。

「條理看言語」這項真理，咱們只要就自己所熟悉而交往較多的政治人物中，觀察他處世接物的方法與後果，即有不少的事實可資證明，屢歷不爽。至於「風波看腳根」，那就不是隨便能夠認定的，非經過險阻艱危的環境考驗不可，最好的一面鏡子，殆莫過於十五年前大陸淪陷之際，一般士大夫所表現出來的言行了。普通人固無所謂，不在議論之列，有些吃政治飯的朋友，那種趨利避害，覺今是而昨非的軟骨動物現象，我在海外即屢見不鮮，將來可以寫成一本專書來紀述其詳情。可是，這類人到了台灣之後，又以反共愛國的英雄烈士姿態，招搖過市，睥睨當代，驕其妻孥與儕輩，甚至還要指摘別人不忠貞。這原是娼妓從良後必須貌作貞女節婦的自卑感表示，其行固可鄙，其心抑可哀也。

咱們如果要完成反共復國的大業，政治上用人之道，必須特別講究，至少至少亦應該注意到「條理看言語，風波看腳根」這兩點真理，明辨而篤行之，否則將不免有「又使後人復哀後人」的結局，可不懼哉！

馮五先生

為支持北越戰費及其他用途

毛共正在香港大刮現金

毛共控制下的銀行追債急如星火

對印尼及東埔寨貿易亦不再賒帳

（本報訊）毛共對香港及東南亞的貿易及經濟措施，最近又有新的變化，爲了搜集大量的資金以支持北越的戰爭以及其他政治用途，除了在香港積極吸收資金之外，對於東南亞部份地區輸出貨品，停止放賬而改採收到信用票然後付貨的辦法，足見毛共套取外滙，無所不用其極。

據本港銀行界傳出的消息：由毛共銀行做後台若干銀行，最近突然毛共銀行的催促歸還貸款，其中一家銀行借入毛共銀行五百萬港元的，因爲限期催促歸還，已感到相當狼狽。在過去；毛共利用若干銀行在香港協助其貿易活動的時候，曾經給予經濟上的支持，於是若干銀行除了在香港作商業性活動之外，並且向東南亞作貿易佈展。當香港的地產及股票業務蓬勃時期，與毛共有關的銀行也會把資金貸放與有關商人運用。但最近毛共政權已指令其直屬銀行採取收縮措施，對於若干銀行借去的欵項，要加緊收回。近日本港很多種股票價格繼續下跌，就是若干銀行陸續抽出套取現金所影響。

毛共急於搜集大量資金聞說有兩種用途：其一是爲了支持北越的共黨對南越戰爭費用支出，其二是要利用龐大的資金在海外作政治性活動用途，於是毛共銀行在香港搜集的欵項，不斷購買英鎊及美元調往歐洲，例如最近毛共在歐洲購入大量的黃金，就是實施經濟戰的一種手法。銀行界指出，過去幾年間毛共不斷把搾自民間的黃金向海外拋售，用以購買物資，最近又突然向歐洲購買黃金，實在令人難以索解。其實，毛共最近在歐洲購入大量黃金，沒有多大作用，充其量是配合法國購買黃金的新行動而把國際金價扯高，對美國展開黃金爭奪戰。但毛共過去十多年來向民間榨取的黃金，已經花空花淨了，現在的「羊負虎皮」的手法，竟然向歐洲購入大量的黃金，根本上不會收到怎樣效果，現在國際黃金價每盎斯祇升至三十五美元餘，顯示美國有力量支持世界黃金價格穩定。毛共最近對東南亞的貿易，也採取緊縮放賬的措施。過去毛共對印尼輸出貨物，是採取延期付欵的辦法，但最近突然改變手法，印尼方面有信用票開出，纔肯將機械、原料及其他貨物付往。今年初答允賒給印尼的棉紗與布匹，最近月來已拖延供應。對柬埔寨輸出貨物亦如此。

香港的經濟專家認爲，毛共的對外貿易及經濟措施，實在是一種「弄把戲」，現在毛共欠下加拿大及澳洲的小麥賬欵尙未淸還，尙要採取新人充濶佬的手法，把搜集的外滙在歐洲購買黃金，實在瞞不過國際經濟專家的眼光。但是，毛共銀行對於香港若干過去倚靠其支持的銀行及親共商人，認爲現在已經不能發生較大作用的，突然改變猙獰的面目，向他們追債了！

高屏道上見聞

本報記者袁文德

△高雄市立五中幹事宋文浩，頃又被人提出檢舉，涉有冒報、浮報旅費侵佔之嫌，經市府派員調查後，正簽請市長處理中。

宋文浩前因涉嫌變造公文書，經市府記大過一次在卷後，復又因涉有冒報、浮報旅費侵佔之嫌，被人提出檢舉，案經市府派員調查結束，經發現宋員先後曾於五十三年、五十四年兩次往台南市洽公，均於事先未經奉准，每次七十二元五角，二次計一四五元。出差旅費請欵報銷憑證，亦未經主管長官核准。又奉准赴台北找該校前任鄭璞磊洽公三天，而宋員出差旅費報銷單竟填達「六天」，請欵七五五元，亦已未經校長核准，而擅自將上項欵項出賬算數。奉命負責調查該案人員，對宋員上項事實，認爲疑竇甚多，遂將該有關資料攜回，簽請陳啓川市長核示。將來該案如何處理？結果如何？目前尙難預卜。

△高雄農田水利會，因二年來舉辦的（一）復興渠大莊等四支綫內面工程，（二）六龜墾區工程，（三）新庄抽水機灌溉工程，（四）復興渠輪灌改善工程，（五）阿蓮鄉崙子頂農地重劃工程，（六）曹公圳幹綫第二、三期內面工程等，總工程費計達一千五百多萬元，頃被人提出檢舉其有偷工減料之嫌。（上）

新職業入息好開始「輸出」

英賭場「女荷倌」異軍突起

——倫敦通訊

L．芝列特以豪誇的口氣宣佈，他擁有一隊全英國獨有的女「荷倌」（在賭場中收集賭金的人）。在過去三年裏面，芝列特說服了一千個以上的女人，拋棄原有工作，到賭場去工作，替芝列特掙來大批利潤。這些女「荷倌」，年齡由十八歲到五十歲都有，她們主持撥輪盤，和負責「殺入」或「賠出」賭注。憑着這一隊女「荷倌」，四十五歲的芝列特從三年前的失業貂皮推銷員變成一家全年營業百萬鎊以上的公司的董事長。

年青貌美 充當「荷倌」

芝列特僱用了一些年輕精明的代理人，專門到夜總會、理髮店、[illegible]找尋一些美貌有頭腦的女人，說服她們去幹這行鼓勵賭徒下注的工作。在受訓練時期，每一次可以有兩鎊津貼；正式工作的時候可以得到周薪二十八鎊，外加贏了錢的賭客付給的貼士。入息這樣好，無怪乎許多女人拋開了吹風筒或者綫軸，拿起耙集籌碼的木耙。

即使這女人已經結了婚，也不相干；因爲「有錢萬事足」，當一個男人自己每周只能夠賺十五鎊的時候，既然妻子能夠賺多一倍，（芝列特說）他會甘心在一個星期當中打理幾天家務，權充湊仔公的。

廿二歲的茂琳．金，本來是萊些士打的一個會計員，現在每晚十一點到淸早六點在「伯爵賭場」工作，在具有六個月的經驗之後，就在倫敦特設的「訓練班」協助教導新人。她說：「我教她們怎樣轉動輪盤，怎樣機智老練地應付枱面上的爭執，還要提防老千。不過，開始的時候，她們不會在賭注很大的賭枱上工作，風險不會太大。」

訓練班的主持人是三十八歲的B．格蘭特，他說：「我們每周上課三次，大概經過一個禮拜學習之後，就可以到現場實習。我們比較喜歡僱用已婚女人，因爲她們戴上結婚戒指，可以避免賭館老板、賭客的歪纏。不過，我們不贊成太表現性感，不准穿低胸衣服，以免搶去賭客們對賭博的注意力。」

珠寶經紀 半途改行

格蘭特參加這一個組織，是出於偶然的。他以前是一個珠寶經紀，有一次，芝列特要找一隻戒指，恰巧格蘭特手頭沒有這種貨式，幾天以後，他帶同戒指去見芝列特，說：「我恰巧經過這裏，就冒昧拜訪，看看你是否仍然對這種戒指有興趣。」芝列特大笑說，「恰巧經過」只是托辭，但認爲格蘭特是一個人才，就延攬了他。

芝列特做事的風格很特別。在開始遊說賭館僱用他屬下的女「荷倌」時，他借錢買來兩部勞斯萊斯和一部賓利，到處巡遊，使到賭館老板對他肅然起敬，信心陡增。誰知道，他連住旅館的錢都沒有，晚上將汽車開到僻靜的地方，就在汽車裏邊過夜。等到生意做開了，女「荷倌」求過於供的時候，他已經建立實際的聲望，就將名貴汽車賣掉。

老婆女兒 投身賭場

芝列特跟賭館的分賬辦法是，由女「荷倌」負責的每一枱，贏到的錢各佔一半，賭館老板負担各種開支，芝列特負担女「荷倌」的薪酬。收益多少，當然每間不同，但總是贏錢的，一個晚上，大概可以有三十鎊到一百五十鎊收入。

曾經在電視上出現的「蘭心彩虹」賭館，負責人R．漢蒙特指出，我們同時僱用男女「荷倌」，比較下來，女「荷倌」招引到的賭客的確多了一些。

生意越做越大，芝列特的妻子巴巴拉和五個女兒一個兒子都投身到這項事業裏面。除了輪盤，芝列特的女仔還主持由戲院改裝的「兵高」賭館。賭館夜場上落很大，日場多數是家庭主婦和領退休金的老人，下注很小，每一「舖」不過一個半個先令；可是芝列特不嫌其小，照「殺」如儀，因爲座位多，同一場收受的賭注數目多，山大斬埋有柴，儘管「涓滴碎碎」，集起來就爲數不少。

賭國英雌 到處進軍

芝列特雄心勃勃，正打算開拓世界市場，要將他的女仔連同賭枱打入歐洲、非洲、中東各地的賭館。爲了實現他的大規模進軍，他已經徵求過英國貿易、稅務當局的意見，還獲得批准。他說：「我正在挑選最好的荷倌，在幾個星期內就要出發，第一個目標是波斯灣頭的產油中心。出國的荷倌由公司負担飛機票和第一流旅館的食住。國外市場正廣濶地打開大門！」

越南少數民族的風俗習慣

——本報資料室

烽火漫天的越南是一個多民族的國家，這些民族分佈在越南各個地方。越南人和我國漢族有許多相同的地方，大家都是黃種人，有着悠久的文化、友誼關係；其少數民族也和我國少數民族有着共同的淵源。

越南人由於和華僑有長期雜居的緣故，對於文化交流及生活習慣有着十分密切的關係。他們也熱鬧地歡度春節、元宵、淸明、端陽、中秋等節。

茲將越南幾個較大的少數民族生活習俗簡介如下：

白與黑泰人

越南的泰族是相當大的少數民族，分佈於越南三角洲北部，和西部各省內。數世紀以來，他們勤勞開墾山谷耕種，變山地爲良田。他們本居於平原，現在多住在山區及高原地方。據當地傳說，奠邊府曾是泰族的搖籃地。

泰族人所講的語音，跟暹羅人的發音相似，而和越南人的語言亦相同的，語法的章句構造均相同。在高平的泰人所講的話，很容易爲曼谷的泰人所了解。

泰族又分白泰人和黑泰人，他們之間有些顯明的區別。白泰人的身材較爲高大，能刻苦耐勞。男人經常穿一件濶大的短衣和狹長的褲子，都是藍色的。他們愛排場，有時穿上白色或黃色的衣服，頭戴圓錐頂大帽，脖子拴一條粉紅色或綠色的巾。女人的膚色較一般越南女人爲白，身材婀娜，臉龐爲瓜子形。她們的衣服也比越南北部婦女們更美麗講究；禮服是一件好像睡衣一樣長衫，下垂到地，沒有鈕扣，穿時由領窩穿下來。至於穿在裏面的內衣，鑲着許多長布條，間成五色的小方格。日常生活中，她們把長衫好像濶帶一樣圍着身體，並穿一件白色的衫。她們喜戴草帽，遠望去，似草菰一樣。

白泰人的地方風俗，少女們性情溫和，不大畏羞，未出嫁前，一切行動自由，任由男子追求，公開談情說愛。

黑泰人的男人衣服和白泰人差不多，並有一條藍色布纏在頭部。女人們不論在田間工作或參加儀式，都是穿一件黑色的長衫，並穿一條濶大的長褲；白泰姑娘則穿寬裙，少女們在腦後梳一個髻，結婚時把髻移到頭頂。

泰族所居住的房屋是用竹和木搭成的高腳屋，屋頂蓋稻草，屋子下面則飼養家畜，像馬來人的「廿榜」。黑泰族的高腳屋比較大些，屋裏用布幔分格成房間。

苗族人善獵

苗族是越南及寮國等地分佈很廣的民族，原居我國南部，後漸南移，居於北圻的高山上。男女喜穿黑色服裝，自己會做鞋、織布。較山區的苗族則以狩獵爲主。他們捕飛禽走獸的技術精湛。狩獵的箭浸入毒性强烈的「筋齊」樹液中，另一種是用錫箔把毒藥包在箭頭，獸類如果被這兩種箭射中，很快會被毒死。

他們的耕種方法和中國苗族過去的耕種方法相同，是在山間燒了一些山林，然後用這塊土地的肥質種植農作物。

原始的摩伊人

根據越南史籍記載，摩伊族是當地的原始民族，居住在中圻西部及東北部山區。摩伊人體格强健，皮膚黝黑，眼鳥唇厚，性情率直。他們的服裝原始，男子終年赤裸，只在下體罩少許布帛。有些女人也只在下體圍着一幅布。女人的裝飾品是在頭、頸上和足上纏掛一些彩色珠粒或銀器的東西，和中國過去的黎、苗族相似。

他們的許多習尚和苗族相似，每年兩次舉行「跳月會」求偶。每逢節日，跳舞、喝酒來慶祝。他們善於狩獵，善用毒箭，尤其擅長於捕象和馴象。

摩伊族人耕田的方法和苗族相似，在雨季還沒有開始的時候就先放火燒山，然後把稻的種子散播在山地上，讓將來的雨水去浸育它，使它長大。這種耕種方法他們叫做「乾耕」。

芒族與傜族

芒族原爲蒙古系種族，但身材不高，機警靈巧。居住在北圻、中圻北部以及南部地區。他們男女戀愛自由，少女往往有幾個情郎，但結婚後只有一個真正的愛人。

傜族多聚於中圻的山嶺上，風俗淳樸。男子體格健美，女子眼睛圓大，腿部細長。每年都有「奪艷」的聯歡歌舞會，歌舞求愛。

楊雲史在港潤例

·別輯·

太平洋戰事發生前，香港一度成爲國內人士南來避寇的地方，當時如鄉名流中，前清遺老、江東詩人楊雲史亦其一人。雲史，原名朝慶，字漢忠，後改名鑑瑩。辛亥革命後，易名圻，字雲史，別署野王，江蘇常熟人。據他在「江山萬里樓詩詞鈔」自叙中說：「余少有不羈之譽，長負公卿之許。年二十一，以秀才爲詹事府主簿。二十七，爲戶部郎中，舉孝廉，郵部奏調郎中，外部奏充英國南洋領事。迄辛亥遜國，棄職未歸，所謂宦者如是而已。計弱冠從政，事德宗景皇帝者十二年，事幼帝者三年，閒居者又十二年，以至於今，則蒼然老矣。當少年時，亦嘗長揖王侯，馳騖譽聲，以求激昂青雲，致身謀國。迨乎哀詔晨下，謝表夕發，皓素登舟，涕泣歸國。」這便是他早年的事略，後來因南通張季直的介紹，出任吳佩孚的記室。民國廿六年夏間，日寇侵華日亟，乃間關南來，卜居九龍，旋遷香港，寓西環堅尼地台。

楊雲史寓居西環時，曾作有「雁台移居記」一文，描寫堅尼地台的風景，首段說：「二十九年春，移居香港之堅尼地台，台位山之半，高數仞，上有岑數八楹而王成，巍巍若崇墉，樓嶺復爲台，高見王里，余室則樓之最高層也。負山面海，峯巒環合，嵐光海氣，朝暮吞吐於戶牖几榻間，蓋起居吟諷於翠微雲氣之中而不自知也。夫耽山林者，無華寢洞房之適；樂城市者，無雲泉村居之美，不可得兼美。獨茲島林木茂盛，蔚蔽日月，而馳道交錯，縈林絡石，治之若苑囿焉。雖危峯邃谷，深折絕巘，無不審曲面勢，緣情以取勝，是以高台傑閣，鱗次櫛比，人烟斯盛，園林相望，所居皆華夷縉紳巨賈，窮極華麗，綺疏畫壁，如雲峯幽澗相向背迎拒爲形勢，以推藏掩抑此千門萬戶焉。山與台皆北嚮，余見北雁南來，則悠然思鄉而望京焉。名之曰雁台。以望隔岸九龍寶安諸山，疊翠無盡，海舶風帆，出沒於烟波浩渺之際，蓋足不出戶而得滄州趣者也。有客過我，與之登台而左右顧，則屋後翠峯若霓疏，環三面，岩姿庵態，合雲氣雨氣鳥聲泉聲，錯綜紛藹而爲體勢焉，爲變化焉，爲陰陽旦暮焉。耳得之而瀟然，目接之而悠然，心遇之而藹然，而怡怡然冥冥然。於是朝迎初陽，夕弄清月，苦茗一杯，名香數寸，可以諷詠，可以養痾，可以酣眠，而兼山林城市之美。蓋具天然之力，……」全篇寫景逼眞，不與人雷同，不獨文字美，意境亦佳。楊在港旅食日久，生活上漸感拮据，目前便出到文人最後的一度板斧——賣文爲活。他在報端登載「鬻文潤例」一則如下：「江東楊雲史先生詩文，名滿天下，客夏來此賞香港海山之勝。閒居北平時，求者接踵，頗以爲苦。吳子玉將軍乃爲手訂潤格，以節其勞，鬻文有年矣。今以清貧，近欲專撰碑誌銘誄之文，以資消遣，藉佐藥餌之需，因對於各省抗戰陣亡將士忠勇義烈犧牲者，志在極意表揚，且將藉此採入戰紀別輯著作也。夫此壯烈戰績，不有名世之文，以何垂諸不朽？此偏一經椽筆，即可泣可歌之事，得有聲有色之文，人以事傳，事以文傳，相得千秋矣！爲孝子賢孫者，幸勿交臂失之。」他所定潤例，計分爲：（一）碑傳墓誌銘，普通每篇四百元，名人鉅公另議。（二）哀誄紀功頌德序記，每篇三百元。（三）祭文二百元。（四）題詩分長古每首二百元，短篇一百元，七絕每首二十元。此潤例在當時物價比較下，已不算低了。潤例中所說「藉佐藥餌之需」，是時的楊雲史的確是終年臥病，因爲眼見日寇步步進逼，心境惡劣，加以氣候不宜，風痺病復發，時起時輟，宛如四時季節的流轉，最後竟於民三十年七月十五日病逝海隅，享年六十七歲。

編者附誌：「法律叢談與怪力亂神」續稿未到，暫停一期。

籬邊的榴花

趙碧君

「討厭，」鴻琳又好氣又好笑：「你還有得說嗎？」

「爲什麼沒得說？」鴻儀接着道：「一個叫宋綉華，一個叫宋蕊華；一個貌如王嬙重出世，一個顏如西子再還魂，……」

「得，得，得，知道你出口成章，天才橫溢，只是太缺德了，人家沒有惹着你呀，幹麼這麼取笑人家？——我知道：你心裏的話，不肯直說出來，所以故意亂打岔兒裝糊塗。」

「我心裏的話？……」」他沉吟着，一會兒又笑了：「我心裏有什麼話？就有，又瞞着你幹什麼？」然而他垂下了頭，他的眼睛掠過那榴花般的影子，那張唇紅齒白，烏濃笑眼的俏臉兒，「她是誰呢？」鴻儀心裏眞的有這一句話；但是他不好意思告訴他妹妹。

鴻琳不言語了，半信半疑地瞧了鴻儀一眼，這位既天眞又懂事的妹妹，老是直覺地以爲她的哥哥對宋蕊華有了點特別情感，就像小說裏所描寫的「一見傾心」。她的猜想並沒有太錯，「一見傾心」是眞的，只可惜並非傾心於宋蕊華。

兄妹倆說呀說的，不知不覺已走上了柳橋。白天，這橋上永遠是車子、攤販、行人不斷地穿梭似地來去，還有成羣的野孩子聚在這兒戲耍，所以顯得十分擁擠和不安靜；可是如今就不同了：行人稀，車子少，攤販也沒有啦，於是這座橋便顯得異常的清靜與寬潤；尤其在這滿月的銀光流瀉下，看起來倒像是尋蓬萊仙島的去路，他們不由得停了步，在橋上站住了。

皓月當空，河面上映着圓圓的月影，微風拂過，月影在水裏直幌動。街道、樹木、廟宇、房屋、田地在月光下全顯得有一種異樣的情趣：水晶瓶裏看天地的朦朧之感，又像一張年深日久漸漸模糊了的風景照片。

鴻琳輕輕地吁了一口氣：

「我第一次覺得月亮這麼可愛。」

「爸爸這次當選了省議員，自然家中人人心情暢快，所以對一切景物都有了好感起來。」

「在我也許是由於你所說的因素；但是對你可不適用，」鴻琳反駁她哥哥：「事實上你覺得這地方可愛，完全是打宋家回來才產生的。」

「算了，算了，我才不跟你嚼舌根子呢。」鴻儀說，「我也不要你數理給我聽，我全明白你肚子裏懷的鬼胎。」

「好，不聽就不聽，咱們是話不投機半句多。」她拉着鴻儀下橋，隨手扯下一枝橋畔的樹條：多美的夜晚，多好的月色，多可愛的小鎮；來的時候沒有發現這兒有什麼好處，現在要走了，才一點一點的知道，眞有點捨不得。」她嘆了口氣，感慨的：「還沒有離家，先已經想家了。」說完，自個兒却又笑了起來。

鴻儀也若有所思地垂下頭，不言語，好一會子，才悄悄地道：「後天此時，我們都已在學校裏了。」

他們誰也不再說話，穿過維仁路——維仁路也比白天清靜寬潤。到了家門口，鴻儀回過頭又看了一下迷朦的月景，忽然說：「這一小段路，該謝謝宋蕊華，要是依了她那位『令兒』的主意，給我們叫車子回來，那可大煞風景，她到底比那整天打算盤搞錢的哥哥風雅點。」

鴻琳心裏有了成見，聽了這話不覺神秘地一笑。他知道她又誤會了，想辯一聲，不知怎樣一來，又覺得還是不開口省事。

（八）

宮貴病

汶津譯

富佬收到此信後，下定決心，次早即命佣僕將他的大皮靴擦拭乾淨，隨即登程，路程一切悉如那位名醫所囑咐的。首日在途，步履維艱，速度極慢，甚至路邊的蝸牛亦足夠做他的嚮導。有人向他招呼，他也置若罔聞，不予答謝。每當一枚小虫爬過路上，他便把它結結實實的踩碎了。可是到了第三、四天早晨時，他好似發現：鳥兒的歌聲久已不如今天的悅耳。露珠閃爍着無比清新，田中的罌粟花，又是如此的鮮艷，所有遇見他的人們看來都如此的友善，他也一樣。而後每天早晨他離開旅館的時候，總覺得人生更其美好，他遂輕鬆而快活地繼續前行。他在八十天後到達醫生所在的城市，次日早晨他起身之際，覺得一切都好極了，不禁自言自語道：「沒有比現在這時刻更不需要看醫生的了。我甚至一點兒耳鳴、胃痛之類的小毛病都找不出！」他想他還是到醫生那兒去了，醫生一見了他，就拉住他的手說：「現在請源源本本的把你的病，說一遍吧，你那兒不舒服？」

「大夫，我幸而沒什麼不舒服，託福！但願你也跟我一樣的健康。」他說。

醫生接着說：「鬼神保祐你，讓你聽從我的勸告。怪龍現在已經壽終正寢。不過牠的卵還留在你體內，因此你必須再步行回去，並且在家勤快的鋸鋸木頭。而且，除了充飢以外，更不需要吃，這樣才可以使那些龍卵不致孵出小龍來。那麼你就能夠長壽享老福了。」醫生說着，不禁笑起來了。

那位遠道趕來的闊佬最後說：「大夫，你是一位好心的怪人，我深深的了解你。」他仍然接受了醫生的勸告，終於活到七十八歲十個月又十天，像一條水裏的游魚一樣地健康，而每個新年，他都忘不了寄二十枚金幣給醫生賀年。

（下）

譯者後記，本文原作者約翰、彼德、海伯爾，（一七六一——一八二六）是德國古代作家中的傑出人才之一。他首先用他故鄉的方言寫短篇故事而獲得家喻戶曉的成功，歌德等對他的作品都很讚賞。他原是一位神學家，他的短篇作品，都非主動地寫，而是因爲他曾和一些友人合編一本曆書，需要若干故事穿插其中的緣故。這些軼事都收在「萊因區家庭友人的小珠寶箱」一書中。其中許多篇廣爲流傳，以致作者之名反被大家遺忘了。本篇寫一「四體不勤」的闊佬，暗寓人生之幸福並不取決於貧富貴賤之意。譯自「德國短篇小說選」。

評介「三知論」

著者：于斌

洪流

國人對宗教家的要求常是止於一身的，而不着意於那位宗教家傳的是什麼樣的宗教，或是他爲何爲誰而傳教，故此常發生傳教者本人的名聲高於他欲傳的宗教主體。這是國人的人本主義的極致，也是我國數千年來的傳統。故此，孔子是大家耳熟能詳的，但談到他是那家的開山祖那就不是任何人都能答得出來的。抗戰時期雷鳴遠司鐸功在國家，有位當時在中樞極有聲望的人曾說：我要信雷鳴遠的天主教。這也是國人在人本主義的崇高表現。這種表現在純宗教的立場來說，可能是大逆不道的；但在整個的宗教傳播上也有其當然的功績。

作爲一個宗教家的于斌主教來說也是如此的。或者將來有人說：我要信于斌的天主教。這種說法不是對于斌主教的侮辱，而可能是含有莫大的敬意的。但身爲主教的天主使徒，他的使命是在一條迂迴的道路上完成。爲達目的自不擇手段，但這樣一來在客觀環境上竟出現許多不太合人理想的事：一九六〇年七月三十一日至八月七日在西德慕尼黑舉行的五年一次天主教國際聖體會，于斌主教曾率領了一個青年的朝聖團，團員一去不回，展轉周折之下，都去了美國。當時輿論是相當不直于斌主教的。但于斌主教却爲天主找到四十幾隻迷途的羔羊，有的且是在出發登機的前日受洗。作爲宗教者的立場，他可能是對了，但也使國人在觀念上有了新的認識。

所以，我們在看他這本演講集——三知論的時候，也應該放棄絕對的有色眼鏡，才能體會出裏邊的眞理，才能知道什麼是包裹着的糖衣，而內中是良藥是毒藥。

誠如于斌主教所說的，三知論「並沒有發明的意義，就是中國古人所說的知人、知物、知天」，但其中則有新義。知人是致知，是哲學；知物是科學；知天是神學。許多人對科學的知物，以及哲學的知人，是絕對可以接受的。但對神學的知天，則持有保留的態度。神學不是每個人都可以鑽研的，也非是任何人在抱有懷疑態度後所能得到結論的。信神的人常以「不可知」作爲神的存在，這被認爲是不科學的，也是部份人士發生反感的最主要因素。

天主教在反共產思想上是有着莫大的勞績，而于斌主教的這個集子，也以這方面的論題最爲紮實。計有：「挽救世界危機之途徑」，「自由中國的新使命」，「文化戰」，「反共與反帝、抗俄與倒蘇」，「自由世界應有三反運動」，「發揚眞理破除唯物謬論」，「共產主義與自由世界理念上的區別」，「建設性的反共理論」等八篇。這八篇文字都其一貫的理論宗旨，破邪糾謬，信其可傳。

其次是談宗教與人生方面的，當然作爲一個宗教家是有其自身立場與其傳統的，但除掉部份專談「神」的問題之外，一般人也是可以接受的，並且對人生也提出其個人的積極建議。人生本來是謎，我們除掉信託科學的解釋之外，也應該有哲學上思考的注意。科學指給我們以來源及其歸宿，而哲學則寄與我們如何生的訣竅。既然是謎，當然有謎底，但這謎底爲何？那是須要多下工夫的，不能偷懶，偷懶之後就會墮入迷魂陣中，無可自拔。

本集的「輔仁大學復校的意義」，「留學的準備」，以及「雷鳴遠神父的三不朽」是三篇獨特的文字。輔仁在台復校是費了于斌主教的大力的，也爲當前青年學子的升學問題，解除了部份的困難。留學準備一文也提出一些留學生應該注意的問題，留學在外國的青年，是代表國家與國人的，所以有志出國者，應三讀其文。雷鳴遠神父的三不朽，可以說是雷氏評傳的簡本。以立德、立言、立功三不朽而論，雷鳴遠也確實當之而無媿。

識劇評家（續）

二、林志文著：對劇評家的建議。值得提出來先予揭示的。林議的要點如下：（一）劇評不是捧人的利器，不是捧角的工具。（二）劇評不是梨園回憶錄，不是故事說明書。（三）劇評是天才的發掘者，藝術的試金石。（四）激發觀衆的欣賞情緒，提高觀衆的欣賞能力。（五）鼓勵向前進取的精神，創造良好的時代空氣。（六）維護國劇的優良傳統，發揚民族藝術的特質。（七）從固有的寶藏中發掘新東西，從傳統的規律裏開闢新天地。（八）提示前輩的長處，啓發後進的創意。（九）勸勉而不諷刺，鼓勵而不阿諛。（十）平心靜氣客觀理智，摒除成見就戲論戲。（十一）不賣弄術語，不炫耀資歷。（十二）不自滿，不排外，不分地域，不閙派系。（十三）不做無情的攻擊，不做無益的爭執。（十四）不因私誼而亂捧，不挾私怨而胡罵。（十五）要作深刻、細膩、生動、一針見血的論述，態度嚴謹、情感真摯、見解深遠，立論精闢的文字。最後是說：

公正的劇評，是牽引國劇前進的火車頭！優良的劇評，是推動國劇前途的蒸汽機！

林君之言，可說概乎其辭。我深佩其見解，特把它列出來，以供各位同文參考，也可藉以從今改革，爲劇藝光大。

國劇繽紛續錄（七）

姜婆生

憶路局平劇社

在大陸玩戲的時候，鐵路局的平劇社，堪稱首屈一指。如平漢鐵路來講，北段的雲曉珊，南段的南鐵生，幾使觀衆欽佩無地。到台灣後，在八九年前，鐵路局平劇社，仍是傲居首席，可說人才濟濟，生旦淨丑，一無所缺，每有演出，無須借重劇團，這是現在的票房所不及。那時舵手是區福松，原本是南京鐵道部所稱爾蘭芳，地位是主計處長，同時他也力捧吳寶瑜小姐，因此每月必有晚會。寶瑜努力青學，於是紅娘鴻鸞喜人面桃花等，不斷推出。再有名老生坤票關文蔚合演青風亭四進士十道本龍鳳呈祥等，成爲劇藝如錦，於北市的票社，穩坐第一把交椅。花旦兼刀馬郭淑英，淨角李奇峯、李志舜、紀振民，丑角史振東，老生尚有范登齊、林師灝，麥師黃長生，提調張喜海，可說不讓往年的平漢。

亡友梅花諸主極愛護寶瑜，因此有戲必來相邀，邀後絕對要去，記得千叮萬囑要去看鴻鸞喜，並且要寫，刊登華報，是爲余第一次談吳之文字，後始訂交。所異是梅花似知朕兆，常以吳爲托，我曾笑語，我年較老，仍應仰仗足下，他猶嘻之。（未完）

韋莊與秦婦吟

劍著

韋莊字端已，長安郡東之杜陵人。其先韋見素爲玄宗時顯官。曾祖少微爲宣宗朝中書舍人。莊少孤，家貧力學，幼以敏異才顯於時。然疏曠不拘小節。莊之「秦婦吟」則爲少年時代之作品。以其詩筆之雄健及取材之新穎動人，而風行一世。逮莊舉進士求仕於朝，其自始知少作之累。其自謂云：「長年方悟少年非，人道新詩勝舊詩。」

韋莊自幼身逢離亂，自黃巢之亂前後，即飽嘗顛沛流離之苦，浪跡四方。迨黃巢亂平後，移家於越，周遊南方，過南京，又曾館「浙西府相」所，復至江西，而湖南。其「浣花集」八中有云：「萬里有家留百越，十年無路到三秦。」可見其流離南方之久了。方其浪遊之時，體會自然之偉象，備歷人世之艱苦，以是其詩淒怨情深，所謂「於流離漂泊，寓目緣情……或離情羣慘慮，或反袂興悲，四愁九怨之文，一詠一觴之作，俱能感動人也。」

昭宗景福二年，韋莊返京師，應試下第。次年，始舉進士，爲校書。李珣爲兩川宣諭和協使，辟莊爲判官。其時中部各州道擾攘不寧，韋莊納交於西川節度使王建，建使掌記室。至是居蜀終身。朝廷徵爲起居郎，王建奏留之而止。未幾建割據自主，以其義子王宗信及莊爲相。公元九〇七年，唐亡，建稱尊建國，韋莊參預密政，小朝廷措施多採其策；開國制度多出其手。積功陞吏部尚書同平章事。

莊雖在官朝，而不廢吟詠。昭宗天復三年（九〇三年），其弟藹刊行其詩六卷，名浣花集。莊又選杜甫，王維等一百五十家之詩凡三百首，名「又玄集」，以續姚合之極玄集；其弟藹亦校刊行世。莊生平最景仰杜甫。方其至成都時，訪得老杜浣花溪邊故居，時已頹圮，幽爲茂草，惟棟柱猶存。則誅除草蔓，完葺而自居焉。但復舊觀，不加廣築。其弟藹所謂「欲思其人而成其處」者也。莊以前蜀建國之四年七月，卒於成都花林坊，葬於白沙，謚文靖。

秦婦吟一詩，失傳已久，世無刻本。惟英國博物館藏有斯坦因所收之燉煌寫本，及日本狩野教授已抄得另一抄本。抄者爲誰，則不可知。王國維尚發現巴黎圖書館藏有秦婦吟抄本校寫全詩，於一九二四年刊於國學季刊中，并有題跋。以上諸本發現後，張蔭麟始本英博物院之燉煌寫本，加以考證校釋，收入「張蔭麟文集」，最爲詳備，可供研究者參資焉。

韋莊乃紛擾亂世中之天才作家，備歷人世艱辛，假託秦中怨婦，寫成「秦婦吟」，抒發其憫亂傷時，誅奸摘暴的孤憤，深足感動人心。宋人孫光憲「北夢瑣言」云：「蜀相韋莊應舉時，遇黃巢犯闕，著秦婦吟一篇云：『內庫燒爲錦繡灰，天街踏盡公卿骨。』爾後公卿頗多垂訝，莊乃諱之，時人號爲秦婦吟秀才……」或有謂，韋莊之秦婦吟一詩，爲屈原以來之文藝傑構。韋氏詩宗

三國史微言

燕謀

錢大昕「二十二史考異」曰：「黃初三年三月乙丑，皇弟鄢陵公彰等十一人皆爲王。今以諸王傳考之，是年以皇弟封王者，任城王彰、章陵王據、下邳王宇、譙王林、北海王袞、陳留王峻、河間王幹、弋陽王（?）、廬江王徽，凡九人。紀云十一人，似誤也。郿城王植以四月戊申封，與任城諸王不同日，且是縣王，非郡王，故不在此數。又考文帝子，以黃初三年封王者凡六人：平原王叡，河東王霖，京兆王禮，淮南王邕，清河王貢，廣平王儼。本紀惟叡、霖二人，亦未免闕漏。」

又曰：「先主傳云：『中山靖王勝之後也。勝子貞，元狩六年封涿縣陸城侯。』按漢書王子侯表，陸城侯貞以元朔二年六月封，志誤。又西京無亭侯之名，亭亦衍文也。地理志：中山國有陸城縣，即此陸城侯國。蓋本中山之地，貞以王子封侯，因改隸涿郡。其後酬金失侯，地入漢爲縣。宣、元之世，中山絕而更封，仍以縣還中山也。」

又曰：高唐傳，今若有人來告，「權備並修德政。」按隆上疏明帝景初元年以後，蜀先主殂謝久矣，云備誤也。」

又曰：「賀邵傳」：「皓疑其托疾，收付酒藏掠考千所，邵卒無一語，竟見殺害。」「晉書賀循傳：元帝與循言及吳時事，因問曰：『孫皓燒鋸截一賀頭，是誰邪？』循未及言，帝悟曰：『是賀邵也。』循流涕曰：『先父遭遇無道，循創巨痛深，無以上答。』此傳不載燒鋸截頭事，裴注亦不及之。」

趙翼曰：魏武紀建安十三年冬，孫權爲劉備攻合肥，公自江陵征備，至巴丘，遣張熹救合肥。權聞熹至，乃走。公至赤壁，與備戰不利，於是引軍還。是合肥在先而赤壁之戰在後也。而孫權傳：「是歲命周瑜、程普與備俱進，遇曹公於赤壁，大破曹軍。曹公燒其餘船引退，遂北還，留曹仁等守江陵、襄陽。權自率衆圍合肥，逾月不能下，曹公遣張熹來救，權退。」則又赤壁之戰在先，而合肥之圍在後矣。歷考諸傳，先赤壁後合肥，是吳志爲是。三國志乃壽一人所撰，何以舛誤若此！（十五）

記胡葉之緣

朱滌秋

他的聲音，那麼的溫和，他的態度，那麼的誠懇，這句話對於她是那麼有力，那麼響亮，使她的心，像受到激烈的震盪而紅跳。但是這是她願意聽的一句話，也是她盼望有一天會說出的一句話，可是沒有想到它會來得這麼快，更沒有想到在今天，在這一刻被提出來的。姚莉呆呆的看着他，一時竟答不出話來，內心充滿的感情，兩眼潤濕，用那迷矇的淚眼看着他，輕輕的點了一下頭。（完）

白蛇傳

——「影劇與歷史」之八

周遊

爲什麼說「白蛇傳」是佛教宗派之爭的產物，假借了白蛇傳的故事？白蛇傳本來就是「白蛇傳」，後來又名「雷峯塔」，因爲「塔」的本身就是佛教的產物。（留在「雷峯塔」再說）而「雷峯塔」所以成立，就是佛教徒們以塔鎮妖怪的故事，很容易被佛教人士作爲鬥爭的好材料。

從佛教談白蛇傳的故事是中國文化受佛教文化影響的產物。佛教進入中國，各宗派都有了一點中國化了。來到中國的佛教文化，已不完全是印度的佛教文化了。於是漸漸形成「禪」「律」之爭，禪宗一派用以攻擊律宗的，「白蛇傳」爲其一而已。蓋南宋時之杭州，不但是文物薈萃的國都所在地，而且是佛教發跡的聖地，宣揚佛法，經常採用通俗傳說，以宣卷說話等方式的民間傳說，如明和尚度柳翠，如遊戲人間的濟公和尚，便是屬於禪宗法門的宣傳品。中國佛教的「禪」「律」之爭，唐末已經開始。律宗重戒律，不惜摧毀人性以證佛果，禪宗重悟性，從人情之常而知性正法。禪宗一派，以爲一切衆生皆佛，衆生性亦無非佛性，執着有色眼鏡看來，飲食男女全是執着，卻將眼鏡除下，不但人間飲食男女，即爲獸性，也無悖於佛性。白蛇故事，是用法海代表律宗，用白蛇代表禪宗的一種主張，即衆生無非佛性，亦即無非佛性。白蛇故事的一場佛妖鬥法，表面是正道，但也是佛，也是妖，因爲他不惜摧毀人性以證佛果。這是中華文化所不許的。

上述是法海勝了，但實際上卻把律宗摧毀人性的缺點暴露無遺了。這對律宗來說，是當頭一棒的打擊。「白蛇傳」是禪宗佛法最成功的一種通俗宣傳，因爲它給予人啓示了以下幾點觀念：

一、白蛇是妖，同時又是佛。

二、報恩捨身是佛教的行徑。

三、法海是代表了嚴正的

白蛇傳的龍來去脈

白蛇傳雖屬佛教宗派鬥爭的產物，但其所本的故事，仍是出在中國的杭州，不過故事內容，且亦與佛教有關。收妖捉怪，與塔的鎮邪壓怪，都是佛教來中國後的產物。白蛇傳故事演變的脈絡，由此證而察根據方面，最早要溯源到宋代的短篇小說西湖三塔記應是嚆矢。我們在兩宋人錢曾的「也是園書目」所著錄之宋人詞話十二種，西湖三塔記是收著宋本中，也有「西湖三塔記」爲宋代洪楩的「清平山堂話本」中，說，此與錢曾之「也是園書目」中的「西湖三塔」所載故事，可以推定爲同一之小說。

「西湖三塔記」故事大要如下：南宋孝宗淳熙年間，臨安（杭州）有名奚宣贊者，有年青人於清明節日，於遊人雜沓中，救助一孤迷失路途的少女白卯奴，於是攜之歸家。卯奴家人同來，說是她的孫婦。正是去年死了丈夫，奚宣贊因其少女迷路，便親自送她們回去。少女家中有一位身着白衣的婦人，十分妖艷，留住宣贊盤桓，將他迷住了，同居半月之久，他因此漸漸發生厭倦，打算逃走，得少女白卯奴的幫助，纔得保全性命回家。次年清明節日，宣贊挾弓出外射獵，將樹上一隻烏鴉射落，忽然烏鴉變成一個老太婆，正是去年所見的黑衣老婦，宣贊又再被迫回去。復爲白衣婦所纏綿，將害之，復爲少女打救回家。（三）

籃球史話

·正囯·

愛好籃球的朋友，你知道籃球是誰發明的嗎？下面且聽我這準球迷慢慢道來。

假如我們把奈史密斯博士最初發明的籃球游戲和現代的籃球比賽情形來比較一下，那麼我們將覺得非常有趣，因爲從前的所謂籃球架，只是將一隻盛桃的籃子，用幾條小木棒支撐在健身房的牆壁上，便算籃圈和球網；打的是圓形足球；球員所用的球衣褲以及鞋襪都並沒有規定，所以光怪陸離，五花八門；而且比賽時亦缺乏精彩刺激和扣人心弦的衝刺及高躍搶奪等鏡頭；出場比賽的球員人數亦無一定，或多或少，不過大多數是每邊九人。

至於現代的正式比賽籃球，球架上的遮板，是用表面光滑而堅硬的材料製成，上面裝置用鋼鐵做成的籃圈，和用纖維編成的球網，球場則設置在寬敞有燈光設備和通風設備的體育館內。所用的球無論在構造和壓力及彈性方面，都有一定的標準；球員的衣褲是用綢緞製成，美觀而輕便，拉鍊的彩色外套，更是漂亮而適用。還有防滑跌用的護膝，以保護球員們在種種高速度，充滿令人屏息的緊張動作及扣人心弦的劇烈身體接觸場合的安全。（一）

內銷警台報字第〇三壹號內銷

自由報
THE FREE NEWS
第三七五期

中華民國僑務委員會登記證　台僑新字第三三二號登記證　中華郵政台字第二八二一號執照　登記爲第一類新聞紙類　（逢星期三、六出版每週出刊）
每份港幣壹角　台灣售價新台幣伍元
社長：雷嘯岑
督印人：黃行蕃
社址：香港銅鑼灣高士威道二十號四樓　20, CAUSEWAY RD 3RD FL. HONG KONG
TEL. 771726　電報掛號：7191
承印者：大同印務公司　地址：香港北角和富道九六號
台灣分社　台北市西寧南路壹壹號二樓　電話：六四〇三三　台灣郵撥儲金戶九二二

檢討政治上的貪汙問題

李磐

人類自從有「管理衆人之事」的政府組織以來，即不免有貪官汙吏產生，古今一揆，到處皆然，只是由於文化精神與時代環境的關係，其中各有程度上的差別而已。大概言之：凡屬承平之世，文化精神比較健旺而不墮落，民德歸厚，社會生產力亦日趨發展，生計與生活容易解決，政治風氣即相應的朝着上流境界演進，再輔以法令的防範，一般官吏頗多知恥自愛，有所不爲，公然貪污的情形自然減少了。若夫亂離之秋，文化精神原已窳敗衰殘——否則天下不致於大亂——日常生活既感困難，心情更不正常，因而人慾橫流，廉恥泯滅，一般官吏怵於現實的生活壓力，相率利用權力機會，爲滿足物質慾望而肆行貪污，對於國家法令不特視爲無足輕重之具文，甚且協力將法令負之以趨，資爲貪污瀆職的捷徑，馴致構成上下集體貪污的政治風氣，社會人士亦就見怪不怪，無所容心了。

個人貪汙與集體貪汙

官吏個人的貪污行爲，殆如禾苗中滋生的莠草，拔而去之，尚不困難。祇要政府當局平時稽考嚴密，臨事執法不苟，議親議貴，無所瞻徇，實行蜀漢名臣法正所說：「威之以法，法行則知恩；限之以爵，爵加則知榮」的政策，雖不能期望徹底剷除貪官污吏，亦可以去其太甚，而使文武百官抱存「君子懷刑」之懼，稍爲斂迹，不敢隨便以身試法。例如我國在對日抗戰期間，公務人員待遇菲薄，生活亦極艱苦，跟現時在台灣號稱爲「毋忘在莒」的生活情況，判若霄壤，未可同日而語。但當年政府依法嚴辦過若干重要官員，如中樞兵役署長程沛民，西南運輸處長林士良，川省教育廳長楊廉、楊全宇等人，都是以貪汙罪明正典刑的。他如行政院參事羅君强，亦因隨時携帶女人出入酒家舞廳，受到了撤職查辦的處分。紀綱如此嚴肅，法律人人平等，政風乃隨之一振，雖未能達到弊絕風淸的廉潔政治境界，但一般公務人員却不敢悍然貪墨，肆無忌憚，官場中「紅包主義」大流行的怪相，是沒有的。對日抗戰時期還有個「國民參政會」，那般參政員雖屬官選人物，亦能恪盡「代表民選」的任務，「對民」於主持國家財政金融事業的顯貴們，常常指摘糾彈，無所假借，而國民參政員亦少有利用職權，勾串官吏以生財牟利的情事，在政治上發生了若干監督作用。這可見官吏個人貪污情形，并非不治之症，只要在上者綜覈名實，不尚虛僞，政風即不致趨於敗壞，法律的尊嚴性自可保持而發揮其效能。

至於集體貪污的惡風，一旦構成之後，更無所謂紀綱，所謂法律，簡直是天不足畏，祖宗不足法，人言不足恤，而一般貪官污吏且隨時强調紀綱作用，昌言法治精神，藉以掩飾其貪瀆罪惡。國家的法令越多，他們的貪污機會就越廣泛，而老子所謂「法令滋彰，盜賊多有」，良有以也！何以見得呢？在個人貪污的情況之下，很容易「春光洩漏，東窗事發」的，案情一經揭露，他的長官和同寅，即不便爲之設法彌縫，以自陷於嫌疑犯之列。若夫集體貪污則不然，上上下下狼狽爲奸，合夥求財，利益均沾，禍福與共，根本就不會使貪污事情有敗露之虞，因爲大家心照不宣，有所準備，文卷做得很嚴密，手續弄得極週到，還有多如牛毛的法令規章足資依據，決無破綻可尋的。萬一事出意外，偶有疏忽而失手者，亦由於司空見慣之故，官官相衛，惺惺相惜，備有大事化小、小事化無的方法，可使其超於法外，不罹懲[illegible]令了。所以，國家雖頒佈[illegible]狀態，無從發揮摘奸發伏的能力，民衆爲防後患，唯有忍氣吞聲，甘受勒索而不敢告訴。於是乎，整個社會表現着八表同昏，下情壅塞，伊阻的景象，路人怨聲載道，詐僞相尚，不遑寧處，而政府當局猶認爲民安國泰，高高在上的澤沛元元，元首雖英明賢哲，有心建設廉潔的政府，但被上下左右的官吏朦敝眞象，一味的報喜不報憂，諱言擁塞，說好不說壞，人間何世，他亦莫名其妙了！

如何消弭貪污風氣

世人推究貪污風氣之所由來，皆歸咎於官吏待遇菲薄，實此乃皮相之談，偏頗而不周延也。就個人貪污情形而言：基本原因是人的道德墮落，物慾蔽心，見利忘義，而抵不住志動之誘惑，於追求過份的享受。尤其是現代中國工商企業不發達，沒有中產階級，士大夫十九皆係貧而仕者，置身都市之間，以十八世紀的生產力，着十九世紀的社會生活，經常健羨着洋房、汽車，以及電器、冰箱的高貴奢侈享受，走進了販賣洋貨的大公司，見着琳瑯滿目的各種品物，覺得樣樣都是自己所需要的，然收入有限，徒喚奈何。於是見財起意，利令智昏，憑藉公務上的機會，利用權力，心横膽大，接受包苴。這樣的貪污行爲，政府很容易被人揭發，祇要執法以繩，擇其尤者一二置之重典，即有懲一儆百的效用，至少可使貪風不致蔓延擴大。若能一正紀綱，倡導節約，一切婚喪不必要的公務費、交際費，年節餽贈等無謂的糜費，一律懸爲厲禁，犯之者立予懲罰，俾衆週知，則個人貪污的風氣，庶幾可望遏止。

最危險的就是集體貪污，這表示文化精神之整個崩潰，所謂操守品德問題，皆視爲迂闊落後的書生之見，各級官吏以貧窮爲可恥，不以貪法爲可恥，小不必廉，大不必[illegible]

不笑獘，大家泥裏歇。每月拿國幣薪給的人，自愧未能領取美金待遇，見着「紅包」[illegible]

[illegible]長官亦由有多方留難，故意挑剔，否則非「紅包」不行，作風，不以民爲本，[illegible]務之本。

（下轉第四版）

野狼入室

引火自焚

今日與明日

迦納調停越戰

迦納駐倫敦高級專員率領的代表團由河內回到倫敦之後，即飛返阿克拉向恩克魯瑪總統報告，馬上迦納外長即飛華盛頓謁見詹森總統，而交恩克魯瑪函件。內容雖未見公佈，但已知者有一點，即是要求美國停炸北越。在英聯邦二十一國中，迦納是唯一承認北越政權的國家，恩克魯瑪也是西非洲野心最大的獨裁者，祂隨[illegible]的多哥、喀麥隆都是他吞倂的對象，最後的目的是要以他個人爲中心建立起黑非洲聯邦，其立場不問可知。不過，在北越政權拒絕了英聯邦和平代表團於前，英首相私人代表戴維斯次長在河內碰壁於後，胡志明突然邀請恩克魯瑪前往訪問，雖然恩克魯瑪專員代表，但在西方國家仍然希望迦納代表此行能提出北越政權意見，想出一個解決越戰辦法。而今看來又落空了。

美國的堅決立場

迦納外長到華盛頓謁見詹森總統，並無任何解決越戰辦法，只是要美國停止轟炸北越，當爲詹森總統所拒絕。詹森總統的行動是值得讚揚的。因爲「一面倒」的條件只對共黨有利，戰爭是兩方面的事，單純要求一方面停戰既不合理，亦不能解決問題。恩克魯瑪的挺身出來調解越戰，就應當先要求在南越的共軍停止進攻，然後再要求美機停止轟炸北越。目前恩克魯瑪只知要求美國停炸北越，却不提在南越的共軍大舉進攻的事實，美國日夜轟炸尙不能阻遏共軍攻勢，若一旦停止轟炸，則南越重要陣地將如何堅守。恩克魯瑪此種調解方案，如非昧於事實，即是別有用心。詹森總統之斷然拒絕，實在是合理的行動。

北越的苦悶

北越政權確有求和之心，但拒於毛共，不能向西方國家正式提出。胡志明邀恩克魯瑪往訪，仍然存有一種希望，但是胡志明本身也提不出具體方案。因爲所謂南方民族解放陣綫主席阮友壽，未必眞聽胡志明的指揮。胡志明外有毛共的壓力，內有阮友壽的抗拒，勢難提出和談條件。而且可以想見，即使提出也沒有用。因此，唯一辦法就只有要求美機停止轟炸北越。但在美國方面却無法接受此項單邊條件。可以想見，即使恩克魯瑪從中談和，北越也有心低頭，但局勢發展至此，已非個人所能挽回了。（何如）

自由談

看時事鬧劇

台灣輿論界爲着一個涉嫌妨害家庭罪的外國女人是否勒令出境問題，近來議論紛紛，是非不一，然盡屬枝節之談，與維護社會善良風俗的旨趣不相干，殆如我們湖南諺語所謂「扯卵談」者也！

首先應注意的，就是那法籍女郎之必須限期出境，原係經過法院裁定的事情，旁人無論藉口任何理由和方法要使她免於回國，都是損害自己國家法律的信譽，不足爲訓的。她本人若有延期出境的必要，亦祇能向法院申請。離開了這種大前提，而以繩夾二式的理論，嘵嘵譊咋，搞弄是非，不亦慎乎！

本案當事人的兩個女子——中國的陳雪琴和法國的丹妮爾——皆屬受害的弱者，殊堪憫惜，罪之魁即係盜竽最高學府講席的那個男主角。丹妮爾之向立法院請願，向社會各界人士乞援，顯然是幕後有人教唆無疑，而其人是誰，呼之欲出，不待指了。

我很覺得奇怪，最高學府既有此無品喪德的「人之患」副教授，作奸犯科，醜聲四播，所謂「師表人倫」之義，掃地以盡了，而學府主持人竟不聞擇取自律行爲，對該副教授宣告辭聘，正人心而勵教化，這是教育家應有的作風嗎？世人經常强調發揚固有文化，闡述三民主義所昭示的四維八德思想，然對於敗壞禮義廉恥、且又殃及異邦女性的名教罪人，又熟視無睹，不予制裁，宜乎一般政治人物只是空喊口號，僞造表報，以朦上欺下，言行兩極化而恬然不以爲羞哩！

近卅年來，在高級智識份子之中，流行着一種新觀念，即對於品行惡劣、生活腐敗的公教人員，認爲那是個人的私德，與公務無關。換言之，公教人員在私生活方面縱然卑鄙齷齪，味良鮮恥，而在公務上亦屬無關宏旨的事。戾氣所鍾，一般士大夫乃無所謂品德節操觀念，爲目的不擇手段，無所不爲，對於做人的道理，相率視爲陳腐思想，不値得一顧了！我就不相信教盜賊成性、品格下流的人去作官吏或教師，他會淸正不苟，有所不爲，而能奠立砥礪廉隅、敦品勵學的風氣，而使社會大衆發生感化作用，世亂靡已，人慾橫流，有由來也。

馮王先生

廣州毛共強迫疏散人口
佛山人心惶惶空氣緊張
毛共砲兵二〇六師近經開抵粵北翁源

（本報訊）甫由佛山來港之星加坡華僑周君稱：毛共在廣州強迫疏散的人潮正湧向佛山，而佛山夜以繼日的「民兵」演習，已使當地人心惶惶，不可終日。周君此次係由星加坡經澳逕赴佛山僑鄉探親的，據稱：渠在佛山住了一個星期，便實在無法再住下去。原因是通宵不停的「民兵」演習聲，使他實在難以安枕，加以由廣州強迫疏散的人潮湧向佛山，而佛山的人口，又被迫向鄉下移動，人心惶惶，氣氛極爲緊張。又稱佛山人竊竊私議，謂國軍反攻大陸已迫在眼前，如何策劃應變，該是時候了。

（本報訊）大陸民兵因「練武」而發生的傷亡和殘廢事故日多，尤以粵、桂、閩等省發生這種情況爲甚。這些日增的傷殘事故，是在毛共加強備戰，驅策民兵日以繼夜練習作戰所造成。例如：在江河湖海泅渡時溺斃；在練習跳越障碍、塹壕、攀登危崖，爬山越嶺，拋擲手榴彈及夜行軍時，遭受傷殘和死亡等。由於這些傷亡事故不斷發生，各地民兵對毛共提倡的「大練硬功夫」，無不視爲畏途，以致「大練武高潮」日趨消沉。

（本報訊）毛共近又在粵北增兵，翁源飛馬壩，新開到毛共的炮兵二〇六師，師部設於飛馬壩李姓祖祠內。二〇六師的防地據知有飛馬壩，新江，馬壩三處，這三處地方共有兵力約二千餘人。「師長」陳治強，湖南人，師部有警衛連。除師部及警衛連住在李姓祖祠外，其他的士兵都寄宿在老百姓家裏，也有些張搭帳幕。聽說在新江蓋有營房。二〇六師兵軍服是草青色的，領章有五角星及一支炸管，士兵年紀看來都是二十多歲，有些說廣東話，也有些是北方口音，軍官的年紀較大，但也很少超過四十歲的。從飛馬壩至新江約五十華里，距離翁源七十華里現在已有公路暢通，這公路目前只有軍車行往，沒有搭客的公路汽車行駛。武器方面有四五公分口徑大炮十五門，八五公分口徑大炮十門，火箭炮十多門。故近來粵北方面，已呈現戰時氣氛。

（本報訊）大陸農村人民病了無藥醫，這是七月卅一日北平「大公報」公開承認的事實。該報呼籲商業部門「做好成藥下鄉的工作。」並指出：組織成藥下鄉，對於彌補農村醫療機構藥物的缺乏，便利社員治病，不僅有着十分重要的作用，而且是一項重要的政治任務。事實上，大陸藥物缺乏，不獨農村爲然，城市也有同樣情況，不過程度不若農村之甚罷了。例如華南最大城市之廣州，中西藥物均極度缺乏，有親友在香港的，均函請購寄治病。廣州尚且如此，其他地區可知。本港很多藥店張掛「代寄中西藥」的廣告，便可以作爲明證。

英國賭風確實厲害
——倫敦通訊

英國賭風極盛，不論任何階層人士，只要心血來潮，偶爾發現一些奇怪的事物，或聽到一些貼士，都會向賭博公司投注，碰碰運氣。英國的賭博行業，被認爲是合法而光榮的行業，從各賭博公司的營業數字看，可知這種「偏門」生意，在近四年來已和英國人的生活分不開。

一個英國的賭場熟客，頭腦十分精明，他們永不會在星期五下午把賭本投注在一隻三腳駱駝的身上。各行各業的雇員，爛賭者常藉詞看牙醫或其他事故，「蛇王」往賭店投注，甘冒被雇主「炒魷魚」之險。

英國賭博公司有許多特別的代名詞，賭徒們慣常稱它們爲：「製造幻想的工廠」，「俱樂部」，「茶座」或「盡傾薪金地」。

全英國約有十萬人吃「賭行」飯，他們大部份分屬於一萬五千間賭博公司的僱員；至於賭徒們的數字，當然是難以統計了。根據歌頓．摩地牧師在教會討論賭博會議席上的報告，去年全英國各賭博公司的營業總額約達八億五千三百三十萬鎊，這比他預先估計的數字多了約一億鎊。但有兩名美國調查員却指出，各賭博公司的營業總額，實際上已接近十億鎊，差不多每一名英國人（包括男女老幼在內），每年耗在賭博上的金錢爲十九鎊之譜。

現時英國有一句流行語：「持有賭博公司適量的股票，就等於掌握了英倫銀行的金庫門匙。」

曾有美國人在英廣經調查後，向紐約州提供消息，指出英國現時存在着下列幾點情況：（一）人們花在賭博上的金錢，比未有公開賭博公司開設之前增加了四倍；（二）失業者把領得的救濟金作賭本；（三）小職員普遍負債纍纍，使分期付欵生意的「撻」數情況日增；（四）因賭博而產生的離婚案件，日有增加。

總而言之，沉迷於賭的人太多，社會生活自然蒙受許多不良影響。英國教會組織的賭博問題研究委員會爲挽救那些沉迷於賭的窮苦大衆，呼籲賭商們合作，禁止那些環境惡劣的人投注。但是，每當截收投注前的三分鐘時間內，各地賭場便共有爲數約五百萬的賭徒，唯恐執輸，絕不放過那最後一分鐘的機會。以這種情況看來，有誰能指出賭徒羣中誰是窮人？賭商們又怎能指出誰是窮人而禁止他投注呢？

英國的賭徒最喜歡開玩笑，故常聽到他們說：「如果我這次投注失敗，我的妻子便要和我離婚了。」著名賭商泰利．當尼斯說，這就是賭徒們的幽默了。

賭博公司中還發生過不少奇奇怪怪的事件，有一次，一名匈牙利人輸了二百鎊之後，竟向賭場職員抗議，指職員作弊，要求公開決鬥。但經解釋清楚後，那匈牙利人終於明白沒有被「搵老襯」，滿意而去。

倫敦有一個大賭商祖．高拿，他所經營的一間賭博公司，每年的營業總額達一千五百萬鎊。他自經營「偏門」生意以來，目擊過不少有趣的事，在他的印象中，有一個經商的賭徒，確令他難以忘懷。原來那個賭徒，初期大有「斬獲」，他每隔三個星期光臨賭博公司一次，而每次下注，必大勝而歸，贏了錢後，那人便用一個紙手抽載着鈔紙，揚長而去。經過一個時期後，那人約共贏了二萬鎊之譜。但在最後一次，那人不獨輸回贏得的二萬鎊，反而再多輸四千鎊。慘敗之後，那人並不頹喪，却含笑對高拿說：「改天我一定再贏的。」但自此之後，那人却不知所蹤了。

每個賭仔雖然都有贏錢的哲學，但賭博有一個基本原則，開賭者無論如何都是勝利者！爲什麼賭徒們還要沉迷於賭呢？

高屏道上見聞
本報記者袁文德

案經治安機關初步調查結果，涉嫌偷工減料數字約五百餘萬元。該會會長黃銅樹，工務組長郭冬義，工事股長許清佐（因病未訊）等十餘人，均因涉嫌重大而被治安機關傳訊。但未聞治安當局對該涉嫌案件之偵破，有何具體計劃與決心。因此，頗多社會人士皆担心該案件將來會以「查無事實證據」，而予不了了之。

△台糖公司南州糖廠，平素對一般性經費業務處理，頗多優點，確實値得一提。

該南州糖廠，對一般事務性業務及經費處理，是這樣的：（一）總務課事務股不管任何大小物品採購事宜，一切皆交由業務課負責。（二）儘管任何主管人員請假或公出，凡經奉准採購的物品，其請款手續雖然繁復，但極快速、敏捷，任何主辦人員亦決不從中刁難，一切手續在十分鐘內即可辦妥，向出納領得現金。（三）出納處絕對做到現金存繳，必須每日繳庫。（四）每日現金支出及已有傳票，而領款人未領，必須逐日表報主管長官，並同時註明傳票積壓天數，傳票號碼，金額等，以備查攷。（五）凡傳票已逾五日，而該款仍無人領取時，得退回會計課入賬；俟領人來時，再由會計課開出支付傳票。

據悉：南州糖廠此項業務處理，純係遵照台糖公司經費管理規則所執行，其優點是：

（一）主官對經費運用能切實控制。

（二）出納人員不能有逃用、侵佔公欵之事發生。

（三）對領欵人更是頗多方便，絕不至今天沒有錢，讓商人一趟一趟來跑，而收不到錢。

該糖廠此一作法，實係革除一般事務人員官僚習氣的優良制度，値得別的機關仿效的。（下）

南美螞蟻「侵畧」美國
——華盛頓通訊

火蟻成災　橫行南部

美國南部各州，近年來飽受蟻災——這些赭褐色的螞蟻，一名「火蟻」，爲患住屋農舍的嚴重程度尤過於白蟻。不僅此也，它們憑其堅利的咀顎，逢人便咬，遍及牛馬家畜，凡人畜被蟻咬後皮膚紅腫，痕癢異常。

火蟻尋覓食料，無微不至，不論禾黍莊稼或園中花草樹木幼芽，它們全嚼得津津有味，因此南方農村的收穫平白被破壞不堪。

更糟的是，火蟻繁殖率極高，又到處分穴建巢，牆頭屋角，拖拉機、刈割機、排灌電動機、或甚至在貨車引擎內部，它們都能積土築巢，堅韌異常，因此使居屋建築及各種農業機械遭受頗大損害。

聯邦政府農業部爲了南方的蟻患問題，出動許多農業科學家及化學家，引用DDT、「殺牠死」……各種化學殺蟲劑，犂庭鋤穴，大量噴射，都無法將火蟻消滅，似乎它們對各種化學毒劑具有天然的抵抗力。

農業部最後無法只好轉向南美各國及生物學家請教。

火蟻祖家　在烏拉圭

最後問到烏拉圭，才由該國昆蟲學家尋到了最終答案。原來此種火蟻的祖家正是烏拉圭，於半世紀前大舉北侵，進入美國南部各州的。而它們一在南部安家立戶之後，便樂不思蜀，在美國領土上，建立了永久殖民地。

美國的土著螞蟻，身小體弱，遠非南美巨蟻敵手，只好將大好江山，拱手讓人。

昆蟲學家們又發現：「蟻上有蟻」，能人之中更有能人，在火蟻巢穴中更有太上主宰者——那便是另一種體型較小的寄生蟻。它們養尊處優，食到張口，從來不用工作，只等奴隸樣的火蟻們爲它們尋覓食料，「奉養主子」，並且代它們孵養幼蛹，盡雄性褓姆之「天職」。

原來，寄生蟻榨取火蟻殖民地經濟資源的手法，竟與帝國主義如出一轍，其製造傀儡，奪取殖民地主權的伎倆，確很到家。

挾制蟻后　榨取貢品

寄生蟻喧賓奪主，竊取國柄的伎倆不一而足，但最主要者仍爲「挾蟻后以令天下」。

首先，由幾隻孔武有力的寄居蟻控制住蟻窩中的女王，其法是用特殊設計的變形下顎做成圈套扼住蟻后的頸脖，如此女王陛下便束手就縛，變成名副其實的傀儡君主。

而每當女王御前進餐時刻，工蟻們紛紛上前用口中嚼爛的乳糜狀食物養料「進哺」，寄居蟻便用觸角發出威脅訊號，「矯詔」傳旨，着令工蟻們將食料送進「僭位者」口中——而蟻后在一旁鳳眼圓睜，劈開口饞，有得看冇得吃，當場冇晒表情焉。

原來扼制蟻后的幾名大隻𡃁，也即是寄居蟻中的蟻后及衛準后之類。

這幾隻雌性寄生蟻，胃納奇佳，冒充當朝蟻后，飽食終日，無所事事，便白晝宣淫，與同族的雄蟻舉行無遮大會——自然，不用好久，她們便紛紛受精成孕，珠胎暗結。

火蟻無知　爲異族奴

寄生蟻並未當真篡奪蟻后王位，只是用「最高顧問問團」的障眼法，巧取豪奪騙得火蟻們的日食口糧。

寄生蟻的「太上蟻后」們樣樣大晒，由於營養豐富，生下的卵子特多，工蟻（火蟻）們懵然無知，不分敵我，一視同仁，竟對寄生蟻的幼蛹們照拂愛惜，無微不至，竭盡了爲臣民的愚忠。

寄生蟻中的雌蟻與雄蟻們整日大吃大喝，一事不作，樂得讓這齣「狸貓換太子」的喜劇一再重複上演。等寄生蟻的新一代長成之後，自然又以太上主子面目出現，照舊控制蟻后，勒索工蟻們進貢不誤。

飽食遠飛　拍臂而颺

火蟻的窩穴被寄生蟻鵲巢鳩佔，儘管榨取之後，發現無塊「海外殖民地」已失去經濟上的最後剩餘價值，「蟻民地」工蟻們赤貧如洗，全部破產了——這班寄生蟻便從容執拾行囊，拍拍屁股，說聲「拜拜」，便坐上飛機起飛矣——原來，它們全是有翅膀的「飛天大盜」哩。

自然，這又輪到別的「落後地區」的火蟻部落遭殃，淪爲寄生蟻的新殖民地，不在話下。

烏拉圭科學家們將這番調查研究所得，報告華盛頓，並附帶建議：以毒攻毒，以蟻制蟻，最好再將烏拉圭的寄生蟻大量運入美國，以便泡製爲患的火蟻——但美國農部深恐「引狼入室」，一患未了，又添一患，正予以愼重考慮云。

怪力亂神與法律叢談

刑殺的禁忌

·陸嘯釗·

漢儒多主張「則天爲政」。所謂「則天」，就是「法天」、「法自然」。這種思想在法律施行的程序中，表現得最爲具體的，就是刑殺和季節的配合。

中國古人的觀念中，春夏是滋育生長，欣欣向榮的季節，秋冬則是萬物肅殺蟄藏，摧敗零落的時令。在地處溫帶，四季分明的古代中國人看來，這是天地間永遠不變的自然秩序，萬物都不能違背這些規則。爲了與自然秩序相配合適應，於是替天行道的政治行爲，也就祇有跟着天道走了。這完全是漢儒所編出來的那套陰陽五行之說的玄話。董仲舒這個以獨尊儒術，春秋折獄聞名於史的思想托辣斯，就是這一派主張的代表者，他在「春秋繁露」，「四時之章」裏這樣說：

「天有四時，王有四政，慶賞刑罰與春夏秋冬以類相應。」

目的就在順於四時，與天道相應。宋儒歐陽修在他的那篇「秋聲賦」中，把這種道理闡揚得尤爲明白，他說：

「夫秋，刑官也。於時爲陰，又兵象也。於行爲金，是謂天地之義，常以肅殺而爲心。天之於物，春生秋實。故其在樂也，商聲主西方之音，夷則爲七月之律。商，傷也，物既老而悲傷。夷，戮也，物過盛而當殺。」

所以，古人並不避刑戮，祇不過刑戮應與天時配合，否則就是背天行事了。背天行事就會遭致不祥。這是傳統對刑忌的標準看法。刑殺必於秋冬的道理也就在此。斷不能在萬物育長的季節施行殺戮，否則就是不仁。不仁就有違天心了。漢律十二月立春，不以報囚，即是此理。章帝時以十一月冬至，冬已盡，陽氣始萌，已不宜行刑，更定十一月亦不得報囚。漢制立春日輒下寬大書，其書曰：

「制詔三公，方春東作、敬始愼微，動作從之。罪非殊死，且勿案驗。皆須春秋退貪殘，進柔良，下當用者如故事。」

章帝更是屢詔有司以秋冬理獄，春日不得案驗。元和二年的旱災，長水校尉賈宗便以爲是斷獄不盡三冬，陰氣微弱，陽氣發洩所致。由此可見，古人對於刑忌和季節的關係是非常重視，而且常因些微的出入而引起激烈的辯論。

這種思想對有關這方面的成文法的形成結果，也有極大的影響。唐律及獄官令從立春至秋分，除犯惡逆以上及部曲奴婢殺主外，餘罪皆不得奏決死刑，違者徒一年。明律處杖刑八十，清例秋朝審處決人犯亦在立秋以後。

刑殺的禁忌除了陰陽四時以外，因爲受了佛教的影響，又有關於宗教節日的禁忌。唐以正月五月九月爲斷屠月，每月一日，八日，十四日，十五日，十八日，二十三日，二十四日，二十八日，二十九日，及三十日爲十齋日，不得輒有宰殺。所犯雖不待時，亦不行刑，違者杖六十。明代十齋日仍爲禁刑期，違者笞四十。

此外，碰到祭祀的日子，也要停刑。唐制，大祭祀及致齋日皆不得決死刑。元制有事於郊廟，雖散齋日亦不判署刑殺文字，不決罰罪人。清例凡祭享齋戒及四月初八日皆不理刑名。冬夏二至，歲暮，上辛，上戊，上丁，及春秋二分均係祭祀日期，故亦停刑。

這樣一來，中國古代能殺人的日子就非常少了。中國的仁政，就常常表現在這種無知與迷信上面。推其究竟，仍然是替天行道的心理在作祟。中國的皇帝，俗稱天子，不是全然沒有道理的。

──之十一──

籬邊的榴花

趙碧君

關武開了門，送他們走到後進，一路他有一搭沒一搭地直管說話，鴻儀也驢頭不對馬嘴地應着，他瞎打西瓜岔的聽着絮絮不休，接二連三又重三道四的話，鴻儀起先覺得膩煩，討厭他，一下子不知怎的又覺得抱歉，對不起他了；大概因爲後天就要走的緣故，有點惜別起來。

進得客廳，見譚正中一人坐在沙發上吸烟斗，兄妹倆便問：「媽呢？」

「牌局還沒有散，我先回來啦！」正中吸了口烟，笑着說：「你媽今兒可稱了心啦，爲了忙着幫忙我競選，快二個月沒打過牌，她的手早就癢了。」

鴻琳說：「爸爸，那宋蕊華，挺好的。」她看了鴻儀一眼──似有意又無意的一瞥。

「那個大的，叫什麼──華，噢，綉華的也不錯，」鴻儀故意接岔兒，「人挺文靜，不聲不響，一點也不像她媽。」

「頂像媽的就是宋玉良，花言巧語，搖頭擺尾，那份德性，完全一派市儈氣。」正中把烟斗使勁往桌沿上一敲：「眞沒想到宋德文有這麼一個寶貝兒子！庶出究竟是庶出，和他兩個哥哥一比，簡直是霄壤之別了。」

「那自然，前頭的宋太太跟這位『宋門羅氏』一比，還不是一天一地嗎？」

「所以這位宋太太的兩位小姐，再好點，我總覺得也好不到那兒去，」正中固執地批評看：「常言說得好：龍生龍，鳳生鳳，老鼠生的會打洞。」

鴻琳一本正經着臉：「不過她們姊妹倆絕不會打洞。」

大家又都笑了。正中又問：

「後天你們一準動身？」

鴻儀笑着說：「這次是風雨無阻，決不順延，已經耽誤了快一個月的課，再耽擱，恐怕不能畢業了。」

「你們不回來，我和你媽冷冷清清的也過得去；可是這一聚之後再散，可眞有點捨不得哩！」

「可不是？剛才我在路上還跟鴻琳說來着。」頓了頓，鴻儀又接下去：「好在一放暑假就要回來的。」

大家都有點黯然，但是大家都裝得毫不在意的樣子；裝不像，就只好不言語了。

時鐘響，十點了。

於是正中對他們道：「不早啦，你們別等媽了，應酬了大半天也怪累的，快都去睡吧！」

兄妹倆互相看了一眼，這才請了晚安，到後房去了。

鴻儀走到自己的屋子裏，正待就寢，阿秀打外面飛也似地闖進來，看見他，卻又輕手輕腳的，連氣也不敢出的樣兒，賊眉鬼眼，不懷好意地一笑，交給他一封信，說：「台北中和鄉黃二小姐寫的，今天下午剛寄到……」話還沒完，扔了個怪有趣的鬼臉兒，拔腳跑了。

他淡淡地一笑，接過信；如果黃瑪莉知道鴻儀對她的「情書」一點也不及阿秀有一半的興趣時，這位驕傲而又嬌貴的小姐不知心中作何感想：傷心？生氣？還是像她平日的一貫作風，輕蔑地將眉毛招招？

（九）

我的書齋

劍蓉

愛好讀書操觚的文友，我相信他是很希望自己擁有一間書房作爲他精神生活的寄寓之所。我曾經見過許多朋友擁有一間自己的書房，我當時羨慕之心眞是不可自已；每當我走進圖書館的時候，總是使我想起了書房的需要。我暗自想道：『臨淵羨魚，不如退而結網』。於是，我下了一次小小的決心，我一定要想辦法擁有一間自己的書房，也好在精神的時間，沉浸在書房裏面悠哉游哉，那該是多麼愜意的事！經過了一個時期的奮鬥，皇天不負苦心人，我的目的終於達到了。

眞的，我也是擁有一間書房的人了，雖然談不上十分雅緻，但我卻『敝帚自珍』，視之如『情人室』一般，愛護備至。爲了珍惜我的書房，也爲了紀念我的一番苦心孤詣，我親自爲它取了一個『得其所齋』的芳名。讀者也許以爲我太迂腐，太學究化了吧？『得其所齋』──我的小書齋──只有五六建坪大小，簡簡單單擺了三具書架，一張六格抽屜的書桌，一塊厚玻璃墊；玻璃墊下，擺的不是明星照片，而是一些我和好友的照片，和一小方塊自書的座右銘。因爲了便於休憩和沉思，我特別定了一張靠背很高的坐椅，以便在構思之時，仰身高臥。閉目沉思，也許文思油然而生，那更是一大快事了。所謂『文房四寶』──紙、筆、墨、硯，大頭、廻紋、刀、尺、三角板、打洞機、漿糊，和一盞小小日光燈，這些都是不可或少的東西，倒也一應俱全。書齋四壁，雖沒有名人的書畫，事實上我並不喜歡求名人題字繪畫，以點綴『高雅』，但卻愛師友的贈言，自書的警語，以及便資參考的古今圖表。有時候爲撰寫一篇吃重的稿子，牆壁上有時會掛上一張圖表或綱目。

這些東西，並不是用來自鳴高雅，確確實實，他們給予我的幫助和啓示是相當大的。和我的書齋，又像是一間新娘的『深閨』，其中不乏『情人』和『知己』。請讀者別誤會，我的『情人』和『知己』，不是美麗的動物，而是羅列在書架和書桌上的書本，以及書桌上的『文房四寶』而已。

閱讀操觚是我的享受，更是我的愛好，所以我視之如『情人』和『知己』。讀者別以爲我是一個『讀死書、死讀書』的『書呆子』，我愛讀書，卻並非『書呆』。

如論我的書齋裏的知己，雖不敢當『琳瑯滿目』之雅喻，但是『燕瘦環肥』，各有千秋，確實是當之無愧的。我的『情人』和『知己』，來自中外古今，不同畛域，『少長咸集』，然後按它們的性別，分而治之。簡而言之，有經、史、子、集、文學、藝術、哲學、科學、宗教、政治、文教、社會、法律、人物等。此外，剪帖及卡片，也依性別列卡編號，務期隨手拈來，得心應手，不致有誤，寫作起來，便於參證。

（上）

評介「懸崖上的奇葩」

洪流

著者：盧克新

短篇並非是長篇的一段，更不是作者的筆下寫不出那樣長的東西來；主要的是故事自成一個段落，在一個短的時間與狹小的空間去發展。那是故事本身的特性，與作者能力是無關的。

盧先生的這十四個短篇的集子就是如此。每篇都有獨立的命題，每篇都有它當然的道理。是眞正的短篇小說。但十四個短篇卻也有其一貫的脈絡可尋，也就是對現時生活的感受，那是非常強烈的，強烈得使讀到它的人，也會感染到內中人物的悲哀與喜樂。

第一篇的老人，寫的是一個寂寞的老者，他見到人家小孩子的喜悅而喜悅。這其實人之恆情，誰個想老？那個又想迅速的死亡？但死亡是必到的，也是無可避免，所以才能把自己的那份衰老，暫時擱起，來與小孩子共同嘻戲，分担他們一些青春的光芒。

午餐這篇則又是另外的一種感受，就是把握時機，萬不能錯過大好的機緣。小姐與婦人不同，小姐的身份代表着高貴；而婦人則只能作爲某一個特定人的管家婆，並且也正走向老朽之途，美麗與她絕了緣，永恒的寂靜，卻在向她招手。

失落的人，是一篇好小說，也可能作者所接觸的這型人物不少了，所以寫來傳神之極。開首：

「他剛想跨出辦公室，科長挾着皮包匆匆從外邊回來。他無可奈何地朝科長笑笑，站在一邊，好讓那個大塊頭走過去。走是走不成了，他懊惱的想。」

這並非文中的主人翁叫那個大塊頭給攔住了去路，更非是大塊頭喊住了他，而是一個在辦公時間的公務員，想偷偷地溜掉，卻正好被主管迎面撞上，那種尷尬與惱悔的景象，在短短六七十字中，傳神之極。

在餘下的篇幅裏，我想只能再談談作爲這集子名稱的「懸崖上的奇葩」了。這篇較長，用它來作爲代表作，可能就是這個原因了。這篇結構勻稱，用字也非常的活潑，並且還甩掉前幾篇的那種俏皮勁兒。俏皮有的時候非常討好，但儘是討好，不見得就是一篇好小說。

這是一篇以東部山地爲背景的愛情故事，愛情發生在上山的當天，那也是英雄式戀愛的當然開始。不過可能有些錯誤，因爲東部的山區，很少有眼鏡蛇的出現，這或許是作者大胆的描繪，也當然作爲小問題的不必眞實；何況雖然如此，亦絕不減低本篇的價值。只是開始的相識，未免太西部化了，英雄美人，都應該是西部武打的鏡頭，在小說裏，尤其在台灣的東部，那是不必要的。

故事因此而展開，中間插進一段「丰年祭」，那種寫法也好像是西部武打片一樣，不過只把紅番或是牛仔改成爲現代的中國人，或是山地同胞了。不過那段描寫卻也費了不少的力量，文字很美，場面也很夠熱鬧。然後就是我們的主人翁與那位山地女郎進入公式化的戀愛階段。假如就此發展，那應該是非常美滿的一個結局。不過作者插進一段高山古老的傳說。但據筆者所知，那好像也說錯了地點，因爲東部的山地同胞與阿里山的高山同胞，他們不是一個族類，斷乎不會都發生一種相同傳說的道理。

底下就應該是戲劇化的高潮了，暗戀着主角女郎的格拉達，他爲了失去的愛，竟向我們的主角要求決鬥，當然那不是法國式的，而是暗算式的，於是高潮突起，女主角適時的出現，同時的受傷，然後使愛情歸於永恒。

材料缺少親身的體驗，再加上過多的西部式的動作與混亂的對話，成功了，但也使我們覺得還稍爲缺少些什麼。

憶路局平劇社（續）

後來路局以福松得風癱辭劇務，並因其他糾紛，劇社即形渙散。終至人材四走，遂成停頓，是大可惜。

近見公路節，公路局大道平劇社演出三齣：換子、會審、罵曹，均甚精采。而鐵路局劇社條件似優於公路局，有場面，有演員，奈何緘默？若論費用，似乎機構較大，為員工同人康樂起見，每月酌提經費，恢復票社，似不困難。再今年鐵路節慶祝，何以置票房於不顧，另外邀請，有損令譽？且原有一切用具，棄而擱置，何妨仍予利用，以闡揚劇藝，保存國粹，也應盡之事。如能恢復，固所企望。但各社員要體一時艱，以克難精神為之，切勿染內行的陋習，動輒浮支酬報，以節公帑。希望徐局長多加考慮，頓復舊觀，於平劇創回生之功績。

抑有言者，該局禮堂頗寬大，際此民藝人無適當場地，似可略加修葺，將內部座位，改為斜坡式（後面可以看見台上）而酌配日光燈，至多加八支，則未演時，場內光線較亮。此種用費，則於任何票社借用所收費用，可以抵償，亦望加以計議，而極望其見之行事也。

國劇繽紛續錄（八）

鍪婆生

出谷新聲

「出谷新聲」，是紅樓主人李嘉有兄，為程復慧在藝術館演烏盆計所贈的立軸，其語可說是善頌善禱，恰切不移。是夕贈送賀額與錦旗，不下三十餘幅，其中施秀文夫人與亞尼兄嫂及心佛皆題「後起之秀」，亦甚貼切適合。而薊老、英老、獻兄與我，亦擬送一額，由薊老措詞，定為「一鳴驚人」，則紀實也。他如「聲震寰宇」，是頌之過甚。「歌喉天賦」則不解其意。

憶在四個月以前，曾晤復慧，詢以有何新得？她說：學成有奇冤報、洪羊洞、武家坡代登殿，皆譚余一路的戲。深為喜之。因其有監護人，又在讀書，無法得晤。消息傳來，忽有演出，不過論理宜演洪羊洞，因為奇冤報的服毒一場，隔桌一撲，頗不易。在民國廿八年於漢口義演，見名票汪劍農演出，這一手很帥。劍農為此把眼皮擦破；第二天的硃痕記，貼橡皮膏出場，猶在憶中。

我雖常看復興劇校演出，但對復慧不很相識；在金棠將演伍子胥之前夕，季和兄招飲，座有復慧，聽她吊一段洪羊洞，幾疑是趙培鑫高足。即會請季和兄為助多演；後來知其家庭很不簡單，遂亦置之。總之她常由金棠玉清兩位為導引，將來定可成才，是足以慰瑜慧先生的期許。（未完）

劇壇怪聞

海嶠藝談薈

諸葛文侯

愚友湘潭李漁叔君，於吾國對日抗戰初期，受命為浙江建德縣令，時有國軍第廿六師之一團兵力，駐防該縣。團長某酷嗜皮黃戲曲，習演鬚生，自信造詣有素，詢知李縣令亦樂聞此道，常至縣府閒談，乘興引吭高歌，然其藝殊平凡也。既而團長與當地若干同嗜好者，發起勞軍公演平劇，先期推售入場券，定價頗高，某團長担任大軸戲「四郎探母」之楊延輝，號稱「譚派名票」，事前宣傳甚力，屆時觀衆滿座，漁叔以縣長地位，坐第一排中間。

當楊四郎出場，觀衆熱烈報以掌聲，迨至前台唸引子「金井鎖梧桐」一句後，即接以「一陣風」，但覺不順口，而中間「長歎聲隨」詞句始終忘却，心情遑惶急，記憶力更消喪，乃連續唸「一陣風」「一陣風」三字不已，台下譁然高呼「退票」之聲大作，漁叔深感尷尬，擬起身離座。詎台上楊四郎竟揭去口髯，大聲命令在場維持秩序之士兵「把他們抓起來！」士兵遵令行動，李縣長急予阻止，觀衆哄散，一場勞軍戲乃以「抓人」之大煞風景場面告終矣！

比國廿四年秋末，愚奉檄入蜀于役，初抵成都時，人地生疏，客館無聊，夕間常赴「春熙大舞台」觀演平劇，於時有坤伶鬚生「蔣叔岩」者，來自長江下游碼頭，乃劇壇中之三四流角色耳。但成都人士捧之若狂，尤以一般軍人眷屬為甚，馴致分成贊否兩大陣營，每夕佔住前座若干排位置，隨帶持短銃之兵侍立於旁。一夕，愚購票入場，坐於左方樓下第八排邊椅上，迨蔣叔岩飾「四郎探母」之楊延輝出至前台唸引子完畢，台下前排左方一大羣婦女叫好不絕，而右方之一羣巾幗英雄高呼「要不得」「滾進去」！旋聞雙方互相詬誶之聲；餘衆有起而勸解者，亦有厲聲指斥者，秩序頓亂；繼而槍聲突起，不悉發自何方，亦未傷人。但左方樓上有一鄉人狀之男子，惶駭過度，急擬逃避，而樓上觀衆雜遝離座，爭奪去路，某乃急不暇擇，由其座位前躍身跳樓而下，蓋二樓距地面固不高也。詎樓座邊沿懸有捧角者贈送伶工之錦帳匾額等，某於騰踊之刹那間，一足誤絆繩索，終乃倒掛空中，大呼救命，旋經人扶持解脫，俯首匆匆走出院外，餘衆覩狀狂笑不已。

民國廿九年對日抗戰方殷，愚再度旅居成都，常與當地北方籍人士所開設之商店老闆三數人，往「春熙舞台」聽皮黃戲曲，曾有票友某登台串演「捉放曹」之陳宮，唱時輒以所持馬鞭頻頻在其腿部敲板，愚等大噱，然前排一羣觀衆却讚歎叫好不絕於口，聲震屋瓦，愚低聲語同座友人曰：「這種技藝殊不見佳，何必瞎捧呢？」即有坐在面前之人，回首向愚悻悻然大聲操川語道：「票友像這樣，就算很好了，你再說不好，老子要捧你！」其勢洶洶，愚不禁為之一怔。繼思若反唇相稽，必鬧笑柄，唯有默然一哂，旋偕友輩離座回家。

友人杜豫波，籍湖北，擅皮黃鬚生，劇藝，曾教愚習唱「寶蓮燈」之劉彥昌戲詞，頗有獨特之韻味。對日抗戰中期，杜君服務軍事委員長重慶行營。某夕登台票演「舉鼎觀畫」，配角飾小生者係戲班一坤伶，於跪地對話時，偶忘台詞，致杜君亦僵住，即怒斥之云：「媽的×，你這種本事亦想吃開口飯？」該伶聞而大哭，台下觀衆初未聽清杜氏聲色俱厲之說詞係罵人語，猶以為乃在做戲，迨該伶淚流滿面起身急奔後台，始知有異。事後，杜君以當時實情見告，愚責其未免過份，彼謂：「我幾乎被她唱扎了，還不該罵？」是亦一怪聞也。

檢討政治上的貪污問題

（上接第一版）

這便是集體貪污的本質，而為過去我們政府在大陸時代罕見的怪象。政治風氣惡化到了這種程度，眞是病入膏肓，言之可怕，這如同一顆大樹，連樹根亦腐爛了，那有枝葉復甦之望呢？

消弭貪污的基本方法，是要重振文化精神，而以教育為利器，首先即須切切實實的整飭教育界——包括行政機關與學校——滌盪瑕穢，健全本身，即能發揮陶鑄民德的功用。同時對於發覺的貪官污吏，一律置之大辟，而將砥礪自守、刻苦勤職的公務人員，破格擢遷，藉資激勸。至於所謂「人事凍結令」，實為腐化行政機能、製造貪污行為的酵姆，更非廢除不可，這一着如果做不到，其他一切的方法皆係隔靴搔癢，無濟於事的！

三國史微言

·燕謀·

又曰：三國志於魏晉事多迴護。高貴鄉公之被弒也，但曰「五月己丑，高貴鄉公卒，年二十」。而賈充奉司馬昭旨使成濟刺帝之事，畧無一字。雖壽事晉，不得不為本朝諱，然齊王芳之廢，先叙司馬景王將謀廢帝，以聞於太后；則高貴鄉公之被弒，亦何妨畧見端倪！乃但書卒之月日，使無裴世期引漢晉春秋及世語以註之，竟似考終寢殿者矣。然猶得為本朝諱也。若魏郭后之死，由於明帝之追怨其譖弒己母甄后，故逼之，令被髮覆面以殯，如甄后故事。又華歆奉曹操令勒兵入帝宮收伏后，后匿複壁中，歆發壁牽后出，弒之。此皆魏朝舊事，亦復所忌諱。乃於郭后傳但云：「青龍三年，后崩於許昌」，絕不及被逼之事。而華歆傳亦無一語及弒后。遂使暴崩者同於考終，行弒者泯其逆節，所謂「善叙事」者安在哉！使作史者，凡有忌諱皆不書，必待後人之追註，則安用史耶？

又曰：呂蒙傳：權與蒙論取徐州，蒙對曰：「今操遠在河北，新破諸袁，撫集幽冀，未暇東顧，徐土守兵，聞不足言，往自可克。然地勢陸通，驍騎所騁，操必來爭；不如取羽，全據長江，形勢益張。」按操破諸袁在建安九年十年間，至關壯繆鎮荊州，則在十八年，是時操定幽冀已久，安得尚有「新破諸袁未暇東顧」之語？更不待辨而見其抵牾者也。（引見「陔餘叢考」）

侯康曰：張魯傳云：「不如依杜濩赴朴胡」。「華陽國志」叙魯事，有巴邑杜濩、胡朴、袁約三人；武帝紀，黃權傳亦作杜濩；則此乃筆誤耳。」

又曰：先主傳云：「二十五年光祿勳黃權。」按三國志考異云：「上文已有偏將軍黃權，不應重見。」考楊戲輔臣贊注：先主為漢中王，用零陵賴恭為太常，南陽王柱為光祿勳，漢嘉王謀為少府」。此傳三人連名，必是王柱，非黃權也。黃權亦無除光祿勳事。」

又曰：張嶷傳云：「往安定縣，去郡八百餘里。」「三國志考異」云：「兩漢晉宋諸志，益州郡無安定縣，以華陽國志考之，蓋安上縣是也。安上縣屬越嶲，晉志亦不載。」按嶷傳下文稱：「郡有舊道經旄牛中至成都，既平且近。自旄牛絕道，更由安上，既險且遠。」即此地也。」

又曰：虞翻傳云：「處士鄧盧叙弟犯公憲自殺乞代」。「三國志辨誤」云：「『鄧』當作『鄭』、否或『　』字之訛。朱育舉上虞陳業以下十餘人應郡守之問，其人皆不出本郡。鄧乃汝南屬縣，與會稽無預。」按乾道「四明圖經」正作「　」。（具見三國志補注）（完）

白蛇傳

——「影劇與歷史」之八

周遊

奚宣贊有一叔父為一道士名叫奚眞人，作法將三妖收了，三妖現了原形，白衣婦原是一條白蛇，黑衣祖母乃是獺奴，少女乃是雞妖。眞人將此三妖沉入西湖中，上建三塔以鎮之云。

這是一個極其幼稚粗俗的故事。但却有其口碑的作用。西湖三塔之興建，據「西湖志」卷三說：「為宋朝蘇東坡任杭州刺史時所建，明成化年間曾一度毀壞，於萬曆年間修復」。現在湖心有「德利」型的三個小石塔，宛如浮在湖水之上，鼎足而立者，是即著名西湖十景之一的「三潭印月」是也。建塔乃佛教徒的事，但因建塔的本身就是為了鎮壓妖魔鬼怪，（在中國後來的佛教文化是如此，在印度的塔則別有用意）因此塔下鎮妖的故事，成為了「雷峯塔」故事的因襲，或者是藍圖。所以「西湖三塔記」雖然是一個極粗淺的故事，但它却有小說的影響力。模仿它及根據它作故事結構，作為話本的，現今仍存有兩種，根據這兩種話本推敲研究，均為宋代的作品。即「定山三怪」與「洛陽三怪記」。前者收於明末馮夢龍的「警世通言」中，後者收「清平山堂話本」中。茲錄舉如下：

「定山三怪記」故事云：

承相公子崔西，借了父親白鷂，外出行獵，於定州中山府的定山，遇到虎所化的酒保，赤兎妖所化的少女，和一具活髏所化的曾代將軍之幽魂等三怪，回到相府之後，還一直為赤兎妖所迷住。結果由羅眞人作法為之除了三怪，以救崔西復原。

在這個故事中三怪並無互相連絡的關係，更沒有統一的結構。為何妖怪一定要三個？還除了是有模做的作用外，別無意義可尋。只不過模做西湖三塔而已。至於「洛陽三怪記」故事，則酷似「西湖三塔」，故事大概如下：

洛陽一位青年名潘松，因郊遊名園，在歸途中，為一老妖婦所騙，伴往妖怪所化之家，幸得另一少女的暗示，得以逃脫。但心中憤恨，欲追捕老婦，不料反為白衣妖婦所纏，將及危難，復為先前暗示得脫之少女所救，用能脫離虎口。後藉蔣眞人的法力，滅除此妖。

這故事全與「西湖三塔」相同，而二者比較，而「洛陽三怪記」在手法上得盡其曲折變化，足見技巧之進步，令人有青出於藍而勝於藍之感。而且就其三怪的本性來說，白衣婦人名玉蕊娘娘之妖神，原是白貓精，老婦稱為白聖母，原為白鷂精。此外在故事之中，與結構是無用之贅物，稱為赤土大王的男性之神，是赤練蛇精，是即所謂「洛陽三怪」。而拯救青年，在故事中担任主角的少女，而是潘松隣近的一個亡魂女鬼，不入三怪之內。

但是若從三個妖怪的表現與配合之關係來考察，似乎是從民間所信奉的道教之神的三體之塑上化出來的。然而因為故事係模做「西湖三塔」而成，所以在結構上的主要人物與題目中的三怪，兩者之間，發生了上述的齟齬不平，原是不難了解的。比較研究起來，三個故事當中，要以「西湖三怪」的結構為純粹，最合情理，故足為三怪小說所本。（四）

籃球史話

·正匡·

比賽用的籃球，雖然已經由從前的用皮革為材料，在外面用綫縫製成，而進步至現在的橡皮籃球，但是各地的教練和球員，現在還是不斷在討論爭辯籃球的構造和適板的形狀如何改進才能最完善這個問題。

說到籃球這名字的由來，相信我們都知道這是因為在最初發明籃球時，所用的籃圈，是一隻普通籃子的緣故。至於最初籃球比賽的規則，是用由奈史密斯博士所訂定的十三條規則。（二）

內僑警台報字第〇三壹號內銷

自由報

THE FREE NEWS

第四五七期

中華民國僑務委員會登記證
台誌新字第三三號登記證
中華郵政台字第一二八二號執照登記爲第一類新聞紙類
（每週刊每星期三、六出版）
每份港幣壹角
台灣零售價新台幣貳元
社長：雷嘯岑
督印人：黃行言
社址：香港銅鑼灣高士威道二十號四樓
20, CAUSEWAY RD 3RD FL.
HONG KONG
TEL. 771726　電報掛號：7191
承印者：大同印務公司
地址：香港北角和富道九六號
台灣分社
台北市西寧南路壹叁零號二樓
電話：三〇三四六
台郵撥儲金戶九二五二

裁軍會議的鬧劇

程一之

英國首席代表查爾方，本月十二日在日內瓦裁軍會議上發爲「緊急呼籲」：希望會議各國代表勿再事「爭論與宣傳」，而該切實的討論裁軍方案，并力求獲得協議——即使是最微末不足道的協議，也是好的。查爾方還說：「本人相信，在此會議室內的代表們，對於我們迄今并未就我們所應探討的課題開始交換意見，已經深感厭煩」。

查爾方所作勿再事「爭論與宣傳」的這項「緊急呼籲」，姑勿論其本身是否構成「爭論」，特別是其本身究否正是「宣傳」，拿他這話來描寫裁軍會議的現實情況，倒確乎入木三分，可圈可點。同時就從這麼一句話，人們也就可以清楚認識到，所謂裁軍會議也者，畢竟是怎麼一回事？以及這麼樣的會議，它到底可以鬧出什麼樣的結果來？這次裁軍會議，係上月廿七日開始舉行的，到現在已超過三個星期。會議揭幕之時，因爲它是在聯合國的名義下召開的，聯合國秘書長宇丹，曾有書面致詞，殷殷寄望會議能夠做出「饒有價值之貢獻」；同時當今世界首一巨強之美國的總統詹森，亦曾爲此特別發表談話，強調「爲了全體人類的前途」，祝望會議確能不負所託，「達成軍火管制之廣泛協議」。一派作古正經，像煞有介事的樣子，充分顯示這次裁軍會議之莊嚴性，緊急性。然而，且勿論首次會議上作爲會議兩主席之一的蘇俄代表薩拉普金，居然一開始便破口大罵「西方帝國主義者」如何反對裁軍、反對緩和國際緊張局勢，大做其「爭論與宣傳」的工夫，即就當前世界的現實情況加以衡量，假定有誰還對裁軍會議寄以千分之一萬分之一的可望成功的想象，可說是「非愚卽妄」。甚至比美國當局至今尙在幻想越戰終可彼此無得無失的和解收場，更要荒誕不經。

有人把裁軍視作和平的代名，不見得完全正確，却亦雖不中不遠矣。也因此，裁軍一直是最爲動聽的名目，即使最厭惡和平、唯恐天下不亂的混帳政權，比如今日的那些共黨政權，它們亦不敢公然反對裁軍。反之，它們還經常「賊喊捉賊」，強盜而冒充紳士的把裁軍掛在口邊，嚷叫得比別人更起勁，作唯恐落人後狀。但騙人的口號喊得高唱入雲是一回事，眞要它們坐下來實事求是的商談裁軍，便是另一回事，而只能「王顧左右而言他」，亦就是只能拼命在「爭論與宣傳」上去盡表情演了。理由很簡單而明白：（一）裁軍是與它們要赤化全球的主義根本違背的；（二）軍力是它們那種不得民心的政權的命根子，果眞大量裁軍，它們奴役下的老百姓立刻便可起而革掉它們的命了；它們怎會甘心裁軍？聯合國連編累牘的裁軍會議失敗紀錄，正是這樣造成的。

聯合國於二十年前成立之初，裁軍課題係分爲兩項目進行：其一由聯合國原子能委員會負責擬訂共管原子能計劃；其二爲聯合國一般軍備委員會負責考慮一般性軍備裁減事宜。却歷久無功。一九五一年的第六屆聯合國大會，改變方式，將兩委會合而爲一，成立「聯合國十二國裁軍委員會」，我國亦被推爲委員之一；這十二國裁軍委會開會三年，依然一事無成。一九五四年的第九屆聯大，又將十二國裁軍委會縮減爲五國委會，其成員爲英美法俄及加拿大。這五國委會在一連「爭論與宣傳」中宣告失敗。其間蘇俄會以一對四的劣勢爲藉口，說是今後談裁軍，非自由、共產兩集團有「均等」的代表不可。如是，一九五八年的十三屆聯大，乃決定於次年把裁軍委員會擴大，包括當時聯合國所有的八十二個會員國，而另外成立一個十國裁軍小組，其成員除英美法俄加五國外，加上波捷羅保意，正是接受蘇俄的敲詐，使自由、共產雙方各佔其半了。雖然如此，裁軍會議依然只得一個吵字，歲月蹉跎，繳的還是白卷。在此期中，蘇俄爲拉攏「中立」國，又唱出所謂「三頭馬車制」，主張中立國亦非參加裁軍會不可；因此，一九六一年的十六屆聯大，復將十國裁軍小組擴大爲十八國裁軍委員會，即於前述十國之外加上標榜中立的伊索比亞、奈及利亞、印度、緬甸、阿聯、墨西哥、巴西及瑞典。但當此十八國裁軍委會於一九六二年三月開始在日內瓦集會時，戴高樂法國便拒絕出席，使十八國委會實際成了十七國委會。這十七國裁軍委會前年、去年均曾繼續集會，當然亦了無成就。現時在日內瓦開會的，仍然是這個十七國裁軍委會的會議。

從上述聯合國成立二十年來致力裁軍的簡單流水帳，充分顯示，就由於我們這世界有共黨政權之存在，它們處心積慮的要赤化全世界，根本無意裁軍，遂致悠悠二十年時光虛度，雖不斷的舉行裁軍會議，却無非不斷的演出「爭論與宣傳」的鬧劇而已，那裏會有眞正裁軍的大好事出現？英國代表查爾方說未開始交換裁軍意見而「深感厭煩」，實際，如此這般的裁軍會議，一向便只是吵吵鬧鬧，徒逞唇舌，代表們的「高見」，世人早經聽膩聽煩了，再亦引不起什麼人的興趣了；就連新聞界都再不肯對這種會議多所關心，好像根本沒有這麼一回事一樣了。

曾有人對英美俄三國於一九六三年簽訂的「局部核子禁試協定」鼓掌歡呼，評價甚高，認之爲「有重要意義的收穫」。事實上，那協定本身的價值非常之有限，是其一，更加重要的，那協定一開始便受到法國與毛共的蔑視，視同無物，就把它那微乎其微的價值亦給化爲烏有了。目前在日內瓦進行的裁軍會議，據說便以防止原核子武器擴散爲其主要課題。這問題亦確實非常的嚴重，但鬧劇般的裁軍會議對此無論如何無能爲力，乃是現實，又其實。鬧劇式的裁軍會議，尙非但無益於事而已，它因此所幻化出的假象，便難免會產生催眠自由國家、放鬆應有的警惕之副作用，那禍害就更大不可京。所以，聯合國果欲達成維護人類和平的目標，眞該急起努力的，乃是如何想方設法，羣策羣力，儘早的一勞永逸的摧毀那些共黨政權，才是正經。

可憐的人民

聽而不聞

今日与明日

星加坡獨立

霹靂一聲，星加坡退出了馬來西亞，變成一個獨立國。消息傳出，不僅東南亞各國震驚，甚至整個世界都感到關切。

星馬之間最近數月來因種族糾紛，雙方爭執愈演愈烈，識者已知其將有變。但是，突然之間自行分離，則是大出一般人們意料之外。甚至就連美國及絕大部份英聯邦國家，事前也沒有得到絲毫消息，更不必說其他方面了。

馬來亞主動

這次星馬分裂，消息初傳出時，一般人都以爲是星加坡主動；到了今天情況漸明，主動原在馬來亞方面。

馬來亞總理拉曼表示，在倫敦臥病時，就下定決心要驅逐星加坡出馬來西亞。因此回到星加坡就面告李光耀。在李光耀可能眞是出乎意料，也曾要求拉曼改變主意。但是拉曼表示如不分家，他將不能控制局勢。李光耀最後只得忍痛接受了拉曼意見。兩人發表一項聯合聲明，宣佈自八月九日生效。當日李光耀在電台廣播時泣不成聲，可以想見其內心的痛苦。此種表情決非無端而發，其中一定有其不得不哭的原因。

此間報紙責備李光耀者居多。其實是錯誤的。李光耀從共黨虎口中把星加坡奪出來，最近半年來爲了在馬來西亞爭華人政治平等，而與當政的巫人及一部份依附巫人的華人結了怨，終致導出這個結果。我們若說李光耀步子走的快了，到是眞的，但大的方向並沒有錯。在李光耀自己來說，總也以爲自己最多不過是馬來西亞的一個強項之子，萬不料竟然被逐出家門的。

未來展望

星馬分裂最高興的當然是毛共同蘇加諾。毛共在星加坡的中國銀行不必關門了，印尼更增加了攻擊大馬的藉口。其實這都是表面的現象。毛共與印尼得不到實際好處；因爲英國同馬來西亞對星加坡仍保有國防控制權，印尼同毛共未必便有用武之地。

但是從長遠看，眞正成問題的還是星加坡本身。星加坡仍然是一個商業城市，未發展重要工業，生命綫就靠馬來亞的轉口貿易。數年前英馬兩國因鑒於星加坡局勢不穩，已開始在吉隆坡附近的巴生港建設新的港口設備，準備代替星加坡；星馬合併後此項工程未停止，今後必然會加速施工。有一天巴生港大功告成，星加坡生命綫就成問題了。到時一百八十萬人民何以爲生？這才是李光耀哭泣的眞正原因。（何如）

自由談

人才與治亂

任何人要想創進一樁事業，必須有若干才智之士相弼助，個人的本領縱然高明，唱獨腳戲總是不行的。若夫治國平天下之道，更非網羅各方面的人才不可。

用才不難，求才要緊，求才而又能識才，事業即沒有不成功的。古往今來的歷代統治階級，沒有不是處心積慮要把國家臻於富強康樂之境的，然結果只見其亂世多而治世少，關鍵就是求才與識才問題。

求才的先決條件，是要當國者有天下爲公的精神，爲國求賢的誠意，欿然不足的襟懷，唯恐野有遺賢，未爲我用，不能達成郅治的願望，除却自己隨時留意人才之外，還教左右舉薦智勇辯力之士，明試以功，藉觀後效。像唐太宗李世民的作風，庶幾近之。如此，則一般懷才不遇，用世心切的人士，大家覺得脫穎有日，各自奮勉，而對統治階級發生濃郁的向心力，間接就消弭了若干內在的矛盾和反側因素。

人各有所長，亦各有所短，世界上絕對沒有十全十美的完人，用人者祇要用其所長而棄其所短，績效可立而待也。這種取長捨短的本事，完全繫於用人者自身的「智慧與識力如何，也就是「知人」的問題，這點最關重要。如果沒有這種智能，便如好玩古董的外行收藏家，雖不惜巨資，廣事搜求，而其所得的，十九都是些贋品。古人所謂「知人則哲」，允屬不刊之論。

政治上阻遏人才的最大魔力，古時號爲閥閱，現代叫作派系，這種小圈子主義一經構成，即自然而然的發抒強烈的排他性，認爲國家事必須由他們包辦，圈外的人都是不可信賴的異端份子，因而形成一種既得利益集團，牢不可破，政治上的人事進退，決無新陳代謝作用，換來換去總是原有的一小撮人。於是乎，社會上許多懷才不遇之士，自慚形穢，然又不甘寂寞，乃由失望而怨望，對政府潛滋離心力，秀才造反打天下固不容易，亂天下却優爲之，史證昭然，斑斑可考。

明乎此，國家治亂興亡之所以然，思過半矣。

馬五先生

兩項重要的政聞

反共建國聯盟會議幾時實現
國大代表臨時會議怎樣召開

（本報台北通信）近來在台灣和海外的報紙上，隨時提到的兩項中華民國內政措施——召開反共建國聯盟會議暨國大代表臨時會議——海內外人士皆多注意。

關於反共建國聯盟一事，執政黨中央黨部早已設置七人小組，担負設計之責，另由總統遴派袁守謙、黃少谷、谷正綱等七人為籌備委員，策劃正式開會事宜，此項會議的經費預算，亦已由行政院編列在本年度歲出總預算書內，可見事在必行，毫無疑問。顧何以仍在宣傳階段，尚無具體的行動表現呢？原因有兩點：一是召開會議的時機問題。有人根據對日抗戰前夕的廬山談話會例證，認為應在政府決定實行軍事反攻大陸之際召開此項會議，纔可望獲致精誠團結、共赴國難的效果。如其貿然舉行，大家只是斤斤於內政問題，主張甚多，觀念不一，彼亦一是非，此亦一是非，假使會議決定的事項有些是政府感到窒礙難行的，反而招致朝野間誤解，乃至於引起新的爭執，未奏實際團結之功能，徒增心理分裂的因素，那又何貴乎有此一舉呢？二是邀請出席會議的人選問題。原則上，每一個反共非共的中國知識界人士都有過問國家大計的資格和權利，但事實上又不能恭請諸君個個來，以致構成群眾大會的景象，於事無濟，這是極感困擾的課題，很難得到洽當的結論。現在執政黨的七人小組，祇是擬訂了一項原則性的辦法，即中央與地方各級民意代表和執政黨各級黨部負責人士，他們平時已在過問國事，自不必參預這項會議了。然就是這樣，問題亦尚多，預會的人數究竟以若干名為合式？邀請那些人纔算是具有代表的人物？有些被認有代表性的人如果招之不來，或者作有條件的承諾（如要求政府先做某項政治改革之類），又將如何肆應？這都是很費考慮的。外間紛傳已擬定四百名被邀參加會議的名單，不過是執政黨負責設計的七人小組初步擬議而已，並未經過總裁核定，不能算數的。因此之故，這項宣傳了將近十年的反共救國會議是，今年能否召開，還是未知數。目前的重要工作，如何籌備尚在其次，各方在野人士的意見，藉以減少不必要的紛歧顧慮，實為當務之急。

國大代表臨時會議的問題比較簡單，因為這是憲法上規定了的，而第四屆正式大會依法於明年二月又要召集了，臨時會在今年內即非舉行不可，會期大概是在十二月下旬，緊接着國大代表每年例行的年會（十二月廿五日），這樣就可以節省一筆費用。不過，臨時會議的主要課題是實行創制複決權，而此項問題在理論上各方面頗多爭執，事實上牽罣亦不少，然國大代表們志在必行，否則臨時會便屬無意義了。如何折衷至當，政府當局不能不預為籌謀，以期減少困難。目前執政黨中央黨部亦設置着兩個小組，分別負責籌劃國大臨時會議的各項對策。看趨勢，實行創制複決權一事，原則上一定要在大會通過的，只對實行的時期或許有所斟酌罷了。此外，關於下屆大會時選舉副總統問題（總統當然由蔣公連任，不成問題。）大家亦須交換意見，從事心理準備。國大代表不開會的時候，有如一盤散沙，毫無作用，一旦召集會議，聲勢就赫赫然，未可輕視了。許多人要在集會之際，發揮應有的權力，亦係情理之常，所以，今年的臨時會與來年的正式會中，將有不尋常的動態出現，乃是可以想像得到的。（八月九日洛齋於台北）

監察院選舉新潮

副院長應否提名　激起了新的浪濤

（本報台北通信）監察院院長選舉前夕的各方活動概況，記者已有報導了。現在距離正式投票競選的時間不過一星期，而高潮突起，且甚洶湧險惡，可能激成意外的煩惱。

話說在一個月以前，執政黨方面主持組織業務的人，曾吩咐監院本黨同志，謂中央決策希望現任代院長李嗣聰能夠眞除，至副院長一席，聽由監委們自由選舉，中央不準備提名云云。消息傳出後，首先表示擁護中央決策的，即為人數較多之陳肇英陳大榕派，他們糾合卅六位同志，聯名上書本黨總裁，聲明服從中央意旨，決無異議。但擁有廿五位組合成員的孫玉琳派，亦聯名上書總裁，主張副院長人選儘可由中央提名，以示一致。執政黨對此兩種意見，迄未有所指示，因而近來各個監委關於正副院長之競選活動，皆本諸上述執政黨組織部主持人所傳達的方針進行。即院長一席由李嗣聰眞除外，副院長自由選舉，各顯神通，計有意競選副座者有郝遇林、于鎮洲、陳大榕、馬空群等人，而原來聲明競選院長的張維翰、金維繫等，亦有不得已而求其次的打算，萬一秀才得不到，亦盼望能撈個佾生幹幹。

正在密鑼緊鼓，定期投票的關頭，日前忽有執政黨某要員，邀約前述兩大派中的重要份子陳肇英、陳大榕、吳大宇、馬慶瑞、孫玉琳等人談話，聲言中央對於副院長一席，希望以張維翰為上選，理由是顧到南北疆域關係，正院長既屬北人，副院長即須由南人張蒓老（維翰別號蒓漚）充任為妥。於是，陳肇英首表異議，認為違背了本黨總裁原有指示，詢問某要員是否奉命作此改變原來決策的議論？吳大宇繼起發言，謂某要員僅約少數監委談論中央決策，而不正正堂堂向監院區黨部洽商，似屬失當，今日在座之少數黨員，焉能負此責任？至於政治上要顧到區域關係之說，亦不盡然。過去的陳副總統就是跟總統同一省區的，國人並不介意，何以監察院長就要作南疆北界之分呢？某要員答稱此係兼顧「黨」「團」關係。馬慶瑞即謂：「到今天還有甚末黨團之分？即就黨團關係而言，現在屬於所謂團方——即孫玉琳派——的某某，過去乃是北平市黨部委員，而年逾八旬的張維翰先生，亦無代表團方的資格。本人認為中央此時決不應殘存着黨團觀念，致有內部分化的惡果滋生」。一場談話，乃在不和諧的氣氛中，無結果而散了。

經過這場辯論之後，監院大多數執政黨員皆懷疑某要員之言，究竟是否代表總裁的意思，亟須予以明瞭，原來準備日內舉行監委黨員大會以決定假投票一事，亦暫行擱置，而原定本月十五日正式選舉之期，亦將有所稽延了。據若干隸屬執政黨的監察委員表示，他們極端贊成副院長自由競選，如果不能達到此項願望，可能發生其他的爭執糾紛，使平靜的選舉潮，一時呈現浪花四濺的景象亦未可知。關於院長競選人的目前情況，李嗣聰穩坐正位，金維繫本係陪選人物，得失皆無所謂，張維翰欲得副座亦不可能。副院長競選人郝遇林已表示放棄，馬空羣的力量不足與于鎮洲、陳大榕匹敵，最後取決於于、陳二人能否協調（他們是同一組合的成員）。孫玉琳派是支持張維翰的，看形勢很難戰勝陳派與李派的聯合陣綫。目前最重要的問題，就是執政黨某要員的主張能否獲得監院黨員的大多數同意？這一問題關係未來選舉前途甚大，且看下文如何罷。（八月八日發生於台北）

科學昌明「探月」在望之今日　英國「問醒婆」大行其道

——倫敦通訊

英國的「靈媒」，和廣府人所迷信的「問醒婆」相似，她（他）們在施術之後，好像鬼魂上身一般，連聲音也改變，然後說出求教者所想知的一切。

本年二月中有一晚，全英國共有二百多萬人，全神貫注地留意着一項特殊的電視節目，表演者是一個以「靈媒」為生的男子，他請了一個陌生婦人上台協助演出。他像煞有介事的施術一番之後，對她說：「我從一位婦人處得到感召，那婦人是你的母親，是因癌症手術去世的。」她聽了點頭承認。接着，他續說下去，像江湖術士一般道出她的身世，使她驚奇地不斷點頭。這項節目共表演了半小時，最後，那婦人把自己的身世重叙一遍，證明了「靈媒」並無虛言。這個婦人，原來是著名靈魂學家大衛．史塔福．奇勒博士的妻子，她對電視觀衆說：「這眞是一件奇妙而巧合的事。」

那個令人驚奇的「靈媒」，名道格拉斯．尊遜，他本來是倫敦一間塑膠公司的老闆，但在一九四七年時，他開始成為一個「靈媒」。自從他在電視中公開表演身手之後，聲名不脛而走，他為了要應付太多的顧客，特別從家鄉白禮頓遷到倫敦的巴格維亞區。現時，他已成為英國著名「靈媒」之一了。他在施術時所倚靠的鬼魂，是一個在七百年前逝世的佛教和尚。

二十世紀年代的今日，科學昌明，人類已能在太空中浮游，且距登陸月球之期不遠，但靈魂之說為什麼會突告昌盛呢？那確是不可思議的。

現時英國若干希臘正教的教堂已人跡罕至，但迷信魂靈之說的信徒們，却令倫敦的雅路拔堂座無虛席。雅路拔堂可容八千五百人，每一晚，這裏均有公開叙會，信徒們踴躍參加，人人都希望圍坐在圓桌之旁，與已故的親朋相會，並希望預知吉凶禍福。

從事「靈媒」之術的術士，雖然可向教會方面領取薪酬，但生活却十分清苦，因為他（她）們每年僅拿得三千鎊，這和天主教的大主教年薪七千五百鎊相比，實有如小巫見大巫。現在全英國共有二十多個「靈媒」，其中女性佔百分之七十。

道格拉斯．尊遜現在是一個非常忙碌的「靈媒」，他要主持三個地方的集會，但他每星期僅能應付二十桌的求教工作。他至今仍屬王老五，因為他自從事「靈媒」工作以來，便忙得沒有機會去求偶了。

另一個著名的「靈媒」，是高齡七十五，身材高瘦的伊絲桃．羅拔夫人。她是一個富家太太，並非靠「靈媒」之術謀生。據說，她年僅十歲便開始每日和幽靈接觸，她研究靈魂學已有四十多年歷史，現在她是一個靈魂學教授。她在施術時所依靠的鬼魂，是一個在三千年前逝世的北美洲紅印第安人的酋長。

每一個「靈媒」都要有一個固定倚靠的鬼魂，這些鬼魂，大多數是古時逝世的紅印第安人酋長、佛教老和尚或東方的公主等等。英國的「靈媒」是有組織的，他們有自己的教會，廣招信徒。他們有一個管理機構，嚴拿冒名行騙的不法之徒。

英國有不少知名人物是迷信「靈媒」之術的，如大科學家奧利花．洛治爵士及威廉．曲格斯爵士、大政治家格列史東及法蘭奇連．D．羅斯福、大作家雅打．高倫．杜利爵士及作家羅拔．路易士．史提芬遜等，都是「靈媒」的信徒。專門表演飛車及飛艇的水陸大英雄唐奴．甘比更迷信十足，他靠「靈媒」之助，和逝世多時的亡父相會，並獲得亡父的庇護，使他在幹危險工作時，逢凶化吉。

英國空軍首長杜寧爵士，是第二次世界大戰時的英國空軍總司令，他也迷信靈魂之說。他曾對人說：「世界上是有幽靈存在的，戰時有許多殉職的飛行員，陰魂不散，但經靈魂學者對這些幽靈慰解一番後，這些幽靈便飄忽而去，無影無蹤了。」杜寧爵士現年八十三，曾是一個出色的飛行員，有「空中魔鬼」之稱，他退休後，成為靈魂學者的主腦人物。

影劇界中人亦有許多迷信靈魂之說的，如女星戴安娜．黛絲，便會借助於「靈媒」與亡母相會；男星尊．米路士，亦是「靈媒」的常客。五十歲的祖．賓占文，是專為影界預卜前程的「靈媒」，女星蘇珊．咸美絲未成名前，祖即預言她非池中物，而且她將在一個偶然的機會中，大顯身手，從而一鳴驚人。果然，蘇珊不久便被聘和奇里夫．李察合演「快樂青春」一片，躋身於紅星之列。

一般無知婦女迷信「問醒」之術，有識者自然認為這是無稽之舉，但英國却有這麼多有學問見識之士，居然亦迷信「西洋問醒」，確屬妙不可言。

高屏道上見聞

本報記者袁文德

△督學查賬碰了釘子，控告校長妨害公務，高市教育界發生如此訟案，眞是令人聞而噁心！

高雄市府教育科督學竇宗山、洪鑾基相偕於五十四年一月十四日到五權國校視導校務，並調查該校班級費運用情形，而為校長趙憲之所拒絕，但事後趙校長又派人到洪督學家裏致歉，並對竇宗山有微詞，却又為竇所獲悉，乃憤而具狀控告。

現在控案是否成立？班級費運用校長是否有權（包括賬單不予提供上級機關審查在內）？督學權職內是否包括查核班級費運用情形，我們姑且勿論。然而需要提出的疑問是：（一）教育科國教股編制額定有幾位督學？（二）設官分職，政府制定編制，能否與業務相配合？（三）國校教員調用為督學，學經歷是否與規定相符？市府有無此項權職，可任意調用某教員，即賦予督導頭銜與權職？（四）教員被調用為督學後，學校本身缺一教員，又怎麼辦？此一問題，這種情形，深信決不是高雄市所獨有，而其他縣市則絕無；因此，問題既已產生，有關教育當局似乎不應視若無覩，不謀適當解決之途逕的吧？！

高雄市教育科尤更莫名其妙的是，竟然把原任五權國校教員，且又是因與校長相處意見向左，始調為市府督導的竇宗山，再分派為輔導五權國校的教務，這樣怎能讓校長去尊重他的權職地位，甘願將賬冊提供審核呢？（未完）

怪力亂神與法律叢談

巫術的處罰

·陸嘯釗·

研究原始法律，我們不能忽畧法律和巫術的關係。

一般學者通常把巫術分為兩種，一種是 White Magic 也就是好的巫術，是指為社會謀求福利；合乎公認的行為規範巫術；一種是 Black Magic 也就是壞的巫術，專指以害人為目的巫術。其實這種分法，並不能把界限劃分得非常清楚，巫術如果真有其不可思議的效果存在的話，它的本身祇是一種方法，它可以應用於合法的一面，也可以應用於非法的一面，並不是絕對固定在那一面的。

因此，從使用巫術的人來看，在他本身的企圖沒有分明以前，我們很難就巫術的本身來斷定它究竟是好的巫術，抑或是壞的巫術。

其實巫術好壞的區別，祇是作為法律是否制裁的衡量標準，在原始社會裏，巫術原是維持法律秩序的工具，人們所以不敢不遵守這些規則，並不是為了恐懼法律所加於身體上的懲罰，而是怕違犯以後遭受超自然的天譴。基於這種心理因素，古代許多法律，如果不是利用巫術的力量來維持其效力的話，很可能將成為無人遵守的具文。而古代法律的執行者，若不以巫術作為司法的手段，也就無法担負司法上的責任了。因為在原始社會裏，超自然的制裁力量，實在遠勝於人為的一切懲罰，一切力量啊！

這種巫術的應用，像以巫術為人療疾驅祟一樣，是對社會有利無害的，因此原始社會也就默許這種巫術存在了。等到民智大開，巫術應用於司法的法實也就失靈了，年代一久，也就無從確實稽考了。祇不過就由非落後地區和我國苗猺各族的實際司法情形，我們尚可畧窺其餘跡。

但是，巫術並不是完全應用於好的一面的，同樣它也可以應用於壞的一面，藉以侵害別人的生命和財產，這種巫術是有害於社會秩序和法律規範的，因此法律也就要加以懲罰了。

在許多社會中，巫術是最大的罪名，甚至比直接殺人還不可恕，因為他們認為巫術是一切災病死亡等不幸的根源，這種行為不僅擾亂社會的安寧，並且為神所不容。所以必須將這種罪犯除去，否則全體社會就將蒙受其害了。因此各國的法律對巫術的處罰非常嚴厲，動輒施以極刑，有時亦就假借為排除異己的藉口了。希伯來法律對巫是處死的；巴比倫的漢莫拉比法典對於以咒詛人的也處死刑。羅馬十二銅表法規定使用巫術害人者處死，古代墨西哥人將使用巫術害人者當作獻神的犧牲。歐西國家一直到十八世紀還處巫以死刑，英國到一七三六年才將這律法廢止。在近代原始社會中對巫無不懲懲防範，視同魔鬼。在澳洲當一個人生病時就懷疑到有人在使用巫術詛他，如果他死了，便將那個有嫌疑的人處死。非洲西南部土人相信人的死亡都由於巫術，每一個人的死常引起很多人被控告使用巫術，經過神判法以後處死，每年總有幾百個人在跳舞中喪生。北美洲西北部的印第安人也不知有多少人為這項莫須有的罪名成了犧牲品，美國政府為了強迫制止這種事件的發生，曾轟毀了好多村莊。

不僅如此，就是對巫的處死方式，也是與一般罪犯不同的，總是極盡殘酷的能事，以為嚇阻作用。不是將巫活活地打死，就是燒死，活埋，或從山岩上丟下來摔死。因為殺傷、竊盜、淫亂、欠債等罪，祇是私人過犯 Private delicts，只是對於社會中某一個人的犯侵，只須付給賠償加以處罰，最多殺人不過頭點地也就罷了。巫術則是對於公衆過犯 Public delicts，是對社會全體的觸犯，與主體禍福有關，所以必須加以殘酷的刑事制裁。這種觀念在古代社會裏，是一件非常順理成章的想法，以今衡古，就不免啞然失笑了。

——之十二——

籬邊的榴花

趙碧君

鴻儀拆開信，心不在焉地看着，那纖麗的鋼筆字，那一縷若有若無的芳香氣息，正像瑪莉本人一樣的出奇的漂亮，活色生香；並且那信也像瑪莉本人一樣的沒有內容：

「鴻儀：為什麼還不回到台北來？已經是這麼久了，自從你們回南部，我們都非常的惦記，而你却信也不寫一封；雖然 East or west, home is the best，但是我從不會想過：一個人忘記了他所最親近的朋友是對的。伯父當選了省議員，我們都很為他高興。現在事情早已過去，你不能再不上課如此之多的時候。你知道，我們學校有過一次月考，我的國文失敗了，並且成績非常的 poor，我更是如此地盼望你能來教我的國文。附寄一張我的最近照片，請送給我最親愛的朋友鴻琳；還有你，我也一定送給你，等你來了之後。再見。致無限的好意給你和你的家人。」最後是瑪莉的英文簽名。

讀完信，他忍不住笑出來。在台北的時候，兩家毗鄰而居，以後瑪莉家遷到中和鄉去仍然很接近，而且又有電話，所以從來也用不着寫信。瑪莉是外國人辦的教會學校出身，洋文很有根基他是知道的；但是他從沒有想到她的國文竟也會有洋文的根基；黃家一家子都洋化，洋化得連國文文法也洋化了，西風東漸到如此驚人的地步，的確令人歎觀止矣。

最出色的，自會還是那張相片，那是一張放大的劇照，因為放大過了，所以有點兒模糊，因此那油彩塗抹過的臉，倒像是天生成的。瑪莉有個絕美的希臘型鼻子，薄薄的櫻唇，修眉入鬢，一雙眼睛狹長而多姿；這張化過裝的相片，口紅增添了嘴的輪廓，像一個菱角，眉毛濃了，眼睛也顯得大而分外水汪汪的。如此也許失去了幾分瑪莉素有的嬌憨與清麗；但是却更多了一些她從未有過的野性和天真——那是鴻儀所歡喜的。

黃瑪莉像所有聰明的女孩子一樣，也許她根本是頂頂聰明的一個。她知道滿面春風比滿面秋霜要美上千萬倍，所以在這張相片上，她是那樣笑盈盈地對着人，雖然平常是最愛生氣發火的千金小姐。

這樣愛嬌的笑顏，這樣烏濃的水汪汪的笑眼……鴻儀越看越覺得像瑪莉了，他想起宋家的花園，籬笆那邊那仍泥塊、開口罵人的女孩子：那麼美，却又那麼野性，那麼不講理……他自言自語地：「多麼相像的兩個人，可是又多麼不像的兩個人。」但是她是誰呢？姓什麼？叫什麼？是宋家的什麼人？為什麼爸爸、媽媽，還有鴻琳一個都不會提起她？他越想越糊塗了……

「怎樣？鴻儀，你還沒睡？」正中打外間走進來，鴻儀睡在他爸爸的套房裏。

「唔，爸爸……外面的月亮真好。」

「快睡吧！不早了，明兒還要整理東西呢？」

「全弄得差不多了。」

「你媽媽還叫你明兒到宋家去辭行。」

「媽回來啦？」

「剛回來，三家輸，你媽一個人獨贏，所以明天準會又去的。」正中笑着說，「也真是的，這次我出馬競選省議員，宋家幫了大忙，而今天又讓他們破費，請了這許多客人，所以你媽說來着：明天一定得去辭行。」

「明天早上我去一趟就是。」

父子倆又談了些別的，正中回到自己房間去睡了。鴻儀看了看窗外，月在中天，子夜了，一切都是那麼靜。他故意不拉上窗帘，讓水一樣的月光直瀉進來。他要在這月光的流瀉裏，睡一個恬靜的覺。臨睡，他告訴他自己：「明天早上去宋家之前，千萬不能忘了跟阿秀要榴花種籽。」

（十・完）

代郵

趙碧君先生：請賜告通訊處，無論函香港本社或台灣分社均可。——編者

我的書齋

劍蓉

而今，我的朋友倒反而羨慕起我來了，常常打趣說：『你真是得其所哉！有了書房，連朋友都不要了；再過些時間，豈不成了書呆子了嗎？』說真的，自從我擁有書齋之後，便增加了我的生命力，節省不少的時光。西諺云：『時間即是生命，知識即是財富』，所以，曾經有一位女友寫信給我說：『……你不窮，我認為你非常富有。你那滿坑滿谷的寶藏，誰能比得上你！』。其實這是過譽的話，但節省了不少的寶貴時間，等於延長了生命，增加了生命的價值，却有一些近似的。

我書房裏的一書一物，一紙一條，都給我結下了不解之緣。尤其了書本，古人所說：『書中自有顏如玉』，這句話用之於我這視書如『情人』者，却似有『不亦宜乎』之感。只要是我書房中的書本，不論是古本今本，洋裝綫裝，精裝平裝，我都一視同仁，愛護並無軒輊。我的每一本書，我都像給朋友臨別贈言一樣，寫上兩句我最喜歡的『知其所樂，樂其所知』八個字，本本一樣，然後署名，最後加蓋一個『得其所齋藏書』的紅印，如此竊以為自得其樂。我每日悠游於書齋，不疲不餒，不厭不倦，那就是『知其所樂、樂其所知』的答案。

為了充實我的『情人室』——書齋，我經常不綴地在坊間尋覓『知己』，書店和舊書攤，都是我獵狩知己的場所。遇有情意相投的對象時，我也許不惜重金禮聘之，睹之而歸，如獲至寶。為了美化我的書齋，我也時常加以佈置，使之几淨窗明，物有定位，位得其宜。我感於許多青年朋友，書房之中，一遍『書海』似的到處是書，零零亂亂，以為這才是讀書人的派頭。古人說：『一室之不治，可以國為！』這是至理名言、修、齊、治、平之一貫大道，至今仍為顛撲不破的哲學。這一間小小的書房，未嘗不可擴而充之。一室之能治，天下亦可運諸掌。書房就是一個小天地，小世界，一室井然，只要側身書齋，宛若教徒們進入教堂，頓覺心平氣和，幽然自得，或操觚，或展卷，悠哉、游哉！真是『得其所哉』！尤其是『世衰道危之秋』，邪說橫流、唯物氾濫之世，多與古人接近，與聖賢先哲為朋，與『文房四寶』為友，不僅可遠『闢邪說』，所謂『窮則獨善其身』，豈不是人生一大樂事！

（下）

評介「十字架的光輝」

洪流

著者：牛若望

耶穌揹起十字架走向死亡之途，在信神的人們的眼裏，祂是為人們贖罪，而在世人的看法，他是一個勇敢的犧牲者。我們且拋開「神」的問題不談，實在說來，耶穌也確乎值得人們的景仰。十字架因為耶穌的揹起，光榮的矗立在世間，那是代表慈愛，光明，勇敢的像徵，因着十字架的豎立，以及伴同而來的摩西十條誡命與他大弟子傳下的聖教會，大部份的時光裏，都是在代表着光明！雖然在中世紀也曾有過一段相當黑暗的時日，但陰霾是會過去的，光明是常存人間。

有人說：統治者所統治的是活着的人類，而宗教家却能統治死後的靈魂。在我國的國情裏，「死」本來就是件大事，有所謂：死有重於泰山，死有輕於鴻毛之說，這是表示死的價值。或者說：貪生惡死以及好死不如賴活，這是人的常情。或者說：自古艱難唯一死，又表示出死的不易。其實，「死」本來是很簡單的事，心臟停了跳動，呼吸停止，那就是「死」的完成。但人們所着眼的並不是「死」的狀態，以及「死」後種種，而是注視在死的另一面——生。也就是我們應該如何的生活與生存。西歐存在主義學者有謂：死是存在之完成，不但不怕死，反倒求死。但是我們還沒聽到任何一位存在主義者在求速死，可見貪生是人的本性。自從十字架道理與起之後，他把生與死作了另外一種解釋，就是在世間「死」去之後，在又另外一個地方「活」了，不但活了，而且還有一個大審判，去審判世人的罪，有罪的雖活，但不能好好的活，而要受地獄之苦，無罪的不但活了，而且還有賞賜。生與死確是件大事，假如宗教而缺少了「死」的問題，那就不成其為宗教了。牛若望氏的這本「十字架的光輝」中的第一輯，就是談的這些道理。另外也說到由天主教分出的另一支——誓反教的來源。固然在我們教外人士看來好像無所謂，但是若能在這紛擾的世間，仔細的想想生死大事，那未嘗不是件頗有意義的大事。

天主教是元末傳到中國的，到達中國之後與儒家思想相結合之後，開創了一幅極其光明的遠景，可惜在雍正朝的時代，有位不識大體的教宗竟下令不准用中國禮儀去敬拜天主，於是又與儒家思想分道揚鑣了。儒學是我五千年文化的精髓，當然它時常需要新血的注入，不時的進步，漢時的佛教曾給與一劑興奮劑，直到清末則又流入落拓的境地。筆者常想：假如不是那位教宗鬧意氣，而天主思想與儒家思想真的能相互結合的話，那可能是天主教之福，也是國人之福。後來仇教與媚外的交相遞嬗之下，教士只需要多幾個教友，弄得教務日非，而儒家沒落到「五四」時期再也抬不起頭來了！

國人的懶性與進取性都是潛在的，國人只能潛移默化而不能給與暴風雨式的驟然改革，五四以後，國人是醒覺了，而天主教所代表的西洋思想也大夢初醒，於是又相互的各自檢討起來。天主教人士對儒家的人本思想也覺得與耶穌的道理是一樣的，所以他們在研究四書五經，知識份子也在研究歐西的數術之學，雖然科學不能代表天主教，但科學是藉天主教而入中國，那是不會有太大的錯誤。牛氏的第二輯特別有儒家思想的著述，並且也很有見地，那是其來有自呢！

書評與介紹本是件吃力不討好的事，牛氏在這方面竟收入了八篇之多，而每篇都有其獨到的見解，並非是看在朋友的面子上，大加捧揚之作。並且牛氏對每種可預介紹的書籍，都是讀而又讀的，這在文字中間可以看得出來，絕非是應酬人情的率爾操觚！

公教學人的著作，老是給人一股清心的味道，好像不食人間烟火的老僧，筆者對牛氏此作，是抱有如此的見解的！

出谷新聲（續）

芝、盤復薇，可算不少，結果現在能算個角兒的，祇有復慧。她的嗓音始終未衰，誠是倖運兒，一枝獨秀。希望她好好保養，一切小心爲要。對於烟酒切不可染上，而氣候也所應注意，聲色更不能縱之；唯一要着，要多學譚余兩派的戲，不可旁騖！

此次演出奇寃報，腔調之妙，在守前賢成規，而韻味極厚，不論原板、反二黃、流水均佳。唱詞之中，有「陰曹地府走一番」，此番字不太宜，似應唱走一遭爲較好。反二黃的一大段，亦一無敗句，但到後來似乎因體力而音稍弱，以後要注意氣口。而金掌、元章均在把場，前輩對她的囑望可知。至於服毒的身段稍軟，也不足爲病，因爲馬連良演打棍出箱，照樣是從箱內爬出來，沒有鯉魚打挺也。

這齣奇寃報，我覺得場次序幕，還要加強一些。就是有跳判，宜加堆鬼，一則好看，二則讓生角多休息一些，而成全璧。後面公堂不妨加抓趙大夫妻，以有結局，否則包公太沒勁。特別應贊余松照的終南山進士，居然噴火，是大快事。而玉清、浩棠、文華的三把手，眞帥，大爲過癮！此後生角要唱，非請他們不可，否則便會軟弱。

國劇續紛續錄（九）

婆變生

兩種風格

平劇的風格，因濁流在趨新的關係，已在那裏變，簡直是大變，無庸諱言。以許多觀衆，喜歡每齣中酌配布景，於是抽象或象徵的動作，或不感興趣，或甚至不懂。在此情形，不問原來如何，祇要能變就成。梁山伯祝英合，用黃梅調是好的。紅梅閣用皮黃而不帶殺氣也是好的。而一般人尚在推敲音韻，侈談京朝海派，有何作用？恐怕不能起死回生。逐漸走下去，那平劇必走到完全是歌是舞，無須再講眞實功夫。爲了博取外邦的觀賞，十年以後，一定如此，無待贅言了。

近在六月十六十七兩晚，於南海路國立藝術館，看了兩場平劇，其風格完全適異。可是照樣各賣滿座。可知京朝固好，海派也未嘗不好，可得定論。十六日爲茅復靜的盜仙草，孫派名票李東園與牟金鐸周亮節的取滎陽，（此地從未有人唱過）李毅清于金驊。周金福陳非王鳴詠的鳳還巢，完全京朝格局尤其取滎陽，吸引了不少老顧曲家，李氏嗓音特高，大足耐聽；惜乎未帶焚信，因爲連接下去，須有多用廿餘人（四鎮將，四太監，及八位美女，再加紀信陳平曹參周勃酈何滕公，約廿三人。）開支要增加三四千元也。（未完）

汪胡交惡之基因

諸葛文侯

國父孫公於民國十四年（公元一九二五年）春，崩殂北京後不久，粵中國民革命軍在今總統蔣公領導指揮之下，即將逆軍陳炯明楊劉叛軍肅清，國民政府建立廣州，當時主席人選，若以資望與功績言，當推代大元帥職權之胡漢民也。然汪精衛勾結俄顧問鮑羅廷，以國民黨左派人物自居，乘機攫得國民政府主席，與滲入國民黨之中共份子沆瀣一氣，狼狽爲奸。國民黨中央委員兼黃埔軍校黨代表廖仲愷被刺案，鮑羅廷指胡氏兄弟有教唆嫌疑，初擬逮問胡氏，因蔣公暨許崇智等不同意，乃遣胡氏赴莫斯科考察，實同謫戍充軍。未幾，鮑顧問亦告假回俄。

翌年三月十九日，國府海軍局代理局長共黨份子李之龍挾「中山艦」謀叛事件發覺被捕究治，時蔣公以黃埔軍校校長兼任廣州衛戍司令，汪精衛與鮑羅廷恐蔣公藉「中山艦」事變聲言辭職，使國府陷於群龍無首狀態，起政潮，不易收拾，勢非懇挽其復職不可，故汪仍匿居廣州以觀政局之變，無聲無息，然汪之構想歸於幻滅，既不便自動消假視事，一時又無意實行倦勤，殊感悶鬱，唯企望鮑顧問回粵應援耳。

胡漢民在莫斯科得悉中山艦事變消息後，決意遄返廣州，而俄員尼其行，胡怒曰：「余以國民政府外交部長身份來俄考察，詎爲外賓，豈能限制余之行動自由耶？」即毅然乘火車赴海參威，擬搭輪歸國。迨胡氏行抵海參威之次日，忽接鮑羅廷由俄來電，謂有好友二人將偕胡同行，乞稍待，胡不知所謂之好友者伊誰，迨鮑羅廷與邵力子二人聯袂而至，即相偕乘俄輪直駛廣州。途中鮑、邵與胡氏研討對國民黨今後革命策略，胡氏回粵主持國府政務，但須堅守聯俄容共政策，澈底排除右派人士，然胡之觀點不完全脗合，議乃不諧。

胡等一行抵達香港後，胡氏登岸小憩，鮑、邵逕赴廣州。越兩日，胡由港乘火車至穗垣，而鮑顧問暨民黨所謂左派人士，對胡氏態度殊冷淡，汪仍隱匿不見客，但鮑等亦無推戴胡氏代汪之迹象。胡知空氣欠佳，不欲久留廣州，乃偕妻女乘海輪重返香港暫住，靜觀局勢之推移焉。

胡登海輪後，其女公子胡木蘭偶於洗手間邂逅汪妻陳璧君，木蘭詢以「汪伯伯亦同行耶？」陳漫應之。木蘭急據情轉告乃父，以爲汪夫婦必來晤胡暢話別後。詎始終同舟共濟而作尹邢之避，抵港埠後，亦復不通音問，汪越日且放洋赴馬賽矣。胡頗不滿汪對多年患難朋友突示疏遠，認爲有忝革命黨人之風格，迨是彼此終身成隙，各行其是，即種因於斯役也。關於汪胡同輪來港而避不晤面之經過情形，愚違難海隅時，聞諸胡木蘭女士所述，自屬眞實無疑。迨民國十六年春間，汪受共黨蠱惑，由海外歸至武漢，宣言「復職」，大呼「革命的向左來，不革命的滾開去」，胡則隱居上海，不發一言，直至南京國府成立，大舉淸黨後，胡被推爲國府五常委之一，方出而預聞黨國大計。設使汪胡始終攜手合作，併力革命，而不受共黨之挑撥離間，自相疑忌，則中華民國近四十年來之歷史記錄，或許另有新頁可資觀覽也歟？

西瓜考源（上）

·藍潔·

炎夏的西瓜，是最吃香的水菓，不僅味道甜美，生津止渴，而且價廉物美。夏日佳菓，恐怕無有出其右的了。寶島的西瓜，尤爲著名，爲台灣三大勝品之一。據云又有無籽西瓜移植成功，果爾，則尤增人們之口福不淺矣。

據植物學家研究，西瓜原來生長在非洲沙漠的熱帶地方，本是野生的水菓，經過人們的發現能食可口，汁多味甜，便會之種植起來，這大約是四千多年前的事了。然吾國何時始有西瓜？由何地傳入？詩經幽風有「七月食瓜」，及「浮瓜泛李」之句；在兩晉六朝文章上亦有發現，因此有指爲西瓜者，其實非也。上述所指之瓜，並非西瓜，乃是甘瓜。考吾國之有西瓜原有二說：一說西瓜是在五代時（一千五百年前）傳入回紇（現在的新疆），再從而移植內地的。一說是在南宋時代傳入中國的。前一說乃根據五代史以及「胡嶠陷虜記」，五代史云：「蕭翰北歸，有胡嶠爲翰掌書記，隨入契丹。周廣順三年（周太祖年號）亡歸中國，略能道其所見；云自上京東去四十里，至眞珠寨始食菜。明日東行，地勢漸高，西望平地，松林鬱然，數十里遂平川，多草木，始食西瓜。云契丹破回紇得此種，以牛糞覆棚而種，大如中國冬瓜，而味甘。」「胡嶠陷虜記」所述亦大致相同。而「丹冶總錄」所載西瓜是五代時傳入中國。後一說，是依據宋朝洪皓之「松漠記聞」所載，文云：「西瓜形如扁蒲而圓，色極青翠，經歲則變黃。其瓞類甜瓜，味甘脆，中有汁尤冷。洪皓出使携以歸，今禁圃皆有。」「事物紀源」則謂：「中國初生瓜，洪忠宣使金，貶遞陰山，得食之，其大如斗，絕甘冷」。按洪皓是在南宋高宗時使金被留，凡十五年而得獲南返者。因二說顯有分歧。後又有劉元卿在其所撰之「賢奕編」云「……按洪宣忠（洪皓）使虜，乃稱創見，則嶠（胡嶠）當於陷虜之日，而不能種於中國也。其在其中土，則自靖康而後；其在江南，或忠宣移種歸耳。」此說頗有見地，因吾人在北宋人詩集中覓不到詠西瓜的作品，但在南宋則不然，如范成大、文天祥等，均有詠西瓜的詩。可見胡嶠大祇在契丹時吃過西瓜，但並未移植中國。此不過是折衷之說而已。迨至南宋中葉，西瓜在中國已很普遍了。范成大詠西瓜詩云：「碧蔓凌霜臥軟沙，年年處處食西瓜；形模護落淡如水，未可蒲萄苜蓿誇。」可爲一證。按范成大爲南宋高宗二十四年舉進士，卒於光宗紹熙四年，其時正是南宋中葉。范在當時「年年處處食西瓜」之詠，可見西瓜在南宋中葉很普遍了。

我國各地均盛產西瓜，但產量最多，味道鮮美，却當以我國西北部伊犁河畔爲最，其品種有達十多種，在形狀及皮色上皆有區別，大者約五六十斤，名之曰「扣爾奧斯」，小者亦有二三十斤重，名曰「吉列開」。在伊犁不僅炎夏處處食西瓜，縱在嚴冬，圍爐取暖的季節，亦照吃西瓜不誤。當地有諺曰：「嚴冬半塊瓜，藥劑不用抓。」蓋以爲常吃西瓜可却病延年。

白蛇傳

——「影劇與歷史」之八

·周遊

「洛陽三怪記」有云：「西京河南府，又名洛陽。這西京河南府叫做壽安縣，在西京羅城外有一座山，喚做壽安山，其中有萬種奇花異草。今時臨安府官巷口花市，喚做壽安坊，便是這個故事。」此所謂「今時臨安府」云云，係舉現在之事以說明古老的故事，而且若以文中臨安府的名稱呼杭州而論，即可據以推定此一話本爲南宋時代的作品。其次民國初年，由繆荃蓀所發現的「京本通俗小說」，並爲之刊行，其本爲南宋所作，繆氏在其序文中說：「原有「定州三怪」一回，破碎太甚，未予刊入。」此「定州三怪」話本，以原本破碎，除他本人之外，無由得知其原本，但明末編刊之『警世通言』中，有題爲「崔衙內白鷂招妖」一篇，其結語有『這段話本則喚做「新羅白鷂」、「定州三怪」。』由此可知此話本亦名「定州三怪」，故近世學者皆認爲繆氏所謂「定州三怪」，同爲一書。本來此話本記事起頭即云：「定州中山府定山」，所以也許繆氏所見的原題名「定本州」，或者爲繆氏所誤記也未可知。總之，此話本與「京本通俗小說」所存之篇必然一樣，可以推定者，其爲南宋作品，大致不差。如然，則「西湖三塔」在南宋時代已有如上述兩種模仿的作品出現，實在頗可誇矜的事。蓋在當時杭州爲南宋之首都，有關其地之名勝——西湖三塔的怪異錄，縱然是結構稍細，以那個時代而論，其能引動都中人之興味，是無疑的事。然而降至後世，在杭州府又出現了一種類似的傳說，以後來居上的姿勢，佔據其首席，那就是「白蛇傳」的另一名稱「雷峯塔」的故事。西湖水中的小小三塔，都能鎮妖壓怪，聳立於西湖旁的雷峯寶塔當然也可以鎮妖。凡是建塔，莫不是因爲地方上有什麼不清淨的事而建塔，所以建塔的本身就是一種迷信，不是鎮妖，就是壓邪。所以宗教上宣傳手段則可利用來渲染之，以聳人聽聞，而收其攻訐對方之效果。

「雷峯塔」名稱，最早似見於明人田汝誠「西湖志餘」卷二十，云「雷峯塔」在杭州流行，稱作陶眞的一種唱詞之中，就有「雷峯塔」之名。稍後見於文字而現存的書，當爲明末馮夢龍所編的「警世通言」中之「白娘子永鎭雷峯塔」一篇。其故事比「西湖三塔」曲折生動得多，叙事的方法也進步得多。故事大要云：

有青年許宣，參與西湖保俶塔事，遇雨，僱小舟湖上，途中遇一妙齡少婦，携侍婢請求搭舟。原來此即由棲隱湖中的白蛇精，與青魚精所化，被以年青的未亡人白娘子與婢女青青的假面而出現。許宣爲其容色所動，旋即爲其所魅惑，雖抱疑心，但不能脫其纏繞，與之繼續同居。經過種種曲折，方日益明其本性，爲欲逃避白娘子的執着和纏繞，遂求救於法海禪師，禪師借予一缽盂，用以覆白娘子的頭，忽然她們主婢二人變成爲小小的白蛇與青魚於缽中，埋在雷峯寺下，上建七層寶塔，曰「雷峯塔倒，白蛇出世。」以爲鎮壓云。此一故事清代小說集「西湖佳話」中以「雷峯塔怪跡」爲題而收載。「西湖拾遺」亦以「鎭妖七層建寶塔」載之。又有作長篇戲曲稱「雷峯塔」者，在中國的各地方戲劇中均有演出。日本有許多白蛇傳的版本，日人本田秋成之「雨月物語」中亦有「蛇性之淫」，即爲此一故事的翻版。（五）

籃球史話

·正匡·

在這十三條規則訂立後，籃球比賽便開始風行世界各地。由斯普林非林非爾德學院畢業出來的學生，把籃球帶到各地的學校，在一八九三年，美國有很多學校已經開始採用籃球作爲體育課程了。

一九〇〇年國際性的青年會，把籃球介紹到美國國外去，派遣出國執行任務的美國軍隊，對籃球的流傳到國外，亦有很大助力，如在一九〇〇年，美國的士兵把籃球帶到菲律賓，第一次世界大戰時，美國的遠征軍在德國把籃球教給了德國人。

一九〇二年，歷史上第一個籃球聯合機構，美國大學籃球協會宣告成立；一九〇五年，由赫爾賽加力克氏（Holsay Gulick）新訂的三十二條籃球規則，爲美國業餘體育總會承認採用，以代替從前的十三條規則，跟着各地學校體育會，業餘和職業籃球隊間如火如荼般的球賽，更廣泛地使籃球得了一般人士的認識。一九一九年美國籃球隊在法京巴黎舉行的各種球賽，在比賽大會中作表演賽時，曾出乎意料之外，得到各界人士的好評，從此籃球在歐洲的基礎穩固起來了。（三）

內政部台報字第○三壹號內銷證

自由報

THE FREE NEWS

第五七五期

每份港幣壹角
台灣每份新台幣貳元

社長：雷嘯岑
督印人：黃行奮

社址：香港銅鑼灣高士威道二十號三樓
20, CAUSEWAY RD 3RD FL.
HONG KONG
TEL. 771726　電報掛號：7191

承印者：大同印務公司
地址：香港北角和富道九六號

台灣分社
台北市西寧南路壹壹零號二樓
電話：三○三四六
台郵撥儲金戶九二五二

我看戀愛與婚姻問題

藍潔

最近台北報章騰載中法三角戀愛，鬧得滿城風雨，許多人士各抒所見，議論紛紜。是的，這是一個戀愛問題，婚姻問題和家庭問題；也是一種倫理問題和社會問題，而且還是人生的大問題。

今日社會上的戀愛糾紛，層出不窮。很久以來想寫一篇有關中西愛情的文字，都未能如願。今閱謝徵孚教授的「男女愛情婚姻」一席談話，其中特別強調「結婚爲愛情的一部份」的卓見，實先得我心。也因此引起積慮已久的問題得以發抒。能否抓住痛癢，尚希大雅君子的指教！

「結婚爲戀愛之墳墓」，這是西洋人的愛情觀念，在西洋文學作品中俯拾即是。西洋人表現人與人之間的關係，最愛表現男女戀愛關係，舍戀愛之禮讚，則西洋文學去大半了。西洋人是注重婚前的戀愛，認爲只有婚前的戀愛才是戀愛，所以才有「結婚爲戀愛的墳墓」的戀愛觀。西洋人重婚前的戀愛，是謂爲婚前的對相，對方是一超越境界中的對相。因其視對相爲一超越境界的，於是可以給你以無限的理想，往往加以神聖化，由此可以引發個人的無限的追求意志與願力，而表現一個人的生命精神。西洋文學的詩歌，多是讚美女性爲一人格的補足者和靈魂賴以上升者。故有形容女子的眼睛如啓明之星，足以傳彼岸的消息。又視女子的愛，如日月之光，可以照耀人生的行程。在西洋文學中，可以看到西方的戀愛精神，那是西方戀愛精神的典型。

然而在中國的傳統戀愛精神，則並不着重婚前的追求，不將所愛的人兒神聖化，或過於理想化，而使之成爲一超越的境界中人。中國人的戀愛，雖注重婚前的相愛，更注重婚後的愛情，久而彌篤。故中國人對新婚者讚美，則以「百年好合」、「白頭偕老」、「愛情永篤」、「永結同心」等爲辭。「中國古代是有充分的「自由戀愛」的，故在中國文學之表現男女間的愛情者，是注重婉約蘊藉。在古代自由戀愛的時代，異性間之追求，並不是一往向上超越，乃是迴環婉轉以起想思。中國婦女的衣着，以掩蔽含蓄爲美，而西洋人則以暴露爲美。二者炯然有所不同。

詩經國風的第一首，很可證明中國人戀愛的婉約含蓄。詩曰：「關關雎鳩，在河之洲。窈窕淑女，君子好逑。參差荇菜，左右流之。窈窕淑女，寤寐求之。求之不得，寤寐思服。悠哉悠哉，輾轉反側。參差荇菜，左右采之。窈窕淑女，琴瑟友之。參差荇菜，左右芼之。窈窕淑女，鐘鼓樂之。」又如「蒹葭」之詩曰：「蒹葭蒼蒼，白露爲霜。所謂伊人，在水一方。溯廻從之，道阻且長。溯游從之，宛在水中央。」詩中的左之右之，溯廻溯游，正是廻環婉轉相思之情，而不是超越一往向上的愛情。詩經國風是中國最早的北方民歌，楚辭九歌，是中國最早的南方文學的代表，其中如「沅有芷兮澧有蘭，思公子兮未敢言。恍忽兮遠望，觀流水兮潺湲。」又「美要眇兮宜修。沛吾乘兮桂舟。令沅湘兮無波。使江水兮安流。望夫君兮未來，吹參差兮誰思。」這豈不是廻環婉轉之情麼？

還有梁武帝的「西洲曲」，與張若虛的「春江花月夜」二首，我認爲中國文學中極能盡廻環婉轉的代表作。西洲曲乃是男子思女之情；春江花月夜二首的情調，不但是西洋文學中鮮有所見的，也是西洋青年男女所做不到的。不妨錄一小節以觀。詩云：……「開門郎不見，出門採紅蓮。採蓮南塘秋，蓮花過人頭。低頭弄蓮子，蓮子清如水。憶郎郎不至，仰首望飛鴻。飛鴻滿西洲，望郎上青樓。樓高望不見，盡日欄干頭。欄干十二出，垂手明如玉。捲簾天自高，海水搖空綠。海水夢悠悠，君愁我亦愁……」這種情調，念郎于門，于水中，于天空，于簾下，于海天；廻環婉轉，相思無限極了。這是中國式的愛情。中國人表現兒女私情的，如宋玉的「神女賦」，曹子建的「洛神賦」，張衡的「定情賦」，蔡邕的「靜情賦」，陶淵明的「閒情賦」等，都有明顯證據，文長不具引。陶淵明的「閒情賦」乃仿「定情賦」「靜情賦」之作，賦中有云：「願在衣而爲領，承華首之餘芳。悲羅裙之宵離，怨秋夜之未央。願在裳而爲帶，束窈窕之纖身。嗟溫涼之異氣，或脫故而服新。……」反覆數十句，一往情深，委婉企慕之情溢於言表。

西方文學重愛情而不重結婚。中國文化重精神，則「君子之道，造端乎夫婦。」所謂「燕爾新婚，如兄如弟」；「妻子好合，如鼓瑟琴。」中國人應當是以「結婚爲戀愛的開始」。很多的中國文學作品中，表現了婚後的愛情，如有情文學之稱的「西廂記」，前段述張生見鶯鶯追求的事多屬可笑。張生見鶯鶯「魂靈飛在半天兒外」，銷魂而魂無着處，又非解脫；反不如西方詩人之寫見女性而銷魂，其魂靈則着於神，使人精神上升。然而西廂記在寫張生鶯鶯結爲夫婦之後的別宴驚夢，其表現男女的愛情，眞是至深而可感之作。相傳王實甫作別宴前幾句，即行昏倒於地。「碧雲天，黃花地，西風緊，北雁南飛。曉來誰染霜林醉，總是離人淚！恨相見得遲，怨歸去得急。柳絲長，玉驄難繫。倩疏林，你與我掛住斜暉！」金聖歎見了大加讚賞，非無因也。而鶯鶯叮嚀張生一段，也是纏綿體貼，心繫別情，無以復加。鶯鶯說：「荒村雨露眠宜早，野店風霜起要遲。鞍馬秋風裏，無人調護，自去扶持！」這種相互體恤關懷之情，唯有夫婦婚後有之。西洋文學作品中鮮見者也。

近幾十年來，中國人受了西洋文化之洗禮，尤其是青年男女的追求西方式的戀愛，接受得最澈底。「戀愛自由」，「婚姻自由」，當然無可厚非；而男女青年只着重婚前的戀愛，表現得火熱一般；等到結婚之後，漂亮的外表也不過如此！愛情到此止步，以致問題叢生，與日俱增！我以爲我們中國人所需要的愛情，應當是婚前注重自由戀愛，婚後着重愛情的永篤，我無以名之，或可以把它名之曰「中西合璧」的愛情吧？婚前的「自由戀愛」，着重彼此的了解，也就是謝教授所說「愼之於始」的忠告；婚後應當以「愛情永篤」爲目的。既然有「愼之於始」，而婚後自應當以夫婦是人生的終身伴侶，百年好合，白頭偕老。不知今日我們的青年朋友以爲如何呢？

新寵

引誘

今日與明日

克什米爾的爭端

克什米爾又起了武裝衝突，巴基斯坦滲入印軍控制地區，據說死傷人數已在一百三十人左右，戰爭仍在進行中。印度雖然向聯合國安理會提出控訴，要求制止巴基斯坦侵略。但這種要求已提出了十八年，聯合國的人也厭了，應該不會有何結果的。依常識推測，也許拖一個時期，各自退兵爲止。

克什米爾的問題是目前世界局勢的死結之一，聯合國雖然想盡了方法，仍然無法解決。印巴之間的爭執，又要說到尼赫魯身上。當印巴獨立之時，經過英國的調解，規定每一個邦有自由選擇的權利，歸印歸巴，悉聽其便。有幾百個大小邦均未生事端，只有海德拉巴同克什米爾却出了問題。海德拉巴是僅次於克什米爾的大土邦，土王當時宣佈獨立，王是回教徒，以全邦人民意志爲主。尼赫魯却指土王不能代表人民，因爲全邦人民多數是印度教徒，當時未經過任何投票形式，印度就派兵佔領了。恰與海德拉巴相反，克什米爾人民大多數是回教徒，土王却是印度教徒，尼赫魯此時却再不說土王不能代表全邦，馬上也派兵佔領了克邦首府斯利那加。巴基斯坦自然不服，也派兵佔領了巴基斯坦的吉爾吉特地區，巴印衝突的開始，直到今天仍未解決。

危險的訊號

由於尼赫魯在克什米爾推行的殖民主義政策，較之英法的殖民主義更不知毒了多少倍。於是原來與印度合作的克邦總理阿布杜拉也起而反對，被尼赫魯把他投進監牢，不審、不判、不放，整整囚了十多年，直到去年才放出。尼赫魯自稱亞洲的領袖，民主的先進，而其這種事若發生在共產集團的國家，英美朝野一定羣起而攻之，可是發生在印度，西方國家却隻字不敢提。巴基斯坦雖然告到聯合國，要求舉行克邦公民投票，決定歸屬。最後巴基斯坦甚至讓步到願意分割克邦，尼赫魯仍然不肯。美國雖然與巴基斯坦有雙層軍事同盟（東南亞公約，中央公約）關係，依然偏袒印度，一個終於迫使巴基斯坦加入反共公約的國家，却成了毛共的「親密友邦」，以爲仍不足蔽其辜。最近克邦出現了「民族解放陣線」，毛共一插手就不同了，打出了「民族解放陣線」的組織，號召全民起來把印度帝國主義趕出去，漁人得利，是毛共的拿手好戲。（何如）

自由談

蛙式生活

馮子先生

偶與朋友閒話，他談到一幅本國畫，畫有蛙蟆，題兩語：「只坐在井邊，上不見天；」「自從坐井觀天後，不與魚龍混一般」。悲憤然對曰：此可作吾輩今日之生活寫照，亦可引以自慰也。

魚躍於淵，其性與魚同屬水族動物，然而蛙能與魚融融，使人如莊子惠子等亦健羨不已，魚之哲理辯解，尤爲可貴。龍之爲物，具有龍騰之勢，亦爲族之王，息於海洋中，掀起波瀾，能興風作浪的能力，孔聖人稱讚，實在不爲。若夫蛙，僅在春草池塘閒閣而鳴，偶爾給騷人墨客作吟咏資料外，別無可取。

蛙，有兩棲的本能，水陸皆可容身，它的活動範圍固不如魚龍之廣闊多采多姿，而同時亦就不爲人類所重視。坐在井底或池塘邊的小天地間，恬然自適，與物無爭，偶然鼓腹怒跳，且可激發人類的奮鬥精神。

以物喻人，魚龍乃是在政海中飛黃騰達，翻雲覆雨的英雄豪傑，至少亦是紆青拖紫的達官貴人，有時受人羨慕崇拜，有時被人唾罵，他們的處境多變幻，而又缺少兩棲的本能，只是如其處在魚龍中，論身價亦無可稱，到不如蕭然自得，作個蛙之用而已。

我過去也曾在魚龍混雜的政海裏混過一些時期，覺得自己原本似乎小角色的人物，毋補時艱，乃退而甘居於新界偏遠的小角落，作蛙若坐在井底池邊閒閒而鳴，然心情明淨多矣。閒友人談畫蛙的題詞，啓示良多，爲述其感想以見志云爾。

出售公營企業問題

「中紡」「雍興」宣告出售　普通買主顧慮甚多

（本報台北通信）經濟部日前宣佈，擬將兩所公營事業「中國紡織公司與雍興紡織公司」——出售給民營，原因是這兩家公司歷年虧蝕，沒法維持了。實則所有的公營企業，除却「台糖」「台肥」「台鹼」「中國石油」而外，都是有虧無盈，成了國庫的一大包袱。如「中本紡織公司」的後台是交通銀行，現在每年要負担台幣一千九百萬元的貸欵利息，而其資本總額只有一千二百萬元，岌岌不可終日，快要宣告破產了。

台灣的紡織業，是尹仲容大力提倡創進的，過去曾有蓬勃的黃金時代，績效甚著，今日台灣一切綢布產品皆能媲美舶來品，而價值殊廉，且有大量輸出，尹氏的功勞有足多者。何以現在竟趨於有虧無盈、朝不保夕的現象呢？最大原因就是公營事業的組織龐大，行政費用大過業務費，加之以法令重重束縛，無法跟民營企業競爭，一切陳腐落後，迫而陷於倒閉的境況，國庫負担不了，只好出售於民營，以免越陷越深，不可收拾。

可是，出售這種賠本企業，亦非容易的事，商民將本求利，算盤打得很精，若認爲沒有賺錢的把握，決不隨便承購的。尤其是那羣原有的員工，在商民看來，可以留用的很少，但台灣人口擁擠，失業者多，要去掉一個員工，眞是談何容易！過去黃季陸担任教育部長時，他的常務次長高某因爲處分了一個失職工友，曾被該工友持着兇器要跟高次長拼命，嚇得高君越窗逃走，可見亂世人心之不正常。商人最害怕多事，這些公營事業的員工都是「公務人員」身份，個個有來頭，商人是惹不起的。因此，公營企業出售的買主就不多，購價的多寡還在其次。

據說，「中紡」「雍興」的買主，寄望於「行政院退除役官兵就業輔導委員會」，理由是該會過去承頂了一項公營企業，成績很好，不到兩年就有盈利了。然則該會何以有此奇跡產生呢？說來很簡單，即是將舊有那般「公務人員」式的員工，一律解雇，另由訓練有素的退除役官兵承其乏，在嚴格的人事管理和節省浪費的踏實經營方法之下，業務煥然一新了。輔導會是政府機構，它所統率的羣衆盡是些從戰場上退出來的戰士，根本就不怕別人以拼命相威脅，任憑你向民意機關請願，或向那頒訂「公務人員保障條例」的衙門告狀，一概置之不理，快刀斬亂麻，乾脆俐落，自有化腐朽爲神奇的效用。然而，普通商人就辦不到，光是想到如何整飭舊有公營事業的員工問題，即慄慄危懼，裹足不前了。

經濟部所構想的買主雖然如此，但據輔導會負責人表示，該會主管的生產機構已不少，再要承頂「中紡」「雍興」等紡織公司業務，頗感吃力了。如果接購之後依然賠本，不特損害該會素有的信譽，而且仍須增加國庫負担，豈非徒自紛擾嗎？

也有人建議該會，率與將「中紡」「雍興」「中本」這三家公營企業都承購下來，然後混合組織爲一個總體，重新設計經營，以軍事部勒法管理一切，竭力節省浪費，勤求業務發展，即可望大有起色，替政府解除一大包袱，豈不善哉！究竟下文如何，祇看經濟部怎樣決策了。（八月九日於台北）

亞洲新國馬爾代夫

有島逾千人口十萬

最近宣告獨立的亞洲新島國馬爾代夫，領土包括一千二百個島嶼，面積二九七平方公里，人口十萬，首都馬爾有八千居民。該國位於錫蘭西南六百四十公里，過去與錫蘭關係頗密切。

早在公元一一一六年，馬爾代夫開始建立伊斯蘭教王國；但近數百年頗受西方殖民者侵略，一八八七年淪爲英國的屬土，一九四八年仍受英國「保護」，近數年與英國展開多次談判後，始獲獨立。

馬爾代夫國王（蘇丹）爲穆罕默德·法里德·戴迪一世，首相叫易卜拉欣·納西爾。（本報資料室）

整容術在歐洲

巴黎通訊

賈奎琳·奧里歐攬鏡自照，發現鏡中有一副醜陋的臉孔，她不覺渾身冷了半截。

一九四九年七月，三十一歲的女飛行家賈奎琳不幸遇到撞機，飛機墜入塞納河中。她是一個著名女飛行員，是法蘭西前總統奧里歐的兒媳。

她臉上的骨頭一根根地斷了，牙床摔碎了，嘴唇摔破了，鼻子也陷塌了，只有一雙眼睛還沒受傷。一個如花似玉的美人竟落到了今天的醜相。

她是受傷後第一次攬鏡自照，眼淚如斷綫珍珠般簌簌拋落。

但賈奎琳不是一個甘心受命運支配的人。她要奮鬥，要恢復舊時的美貌，她決心要嘗試一下。

她跑去找整容醫生，她在法國和美國動了二十二次精緻的手術。結果她爭得了一副新面貌，是一個似曾相識的燕歸來了。

●賈奎琳的整容，是整容史上的一大轟動事件。它恢復了面貌的完整，也恢復了心靈的完整。

另外還有一個男子名叫喬奇，他因火車發生意外，被削掉半邊臉。同伙的工人們看到他時常背後訕笑，使喬奇無地自容。

他一氣之下，把機師的工作辭掉不幹，做了一個送煤塊的貨車司機，專門改做夜班。

在五年長久的時間，他非到夜晚不出門一步，精神上受到非常嚴重的威脅。

最後，他去看整容醫師。經過多次的手術，和一位神經專家的幫助，他的信心恢復了，他仍舊幹他的機師。

倫敦區有一位太太，她的丈夫爲了見異思遷，把她拋棄，去戀愛一個年紀更輕少女了。這位太太有一個女友，曾經去光顧過一位整容醫師，經過手術後，她的容光煥發，看上去年輕了不少。這位太太因此得到一種啓示，她也決定去整容。

她找了一位倫敦著名的整容醫師。他奏刀之後，頓時使她的面貌，在短短的兩小時內，年輕十年，她面上的皺紋去了，眼睛底下的肉泡不見了，她的鼻子重新換了一個樣，她又把一頭的金色的頭髮染成棕色，她的樣子簡直叫人不認識了。

於是她開始行動。她打聽到她的丈夫，要參加一個宴會，她也化名前去。在宴會席上，他們碰頭。她丈夫認不出是她。她和他酬對周旋，因爲到會的客人，都和她熟絡，她丈夫和她談得更起勁。

餐，最後，他約她第二晚吃，她答應了。如是，他們一連五晚，都搞在一起。她始終沒有說明她是什麼人。

第五晚，他向她建議私奔，她答應了，他們度了第二次蜜月，後來她方才把眞相告訴她丈夫，她丈夫嚇呆了。

整容醫術的功效是多方面的，談也談不完的。甚至一個積犯，在易容後，他的生活方式也能改善。

影明星的矯正，曾使許多電最著名的有莎莎嘉寶，却·德格拉斯，美麗聖，馬丁和蘇珊·韓夏等。

整容醫術在英國最爲發達。歐洲最有名的整容醫師是巴黎的法蘭西斯·沙維爾。不過，話又說回來了，人們對整容一事，不能不十分審愼。如果你去看一個知識淺陋，專以騙錢爲目的的整容醫師，那也可以造成重大的禍害呢。

看一樁强姦殺人案的二審判決

本報駐台記者　劍聲

轟動國際的一毛偵破謝夏命案，涉嫌强姦殺人及僞造文書的劉堂坤，被台灣高等法院台中分院於七月二十七日判處極刑。

該案發生於四十七年七月十九日凌晨一時至二時之間，經嘉義地檢處偵查一百一十一天後，於同年十一月九日以犯强姦罪而故殺被害人謝夏之罪嫌，提起公訴。嘉義地院刑庭審理整整兩百天，於今年五月廿九日宣判劉堂坤死刑。被告不服原審法院判決，向台中高分院提出上訴，案經該院於七月六日開庭調查，同月二十日開審理庭，即宣佈七天後宣判，前後六十天，依然維持原判。

綜觀本案在一審法院與二審法院之判決書內容，本案似未盡調查之能事。

判決書多矛盾

首先，就「未盡調查之能事」來說，地檢處之起訴書與地院之判決，一致認定被告劉堂坤騙謝夏至其臥室，「先用麻醉藥强加謝（夏）女口鼻，使之暈迷，因慮時間過暫，難償所願，尋即注射巴比特魯，使之無法抗拒，將其强行姦污後……抱回樓下護士値夜室……。」云云。是依那些證據認定的？

地檢處與地院刑庭如此認定，顯然違背「犯罪事實應依證據認定之」的規定（刑訴法二六八條）。換句話說，沒有證據不得推定劉堂坤犯罪事實。凡是無證據之裁判，或僅憑法院推事理想推測之詞，爲其認定事實之基礎者，均與證據裁判主義有違，此爲最高法院歷數十年來之判例。

不幸得很，二審法院不但沒有糾正原審法院的錯誤，反而在「事實」中說劉堂坤「先强姦謝夏，而後殺之滅口」，較原審法院更進一步。請問證據在那裏？

憑空的自由心證

二審判決認定的事實：「劉堂坤先以有發揮性之麻醉劑强加謝（夏）女之口鼻，使之暈倒，不能抗拒，繼之姦淫……（姦淫）事畢，謝女仍未甦醒，劉堂坤恐事發張揚出去，影響其身份及名譽，且爲規避其責任，又萌『殺之滅口』之念，遂續對之注射多量之『巴比特魯』（BARELTURATE）安眠藥針劑，佯裝其係吞服安眠藥魯米諾魯（與「巴比特魯」類同）自殺，將謝（夏）女抱回樓下護士値日室放於床上，並將裝有少量魯米諾魯之藥罐置於其旁之桌子抽屜內……。」等情。

法院認定犯罪事實，應憑證據，關於證據之判斷，雖任諸法院之自由，而判斷之結果，須有證據存在，始足以資爲犯罪事實之認定。苟無證據存在，則法院從何而採取自由心證主義？

麻醉劑的疑問

劉堂坤用什麼麻醉劑使謝夏陷之暈迷？又用什麼麻醉注射？二審法院所認定的證據都不一樣：起訴書認劉堂坤使用「特賴靈」；一審法院認劉堂坤使用「其他麻醉藥」，而推翻「特賴靈」；依何證據推翻的呢？二審法院則認劉堂坤使用「富有揮發性之麻醉藥，則屬無疑」。起訴書根據什麼事實認定劉堂坤使用「特賴靈」呢？基於二件無中生有的事實。其一爲五十三年七月二十二日，即謝夏死後七十二時以上，由法醫李六開棺驗屍，謝夏之父兄謝雪茸、謝瑞騰，工人李笋、陳抱、邱水等在場，未聞惡臭，反覺香味濃郁，到同年九月廿六日，檢察官傳訊七月二十二日第一次開棺驗屍時在場之工人及謝夏之父兄等到庭，由法醫王世宗提示醉劑「特賴靈」使謝雪茸等人試聞，結果，檢察官把上述證人試聞後答稱：「差不多這種香味」，「很像這種味」，認定：「僉謂此種香味與七月二十二日法醫李六開棺時，所聞到者相同」，因而「堪以認定爲特賴靈」。其二爲「謝夏屍體膚色不變，一如生前，無若何改變，認屍體內有防腐劑，並以麻醉劑有防腐性能」。

（上）

高屏道上見聞

本報記者袁文德

其次是趙憲之校長，既然是一校之長，居然不知尊重上級派遣人員來校視導爲何事；而竟敢公然指罵「你們督學不配看賬簿單據」。其爲人氣度之狹，則又怎能爲人師表呢？

△退稅一角錢，佳話傳千里！

鳳山鎮中和里住民楊秀珍，於五十三年旬稅捐處繳納二期隨賦征購的稻谷時，當時田賦應征價爲三元零六分，隨賦征購稻谷爲三公斤六兩，按牌價發給是十元零九角。嗣後糧食局公佈新牌價，楊秀珍應得價欵爲十一元。最近高雄縣稅捐處發出一一七三號四聯單，退還了楊秀珍當時少領得的一角錢差額。楊秀珍接獲退還一角錢四聯單後表示：稅捐處長李瑞祥，其辦事之認眞，眞是一絲不苟，這種負責認眞的精神，是值得讚揚的！按李瑞祥處長是台省廿二縣市局稅捐處長中，唯一的台省籍人。

△屏東縣府建設局長康玉湖奉命調長南縣建局，於卸任交接時，對其一手所創辦 子推廣事業，仍耿耿於心，念念不忘，其用心良苦，屏東縣民確爲之感動！屏東縣府推廣事業在付出了最高的精力與財力，眼見此項事業，日益接近成功階段，而創辦的李縣長與康玉湖局長相繼離去。爲屏東未來地方建設發展計，七十萬縣民正渴望着張縣長與劉萬選局長，能以百尺竿頭更進一步，來完成此項未了的新興種子推廣事業計劃呢！

葛德柏新權力

（華盛頓通訊）

美國新任駐聯合國代表高德柏比前任史蒂文森格外架勢。這位高等法院的前任法官，將可獲向詹森的「帷幄上奏」權。他要求國務院撥給他幾間大的辦公室。他準備多多留在華盛頓，儼然一位閣員的身份。

憶老譚演洪羊洞

善身居士

名票趙培鑫於國光戲院曾公演洪羊洞，余百忙中前往捧場，到時令公魂子已過場，適趙飾之六郎，小鑼上頭上，扮像頗為瀟洒。照例此劇六郎，係穿紫披，間有穿藍披者，已嫌不規矩。晚近趙穿黑披，雖則漂亮美觀，以趙係余派正宗，此等小地方似應注意，始可與人以示範作用。聞平津梨園行有云：「行頭寧可穿破，不可穿錯。」趙所唱元板三眼、快三眼，搖板，嗓音均珠圓玉潤，收音亦美。但以余所見，趙雖係學余，此齣仍不脫譚氏（鑫培）窠臼。

余民初在平，每遇堂會，有譚參加，多係演洪羊洞。譚晚年體力較差，以衰邁之年，演此類戲，較為省力。譚最後一次，於北平那家花園堂會演此齣後，不久即抱病逝世。

譚每次演此戲，均係鮑吉祥飾八賢王，蕭長華飾程宣。民廿三，余於廊房軍次，每週返平，必與鮑吉祥晤談多次，（該時孟小冬女士住東城，亦請鮑為之理戲）。余對於洪羊洞一齣，譚演情形，尚可畧憶梗概：

譚唱元板皇王恩重（一句），並不使長腔，勉與床楊靠枕腔雷同。近年王瑞芝、楊寶森改用長腔，與床楊靠枕相似。寶森為陳秀華所一手教成，秀華教時，亦無此長腔，不知此種唱法，有何根據及美處。

譚唱：「猛抬頭又只見父令公……至我本當（我這裏）下位去，實難轉動」，係仍唱搖板，並非哭頭。六郎夢父令公前來，說道前番所盜之骨，乃是假的；醒來時，即請孟良來商議。孟良坐下，問：「元帥有何差遣？」六郎曰：「昨晚三更時分，老元戎前來托夢，道前番盜取骸骨，乃是假的。」（譚唸假字係記獨切，非記亞切。）孟問：「眞的呢」？六郎答：「眞骸骨現在北國洪羊洞望鄉台第三層，既匣裝定。欲煩賢弟二番營盜取骸骨，不知賢弟意下如何？」

又程宣白：「焦二爺被孟二爺劈死。六他為何不前來見我啊？」程宣白：「元帥又一個不好了！孟二爺將焦二爺劈死，無有前日來見元帥，也自刎在洪羊洞口了。」六郎起坐，抓程宣手，問：「你才怎講？」程白：「自刎在洪羊洞口了。」六郎：「哎呀！」奔冬將氣絕，唱倒板：「聽說是焦孟將雙雙喪命」，叫頭：「孟良焦贊，哎賢弟呀！」拭淚（打拼絲）唱搖板。

又六郎唱：「病房來進」，長腔。至堂桌時，右手扶桌，小鑼打令特，向左甩；再打令特，向右甩髯；再打特令特，特特令特，再向左甩髯，轉身入裏坐。

再此齣嘔吐之處，有數次之多，表示病態嚴重。每次嘔吐，須有三番，如唱「霎時間腹內痛心上血湧」（頭吐），打空將；二吐亦打空將；三吐稍長。吐時要將下唇甩動。此平時須加練習，否則吐時聽之，頗不順耳。

余觀譚演此齣，係在民初，為時過久，記憶模糊。今將猶能憶及者，拉雜錄出，聊供參考，亦狗尾續貂耳。今觀趙君演出，尚多遵循譚氏規範，此時此地，誠難能可貴。

編者按：「怪力亂神與法律叢談」續稿未到，暫停一期。

袁枚年少登科，壯歲歸隱，在金陵倉山，卜築別墅，取隨遇而安之義，命曰「隨園」，並名其齋為「小倉山房」。享園林之樂，極聲色之娛，桃李滿門，遍及巾幗，王侯為之傾倒，走卒識其姓名，文采風流，膾炙人口。蔣心餘士銓借詠明處士陳眉公詩：「裝點山林大架子，附庸風雅小名家」以諷之。

袁老尚風流，姬妾之多，不減十二金釵，思曾作「隨園姬人錄」以簡介之。其所收女弟子之作品，刻在隨園詩話中，能自出心裁者固多，也有好名之輩，餽拜門下，代作附驥其中者。爰將女弟子身世及吟詠句，簡畧寫於下面：

袁隨園女弟子錄

漁翁

席佩蘭，字韻芬，洞庭山人，為隨園首屈一指的高足弟子。嫁常熟孫子瀟原湘孝廉。孫亦工詩，夫唱婦和，成為翰墨佳話。所詠送外入都：「打叠輕裝一月遲，今朝眞是送行時；風花有句憑誰賞？寒暖無人要自知。情重料應非久別，名成翻恐誤歸期；養親課子君休念，若寄家書只寄詩」。情意纏綿，末句足見好詩之癖。又喜外竟歸：「曉窗幽夢忽然驚，破例今朝雀噪晴；指上正輪歸路日，耳邊已聽入門聲。縱憐面目風塵瘦，猶覩襟懷水月清；好向高堂勤慰問，敢先兒女說離情。」最後兩句，更見孝順心長，為女子中所難能而可貴者。

袁最器重佩蘭，度其足，送鞋套以為禮物，佩蘭謝之以詩云：「從今感謝師恩重，立雪程門不畏寒」。一時傳為佳話。隨園卒，佩蘭聞之，哀痛異常，詩云：「驚聞仙履返珠林，常抱銜恩一寸心；不作挽詩非為懶，知音人去怕彈琴。」余以末句，用之友誼則可；用之於業師，似欠敬重耳。

孫雲鳳，字碧梧，杭州人，孫令宜廉使之長女。嫁程氏，名不詳。好山水，漫遊雲貴湘鄂，入巫峽，過洞庭，所至有詠，在三峽中，有云：「蜀門西望處，人來夕照邊；重雲裏，直是上青天。秋風三峽水，暮雨百蠻煙。丞相空祠廟，千秋一黯然」。其詩雖較遜佩蘭，而詞調卻多名句，婉動人。所詠臨江仙：「深閨簾不捲，紗窗風裊一煙，永最無聊賴是今年；夜闌消夢雨處，春盡落花天！行雲無去住總前緣。河梁回首涼然，從來離虧圓」。尤以賀新涼，月日先生歸娶圖：「如此良緣如此壽，千古才人第一，眞不羨蓬萊仙客」等句，為最饒風味。（一一）

三國演義縱橫譚

燕謀

一、三國演義的作者

要研究一部作品，首要的課題，就是先要搞清楚作者本身；其次是從作品的時代入手。作者生平有資料可憑考的，最好是從作者本身開刀，把他詳加剖解，在他的軀體中，尋找出他的人生理想的遭遇；實踐理想的感觸，他的感情如何發想，然後就可以獲得作者的寫作意識。諸如作者的思想、感情、文字表現的手法等，都由作者的意識而決定的。假若作者生平的資料貧乏，那只有退而求其次，惟有從作品的時代着手了。

要研究『三國演義』的作者生平，資料是很貧乏的，這是搞『三國演義』者首當其衝的困難。『三國演義』作者羅貫中是沒有多大問題，直到如今為止，我們所能找到的他的生平資料，都微乎其微，而且還是零碎瑣屑，而且還是各說紛紜。然而，為求提供讀者們一點綫索，也只好把一些瑣碎的各說，首先介紹，然後再退而求其次。故在筆者處理此問題的方法，是採取了『雙管齊下』，至於究能使讀者們增加了解三國演義多少，則又當別論了。

羅貫中的名字、籍貫有下列諸說：

一、元人賈仲名『續錄鬼簿』說：『羅貫中，太原人，號湖海散人。與人寡合。樂府隱語極為清新。與余為忘年交，遭時多故，天各一方；至正甲辰復會。別後又六十年，竟不知其所終。』此說羅貫中為太原人。

二、明人郎瑛之『七修類稿』說：『三國、宋江二書，乃杭人羅貫中所編。予意舊必有本，故曰編。』此說羅貫中為杭州人。

三、明人王圻之『續文獻通考』說：『水滸傳，羅貫作，貫字貫中，杭州人，編撰小說數十種。……』此說羅貫中名貫。

四、明人田汝誠之『西湖遊覽志餘』說：『錢塘羅貫中本者，南宋時人，編撰小說數十種。……』此說與『續文獻通考』略同。

五、明人胡應麟『少室山房筆叢』說：『……元人武林施某所編『水滸傳』，特為盛行：……其門人羅本亦效之，為『三國演義』，絕淺陋可嗤也。……』此說羅本為施耐庵之門人。

六、淸人俞樾之『茶香室續抄』說：『書影、水滸傳，為洪武初越人羅貫中作，又傳為元人施耐庵作。……』關於羅貫中作水滸傳的記載尚多，此說羅貫中又為越人，而且為明洪武年間人。

七、明人高儒之『百川書志』說：『三國志通俗演義二百四卷，晉平陽侯陳壽史傳，明羅本貫中編次。據正史，採小說，證文詞，通好尚，非俗非虛，易觀易入，非史氏蒼古之文，去瞽傳詼諧之氣，陳敍百年，該括萬事。』此說羅貫中，名羅本，根據陳壽三國志撰演義，最為詳盡。陳敍百年，該括萬事，似非虛語。

八、淸人徐渭仁『徐鈵所繪水滸一百單八將圖題跋』說：『耐庵感時政陵夷，作水滸傳七十回。羅貫中客偽吳，欲諷士誠，續成百二十回。』此說『羅貫中客偽吳』，似與羅為杭人、吳人有關。

九、胡適之考證水滸傳說：『一百二十回原本是明初人所作，也許是羅貫中所作的；羅貫中是元末明初人，涵盧子記明元曲裏有他的龍虎風雲會雜劇。』（按：原書記雜劇，尚有『三平章死哭蜚虎子』、『忠正孝子』、『連環諫』三種。）胡適之也搞不清羅貫中為何許人也。

十、明人王圻之『稗史彙編』說：『文至院說書，其變極矣。然非絕世軼材，自不妄作。如宗秀、羅貫中、國初葛可久，皆有志闢王者。乃遇眞主，而葛寄神醫工，羅傳稗史……。』（一）

時代的聲音

—天籟集讀後有感—

高亭

一

造時先生雖然自謙說：「本書乃是些雜亂無章的讀書筆記。」可是在我讀過以後，却并無雜亂無章的感覺。而深以為作者對於時代的一片由衷而發出的呼聲。點出了現代的政治家，以及所謂的政治家，却有來龍去脈的所以然，使我們具有深切的感受。我們的現代世界，我們目前的祖國，須要些什麼樣的政治家來領導？我們的環境是不是可能創造出來？或者是政治家，能否創造這個時代？

二、

天籟集是段先生在五十一年前後，身處在灰暗的，潮濕的境地裏，而精神部份則遨遊祖國及世界。讀他的書，記述他的思想，評述政治的得失，追問、尋求、研討我們這個世界為何會走到這一步？等等。

在坎坷的境地裏，不與時間同流逝，在可能範圍內做些自己應該做的事，追求自己的興趣，這就不是一個平凡的年輕人，能有毅力、有決心所能為的。何況段先生不過是以二十二歲的青年，就能有很大的抱負，有他的創見，不三年後的今天，果然有他的事業，而且還能潛心盡意的做得頗有聲色。

段先生曾有一部自由太平洋大學文庫的「強制執行法新論」的巨著，所以我知道他是學法律的。而他對於近代史又頗有興趣，也許是多方面的天才。也許不日當更有完整的更具體系的近代史問世，給我們這個沉悶的時代，再敲一計晌鐘。

偉大風範的國父孫中山先生，為段先生傾誠佩服，并贊「精神不死」，的是確論。由此可見政治立場是經過一番洗鍊的。能歷歷述來，令人肅然起敬。無論事功、思想、學術、為人道德，中山先生均為我們追從的規範。我們完成了其政治理想和目標後，我國受其福澤，自不待言，乃至於對世界亦是有很多的俾益的。

對曾國藩以憂讒畏譏來形容，也是的論。這種觀念，恐不是一般人所能接受的，但我不能不佩服他的見地深奧。

袁世凱，欺君負友。慈禧太后頑固矇昧的誤國。毛澤東的泯滅人性。話來頭頭是道，也給我們看見了，目前雖然煊嚇一世，但也露出了陰影，甚至被陰影所籠罩。段先生說我們有力量加濃其陰影。

世界人物：有羅斯福，雖有他的功業，可是也有對他的諷刺，而且諷刺得很實在，很恰當。艾森豪威爾，只是福星高照，贏得了二次大戰時歐戰場的勝利。對邱吉爾識其為鷹犬，對英國自有其建樹。馬克斯、列寧、史達林祇是希特勒的同一型態版，乃至尤有過之。杜魯門雖然輕而易舉的得到了美國總統的座位，可是昧於共產黨的宣傳，所以在韓戰時斷送了美國的十多萬青年的生命。李承晚，晚景淒涼，雖然在民主的美國受教育，仍是民主政治的大罪人。

時間也許是不留情的，在天籟集初版的時候，尚有五個人在人間。可是邱吉爾和李承晚相繼離開，而僅剩下艾森豪、杜魯門、毛澤東了。而毛澤東前兩天的報紙還在報導，講他已有毛病，可能也要離開人間了。不過他死不死，我們不在乎，我們所從事的反共任務，仍然不可疏懈的。

四

一本好書，我總不想我獨自享受，所以我要零碎的寫出來，也許在你看過以後，忍不住會說一句：「那個高亭是講些什麼？根本不能了解『天籟集』。」但願有很多人說這句話！

國劇繽紛錄（十）

鑒藝生

兩種風格（續）

主辦人是求利主義，演唱者不願太累，退興漢國留待以後再演，點到可矣。毅清的鳳還巢，是有口皆碑，而是「扮相特別清麗，爲以往所未見者。

十七日爲文華劇社邁台八週慶，演出兩齣，社長鍾啓英于玉蘭王力君的斬經堂，陳雲霓夫人、于金驊、朱月葵夫人，王力君以及班串的八寶公主（即狄青招親），看了戲單，渾疑到了上海更新舞台或共舞台一般。在台灣來談海派魁首，要以陳雲霓夫人爲獨一。自從首次演李十娘（即三上轎）成功，撼動了劇圈，曾三次演過，那份辭靈出嫁，幕內敲棺材蓋，幕外一片哭聲，淒慘不忍覩。以後再演北漢王石頭人招親等皆別緻。可是坐樓殺惜樊江關等仍照常出色。尤其活捉，恐怕鈕方雨趙玉菁不能似之，故在台北已是鼎鼎大名，內外行無人不知之。

八寶公主是旦且國王的親女，這幕狄青招親，也是五虎平西夏的一幕。公主打不過狄青，而迷於下山時師傅的預言，她的終身屬於狄青，一聽陣上提名，心就軟下來，想嘗出嫁之味，才用八寶來迷蒙狄青，達到目的。這與樊梨花、穆桂英等，多是師父叮囑一般，絲毫無異，好像一塊木板雕出來的。結果目的達到，捉住的宋將，一齊開放，助狄征西成功。所奇的八寶公主的裝扮，完全時代化，頭上是白絲織的網冠，身上披白色風衣，看來不是京朝的老派。陳夫人更有能耐，逐個翻打，並跑圓場躺馬，姿色的好看，滿台如飛。我告其甥女某坤票，妳看看妳舅母的風頭！

最突出者，是于金驊的旦且國王，身穿白色軍服全身，還裝高的假鼻子，畫了假眼鏡，掛了指揮刀，十足好像自歐美來的。一切行禮，概用舉手注目，而滿口的上海洋涇濱，眞發噱，滿場喝采。最奇所用文武場，是鄭鐵珊司鼓，朱少龍劉旭東劉浩棠的京胡二胡月琴，大概明駝文場也許不明白，因所唱之腔，有點近乎五音聯彈，這戲是台北最近演出的新奇者，風格大異。

談王復蓉

在十二年間，台灣的劇壇，關於青衣花旦，造就了全才，僅有兩人。大鵬有徐露，復興有王復蓉，是互相爭霸。各人的環境，徐到歐洲，王去美國，在國外均有相當的聲譽。論資歷則徐較老到，談扮相則王是艷美，半年八兩，似無差別。不過年紀恐怕徐露要大過七八歲，因此今後十年是兩位造詣的高潮，要看發展的進境，來作決定，相信復蓉不至多讓！（未完）

談倪斐君

諸葛文侯

湘人黃九如，留學日本習醫科畢業後，初在長沙懸壺濟世，顏其診所曰「康濟醫院」。迨民國十六年國民政府奠都南京，黃氏移設「康濟醫院」於金陵城內，旅京之湘省人士每因病與黃氏多所往還，而以賀貴嚴（耀組）尤爲密切。

越民國十九年，黃之診所雇用一青年女護士，名倪斐君，頗具姿色，時賀貴嚴任中樞參謀部次長，親及倪氏輒愛慕之，暇即赴康濟醫院藉治病，與倪氏表示親近，倪亦與周旋，漸成膩友，賀有意藏之金屋，然倪以賀中饋有人，拒作妾媵，實則此時之「賀太太」亦係湘中長沙樊西巷勾欄中之風塵女也，地位仍屬簉室也。民國廿一年夏間，此一如夫人忽病逝，賀在南京遍發訃聞，訂期開弔於毘盧寺，場面甚熱鬧，楊永泰在武漢接得上項訃書時，曾疾言厲色語人曰：「你們這位老鄉眞無聊，姨太太死了亦如喪考妣，大事搞喪葬儀式，何苦乃爾呢？」旋即南京來人談及此事，方知賀之所以特爲亡妾舉行隆重喪禮，旨在使倪斐君相信其別無妻室也。未幾，倪賀即以正式結婚聞。

倪氏于歸賀家後，擅專房之寵，賀[illegible]遠，兩人恩愛非凡。原在上海大學執教鞭，乘創刊「火花」雜誌之左傾份子李劍華陸之蜀籍，官拜「華東軍政管理委員會」僞勞動部長，乃一老共幹也。）即因倪氏推轂而成爲賀貴嚴親信，往後歷任中央勞動局副局長，上海市政府社會局副局長兼勞動處處長等職，皆源於賀氏之「引論」而然也。倪氏之共黨色彩，初鮮顯露，不特一般人毫無所覺，即賀貴嚴亦未必瞭解。直至對日抗戰時期，賀任重慶市長之際，倪亦于役渝市教育行政事宜，乃有兩項情形使愚滋生疑竇，且因而開罪倪氏，以致賀市長對愚頓生芥蒂焉。當時倪以市長夫人地位，創辦一「兒童教育福利社」，每週末即在賀家舉行茶會，約集市府有關各單位主管人之太太從事座談。愚妻亦參與兩次，愚詳詢內容，據言座中亦有西洋婦人士數人謂係美俄使館人士之眷屬，然所談問題又與兒童教育無涉，多談一般政治事項云云。拙荊固不懂政治，聽之生厭，愚則疑其別有作用，囑妻嗣後託詞謝絕茶會邀約，以祛煩擾，倪氏大不悅。

繼倪氏囑市府秘書李君（賀市長之外甥）傳語於愚，謂市長夫人爲籌措兒童教育福利基金，擬就重慶娛樂場所之票價附徵若干成數，盼愚認可，愚以爲殊非所宜，但不便遽予拒却，爲言娛樂場所歸社會局主管，似應由社會局提議爲佳，教育局可以聯署，同時私下徵詢社會局包華國兄意見，彼亦不甚贊同，事乃報罷。倪氏認係愚從中破壞，常譖愚於賀市長，適渝市警察局以章乃器住所發生火災，指章係「火頭」而拘之（此係市府與市黨部聯席會議決定者），倪氏竟到警局大鬧，要求保釋章，僵持至夜午猶在警局糾纏不已，局長徐中齊兄電話告愚，請設法疏解，愚急往晤賀市長說明一切，賀不得已，派員赴警局强接夫人回家，章乃器仍未省釋。倪知係愚向市長進言所致，更爲嫉恨矣。

大陸變色時，賀貴嚴靦顏投共，而倪之原形乃畢露，賀氏於武漢任「水利部」僞參事（僞部長爲劉斐），已則常住北平，實同仳離，蓋以賀氏之利用價值已告盡也。

諸葛文侯曰：倪斐君與李劍華皆係滲透我政府中之老共，而隱形術精，未致敗露，終奏顛覆之功。痛定思痛，今日對於一般思想素不正確，行爲曾經反動之表面反共英雄，可不加以戒備乎？

西瓜考源（下）

·藍潔·

西瓜的營養價值亦很高，它含有大量的水分約百分之九十，百分之七的糖，以及其他的蛋白質。西瓜也是一種中藥之材，本草書目中說：西瓜性味甘而寒，功能解暑消熱，利小便，但胃弱者不可多吃。因西瓜有消熱解暑之功，故有「天生白虎湯」之稱號。

更有人研究所得，認爲西瓜有減輕血壓之功。用西瓜仁煎湯也有降壓作用，因爲西瓜仁中有油質，每日服用三次，據說甚爲有效。過去藥店中，有一種「西瓜霜」出售，可治喉疾。

我們一般人吃西瓜，都是習於生吃；其實除生吃之外，還可以用瓜肉去子，放在鍋中，加糖與蜜，熬稠成醬，塗在麪包之上，其清香之味，與一般果醬迥異。至於西瓜皮，將外表粗皮削去、取瓜肉，切成片或者絲，可以用糖、醋、鹽、蔴油，拌來生吃。也可以用糖、醋泡來吃。愛辣味的人，也可以放辣椒油。若用西瓜片或者西瓜絲來炒肉片，也是一種佳餚。用來川湯，湯也很清香。一般人都把西瓜能做菜，吃的一部分扔掉，不知道利用，很可惜。

西瓜尚可釀酒，其味最鮮而甜，名叫「西瓜酒」。就是將西瓜切去四分之一，作蓋子用，然後將葡萄乾，或者其他的果脯之類，塞進瓜中，然後將蓋子蓋上，放在陰暗地方，約十數日後，瓜心都變成蜜水酒，濃郁異常，喝多了照樣能醉人的。

西瓜經過移植和播遷，又因土壤氣候的不同，自然條件不一致，因此便產生許多不同的品種。在江南一帶的平湖西瓜，老虎黃，山東德州一帶的枕頭瓜等，均名種；致於三白瓜，全國各地均有出產，其特點是白皮、白心、白子，所以名之曰「三白」瓜；其他的品種，有黃心、白子、黑子的均有；尚有黑皮西瓜和黑綠色參差的花皮西瓜，內蒙古更有一種特別長而且粗的西瓜。

西瓜雖好吃，選擇西瓜却該注意，根據內行人的經驗，有三種方法：即看色、聽聲、和觸壓。好的西瓜，表皮光滑，色澤較深而且明顯，著地的一面，呈深乳黃色；聽聲之法，是一手將西瓜托起，另一手輕拍西瓜，或者以手指彈瓜，將耳貼近西瓜靜聽，發出清脆的聲音是好瓜。同時在拍瓜的時候，能感到由瓜傳過來一種振動的是好瓜。觸壓法是用大姆指輕輕的按壓西瓜，立刻有一種彈性反應的是好瓜；按壓不動，是瓜未成熟。彈性反應慢的，是過分成熟；瓜底臍部較深，四周充分肥大的，也是好瓜。如能知此三味，讀者不難物色到如意的好西瓜。

白蛇傳

——「影劇與歷史」之八

周遊

明人田汝誠「西湖遊覽志」卷二云：「湖心亭……鵠立湖中，三塔並峙。……六十家小說載有西湖三怪，時出迷惑遊人，故魔師作三塔以鎮之」。又卷三曰：「雷峯者，南屏山之支脈也，吳越王妃於此建塔……俗傳湖中有白蛇青魚兩怪鎮在塔下。」據此則三塔之故事，爲小說之創作，而雷峯塔之故事始爲民間之傳說。清人陸次雲之「湖壖雜記」等以雷峯塔故事爲俗傳，此則亦爲一般通說。然而以筆者研究所得，「雷峯塔」故事並非最初的民間口碑，他是「三塔記」的話本中脫胎而來，其創作時代，是在西湖三塔會一度頹廢之際。如西湖志所云：三塔在明代成化以後一度毀壞，至萬曆年間始復舊觀，則其湖中不見有塔之影者，惟時將百年之久。寄託在三塔下的白蛇故事，在三塔毀壞後，不復動人者亦可想像；故在此時，無以依附，傳說三怪白蛇故事者，一般見機敏作的上文之人，遂至將此故事轉入近傍的雷峯塔下，將白蛇女妖移附雷峯塔，成爲「雷峯塔」或「白蛇傳」的小說。這是一般舊部小說作者一貫的手法，可以置信。更有人將此故事，作成陶眞唱詞，爲由盲人之口，傳播市井，既爲一般常話故事，自然容易成爲一般通俗的說部作者取材。「三塔記」便因塔廢，而爲旁近的雷峯塔所纂奪，而成爲白蛇傳了。

考「塔」本爲佛教文化的產物，其名目有「窣都波」、「浮圖」、「浮屠」、「塔波」、「塔」，皆由梵語音譯而來；還有亦名「窣塔波」。譯意爲：墳墓、塚、靈、廟之意。按塔的作用，又爲瘞佛骨之所，總是佛家的產物。後來傳到中國之後，加上了中國化之後，則變成爲鎮壓妖魔鬼怪的東西。塔有三層、七層、十三層不等。在中國各地都有它聳立着，佛教文化傳播中國之廣亦可想而知。

雷峰塔考

雷峯塔乃西湖十景之一，曰「雷峯夕照」。因宋時隱士林和靖登中峯詩，詩云：「夕照前村見，秋濤隔嶺聞」之句故名。西湖志所云「日光西照、亭台金碧，與山光倒映，如金鏡初開，火珠將墜，雖赤城霞棲，不是過也。」雷峯塔爲西湖生色不少，實非妄言，有文獻可徵也。

雷峯塔乃五代時吳越王所建。吳越王錢俶，在其自撰碑記中云：「敬天修德，人所當行，矧俶忝嗣丕圖，承平茲久，雖未致全勝，可不上體祖宗，師仰瞿曇氏慈忍力所沾耶？凡於萬機之下，口不輟誦釋氏之書，手不停披釋氏之典者，蓋有旨焉。諸宮監尊禮佛螺髻髮，猶佛生存，不敢私秘宮中，恭率瑤具，創「窣塔波」（浮圖也）於西湖之滸，以奉安之。……於是合十爪以贊歎之，塔曰黃妃。吳越王錢俶拜手，謹書於經之尾。」（六）

籃球史話

·正匡·

本來在一九〇四年奧林匹克世運會，在美國聖路易城舉行時，各國曾提出籃球應列爲大會球類比賽之一，但未獲通過。直至一九三六年，世運在德京柏林舉行時，籃球才被承認爲大會中的一項正式節目。當時有二十一個國家參加角逐。

至於女子籃球的出現，是在一九〇〇年，由史密學院執教的舉打阿卜德夫人（Mrs Sencie abbot）發明。

籃球規則的修正，自從一八八五年的限制每隊隊員人數爲五人和跟着規定在投射罰球時，應由被侵犯的球員自己主罰，而不能夠由隊中挑出一善射者包辦投射全隊罰球起，籃球的規則，始終不斷地在被修正，以求合理。像以前十秒鐘和現今三十秒鐘的限制，防止了攻方球隊在自己的籃下「搓麻將」，施行拖延時間的戰術，三秒鐘的規定，免除了身體高大的球員，控制包辦籃下球，還減少了籃下過份的劇烈爭奪。

有時一項重要球規的修正或出現，會影響到籃球的戰術，像十秒及三十秒鐘的限制，使很多的球隊教練重復採用以前被廢棄過的釘人戰術，環場來追逼敵方球員。

從前，在一場緊張勢均力敵的球賽裏，將屆終場時，畧佔上風的球隊，往往便利用遲遲不將球傳出去，或者將球輾轉相傳，不使球在對方的手中，以這種凍結戰術，以穩打穩紮來維持勝利。但是這種慢吞吞的動作，缺乏刺激，毫不起勁的表演，却不能提起觀衆的興趣和滿足球迷的欲望；因之持球在手不得超過五秒鐘的限制，便部份地免除了這種弊病，和大大地增高了球賽進行的速度。（四）

內政部台報字第○三壹號內銷證

自由報

THE FREE NEWS

第五七六期

中華民國僑務委員會登記
台教新字第三三六號登記
中華郵政台字第一二八二號執照登記爲第一類新聞紙類
（半週刊每星期三、六出版）
每份港幣壹角
台灣零售價新台幣貳元
社長：雷嘯岑
督印人：黃行晉
社址：香港銅鑼灣高士威道二十號四樓
20, CAUSEWAY RD 3RD FL.
HONG KONG
TEL. 771726　電報掛號：7191
承印者：大同印務公司
地址：香港北角和富道九六號
台灣分社
台北市西寧南路壹壹零號二樓
電話：三○三四六
台郵撥儲金戶九二五二

越戰與我軍事反攻大陸問題

陳侃

近來由於越南戰事之日見激化，美國輿論界與民意代表常有借重我國軍隊援越的主張，吾國人談到越南戰事，亦不斷的有人發出「開闢第二戰場」之呼聲，意思是要實行軍事反攻大陸。反攻大陸是對的，却不能認爲「開闢第二戰場」，因爲反攻復國原係我們固定的國策，無論越戰如何發展，我們的國策決不變更，充其量只是參酌國際形勢以採擇軍事行動的時機而已。所謂「開闢第二戰場」云云，乃是以越南戰事爲主格的觀念，擬於不倫，即就亞洲自由國家的集體安全而言，亦係不切實際之談，莫說也罷。

一

目前越戰的態勢是：美國依然本其適可而止的不求勝策畧，企圖以空襲威力，迫使越共接受和談，但期維持南北分治的原有界綫，於願足矣。越共始終堅持其所提四點原則性的和談先決條件，不肯讓步，就是看破了美方色厲而內荏的弱點，有恃無恐。美軍的空襲既不敢波及河內，祇能摧毀一些鄉鎮和叢林湖沼間的建築、橋梁、道路等等，再殃及若干平民，對於共軍實力幷無重大損害，越共儘可以逸待勞，靜候美軍使用拳頭打螞蟻而吃苦上當之後，國內激起反戰的爭論與壓力，不得不作「痛苦的決定」！這是美國務長官杜爾斯當年在簽署分割安南的日內瓦協定時的聲明語——仍然退出越南。共黨這種如意算盤幷非幻想，美國只要不害怕毛共介入越戰，而不敢大舉進軍北越，甚至連河內、海防亦不敢加以轟炸的話，終有自動退出越南之日，殆可斷言——除非毛共沿襲日本軍閥的故技，再搞出一次「珍珠港」事變。[illegible]希望毛共改變對「美帝」態度，能夠和平共存下去。但毛共師承列寧當年以反對「英帝」爲進行世界革命計劃的謀畧，——當時英國居於世界霸權的首位，與今日美國地位相同，始終以「美帝」爲死敵，決不妥協；而毛共現又具有製造核武器的機能，涓涓不塞，將成江河，再過若干年（最多五年），毛共在法國的技術贊助之下，很可能造出自行使用核武器的全盤機械，更不怕核子戰爭了。所以，美國人此刻雖不怕共產主義，却很憂惶毛共擁有眞正的核武器，非及早予以摧毀不可。美國目前的急務是要利用俄毛反目仇視機會，取得蘇俄的諒解，讓美國炸毀毛共的核武器設備，而不訴之於全面大戰。這一着如果做得到，美國即可能藉着越戰的使利，對中國大陸上的軍事目標實行轟炸，也就是我們反攻復國的大好時機。究竟未來的形勢如何演變，固難預料，但我們相信美國正在這方面下工夫，因而越戰前途亦難作肯定的論斷。

二

談到我政府軍事反攻大陸問題，吾人不悉軍政內容，固不宜隨便論列，但認爲有兩點關於戰畧上的普通常識問題，値得注意。

第一：要打倒毛共政權，必須使武力與大陸上的民衆力量相結合，纔可操必勝之劵。但是，現時大陸上的人民在奴役生活環境之下，要想「揭竿而起」，亦感到無竿可揭了，沒有外來力量之護持，他們是無從奮起反抗暴力政權的。因此之故，一般人所想像的先行佔據沿海岸灘頭陣地的進攻策畧，已不適宜，共匪可用堅壁清野方法，將當地數十里以內的人民和物資，掃數遷徙，使國軍處於孤立作戰之中，得不到民衆的助力，滿淸康熙王朝就是採取了這種方法以對付延平王鄭成功之反攻行動，毛共當然亦會如法泡製的。我們無論在甚麼時候實行軍事反攻，爲要結合民衆的力量、迅速摧毁共黨政權，似以「空中突破」爲上策，選擇有利的時機和地點，分別空投相當人數的武裝部隊下去，立即佔領城池，號召民衆來歸，構成巨大的反共勢力，就可以表現「風聲鶴唳，草木皆兵」的情況，使共匪疲於奔命，也可以測驗共匪控制民衆的實際能力爲何如，藉供繼續反攻作戰的實證資料。如果從海岸的灘頭陣地進攻，在動員出發之中，即須有鉅量的運輸工具，更需要優勢的空軍掩護，且得經常維持着源源不絕的後勤補給，除非取得盟邦美國的盡力援助，似屬困難。唯有「空中突破」的戰畧，可以免除許多顧慮。

第二：假使美國取得了蘇俄諒解，實行摧毀毛共製造核武器設備，我們同時展開反攻大陸的軍事行動，更應該實施「空中突破」戰畧，比較容易奏功。時賢多有主張進攻海南島者，我們不敢苟同，理由是：佔領了海南島若不能迅速向內陸推進，美國縱然基於越戰[illegible]

三

[illegible]

今日与明日

阮高奇訪華

越南總理阮高奇訪華，除與我軍政領袖多所接觸外，又曾兩次晉謁蔣總統，對當前局勢作長談。阮氏此次訪問，中國方面固然極端重視，其他亞洲自由國家，也都認爲意義重大，將是扭轉越戰局勢的一個轉捩點。

阮高奇是一個有爲軍人，有胆有識，雖然身爲空軍司令，經常率機轟炸北越共區，可見其人是一個不尚空談，脚踏實地的人。這次到台北訪問，必然是有所爲而來，決不是普通禮貌的訪問。因爲此時不是報聘之時，越南局勢也實在離不開他，若非有重大問題急待決定，阮高奇決不會於此時抽出時間訪華，這點是可以斷言的。

中國朝野對越南局勢的關切自不待言。隨時準備與越南政府以有效支持，也是衆所周知的事。只是技術方面應當如何？迄無具體決定。此次阮高奇訪華，兩次晉謁蔣總統長談之後，對此當可有所決定，相信不久將來，整個東南亞就要出現新的局面。

沈昌煥訪日

中國外長沈昌煥，應日本外相椎名之邀，訪問日本，也是東亞一件大事。沈外長此時訪日，實在有極重要的意義和極艱巨的任務。日本政府在池田內閣時代，因爲出售維尼龍廠與毛共，引起我朝野上下一致憤慨，中間幾乎斷絕邦交；當時的日本首相池田，就託前首相吉田茂到台北解釋，吉田會謁見蔣總統，並與政府大員會談，提出書面担保：日本政府決不以國家銀行的公欵去貸給向毛共賒帳的公司。這封信被稱爲「吉田書簡」。由於這封書簡，斷絕了日本變相經援毛共之路。池田直到下台，均能恪守此項規定。佐藤上台後，也還遵守「吉田書簡」，兩次拒絕批准國家銀行貸欵給與向毛共輸出的企業。

最近日本政府由於兩次選舉的失利，誤以爲拂逆了毛共所致，因此又想向左轉以譁衆取寵，喊出了廢除「吉田書簡」的口號，準備恢復對毛共輸出的貸欵。沈外長此時訪日，雙方必然會就此問題商談。深願沈氏有所成就，勿使過去之功，毁於一旦。

當前局勢

由阮高奇的訪華與沈昌煥的訪日，都可以看出一點，就是自由國家非加强團結無法對付共黨的侵畧。在自由與極權兩大勢力搏鬥中，想採取袖手旁觀或左右逢源的辦法，也許能收效於一時，但最後是不堪設想的。印度就是一個活生生的例子！也値得日本政客三思的。（何如）

形勢複雜

毛酋的寵物

自由談

自由世界的隱憂

若說美國一般知識界人士的智慧不高，然美國的科學技能特別發展，而需要最優越的智慧纔可以創造的原子武器，却是美國首先發明的。若謂他們有聰穎過人的慧質高才，然歷觀美國在戰後領導自由世界反共運動的一切作風，又可說是錯誤百出，低能之至。

就拿越南問題來說罷。當年越共胡志明圖攻奠邊府之際，法國支持不住，向美乞援，美國參謀會議主席雷德福上將決定了軍事援越計畫，只派一艘航空母艦到東京灣，用幾十架飛機應援地面部隊就行了。可是，美國還要請教於英國，英首相邱吉爾不表同意，即以所謂「不單獨行動」的理由，宣告作罷，坐視安南人民陷於一半自由、一半奴役的生[illegible]，且從而承認其合法存[illegible]。曾幾何時，越共要併吞了，美國却不惜單獨行[illegible]挺身負起軍事援越的責[illegible]派遣援軍十萬人以上到[illegible]作戰，事倍而功不及半[illegible]知今日，何必當初呢？既已實行軍事援越，又採取不求勝的政策，越共許下大賄，宣稱祇[illegible]共游擊隊撤出越南境內[illegible]

國即願以十億美元作建設北越的經費，這已是笑話，但笑話尚不止此。美越[illegible]方的軍隊共計在六十萬人[illegible]上，而距離西貢卅公里的[illegible]謂D區地帶有兩營越共游[illegible]隊潛伏着，美國五角大厦將軍們，不教美越陸軍實[illegible]進攻掃蕩而消滅之，却從[illegible]遠的關島調派數十架轟炸[illegible]專事空襲，把當地的老百[illegible]亦炸死不少，而游擊隊橫[illegible]

[illegible]

馮自先生

[illegible]

從黃杰主席的「理性生活」觀念談他的工作規範與施政方針

本報台灣中部記者　熊徵宇

六月卅日，台灣省主席黃杰，應全國編輯人協會邀請，在台北舉行的三屆年會演講，濂述加强經濟建設，實施平均地權，創辦社會福利，計劃治山防洪，改善教育措施等等方面的成果與展望。

他就主持省政二年七個月以來的觀察，發抒了一些感想。

他認為：由農業社會轉變為工業社會，社會應該具有新社會的生活態度，是一種「理性生活」，強調「生活從觀念的改革到生活的實踐，要以一種適應羣體生活的共同情操，來改革社會，轉移風氣」。

他說「理性」的內涵，不外是：同情、諒解、樂觀、熱忱、奮鬥等等。

他要求新聞界宏揚人性的光明；不要迎合低級趣味，而帶給社會動盪不安。

他舉例說：前幾年，台北市留公圳的分屍案，由於報紙的過份渲染，使一件普通的情殺案子，掀起軒然大波。

他說：本「春秋責備賢者」之義，我要求新聞界不宜過份重視報紙的銷路，而忽略了教育羣衆的意義。

演講給人許多感想

像這種除了闡述省政，還發抒感想的演講，是黃主席就任以來很少有的。那篇演講，當時曾在台北的大部份官營及民營報紙全文刊載。有的報紙撰寫社論，有的報紙撰寫短評，都有適當的好反映。

我對那篇演講，一直有很多感想。作為一個職業記者，跟省府的政策方案以及各部門的作業，朝夕接觸，八易寒暑，當然免不了有一些體認，有一些期許和盼望。黃主席那篇講演的內容所給我的感觸是很廣泛的。所以寫這篇稿，談談我的感觸，來談談他二年七個月以來，在他就任之初所提出所標榜的「崇法務實」、「節用愛民」與「懲治貪污、獎勵廉能」的施政方針。以及制度規章與人事處理各方面的行持。

今天的政事敷衍不得

六三高齡，一生戎馬的黃達雲先生，就任台灣省主席以來，確實一切的行持，如他所說，「在平實中求發展，在安定中求進步」。兩年多來的省政建設，雖然不能說沒有成就；雖然他常說「秉承中央正確的指導」，但是在政策的推行與方案製定、規章的命意以及政情的溝通上，負担是很繁重的。

特別是由於國民經濟日趨繁榮所形成的有關省政作業的廣泛要求，事事都要很多的智力。他說他「焦心炙膚」，是有其眞實性的。事實上，作為今日台灣省政府的主席，若果沒有悲天憫人之心，憂國恤民之意，濟世濟民之志，很難啟發一千三百萬人的智和血汗從事於建設和創造。以一省之土地人民，應全國之要求；在民生主義現階段的社會政策中，在追求三民主義大同理想和復國建國的任務上，確實是繼往開來，任重道遠。特別是在促進反攻行動的早日開始，使政府為天下所共信的動機，為國民的精神對國家負責任的原則上，不以徒托空言，是不能達成使命的。是以民主的法治的和自由的經濟為依據的，所以有許多政事，不是可以敷衍得了的，特別是在社會與人民政治意識日形敏感的今天。

昧於理者　失物之眞

黃主席所構想的「理性生活」的觀念來適應羣體生活的共同情操，原則上是需要的。但是這種觀念與實踐，是人類生存的基本觀念，可以植之於新社會，亦為舊社會所固有。而社會形態，只是一種階段的動律，由農業社會轉向工業社會，乃係本身的成長與外界的發，是具有必然因素的。我們必需根據實際政治經驗，以「道揆法守」的精神來掌握那些因素的衍進。

而「理性」的內涵，並不止黃主席所說：不外是：同情、諒解、樂觀、熱忱、奮鬥。

從康德以來的唯心哲學家，都說「宇宙是由精神製造而成」，而製造的根本力，歸源於「理性」（Reason）；大而言之就宇宙說，「理性」是構成萬事萬物的基本條件；小而言之就個人說，倘若離開了思致推理等理性活動，則失去了人之所以為人的道理。惟有理性能使人有所作為，能融會貫通一切存在的事物。

特別是事物的「是」「非」，全靠用我們的理性判斷來抉擇。

我國自宋儒以來，着意講求「理性」，記得宋儒張放理說過：

「昧於理者，失物之眞，心為緒使，性為物遷，泊於塵紛，擾於利役，安語天下之眞哉」。

所以說「理性」是求「眞」的，是支持內在眞實與外在秩序的一種本質。是一種人性最高的[illegible]檢驗；是一種自由[illegible]納入完整精鍊的嚴格規律。能使人心瑩潔，能使社會明澈。

黃主席着意於追求「理性生活」來適應新社會的生活態度，是具有啓發性的，但這得從各個角度的教育上着手。只要政府樹以「道揆」，人民遵以「法守」的朝這個目標走去，自然能湧現一股清新的主流，形成我們社會的生活態度。

記者立心　為公衆服務

黃主席在六月卅日的演講中，要求新聞界不要過份重視報紙的銷路，而忽視教育羣衆的意義；降低標準去迎合低級趣味，而帶給社會的動盪與不安。並且提出前幾年發生在台北市的分屍案為例，說明報紙把一件本來普通的情殺案子，渲染得過份而掀起軒然大波。所以希望新聞界多就人性光明的一面加以宏揚，使新聞傳播事業作為引導羣衆的明燈。

這段「相規而為善」的談話，是很客觀很深入的。因為這一類的新聞報導，確實對社會是一種騷擾，而使新聞的可讀性暗受損傷。同時，也涉及到現代新聞記者的職責問題。

二十多年前的新聞工作者最主要的責任是在題材上忙於採訪聳人聽聞的罪行案。而今天的新聞記者所負的責任，是在他的報社支持之下立心為公衆服務。在新聞來源與寫作的基本法則上，是決不事先根據任何假定去展開他的採訪，而是儘可能的獲得充份的事實，讓事實指出必需走的方向；眞誠地希望尋求眞理，堅持公正的路線，用闡述的方式反映眞理。把這種報導，提供政府、社會與民衆參攷，因為大家有權利知道一切。

我當了十五年的新聞記者，總覺得在我們這個綜錯複雜的世界中，新聞記者的工作是建立在綜錯的社會上和政事的底層上的，若果只是把政府供應的資料改寫一番為廣大的讀者傳信人的話，那末報社就不必聘用記者，應該僱用記錄員，記錄員是不會加上自己任何見解的。

所以說，一個新聞記者在自由國家所負的責任如同一位政治家同樣重要。而記者在報導上的署名，是闡釋性新聞領域中對讀者最有力的保證，對所報導的事件負最有力的責任。

忠實於是非　誠信事物

一個公正的新聞記者，不媚世悅俗，也不睥睨一切，應當讚揚的不隱沒，而該說的話，也不諱言，追求高效率的行政和清明的社會，追求事實的是非，從一點一滴之中，促進國家和人民的願望。

這願望的鵠的，乃在崇尚民主憲政的生活，促進政治經濟與社會的建設。

但是有些公務人員，[illegible]，雖瞭解民主[illegible]的意義，但是因為缺乏現代的情操，舊的觀念如做官思想，鄉愿思想，搞關係思想，打混思想，吹捧的權術思想，以及剛愎自用的蠻橫思想，和一種殘餘的軍閥思想不能滌除，心理的觀念和行為的習慣不能改善，所以就不知不覺的表現出許多與民主生活背道而馳的言行。

而有些民衆，也往往把自由的意志與權力表現得不大得體，形成政治改革上的一種嚴重障礙。

這些存在的病態，都需要新聞工作者在衡量事理、守正不阿的正確判斷上，獻替可否，批判賢愚。因與論是民主政治中重要的支柱，新聞工作者不能推卸這種責任。

當然，那些獻替與批判，記者們的筆下不一定總是對的，不可能沒有錯誤；但是他們忠實於是非，誠信於事物的。這是我對本身職務幾年來的一些感想，因為黃主席「相規而為善」，心有所觸，而藉題發揮。

輿情·民意　權力·成效

黃主席六月卅日，在編輯人協會三屆年會上的演講，所闡述的省政各部門的建設與成果，以及政策上的構想與觀察上的感想，都是具有回溯性的，回溯他担任省政二年七個月以來的心境行持與觀念；說明他對於政府官吏與省民福社的關切，說明他對於黨國所提供的責任感。

我們也已體驗到這位四星上將，確實是想使用大的肩力把省政向前推動。

但是每一位民主政治領袖的政策成效，都取決於其策劃與行持能否洽合輿情，能否符合民意；取決於儼格的法令制度與規章。

而一個政治領袖，要求自己所負荷的政事推動到一個理想的境界，乃在於能否把國家與羣衆所賦於的權力運用得當，恰如其份？

權力和能力一樣，有許多種類，而權力的衡動支配意見，往往是政治領袖的一種表徵。

權力的衡動形態有二，明顯的，見諸於領袖；隱伏的見之於從屬。

這種直接與間接的實質權力，必需與一種目標相聯。這種目標，乃在廣泛的達成與別人的慾望相和諧，因之一旦實現就有利於社會。否則就是一種損傷。對國家與民衆的成效是談不上的。

黃主席當年的施政抱負

回溯到兩年八個月前，五十一年的十二月一日，黃主席就任之初，在省府大樓舉行記者招待會，宣佈今後的省政工作重點在於繼續執行前主席周至柔任內在執行的各項經濟建設與地方建設的計劃。（一）

看一樁强姦殺人案的二審判決

本報駐台記者　劍聲

查五十三年七月二十二日[illegible]開棺驗[illegible]記載：「仰臥[illegible]」[illegible]。由此可見，[illegible]屬無中生有。因而被告律師指稱這樣的活人，豈不成活死人嗎？

鑑定人疏忽失職

檢察官認定謝夏屍體有香味，以及屍體一如生前，旨在證明劉堂坤使用麻醉劑「特賴靈」，而達到「強姦殺人」之目的。不料，被告律師依據學理與科學證明，故指檢察官「無中生有」，一審法院「自知理屈」，不得不採取無證據的事實，來自圓其說謂：「查檢察官[illegible]「特賴靈」麻醉劑使證人試嗅，然並未[illegible]被告即係使用特賴靈麻醉劑使被害人（謝夏）麻醉，即各證人嗅之無一人謂其前嗅之香味，與現示之香味相同，謂差不多，或很相像，不能以特賴靈之香味所能持續之時間，為十五分鐘至六十分鐘而否定被害人（謝夏）於臨死前，有被其他麻醉藥所麻醉」。到底用什麼麻醉藥？一審法院沒有進一步的調查，殊屬費解。

[illegible]之巴比特魯，均係劉堂坤強加於口鼻及注射，[illegible]定」等情，依據什麼？[illegible]反正是揮發性的麻醉藥。為什麼不調查呢？「[illegible]堂坤不肯實供；謝夏死亡多年，亦無法再驗，致無從知悉劉堂坤當時所用什麼名稱的麻醉藥劑」。既然[illegible]用的什麼名稱的麻醉劑，則所謂「應為揮發性之麻醉劑」即屬想當然的說法，失之武斷。當被告劉堂坤[illegible]謂：李六為何未記載於開棺時既聞到有異香？二審法院在判決中承認「李六法醫未將此特殊情形記載於其所開之驗斷書」，係「疏忽」，「但當時之在場人既均證明確有香味，則自不能僅因疏忽未記載即否定該項事項之存在」。事實是「香味」，什麼香味？反正不是開棺時燒香的香味，而是經法醫王世宗提示麻醉劑「特賴靈」使謝夏父兄等多人試聞其味，僉謂其味與開棺時聞到之味近同。按有揮發性之藥物，大體上均有香味。有香味之麻醉藥，限於吸引用麻醉藥，具有香味之麻醉藥劑中毒，僅有自口鼻呼吸器官侵入之一途」。這等於說，凡是背駝的、有鬍鬚的、六十歲以上的、穿長袍的黃種人，都是我的爺爺。或有人說這個比喻不倫不類，但這個比喻的道理則與開棺時聞到的「香味」與麻醉藥香味近同」的道理一樣。儘管這樣的認定是不邏輯的，不合理的，沒有事實的，但誰曰不宜？

沒有精液的性交

其次，一二審法院既認定劉堂坤有強姦謝夏的犯罪行為，那麼，強姦的直接證據當然為劉堂坤遺留在謝夏陰戶內的精液了。這是起碼的常識，不是什麼高深法理，也是一般已婚或有性行為能力者所通曉的事。劉堂坤有沒有精液遺留在謝夏屍體上，答復是「肯定的」。

檢察官起訴書事實以「謝夏處女膜破裂三公分，並大量出血」。此一事實，嘉義地院與台中高分院之判決，一字不改，依樣畫葫蘆而認定之。

但謝夏剖解採取之子宮處女膜等經調查局鑑定：「：：根據以送鑑臟器之觀察，全部無法鑑定。子宮內有無留存男人精液，處女膜之破裂是否生前抑死後，是否曾經性交，及臨死時有無月經來潮現象，及全部無法鑑定」。而刑警大隊於五十三年一月廿一日函復嘉義地檢處謂：「謝夏之三角褲、衣裙等均未發現精液」。查男女之間有無性交，在法醫學上以子宮內有無精液之存在為重要鑑定結果。鑑定機關對謝夏屍體重要檢件鑑定結果，均未能證明謝夏屍體內有劉堂坤的精液精蟲，請問依何證據而認劉堂坤強姦謝夏？

（中）

堅持正義的佈道家—步霖和牧師

·仲偉庭·

現在台北兒童樂園體育館佈道的步霖和牧師，是葛理翰佈道團的首席講員。他是英格蘭人，一九一二年五月六日出生於英國的加百農省，一九三三年畢業於英國克利夫大學文學院，因成績優異而留校服務達七年之久。同時並接受學校在職之工程師訓練，後因工作的關係而奉獻自己作傳道的牧師。自一九四〇年開始，先後在曼徹斯特、南安普敦、以及倫敦等地衛理公會工作達十五年，具有豐富的養牧經驗，成爲神所重用的僕人。英倫三島各大礦場及生產工廠，差不多他都走遍了，每個礦場的工人都曾聽過他的佈道，成爲英國自十九世紀慕廸先生以來第一個傑出的佈道家。他在英國任何地方佈道，聽道的人好像潮水一樣湧向會場，因受感動決志歸向基督的不下三十餘萬人。英國朝野一致地對他括目相看；共產黨向他猛烈的攻擊，說他的信仰是五十年前的落伍東西，譏刺爲火熱的宣教者，是福音馬戲團的領班，他都一笑置之。此後，不論在印度的高山或燠熱的剛果平原，在撒哈拉大沙漠，或在寒冷的北歐，以及南美、中東等國的信徒，都紛紛函請前往佈道，名譟一時，與葛理翰媲美，同爲當代著名佈道家。

步霖和牧師不僅是一個神所重用的器皿，而且是一個有神的恩賜蒙選召的人，一個堅持正義堅決的反共佈道家。他認爲，共產黨是無神論者，在鐵幕極權的國家裏是沒有宗教的，人民也沒有信仰自由，在生活情緒上得不到安定，而使人民走向黑暗滅亡的道路。他說：所謂鐵幕國家仍有宗教公開活動的話，不過是共產黨瀆神愚人的幌子而已。說得明顯一點，那就是共產黨向善良人民所施用的統戰滲透陰謀手段，間接地來達成其赤化世界的目的。一九五五年三月到五月，在倫敦哈林格競技場，在蘇格蘭格拉斯哥的克爾文會堂，在愛丁堡泰因要塞廣場，伊洛斯廣場，咸普登公園，以及同年十月在印度孟買足球場等地，他與葛理翰搭當佈道時，曾使數百共產黨礦工痛苦流淚地訴述悔改，認罪信主。

步霖和牧師的佈道熱誠，使葛理翰深受感動，故於一九五五年就邀請步牧師參加葛理翰的佈道團工作，在世界各地爲傳福音努力。他牧養教會多年，經歷豐富，講道極有能力。他的機智和高度的幽默感，使青年人和老年人都同聲喜愛他。他個人的工餘活動，喜愛釣魚及打高爾夫球，也愛登山戶外運動，對青年人具一種特別的吸引力。葛理翰佈道團在外國佈道前，大部份都是先由步牧師主領大會，最後的佈道才由葛理翰本人主講。此次葛理翰因病不克來台佈道，由他來主領台北的佈道會。

步牧師有個美滿的家庭，他太太和他們的孩子伊絲琳娜，賓琳，司提反，在基督的事工上都是十分熱切而活躍的。不但都是羽毛球及棒球的選手，而且也都是優秀的歌唱家。這樣，使步牧師得以完全獻身於全球佈道工作，使這個世界和諧的趨向光明。

附誌：「怪力亂神與法律叢談」缺稿未到，再停一期。編者

三國演義縱橫譚

燕謀

以上所引十項材料，羅貫中的籍貫有兩處，一是太原，屬於北方，一是杭州，屬於南方；尚有『客吳』、越人等，都可並入南方的杭州。但他的名字卻有三四個，羅本、羅貫、羅貫中；字貫中則三者皆同。根據明人王圻之『稗史彙編』所記『……如宗秀、羅貫中、國初葛可久』看來，羅貫中爲元末明初人。胡適之考證亦同。僅憑以上的支離瑣碎的材料，實難以窺知羅貫中生平的全豹；惟有以上第一條稍有一點綫索外，其餘實難以想象得到他是如何一個人物。

按照第一條的材料，我們可以大致知道他有一個「湖海散人」的別號。關於他的社會關係，可以知道『錄鬼簿』的作者是他的「忘年交」，他們曾分別多時之後，又在至正甲辰（作者按：至正，爲元順帝年號，甲辰，爲元順帝至正二十四年，公元一三六四年。至正共二十八年，末年即明洪武元年）又相會一次。他的性情是『與人寡合』，他『樂府隱語』的風格是『極爲清新』。更重要的是，他被人描述爲元明之交的『有志圖王者』之一人，並且與張士誠有過相當關係；又曾經漫遊過杭州吳、越等地，幫助施耐庵續成了水滸後四十回。說他是爲了諷張士誠而作的。但是他是一個命運多乖的文人；後來明朝的『眞主』出現了，就在明朱元璋的統治之下，只好『傳神稗史』、『不知所終』。也許他在晚年，隱姓埋名，作他的『湖海散人』去了吧！這一點瑣碎的史料所提供的綫索，實在太有限了，尚有待於我們繼續的發掘、考查、研究。因爲羅貫中的生平史料之貧乏，所以我們不能不作雙管齊下的工夫，再不妨把元末明初的政治、社會背景回顧一下，也就是退而求其次的工夫——作品的時代背景。在此一方面去用工夫，可能收穫要稍爲大一點。

二、三國演義是怎樣寫成

羅貫中作『三國演義』，自然是根據陳壽的『三國志』及習鑿齒的漢晉春秋等正史，另外一種根據就是唐宋以來的『話本』。明人高儒的『百川書志』說：『三國通俗演義二百四卷，晉平陽侯陳壽史傳，明羅本貫中編次。據正史，採小說，證文詞，通好尚，非俗非虛，易觀易入，非史氏蒼古之文、去瞽傳詼諧之氣，陳叙百年，該括萬事。』這可算把『三國演義』成書說了一個概略。近人多因襲胡適之說，謂『三國演義並不是出於一人之手；乃是在五百年中，經了歷次的變化和演進，方有了如今這個較完繕的本子。……』憑良心說，胡博士對於歷史小說不大感興趣，可是他對於社會小說卻十分歡喜，他對於社會小說考證也特別詳細，而且評價也特別高，對於歷史小說考證卻很潦草，而認爲沒有文學價值。胡博士是以歷史觀點與考證方法來研究文學的。關於這點歧見，李辰冬在他的『文學論』中已有辨析。三國演義是文學作品，我們應該以文學來論『三國演義』才能得公允。

三國演義雖然有後人的修訂、潤色、批判等手脚，但是，我們不能否定不是羅貫中所作的。後人的潤色，也不過是在文詞上加以修飾，使文詞美化，或者增刪了一些不盡情理的小節，（如例言中所示）雖然在五百年間有變化，但它的變化畢竟有限得很，不但史事故事沒有人改，連羅貫中採取的宋人『話本』、各家筆記以及傳說口碑的東西，都沒有多少的改正。『話本』和口碑，那正是代表作者的時代意識，如第一回中的故事，在三國史中根本是語焉不詳，這就是根據宋人的話本。筆者手頭存有宋代的『三國志平話』手抄本，那是宋代以前的說話人說史話的口語底本。這本『三國志平話』藏在日本內閣文庫，爲元代建安虞氏至治新刻，鹽谷溫博士以之付玻璃版影印，始得流傳回中國。此一『話本』，即宋代以前的『說三分』者也。（二）

袁隨園女弟子錄

漁翁

戴蘭英，字瑞珍，嘉興人，適許宗彥子，惜黃鵠早寡，終夜悲鳴，撫子守節。著有「瑞珍吟草」。賦悼亡詩云：「一曲離鸞唱夕陣，轉眼短夢易緣非；可憐稚子情癡甚，猶著麻衣待父歸。」「少壯功名志未遂，兒女情深淚斑斑，爭欲呼天鬼嗚咽天。三千里外竟亡身，擬向泉台共死生；祇應膝前兒太小，教儂強作未亡人」。悱惻哀痛，令人不忍卒讀！

吳瓊仙，字子佩，號珊珊，平望人，嫁梨華里詩人徐山民達源。有「寫韻樓詩草」之著作。詩寫性靈，深得隨園之衣缽。謝隨園先生賜羅裙云：「珍重先生意，閨中學步難；他時來立雪，不怕十分寒。」又謝賜繡枕云：「自照錦繡才，轉愧鴛鴦枕；作報不成章，苦吟廢宵寢。」

金逸，字纖纖，蘇州人，嫁陳竹士秀才。陳亦詩人也，夫婦間彼此唱和，儼有風趣。與席佩蘭相輝映。不幸二十五歲而亡。遺有「瘦吟樓詩草」。以瘦吟名樓，則身體之不健康，可想而知。她一生多病，觀其所作詩，即有「忍將小病累親憂，爲問親安強下樓；漸覺曉寒禁不得，急將簾放再梳頭」。瘦若此，其能久於人世乎？

王倩，字雅三，號海卿，浙江山陰人，文成公第八世女孫，介休令謙之女，歸陳竹士爲繼室。喜吟咏，所寫閒居詩多趣，摘錄一首於次：「閒居閒處感流光，往事悠悠費較量；閒檢遺思收畫譜，欲眠呼婢掃藤床。室因近晴先驚夜，人帶微疴早怯涼；怪底詩情清徹骨，一丸冷月照東牆」。瀟灑自然，有唐人風味。

張玉珍，字清河，松江華亭人，嫁太倉金瑚秀才。金修文地下，不數年而竟以情殉，所謂紅顏多薄命者非歟？所詠丁未除夕望先夫子一首，一字一淚，令人感歎不已，詩曰：「瘦陳俎豆淚雙垂，形影淒涼守穗帷；塵世何人憐孝子？（郎君以哭母亡）文章從古忌蛾眉。生前想像情猶在，夢裏追尋見少期；百折迴腸腸更斷，泉台只願早相隨」。

廖雲錦，字織雲，松江華亭人，合肥令古檀之女，適馬；亦早寡，有「織雲樓詩稿」。相夫敬；夫亡，事姑孝。姑歿，以詩哭之曰：「釵鳳分飛賦命孤，見姑還似見兒夫；私心欲慰垂憐意，任有啼痕總說無。」又曰：「禁寒惜煖十餘春，往事回頭倍愴神；幾度登樓親視膳，揭開幃幔已無人」。以姑在而守節奉親，與戴蘭英兒小強作未亡人，一慈一孝，皆足以慰夫子於九泉矣。（二）

評介「新世說」

著者：馬五先生

洪流

當初在報刊上看到馬五先生的筆記體的雜文，嘗發生過一點感慨，就是見聞要廣，其次還要有獨特的風格以及特殊的見解才能寫出這種文章來。見聞不廣，無法賡續；沒有獨特的風格，使人讀後困倦欲眠；而尤其特殊見解更是這類文字的必要內容。不然，就會變成流水帳式的記錄，難於惹起讀者的共鳴。

馬五先生的雜文著作，對這三點可說都照顧的非常周全。也是馬五先生的際遇與幸運。生逢民初迄今的人，常覺得這輩人的「憂患」過多，但很少有人能體會到唯有憂患才能使人生更加充實。也唯有更充實的人生才能寫出這種不瘟不火恰到好處的文字。

新世說讀來使人另有一種親切之感，皆因馬五先生所記述的都是近代或存或歿的「名人」。我們的傳記文學太多的歌頌與讚揚，常泯滅了傳記人物的眞實性。而這種專談瑣事筆記體的文字，反倒更能使人獲得更接近所描繪的人物。

我們對於作傳稱作「立傳」，那是非常隆重的大事，所以常把傳記中的人物，活劃成上知天文下曉地理的絕代奇才；常說些八歲屬文，或是過目不忘等等的神話。因之傳記裏的人物，常是一無缺憾的聖人，十足的道學面孔，讀來生厭；而我們的這種筆記體文字，常有補其不足，談一些傳裏沒有的荒唐，以及一些雞毛蒜皮的小搗蛋的事。讀來反倒容易使人接受，因爲這才是一個人的綜合體。並且也在這些小地方上看出一個人的眞性格來。

這本新世說所寫的人或事，都是現代的，因爲是現代的，所以更加使人愛好。譬如我們在正史裏，或是親聆過某位大人物的愷切訓示，言者諄諄，十足的大道理，當時我們都在想，這位大人物可能是孔子的再生，或者是耶穌的復活。因爲那樣的大道理，唯有孔夫子或耶穌才能奉行，目之爲現代聖人絕不爲過。但事隔多少年之後，忽然讀到筆記體文字中有關那位大人物的一段軼事，如此一來雖不致立時將那建好的偶像拆散，但也可使人發生一聲長嘆息，或是一絲微笑來！

再有就是軼事的流傳，也會藉着這類型文字而廣廓。秘密是人們愛聽的，也是人們千方百計想打聽的。雖然聽過之後，毫無所得，或是根本不值一笑，但總因秘密的那股神秘勁兒使人樂於接近。而這也是筆記體雜文的當然材料。雖然道聽途說，失之於眞，但那也無傷於作爲飯後茶餘的談助。這本新世說就有不少的這種材料，八十三頁的某公子就是其代表。

另外，有些不能入於正史的史實，大多數也可藉以流傳。有時姓名淹沒，但並不妨害其正人心警世俗的本意。如果記入正史，自然應該斑斑可考，絕不許後人妄加枝節，雜文則可不受其限制。不但可補正史之不足，反可藉之而流傳得最廣。

馬五先生湘人，對北方的記述則不免有其誇大處，但也不必斤斤計較。反而可由此種地方知道一些南北風俗不同之處。譬如一一五頁談北平蠍子之爲物，就不免誇大之嫌。筆者居平十餘載，曾遭蠍螫數次，從無馬五先生所說之嚴重情況。或許是同事間之惡作劇，危言聳聽，故亂人意吧？但由此種處，又可知湖南絕無蠍子之爲物，如不然馬五先生斷不會驚駭若此也。

二百零一頁的誤會一篇，更是謔而又虐之作。緬懷勝利之年，確實如此，而我政院秘書長黃氏，險爲上海灘闖人之僕從，此蓋時勢之造也。

後附新聲辭曲若干，名之「亂彈齋詞話」。筆者私意度之，「亂彈」或是「卵蛋」之諧音，未知馬五先生之意若何？

國劇繽紛續錄

（十）

鍳婆生

談王復蓉（續）

復蓉是王家四小姐，其五妹復琰亦工花旦。她在乃父振祖主持的私立復興戲劇學校習藝，同學的有沈復嘉、孫復冰、唐復美，陳復秋、茅復靜、程復琴、何復貞、周復嬌、劉復雯、趙復芬等，不下十餘人，或工青衣，或擅花旦，但很少兩門能抱，惟她以天資聰敏，青衣花旦均優為之，成為一枝獨秀。尤其師資之多，如金素琴、顧正秋、白玉薇、馬驪珠等每位皆親授二、三齣，遂成戲路很廣，差不多在三四年間，學成近廿齣，能戲之博，為以上的同學所不能及，勢所必然。因之挑起了當家旦角的牌子，每有公演，必推出好戲，而金錢豹、盤絲洞，與白蛇傳、貂蟬，更每貼出必成滿座，聲勢頗驚人，號召力特強。

復興以受外界阻撓，停頓了一時期，近以總統令保護此機構，各方補助已告就緒，漸次蘇甦，可以恢復往日姿態。復蓉好學不懈，照常練功，並補習其他課程，未嘗有輟。近更在排「香妃恨」，不久可見之舞台。但余以為充實其藝，必須要從事學唱崑曲，俾再着實根基。因梅氏之戲成功，即得力於崑曲不少。崑曲的浩瀚有如大海，祇要撈取，隨處可獲。不妨致力遊園驚夢，琴挑問病，刺虎藏舟，佳期拷紅，思凡下山，等等約在八九齣之數，則復蓉劇藝當更上一層，此在振祖不可忽視之。要使她成結結實實的名旦，必做到「崑亂不擋」，庶幾其大成！

日前偶過台北，看孔雀東南飛，車中適邂復蓉，相與縱談，承貽劇影三葉，（一）白蛇傳，完全近乎摩登化，但不失眞，這份嬌美，眞有素貞當年之概。（二）花田錯，悉如民國初年女孩兒打扮，上穿短襖，下着花褲，確像了環姿態。（三）貂蟬持劍將舞，裝扮非常好看。此三影優點，是具有三種不同的典型，以代表時代神乎其裝。久未為她寫述，因綴以管見而併記之。

記王雯劇藝

明駝劇團以前的旦角，在馬驪珠未聘，秦慧芬未請，皆由吳夫人王雯担任。王氏並非內行，却喜鑽探研討，能唱之戲也不下廿餘齣，惜乎以喉疾而被庸醫誤投劇藥，以致玉殞。近以黛納作虐，蕭齋書報，因被風捲，凌亂不堪，予以整理，並署裝訂。不意在亂紙之中，發見王氏手書其能演各戲目一單，審視之下，不禁興起人亡物在，因將其所錄各戲，重錄一過，以記此藝人寶志以歿，無限感慨。

其較連貫者：為起解會審，斷橋祭塔，拾玉鐲、法門寺，武家坡大登殿。其他散劇計有生死恨、鳳還巢、宇宙鋒、春秋配、孔雀東南飛，銀屏公主，四郎探母，三娘教子，龍鳳呈祥，汾河灣，梅龍鎮，二進宮，五花洞，打魚殺家，全部鴻鸞禧。（未完）

填字遊戲史話

劍蓉

填字遊戲是在報章雜誌中常常可以看到的玩藝兒。這種用方格拼成一起，在上面填上字的遊戲，究竟是誰發明的？說起這玩藝兒來，却是一種舶來品，而且已有五十年的歷史了。它是一位「無冕王」在無意之中發明的，那就是「紐約世界報」記者阿瑟溫 Arthur Winn。他喜歡在無聊的時候，就在寫字台上畫出方格，在一個方格中填上一個字母，然後縱橫加上字母都可成字。當時在他本人來說，雖對這玩藝感覺十分有趣，却沒有被人重視。到了一九一三年十二月二十二日刊出第一張填字遊戲後，也並沒有特殊反應。

過了十一年，填字遊戲才在美國風行，慢慢傳遍世界各地。英國故首相邱吉爾，就是填字遊戲迷，許多次他因填字遊戲而延誤內閣會議時間。而瑪嘉烈公主更是英國皇室中唯一曾得過填字遊戲獎的人；那次填字遊戲，是倫敦一家雜誌舉辦的，瑪嘉烈公主得到獎品是美金八元八角二分的書籍。而且她是用眞名參加的。

世界各地報紙雜誌中的填字遊戲，由於讀者對象不同，所以深淺有異。據說：目前世界上填字遊戲最難的，要算倫敦泰晤士報，一個美國填字迷說它應該給一些有如愛因斯坦般智力的人去填。而今中文報紙雜誌的填字遊戲，許多是唐詩成語之類。外國人則多仰仗百科全書。同時以前的填字遊戲，除注重它的趣味之外，還注意到方格子的美觀，黑白格子相間得很勻，拼成一幅美麗的圖案。大概由於設計得太多，主稿人程度不一，今天已不大注重這方面了。

為什麼填字遊戲在一九一三年問世，要過了十一年之久才突然盛行起來？這其間有一段傳奇性的故事。阿瑟溫雖是填字遊戲的發明人，可是填字遊戲這一欄却不是由他撰擬，而是由一位小姐，名叫瑪加烈柏德勃莉的，當時她被派担任此一填字遊戲專欄，實際是報館對她不太重視的表現，因為報館中人認為那是等閒的一欄，正如一位新入行的外勤記者，被派去訪「訃聞」欄新聞一樣。

瑪小姐並沒有因此而沮喪，她從許多稿子中，每星期抽出一張刊登，一直維持到一九二四年，來了一個突然的「機會」，把填字遊戲廣傳開來，一直風行幾十年不衰。

在紐約第五十七街，有兩個年輕人西蒙和斯特，開設一家出版社，掛上招牌之後，從沒有出過什麼刊物。兩人雖計劃出一些東西，總想不出什麼東西好。一天，他們到姑母家去吃晚飯，看見姑母正專心埋首在報紙上畫，原來她正玩填字遊戲，玩得正高興。她還說：如果有一部成本的填字遊戲就更有趣了。兩人靈機一動，決意出版一部填字遊戲。他們跑回世界報找瑪小姐商量，請她供給一些資料，每本先付她二十五元版稅。

雖然如此，要不是有冒險的精神，填字遊戲依然不能行銷廣大。他們的友好聞悉打算出版填字遊戲，紛紛勸阻；他們却意志堅決，找一家出版社掛帳，印了三千六百本，一九二四年四月十日出版，還在世界報上刊了一則小廣告。出乎意料之外，訂購的人很多，一下子就售光。接着再版時，每本的價格提高到一倍，數量也增至二萬五千冊了。在同一年的聖誕節前，他們印了三本一色的聖誕禮包，居然暢銷了十五萬包。

估計數十年來，單是美國，有填字遊戲的刊物，數目超過一千二百萬之多！

白蛇傳

——「影劇與歷史」之八

周遊

碑記為吳越王自撰，是可信的證據。建塔名曰「黃妃」，是安奉黃妃而建嗎？但考吳越王文獻中無黃妃其人。查錢氏三十四世孫錢文選所撰「忠懿王年表」，也沒有黃姓妃子；其元妃姓孫，有關孫妃之記事如下：

後因顯德六年八月，敕賜王崇仁昭德宣宗保慶扶天翊亮功臣；又：王元妃孫氏，為吳越國賢德夫人。……」宋開寶九年，（是年四十八歲）一月發自國城。先是太祖因王入覲，賜使開河一道……以待王舟楫……沿途敕賜王及夫人湯藥茶果……三月敕賜王劍履上殿詔書不名，進封王夫人孫氏為吳越國王妃。……是月（按為十一月）吳越國王妃孫氏薨。」

黃妃塔建於開寶八年，即吳越王入覲宋太祖前一年。碑記中「奉安之」，推敲之起來應是奉安骷髏。佛教徒死了，謂安葬為奉安，即是印度佛教所建塔之用的本意，其意義已見前文。因此可以明白建塔時並不是鎮妖壓邪，乃是奉安靈骨。從碑記中，也可以知道吳越王宮中諸宮監都是佛教徒。

吳越王為五代十一國之一，始於錢鏐，唐昭宗時為鎮海節度使，後梁太祖封為吳越王，尋自稱吳越王國，據有今之浙江全省，及江蘇西南與福建北部之地。傳至其孫錢俶，獻其地於宋太祖。國除。自起至滅共五王八十四年。（起於公元八九五——九七八年）。

黃妃塔的規模相當宏大，據碑記云：

規模宏大，極所未見，極所未聞。宮監宏願之始，以千尺十三層為率，爰以事力未充，姑從七級，梯初志，未滿為歎。計灰土油錢瓦石，與夫工藝像設金碧之費，通緡六百萬。覩會稽之應天塔，所謂許元度者，出沒人間凡三世，然後圓願心。宮監等合力於彈指頃，幻出瑤坊，信多寶如來分身應現，使之然耳。顧元度有所不逮。」

「西湖志」也載：「塔上有重簷飛棟，窗戶洞達，後燬於火，孤塔巋然獨存。磚皆赤色，藤蘿牽引，蒼翠可愛。」不僅壯觀，且塔內寶藏亦貴不少，在碑記上只云「又鐫華嚴諸經，圍繞八面」。但據「淚跡續談」所記云：「塔內以石刻華嚴經圍砌八面，歲久沉土，明人有掘得者，小楷絕類歐陽率更書。又塔下有金銅羅漢像十六尊，各長數丈。吳越時僧道潛請移供淨慈寺，即今五百羅漢堂之緣起也。」

塔內藏有如此巨大之金銅羅漢，實在令人羨煞。關於道潛和尚請移金羅漢的故事，頗具神話性，亦頗風趣。曹勳五百羅漢堂碑記中的記載云：「……潛嘗於忠懿王，求塔下金銅羅漢像，會王曾夢十六大士從師而行，密符請意，因如其求，歸於精舍。……」

黃妃塔也有一頁滄桑史，遭到兵火摧毀及倒塌等厄運。第一次是遭火災。「湖壖雜記」云：「嘉靖時，東倭入寇，疑中有妖，縱火焚塔，故其簷級皆去。」這次火災雖大，仍未將塔全毀。民十三年，全部倒塌了。時間是在十三年農曆八月二十七日，孔子誕辰的日子，午后一時半，據說正是浙江督軍的孫傳芳，由閩入浙，率軍進駐杭城之日。地方人士因以為不祥之兆。（七）

渾人張勳二三事

·胡資·

不忘舊主 留條豬尾

軍閥張勳，在清室宣布退位後，為了表示「忠心耿耿」，不忘舊主，仍然在腦後留了一條豕尾，人因稱為張大辮子；他的軍隊也都是留辮子的，號稱辮子兵。

他最早做過廣西提督蘇元春的部下。有一次，蘇元春派他到上海採辦軍裝，他却大逛其妓院，樂而忘返，竟把帶的錢都花光了。有人勸他逃走，他不肯，回去自綁請罪。蘇元春終於饒恕了他，薄責了事。後來把他轉荐到淮軍裏，竟從此發跡。

一九一一年，辛亥革命時，江蘇各地，相繼響應獨立；惟有他率兵駐徐州間，還想作困獸之鬥，力謀恢復清室，只是由於徐世昌之勸告，才沒有敢妄動。

所率軍隊 逢人要錢

又過了兩年，癸丑二次革命之戰發生，他進攻南京，城破之日，大肆搶刦。那時他的部下為雷震春、徐寶山，所率軍隊，都身穿藍衣，頭裹紅布，面目猙獰，有如鬼魅。逢人就抓住要錢，稍不如意，輕則鞭撻，重則槍殺，其野蠻無異土匪，歷三日夜始止，往往一家被洗刦至二三十次之多。南京人民遭受蹂躪，恨之入骨。

他不識之無，性極兇惡。當在南京時，對青年學生極為疾視，尤其是對於剪髮的學生，都視為革命黨人，往往加以殺害。那時一些剪髮的學生，只好在帽上釘上假辮子，以避兇燄。他因民軍所用旗幟為白色，於是深惡此色，甚至路人携有白巾，也指為革命黨人，往往逮捕入獄。有一次一販布商人，用車子載運白布若干匹，被他部下查獲了，因為敲詐不遂，就向他誣報，他指為運布接濟革命黨人為旗幟之用，竟將此商人和車夫都逮捕殺死了，眞是冤枉之至。這樣一來，人人具有戒心，一時白布在南京竟成為禁品。

每個士兵 一粒子彈

他恐怕新軍響應起義，視之如敵，就假借秋操之名，把駐在城內的新軍，一律調到南門外的秣陵關去。臨行時，每一兵士只發給一粒子彈，可是十中只有一粒是眞的，可謂其十分陰險。

當他代姜桂題為長江水師提督時，他駐紮浦口。那時他眷戀秦淮名妓小毛子，以六萬五千元替她贖身，這是勾欄間從來未有的高價。後來他又納小女伶王克琴為妾，擅專房寵，小毛子就被打入冷宮。他恐怕小毛子不安於室，竟毀其雙目，以致失明，其殘忍一至於此。

碍不得也 舅其勇乎

他有一個舅子，因為他的關係，被任為一個稅務機關的長官。這位舅爺文理不甚通順，有一次批公文，把「碍難照准」寫成「得難照准」，有人就作了一副字聯譏之云：「『碍』不『得』也，『舅』其『勇』乎？」

後來他在康有為、萬繩栻等慫恿下，鬧出了復辟醜劇（一九一七年），結果身敗名裂。當時他逃避到北京的荷蘭公使館裏，報上曾發表一幅漫畫，一個荷蘭水（汽水最初叫做荷蘭水）瓶，口上嵌一人頭，即張勳之像，畫得很滑稽，曾予人以深刻的印象。

籃球史話

·正匡·

籃球比賽的規則，既然是時常有修正和增減，因此各地球賽所採用的規則，往往不能全部一致，故此國際性的統一籃球規則的委員會，是不可少的組織。

當籃球在發軔的時期，很多愛好籃球的體育界人士，為了使籃球在各種體育活動中，發展成了一項完美適當的球類比賽，所以便把籃球的打法和規則作很多的改革，但大體說來，這些改革，並沒有把當初奈史密斯博士他發明的籃球的原則改變。奈氏當年是想在每年橄欖球和棒球賽季節之間，這段球賽停滯沉悶的日子裏，能有一項充滿活力，適宜於青年的戶內運動，來提高斯普林菲爾學院體育系學生的學習興趣和情緒而已，想不到時至今日，籃球運動，風靡全世界。（五·完）

內政部台報字第〇三壹號內銷證

自由報

THE FREE NEWS

第五七八期

中華民國僑務委員會頒發
台敎新字第三二三號登記證
中華郵政台字第一二八二號執照登記為第一類新聞紙類
（半週刊每星期三、六出版）
每份港幣壹角
台灣每份新台幣壹元
社長：雷嘯岑
督印人：黃行習
社址：香港銅鑼灣高士威道二十號四樓
20, CAUSEWAY RD 3RD FL. HONG KONG
TEL. 771726　電報掛號：7191
承印者：大同印務公司
地址：香港北角和富道九六號
台灣分社
台北市西寧南路六十四號三樓
電話：三〇四六三
台郵撥儲金戶二二八六號

任重道遠・繼續奮鬪

民國五十四年九一記者節敬致海外報人

・馬樹禮・

在今年這個世界局面，正處於一種危疑震撼的非常劇變狀態。越南烽火漫天，亞洲及其他若干地區，都備受共黨侵略戰爭威脅，時有變亂發生的動盪情勢下，我們慶祝在反共戰鬥中來臨的記者節，可謂更有不尋常的意義。

我們明白，當前這一劇變局面之形成，可以說完全是由於毛共一手製造出來的。毛共自去年首次舉行了原子試爆以後，就企圖借端生事，向自由世界大肆訛詐。他之積極慫恿越共發動戰爭，原以為可以利用西方國家人民畏戰的弱點，一舉迫使美國退出越南，甚至退出亞洲，却料不到這次美國却毅然伸出懲膺侵略的巨掌。這便是今日越戰進展的背景。

老實說，若就戰爭實力言之，毛共以及整個共黨國家集團，都不是美國的對手。過去共黨之得以囂張猖獗，乃因西方國家不願戰爭的觀念作祟，有以致之。現在美國當局竟然要堅決打下去，而且果然在戰場上具體表現了出來，同時還有許多自由民主國家，都表示了不惜為援越抗共而戰。亞洲反共各國的聯合陣綫，亦已臻于成熟階段。這種不畏戰，不避戰的態度，充分說明了大家的根本觀念上有了轉變。這一轉變，乃是對付共黨敵人的不二法門。因為共黨慣用的流氓作風，那些怕事的紳士越想避免麻煩，它越是得寸進尺。只要你拿出嚴厲的手段予以創懲，它才會就範的。

就當下我們看到的情形而論，今日的世局雖然面臨劇變危機，但亦可說，這正是人類社會反危為安，反禍為福的轉捩點。在過去漫長的歲月裏，我們肩負輿論重責的報人們，尤其是僑居海外的報人，為呼籲世人奮起應付共黨，曾不惜力竭聲嘶，備嘗艱苦。直到今天，已收到了相當效果，大家可以透一口氣了。我們只要一息不懈地繼續奮鬥下去，前途正是一條康莊大道，十分光明的。

但是我們仍須特別注意一項道理：近世共產邪說的氾濫，其根源是從一種病態的社會裏醞釀出來的：共產黨抱着征服世界，奴役人類的野心，他明白在一個安定健全的國家社會中，共產主義無法立足生根，於是千方百計，要先把這社會造成動亂殘破的局面，然後才可以從中操縱，為所欲為。試看它最近在中南美以至美國國內所運用的種種擾亂手法，即可一目了然其險惡的陰謀。

民主自由是近代世人所共同信仰嚮往的真理目標。我們認定民主自由，當然是人類社會不可缺少的東西，不容懷疑。不過，民主自由亦並非毫無限制範圍的。最低限度，對於社會的秩序，人性的尊嚴和善良的風俗，都不許加以侵犯破壞，否則，如果以這樣肆無忌憚的行為言論，也認作民主自由，試問民主自由之目的何在呢？世人往往不察，竟多誤解了民主自由的真諦，於是衆口紛呶，形成許多無理取鬧的現象。

此點，共產黨最會利用，常常假借所謂「民主自由」的偽裝，以進行其顛倒黑白，是非的勾當，攪到整個社會一片混亂，充滿了邪氣戾氣，共產黨就可以獲得立足生根發展了。所以自由世界，固然要以實力遏阻消滅共黨的侵略，尤其重要的，更應注重保持各個國家社會的健全安定，才是免除共產主義滋生蔓長的根本之圖。

說到要安定健全社會，首須正人心，勵風俗。國父曾說：「國家之治亂，繫於社會之隆汚，社會之隆汚，繫於人心之振靡」。眞是一針見血的金石良言。關於正人心，勵風俗的工作，我們身負輿論重任的報人，是責無旁貸的，大家自然更要具有「捨我其誰」的偉大抱負，肩起這副重担，昂然邁進。

尤有進者，在現代科學工業的時代裏，[illegible]，難免矜奇炫怪，[illegible]甚至乖僻詭異，不近人情，迂腐可笑。若不及時加以匡正，勢必使整個社會[illegible]。國父早就為我們開下救治此病的良方。他在所著三民主義及許多言論文章中，都曾再三諄諄昭示世人，要把民主、科學、倫理諸端，數管齊下，然後始能達到世界人類社會長治久安之域。我們證之近代歷史發展事實，國父的遠矚高瞻，誠然是無可比倫的。

我們負責輿論的報人，今年當此記者節，又恭逢國父的百年誕辰，[illegible]所昭示的眞理，普遍宣揚於世界，以拯救人羣。我們勿妄自菲薄，要作為當前陷於歧途迷津的世人之嚮導者。我們的努力決不會白費的，今天我們已經穩操勝券了，反共復國的機會，我們的成功不止能夠致勝，而且還要本身更進而謀致全世界人類的永遠和平幸福，勇往邁進。

製造死亡

総機指揮

今日與明日

毛共恫嚇英國

毛共對於香港政府把「八六海戰」被救起的四位中國海軍戰士遂居然在八月廿六日向共匪提出「嚴重警告」，大肆咆哮它「絕對不能容忍」，可謂異想天開，荒乎其唐。

海軍戰士四位中國戰士，係在公海被救起，香港政府按照國際公法，尊重他們的自由意志，送往台灣去，這是於法於情於理，無往不合的，有道理的普通常識，否則徒然貽笑萬方。乃毛共竟然強詞奪理，硬說香港政府做得不對，其別有用心，昭然若揭。

司馬昭之心

毛共竟厚顏無恥的說：香港政府應該把那四位中國海軍戰士押往共區才合理。它更說香港的做法，是「明顯的」協助「美蔣」，所以「絕對不能容忍」。

且莫說整個事件與美國風馬牛不相干，毛共撒賴東拉西扯，徒然暴露其「司馬昭之心」。亦且香港政府依據國際公法除了尊重四位中國海軍戰士的自由意志，將他們送到台灣之外，無路可循。試問：以毛共的說法推論，假定香港政府竟然一如毛共希望的把他們解送共區去了，那麼，香港政府豈不是「明顯的」協助毛共，而與「美蔣」為敵？

是老羞成怒

毛共此舉係無理取鬧，以恫嚇英國，要索英國，是十分顯明的。但是還不僅此。毛共此舉，實在還是由於老羞成怒，實企圖以此挽救面子的手法。因為：

（一）由於那四位海軍戰士的回到台灣，揭穿了「八六海戰」的眞相，使毛共胡亂吹擂的「大捷」破了產。

（二）由於那四位海軍戰士的自由選擇回到台灣，而更加「善惡」分明，「人心」一分明，這與韓戰萬四千餘戰俘願去台灣不願回大陸共區之事，是同一實例——如其那四位海軍戰士被帶到香港時，他們表示願去共區，可相信他們會如願以償的，他們當時確實可以做這樣的選擇的。然而他們喜愛自由，痛惡共黨，所以他們願到台灣歸隊，繼續戮力於反共救國的大職。這就更使得毛共醜態畢露，無地自容。

無非自取其辱

毛共於事過二十天後才突然向英國「嚴重警告」，表示「絕對不能容忍」一點，亦可旁證其為老羞成怒，妄想藉此橫蠻說詞，挽救面子。但不知「狗屎越挑越臭」，它這樣做的結果，其實祇能收得相反的作用。

當然，藉此恐嚇英國要索英國，也還是毛共的妄想之一。祇是它這樣做，實在亦祇是自取其辱而已。它所「嚴重警告」的「絕對不能容忍」的，該有什麼「下文」吧？否則豈非「擺架來兵」？多行不義，天奪其魄，看來只有如此解釋毛共的荒唐行徑了。

美國不智之尤

打了很漂亮的一場朱徠滅戰之後，華盛頓的當局更加熱衷於「和解」越戰了，不但表示可談北越四條件，還表示先開談後停火。眞是不智之尤。然而畢竟還是幻想而已。美國應爭取的就是打勝越戰，才是天經地義。但求不輸，也該認眞才和，打十場八場朱徠滅戰，才多有萬分之一的實現希望。但美國當局似乎就連這淺顯的道理亦不明白呢！如此，除了自討苦吃，還會有什麼？

自由談

越戰的危機

西貢市內的越南警察總部，白晝之下被越共恐佈份子駕着裝載炸彈的汽車，昂然駛入內院從事爆炸後，又悠然駕車逃走，而其混入警署的方法殊屬笨拙，即教一婦女向門口的衛兵搭訕，乃能不受到稽查，自由突襲。這證明越共恐怖份子常常出沒於西貢市街以及附近的軍事禁地，并非他們眞有甚末特殊本領，實係越南朝野人士缺乏之組織能力，更疏於情報工作，以致堂堂中央政府的治安機構，亦發生這種怪事，可謂驚人也矣！

共產黨作亂的伎倆不外兩點：即對社會各階層進行滲透、煽動工作，對政府戡亂的軍事措施，專事游擊突襲；而遂行兩點伎倆的先決條件，必須取得一般民衆的同情合作，所以共黨把他們作亂的行為，號稱為「人民戰爭」。發生共禍的國家執政者，如其不明斯義，注意於組織民衆與訓練民衆之道，使反共武力融化為全民的總體力量，結果必然事倍而功半，甚至一敗塗地，不可收拾。實則這道理亦很淺顯，吾國先賢所謂「得民者昌，失民者亡」二語，便是極妥當的說明。

自越戰發生以來，綜觀報紙上所載各項消息，知道越南各界民衆對於政府戡亂的軍事行動漠不關心，抱着隔岸觀火態度。因而美越軍營和在前綫作戰的部隊，隨時受到共黨游擊隊之突襲、伏擊，然美越軍以泰山壓卵的優勢力量，迄未聞有滅過一營或兩營共黨游擊隊的戰果。至於西貢都市中的娛樂場所、夜總會、以及美國軍人駐所之常遭恐佈份子爆炸襲擊，已屬習聞習見的事，如今總領治安總責的警察總部亦吃到炸彈了。以此情形，咱們對於越戰前途，眞不勝其慄慄危懼之感！

實行戡亂反共政策的越南當局，固未徹底明瞭共黨所謂「人民戰爭」的涵義與作用，究竟是怎末回事？就是指導越戰的美國文武人士，對於共黨的本質亦祇係一知半解，試看那位退任駐越大使泰萊最近發表關於越戰的四點觀感，即可知也。總而言之：憑着美式民主生活尺度以對付共黨的戡亂行為，不特在文化落後、產業貧乏的地區決無倖理，即在美國和英國境內，亦非失敗不可的！

馬五先生

附啓

待續之「仲國法、張正義、不畏強、不受誘」文章，暫停一期，下期續刊。

編者

從黃杰主席的「理性生活」觀念 談他的工作規範與施政方針

本報台灣中部記者 熊徵宇

這種舞弊的範圍是很大的，幣值的數字多少，也就無從估計，也不是局外人所能知道的。

三大皮漏 一紙文書

俞友田，因為另外的一個案子，經人檢舉，為法院管理而着手偵查，這期間，省府因為要在日本標售木材，想替國家賺筆外匯，需要俞友田出國，但是台中地檢處，認為俞友田的案子在偵查期間，不能出國；而省府却向法院提出保證，這樣才讓俞友田到日本去了。

後來在日本以低價得標，國內羣情大譁，於是交易不成，大出皮漏。

省府派出物資局貿易處長陳振熙和俞友田，專程到日本標售木材，何以低價得標因國內反對而毀約，弄得丟醜失格？其中自有內情，而物資局長張仁滔接着發生因借欵與省議員李建和的事件去職，原因都不簡單，這些我們暫時不談。

要談的，是俞友田既然兩年前就有涉嫌舞弊的案子在省政府，而另外一個案子又在法院，省政府何以非要這位涉嫌有兩項不法事件的總經理出國呢？而且還向法院提出保具，難道說除他以外，別人去做不好？

而且到日本，不但是不能完成任務，反而攪個大皮漏回來；國內的指責固有應得，但是丟醜國際使國家的貿易信譽所受的損害，就實在太大了。

這應該歸納到是不是「知人善任」的問題上去討論呢？還是別具因素？我想總有一天攪得清楚的。

俞友田與翁慨，福禍是靠運安排？

而後來，俞友田由日本回來不久，那個因為在偵查期間不讓他出國，由省府保具的案子，因貪污涉嫌重大，提取公訴，黃主席才下令停職。

直到如今，一年零二個月來，由當時的大雪山林業公司協理許自誠代理總經理職務，而最近，發表林務局長沈家銘代理主管，把許自誠調為參議；這些過程中，俞友田的總經理職務還是沒有免。

這種作法，是使我們不能了解的。若果說俞友田只是提起公訴，並沒有判刑，即以他的職務，只能停而不能免。那麼，省立彰化中學校長翁慨被毀容的案子，現在也並沒有經過法院認定罪刑，但是何以教育廳以「停職查辦」的第八天，黃主席就在省議會宣佈「永不錄用」呢？

那不過只是一件普通的風化案子，而俞友田涉嫌的，却是侵佔公帑貪污瀆職事件，權衡兩者，以孰為重？何以俞友田能一再的受到優待，受到寬容，而對有那樣罪及終身的重大懲罰？難道說這也要碰運氣？

這在刑法上站得住嗎？能通過公務員懲戒法？而且，在「崇法」的法制精神上，又怎樣能求得「務實」呢！

液化瓦斯 風波未已

「液化瓦斯爐」事件，發生在今年的一月。中興新村和台中地區的省府員工宿舍，一年前——五十三年，由公共事務管理處裝設煤氣液化爐，每戶設備費九百一十元，煤氣十公斤九十六元，共計一千零六元，由公管處向財政廳借欵墊付承包商，然後在員工的薪津下分二十四個月扣抵。

因為那爐子可以減少煤烟的侵擾，所以申請的員工都很踴躍，總數高達一千五百多戶。

今年正月間，省府當局認為這種事情屬於員工的福利，於是令飭由福利社繼續承辦。而福利社接辦後，煤氣爐的價格與從前大大的不同，每戶只要四百八十元，而且還包括十六斤的煤氣，而且還有兩個爐子。所以就引起了已經裝煤氣的員工們的不滿，認為公管處抬高價格，涉嫌舞弊，於是發動簽名，打算向監察院提出檢舉。

檢舉書中說，省府員工宿舍所裝設的煤氣爐的價格，超過市價一倍以上，每戶負担超額五百元左右，一千五百戶，總數達七十五萬餘元。

同時在公告招標的時候，曾有五家煤氣廠商參加招標，而且其中有一家願意以六百五十元承包，但是公管處却與一個名叫徐達的廠商，以一千零六元訂了約。何以如此？令人疑竇。

檢舉書中要求監察院調查，希望把超過的價欵退還員工，免得他們要漫長的二十四個月的薪津去抵扣。

事擺下來 人弄上去

這份檢舉書在省府各廳處進行簽名的時候，當然公管處和有關方面會知道，於是省府大樓的主辦公室有人出面講話，於是動員了秘書長和很多人，一方面向那些已經簽名的員工們分別說項，答應把多收的錢退還他們；一方面向各報的省政記者打招呼，要求不發這則新聞。

於是把當時的那股氣氛冲淡了下來，用這種拖拉的方法把這件事擺了下來，到今天，八個多月，省府當局不但是再不提起退錢的事，甚至連一點交代都沒有！一千五百多戶員工們對省府當局漠視員工福利的失望心情，是可以想像得到的。他們現在以觀望的態度看這件事的發展。

省府何以對這種員工們切身所受的不平事件沒有一個適當的處理？當然內面大有文章，因為涉嫌於此一事件的公管處主任駱東藩，不但沒有受到省府的任何處分，反而青雲直步的升了官，三個月前就到石門水庫管理局當副局長去哉！

主席中興新村的官邸他往來最勤，那也許是因為從破土興工到落成竣事都是他一手推行，熟悉於那些石階的層數與大大小小門戶窗口的原因吧？

廢品處理 蔴袋賺錢

省府福利社對於石門水庫和鐵路局的「廢品處理」，曾經監察院一再查詢，查的結果如何我不大清楚，但是那些事件到如今還不能說是太「內部」，而五十二年三月，福利總社主任李文章，以福利社名義，向糧食局以議價方式購買十七萬四千七百三十五隻蔴袋，每隻價格二元七角五、二元四角五兩種，合計價款四十五萬六千元。

因為那些蔴袋並非廢品，賣入市面每隻可值二十多元左右，所以很好出手，盈利十倍。但是福利給員工們多少福利？那只有福利委員們懂得清楚，假如賬上列得清楚的話，且還有一位大員私人攪過兩次。

因為監察院時常查這些事情，所以李文章離開了福利社的職務。但是駱東藩走了以後，他接了公管處的主任。

從我所舉的這幾件事例來看，我們就可以瞭解黃杰主席所標榜的「獎勵廉能、懲治貪污」的施政方針，在兩年八個月的歷程中推行到了一個什麼樣的水準。

我們就可以看出「建立廉能政治，使賢者在位，能者在職」，一介不苟，一介不取」的「力行效果」了。

堂堂正正 偷偷摸摸

在黃主席所標榜的「建立整體觀念」的原則上，施政方針的能否貫澈，當然要求普遍性的間接效果，何況我所例舉的這幾件事情，都是屬於省府最高當局直接掌理的。

確實建立人事制度與「用人惟才」的原則，是黃杰主席旦旦信誓的，他就任之初，曾一再表示：絕對不下條子派任一人，「寧可一個人情不講，得罪全部的人，而不為一個人破壞制度，浪費職務」。

並且命令人事處以「整體觀念」為基礎，擬訂一套「人事集中管理辦法」。

於是各廳處根據這一原則訂立個別的方案辦法。看起來，大家確實是在想把業務上的成員素質提高起來；以考核獎懲定功過，用功過準標為升[illegible]的準則，使政治運行的人事制度進入健全的組織軌道。

而主管人事的徐巽華處長，也一再對全省人事行政人員大聲疾呼：

「我們用人，要從大門堂堂正正的進來，不要從後門偷偷摸摸的溜進去。」

這兩句話，非常生動。我想所謂「堂堂正正的走大門」，是說必需通過人事上的一切法規。所謂「偷偷摸摸的溜後門」，當然是說不適合大門的條件而運用特殊關係。

這當然是強調黃主席「用人惟才」的主意。但是出身於銓敘部的徐巽華處長所主持的人事制度，似乎並不能堵塞後門，也阻止不了無才者亦能在位。

交辦之八行書焉，透過「權威」電話焉，由下而上的「逆轉乾坤」焉，而投機宜焉，應付有關焉，協調焉，「某某人的工作意見」焉，這一類的攪法，尊嚴很像憲法，一切抵觸的法令，可以宣佈無效。

用人惟才 不講人情

「用人惟才」的定義，應該是替工作找人，而不是為人找工作。

但是台灣省政府兩年七個月以來的人事處理，是不是像黃杰主席所宣示的：「絕對不下條子派任一人，寧可一個人情不講，得罪全部的人，而不為一個人破壞制度浪費職務」呢？

答案不是絕對的。

事實上也不可能絕對，因為一位全省行政首長，是不可能擺脫一切的緣情，至於是不是下條子派，或者授意下面報上來，結果是相等的，只是方式不同。而是不是破壞制度浪費職務，這倒是個重要的關鍵。

假如我們嚴格的說，台灣省府的組織規章上，就沒有省府辦公室主任這個職銜，黃主席的設置，在工作需要上當然不為過份，但是要講求制度就又當別論了。

比如說現任省議員，黃主席就任時担任民政廳指導員的張文獻，曾經當過該廳的股長，攪不好而回原職，但在黃主席就任後的一個多月，就發表了他的文書科長。就才而論，連股長都攪不好，怎麼能當科長，而且本省籍的青年，對於省府的文書的處理經驗，畢竟非其所長。

但是因為此人是當年省議會議長黃朝琴的小同鄉，是當年台南縣長胡龍保的女婿。誰人推薦，不想可知。這與「寧可一個人情不講」的原則是不是衝突的呢？

專門委員 也能臨時

又比如當年以譚文懋調換公賣局副局長許自誠；以張宗良調換民政廳副廳長張騰發，以及建設廳副廳長的調換；以何得當調換地下工程處的處長田維五，以及為數不少的二三級機構科室單位的更易，難道都不是由主席派令？

遊樂勝地里維拉的黑暗面

——巴黎通訊

海濱勝地 藏污納垢

名聲遠播的里維拉（Riviera）是指法國南部海濱城市尼斯與意大利海濱城市斯比塞之間的海岸地帶。這地帶瀕臨地中海，是個風光明媚的著名海濱勝地。由於它的北面有高達一千多公尺的阿爾卑斯山脈，把冬季北方吹來的冷風擋住，故冬季的氣候也非常暖和，是著名的避寒地。但在夏季，也同樣有許多遊客到來遊覽、度假。它有寶石藍色的海水，蔚藍色的天空，因此，法國人喜歡把里維拉稱為「藍色的海岸」。

可是，在這風光明媚的「藍色的海岸」裏，却包含了許許多多的罪惡。那兒有各式各樣的流鶯、撈女，有大規模的毒品製造廠，有白奴的買賣，有光天化日下發生的謀殺案，有世界上最大的春宮及小電影製造廠，有大規模的國際走私……。如果你是個記者，是個作家，到了里維拉，你不愁找不到採訪寫作的題材。

娼妓撈女．活躍尼斯

在尼斯及其附近的康城，是妓女、撈女最活躍的地區。其中有五美元即可「春風一度」的低級妓女，也有五百美元才能「一夜歡娛」的高級妓女。這些妓女，大都是由黑社會頭子在幕後操縱的。當有船隻或軍艦進港，這些妓女便出動到碼頭，引誘那些水手或水兵「尋歡」。在尼斯一條小街上，有一間名「東尼」的酒吧，就是一間專門做水兵生意的酒吧，那裏不但有脫衣舞表演，還有大量吧「女」（亦即娼妓）活動，專接水兵（多是美國水兵）的生意。這些「吧女」往往站在門口，操着半鹹淡的英語，招徠顧客：「來吧，進來看表演吧！大把姑娘供應，全是正嘢，全部準備使美國男人快樂！」

尼斯毒品 銷遍西方

里維拉的淫業雖然很盛，但如果跟販毒相比，又未免小巫見大巫了。黑社會份子從販毒的收入，遠比淫業的收入多得多。

在尼斯，毒販擁有若干個設備完善的製毒工廠，用嗎啡作原料，製成毒品海洛英。這些製成的毒品，秘密運到歐洲及美國各地發售。據警方估計，西方世界所用的海洛英，大部都是尼斯製毒廠的產品。過去四年來，被警方緝獲的海洛英，就有六千七百二十磅之多，共值一億六千八百萬美元。當然，這些被緝獲的毒品，只佔全部產量的極小部分。

外交人員 毒品私帶

這些製造出來的大量毒品，是怎樣運出去的呢？方法很多，其中之一是利用外交人員代運。因為外交人員是有不受檢查的特權的。

有一次，一個烏拉圭的外交代表團的團員，名叫唐．阿列茲，由巴黎飛抵加拿大的蒙特里爾。當他下機之後，駐機場的海關人員照例不檢查他的行李，包括藏毒的皮箱，他則由加拿大的皇家騎警護送至旅館。

可是，就在由機場至旅館途中，一個騎警無意中發現皮箱內藏的是毒品海洛英。

經過審訊後，證明阿列茲所運的毒品都是里維拉製毒廠的產品。

怪力亂神與法律叢談

·陸嘯釗·

仙術的騙局

中國自古以來，就相信巫術的存在，認為巫術有一種神奇的力量，可以致人禍福。凡是為人求福利的神奇力量稱為仙術，凡是以害人為目的的神奇力量，則稱做妖術。這和外國把巫術分做White Magic和Black Magic的用意是相同的。因此仙術和妖術在術的本身是很難區別的，完全就其實施結果所發生的作用而定。

巫術最早起源於方士神仙之說。後世言神仙的多祖述老子，因為老子說過：「谷神不死」，又說過：「天地所以能長且久者，以其不自生。」於是傅會其說者，就拿了這些話，託言仙術，自寄其思，升仙化羽，自神其術了。到了秦皇漢武，為求長生不老，甘心溺於方士之言，於是巫術在中國，愈衍而愈多，愈變而愈幻了。

所謂仙術也者，其實都是一些騙人的玩意，騙局拆穿，行騙的人常不免一死，從而仙術也就變做妖言了。妖言惑衆，常是致死的原因。這種行騙的方式，大致可以分做五派：

一、祀神派：這一派人以宋毋忌，徐市（又稱徐福）為首。燕人宋毋忌是「羨門子高」的門徒，自稱有仙道形解銷化之術，一時燕齊迂怪之士，爭相傳習，甚至連齊威王、宣王、燕昭王，都深信不疑。當時傳言，勃海有方丈、蓬萊、瀛州三神山，山上有神仙和不死之藥。等到秦始皇併天下，東巡海上，齊方士徐市等奉書上言，結果，始皇遣徐市，發童男女數千人，入海祀神求不老藥。徐市一去不返，秦始皇的長生不老也落空了。這派人認為求仙必本於祀神，祀神即所以求仙，而古代祀神之典，咸見於儒書，由是儒生中明祀禮的，遂得因求仙而進用了。這是把儒術滲入了仙術的證明。

二、望氣派：這一派中趙人新垣平可以作為代表。漢文帝時趙人新垣平，以望氣見帝曰：

「長安東北，有神氣成五采，東北神明之舍，天瑞下，宜立祠以合符應。」

皇帝聽信了這些話，於是在渭陽，配合陰陽五行，造了白、青、黃、赤、黑的五帝廟，貴平上大夫，累賜千金。過了不久，新垣平以帝悲可欺，派人埋了個玉杯在地下，他又跟皇帝報告，地下有寶氣，結果，地下掘開一看，果然有一隻玉杯，上面刻着「人主延壽」。這樣一而再，再而三，把戲終被戳穿了，新垣平的腦袋也掉了地。

我們知道從前儒書，多講受命之符，這種學說和鄒衍的非常接近，所以儒生之言禮儀者，一變而為言符瑞，言符瑞者，必多望氣，新垣平的望氣，不過為了逢迎人主的求仙罷了。

三、召鬼派：這一派的人認為人鬼可以相通的，其實也是一樁騙局。漢武帝的少翁，就是以此得官的。齊人少翁見漢武帝所幸王夫人卒，少翁以方，夜致鬼，活像王夫人的相貌，帝自帷中望見，因此拜為文成將軍。後來也是因為西洋鏡戳穿被殺的。

四、丹鼎派：這一派就是鍊金派。漢武帝雄心大欲，並駕秦皇，南征北伐，庫藏空虛，於是李少君就乘機而入，挾鍊金術而致富貴了。少君者故深澤侯（趙將高祖功臣）舍人，言於武帝，謂能化丹砂諸藥劑為黃金，不久病死，帝仍以為化去不死。這種丹藥參仙術以鍊金的方法，是為丹鼎派竄入道家之始。

五、封禪：漢得寶鼎，於是公孫卿遂托言黃帝，以謂其通靈，以為黃帝接萬靈，合符釜山，這就是黃帝的神術又能乘龍上天，這就是黃帝的仙術，從而進言封禪，以示隆重。漢武帝固然為其動，遂行其典，結果倪寬草封禪禮儀，司馬相如作封禪文，以致當時的儒者都給他牽着鼻子走了。

其實，這五派無一不是利用皇帝的好色、好貨，要想長生不老，好大喜功的心理，來實施他的騙局。騙局成功高官厚爵，騙局失敗，就祇有落得身首異地了。所謂仙術也者，實際還不是鬼話連篇。

三國演義縱橫譚

燕謀

故得勝回頭之後，卽有「話說」等語，後面又有「欲知後事如何，且聽下回分解」之詞，這是純錄口語，其所用亦多口頭語言，此卽「三國演義」之所本的另一面。在宋代的說話人，很多是文人，他們都靠「說話」混飯吃，有的說得漂亮者，還會被皇帝御前供奉官兒們羅致入御前說史話，那就更不愁衣食之一途了。宋仁宗對於說話就有濃厚之興趣，宮中養活了不少說話人，日進一奇怪的故事以娛之。說話不僅成為小百姓的消閒品，更成為皇帝每日娛樂之一了。修類稿卷七十二「辯證」類小說條云：「小說起宋仁宗時。蓋時太平甚久，國家閑暇，日欲進一奇怪之事以娛之，故小說得勝回頭之後，卽云「話說趙宋某年」。」御前供奉的說話人，都有官階，又說是為賤者所為，但有不少名學者都出自說話者。袁枚之『隨園隨筆』卷七職官類上卷「說書」條：『今之演義小說者，稱「說書」，賤者所為，如左寧南門下柳敬亭是也。不知宋金元皆有崇政殿說書之官，其職有類經筵講官，而秩稍卑，程伊川、楊龜山、游酢皆為此官。』。宋代的「德壽宮」、「御前」、「鐵衣視兵」等字，就是供奉宮殿的說話人。三國故事在此時名叫「說三分」。元代的說話人大部分是因沿宋代的傳統，他們大部份講宋代的故事，照樣保存宋代人的習用語，有時還用「大宋」來稱宋朝，以表示他們的故國之思。他不大講元朝的故事，當然是沒有言論自由的。能夠讓他們說「大宋朝」已經是大尺度的言論自由了。三國演義許多渲染，沒有史實依據的故事，大部份是沿襲說話人而來。說話人也不是憑空瞎說，他們也是因襲前人的口碑。古時書寫不易，記錄、印刷困難，許多史事記錄簡要，再加之傳播不易，很多故事是沒有被史官記錄的。所以口碑也不是沒有來頭；許多史乘上不見經傳的人名，而演義卻有的，就是依賴口碑保存下來的。三國演義裏頭大有人在，如貂蟬、周倉、關索等人物就是一例。下面再把演義未成之前，所流行在民間而見諸記載者、列述於下，俾知其所說有自來也。

宋元是說話最盛的時期，我們再往上溯，說書早在什麼時候就有的呢？有籍可稽的，早在魏晉南北朝就已經有了。

說話是隋代的習用語，「太平廣記」卷二四八引侯白的「啓顏錄」說：「（侯白）才出省門，卽逢（楊）素子玄感，乃云：「侯秀才可以（與）玄感說一個好話」。說一個好話，就是說一個好故事。

唐人李商隱「李義山詩集中的「驕兒詩」說，或謔張胡痴，或笑鄧艾吃」。此詩作於大中四年（公元八五〇年）。三國演義中貂蟬是不見經傳的美人，人以為無此人的存在，但在唐時已有人入詩，謂呂布身邊有一位美麗的動人物。李長吉的「呂將軍歌」云：「榼榼銀槍搖白馬，傳粉女郎大旗下」。又杜牧之「赤壁詩」云：「東風不與周郎便，銅雀春深鎖二喬」。「二喬」有人以為是「二橋」，以為銅雀台之二橋也。那麼「東風」之說又如何解呢？可見「東風」非孔明所能借，但知道有東風的附會在孔明身上，也就有了。

清人梁章鉅的「浪跡續談」云：「開元占經卷三十三熒惑犯須女占，注云：漢書通志：曹操未得志，先誘董卓，進貂蟬以惑其君。此事異同不可考，貂蟬之卽貂蟬，則確有其人，漢書通志今已不傳，有之。可見貂蟬傳的美人，有她存在的。三國演義尚未問世之前，已活在人們的心目中了。梁章鉅已把此說收入他的「三國志旁證」中了。筆者在「影劇與歷史」，已有「貂蟬」考，可以參詳焉。（四）

袁隨園女弟子錄

漁翁

陳長生，字秋穀，杭州太常卿星齋之孫女，適葉氏。性好釋道，有禮佛詞六首，內云：「偷閒得傍慈雲座，願作西冷善女人」。「何如參破華嚴界，領取優曇自在香」。長齋禮佛，有飄飄欲仙之慨。

王玉如，雲南人，令宜廉使之篋室，善詩能畫，所寫畫菊一首：「西風叢桂正含香，籬菊先開不待霜；暫向毫端借秋色，何妨八月寫重陽。」繪影繪形，深入妙處。

鮑之蕙，字仲姒，丹徒鮑海門次女，張銅齋之妻。銅齋能詩，以遊廣陵秣詩見寄，之蕙答曰：「秣陵僧院廣陵船，幾日遊蹤附彩箋；懷渴得梅濃較酒，詩狂乘興樂於仙。二分新月扶殘醉，四美佳辰媚少年；珍重宵深風露冷，征衫多半未裝棉」。末句語重心長，與席佩蘭送外入都：「寒暖無人要自知」，同一體念也。

盧元素，字淨香，侯官人，錢玉魚之篋室。玉魚喜吟詠，以重九登高詩見寄，元素於同月十六夜對月，用前韻寄玉魚於吳門云：「為憐庭外月，繞桂幾迴巡；眼帶三分白，心無一點塵。良宵甯負我？清興不同人；更有誰相對？推敲自話論」。望月懷人，情見乎詞。

隨園老人女弟子入詩選者，已見上述十九人，而為數不止此，因所處較遠，未得列入湖樓詩會，附驥難常，每切離羣之感；登龍莫遂，僅深私淑之懷！如華秋帆狀元之篋室周月尊等三十七人，均拜隨園為門下女士而未獲詩選者。見「隨園軼事」。

隨園生平，最愛女性，卽其圖章，亦刻為「錢塘蘇小是鄉親」七字，以示同年楊某，楊素迂滯，斥其自卑，隨園曰：「千百年來公侯將相，多不足紀，惟蘇小尚名留後世，孰貴孰賤乎？」楊無以難。謂為風流才子，誰曰不宜。（四，完）

剛強的懦夫

——讀南太平洋的風雲

喻淡

在一個偶然的機會裏，得讀「南太平洋的風雲」，不禁使我雀躍，想如慣常的沉默，但又似乎不可能，隱約被這股所謂的「風雲」所推動。就像我曾被一個女孩子愛得給她推動一樣。

翻開書，先不先就是一段原作者的簡介；曾說理查．包威爾會撰武俠小說多種。我自問不是一個喜歡武俠小說的人，此因倒非是有人說它是下流的，而是為了在過幾部以後，便索然寡味，似乎千篇一律的都是講的那些鬼事。然而我有一個好的（或者說不好的）習慣，拿着一本書，總要翻一翻，眞不知一翻之下，令我捨不得丟下了。

主角威廉．伐拉隆中校，在乘一架運輸機去戰地，坐着無聊，便拿起軍職證，讀自己胡思亂想一陣。他想起十歲時的一段往事：「那是他父親奉調參謀學校以後不久，曾有一位訪客問過他，如同一般人常問小孩子似的：『你長大了要做什麼？』「我要當將軍！」他這樣回答這問題毫不新奇，他的回答也是小孩子的口吻。不過他要是能夠預測未來的發展，也許會更切實的說：『我會一事無成！』他懷疑有無小孩子會如此回答。小把戲們是不肯接受一敗塗地的觀念的。」這一些描述，我便覺得這本書是很具有人性的。比起武俠小說裏的人性的武俠小說要真誠得多。不是麼？在人生的途程上我們不追求真誠要追求什麼呢？

天下有很多人被人誤解，我也曾被人誤解過。不過，不是「臨陣脫逃」的懦夫就是了。但當我一頁頁的看過這本小說以後，世界上還有些「懦夫」還是眞正的剛強之人。這是以自己的本性，做些值得做的事情，就可以將誤解銷除了。「南太平洋的風雲」，就是如此的。有興趣不訪讀一讀也是好的。

伐拉隆在一個孤懸海上的小島上，也是所謂的戰地，當他到達的一剎那，在一個『將來這些該死的婦女隊，替我們惹來的麻煩，會比一排日本兵惹來的麻煩還要多，因為我們可以開槍打日本兵，卻不能開槍打婦女隊。」的詛咒氣氛下，伐拉隆中校卻能為婦女隊甘冒衆怒的危險，人性的勇氣支撐着他，為她們解決廁所問題。我便以為伐拉隆更可愛了。

在有人類，（啊！在有動物，）就有戰爭的世界，當你面臨了戰爭時，很勇敢的自願參加的人，都是具有人類本性的人。小姐姑娘們，甘願放棄安樂的生活走向戰地，實在不應當受到異性同僚的輕蔑。女子在生理上也許較之我們所謂的男子漢要差一些，但也不能說毫無作用。伐拉隆知道了這一點，所以運用了他的聰明才智幫助婦女隊的任務，乃至工作，也就可以說是幫助了自己和自己的國家。我們有此種智慧的人，我們就能了解他在南太平的小島羣的月島、羅泰島……做了些別人不能做，做不到的事情來，這就不是懦夫了。

「南太平洋的風雲」是講二次大戰時，在大洋的一隅的戰場故事。有緊張的一面，有輕鬆的一面，這就要看一個人在生活藝術的修養了。戰爭，當然被很多人所厭惡，但有的戰爭，也不可避免。當人性被抑壓的時候，不能不勇敢的面對戰爭。戀愛，當然也是一種精神上的負擔，但當兩個人的本性能接合在一起的時候，便不能不勇敢的承受了。就像伐拉隆與那個克當爾一樣，在戰地相愛，雖然尙不可能知道那一天可以生活在平靜的幸福裏，但誠如克當爾說的：「能相愛，便無所憂慮的事了。」

自由太平洋文化事業公司，在從事新的文化事業，而且做得很有生氣。我希望在這被人譏為文化沙漠裏，多從事一些實在的文化工作，證明這裏不是文化沙漠；卽使現在還是，我們也能令它能夠長滿青草！

國劇繽紛續錄

婆娑生　（十二）

崑曲同期百屆雅集回憶（續）

毛子水、曾虛白、姚俊之、張敬、褚仲揭、沈元元、陳邁子、孫再壬、包顯珠、何文基、錢卓升、汪經昌、朱渝、袁望汝、王節如、王錫欽、馬蔚青、唐慶厚、許聞龢、焦承允、王鴻磐、王平、李東園、詹白甘、帥元節、陳永福、周鷄晨、周一欣、朱佩華、毓子山、郁元英、朱藻秋等。三時開始拍曲，七時遊園，用壺碟會，觥籌交錯，釵光鬢影，極一時之盛。

這次度曲計分兩部份：（一）散曲，（二）整折。散曲計唱十一支，（一）刺虎（旦）馬蔚青，（二）酒樓（老生）唐慶厚，（三）小宴（小生）許聞龢（旦）許聞佩（丑）張穀年，陳書蓁，（四）刀會（淨）周雞晨，（五）書館（官生）朱佩華，（六）叫畫（小生）華繹之，（七）三醉（官生）王洸，（八）別母（老生）蔣倖民，（九）彈詞（外）郁元英、曾虛白、楊愷齡、夏煥新，（十）哭像（官生）王節如，（十一）遊園（旦）沈元雙（貼）沈元元（元雙愛女）。每支曲子，皆由允唱人自己選定，因此每支皆極夠勁而精到，為歷次所鮮見。

整折共有五齣，開場的天官賜福，即較舞台上所唱的不知高出多少倍，因為主唱的多是名票，便顯不凡。（老生）何文基，（旦）焦承允，（貼）包顯珠，（外）毓子山，（小生）朱其倬，（淨）陳永福，（同場）蔣倖民。（二）定情（小生）方英達，（旦）梁瑞萱，（丑）蔣倖民。（三）規奴（旦）包顯珠，（貼）焦承允。（四）望鄉（老生）盛成之，（官生）王鴻磐，（同場）徐或之、蔣倖民。（五）絮閣（旦）程鏡英，（小生）方英達，（貼）胡惠淵，（丑）蔣倖民。尤其可見這位武進世家蔣倖民，對崑曲研究，很有功夫，幾乎無役不與。除單唱別母亂箭以外，各戲皆能配，卻不唱主角。小丑老生老旦多能唱，台灣曲壇中所少有。此集過了，未及多時，繹之佩、華永福，以及瑞黃夫人相繼離開塵世。到了二百期後，大專院校的女生，競相參加，此同期遂有新的血輪，造就了不少的人才。於是窈窕淑女，荊布裙釵，風氣不成為樸實，歌聲亦變清脆，把這氣氛傳到每個校角落，崑曲仍到處可聞，也許可再傳幾代，斯為可喜。

穎若首演鎖麟囊

程派鎖麟囊，是一好劇，但是要演得有聲有色，卻頗不易。此是劇本的中間一段，似乎由緊張而趨平淡，再復上翻，出現高潮。（未完）

蔡司令軼事續述

諸葛文

前談陸軍大學生，鄂人蔡繼倫，於對日抗戰時，因在宜昌担任軍職！—初為主辦兵役之師管區司令，繼奉命辦理國防工程事宜，改稱宜昌防衛司令—以犯官罪被中樞通緝歸案，明正典刑。各情節，尚有足資談助之軼事若干，特補述之。

當年中樞軍部由重慶派赴成都緝捕蔡司令之主幹人員，係現居台北市曾任台灣警務處長之陳仙洲君，於尋獲蔡司令後，軍事委員長成都行轅主任賀國光先生願意担保蔡氏自行投案，情面難卸，未便拒絕，但復命計，乞賀主任出具證件，賀乃書收據一紙，文曰：「收到犯官蔡繼倫一名，此據」，交陳君持歸具報，可謂別開生面之單據也！憶滿清末葉先烈黃克強先生在長沙明德學校從事革命運動被發覺後，挽長沙「聖公會」牧師黃吉亭掩護脫逃時，由牧師王某具函介紹於漢口「聖公會」同寅，希予維護。漢口牧師復書亦有「收到黃牛一名」之詞句，允屬無獨有偶。

蔡氏離開陸大之初，曾因其同鄉同學劉驥、熊斌之汲引，入馮玉祥軍中服務。民十五年夏間，張作霖、吳佩孚聯軍進攻馮軍於南口時，蔡奉命在前敵總司令鹿鍾麟部任作戰參謀。值戰況不利之際，棄職逃回北京。迨馮氏由莫斯科馳歸五原，誓師寧夏出陝與閻對抗，蔡氏復趨馮軍投効，被馮拘繫究治其臨陣脫逃之罪，判處徒刑期滿，即予斥逐不復敘用，蔡仍回北京，未幾，出任北京市電車公司常務董事，生活頗優裕。越民國十七年馮之幕僚長何其鞏受任為北平市長後，知蔡氏乃係馮軍刑餘之犯官，摘去其電車公司常務董事職位，蔡忿恚不平，晤何市長理論，座談間痛[illegible]何頰，被何市長當場飭警士拘捕法辦，致引起旅平市之陸大同學會抗議，情勢洶洶然。時馮玉祥出任國府行政院副院長兼陸軍署長，住在南京，何市長據情申於馮，馮即向中樞提出報告，謂蔡繼倫曾任西北軍軍官，於南口之役臨陣脫逃，迨西北軍出關革命時，蔡又來歸，玉祥不究既往，姑予錄用，而野性難馴，迭違節度，乃逮問斥逐之，今復無端毆辱地方行政長官，蔑紀狂悖，應請從嚴懲處云。旋由中樞通知陸軍大學，革去蔡繼倫學籍，蔡不久亦告省釋矣。

蔡於民國廿一年丐得湖北綏靖主任何成濬氏薦引，推介於豫鄂皖三省剿匪總司令蔣公，請以行政督察專員任用，但總部秘書長楊永泰以蔡氏言行粗獷，遲疑莫肯上達，吾友湖北省府保安處長范熙績從中鼎力向楊關說，乃任為湖北第十區行政專員，駐鄂西恩施縣（前誤為鄖陽）。逾年范率軍赴鄂西剿匪，遍見罌粟花盛開各山地，詢知係經蔡專員核許者，恃友誼責蔡違功令，大不可，且飭諸縣令剷除之，蔡范因此反目成隙，終身不復和好。

蔡氏兩度悼亡，最後續娶江南籍年近而立之賈家女，女兄執教上海某大學。蔡婚後月餘，忽致函女兄，指其女弟為「石女」，要求退婚，女兄大驚詫，急招妹還滬，送醫院檢驗決非事實，為之啼笑皆非，仍攜妹偕返蔡家，嗣後夫婦亦和諧無異言，蔡氏之荒誕行徑，多類是也。

白蛇傳

—「影劇與歷史」之八

周遊

陳仁錫喻雷峯塔為「老蒼突兀，如神人翁揩」。李流芳則稱之為「醉翁」，其辭有云：「吾友子將嘗言湖上兩浮圖，雷峯如老衲，寶石如美人，余極賞之。辛亥在小築，與方回池上看荷花，輒作一詩，中有云：「雷峯倚山如醉翁」，印持見之，躍然曰：子將老衲，不如醉翁，就得其情態也。蓋余在湖上山樓，朝夕與雷峯相對，而暮山紫氣，此翁頹然其間，尤為醉心。然余詩落句云：「此翁情淡如烟水」，則未嘗不將老衲之品為宗耳。

明人王瀛詩云：「暝色霏微入遠林，亂出闌繞半湖陰；浮圖會得遊人意，掛在斜陽一抹金。」

明人莫璠「蝶戀花」云：「古塔斜陽紅欲暝，西湖人家，半在桑榆影。水映殘霞如濯錦，烟花佛國非凡境。十里畫船歸欲恭，漁唱菱歌，別是湖中景。待月有人樓上等，珠簾半捲蘭重凭。」

雷峯綺景，湖光山色之為國人艷稱，遊人嚮往，名播中外。但這座富歷史性的寶塔，鎮壓妖邪的七級浮圖，已不再聳立人間了。後之遊人，唯有從前人的作品中去欣賞這一古塔的情態了。什麼「醉翁」、「老衲」、「神人翁揩」都已成為可詠而不可觀之空想了。而十景中之「雷峯夕照」，也只有「夕照」，而無「雷峯」了。

因為「白蛇傳」又名「雷峯塔」，故事與塔關係太密切了，所以不厭冗贅，二者並考之，使讀者有一全豹的概觀，不亦宜乎！

（九．完）

釣魚城忠烈史事

・匡　謬・

忠義祠的左側是護民祠，供奉兩個牌位：一個是『元四川總帥李公諱德輝』，另一個便是『元懷遠將軍領合州軍民安撫使王公諱立』。據陳大文的碑文觀之，本是李、王熊耳合祠稱為『功德祠』的，現在「夫人祠」與「護民祠」分開了，大約是民國以來的變化吧！合州人以熊耳夫人救了釣魚城十萬軍民生靈，故為立祠記念。然而以民族大義而論，熊耳夫人祠實是淫祠，因她實乃為元作間諜，並無國家民族觀念，豈配享受人們祀奉！

考釣魚城的興築是在宋淳祐間，事在宋末的抗元史中，寫下了光輝的一頁。在此孤軍奮鬥，維持宋祚的人物，有余玠、冉璡、冉璞、王堅、張珏以及王德輝等人。余、冉、王、張均係有為之士，顧因余受讒於小人，在理宗寶祐元年（一二五三）五月，被召入京，未及起行，於六月暴卒，或謂實係仰藥自殺。宋史本傳謂「蜀人莫不悲慕如失父母」。可想而知其見悲於蜀人也。二冉亦未及大用，冉璡為承務郎權發遣合州，冉璞為承務郎權通判州事，均卒於官。唯王堅、張珏，殆為釣魚城守將中最有光輝之二人，值得大書而特書。釣魚城的故事就是他們的故事。

王堅於宋淳祐十二年（公元一二五二），曾以武功收復興元。寶祐二年，曹世雄等元兵入涪州，王堅不久遂授興元都統兼知合州事。寶祐開慶間，拒元憲宗的一役，最有精采的表現。宋理宗寶祐末，蒙哥兵攻蜀，自吉平隘至蓬州，勢如破竹。順慶、廣安諸郡無敢抗行者。蒙主元憲宗遣降將晉國寶來合州詔諭王堅，王堅拒之。開慶元年（一二五九）晉國寶峽口，王堅追還，殺之於閱武場。元憲宗大怒，遂親率大軍圍攻合州。王堅與副將張珏協力固守。另一降將漢奸楊大淵招到合州人民俘擄七八萬，以為削弱王堅之兵源補給。同年二月，元憲宗親率大軍渡雞爪灘，到石子山據點，督戰城下，前後圍攻鎮西、東新、奇勝、護國等門。攻至五月，仍不能佔領此城。此時釣魚城中的王堅、張珏二忠烈，確實不愧為抗元史上之民族英雄。元憲宗親率大軍，其勢自非等閒之役，內外無援，孤軍奮鬥數月，釣魚城固若金湯。到同年五月，因大雨而停攻二十日。六月四川制置副使呂文德聞合川圍急，自重慶率千艘，溯嘉陵江而上。被蒙古將史天澤分軍兩翼，順流縱擊敗還。蒙古前鋒大將汪德臣（元史作汪特格），於夜晚選精銳士兵，登外城仰攻。王堅親率漢家健兒迎擊，汪德臣久攻不得手，於是單騎大呼曰：「呂文德援兵敗矣，我來活汝一城軍民，宜早投降，勿從王堅俱死也」。言猶未了，忽然飛石擊來，汪德臣重傷，不敢再喊而退。不一月汪德臣不治而死。至同年七月，憲宗歸還，到溫湯峽而死。但是，此一史實待吾人推敲者，因此乃元史所祀也。

按合州釣魚城記：元憲宗[illegible]中炮風得疾殂。「重慶志」謂是中飛石而死。但續通鑑並不信之，說是因飛石中汪德臣而誤也。其實應以地方志為可信。蓋元憲宗和汪德臣親率兵仰攻釣魚城，城上飛石而下，不只一塊飛石，汪德臣可中，元憲宗何不能中？此乃元人因憲宗而諱之，不肯言中石耳。吾人應據地志所記，勿庸為之諱隱也。

王堅近半年的攻守戰中，是他一生所經最激烈之一役，釣魚城立無恙，而且還擊斃了元憲宗及大將汪德臣，這種功績，在宋末抗元史上應當是最輝煌的一頁。而且此役之聲威所播，幾乎有轉移大局的形勢。當時元憲宗的弟弟忽必烈正率兵攻鄂，憲宗死問傳至，即刻解圍北歸，而且聲言大軍直趨臨安。致使南宋宰相賈似道大懼，不知所為。不久王堅使阮思聰放棹急流，以傳憲宗計聞，賈似道始解意。旋似道遣使請和。這真是一幕亡國君臣的慘劇。當時的南宋君臣假使是一舉奮發有為者，能夠力起振作，乘勢追擊，或可使蒙古兵吃一大敗仗，能扭轉乾坤也不一定。然而計不出此，而屈膝議和，且在卑躬和之餘，更把功臣加以摧殘了。王堅雖以功進封清永縣開國伯，而終至失意。在景定元年（一二六〇）徵詔入朝，拜侍衛步軍都指揮使，以中軍都統知簡州，馬千權興州都統兼知合州代之。四年賈似道忌王堅之才，復出知合州兼管內安撫使。五年三月，王堅鬱鬱而卒。就這樣把一位有為堅貞的人才糟踏了。

（二）

崇寧無心通寶

宋代名錢・稀世古物

・聽　梨・

在翌年，陝西西安有一批出土的古佛像，好奇者輦運來津求售，古玩商知李氏愛古玩，通知來看。李氏見各種錢幣不少，但無精品。惟三四尊塑金佛像，金粉的輝煌，斑斕無痕。李氏舉持搖動，則兩座無聲，兩座鏗鏗作響，詢以售價，結果以銀幣三千元成交。持歸挖底，使成小洞，第一尊流出珍珠五六顆，如蠶豆般大，拭之仍精圓有光。第二尊傾出古錢三四枚，中有崇寧無心通寶一枚。藏泉名家方地山知其事，願以金條三根，計三十兩易之，未果，即為繼鶴齋的珍品。

崇寧是宋徽宗年號，改元後，命宰相蔡京書字體交鑄，蔡將寧字寫成　。鑄成呈覽，徽宗認為「有意破宋，無心成　。」大為不懌。飭令回爐重鑄，自寫崇寧通寶交刻。而東園所獲者，殆是當時遺漏未燬的。事隔千餘年，此物似有靈異，猶在人間，可見吾國古物之足貴，殆無法衡量。錢是家家所必需，寫以告讀者，知此稀世的古錢尚在人間。

（下）

自由報
THE FREE NEWS
第五七七期

內政部台報字第〇三…號內銷證
中華郵政台字第一一八二號執照登記爲第一類新聞紙類
每份港幣壹角
社長：雷嘯岑
督印人：賈行晉
社址：香港銅鑼灣高士威道二十號四樓
20, CAUSEWAY RD 3RD FL. HONG KONG
TEL. 771726　電報掛號：7191
承印者：大同印務公司
地址：香港北角和富道九六號
台灣分社

伸國法、張正義、不畏強、不受誘

寫在「全國司法行政檢討會議」之後（上）

簡春生

前言

「每一位司法官都要拿包公做榜樣，因爲他是一個非常優秀的司法官。……司法人員應該要有正義感，有正義感才能產生是非心，法律一定要對壞人予以應得的懲罰，使社會上養成壞人怕好人的風氣，這種風氣的養成，便時正義的表現。……所以所有的司法官人人都要做包文拯，學習他那鐵面無私的精神和風範。」鄭彥　部長於嘉義地檢處新廈落成典禮上講。

包公之所以成爲優秀的司法官，不外是他能「伸國法，張正義；不畏強，不受誘」。邵氏公司出品的「秦香蓮」電影，看過的人，我想都不會否認包公那寧可犧牲官位，而要維護國法伸張正義，與皇族力爭的大無畏精神，足可爲現代以至千萬年以後法官的楷模。因此筆者在全國司法行政檢討會議以後，略述所感，以爲司法當局參考。

對去年會議的檢查

依據司法行政檢討會的程序，開幕以後，隨有關首長致詞而來的，是「聽取上年度檢討會決議案執行情形綜合報告」，這是任何一個會議必須檢查而應徹底執行的。否則會而不議，議而不決，決而不行，這種會還是不開的好。今年的「決議案執行情形綜合報告」內容如何？筆者未能與會，不知其詳，故棄而不論。但徵諸我國當前官樣文章，當然是說好的多。這可從今年的總決議文中看出來。該總決議文中有一段說：

「革新工作，原無止境，司法行政之逐年檢討，即所以求日新又新。本屆會議於聽取報告，研討議案之後，回顧一年來之成就，舉其大者如次：（一）自毋忘在莒運動展開以來，我司法同人懍於職責之重大，一致響應，遂而訂定實施辦法，相期切實踐行，於業務上應行興革事項，多能酌時地之宜，自動自發，規劃進行。觀報告，於各項工作之革新，在觀念上、方法上、精神上、行動上，具見多所振劃，已收實踐履之功。（二）司法革新，以審檢業務爲重心，司法行政部就此有所提計劃小組之設，已在次第方案多已實施，期能計日程功，宏其績效。（三）各法院推檢辦理民刑案件，負荷繁重，而均能顧及妥適，平均結案速度，較諸往年且有進步，亦屬非易。（四）刑事案件之偵查審判，類能運用科學方法，而以果決堅毅之精神赴之；調查工作，深入嚴密，摘奸發伏，足以發揮司法功能。（五）監所業務之改進，諸如普遍推行三民主義教育措施，訓練人犯各種謀生技能，實施少年受刑人輔試教育，成年受刑人廣播教化工作及與當地職業學校合辦各種職業教育等，均著成效，比年再犯，逐漸減少，爲其明徵。（六）司法人員之訓練與培育，日益加強，足以提高素質，而鼓舞研究精神，益以業務檢查制之普遍實施，均有裨於司法風氣之改善與工作效率之增進。」可見這一說法，是含糊其詞不切實際的。好像去年的總決議文中，有如下的話：

「司法工作，首重審檢。審檢業務，應予妥速便民，公平合理，保障人民權益，安定社會秩序爲主旨。因之吾人應發揚責任心與正義感，審思明辨，以公正裁判，確保司法之尊嚴與威信，……『偵查犯罪，應注重科學技術，對於司法警察機關，應爲有效之指揮監督。』……」

這一年來，司法界同仁能確實踐履此一決議文的，就筆者所知，實在不多。換言之，視同具文的多於實踐力行。能依此而行的，就筆者所知，祇有嘉義地檢處檢察官李兆欣，前高雄地檢處檢察官陳昭雄，他們表現了不畏權勢，不懼強暴，不受利誘的公正精神。其他的實在不忍卒說。舉其要者，如：

（一）屏東地檢處檢察官呂潮澤，與刑訊刑警一孔出氣，違法偵查陳天能，陳河海，使之故入於罪，經監察院糾舉後，撥歸高雄地檢處偵查；高雄地檢處因呂潮澤同爲司法同仁，竟玩弄法條，說「「偵查不公開」，係屬訓令規定，檢察官縱有違背，亦不成立罪名。」而予以不起訴處分。那麼「檢察官與司法警察偵查犯罪應行注意事項」第五項規定的：「偵查依法不應公開，無論檢察官或司法警察人員，均須保守秘密，無故洩漏偵查秘密者，以刑法第一百三十二條論處。」又是什麼？這就是「公正裁判」？「發揚責任心與正義感」嗎？

（二）據去年十二月廿四日的「聯合報」記者張立志專訪：「兩年前，屏東縣發生了一件情節重大的竊剪電綫案，嫌犯之一蔡擇能被捕後，歷經屏東地院及台南高分院三次審訊，均判徒刑；但當高分院更審十一月四日判決三年徒刑的判決書送達蔡擇能後不久，這位涉嫌犯罪的被告突然自殺了（十一月十九日）。當時，有關方面認爲他是畏罪而死；但到本月十八日，他的七十二歲的老母親由鄰人陪同，到鳳山舉行記者招待會，指其子蔡擇能涉嫌被拘之初，屏東警分局的刑警曾用刑逼供，蔡是因「有冤未伸、羞於見人」而自殺的。」

這難道也是「審思明辨」，「注重科學技術」嗎？

提高警戒

鐵蹄之下

今日與明日

朱萊大捷的意義

美越聯軍在南越朱萊地區獲共大捷，包圍殲滅越共在兩千以上，光是戰場遺屍就達一千多具，尚未包括被俘及受傷的人在內。

美越聯軍此次聯合剿共，佔有地利上的形勢，但是也靠着旺盛的士氣，否則也不能克敵致勝。由這一仗，說明一點，就是越南軍的士氣雖然經過無數次挫折之後，依然旺盛，只要指揮官能以善於利用，越軍仍然是亞洲一支堅強可靠的隊伍。

游擊戰失敗

共產黨人，尤其是毛澤東一向把游擊戰視爲萬應靈藥，過去靠游擊戰叛亂竊國，今後仍仗游擊戰推行「世界革命」，要以此種戰術統治整個世界。蘇聯共黨反對這種不科學的叛亂方法，就被毛共指爲修正主義，堅持自己觀點的正確；並以毛共竊據大陸爲例，擴大到韓共、越共、古共及阿爾巴尼亞建立政權皆靠游擊戰得來，於是游擊戰竟成爲萬應靈藥；西方國家鑒於事實具在，遂以爲游擊戰眞的不可戰勝。其實這是皮相之談。

就以毛共爲例，抗戰期間毛共雖以游擊戰爲號召，實際即游而不擊。翻開八年抗戰史，毛共軍究竟打過幾次勝仗？那一次是靠游擊戰取勝的？

至於大陸淪陷及北越政權建立，更非游擊戰之功。因爲當時毛越共軍所用武器，皆爲俄製新式武器，毛共且有一部份二次大戰時蘇俄在租借法案項下取得的美國武器，也轉交給毛共。假若毛共軍眞是「小米加步槍」所組成，則今日大陸同胞當仍生活在自由世界中。雖然當時毛共軍獲得了俄製及美製新式武器，但是若非杜魯門、馬歇爾、艾契遜之流落井下石，宣佈取銷軍經援助，「一筆勾銷」的對華政策，沮喪了民心士氣，相信大陸也不會全部淪陷。

南越戰爭的轉捩點

朱萊大捷不僅擊敗了越共精銳，也扭轉了游擊戰萬能的謊言，對美國來說自是一大鼓舞，許多失敗論者也可以增加新的認識。只要有信心，有方法，擊敗游擊隊究竟比打敗希特勒容易的多。越南局勢無論如何險惡，也不能與二次大戰時的硫磺島，塞班島戰役比。美軍能在硫磺島擊敗頑強的日軍，自然可以在南越擊敗共黨。同是爲了保衛人類自由而戰，目前似乎比過去更重要的多，因爲美國如被日本打敗，只是部份人民類失去自由，此日若被共黨打敗了，則全人類將變成奴隸。美軍任務太重大了。（何如）

自由談

不堪設想

美國一個在韓戰中被毛共俘虜的青年軍人懷特，於接受共產主義的薰陶十一年之後，攜同華籍婦人和兒女，悠然從中國大陸出來，說是回美國去。有人問他當年何以願在共區生活？答言只是好奇而已。駐在香港的美國總領事館，除派員到車站迎接招待之外，還得替懷特全家大小安排前往美國老家的一切應有手續，讓這個訓練有素的共黨份子歛段歸國，在國內實施其合法的滲透顛覆任務——美國共產黨是合法的政黨。

讀者幸勿以爲我這種說法太武斷了。試想想：毛共對於中國同胞，除卻負有使命的共幹或同路人而外，且不許自由走出大陸一步，違者殺無赦。至於被拘囚在共區的外籍人士，一律加以「間諜」罪名，決不輕予釋放的。懷特獨能率其妻室兒女，大搖大擺地走出共區，遄返故鄉，而其他的若干美籍戰俘，何以又沒有這種幸運呢？事情很簡明，懷特乃是被認爲思想已經搞通而訓練及格、絕對可靠的「社會主義者」，教他們夫婦倆回到美國去潛伏着，隨時從事合法的宣傳活動，增加「美帝」的內部矛盾，且可爭取美共對毛共政權的向心力，對美俄聯歡工作發生破壞作用，豈不是比較懷特留在中國大陸的作用更大嗎？

美國的法律特別尊重個人自由權利，像希斯，拉摩爾，謝偉志，戴維斯這些犯案累累，證據確鑿，曾經受到法律制裁和政令懲處的共黨份子，照樣地幹着自由職業或政治工作，照樣地隨時發表爲共黨作倀的言論主張，行所無事。最近美國黑人萬餘名在洛杉磯的暴動行爲，實際乃是革命運動，情形嚴重極了。但政府只能派警察勸阻彈壓，雖然當場逮捕了一些人，將來還是要釋放的。因爲美國憲法規定，人民有對官吏問話拒不作答的權利，他們縱然犯下了殺人放火的罪行，只要依法不作答，政府就沒法究處其應得之罪啊！

我有一種預感：以美國之富強，決非別國人所能打倒，如果美國將有垮台之日，一定是由自己內部的力量搞垮的。憑着美共及其同路人的宣傳煽惑魔力，配合黑人爭取種族平等的革命心情，再加上一般美國民衆那種衝動好奇而遇事不求甚解的性質，一旦禍亂發作，寧堪設想嗎？

馬五先生

從黃杰主席的「理性生活」觀念 談他的工作規範與施政方針

本報台灣中部記者　熊徽宇

他提出：「崇法務實、節用愛民」的工作基本精神，與「懲治貪污、獎勵廉能」的施政方針。

他提出「用人惟才」的原則，說要切實建立人事制度。

他曾一再表示絕對不下條子派任一人，「寧可一個人情不講，得罪全部的人，而不爲一個人破壞制度，浪費職位」。他要人事處擬訂辦法，使各單位人事對流，人盡其才。

他表示一定要提高員工的福利。他強調施政要制度化。

在黃主席就任後的兩個月零四天，二月四日的下午，首次出席省議會，提出一份長達八千字的施政報告，闡述他省政工作的抱負和作法：以「崇法務實、節用愛民」爲工作的規範，說明省政的目標乃在貫徹中央反共國策，建設台灣爲三民主義模範省。強調一切爲民衆，一切爲反攻。在這個認識的基礎上他提三點準則：一、發揚服務精神；二、確立整體觀念；三、講求力行效果。

他對於廉能政治特別強調說：「建立廉能政治的目的，就是要使賢者在位，能者在職，一介不苟，一介不取，處處以民衆利益爲歸依，事事以服務民衆爲目的。辦事方法好，工作效率高；能以最低的代價，獲取最大的效益。」

他向省議員們保證：「絕非徒托空言，必行之於實際的行事；耿耿此心，願與諸位先生及全省同胞以共見。」

五點中心 八個大字

我引述黃杰主席就任之初，對新聞界所標榜，對民意代表所承諾的這些話，乃在使我們對黃主席當年立信示信，表達公誠謀國的旨意有所瞭解。綜合他的中心觀念是：

一、以「崇法務實、節用愛民」爲工作的基本精神與規範。

二、以「懲治貪污、獎勵廉能」建立廉能政治，使賢者在位，能者在職；一介不苟，一介不取。

三、「用人惟才」，切實建立人事制度。

四、發揚服務精神，講求力行效果。

五、施政要制度化。

有了這些觀點上的基本認識，我們再看看台灣省政府二年七個月來，對這些規範目標的立信示信做到什麼程度？

「愛民」這兩個字的語意，我總覺得不適於現代的行政首長。我們的行政措施和一切方案規章的製定都要透過民意代表集中的議會，而政府的權力是由民意所賦予，若說「愛民」，未免那個；今天的行政首長在現行的政體之下，不用說當然是人民的公僕，而「愛民」，似乎是五十年前的父母官和督軍大人的口吻。

「發揚服務精神，講求力行效果」當然是現在的政治結構所需要的。但是省府有些廳處和省屬的許多機構，却不注意這一標示，而把「崇法務實，節用愛民」那八個字，標得到處都是。

在部份首長的辦公室內；在許多職員的玻璃版下；在大門口，在走廊過道上，在禮堂，都很顯目的惹人注意，使人幌然錯覺，像是訓政時期。

標語和口號，在於提出強調某一方面的中心目標，不能一概視爲官樣文字，但是必需要恰當，才能顯示意義。

從三項預算看「崇法務實」

那八個字的能否存在，要看國家與民意賦予省府的權力是否運用得當。

黃主席的立信示信是否洽與情符民意，也得視乎「權力的直接與間接衡動」與那些中心觀念能否和諧。

驗證起來，我們發現有許多事例與黃主席所標榜的工作規範和施政方針是不符合的，是相反的，所以在與論和民意的嚴格驗證上不能完善。

舉例說，今年五月，省議會舉行三屆五次大會時，省府提出的預算中，有兩項遭受周折，一項全部否決。

第一項，是人事處興建辦公室的一筆經費，預算還沒有經過議會，通過却已發包興建，省議會大爲不滿，拒不承認。後來多方「協調」，算是通過，但是，在記錄上却不留「應予糾正，下不爲例」的難看字樣。

第二項，是有一筆一千一百餘萬元的經費，原是本年預算用之於興建一百五十戶省屬和單身宿舍的。但是省府把這筆錢却移用到興建省政資料館與防颱中心之用；省議會認爲這種作法，違反省府執行預算的原則。

後來雖然是費了許多周折把預算通過了，但是這一事件所形成的後果却是多方面的。

第三次，省府計劃在台中市興建一座完善的招待所，以便分住全省各地不兼廳處的省委每週出席一次例會之用。這筆預算，被議會刪除，理由是省府在台中市已經有招待所，無此必要，以恤民財。

省議員們，並且把刪除的兩百多萬經費，移作興建職員宿舍之用。對於黃主席一再強調的「爲員工謀福利」，是一個不小的諷刺。

制度化及格嗎？

人事處興建辦公室的預算不透過議會就發包興建，把興建省屬和單身宿舍一百五十棟的經費，用之於不太需要的資料館的興建；爲幾位每週出席一次例會的委員接待，而提出兩百餘萬來再建一座招待所；就事例說，這在「節用」、「崇法務實」與「制度化」的工作規範上，是怎樣能及格呢？

省府一再通令各縣市，澈底實行「績效預算」，而省府本身却任意把必需的經費移用於不必要的建築，對於制度規章的尊嚴，是培養？是破壞？

特別是省政資料館的興建，我們看不出必要性到底在那裏？

省府各廳處都各自有其業務上的圖表和資料，有的單位還有幻燈，在各廳處的會議室，隨時可以提出簡報，而省府原來就有圖表室，所以不管是作個別的或者統一的對外簡報，也曾經接待過許多回國的僑團，對於來訪的總統、國王、將軍、元帥，以及各國的貴賓使節，學者專家，都很充份的表達過我們省政的成果與展望，如今化龐大的經費建築資料館，能說它有什麼特殊意義？

若果說，那是在發揮省政的宣揚或者是教育作用，似乎產生不了特殊效果。

言之於民衆，即或有些人來省府遊覽，他們不一定有時間和興趣去看那些陳列的資料；各縣市公務員了解省政，該從規章法令上去體認，而省府本身的職員，是那些資料的形成工作者，他們更不必要去看那些檔案。

尤其是那些還沒有配到宿舍的職員們，一看到那資料館就會想到他們需要的宿舍被那資料館陳列了一百五十棟。

官邸確實化多少錢？

建築在省府大門左邊的省政資料館，如今快完工了，經費化了八、九百萬，而內部的設備還沒有動手，聽說將來各廳處都要化一筆錢提出陳設，概算起來，那資料館攏下地，非兩千萬台幣不能完成。

省政府的員工們，不了解本來省府的一切建築都是由建設廳發包興建，而資料館却是由公共事務管理處發包，而由主任秘書監工。

說起資料館，就使人想到建築在中興新村的，主席和秘書長的兩座官邸。那兩座官邸在興建期間，傳說預算一再追加，動用了六百多萬，化了一些原定預算以外的別的項目。但是我採訪所得的數字，是主席的官邸一百廿四萬八千六百多元；秘書長的那棟是八十萬五千多。

我不能說興建那兩座官邸是一種浪費，但是在建築地不要錢的情況下，這數字是確實不小，在「節用」的原則上不能說是符合。而且到底化了多少錢？

三個事例 談談廉能

在「建立廉能政治」的原則上，有三個事例值得談談：一、大雪山林業公司總經理俞友田涉嫌舞弊事件。二、省府員工配售液化瓦斯爐事件。三、省府福利社處理石門水庫、鐵路局糧食局廢品事件。

這三起事件，都不單純，若果要幕前幕後詳細叙述起來，不是我這篇稿容納得了的，等到相當的時間，再以專欄報導。這三件事，可以說都還沒有結論，現在都是處於一種擱置狀態；有的擱在司法機關，有的擱在省府卷宗之中，所以將來再談，時不爲遲，事理的批判不一定是要具有新聞性的。

大雪山案多少尾巴？

大雪山林業公司總經理俞友田涉嫌舞弊的案子，兩年前就在省府。經省府一再派員調查，所提出的調查報告，證明事實俱在，但是省府却一直壓着，不辦也不移送法院。這在黃主席所示信的「懲治貪污」「獎勵廉能」的施政方針上，如何對省民交代？國家的法治何在？

於是也就難怪有很多知道這件案子的人說：「這件案子的「尾巴」太多，如果顯諸法庭，露出的不光是俞友田的那條小尾巴，而是另外幾條見不得人的大尾巴」的了。

這案子的情形，不用說當然是非常複雜，明堂很多，其中主要的內容，據我所知，共有三項：

一、超支間接生產成本一千萬。

二、超支管理總務費二百八十萬。

三、不照核定數量伐木，材價高時大量濫伐，於是收入亦在核定數中增加而形成舞弊。（二）

看一樁強姦殺人案的二審判決

本報駐台記者　劍聲

不但如此，請看台中高分院判決，其理由更是自相矛盾，漏洞百出，甚至有先後否定的現象與事實，其不邏輯極矣。

該高分院判決先以「：：自不能以未驗出精虫而否定被害人（謝夏）曾被姦淫，何況姦淫未必皆有射精，強姦者之陽莖如已插入女陰，雖未射精，亦爲強姦之既遂」。

台中高分院判決理由爲證明謝夏五十一根陰毛中相異之一根係劉堂坤的事實，謂「該（相異之一）根陰毛係劉堂坤與謝夏姦淫時摩擦而與謝夏之陰毛相纏致被拔下」云云。又在證明謝夏陰道腔內之血塊，乃係因劉堂坤姦淫謝夏時致其處女膜破裂三公分而流出之血，而謂：「謝夏既係遭劉堂坤姦淫，姦淫時，劉堂坤之陽具在謝夏陰戶內抽送而將謝夏之陰道撐開，此時處女膜破裂所流之血，豈無流入（謝夏陰腔）及劉堂坤之陽物推至腔道處之可能」云云。

從上述判決論述，劉堂坤「姦淫謝夏時之摩擦與抽送而不射精」，何況劉堂坤「姦淫謝夏係酒後慾火益熾，姦淫的目的是對謝夏發洩（射精）」，那麼，既未「射精」有何「發洩」「快感」可言？既未「發洩精液」爲什麼「摩擦」？爲什麼「抽送」？這不是「理由矛盾」嗎？除練有吸陰補陽武功的人外，誰有這樣的本事，「摩擦」「抽送」而「未射精」，此種事實認定，只能說是法官的「經驗法則」了。

毛髮鑑別問題

關於謝夏五十一根陰毛中相異之一根陰毛，刑警大隊鑑定結果，認該相異之一根陰毛的特徵與謝夏陰毛之特徵相同。此外，該相異之一根陰毛究竟是男的，還是女的，以個人別之鑑定，尚須繼續測定陰毛之毛指數，及觀察其橫斷面，需要進一步檢驗，始能確定。

於是，嘉義地檢處雖將劉堂坤以強姦殺人罪提起公訴，並將全案移送該地院刑庭審理，乃獨將有關該案最重要的證據——陰毛未移送刑庭，人們固然不知道嘉義地檢處依據什麼法律而享有此項特權，侵犯審判權，干擾獨立審判，這姑且不論。該相異之陰毛經日本科學警察研究所科學搜查部法醫研究室鑑定的結果，謝夏五十一根陰毛中相異之一根陰毛的色調與劉堂坤十五根陰毛中之四根陰毛色調類似。該相異之一根陰毛的毛尖部缺少三分之一，故無法做毛尖部之檢查。況僅有一根，其特點——色調及黑色素之微顆粒子之狀態，仍難予斷定，如以形態學的檢查法識別個人，必須十根以上時，始可確實識別其異同。易言之，一根是無法確實識別異同的。

台中高分院判決：「死者（謝夏）陰毛不同之一根陰毛與李發之陰毛不一致，而與劉堂坤之陰毛色調甚類似，可見劉堂坤確有於謝夏死前姦淫謝夏之行，李發則無，否則劉堂坤之陰毛何能落入於謝夏之陰部」？走筆至此，我得說一個事實，司法行政部調查局法醫蕭道應說：「人的毛髮不僅不會相同，且同屬於一個人的毛髮，如果在其時間，上有差別，飲食起居不一樣，在醫學鑑定上也只能相似（類似），而相似的意義不完全一樣），而不能完全相同」。准此，則謝夏的陰毛色調固然不一樣，即劉堂坤的十五根陰毛的色調也不一樣，從鑑定報告只有四、五根相同的，色調不同之一根，足以證實，蕭法醫的話是有醫學根據的，不是憑「三十年經驗得來的」。

可怕的「自由心證」

嘉義地院與台中高分院之判決中，凡是有利於劉堂坤的事證，均以「不足採信」之字樣加以否定，稍對對劉堂坤不利而又乏證據力之證言，即用「洵堪認定」的語句予以肯定。故有人說劉堂坤是死在自由心證上的。

中部有一家報紙很幽默地說：「拿衡（量）文（章）的眼光來看謝夏命案判決書」，二審是比初審好，但好雖然好了，却是才人之筆而非法人之筆。何以言之？法律重證據，謝案的證據只有一根毛，其他都是自由心證。初審如此，二審也沒有兩樣。法律既予法官以自由心證的自由，這自由即有不容干涉的尊嚴。但和通常的情形相似，自由太多了，有時反將使自由減色。初不爲劉堂坤之死刑判決而始然。如何把謝夏命案辦得更妥帖，如令人無從置一詞，在法院乃是打招牌的一大關鍵」。

幸而刑事訴訟法修正案，尚在立法院進行二讀，假使該立法院不牛步化而早通過修正案，如遇上像謝夏命案這樣的案子，法院除了束手無策外，是不能判死刑的。（下）

墨西哥日月金字塔之謎

·方乃欸·

在哥倫市發現美洲（公元一四九二年）以前，美洲大陸最大的一個都市的遺跡，現在已經發現了。

這座古城名叫德奧蒂瓦康，位置在墨西哥京城東北三十哩。在一千二百年前，它不知怎的，會遭到大火和刦掠，而神秘地被毀。這一個帝國當時曾統治着中美和現在的美國國境。不過關於這一個民族的事跡，直到現在爲止，人們還知道得很少。

一九〇一年，這座古城的太陽金字塔修葺成功。又稍後幾年，一座像砲壘式的建築叫希友達德拉也修葺告成。於是這座古城和它的民族開始受到注意。

墨西哥政府在過去兩年中曾撥欵一百二十萬元，從事發掘的工作，這古城的大部份現已出土。

當兇殘的阿茲泰克族征服該區時，德奧蒂瓦康已是一片瓦礫場，至於它怎樣被毀，已成爲神話。但阿茲泰克族卻認這片古跡爲聖地，該族末代皇帝蒙特茲瑪二世曾幾次前往頂禮。

德奧蒂瓦康建築宏偉，在阿茲泰克族以前統治墨西哥河谷的托爾泰克族人在瞻仰到那裏的古蹟時，相信這種建築是出於巨人之手。他們曾在附近掘地，發現長車的大骨，這格外加强了他們的信念。後來當西班牙人到達時，他們也相信這種神話。在當時西班牙航海者獻給西班牙國王的禮物中，就有一根巨獸的脚骨。

關於德奧蒂瓦康的建立，傳說紛紜，莫衷一是。考古家們也說不出首先建成的是誰。一九四四年有一位著名考古家在他的著作裏指出，德奧蒂瓦康就是托爾泰克族人的首都圖拉。當時該族人用什麼語言，至今已不可考。按照阿茲泰克的語言，德奧蒂瓦康這個字的意思就是『神的地方』或『成神的地方』。該區所有金字塔和其它建築物的名字，全是用阿茲泰克語。

建築這些建築物的人們究竟是誰，現在已無從稽考。有人說，他們是墨西哥灣沿岸的托納克族和墨西哥西部那華族的混合。但可以肯定的一點，是他們並不是墨西哥高原的土著。

自從一九一〇年以來，發掘工程已進行多起。一九六二年墨西哥總統馬奧斯撥了一百五十萬元，從事大規模發掘，這對於了解德奧蒂瓦康的文化，又跨進了一大步。

月亮金字塔的修葺，差不多已經竣工，亡人大道的瓦礫已經清除，道旁的殿宇也已經修復，蛋形蝴蝶宮也已恢復舊時的壯觀。壁畫，雕刻，磁器等等也已經出土。這些發掘出來的東西，多數都陳列在亡人大道南端的新博物院。

據種種跡象觀察，德奧蒂瓦康當時的文化程度是很高的，社會分成顯著的階級。最高的階級是宗教首領，他們崇拜的主神是水神和雨神。這些宗教首領據說能夠控制種種的自然力量，包括閃電，雲彩和一切衆生在內。他們崇拜的還有玉蜀黍神，蝶仙，和春天的神等等。他們信奉的宗教大部份是愉快的，和阿茲泰克的嗜殺鬥狠不同。

在宗教階級底下是各種技工的階級，包括磁工，雕刻師，音樂家，舞蹈家，畫家，紡織工人和木匠等等在內。要養活這班人，再底下的階級就是農民，漁人和獵戶；凡是偉大的建築工程大概也是這班人負起。

他們的建築對於下水道制度，十分注意。大概他們也懂得蓄水灌溉。

工匠階級大概是生活很愉快的。農民的生活較差。他們的農作物以玉蜀黍爲大宗，也種有胡椒，番瓜，番茄，豆子和蘆筍。這個民族主要是蔬食的，但也靠漁獵所獲的飛禽走獸的鱗介佐膳。

他們也舉行宗教節日，盡情歌舞。

這一族人的體格是不高的，眼睛生長得像蒙古族，他們以扁頭爲美觀，頭髮是剃去的，只留幾撮毛髮，頭上戴有種種珍飾和羽毛。他們也有文字，但沒有書籍留下。他們的曆法以二百六十天爲一年，記數的方法用點畫。

德奧蒂瓦康的建立大概在紀元前三百年，但到第七世紀中葉，這七方哩面積的都市突然被摧毀了。有人揣測原因是有蠻族從北部侵入，以至遭逢焚刧；另一種揣測是當時發生了大瘟疫或災荒，或是被壓迫的民衆起來對上層階級發生了反抗。但它毀滅的原因究竟何在？在將來發掘工程完成後，或許能夠得到答案吧。

附誌：「怪力亂神與法律叢談」續稿未到，再停一期。編者

三國演義縱橫譚

燕謀

這即是羅貫中『三國志演義』之所本的主要素材之一。

三國演義是章回小說，我們由章回小說向上推移，章回小說之前身就是『評話』。章回小說在形式上是長篇鉅作，承話本之舊，仍以說話的口頭語表達於文字，並且分成章回，把一章中的故事擬一重心，縮成爲相對的兩聯，冠於篇首，等於現今小說的子目。『話本』與『評話』是二而一，『話本』是說『評話』的底本，『評話』是用口說出的故事。因爲說故事是用聲音表達，說話也比較書寫容易得多，說故事更可隨意多加一些花絮在裏面，俾便引起聽衆的興趣，所以聽古話就是聽『評話』。評話的底本是印刷出來本子，是說古話的主要根據。此在三國演義及章回小說中都保有話本的口語，及說評話形式。作爲說話的人的底本，有三種特徵：一是入話，又叫『笑耍頭廻』或『得勝頭廻』。入話的節目，就等於我們今天說的『開場白』，所不同的，入話有用詩詞或小故事，它的內容大都與內容有關聯的，說話的人在未開始正傳之前，等候聽衆聚合，就是先來開場白，一方面也可靜靜場面，引起興趣。所以我們今天乃可聽到有人說『閑話少敘，言歸正傳』的話，也就是由此而來。二是韻文的穿插。韻文往往是在敘述到緊張關頭，也就是我們所說的『高潮』，或者是寫景狀物的時候，來一個承上啓下的作用，而且也常常是表達了作者對事件的贊揚或評論。三是結尾。結尾往往是以詩詞歸結全篇。茲舉一例以證吧：如三國演義第一回之結尾曰：『正是：「人情勢利古猶今，誰識英雄是白身？安得快人如翼德，盡誅世上負心人。」畢竟董卓性命如何，且聽下回分解。』都是與章中故事有關係，而且寓有褒貶的詩詞。又如水滸傳中『有分數：大江岸上，聚集好漢英雄；鬧市叢中，來顯忠肝義膽。畢竟宋公明怎地脫身，且聽下回分解。』千篇一律。這種都是沿襲話本的故例，雖已不用於說書，但在寫章回小說上已經成了一個牢不可破的慣例了。今天的武俠小說，也仍因沿着此種遺例，這就難怪了。關於通俗小說的形成、孫楷第之『中國通俗小說書目序』說得很清楚，他說：『若乃通俗小說之遂出，唐代之俗稱，近出宋人之說話，其初不過俗演說佛經，及世間故事，俗寫梵唄之附會佛經，及俗鄙新聲，寶卷喻衆，有類俳優，雖有話本傳錄，其意義即不同於文人著作，然不足爲當時人所重視也宜矣。其宋元書會中人，本長詞曲瓦舍技藝，亦儘有魁傑；且翰其喻近指，談言微中，固已有當於學士之心。遂有好事之人，爲之潤色增益之以趣味，去其繁複，裁之以歡之音，而博之以，即爲通俗小說之濫觴矣。別行刊印，篇章，本易行，尤勝史書，而書坊麻沙俗所嗜，有鑑於此，遂亦私行編次，刊印流傳，朝野歡欣，暮行市。』（三）

袁隨園女弟子錄

漁翁

錢琳，字曇如，杭州人，福建布政使錢琦之女，嫁同里汪海樹秀才。工詩，隨園先生再遊天台歸，招集湖樓作別，分得山字：「仙翁遊戲此身閒，曳杖新從華頂還；屈指平生幾兩度，夸人飽看萬重山。詩壇久作風騷主，閨閣頻添弟子班；自愧驪歌未能唱，也教絳帳一追攀」。又夜雨云：「一夜蕭蕭雨，西窗夢不成；芭蕉三兩葉，多半作秋聲。」

嚴蕊珠，字綠華，吳江人，未字。著有「露香閣詩草」，年纔十七，爲女弟子中早熟作家。隨園夫子過吳門，向選樓母舅索拙句，作此志謝：「到處渾同說項斯，品題直欲到蛾眉；憐儂學綰靈蛇髻，尚少風前詠絮詩」。又歸鴻曲云：「春風一夜到衡陽，旅雁驚心覓故鄉；竇瑟無聲明月冷，幾行殘字落瀟湘。」隨園以綠華年幼而有天才，故到處逢人說項斯也。

陳淑蘭，字蕙卿，嫁庠生鄧宗洛。鄧溺死，淑蘭痛哭不已，竟以自縊殉，可謂節烈也矣。觀其病中所詠：「風雨深閨伏枕時，萬重心緒惹愁思；自憐尺二腰圍減，尚是瞞郎不使知」。可知夫妻情重，故不顧一切而相隨地下，而生同衾死同穴焉。

王碧珠；字紺仙、朱意珠、字寶才。均蘇州人，同爲汪心農篷室。列隨園門牆，彼唱此和，無詬誶聲。碧珠同妹意珠試硯齋賞菊，有云：「九月霜花淡勝濃，捲簾日夕對秋容；香生四壁堪同賞，不獨餐英有阿儂。」意珠亦有試硯齋瓶菊云：「草堂無物伴身閒，情寄幽香几席間；想像高人饒逸韻，東籬採罷對南山。」汪心農得此雙珠，聲色之娛，一生艷福不少矣。

駱綺蘭，字佩香，句容人，嫁江寧龔氏，早寡，著有「聽秋軒詩稿」。好詩，詩多佳句，題隨園雅集圖云：「昨從畫裏遊，圖中共五人，邱壑各分布。先生獨撫琴，高坐樹下，勝會詎偶然，面目尙依稀，存亡慨天數。只今小倉山，烟雲黯故樹。我讀琳瑯詞，才左鏗鏘握筆奏。隨園未圖顯，書詩龍蛇走金石固。」綴，深得隨園性靈之趣。

孫雲鶴，字蘭友，令宜廉使之女，嫁金氏，名故不詳。有好遊山水之助，故詩有佳句。過蕪湖：「江鄉極目是客心孤。」又東湖阻風：「江鄉嗁正是鶯花好時節，一帆烟雨過蕪湖」。又詠客路：「三月鳥嗁春樹，雨一時。幾家人種水村田」。傳誦一時。（三）

現代文學的骨髓

——存在主義論叢介紹

黎白

一

存在主義，日本人譯爲實存主義。然而不管名詞若何，乃是一種哲學的光芒，影射到文學方面來的思想，爲我體會到的淺薄心得。然而要我下一個很肯定的界說：何謂存在主義？用一種簡明扼要的語句介紹出來，我又會瞠目結舌了。猶如我初遇一個美麗的女孩子，會令我面紅耳赤一樣的。然而因爲我的本性愛好涉獵文學理論性的作品，所以有關存在主義的零零碎碎便喜歡看看了。但越看越迷糊，此非自謙，乃智慧知識使然。但自看過「存在主義論叢」以後，多少澄清了部份的迷糊，好不歡喜。同時，我還可以舉一個好笑的例子：一般人在青年時代，血氣方剛，正義感特別濃厚，看見了社會上不光明的一面，尤其是貪官汚吏的作爲，便會義憤填膺！并且還暗暗自許：在我將來有了這種地位以後，絕對的不做這類勾當，一定要方方正正，爲社會爲國家做些有益的事情。然而這個人，要是果有此一天，已經是「高官厚爵」，很容易有了貪汚的機會了，假使也像在青年時代所詛咒的對象一般的見錢眼開，那麼自己便不存在了。而能見非義之財拒之於千里之外，自己才算「存在」了。

二

著者趙雅博先生，河北人氏，先於北平輔仁大學畢業後留學西班牙，在馬德里大學得文哲博士學位，精通歐陸好幾種語言，對於現代文學現代藝術，都有獨到的見解，我接受得很愉快。我們讀者總多少喜歡看到作者的評述的意見，似乎較讀專門介紹的書籍要過癮得多，也許在評述意見中，有部份不能同意，但即使不能同意也有樂趣在。尤當我去年讀完了英國哲學家羅素先生的「西方哲學史」時，那種夾敘夾議的風格，不能不令人佩服。而趙先生的這本書，也有此種風格在。

三

每一種學說，似乎少不了幾個頗有見地的先進人物，趙先生與我們介紹得很詳細，并且還能將該人爲何有這種思想發生的背境、環境、祖先、教育、遭遇、時代，令我們知道：吉該佳爾、虎塞爾、海德格等人，是何處來的？何以會來？在研究學問的人來說，眞是大快人心的事。

我們知道，去年的諾貝爾文學獎的得主薩爾特爾（一般人都將其譯爲沙特 Sartre），他拒絕了這筆獎金，并且還說：「無論是一袋馬鈴薯或諾貝爾獎金，」我都不要，他何以將這巨大數量巨大榮譽的獎金不要？我們讀過「存在主義論叢」後，便會有一個概念了，也可以令我們思索一番了。自然能讀薩爾特爾的哲學著作「存有與空無」原書，當更令我們多知道一些了。不知趙先生有意翻譯這本書不？也讓我們的文壇，熱鬧一番，因爲目前能讀其原文的，究竟太少了。

四

「存在主義論叢」是一部巨著，有三百多頁，爲自由太平洋大學文庫的一種。存在主義的代表人物，不過是很少的篇幅，而全部重量乃在存在主義與各種關係上；如與人的、與馬克斯主義的、與文學的、美學的。更重要的爲存在主義評價方面，幾乎佔了一半篇幅。趙先生以獨具的慧眼，淵博的學識，遍遊歐洲大陸的見聞，發揮得淋漓盡致。我們要研究學術，便一定要看有份量的，有骨格的巨著，才是一大樂事，也是非常重要的事。

五

我的題目爲介紹，我不敢說評價，因爲自知尚無此種能耐，要不然的話，將會失去自己的。不能追求存在，何能瞭解存在？何況「存在主義」乃是情意我的人文主義的哲學。我祇有寫下這些淺見，算是不曾辜負自己，曾經用全部精神讀過這本書而已。

記王雯劇藝（續）

論其所能，也不在少。惟明駝以往晚會並無現今之多，迄未大展。兼因兒輩較多，相夫教子，迄無暇晷，未能遂其所願，精神不無有困，極有前途的一位藝人，長眠於泉下，對整個劇壇，實是有損失也。

又是奇事

烏盆計中的包文正，初任定遠縣知縣，那時年紀，廿幾歲耳，當然不會有鬍子。因此從前在平津有唱此戲，那位黑臉知縣，不帶髯口。牟金鐸是北平劇校的高材生，大概知道這規律，上次陪曹曾禮唱的時候，我聽完反二黃就走，沒有看到這位傑出的包龍圖。這次復慧唱，是看完了才走，見到的包公，却帶得髯口，又是奇事！唱戲為什麼不按成法來演，是那位師傳傳授，才改樣子？牟是京朝派的一個人才，奈何如此做法？是不是不帶髯口，就沒有威風？從前有「一穿舊不穿錯」的語，是講到穿戴，現在連扮相也可隨便，我想請金鐸指教一下。

在場中適與瘦碧兄同座，順便請教他。他說：上次看後，即提出疑問，結果沒有反應。而這次照常，可見他們是不臨盆認這筆帳！我認為奇怪，依舊寫出來，希望金鐸再考慮一下，能改最好。如果你唱你的，我說我的，也無所謂，留神或有人叫好。我是贊同主編的意見，以後有錯當講，以免貽笑大方！

國劇繽紛續錄

娑婆生（十一）

崑曲同期百屆雅集回憶

崑曲同期，是大家聚會一處，共相度曲的消遣，非常風雅的組織。

曲友在最盛的時期，約有一百二三十人，每兩週相晤一次，茶點招待，氣氛之靜，為平劇所不及。此會自從來台以後，即由笛王徐炎之主持，從未脫期，迄今已有四百餘次，在台北任何票社，皆未能如之。其精神與毅力，確是揚風增雅，可以傳世。近今為整檢十年來的書報，費時達一月，忽然發見十二年前，參加同期，所寫的記錄，未曾發表。而參與此會的友好，有的已作古人，不勝黃之感。尤其君武先生終在去歲殞逝，與友琴趙氏同歸泉府，是曲會一大損失。

是集在民國四十二年六月廿一日，假西甯北路六號鐵路局招待所舉行，距今適為整十二年。主人狄膺（君武）、徐炎之張善薌夫婦。到會曲友約有七十餘人，計有浦薛鳳、陸佩玉，李宗黃、梁瑞蓂，倩賓華、陸望之、俞昆濟、程競英、王洸、楊俊如、何福元、方英達、張穀年、陳書秦、朱春、胡惠淵，朱其倬、邵同章、陳中一、沈元雙、張玉麟，洪瀛雛、夏煥新、盛成之，馮若璋、許聞佩，徐炎之、張善薌、蔣貢民，徐穗蘭（徐謙），華繹之、孫松琴、楊愷齡、鄒繁棣。（未完）

撒哈拉沙漠之今昔

斗米

在阿爾及利亞遼闊的土地上，浩瀚無涯的沙漠，佔了五分之四。那是世界知名的撒哈拉大沙漠的一部分。

撒哈拉者無所有也

「撒哈拉」在阿拉伯文中就是「一無所有」的意思。在那兒，氣候炎熱得可怕，中午的時候，陽光直射，遍地的細沙礫石泛起一層銀白色的光芒；最熱的地方，石塊被晒得嘶嘶作響；汽車來到這兒，輪胎會因熱得變軟而再不能開動。因此，只有在早晚的時候，才可以看到人們騎上響着鈴鐺的高峯駱駝，從沙漠裏經過。

但你別以為在這大沙漠裏，沒有半點兒生氣。在廣漠的沙原上，許多石縫裏，你可以見到稀稀疏疏的藍白色花朵，兩片葉子長得三米多長，它的根深深地扎在沙土中，據說可活到百歲以上。如果吹來一陣濕風，或者洒下一陣細雨，那麼，沙漠裏也會長出青青的野草，把沙漠點綴得更有生機。

沙漠之中也有樂園

有時候，你還可以在沙漠裏找到小湖泊形成的綠洲，在那兒，人們建起了村寨，墨綠的棗樹林，圍在村寨四週，鳳尾似的樹葉，在高高的樹幹上迎風輕搖；葉柄間，棗成串；樹下，牛羊成羣。在水塘邊，人們還種上蔬菜和橘樹，金燦燦的橘子和椰棗一樣，是人們喜愛的食物。奇怪嗎？在沙漠裏會出現「樂園」似的地方。原來在沙漠的底層，有着豐富的地下水源，阿爾及利亞人民用自己艱苦的勞動和驚人的技巧開出了無數的地下水道，匯流成湖泊，滋養出綠洲。據勘測，在盛產石油的哈德．邁薩烏德的沙漠底層下，就潛伏着一個巨大的淡水湖，它的水量，足以使相當於一個半比利時那麼大的地方變成綠洲。

發現油藏地位改觀

在漫天遍地的黃沙底下，還蘊藏着各樣的寶藏。那兒有鐵、煤、金、銅，和最豐富的却還是石油。原來在古代，這兒是一片汪洋大海，後來地殼的變遷，水退陸現，海中的動物殘骸積聚在撒哈拉地下，經過漫長的歲月，變成了石油。如果你從阿爾及爾往南走，深入撒哈拉約七百公里，便可以到達有撒哈拉的明珠之稱的哈德．邁薩烏德。那兒本是寂寂無聞的荒漠，就是由於被發現了藏有豐富的石油，名字震響世界。據估計，共有石油十億噸，這就使人們對這一無所有的大沙漠，全改變了觀感。

白蛇傳

——「影劇與歷史」之八

劇遊

那次塔倒之後，發現不少古籍，咸為五代時刻本，據一本出土的經卷開首云：「天下兵馬大元帥吳越王錢俶造此經八萬四千卷，捨入西關磚塔，永充供養。乙亥八月記」。可見雷峯塔的藏經是相當的多，而且是彌足珍貴的版本。黃妃塔為什麼又變為「雷峯塔」？非得攪清楚不可。黃妃塔因建於雷峯，由於遠道遊人不知此塔何名，因指其地（雷峯）上之塔曰「雷峯塔」，因以訛傳訛而得名。然「雷峯」之名又有問題，各說不一。雷峯塔塔址是在一座小山上，自來此山名稱互異，有稱「南屏山」的，因塔址小山為南屏之支點，南屏山主山應當是淨慈寺之後山脈。又有稱此山為「雷峯」的，說是因為從前有一位姓雷的居士居住於此故名。又有名此山曰「中峯」的，是因林和靖的一首「中峯」詩，詩云：「中峯望北山」，故有此名。此說大有問題，作詩的人指的是那一峯為中峯？外人是不會知道的。據李衛的「西湖志」云：「淨慈寺北有山，自九曜峯來，迤邐起伏，為南屏支脈，昔人雷就居之，因名雷峯」。也是雷氏居之得名。咸淳間成記的「臨安志」也有此說，志云：「雷峯在淨慈寺前，郡人雷氏築庵居之，故名。「雷峯」還是有問題，據錢塘縣志云：「夕照庵在雷峯塔陰，五代時顯嚴院故址，明末創庵，因宋林逋詩有「幽雲」「夕照」之句，歲久傾圮。」但毛西河在其詩注中，說「峯」為「回峯」之誤。毛氏注云：「回峯以山勢回抱得名，俗作『雷峯』，以「回」「雷」聲近致誤。宋有道士徐立之，築室居塔旁，世稱『回峯先生』，此可明驗者。」回峯乃隱士之一種外號，隱號反而為人們所知，本名反不為人知。以「回峯先生」，人們誤為「雷氏」（雷姓）居之得名。再加上「回」「雷」二字古時通用，故回、雷不分通用，故多呼為「雷峯」。建塔乃一種迷信，雷在當時人的心目中也是一種「雷神」，說「雷峯」更近於神迷而好聽。故不知塔之原名者多，皆以指其地上之塔而名之也。久之，以訛傳訛，黃妃塔便為雷峯所篡。此與西湖三塔所鎮之妖，為雷峯所篡如出一轍也。

「黃妃塔」有種種不同名稱，黃妃塔又有「黃皮塔」者，說者是因該地有黃皮樹而得名。一說「黃妃」與「黃皮」音近而訛者。又有名「盧妃塔」者，據說係為吳越王盧妃所建而得名。由於「盧妃塔」音訛為「雷峯塔」。（見臨安志）以上各別稱雖不正確，引出以資參考可也。

雷峯塔為西湖十景之一，一為有西湖之美景，襯托了它的聲名；一為小說，戲劇的助長聲勢，使它名字更為響亮出色。所以歷來詩人墨客之詠讚甚多，茲舉其著者一二，以結束本篇。（八）

釣魚城忠烈史事

匡謬

釣魚城是四川合川以奇形勝跡著名的地方，位於合川東北約十五里，坐滑竿一小時可達，另有舟楫可通。很奇怪的是：由合川至釣魚城去來均可乘順水的船。釣魚城的形勝，可說是倚天拔地，雄峙一方，三面臨水，形勢天絕。在那個地方，曾經有宋末的民族英雄王堅、張珏等忠烈，寫下了抗元史上最光輝的一頁，有可歌可泣而應該大書特書的忠烈史實，值得憑弔與懷念。

合川是我的故鄉，兒時曾聽說過釣魚城的故事，但只知釣魚城的得名，並沒有及其他的忠烈史實。說釣魚城之得名，是因為昔日有仙人在城上面釣取江中的魚，故名釣魚城。一說是因為元憲宗圍攻釣魚城，圖持久圍困，使城中軍民水盡糧絕，可以不戰而屈人之兵。怎奈圍了三四個月之久，城中將活的鯉魚用竿挑起城上，以示城中鯉魚尚且得活，人們的飲水是絕無問題的。於是元兵圍解。後一說比較牽強一點。

釣魚城是一座三面環水，一面陸地的山寨，由下仰登、石梯曲折奇陡，在平面戰爭的戈矛時代，確是難攻破的。登至城牆的近處，僅能容一人上去，眞是一將擋關，萬夫莫敵之處。釣魚城的西面，尚存有舊日的殘破壁壘。有一道城門，大約是西門。城上而今是平坦的旱稻田，城上遠眺，可展望合川百餘里外地帶，如果是外面的大軍來到時，數十里可見。如在城下圍攻，動靜可瞭如指掌。城上廣濶地帶，是當年「聚秦蜀之民十萬衆」的地方，城中即「報國寺」，從山地上中露出很多厚實而巨大的瓦片，那可能是宋、元初的舊物。兒時聽說釣魚城有九十二口水井，現在都填實了。釣魚城天險之地，易於守勢，可是[illegible]食，傳說昔年有九十二口水井，是很可能的事。現今報國寺中，尚有一口水井存在，供人憑弔。

報國寺分四殿，首殿為忠烈祠，供的是民國以來的牌位。第二殿是夫人祠，是供奉熊耳夫人的地方；夫人祠左廂壁立有陳大文的「釣魚城功德祠」。是清乾隆己亥春立的碑文中有不少順民口吻，不值抄錄。第三殿是忠義祠，殿較簡陋，中供奉着五尊排位：宋權官合川冉公進、宋四川[illegible]使張公珏、宋合[illegible]、宋權通判冉公璞、宋四川制置使余公。在[illegible]立着「元熊耳夫人李氏之神位」，牌位較低，顯然是人們對她是另種評價。報國寺內共得重要碑記有三：一是明正德十二年知州余崇建王張二公祠堂記，一是乾隆二十五年王采珍所立的「重建忠義祠記」，第三是華國英的三通大碑，碑文甚長，文後有一副對聯，頗有意思，聯云：「[illegible]中原，二三人盡[illegible]拼得蒙哥一命；[illegible]故壘，十萬衆披肝瀝膽，不圖王立二心。」（上）

名種蜜桃

胡資

我國的蜜桃是個大的「家族」，約三十多個品種，幾各地都有出產，其以肥城佛桃、上海水蜜桃、蟠桃和冬桃等最有特色。

山東是我國桃子之鄉。最著名首推肥城佛桃，這種桃大如飯碗，外表紅，果肉細嫩，柔軟多汁，香味透極，熟時，插入一根麥稈，就可以把汁液吸食完盡。一般每個有半斤左右，最大的有一斤六兩，由於它又肥又大，人們稱它為「蜜桃胖子」，是我國首屈一指的大桃。

肥城佛桃之所以肥大，除了品種特性以外，與風土有密切關係。因為佛桃喜歡在氣候乾燥和細沙壤土的地方成長，而它的故鄉肥城正好具備這種條件，加上果農又精心培育，所以結桃特別大。

在江浙一帶出產的上海水蜜桃也有頗高的名望。它最大的特點是比較早熟，能適應南方人在酷熱天氣的需要。更可貴的是這種水蜜桃種植三年即可結果，七、八年後每株桃樹可收成七、八十斤。桃的質地也相當好，每個桃子約有三、四兩重，皮白肉細，甜中帶酸，風味甚佳。由於它的樣子比較「文雅清秀」，有人比如它為蜜桃中的「白面書生」。儘管它儀表如此，實際上它的性格是相當頗強的，不論南方和北方都能適應種植。

在舊小說裏被說成是「仙桃」的蟠桃，出產於華東、西北等地區，是蜜桃的一個變種。然而其貌變得不揚，圓不圓、扁不扁，桃頂及梗部均向內凹入，有明顯的縫合綫，好像一個高低不平的大餅，桃身上紅下白，並有紅色斑點，但吃來却非常可口，仍然保持有蜜桃的可貴風味。

臘月還能吃到蜜桃嗎？在陝西爾縣和關中等地有一種特別遲熟的冬桃。北方的十二月，所有蜜桃都已經過造了，它却「雪中送桃」，被園藝專家視為稀有的珍貴品種。冬桃的果實並不大，每個只有二、三兩光景，果肉爽脆，味甜，比廣東桃稍勝一籌。

崇寧無心通寶

宋代名錢·稀世古物

·梨聽·

吾國古時的錢幣，可說是恒河沙數，不勝枚舉。但幸時常發掘，遂有流露市上。七八年前，李東園在台北歷史博物館，展出古錢甚夥，其中有一枚崇寧無心通寶，有一段歷史可紀也。

當抗戰時期，日寇佔領平津，北方的古玩商，已感「無業可營」，一籌莫展。（上）

內僑警台報字第〇三壹號內銷證
自由報
THE FREE NEWS
第〇五七五期
中華民國僑務委員會頒發台教新字第三二三號登記證
中華郵政台字第一二八二號執照登記為第一類新聞紙類
（半週刊每星期三、六出版）
每份港幣壹角
台灣零售價新台幣式元
社長：雷嘯岑
督印人：黃行簪
社址：香港銅鑼灣高士威道二十號四樓
20, CAUSEWAY RD 3RD FL. HONG KONG
TEL. 771726　電報掛號：7191
承印者：大同印務公司
地址：香港北角和富道九六號
台灣分社
台北市西寧南路壹零壹號二樓
電話：三〇三四六
台郵撥儲金戶九二五二

伸國法、張正義、不畏強、不受誘

——寫在「全國司法行政檢討會議」之後（下）

簡春生

其要點是：「（一）辦理一般刑事案件時，應注意檢發與匪諜牽連的關係，因為在過去破獲匪諜的案例中，常發現匪諜利用走私、販毒、偽造國幣等其他犯罪方法，達到其叛亂目的，甚至故意實行犯罪，冀圖被羈押，藉監獄或看守所為庇護，以潛伏待機。（二）應注意烟毒案的政治陰謀背景，並從重懲處，以防匪諜毒化的陰謀。（三）對偽造新台幣人犯應從重處刑，以維持幣信。」

這些以國家目的的司法政策，在這反共抗俄的現在，無人會否認其正確性與需要性。嚴院長在提示此一司法政策以後，接着說『審判和檢察的主要要求，是公正和有效。』這是值得法界同仁所注意的。所謂『公正和有效』，就是要勿枉勿縱。法治國家和極權國家的絕對不同，其分野亦即在此。司法政策富於全國性，故可指導審判和檢察；但法官在執行司法政策時，是不受任何干涉指導的，此即所謂「獨立審判」，因為審判是個案的。因此我們一方面希望司法界能肩負起此一責任，另方面更希望法官在執行此一任務時，勿以「國家目的」疏忽了「人權」。同時我們要求「任何」方面，勿於法官在偵查或審判時，予以「個案」指導，影響了他的『公正和有效』。在共黨國家，他們為了執行一個國家任務，司法配合行政，像毛共過去的「土改」「三反」「五反」等等，特別組織「人民法庭」，受行政機關監督，在所謂「寧可錯殺一百，不可放過一人」的司法政策下，不僅司法獨立無從談起，公正更不必說，大陸千萬同胞就這樣無辜被害了。因此，共匪對他所不喜歡的人，就可隨時「假藉」在司法政策的指導下，使其死於非命。這一事實與教訓，是我們必須驚惕的。所以嚴院長說的『公正』，在這裏就更富於意義和價值。

（二）總決議文說：『司法為法治建設之首要部門，際茲戡亂復國之重要階段，吾人更有其神聖艱鉅之任務，自當及時奮發，一本「法律之前，人人平等」之原則，及「依據法律，獨立審判」之精神，宏揚法治，保障人權，並策國家社會之安全。』這一決議，筆者以為是這次會議最大的成就。本來『法律之前，人人平等』，已明白規定在憲法第七條上。『依據法律，獨立審判』，亦為憲法第八十條的基本要求。司法失此特質，便無司法可言。要做到『法律之前，人人平等』，『依據法律，獨立審判』，筆者以為對「一般普通案件」是容易做到的；而且筆者也相信每一位法官都願意朝此方向努力。其問題的關鍵，是法官在執行司法政策，國家目的，尤其是「政府決策」時，是否會受到意外的干預和指導，保持「免受恐懼」的「心證自由」。憲法第八十條規定：『法官須超出黨派以外，依據法律獨立審判，不受任何干涉。』

這很明白的可以看出：法官必須在『超出黨派』『不受干涉』的前提下，才能保持自由獨立的身心，依據法律審判。這裏，所謂超出「黨派」，當然包括各種組織在內。但今天的法官很多是有黨籍的。因此要使法官能「獨立審判」，必須政黨本身能自潔自重，不予干涉；尤其是審判政治性的法案，更要有遠大的眼光與寬容的精神，然後才能行之有效。

其次是法界自身，更不應形成一個集團派系，來「官官相護」，「彼此包庇」。記得以前所發生的「假退稅」案帶來的「王鎮刑訊」疑案，台北地檢處檢察官二十餘人「集體」向司法行政部請願，此非非黨即派為何？其原因，就是王鎮是台北地檢處的檢察官。又如高雄地檢處檢察官呂屏東地檢處故意為潮潔脫罪，宜蘭地方法院為戴玉山開罪，能說是法前平等，依法審判嗎？

檢討會提出司法獨立的決議文來，足證過去的司法，或多或少的未能獨立。與會先生能坦誠檢討，其精神是可感可佩的。但筆者希望這一決議文，不是對外宣傳的花樣，而是真知的徹悟。往者已逝，來者可追，自今爾後，能據此力行，以建立反攻前夕的司法新風氣來。

（三）據最高檢察長趙琛在檢討會上指出：『偵查中在未經傳喚被告訊明案情以前，不宜聲請命令處刑或提起公訴，審判中在未經傳喚被告以前，不宜率以命令處刑或是科刑之判決。』由此可見，過去有許多起訴及判刑的案件，連被告都未傳喚，其獨裁武斷，眞到了無以復加的地步。查『刑事訴訟法』第二條規定：（下轉第二版）

自治？

一片漆黑

今日與明日

越戰較突出兩事

越戰近來缺乏聳動的發展，較為突出的祇得兩件事：（一）是美國空軍B—五二重轟炸機的頻繁遣出擊。（二）是美軍佈署越中高原的三個地區。

美軍佈署越中高原，係九月二日由西貢美軍發言人宣佈的，這三地區計為重鎮波來古，波來古以北五十哩的昆嵩，以及連接波來古和歸仁港的第十九號公路上的各重點。美軍這一宣佈，屬於「事後發表」，是何時開始採取此一佈署的亦不得而知——大概是三星期前德古爭奪戰之時吧？那次戰役，開始於八月九日，至十一日晚間結束，被越共圍攻達七十天之久的德古宣告解圍。那次戰役開始前，美傘兵投入戰場，越共便被越軍擊敗逐遁了。

美軍佈置越中高原

越中高原毗連寮柬二國，係北越軍自寮境「胡志明走廊」滲入南越的孔道；北越正規軍三二五師，就是在這地區活動的。自歸仁港達波來古的第十九號公路，是區中主要交通綫（德古距柬邊境五哩，曾有北越正規軍三二五師進入柬境的消息，但施漢諾矢口否認其事）。遠在雨季來臨前，便傳說越共有意從越中高原把南越攔腰切斷，一分為二。如今美軍在這三地區佈署，應該就是針對越共此一企圖而來，實行與北越三二五師對壘。

美軍以往僅集中幾個海岸或接近海岸的基地如峴港、歸仁、邊和、金蘭灣之類，現在深入腹地，顯示美軍確實準備在南越境內給越共一些顏色，有機會便以雷霆萬鈞之力聚而殲之，好像八月二十日結束的朱萊戰役然。就在越美軍而言，該算是「進步」的表現了。

施漢諾之肉不可食

從美軍這一佈署，亦才可了解到施漢諾柬埔寨最近為什麼拼命咒罵美國的所以然。施漢諾一貫不承認其支援北越為禍南越，並說美國威脅柬埔寨的安全，準備征服柬埔寨，但近美國提議聯合國派一觀察駐越柬邊境，立刻給它拒絕，誘稱危害其主權，實際則是怕把它「助紂為虐」的勾當暴露於天下。而本月二日，施漢諾乃撕下假面孔，公然在金邊主持一個儀式，以醫藥用品送給所謂「南越民族解放陣綫」，而且公然宣稱：「在外交上和政治上，我們站在民族解放陣綫的一邊。」

而且，施漢諾的喉舌之柬埔寨「民族主義者」周刊，還發為讚語，說是如果美軍侵入柬國，柬國便要與「南越民族解放陣綫」結盟，以「全面遊擊戰」對付，使美國「走投無路」。施漢諾如此認賊作父，倒行逆施，他個人不足惜，却認眞害苦了這個國家和這個國家的人民。其人之肉，不可食也。

越共害怕B五二機

美國B—五二機遠道出擊南越共軍，迄九月二日為第十七次，但自八月廿六日至九月二日的八天中，便達七次之多，幾乎每天一次，實在可觀。

共黨常嘲笑美B—五二機遠道出擊只是燒了一些森林和枉死一些「生靈」而已。其實不然。這對於匿身森林的越共，實在是最佳的打擊手段，單就給予越共精神上的威脅力量而言，其價值便無可估計。共黨愈高聲嘲笑，愈可證明它們其實很害怕這一着。

自由談

買辦式的風韻

馬三先生

讀明儒顧亭林詩：「生女須為出塞裝，生男必學鮮卑語。」不啻是對現階段的一般買辦式高等華人寫照也。

「出塞裝」與「鮮卑語」，就是當時的胡服、胡語，等於今日之洋裝、洋話。「胡人」是指居住在華夏以外的戎狄、獫狁、契丹、突厥之類的別種民族，亦如今日粵語稱西洋人為「番鬼佬」的意義。古時海禁未開，經常為患於中國的，只是這些塞外的蠻夷。自漢唐宋以迄明初，中國政府時常執行「和戎」政策，以期減少外患；為着和戎，皇帝且不惜將「天潢貴胄」的女兒，匹配給戎狄的酋首。因而一般士大夫以能通蠻語、御胡服為高貴時髦，趙武靈王亦曾習胡服騎射，其餘可概見了。

從古代的和戎，到近代的習洋務，原因都是基於迭受外患而思有以自強，雖不無媚外之情，然動機并不壞，跟現時之西化論用意相同，未可厚非，毛病乃在專學洋人的皮毛，而不從實質方面下工夫。古時的士大夫以能著「出塞裝」、學「鮮卑語」而洋洋自得，今人亦只是以能穿洋服、說洋話為幹濟之才，對於洋人的科學本領與民主生活，始終瞠乎其後，不知所云。看了顧亭林的詩句，即知古今一揆，同病相憐，吾國產業貧乏，文化落後，良有以也，豈徒然哉！

跟洋人交際往還時，當然以說洋話為便利，但身居政府要津的官員，縱然懂洋話、習洋腔，如其對洋人談政事，即應以說本國語言為是，此中義理與關係，已有許多明達之士闡發過，而以能說洋話的滿清時代外交大員曾紀澤談得最中肯（見他對慈禧太后詢問翻譯問題的奏語）。民國肇建後，在外交界卓著聲譽的伍廷芳先生能通英法德幾國語言，然他在本國以外交官員身份跟洋人談政事時，決不說洋話。近代著名學人辜鴻銘不但通曉西方幾國的語文，即拉丁文的造詣亦很深，他對着本國人却絕口不開一句洋腔，大智深藏若愚，通人固應爾也。

降及現時，買辦式的高等華人到處都是，對着本國人談話，總得夾雜些洋文洋語，肉麻當有趣，甚至於一個中文大學的校長和院系首腦盡係中國人，而他們在會議中亦只許說洋話，嗆洋文，可謂醜態百出，恬不知羞。「生女須為出塞裝，生男必學鮮卑語」的皮相風氣，自古有然，於今為烈，可哂亦復可嘆！

台灣輕工業發展概況之一

——肥料生產激增

一、施肥與增產之關係

台灣地處亞熱帶，終年氣候溫暖，雨量充沛，年可種植二三次，因之土壤肥力消耗很大，需要隨時補充。又以地形狹長，高地縱列，河川短促，每當夏秋之際，風雨俱來，洪水冲刷，猛烈異常，使土壤中養分大量流失，故耕地多較瘠薄，也需施用大量肥料以補充其損耗並增加其地力。

由此，施肥與糧產有其密切關係。就過去紀錄觀之，民國四十年，稻田每公頃施肥平均爲三五五公斤，糙米產量每公頃平均爲一八〇二公斤；民國五十年，每公頃施肥六七七公斤，糙米產量爲每公頃二，五七七公斤，較民國四十年增32%；民國五十二年，每公頃施肥734公斤，每公頃糙米產量即達2，813公斤，較四十年增產約四九%。其餘如甘蔗等雜作，其施肥量與收穫量之關係，大致亦與稻作相同。

二、台灣肥料公司產銷情形

台灣省耕地面積有限，而人口漸次增加，欲求軍糧民食無虞，唯恃農業增產；在耕地面積既不能大量增加的情形下，唯有設法提高單位耕地面積之生產量，其中除改良品種，興辦水利，防治病蟲等措施外，對於肥料的施用，確係重要因素。過去，台省產化學肥料不足甚多，要仰賴進口。因此，台肥公司歷年來，乃從改進生產技術，加強設備維護，擴建更新設備着手，致力於增加肥料產量。就最近幾年產量實績言，如將各種肥料一律折合爲標準肥料（即含氮20%之氮肥及含磷酐18%之磷肥）計算，民國五十年計產380，207公噸，五十一年計產453，678公噸，較五十年約增19，3%，五十二年生產量又較五十一年增2，7%，五十三年生產量較上年實際產量約超過28、88%。

台肥公司所產肥料，目前仍以內銷爲主，銷售尚能與生產配合。民國五十四年起氮肥除可自給自足外且有餘額供應外銷市場，爭取外滙。近年來肥料與副產品外銷經多方努力，無論出口種類、數量與外滙收入，均有顯著增加。如民國五十三年氰氮化鈣外銷韓國及琉球計有10，980公噸，尿素外銷越南9，000公頃，電石外銷量共達13，705公噸。其銷售地區遍及泰國、越南、星馬、琉球、香港、巴基斯坦、寮國、婆羅洲、關島等地。其他如矽鐵仍能獨佔韓國市場。非律賓原子能委員會所需氯氣，則經常依賴台肥公司供應。該公司民國五十三年外銷金額計達美金3，028，408，50元。

台肥公司歷年肥料產量統計圖

三、台灣省產肥料之供需

前面提到台灣省產氮磷肥料已能自給自足，現在特將自由中國肥料需要量與生產量之有關數據，加以說明：根據估計，民國五十三年氮肥需要量爲氮素137，521公噸，折合標準氮肥（含氮20%）爲687，605公噸；磷酐33，150公噸，折合標準磷肥（含磷酐18%）爲184，167公噸，而民國五十三年度台灣省產肥料爲氮素133，615公噸，折合標準氮肥爲668，076公噸，其中406，481公噸，即約三分之二爲台肥公司所產；台灣省產磷酐爲34，464公噸，折合含磷酐18%之標準磷肥，爲191，465公噸，即全部爲該公司所產，恰敷需要。民國五十四年以後則年有增加，預計在民國五十八年時，可達一百萬公噸。

四、台肥公司發展計劃

就上述數據看來，台灣省產氮磷肥已可自給自足，但爲適應未來肥料用量繼長增高的需要，同時爲了配合政府經建政策，利用現有天然資源變成成品外銷，爭取外滙，該公司採取了兩種措施：一、更新設備——此爲走上生產合理化之必要途徑。二、擴建工廠——此爲增加產量之重要步驟。民國五十三年度除已新建完成新竹第五廠年產十二萬公噸硫酸錏工廠及高雄第三廠之日產二〇〇公噸硫酸工場，現已參加生產行列外，目前在繼續進行中者，計爲：（一）第三廠能量1，400瓩之廢熱蒸氣發電工場，（二）第三廠日產磷酐三〇公噸之磷酸工場，（三）花蓮第七廠改用燃油製氫工場。至於現在推動的新計劃計有：（一）新竹氮肥廠計劃，旨在利用自由中國的天然氣資源爲原料，成本低廉。該項計劃計包括：一、日產四〇〇公噸液氨，二、日產三〇〇公噸尿素，三、日產四五〇公噸硫酸錏等工場各一所，完成後其產量將相當於目前該公司肥料總產量75%。規模甚大。（二）在基隆第一廠興建年產1，000公噸之乙炔黑工場乙所，用電石做原料，其成品係供應乾電池工業之需，除可節省原須進口之外滙外，將因爭取外銷轉而賺取外滙。（三）在花蓮第七廠添置每小時產製二十五磅之笑氣設備，用硝酸錏做原料，此項計劃係應外界需要，所產笑氣供應外界醫療機構之需。以上（一）（二）（三）兩項計劃，係朝向多角化經營之目標更邁進了一步。

五、結論

台肥公司自民國三十四年，於戰火餘燼中開始生產，經過廿年來全體員工之一致之努力，流血流汗，每年肥料產量由四百公噸，躍至六十萬公噸，不僅已足敷自由中國農業增產所需，且將有大量餘產可供外銷，以供應東南亞地區，不僅可爲自由中國爭取外滙，且可使該地區農業獲得品質良好，價格低廉之肥料，其貢獻可謂宏偉也。

伸國法、張正義、不畏強、不受誘、

（第一版接上）

[illegible]

二、高雄地檢處

[illegible]

高港烟波

本報記者袁文德

△五中幹事宋文浩的記過處分案，是否公允、合理？尚有待更進一步的事實證明，始可確定。

市立五中幹事宋文浩，係職司該校員生消費合作社經理，於五十二學年度第一學期開學時，因擅自將未經核准之「學生英漢字典」等六種書籍列入入學購書通知單內，被人檢舉涉有變造公文書之嫌，經市府教育科派督學進行調查，並經由人事評議會決議記大過一次示儆在案。惟宋員對市府此項裁處，認爲有欠公允、合理，除向市府提出申復外，並陳情議會，請求主持公道。案經市議會教育小組二十四次會議時，邀集各有關主辦單位列席，對該案處理經過作詳細說明後，該小組議員認爲蛛絲馬跡，疑問頗多，於是經決議請「市府重新調查公平處理」見復。以杜冤曲！

據某議員語記者稱：市府對宋文浩的記過處分，教育小組懷疑市府此項決定有欠公允的主要理由是：（一）五中有擅自將「學生英漢字典」等六種書籍列入書單之事實，而其他各市立中學有無類似情事？教育科因何不一併調查處理？（二）是否因五中請示，教育科就不准列入書單，而其他各校因不向市府具文請示，就可自由列入書單，向學生推銷嗎？（三）五中將該批書籍列入書單，應予處分，而其他市中即可免予議處？（四）宋文浩雖把該六種書籍列入書單，他祇不過是承辦人，而况該書單又曾經理事主席、校長等認可，同時蓋章副署，爲何獨處分宋員？而理事主席、校長未予一併議處，其因安在？其中是否牽涉私人恩怨，而主辦單位乘機挾嫌報復呢？這些都是應該注意的。

△一度曾因教育捐是否開征，而引起杯葛的高市府會之間，可能因議會讓步，同意教育捐的開征，而前嫌冰釋，握手言歡。

當立法院完成教育捐的立法程序時，向爲教育經費壓得透不過氣來的全省各縣市政府，無不歡欣鼓舞，高歌慶賀，認爲負荷過重的教育經費，從此得以解脫。然各縣市議會五屆三次臨時大會，於討論五十五年地方預算時，對此項新增的教育捐開征議案，多存觀望態度；高市議會自未例外，因而引起市府的不滿，發生杯葛！經有關方面的從中協調後，市府爲達到此項教育捐的開征，曾於八月十七日晚間邀集議員舉行議會，並提出教育捐運用計劃的報告，而贏得了議會對此項教育捐開征的原則上的同意，但還有待於九月間舉行第四次大會的討論，才能作最後的決定。

如高雄市議會通過了教育捐的開征，其他各縣市政府，勢必紛紛向議會極力爭取；如是教育捐雖能全省各縣市皆有展開開征成功，但難免物價[illegible]波動，結果到底是幾家歡樂，幾家愁呢？

結論

[illegible]

由文壇走向畫壇的王藍的畫

·仲偉庭·

一向以寫小說著名的作家王藍，月前美國新聞處在台北曾替他開了一次畫展，使他繼創作「藍與黑」小說獲教育部文藝獎金後又一次給台北畫壇帶來了極大的驚奇騷動。

王藍作水彩畫的時間甚短，前後不及五年，他的成功並非在他畫水彩畫創作技巧的成功，亦非運筆熟練，而是他思想能力的豐富。他從事水彩畫的創作是一種崇高冒險的嘗試，間接也是由於一種累積知慧的啟廸。他的畫完全沒有浮浮泛泛模模胡胡的表現，而每幅却富有想像充滿了奇妙的情調。間接也表露出獨突創作的新派典型。例如「泳」是描繪一羣鳥類翱翔於山谷池塘上空，凝視池水中一簇魚類躍泳，牠們想欲捕食，但無能爲力，求之不得，在他的筆下把這些鳥類畫得像探險者那樣奇異，使觀者看了極爲奇異有趣。

他畫「祂曾捨命爲你」的耶穌，以一種樸實無華的技巧，描繪這位在艱苦中奮鬥成功的先知，在他的筆觸下勾出耶穌嚴厲、瘦骨、正直、高貴的像貌，把這位健壯和祥的耶穌特徵都精確地畫得栩栩如生，用濃深的陰影表現出那堅實的姿態，使人看了肅然起敬。

「柯福沃夫人的畫室」這幅畫，他雖然把這位老嫗畫得平板無生氣，它所表現的不在於對自然美感的精確的構圖，而在於形體的直綫圖案及色彩。就技巧而言，他對這幅畫想像的虛構，流露出現代畫的風格，它的特點是把複雜的形象簡化顯明無變化的鮮艷色彩，畫中很少令人有模擬的感覺，這是他作品的成功的特點。

「農忙」是畫的農村即景，他把粗獷的農夫和樸實的村姑畫得足可亂眞，把鄉野村夫的嘯嚷言詞的舉動畫得使人歎爲觀止。所以他畫的畫也可以與他寫小說用的最華麗的詞藻同樣感人。

王藍的畫，含有一種奔放眞摯的意境，畫面氣勢縱橫，色調燦爛，融合了國畫的情調。他不僅精於寫人像，也精於描繪景物，因此常把粗俗的構圖創造出完美的作品來。

「奧克蘭海灣」、「新墨西哥灣」、「加州卡麥爾海灘」、「舊金山海灘」等畫，都不用深遠的色彩，對大自然中較爲光亮的色調運用得極爲傑出：使陰影上照射着陽光，顯得清新鮮艷。但他畫「尼加拉大瀑布」、「倫敦泰晤士河畔」、「台北雨街」等幅，却用不同的光度來表現物體的形象，而使大地的輪廓消失於蒼茫的暮色與朦朧的烟霧裏，而光亮與陰影、物體與色調都能得到適度的調和，夜景與白畫也能在互相交替中顯出一個明朗對照的畫面。

王藍的畫近於寫實派，每幅都含有抒情的情調。他能有今天成就是由於他從事繪事有一段極其艱困奮鬥的探討，所以他從寂寂無聞中出現，給畫壇帶來了新穎而驚人的發現。倘他再繼續不斷的努力創作，更大的收穫將及時來臨，給畫壇闢一嶄新天地。

編者附誌：「怪力亂神與法律叢談」續稿未到，暫停一期。

三國演義縱橫譚

燕謀

羅貫中是元末明初的演義家，以筆者的愚見揣度，他可能是一個編話本的人，或者是一位說話人。他就根據以上所舉的故事，「說三分」的「話本」加以變化，演義組織而成一本小說書三國演義；那時候的三國演義，文詞粗俗而近於口語，章回的分解也可能與今本不同。他除此之外，根據很多筆記所載，他還作了「水滸傳」、「隋唐演義」、「平妖傳」等書。

到了明末年間，才出了一本李卓吾的評本的三國演義。此種本子現在是難以獲得的一種版本。

到了清朝初年，現行的三國演義的本子始出現。這是毛宗岡（序初）所作，他是把李卓吾的本子大加潤色，併加批評，爲了抬高自己潤色本子的身價，硬說明末那本子是「俗本」，說自己的本子是「古本」。今天我們仍跟他造謠，說毛本是古本，俗本爲明末本。其實是適得其反的。這是文人無行，掠人之美，恬不知恥的行爲。然明末本與毛本有何不同呢？祇要一看「毛本」中的卷首十條凡例，就可知道了。其所增刪者並不多，共只十條，其所謂成於「五百年」人的改變也者，也不過如此而已。因爲三國演義凡例中有載，不必列舉了。

三、三國演義的時代背景

鑑於「三國演義」作者生平的資料十分貧乏，所以祇有採取「雙管齊下」的辦法，再把作品的時代背景分析一下。所謂時代背景也者，即是作者生存當代的時間空間，所有社會、政治、經濟、風化等等現象，由這種種現象所產生的種種意識，這種意識，被作者所掌握着。我們觀察古人作品（其實今人作品亦莫不如此）都是所謂「有爲而發」，一件名作，絕不是無的放矢，時吹一縈糊。羅貫中更是緊緊地掌握着他的時代背景所產生的種種意念，來創造他的作品。他雖然是以歷史故事及人物有基本材料，但他絕不是寫歷史小說，他把歷史上的人物、而且個性、行爲、都大大地改變了。與三國演義同一時代的作品，所反映的時代意識，大多是相同的「時代意識」，祇是各個作者所用的故事及人物不同而已，有利用神怪故事妖怪神仙之類來反映時代意識的，有利用草莽英雄的故事穿插一些歷史人物的，有利用當代社會現實故事的，有利用作者自身所體驗，或自己所遭遇的等等；素材不同，手法各異，但其反映作者的時代意識，則是同然的。李辰冬氏曾將元曲、三言（喻世明言、醒世恆言、警世通言）二拍（拍案驚奇、二刻拍案驚奇）三國演義、水滸、西遊記、金瓶梅、聊齋誌異、醒世姻緣、儒林外史、紅樓夢、鏡花緣、兒女英雄傳等書，作了一個比較觀，他發現以上一干作家有一個共同的立場，那就是他們都是站在平民的立場落筆的。所以我們把他稱之爲「平話時期」，這也即是作者所反映的時代意識。（六）

林海峯與時代精神

王圯

我們雖同情其不歸國的理由，但我們不能不研究我們爲什麼不能使得人材留下的理由。更何況我們還在以絕大的精力正在爲美國造就人材。楚材晉用本已是可悲的事，但我們卻不但不能容留人材，反而造就成功後恭送與人，那就成了更大的悲哀。筆者所說的爲人培育人材，並非聳人聽聞，君不見每年夏季留學考試的與試者，動輒萬名。我們試想，在萬名學子打算赴美的人材中，從小學至大學我們要花多少的財力與物力？更何況還有我們自己代爲別人甄別優劣的留學考試，眞是夷匪所思。不夠格的學子留在國內，不過是多幾名吃飯的閒客。而優秀人材自費之不暇，更輔以公費，教育部辦之不惶，甚至以中山先生之名而由國家輔助之。優秀學子，既經國內十六年的正規教育，遂與異邦，美其名曰：深造，深造的結果是留美不歸，十六年的國家作育只給別人盡力而已。當然美國歡迎之不暇，甚至還故做姿態，舉行什麼英文初試，那不過使我們外流的人材，更加精好而已。

留美學子與學人不歸國的主要原因，據他們自己說有兩點，第一是國內待遇菲薄，不足以養廉。但是居住台灣的千萬軍民不知應該如何的活法？是否去了一趟美國之後，賴以爲活的資料，都應該絕對的漲價？第二個理由是國內的研究環境不佳。更是不成理由。研究設備當然應該指的是聲光化電之學，但是學人文或社會科學的人又當如何的解釋呢！其實，那都不是理由。如果我們說，留美學人迷戀於現代物質文明，那並不太過份吧！而其實是一種觀望心理的作祟。讀書人的出路，在中國最好的出路是作官，而台灣的人事制度一困於人事結，再困走馬燈式的輪調，不要說留美的人不可能馬上有官得做，而台灣現有的已經過剩了。所以他們留在國外觀望，反攻成功，他們以國賓的姿態返國，官當然跑了的，與官位同來的勢與錢，那更是他們所需要了。何况，反攻一舉，必有傷亡，躲在美國的洋樓大廈之下，既不怕轟炸，也不怕徵兵法案的徵召，眞是何樂而不爲？再其次就是流亡於台灣與流亡在美洲新大陸，那是一樣的事，同樣是流亡何不選擇安全繁榮以爲得計呢？

據說派系小圈子，也是阻礙學人歸國的原因之一。以往據說，學人必須是留美的，得過博士學位的才夠格資。然後再利用陸士這一虛銜以羈縻之。所以後又於暑期舉辦一些短期的訓練班，名爲暑期發展科學的，實則只給留美部份學人以旅費，觀光台灣。在留美學人來說，名實兼得又何樂不爲。對國內學人則另有一套，就是給與津貼而已。如果稍有反抗，馬上以學術領導名義，扣發津貼，甚或賴以爲生的教授位置，也要撤換。

這種情形何以致之，說來源遠流長，不談也罷。總之，筆者以爲，人材如林海峯，是值得貴重的，因爲他不忘本。反之忘本的人材便是另一回事了。其實我們亦何貴乎名義上有那些人材而實質替別人造人材呢？時代精神是重要的，林海峯有此精神。（下）

評介「重生島」

著者：趙滋蕃

·洪流·

時下流行在文壇的長篇創作，多以俠情爲號召，充滿着低級的趣味，但因有廣大讀者爲其後盾，故而也能風行一時。既有存在的需要，自然就有寫作的人，互爲表裏，相輔相成，出版者爲求利潤之優厚，寫作者的需求是較多的稿酬，以事以畜。所以我們也不能過於責備出版者或寫作者。並且俠義小說在我國也有一段相當悠久的歷史，也曾有過相當的貢獻。太史公游俠列傳就是俠義小說的濫觴，而三國演義在廣大民間所表彰的「義氣千秋」的關雲長，甚而祀之爲神，那不能不說是小說的影響吧！

時間的經過，東西都會變質，何況素不爲士大夫所喜的俠義說部，自然也就日久弊生，而流入粗俗不堪的境界。環顧市場之餘，色情打鬥與個人英雄主義的武俠長篇，眞可說是汗牛充棟。既有存在之事實，就可證明人們在閱讀方面的飢渴。而上自大學教授，下至販夫走卒人手一冊，津津於此者，是感情之發洩，以及我們創作之不能滿足人意。即是當前從事於寫作者的無能。假如眞有代表時代的作品，自不怕俠義說部之汜濫，而文藝諸公，在他個人創作受挫於武俠說部之餘，不事進取，自身反省，反倒想用「打倒」的老辦法，採取政治手法去解決武俠小說，其不智與低能，到此就無話可說了。

不久前，心鎖作者爲文協開除會籍，不但未收實效，反倒促成心鎖銷路之大增。心鎖是否眞如那幾位大人先生所說的「黃」，不在本文討論範圍，但那幾位大人先生本身作品之流於「黃」與「黑」已是有目共覩的事實。本來文藝創作的本身，應該反應時代思潮的，或是歷史的時代反應。但我們的「創造者」，眞有驚人的創造能力，能把民初或是五四以後到抗戰這一段史實，寫成「戀愛」風行的時代。不知我們的創作者在那個時代是否他的身經目覩，還是道聽途說？誰都知道自由戀愛這一個名辭是五四以後以舶來品的模樣出現在青年學子羣裏，廣大的農村社會，勿寧說還是處在媒妁之言的時代，我們且不論自由戀愛與媒妁之言的婚姻之優劣，但我們總要記得那個時代的青年對愛情的看法是含蓄的，保守的，以及內向的。絕不可能像某位大師所描成的一見鍾情，再見傾心的模樣。但某位大師竟會靠着那樣一本高級黃色的言情說部，而大收其利，而奠基爲寫作路綫主宰者的偶像。這並非閒話，而是慨嘆我們文壇的荒蕪。誠所謂蜀中無大將廖化作先鋒。但是身爲先鋒的廖化，他也應有其自知之明，不是把持某個團體，或是掌握幾個刊物，就奠之了文藝大師的頭銜。文壇上須要有眞實的功力，像樣的著作才行。並且頭銜不是自封的，也非是少數人相互推舉的；那是要有讀者的愛戴才行！至於用作品誘使讀者犯罪，更是要不得的事。歪屈史實，以及攻擊他人的作品都不是正途，正道是要拿出夠份量的作品。而我們現在就缺少夠份量的作品。當然，現在有很多位作家，踽踽自守，不爲黃黑所誘，而去寫他個人的理想作品，但處於四面楚歌之下，不被扼殺，那就算幸運了。

重生島作者趙滋蕃說：人在精力過剩時，開始遊戲；在感受過剩時，從事創作。誠然不錯，可能趙先生的感受已不若寫半下流社會時之過剩，故而這本重生島也有點感受不足之感。

不過，作者在重生島一書中所用的手法與故事的結構，還是最新的，也是最須要的。作者擷取了俠義小說中的任俠，而予以文藝化的寫作路綫，筆者個人是絕對贊成。但把「老頭」寫成神龍見首不見尾的姿態，那就不敢苟同了。但據作者在寫在前的話看來，重生島不但實有其事，並且也實有其地。但作者如不把重生島傳奇化的話，我想那中間一定也蘊藏了非常可歌可泣的故事，也就是大可不必向傳奇化的人物裏，去發展重生島的「最不受歡迎的人物」！

自拉自唱

近今有簡志信，在台灣日報發表一文，請劇評人維持尊嚴，其意不可以批評來取悅於演員，作為工具，造成今日的一片歌頌。斯言不勝其慨歎。實則言者諄諄，聽者藐藐。現在的已成事實，不獨此也，好多的「自拉自唱」，尚有何足以談評！

在平劇中的自拉自唱，是彌足珍貴。因為演員在台上演普通的戲，有時興至，把胡琴拿過來，自拉過門，唱一段絕妙的腔，極不多見。我在台灣曾見過李東園陳惠君有過，其他很少。但是也偶一為之，不常常如此，因有扮裝的戲，不能如此。

獨是談評的一道，是自拉自唱，却迭見不少，也等於觀球賽與選美，此啦啦隊不可或缺。不過啦啦隊還出於動作的人，自願如此。而這自拉自唱，變成了「自行標榜」，幾如老王賣瓜，自誇自好。例如改編劇本，是否眞好，該要讓觀眾來批評。却不料由自己社中人寫得如何渲染，如何合理，如何佳妙，允稱上選。那是明眼人看了，不免嗤之一笑，這就是改革到家。旁人在說，恐怕越搞越壞，而他們自己說，越編越好。何以距離如此的遙遠，不知其所以然者，無非在於自成一系，把持劇事而已！

國劇繽紛錄

姜婆生　（四十）

再有某劇團公演，現在的風氣，要事先宣傳，以廣招徠，此在局外人為之，尚未可厚非。不意變本加厲，竟由本部人員操筆捉刀，就說如何的棒，如何的好，無非想求賣個滿堂。但是觀眾却要選擇戲碼的好或瘟，來決定去看與不看，任憑你叫得如天的響，也無多作用。好戲能上九成，次者不過六七成，擺在眼前如是。但見他們的用心良苦，啦了半天，發出作用是微細的，不能收宏效。而以品格來講，不免那個打沙鍋之流！

志信在現今的情況，亦深知其情，明瞭內幕，你看眞棒的太多，尚如何能嚴肅，何能尊嚴？我笑你熱血，恐怕有近癡人說夢。這圈裏有正有邪，絕難掃蕩，做到如五花洞一般，難矣難矣！

談少安演出

胡少安自向海光國劇隊請准長假，息影台北，將有半載，近蒙劉總司令准許得可自由活動，向外公演。又荷國劇欣賞會之鼎助，將於廿三日起在藝術館演出，昨有函來告，囑予介紹。少安的戲，已是大眾周知，不過這三天劇目，極有精采，畧為言之，並示拙見。希望少安欲求爭座而享大名，似應循此軌轍，不難如願。（未完）

海嶠譚談

賀耀祖之成功與失敗（上）

諸葛文俟

賀耀組（貴嚴）病死大陸已有年矣。論其人之際遇頗多佳勝，而其一生成就殊不足觀，晚年且甘作共黨政權之降虜，而在其素所輕視之所謂「華中水利部」部長劉斐（維章）督領下，靦顏任「參事」僞職，潦倒窮愁，凄然下世，亦可哀也。

賀於民初畢業日本士官學校後，于役湘省軍界，歷隸譚延闓、趙恒惕（炎午）帳下，迄民國十五年趙炎午主持湘政時，洊任至湘軍第一師師長，聲光在唐生智（第四師長）劉興（第二師長）等人之上。

既而唐生智從湘南舉兵叛趙省長，賀與獨立混成旅長葉開鑫合力擁趙，號稱「定湘軍」，自任總指揮，聲勢頗壯，初戰亦佔優勝，生智乃輸誠廣州國民政府，受命為國民革命軍第八軍長，即將「定湘軍」擊敗，賀率殘眾退守常德，趙省長旋去職。是時粵中革命軍方誓師北伐，曾派人說賀參加革命行列，任之為革命軍第九軍長，然賀逡巡不應。迨革命軍大舉北伐入湘，唐生智主持湘政，賀向唐表示願為革命効馳驅，唐答以「革命軍只要常勝將軍，不要常敗將軍」，賀甚慚沮。未幾，革命軍總司令蔣公以同學之誼通款曲，賀以得任為革命軍暫編獨立第二師師長，轄三旅，分以劉晴初、楊永清、毛炳文任旅長，黔人谷正倫以參議名義，在師部作客卿，谷亦日本士官生也。

賀以不勝唐生智凌逼，請纓率部離湘入贛助戰，時孫傳芳方駐九江指揮大軍抗拒北伐之師，兩軍正苦戰於德安馬廻嶺一帶。賀於臨發，激勵部眾曰：「別人譏我為常敗將軍，願諸君今後立志誓雪斯恥」，眾皆感奮。

賀部行至九江附近，詗知孫傳芳在潯作總司令部，主力皆以「江安輪」駐江面，置前綫，江防薄弱，乃銜枚疾走，不俟命而奇襲九江，孫傳芳遁走，前綫孫軍聞訊崩潰，江西督軍鄧如琢為革命軍擒獲，戰局乃急轉直下。賀建此奇勳，所部奉命擴編為第四十軍，轄三師，第一師長人選，論資歷才幹與勞績，應屬之劉晴初，然賀欲畀其外甥李益滋，劉憤而拂袖以去。是時革命軍決計乘勝進攻金陵，命賀部担任先鋒，而內部人事問題待解決，無已，暫派參議谷正倫承之，劉晴初職位，楊永清、毛炳文遞升師長，全軍急速進攻秣陵關。大獲勝利，賀拜命兼任南京衛戍司令，寵得統帥，信任倚畀，聲譽漸隆，可謂黃金時代也矣。

民十七年二次北伐戰役，賀率部首先入佔濟南，厥功甚偉，日本出師阻止北伐軍前進，與日軍大戰於濟南城廂，賀部損失殊重，然其勳績卓然見稱國人。既而中樞與日本政府議和，日方指名懲處賀氏為媾和條件之一，中樞不得已，調任賀為國府參軍長，信賴益深。賀氏亦建議統帥，謂中日兩國將來終不免最後一戰，然吾國之軍政軍令如不統一，即不足以言對外戰爭，請以四十軍為矢，人事、訓練、經理諸事項，盡歸統帥部全權措置，藉示楷模。所見固甚是，統帥予以嘉納，即將四十軍整編為第八師，以毛炳文任師長，由朱紹良統率入贛剿匪，餘眾則由谷正倫編入中央憲兵建制。

然全國其他各軍，因內戰連綿不息，軍中未能一體整編，而且中樞[illegible]死矣！（一）

趙五娘

「影劇與歷史」之九

周遊

五娘到了京城，手捧琵琶，沿街賣唱為生。一日，在狀元府外彈唱，被牛丞相之女招入府彈唱琵琶，唱出一幅飢荒圖。因五娘為其同鄉，探其鄉情，道出伯皆家有糟糠。新婦將五娘安置府後院暫住，五娘乘機將流亡圖，父母餓死圖暗放伯皆案上。伯皆朝罷歸來，見畫大驚，問新婦彈唱歌女何往？新婦稱不知，伯皆追尋至府外相見。五娘本不見，但經伯皆苦苦哀求，深自悔悟。夫妻共話別衷。五娘欲成全新婦，不欲歸府，旋伯皆苦苦哀求；時下書家人亦來此，以伯皆負義，將張廣才所與手杖打伯皆三不孝。伯皆亦願受之。最後夫婦同回狀元府與新婦團聚云。

為蔡伯喈鳴冤　並考「琵琶記」

一代學人蔡邕，被高明所作「琵琶記」誣為「負心郎」，三不孝之罪加諸其身，使得一代學人蒙受不白之冤，後人多不知，以為眞有其事，痛罵蔡伯皆。殊不知這完全是高則誠捏造的一個「負心郎型」的故事。歷史上趙五娘當然是不見經傳的；蔡伯皆也沒有趙五娘這樣好的老婆。蔡邕也不會那樣負義。此劇高明先生並不高明，竟將狀元考試制度弄到漢朝來，其孤陋寡聞可想而知。而將不忠、不孝、不仁、不義的大帽扣在好人頭上，實在過於荒唐了。伯皆一代大儒，知者甚多，後漢書有傳，記的明明白白，怎麼可以隨便亂戴帽子？我說高明先生不高明，是握有鐵般的證據的。影劇故事是根據「琵琶記」，我們首先研究「琵琶記」是如何來龍去脈；然後再考蔡伯皆的史實，以及影劇歷史之差異與謬誤。

「琵琶記」（趙五娘）乃元末的作品，作者高明字則誠，是浙江溫州人，元至正四年進士，做過浙江、江西、福建地方官。他才氣縱橫，文章蓋世，「琵琶記」在民間流傳甚廣，此劇不僅在中國，而且遠在西方的西德曾譯演過「琵琶記」的中國歌劇。高則誠在元至正十六年方國珍起兵，佔據浙江的慶元，想拉他到幕下，他不屑就而避到寧波，從此對政治再不發生興趣，常以唱曲子和編劇本為事。「琵琶記」就在那時候寫成的。「琵琶記」是高明的創作？或者因襲？頗多令人疑惑。而今日電影改編名「趙五娘」。故事是出在漢代大學人蔡邕（伯皆）的身上，眞是使人百思不得其解。一代學人蔡邕蒙受千古不白之冤，眞是令人歎息。根據陸放翁的詩云：「斜陽古柳趙家莊，負鼓盲翁正作場；身後是非誰管得，滿村聽唱蔡中郎」。照此詩看來，蔡伯皆不白之冤已很久了。在放翁時已有唱曲子的流行，該是在他以前的事了。

「趙五娘」（或「琵琶記」）劇情，是演蔡伯皆上京趕考，中了狀元，被丞相看中了，強以為婿。伯皆因之數年未歸，家鄉陳留大旱，父母餓死。其妻趙五娘，在家吃糠盡孝，後來竟賣髮葬父母，乞討入京，因所畫父母之相，遺留在尼庵之中，為伯皆所見，知係其妻五娘，乃尋找其人。後為新婦牛氏先看到，乃訴苦情，牛氏亦賢婦，其表同情，乃使與夫見面。伯皆乃因之辭官回家祭父母。隣翁張廣才乃數其「生不能養，死不能葬，葬不能祭」為三不孝，而盡量教訓之。（二）

憶玉軒雜綴

追記譚組菴

滌秋

譚組庵延闓，為民國以來一代賢臣，他一心一意，從未植私自肥，他一心一意，為國家三民主義，貢獻自由平等，其功厥偉，無可否認。誠如薛大可遺著有云：出身科第，而作翰林，絕無科第驕人之習氣；身為貴公子，亦無裘馬輕肥之驕態。是一名士，而從未白眼看人之惡態。是六朝人，不作嵇阮疏狂之誕世。有謝安濟世之懷，不狎東山之妓。有曾左匡濟之心，不學硬幹之概。實為一詩書涵養之雜人，為審時度勢之賢相。概括而言之，是一位聰明絕頂，能辨是非的一人。

薛氏近記萬言，摘記有關組庵的遺事，不是他從政以後的軼事，外人知者較少。猶如傳諸葛孔明侯，無人記其躬耕南陽、隱居不求聞達時代，難窺其全貌也。

清代，全國設有八個總督，主持軍民政務，也即稱封疆大吏。自湘軍平定洪秀全之亂，湖南人之起家作總督者，不可勝數。如曾國藩，曾國荃，劉坤一之總督兩江，左宗棠之總督閩浙陝甘，劉長佑之總督直隸，魏光燾之總督陝甘雲貴兩江，皆起身軍旅，為一時推重，方膺此任。而由科甲出身出任總督者，在清末祇有譚鍾麟一人。鍾麟任兩廣總督，殁後諡曰文勤，即組菴之父也。文勤雖無顯赫功績，然持躬清慎，政績良好，為民稱頌。作督撫多年，家中置產，不過一所住宅，及幾許田地而已，絕無後來為大官者，成有豪門風習。是以組菴雖為貴公子，絕少奢侈氣習。當其作公子，點翰林時，均布衣布服，與寒士無別。

清代沿前明成例，注重科名，三年一會試，八股文考第一名者，為會元。朝考取第一名者，稱為狀元。然朝考楷書，以四平八穩為尚，死氣滿紙，謂之大卷子字，亦名館閣體，這種風尚，眞是可笑。組菴於甲辰科，考中會元，但字寫得不太合大卷子字體，故未中鼎甲，僅點翰林。然湖南在滿清三百年間，未曾中過會元，湘人引為憾事，組菴竟中會元，在當時湘省人士極為珍視。

組庵為譚文勤之如夫人所出，在當時謂之庶出。文勤視如夫人為靑衣，雖已有子，不得與家主同桌食飲，且須站立服侍。組菴自幼因係庶出，從不與父親同席，因此他後來貴顯，決不納妾，引以為恨也。其生母為北平附近之長辛店人，幼時由其母給予別人，不知其所往，蓋昔時鉅宦納妾，例不與妾家通往來。及組菴點翰林後，其母命組菴以五百金，送與其兄弟輩，並誡不得告以為何人所送，但到長辛店，尋覓一家香燭店某姓，交之可耳。組菴偕戚林君同往，香燭店猶在，以金付之，不言其所以然。該店得金，眞有天外飛來之感，歷久探知，為湖南譚家也。

譚如夫人去世，其住宅在譚家宗祠之後，靈柩出門，須經過大門，始可入祠，族中人謂非正室靈柩，只可走傍門抬出，堅持不准走大門。因是組菴號哭無狀，乃仰臥於其母靈柩之上，聲稱本人已死。舁柩者見翰林公如是，遂命將靈柩由大門抬出，族人亦無法阻之。（一）

國產消暑兩佳品

資輯

如果你和江南人談起平湖枕頭瓜，他就會欣然告訴你，枕頭瓜雖然不只是平湖有，但江南各地所產的都遠遜平湖，而平湖的枕頭瓜，又以南門外的最好，所以賣瓜人家都以「南門外」的作號召。它的特點是皮薄汁多，味甜如蜜，瓜肉是火黃色的，尤為香甜，因此人們又稱為「老虎黃西瓜」。

「西瓜巨人」

在北方的西瓜中，可以媲美平湖枕頭瓜的，是山東德州的喇嘛瓜。喇嘛瓜也作枕頭形，瓜皮青綠色，有許多網紋。它在北方西瓜中也是最大的一個，有「巨人」之稱，普通的每個重七、八公斤，最大的竟達二十公斤。切開來看，有火紅的瓜肉，裏嵌着一粒粒朱紅的瓜子，吃起來汁多而粘，味甜而香，別有風味。（二）

內僑警台報字第〇三壹號內銷證

自由報

THE FREE NEWS

第九七五期

中華民國僑務委員會登記證台僑新字第三二三號
中華郵政台字第一二二八號執照登記為第一類新聞紙類
（每週三、六出版）
每份港幣壹角
社長：雷嘯岑
督印人：黃行三
社址：香港銅鑼灣高士威道二十號四樓
20, CAUSEWAY RD 3RD FL. HONG KONG
TEL. 771726　電報掛號：7191
承印者：大同印務公司
地址：香港北角英皇道九六號
台灣分社
電話：三〇三四六

仲國法、張正義、不畏強、不受誘（中）

寫在「全國司法行政檢討會議」之後

簡春生

（三）今年四月，基隆市中興國校教員齊治控告市議員張子歧誹謗，檢察官戴玉山當庭扣押張子歧，結果分由基隆及宜蘭兩地檢處及法院偵查審判。宜蘭地方法院在判決戴玉山無罪的理由中說：「刑事被告涉嫌之刑責無分輕重大小，經訊問後被告是否有刑訴法七六條所定之情形，及一〇一條所謂之必要，應由檢察官依訴訟進行中之一切情事斟酌認定之，不因被告之身份地位而受影響，故應屬被告戴玉山職權內之合法行為，雖認有何不當，又無故意為不當行使之情形，自無刑法第一二五條第一項第一款罪之成立，所以當諭知無罪。」

但我們知道，議會的紀錄及錄音不由議員管理，而由議會秘書負責，議員自無權且亦必為秘書拒絕「湮滅，偽造，變造」，況且檢察官有權查封是項紀錄及錄音，這又如何能說「認自訴人有將該項紀錄及錄音在調查前予以湮滅，偽造，變造之虞」，而認定戴玉山「依訴訟進行中之一切情事斟酌」羈押為合法？

（四）今年六月廿八日台北縣警察局將居民韓北麟非法逮捕，逕往外島管訓，經韓氏家屬依提審法向高等法院聲請提審，高院發出提票兩次被拒。結果延至七月六日上午十時二十分才由第三職訓總隊提送高院。據七月七日的「聯合報」訊：「高等法院，經審問後，於十時五十分仍交第三職訓總隊帶回管訓。承辦的推事仲樹閣立即開庭訊問，經查明韓兆麟係經台北縣警察局依違警罰法第二十八條規定，送交第三職訓總隊施以矯正，認為韓兆麟并非被非法逮捕拘禁，乃告被提審的韓兆麟北縣警局係依法施以矯正。然後即諭命仍將韓兆麟交由第三職訓總隊帶回管訓。高等法院并將提審結果，以書面通知韓兆麟之家屬。」

從這一報導看來，可見高等法院的仲閣推事，至少是抱着「安定社會秩序」，重於「保障人民權益」的態度來審理的。仲推事對韓案的審理，前後祇有三十分鐘（上午十時二十分至十時五十分），這種速度，縱不敢說是絕後，恐怕是古今中外所空前的。以這樣的態度審理，你能說是「審思明辨，公正裁判」嗎？由此可見高等法院的「提審」，祇是應付了一下提審法，騙騙升斗小民的。

據七月七日「中央日報」報導，高院所以判定北縣警局認定韓氏為流氓合法，是根據警局提供的資料。我們知道，司法之所以可貴，法院之所以為人信賴，法官之所以公正，是他對事不對人的超然精神。罪責是否成立，法院的認定是「事實」，而此事實須全面的，完全「證據」來支持。為了取得真確可靠的證據，所以在司法程序上要經過調查，或對質，勘驗等手續。但警察把人民列為流氓，據警務處官員在省議會說：「流氓登記只是治安單位內部作業，對外並不公開。」（見七月十六日「徵信新聞報」）而這一登記，是警察單方面的閉門紀錄，請問這一資料，在「司法程序上」可認定嗎？合法嗎？如果說是合法，警察可隨時指任何人為流氓，可隨時替你登記數不清的「事實」（？）因為他登記的「高等法院」都認為合法了，還有誰敢否認？

韓氏家屬要求提審，目的希望現在的「包老爺」檢驗一下警察的「登記」有無「證據」？「事實」？但結果卻與警察一孔出氣，「助湯為虐」（？）「保障人民權益」難道就是這樣的保障嗎？

以上略舉大端，便可見去年的司法行政檢討會決議文，並未徹底奉行。筆者雖愚，但對司法的關懷與愛護，不敢後人，故特就事論事，協助檢討，以為司法當局執行今年決議文的參考。

本次會議的要點

今年「全國司法行政檢討會」於七月三十日上午八時假台北青潭舉行開幕典禮，至八月一日下午閉幕結束，為期三天。現筆者就會議要點，分陳謭見於後：

（一）行政院院長嚴家淦在開幕典禮中說：『司法是決定社會文化水準的尺度，及司法和國家目的兩者之間的關係。』而司法業務的重心，是審判和檢察；對於審判和檢察的主要要求，是公正和有效。」接着嚴院長指出：「在反共復國的現階段，司法的中心任務包括下列三項：

一、為了配合我們最高的國策，司法應該運用一切法律所賦予的權力，全面打擊共匪的顛覆活動，使任何違背國策的人都受到嚴厲的制裁。

二、為了振奮人心，提高行政效率，司法對於官吏的貪污行為應該積極制裁，尤其應該以身作則，從肅清本身的極少數不良份子做起，相信一定更能發揮儆誡的作用。

三、除了審檢以外的其他司法業務，也應該配合運用，來達到國家的目的。」

這三項，可能也就成為今天的司法政策。與此有關的，是這次會議所獲的三項結論。

充耳不聞

和平

你爭我奪

非洲

今日与明日

大好的消息

中美兩國簽訂「美軍在華地位協定」，是大好消息。這消息之所以好，不但在於這協定本身的意義，尤在於這個時候而簽訂這項協定所具備的意義。

美國早經先後同美軍駐在的國家，簽訂了同性質的協定，相同，而且其內容亦大致相同，完全談不到什麼特殊。要說特殊，只能是這個協定的遲遲其來，中美間斷斷續續的談了十一年之久。實在沒有必要如是其「久」——據說，中美間這項協定「難產」的主要原因之一，是美軍在華的并不多，而且還是「臨時性質」，不像駐歐洲或駐日本的美軍那樣的「必需」；既然數不衆，又兼隨時可以調走，美國便認為何必有此協定？所以就姍姍其行了。

名正言順矣

除此之外，是否還有「阻障」呢？這且莫說。也不必說了。我們卻以為，即使美軍在華協防的祇得微不足道的三五十名，又即使在華美軍祇準滿留三二十天，這個協定，也還是應該早日簽訂。美國以那種「不起勁」作風，殊為「要不得」。比如說，在未有這協定之前，駐華美軍，無論官兵，均被視同「美國軍事援華顧問團」人員，享有外交官身份，也就是享有外交官特權，犯了案中國政府不能管。豈但名不正言不順，亦殊有礙於中國的主權。對中國而言是豈有此理；對實際上是自由國家之領導者的美國，亦何嘗不有所「損失」，道理上的損失？

而今總算把這項缺憾給彌補起來了，所以是好消息。

該來的必來

而且，目前越南戰爭愈見激烈，亞洲局勢也因之愈見險惡了。儘管美國到現刻的決策，仍然「以和為貴」，根本不想要勝利，卻為了對方「一心以為鴻鵠之將至」，價錢開得很高，「和」是辦不到的關係，則除非美國居然自虐至於不惜「投降」認輸，實行退出越南，任由共黨去宰割，那麼，戰事逐漸更擴大，便屬無可避免之事。

真的越戰更擴大開來，則美國儘管十分的不樂意，當其時也，華盛頓為了「自救」或救人，便會想到借重國軍了——前幾天美國還又一次表示過不希望國軍出動，我們對此不必介意，總有一天友邦會打恭作揖要求我們軍事反攻的。政治之事，講的就是利害呀！

「時乎！時乎！」

設使我們的看法不太錯，千呼萬喚始出來的「美軍在華地位協定」，如今竟好似「得來全不費功夫」，不是憑空而來的，是有所謂的。則可以說，中美聯肩打擊毛共的日子，不但終歸要來，且其為期應不在遙了。

所以，此時而有此協定的出現，乃是個大好的消息。「時乎！時乎！」該是我們顯身手的機會了！救國拯民，全在此一役了！朝野各方都該先有此心理的準備，行動上更非有切實的準備不可！

自由談

和平共存的後果

「和平共存」這句政治術語，原係俄共頭子創發出來的，它的用意是假借「和平」口實以腐蝕自由世界——特別是英美這些資本主義社會人士——的反共精神，苟安自娛，罔知警惕。靜候大家進入催眠狀態後，乘機一擊而埋葬之。

共產黨人對於「和平共存」的釋義，英文叫作「Co-exist Capitalism To Death and Kill The Warmongers by Peace」，吾友何浩若先生將它翻譯為「共埒資本主義，和死戰爭販子」，可謂恰到好處。

試看美國當年擁有原子武器的獨佔優勢時，一面夸耀武揚威，同時對於俄共集團侵略自由世界的暴行，多方優容姑息，而美其名曰「嚇阻政策」。等到俄帝首先放射人造衛星進入太空，證明蘇俄亦擁有同樣的原子武力後，英美當局乃惶急不安，恍若大禍臨頭，而一般學者教授們更大力提倡妥協主義，如英國哲學家羅素，公然倡出寧願接受俄共統治亦不贊成戰爭之說。於是乎，俄酋赫魯歇夫對準美英這種害怕戰爭的心病而下藥，主張「和平共存」，毛共然附和，而有所謂「和平共存五原則」的聲明。從此美英人士好似吃下了一顆定心丸，拼命跟俄共集團進行妥協勾當，一心以為鴻鵠將至。

可是，俄共集團的世界革命陰謀，便在「和平共存」的煙幕中積極進行，變本加厲，古巴赤化了，北非與中南美動亂日甚，越南戰火瀰漫，中南半島岌岌不可終日，這些都是「和平共存」的產物。就整個國際形勢來比較觀察，作全盤的利害得失統計，共產世界的盈餘直綫上昇，自由世界的損失逐漸增大，長此以往，資本主義社會必然凶多吉少，非垮不可，這就是「和平共存」對共產世界產生的意想不到之效力，資本主義社會的利益究安在哉？

再看美國黑人最近在洛杉磯的暴動情形，其規模之龐大，亂象之激烈，民間損失之慘重，以視辛亥年廣州革命之役的本質，更為嚴重百倍；而黑人的種族等問題，來日大難，方興未艾，俄共集團從而滲透煽動，後患寧堪設想。資本主義王國——美國的本身，亦不復百孔千瘡，內亂堪虞？這不是「和死戰爭販子」的結果嗎？

「和平共存」這帖毒劑，深中於英美人心，遺害之烈，祇好等待俄帝來舉行「埋葬」典禮了！

馮五先生

兩天後便要投票

透視監察院副院長選舉

有意問鼎者已達短兵相接階段 情況頗錯綜複雜難卜鹿死誰手

本報駐台記者劍聲

監察院第二任院長的選舉，在非常微妙的情況之下順利完成，而李嗣璁在黨的支持下，當選監察院長。現在，監察院的副院長選舉，定於九月六日舉行，距離投票之日，祇有幾天了，所以有意問鼎副院長的監察委員，已經到了短兵相接的階段——如僅從表面上觀察，好像風平浪靜，但深一層透視，則錯綜複雜的情形，有非外人所能盡知的。因此，記者願將箇中眞情實況，報道出來。

早在七年之前，雲南籍監委張維翰就有意競選副院長，由於監察院內派別相爭的緣故，使張維翰「失荊州」，而李嗣璁則收漁人之利，當選副院長。這一次，張維翰捲土重來，競選院長，但由於形勢比人弱，所以只好知難而退，退而求其次，將希望寄託於國民黨能夠提他的名爲副院長的應選人；經過協調之後，他與黨方取得默契，乃轉而支持李嗣璁，於是才有提名張維翰爲副院長之傳說。在黨提名李嗣璁爲院長候選人的同時，黨方爲什麼不提名張維翰爲副院長，而僅僅以試探的方式來表示呢？這說明了黨方對此問題不無顧慮，因爲對黨籍監委的說服工作尚未順利達成。

七月中旬，監察院多數派（又名，陳肇英集團）方面集會討論有關副院長選舉的問題，並用假投票的方式，來解決馬空羣、陳大榕、于鎮洲等三人相持的局面，以期團結一致。假投票的結果，陳大榕得十八票，于鎮洲得十九票，於是多數派推舉于鎮洲爲副院長候選人，與張維翰競爭。據說，于鎮洲和陳大榕雖一票之差，然而這一票得來頗爲不易，並還有內幕文章呢！

假定國民黨提名張維翰的話，則對于鎮洲有利的形勢很大。第一、李嗣璁這一派人雖不多，但勢必跟着多數派走，因爲他之能夠獲得黨的提名，實乃得力於多數派的支持；在獲得多數派支持之前，李嗣璁承諾支持該派推出的副院長候選人——在當時，多數派方面有意推舉陶百川委員爲副院長候選人。而今，李當選院長後，當然要實踐諾言；政治道義可以不談，利害關係則不能不考慮。易言之，李嗣璁在院長任內，需要多數派的支持，否則，他就不會太平無事。第二、多數派內雖有若干人士不滿意于鎮洲，不過，在爲了本身利害着想，只好犧牲小我，而支持于鎮洲競選到底。

如果國民黨不提名，由黨籍監委自由競選，則對張維翰反而有利。因爲若干委員可能放棄初衷，轉而支持張維翰。但是黨方有可能提名張維翰，其理由是：較容易控制。因爲李嗣璁與張維翰之間，表面上雖然融洽無間，實際上由於過去的恩恩怨怨，雙方仍舊耿耿於懷，這種裂痕，要想彌縫，須要大費力氣。所以，據說無論張維翰當選與否，今後監察院可能不如以往的風平浪靜。

有人獻議：最聰明的做法，執政黨既不提張維翰的名，也不支持于鎮洲，而支持安徽籍監委金維繫競選副院長。這或許是高度的政治智慧。李金之間，可以精誠合作，而金委員在黨內外的聲譽亦隆，在對黨忠心不貳，且無地緣上的問題。至於監察院各派大概亦都會支持金維繫的。但執政黨是否如此做？就很難說了。

目前，有關方面對黨籍監委，正展開說服工作，希望監委同志支持黨的決策。而監院多數派方面，也在進行解釋工作，要求中常委重視他們的意見。最傷感情的，是李嗣璁所領導的一派，不是左右逢源，而是左右爲難。若是運用不當，很可能形成僵局——副院長難產，過去有例可證。（八月廿九日寄）

從黃杰主席的「理性生活」觀念 談他的工作規範與施政方針

本報台灣中部記者 熊徵宇

特別是人事處主管任免的第一科長錢生彬，暨主計處主管預算的第一科長鄭運焜，都調爲臨時專門委員値得討論。政府遷台以後，各機關有臨時雇員的稱謂，「臨時專門委員」在人事制度上有什麼根據呢？而且像這樣的作法，是歷任主席所沒有的。

而省府秘書處的主計主任張文盛，由省報調物資局主計處長時，案卷調在行政院主計處期內，黃主席却親自向中央有關當局首長再三說情。「寧可一個人情不講」，却爲部屬向人講情，這豈不是一個矛盾？爲什麼有這個矛盾？這就令人不好思量了。而且，我們聽說，有很多股長的任免，也要透過某人。所以「走前門」、「溜後門」的界說，不是人事法令可以肯定的。而「用人惟才」的標準，也就需要演繹了。

「才德」典型 當如王履常

，若果就黃主席「建立廉能政治的目的，就是要使賢者在位，能者在職」的說法，我們就可以把「用人惟才」引申爲：要用能幹的人，使有才具很能幹的人担任適當的職務。而「賢者在位」的「賢」字，當然就是黃主席所常說的有「德」的人了。使有道德的人在適當的職位。

但是才幹與道德標準角度是多方面的，在省政府的角度與標準上，我們如何確定才德具備的典型？特別是需要心理行爲與日常行爲支持的人性高深境界的那個「德」字。

寫到這裏，我想起黃杰主席七月十八日中午，在台中市新聞處大禮堂宴請各報省政記者所談的一番話。

那次，我被請，但人在台北，十九日，看到台灣日報的一篇報導說：

「……黃主席談到用人問題，他說：『我用人有一個原則，多年來是絕對不變的，那就是說，我先用「德」，再用「才」。有「德」無「才」，尚可，有「才」無「德」更糟。當然最好是「才」「德」兼備。譬如說，王履常（按：王氏爲主席辦公室主任），就是有德又有才的人；但是他也有一個缺點，那就是他本人太好了。這點就做人來說，實在是很完美的，但做事來說，就需要多一點觀察的眼光』。」

從台灣日報七月十九日的這段記述中，我們不但是瞭解了「能」與「賢」的觀點，也知道了黃主席眼中才德兼備的典型，當如主席辦公室主任王履常先生。而王先生其所以才德兼備，固然是基於他先天的優越秉賦，但是我想，一則他是黃主席的表弟，容易接受黃主席的召感，二來他一直追隨黃主席的左右，受其薰陶，也是最大的因素。

所以我們希望黃主席把薰陶王先生的精神擴大起來，使全省十八萬公教人員中，多培養出幾位像王履常先生那樣才德兼備的典型，使政治風氣丕變，使社會風氣丕變。

但是像王先生那樣有才有德的人，何以有人到處控告他呢？難道是如黃主席所說：「因爲人太好了，在做事來說，就需要多一點觀察的眼光」？（四・完）

屏東植物保護中心 對增產獲顯著成效

（本報記者袁文德屏東航訊）配合政府糧食增產計劃，屏東縣植物保護中心不僅功不可沒，且這項農民耕作技術的講習指導工作，有更進一步擴大推展的必要。

台省人口壓力日趨嚴重，爲解決生活主要食物，糧食增產工作，是政府近年來積極性的中心工作課題。爲使此項計劃能順利推展，收到預期效果，農復會、省農林廳特協助屏東縣府籌建「植物保護中心」，專司農民植物保護技術講習工作。實施以還，不僅在農民心目中已成爲不可或缺的一環，而且在增產方面，亦已獲得顯著的成效。

據主管課長簫金水語記者稱：該植物保護中心，係由農復會、省農林廳配合經費，資助興建的。自五十三年五月落成後，即開始爲期三天的第一期講習工作。因配合農事，故凡辦理講習時，皆利用休閒期行之。按計劃進度，原爲每月一期，每期一二○｜一五○人，於今已完成八期，參加講習受益農民亦已逾千。

又說：台省氣候，是以嘉義北緯歸線爲界；緯歸線以北係屬亞熱帶氣候，而緯歸線以南則是熱帶氣候。農復會與農林廳之所以決定資助嘉義縣興建植物保護中心，旨在試辦「農民植物保護技術講習」工作，功效頗好，則計劃全面擴展，推行至全省各縣市。然嘉縣雖已完成是項中心之建築，而遲遲幾年不開辦講習工作，於農復會及農林廳於無奈何情形下，始於年前再行洽商屏東縣府籌建新舍，舉辦全省示範性的植物保護講習工作。（上）

歐美以虐待罪離婚的形形色色

—倫敦通訊—

在歐美，虐待是構成離婚的三大理由之一，與通姦及遺棄兩種罪行同受重視。近年來，歐美各地的怨偶以虐待爲理由而獲准離婚的案件，爲數逐年遞增。

在離婚案中犯虐待罪的以男性居多，據一九六三年英國的統計，妻子控告丈夫虐待的離婚案件共有四千五百二十五宗，而丈夫控告妻子虐待的，僅二百八十六宗而已。

虐待一詞是不難解釋的，但虐待的行爲却極爲廣泛。普通所指的虐待行爲，和法定的虐待行爲，是有着不同意義存在的，關於這一點除了法律界人士外，普通人是難以明白的。

何謂虐待 法有規定

不論法定的虐待行爲或普通所指的虐待行爲，都可以構成離婚的理由。但在十七年前，英國有一位大法官在上院解釋虐待一詞時所下的定義稱：「並不是虐待法例中每一條文都能構成離婚理由的；法定的虐待行爲，是指某一種行爲的性質，足以危害他人的身心者，其中包括四肢或健康的損害，肉體上或精神上的損害，或者是一些恐嚇的言詞等，都是虐待的行爲。」

雖然虐待的解釋十分廣泛，但證明一種行爲確有虐待性質，則是相當困難的。

事實上，虐待罪名的成立，一定要證實某種行爲確是破壞婚姻幸福，才可以支持離婚勝訴的。

精神虐待 英美不同

美國人慣以精神虐待爲理由而離婚，有時因不滿配偶偏愛的電視節目，而向法庭指自己受精神虐待而提出離婚要求。在美國，這樣的離婚案件，原告方面很容易勝訴；但在英國，却沒有這般容易。

英國一大法官沙利文最近指出：「一種行爲要有嚴重及驚人的事實表現，才能構成虐待的理由。」另一位大法官聶利也在判決一宗離婚案時指出：「虐待無疑是一種令人難堪或感覺恥辱的行爲。如果一位丈夫與妻子一起去參加社交活動，到俱樂部玩耍，或沉迷於看報章、遊戲和賭博，他的妻子對他這些行爲不滿，但也不能指他有虐待行爲而提出離婚要求的。」

丈夫告妻 理由怪異

有時，想離婚者向法庭提出的虐待理由，是非常輕微而怪異的。如一名農夫，他向法庭要求與妻子離婚的理由，是因爲他每逢鼾聲大作之時，他的妻子便用手肘撞他的臉部，以制止他繼續發出鼾聲。法官嘉敏史基在判案時稱：「我不懷疑你發出鼾聲時，你的妻子會用手肘撞擊你，但如果這也構成虐待理由而判你得直，則今後所有的婚姻關係會因此影響而更爲縮短了。」

毆打妻子 並非虐待

兩年前，一名家庭主婦要求和她的木匠丈夫離婚，她的理由是她那個愛喝啤酒的粗魯丈夫，時常因她未預備好晚餐而毆打她，在他們的三十年婚姻生活中，這種情況已發生過十二次。結果，法官在判她敗訴時說：「在某種人的生活中，並不能因爲他口出粗言而認爲他有侮辱成份的；以此譬喻，你的丈夫雖曾毆打你有十二次之多，但並不能證明他有蓄意虐待你的成份。」

另一方面，男子雖然未曾動粗毆打妻子，但若他的行爲令妻子眞正感受到精神虐待時，則他的妻子便可順利獲准離婚了。但要以事實來證明一個人的行爲確有精神虐待成份，也是一件相當困難的事。

妻子長舌 也要忍受

一名英國皇家空軍軍官向法庭指出，他的妻子十年來不斷向他嚕嚕囌囌，以精神虐待他爲理由，故要求與他離婚。但他敗訴了，因他未能證明自己的健康爲此而受影響。

又如克福郡一名年輕主婦向法庭投訴說，由於她的丈夫有自私心理，拒絕讓她有生育的機會，她爲此事每晚均悲傷飲泣，要求與丈夫離婚。結果她也敗訴，法官在判案時說：「她並未想過辦法解決困難，反而自尋煩惱，那當然是不能構成離婚理由的。」

皮士戰後不久，英國大法官指出：「在審理一宗離婚案時，性慾強的男女，最容易產生虐待行爲。」

蘇繡、沈壽與張謇

胡資

蘇州刺繡是我國美術工藝的尖兵，且在國際上具有崇高的地位。但談蘇繡，很自然的便會想到沈壽，因爲蘇繡之名傳國際，沈壽是「始作俑者」。

沈壽的蘇州人，本名雪君，家裏開骨董舖，書畫很多，名作過眼也留有印象，因此激起了她美的情感，而從小學繡，就在繡幅的色彩明暗錢條上表現出來。年二十歲時，嫁紹興人余兆熊（即享書法盛名的余覺），夫婦二人，在蘇州會米巷故居研究「仿畫繡」，一則以筆代針，一則以針代筆，十年如一日。後來遷往馬醫科巷，屋宇軒暢，饒有亭樹池石之勝，燕語鶯春，以及桂子秋香，山茶冬茂，槐蔭早夏，一般女學生商討繡本於其間，環境確是很好的。

光緒二十八年，余兆熊的朋友單束笙供職北京農工商部，回鄉探親，在兆熊家中看到沈壽繡品，歎爲今之針神！便向余提議，明年慈禧七十壽慶，可繡「八仙上壽圖」進獻。余固熱中利祿，認爲絕妙進身之階，一口答應，一方面請沈壽精心爲之。到了明年十月初十日，那天慈禧壽辰，鋪張揚厲，窮極奢華，王公大臣及各地官紳，紛紛獻禮。沈壽的「上壽圖」，輾轉上呈，慈禧一見，大爲喜悅，懿旨嘉獎，御賜福字，特賞佩雙龍寶星商部四等勳章給浙江舉人余兆熊。

又御賜壽字特賞佩雙龍寶星商部四等勳章，給余兆熊之妻沈氏。余、沈二人引以爲榮，沈雪君即改稱沈壽，並在蘇州辦福壽繡品夫妻公司。既而應召入都，辦商部繡工料，蘇州繡品公司遂告停業。沈壽又繡了一幅耶穌像，參加巴拿馬博覽會，陳列在該會美術館中，獲得第一等獎。又爲一西方著名的女優繡像，展扇微笑，丰姿嫣然。該女優以爲妙到毫巔，願以美金五千元購藏。又爲意大利皇后繡像，皇后頒贈沈壽鑽石金錶，嵌有皇家徽章。於是沈壽不但馳名海內，且在海外享國際榮譽，在中國美術史上開一新記錄。

南通張謇，辦女紅傳習所，聘沈任所長兼刺繡教員。這時余先一年已在南通任平民工廠經理，也就欣然勸駕。沈壽既抵南通，初居校內宿舍，後由張謇照顧沈壽，體質嬌弱，宜得一靜養之所，便闢他所居濠南別業相通的謙亭，請沈壽移寓。過了幾天，張致一便條，略謂謙亭西屋，紗廚蚊太多，粹（沈壽姪女）日日供蚊，殊不寧適，爲備他室，使粹縑別寢，女傭管媽移東屋南廂，俾沈壽獨居謙亭。沈壽知張別有用心，爲避嫌計，仍回校舍住宿，張却堅欲沈壽回謙亭，而以「謙亭主人」呼之。沈壽不允，張乃致書沈壽：「汝定不回，我亦無法，惟有獨至謙亭，一看可憐之月色耳。」又附二詩：「記取謙亭攝影時，柳枝宛轉綰楊枝；不因著眼簾波影，東鰈西鶼那得知。」「楊枝絲短柳枝長，旋綰旋開亦可傷；要合一池煙水氣，長長短短覆鴛鴦。」題爲「謙亭楊柳」。又爲調虎離山計，派余赴舊金山，又派他赴滬辦壽福繡織公司。

沈壽因被張幽禁，悒鬱不樂，又風聞丈夫在外花天酒地，恣意揮霍，又娶小老婆，更挫傷了她的心。因此由氣瘧而膨脹，破腹不治而死，年四十有八。張便葬之於南通南門外黃泥山。余大爲傷感，在所居門上榜聯云：「佛云不可說，子曰如之何。」又撰了「余覺沈壽夫婦痛史」，影印散布。張亦撰「張嗇庵述撰畧」一書，醜詆余之爲人，也認爲余所言大都揑造，自謂「僕文行與天下後世見，僕文若有一字誣者，直可不值一錢」。究屬誰是誰非，爲之混淆難分，有人趙赤羽，會見沈壽，謂沈壽美秀而文，具有相當儀態。張謇又與沈壽合作，刊有「雪宧繡譜」一書行世。

編者附誌：「怪力亂神與法律叢談」續稿未到，暫停一期。

三國演義縱橫譚

燕謀

周倉其人亦和貂蟬同樣死不逢時，成爲無名英雄，不見經傳，惟隱約在魯肅傳中。魯肅因責數關羽云云，語未竟，唯有一人曰：夫土地者，惟德者所在耳，何常之有？肅厲聲呵之，詞色甚切。關羽操刀起，謂曰：此自國家事，是人何知？目使之去。疑此人即周倉。演義則明白寫爲周倉，不是無因。更有一證，元人魯貞作「漢壽亭侯碑」，已有「騎赤兎兮從周倉」語，不僅證明有周倉其人，而且證明赤兎也非關羽莫屬。今『山西通志』亦有云：『周將軍倉，平陸人，初爲張寶將，後遇關公於臥牛山，遂相從。於樊城之役生擒龐德，後守麥城死之。』此事又見於『順德府志』，謂與參軍王甫同死。王鉞『秋鐙叢話』亦有云：『周將軍倉殉節麥城，而墓無可考。稽其遺跡，即長坂坡曹劉交兵處，仍有記載可尋，羅貫中搜集這些竹頭木屑，也可說是煞費苦心了。

蘇東坡集記王彭論曹劉之澤云：『塗巷小兒薄劣，爲其家所厭苦，輒與數錢，令聚坐聽『說古話』。至說三國事，聞玄德敗，則頻蹙有出涕者；聞曹操敗，即喜唱快。以是知君子小人之澤，百世不斬云。』一般皮相之論者，以爲曹操之奸，乃在三國演義之渲染，殊不知蘇東坡集出時，三國演義尚未產生，羅貫中更沒有來人間，一般人爲何也討厭曹操，而喜歡劉備？這又何說？

借東風事，在演義之前已有之矣。清人顧家相之「五餘讀書廛隨筆」中云：「偶檢『淵鑑類函』，竟載有諸葛祭風事，云出『說薈』。『說薈』不知何書，而『淵鑑類函』乃欽定書，既經登載，則詞章家竟可引用矣。乃數羅貫中並非杜撰。……」可見「借東風」一回，人以爲荒謬者，則亦有所本矣。

關公顯聖之事，在隋代已有之矣。『老郎叢談』云：「隋已於荊州玉泉寺見靈跡。」五代時，蜀王令趙忠義畫關將軍像（見『益州名畫錄』），知五代時已盛行關像。宋崇寧間，帝敕天師張虛靖召關羽破蚩尤，復鹽池，見靈，遂封崇寧眞君。羅貫中也有所據矣。又關公斬顏良，三國志演義亦云誅文醜，人以爲妄，然於洪邁『容齋二筆』，載關羽手殺顏良、誅文醜。則宋時已有斬顏良誅文醜之說。羅貫中非無據矣。

又關於三國故事之戲曲，已有于伯淵的「斬呂布」、王華的「臥龍岡」、王實甫的「陸績懷橘」、「曹子建七步成章」、宋凱的「黃河樓」、石君寶的「哭周瑜」、武漢臣的「三戰呂布」（二本）、尚仲賢的「諸葛論功」、趙文寶的「燒樊城」、「糜竺收資」、高文秀的「周瑜謁魯肅」、「劉先主襄陽會」、關漢卿的「管寧割席」、「王粲登樓」、「單刀會」、鄭德輝的「三戰呂布」（二本）、王仲文的「諸葛祭風」、「五丈原」、無名氏的「連環計」、「博望燒屯」、「隔江鬥智」。（五）

林海峯與時代精神

王圯

林海峯以一善奕童子，去國十年，躍居八段高手，戰敗高手數人而成名人賽之挑戰者。從上月名人賽開始以來，報刊均以最速與最大之篇幅，報導其人其藝，迄今於七局賽中勝三負一，震驚中日兩國棋壇，人皆拭目以待，希望有更佳成績之訊，陸續傳來。

在這種熱烈情況下，不免使筆者想到另一個以十項全能揚名世界體壇的楊傳廣。兩人有其相似處，也有其不同處。楊傳廣是國家外滙培育出的體育界寵兒，一厄於羅馬世運，再挫於東京世運。我們姑以運動精神自詡，不以勝敗論英雄，起碼在楊傳廣來說，我們對他多的是失望與不可原諒的心情。林海峯則不然，他既未領國家外滙，又無政界名流贊助，只在大家姑妄試之的心情下，就學關西棋院，不數年間，乃能從初段而二段，不次擢昇，已達八段之境，國人才給與一種欣然色喜的心情。

爲什麼同是天才橫溢之輩，但其待遇則殊。我想我們爲了想得世運金牌已經想的太久了，在偶然的發現下，那得不盡力的培養與撫育。但是我們得到是失望，以及中國鴨蛋紀錄的保持。說來眞是可憐，楊傳廣身負如彼之重，而竟在美結婚生子，置國人希冀於不顧，且大言不慚的說，我一定拿回一隻金牌來。結果不但金牌未獲，反倒去美不歸，教育部公費留學生三年回國的硬性規定，也硬叫我們鐵人給打破。教育部雖曾三令五申，但楊氏在美已成家就業，我們對他又有什麼辦法？

林海峯呢！他在日十年，在每次晉級昇段之後，一定回國盤桓一段時間。他並非是每次回國以專家棋士的高段身份驕人，而是表現他不忘國家大恩以及未負培育他的人的期望。並且，圍棋與運動不同，圍棋是一種鬥智而有較長時期效力的高尚娛樂。運動則是鬥力的，並且其生命也非常的短暫。林海峯可奕棋至五十歲，而楊傳廣則只能英年退休，讓出運動場給下一代的新人。

不過，我們可由楊傳廣與林海峯所代表的兩極端，鬥智與較力來看，中國人絕非是世界上的劣等民族，並且也可以由他二人的表現來看，正十足的證明，我們不但不弱於人，反比人强。至於得諾貝爾獎金的李政道、楊振寧，就更不消多說了。

居台十數載，我們只能在芸芸衆生中發現一個林海峯與一個楊傳廣。楊傳廣已經叫人們悔於發掘他。但林海峯却表現得叫我們要多發掘這樣人材！原因何在呢？我們對楊傳廣的失望，並非金牌之未能得到，可在東京世運閉幕後，楊氏返台的熱烈歡迎場合看出。我們失望的是楊氏的不識大體，以及他僕從無數的驕人氣勢。運動場上是力的角逐，但楊氏在美於任務未成之先，竟結婚生子。我們也不願苛責某人，結婚生子也是人之大倫，但他不應出於欺騙與隱瞞。欺騙是他當國內無人，或者是兒戲從事。這兩種原因居其一已不可恕。但楊氏竟二者僅爲！那是野蠻作風，稍有良知的人，絕對不會如此的；更何況所欺弄的對象是中國全國的人。

林海峯之不回國居留，也已成爲鐵的事實。但我們對林氏却不如對楊傳廣那樣深惡痛絕。林海峯有不回國的絕大正當理由，楊某又并不然！且一則出於自然的發展，一則出於欺瞞，由這種地方就可以看出優劣來了。（上）

評介「人鑑及新官僚的嘴臉」

著者：馬五先生

・洪流・

以人爲鑑，可正得失；以銅爲鑑，可正衣冠。這可能正是馬五先生在寫這本「人鑑及新官僚的嘴臉」時的微言大義。我們讀這本文集的時候，應該瞭解到馬五先生執筆當時的心情，才能明瞭本文集的出版是很有其意義的。

寫雜文最難得的是不瘟不火，不枝不蔓。雖是短短地千數百字，可以使讀者沉緬在那歷史性的人物裏。說來容易做到難，這也就是眼高手低之病。不瘟使人如沐和風，不火令人無疾憤之感；不枝是有系統，不蔓是免牽連茫無頭緒的堆砌。馬五先生可說是深通此中的肯綮。並且雋永詼諧，極富情趣。

官僚無分古今中外，所在皆有。古時官僚只能禍其邦國，而現時代的新官僚，則能影響國際局勢的安危。官僚的起源，馬五先生沒有作一個詳細的考證，不過我們可以在字裏行間得到個解釋。就是官僚應該是以官爲業的人。本來我們老大中國的讀書人是以作官爲目標的；所謂：學得文武藝，獻與帝王家。在專制時代帝業是子孫一脈相承的大業，不允許士人沾手，當然只有求其次去當官了。當官之後，大可以作威作福，在他個人的治下，儼然是一幅小朝廷的縮影，予取予求，百姓也震懾在官威之下，無可如何，也只有加倍的奉承。而正因爲如此，於是官僚集團的份子，一天天的充實，新陳代謝的後果，是新的更勝於老的一輩，於是而官僚之道，乃大行於天下。

民初以降，軍閥蠭起，割據稱雄。老輩的官僚因着淸廷之覆亡而垮台。新式官僚則多起自草莽，但一旦官運亨通之時，則不難興起「樂在此中」的現實夢。夢境不破，自是叫人依戀；即一日夢破，仍作其關門皇帝夢，那則是有點入於癲狂了。

洪憲袁皇帝是近代史上的第一個官僚，我們可以在袁皇帝的一生作爲裏，輕易看出官僚的形色醜態。爲了鞏固自己權勢不惜負君欺友，去向慈禧那拉氏告密，這是作官僚的第一個要訣，也就是要心黑手黑。心不黑，無法踏在別人流出的鮮紅血漬上去過自己的官僚夢。手不黑，就沒法剷除官僚道路上的異己者。心黑手黑那只是手段，爲目的不擇手段是官僚的基本要訣。

翻雲覆雨以倒戈起家的馮玉祥更是如此。心黑手黑之餘，他還有一付慈悲的面孔，使人在表面上看來道貌岸然，骨子裏做着人間大醜事。故而作官僚還要有外表性格，以及表裏不一致的嘴臉，才能通行無阻，任意而爲。在長官面前立正挺胸之外，再加效忠效死的口號，一旦偶像打倒或是少了利用價值，就應當棄之如敝屣，不然野火燒身悔之晚矣！

我國人事制度之不能確立，與不負責任之風氣在政海裏也是官僚形成的一大主因。人事制度不上軌道，朋黨相行，成爲小圈子之先聲。不負責任的起因，則是因爲有了一個過於負責的長官而起，此中辛酸，非是局外人所能瞭解。皆因，一位主管對僚屬所爲，事必躬親，稽核無誤，方行之文書；但對他個人主管範圍中，則必須層請核示，以免影響官僚之前途，又可與上官多加親近。對下的躬親處置表示其個人的任勞任怨，對上的層請則是表示效忠之不貳。於是上官天顏展笑，下屬無責可負，該官僚則官運亨通。這不但是官僚政治，也是奴才政治。奴才會向上官諂媚，他亦會另付臉嘴向下級驕人。也唯有奴才，口叫效忠之奴才，乃會臨敵變節。

官僚要不得，尤其是新官僚更要不得。官僚會排擠人才。眞正的人才也不會在官僚的面前俯首。這是自古以來的墳墓，也是邦國大業的阻礙。寄語有用人之權者，勿培養官僚，幸甚！

中華民國五十四年九月四日　　自由報　　星期六　　第四版

顧若首演鎖麟囊（續）

在北市除名票高寶秋未曾露過，下一代的古愛蓮、嚴蘭靜、邵佩瑜、孫復冰暫且不談。就前一輩來講，章遏雲、陳美麟，顧若館主沈規箴，均擅勝場。比較上顧若得自故名琴師周長華親炙，與遏雲之受穆鐵芬指點，實異曲而同工也，該說是她的拿手。

顧若所能唱的程派戲不少，自長華病逝，演出較少。當她開始學戲，眞煞費苦心，才有今日的成就，並不是隨便聽錄音便能會唱的。所以這鎖麟囊，很是不錯，實有一看之必要。也不必過事喧揚，看了當知其所能精采的。不獨行腔吐字有尺寸（不盡是哈哈），即表情亦見細緻，能做到追蹤遏雲，幾可亂眞。何況她難得一露，大有着了也許再等一二年。票友唱戲就此一點，即較劇團爲可貴。

現在演出，不比往日，要租用衣箱及配搭，軍中戲團已奉令不能隨便應邀，湊集所有配角，實是困難。據浩棠面告，連龍套都得一個個去邀請，眞是大胆的嘗試。所幸金福的梅香，李景嵐的周庭訓，王小苹的大器，朱凱莉的天麟，皆很合理想。我將以興奮的情緒，看顧若首次演此名劇，預祝成功！

國劇繽紛續錄（十三）

鑿婆生

復蓉有進步

復興劇校因場地不易租到，迄前日始公演。而我在復蓉參加中影以後，頗注視她的進度，將來當與鈕方雨媲美，很想李翰祥能否爲她們兩人安一戲，故在縱談復蓉一文裏，寄望她的前途。而美國華僑，也在盼望有復蓉主演的影片，不久到那裏去。

這次公演，遂定一主見，有復蓉演唱必去。首夕十三妹，入座與谿老民兄同排，谿老即說，這戲重京白，是那位老師所教？民兄答云，係白玉薇親授，那就沒有問題。悅來居登場，復蓉亮相，扮得很美，尤其跑圓場姿式好看。與安公子對白，口齒亦極老練有勁，極有神氣，一些也不瘟。能仁寺中署有開打，也很不錯。本來我以爲她祇能演青衣花旦，於此類戲恐怕不對工，看了乃釋然。究竟玉薇兩個徒弟多不錯。是晚觀衆頗有特客，如杜姚谷香、郭王蘭芳、王陳燕燕、陳焦鴻英，呂扮（演此戲的能手），王豪，影劇界人到的很多。

次晚盤絲洞，爲復興看家傑作，每演必滿座。此次還是照樣。復蓉在浴的劇幕，風光更加綺麗，大有進步，無怪鬨堂的彩聲。至於紅娘，等待看後，再抒觀感。望復蓉珍惜前程，多加努力！

楊永泰膺懲權紳

諸葛文侯

自從中華民國肇建，一直到大陸變色之前，三十年來，全國各省紳士階級之特受社會重視，而蘊藏於基層，干預地方政事，左右政局者，殆莫過於四川。

巴蜀號稱「天府之國」，物產豐饒，廣土饒沃，而對外交通閉塞。明末張獻忠之亂後，川省土著人民多半慘遭屠戮，倖存者皆逃入荒遠邊徼之崇山峻谷間，即今之松理、茂、懋，以及雷、馬、屏、峨諸所謂苗夷地帶也。越滿清雍正朝，對西南省區實行「改土歸流」政策，同時飭令湖北、江西諸行省強迫移民赴巴蜀墾生，棲息於川省之日常生活慣用極廉宜，謀生殊易，以加交通不便，諸凡入川游宦或經商之外省人，亦多落籍巴蜀，不復還鄉。故川境居民之祖先，十九皆來自別省者。語言統一易通曉，因而川人性格較少區域觀念。清社既屋，若干勝朝顯宦名臣相率隱於都市間，變[illegible]交依，自命遺老，不欲再仕民國，平居本其固有之資歷聲光，仍繫民間物望，而其影響力且超過政府官吏，形成一種異乎尋常之紳權。於是，乃有所謂「五老七賢」之紳耆集團出現，趙熙（堯生四川榮縣人）方旭（鶴齋安徽人）徐子休（浙江人）等，被尊爲五老，劉咸榮（豫波四川新津人）徐琛甫（四川成都人）等被譽爲七賢。諸人或係前清進士舉人，或曾任川省大吏，聲華籍藉，地方政府當局對之禮遇有加，益增其處士橫議之氣燄，公開可否庶政，好惡文武官員，常由五老聯名發佈意見（趙堯生不參加）儼然領袖羣倫，七賢則在報紙上[illegible]然助勢。民國十年左右，楊森（子惠）任四川督理時，銳意建設成都市政，首闢馬路，五老七賢羣起反對，發言將集體偃臥於指定拆建之道路中，誓死抗拒工程進行。楊謂：「五老七賢的腦殼就祈不得嗎？」置不理，但其他川省軍頭，仍尊崇諸老不違。

民國廿四年秋，川局統一，遵奉中央正朔，劉湘受命綜持川省軍民兩政，以軍需孔急，宣佈徵收成都全市房捐，五老等聞訊譁然反對，民衆附和，劉湘窘懼，無以爲計。時中央軍委會秘書長楊永泰隨蔣委員長駐節成都，覩此現象，大不滿，慨然謂：「地方紳權橫肆若此，尚復成何體統耶？」即報經蔣公許可，分遣憲兵每組各二人，赴五老住宅門前守衛，名爲保護安全，在房捐未收畢之前，禁止五老外出，並吩咐憲兵不得與五老有所衝突，須以和平手段完成任務。中有一老徐子休者，自恃與蔣公同鄉，一日策杖堅欲出門，憲兵勸阻之，即揮杖予以毆打，大叫「我要到委員長行轅跟楊永泰拼老命！」楊得訊，立命憲兵偕徐前來，當面婉加告誡，囑其勿干涉行政事宜，衛兵即可撤回。徐知蔣公同意徵收房捐事，乃黯然辭歸，不敢再言「拼老命」矣。

洎是，五老七賢之狂態頓減，曾消聲匿迹於一時，劉湘甚德楊暢卿代除一害，爲之大慰。中日抗戰軍興，中樞遷入巴蜀，對後方採取安定政策，而五老七賢之故態復萌，對省政不僅止於橫議，批評隨復有所行動，唯時不聯名致電美總統羅斯福，英首相邱吉爾，暢論國際問題，而其識見殊幼稚，貽笑外邦。諸老每對衆談論世界大戰情形，輒口稱「斯福」如何，「吉爾」如何，聽者雖匿笑不已，彼猶津津樂道，自負深通國際事宜焉。職是之故，五老七賢逐漸不理於衆口，對七賢且稱之爲「七嫌」，諸老亦多趨髦晚境，好事之心情已異昔時，然七賢雄心不戢，年事較高者每以候補五老姿態招搖過市，尤以愚留日同學先輩廖學昌，以懂英文，傲睨儕輩，俗氣盎然，愚當戲呼之爲「準五老」，亦笑頷不以爲忤。今則原五老早歸道山，新五老與七賢在暴政奴役生活之下，生死兩難，回憶前塵，恍若隔世也。

趙五娘

「影劇與歷史」之九

周遊

電影「趙五娘」，又名「琵琶記」，平劇、川劇都有全本演出。尤其高腔川劇戲目繁多，有飢荒借米，五娘吃糠，父母餓死，描容近行，掃松下書，沿路乞討，觀畫、書館相會、辭朝、打不孝等……。是一本十分硬紮的戲。全是根據元曲「琵琶記」演的，唱詞也是「琵琶記」的原文。電影也是根據琵琶記的故事及原唱詞，只是將之改爲黃梅調而已，內容大同小異。

趙五娘其人

蔡伯喈（口旁，下同）與趙五娘，在家中男讀女織；伉儷本情深；五娘對夫賢德，事父母克盡兒媳之孝道。可是其婆尚有不滿意五娘者。有隣翁張廣才，乃伯喈之父執輩，見伯喈發奮苦讀，學業有成，便鼓勵伯喈上京應試，其母很不以爲然，後爲伯喈之父竭力支持，以男兒志在四方，當求功名顯達，結果成行。中了狀元。朝中有牛丞相，見新科狀元人才具佳，託人招爲婿。家人無有知者。

陳留郡天旱三載，飢荒遍地，五娘起初尚可在親友富家借貸，但米珠薪貴，一點米粥只奉公婆充飢，而自己則吃糠而已。一次母親以每飯不見五娘上桌，以爲五娘在私自吃好的，暗中探視，始知五娘所食者爲糠。後來借貸無門，伯喈父母俱餓死矣！

伯喈招婿之後，便差人前往陳留郡下書，但下書人爲相府家人，被牛丞相易以休書，命家人將休書携往陳留郡，把五娘休棄，而伯喈不知。家人在中途患病，耽誤時日，遲遲才到陳留郡。此時五娘已離家前往京城尋夫去了。她一路上以乞討爲生，好容易始到京城。

牛丞相家人，到了陳留郡，會到伯喈隣老張廣才，告以伯喈乃是家有糟糠。下書人亦寄以同情。最後張廣才將伯喈父親手杖與下書人，囑其見了伯喈與之代爲責打。以打其不孝。（一）

釣魚城忠烈史事

・匡謬・

釣魚城第二位忠烈張珏，故事的光輝不亞於王堅，宋史忠義傳稱其「年十八從軍釣魚山，以戰功累官至中軍都統制。時人號爲「四川虎將」。他是一位純粹的軍人，超雄有謀，善於用兵，出奇設伏，算無遺策。其治合州，士卒精練，器械必堅，御部曲有方，雖爲奴隸者，有功必賞之，有過雖至親必罰不貸，故人人用命。王堅去後兩年，爲馬千代守，此人庸懦無能，而且有投降的危險，在景定四年便命張珏代替了馬千。張珏在釣魚城中外以兵禦耕，內教民墾田積粟公私兼足。他和釣魚城的故事幾乎相始終，王堅時他已爲副將，朝廷中人也聞他之名，在恭宗的德祐元年（一二七五）升爲四川副制置使，知重慶府事。但因當時重慶被圍，只能留合川抗敵。至第二年初，他先後遣兵收復了瀘、涪二州。二月遣張萬以巨艦載兵斷內水橋，入重慶。到十二月他才到重慶任制置使。在重慶守了兩年，到帝昺祥興元年（一二七八）二月，因城中糧盡，副將趙安說張珏投降，珏拒絕之。於是趙安乃與帳下韓忠顯夜開鎮西門投降。張珏獨自率兵巷戰不支，歸家欲鴆，鴆爲左右所匿；乃以小舟載妻子走涪州，行至中途乃大慟，斧砍其舟欲自沉死，舟人奪斧投入江中。張珏踴躍欲投江，家人挽持得不死。次日萬戶鐵木兒追至涪州，全家乃被俘。解送京師，累勸不肯降，結果自解弓絃自經死廁中。

關於張珏的死有幾種說法，元史說他同都統趙安投降，因閩遠州安撫使梅國寶復父仇，便自縊而死。元李宗輝傳謂「重慶破，張珏走涪州自縊死。」瀘州志載明御史羅廷唯『劉霖傳』說是『元兵取重慶，珏軍潰，霖亦被執，不屈，同珏死難舟中。』總之，張珏乃是被左右出賣弁開城投降，珏巷戰不支後，殉死未果逃往舟中，欲往他處求救，未果自縊而死的。絕不是投降將軍。觀文天祥的悼制置使兼知重慶府張珏詩序云：「珏，蜀之名將，與昝萬壽齊名。昝赴降，張獨不降。」死是一件容易的事情，但也是不容易的事情，所謂「千古艱難唯一死」，也正道出了此中眞理。以我們揣想，當時他的國家新破，張珏以爲宋室江山不致就此覆亡，而還寄有一種希望，所以使他不想即死，他始終沒有投降的事實。最後以弓絃自縊，完成了自己的忠節也是事實。實在可與宋末的文山、疊山同光青史的人物。文山的悼張珏詩序中「……張獨不降。行朝擢授制閫，未知得報命否。蜀雖糜碎、珏竟不降，爲左右所賣，屈。後不知如何。」後不知如何者，當時文山尚不知其結果也。文山詩云：「氣敵萬人將，獨在天一隅；向使國不亡，功業竟何如」？文山一再說「張獨不降」，「珏竟不降」，而又「終不肯屈」，正表現着英雄惜英雄，惺惺惜惺惺之意也。文文山之被執，輾轉不得其死，張珏正同之。張王之忠烈，與文山同光也。

繼張王守釣魚城的安撫使是王立，這才是一位投降將軍。護國寺碑文後陳大文的聯中「不圖王立二心」即指的他。王立知合州，鎮守釣魚城，後聞重慶叛將獻城，張珏被俘，王立便發生了動搖。在此時有一位女角色出現，她也就是護國寺中所祀的熊耳夫人，也就是李德輝之妹。在熊耳夫人碑記中說她是王立從元軍中俘擄的女子，因詐稱是元軍渠帥之妻王氏，王立乃認之爲義妹，侍奉王立的母親。夫人深謝之。立視同乳妹。數年，王立爲安撫使，鎮釣魚城，因憂元兵日盛，釣魚城危在旦夕，一日見王立隱憂，便對之實告曰：「妹實姓李，今成都總帥李德輝，妹之親兄也。若知安撫待我恩禮，必盡心上奏，親來救此一城人民」。張立聞之大喜。即令修書李德輝，遣儒生楊解等潛赴成都納。夫人乃附鞋一雙爲信。蓋夫人常爲德輝做鞋有式，德輝甚愛之也。德輝得書喜不自勝，即遣使赴闕，晨夜奏聞。而先遣人返告王立，當即親領兵至城下受降。王立投降不久，被詔入覲，受命爲潼川路安撫使知合州事，加號懷遠將軍。王立純粹是二臣嘴臉，所謂熊耳夫人者，還不是一個間諜？然而竟有盛清乾隆年間的史臣爲之歌功頌德，使王立熊耳夫人與忠烈王堅張珏同受禪祀，眞使忠烈在天之靈難安也。

釣魚城計自築城抗元始，至王立投降凡三十七年。史實中忠奸對照，漢賊分明。吾人反攻還鄉後，當表彰忠烈，以勵來茲也。（三・完）

國產消暑兩佳品

輯資

在中國出產的夏天水果中，西瓜和甜瓜都是消暑佳品，而西瓜中的平湖枕頭瓜，德州喇嘛瓜；甜瓜中的新疆哈密瓜，蘭州醉瓜，更膾炙人口。

「江南第一瓜」

江南西瓜，以浙江平湖出產的枕頭瓜，最負盛名，有「江南第一瓜」之稱。這種瓜作橢圓形，皮色墨綠，雜以黑色條紋，瓜內有淡黃和火黃兩種，普通每個重二、三公斤，大的達七八公斤，因產於平湖，又像枕頭一樣，所以名爲平湖枕頭瓜。（一）

自由報
內僑警台報字第〇三壹號內銷證
THE FREE NEWS
第五七一期
中華民國僑務委員會頒發
台教新字第三二六號登記證
中華郵政台字第一二八二號執照
登記為第一類新聞紙類
（半週刊每星期三、六出版）
每份港幣壹角
台灣零售價新台幣貳元
社長：雷嘯岑
督印人：黃行騫
社址：香港銅鑼灣高士威道二十號四樓
20, CAUSEWAY RD 3RD FL. HONG KONG
TEL. 771726　電報掛號：7191
承印者：大同印務公司
地址：香港北角和富道九六號
台灣分社
台北市西寧南路壹壹零號二樓
電話：三〇三四六
台郵撥儲金戶九二五二

英國基地與星島外交趨向

宋文明

星馬分治之後，人們所最注意的，便是星加坡的安全前途及其外交趨向。而星加坡安全前途及其外交趨向，又是和英國在此的軍事基地有密切關係。在目前狀況之下，星加坡的安全，完全是依靠英國基地與軍力的保護，假若沒有英國這種保護，星加坡要想維持獨立存在是不可能的。可是在長遠觀點上，英國在星島這一基地，也形成了星島在國際關係中無法保持穩定地位的一項重要因素，祇要英國這一基地繼續存在，星島要想與所有鄰國建立良好關係，也將是一件不可能的事情。

不論在地理上，經濟上，及政治上，星島要想維持內部的安定及經濟繁榮，它不僅需要與馬來亞保持密切關係，而且亦需要與印尼保持密切關係。若星島與這二者中任何一個的關係陷於惡化，或處於不正常狀態，它本身的安定及繁榮，勢將就要受到極大的影響。尤其在對外貿易上，星島無異為印尼貨物進出口的一大轉運站，若星島與印尼關係長期陷於停頓，斷絕這一經濟往還，星島所受影響必然更為嚴重。

可是，在印尼一方面，它認為祇要星島繼續維持英國在該地的軍事基地，它即不可能予星島以外交承認。換言之，即不放棄對星加坡的敵對政策。印尼既不放棄對星島的敵對政策，雙方關係即無法改善，相互貿易更無從恢復，星島將繼續感受到印尼的經濟及政治壓力。尤其八月中旬陳毅訪問雅加達以後，對於星加坡的外交態度，印尼與中共更已採取一致作法，互相協調，星島所受壓力也更為之增大。在這種情形下，試問星島對於英國的基地一事究竟要作何決定？

在目前國際情勢下，要想英國立即撤退在星島這一龐大基地，也屬一件不易辦到的事情。因這一基地不僅直接在保護星島及馬來亞的安全，而且也保護北婆羅三區及香港的安全。甚至澳大利亞與紐西蘭的安全，也受這一基地的間接屏障。因此，在英國尚未在別處建立一所基地，以取代這一星島基地的任務以前，英國根本不可能從這基地撤退，星島亦沒有力量迫使英國撤退。而且在經濟上，這一基地提供了星加坡每年全部收入的五分之一，若遽而迫使這一基地撤退，也將使星島本身大批人失業，因此產生嚴重的經濟混亂。所以除非發生特別意外事件，要想英國立即撤除在星島的基地，在事實上亦屬不可能。

英國在星島的這一基地既不可能立即撤退，而星加坡政府又不允許這一基地就這樣長期存在下去，那麼在這中間唯一可能的折衷辦法，便是星島在讓英國這一基地暫時存在的情況下，立即採取行動，限制這一基地的使用，減弱這一基地意義，以爭取印尼等國對這一基地繼續存在一事的諒解。對於這一作法，星加坡政府已先後表示：（一）這一基地不能為東南亞公約組織所使用。（二）這一基地不能用於對付中共及印尼；（三）它已向英國發出警告，若英國不接受這一限制，星島將要求其立即撤退，若英國不接受這一撤退的要求，星島將發動羣衆性抵制行動，以癱瘓這一基地。星加坡政府這種表示，就在指出今後星島的英國基地，必須嚴格限制於防禦性目的，又必須以防衛星加坡及馬來西亞所屬各地為範圍，絕不能超出這一限制之外。星加坡政府就在希望，經由這種明確限制，既可緩和印尼等國對星島英國基地的反對，又可使英國感到這一基地已失去了它的存在意義，早作主動撤退打算。除此之外，星島總理李光耀一面聲明派遣大員往訪亞非各國，解釋星島整個外交政策的基本方針，另一面又突然宣布，揭露四年多前美國對星島的一項間諜案件，也就在以此作姿態，更進一步證明其不與美國和其他西方國家作接近，堅持單純的中立立場，要求印尼等國的諒解。

由星加坡政府的這種作法來看，星島英國基地的終將撤退，只是一個時間問題。它們似已作了這一決定，並已在進行這一準備，而這一時間究竟需要多長，又要看星島與印尼關係實行改變的程度及步驟如何來作決定。假若印尼對星島限制英國基地使用的這種措施感到滿意，而不強求英國基地立行完全撤退為與星島建交條件，則星島與印尼關係可望很快改善。果如是，則星島的要求英國撤退，亦將在較早時間到來。反之，假若印尼仍不滿意星島這種限制作法，繼續對星島使用壓力，要求以英國基地的完全撤退為和解條件，則星島只得更加依靠英國的保護。如此，星島英國基地的存在，亦更將拖延下去。

總之，在原則上，星島政府似已決定在保障這一島國未來長遠的安全上，它們將不再依賴英國的軍力保護，而是將訴諸中立主義的外交，設法成為聯合國內亞非集團的一員，以聯合國及亞非集團國家來依靠，以抗拒個別國家的壓力。由於星島已決定採行中立外交，所以它正力求加強與亞非集團，尤其與其中幾個主要國家的聯繫。也由於它已採行中立外交，所以它也正設法與包括共黨集團在內的所有國家，謀建立外交關係。同時，也正由於現行星島政府主政者李光耀等多出身於英國的費邊社會主義，在思想上與亞非集團的激進派相接近，所以星島的這種中立外交，也是屬於亞非集團中激進的一派，而非屬於溫和的一派。因此，在這種中立外交指引之下，未來星島的實際外交行動，有時不免亦要和共黨國家很接近，但將小心避免為共黨國家所左右。國并不積極反對西方，但在表面上，絕不願對西方大國表示好感。就在這種夾縫之中，星島希望在外交上與印尼及馬來亞亦步亦趨，力爭與國，企圖從它們手中奪取外交武器，以建立對它們的制衡力量。

卡斯特羅的算盤

永遠吃不飽

今日與明日

印巴禍事與毛共

印巴兩國由喀什米爾邊境衝突，居然演成大舉兵戎相見之局，頗出乎一般的預料，同時又一次的證實毛共為禍世界的處心積慮，無所不用其極。

十六年來，印巴兩國在喀什米爾停火綫上的衝突，數達好幾百次，有時是印方挑釁，又有時是巴國先動手，善善惡惡可說是一筆胡塗帳，算起來很費事。兩國對喀什米爾之爭，是是非非，亦暫可勿論。有一點卻非常之明白，即這一次，要不是有毛共揷手其間，可斷言決不會玩到今天的不堪地步。

這次的衝突，起於上月五日，開始是巴國武裝滲入印區，鬧「人民革命」。任誰一望而知係出於毛共的教唆與導演——巴基斯坦以往從未採取過此種方式，它以往亦根本不懂得這種方式。

事件責任應何屬

這次係由巴方始作俑，應不成問題。但事件發生後，印度反應激烈，公然越綫攻擊，其曲則在印方了。印度之所以為此，原因之一，乃是以大壓小，以為巴基斯坦不敢大舉，卻估計錯誤了。於是而有巴方更大規模的反擊之事發生。

印度之所以估計錯誤，是由於忽視了這次的事件有毛共在巴基斯坦後面。我們目前雖尚不能武斷巴方一開始并不準備鬧大，但假定沒有毛共的因素，巴方未必眞的就向大處鬧，總是可以肯定的。

印度先之以越停火綫進攻，已經做得過火；到巴方更大舉越綫反擊後，印度竟實行進攻拉合爾，使戰火越出喀什米爾地區，就不但更加過火，同時亦再次的犯了估計錯誤的毛病，甚至顯得有些手忙足亂了。

彼此均該懸崖勒馬

事情鬧到如今的地步，儼然是「戰爭」了，雙方都全力拼鬥，所差的只是并未宣戰而已。

是否印巴就此大打一場呢？這得看巴基斯坦所吃下的毛共「爛藥」畢竟已毒害巴國政府到何種地步而定。除非阿尤布中毒已深，應該還有機會適可而止的。否則發展當然就兩樣。

印巴如果眞的就此拼個你死我活，將是兩敗俱傷之局。尤其是徒然給共產集團製造擴張機會之局。印巴雙方，對此均應淸楚認識，不可情感衝動，淹沒了理智，害了自己的國家和百姓。

目前英聯邦、聯合國以及個別國家，均在致力於疏解搶救，成功的可能性最低限度有一半。放火的毛共，不消說更在拼命向巴基斯坦下爛藥。是道高抑魔強，主要決定於巴國當局的抉擇。阿尤布懸崖勒馬是時候了！印度亦不可繼續逞強。

自由讀

淨化娛樂消息

一個演電影的女人，跟男友訂婚之後，又愛上其他的男人，迫得未婚夫自殺了，又不惜以「未亡人」姿態，在死者喪葬典禮中號泣愴慟，迴異尋常。這有如廣東話所說的：「做戲咁作」，令人見着只是感到「週身蟻」而已。

一個男子漢大丈夫，為着未婚妻——西文叫作「飛暗色」——移情別戀了，竟至於服毒自裁，生命如鴻毛，可謂死非其事，太不值得，也顯得太沒有志氣了。假使他是為了男女間彼此純眞的愛情而以身殉，那便是大仁大勇的義烈行為，又當別論。

綜觀這一生一死的情形，除卻給人以搖頭太息的印象外，無話可說。奇怪的是一般負有社會教育職責的新聞界人士，平日專對那些肉麻當有趣的男女電影演員所表演的低級生活動態——如男女間不正當的苟且曖昧行為，及其個人毫無價值意義的動作——視同不可多得的珍貴材料，經常在報紙上盡情紀述，恣意渲染，而美其名曰「娛樂消息」，無形之中替那些不成器的所謂電影明星寫起居注，作義務宣傳員和啦啦隊。於是乎，凡是沒有本領而又好出鋒頭的「明星」之流，乃以走邪門兒為成名的捷徑。今天訂婚，明天毀約；早上結婚，晚上又跟別人談戀愛，寫情書；為的是要供給一般義務宣傳員的材料。如果認定這類事情亦是「娛樂消息」，那末，妓館娼寮中的旖妮風光，更為多采多姿，也值得大書特書，宣告社會大衆了！

美國好萊塢——可譯作「好爛污」——的所謂女明星，稍露頭角即以鬧男女戀愛悲喜劇為能事，結婚離婚不歇，新聞記者隨時為之撰特寫，發電訊，咱們新聞界實行西化主義，尤而效之，見賢思齊，寧非殊堪嘉尚的進步作風嗎？不然不然！中國有句俗語：「好樣不學，學壞樣」，咱們對於西洋人的科學進步與民主精神，始終停滯在幼稚園階段，唯獨對於西方新聞記者那套低級趣味的玩藝兒，亦步亦趨，刻意仿效而實踐之，使吾國社會上殘存着的一點醇厚善良風俗，深受影響，歸於斲喪，吾思之，吾重思之，是亦不可以已乎？

常聞新聞從業人員有「自律運動」的呼聲，如要實行，乃可從淨化娛樂消息始，企望曷勝！

目無法紀大膽妄爲
台北市政府顧問程月亭 居然唆使長子車夫毆人
案經告到地院僉盼早日公正判決

（本報台北通訊）台北市政府顧問程月亭，曾任省府民政廳兵役處督察，因五屆縣市長選擧，幫台北市長高玉樹策動退伍軍人助選有功（程曾任二屆台北市市長高玉樹的兵役科長），得膺台北市顧問要職，然仍居住台北市安東街十六巷二號的省民政廳宿舍。同舍隣人瞿煥文（民政廳職員），因整修颱風吹倒之籬笆，程月亭以爲妨碍其大門與公共大門之直綫視覺，有失其顧問之尊嚴，出而干涉，爲瞿煥文所拒，乃於八月七日唆使長子及三輪車夫，將三輪車置於瞿煥文整修之籬笆內，以阻止其整修。瞿煥文出而交涉，程月亭長子及其車夫，竟將預置車中之木板鐵棍，齊毆瞿煥文，打得頭破血流，奔呼救命。幸另一隣人張仁傑由外歸來，及時從三輪車夫手中奪下鐵棍，始未釀成命案。

程月亭仗勢欺人，引起衆怒，同居在該宿舍內的隣人，曾於該日推出代表向公論報投訴，指責程月亭如是橫蠻，使居住在該處的居民，受到安全威脅。記者走訪時，該宿舍內的居民說：我們十六巷二號的全體居民已向治安機關報案，要求保障他們的安全。該報告稱：

「查本市安東街十六巷二號民政廳公共宿舍，於本（捌）月七日下午二時本廳同事瞿煥文修理門首籬笆時，現任台北市政府顧問程月亭長子程錫善及其三輪車伕劉某，竟敢出面阻擾，嗣並聯合將瞿君頭部毆打流血，造成嚴重傷害。瞿君於負傷奔逃高呼救命之時，程劉二人猶窮追不捨，幸經人及時制止，始未釀成兇殺命案。查本廳宿舍，係公共場所，當衆毆打傷人，破壞公共秩序，法所不容。而劉某並非其中住戶，平日與瞿君亦無任何利害關係及恩怨可言，現竟發生此一事件，其背景及動機如何？殊堪玩味。

「次查程月亭離職本廳行將一年，仍佔住本廳宿舍，已屬違法。本（八）月六日於修理籬笆時，竟不照舊修理，而擅自乘機擴大，將公共道路劃入其範圍，並作磚門牆柱，其佔用公地，擅自違章建築，妨碍交通，法亦難容。如不予以取締，則附近居民紛起效尤，則又何以善其後？

用特報請 貴所予以查處，並防止今後發生類似情事，藉維公共安全爲感。

謹呈

長安東路警察派出所

副本抄呈警備總司令部、台北市警察局暨第三分局。

安東街十六巷二號住戶（按姓氏筆劃多少爲順序）

李孔莊　徐輝　徐懿德　袁湧慶　夔演徵　黃肇達　馮堯福　張珍繆　鄭建蜂　薛肇墳

外瞿煥文一名因另有報告不再具名

另該宿舍的管理委員，以程月亭如此行爲感到自危，上書民政廳，要求程月亭遷出。茲錄其報告全文於下：

現尚留住本廳台北安東街十六巷二號公共宿舍之原本廳兵役處督察程月亭，本（八）月七日上午，因修理颱風吹倒之竹籬笆擅自向外擴大數公尺，並在園內加建大門，與本廳另一住戶瞿煥文發生爭執，由管區警員謝進金偕來職徐輝處要求處理，徐以爲雙方均不應擅自擴建，如願接受調解，雙方各向後退一尺。詎程月亭當即表示不退，祇要求管理委員飭對方瞿煥文退後。於是調解不成，繼續吵罵。職李孔莊、黃肇達、徐輝等偕警員前往實地查看瞿煥文所擴建之範圍，距程月亭尚有十餘單步之遙，並未妨碍程之範圍，惟程以爲彼新大門要與公共大門取得直綫，不然不行云云。職等以爲人力三輪車進出與飛機跑道不同，可以拐彎繞行，至於不能直接外望，事實似非必要。警員調解仍然未成，警員旋即離去。

同日中午十二時半，各家正在用膳，忽聞瞿煥文大聲喚呼救命，全院各戶趕出探視，見程月亭車夫及其長子合力追打瞿煥文。車夫手持約一公尺長一英寸粗掘洞用鋼棍，程子持木板，瞿頭部已破，四處奔逃。同院同仁及附近隣居深恐釀成命案，均大聲喝阻無效，適張英傑先生下班回家，見狀即從後將車夫束手抱住，衆人圍集，始停追殺。

程員如此行爲，同院同仁深覺人人自危，職等受各同仁要求，職責有關，轉請廳方擬有效方法，請該員即日他遷，以免爾後多事爲感。

謹請

廳長陳

副廳長張

宿舍管理委員

李孔莊

黃肇達

徐輝

該處居民向記者說：最令人氣憤與不滿的，是長安東路警察派出所，八月七日十四時以後的值日警員。一位居民說：瞿煥文被鐵棍打傷後，立即由我陪同赴長安東路派出所報案，要求立即逮捕現行犯。我們到達派出所，値日警員在看小說，數喚不應。及其應後，見瞿煥文滿臉鮮血，仍裝胡塗的說：「什麼事」？我們把來意經過告訴他後，該警員猶說沒關係，人犯今天抓不到明天還可抓，囑瞿煥文先去治病。以後瞿太太（瞿煥文妻）來，警察被迫無奈，要求瞿太太替警員叫三輪車。警員到達後，程月亭家人告其三輪車夫已投案（並未投案），該警員就走了。該處居民說：警員經居民要求逮捕現行犯，怎能不理？怎能要求人民替他叫三輪車？又怎可因程月亭是市政府顧問而如此包庇袒護？

瞿煥文被迫無奈，已於八月十二日向台北地檢處提起告訴，由台北地檢處胡檢察官接辦，並在八月廿三日開了一次調查庭。該等居民皆希望法院能早日公正判決，以維法治尊嚴，消戢特權者暴行。

一位居民說：程月亭所以任職台北市政府而仍住民政廳宿舍，是有苦衷的。該居民說：高玉樹當二屆台北市長時，程月亭以民政廳兵役處督察調借台北市政府任兵役科長，那時台北市政府就配給房子電話。但程月亭後因犯案，丟了官回民政廳不算，還把貪得來的房子出賣，活動消案。活動費不夠，最後將市府配裝之電話亦併予出售。故這次又以助選有功重返台北市政府，就不能再要房子，祇好屈居在民政廳宿舍了。這位居民說：本來他違法住民政廳房子我們不管，但他太不講理了，常常干涉我們，所以我們要求民政廳令其遷出。（秦孝德）

巴黎地下花樣不少 工作人員一萬五千

——巴黎通訊

電單車的嘎嘎聲，警察哨子的尖叫聲，香榭麗舍路上高跟鞋的閣閣聲，市場商販的叫賣聲，這些都是人們所熟識的巴黎街道的聲音。

但對於在巴黎市地下謀生的一萬五千名男女說來，更熟悉得多的却是地下火車的隆隆聲，每天通過全市一千二百五十哩陰溝，所流出的十億多加侖、嘩啦嘩啦的溝水聲，和地下墓窖砂礫道上憑弔者脚步的嘎扎聲。然而這些聲音都無法衝破法蘭西銀行地底金庫的寂靜。

地底鐵道 長達百哩

這些地下工作者中，有一萬三千多人是在地下鐵道受職的，包括有售票員、司機、剪票員、修路工人、淸潔工人等等。許多職工對人說，他們在地下火車工作了兩、三代。

一九〇〇年，就在巴黎慶祝七月十四日的節日後僅五天，巴黎有史以來的第一張地下火車票——從梅洛站至文生站，長約六哩——售給一個富有冒險精神的青年。據說，那青年當時想騎一隻「鑽地獄的機械化老鼠」（對地下火車之稱），後來却放棄了。他的遭遇究竟怎樣，至今不得而知。今天，地下鐵道已發展到長達百哩，而且鋪了雙軌，沿着十四條行車綫有三百三十八個停車站。

兩年前，地下鐵道當局聘了一名專家，專門研究職工的工作效率。據這專家報告，普通一個女剪票員，平均每分鐘剪票十二張。這些女職員對這個數字很有點不服氣，她們堅決說她們的工作速度至少比專家所報告的快一倍。不過，她們中許多人在一年中確抽出時間織成四件冷衫、三條圍巾，也許還加上一對織給孩子穿的冷鞋仔。

地下鐵道的路綫，有許多處是由古老的陰溝水道連成的，這些古老的陰溝，其中有九十六哩是十八世紀末所建。

巡邏陰溝 工作艱苦

陰溝都有名字，就是用它們所經過的街道名。如果把所有的陰溝連成一條直綫，就可以由巴黎一直通到直布羅陀。有一支由九百二十六人組成的巡邏大隊，担任全部巡邏工作。另外還有一個由七十五人組成的緊急小組，主要任務是救急。實際上，這個小組的大部份時間是在陰溝裏打撈失物。除了每年從溝水中釣出三千個鑰匙，這小組去年還撈起一輛輕型電單車、二十四副假牙、一隻木腿、兩隻玻璃眼球、一百五十三隻貓、八十七隻狗、二百三十八具遊客的攝影機。

不久之前，一位法國內閣部長的夫人到來向緊急小組求助，因爲她在共和廣場附近的陰溝丟掉了一條項鍊。緊急小組在工作記錄簿上爲了這件事的正式記錄：「到訪時間——晚上十時二十四分——尋獲項鍊時間——凌晨十二時零二分。」下面還附有一個非正式的記錄：「夫人連『謝謝』也忘記說一聲。」

健忘，特別是忘記關門的錯誤，在法蘭西銀行是一種難獲寬恕的過失。法蘭西銀行的官方寶庫，貯藏着法蘭西的黃金儲備。

下有金庫 建築堅固

這銀行的地底深處，有許多個金庫，是一八〇〇年由一個銀行家集團建造的。這些金庫是「攻不破的」。據說這種說法還沒有受到事實的考驗。但一八七一年，爲了防範黃金被人拿去資助革命，有關當局曾用炸藥把金庫的進口要道堵塞。

今天，這些金庫藏着沒有透露數額的黃金，和價值數十億美元的國家證券與外國證券。金庫的佔地面積近一英畝，位於銀行地窖之下一百多呎。進口要道由水泥加固的兩個炮塔封住（這兩個炮塔是從一艘舊法國軍艦拆下來的）。穿過每個炮塔的中心，是一條狹窄的通道，除非把炮塔轉動到和通道入口成一直綫，否則要進入金庫是不可能的。

金庫裏面的氣氛是一片死寂。許多警衛的兵就駐在地面上的銀行大厦宿舍內。這些人被認爲老而可靠，都是法蘭西銀行「忠誠」的保護人。

巴黎最靜和最陰涼的地方，也許是在地下七十呎的地底墓窖了。

還有墓窖 堆積枯骨

一七八五年，法國政府通過了一條不得人心的法例，下令把六百萬巴黎人的遺體（多過去年全巴黎市人口）從巴黎各墳塲掘出，移葬於地底墓窖，這是古代羅馬人的地下採石塲。

今天，長近半哩鋪着硝石的牆垣，跟皮革顏色的骨頭並排着，這些骨頭像木柴一樣堆到天花板那麼高。每十五行骨頭就有一行骷髏頭隔開，骷髏頭由散亂的骷髏和大腿骨堆起來撐着。

在地下墓窖的一羣工人，担任着巡邏工作，把跌下來的骨頭放回原位，而更經常的是清理由孝子賢孫丟下的糖果紙和殘燭。

屏東植物保護中心 對增產獲顯著成效

按現階段台省農作物推廣方針，在積極方面必須做到：（一）品種改良，（二）改進耕作技術，（三）肥料施用的增加，（四）加强水利設施。在消極方面，病虫害防治工作，在熱帶氣候的南台灣，尤爲迫切需要。屏東縣府所創建的植物保護中心，其工作主題，亦正是着重在：（一）病虫害防治，（二）農藥使用，（三）農耕機械等使用及修理的技術指導，與常識灌輸；務使農民對這些方面的常識、經驗豐富，裨益於各種農產物的播種。

據該中心負責人謝銳安說：該「農民植物保護技術講習班」所施教的方式，除課堂對某種病虫害、農藥施用及機械使用與修理，作有系統的翔實講解而外，尤注重在現場實習、標本鑑別。省農林廳爲重視該講習施教成果，故對負責講課人才的選拔，頗爲愼重：除有該廳植物保護科長外，餘有各農業改良試驗場所長、課（組）長等担任之。因之在講習成果方面頗具實績。

爲增加農民收益，改善農民生活，植物保護技術的講習優良辦法，有關當局除應積極加强推行外，尤更應推廣至全省，裨益於粮食增產，解除人口的嚴重壓力。（下）

港一建築公司 去年純利千萬

【本報訊】經營建築之香港信託有限公司，在一九六五年四月三十日結束的過去一年中，所獲的純利有一千零八十八萬一千一百三十三元，而在一九六四年中，該公司所獲得的純利只有四百九十二萬九千零一十八元。

自由太平洋大學文庫 徐熙光博士接任主編

（本報訊）自由太平洋文化事業公司總經理段宏俊，因事務繁忙，不克兼顧，已辭去「自由太平洋大學文庫」之主編職務，自九月份起由國立政治大學教授徐熙光博士繼任。按徐熙光博士，江蘇江陰人，現年卅八歲，早年留學歐美，先後獲羅馬烏巴魯大學法學博士，國際社會大學國際法高級研究院政治學博士，馬德里公教大學神學博士，返國後即被聘爲國立政治大學國際法教授，爲目前中國有數的青年學人。其近著「國際法」洋洋六十萬言，行將出版問世。曾爲本報翻譯之肯寧將軍所著「我所知道的麥帥」，現經易名「麥帥印象記」，列入段宏俊所主編的「自由太平洋叢書」第卅號，出版問世，頗受讀者歡迎。

中國瓷器飄洋過海小記

·資輯·

中國是世界上最早發明製造瓷器的國家，創始於三國時代，成長於隋唐時期，無論造型、紋飾、技法、瓷質各方面，都有獨特的成就，這是觀賞和實用相結合的工藝品。

瓷器碎片　饋贈禮物

近年來，埃及開羅的福斯塔特，波斯的沙瑪拉，印度的布拉明納巴德等遺址，發現越窰、邢窰的瓷器碎片，足證唐代瓷器已西銷印度、波斯以至埃及。唐大中五年（公元八五一年），阿拉伯商人蘇萊曼和伊本、庫達第伯等，曾記載漢府（即廣州）、勞京（即交州）出口待運的瓷器堆積如山，蘇萊曼還描繪中國瓷器「透明如玻璃，裏面盛了酒，外面可以看到」。

宋代瓷器出口仍以廣州居首，南宋初才轉移到泉州去。宋紹興二十四年（公元一一五四年），阿地理學家愛垂西在所著地理書中已提到中國盛產瓷器的情況。元代，意大利人馬哥孛羅在遊記裏描述刺桐城（即泉州）的瓷品和香料等貿易；摩洛哥人伊本·拔圖塔在遊記裏也描述廣州的陶瓷市場，並稱「這種瓷器是世界上最精美的」。

宋乾道七年（公元一一七一年），埃及王薩拉定會用中瓷作禮物，贈送給大馬色國王努爾要定。據歷史記載，後此六百七十六年（明成化二十三年），埃及王又以中瓷贈給美第奇王。可見把中國瓷器當作饋贈禮物，久已相沿成風了。

海陸並進　傳奇色彩

明三寶太監鄭和下西洋，隨着船隊的行蹤所至，中瓷的運銷大大超過了前代。鄭和隨行諸人如馬歡、費信、鞏珍的著作裏，都有詳細的記述。明弘治十年（公元一四九七年）以後，葡萄牙人和荷蘭人開始前來廣州販運景德鎮青花瓷和龍泉青瓷，打破過去只銷到波斯灣、地中海的範圍，繞過大西洋，遍行全歐洲。

當時，瓷器出口主要走海道，但也有想盡方法陸運諸部，以冀獲厚國貢，萬曆野獲編載：「余初怪其輕脆，何以陸行萬里？既細叩之，則初買時，每一瓷器納沙土及豆麥少許，疊數十個輒牢縛成一片，置之濕地，頻灑以水。久之，則豆麥生芽，纏繞膠固，試投牢確之地，不損破者始以登車。既裝駕時，又從車上扔下數番，堅韌如故者始載以往，其價比常加十倍。」

龍泉青瓷初抵法國時，法人驚訝其色澤的美麗，又找不到合適的語言來形容它，就叫作「賽臘銅」。按「賽臘銅」是十六世紀末法作家杜爾夫著阿司特來傳奇中牧羊人的名字，只有他的舞台服裝的顏色差可同龍泉青瓷媲美，因此一直沿用到今天未改，這充分說明法人的愛好了。

清初雖施行閉關政策，但中瓷仍分海陸兩路暢銷國外，西班牙人首先運瓷器到歐美兩洲，荷蘭人和英國人繼佔優勢。早期只盛行於法德俄宮廷，如凡爾賽宮和德意志各選帝后宮，後來普及到民間，成爲日用必需品了。

近衛花瓶　廣彩新品

薩克森選帝后時，曾把四隊近衛軍和鄰邦君主交換十二個巨大藍白花瓶，號稱近衛花瓶，現陳列於德累斯登博物館。俄國沙皇大彼得曾向中國訂購瓷器，有的茶具上繪有俄國雙鷹國徽。十七世紀末葉，法王路易十四曾命宰相馬扎蘭創立中國公司，並派人到廣州訂做帶有法國甲冑、紋章的瓷器，這對後來的「羅可可」運動，起了顯著的影響。

十八世紀以來，中國瓷器廣銷歐美，因而新成立洋瓷業。劉子芬竹園陶說：「清代中葉：：歐土重華瓷，我國商人投其所好，乃於景德鎮燒造白器，運至粵垣，另僱工匠，仿照西洋畫法，加以彩繪，於珠江南岸之河南，開爐烘染，製成彩瓷，然後售之西商。」這就是色澤絢爛華麗的「廣彩」了。

編者按：「怪力亂神與法律叢談」續稿未到，暫停一期。

三國演義縱橫譚

燕謀

羅貫中是元末明初文人，他爲什麼會產生平民意識？便是我們所要研究的。從元代起，我國的文人和文學，發生了極大的變化，也可以說是另闢了一條新路，大家往這條道路前進，但是，他們爲什麼要另闢新路？一言以蔽之，是『逼上梁山』。元人本係北方的游牧民族，他們是百分之百的游牧文化，就講求馬上第一的，他們只知道『馬上可以得天下』，而不知道『馬上並不能治天下』。元人入主中國，根本談不上文化，不懂文化，當不重視讀書人，甚至賤視讀書人到極點。元人把社會之人分爲十等階級。文人被在第九等，比娼妓還要低一等。試想，讀書人在當時是何等苦悶！何等不平！在元代以前，讀書人都是以讀書做官爲出路的，所謂『學而優則仕』，可是，到了元人侵入中國，每掠一地，就派一個蒙古人治理，甚至一個小小縣令亦是如此，而且這些官兒都是世襲，再加上數十年沒有科舉，讀書人根本難以生存。雖然到了明朝，復由漢人統治，但明朝的皇帝對待士大夫之嚴峻苛刻，較之前代不僅是空前，而且也是絕後。尤其是明代開國之君的朱元璋，明洪武九年，葉伯巨曾經上書說：『今之爲士者，以混迹無聞爲福，以受玷不錄爲幸。以屯田工役爲必獲之罪，以笞鞭捶楚爲尋常之辱。』可憐他就因此而瘐死獄中。由此可見那時候的文人，根本就不能混了！元人宮天挺的『范張雞黍』裏有一段記載，就是描寫那時候文人的心理和遭遇的情形，十分淋漓，不妨舉證一觀，以見一般，也可讓讀者以此而體認當時的文人景況。

天下樂

你道是文章好立身，我道今人都爲名利引。怪不着赤緊的翰林院，那夥子每錢上緊。他歪吟的幾句詩，胡謅下道文，都是要人錢，諂佞臣。

哪吒令

國子監裏助教的尚書是他故人。秘書監裏著作的參政是他丈人。翰林院應舉的是丞相的舍人。則春秋不知怎的發，周禮不知如何論，制詔誥是怎的行文！

鵲踏枝

我堪恨那夥老喬民，用這等小猢猻，但學得些粧點皮膚，子曰詩云。本待要借路兒苟圖一個出身，他每現如今都齊了行不用別人。

（七）

南國水果「野味」五種

胡資

當我們剛剛嘗過荔枝、龍眼、蜜桃，跟着梨又大量上市了。這些水果都是人們熟悉的人工栽植的產品。而水果之中的「野味」，熟悉的人恐怕就不多了。

可口的崗棯子

當你到郊外漫步，在小山崗上就可以看到一種個子不高、橢圓形葉子對生的小灌木。春夏之交，它在枝頭滿布着粉紅色五瓣的花朵，這就是人們喜愛的崗棯樹。

崗棯的花有點像桃花，玲瓏嬌艷，故又名桃金娘。它不但花色美麗，結成的果子也別具一格：大如指頭，像一顆小小的番石榴，果面披有一層像天鵝絨的絨毛，成熟時呈深紅紫色，汁液也是紫色的，味道酸甜可口。崗棯是華南山野間極爲常見的野生植物，每當成熟季節，走到山崗上，眞是隨手可摘。不過由於它果皮薄嫩，容易變壞，不易存貯運輸，所以在城市裏不易吃到它。

僅僅名稱不雅

在向陽的山坡或山溝的兩側以及山路旁，有一種攀緣狀的灌木，名叫蛇泡勒（又名茅勒），這種植物名稱不雅，枝條和葉柄又都披上一層軟毛及小鈎刺，但它的果實却紅艷艷的，而且晷近透明。最大的有拇指頭大小，像一顆晶瑩的紅寶石，很逗人喜愛。這種野果同樣可以吃，味道雖不太甜，吃進嘴去却感到特別鬆軟可口，還有一種其他水果所沒有的清香，是解渴佳品。蛇泡勒的果子營養價值也不差，據分析，它含有豐富的丙種維生素。可惜這種野果也不能久留，放上一兩天，不但黯然失色，而且味道也變淡了。

野生的「水蜜桃」

山竹子是一種熱帶水果。但在廣東的一些丘陵地，可以見到它的蹤迹。這種野果圓而稍扁，外形有點像桔子，成熟時呈暗紫綠色，果殼很厚而韌，內裏包着雪白而細膩的果肉，入口甜如蜜，但稍帶點酸味，像水蜜桃。如果冷藏以後來吃，就同雪糕差不多了。山竹子在李時珍的「本草綱目」已有記載，它說：「食（山竹子）時倒捻其蒂」，這大概是它又名倒捻子的原因。

味道奇特五味子

五味子（廣州人稱爲「酸味子」）在華南山野間到處都有它的蹤迹，是一種中等大的喬木，葉子呈橢圓形，五月間在枝梢開着成簇的白色小花，花後結成珠子般的果實，顏色有黃、紅、紫幾種。五味子的果實與衆不同，吃起來有鹹、甜、酸的味道，五味子的名稱就由此而來。五味子也是難登大雅之堂，在一年之中，只有乞巧節前夕才會在水果攤上露面。

五味子除作食用及製果醬外，民間還以它作藥用。但請勿誤會，它並不是中藥店裏的五味子，中藥店中的五味子是屬於五味子科的。

只要摘一顆……

餘甘子（廣州人稱油甘子）雖然也算是水果，但誰也不願意連續吃上幾顆，因爲它水分不多，吃進嘴裏，一些兒也不甜，又脆又硬，又酸、又苦、又澀，味道實在不好，可說是不受人們歡迎的野果。可是它有個特點，就是經過細嚼以後，就會滿口生津，並有甘涼感覺。野外活動的人，只要摘上一顆，慢慢咀嚼，便會煩渴頓消。

評介「我的生活史」

·洪流·

著者：馬五先生

回憶錄或是自傳一類的文字首在求眞，不眞實就喪失了回憶錄及自傳本身的價值。有眞實價值的傳記文學，可補正史之不足，且可爲研究社會史學人的資料。此因在傳記裏，著者所欲描繪的是他本人，而其內容又全爲著者自身所經歷的眞人眞事，故而在那些眞人眞事裏，自可發現很多的有用材料，用以補助正史之研究，那是再好也沒有的啦。更何況在那些眞人眞事裏，蘊藏了更豐富的地方禮俗，那不是社會史料的絕佳來源嗎？

自傳常是文學的，在文學的領域裏佔有甚爲廣大的地位。一來是自傳常能放開筆去描繪自己，再者自傳裏都是著者所最熟習的事物，正確詳實，即或有部份的悞記或缺失，也無損於自傳的完整。三則在自傳裏我們可以看出著者個人思想的遞嬗，以及著者個人對時代的影響。因爲一個人自束髮受讀算起，在他四十年或五十年的悠長歲月裏，一定有順有逆；有坎坷不平的命運，也有風花雪月的閑情。使我們後人可以看出著者對坎坷命運的搏鬥，以及對閑適心境的排遣，這都是有用的。古語說：「小人閑居爲不善」，但世間又能有幾多聖人？所以反而是「小人」對我們的影響更大些；也更可以在「小人」的思想過程中，砥勵後人爲學做事之道。

傳記文學或者是歷史性的記述，尤其在我國文史的界域是很難加以確切不移的劃分。故而傳記常時是史學的。史學的傳記，注重方法，以及考據。爲了傳記是史學的，撰述人必須多方蒐集資料，包括他個人以及他周遭熟習的人與事，正確的記敘出「事」的經緯，以及「事」的發展。再者自然會考證「事」本身的影響以及其對「事」應有如何的看法。史的傳記，也可能是辯誣的，當事人在客觀與主觀環境兩不允許下，所做的事可能不爲人所諒解，但當事人又不好直接訴之報刊，登載闢謠的文件，那就只有出之自傳一途，若干年後，人們閱讀之餘，自會恍然大悟，拍案而道：原來如此！這都是傳記文學的妙處。

寫回憶錄又好像是大人先生們的專利品，因爲一品小百姓，渾噩一生，無事可記，更少回憶的價值。這是絕大的錯誤。大人先生們固然在世時轟轟烈烈，那都是過往雲烟，人間富貴壽考不過如此。如果大人先生們的回憶錄永遠談他個人的風雲際會，不但少人讀，也間接的證明那根本是無意義的事。沈三白的浮生六記，雖只記述他個人的閑情、坎坷、閨房、浪遊等，但我們讀後，永遠的感覺到齒際留香。而沈氏個人的官並沒做多大，僅止於遊幕的幫閑客而已。在事功來講，既不見諒於父母，又不得直於兄弟，甚至在父喪未殯之期，竟有人登門索債，那是多麼可憐亦復可嘆的事。可是當我們讀到沈氏的閨房記樂，則另有一種清新之感。沈婦陳芸，並不是世間最美的小婦人，反而可能有一點陋，書中說：「肩肯長頸，瘦不露骨，顧盼神飛。唯兩齒微露：：：」一個瘦高削肩又是長脖子的人，說她不美，那是不會離譜太遠，更何況她還露出兩隻大門牙呢！但我們在書中讀到的她，反更覺可愛可親。因爲她內在美已達於極巔。這樣的記浮生，我們讀後只覺其美其善，而不注意到是否爲大人先生們的著作了。

馬五先生的這集生活史，也是如此。它是文學的，也是史學的自傳。它經歷了我國最偉大的一個時代，所以有其必讀的價值。馬五先生是政海浮沉的勇士，但他的本來却是儒家思想一體相承的書生。書生處在風雲譎詐的政海裏，所能得到的結果，不是隨波逐流，就是硜硜自守。隨波逐流是宦海徵逐，到頭來淹沒自己；而硜硜自守之士，多是還我本來面目的書生。書生的本來面目是正與誠。而馬五先生的生活史，也正是代表正直和誠實的文學的與史學的記錄。讀者諸君爲求誠與正，盍興乎觀！

國劇繽紛續錄（十五）

娑婆生

談少安演出（續）

三天戲碼，少安自演逍遙津，胭脂寶褶，天雷報，皆其得意之作。況又加打鼓罵曹，或許尚有打金磚，是台北今年生角逞色的一台戲。最堪稱者，有極好長配的周金福在胭脂寶褶的金祥瑞，天雷報的賀氏，是台北獨一無二的配搭，難覔其他的儔侶。還加上一齣變羊計，更是少見。至於武旦選用林萍，也是極佳。以林氏在大鵬的武旦行，雖未趕過姜竹華，但終未派她演戲，此非弱者，當然自尋出路，少安予她以機會，演出盜庫盜草兩場，這是前輩提挈後進的風度，應該贊稱。以後要多多維護，總不能讓軍中劇團出來的，投置閒散。我們是爲劇藝，不是專捧明星，而成一窩風式，想大眾必以爲然也！

自由中國的劇藝，多籠罩在狂捧方式之中，好固然是好，不好也是好，沒有是非。少安現爲自由的藝人，比從前也稍得閒，希望發揚劇藝，也如金棠一樣，把老戲重行排出，有空可與老師聯絡，共同研究，總之他有六十餘齣戲，不一定學他的唱，而學他的指點全齣的經絡。猶如完璧歸趙劇本，已由曲直生兒與我向劉谿老取得，逡去盼望排出，不過與老師商議，把時纔奉璧到西秦一段，要唱出來的。少安戲路不宜於唱譚余兩派的戲，以往的瓊林宴南天門等，均未得十分的成功。應該走慶奎或連良的一路戲，比較合式。在國內的生行，要想穩得首座，不可不注意這一點。倘使順從建議，以後絕對如此，即將相和也要更改，除三害必須帶打窰，認罪，才有個格局。我想請研究的戲，是文昭關，浣紗計，魚腸劍，完璧歸趙，將相和，罵楊廣，南陽關，喜封侯，淮河營，盜宗卷，胭粉計，七星燈，雍涼關，戰北原，斬鄭文，取滎陽，打金枝，焚棉山，漢陽院。這許多戲，台北生行絕少動唱，增添如許，離克享令譽，當更可期，也就該琢磨，三四年間實現更佳。

也談盜宗卷

余前者曾先後在介壽堂兒童戲院，觀某某兩位名老生演盜宗卷，似與余在北平時所學唱唸，多有出入。本擬借攝影一角，向主演者請教質疑，後因恐招誤會中止。今見七月卅日攝影平劇版，張瘦碧談盜宗卷一則，提起了勇氣。聞此齣譚鑫培甚喜演出，惟演時必須請鮑吉祥飾陳平，余叔岩晚年參加堂會或義演，請鮑演殺家，除與梅蘭芳合演殺家戲鳳外，則亦多與鮑演此齣，邀其合演，無非尊重前輩之意。（未完）

賀耀組之成功與失敗（下）

諸葛文侯

泊是，賀經常服務中樞，鬱鬱不得志，會與愚閒話往事，仍悉念於當年交出兵權之非計，謂若干椎魯武夫藉擁軍而官拜省主席或剿匪督辦者比比然，吾賀某自信對得起國家，亦對得起領袖，然在在落於人後，豈得謂平耶？

對日抗戰前夕，賀一度奉命代理甘肅主席（原任係朱紹良），以好用親戚而政聲不佳，甘肅籍參政員水梓且正式提出彈章，指賀在甘肅省公然販賣鴉片烟，蓋賀派其親戚彭某爲禁烟處長，頗事搭克，致徃吏議也。

賀卸去甘省主席職務後，翊贊中樞，歷任軍事委員長侍從室主任，軍委會辦公廳主任，中央經濟會議主委等職，可謂風雲際會，迥異尋常。然賀熱中於省主席之位，且以湖南主席爲唯一目標，多方活動，志在必得。唯薛岳以戰區司令長官兼權湘省政務，迭著戰功，中樞固未便率爾更動省主席也。賀因而怨望日甚，旋中央任其爲重慶市長，賀視同雞肋，固辭不就，最後受到領袖譴責，勉強視事，心情始終不平，在任三年而四易其市府秘書長（計爲陳介生，賈沛誠，楊綽庵，沈質清四人），姑無論此四君才幹如何，亦足見其用人與馭人之無方矣。

賀以湖南主席希望迄難如願相償，由積怨而潛滋反感，迨勝利復員後，冠蓋滿京華，斯人獨憔悴，更由反感而趨於反動心境，卜居上海，倡設「太平洋學會」，糾合一般在政治上失意人士，擬別樹一幟，思有所圖，暗中與李濟琛、楊虎等沆瀣一氣。斯時愚每至滬上，必趨謁修敬，認爲賀氏雖滿腹牢騷，仍係吾黨忠實同志。迨上海撤守前某日，賀來訪，極力勸愚勿南行，謂局面變換後，上海如許之公營文化事業，亦需人接辦，何必捨近求遠耶？於時賀係在任之行政院政務委員，乃有此語，使愚懷疑其已受愛妻倪斐君之蠱惑，與共黨暗通聲氣矣。一夕趨賀宅，登樓晤倪氏暢談時事，倪謂「政府很不諒解我」，尤證明愚之疑問頗近事實，從此不復往還，離滬時亦未告知賀矣。

卅八年夏間，賀與黃紹竑，劉斐等在香港從事反政府活動，賀氏常懷名冊，遍徵旅港人士簽名宣言「起義」，愚避不與見。劉斐與愚素昧生平，曾有胡某（現居台灣）再三約愚赴劉宅一談，亦婉卻之，旋在「香港時報」譔文指斥黃等，亦應負大陸淪陷之責，亦不配攻訐國民黨及其政府也。迨毛共政權僭立後，賀舉家投奔魔窟，偃蹇武漢，單身居住漢口一啤酒廠樓上，每日策杖步行至「水利部」上班，受劉斐指揮驅策，神情頹喪，非復當年衣飾都麗，神采煥然之高貴生活形態。此爲當年來自武漢之流亡客目擊其情，轉以見告者，殆屬可信。

賀以軍人之資而喜劉覽妨間雜志，常識比較充足。然性遲疑寡決斷，好親細務而罔識大體。亦有物色人才之意念，而不善於處人，且專以親戚居顯要職位，主管財務事宜。故其一生雖多可爲之機，居可爲之位，亦有可爲之時，然結果毫無成就；馴致晚節不堅，挺而走險，委頓沉淪，以病以死，殆所謂不學無術之流亞也歟？併世人物類乎賀氏者，所在多有，可不鑑之哉！

趙五娘

「影劇與歷史」之九

周遊

關於「趙五娘」的戲節目甚多，有描容送行，掃松下書，饑荒米，吃糠，父母餓死，沿途乞討，觀畫，辭朝，打三不孝。都是根據元曲「琵琶記」而來。下面先爲蔡伯喈說幾句話，然後再探討「趙五娘」與「秦香蓮」的故事。

根據「後漢書」蔡邕傳，「琵琶記」確實寃枉了一個大學者，栽誣了一個好人。

第一、蔡邕是後漢陳留圉人，（即今河南開封附近），在漢代沒有考試制度，他不是考狀元，他做官也非是求取功名，是由於他高才和孝義被朝廷的徵召，他很不願爲官。

第二、他並沒有一個名趙五娘的老婆。

第三、他的父親蔡棱爲一正人君子，與世俗不合，沒有做官，行誼清白，獲諡曰「貞定」，年五十三歲病故。

第四、蔡邕確確實實是一個孝子。他母親生病三年，至非寒暑節變，未嘗解襟帶，不寐者十旬。母死守墓，動靜以禮，墓旁的野兎子都和他在一起相處順馴而不驚。墓旁又木生連理，遠近的人都很驚奇地來看。與叔父從弟三世不分財。並不是如電影戲劇中的吃糠，餓死二老。更沒有那樣貪圖富貴不顧父母的不孝不義的事實。

第五、漢代沒有狀元，也沒有考試制度的事，那時是舉官，曹操便是舉爲孝廉的。

第六、蔡邕第一次做官是在漢靈帝建寧三年，喬玄召他做幕府，不久出任平河縣令，官拜郎中，校書東觀。後來皇帝因星異數見，便和他請教消弭變故之法，得罪太監官官等人，被誣徙朔方郡。後來遇赦。以後董卓專權，強迫他入朝。在蔡邕的建議之下，救了不少百姓。後來董卓被誅，他因而歎息，則被王允繫獄而死。可惜他的「後漢記」沒有完成就死了。當代的另一大學人鄭康成聞而歎曰：「漢世之事，誰與正之」！死時年六十一歲。袞州、陳留地方的人，都畫像祀如菩薩。可見他是一個大的好人。

第七、他被強迫做官後也沒有招親。並且在他被人拉去做官的時候，他的父母早已亡故了，那有什麼「掃松下書」？

第八、會彈琵琶的不是「趙五娘」，而倒是蔡伯喈。

其他的史實太多，不必多舉了。所以「琵琶記」完全是影射其他的人，而把「不孝不義」的帽子扣在他的頭上了。使一代學人蒙受沉寃難伸。後人只多看戲劇，看電影，翻正史的人不多。影劇的影響力太大了，個個只知道戲劇電影，以爲它就是眞的了。

關於「琵琶記」（趙五娘）的取材，有人言人殊的說法：一說是高明聽到「滿村聽唱蔡中郎」之後，爲伯喈抱不平而編了此劇。在「閒中今古記及「劇說」中都如此說，說是高明寫琵琶記，在爲蔡邕打抱不平的。（三）

追記譚組菴

憶玉軒雜綴

滌秋

此事在一縣之中，爭相傳言，咸稱其純孝，爲世少有。而舊社會之迂拘若是，使爲人子者，有抱恨終天之痛。

辛亥革命，湖南最先響應者，爲焦達峯陳作新二人。焦自稱都督，陳亦稱副都督。焦陳出身黨會，不爲士紳所喜。新軍營長梅馨，計畫剷滅焦陳，率所部進入譚家，請組菴出來，維持地方。組菴初聞梅馨率部來宅，以爲大禍臨頭，匿伏不敢出。梅馨高聲大叫，非見面不可。組菴勉強出晤，自稱犧牲一人，以救全家。梅馨是穩健的軍人，削平焦陳後，自知聲望不孚，不敢貿然登台，故決定推有負鄉望之譚氏，以爲首領，堅請至再，組菴始允就任湖南都督。否則譚氏爲清室舊臣，安肯輕易出頭，遽作稱王之陳涉。一推一讓，均各有萬不得已之苦衷在。

前清末季，爲應付人民參政之新潮，頒佈所謂「預備立憲」之令，在北京設立諸政院，以爲議會之雛形，在各省設立諮議局，以爲省議會之初型。惟所謂議員，皆係當局所指派，並非由於民選，實是象徵的議會而已。組菴以湘省名流，被任爲諮議局長，能演說，能爲地方說公道話，在當時極負時望，與論翕然贊響，是後來顯稱的種因。

遜清時代，翰林皆住北平，候差候缺，度其窮苦生活。到了科舉將廢時候，皆不拘守，有的北平，有的到外省謀事，有的回家鄉辦學校，辦實業。組菴是貴介公子，生活不成問題，自點翰林後，即在長沙居住，有時亦赴京小住，適與余比鄰而居。他豪於飲，余亦以酒徒自居，往往同至酒樓小飲，酒酣以後，談今說古，滔滔不絕，一若荊卿與屠狗少年，同飲於燕市者然。故余於組菴風韻，知之頗深。當黃鶴樓頭未揭革命旗幟之前一月，爲粵漢鐵路問題，組菴與湘紳朱鞠尊黃忠浩至京，向當局交涉，余與他等復同登燕市酒樓，作平原十日之飲。時方秋初，組菴提議往游西山，同游除朱黃兩君外，尚有周震麟黎桂山方叔章及余。共七人，當出發之時，初秋氣爽，紅葉滿山，游侶皆布衣草帽，足跨小驢，緩行山谷間，野趣橫生，堪以入畫。晚宿鳳山寺，風雨大作，數日不止，遂留寺內。寺爲西太后寵閹蕭德章私建，寺僧爲閹人之落髮者。組菴等連日以清宮內事詢僧，言之津津有味，若加紀述，便可成爲一部清宮秘史，惜乎時間太短，未能如願。

組菴有好客之稱，人所共知。在湖南時，每三日有一小宴，五日有一大宴，眞是有如孔北海一樣，座中客常滿，樽中酒不空也。但其時常往來之醉友，又非如信陵君門下之廣泛，雞鳴狗盜之徒，皆得列座上者。其對飲之流，皆湘中名輩，座客有自一二至八九之稱。所謂大者，爲徐劍石內翰，所謂四者，爲林次煌太史，所謂九者，爲汪詒書太史，餘則我已不能記憶矣。（二）

國產消暑兩佳品

輯資

哈密王的「貢品」

西瓜的得名，大抵都有個由來，有的得之於形，如枕頭瓜；有的得之於色，如三白瓜。喇嘛瓜的得名，則因爲它是由一個從西北來的喇嘛種植起來的。

和西瓜同時上市的是甜瓜。甜瓜也有許多品種。最名貴的是新疆的哈密瓜。清代時，新疆哈密王曾以哈密出產的甜瓜作「貢品」，哈密瓜即得名於此。其實哈密瓜不獨產於哈密，它眞正的「娘家」是南疆的鄯善和吐魯番，而以鄯善出產的品質最好，產量也最多。此瓜古稱敦煌瓜，俗稱纏頭瓜。它兩頭尖圓，普通每個重三至五公斤，最大的達十至十五公斤。瓜肉有黃、紅、白三種。哈蜜瓜的名貴處是香甜甘脆，兼而有之。除了生食外，還可以製成像葡萄乾一樣的瓜乾。據說，清朝時，因康熙皇帝愛吃這種哈蜜瓜乾，那些奴才就把上好的哈蜜瓜都掠爲「貢品」，弄到勞苦的瓜農反而「望瓜興嘆」。

酒香醉人的醉瓜

蘭州醉瓜，也是甜瓜中的上品，據記載，蘭州的醉瓜種，是從回疆傳來的。回疆即現在的新疆維吾爾區。醉瓜和新疆的哈蜜瓜有些相似，不過也有自己的風味。醉瓜又扁又圓，皮色黃綠，瓜肉也是淡綠色的。它不但具濃郁的甜味，還有一股醉人的酒香，醉瓜之名便是由此而來的。（三·完）

內僑警台報字第〇三壹號內銷證

自由報

THE FREE NEWS

第五七二期

中華民國僑務委員會頒發台教新字第三三三號登記證
中華郵政台字第一二八二號執照
登記為第一類新聞紙類
（半週刊每星期三、六出版）
每份港幣壹角
台灣零售價新台幣貳元
社長：雷嘯岑
督印人：黃行富
社址：香港銅鑼灣高士威道二十號四樓
20, CAUSEWAY RD 3RD FL. HONG KONG
TEL. 771726　電報掛號：7191
承印者：大同印務公司
地址：香港北角和富道九六號
台灣分社
台北市西寧南路壹壹零號二樓
電話：三〇三四六
台郵撥儲金戶九二五二

革新政治的先決條件

—必先改革法制—

劉崇史

政治是管理衆人之事，政府基於管理衆人之事的必要而訂立法令規章，作為官民共同遵守的行為軌範，自屬義所應爾。可是，法令不宜苛繁，苛則失之於刻，民不堪命，繁則難免扞格，適以誤事，終於構成官民交困的結果，利未見而害已滋生，不足以言治道也。

就法令的性能而言，無論怎樣繁密，亦不能將社會萬象納入於法定的軌範之中，除卻立國的大經大法如憲法條文，有所列舉外，總以提綱挈領而作概括的彈性規定為合宜。任何一種法律必須適應現實情況，換言之，即須隨着時代與社會演進的情形而加以損益更張，世界上決無永久不變之法，連憲法亦得常常修改，一般的法令規章更無論矣。

法令滋彰的害處

老子謂「法令滋彰，盜賊多有」，這話確係不刊之論。觀史乘紀錄，凡是一個國家擾亂之秋，法令必定繁密，為政者因要防止社會上的亂象，擴大法令的範圍，而不得不乞靈於多法令，法令越多，民困即愈甚，人民在無可如何之中，祇好尋求法外生存之道。比較刁譎點的，更找法律漏洞，使法律失却軌範作用，負之以趨，有如之徒盜竊鍵鑰時，唯恐物主的鎖鍵不嚴；以致悍然撬走，挺而走險，藉法令為釀亂的口實，如陳勝吳廣就是由於服役誤時，害怕嚴法制裁，要受到殺身之禍，橫心急而遂反的。秦始皇剪滅六國，建中國大一統的帝業，威烈煊赫中外，只以苛法治民，偶語棄市，帝業乃旋踵即告敗亡。主張酷法苛政的丞相李斯，最後竟作法自斃的後果，當懺悔無及了。

法令失之於繁複嚴密，又法令妨害行政效率，因為牽掣太多，吏官智能，顧忌殘想，到處荊棘，除弊興利，窒礙難行，唯有泄泄沓沓，維持現狀，才智傑出之士，不願尸位素餐，有所作為[illegible]

[illegible]即如近年來我政府當局高唱[illegible]之一召號、宣傳階段的癥結所在了。

現有的法制急須改革

中華民國現行各種法規，自民國十六年國民政府成立以來，經過立法程序而陸續頒佈的，可謂繁密已極，洋洋大觀了。還有未經立法機關通過，而由行政或地方各部門自由頒訂的，此外不知其數。軍事部門[illegible]。最近據監察院的報告，台灣省單行法規多至一千多種，[illegible]普通人受過中等教育的人亦很難瞭解，對這些法規一般民衆更是莫名其妙。

上述這些琳瑯滿目的法令，大多是全面性的，適合於軍政時期、訓政時期和抗日戰爭時期，有剿匪時期的法令；亦有時期的革命法令，即憲政實施後的非常時期行憲後，十餘年來政府頒訂的憲法法令，仍然之治而立法機關不斷的繁難，由於這些性質不同，不已繼續相互抵觸的法令，每多照樣出入適用，令作規章的可作法[illegible]。

人民行為的軌範，與社會生計的守則，於是乎就構成了一種蜘蛛網式的法治狀況。民衆對於五光十色的法令，不覺模糊不清，容易觸犯，知法犯法之中，多如牛毛的官吏，根據法令規章，處理人民的事，無論怎樣皆不愁沒有法令根據，職權之濫用，嫌疑之因而降低，政治效率為之敗壞，貪污之風盛行，官吏而爭相[illegible]，產生了這結果，還不是法令滋彰的嗎？

本報曾經近年來迭次建議政府本着三民主義的民主共和國基礎，切實建設起見，希望將雜亂的法令規章，由立法機關以全盤檢討，交由立法機關詳加審議，該廢止的就廢止，該修正的就修正，總以符合憲法精神為原則，然後明令宣示，俾衆週知。立法機關職責所在，亦不妨自動從事於改革法令的工作，為人民減少若干煩困，替國家樹立法治信譽，實屬責無旁貸。凡屬抵觸憲法明文規定，和精神實質的法令皆無效，然實際上不特現行的某些舊法已不合時宜，即中央行政部門重新頒訂的若干條例規程，亦每有與憲法牴觸之處。尤其是地方省級行政機關隨便自訂的單行法規，更與中央各部門所頒訂的條例或令甲背道而馳，事證多端，這豈是憲政國家應有的現象？行政院早已設有「法制整理委員會」，中樞還有「光復大陸設計研究委員會」，然對於改革法制一大問題，迄未聞有所擬議，而提出新的方案以供政府採擇施行，令人不無惶惑之感。

法制乃是政府所藉以對人民實施其「管、教、養、衛」職責的必需軌範，現行的法令既多扞格難行，將來回到大陸，再率由舊章，可以求治乎？所以我們認為改革法制，實為現階段的唯一急務，這比劃分省區那類大問題重要多了，大家未可等閒視之吧？

結論

所謂法治國家的眞諦，是朝野人士一例明守法，沒有特權存在，法律之前人人平等，它的尊嚴性不受損害；卻不是僅以繁複苛細之法令為求治要訣，亦不能使新舊失調，性質互異的法律併行兼用；吾國政體既非聯邦或邦聯制，地方政府尤其不應擅訂立一些抵觸憲法、違悖中央政令的單行法規。法律的積極作用是在保障人民應有權利義務，而以便民為主旨，「教、養、衛」的意義皆在其中，[illegible]申、韓法家者流的治術[illegible]英國[illegible]治的精神[illegible]現行法令有許多是流於具文，繁複的法令成了害政病民的惡法，不再急起改革，惡化積重難返，是煌煌憲法亦只是表面文章而已，法治云乎哉！

分家

等待

今日与明日

印巴之戰擴大

印度與巴基斯坦之間的戰事，到了九月十日已變成了全面大戰，雙方互炸對方首都，邊境方面的戰事更是旅進旅退，形成拉鋸狀態。這場戰事是印度首先發起的，印度為了報復巴基斯坦在克什米爾組織解放陣綫，先發制人攻入巴基斯坦，最初由於巴方未曾防備，印軍頗為得手，前鋒直迫拉合爾，印總理且宣佈已佔領拉合爾機場。但經巴軍大舉反攻後，印軍即全綫敗退，目前戰火已燒至印度境內傍遮普省。印度人口約為巴基斯坦的五倍，何以印軍也較巴軍多了四倍，一經接觸，即全綫潰退？原因固由於印軍之不善戰，加之在藏印邊境被毛共軍牽扯了一半軍力，對巴的軍事優勢已失。

印度雙重失敗

印度在軍事方面未能得利，政治方面的損失更大。目前毛共同印尼已公開聲明支持巴基斯坦，印尼暴民且焚毀耶加達印度大使館，這些尚無足怪，因為毛幫同印尼都是唯恐天下不亂，有機會自然盡量挑撥擴大。值得注意的是伊朗同土耳其一對反共國家，兩國總理經過酌討後，也公開宣佈支持巴基斯坦，土耳其並立時運去五百萬美元軍火去巴國，這以來就使局勢更加複雜了。土伊所以毫不躊躇宣佈支持巴國，一是由於三國均為中央公約會員國，二是因為三國都是回教國家，演變下去，相信繼土伊之後，尚有其他各國在，甚至阿聯態度亦復難料。

蘇俄總理柯錫金宣佈願調停印巴爭執，條件是印巴自動停火，退回原有邊界，三個月後克什米爾舉行公民投票，決定其前途。此點巴基斯坦或可接受，印度則斷乎不肯。因為克什米爾人民百分之七十皆回教徒，若舉行公民投票，必然要歸併巴國，印度所以一直反對者在此。

尼赫魯的禍害

尼赫魯之危害自由世界已為世人所熟知，但是大家還以為他對印度獨立有大功，其人雖屬大奸大惡，畢竟尚有微善足錄。現在可以看出並非如此！尼赫魯强併克什米爾的行為，已為印度留下分崩的慘禍。克什米爾應該舉行公民投票，決定其自身前途，是經聯合國安理會通過的，不但合情合理而且也合法，只因尼赫魯生前悍然不顧一切，倒行逆施，終於為印度造成今天的艱難局面。英美兩國目前仍抱袖手旁觀態度，坐看毛共搶去民族主義的旗幟，這是不智的！為英美計，應當乘機迫使印度同意克什米爾公民投票，一勞永逸解決南亞的一個禍根。（何如）

自由談

在最近十年間，美國對巴基斯坦給予了五十億美元的軍經援助，使該國瀕於絕境的經濟情況大為改善，復甦社會生計欣欣向榮；卅萬軍隊的裝備完全現代化，實力增强；國內秩序穩定，國際地位亦隨之高陞了。

可是，巴國政府近年來竟採取反美政策，轉向俄共來獻媚結交，且違悖美國的軍援協約，使用美式新武器以進攻印度，肆無忌憚。表面看來，美國處境甚感尷尬，使美國的「飢餉」的巴基斯坦這種忘恩負義行為應受譴責，美國的幾十億金元真個投入鼠洞了！若從實際上縱是深入觀察，這是美國的人謀不臧，咎由自取。何以見得呢？

美國的煩惱

巴基斯坦原係熱心參加東南亞公約的主要份子，希望在集體安全制保障之下，眞能維護其獨立自由的生存前途。但東南亞公約由英美操縱着，每次開會時，英國代表總是不贊成有反共的意見表示，且聲言毛共可作「亞洲狄托」，即在文字上亦不主張寫出反共詞句。美國對於寮國的共禍，始而强硬，繼而軟化，終乃以停止美援迫寮王跟共黨妥協，組織聯合政府，而寮國迄無寧日矣。同樣情形在越南表演得更有甚焉。吳廷琰不願放棄其堅定的反共措施，美國即策動越南軍人叛變將他置之死地，而越共的禍亂日亟了。巴基斯坦位居東南亞，與俄共接壤，又與素來替中俄共作倀鬻兇的印度緊隣，且互相仇視着，他若始終跟着美國走，即有陷於寮、越同樣命運的危險，何況英美當局隨時稱讚中立主義，它當然要改變對外政策，以圖自立哩。

這樣的巴國總統艾育布曾說過：「美式民主生活固然好，但很浪費，巴基斯坦產業貧乏，美國實在浪費不起這一套！」證明美國對於受援的友邦，動則强人所難，硬要實行美式民主政治，否則怒目相向，作苛酷的批評責難，不惜損傷友邦人士的民族自尊心，結果是用金錢購買一點友誼，亦因此掃蕩無存了！

諸行有美國不已有與其感到失望，對於巴基斯坦則反求作風，自己那套美式民主重錯，強行起改進歐政治，亦應省策，急起改進，則未為晚也。巴國毋寧以政治不亡羊補牢的錯誤，尚未為晚也。

馮王先生

台北律師公會與地檢處鬪法

本報駐台記者張健生

台北律師公會因會員林頌和律師被訴「教唆搶奪」一案，而成立「林案研究處理小組委員會」，並推周漢勳、王培基、朱宗文律師等三人爲委員，進行調查台北地檢處偵辦林案是否有不法之處。該小組經調查研究後，提出調查報告書，轟動法界，但此間報章雜誌隻字未刊。由於這件事對司法界有着深遠的影響，所以記者曾深入採訪，並將調查報告書實地求證，以免有所偏頗。小心求證的結果，認爲該調查報告書頗眞實，不妨視爲司法史上的重要文獻。

該調查報告書說明司法人員如檢察官林茂盛，如首席檢察官焦沛樹，是如何地「意氣用事」，而採取「循環報復」；如律師林頌和之態度，「亦欠嚴謹」，處理本案有失態之情。爲保持超然公正之立場，茲將該調查報告書報導如下：

馮先借欠款　以車作抵押

本質：一、本案爭端之計程車（一一五—〇一〇八號），原係甲方當事人馮先所購置而加入乙方當事人同泰汽車公司營業者。嗣因甲方（馮先）借欠乙方（同泰汽車公司）債款二萬五千元，乃書立「甲方自某月份起，每月歸還乙方三千元，如有拖欠，願以汽車作抵押，悉憑乙方處理……」之字據一紙，交與乙方收執。姑無論該項抵押之約定，是否因「流質」而無效（註一），但該車仍屬甲方馮先所有，依法似無疑義。蓋以汽車加入他人之車行營業，照章必須過戶登記爲該行所有，性質上屬於移轉財產所有權之「信託管理」（即特種委任），其受託人對外雖得行使所有權，然就內部關係言，除須受雙方所訂合約之拘束外，並應承認委託人之車主身份地位及權利。此觀於本件計程車雖因加入乙方營業而過戶登記爲乙方名義所有，而乙方仍同意甲方（馮先）以之作爲借欵之担保品一節，更臻明確。

先是乙方（同泰）取扣該車時，曾有某警員參與「協助」，業經甲方（馮先）對該警員提起告訴，控以盜竊之嫌，並被處分不起訴。以是甲方（馮先）亦憑其車主身份，投桃報李，於（五四年）三月十八日深夜（即十九日零時），偕同其妻馮紀桂英，自（台北）西門町坐上該車，囑由駕駛司機鄭清郎駛至建國南路林（頌和）會員住宅附近，乘機將該車駛往他處收藏，意欲造成優勢，徐圖解決債務糾紛。於是乙方（同泰）亦以牙還牙，於同月十九日以妨害自由等罪嫌，報請警四分局偵辦。

原始告訴　扣車不當

查當時所控情節，據乙方同泰汽車公司在當日告訴書中引述司機鄭清郎報稱：「該被告馮先首先將本人所駕駛之汽車分電盤折卸，並聲色俱厲大肆咆哮的說：『林律師要把車扣押在這裏』。本人答以：『扣押車輛私人強暴行動爲非法，如有糾紛可以循法律解決或到派出所調處』。但被告馮先堅決不允許，繼使本人打電話請老板來時，被告乘機藏，待告訴人（鄭）返回問該車因何不見時，被告林頌和答稱：『車由我負責保管』等語，並由林頌和親筆書寫扣留車輛條據，另由被告馮先在條據上簽名。」足見原始告訴內容，重在指稱被告因民事糾紛而扣車保管之不當而已。

鄭司機供述　車被扣經過

同月二十日，同泰汽車公司司機鄭清郎在刑警訊問時，亦供稱：「他（馮先）即問我，這車是你自己的或是朋友的？我說是老板的。他就伸手將我開引擎發動的鎖匙拿出……我想下車，該男客人拉住我，不讓下車，他對我說：『我姓馮，這車是我的』，……這時有一好像喝了酒的人回來，也不叫門，拼命用脚踏林律師的門，這時那男客人說：『我下去看看，是否林律師回來』？他下車後又同那人不知說什麼，說他（意指喝了酒的人）是否林律師，儘說：『你要解決此事打電話到公司去叫老板來出面解決』。我斯時實也無可奈何，覺得這事應怎麼辦才好：就跑到電話亭打電話到公司找李顯章，叫他趕快找人來解決。但我回來時，電話打了怎麼樣？……』我不願進去，詎知他們已將車駛走……我可急死啦！罵他們無恥騙人。因吵鬧得利害，林律師家『你不要怕，不勞你的事，保證車子丟不了，進來坐坐再說……』那男女二客人，一拉一推的硬推我入林律師客廳，坐一會，公司派來人要求見林律師，他們說林律師已酒醉，不能見客。後公司派來的宋先生問林律師太太，（林太太在我打電話時又回來）車子是林律師扣的嗎？林太太說是馮先生扣的，他交我先生（林頌和）保管的。後我與宋先生到派出所報案」。益見本件告訴意旨，仍不出馮先扣車交林頌和會員保管之範圍。

本案之爭端　爲債務糾紛

綜觀本案爭端之本質，要係民事債務糾紛，雖雙方就爭取計程車之手段與方法，均未循適法程序，不無越軌失常之處，然甲方馮先如尚未喪失該車之所有權，或主觀自信爲車主，則充其量亦僅是否「妨害自由」之問題，在客觀條件與主觀意識上均不發生「以不法所有之意圖而搶奪他人動產」之問題，殆可斷言。從而林頌和會員被訴「教唆」搶奪之嫌牽强。

林頌和會員與馮先即甲方之關係：據馮先在刑案偵查中供稱，當晚林律師「沒有在家」，經其找回，渠曾於「三月十九日的早上林律師回時」，寫有委託書並付與新台幣五百元，委請林頌和會員辦理此案，但在三月十八日採取控制計程車行動時並未與林頌和會員商量，而係馮先自己起意先取回該車，再請林頌和會員謀求適當解決。是在爭端發生後，林頌和會員因甲方馮先委任而爲之處理事務，自屬確有委任關係之存在。

刑警的報告　竟斷章取義

本案偵查之經過：關於刑警人員者：本案自乙方同泰公司於今年三月十九日以妨害自由及搶奪罪嫌提起告訴後，警方即積極着手偵查。不知刑警人員是否不諳比較複雜之民事關係，抑或由於甲方馮先前曾對「協助」乙方同泰公司扣取該車之某警員提起控訴之故，因而其處理本案，似難謂無偏差。此就承辦刑警之報告（即五十四年三月二十六日報告），忽署馮先所供當時林律師「沒有在家」，「林律師是三月十九日的早上一點多鐘回來的」，林律師回來後，叫我先將車開走」等情，而竟斷章取義，謂「馮先並稱該車是林頌和叫我開走的」，因認林頌和會員「不無教唆共同犯罪之嫌」。（上）

去年少生三萬·今年可達四萬
香港節制生育開始見效

今年節育者　婦女三萬名

香港一方面旺丁，本年從一月到七月，共有五萬六千七百九十六名嬰兒出生；但另一方面而言，家庭計劃指導會推行節育的結果，去年大約有三萬個嬰兒被阻止出生，到本年底，預料可再減少一萬名嬰兒出生，該會本年準備爲三萬名婦女配戴子宮環。

香港家庭計劃指導會將於本月十六日舉行第十四屆會員大會，報告過去一年來的會務工作概況。據該會年報透露：本港的人口出生率，已由一九六三年的千分之三十二點一，降至一九六四年的千分之二十九。這是香港有史以來最低的紀錄。

古老節育法　漸漸要淘汰

在各種節育方法中，最受歡迎者是子宮環節育法，預料在今後幾年內，子宮環節育法將會淘汰其他較古老的節育方法而成一枝獨秀。在一九六一年前採用子宮帽法者，平均佔參加節育者的百分之十八左右，隨後按年遞減，至去年低至百分之十一點八；而子宮環節育法，於一九六三年開始試用，該年度採用者僅佔各種節育方法總數的百分之三點五，一九六四年則增至百分之二十一點九六，本年度，採用的婦女已逾一萬名之多。

在一九六三年至一九六四年間配戴了子宮環的婦女，本年一月至七月期間到家庭計劃指導會檢查者有四千二百[illegible]

最受歡迎者　首推子宮環

節育法，即佔百分之十九點三五。

從一月到七月內，在新參加節育的二萬七千一百四十九人中，有一萬五千四百零七人是採用子宮環的，即佔百分之六十八點四。而在這七個月內，採用其他節育方法的一千三百八十四名舊人中，一千七百五十七人改用了子宮環，二千一百四十四人，繼續使用而沒有回去檢查，有六千四百人。綜計在本年一月到七月期間，繼續節育者共有三萬零二千八百人，其中使用子宮環者有一萬四千三百九十七人，即佔百分之四十七點九四。

子宮環節育方法之所以受到歡迎，一方面是安全有效，失敗率只不過是百分之零點三三；另一方面是簡便又廉宜，適合居住於擠迫的住所的貧困婦女使用，因爲一個婦女配戴了子宮環之後，可以在一兩年甚至數年內無須理會而收節育之效。

子宮環節育方法的原理，曾用猴子作試驗，試驗的結果表明，當一個環在子宮內，會增加輸卵管的挪動，因此卵子停留在輸卵管的時間極短，所以便沒有受精的機會。

不用子宮環　可用口服丸

關於子宮環的使用方法雖然簡單，但有幾點用者是應特別留意的：

一、流血——如子宮環配戴不當，會擦損子宮頸，引致流血或不適。每次入環後，輕微的流血是意中事，且常會連續數日，這是由於入環前要用探宮器，試探子宮的方向及大小，這樣便不免會擦損。

二、跌出——有些婦女的子宮是很敏感的，不能容納子宮環的存在，在紀錄中有百分之九的節育婦女有這種情形，因此要再次入環。如果第二次還會跌出來，節育者便應改用其他節育方法，以暫時性來說，口服丸是最安全的。

三、意外受孕——有些人配戴了子宮環後，可能跌了出來而不知道；也有些雖然配戴了子宮環，但仍會受孕，不過這種情形極少發生，在用者中不足百分之一。

至少生一胎　才能用此環

四、何時應把環取出——這個塑膠製的環，作兩個S形，體積很小，可以永遠放在子宮內，如想生孩子時可以取出來。目前有一千六百名婦女是連續配戴兩年而無不適感覺的。

五、那種人適宜用子宮環——目前，最少是生過一胎的婦人，才獲許可配戴子宮環，因爲經過生育，子宮頸已經張大，而較易入環。

美國黑手黨無惡不作
三K黨的難兄難弟
——紐約通訊

提起美國的幫會組織，人們首先就會想到三K黨。它摧殘人權，臭名早已昭彰。除了三K黨之外，美國的幫會組織，還有黑手黨。它的惡行，比三K黨也沒有遜色多少。

黑手黨所幹的「好事」，是殺人、販毒、走私、搶刼和販運婦女等。一般的黑手黨徒，外表上都有職業；重要的黑手黨人物，還是開店設廠的商人。他們就是利用這種表面上的身份，來遮掩他們的滔天罪行的。

在紐約州北部的一個小城裏，曾發生過這樣的一件事情：某天下午，數十輛新型的汽車開到郊外一座華麗的別墅前面停下來，從各車裏先後走出六十五位衣冠楚楚的客人，他們進入別墅之後，受到主人熱烈招待。但是，當他們正在呼盧喝雉、觥籌交錯的時候，忽然警察來了，把他們全部押返警局。

他們是些什麼人呢？爲何被警察逮捕？原來他們是黑手黨的首腦人物，爲商討黑手黨內部問題而來的。不過，他們雖然被捕，警察當局雖然明知他們是黑手黨頭子，但因爲「罪證不足」，他們在警察局裏呆了幾個鐘頭之後，便被無罪釋放了。

黑手黨成立於一九三一年九月七日。這一天，美國各地的幫會代表在紐約集會，確定了黑手黨的組織。黑手黨組織之中，有一個「暗殺公司」，是黑手黨的行動隊。黑手黨要暗殺什麼人，或是要對付什麼人，就交由這個「暗殺公司」去執行。以前「暗殺公司」的負責者是阿納斯塔西亞，但他也於數年前被別人所暗殺了。

目前，美國黑手黨的黨魁是吉羅佛斯。他是祖籍意大利的美國人。在黑手黨未成立之前，即從一九一七年起，他便已經在美國幹着殺人越貨的勾當，培養和帶動着他的嘍囉，由此不難想知，今天在吉羅佛斯之下的黑手黨徒，是些什麼樣兇殘無賴的傢伙了。

黑手黨是以一個黑手印爲標誌的。這個黑手印象徵着死亡和恐懼，不知有多少人和多少行業受它的控制，最近它更控制了紐約的垃圾清除運輸業。

爲了便於控制各行業，黑手黨打入了一些黃色工會，有的黑手黨徒還竊據了黃色工會的要職。

由於黑手黨控制各行業，重要的黑手黨人物又是開店設廠的商人，因此黑手黨擁有不少動力。據「美國新聞與世界報道」記載：在紐約，有一個黑手黨頭子是幾座摩天大樓的股東；在底特律，有一家銀行經常貸款給黑手黨。這就使得他們有了足夠的活動的經費，能夠如虎添翼的猖獗起來。

全世界僅共產黨徒不尊崇他
行誼偉大的施惠澤醫生

·本報資料室·

九月四日以九十高齡死在非洲加蓬的施惠澤醫生，生前得到全世界的景仰，噩耗傳出，舉世哀悼；惟獨共產黨人對他的「愛心」「愛行」大有微詞，說他「不革命」，「沒有什麼了不起」。下面是這位醫生行誼的簡述：

德國人施惠澤醫生，生於一位牧師的家庭，他曾習神學與音樂，當他在青年時寫着一本神學書名叫「找尋歷史上的耶穌」，乃一本出色的巨著。他又寫着一本講及德國大音樂家巴哈的專書，他被稱做研究巴哈作品的專家，最有希望的青年。他旅行各地演奏風琴，到處受歡迎。他的神學家的身份也受到大衆景仰。他不獨比較尋常人爲聰明和富有藝術天才，他更有很強健的體格。

在一九○五年，施惠澤醫生到了三十歲時，他就決定以他自己的才能爲大衆服務，但他仍未能想到有效的辦法。他認爲單向人宣講福音是不夠的，就算音樂對人也未能有好處，他想尋到值得去做的實際工作。直到有一天他從一份巴黎傳教會的雜誌上看到法屬剛果的北部省份的教會不夠人用，他就頓想到他要去做的事，他決定加入在赤道非洲的醫藥傳道會。但這並不是容易辦到的，除去神學、哲學與音樂之外，他要去攻讀醫學。他已經是一間大學的講師，現在要做一個醫科學生，他努力學習！他對醫學雖不感興趣，但爲着將來有實用，他就振發精神，經過八年，他不獨對醫學理論精通，對外內科臨床實驗也有很好成績。當他畢業後向巴黎傳敎會申請，派他到非洲傳教與醫治非洲土人，却遭拒却！他就節省起他對巴哈專書的版權費，他表演音樂的收入與得朋友捐助，在一九一三年耶穌受難節那天，三十八歲的施惠澤醫生帶着他的愛妻離開歐洲到赤道非洲去。他們到法屬加蓬的林巴連地方的一個養雞場的舊址，開辦一間小醫院。在附近有病的土人前來求醫，除了治療外，施惠澤更要供給他們住宿和飲食，更敎懂他們與家人淸潔之道。病者痊癒後多拿當地的土產和食物來作酬報。得各方面的幫助，施惠澤的醫院也逐漸擴大。

後來獲當局的准許，施惠澤醫生被准許傳敎和療治病者。巴黎的巴哈音樂會特別贈送他一座鋼琴，使他能夠在每天練習彈奏半個鐘頭。

在一九一四年八月，第一次世界大戰爆發後，施惠澤被迫要放棄對非洲土人的治療工作，因爲他本人是屬於德國籍，就被法國政府拘禁。在期內他著寫有關文化的哲學，他立下他本人的哲學偉論：「對生物的尊敬」。他不獨愛人，且愛所有的生物。在一九一七年施惠澤醫生獲許恢復行醫工作，又被押返歐洲的俘虜營。他在營中，在桌面上，作空想的風琴練習，用手指按桌作琴鍵，和動腳作踏風琴踏板。他又寫有關文化的著作。在交換戰俘時，施惠澤和他的妻子得以返回故鄉阿薩休養。

在一九一九年施惠澤醫生在施行手術後療養好身體，到瑞典講學。翌年他將他的經歷，寫成「原始森林之緣」一書，[illegible]，翻譯成許多國語言。他隨他到歐洲[illegible]演講和朗誦他自己的作品。他繼續研究熱帶病症和牙醫等等。他於一九二四年回到林巴連。他離開那裏經已十一年，所有的房屋已破毀，他就將它修理，得土人的協助，就再開放。施惠澤醫生在一九二七年又返歐洲籌欵，他到各大城市演奏講演，他在一九二九年返回林巴連。

這是施惠澤醫生的生活方式：在非洲，心靈和體力，俱都弄到疲勞，回歐洲憩回復他的精力，但他也要演講、回和出版書籍。直到他在非洲的醫院容四百名病人，更有多名歐籍醫生和護士仗義去那個熱帶森林的地方幫助他的病人。

施惠澤醫生每天工作的時間，並不是八個鐘頭，他在晨早六時四十五分便開始工作，直到午夜才停止。他不獨對病症戰鬥，也是他本人的疲倦戰鬥。他的畢生是完全爲別人服務。

編者附誌：「怪力亂神與法律叢談」續稿未到，再停一期。

「無上裝」居然「合法」記

胡資

無上服裝已經合法

「無上裝」只不過出現了一年多，但在歐、美不少地方，已日漸流行。在海灘、酒吧、夜總會、餐廳，都有許多女人穿着無上裝泳衣或無上裝外衣。她們之中，有游泳愛好者、天體主義者、吧女、侍女、交際花、影星、歌星以及其他職業女性。

猶記「無上裝」最初在歐、美出現的時候，有許多穿着「無上裝」的女人，都被警方干涉、逮捕，在法庭上，不是被警告，便是被罰欵。可是，曾幾何時，一年多之後的今天，「無上裝」在歐、美許多地方已取得了「合法」地位。穿「無上裝」的女人，再也不必躭心會被警察干涉、逮捕了。

既然「無上裝」已經取得「合法」地位，穿的人自然會越來越多，「無上裝」的花樣（欵式）也自然會日漸增加。在法國某些海濱地區，「無上裝」已「進步」到僅剩下一塊小到無可再小的「三角布」，僅能遮住女人的「要害」部位而已。

有人支持穿無上裝

「無上裝」由出現、被禁而到解禁、流行，主要原因自然是由於此乃社會惡劣風氣之所趨——既然有那麼多女人喜歡穿着，禁也禁不了那麼多，只好順應自然，讓它自由發展。

可是，你不要以爲「無上裝」從「被禁」到「流行」，其過程是一帆風順的。不，並非如此，它是經過一番「鬥爭」的。參加「鬥爭」的人，自然是那些喜歡穿「無上裝」的人以及支持穿「無上裝」的人。這兒不妨舉一個實際的例子：

大概是一年以前吧，那時是在「無上裝」出現不久，法國康城（法國南部的海濱城市）附近的一個海灘上，有一個漂亮的二十一歲少女，穿着「無上裝」——一點式的「比基尼」（即把三點式的「比基尼」除去乳罩），跟她的同伴興高彩烈的打乒乓球。如此「精彩」的表演，自然吸引了不少觀衆。

這個穿「無上裝」的「乒乓球愛好者」，是巴黎一間學校的體育女教師，姓名爲哥羅汀·杜蘭德。她的乒乓球技術雖然很蹩脚，但觀衆們却一點也不在乎，認爲她表演得「很精彩」。

可是，這個「乒乓球愛好者」的海灘表演，終於被警察打斷了。警察把她逮捕，交給法庭審訊。法庭認爲她犯有「違反公衆禮節」的罪，判她有期徒刑，暫緩施行，並罰欵若干。

此案判決後，不少人對法庭的判決大表不滿，支持這個穿「無上裝」的「乒乓球愛好者」，建議她向高級法庭上訴。（上）

三國演義縱橫譚

燕謀

寄生草

將鳳凰池攔了前路，麒麟閣頂殺後門，便有那漢相如獻賦難求進，賈長沙痛哭誰俯問，董仲舒對策無公論；便有那公孫弘撞不開「昭文館」，「編虎牢關」，司馬遷打不破「編修院」裏長蛇陣。

歷篇

這邊廂你腥也猶未落，頂門上胎髮也尚自存，生下來便兄先弟後財帛，又交着夫榮妻貴催官運。你大拼着十年家富小兒嬌，也少不的一朝馬死黃金盡。

六歷序

你父子們輪替着當朝貴，倒班兒居要津，則欺瞞着帝子王孫。猛力如輪，詭計如神，誰識你那一夥害軍民聚斂之臣！現如今那棟樑材平地上剛三寸，你說波，怎支撐那萬里乾坤？都是些裝肥羊注酒人皮囤，一個個智無四兩，肉重千斤。

試想，那種政治社會風氣，文人的怨氣何以得出？讀書人不但沒有出路，他始終是一個平民布衣，只有受壓迫的一份。縱有少數又少數得倖進爲官，也只有作奴才的官，根本不把你當人辦。如此壓抑文人，政治當然不會淸明，文敎那更談不上了。難怪葉伯臣先生要大發牢騷說「以混迹無聞爲福，以受玷不錄爲幸。……以鞭笞捶楚爲尋常之辱」了。明太祖朱元璋，他竟在金殿之上打大臣的屁股，這還成體統嗎？如此的政治社會背景之下，文士們就只有做平民混迹無聞爲福，永遠站在平民的立場，沒有抬頭的日子；他們那滿腹的怨氣，無處發洩，只有用很隱祕的方法，借用神話，或者歷史的人物，隱寓對現實的不滿，痛謷那些欺壓平民百姓的貪官污吏。對於那貴族門第的富豪，深惡痛絕，那當然就成了必然的意識。羅貫中、施耐庵等，都是元末的平民作家，因爲他們自己是平民，他們身受了政治社會的壓抑的痛苦，他們當然是站在平民的立場，來爲平民說話。這樣的情形下所產生的作品，豈不就是「平民文學」？平民文學作家創作他的作品，當然要站在平民的立場立言，因此對於他借用的歷史人物，平民出身的劉備、關羽、張飛以及諸葛亮等人，就大大的受到他們的讚揚，而對於貴族出身的曹操以及孫權弟兄，就儘量把三國志上面的瑕疵以及裴注中的壞東西，完全暴露無遺，而且有的地方更加油加醋的渲染了。在寫作的方法上來說，羅貫中並沒有錯，他刻繪一個人物，是借用歷史上的人物和故事，如果原原本本地照歷史寫下來，豈不成了歷史故事！故他必須把歷史人物「單純化」，而且「加強化」；一個實在的人物，他的個性雖有不同，但未必時時刻刻如此，今日之我可以向昨日之我挑戰，昨天作一件事情吃了虧，下次絕不再上當。（八）

評介「望天集」

著者：寒爵

·洪流·

在台灣文壇上常有「惹禍」的文章出現，其中糾纏時間最久，且場地最廣的，據筆者所知，以寒爵先生爲個中翹楚。也可以說寒爵先生在此中是老手了。而寒爵先生的對手，始終是一位女作家，辯論內容雖時有轉變，但並不減免寒爵先生的筆下風格。雖然那場戰鬥因胡適先生之死，又曾掀起過一陣高潮，但均已不了了之。假如有心人將之蒐集成冊，筆者當以虔敬的心情，花上台幣若干元購而讀之，因爲那是現代的文壇現形記，可與官場現形記先後揮映，同爲不朽之作。

閒話表過，且說筆者偶逛書攤，「望天集」赫然在目！當時心裏想法是：現在已經是叫天天不應，叫地地無靈的末路，眞是只有看天了；沒想到我最敬佩的一位雜文家，已先着鞭！就在這種「於我心有戚戚焉」的心情下，精讀一遍二遍三遍，眞有些不忍釋手。

寒爵先生的論題，可說都是我們的心聲，譬如：談紅包等等。雖然紅包問題可說都是我們的心理上已經築成一道大堤！我們不是來防止其發生，因爲我們無權無勇，禁止與否，與我們毫不相干。起碼在中秋節日的前幾天，對那些位子持揖簿，美名爲樂捐的制服先生，已經有了心理準備，而不致臨場張皇無措，莫名其所以了。

另外就是痛快。據傳金聖嘆就刑之日，左掌書「痛」字，右掌書「快」字，兒童請之，聖嘆說：殺頭最痛，而殺頭一刀如快刀，結束生命也最快。譬如：所謂「現代派」，本來筆者讀過自命現代派人士的「現代畫物」，只覺比天書還難懂，眞有點所謂：世人爭說西崑好，但恨古人作鄭箋。假如沒有箋注，不要說讀懂，甚至會懷疑那是何國文字。文字固然識得，但它們都像是太空中另一個星球動物所用的指意，與我們不但意識上不同，甚且我們有舊的康熙字典，對它們那「字」也是一籌莫展。而讀過本書之後，才對現代派總算有了一個粗淺的認識，雖然還是不能因而讀通那晦符，起碼使筆者個人知道那是中國文字的組合運用。

再次是可增見聞。君不見堂堂中國駐日本駐華大使館參事清水董三於樂醫三島之後，大發議論，而我們的官報與民報均未曾轉載，眞是可惜之至。是否因爲清水之議論不值得重視，而未多加注意，筆者不悉。但起碼筆者是在本書上才知道的。筆者素來孤陋，未能一事一項，不但外交人員，未曾發表過談話，提出些什麼抗議之類，甚至連蹤影也全無有。地緣濃於血緣，不知是淸水個人的夢囈，還是代表日本政府的政策，但我們起碼也應該有知覺，認淸這種謬論之來由。美國常有「兩個中國」的謬論，現在日本從旁想把台灣再併入日本的版圖，政論家們的筆應該是多發揮作用的時候了。

日，多數人的流行風氣可說是台灣流行的人的親美，世俗的好用洋貨，青年學子的爭相到美國拿小費，寫作者們的大罵義和團，都是這種心理的作祟。但我們讀了本書崇洋失據之後，將會發現正的失據了。尼克森大人在尚爲第二夫人之時，並不是我們想像中的官太太，或是由外國影片中所得的豪華印像，她只是一個安份守己的家庭主婦而已，既沒有招搖過市，更沒有肉林酒海之設，寒爵先生已代崇洋者洩氣，筆者已無氣可洩矣！

總之，本書不是一本普通的雜文集，既不以尖酸的筆調誘人，也不用苛刻的評論去迷人，只是在現時代裏仰首望天，表現一絲無可奈何的心情罷了。

國劇繽紛續錄（六十）

鍳孌生

也談盜宗卷（續）

民廿三，余旅居平，與鮑竭從密，據云學唸白戲，必須學審頭，夜審，失印救火，盜宗卷等。而盜宗卷戲中，張蒼被陳平限他三天有了皇家宗卷便罷，如無皇家宗卷，要將他全家誅戮。張蒼無法交出宗卷，急得自刎。自刎時唱，張蒼撩衣跪塵埃，拜謝老五爵祿恩；一把鋼刀拿在手，這明亮亮的鋼刀嚇煞人！回頭便把姣兒喚。（白）兒呀，爲父的在這裏自盡，你來拉一拉呀呃！你來拯一拯呀咳！叫他十聲九不應，夫人哪！老夫在這裏自盡，你來拉一拉呀呃！你來拯一拯呀咳！唱喊乾了咽喉，他也不作聲，二次鋼刀項上刎！此時夫人公子上，夫人奪刀接唱：老爺爲何忽輕生！再公子秀玉將宗卷取來，交給張蒼，掌燈閱看後，張蒼問秀玉：兒呀，宗卷被國太用火焚化，此本宗卷，是那裏來的？

秀玉白：癸未年間，爹爹染病在床，命孩兒看守宗卷，孩兒看到，第七冊第七段香國趙娘娘死得好苦，膽寫一部以防後患。是蒼白：但是有一件不合律。秀玉答那一件不合律？蒼白：皇家的玉璽怎樣打在上面？秀玉答是兒一時聰明，用黃臘雕成一顆，眞的上面原有一顆，假的上面打上一顆，與他個眞假難分。蒼白：昨日金殿之上，國太焚化的？秀玉答那是假的！蒼白這部呢？秀玉答乃歷代歷代的老宗卷。上說兩段，未見胡少安唸出，想因十老安劉戲碼太大，故爲省去，或所學馬派路子不同。茲因瘦碧提出，聊爲補充。（秋註：以上的兩段，爲宗卷一齣的戲心，少安似不應删去，致成畫龍不點睛，下次望增補之。）

徐蓮芝的出路

小坤旦徐蓮芝，當初犧牲待遇，北來參加明駝，我們力促其成，並非爲求藝也。今春脫離明駝完全是爲病，外間傳言，有些人迫其爲之，應非事實。試問誰肯每月犧牲四五百元的收入，家中生活如何？皆是言之過甚。伊與乃師慧芬，亦無隔閡，祇要慧芬能循循善誘，何嘗不是她唯一的繼承人？我曾以此告之德海。因爲慧芬如退休，有誰接她的衣砵？我仍寄望師徒有承，這是公平的看法。

蓮芝健康恢復（打針注射，在二百CC以上，此是邵夫人的恩德。）找覓出路，我即主張，仍回預光（即干城），應該溫故而知新。（未完）

海嶠叢談

鄧崇周奇福奇禍

諸葛文俟

浙江建德縣人鄧崇周，寠人子也。稚魯少識之無，自幼不事生產，好作狎邪游，性剛強而有朱家、郭解之氣質，重然諾，善體人意。壯歲走滬上營生，因緣時會，得列聞人杜月笙門下，執弟子禮，以勤勉頗獲師門青睞。

民國十八年某月，中樞財政部長某公眷屬由滬赴香港轉粵垣小住，隨帶行李百餘件，部長慮沿途不易照顧，乃自南京函託杜月笙，派人扈從料理一切，杜命崇周隨往，小心翼翼，侍候部長夫人甚周至，累行篋皆安全運抵目的地，纖悉無所損失，極獲夫人稱讚，於厚加賞賜外，復致書部長盛道崇周之能，盼加驅策焉。部長接閱夫人來函亦甚喜慰，特召見崇周垂詢而獎許之，旋寫一條令交人事室，文曰：「鄧崇周因（應）派想（相）當職務」，蓋部長自幼留居外洋，深諳英文，而對本國語文皆生疏，平日與國人晤談，如對方不操英語，只可用上海話，他則非所願聞矣。崇周初謁部長之際，即以滬語對答而博得好感也。

人事室奉到部長手令，自不敢怠慢，查得安徽省鹽務局有一處長缺，即簽呈部長核派，旋奉批示「派爲局長可也」！崇周聞命驚喜不置，謂係全仗祖墳風水之賜，即物色一諳習公牘之紹興師爺，以秘書名義偕赴皖省接長鹽務局任，日常公務悉由秘書區處之，局長但畫諾受祿而已。未幾，聞部長夫人已遄返春申，崇周以局務清閒，急馳赴上海向夫人申謝，仍爲夫人効瑣事之勞，間或回任所一行，事實上有如部長私邸之侍應生，寢且成爲忠實副官，信任彌專矣。一日部長在私邸以墨水鋼筆寫字後，感覺案上缺乏筆架，殊不便，崇周偶與賓朋閒話及之，三五日內即收到外來贈送之特製筆架十餘種，有金、銀、銅質者，亦有古磁品，琳瑯滿目，美不勝收，另一碧綠翡翠質者，極精緻，部長特別喜悅，洎後乃予餽贈人不次之拔擢，而崇周之眷遇亦益隆渥。

崇周于役鹽局二年後，頗積資財，默念自身資歷毫無，一旦居停更易，必被淘汰無疑，不如及時另尋肥美位置捨克一番，庶畢生衣食無虞矣。調悉財部設置在蘇州之「蘇屬五邑鹽務局」，收入特豐厚，平均每日可牟致黃金百兩左右。某日，適部長來滬，崇周會詢部長在皖省服務情形亦相安否？答以甚佳，唯距上海較遠，未能常爲部長公館効微勞，耿耿於懷，倘得轉任京滬附近地區，則公私兩便矣。即以「蘇屬五邑鹽局」職位爲請，部長日可，越日命令發表，崇周欵段到差，預計經過半載即告退，詎僅就職二十天，而財政部長已易人，急呈辭以讓賢路。

斯時崇周已擁巨資，不復作游宦之想，乃衣錦還鄉，廣置良田美宅，作園圃富家翁，築華屋於建德縣郊區，擅亭台樓閣之勝，日常與邑令暨地方紳耆，游讌爲歡，其樂只且，渾忘昔日推埋鄉曲間頗結仇怨諸舊事矣。迨對日抗戰初期，日寇侵入建德縣前夕，仇家乘機突襲崇周居所，持槍轟擊，必欲置之死地，崇周借子彈對抗，而仇衆麕集不能上，父子二人疾馳樓上，緊閉其預設之鐵柵，仇衆雖難攻破，仍進擊不已，崇周所儲槍彈隨盡，知不免，乃語仇家，願以全部財產之半數作贖，但乞保全父子生命，仇家堅拒，旋架梯破窗入樓中，擊殺崇周父子，呼嘯而去。時當敵寇壓境，人心皇皇，地方官吏皆疏散在外，對此慘劇竟無人過問，不了了之，眞奇禍也。老子謂「福兮禍所伏」，信然。

趙五娘

「影劇與歷史」之九

周遊

第二種說法與第一說正相反，說高明寫「琵琶記」，是在爲友人之妻打抱不平，諷刺棄妻的友人。趙五娘蔡伯喈的名字都是假託的；因爲高明的友人名王四，蔡邕就是王四的化身。王四，就是「琵琶」二字的「四王」。王四也善詞曲，是高則誠的朋友，高明鼓勵他去做官，却入贅在蒙古人不花太師家裏，把原來糟糠之妻丟了。高明悔恨自己勸他做官之舉，於是假戲曲而諷王四。「琵琶記」，也就是暗示王四的故事。而「不花」乃蒙古語「牛」的意思，所以「琵琶記」裏改「不花」太師爲「牛」太師。結尾讓趙五娘重聚，這是高明希望有此一奇跡，使王四悔悟，收回前妻。「莊岳委談」中的評語，就是這樣的看法。那麼爲什麼又把王四附會到漢代大學人蔡邕的頭上呢？在「浮海閒話」中有如下的自圓其說。說王四之託名蔡邕，是因爲王四少年時，環境不好，曾替人種菜爲生，蔡邕者，是影射他是個「種菜的傭工」。

以上他們的看法，我看不能自圓其說。因爲蔡中郎負妻的故事，已早見於宋人陸放翁的詩中，「琵琶記」不是諷刺王四甚明。因此還要另外找綫索。在宋代還有其他故事與「琵琶記」相同的，如宋代永嘉雜劇中趙貞女和王魁的故事，有人說趙五娘就是指這段故事的。所以不能說是影射王四。如果這樣認定，那宋代的蔡中郎故事又是諷刺誰？

依我的考察，「琵琶記」的故事是出在宋朝，男女主角以及配角，故事情節，並不只一個影子，是由幾個不同主角而情節相同的故事的結合，這可說是「負心郎故事」的一類型。可能因宋代的這類「負心郎故事」出得太多了，所以高明始找到一個機會，捕到幾個影子，來諷刺元代的「負心郎」的。趙貞女和王魁的故事，也是出在宋代。「太平廣記」中又出了一個鄧敞，因爲是個貧窮書生，結姻於當權的牛僧孺，牛家事後發現鄧有前妻，失悔不及，好在牛宰相的女兒賢德，願二人同事一夫而終。

還有一個出在宋朝的「負心郎」姓蔡的，叫蔡卞，蔡卞棄妻重婚了王安石的女兒，所謂「牛太師」，說是罵王安石個性過強如牛，所以諷之爲牛丞相。

再一個就是瑞亞上映的電影「秦香蓮」的故事，也是出在宋朝。這故事在各地戲劇中都有，平劇名「鍘美案」。把男主角換了陳士美，女主角改爲秦香蓮。相爺女公子換了皇姑，最後來個包大人平反報復。以上這個「負心郎」的故事，都是「琵琶別抱」，所以名曰「琵琶記」乎！據我看來，高明的「琵琶記」，男主角可能是蔡卞，女主角是取的趙貞女，丞相是取了「太平廣記」的牛僧孺。因爲以上所舉諸例故事，都是出在元高明之前的影子。（四）

憶玉軒雜綴

追記譚組菴

滌秋

後來之客，立在後面取菜，不以爲侮，有如今日之雞尾宴。所用廚子，有譚廚之稱。後來在南京開湘菜館者，多以譚廚爲標榜，亦可以想見其盛況。

民初，組菴治湘三年，民尚相安，地方亦謐靜。但自袁世凱力圖擴展勢力，長江一帶，江浙贛鄂諸省之地方長官，悉以北方將領充任，湖南兵力單薄，自無抵抗能力，譚氏乃避位請辭。袁派湯薌銘繼任，湯蒞湘後，對譚氏舊屬，大舉屠殺，一時有「湯屠戶」之稱。組菴感覺不安，避地青島隱居，以其地非政治要衝，又屬北方，居此表示不作他圖，以減袁氏之忌。時值徐世昌爲國務卿，徐爲組菴會試的總裁，有師生之誼，力向袁氏建議，謂組菴是科名世家，頗具幹才，爲示無南北派別之見，請召用之。袁氏然其議，派任爲內政部長。組菴知此舉，爲袁氏籠絡手段，力辭不就，因此一度進京，向袁徐解釋，力陳苦衷，不能應命。留滯燕京，又有二三月，余與譚氏得再作酒徒生活，痛飲豪談，走遍各飯莊，盡嘗諸味，殆無虛夕。

譚氏爲舊科甲出身之人，自然是舊學中人。然既不是經學家，又不是考據家，更不是桐城派或湘鄉派之古文家，復不是彫章琢句之詞章家，然則固何所屬！可以說是博學多聞，新舊兼通之時代學者。他於書無所不窺，尤喜雜家及歷代稗官野史之籍，欣賞歷代名人之書札碑帖，故遺留於世間之以書札墨寶爲多，爲翁叔平同龢以後的第一人。

北伐勝利，譚氏執政於金陵，余方辦報於哈爾濱，南北隔絕，音問亦疏，對其政績軼聞，未經目覩，不能強作解人，牙牙學語，貽曝背芹獻，高話金鑾之譜，故付闕如。及日寇佔領東北，報業被燬，余踉蹌自北南來，及抵鍾山，謁譚墓，則宿草芃芃，一代賢哲，無從晤接，不勝黃壚之痛。大陸淪陷，避地天南，與譚伯羽世兄相晤，談及先德往事，常多欷噓，因作憶舊，一律付之。

憶舊柬譚伯羽——昔歲金台伴雅游，劉焱欒廣幾名流？運床南聽西山雨，擊楫旋乘北伐舟。鍾阜墓廬縈蔓草，湘江故第委荒邱；相逢海外談先德，添得黃壚一段愁。（三、完）

杜甫其人其詩

漁翁

古人有言：「唐詩晉字漢文章，」可見詩以唐朝爲最著稱，一時詩人們，弄月吟風，即物成詠，蔚爲風尚。就中以李白杜甫爲較特出者，李號「詩仙」，杜曰「詩聖」，後之言詩者，簡稱「李杜」。

杜甫，字子美，生於公元七一二年，爲晉代名將杜預十三代孫，祖居京兆杜陵。三傳至魏興太守杜遜，移家襄陽。又六傳至鞏縣令杜依藝，即遷鞏縣而家焉。依藝生審言，爲甫之祖父，唐初文章四友之一，官膳部員外郎，首創長篇排律達四十韻，傳誦一時。父名閑，爲奉天令。一門宦達，是一詩書富貴之家庭。

甫幼穎慧，又受家風薰陶，成爲早熟之作家：七歲能詩，九歲著作盈囊，十四五歲，即有文名，長輩以班固楊雄等名家相稱許。壯志凌雲，已見其所寫「壯遊」詩中：

「往昔十四五，出遊翰墨場；斯文崔魏徒，以我似班揚。七齡思即壯，開口詠鳳凰；九齡書大字，有作成一囊。性豪業嗜酒，嫉惡懷剛腸；脫略小時輩，結交皆老蒼。飲酣視八極，俗物都茫茫」。

讀這首少年時代的自叙作品，元龍湖海，自不甘耐居池中。當二十歲時，即南遊吳越，訪名勝，尋古跡，所至有詠，像壯遊詩中的：「東下姑蘇台，已具浮海航」，又「放蕩齊趙間，裘馬頗清狂」等句，不免帶有豪邁的風格。

天寶初，到首都長安應進士試，不第。時父已逝世，生活漸趨貧困，走遍長安市區和郊野，見在朝者驕奢豪華，人民顚沛貧苦，有天堂地獄之分，他的創作，便起了變化，關懷國事與民情，寫了「登慈恩寺塔」、「兵車行」、「麗人行」等篇。前一首，用比喻方式以表示對時代的憂慮，後二首，就忍不住直接揭發，民胞物與之懷多所流露矣。（一）

自由報

內僑警台報字第〇三壹號內銷證
THE FREE NEWS
第三七五期
中華民國僑務委員會頒發
台教新字第三二三號登記證
中華郵政台字第一二八二號執照
登記為第一類新聞紙類
（半週刊每星期三、六出版）
每份港幣壹角
台灣零售價新台幣貳元
社長：雷嘯岑
督印人：黃行審
社址：香港銅鑼灣高士威道二十號四樓
20, CAUSEWAY RD 3RD FL. HONG KONG
TEL. 771726　電報掛號：7191
承印者：大同印務公司
地址：香港北角和富道九六號
台灣分社
台北市西寧南路壹壹壹號二樓
電話：三〇三四六
台郵撥儲金戶二五二

從反攻大陸看亞洲反共聯盟（上）

郭甄泰

一、反攻大陸刻不容緩

中共竊據大陸，竭澤而漁，民不聊生，加以經濟落後，人口逐年增加約達一千至一千五百萬，包袱沉重，缺衣缺食，為一「無」的「國家」，乃惟恐天下不亂，因之以世界革命為目的，滲透顛覆為手段，支持任何地方的革命運動，成為世界禍亂之根源。故中共一日不滅，中國即一日不安，人民倒懸即一日不能解除，其次，大陸幅員廣大，工業重心不多，在核子戰爭時，所受損失較小，因之中共『相信』戰爭為推行共產政策的一個工具，並願意消滅人類之半數以求一個「新的輝煌文化」。一九五七年毛澤東在莫斯科高層會議中曾說：『我告訴尼赫魯，如果人類半數被毀滅，另一個半數仍將存在，但帝國主義卻完全毀滅了，全世界留下社會主義，在半世紀或一個世紀以內，人口的增加將不祇半數……讓我們試試我們的力量，然後再從事建設』。從可知中共『願意在一場核子戰爭中犧牲半數的大陸人民，而不放棄戰爭』，要求全體中國人民陪他殉葬。此外中共尚有一項希望，即『蘇俄與美國為核子戰爭中的主要遺殃者，美俄彼此將對方消滅』。甘迺廸總統說：『中共的政策確乎導向一次將使自由世界與共產集團遭受核子毀滅的戰爭』。蘇俄為核子國家，深知核子戰爭之結果，必將招致蘇俄之毀滅，並無勝利者之可言；『當然不肯照中共所可能形成的共黨觀念推進這樣一次核子戰爭。』對於中共的挑撥核子戰爭政策，亦已提高警覺。但是設若中共擁有核子武器並有投送系統，則世界的均衡情勢，即被改變，美俄任何警覺、防範均將防不勝防，歸於無用，核子戰爭，遲早必將發生。現在中共業已核子試爆三次，第三次試爆亦正在準備之中，其核子力量概況，依美方日方科學界之綜合報導，估計如下：

①數目。每年可製三十枚核子彈，亦可能生產倍於此項數字之數目——即六十枚。

②種類。摧毀人口稠密城市的氫彈。

③投送工具。現在為蘇俄TU型轟炸機，俄製載運二百哩至三百哩的飛彈潛艇；將來有射程八百哩以上的火箭及中程彈道飛彈。

④時間。火箭正在發展中，中程彈道飛彈將在今後三年內出現。洲際彈道飛彈將在十年以後威脅美國。

由此可知中共的核子力量，在三至五年內，即將對亞洲鄰近國家構成一巨大的威脅。十年以後將可能威脅到美國與蘇俄的城市。我們如不能於最近時期內光復大陸，僅亞洲各國均將遭受威脅，美俄兩國亦均將遭受危險。世界亦可能因中共之輕舉妄動而遭受浩劫。

二、美國對於援助我國反攻大陸何以遲疑

甘迺廸總統說：『中共如擁有核子武器，將使世界遭遇到比第二次世界大戰結束以來所曾面臨者更大的危險。我認為那個組織，如果它在一九七〇年仍然存在時——周圍的弱小國家——七億人民，一個內部的史達林主義政權，核子力量，及一個決心以戰事為實現其最後成功的手段的政權，其潛在的危險性，較之第二次世界大戰結束以來我們所曾面臨者更大。』五十二年五月美參議員恩戈說：『蘇俄對自由世界之威脅，在最近數月中已減輕，而中共的威脅則加劇。因為中共不像蘇俄，它堅信公然與西方作戰的政策，在將來的數年中，中共是對世界和平最大的威脅』。本年五月，曾在美國第一個原子彈計劃中擔任要職的拉普博士說：『在幾年內，中共可能成為世界上最具威脅的核子力量，並非因為中共頭子們和美國的力量匹敵，而是因為他們似乎對核子戰爭並無認識，因此可能不會被合理的嚇阻而不發動一次戰爭。』其他與論方面如赫斯特系報紙康斯丁說：『美國應在為時尚不太晚之前，徹底消滅中共原子力量。』三月十日，紐約每日新聞主張：『美國摧毀中共的核子設備』及『支持蔣總統反攻中國大陸』（五月十七日）幸福雜誌主筆墨斐說：『美國與中共之間的決定性鬥爭』在西太平洋逐漸形成』。（八月號）等等，可知美國政府與輿論，對中共之威脅，並非毫無警覺。現在美國北極星飛彈潛艇已有四艘進駐太平洋，不久即可增加至七艘，較之美國派駐歐洲環繞蘇俄之北極星潛艇已約略相等。琉球飛彈基地及關島、夏威夷海空基地均駐有B54長程轟炸機。對於越南政策亦已採取堅定態度。又可知其軍事目標業已轉向遠東，假想敵國業已由蘇俄轉為中共。雖然如此，如謂美國即將實行轟炸中共核子設備，援助中國反攻大陸，則仍然為時尚遠。

據五月美國新聞與世界報導說：『國防部長麥納瑪拉目前正認眞考慮以八十億美元至一百億美元的經費，來建立一個他認為可在十年至廿年中對付中共洲際飛彈的反飛彈系統。』現在中共亦已視美國為死敵，對美國經常叫囂挑釁，攻擊不遺餘力，而且毫無容疑的遲早必將發生熱戰。美國不於此時摧毀中共核子設施，設法消滅中共，竟又擬以八十億至一百億元之經費，於十年至二十年以後，予以防禦。不作曲突徙薪之謀，反為焦頭爛額之計，此在亞洲人觀之，美國實屬迂闊已極！惟美國亦有美國人的想法：第一是觀念問題：如李璜先生說：『照自由中國人士看法，美國確有此能力將戰爭帶上中國大陸，一舉而轟倒毛政權，豈不是對亞洲和平，立刻便得着總解決了嗎？我們也相信美國確有此能力，而且美國也不怕中共的爛傢伙，蠢隊伍。然而這是唯心或唯物的一元論，這是脫離了試驗階段的衝動的行為。而且在美國人的心目中並沒有經驗派所謂「總解決」的存在着的。「總解決」並指出：美國人偏於實驗的主義者，來用或實驗主義者沒有「總解決」的想法與作法，向來政治家決策與行事的。』此種論點也不錯，美國人是實驗主義者，美國會的信徒，現在你要想美國照我們的想法反攻大陸，援助我國，一勞永逸，徹底消滅中共，就美國人一般的觀念意識，那是很難想像的。

災難重重

有苦自己知

今日與明日

印巴和談之議

一進打了四天之後，印巴雙方都已提出和談條件。印度總統拉達克里希南在廣播中提出的條件：要巴基斯坦軍隊撤回原分界線，並由聯合國擔保巴基斯坦以後不得再有對克什米爾滲透及破壞的行動。巴基斯坦總統阿育汗所提出條件是兩國軍隊均退出克什米爾，由聯合國派軍隊接管，三個月後舉行公民投票，以決定克邦前途。

雙方條件眞眞地是南轅北轍。巴國的條件決非印度所能接受是可以斷言的，因為若舉行公民投票，整個克什米爾百分之七十以上人口是回教徒，必會歸向巴基斯坦，尼赫魯深知此點，他生前所以堅決反對公民投票，其故在此。今日印度悍然抗拒安理會決議，其政府要人無眞正政治家，絕對拿不出壯士斷腕的氣魄，徹底解決克什米爾的問題。在巴基斯坦一方面，是否肯接受回到戰前的停火線，是值得懷疑。因為經過數日來慘烈戰爭，兩國仇恨已不可解，巴國當局若退讓，說不定會引起國內政變及混亂，因此可以估計巴國也不可能接受印度的條件。

印度的孤立

這次戰爭是由印度發起，可能稱之為自衛攻擊，因為巴基斯坦派人滲入克什米爾準備發動游擊戰。但追根究底來看，其曲實在印度。印巴分治後，印度悍然出兵併吞克什米爾，不讓克邦五百萬人有表達意志的機會，是否絕頂大錯，當時也許以為是開疆拓土，到了今天卻變了包袱。這次不論反共的伊朗，土耳其，親共的印尼及毛共，一致聲明支持巴基斯坦，美英俄三國內心均袒印，但在口頭上也只敢守中立。所以說印度在這次戰爭中沒有一個與國，決非誇張的說法。尼赫魯自封了十幾年的亞洲的領袖，死後竟然留下這樣一個爛攤子要後繼者去挑。

如何解決印巴衝突

就局勢看，目前應該是解決印巴衝突的最佳時機；就法理來說，克邦應舉行公民投票。但經尼赫魯一手破壞，過去由於尼赫魯的買空賣空，各方面都不敢惹他，一任拖到現在，永遠成為一個火神，隨時會爆發危機。現經毛共一插手，局面更複雜。為自由世界計，應爭回主動，不要讓毛共搶去民族主義的帽子。目前只要英美出頭迫使印度讓步，同意克邦自由選舉，以印度處境，已成國際孤兒，自不會如昔日之倔強，也許可以接受西方意見，向公理低頭，永遠解決克邦危機。（何如）

自由談

談汽車問題

美國的汽車與汽油生產量冠於全球，其餘的物資更豐富，據專家統計，民平均每五個人可有一部汽車。然紐約市政府只是市長才使用一部公家供應的專車，其他各個單位的主管人員卻沒有這項待遇，員司上下公辭，亦無所謂公用車接送。西德的汽車產量僅次於美國而已，但其中央政府各部門，亦僅限於首長一人才由公家供給專用車輛。英國的官吏更刻苦節約，除却內閣首相與各部大臣而外，一般文武官員上班退值時，都是乘坐公共汽車，決無例外。

咱們中國目前在台灣汽車生產量，嚴格說來，可謂沒有，因為『裕隆工廠』出產的大小車輛，材料盡係東洋貨。至於台省汽油一年間的產量，據說祇夠現有各界人士所用汽車一天的消耗。可惡，現時中央與地方各機關使用汽車之多，確屬全球之冠，一個縣級的行政首長，其他可以想見了。民間要想使用汽車代步，然法令限制甚嚴，課稅又奇重，而官吏的專用汽車卻沒有這些顧慮。就經濟眼光看，這不是藏富於民，乃係藏富於官，國庫每年所受的損失，數字很可驚人。就政治生活而言，這不是從工業建設前途設想，這并非鼓勵民族工業之發展，台島幅員狹小，交通便利，公共汽車四通八達，脚踏車和三輪車到處可走，而出租汽車亦應有儘有，為甚末一般稍有地位的官吏，即非具備着舶來品的專用小轎車不可，難道說這樣就是「毋忘在莒」的精神表現不成麼？

我聞國防部在最近一年之間，基於節約的觀點，對員工福利事宜大加整飭，停止所屬職員上下辦公室使用汽車接送，又限制個人享受專車的結果，綜計所節省的公帑，即在新台幣一億元以上。國防部能夠做得到、行得通的事，其他的大小衙門，何以不能見賢思齊，繼續前修？看着這項事實為例證，鄙人很盼望現任嚴部長能轉任行政院長，把那些口喊節約救國，而生活過份奢侈，享受慾亢奮了頭腦的腐化官僚，來一次去腐化生新的大改造，國家前途，實利賴之！

馮王先生

監察院副院長難產的經緯

——本報記者張健生

監察院於九月六日舉行第九一七次會議，舉行行憲後的第四任副院長選舉，由於三位應選人所得選票，均未超過出席人數的半數，所以沒有人當選。

按照規定，副院長的選舉，第一次投票如無人得過半數票數時，就得票較多之首二名，舉行第二次投票；如第二次投票仍無人得過半數票數時，重行選舉，直到應選人得票超過半數而當選為止。

圈選錯誤　補投一票

九月六日的選舉會議，由金維繫担任主席，出席委員共七十七人，另有梅公任委員未出席，陶百川委員等三人在國外。投票結果，國民黨提名之張維翰得三十八票，由多數派假投票而支持的于鎮洲委員得三十四票，康玉書委員得一票；另空白票三張。因出席七十七票之過半數應為三十九票，因三位得票人都未超過半數，依法得舉行第二次投票。第二次投票何時舉行，照選舉副院長的會議呢？監察院程序委員會尚未決定，看情形可能要延遲到十月份的院會了。

投票時的插曲：第一是支持張維翰與于鎮洲的委員們，在投票時，都分別向自己人亮票，以示團結。第二是八十多歲的李正樂委員，因圈選錯誤而要求補投一票，前投之票作廢，大會無異議同意。這張廢票的得票人是郝遇林委員；因此，原有四人得票而變成了三人。

拉票情形　史無前例

這次監察院副院長選舉前，擁于擁張的助選員，都是高層人士，雙方拉票的情形，可以說是史無前例。而公開請客拜託「惠賜一票」，已不足為奇了。據說，某應選人會不擇手段以求達到當選的目的，諸如贈送醫藥費給某某委員啦！承諾當選後秘書長或審計長的職位給某某啦！這些雖為傳說，卻都來自監察院權威人士，能說毫無根據嗎？

提名制度　似應檢討

在投票選舉副院長前一天的中午，國民黨中央第一組主任張寶樹，在自由之家宴請黨外的十三位監察委員；這天，谷秘書長在百忙中特地趕去參加。當時，青年黨籍監委會有人因另有宴會而先告辭，並說了幾句話，話中有音，表示立場。同一天的晚上，多數派委員在台灣大飯店舉行餐會，由於事機不密，為有關方面所聞，所以在投票當天的早晨，有關方面會總動員中常委，除谷氏等三數人未出席外，餘均分別拜訪監委。

比如，金維繫因夫人之喪，本不出席，後由郭寄嶠等「勸駕」出席；如青年黨方面的陳啓天曾把國民黨方面的意見轉告該黨籍監委們，李不難委員因不滿派汽車接他出席而抗議。諸如此類的情形，記者無法一一列舉。

有一位監委對記者說，這次副院長的選舉，執政黨提名制度，應該檢討一下。現在不是誰當選或不當選的問題，而是不是適用於監察院的問題。

未來演變　不外三種

據多數派委員檢討說：于鎮洲委員固然是一位適當的應選人，假如推出比于更適當的人選，則副院長的問題可能解決了。尤其在八月中旬舉行假投票的那天，有兩位本省籍的監委因事致未能及時趕到而竟然吃了閉門羹，另一位的委員票居然不算；同時，于之好友某委員，現任經濟委員會召集人，出人意外的居然「倒于」，並且要某某委員等不要投于的票；其次是參加餐會者的名單未能保密，致被個別擊破，所以才有五張廢票和走了三張票的意外情況發生。因為根據「參謀本部」精密的統計，于可得四十二票，結果只得三十四票，這是多數派方面因小不忍而壞大事了。

未來可能的演變不外三種：一是有關方面希望于鎮洲自動放棄應選，一是張維翰積極爭取五張廢票。關於前者，這是于委員個人的決心與多數派內部是否更團結的問題，現在雖尚是未知數，但可看出大致的形勢。關於後者，爭取五張廢票問題，也不是難事。最後關鍵，在多數派的政策，是否因形勢而有所變動。不過，本報五七九期曾有這樣的結論：「若是運用不當，很可能形成僵局。」這就是說，擁于和擁張的二大派，如果有任何一方面全體委員不出席，則選舉副院長的會議就開不成了。（九月七日寄）

省立屏東師專招生舞弊疑案　落第考生家長要求澈查處理

——本報台灣高屏記者袁文德——

屏東師專招生，傳有舞弊之嫌，是是非非，學校與落第考生家長各執一詞。實質相究竟如何？有關當局似應迅即調查，公正處理。

省立屏東師範專科學校係本（五十四）學年度奉令由省立屏師升格的，校務仍由張效良校長繼續主持。

據何淵輝在陳情書中指出：屏東師專於本（五十四）學年度招收五年制第一期學生，各科一班，各為四十五名，當時報攷女生一百名，小女何春秀未被錄取，殊多懷疑。八月十一日該校總務主任楊壽格專程蒞臨敝舍告知：落榜非分數不足，乃因「污卷」也。小女當時極力否認，內人婉說，則另一隨員進宅告內人謂：小女如要讀該校，楊先生可有辦法玉成其事。但內人並未求其幫忙。歸去之時，楊主任說：「以後有事可找我幫助。」言外之意，可想而知。翌日寄來成績單，上以藍色墨水（似新蹟）草草寫着「污卷」二字。經鄙人去信詢問該校長關於「污卷」，竟含糊其詞，云「污卷之處理，檢查係於開初試錄取會議後抽取初試合格者之試卷，究係考生所污抑招生工作人員所污？殊難斷定……」如此不合考試常規之解釋，令人難以心服。而況，按一般學校考試規則，考生如有舞弊或其他違規事情，應當場指出，而在卷上或准考證上蓋證作憑，一旦試卷繳卷後毫無問題，應由招生工作人員負責，這是不待爭辯的。而該校竟於試卷評閱後拆了密封統計出分數再行查閱污卷之事，如此豈能公正？密封一拆，考生姓名均已亮出，如何保持公道？密封的意義能存在嗎？如此，該試卷不是可以隨心所欲的「污」一番了？該校答覆之詞，豈非旨在逃避責任嗎？尤其該校未錄取之考生成績通知單，不於初試放榜後即寄出，以便考生查閱試卷，以示公正無私。而竟遲至複試放榜後，且又在該校總務主任蒞舍歸去後再寄來的，其因安在？實令人不解。為糾正教育風氣，切求有關當局迅予澈查試卷如何「污」法？並詳為調查有無舞弊情事云云。

省立屏東師專對上項意外事故發生，除深表遺憾，為善其後，特於八月二十五日下午五時假校長室召開緊急招生委員會，經決議：一、即日派教務、總務二位主任，前往該落第考生家中，說明密封開啓與不影響錄取決定之原因。

二、針對何淵輝陳情書疑點，發表：「（一）本校派員前往何府說明並慰問，係因該考生成績已達錄取標準，因污卷未能錄取，深恐該生懊惱發生意外，故於放榜後發成績通知前派員前往，純屬出諸善意。若謂別有企圖，當於未放榜時前往，不應於放榜後前往。且本校僅派楊主任一人前往，並無攜帶隨員之事。據此則當無言外之意，不想而知。（二）污卷一節是否為考生所污，自無人目睹。惟該卷為鋼筆墨水所污，本校招生工作過程中多用原子筆，無以墨水污卷可能。而該生適係使用墨水鋼筆，雖無目睹，極有可能。（三）本校考卷係採密封密碼方法，拆封後仍屬密碼，對考生姓名依然不得而知。直至錄取決定寫榜時，始將密碼翻成報名號碼，再由報名號碼找出考生姓名。故於拆封計分後開錄取會議時檢查污卷，並無不公正之可能。」之聲明，以正視聽。三、將案情詳細經過呈報教育廳核備。

綜觀落第考生家長與學校各執一詞的說法，似乎雙方所持意見，都有些勉強。這件事情尤以學校方面為然。據此間教育界的主要關鍵人士的客觀、公正之法界人士認為學校方面對考生何春秀的錄取與否，在處理上確有失當之處，理由是：一、監考人員應當時查明考生有無污卷，事先既未做到檢查鑑定之責，事後發現，其責任應由監考人員負之，方為公平合理。二、該校既將該生國文成績分記載七四、五分，而何不乾脆將零分記入，另在備註欄說明污卷之規定？如是則該考生總成績既不能達到三一六、五分，且亦不能達到女生錄取最低分數二七九分之標準，豈不可免除發生是非之患？三、放榜後寄成績通知單，遲緩至於初試放榜與複試放榜後再寄發，而使該考生失卻再予查分機會，故有意之嫌。四、純屬學校派員至考生家，雖而況善意，但依法非屬派遣的人員，而總務主任據主管教育人員，是呢？現在事已至此，除希望教育當局能秉公處理外，並寄望該校今後能針對這些弊病，在積極方面努力改進，消極方面能予嚴加防範於未然。

台北律師公會與地檢處鬪法

——本報駐台記者張健生

甚至在移送書中不惜肯定「被告馮先妨害自由及搶奪罪證確鑿，另被告林頌和則不無教唆罪嫌」等語，均不難窺其梗概。

台北地檢處　偵查欠平允

關於承辦檢察官者（記者按：本案係台北地檢處林茂盛檢察官承辦），台北律師公會報告書敘述甚詳，有嚴正的批評與指摘。該報告書指出：

本案於移送檢察官偵察後，兩造（指同泰公司與馮先）會就債務糾紛之原委，及該車權源與爭取之經過，提出有關購車憑證及合約書、抵押字據、過戶申請書等書證，互以車主自居，雙方情辭各執。究竟該車所有權誰屬？乃本件犯罪是否成立及觸犯何種罪名之癥結所在。但承辦人員未能詳予調查審究，致偵查之方向範圍與結果，均不免有欠公允。

林檢察官　設局誘供

在刑警偵訊中，被告馮先迭稱：「我有對司機說道車是我的，從現在起你不要開啦，我就將鎖匙取下」。「車既是我的，當然有權可取鎖匙」。並謂：「我在行駛中問司機，才知道該車被賣掉。因發現有這種情形，我想一定要打官司，請律師，故就在林頌和律師門口停車，將車子扣回來。」「當時林律師沒有在家，是我去找律師回來，但林律師未見面，故未與我一齊回來」。「我事先（即三月十九日零時前）沒有與林律師磋商如何處理，等到三月十九日早上林律師回來，我才給他五百元辦理這件案子」。（以上均見本年三月二十五日刑警偵訊筆錄）足見被告馮先起意掌握該車，純係出於其本人之意思。馮先既否認事先曾與林頌和會員磋商，而事實上林頌和亦確不在家，又無其他事證足以證明林頌和會員確有參與磋商之情事，自不能謂馮先所為必係出於林頌和會員之教唆。但檢察官（林茂盛）偵查中，被告馮先雖仍一再供稱：「當時僅我單獨行動，並無其他的人」。「此舉完全是我私人行動，車子是我的，我當時曾把有關證件交與鄭（司機）看過，他就自動把鎖匙交我」。（均見今年四月九日檢察官訊問筆錄）。而檢察官於連續訊問馮先及告訴人時仍不斷以誘供之口吻設局發為下列之訊問：

原告之證詞　有利於被告

「此舉是否是林頌和所教唆？」（見今年四月九日訊問筆錄）。「你（指林頌和）有無教唆馮先採取上列行為？」（見同上筆錄。問畢，即諭知被告林頌和嫌疑重大，限制居住）。（二）

屏女中學生代考案　處理應求審慎合理

（本報高屏記者袁文德航訊）八月二十八日，省立屏東女中舉行五十三學年度第二學期不及格學生補考，學生藍×瑜竟冒違背校規之險，替同學莊×英參加考試，被監考老師識破，當場捉住，交由訓導處按章議處（按校規規定，攜帶夾帶應考者，記大過一次，而代考者為重，藍生當受較重之處分）。藍生此舉，亦自知難逃學校處分，竟於當日黃昏時，在教室吞服約二〇〇餘粒安眠藥，意圖自殺，幸被同學發覺，獲救，未釀禍端。

記者獲悉是項消息後，經考慮結果，決定暫不報導，主要理由是：（一）學校對藍生尚未按校規公佈執行處分，藍生即已仰藥自殺（即使已經公告記過亦然），學校立場於法於理，並無不當之處，既然能站得穩，自無檢討價值可言。（二）如將之撰成新聞，公諸社會，除對藍生私隱之痛，更予暴露，更打擊其已經很難受之自尊心理外，對學校應予該生之處分，難望因新聞的報導，而有所減輕，而屏女校譽，則可能因此而蒙受影響。所以決定不此報導。

但其他報紙却發表了這新聞，並且大加渲染，使學校而受打擊，及藍生精神上受了打擊，無益於問題之解決，因亦簡略報導之。

按：該犯規之學生藍×瑜，品行、成績優良，向在端正，被選為初二年五班級長，因而藍生現年僅十四歲，又屬幼女無知，似可視為年幼知性，以致自犯校規，懲之固應依照規定給予處分，不能做得過火，尤失教育之意義。「知過能改，善莫大焉」，教育不是以懲罰為目的。生竟仰藥自殺，其意圖已明證其知過，同時亦就給予其自新之路，不可就此把她「毀了」！

美國繪製地圖內幕

·本報資料室·

繪製地圖技術，古已有之，近年益見精純，但地球表面，還有二分之一地方未有準確繪圖。以美國陸軍製圖處的標準而言，美國領土有準確地圖的，僅得百分之六十，這也許使人驚異的。

美國陸軍製圖處官員預測，在人造衛星協助下，地球上所有土地，在一九七五年時，將有準確的繪圖。米勒上校說：「人造衛星資料，將使現有技術無法達成的事完成。」

美國陸軍製圖處經已對越洲飛彈的數千哩外可能目標的繪圖，予以留意。人造於衛星的電子三角衛量方法，能使美國的地底飛彈正確地射至莫斯科的紅色廣場。

初步數字，已證明在西伯利亞及中國大陸的城市，與以前紀錄的方位，相距三十哩。在人造衛星的協助下，陸軍製圖處將能決定地球任何地方的方位，其準確性在十哩以內。這即是說，其準確程度，勝于現有技術一千倍。

地圖在每個朝代均甚重要，歷史紀錄顯示，若干國家因缺乏地圖而至戰敗。威靈頓公爵因為具有戰場地圖，所以能在滑鐵盧一舉把拿破崙擊敗。

在第二次世界大戰期間，美國海軍陸戰隊因為沒有太平洋小島的準確地圖，致犧牲慘重。當他們遭遇到珊瑚礁及地圖中未顯示的日軍陣地時，不是溺死，便被擊斃。

又如在二次大戰期間，蘇俄陸軍因缺乏了本國地圖，所以在對付希特勒進攻時，感到諸多障礙，蘇俄將領因在史達林整肅期間忙于圖存，對這方面未加重視，造成了可怕的後果。

美國陸軍製圖處採用現名，已有五十五年之久，自美國獨立戰爭，美方因有地圖得以寡勝衆之後，該處的發展，即一日千里。但在第一次大戰末期，這服務處的人員，尚僅得六名而已。

兩次世界大戰、冷戰及太空時代，推動美國陸軍製圖處負起今日的重要任務。在二次大戰期間，它前後繪製五億幀地圖，而在韓戰期間，它趕印一千萬幀地圖。這數字比諸第一次世界大戰時各國陸軍所印製的地圖還要多。

在韓戰停火後幾年，美國陸軍製圖處共印製了三萬五千種不同地圖共一億份。如將之堆在一起，可築成一個高達六哩的塔。每年由汽油公司代送的數百萬份公路地圖，便是陸軍製圖處的副產品。

但是，美國陸軍製圖處製的地圖，是非賣品，即使過時者亦然。地圖如無使用價值，概予毀滅。

美國陸軍繪圖人員常祇使用普通方法，但在二次大戰期間，他們曾作過一次大膽嘗試，竟獲前所未有的輝煌戰果。

在戰爭行將結束的幾個星期，美軍在頑強抵抗下向德境緩進，同時因為地圖不足，行動受阻。于是，侯格少校率領一個十八人戰地單位，滲入敵後，進攻德國最重要的繪圖廠。

侯格少校利用未受損壞的德國圖版，在數小時內印成數百張準確的地圖。有了這些地圖，盟軍便可對撤退中的德軍，集中火力予以殲滅，並能使用以前未知的一條捷徑攻入捷克。

侯格少校及他的部屬，在進攻德國繪圖廠行動中最大的收穫，是搶走了價值連城的蘇俄西部地圖。這地圖是德軍進攻蘇俄期間費盡心血繪成的，現落在美國戰略空軍司令部之手。

美國陸軍製圖處，不止繪製地圖，它的研究人員特洛錫爾小姐，并為美國編成第一本英文——蒙古文字典。

內外蒙古之間及許多地區，并未有準確地圖，喜馬拉雅山、拉丁美洲、加拿大部份地區，界綫仍未劃分清楚。不過，許多國家現已准許美國陸軍繪圖人員去測量，及為他們繪製地圖。在這種情況下繪成的地圖，由美國及東道國共享。

即使繪製世界地圖的工作已完成，美國陸軍繪圖人員，仍然忙個不了，因為他們現在已着手繪製月球表面地圖。雖則人類仍未到達月球，但他們已繪成月球表面輪廓圖，這對美國太空人奔月，當有幫助。

編者附誌：「怪力亂神與法律叢談」續稿未到，再停一期。

三國演義縱橫譚

燕謀

所以實際的人物，與歷史小說所刻劃的人物，是有相當距離的。羅貫中是文人，又是平民，自然對於三國人物中的平民，要特別恭維而重視，他寫孔明，是用了最大的力量，費了很大的腦子，全部百二十回中，他個人竟佔三十幾回之多。筆者有一個大膽假設，羅貫是以諸葛亮自況的人物。他自己把自己寫進三國演義中去了，他就是諸葛亮。所以近人李辰冬氏，特別把三國演義中的諸葛亮請出來，寫一部『諸葛亮演義』，這不是沒有道理的。李氏在他的『文學新論』中有其詳盡的分析；在他的「三國演義的價值」一文中說：

「在中國窮文人裏，除運最好的，諸葛亮算是一個位。一般文人在不得志的心情下，最羨慕他。他的出現，作者幾用了兩回的篇幅來描寫。自他出現以後，三國裏的一切活動，都要直接間接地歸結到他。他死後故事的發展，還是由他主宰。三國演義固是『蜀漢演義』，然如再加縮小範圍，也可以說是『諸葛亮演義』……」李氏之言不無道理。作者既站在平民和文人的立場，自然是作者的時代意識的反映。

除了以上兩點之外，作者也反映平民心底的『不平』。文人手無寸鐵，『秀才造反三年不成』。於是只有借重在粗人的口裏，如水滸傳中的李逵，三國演義的張三爺就是很顯明的例子。在第一回中，劉、關、張，殺敗黃巾賊，把董卓救了，同寨。卓問『三人現居何職？』玄德曰：『白身』。董卓甚輕視之，不為禮。玄德出，張飛大怒曰：『我等親赴血戰，救了這厮，他卻如此無禮，若不殺他，難消我氣！』便要提刀入帳來殺董卓。玄德勸止始能。劉、關、張又助朱儁擊潰孫仲。『儁表奏孫堅、劉備等功。堅有人情，除別部司馬。惟玄德聽候日久，不得除官。三人鬱鬱不樂』。又袁紹與華雄戰，數折大將，衆皆失色，紹曰：可惜吾上將顏良、文醜未至，得一人在此，何懼華雄？』言未畢，階下一人大呼出曰：『小將願往斬華雄於帳下。』紹問何人？公孫瓚曰：『此玄德之弟關羽也』。紹問現居何職？瓚曰：『跟隨玄德充馬弓手』。帳中袁術大喝曰：『汝欺吾衆諸侯無大將耶！量一馬弓手，安敢亂言，與我打出！』……只見玄德背後轉出張飛，高聲大叫，俺哥哥斬了華雄，不就這裏殺入關去，活捉董卓，更待何時！」（九）

「無上裝」居然「合法」記

胡資

爭取合法　鬥爭勝利

為了爭取無罪判決，她接受「輿論」建議，向高級法庭上訴。但高級法庭從未處理過類似的案件，於是請教一些法律專家，請他們對此案發表意見。

其中的一位專家是法國最負盛名的法學權威之一，斯特拉茲堡大學法律教授（按：斯特拉茲堡是近德國邊境的法國城市）阿爾弗列．萊格。他認為杜蘭德小姐在海灘上穿「無上裝」並不算犯罪。他說：

「你們不能嚴肅地主張，一個女人在海灘上裸露胸部，就是違犯禮節的事。」

其他的法律專家，也大都支持杜蘭德，認為她無罪。

高級法庭開庭之日，聽衆擠得水洩不通。法庭上幾個法官及陪審員經過詳細考慮，終於改判杜蘭德無罪。在判決時，戴灰色假髮的法官說：

「許多人裸體時裸得一絲不掛，這會違反通常的禮節；但由於杜蘭德用一條不透明的比基尼泳褲有效地把下體遮蔽着，因此我們判她無罪。」

當法官宣讀了判詞之後，法庭上許多聽衆紛紛趨前向杜蘭德道賀，實際上也向自己祝賀，因為他們爭取「無上裝」合法化而作的「鬥爭」已獲得了最後勝利。

無上服裝　流行法國

自從杜蘭德獲得勝訴之後，法國海濱地帶（例如著名的里維拉地帶），穿「無上裝」的女人就越來越多了。既然穿「無上裝」合法，那些早就想穿而不敢穿（怕犯法）的女人，就肆無忌憚地穿起來了。在杜蘭德被警察逮捕的海灘上，每逢假日，都擠滿了穿「無上裝」的女人。她們之中，有法國人，也有英國人，德國人及北歐人。她們裸露的程度達到百分之九十九。她們和男人們在海灘上遊玩。就在附近，法國的科學技術人員正在一個火箭試驗場上緊張地工作，可是，這些裸體的女人卻一點也沒關心到這件事。

如果你到法國旅行，在海濱地區，你不難看到那只穿一小塊三角布的裸體女人，若無其事地，「大方」地在沙灘上、海濱的公路上活動，或到附近的商店裏購物。

裸體女侍　活躍加州

美國是發明「無上裝」的國家。在「無上裝」的發展上自然不會落在法國後面。目前，美國「無上裝」最流行的地區是加里福尼亞州的兩個大城市——洛杉磯及舊金山。在這兩個城市中，已有兩百多家餐廳、酒吧、夜總會，其所僱用的女侍及吧女都是穿「無上裝」的。這些「無上裝」也有許多不同款式，但歸納起來，也不外「無上裝泳衣」與「無上裝外衣」兩大類而已。

由於這兩個城市的「無上裝」發展得太迅速，有些人企圖制止它的流行。可是，法庭方面卻在支持「無上裝」。喜歡穿「無上裝」的人實際上就是裸體主義者。嚴格地說，「無上裝」並非某一個人或某一個民族在今天才發明的，因為早在原始蒙昧時代，人類便是裸體生活的。現在歐、美的「文明」女人，卻愛上了「無上裝」，然則，究竟她們是「進步」了呢？還是「倒退」了呢？

（下）

評介「政海異聞與麻將藝術」

·洪流·

著者：馬五先生

政海在很多的時候與麻將戰場有着相同的意義。政海講的是無情；而麻將的戰陣也是父子不相讓。政海講求「術」的運用；而麻將也以「技」為最高原則。政海以人為要素；麻將亦非四人以上莫屬。政海要忍耐；麻將要守牌風。政海為官要訣是穩、狠、準；而麻將的要訣更確實離不開這三字訣。故而政海與麻將在某些時候是相通的。而政海的無情常是駭人聽■，更甚於麻將場中的兄弟不留情。

政海把政治人物的載浮載沉，可說是形容得淋漓盡緻。政壇人物的昇遷貶退，好像洶湧的大洋一般，有高潮期，有退潮點，時而高時而低，全以月亮的潮汐期為準。政海也是如此，「衆星捧月」，「居北辰而衆星拱之，」這是政海的所以有派系之由來。一個特立素行的人要想在政海裏打滾，那沒有不被淹沒的。故而在政海裏首先要明瞭幾樣事：第一是屬於那派？如無所屬，那就很危險了，因為政海中人都要把你看成非我族類，排擠之不暇，那來的時間再去相互援引而蜚黃騰達？第二要有奴才般的嘴臉，長官是則是之，長官非則非之，不然你就是不聽話不忠貞的頑固份子，要想出人頭地，那是難於上青天的。第三要有隨風而去的習性，萬不可固執。前文說過，政海的波濤並不弱於海洋，所以要沒有隨波逐流的耐性，只有落在人家的後面，不但官作不成，反倒可能遭到不測橫禍。第四在儀表方面要有高視濶步的官儀。官儀應用在下級的面前，萬不可用於上峯，那樣一來，飯碗馬上打碎，那是意中事。第五要有口是心非的本領，嘴裏永遠只能說是，絕不說不字，並且心裏所想的，與口裏說出來的，要表裏不一致，要排除天真的本性，不然，滿街的標語同各處集會上的口號又怎能喊的出來？

這簡單的五原則，雖不能官運亨通，但至少不會遭遇莫明其妙的打擊，是筆者可以保證的。至其詳細可以請仔細精讀馬五先生的這本政海異聞與麻將藝術。本書雖名為政海中之異聞，但正■■官常情，如果集此異聞於一身，穿青著紫，期之有日矣！

馬五先生政海不太得意，那是意中事，我們只在他把政海中之常理名為異聞，已見其梗概。如此政海不居乃退而築牆，麻將因之而大興於國中。麻將的來源，馬五先生未曾考出，或不屑於考證，筆者不敏，學殖荒疏，無力及此，故也存疑。但麻將之風行國中，似乎不特駭人聽聞，香港且可當街打麻將，不加禁止，那豈非此間麻將君子之所樂聞？民不畏死，奈何以死懼之，打麻將也是如此。有人為打麻將傾家蕩產在所不惜，那是麻將中的勇士。或者有人五十塊逛花園，那是小兒科醫生的作法，勇士不屑為。再就是麻將中的君子，輸贏不容於心，手氣順逆根本與他先生毫不相干，書中牌聖可為其代表。但筆者卻不敢苟同。筆者認為這種人，最好少與交遊，因為這種人，可說城府太深，涵養太好，喜怒不形之於色，那真是政海中的要人，絕不是麻將場中的好搭子。如果同他交朋友，也只能剃頭的担子一頭熱。但他也有一絕，就是絕不讓你發現一頭熱的這回事，並且可能還陽光普照皆大歡喜。不過打麻將打死人的事，已有所聞。君不見某國會議員於清一色落地之後，敞懷大笑，而本人也駕返極樂去也。打麻將救命馬五先生已經提出了例證，有名有姓，且為高級學府教授，當可信其不謬。不過這都不是禁止或提倡打麻將的當然理由。人的好惡不同，隨他去反而更好些。不然強令不喜此道的人，偪促桌前，那比蹲牢還要難過的。

總之，政壇與麻將場是相通的。身在高位，只能在私邸與清客奉陪之下，胡上幾個清一色；而台下的政客則只能斤斤計較輸贏之多寡，不然輸掉菜金，那是非常尷尬的事喲！

國劇續紛續錄（十七）

姿蘗生

徐蓮芝的出路（續）

特別安排，每月有幾天的假期，可以到台北來學戲。因爲他的劇藝尚須深造，尤其是增加崑曲的份量，最低限度要有十齣之數。劇藝增多，方可再來開鼎，所謂水到渠成。僅是憑信口來吹，當然不足以服衆；但是拿事實來看，就不同了。因此我認爲她的劇藝，比什麼都來得重要！所好她年紀輕，三年五載是可成名的時候，現在不必亟亟。何况幾位前輩年事漸長，總有退休之日，儘可耐心多學藝以待。

她到台北的一年半，收穫並不少，洗練了醉酒、悅來店、能仁寺、會審，學會了鬧學遊園。這短短期間能如是，三年豈不有十二三齣？望此志勿渝。再則盼望干城北來唱唱演演，總覺他們怕趕不上人家而不來。蓮芝加盟後，應請主持人鼓起勇氣，到台北一行，她應該把練的學的，拿出來露露，使人家看看，已變作風。如佐以周嘯昆的麒派，也能第一絕。此間軍中劇團可以說無人能唱麒派。（戲目應是路遙知馬力，臨江驛，描容上路，掃松下書。）

某老會與我談及，金山寺唱崑曲，曾調好聽，但詞句不易聽出，也不易懂，爲何不唱皮黃？我答復說：斷橋既有崑曲的，也有皮黃，也有梅尚兩氏的唱法。現改爲杜近芳的唱法，寃家呀，誰的是，誰的非，一片亂亂。票友學了，內行也學，因此金山寺改唱皮黃，有何不可？而况現在改頭換面的也不少，並不離奇。我也希望蓮芝下次來台北演唱，把金山寺改唱皮黃。是人盡可爲，何不爲之。

其次，要多量的練習青衣戲，唱腔固然重要，表情尤爲重要。臉上呆板無戲，是要不得。但是過份活潑玲瓏，也要避免。青衣重要於端莊嚴肅。所以要學雲的武家坡，勝過乃徒，就是端莊不苟言笑的所在。梅派固要學幾齣，程尚則擺開不談，比較合式還是荀慧生一路，因他是由花旦而轉入，蓮芝也不妨循此路走走。荀氏的戲，做重於唱，約佔十分之六。唱則講柔，走調低，但有嗓子，也不必矯揉造作，有味兒便可。蓮芝現在去中部，參加干城，但願二三年後重來，必要使大家刮目相視。因現在有許多鼎鼎大名的所謂劇評家，尚有不屑一顧的觀念，寧看徐露，不願蓮芝，似乎徐露是京朝派，（連紅梅閣包括在內）而蓮芝是近乎外江。我則不問京朝外江，總以藝術來判斷。（完）

談曾石初次通函

‧聽梨‧

當太平天國之北王韋昌輝殺東王楊秀清全家後，又復殺翼王石達開全家，即七十二齡的老母，亦不能免。石氏幸於事先脫逃，揮軍西征，意圖入川，倘能如願，假以時日，生養教訓，則天朝西南，尚未爲晚。蓋其志彌堅，決不變更也。曾國藩得知石氏西奔，不勝欣慰，謂若得翼王來歸，豈惟國家之幸。乃陸卽親自草成一緘，專使遞送。函曰：

「大清禮部侍郎節制湖廣江西軍務曾國藩，書候天國翼王麾下：某聞識時務者爲俊傑。今將軍以蓋世之雄，舉兵湘桂，爲天下倡，奇葩雄才，縱橫萬里，甯不偉歟？然時勢不可不審也！當洪秀全奮袂之初，廣西一舉，湖南震動，進窺武昌，下臨吳會，聲勢之盛，亘古未嘗有也。然以區區長沙，且不能下，使南北隔截，聲氣難通。故湖漢陷據全州，西南兩王接踵於湘郡，曾天養失事於漢口，楊秀清受困於武昌。以至盛之時，而不免於險難，則天意亦可知矣！夫范增失意於鴻門，姜維殉身於蜀道，此非智勇之缺乏，而其所遇者非人也。尋將軍去就之故，則以持才智而昧時機；遂至沉迷猖獗，國朝七葉相傳，號稱正統；深仁厚澤，禮士尊賢；如將軍者，一登廟堂之上，方過冀北而羣馬皆空。英雄出用，只求建白，將軍甯不知作退一步想耶？彼秀全以草茅之士，挺而走險，窮蹙一隅，行將焉往？將軍窮而他陟，倘再不得志，甚非吾所敢言也！弟忝主軍戎，實專征伐，將軍或失志迷途，或回開覺岸，竊在今日，惟將軍圖之！」

此函有褒有貶，有淚有血，紙短情長，極盡攻心之能事。金石爲開，不料翼王秉浩然正氣，無動於衷，除款待來使，即作書答復，書云：

「滌生大帥足下：僕與足下，各從事於疆場，已成敵國。忽於戎馬倉皇之際，得大君子賜教言，得毋寡辛苦貼風，不以僕爲不肖，故以陸抗相待耶？今謹以區區之意，用陳左右。夫僕一庸材耳；漢族英雄，雲龍風虎，如僕者烏足以當大君子之過頌？然足下以一時之勝負，卽爲天意。苟其初亦誘以爲天意，誰與造我來之事業？又試問兩年之間，洪生收復天下之半，擇軍北上，淮陽底定，此則天意又何在乎？歷來開國元勳，皆捨命效力；西南兩王之死，亦常矣！且足下之意，有爲僕所不解者：豈草茅之士，遂不足以圖大事哉！漢高屢[illegible]危，方成大業。劉備艱難奔走，始定偏安！秦楚雖雄，而天命所歸乃在泗上屠狗之輩。蒙古雖強，而大業所就，卽在皇覺寺之僧徒。此足下所知也。足下固曾讀羣賢書，春秋夷夏之辨，當亦熟聞之矣。自昔王猛輔秦，猶未至彰明寇晉。許衡滅宋，死後不欲請謚立碑。蓋內疚神明，不無慚德！而足下喜勘名，樂戰事，猶或可爲。然以滿廷七代相傳，頌爲正統，此則僕所深爲詫異者也！曩者兵抵三湘，直趨岳鄂，足下高樓廣樹，巍然無恙。凡鳥過門，未敢留刺。今幸賜教言，且慚且感。僕不知反其道而施之！設僕等所事不成，若他日足下辱過敝廬，亦能再動今日之情誼否耶？既蒙錯愛，謹以函謝。今當西征，席不暇煖，無從把握。諸祈荃察。」

此函義正詞嚴，有忠奸之辨。理直氣壯，有清濁之分。曾氏於接信後，神色皆變。尤其在被責「不無慚德」與「頌爲正統」兩語，頗覺不安。受謗之後，不如常親理公務。此爲其平生登峯造極之時，所受到最大之刺激。其事曾載劉文淵先生石達開史記中，不多贅。

趙五娘

「影劇與歷史」之九

周遊

中國很多小說，戲劇，神話故事的作成，往往都是這樣的，如孝子型的「七仙女」董永故事，「烈女」型的故事，「殉情型」的故事等。這個「琵琶記」故事，是一個「負心郎型」的模範而已。高明把他之前的幾個「負心郎型」的故事揉合了，寫成了他的「琵琶記」。但是他爲什麼要把蔡卞弄到蔡邕頭上呢？後漢的蔡邕和宋代蔡卞，相差了千年左右。這事就令人難以知曉高明的用意了。

，又有人提出一個折衷的說法，說宋之「琵琶記」爲諷刺蔡卞，元之「琵琶記」爲指王四，二說並存的。

我看這一故事名「琵琶記」是高明創作之時定名的，在高明之前所唱的是「蔡中郎」。那時的男主角是背親棄婦，所行不義，終遭雷擊斃，（南詞敘錄載）。到元末高則誠手中，把它改爲夫婦團圓。這是中國文學缺乏西方悲劇意識的老套作法。

今天的「秦香蓮」故事也是「琵琶記」一類型的故事，包拯根本沒鍘過駙馬，同時也沒陳士美這個人。縱然有這樣的人，包拯也不能隨便鍘了他。這無疑的是「琵琶記」型的報復心理的呈現，認爲欺君（未娶）就是不忠，背親就是不孝，不認結髮就是不義，不收養子女就是不仁。認爲這樣的不忠不孝不仁不義的人物，應當遭受報應。這個故事，是把天譴變成爲人譴，認爲任何強權勝於公理之時，都可以打出鐵面無私的王牌。「琵琶記」之名，我認爲是「負心郎故事」的代名詞。因爲遺棄舊情，尋求新歡的，不都謂之「別抱琵琶」嗎？（五、完）

憶玉軒雜綴

疊名美人之詩文

滌秋

丁酉端午，久雨初霽，瑩鶴先生在左營竹居，將其昔年從政京華時，退食之餘所搜集的古代美人中，以疊字爲名者，凡得三十一人，題曰美人疊字名考。內容頗豐富，藏之書篋，已多年矣，爲了不使湮沒，乃重行錄編，先將各美人之書札詩詞寫出，再記以事跡。此卅一位美人，是蘇小小、關盼盼、崔鶯鶯、趙鸞鸞。卓英英、楊采采、張好好、李師師、蕭瑟瑟、劉倩倩、景翩翩、徐翩翩、卞賽賽、陳圓圓、周姍姍、邵飛飛、謝楚楚、周瑟瑟、薛素素、沈翹翹、張同同、談姍姍、張紅紅、李似似、李三三、羅愛愛、端端、皎皎、盼盼、柔柔等。茲誌蘇小小等十人較有名之著作如次，用博讀者一粲。

（一）蘇小小　牽帷歌

妾本錢塘江山住。花落花開不管流年度。燕子銜將春色去。紗窗幾陣黃梅雨。斜插犀梳雲半吐。檀板輕敲唱徹黃金縷。夢斷彩雲無覓處。夜涼明月生南浦。

（懷人詞）：別離情緒，萬里關山無底數。遣妾傷悲，未必郎心知不知？自從君去，數盡殘冬春又暮。音信全乖，等到花開不見來！

（二）崔鶯鶯　復元稹書

捧覽來問，撫愛過深。兒女之情，悲喜交集。兼惠花勝一合，口脂五寸，致耀首膏唇之飾。雖荷殊恩，誰復爲容？睹物增懷，但積悲歎耳。伏承使於京中就業，進修之道，固在便安。但恨僻陋之人，永以遐棄，命也如此，知復何言！自去秋以來，常忽忽如有所失。於喧譁之下，或勉爲笑語；閒宵自處，無不淚零！乃至夢寐之間，亦多敘感咽幽離之思。綢繆繾綣，暫若尋常。幽會未終，驚魂已斷。雖半寢如煖，而思之甚遙。憶昨拜辭，倏踰舊歲。長安行樂之地，觸緒牽情。何幸不忘幽微，眷念無斁。鄙薄之志，無以奉酬。至於終始之盟，則固不在鄙。昔日中表相因，或同宴處，婢僕見誘，遂止私情。兒女之心，不能自固。君子有援琴之挑，鄙人無投梭之拒。及薦寢席，義盛意深，愚細之情，永存終托。豈期既見君子，而不能定情，致有自獻之羞，不復明侍巾幘。沒身永恨，含歎何言！倘仁人用心，俯垂幽劣，雖死之日，猶生之年。如或達士略情，捨小從大，以先配爲醜行，謂要盟之可欺，則當骨化形消，丹誠不沒。因風委露，猶託清塵，存沒之誠，言盡於此。臨紙嗚咽，情不能申。千萬珍重，珍重千萬！玉環一枚，是嬰年所弄，寄充君子下體所佩。玉取其堅潤不渝，環取其始終不絕。兼亂絲一絇，文竹茶碾子一枚，此數物不足見珍，意者欲君子如玉之貞，俾志如環不解。淚痕在竹，愁緒縈絲，因物達誠，永以爲好耳。心邇身遐，拜會無期，幽情所鍾，千里神合。千萬珍重！春風多厲，強飯爲佳。愼言自保，無以鄙爲深念！

（三）楊采采　致商生書

伏承來使，具述綢繆。昔日懽情，一旦終阻。自遭喪亂，十載於茲。祖母辭堂，先君去室。煢然形影，四顧無依。欲終守前盟，則雁斷衡陽而莫通。欲經行小諒，則蟻委溝壑而莫曉。故委身從人，苟延微命。雖酬應之際，强爲懽笑；而岑寂之中，不勝傷感。追念舊事，恍若前朝。華翰銘心，芳言在耳。（一）

杜甫其人其詩

漁翁

三十歲時，得識大詩人李白。白生於公元七零一年，比甫大十一歲。兩人一見如舊，文以會友，詩以達情，在我國文學史上添一佳話。雖風格各有不同，而氣質與志向，卻極相投合。李白重視杜甫，而杜甫更推崇[illegible]寫飲中八仙歌，有曰：「李白斗酒詩百篇，長安市上酒家眠，天子呼來不上船，自稱臣是酒中仙」。又「幾年遭鵩鳥，獨泣向麒麟」「世人皆欲殺，我意獨憐才」！讚揚備至！而李白對這年輕的朋友，也願訂忘年交，相處僅半年，別後，李白常以詩寄杜甫，在魯郡東石門寄杜五言一律，足見念舊懷遠之親切。詩云：「醉別復幾月，登臨遍池台；何時石門路，重有金樽開？秋波落泗水，海色明徂徠；飛蓬各自遠，且盡手中杯！」

是時，杜以詩名，而同心相應，同氣相求者，何止李白一人？凡言詩者，多涵欲與之交，不過以李白爲較深厚也。在長安，曾向玄宗獻三大禮賦，帝閱後，奇其才，授京兆府兵曹參軍，爲了居大不易，饑來驅人，不得不牛刀小試的幹下去。

後來安祿山叛變，京師失陷，玄宗幸蜀，肅宗即位靈武；甫亦由京都夜遁，謁肅宗於彭原郡，拜右拾遺。時房琯爲相，琯布衣時，與甫善，自以爲推轂有人，可望揚眉吐氣。胡琯帥師討賊失敗而罷相，甫以言官身份，上疏言琯有才，不宜罷免。肅宗怒，貶琯爲刺史，出甫還鄉。臨行，賦詩與親故道別，有「至今猶破膽，應有未招魂」，認爲諫疏開罪。

其時關畿亂離，米珠薪桂，有驚無險而未受到嚴厲之處分。甫寓成州同谷縣，自負薪採梠，餔糒不給，兒女餓殍者數人，爲最悲慘之時期。所寫七歌中，有「中原無書未歸得，手脚凍皴皮肉死；」「此時與子空歸來，男呻女吟四壁靜」。在「入門聞號咷，幼子饑已卒」的慘狀下，當不得再住下去。（二）

內優警台報字第〇三壹號內銷證

自由報

THE FREE NEWS

第四五八五期

中華民國僑務委員會頒發
台教新字第三二三號登記證
中華郵政台字第一二八二號執照
登記爲第一類新聞紙類
（半週刊每星期三、六出版）
每份港幣壹角
台灣零售價新台幣貳元
社長：雷嘯岑
督印人：黃行齋
社址：香港銅鑼灣高士威道二十號四樓
20, CAUSEWAY RD 3RD FL.
HONG KONG
TEL. 771726　電報掛號：7191
承印者：大同印務公司
地址：香港北角和富道九六號
台灣分社
台北市西寧南路壹壹零號二樓
電話：三〇三四六
台郵撥儲金戶九二五二

從反攻大陸看亞洲反共聯盟（下）

郭甄泰

第二爲戰畧問題。美國的世界戰畧爲應戰，爲報復，決不首先挑釁，亦決不先發制人，第一次大戰時如此，第二決大戰時亦如此，艾森豪政府如此，甘迺廸政府如此，詹森政府仍如此。美國前陸軍參謀長戴克將軍說：『吾人已經保證——遵守和平國家之慣例，吾人將不作首先攻擊。換言之吾人將永不恫嚇，準備或發動侵畧。』空軍及發展司令部主任許里華中將說：『我們聲明，我們不發動一個全面戰爭，在軍事上是一個不侵犯者』。麥納瑪拉說：『蘇俄對美國發動任何攻擊，我們可望保有未遭損害的足夠武器，於承受其攻擊的全部效果後，來摧毀蘇俄。』甘迺廸總統國情咨文中說：「我們武裝的主要目標是和平而非戰爭，必需設法使這種武器永不被使用，使它們能嚇阻所有戰事。」詹森總統說：「甘迺廸總統所說的仍是我們武力的目的；我們有軍備，不是爲了要征服別人。」均可爲美國傳統基本戰畧，不先發動攻擊之說明。美國之核子戰畧爲假想蘇俄先動手，然後斷然予以毀滅性的報復。對蘇俄如此，對中共當然亦係如此。

第三爲顧慮蘇俄，蘇俄與中共現在雖積不相能，已無和解的希望，惟蘇俄擁有洲際飛彈約二百枚，威力爲二千萬至五十萬噸級；核子潛艇四十艘，可以環繞美國本土。發射中程飛彈，倘採其預定之核子閃擊戰畧，孤注一擲，自亦可能威脅美國，在蘇俄尚未表明態度以前，美國自然不能無所顧慮。最近有很多人推測美俄可能合作，對付中共之說，例如法國前總理雷諾本年四月十日在紐約說：「中共爲蘇俄的死敵和西方最大的威脅」，蘇俄現在完全了解中共對蘇俄安全所能起的影響，這就是何以中共日益强大，蘇俄就更與西方接近的原因」。「第三次世界大戰來臨時，開始是一場中共與蘇俄的戰爭，西方國家，包括美國，將起而援助蘇俄，實際上就是自保。」美國著名專欄作家李普曼發表了一篇文章說：「現在越戰更惡化，但中共與蘇聯的爭執卻更激烈，可能是中共恐懼蘇聯與美國聯合圍堵中共的諒解，正在形成之中。」曾任美國七位總統的顧問，連續達五十年之久的老謀畧家巴魯區，在第二次大戰結束時，亦曾說過：『將來歷史的發展，會把美俄兩國拉在同一戰綫上以對付中共。』對於美俄合作均抱有樂觀態度。就現在世界局勢推移觀之，此種預測，當然並非不甚可能，而且大有可能，但其時期，雷諾預言將在二十年以後，李普曼與巴魯區亦未敢預言美俄合作究竟何時能以實現，俟河之清，人壽幾何！因之祇能作爲一種希望，不能資爲依據。

綜觀美國，觀念如彼，戰畧如此，在對於蘇俄尚未取得諒解前，我國反攻大陸，僅能謂爲係一項嚇阻，暨參加越戰之一種手段，至於實正協助我國反攻大陸，消滅中共政權則尚有所待。處此我國在最近期內，勢非反攻不可，而美俄合作與美國贊成協助均屬渺茫之時，非自行設法，創造局勢不可。此種局勢如何創造，曰厥爲組成亞洲反共軍事聯盟及積極進行國內團結。前者爲集中亞洲各國之力量，後者爲集中國內之力量，於此二者必須齊頭並進，限期有成，以期造成一種新的形勢。茲先就前者論之。

三、亞洲反共聯盟如何組成

亞洲的問題，須由亞洲各國自行解決，亞洲人必須聯合起而自救，西方盟邦始會予以援手。現在亞洲之最大問題爲中共以滲透顛覆策畧，進行世界革命運動，首先要囊括東南亞穀倉，進而控制太平洋，越南戰爭即係因此而起。現在中共既不懼蘇俄之南侵，亦不懼英印聯軍之北進，更不懼美國空軍之空襲，所最担心者厥爲我國之反攻大陸，尤怕亞洲之軍事聯盟。中共控制之六億五千萬之人力優勢，非由我們反攻大陸，不能予以抵消。而我國反攻大陸除美國物資上之援助外，在軍事上如無亞洲各自由國家之支援，在戰畧上如無南北之夾攻，亦難望摧枯拉朽，於最短時期內消滅中共政權。亞洲反共聯盟早由我國蔣總統提倡於前，大韓民國亦早已表示積極支持，菲律賓雖未如韓國之積極表示，但衷心贊成當無疑問。從前此項聯盟未能組成，由於美國之冷觀，不予支持，及日韓兩國尚未復交，東北亞方面，缺口太大，未能組成，現在美國態度似已畧有轉變。據六月二十二日電：「關於目前正在遠東方面研討的一個自由亞洲組織的意見，此間官員在原則上暗示，凡是有助於該區自由國家團結與和平的任何行動，將受到華府的歡迎，但是在目前，華府將不直接採取主動促成這樣一種安排。這些美政府官員說：『美國不領導那種行動，那是亞洲人自己所應辦理與執行的』。『當然凡是有助於亞洲自由國家團結與和平的任何事項，華府均表贊同，祇是我們不直接參與而已』。」一家華盛頓雜誌的發行人雜普博士說：「甫舉行過一連串會議的中華民國蔣總統與越南總理阮高奇均樂觀的認爲華府將會同意在遠東組織一個反共聯盟的計劃。」足可證明美國態度對於此項聯盟業趨積極。至於日本，由其現在之態勢觀之，似屬於彷徨歧路，首鼠兩端，但其基本的戰畧思想，在於建立一項制止共匪擴張的，包括日本，大韓民國，琉球，中華民國，菲律賓在內的防禦圈。日本前法相賀屋興宣說：「共產國家的侵畧行動，乃不能否認的事情，就空中形勢來說，如果共產國家基地進展至朝鮮半島南端，九州、四國、中國近畿的全部區域，還有北陸，東海的一部份區域都將包括在戰鬥機行動半徑以內。再就海上形勢來說，現在北韓以北的海軍基地進逢釜山、木浦、鎭南浦的結果，共產國家的行動力，將伸展到中國海，南太平洋……」嚴重警告人民予以注意。（下轉第二版）

死撐

輸出

今日與明日

毛共恫嚇印度

毛共突然戲劇性的向印度提出最後通牒，要印度三日內撤除西藏與錫金之間的工事，否則將負担一切後果。這項通牒基本上就荒謬愚妄，首先要指出的，印度所構築的軍事工事，並非一朝一夕之事，最少也有五年的時間，毛共也曾因邊境問題和印度開過戰，在當時何以不要求印軍撤除工事，卻要在印巴戰爭時踢上這麼一腳，明白是乘人之危，已不應該，而此項「通牒」語句也含糊不清。目前印度仍視錫金爲保護國，印度該不該有保護國是另外一回事，但毛共從未反對過此點，既然如此，印軍在錫金境內構築工事又與毛共何干？此種跡近無理取鬧的行動，顯然是別有用心，與所謂中印邊界衝突」無關。

援巴抗印

印巴戰爭到現在爲止，已經打了十天，印度軍隊之不堪一戰，原是人所共知，但是，在印巴戰爭中卻顯然地佔了上風；儘管印巴雙方互相宣稱戰果，局外人都難確切知道勝負之數，不過，印軍攻入巴基斯坦境內，逐漸逼近拉合爾，卻是事實。假若拉合爾一失，巴軍將全綫潰退，屆時情況對巴基斯坦更爲不利，巴基斯坦所希望的克什米爾人民自由投票也將難以實現。

印軍何以能佔上風，大概這與兵員多少有關。印度陸軍共計二十師，巴基斯坦只有八個師，過去印軍在中印邊境佈署了十個師的兵力以防毛共，因此印巴兩國兵力不相上下，此次印軍首先發動攻勢，兵力一定要佔優勢，可能將中印邊境印軍抽調回三師到五師投入印巴戰場，巴軍自然支持不住，逐步後退。毛共此時自不願巴軍潰退，但又不敢眞的參戰，於是擺出這樣一個陣式，迫使印軍抽出西綫兵力佈防中印邊境，以減輕對巴軍的壓力。

解決印巴之爭的途徑

印巴兩國都不足支持長期戰爭，是舉世皆知的事，但是若無一勞永逸的解決辦法，即使此次獲得停戰，過一個時期戰事必將再起，對印巴兩國人民來說固是一大災害，即對整個自由世界來說，又何嘗不是一大負担？所以合理解決克什米爾問題，將是刻不容緩的事。

解決克什米爾紛爭之道，只有使克什米爾人民投票，決定他們自己的前途：歸印？歸巴？抑或獨立？像目前這種分割辦法實際只能苟安一時，給毛共製造機會。因此，我們要再三提醒英美，拿出決心，壓迫印度讓步，眞正公平合理解決克什米爾問題。（何如）

哀印度

馮五先生

近年來，印度既已遭受毛共進攻於前，現又被巴基斯坦侵襲於後，兩役皆喪師失地，吃虧不小，而且來日大難，方興未艾。咱們就自由世界整個安危關係設想，對印度固應表示同情，但我以中國反共人士的立場，抱歉得很，認爲印度今日的遭遇實係孽由自作，不可逭也。

回憶在一九四九——五九年的十年之間，印度當局以尼赫魯爲首，經常爲毛共張目助勢，對中華民國極盡落井下石之能事，揹着中立主義的爛招牌，在國際間搔首弄姿，譸張爲幻。尤其是每屆聯合國會議中，印度代表總是爲首倡亂，肆行煽惑，主張讓毛共政權進入聯合國，其態度之惡劣，視俄共集團國家更有甚焉。當二次大戰之際，對印度獨立運動最表同情的即係中華民國，且因此而招致英國的嫉忌；戰後中國對印度亦無任何不友好的言行，關於克什米爾問題，咱們政府始終不偏不倚，希望由聯合國調解印巴兩國的爭執，息事寧人。

可是，印度當局竟以怨報德，忘乎其形，處處瞧不起中華民國，事事替毛共幫腔撐腰。記得十年前我曾在「香港時報」撰文指斥尼赫魯，預言總有一天，我們必然聽到印度當局站在喜瑪拉亞山峯上，向着自由世界發出SOS的呼聲，如今不幸言中了！這決不是我有甚末遠見，而是依據常識以觀察印度的環境及其文化精神和地緣政治因素，毛共豈有不向印度擴張之理？何況列寧早已指出共產主義的發展路綫，是以由北京經印度進至歐洲爲捷徑的。可憐尼赫魯之流，昧於國際共產主義者的世界革命本質，妄想以親共媚共的作風來求生存，既不知彼，亦不知己，宜乎使印度陷於目前這種左右挨打、岌岌不可終日的凄慘地步，自作自受，於人無尤。

一個文化落後、產業貧乏、毫無自衛能力的新興國家，處在原子世紀的世界兩大集團國家對立鬥爭形勢之下，而假藉「中立」口實，利用投機取巧的兩面人姿態，企圖混水摸魚、貪取便宜以立國，眞所謂非愚即妄也已！

印度若幡然憬悟，急起改變所謂「不結盟」的外交政策，老老實實地置身於自由陣營方面，仗着集體安全制的關係，去其虛矯之氣，奮勉圖存，前途尚有希望，否則死路一條，無可救藥也。

經建成果展覽會收支帳目 結束近八月尚未公佈徵信

內政部命令工業總會迅將帳目送審

（本報記者張健生台北航訊）全國工業總會等工商業團體，藉慶祝國父孫中山先生百歲誕辰，宣揚經濟建設成果，特聯合舉辦之「中華民國五十三年經濟建設成果展覽會」，有藉此作非法弊端之嫌，頃為內政部下令主辦之中華民國全國工業總會迅將有關賬目送政府機關審核。

本案之所以發生，因經建展覽會主任委員束雲章，即全國工業總會理事長，於經展會結束已將近八個月後，對收支賬目，迄今沒有公佈徵信結案，案經全國工業總會監事張大謀提出檢舉，但負責人束雲章（現任立法委員）仍置之不理，因此向內政部舉發，內政部乃有此命令。

據全國工業總會於今年七月十二日，舉行第三十三次理監事會，該次會議紀錄竟係偽造，紀錄所記載內容與會議實際事項，完全不相符，顯然涉嫌偽造文書而矇騙內政部。其中所謂「一、張監事大謀提出對五十三年經濟建設成果展覽會有關事項，及副秘書長劉振鐙有關各節，均由束理事長分別答復」云云。據張大謀表示：「此種違背事實內容偽造之會議紀錄，監事依法不予同意。」他說：當時提出者，計有：

一、大會經展彩券、特獎（花園洋房）、頭獎（小汽車）、是否售出？

二、大會門券發售問題，有否被人向法院提出檢舉與告訴？

三、有否向台灣銀行借款一百八十萬元之事實——提經理事會討論否？用途為何？

四、經展會結束後已八月，賬務收支何不正式公告？何不提經理事會議送監事查核？

五、經展會結束時，生財傢俱，是否依法公開標售？

監事提出上列之事實，主持會議的束理事長未作答，所答者都是文不對題，說好聽的話，訴苦，申述當時辦理經展的困難情形外，束並說：「辦理經展，使我吐血二次，大會事務複雜，也很繁重，竹一兄（即秘書長汪竹一）很苦，大謀兄幫忙貼錢，及花精神，這些事情，大家均沒有錯，一切事情都是我個人的錯。區省級公會同人，因經展會賬務未結清公布，有些誤解的地方，請大謀兄和全體理事先生，多多幫忙，代為解釋。請各位成全經展會的榮譽，大會賬務。已由外貿會、經合會、經濟部派人查核，待補助費撥下清償債務後，再行結清公告。」

至此，常務理事陶桂林對於束雲章理事長之答復，係非所提之各項事實，同時認為秘書處提出遴聘各委員會委員人選，及與中國工業研究班合辦工業會計研究班之兩案，係圖移轉減輕會議商談重點，乃發言說：一、張監事（大謀）先生所提各項問題，及其財務收支數目，是今天（七月十二日）會議的重心，請飭副秘書長（亦榮）詳細紀錄，將要分別提出具體答復。全國工業總會為一法人（團體），一切措施，理應依法。本會一切有關會務措施，是否依法行事，在此應加檢討。二、關於各委員會委員人選重行遴聘，及與中國工業會管理協會合辦工業管理研究班等案，因為經展會賬務尚未結清，以致外面風風雨雨很多，辦理不便，應將上面所提各項有個具體交代清楚明白後再辦。」

但是會議紀錄，公然將陶常務理事桂林之發言不記，而竟作相反不符之記載。張大謀身為監事，為維護工業總會之信譽，嚴肅法紀，乃將前述經過，呈請內政部依法處理。張大謀於今年八月九日另案呈報內政部，畧稱：

查五十三年經濟建設成果展覽會，係由中央黨政機關之輔導，工商團體之支持，全國工業總會所主辦，其所收款項為數甚鉅。政府撥款，銀行貸款，大會收入，約共新台幣一千五百萬餘元，此外，經濟部補助之款項，尚未計算在內。按照計劃綱要第十條規定：「本會經費全部公開，每十天編具收支報告書，聽候稽核，結束後，並編具財務總報告，送請經濟部備查，並請會計師公會指定會計師駐會稽核。」（上）

從反攻大陸看亞洲

（自第一版轉來）

一九六三年日本防衛廳所草擬的國防演習計劃，標名「三矢研究」，假想敵國即為北韓與中共，其中且有：「如認必要且要經由北韓進攻中國大陸東北地區」字樣。近自中共核試爆以後，日本一些學人與評論家，又均主張加强開發原子國防，其中開發飛彈工業，步美蘇後塵打上人造衛星的計劃，事實上已在節節進行中。二月十五日由三菱造船所製造的飛彈護航艦「天津風」號（三〇五〇噸）已開始服役，明年春天，另一艘同性質的飛彈護航艦也預定完成。試觀其國防衛計劃係重視地對空飛彈，即可知其目標所在。日前佐藤首相答復沈外長說：「日本的憲法是守護和平，並不以捲入戰爭為國策，人民對戰爭亦極厭惡，所以日本的基本方針是和任何國家都維持友好關係。又日本與美國雖有安全保障條約的關係，但對美國目前的行徑，亦未必完全同意」。這不過是日本政府的「遮眼法」。日本為亞洲最高度之工業國家，自由亞洲之兵工廠，潛力極强，亞洲反共聯盟，如無日本參加，即無任何大的作用。同時中、日、韓利害相同，假想敵人相同，唇齒相依，禍福與共，中韓不保，日本豈能獨存？中共對於日本，滲透統戰，用力已久，如無中韓的屏障，對此潛力巨大之工業國家，中共又豈能見肉不吃，輕輕予以放過，最後祇有同歸於盡而已。日本明達之士甚多，對於此中情形，寧有不知之理？

現在日韓業已復交，祇要亞洲各國意志一致，亞洲反共聯盟水到渠成，日本遲早必將加入。縱使名義上暫時不能加入，實質上亦必將等於加入，殆無庸疑。美國前副總統尼克森說：「詹森總統對越南十億美元經濟援助的建議，等於把錢扔到老鼠洞裏，我們應敦促亞洲自由國家建立一個亞洲聯盟，這個聯盟應包括日本、中華民國，大韓民國，菲律賓，越南，馬來西亞，泰國，澳洲及紐西蘭。我們的金錢，應通過這個聯盟，俾此聯盟可以應付該地區的問題，而且也可以消除我們單獨行動的需要」。要言不煩，實可作為吾人建立亞洲反共聯盟之鼓吹。最後筆者再重複說一句話，即必須亞洲人聯合起來自救，造成一種新形勢，美國方能考慮予以援助。而亞洲反共聯盟，即為亞洲人起而自救的一種最急迫而且最重要之方法。（完）

台北律師公會與地檢處鬪法

本報駐台記者張健生

「車子為何開林頌和處」？「此舉是林律師叫你（指馮先）如是做嗎」（見四月十九日訊問筆錄），而馮先仍堅決否認。）「你（指馮先）前在警局供明是林律師要你如是做嗎？」（見同上，而馮先仍堅稱事先並未到林律師處。）

至此，檢察官林茂盛又再問告訴人王炳貴：「林頌和囑馮先去奪取的事有無其他證人知道？」於是王炳貴在檢察官林茂盛提示下答稱：「我們尚有宋仲恒知此情形，現在也在庭外，請予偵訊。」而檢察官林茂盛亦即時訊問宋某，並將宋仲恒推測之詞一併詳記訊問筆錄。是其一呼一應，設局取供，已可概見。

（按：宋仲恒供詞，亦不過謂當晚到達林頌和寓所，僅見到馮先，馮先說：「車是他（馮）所扣留」。宋仲恒進去找林律師，林律師酒醉入睡，宋馬上退出去。第二天再去，林頌和說已由他代扣在那裏，叫宋安心，足見林頌和是幕後唆使人云云，益見矛盾含糊，反足據為林頌和會員並無教唆搶奪之有利佐證。——以上均見今年四月十九日訊問筆錄。）

林茂盛訊問 目的在羅織

尤可奇者，檢察官林茂盛於連續取證後，猶以為證據不足，復於（今年）四月二十一日再度以挑逗口吻訊問告訴人王炳貴謂：「本案尚有誰人知道？」於是王炳貴又答稱：「當鄭清郎電告其計程車被馮先搶至林（頌和）家之後，我公司曾派出李顯章、王××（？）、郭進賢等到場協助處理。」於是檢察官不問有無疑義及究為何姓名，又繼續問道：「他們今天有無來？」該告訴人應聲答稱：「業經都來，在庭候訊。」於是檢察官林茂盛即一一令其入庭應訊，將各該證人所供車子被「馮」「搶」去後向林（頌和）交涉發還之經過，以及林律師囑彼等叫公司經理來商談解決之情形分別記入筆錄，雖其證詞內容未必足為林（頌和）會員「代扣」汽車之確證，亦可見其「極力羅織」之斑！

法院意氣用事 法官有失風範

原告訴書及鄭清郎之初供，固未指訴林頌和會員之妻龔偉傑女士，承辦警員之報告書，及警局之移送書，亦僅稱林頌和會員不無教唆之嫌，均未提及龔女士為涉嫌之被告，乃於五十四年三月二十六日案移檢察官偵查後，告訴人王炳貴忽於同月三十日具狀追加龔女士為被告，一併偵查起訴。同時，在警局移送書以及檢察官林茂盛前期偵查中之點名、押票、傳票，以及訊問筆錄中均僅記明以「妨害自由」為案由，而其後期之偵查與起訴則竟改用「搶奪」罪名，均足顯示不無意氣用事之嫌。尤以起訴書引用陸海空軍刑法第八十四條（註二），希圖置被告馮先與林頌和於唯一死刑之罪，其法律觀點實多可議之處；縱或僅圖聳動聽聞於一時，然其居心似仍有失檢察官偵查罪犯之正常風範。

業務上之行為 依法不負刑責

查搶奪之客體須為他人所有物，其構成要件除客觀上有公然奪取而非乘人不備之行為外，並以主觀上明知其無取得之權利而圖為自己或第三人不法之所有；如果誤認為有權取得，縱為排除他人妨害有類似奪取之情形，但因欠缺意思要件，仍不能以搶奪罪相繩。（三）

台省司法界創舉

屏東司法獄政同時易長 新任屏地院院長是女性

（本報記者袁文德屏東航訊）司法行政部為實行內外互調，審檢交流的人事政策，於月前實施一次司法首長大規模的調動，結果屏東地院、檢察處、監獄等三單位同時易長了，這在台省該還是創見吧？

屏東地方法院在吳樹立院長主持下的二年又六月期內，基於他本身具備着淵博的學問，高雅的風範，與生活清廉，律已甚嚴的節操等優越條件，再加上他那負責盡職，奉公守法，以身作則，對部屬恩威並濟，確乎使院務革新，有着極優異的表現，深受地方人士的愛戴。他這次調長新竹，在表面上雖同屬地院，官階與職務一如在屏東時，但實質上却不然。因屏東地院僅轄屏東一縣，而新竹地院則轄有苗栗、新竹、桃園等三縣，況又近接台北，因此向為不少人力爭之地。吳樹立前由高院庭長調長屏東地院，係屬初次獨當一面，他在職二年六個月便能有由屏東一躍調長新竹的際遇，正是由他平時辛苦所換得來的代價。

在中國司法史上，由女性出任首長的，以往有上海市地方法院院長鄭毓秀，江蘇常州地檢處首席檢察官王玉秀；而現在「降級叙用」，啣命接長屏東地院的劉惠霖，則屬第三位了。只是在台省，她還是第一位女院長。而最巧合的是，當年吳樹立院長任高院庭長時，劉惠霖是配屬他庭內的推事之一，吳樹立外放院長後，劉則奉令遞升為該庭庭長。現在吳院長調新竹，劉惠霖庭長又調長屏東地院，再次接替吳院長的遺職。也可視為異遇，此間地方人士並將之傳為美談。

由於劉惠霖院長是女性，所以格外為人矚目。據說，司法行政部長鄭彥棻及司法界同寅，無不對她未來的成就，寄予最大的期望。好在：（一）屏東地院在歷任院長的勵精圖治，竭心領導下，已有了優良的基礎。（二）此次同時履任新職的地檢處首席呂玉介，與劉院長既是高院同仁，況又是貴大同期同班的同學，今後在審檢業務的協調與配合上，勢必能相得益彰。（三）地方各界人士及各有關司法機關，向對法院業務有合作的美德」。所以，大家相信，劉惠霖院長未來的優異業績表現，是可預卜的。

據有關方面人士語記者稱：新任屏東地檢處首席檢察官呂玉介，不僅品學兼優，而且頗具魄力。屏東地方各界人士，對呂首席的寄望是：一、健全法警人事，整飭儀容，逾齡者應從速報請准予退休，在職者更應糾正其服務態度。二、內部之整頓，更屬刻不容緩的當務之急，尤其是那衙門化的官僚氣質，不可不予掃除。三、為維護社會善良風氣，使有罪者能繩之以法，對社會犯罪案件、應予積極主動交付偵查，對任何犯罪案件，都應切實做到毋枉毋縱。

屏東監獄原任典獄長謝福慈，因年邁奉准退休，高院會派主科陸仰夷兼理斯職；司法部現令調陸仰夷為部內專員；同時令調高雄監獄典獄長唐朝寬接長屏東監獄。屏獄一向內部紊亂而複雜，時有受檢舉密告之事，唐典獄長如何大展經綸，力加整頓，地方人士一致拭目以待。

印巴爲它大規模斫殺
克什米爾的山川風物

·本報資料室·

印度與巴基斯坦爲了克什米爾問題解決不來而動干戈，遂使那個有「世界樂園」與「遊客的天堂」之稱的克什米爾變成戰爭的焦點，殊爲可惜！

克什米爾是一個風景美麗，很可愛的地方。印度古代著名帝王朱恆支最喜愛克什米爾，把它看作是一個嬌艷的女人。他逝世前的最後一句話是：「克什米爾，再不要別的東西。」

無論你乘機或從陸路去訪問克什米爾，都同樣得到最佳與不會泯滅的印象，那裏的天然美景的魅力，無論在那一個時令，都會使到遊客們留戀，遊過還想再去遊的。

克什米爾面積八萬四千四百七十一平方哩，美麗的山谷本身長八十哩，濶二十二到二十五哩，高度由五千二百呎到六千呎。居民的膚色白皙，多似亞利安種人。人口約四百二十萬，他們樸實，勤儉，聰明。

克什米爾在很久時已屬印度的一部份國土，它曾是佛教的中心區。在十六世紀時代，印度的統治者，嫌國都所在地的平原，沙塵大，同時天氣酷熱，常到克什米爾去暫住，建立行宮和許多美麗的花園，而且仍有保存到今日的。

克什米爾與查謨常被聯合並稱，其實在幾百年前它們本是分開的省份，後來在一八四六年聯合由一個統治者所管轄。在一九五四年，查謨與克什米爾的四份之三土地歸印度佔有，所剩的地方歸巴基斯坦，那兩個國家都等候當地人投票決定將歸何國，因此就時常發生衝突了。

克什米爾跟五個國家爲隣，蘇俄、中國、印度、巴基斯坦與阿富汗。克什米爾是一個富庶的地方，出產多種生果，蔬菜，穀類與美麗的鮮花。世界馳名的卡士咩（最幼滑的羊毛），就是出自那裏獨有的一種野生山羊。這種羊有長直的白毛，羊角也是白色的，曾有人將這種羊移殖別處，但因氣候不適宜，成績不佳。

克什米爾有兩個都城，夏季首都斯利那加，照土語是「快樂谷」，它是在世界上最美麗和最奇特的城市之一，人口有二十二萬。它很像義大利的威尼斯城，有許多運河和九座大橋。在那美麗的朱蘭河和達爾湖上有許多船屋，其中大的船屋，長二百多呎濶二十呎，在船上種有樹木和蔬菜。有些船屋是出租給遊客的，每個月的租金由二百五十勞卑到八百勞卑，這包括四個待役的薪金在內，可見當地的生活程度之低。在斯利那加的孔道兩旁種有美麗的白楊樹，乃由古代印度國君親手所種，當一株死後人就另種一株補上。在高約一千呎的高加拉查耶山頂上視，全城可見。在山上有一座在公元前兩百年所築的印度教神廟，但曾經改建和修葺多次。

達爾湖長五哩，濶二哩半，湖水澄清有如水晶，乃遊客必到的名勝區。在湖邊的一間回教廟，藏有一根傳是謨罕默德的頭髮。在附近又有一座完全用木建築，有豐富雕刻的長方形回教廟。克什米爾人多有美術天才，能夠製造出多種工藝品，最馳名的有銀器，雕刻品，剪紙，顧繡等等。

查謨是冬季首都，人口約七萬，是一個工業城市，有製造絲織品、樹膠、陶器的工廠等等。克什米爾被稱做「遊客的天堂」的確是名符其實，在那裏有高山可爬，滑雪、釣魚、行獵（當地出產羚羊、山羊、森林有熊和豹），哥父夫球場，游泳與滑水。又有許多花園，可在遊樂場。遊客租到船隻後，可在河上和湖間行，觀賞沿岸風景。那裏四時景色都很可愛。克什米爾跟外邊的交通是很便利的。

克什米爾在多個國家的邊境之間，它有重大的軍事價值，所以爲印度與巴基斯坦必爭之地。印度宣稱，應爲他們所有，因爲它的統治者乃印度教人，印度教是印度國民的宗教；巴基斯坦認爲克什米爾應由他們所有，因爲在那裏的居民是回教徒，回教乃巴基斯坦的國教。

編者附誌：「怪力亂神與法律叢談」續稿仍未到，再停一期。

希特勒一着錯滿盤輸
不列顛戰役揭秘

成斗

一個戰爭在未開始前經已定了名稱。一九四〇年二月十八日，英國首相邱吉爾在他的演說中產生這個新的名詞，他說：「我想像不列顛戰役快將開始。」他是錯誤的，實際上希特勒要在三個星期之後才開始，但也不過是小規模的戰鬥。其實這也是希特勒所犯的大錯誤。

在整個戰爭中，德國的戰略受到分散目標的打擊。沒有人，包括希特勒在內，能夠確定德國空軍是否適合在軍事上担當要務，鋪開一條進攻英國的道路，或在政治上，有恐怖的手段，削滅英國人民的鬥志。在過去對波蘭、荷蘭、比利時和法國，這兩樣都有極大的效果，但在一九四〇年七月拿來對付英國，竟不生效！後來就決定去消滅英國的空軍。

英國的戰略是比較簡單，因爲在英國沒有人疑惑希特勒會來攻擊，所以英空軍總司令杜丁勳爵的職責就是盡力去攔阻德機的襲擊，但是保留一隊飛機，到戰爭最激烈時才出動。他秘密將英機撤到倫敦之北，他想使每個人對英國皇家空軍有信心，認爲可以保護他，所以雖遇到最惡劣的環境，就算在軍事是錯誤的，他們也要升空抗敵。

在那個時期的英國空軍，所剩下的多屬義勇的業餘飛行家，雖也有曾經受過訓練的波蘭與捷克飛行員參加，但大多數飛行員沒有經驗，對射擊更是劣手。爲補救這種缺陷，英空軍特在戰鬥的區域密佈世界最初的雷達網，直達各空軍總部，然後分用電話或無綫電將德機進襲的情形轉告各空軍戰鬥隊長。但當最後的一架暴風式戰鬥機在一九四〇年六月二十一日離開法國時，英空軍處於最低潮，在過去六個星期內，他們損失戰鬥機四百五十架，飛行員四百三十名，實力幾乎被削去了一半；假如德機在六月底之前來攻擊，就可將那個尚未有聯絡系統的防禦一舉消滅。

在德國的空軍方面，力量與弱點恰恰相反，他們已有三年作戰的經驗，最先是參加西班牙的內戰，後來在波蘭活躍。戰鬥飛行員的經驗也比較英空軍爲豐富。德空軍的弱點是他們一向習慣於勝利，故有輕敵之心。當他們碰到強硬的英國空軍，就覺得棘手，祇有增加飛機的數目，極少注意到改變戰術。更差的是德國的情報，他們未能偵查出雷達和英空軍戰鬥機的控制方式，他們所得到祇是一些英空軍的死亡數字和被轟炸後所受到的損失情況。

直到今日，仍未能確定到底那一天是不列顛戰役開始之日，但在七月十日，德機襲擊在英倫海峽東岸的護航船隻，這種情況，連續了有一個多月，但屬小型的。（上）

三國演義縱橫譚

燕謀

袁術大怒，喝曰：『俺大臣尚自謙讓，量一縣令手下小卒，安敢在此耀武揚威？都與趕出帳去！』曹操曰：『得功者賞，何計貴賤乎？』袁術曰：『既然公等只重一縣令，我等當告退。』操曰：『豈可因一言而誤大事耶？』（第五回）

通觀以上的敘述，一從張飛口裏表示出不滿，一示大官大員之無能。這都是反映時代人心的不平之氣。作者不敢明言，只得借用粗人的口吻道出，所以懂得歷史的人說羅貫中把張飛寫錯了，他有『國士之風，爲一世虎臣』（陳壽評），智勇雙全，何得爲一個大老粗？其實作者就是在創作人物，把個人單純化了，更不惜改變歷史，改變個性，改變名字。如以張飛而言，張三爺名益德，羅貫中硬把它改名翼德，三國演義中的『張翼德怒鞭督郵』，就全是改變了歷史，羅貫中的手法是『劉冠張戴』，本來此事是劉備幹的，作者硬把這件事移在張三爺頭上。這就是改變歷史，改變個性，把人物單純化，這樣一來，在一個大老粗口中道出的話，痛恨貪官污吏，伴食宰相，諷刺朝廷等，人們則不必去計較了。這好似戲劇中的小丑，胡說八道，人們一笑置之。張飛和李逵這等創作人物，就是戲劇中的小丑，他代表作者心中想說的話。如張飛的話：『異姓之爲君，何況我哥哥乃漢朝宗脈，莫說漢中王，就是皇帝有何不可？』這些話就代表了作者心中的時代意識，元明文人對於朝廷的仇恨心理，在此表現無遺，何況羅貫中還是一位『圖王者』的文人呢！作者是平民，他總希望把平民出身的皇帝寫得好一點。如果作者不用創作人物的口來說出自己心中要發的氣，那三國演義就算不得文學作品了，至多也不過是一部歷史故事。那麼羅貫中便沒有寫作的題旨，也就無法反映時代背景了。那就只是讀歷史。所以羅貫中在他的時代生活中，有滿腹的牢騷，如果由他自己直接說出來，或者形諸筆墨，就成了政治問題，馬上被視爲罪犯，『造反』的帽子有他戴的，殺頭的希望很大。由此可知，羅貫中筆下的張飛並沒有錯。所以我們了解文學作品（歷史小說），必須要從作者生存的時代着手，作者生存時代的思想主流是什麼？政治形態是如何？作者在實踐他的理想的時候，碰到了些什麼困難阻礙？以上所有現象和阻碍，在作者的心靈上起了什麼反應？如此方了解作者爲何而作？爲什麼要改變歷史？爲什麼要改變歷史人物的個性？爲何用不同的創造方式？如果讀者（看演義的讀者）祇在三國歷史故事本身下功夫，不會了解作品的價值的。考證三國時代的社會、政治情形，那完全是失敗的。作者的創作，是在表現他心靈中必須要表現意識，意識決定了，他可用神怪故事，如『西遊記』，也可以用當代的故事，如『金瓶梅』，也可以用歷史故事，如三國演義和水滸傳皆是。祇在故事的身推敲，永遠是相差十萬八千里的。（十）

趣味橫生的好書
——「孟武雜譚」讀後

米風

若干年前，我讀過薩孟武先生的巨著：「政治學」，也知道他是台大法學院的教授，給人的印象，無形中形成一種道貌岸然的學人風貌。然而，在讀過這本「孟武雜譚」以後，又給我另外一個印象。更何況自由太平洋叢書簡介說他具有「精靈鬼怪」的講授天賦，凡是台大的同學，都能體會他的精妙之處。可惜，我不曾在台大讀過書，所以無緣親聆他的講授。然而在讀過這本「孟武雜譚」以後，確也能領受他活潑有趣，詼諧幽默的特色了。這應該是孟武先生個人真實性情的一面。自然，我並不默認這一本具有學術性的巨著如前述孟武先生的「政治學」，便非真性情之作，只是當然彷彿要隔了一層而已。

孟武先生雖然自謙爲雜譚，但在我讀完這本書以後，我所得的，仍然是極其明朗，極其有份量。無論談歷史、談戲劇、談教育、談國家政治、談憲法法律，以及所標的雜文，都能使我這個關心國家及苦力追求知識的人，認識到孟武先生是一位大氣磅礡，在爲本書的閒談歷史篇，眞是獨具慧眼。一般研究歷史的人多半都喜歡看通史類的史書，其實通史在讀過以後，不過只能令我們知道那個時代有那個人那件事而已。而未必能夠進一步的瞭解爲何有那些事那些人。孟武先生的閒談歷史，所給我們的正就是這些並不能在史書字面上找得到的東西。

本書劇談，至少也是最真實的評述，文中還告訴我們一些來龍去脈，娓娓述來，趣味橫生，能使一個即使成見甚深的人，也會深受感動。老實說，我一向便是對於黃梅調的影片最缺乏興趣，甚而有些厭惡的人，可是在讀過孟武先生的「劇談」以後，我不能不承認我已經觀念一新。

本書談的教育問題，應該是我們國家目前最嚴重的問題之一了，我們早已有過聽過很多人的高論，可是說來說去，問題仍然還是問題，而且還越來越嚴重。至於孟武先生的見解，誰都不得否認其獨到之處，能抓着問題的核心所在，而且有具體的方案，以期解決問題。如果事理教育的人，能接受孟武先生這些意見，縱不能一針見血的馬上解決當前教育問題，最低限度該是走向有成效加遠景的道路，比繼續政治和憲法，乃是孟武先生的本行，雖然他講的好像是些瑣碎的問題，如「評『憲法學家一夕談』」，如「法治與刑治之間」，如「如何懲治貪污」等等，却竟不同凡俗，具見功夫。這些問題，這些統是我們所面臨的亟待解決的問題，不可掉以輕心。這些確，以往在我多少是憂心的，但在我讀過孟武先生這些文字以後，却增强了我的信心，使我「灰色的觀念」一掃而空，而樂觀起來了。主要原因是文章給我們指出了解決問題的鎖鑰。

本書的雜文類，包含十一篇，第一篇是「私權宣言」。這個名字，我初接觸時頗感陌生，然而在讀過以後，却予我非常清新之感。孟武先生開首便引用德國法學權威耶林之言：「正義之神一手執衡器，以權正義；一手執劍，以實現正義。實劍而無衡器乃力；衡器而無實劍，只是有名無實的權利。二者相依相輔，揮動寶劍的威力與運用衡器的技巧能夠協調，而後法律才完全見諸實行。」真妙極了。在文中，孟武先生告訴我們法律是需要應付實際情況的，不合實際需要的地方，要使其合乎需要。多麼言簡意賅，清楚明白！其他諸篇，也是如此，這裏不贅述了。

我該說：「孟武雜譚」使我受益不淺，是一本好書，值得鄭重的向親愛的讀者介紹，特別是青年朋友，都該一讀再讀，深切的體會。

賀丹麗出岫

大鵬名小生坤伶楊丹麗小姐，自港歸來，參加明駝劇團，增厚他們陣容，此出岫實可喜而可稱也。明駝需要良配，尤其是小生，聞曾經磋商，迄未獲確定人選，此次請楊小姐，是明智的抉擇，從此慧芬如添左右翼，無往而不利，當大為改觀。因此文藝活動的首夕，即貼出陸文龍，是丹麗愜意之作，固未讓大鵬的羣英會也。

丹麗初習旦，未能如意，改習小生，為徐露古愛蓮鈕方雨作配，大為驚人。余曾告之，既習小生，必兼文武，否則不免有些脂粉氣息，她以為是。迨雜觀樓演後，覺其演武更勝於文，其英氣勃勃，在近今劇行更是少見，迭為稱賀。她曾告必學陸文龍，余曰旨哉是言！其後苦學，果見成功。倘銳意研究，不難與劉玉麟並肩而行，勉之！

大鵬造就不少的人才，為何總不免有離去，如拜慈露、林萍、張吉瑛、黃音，皆是俊秀，恐亦如趙玉菁同樣，於待遇不無稍低。聞說嚴蘭靜，至今仍不過五百元，未免稍屈。所謂將兵，求其在多而精，此韓信的兵法。余頗望隊長要適當的獎勵（此王叔銘將軍臨別的名言），不要採明星制，以免楚材晉用。須要愈辦愈輝煌，成為無可匹敵，這是筆者的願望，諒不以為忤也。於此寄語丹麗，努力你的前程，寫下卓越的伶史，翹企以望之。

國劇繽紛續錄

鑾婆生　（十八）

趙原的亮相

國軍文藝活動，演出平劇，由陸光而遞到海光。現在胡少安離開，從前沒有旦角，現在是兩位旦角，半斤對八兩，並無差別。也許現在還稍重些，是任何單位，尚無兩位小姐，亦是海光的傲色。新時代有一句：女人第一！沒有老生並無關係，儘管能唱紅，要在能安排。

趙原初隸海光，這次亮相，便有聲色。秦香蓮、紅娘、孔雀東南飛、周仁獻嫂，是其他劇團所未唱過，以他靈活的身段，與細緻的表情，決定吸引不少的觀衆。尤其他讓古愛蓮唱三天，鎖麟囊、六月雪、碧玉簪，更顯得氣度夠大方，不是獨自鳴高，是其他角兒所不能。趙原幾年來推出新戲不少，我極贊許他在發掘；此後已有陣地，更希望多加發掘。老戲舊本，多得是有，盼多尋求，將來可坐荀慧生這把交椅，是台灣有成就的名伶，大概是意中事。

紅娘一戲，為四紅（盜盒紅拂傳盜紅綃）之中，最走運的戲。而當年排出，在前三戲之後。何以吃香？就是為出自西廂記，大家熟知，雖鄉下老嫗，亦多知之。北市伶票能演此戲，眞不少，大概我看了在廿次以上，個個都能演得好。陳美麟尤其拿手。（未完）

海嘯樓談薈

曾國藩之際遇

諸葛文侯

人生在世，皆有創造事業之雄心，欲期事業成功，基本條件固須具備相當之才智與行能，然際遇關係亦甚大，古今來若干蜚黃騰達或坎坷沉淪之傑出人物，究其成功與失敗之所以然，際遇關係實佔重要因素，才幹尚屬次要。

如近代名人曾國藩者，在未奉朝命練鄉勇以禦「長毛」叛軍之前，論資歷係二甲進士出身兼禮部侍郎閒曹，并無聲望可言，乃一循例由科甲涉足政界之尋常士大夫耳。且處於異族統治華夏，政治上滿漢畛域觀念極深之環境中，若無特殊際遇關係，縱使才能優長，祇身奮勉以求上進，亦莫由創造中興國家之績業，而拜相封侯，位極人臣，殆可斷言。

夷考曾氏發迹因，實得力於滿人內閣大學士──倭仁（一郎寧）之悉心拔擢。仁係曾氏會試中式之房師，平日對曾頗器重，時在清帝道光末年，朝政日非，道光帝有心求治，思得賢才，嘗語大學士倭仁，擬於朝臣中拔擢一二新進，藉資驅策，伊誰可任？仁以曾氏對，帝問「此人有何異能」？答曰「性行篤實，尤能遇事留心」，帝頷之。越數日，傳旨召見曾氏，屆時由中官引入禁苑一小室恭候移時，旋聞內侍傳諭改日再見。曾嗒然歸告仁以經過情形，仁詫謂向例決無此種情事，其中必有原因，詢向國藩候見地址形式與內部陳設狀況如何？國藩僅說明所至小室之外表建構則景象，以當時心情緊張而嚴肅，未敢舉目張望，無所悉也。仁乃斥金賄內侍，囑將曾氏當日候見之室內一切器物與壁間裝飾品，詳查轉告。旋聞內侍答復，該室內懸有乾隆帝所書屏條四幅，語皆關乎治道者，仁愫然曰：竅在是矣！立命國藩將原文鈔錄，熟誦毋遺，以觀究竟。然後道光帝再召見曾氏，所談盡係上述乾隆御書屏條語意，國藩亦盡摘原文詞句奉答之，道光帝大悅，語倭仁曰：「卿謂曾國藩遇事留心，誠然」。此即後來金田事變發作，「長毛」進入湘省時，簡在帝心而超任曾氏為欽差大臣，特命在籍練團戡亂之所由來也。

咸豐帝踐祚後，洪楊之亂愈烈，輔臣肅順當權，獻議主上須重用漢人以平內亂，帝從之，因而特命曾氏兼任兵部尚書，付以掌管全國軍政事宜之權力，俾得統籌全局，主持整個戰陣之役，有如軍政部長，而兼陸海軍總司令地位，際遇之隆，受知之深，實超過曾氏固有才能與資歷若干倍，宜其感恩圖報，置死生於度外矣。不特此也，凡屬軍事區域之用人行政，以及稅收諸事，亦完全唯曾氏之意見是從，無論興革獎懲，有奏請必照准；清室將領統兵赴前綫作戰者，如塔齊布、僧格林沁等，均受曾氏指麾調遣，謹遵節度，無敢稍有驕倨違命之言行；皇帝亦從不聽受小報告而對曾氏之職權有所干涉或懷疑者，君臣皆以誠信相處，同心協力，共赴國難，事功自易成就矣。

迨同治幼主登基，慈禧太后實行宮庭政變，剷除權臣肅順派，而以婦人垂簾聽政。然對曾氏倚畀不衰，信任如故，終曾氏之身，不啓猜忌之念，凡屬有功於戡平洪楊叛亂之諸文武大員，一例優遇保全，即對曾國藩臨死推薦之人才如李鴻章，亦特加任使，以視明朝朱元璋之亂殺功臣，賢愚奚似耶？

綜觀曾氏一生事業成就，肇基於房師倭仁之游揚獎掖，初與才幹無關。明乎此，即知曾氏晚年自撰墓志銘曰：「不信書，信運氣」，公之言，告百世「」，殆為甘苦有得之經驗語，不可以游戲文章視之也。

每孤鐙夜永，落葉秋高，往往目斷遙天，意高才不棄，撫念過深。加深澤以旁施，廣餘光而下照。采葑菲之下體，託蔦蘿之微蹤。雖荷殊恩，愈懷深愧。蕭自近歲以來，攬鏡徘徊，形銷體削，面目可憎，見之，亦將賤惡而棄去，尚何矜恤之有？倘恩情未盡於今時，擬宿緣再結於來世。沒齒之恨，懷歎何言！拜會無期，憂思靡竭。惟宜自保，以冀遠圖，無以妾為深念，珍重千萬！

（四）景翩翩　思迴文詩

簫吹靜閣晚含情，片片飛花映日晴；寥寥淚痕雙對枕，短長高曲幾調箏。橋垂綠柳長眉淡，楊擾紅雲遠望四山青。極目銷魂暗處亂啼鶯。

（五）徐翩翩送長沙顧太學詩

一日發江口，五日下長洲。可惜送君淚，不隨長江流！

（六）鄧飛飛薄命詞三十首

韋韝仍是紫台宮，馬上琵琶曲未終。嫁得伕夫雙足健，報人佳婿好乘龍。

烟樹關山幾萬里，殘妝零落為誰容。如何的的親生女，只愛金錢不愛儂！

疏風冷雨對銀缸，心自酸辛淚自雙。高壘愁城堅似鐵，酒兵十萬難攻降。

荻簾日影上遲遲，亂綰烏雲不畫眉。羨煞隔鄰誰氏女，

憶玉軒雜綴

疊名美人之詩文

滌秋

金錢閒擲買胭脂。

鶼鶼比翼兩相依，文彩蹁躚世所稀。不料風濤生洛浦，鍛羽又逐野雞飛。

自傷薄命更誰如，蘭蕙當年竟被鋤。回首五年成底事？風流好似夢華胥。

無端遴婿慕金珠，堪慟雙親一樣愚。寄語故園諸姊妹，荊釵布裙好權娛！

白雲飄緲望中迷，獨倚南窗掩面啼。萬里飄零親念否？碧梧不是鳳凰棲。

積雨沾泥已沒階，行行濕透小弓鞋。遙思多少侯門女，指點青鬟對對排。

驟車陣陣響如雷，門外風吹百尺灰。可惜春葱纖如玉，自生爐火除烟煤。

土屋茅簷撲面塵，可憐觸目也傷神。看他赫赫司晨牝，端坐華堂常帶嗔。

炎天斗室穢難聞，蒜蒜葱葱盡日薰。記得故園風景好，白羅紗襯石榴裙。

獅子容他吼獨尊，却將奴去嫁司閽。兒郎薄倖眞堪恨，不記添香枕畔溫。

憶昔雙雙倚畫欄，名花曾對並頭看。何期棄置如秋葉，忍把琵琶別調彈。

哮言[illegible]詩多般，翻道奴儂大舌蠻。悵望夕陽芳樹外，嬌聲嚦嚦語家山。

挑鐙含淚疊雲箋，萬里函封報可憐。為問生身親父母，賣兒還剩幾多錢？

淡淡春衫楚楚腰，菱花自對亦魂銷。如何顧食鴻庚婦，相視誰憐竟不饒。

奈爾[illegible]鳩居雀巢，啄將紅蕊出枝梢。堪嗟薄命愁如織，却與詩人作解嘲。（二）

秦香蓮

「影劇與歷史」之十

周遊

一、影劇故事

「秦香蓮」這個可歌可泣的故事，是發生在距今約一千年的宋朝仁宗皇帝年間。湖廣均州的秦香蓮，嫁夫陳士美。陳士美是一個勤學的舉子，他在香蓮的鼓勵幫助之下，始得上京應試。誰知一去三年，音信杳然。就在此時，湖廣地方，是連年旱災，農作無穫，士美的父母受不過饑餓的煎熬，雙雙餓死了。香蓮在舉目無親的情況下，只好携了一雙兒女，並隨同鄰人張酒仁，赴京去尋找陳士美。

抵京之後，從鄰人張酒仁的兒子口中，得知士美不但中了狀元，並且還招了駙馬。因士美要張酒仁的兒子張元龍帶休書傳給秦香蓮，張元龍以陳士美之招贅及休妻之行為乃是不義，便辭去了狀元府的管家職務而做小買賣。香蓮聞知，悲痛欲絕。在張氏父子百計千方之設法下，始得見到了士美，香蓮滿以為可以認下她及子女，得以團聚。誰知陳士美因恐失去榮華富貴，硬着心腸反目不認，並命家人把香蓮母子等趕出去！

香蓮被陳士美趕出之後，途中遇到了三朝元老王延齡，香蓮攔輿喊寃，跪地呼籲相爺主持正義。王丞相接納了香蓮的請求。於是便設計巧妙安排，命香蓮扮歌女，手捧琵琶，到相府彈唱，意欲使他們夫妻團圓。誰知陳士美利欲薰心，良知泯滅，不但不知後悔，反認為王丞相多管閒事，甚至將王延齡痛罵一頓，羞辱一場。

香蓮心灰意冷，知事已無可挽回，乃携了一雙兒女，帶着破碎的心情，欲返回家鄉，以度餘年。可是陳士美眞是狠毒，以為香蓮不除，終為後患，為了保持他的既得榮華，便差了一個武士韓琪，帶了陳士美的刀，前往香蓮的歸途上刺殺她母子三人，以除後患。韓琪在破廟中尋到了香蓮母子，本欲結果他們三人性命，旋經香蓮苦苦哀求，並且道出實情。韓琪事先不知其情，到此已知她三人不但無辜，而且殺之不義不仁。韓琪乃是一個有正義感的人，在他明白眞相之後，實在不忍下手，但如果不殺又不能回去覆命；結果韓琪取了「捨身取義」的一條道路，慷慨自殺了，成全她們母子三人性命。

秦香蓮這個苦命的小婦人，對自己的委曲倒也逆來順受，可是見韓琪這樣的死，心想此為陳士美所害，而且韓琪慷慨取義的行為，更激動了她的報仇之志，她終於決定替韓琪伸寃報仇。於是她携了陳士美的兇刀，到開封府去告陳士美遺棄及謀殺之罪。

鐵面無私的包拯，收到狀子，仍想從中勸解，希彼夫妻團圓，便差人去請陳士美過府，包拯力勸陳士美將前妻認下，並願給他担保一切責任。可是陳士美仍一口咬定無有什麼前妻。包拯見他執迷不悟，也就只好說出：「有人將你告了！」即刻吩咐升堂。

鐵面無私的包拯，當然不畏權勢，在香蓮指陳士美「誑言欺君，不奉父母，殺妻滅子」之大罪嫌；有陳士美之兇刀為物證，於是人證、物證之下，鐵面無私的包大人，就吩咐摘去陳士美的烏紗帽，脫去滾蟒袍，要將陳士美繩之以法。這時忽報皇姑駕到，包拯只好退堂接駕。皇姑就是陳士美之妻，她據報駙馬被包拯問罪，急忙趕來問其緣由。（一）

杜甫其人其詩

漁翁

於是決遷地為良，聞四川號稱天府之國，而又未經戰亂，還可以居住，即作成都之行。時黃門侍郎鄭國公嚴武鎮成都，武與甫為世交，奏為節度參謀檢校尚書工部員外郎，待遇頗隆，後人因稱之為杜工部。惟甫性褊躁，縱情放恣，嘗醉登武牀，瞪視之，曰：「嚴挺之乃有此兒」！武雖急暴，却不以為忤。

甫在成都郊外浣花溪，修了一間草堂，種竹植樹，依山傍水，縱酒賦詩，所詠清江一首，描寫草堂之景致，內有：「老妻畫紙為棋局，稚子敲針作釣鈎」。甫此時生活雖較從前為安定，而却未改善，讀「百憂集」：「入門依舊四壁空，老妻覩我顏色同；癡兒不知父子禮，叫怒索飯啼門東。」（三）

內僑警台報字第〇三壹號內銷證

自由報

THE FREE NEWS

第五八五期

每份港幣壹角

社長：雷嘯岑

督印人：黃行蓄

社址：香港銅鑼灣高士威道二十號四樓 20, CAUSEWAY RD 3RD FL. HONG KONG

TEL. 771726　電報掛號：7191

承印者：大同印務公司

地址：香港北角英皇道九八號

台灣分社

爲越局躭憂

·李槃·

美國對越南剿共戰爭的指導原則，是不求戰勝論──只靠優勢的武力迫使越共知難而退，實行和談。這是舉世週知的事實，白宮當局亦不否認的。可是，我們根據越戰經過的若干實際情況，美國如不改變現行策畧，敢斷言其「不求勝」願望亦必然歸於幻滅，結果將陷入進退維谷的苦境，無以自拔。怎見得呢？

一、根本不瞭解游擊戰性質

美總統甘迺迪先生在生時，曾經聲言訓練美軍，已從事游擊戰，作爲對付東南亞地區共黨醜亂之用。當時筆者即譯文指出：歐美人士決不懂得東方共黨的游擊戰本質，終歸徒勞而已。現在，根據美軍在越南實地作戰的各項事實，證明吾言幷非逆臆的空談，試舉例以明之。

三個月之前，有一位美國軍官在台北，向我國某一對共黨游擊戰具經驗的人士，請教游擊戰的主要條件是甚末？答言有三點：一是游擊戰區必須有老百姓，二是必須有敵人，三則戰士必須輕裝。那位美國朋友對於第二點頗感驚詫，覺得難以索解，經詳細說明共黨游擊隊要從敵人方面補充軍火以資生存的道理後，才恍然大悟了。談到輕裝問題，對於美國士兵穿草鞋一事，美國朋友亦認爲頗有困難，說是穿草鞋跑路容易被地面上的尖形鐵釘之類戳破腳部，而又缺醫藥，豈不危險？這足見西方人對於亞洲各地區人民的生活習慣完全不明瞭，犯了不知彼的大毛病。

最近有從越南回來的美軍人員談越戰故事，說美軍前次以數十架B—52重轟炸機大炸距西貢卅哩的D區共黨游擊隊後，繼由南韓軍進駐該地區，南韓故意放置迫擊炮兩門於道路上，韓軍乃隱蔽在附近以觀動靜。旋有越人前來攫取迫擊炮，越人當然是越共游擊隊份子，即予逮捕，距當地南越政府所屬的警務機構首長竭力請求保釋，理由是他若不保全，這些奪炮人的生命，那他的全家人皆活不成啦！這便是共黨游擊戰的眞諦所在。西貢首都警察總署月前被越共駕車携着炸彈，昂然駛入爆炸後，又悠然乘車逃走的情形，有異曲同工之妙。美越軍反共黨游擊戰的戰畧戰術如此，若說可以迫使越共接受和談，寧非夢想乎？

共黨游擊戰的方畧，是以鄉村包圍城市，自己控制着廣漠的「面」，而讓敵人防守畸零的「點」，再利用地方民衆作耳目，供給確實情報，見着大部隊的敵人來了，即退避，遇到少數敵軍就吃掉，藉以補充軍火。所以，游擊地區內表面上見不到有形的共軍，實際上遍處都是游擊隊，共黨叫作「人民戰爭」。美軍的空襲儘管猛烈，受損害最大的祗是些道路橋樑和建築物而已。美空軍在越境從事轟炸的時間已有半年以上，試問消滅越共游擊隊的人究有多少呢？用拳頭打螞蟻的結果，螞蟻幷未打死幾個，拳頭却已受到皮破骨折的損傷，實在得不償失。

二、政治與軍事不相配合

吳廷琰當政時期，設置的「戰略村」，原係沿襲我國當年在江西剿匪的碉堡政策遺規，對付越共游擊戰頗具效用，然自吳氏被「打倒」之後，「戰略村」建制亦就廢棄了。

西方人士經常強調「貧窮是培育共產主義的溫床」之說，認爲祇要提高人民生活程度，大家即自然不會聽信共黨的煽惑了。這話在理論上極通，按諸實際却不盡然，而在某些地區徒見其爲文不對題的廢話也。

[illegible]

深沉，一般民衆救死圖存之不遑，奚暇治禮義哉？大家所企求的是生存第一，安全至上，換言之，政治的自由願望爲先，經濟平等等要求尚在其次。唯一急務即消除共禍，組織、訓練民衆，使他們瞭解反共鬥爭的意義和目的，決非關係少數人的利害問題，[illegible]因此反共門爭之必要，有時候採取非常措施，或縱多少妨礙着人民的自由權利，民衆亦能諒解[illegible]

[illegible]文在共禍侵襲之中，既無暇從事全盤的經濟建設，[illegible]

無法競爭

死不瞑目

今日與明日

李宗仁演醜劇

最近香港自由報刊多收一份由所謂「中華全國新聞工作者協會」代發的請柬，李宗仁於九月二十六日在北平舉行記者招待會，請各報刊派一名記者前往，到指定地點登記，廿四日動身，一切均免費招待。

所有接到請柬的人，除去左報與準左報之外，無不捧腹大笑，不知毛共何以會來這一手，統戰工作作到如此笨拙，眞眞是狗急跳牆了。

毛共在香港新聞界的統戰工作，可說白費了十六年的神工，搞來搞去還是五間毛報。除去這「五鬼」之外，過去還有「一兩間」左報。過去毛共也曾邀請過九龍文化新聞界「回國觀光」，但是除去「五鬼報」幹部之外，也只有一九五六年最爲「成功」，當時以五千元一個價收買了幾個頭豬仔，此批豬仔回港之後，等於患了痲瘋病，斷絕了親戚朋友，大爲懊悔，自此以後再也買不到了。

毛共無聊無恥

毛共此項行動，無聊自不必說，也透着無恥。本來照請柬的本意來說，是純粹由李宗仁舉行的記者招待會，並無政治作用，不論反共與附共的新聞記者皆可參加，既然如此，又何必挨定九月二十六日？誰都知道再過五天就是「十月一日」，任何人只要到北平，即使你居心純粹是去參加記者招待會，毛共也可宣佈你去慶祝「國慶」，強行栽誣一次，你有口難辯，非「食死貓」不可。就憑這一點，試問誰願去？

毛共既然以爲它那個政權是一個「很像樣的國家」，又深得海內外人民擁護，「國慶日」也就可以堂而皇之邀人去參加，何必弄出這種掛羊頭，賣狗肉，暗渡陳倉的辦法？自謂得到海外同胞擁護的政權，却要借李宗仁這塊爛招牌來騙人，就未免太可悲了。

李宗仁應來港

李宗仁回到北平在飛機場發表的談話，要回國「頤養天年」，可是，自從回到大陸之後，東奔西跑，沒有一刻休息，以七四高齡之人，如此頤養，恐怕也養不了幾時。忽然此時，毛共又命令他來舉行記者招待會，若非高估了李宗仁的價值，就是有意羞辱李宗仁。試問這個招待會所到的「記者」，必然還是「五鬼報」的小狗數隻，都是毛共自己豢養的，到時李宗仁的面子又放在那裏？假若毛共眞有心要李宗仁舉行記者招待會，最好方式應當是准許他到香港來舉行，相信一定會有大多數記者出席。像目前這種作法，只是窮極無聊而已！（何如）

自由談

報載：中華民國教育當局最近請來了西洋的教育專家，到台灣考察教育情形後，提出改革方案，內有延長義務教育年限爲九年，增加中小學教師薪給至少一倍，所有企業工廠和公司皆應設置技工訓練機構等項。既是外國專家的意見，自爲政府所重視，據說即將分別實施，以觀後效。

談科學問題與民主政治生活的創進方法，我相信西洋人確實比咱們高明得多，應該虛心領教，身體力行之。至於國民教育問題，由於各國的文化基礎與民族傳統習慣互不相侔，因而社會結構亦互異，究竟如何改進，唯有本國人徹底瞭解，才能夠適應時代要求，洞見癥結。一般對中國文化與國情素來莫名其妙的學者專家，到中國來從事走馬看花式的皮相觀察，貿然提示改革方案，若不是隔靴搔癢之談，便係無關宏旨的瞎扯淡。

外國月亮亦平常

尤其是關於中小學教育改革之道，中國智識份子再低能亦比西洋朋友的見解切合實際，譬如延長義務教育年限，增加教師待遇這類問題，稍有常識的村婦鄉民亦皆能知之，能言之的。談到教育與實在社會生活脫節云云，這亦是在二十年前就有人指說過的老生常談，決無新義，而企業機構設置了技工訓練機構，是否就解決了「教育與生活脫節」問題呢？恐怕不是那麼簡單的事兒吧！

同樣的意見，本國人聲嘶力竭地說出來，很難引起當局者注意傾聽，出之於洋人口中，即視爲不可多得的高見了。外國月亮比中國的圓，由來已久，至今依然。此一種下意識作用，一項充內政問題，凡是自己人苦口婆心或垂涕而道，總是漠然置之，有時且認爲「問題人物」的言論，另眼看待；祗要在野黨人士或所謂社會賢達之流照樣的說說，便視爲珍貴異常的名言讜論，「官」心若是，國事可知矣。

現時台灣教育界流行着惡性補習的病症，外國專家以爲增加教師薪給一倍就行了，這就是見樹不見林的淺薄觀念。形成惡性補習的根本原因，乃是人口激增，學校太少，青年子弟的升學機會極艱難也。若不從推廣各級學校入手，縱使增加中小學教師待遇十倍，惡補之風還是愈演愈烈的，外國專家懂得這竅嗎？

馮玉先生

越局的未來

展望

[illegible]

經建成果展覽會收支帳目
結束近八月尚未公佈徵信
內政部命令工業總會迅將帳目送審

但該展覽會於今年元月份結束後，負責人束雲章迄未按照規定實行，事實俱在。依該展覽會規程第三十二條：監事會職權第三項之規定，監事有審核理事會財政出入之權。該案經監事張大謀口頭及書面提請交付審核，均被支吾阻拒，且對法院認證催請速將賬簿及原始憑證送核之函件，亦置之不理。張大謀以監事身份向內政部陳述如次九點，要求依法辦理。

一、索騙政府撥付補助欵項部份：外貿會撥補新台幣三百萬元；經合會撥補新台幣二百五十萬元。二、銀行貸欵部份：經展會於五十三年十一月向台灣銀行貸欵新台幣一百萬元，今年二月又向台銀貸欵八十萬元。三、大會收入部份：售出門票總額新台幣二百萬元，發售經展彩券總額新台幣一百五十九萬元，獨立專館及銷售間位租賃費四百餘萬元。四、經展會大會所收欵項，除經濟部補助之數不詳尚未列入外，為數已達一千五百五十餘萬元之鉅。而向台灣銀行借欵，事前既未提經理事會討論，事後又未提會追認，至於貸欵用途如何？責任屬誰？經展會為工業總會所主辦，工業總會為工業界人士組合而成，確非工業總會負責人（束雲章）所能把持壟斷，貸欵既不提經合法會議通過，開支又不提向大會報告，種種矇蔽政府，欺騙同業，違法亂紀，律有專條，應請澈查。五、經展會彩券售出新台幣一百五十九萬元，其中特獎花園洋房一幢，頭獎裕隆青鳥牌小轎車一輛，該兩項獎品購置何處？得主屬誰？至今未據正式公告。據聞：特頭兩獎均未售出，根據法令，亦未重行再搖。既不購置汽車洋房獎品於前，更未重行搖出得主於後，似此跡近預謀舞弊，在法律嚴懲貪污之際，應派人澈查。六、經展門券弊端部份：售出門券報表載列，全數為新台幣二百七十萬元，此數實難置信。據聞售出門券，其中有三分之一未經稅捐處蓋印，更另有無存根先行發售者，數在一百萬元以上，對於稅捐是否繳納合法，均有根究之必要。因此台北地方法院申請公證，致函台北稅捐處查詢，久未據覆。七、大會生財傢俱處理不當部份：大會創辦時，以新台幣三十五萬餘元購買傢俱，結束時經會議規定公開標賣，處理時並未依照規定辦理。例如汽車係由副秘書長劉振鐙自購，價款每月由其月薪中按月扣除。這種化公產為私有之措施，是否合法？如何取得負責人之許可？八、擅用公欵部份：工業總會第三十三次會議時，束理事長提出：四十八年辦理商展會，尚存有節餘金新台幣八十萬元業已撥交中國國貨館使用等語。查上欵之撥付，未經提由理監事會議商討，係擅自專權，原因係以該欵為條件爭取束雲章為國貨館董事長，汪竹一為董事，此種措施，於法不合。九、工業總會內部一切情形，至為混亂，舉凡有代表性之國民外交，如有國際會議，以及國內配合政策之重要活動，均未經過法定程序辦理。如此次副秘書長劉振鐙代表赴日內瓦出席勞工會議，僅由一、二高級職員決定，即可指派，整個會務，為少數人壟斷，實屬有違法紀。每次召開之理監事會議，僅到理事一、二人即可認定通過，任何重要案件，例如第三十一次理事會議僅到理事杜殿英；第三十二次僅到常務理事潘仰山，理事許曉初等人；但該各次會議紀錄，將各理事多已列載，顯係偽造紀錄，矇騙政府，應追刑責，而正法紀。

這件公案如何了結，端視政府的決心與身為立法委員的束雲章先生是否守法而定。（下）

而軍刑法之「搶刦」，並包含強盜罪在內，至於「教唆」一犯，不僅以對於本無犯罪意思之人唆令決意實施犯罪為本質，且投意人仍須具備「故意」犯罪之一般要件；若投意人誤信為合法行為而介入他人之不法行為時，因其欠缺「故意」要件，投意人亦無成立「教唆」犯之餘地，更無「事後教唆」之可言。況查律師處理委任事務上行為，縱其法律見解容或有誤，但若並無犯罪之故意，殊難令負刑責。今本案事實經過既如前述，究竟是否成立犯罪及觸犯何種罪名，明眼人自不難索解。

林頌和失檢　致枉被起訴

林頌和會員之素行及其處理本案之失態：查林會員頌和平日治事作人，往往失之駘蕩無羈，態度亦欠嚴謹，往年受理訴訟事件，亦有遭人指控之紀錄，外界頗有煩言。此次馮先起意扣回與有債務糾紛之汽車後，林會員僅說：「車子他扣在我處，由我代為保管，等候商談解決」，固不構成所謂「教唆搶奪」之罪責。然律師究非司法警察，亦非有權實施執行之司法人員，諸如訴訟當事人間所採之不正方法與份外手段，宜隨時予以匡正，至少亦當避免介入，以示超然公正之立場。林會員未予注意，致貽人口實，已難辭其失檢之咎責。而林會員於被人指控「教唆搶奪」，及檢察官林茂盛諭知「限制居住」以後，本應以善自辯解靜候處理為已足，要不必遷怒承辦人員，率爾出以頑強反擊之態度。乃林頌和於被諭知「限制居住」之當日（四月九日），除已表示對告訴人反訴誣告於前外，並又心懷憤懣，一面聲請檢察官迴避，一面對其提起自訴，控以「濫用職權」及「妨害自由」罪。致承辦檢察官林茂盛亦大為震怒，再度發出傳票，將原有「妨害自由」之案由率性改為「搶奪」！於是互相刺激，釀成循環報復之僵局。林會員對承辦檢察官提起自訴，已嫌過於衝動，乃又任意加深困擾，追加首席檢察官焦沛樹為被告，因而彼此情緒激盪，種下難以收拾之惡果，而有枉起訴「教唆搶奪」之結局。語云，誰為為之，孰令致之，雙方意氣用事，實不能謂非鑄成此一不幸事件之重要因素也。

台北律師公會與地檢處鬧法

本報駐台記者　張健生

台北律師公會提出三點意見

本案研究處理意見：本案經調查研究後，僉認律師因辦案而被訴「教唆搶奪」，已屬駭人聽聞，而引用陸海空軍刑法唯一死刑之法條，尤為不可思議之事。果真引用法條確有事實根據，則天子與庶民同罪，我律師界犧牲一罪有應得之同道，又何足惜？今本案事實眞相，既絕無所謂「搶奪」之情，乃徒以互相刺激，意氣用事，而竟有此過份誇張之論告，實開司法界空前未有之惡例。吾人痛心之餘，尤期期以為不可。爰敢一本唇亡齒寒之議，建議下列處理意見，是否有當，尚希審慎研議：

一、為保障人權，維護正義，及澄清外界對我律師同仁之誤會與觀感計，本調查報告書之內容文字於提會審議修正後（本調查報告業經台北律師公會理監事聯席會議修正並補充在案），似應先行送請檢察當局（包括高檢處及最高檢察署）參考，並籲請設法糾正，以策將來。

二、在不影響審判獨立之原則下（按：該案已送地院刑庭），本報告書內容請考慮以適當方式設法轉達司法行政當局參考，以期意氣用事所種之前因勿再滋生不良之後果。

三、必要時，請採其他適當措施，並將本調查報告書予以公布，以正社會視聽，而杜律師執行職務時，難以避免之中傷與後患。

以上內容，是根據台北律師公會林案研究報告書。記者暫不評述。

註一：民法第八九三條：質權人於債權已屆清償期，而未受清償者，得拍賣質物，就其賣得價金而受清償。約定於債權已屆清償期而未為清償時，質物之所有權移屬於質權人者，其約定為無效。因此，本案當事人馮先因借欠王炳貴債欵二萬五千元而將一五一〇一八八號計程車作抵押之約定，依法暨司法院之解釋當然「自非有效」。則該計程車之所有權仍屬馮先所有，自無疑義。

註二：陸海空軍刑法第八十四條：結夥搶刦者，不分首從，一律處死刑。（四．完）

屏東記者竟鬧派系
所作所為見不得人

（本報記者袁文德屏東航訊）因縣府建設局長請客，此少數人的這種舉動，固屬遺憾；然那些目中無人者的所作所為，確實亦應自我檢討才對。

按各官民營報紙、週刊、雜誌駐屏記者共有三十餘人，其中取得公會會員資格的約有二十餘人，沒有入會資格的週刊、雜誌記者約四、五人；另有官民營的幾家北部報紙記者，則持另一態度，而不願加入公會者有五人。

屏東新聞記者的內鬨，幾年來雖一直風風雨雨，但始終祇不過是有雷無雨，說說而已。它的遠因，不外乎是：一、有資格入會的，而不願入會的記者；沒有資格入會的週刊、雜誌記者，受到了歧視。三、憑個人喜惡，把報紙劃分為大報與小報；尤其那些自命不凡，趾高氣揚，自號為大報的記者，竟鄙視別人為小報記者。

基於上面的因素，那些自以為了不得的所謂「大報記者」也者，平時雖祇是氣勢凌人「冷眼睨比」；而一旦有某機關宴請記者，或者普通（例行）招待會時，則大有不能苟同一時的那副態度。此所以屏東建設局長於接事後，由新聞秘書代為安排屏東邀記者便餐時，竟又分作兩日。然由於新聞秘書安排，事機不密，竟事前被受邀的所謂「小報記者」也者所窺破，於是相約罷筵。後來雖為建設局長獲悉，而取消次日的邀請，一律排在一天，然原被邀的「小報記者」仍到無幾人。於是某報記者就對此大書特寫，除表示抗議「大報記者」外，並含有指責承辦單位不該如此之意。這雖是件令人發嘔的事，但願凡愛惜記者名譽的「大」「小」報記者，都乘此自我檢討，並改變態度。

說實在話，像這種見不得人的是是非非，倒亦並非屏東所僅有，其他縣市何獨無之？不過，認眞檢討起來，有些新聞從業人員的某些行為，確是應該改進的，例如：一、掮着新聞記者的招牌，便到處從事不法活動的。二、從年初到年尾，從不寫一字新聞稿，而只知開收據到處搞錢的。三、不刊一字廣告，而到處三十也好，五十更妙向人揩油的。四、接受些許餽贈，便不惜抹煞事實，變造新聞，矇混社會人士的。五、莫名其妙，態度傲慢，自恃見官高百倍的那副驕氣，令人見了生惡的。種種都是。

駐屏東的各官民營報紙、週刊、雜誌記者，都是負有配合國策，宣導政令，報導「可讀性」新聞的同一任務與使命的；因此，除了少數人不正確的觀念確實必須澈底自我改正外，那些行為不良，早已被人鄙視的，更應自責自律，「重做記者」，才是正道。當然，負有輔導記者公會職責的有關機關，也應注意疏導，決不能任其「自由發展」，莫知所屆。

屏東茶室咖啡廳
營業性質四不像

（本報記者袁文德屏東航訊）屏東縣境茶室、咖啡廳營業性質多屬「四不像」，而各有關主管機關竟不約而同的充耳不聞，亦怪事也。

依法所謂特定營業管理之茶室、咖啡廳業，係指雇有女性陪客，而專售茶點、咖啡、及其他冷熱飲品者而言；蓋因此類營業者，多以色情引誘顧客者。屏東縣境此類業者，其內部設備之簡陋，實非正人君子所能想像。他們在表面上極盡掩飾之能事，然因同業間競爭厲害，遂不惜以「裸體陪茶、陪酒」的低級黃色趣味，博取顧客歡心，不但善良風氣蕩然無存，而箇中製造出來的人口販賣，迫良為娼等等黑幕，更是駭人聽聞。

屏東現有茶室、咖啡廳計七十餘家，（其中咖啡廳祇二家），他們都是以專賣茶、賣咖啡向各主管機關的縣府工商課、衛生局、稅捐處、警察局分別辦理申請核發營業執照的。但當他們領得營業執照後，內容却變了！如說是茶室、咖啡廳，而他們又私自暗地供應顧客酒菜，其形其式，與酒家全無二致。如你眞以為他們也是酒家，則他們又不但也賣茶、賣咖啡，同時又賣淫，後者還是其主業。而那種淫業，却又不如那些領有牌照的綠燈戶的那麼公開，當然亦絕對不像私娼那樣偷偷摸摸——因為私娼警察當局是有權、有責公開掃蕩、取締的。所以他們竟成為既不是「酒家」，也不是「茶室」、「咖啡廳」，又不是「綠燈戶」，更不是「私娼寮」的「四不像」了。然而竟無人管，竟任由他們胡攪下去，不亦怪哉！

香港將選
美腿小姐

（本報訊）首次美腿比賽，將於下月在港舉行，選舉一九六六年美腿小姐。此項比賽乃由芝柏表廠主辦，並由佳麗寶化粧品廠及金賓、漢宮夜總會贊助。

凡年齡在十七歲以上之女性，不分國籍，均可參加，九月廿四日開始報名。參加者之姓名、年齡、國籍全部保守秘密，僅以編號代表，除主辦人外，評判員亦不得獲知是項秘密。評判以腿部之美觀為標準，參加者不得穿襪，惟須着白色高跟鞋。參加者出場時，上身全部有幕遮蔽，僅露出膝部以上六吋至足踝為限，參加者服裝任便。

評判人共五名，將敎請中外社會知名人士擔任。

最小的鳥—蜂鳥種種

·天靈·

我們這世界的「最小的鳥」，是產於新大陸（南、北美和中美洲）的蜂鳥。其實，「蜂鳥」是一個泛稱，其中也有大有小，最大的和燕子不相上下，最小的則比黃蜂還要小，二者是如此的懸殊——最大蜂鳥的頭竟比最小的全身還大。

蜂鳥共有五六百種，它們有一個共同的特色，便是羽毛都異常美麗。因爲它實在太好看，故有人將他寫的一本專門研究蜂鳥的書的名字叫做「活寶石」。還有人稱蜂鳥爲「閃爍的彩虹」。出名自然科學家布豐也以詩人般的口吻讚美這些小鳥道：「綠寶石、紅寶石、黃寶石，一齊在它們的羽毛上閃閃發光。」一位嚴肅的動物學家，在他的專門著作中，也不得不花篇幅寫道：「提起蜂鳥，不說一兩句讚美的話是很困難的。」

蜂鳥不僅顏色美麗，它飛舞的姿勢也伶俐可愛，因而它們又被稱爲「飛舞的花朵」。蜂鳥的飛行和一般鳥類不同，和昆蟲反而有點近似——不停震動它的雙翼，據統計，每分鐘達五百次之多。所以蜂鳥的心臟特別發達。可是它們的體驅又是如此的纖小，以致有人懷疑它們的身體怎麼能容納下許多複雜而精緻的器官。

由於飛行方式不同，蜂鳥在飛行時能作出一般鳥類決無法做到的精彩表演——朝後飛（距離當然不太長），當它飛近花的時候，它很快地把長長的嘴插入花中，身體在花之上，接着，「表演」開始了，它的身體漫漫地向下沉，好像整個身體都賴長嘴支持着似的（實際上是靠翅膀不停的震動），吸飽了花蜜以後，嘴便拔出來，朝後飛一段，接着閃電般的不見了。它的飛行速度是那樣快，令人目不暇接，以善飛而出名的燕子和它比起來也不免遜色。雖然在進化系統上，它和燕子是近親。蜂鳥的這種特殊的飛行本領，和它的構造有關，按照體軀大小的比例說來，它骨骼中的龍骨突比鷹還要發達。

蜂鳥以花蜜爲食物，但也捕食昆蟲，因它在花叢中飛舞採蜜，自然也和蜂、蝶一般的能爲植物傳粉，加上它又能吃害蟲，所以有利於植物繁殖。許多人以爲蜂鳥之所以名爲「蜂鳥」，是因爲它和蜜蜂一樣的爲植物傳粉，其實，這不過是一方面，更重要的是它飛行時也發出「嗡、嗡」的聲音，這聲音的來歷自然也是因爲它的雙翼在不停的震動。英文叫它做「嗡、嗡、嗡的鳥」（Homming-bird或Hummer），便是由於這緣故。而這個字又意味着「精力旺盛者」，這也是名符其實的。蜂鳥雖小，精力却非常充沛，在它們生殖時期，雄鳥竟能戰勝前來騷擾的比它們大的多的鳥。

蜂鳥「穿」得漂亮，吃得考究，飛得動人，它的住「所」（巢）也異常精巧，雖然大小不等，有的大如酒杯，有的小到手套的大拇指也容得下，但裏面鋪的是柔軟的絨毛，外面是碧綠的樹葉。有人說，就是仙女也願以蜂鳥的巢，作爲她們的洞府。可是這美妙的巢究竟有多大呢？以一般的巢爲例，直徑大概是一英寸又四分之三，比火柴盒還小些。蜂鳥不但會造巢，還會出人意料地捍衛它的「家」，有時將巢築在植物葉子的尖端，使猴子、蛇無所施其伎，有時用蜘蛛絲將巢掛在岩石上，巢中往往還有一些石子，以防傾覆。

蜂鳥因具有這許多特色，故身體雖然具體而微，它在自然界中順利地繁殖。它的生殖力並不太強，一巢常產兩粒，如問它的卵大小如何，答案只有兩粒長圓形的豌豆那麼大，可是按比例說來，卵的體積已經超過了它的身體。

印度也有所謂「太陽鳥」，但那是冒牌貨，它的正名應爲「蜂鳥」，比眞蜂鳥大許多，同時也決不是什麼印度的特產，我國和非洲、大洋洲等國家都有，不足爲奇。

編者附誌：「怪力亂神與法律叢談」續稿仍未到，再停一期。

三國演義縱橫譚

燕謀

抓住了三國演義作者的時代意識，然後再去看三國演義，那就不會發生寫錯了張飛的笑話了。再有一個注意之點，就是作者藉歷史故事爲素材，爲什麼他不取其他朝代的歷史故事人物來表現，偏偏要借用三國時代的人物、故事來表現他的寫作意識呢？這該是爲了：三國歷史人物中的主要人物，恰恰與作者寫作意識相吻合。我們知道羅貫中是一個文人，也有志圖王者，那麼諸葛亮正是一個適當的主角。而且又是平民。劉、關、張三人出身都是平民，平民打出來的天下，那正是作者所樂意借重他們作爲反應作者時代意識的。我們憑三國志知道：劉備是『織蓆編履之夫』，關羽是亡命之徒，張飛是一個賣酒屠豬的屠夫，諸葛亮是『南陽耕夫』，出師表上說『臣本布衣，躬耕南陽』，通通都是平民。而且這些平民出身的人物，都有他們輝煌的成就。這正是羅貫中所需要的寫作素材。明乎此，三國演義的時代意識爲何？就很明白地得到結論了。了解三國演義的時代背景之後，再去讀一遍三國演義，就會有不同的感想了。三國演義如此，其他的文學作品亦如此。

四　三國演義爲什麼受人歡迎

文學家的評論

三國演義這部小說，可以說是中國小說中最吃香的一部小說了，讀者之多，是無法計數，它的銷路，可以說『沒有一部書可以望其項背』。我們可以用一個估計的方法來衡量，凡是讀書識字的人，幾乎十分之七八都會讀過「三國演義」的，有很多人讀過四五遍者更不乏人。它的魔力比任何小說都大，我國數千年歷史，只有這部三國史爲吾國人婦孺皆知的。它爲什麼有此魔力？它的優點在那裏？固然有人說好，也有人說平平的，亦有人以爲這部小說歪曲了歷史是不好的。下面姑且舉幾位名家的看法，再下筆者的結論。

胡適博士在他的三國演義序文中（胡適文存二集卷四頁二·一九至二二一）批這部書有三點結論：

一、拘守歷史的故事太嚴，而想像力太少，創造力太薄弱。」

二、三國演義的作者，修改者，最後寫定者，都是平凡的陋儒，不是有天才的文學家，也不是高超的思想家。

三、三國演義最不會剪裁，他的本領在極搜羅一切竹頭木屑，破爛銅鐵，不肯遺一點，因爲不肯剪裁，故此書不成爲文學的作品。

四、三國演義究竟是一部絕好的通俗歷史。幾千年的通俗教育史上，沒有一部書的價值比得上它的魔力。（十一）

希特勒一着錯滿盤輸　不列顛戰役揭秘

成斗

每次出動的飛機絕少超過十五架，每天戰鬥的結果，德機極少有損失超過十二架。在這空戰中，英方吃虧，因爲他們離開海岸作戰，雷達不能有大的幫助，祇能作短程的警告。但雷達員透過指揮部的情況轉到飛行員，經過一個多月的練習，就有了較多的經驗。在德國空軍心目中，也以那些遭遇戰來練習操作他的大攻勢，在這個時間雙方都增强勢力。八月上旬，德空軍有三千五百架飛機駐在法國，荷蘭，比利時和挪威，其中約有二千五百架隨時可用。英空軍祇有戰鬥機七百二十架，後來在整個戰役中，數目都維持不會少過七百架。

英空軍的缺乏是最嚴重問題，一個空軍訓練所需要的時間要比較造一架噴火式飛機的時間超過五十倍。而一架噴火式飛機被打穿了幾個孔，經過修補後可再用，但一個飛行員被擊傷後，要頗長時間才醫治得好。有許多新手初上陣就喪命，補充不及，要由數目正在減少的老手來負上責任。

在八月十三日，德國空軍首次大炸勃特蘭。翌日襲擊雷達站和機場，雙方損失重大。在幾日之後，德空軍的目標移轉到飛機製造廠，機場和在戰鬥的飛機。在八月十三日，德機受到重大的損失，喪失七十五架，英空軍損失三十四架。在八月十五日，從挪威起飛的德機作唯一的日間進擊，遭英機挫敗，德空軍受低能的情報所誤，他們白白損失許多飛機和炸彈並不是在英軍機所駐紮的機場。在戰爭的第三期，德機於九月七日猛炸倫敦，德國空軍指揮部相信在倫敦南部的各機場已完全被毀，其實那些機場早已被放棄，飛機都安全撤到別處去。

[illegible]北部的英空軍[illegible]？這也許永不能有一個清楚的解釋，動機是混合的。但倫敦是一個主要的軍事目標，英國的政治與軍事總部都設在那裏，有許多重要的工廠，倫敦也是英國的最大海港。因爲這個原故，英空軍也就要極力守衛它。但在九月七日的襲擊，德機未能擊落多少迎敵的英國戰鬥機，也未能照理想去進擊空軍基地。

也許在十一日得到勝利，德空軍在十五日對倫敦發動大攻勢，這天就便叫做不列顛戰爭日，德機損失六十架，英機損失二十六架。納粹空軍總司令戈林因爲沒有充份的戰鬥機來保護，自後他被迫減少派出轟炸機，這就減少轟炸造成破壞。在九月十七日希特勒對他的參謀所部署進攻英國的計劃已取消，本來他預算在十五日發動的。但是德國轟炸機與空軍都未知此事。德機的轟炸繼續，但已逐漸減弱，直到十月底天氣惡劣爲止。但在九月十五日英方已獲得不列顛戰役的勝利。在戰時雙方都會虛報自己的損失而誇大擊落敵機的數目，照戰後的眞實調查，從一九四○年七月十日至十月三十一日期內英方宣佈擊落德機二千六百九十八架，其實是一千七百三十三架。德方宣佈擊落英機三千零五十八架，其實祇有九百一十五架。（下）

評介「强制執行法新論」

·洪流·

著者：段宏俊

强制執行法是現代法律機能之一；在公法上有以公權力處分犯罪的刑法，而在私法上以公權力實現私法內容的法律，就是强制執行法。强制執行法是程序法，沒有程序法實體法標的就無法實現。但我們的强制執行法應是民事執行的程序法，另有行政執行法，那是爲實現行政罰而制定，與民事執行之內容是有出入的。另外對於刑罰權之實現，那是刑訴法之內容，與强制執行法無涉。

現行强制執行法是民國二十九年一月十九日公佈實施，中間曾經過兩次的修改，總計條文一百四十二條，共有八章，燦然大備。

法文千條，法理則一。這就是爲什麼有了條文之後，又有注釋條文的專書之需要的原因。通常來說，關於法學著作有兩種形式：一種是專門注釋條文的釋論一類，再者就是專就法理而研習法律內容者，稱之爲總論，或是概論等等。段著既非是純粹的釋論，更非是總論類，它是溶合二者爲一的，既不拘泥於條文之前後，更不以法理爲當然的解釋途徑，而是二者兼顧，在必要之處，引用全條的條文，在很多的地方，更參考西歐及日本的法理，作爲比較法學的研究。所以，新論之說，確是夠新的，不但新在法理的闡述，更新在撰著的內容。

本書分前後二編，都十章。前編所論，著重在强制執行的意義、分類與法律關係。爲了明瞭强制執行法之性質，主義，沿革，編制，以及其與民事訴訟法的關係，故須先明瞭强制執行的內容，然後才能明瞭强制執行法的一切。這是當然的道理，也是構成段著第一編共二章八節的內容。

第二編是本論，乃就條文之順序，探討現行法的內容。第一章到第八章都是如此的。首先在第一章述明强制執行的實施機關。因公權力發動之原動力的執行名義。有執行名義之後，自然需要執行程序。强制執行只是爲實現私法之內容，故而它可能妨害到他人之權利，所以又有執行救濟。强制執行本是對物的執行，但在一些時候，對於奸刁之徒，乃有拘提與管收之設，這是爲了適應社會環境而然。再有就是參與分配，與執行費用，都是實務當中所能遇到的課題。

强制執行的標的，當然是財產與權利。而財產又分爲動產與不動產兩種，當然異其執行之方式。此間分際，決非是因爲價值之高低，而純然是依據動產與不動產的本身之性質。但執行之目的則一，只在程序上有着些微的差異而已。

其他財產乃就債務人動產與不動產之外的財產之執行。有就債務人對於第三人金錢債權爲執行，請求第三人交付或移轉動產或不動產之執行，再就是對於前述以外的財產之執行，以達到應有的實現。爲實現私法內容來講，可以說已經是絕對的方法了。

且不論標的物，除掉財產得爲執行標的之外，權利亦常是執行的標的。執行標的物之所有權移轉，或是占有之改定，均得爲物之請求權之執行的內容。

行爲及不行爲請求權的執行，也是非財產權之執行，債務人有爲一定行爲及容忍不爲一定行爲之義務。第三人亦可介入此中，這是第六章的大概。

假扣押與假處分是在未取得確定的執行名義之前所爲的保全程序，也是爲保護債權利益而設。在終局裁判前的保全程序，多時是有其用處的，不然脫產行爲之發生，那就很難給與補償了。總之，段著在理論上與注釋上是夠詳明的。附錄的六種法規，更是强制執行法的補充規定或是相互發明的條文。在法學著述上，不以法學固有的文句而以美麗新文藝辭藻爲撰述者，這是第一本。我們還希望看到更多的這種著作。

趙原的亮相（續）

但是談到有佮味道，則趙原獨有。因此香羅帶、鴻鸞禧等，皆能叫座。有很多太太小姐愛看他的戲，爲的是他勁柔味十足。是夜觀之，其扮相眞可奪人，猶未知其三十多歲，而近四十的角兒。趙原更顯提攜後輩，如他爲孫復冰說楊素貞，很夠人情味。古愛蓮既與同班，有空不妨與他切磋，可以增加戲的份量，而大加充實，似不能儘唱鎖麟囊。程派的戲多的是，至少要有十五齣以上，便可隨心所欲。愛蓮當亦以爲是。下次也可唱東南飛試試。

國劇繽紛續錄（十九）

婆娑生

演猴戲的名角

平劇裏的武生，最難演的就是猴。因爲猴戲，不但腰腿要有眞功夫，還得能翻能摔，手脚得特別靈活；而且臉上得有戲，尤其眼神更重要。數十年來，曾欣賞過許多名角的猴戲，他們各有特長，各有難能可貴處。依理來說，當以楊小樓爲首屈一指。如今，這些具有「絕活」的猴兒，大都均已作古，特摭其一二，以餉讀者。

美猴王——楊小樓

談到楊小樓的猴兒，眞是奇跡。他的身軀偉岸，照理說，對於飾演猴兒不太對勁，可是一上台，祇見其玲瓏透剔，絲毫沒有塊頭高大的感覺。首先說他的臉譜，嘴頭子不知怎麼搞的，永遠顯著縮嘴疲腮。小樓的開臉戲，臉譜眼神個個都好，而演猴兒是更好。大動作固然細膩逼眞，開打好像純出自然，毫無黏滯現象，看著頂慢，實際打起把子來，誰也跟不上。小樓曾說：安天會就是盜丹一場，反背上高桌，一邊吃丹，一邊兩脚蹬踩，不知換了多少手板，才學會的。照我個人看法，各位演猴子的，多多少少，都還有可以挑挑的小毛病出來，惟有楊小樓的，是雞蛋裏挑骨頭，找不出什麼。所以說他爲武生泰斗，當之無愧，說是美猴王，更屬名符其實。

傍猴——郝振基

崑班的郝振基，愛猴成癖，家中養了大大小小十幾隻獼猴，沒事的時候，弄猴爲樂，年深日久，自然而然在台上模仿的動作就維妙維肖。不過他沒有坐過科，是高陽草台班出身，雖然功夫練得不錯，因爲沒有幼工，腰腿上總差點勁。但是描摹猴兒的神氣，誰也比不上他。他是高陽人，開口就帶出高陽土音，羅瘿公說郝的猴戲雖好，就是有點傍氣，所以應稱之爲「傍猴」。齊如山與他同鄉，不願意聽這句話，因此羅齊之間，在當時爲這件事，有一點小不愉快。可是傍猴已成爲對郝氏的定評，他的劇藝，却震驚了故都的梨園。（未完）

海嘯樓談薈

捉賭異聞

諸葛文侯

中國之麻將牌，其性能與西洋之撲克牌殊無二致，均屬娛樂品也。中國人玩麻將時，每以金錢計勝負，西洋人玩撲克何莫不然？但歐美社會對於少數人在家庭住宅間以撲克牌娛樂消遣者，並不視爲賭博行爲，官府不加干涉，而吾國警察機關則常認打牌爲犯禁之賭博生活，每加干涉，名曰「捉賭」。民國二十年內政部根據江西省民政廳來呈請示人民打麻將牌，是否援用刑律賭博罪之規定辦理？曾轉請司法院解釋，旋奉院令謂：「凡不在公共場所聚集多衆，而以賭博爲目的者，不罰」。

此爲打麻將牌不犯法之明確指示，應無問題矣。然治安機關仍有以玩牌爲賭博，而採取「捉賭」行爲之事情發生，以致趣聞累累，貽爲笑柄。茲試述華人社會中之兩種「捉賭」軼事，以博讀者一粲焉。

今年莫吉在西德漢堡市因車禍喪生之四川籍華人吳炳南，性好玩牌。民國卅九年由大陸逃難至香港，斥資設置「竹林小餐室」於九龍鬧市中，營業餘暇，每夕在餐室二樓中約集三數友好玩牌消遣。某夜午，有當地華籍警士一人入餐室向吳妻表示深宵打牌，妨害安寧，應予禁制，用意只在乞取少許外快，大概港幣十元足矣。詎吳氏聞訊，急下樓高聲呵責該警士曰：「我在奧國學習警政有年，在本國担任治安機構首長亦甚久。打牌決不犯法，除非有隣人控告，警察即無權干涉。」詞氣殊凌厲，該警士嗒然離去。未幾，有武裝警察若干名乘警車而來，登樓查詢店主伊雖，即將吳氏拘赴警署，置於犯人候訊之囚檻內（係用鐵絲網構成者，中無椅櫈），候至次晨九時，乃有一外籍幫辦傳呼吳氏至公案前諭之曰：「自今日起，兩個月內汝不得再有玩牌行爲，每星期六必來本署報到一次，暫不處罰。」吳不得已，唯有遵命行事。迨期滿最後一次報到時，該警官語吳氏云：「汝可恢復自由矣，速歸休。」蓋以吳氏玩牌原無罪，只憎其言大而夸，乃故予捉弄一番而已。吳膺此窘辱，旋收拾餐室業務，遠去西德仍理舊業，恩於一九五九年漫游西德時，曾晤之於漢堡市，初不料其竟罹奇禍而亡也，爲勝惋惜！

我國中央警官學校學生畢業後，照例依其成績分發各級警務機構實習，有如陸軍軍官學校畢業生之分發軍中見習也。某歲，有奉派在台北市某警察分局實習生，於黃昏出勤街衢巡邏中，聞一民居內搓麻將之聲響達戶外，認有違警之處，乃潛入該屋，立於庭苑暗隅，細窺在客室中玩牌諸人之面貌與動態，考慮應否加以禁制。但主家之女傭已瞥見苑中有着警士服裝者潛踪探室，急奔告主人謂「警察來捉賭了！」主客即暫停娛樂，以觀究竟。牌局中有國大代表閻奉璋君，自告奮勇，聲稱「我出去瞧瞧是怎末回事？」迨閻走向庭前，原在暗隅窺視之實習警員，竟回身拔步外逃，閻謂「不要走，咱們談談」，然該生掉頭飛奔去矣。衆人皆感詫異，猜想或以閻君係國大代表，警員不便「捉賭」耶？越數日，閻君偶過訪某老友，入門即聞老友笑語云：「哈，前幾天某晚上，你可把我的兒子嚇壞了！」詳詢經過後，乃知該實習警員原係閻君素所熟識之世姪，當夜一見閻老伯出來，既不便查禁牌賭事，而自身黑夜潛入民家，所爲何來，殊難自圓其說，唯有逃避之一法耳。事後曾以此段實習情形報告父親，亦足見該生誠坦而知禮也。

秦香蓮

「影劇與歷史」之十

周遊

皇姑氣勢洶洶，定要不依國法，索回駙馬。包公卻堅決不放，必須依法辦理。正在此際國太也得報趕來了。在她威脅利誘之下，香蓮自知鬥不過皇家權力、威勢，只從無條件屈服。於是她忍氣吞聲攜了子女打算回鄉。誰知皇姑又節外生枝，要奪取香蓮子女！香蓮悲憤填膺，再去擊鼓鳴冤。包公再也忍耐不住了，他便自己脫下烏紗帽，丟官也得維護國法。於是下命將香蓮子女搶回來，一面掛起上方寶劍，抬過虎頭鍘，即刻下令將負心郎陳士美鍘了。

一個爲富貴所惑而昧了良心的人，結果只留下萬代罵名。至今誰個不罵陳士美這個薄情郎呢！

秦香蓮有歷史根據嗎？

「秦香蓮」在平劇中名叫「鍘美案」，與最近先後上演「趙五娘」（「琵琶記」）是一類型的——負心郎故事之一。在民間傳說這類型故事甚多，這些都是由「琵琶記」脫胎而來。後來被收在「包公案」中。爲了懲戒負心郎，又襯托出一個超越常人的包公來。此一故事的主旨在懲戒負心郎，使之有所警惕。在一個腐敗貪污的政府之下，在一個官官相衛的官場中，人心遇到不能伸抒的時候，必然發生一種反常的心理，就是希望有一個超越的勢力出來平反。包拯之所以成爲一個典型的鐵面人物，就是在這種情況之下塑造成爲「死後「走運」的人物。

在中國古代小說中，有三種超越的人物：一種是「鐵面無私」的清官長吏。一種是專「打抱不平」的俠客隱士。三是救苦救難的仙佛神祇。這三種人物，常常在小說中出現，使得被壓抑的心情，得有所伸抒。包公之走運，就是由於被壓抑的人心，一種反應所造出來的人物。小說家採合了歷史上的包拯，再加以誇大渲染塑造。還加上戲劇的助聲助勢，更使得這些故事深入人心，甚至信其爲歷史事實。

其實「秦香蓮」與「琵琶記」這一類型負心郎故事，根本沒有歷史根據，我在「琵琶記」（趙五娘）中已有闡述。「琵琶記」厚誣蔡伯喈，使得他「死後倒楣」。秦香蓮與陳士美根本沒有歷史根據，宋朝那有一個陳士美的駙馬？毫無一點影子可尋。小說家在社會的影響下，爲了伸抒人心，把負心郎的故事附會在包公案中，裨以襯托這個超越人物的出現。爲了表現包公的鐵面無私，不畏權勢，任你皇親國戚，都可繩之以法，先斬後奏，所以便有了「鍘美案」的故事和戲劇小說的產生。爲了包拯成爲一個超人的官吏能人，又揑造出許多的奇奇怪怪的無頭公案，還有一些英雄豪俠在保護他，拱托他。於是包拯其人便在一般民間婦孺的心目中成了神人了。很多地方傳說，包拯死後做了閻王啊！

稍爲有點歷史常識的人，就知道陳士美沒有其人的。包拯是歷史人物，但他不是一個如小說那樣的神奇人物。他公正無私，痛恨貪官污吏是有的，但絕不如小說那樣神奇。包公在小說戲劇中，天生就是相爺，沒有做過小官，你看他在戲劇中都是丞相，有他的戲，不是審案，就打大官，殺什麼大人物，鍘什麼特權人物，此外沒有其他的戲。（二）

憶玉軒雜綴　疊名美人之詩文

滌秋

自悔當初望太高，今成明月水中撈；風箏本是無情物，莫怪絲絲線不牢。

鮫綃染血灑雙蛾，搔首呼天怎奈何？倩子不知人意懶，燈前只管唱燕歌。

想後思前恨轉加，誤人多是浣溪紗；既然負却當年意，何必尋春到若耶？

良宵無奈酒人狂，雨怨雲愁總斷腸；一枕難成鄉國夢，凄其殘月照空樑。

豐韻全消病已深，人人猶道是傾城；郎心何似春江水，一任桃花逐浪萍。

鵑魂啼殘不忍聽，斷腸最是雨淋鈴；紅顏千古同惆悵，我又如斯柳小青。

家園雞棲碧叢叢，嗡嗡滿頭鬧蒼蠅；有人水閣珠簾裏，

北地玄溟風太嚴，滿天飛絮壓茅簷；[illegible]

[illegible]漢平分道不凡。

[illegible]猶說今朝熱不勝。

十里湖西憶舊遊，而今無復鬧龍舟；孤山曾弔眞娘墓，此日相思泣素秋。

不須重瞰白頭吟，入骨憂煎死易尋；贏得芳魂歸去好，一丘黃土百年心。

柳色依依逐漢南，樹猶如此我何堪；輸他隣婦無思慮，碗大葵花滿鬢簪。

（七）薛素素長橋宴五律

一尊聊卜夜，繁背悠雄談；才減詩難得，情深酒易酣。點水花片片，拂面柳毵毵；倒飲不盡，秋更思報三。

（八）都下弔沈翹翹

舞衫如蝶鬢如鴉，醉倒城南翡翠家；一變紅樓春夢短，酸風吹逐梨花。[illegible]何處墓茵草青。（二）

杜甫其人其詩

漁翁

且所居草堂，又爲風雨所破：「八月秋高風怒號，卷我屋上三重茅」。贏得住食又發生問題了。可是，屋被風破，在此艱苦環境下，自顧不暇，却又說：「安得廣廈千萬間，大庇天下寒士俱歡顏」。還關懷着天下的寒士，爲廣大困苦人着想，更見詩人之偉大，謂之詩聖，誰曰不宜。

未幾，嚴武卒，甫無所依，乃遊東蜀依高適。既至，而適又卒。同時，蜀中大亂，不能再住下去，且安史之亂，已漸告平息，傳來官軍收復河北的捷訊，乃收拾行裝而作歸計，寫占一首：「劍外忽傳收薊北，初聞涕淚滿衣裳；却看妻子愁何在？漫卷詩書喜欲狂！白日放歌須縱酒，青春作伴好還鄉；即從巴峽穿巫峽，便下襄陽向洛陽」。

今之流亡海隅者，每於窮愁抑鬱時，即高聲朗誦此詩，希望有一天，也得放歌縱酒，青春作伴以回返故鄉去，過那自由自在的生活。

杜甫一生多坎坷，扁舟下峽，而江陵又亂。乃沿湘流，過洞庭湖，登岳陽樓，有「昔聞洞庭水，今上岳陽樓」之戲詠。又上游到耒陽，以湘之衡山，爲九之一，遂泛舟而一遊，時年已五十九歲。據新唐書杜甫本傳云：「一登衡山，遊嶽祠，大水遽至，涉旬不得食，縣令具舟迎之，乃得還。令嘗饋牛炙白酒，大醉，一夕卒，年五十九。」又說耒陽縣令姓聶，名不詳，初以刺投謁，聶令以禮遇之，後再投詩去，聶乃送肉酒去，一時過飽，就脹腹而卒，雖未可必信，但老年人因久餓過飽而致命，亦不爲稀奇之事。

甫生於官宦之家，幼時雖家境不如往昔，但父爲縣令，猶是一公子也，二十餘歲，尚過着清狂生活。自後命途多舛，依房琯而房琯罷相，依嚴武而嚴去世，依高適而高又卒，窮愁潦倒，常在饑餓綫上掙扎。兒子餓死，妻女饑寒，本人又客死異鄉，「年年非故物，處處泣窮途」。結果餓了十日，一醉而死，曠代詩豪，如此下場，可哀也矣！（四）

內僑警台報字第〇三壹號內銷證

自由報

THE FREE NEWS

第五八六期

中華民國僑務委員會頒發
台教新字第三二三號登記證
中華郵政台字第一二八二號執照
登記爲第一類新聞紙類
（半週刊每星期三、六出版）
每份港幣壹角
台灣零售價新台幣貳元
社長：雷嘯岑
督印人：黃行審
社址：香港銅鑼灣高士威道二十號四樓
20, CAUSEWAY RD 3RD FL.
HONG KONG
TEL. 771726　電報掛號：7191
承印者：大同印務公司
地址：香港北角和富道九六號
台灣分社
台北市西寧南路叁壹零號二樓
電話：三〇三四六
台郵撥儲金戶九二五二

君子而時中

恭祝孔子聖誕賀教師節敬致海外教師學人

馬樹禮

近世物質文明日趨進步，而人類道德精神則有日趨頹喪之勢，有識者莫不怒然憂之，認爲重振之道，必有待於倫理教育之宏揚。關於倫理教育，則又推中國的儒家學說，足爲當前社會補偏救弊的藥石針砭以及扶持世事人心的一貫大道。

有些人對於儒家學說的眞諦，未加深究，每泥於成見，未能究其眞諦奧旨，推陳出新；甚乃食古不化，譏其落伍，謂不能適應於現代社會。其實這種觀念毫無根據，徒見其對儒家學說一無所知，僅憑一「耳食」而妄加臆說而已。

我們欲明儒家道理的眞諦，自不能把那些三家村學究作爲儒家的代表，而必須從儒家的經典以及先聖孔子的言行爲準則。如果我們仔細研究一下，即可知儒家的思想，完全是順乎天理，應乎人情的眞理大道。

孟子稱：「孔子，聖之時者也。」孔子自己在中庸裏也說「君子而時中。」這裏的所謂「時」，照諸家註疏，都是作爲「合乎時宜」解釋的。換成現代的語氣，也即是「適應時代的需要」的意思。再就具體事實證之：顏淵問爲邦，子曰：「行夏之時；乘殷之輅；服周之冕；樂則韶舞，放鄭聲……」在這段話裏頭，我們已經充分看出了孔子對於一切事物的處理態度。他既非泥古而一成不變，亦決不一味趨時，無所選擇而隨波逐流。照孔子的說法，不論古今的任何文物制度，經過精密研究和謹慎選擇，凡是好的都不妨兼而用之，故所謂「集大成」。因要經過選擇，故又謂之「擇善固執」。

孔子教人要虛心接物，勿自以爲是。凡事必先觀察辨別其是非善惡。故曰：「其三人行，必有我師焉，擇其善者而從之，其不善者而改之。」他又教人不可盲從附和，故曰：「衆惡之，必察焉；衆好之，必察焉。」

孔子對於人和事的批評，絕不吹毛求疵，計較小節，而從大處遠處着想。子路和子貢都曾問這樣的問題：齊桓公殺了公子糾，公子糾的臣下召忽死了，管仲卻沒有死，後來還做了齊桓公的宰相，管仲豈非一個不仁之人嗎？孔子答曰：「管仲相桓公，霸諸侯，一匡天下。民到於今受其賜。微管仲，吾其被髮左衽矣，豈若匹夫匹婦之爲諒也？自經於溝瀆，而莫之知也」。管仲之未爲故主而死，連子路子貢兩位賢者，都懷疑其不仁。但孔子卻認爲管仲之不死乃小節，而其後來所表現尊周室，攘夷狄，維護國家民族的豐功偉績，卻是不可埋沒的。故讚美管仲「如其仁，如其仁」。這又是孔子超人的見解與器度。

我們所以不厭其詳地引述上面這些孔子的主張，旨在說明自孔子開宗的儒家思想，是最具有時代精神，是最能通權達變，適應時代需要的。絕對沒有如有些人所想像的，是泥古不化的老古董，以闢那些懷疑論者的謬妄臆說。

這裏我們尤應強調闡明者：儒家固然是積極主張適應時代的，但并不迷信凡屬時代的產物都是好的。孔子之所謂「君子而時中」，除了「時」的意義之外，尤包含「中」的意義。「中」是什麼？就是中道，換言之就是最恰好適當的東西。任何事物，當然不會全好，也不會全壞，故我們必須加以分辨選擇。有些事物，在當時當地是恰好的，可稱爲「中」。但到時過境遷，則又未必仍然合適，便不成其爲「中」了。故此要「時中」。又有些人僅知一而不知二，認爲「時代化」便是好的，道乃「時」而未得其「中」，也是一種錯誤的見解。

現在我們再討論一點：何以謂儒家的思想，可以作爲當前救時的良藥呢？我們眼看方今世道人心，日趨墮落敗壞，尤以共產邪說之氾濫橫流，使倫常毀棄，人性泯滅。非積極恢復倫理教育，世界人類社會之沉淪，將永無底止。在倫理教育方面，儒家具有一套最完整的理論體系和實踐方法，這是古往今來，許多人所共同認識的。

孔子在「大學」裏列舉的三綱（明德、新民、止於至善）、八目（格物、致知、誠意、正心、修身、齊家、治國、平天下），這不但是每一個人修養工夫的法則，同時亦爲社會大羣所賴以相處的法則。人人能以此爲教，進德修業，確能達到國治天下平的大同境域。眞是放之四海而皆準，俟諸萬世而不惑的眞理，顚[illegible]所不能破的。

國父孫先生創立三民主義，以作爲吾人革命救國救世的指導方針。他明白告訴我們，三民主義是承傳中國儒家的道統的，故在民族主義中，強調恢復中國固有倫理道德。三民主義的具體內容，包羅「以建民國，以進大同」的政治理想與施行步驟。融會中外古今政治學說之精華而集其大成。但若考三民主義的思想中心，簡單言之，則不外由「君子而時中」這一中心思想推衍出來，這是顯而易見的。

我們今天慶祝孔子誕辰，大家自應體會先聖立說設教的深心妙諦，而加以光大發揚。同時對於直接承傳先聖思想淵源統緒，我們奉爲立國原則的三民主義，大家尤應努力實踐，使實行於全國，宏揚於世界。這實在是我們當前應負的使命。

UN

無以爲助？

靜待時機

今日與明日

印巴停戰

聯合國安理會通過命令印巴停火一事，印度首先表示接受，巴基斯坦最後關頭也接受了命令，宣告停火。於是一個爲世人關心的印巴戰爭，到此暫時停下來，不論英美及蘇俄均喘一口氣。唯一感到失望的將是毛幫，尤其毛澤東，可能要比一九六二年十月間古巴危機的安然渡過更感失望！但古巴萬里迢迢，毛澤東雖然不服氣，也只有乾瞪眼的份，克什米爾則近在咫尺，其中大有翻雲覆雨的餘地，相信毛共卻不會從此干休，一定還要製造新麻煩。直到目前，毛共還在叫吶停戰的不合理，其居心叵測，可以想見。

停戰的主因

此次聯合國安理會一紙命令居然能使擁有人口達六億左右的印巴停戰，就聯合國而論尚是二十年來最大成就；但若進一步觀察，印巴均有非停戰不可的苦衷，聯合國只是適逢其會，揀了一個大大的面子而已。

在印度方面來說，財力既不能維持龐大軍費開支，英美又同時聲明斷絕軍援，倘計印度若再打一月，即使全部打勝仗，屆時也沒有炸彈可用。軍事上印度雖然多了一半兵力，卻被毛共牽制在西藏邊境，毛共更乘此時機向印度提出最後通牒，擺出不惜一戰之勢，雖然毛共的虛聲恐嚇行動，中國人是看得清清楚楚，根本就不當它一回事，但在印度自從前年吃了毛軍一場大虧，至今仍然恐懼在心，恐怕毛軍萬一眞的從乃推拉小口攻過來，將是一個不可收拾之局。所以不能不力求與巴停戰，全力應付的毛共。

在外交上印度已成了國際孤兒，沒有一個國家公開爲印度講一句好話，表示在印巴之爭中支持印度。反觀巴基斯坦，明白表示支持的，有伊朗、土耳其、印尼等國及毛共，間接願意支持的有阿拉伯聯盟十二國。再打下去相信支持巴國的更多，印度又就會不恐慌？

至於巴基斯坦方面，經濟困難與印度相等，軍事則始終處於劣勢，外交雖佔優勢，繼續打下去也只是替毛共製造機會，最後可能把克什米爾交與毛共。阿育汗總統不會見不及此，自然也就忍痛接受停火命令了。

事件並未結束

印巴雖然停了火，只是把戰爭從戰場帶上議場，基本問題並未解決。印巴兩國對克什米爾問題仍然堅持己見，毫無讓步之意。另一方面由毛共幕後策劃的克什米爾民族解放陣綫已經開始活動，新火種已在燃燒中，聯合國對此不能不認眞預爲之謀。即是非設法解決克什米爾問題不可。

但聯合國能夠解決克什米爾問題嗎，實在不能樂觀。聯合國接觸到克什米爾問題，已超過十八年；起初還像個樣子，比如決議公民投票取決。當時的印度總理尼赫魯，就亦曾接受過這項決議——後來他用食言自肥，這就使得聯合國把它沒有辦法。尼赫魯眞是罪無可逭，貽禍至今爲烈。現在尼赫魯雖已死了，印度當政者卻無大氣魄改正這錯誤，印度至今拒絕克什米爾公民投票，聯合國有何辦法？然而這問題不謀，終久會出亂子的。

（何如）

自由談

談運氣

馬五先生

近代人曾國藩一生經過了無數的憂患，亦享受了「位極人臣」的榮華富貴生活後，晚年對於人生觀發明了兩句論斷之詞：「不信書，信運氣」，確有至理存焉。

所謂運氣的涵義，乃與「宿命論」有別。宿命是聽天由命，順乎自然的消極觀點，近乎老子的無爲思想，遇事不作冒險犯難的嘗試行爲。運氣之說卻不然，它有知其不可爲而爲之的進取精神，屬於積極性的。祇要是自己認爲義之所在，心之所安的事，便不必多所顧慮，勇往直前的幹去，賭賭運氣看，成功固然好，失敗亦無足憂，下次再來，歷史上許多英雄豪傑之士造就大事業的原動力，都是基於賭運氣的心情。如果完全相信先聖先賢垂訓的教條，或者信賴史書上紀述的那套神話——如說皇帝出生時滿屋子充溢着龍氣奇光，劉邦逃匿在芒碭山中，也有一簇祥雲聚集在他周圍的空中之類——每個成功的帝王，無一不是天縱聖明，未卜先知的神化人物，那就很自然的流於宿命論，而以士之子恒爲士、農之子恒爲農的說法，殆屬義所應爾了，烏乎可呢！

信運氣的基本精神，是要遇事不顧成敗得失，盡心力而爲之，爲而不有亦無所謂，但決不氣餒。諸葛亮懷才不遇，高臥隆中，若不是好友司馬德操、徐庶這些名士們替他游揚稱讚的話，劉備未必三顧茅廬挽請他出來共襄大業吧？後世固不乏諸葛亮這類人才，而劉備卻絕了種，如其抱着「居易以俟命」的宿命觀念，諸葛亮就理合老死臥龍崗上，與草木同腐而已。運氣是要從「賭」的行動中才碰得上，沒有賭的能力和勇氣，而閉門高臥以待鴻運來臨，那你就一輩子也休想有出人頭地之日啊！

曾國藩以一名在籍的空銜侍郎（等於今日中央各部的幫辦司長職銜），奉命在鄉里練團禦寇，基於「維持名教」的書生職責，毅然以天下爲己任，累遭危難困辱，乃至於投水自殺，他當初何嘗有掃蕩太平軍的把握呢？由於賭運氣的奮鬥精神不衰，終告成功了。但他賭運氣的終極目標，只在「維持名教」，并不亂來，假使他於打開南京之後，挾持軍威再賭取清室帝王而代之的運氣，結果或許落得身敗名裂的下場。

所以，信運氣之說，亦不是毫無份際的胡行妄爲，不可不知也。

在台各教會共同發起 亞洲基督教護教反共會議 下月八九兩日在台北舉行

此舉意義重大為全世界教會開新紀元 會後尚有晚會及旅行全台灣省等節目

（台北航訊）中華民國台灣省福音聯誼會，為全世界福音聯誼會組織之一；在過去五年歷史中，曾在台灣各大都市舉行「大會」，並發表反共宣言。最近有兩位中國籍胞楊子丁、鄭芳齡從我國大陸逃出來，抵達台灣，他們招待記者說：「自共匪佔領大陸以來，在瘋狂推行『三自運動』一罪行下，屠殺基督徒一萬二千五百廿八人，監禁四萬一千八百卅人，沒收教產二千一百萬美元以上；並纂改聖經，取消主日崇拜，在大都市裏面所剩下的教會，『又都是共匪赤化世界的工具』」。這一篇血腥事實的報導，更激起了該會『護教救亡』與『反共圖存』之決心，認為必須喚起世界基督徒共同組織，發揮力量，以達成護教反共之目的，特邀請在台各教會及教會團體領袖長一百餘人會商，發起召開『亞洲基督教護教反共會議』，定於本年十月八、九兩天在台灣省台北市舉行，並成立籌備委員會，推定張靜愚先生為主席，主持籌備事工。

此項反共會議，不但為中國基督教會寫下新的歷史，亦為全世界教會創了新紀元，其重要性有下列數點：（一）揭穿共匪在中國大陸迫害基督教的罪行；（二）駁斥國外教會親共份子主張美國承認中共匪僞政權及美軍撤出越南之謬論；（三）阻止共匪對教會之滲透、顛覆、赤化及其進行宗教統戰之陰謀；（四）配合各國反共共同策略，恢復鐵幕內教會信仰之自由；（五）成立亞洲基督教護教反共組織，以求基督教仁愛救世之立場抵抗中共在亞洲製造禍亂，以求亞洲的安定與世界的和平。現該會已函請日本、南韓、越南、菲律賓、泰國、印度、錫蘭、馬來西亞、巴基斯坦、塞普魯斯等亞洲國家福音聯誼會及教會反共團體，各派代表兩人，屆時來台出席會議。該會並歡迎亞洲以外其他友好國家之基督教會及反共團體，各派觀察員兩人，如期來華參加反共大會。截至目前，各國福音聯誼會及教會團體，多已先後函覆，均願派代表及觀察員來台出席。

亞洲基督教反共會議的中心目標，為「信」、「行」、「勝」三個字，「信」就是相信上帝是創造宇宙萬物和人類之真神，及耶穌基督是道成肉身，為世界人類之惟一救主。「行」就是遵行神的旨意號召傳福音，並與敵視基督的共黨魔鬼鬥爭。「勝」就是全靠基督福音的大能戰勝萬惡的共黨。該會懇切的呼籲世界各國基督教會，予以全力支援和誠懇代禱，使護教反共的運動達到完全的勝利。

又美國福音聯誼會總幹事泰勒博士，在台灣一次新聞記者招待會上曾說：「本人願以全世界及美國福音聯誼會工作者身份，誠懇的支持亞洲基督教護教反共會議的計劃。我也願盡各種可能性來使這次會議獲得成功。同時全世界福音聯誼會的立場，是信仰純潔堅絕反共。」

會議經費，係由各地信仰純正的教會樂意奉獻。會議程序業經擬定：除舉行大會外，並有各教會聯合晚會，旅行全省各地，使各國代表瞭解台灣省教會之發達狀況，人民生活之安樂，及欣賞台灣省之優美風景，預定十月十三日始全部結束。

美國三K黨猖獗百年小紀

——華盛頓通訊

奸淫擄掠 無所不為

三K黨是美國的一個萬惡的黑社會勢力，它的組成到今年聖誕節恰好是一個世紀。從它一出現就對黑人從事奸淫擄掠，殺人放火種種不法的勾當。因為罪惡太甚，它在這一世紀中，屢起屢仆，現在又日見猖獗起來了。

據過去兩年來一般的調查，三K黨黨員，除掉擁護和加金錢資助他們的人外，大概有六萬五千人。其中有死硬派九千人。現在的三K黨，已分成十幾個支派，要調查它們的真相，十分不易。密西西比州和阿拉巴馬州是三K黨的根據地，有人說，那裏有三K黨員九萬一千人，但據調查的估計，黨員的實際數字還不到三千人。

據大西洋城的三K黨領袖，一位名叫占士·凡那伯爾的律師說，他們每個月有新黨員一萬人到一萬三千人加入。他們在儘量吸收勞工，對於受過教育的人，不甚歡迎。

不管他們人數的多少，但毋庸置疑的是，目前的三K黨已成為一種真正的威脅，他們使用武器殺傷人命。

服裝顏色 以等級分

三K黨員除掉用槍外，還攜帶着繩索和皮鞭。三K黨服裝的顏色是分等級的。甲級人物的服裝是綠色，乙級紫色，丙級紅色，普通黨員是白色。在有些支派裏，黨員穿戴的是黑帽黑衣，象徵着死亡的恐怖。他們以白種民族優越為號召，他們的行動完全是違法亂紀。

自從三K黨殺害了三十九歲的教師瓦伊娜·劉里格柳卓太太後，美國總統詹森就下令取締它。在這裏有一個笑話，就是在德克薩斯州沒有一個三K黨的組織，但詹森總統開玩笑，說他一生一向和三K黨奮鬥，他還說，他的父親也是如此。

三K黨的成立是在一八六五年十二月二十四日。當時在田納西州普拉斯基地方有五個南方軍的少壯軍官在一個律師辦公室裏，組織幫會。當時有一個黨員建議，黨名採用希臘字Ku Klos，意思是圓圈黨。後來幾經討論，最後決定把黨名叫做Ku Klux Klan，後一個字是採用的蘇格蘭語。

扮神弄鬼 進行欺騙

這一個黨剛成立，就採用恐怖手段。有一天晚上，有幾個黨員騎了馬，披上被單，在外巡行，路上碰到黑人。黑人們迷信，以為這是陣亡南軍的鬼魂出現，嚇得四散奔逃，於是黨員們十分得意。每於夜間，騎馬出來，拍黑人的門，要求喝水。他們又裝神裝鬼，說自從在石洛陣亡以後，從來沒有這樣痛快的喝水。他們或是伸出骷髏的手和黑人握手，或是把假頭砍下來，叫黑人替他們拿住。

這種惡作劇漸漸擴大成為暴行，該黨的首領們於是在一八六七年四月在納胥維爾召集了一次代表大會，推舉南軍首領羅拔·李將軍做領袖，李去信推辭，說他只好在背後支持，於是納森·福勒斯特入選做首領。他手下的大小嘍囉也盡由南軍官充任。

取締解散 兇燄未戢

一八六八年十一月喬治亞州的三K黨首領慘殺黑人傑弗爾斯一家。因為他家小康，三K黨看不順眼，他們把老頭和他的七個兒子都殺死了。因為黨中殘暴事件不一而足，福勒斯特控制不住，於是他下令把三K黨解散。但兇燄並不因此少戢。在一八六九到七一年間，在密西西比州有一個村鎮裏至少有三十五名黑人被殺，其餘的黑人每晚都要換片。在南加羅萊那州有一個女枝縣統計，自從一八七〇年十月到一八七一年七月十五日，被三K黨害死的黑人有二百二十七名。

自一八六八到一八七一年的三年中，弗羅里達州被害死的人達二百三十五名，為南方各州之冠。

一八七一年四月美國國會通過一個取締三K黨的法案，三K黨的氣燄因此少殺。但到一九一五年的感恩節晚上，在大西洋城以東的石山上，三K黨又重整旗鼓。

那時三K黨的首領是威廉·辛蒙斯上校。一九二〇年達拉斯有一個牙醫伊文思在三K黨中也嶄露頭角。這時三K黨黨員已超過五百萬人。他們有力量選舉州長和參議員。三K黨的勢力從南部擴充到印第安納州，科羅拉多州和奧利根州。

哈定曾許 公開遊行

一九二五年哈定充任美國總統，他竟讓三K黨員四萬人，在華府的本雪凡尼亞大道上，公開遊行。在辛蒙斯背後，還有兩個幕後人物，一個是前任記者愛德華·克拉克，另一個是有錢的寡婦伊利沙白·泰勒。當時規定，一個黨員入黨，繳入黨費十元，其中的三元，就交給克拉克享用。他最多的時候，每月收入達四萬元，泰勒太太也有分潤。後來伊文思在黨中得勢，把克拉克、泰勒太太和辛蒙斯推翻，錢又入他手中。

三K黨中還有一個理財人，他也變成了一個百萬富翁。他有一座華麗的住宅，汽車若干輛，還有遊船。但他也不過因為沉溺於酒色而垮了。他曾看中了一個二十五歲的女公務員美琪奧柏荷澤，在一九二五年三月某一天晚上，他在醉後，叫保鑣把美琪搶上火車，他在車上強姦美琪，並殘毀了她的屍體。他因謀殺罪，被判處永久監禁；四年前他剛被釋出，又因為在米蘇里強搶少女，被驅逐出境。

一九三〇年伊文思把三K黨出盤給了印第安納州的獸醫占士·科爾史各特。一九四四年春三K黨黨部因欠稅六十八萬五千元，又被解散。後來大西洋城的產科醫生山獸爾·格林又第三次重振三K黨。到一九四九年格林死後，三K黨又解體了。

現在的三K黨是第四屆。它是一九五四年開始的。他們的聲勢，文日見猖獗；

笑話百出堪為讀者解頤 英國大鬧臨時男工荒

倫敦通訊

近幾年，在香港雇用女工人，是家庭主婦頗為頭痛的一件事。其實在英國雇用臨時男工，還要笑話百出，令人噴飯呢。這裏是一些近例：

宴會已經準備停當，客人隨時就有到達的可能。向倫敦薦人館請來的一個青年男工，站在門前迎客。

身為貴族的主人作最後的巡禮，她一眼看見了那青年男工，就說，「晚安，青年人，你貴姓呀？」

她應該知道，這原來是她的遠房堂姪，一位從男爵。

這件事隔了一晌，她的遠房姪子方才告訴她。這位小男爵紆尊降貴當一位臨時侍者，是為了補助他的醫藥費。

這種事情，近來在倫敦已經司空見慣了。侍者的需求是十分的大，所以許多少有地位家庭的子弟們，常出來臨時客串一番，賺一些外快。

在社交集會中，有許多臨時工人都是中學學生。

最近有一位海軍將領也當了一個月的臨時男工，預備賺些錢去蒙地卡羅快活一番。

做一個男侍應該具有些什麼資格呢？第一，你要生得漂亮，身材約五呎八吋，能夠耐勞，有強壯的臂膊，和雙腿不怕疲倦的跑，有幽默感和懂得禮貌。

現在打臨時男工的人數在增多，但還是供不應求。

倫敦有爿薦人館，老板約翰·考士頓，現年五十歲，是中學出身。

他這家薦人館的業務是專門引薦臨時男工和大師傅，如果有什麼盛大集會，總少不得向他找人。在這家薦人館裏，經常住着一幫男工。

在倫敦，一年當中，從四月到十二月，都不斷有人找男工幫忙，尤其是在射獵的季節。這家薦人館時常發生供不應求的現象。所以有時候大老板也親自出馬。

考士頓說，他在官邸大廈曾經做過管事，有當侍者的十年經驗。他很喜歡那種工作。

有一天有一位倫敦貴婦打電話給考士頓，說，他前一晚上薦來的廚師做菜太水皮了。那一個侍者一直使用電話，使她也沒有打電話的機會，所以她不願意給錢。

考士頓答覆說，「夫人，隨你的尊便吧。但昨晚當男侍的，是我本人。我從來就沒有打過一次電話。至於那位大師傅，我曾經親自試過他，手藝其實是很過得去的。」

那位貴婦不好意思，結果就如數照付了。

考士頓還談起，最近他碰到一件事。他有一次當侍者，席上有他的高爾夫球會的書記參加，這位書記碰到他，感到奇窘，竟把一杯酒跌在地上。他也覺得臉上熱辣辣的。

據考士頓說，一個在家庭打工的侍者的職務，早晨的第一件事，就是送早茶在床上躺着的單身男子。後來就預備早餐，擦亮刀叉，伺候吃餐和收拾樓下的房間。在大餐和早茶會時，都要在旁邊伺候。這樣做上五年，方才有做管家的資格。

英國近來的這種風氣，常使做客的和做主人的感到不安。他們不知道在旁邊伺候他們的人的社會地位如何？是不是在他們之上？

最近在西城會鬧過這樣一個笑話。有一次，有一個人家舉行集會，在紛忙中，一個女侍跌倒在地上。女主人吩咐給她喝一些拔蘭地，送到一間空房間休息一下，說她就會好的。

但一位侍者却提出異議，認為一定要把她送進醫院去。

那位女主人大發雷霆說：「我說話是有根據的，在大戰時，我曾經當過女護士。我說她是不要緊的。」

那位侍者答覆說，「夫人，在戰時，我還是一個醫官呢。」

那侍者的話是一些也不假的，而且他還有一個爵位。

颶風帶雨來 港多處被淹

（本報訊）風姐「愛娜斯」於廿七日掠港之際，此間下雨未停，交通固然遭受影響，並做成若干意外事件。

九龍新界若干地區發生山坭傾瀉，水淹等不幸事件，多處有些道路，亦因水淹的關係，無法通暢。

受影響空運交通，班機延遲開出，港澳水翼船亦告停航。

外國專家學者的意見

老人不必要斷絕性活動

我們中國人的傳統是避談「性的問題」的，認爲談則不正經而可恥。西洋則不然，不但「專家」輩出，恬不爲怪，此風且有日益張大之勢，雖青年男女亦津津樂道。下述是他們對「老人的性活動問題」的研究心得。

白蘭達斯大學兩幢宿舍的大學生，於一九五零年作了一項測驗，提出的問題是：對老年人的觀點作何種決定，這是其中第八項是有關性慾的問題，有一條更必須要完成的是：「大多數老年人的性慾表現……」

此題的答案眞是暴露得淋漓盡至，差不多所有這些青年男女，年齡從十七至廿三歲，都以爲大多數老年人的性慾是「很少的」、「不重要的」，或者已成「明日黃花」的。

這種觀點即社會學家所稱「自我完成的預言」。這預言說，人們的性生活，當年歲長到某一階段而告結束。并說這對許多人都會成爲事實的，因爲性作用甚於一個人的親點，而有很大的延伸性。

有人裁決他們的性生活結束於生命過程中某一階段，「我的年紀是五十八歲，而我的妻子是五十五歲」，一位丈夫寫信給性生活雜誌的編者說：「直至三年前，我們的性生活還是很正常的，但自從那時候起（事與願違）我的妻子不允許我與她有性生活。自從一年半前，隨着年華消逝，她的反應更加冷淡了。她說我年紀已太老了，對性關係不會是如此「愚蠢」的，年歲到了這般田地，沒有人需求性的慾望了。」

另外一些人，他們有較强的性慾，到了年届六十至六十五歲，而依然發覺有着强烈的性慾需求，並且樂此不疲。他們深深感到如此「且由而伐」，一定是性慾過强了，因此常常不能克服羞恥和罪過的心理。

這種老年人沒有性生活的陳腔濫調，常然不是甚麼新鮮的東西。生活於莎翁時代的人，在他的一本名著裏說：「一個妻子是青年人的主婦，中年人的伴侶，老年人的護士」。還有人作詩般的言韻，表達了同一觀念的，詩意是：「大衞王與所羅門王，過着快樂的生活，快樂的人生，擁着許多的女友，許多許多的妃嬪，當時光從他們身上溜過的時候，卻忠言許多的聖詩。」清楚地說此些人的觀點——年青的與老年的，常有這助了以往文化的一般情感，即是說，老年人或多或少地是性無能的。老人羣中，任何人表現了好此道者，不是遭人歧視，就是被人敵視，或爲別人拿來作笑柄：「臨老入花叢」。

在某些國家，此種無知更與政治上有重要牽連。舉例來說，在一九六三年，這種女子在晚年不能再負性生活的責任的錯誤見解，在馬來亞被利用來作爲一夫多妻的公正的依據，他們宣稱：「當一個妻子年屆五十時，丈夫發現她不能再滿足他的性慾，這將會發生甚麼呢？他會另覓新歡。唯一解決的辦法，是准許同超過一個女子結婚，祗要他養得起家。」

近年來，對於性慾觀念持相反看法的大有人在，他們的觀點更令人大感驚奇。心理學家李史妲娜夫人，於一九六三年出版她的著作提出投訴說：「一些年齡問題專家，此刻正在宣揚老年人需要性慾以維持延年益壽。一個研究六十五歲以上男子性慾問題專家還誇耀性慾使人年富力强，有人宣稱可延持至九十歲。……」

顯然，作者諷刺了性生活雜誌研究六十五歲以上男子性活動力的報告。捲入這種性研究漩渦的人，他們全是著名的學者，對於這些問題的答案經由科學家，學者，作家，教育家，醫生等等，都清楚地作了配合。他們指出並無自動斷絕性慾和性活動的必要。

今天，在歐美，據說已經掌握了足夠的資料，可使大家打破陳規，並且使老年人自由地達到他們性的需要和興趣了云云。

編者附誌：「怪力亂神與法律叢談」續稿仍未到，再停一期。

三國演義縱橫譚

燕謀

李辰冬的批判，恰恰與胡適相反，姑舉其要以對：

一、李氏針對胡說「拘守歷史太嚴」說：『羅貫中是怎樣在誇張事實，捏造事實，附會事實，歪曲事實，補充事實，而來創造他的人物，如此的創造，能以說他「拘守歷史的故事太嚴」麼？

二、李氏根據胡說「想像力太少，創造力太薄弱」說：『他整個推翻了三國志的史實，而重新創造了一個新的歷史，新的世界，新的帝國，能說他「相像力太少，創造力太薄弱」麼？

三，李氏針對胡氏的「不是天才的文學家」說：『敢於推翻歷史，敢於反抗時代，敢於依據自己的情感，而重新創造一個完整的、動人的新天地，能說他不是天才的文學麼？假若這樣的作者不算天才，那末怎樣的作者才算天才？

四，李氏針對胡氏的『不是高超的思想家』說：『敢於反抗當時的黑暗政治，而重新創造一個光明的，富於理想的，生氣勃勃的帝國，能以說他「不是高超的思想家」麼？以文學的藝術看來，能將高超的思想形相化，具體化才是成功的作家。劉備、諸葛亮、關羽，整個代表了我國人理想中的帝王、宰相、軍人的風範而啓發了人類的向上心靈，這種思想還不高超，那樣那種思想算高超呢？

五、李氏又說：『又因賦歷史故事以作者的感情，表面上「拘守歷史的故事甚嚴」，表面上「搜羅一切竹頭木屑破爛銅鐵」，而實際整個改變了歷史，整個是一部創造，……如能回到三國演義的時代來看三國演義，就可知他表現人類心靈，較之「紅樓夢」所表現的範圍更大，還要普遍，所以它受最普遍的平民所歡迎了。」

胡適、李辰冬二氏的批判，正是站在一個對立的狀態下針鋒相對，一個以歷史與考證兩種方法來研究文學批判文學作品的，一個站在文學作品的觀點來批判文學作品的。以歷史考證的方法來研究三國演義，當然所發現作者所搜集的「竹頭木屑、破爛銅鐵」了。其實那些破爛銅鐵，還是不可缺少的一點呢！三國演義之所以受普遍的平民歡迎，破爛銅鐵的功效最大呢！而且那些「破爛銅鐵」也不是羅貫中所搜集的，而是裴松芝所搜集的，他能把那許許多多的破爛銅鐵溶化之後，重新創造出新的故事和人物，這已經是第一等手了，如果是擺在與羅貫中同一時期的作家手裏，可能就消化不了那些「破爛銅鐵」呢。以文學作品的眼光來看三國演義，似乎是「拘守歷史太嚴」，但如果離開歷史的譜兒太遠，那後果的惡劣可能更大呢！正如胡博士所承認的「三國演義究竟是一部絕好的通俗歷史，在中國幾千年的通俗教育史上，沒有一部能比得上他的魔力」。假如羅貫中離開歷史的譜兒太遠，那胡博士的贊美也就成爲貶責了。（十二）

籃球在美國從興起到盛行

胡資

曾到本港比賽的各個業餘籃球隊中，以最近訪問的美國春田大學籃球隊最爲出色，他們毫不費力擊敗香港隊。據悉客隊尚未有發展全能，刀下留人，向主隊客氣，否則分數的相差會更遠，但演出仍非常精彩。

籃球是美國手屈一指的運動，也是美國最普遍的球賽。春田大學的前身，春田基督教青年會訓練學校，更是籃球誕生的地點。在傳統上，春田大學的籃球隊是美國的學界籃球中保持有最高水準的一隊，他們也曾屢得冠軍多次。

美國向以體育最發達的國家自稱，說籃球由美國人所發明，而不是仿照外國經已有的運動或加以改善。詹姆士奈斯幾爾特博士在一八九一年始創籃球，當時他是美國麻省春田基督教青年會的體育主任，他是一個著名體育家，對美國青年體育事業，頗有貢獻，他在幾年前才逝世。

在一八九一年秋季，美國體育界名人舉行會議，討論發明一種新的遊戲來適合青年人在晚上和冬季，能在戶內舉行。經多次的研究，都未能得到切實結論，主席古力克博士提議將這件事交出富有經驗的奈斯幾爾博士負責，但着他要注到興趣與消遣成分要比較鍛練體魄爲高。奈博士受託進行，他認爲各種遊戲中，球賽是最適合集體，也最受歡迎。他又覺得足球比賽是過於劇烈，因爲一個球員要隨身將球帶到前方，相對的球員要極力攔阻，因此就發生大的相爭。奈博士將兩隻盛梨子的籃，掛在青年會健身室的陽台兩邊，最初用一隻足球，雙方各有球員七名參加比賽，第一次比賽的確實日期是一八九二年正月二十日。

直到今日，由奈博士所立定的籃球比賽規例十三則中，仍保留十二則，雖然在籃球的本身已有許多的改變，那種梨籃在一九零六年已改用金屬所製的。同時是通孔，且有背板。球員走步和舉動也比以前靈活得多，被目爲快動作的球賽之一。在第二次世界大戰未爆發之前，總計有七十五個國家有籃球運動，球員約二千萬名，球例被翻譯成四十國文字，乃世界最流行的運動。每場比賽都能吸引許多觀衆。

籃球在今日的普遍，雖歸功於奈博士的提倡，但也由於紐約體育記者納德愛利努力鼓吹。當他在紐約看到籃球比賽在健身室內舉行，常常爆場，有許多人不能進入，他就向在戶內的麥廸遜廣場公園運動場的主人獻議，在場中舉行籃球比賽，這樣可以容納廣大的觀衆，同時收相當的場費，使各人都有機會觀看。首次比賽，由聖母大學對紐約大學，又由聖約翰大學對韋敏士達大學，結果都有極好的成績。隨後籃球就變成了美國各大學吸引觀衆的球賽，美國各大學籃球隊也到那裏去參加比賽。

評介「詹詹錄」

著者：馬五先生

·洪流·

南華經有言：大言炎炎，小言詹詹。而以詹詹作爲一個文集的書名，足見作者是如何的謙虛了。謙虛是國人的美德之一，也是特立獨行的儒士所身體力行之道。但這集中是否全是詹詹費話？筆者不但不認爲如此，反倒是些炎炎的大言。炎炎在注釋上來說是平實，平實就是眞誠。眞誠的文字少有不好的。本文集便是證明。

稗官野史道聽途說，當然談不到什麼眞誠，或多或少總有着不眞實的東西在內，姑無論其爲有意的或無心的。在某種現實環境或作者意圖諷諫之下而發之謊言，那還是可以原諒的。如果有了達成某項目的而造作成謊言，那就絕對的不足爲訓，是名教的千古罪人。其罪名是欺騙。欺騙的目的在於財物的是社會小人，影響於當世者少，欺騙的對象也少，故而我們只能付與法律的刑罰制裁。但著書立說的文字欺騙，那就無法與以必要制裁了。文字障在某些情況之下，它是一團迷霧，要掃除迷霧，那就需要大力了。並且，在一般的情形下，那迷霧更不是普通人所能看穿，而必要智識的修養，以及方法之訓練。在現在有着文化沙漠之稱的台灣，時常看到一團的文字障，自稱爲現代的最進步的人士，他們其實在耍弄一些符號而已。以中文寫出的東西，竟不是中國人所能瞭解的，雖然是方塊文章，但它所表現出來的意思，則不是中國的。可能是西洋的吧？但西洋人也看不懂這羣符號的應有意義！再者我們現在的文壇更流行着一種花樣翻新的登龍術，罵人與被罵都是成名的捷徑；而成名之後則實行壟斷文壇，把一切園地都放在他們那個圈子的控制下，做着見不得人的事。

好像在他們的刊物上永遠只有欺騙與詐騙，要弄一些文字上的小技巧，罵人與被罵都是他們的噱頭，就像有些電影明星的製造自殺與婚變新聞一樣。這種文壇的新登龍術，在新的西化的大帽子底下，發着臭而不可聞的氣味，如在核子的威脅下，人們只有避而遠之。筆者當然不是在反對西化，更非是無條件擁護舊傳統，舊傳統有舊傳的道理，西化有西化的理由。但維護傳統不是維護其墮落部份，西化也非是但知接收西洋文化的渣滓。筆者以爲該要堅定我們的步驟，中國人倒底是黃皮膚的中國人，中國人是中國人，絕不能在牛奶與麪包的薰淘下變成爲西洋人。

棄揚自己的傳統，去接受人家的糟粕，那不是應有的態度。强調自己的傳統，絕對的反抗西洋文明的進步，那也實在的不成話說。筆者以爲我們應該選擇我們的方向，要認清我們因何而失去了大陸的錦繡河山。着西洋服裝，吃牛奶是從五四以來的上流人士的標準，但他們所給與我們的則只有偏促一隅，而揚棄自己傳統的後果，是靠攏在俄化的大纛下。傳統倒是絕對不負這種責任的。那些半吊子的人，他們放棄了自己，但也沒有接受人家，他們只是一羣沒有靈魂無所屬的僵屍而已。他們藉西化之名而遂行其個人的名利觀念。他們的西化，是爲「鈔」鈔在他們是絕對的眞理。寫文章爲鈔，罵人爲鈔，被罵當然更爲的是鈔。鈔在他們來說是最爲重要，良心與道德則早已無所存留。

在詹詹錄這本文集裏，我們看到的只有過去的愛鈔的文官，要命又要鈔的武官，已經斷送我們的祖宗土地。在集中，我們更可以看出活躍在台灣的另一批陰影在擴大，也是今後詹詹錄的寫作材料。假如我們能夠多明瞭一些新文壇新登龍之後，再參看在大陸上學人的嘴臉，我們就可以說一句，大陸淪陷前的文壇，與今日台灣文壇登龍術是如出一轍的。那條軌道的趨向，是滅亡與毀滅，不但自己毀滅，也帶携大家毀滅！這怎麼可以呢？所以，筆者以爲我們要堅定自己的脚步才是！

國劇繽紛續錄

姿婆生　（十二）

演猴戲的名角（續）

母猴——蓋叫天

蓋叫天的猴戲，講開打確實乾淨俐落，小動作是細膩到家。可是你仔細注意，他的身上腿上，總覺得有點不大對勁。有人說，他的幼工是跟他唱武旦的姊姊學的，所以舉手投足，帶一點武旦味。那些不留口德的武行，私底下管他叫「母猴」。蓋老五聽了之後，眞是啼笑皆非，從此以後，他再也不動猴戲，所以看到他的很少。

洋猴——李萬春

李萬春的猴戲很不錯，自幼因李永利望子成龍，督促甚嚴，把子腰腿都很可以。同時濤貝勒對猴戲得過高明人的傳授，確有獨到。因爲特別喜歡萬春，曾經給他說過安天會，這齣戲就離楊小樓不太遠了。照說足以代表京朝派了；可是他好耍小聰明，喜歡標新立異，他演孫悟空有時反顯得洋裏洋氣。在敵僞時期演出，孫悟空滿身繡上大佛字，被當時的川島芳子金碧輝看見，大爲生氣，罰他下裝後，在祖師爺神龕前，跪了一炷香，可見一斑。（李是川島的孌童。）

摔猴——遲月亭

講究能翻能摔的猴兒，要算遲亮兒屬第一了。遲的名字叫月亭，是楊小樓的下手。在壯年的時候，眞是翻得高，摔得衝，當時的武行，誰也比不了。民初，某遜王忽發奇想，把劉鳳奎駱連翔趙連生李盛斌，還有遲月亭，約六七人，一齊進府去在銀安殿十一層台階上，每層按人數排一列小銀塊子，摔一個踝子，拿一個塊子。據說遲月亭共得七十一個塊子。他的猴戲，開臉眼圈不飛金，祇用黃色一塗。有人問他爲什麼不飛金，他說：有一次陪楊老板演金錢豹，他的悟空，因爲翻打激烈，飛金黏着眼珠，差一點瞎了，所以後來他就一直上彩，可不再飛金了。

瘟猴——張翼鵬

張翼鵬的猴子，在上海很叫座。卅五六年曾來台灣在台北唱了一個時期。講玩藝到還細緻，有時顯得太瘟。有人說：他不賣勁不肯卯上；也有說他體力太差，成爲心有餘而力不足。總而言之，他的猴戲似乎瘟了一點，但還算規矩，沒有太過於離譜兒！

霸猴——葉盛章

葉盛章是武丑坐科，從小由王連平看功，所以底子打得好，功夫很磁實，開打更火熾，好看。故都武生名票世哲生，有一天與鐵爾，坐在一塊聊天。哲生說；葉三的猴戲，在小一輩中來講，不能說壞，就是霸氣太重；唱頭本水簾洞，美猴王坐山，滿像一回事。（未完）

比美西部片更巴閉 意大利槍城誌

胡資

你聽過阿爾巴諾瓦城這個名字？它是意大利惡名彰著的一個「槍城」，「六國大封相」事件時常在該城上演。

一個嬰孩睡在搖籃裏，牙牙學語。在他枕旁放着的不是什麼玩具，而是一柄手槍！據他的母親說：「這是我們這裏的風俗。這裏孩子一生下來，就在他身旁放一把槍。」

在阿爾巴諾瓦，人人有槍，這種情形完全並不看作有什麼奇怪。

這裏是槍枝至上。如果你嫌理髮匠頭髮理得不好，你可以挨上一槍。那裏縱然是一個教士，也在腰裏掛一桿槍。

這不是美國的西部，這是意大利，這城市在那波里西北十一哩。當地人因爲這城市聲名太臭，在一九四七年，把它改名，劃分成兩個城市。但那裏的三萬居民，仍然還是著名的「弄槍民族」。

打開那裏的報紙，一向是陰風慘慘：十六歲的青年農民卡巴蘇和他十七歲的表兄狄尼基拌嘴，他一槍把表兄打瓜。十四歲的牧羊孩子馬流羅，在六歲上，他的哥哥被一個農民打傷了，發誓要報仇。但在他能報仇以前，他因爲旁的事被繫入獄。於是馬流羅就代兄報仇，把那農夫用槍打死。

十二歲的安東尼和一個小朋友米高去他父親的西瓜田裏遊玩。在回家時，安東尼發現米高偷了一隻西瓜，藏在衣服裏。安東尼就拿起他父親的槍，把他小朋友打死。

這些殺人案都是兒童犯的，但當地的人們，對這種事情，恬不爲怪。在那個小城市中，常年兇殺案的數字是驚人的，平均一年發生殺人案六起，謀殺案達六十八起。

對於外來的遊客，阿爾巴諾瓦是一個美麗的鄉村。那裏生長着橄欖樹和成羣的牛羊。但你只要向前走幾步，就發現不對頭了：每一個路牌，每一廣告板和每一個電話亭，都是供打靶用的，上邊有蜂巢般的彈孔。

有一次，有一位理髮師奧蘭多在店外碰到兩兄弟呂託和弗蘭昔斯哥談話。呂託十九歲，是一個小胖子，奧蘭多對他說：「你生得太胖。是我們本市的羞恥。」呂託反駁他說：「胖不胖是我自己的事，與你無關。」那理髮師老羞成怒，於是用槍把他打死。當弗蘭昔斯哥要幫他的哥哥時，理髮師又一槍把他打死。

這裏的人，對一枝槍看作是寶貝，他們時常喜歡一隻手舉起一隻重的椅子由旁人用它做槍靶。

這城市有五家電影院，每一家的銀幕上彈孔纍纍，原來觀衆在看電影時，看到銀幕上有不順眼的角色，就開槍去打。

有一次，有一個農人殺死一個十五歲的孩子，他被捕入獄。這農人有一個兩歲大的兒子。那十五歲孩子的父母，對農人的受法律制裁，還不滿意，他們等待了十三年後，等那兩歲的孩子長大到十五歲時，就把他用槍打死。

一九二八年墨索里尼曾派遣一名憲兵軍官去該市鎮壓。那軍官先採用宵禁的辦法，並且逮捕了一些危險份子。但他要訊辦這些人時，那波里的法庭却拒聽命。那位軍官因樹敵太多，便悄悄地逃命溜走。

阿爾巴諾瓦侍人可以領執照買槍。軍警一向是不敢盤查領槍的執照的。

那裏居民的生命，一直受到威脅。當一個人出外時，就沒有一定可以回家的把握。就是那裏的兒童也顯得兩樣，他們去學校，口袋裏裝滿子彈，先生們常把子彈沒收充公。

那裏的人對於曾經使用過的槍枝非常珍惜，把它像寶貝般收藏起來。他們把一枝槍，簡直認作是他們的宗教了。

疊名美人之詩文

滌秋

憶玉軒雜綴

（九）李似似

寄雷亨

梳粧鏡裏獨盤桓，落蕊梅花雨不酸；昨夜孤衾無個夢，思君那是爲春寒？

（十）李三三詞寄

倉山舊主

此邦風月冠江南，萬紫千紅任客探；行過章台三十里，無人不道李三三。

尋春心事十分酣，醉入花問蝶蝶戀；閱徧環肥與燕瘦，風情都遜李三三。

容光四射晴香含，壓倒羣芳定不慚；願把金鈴營十萬，深深重護李三三。

記從江北到江南，不數名花信手探；瘦較清癯肥較俗，姿容誰似李三三。

眉如欲語意猶含，偶話前情便自慚；同倚薰爐呵凍筆，倡酬誰似李三三。

銀燈斜背酒初醒，半帶嬌羞半帶憨；醉后銷魂醒后憶，多情誰似李三三。

謫仙遊戲到江南，北里花名着重探；除却憐才殷七七，深情又付李三三。

好花初放酒初醒，半露嬌羞半露憨；一樣梅花枝上月，二分已照李三三。

筍憐新粉籜猶含，消受髯蘇句不慚；讀到清平三絕句，瑤台應屬李三三。

一枝穠艷表江南，忍舍名花不細探；除却姚黃能絕代，更無人可敬三三。

不辭綠醑十分酣，拚對紅妝一味憨；日者算儂饒晚福，豈圖消受到三三。

憐才一念兩心含，未報私恩每自慚；與月同圓籌七七，願常好視李三三。

（四、完）

秦香蓮

「影劇與歷史」之十

周遊

包拯在宋代不過二流人物，他最高的官職，不過是樞密副使（與中書省俗稱二府，中書管政治，樞密院管軍事，樞密副使雖也參知政事（副宰相）同等資格，但職權差得多，）。而戲劇中稱他包相爺，又稱包文正，或包龍圖，都不得其實。做個副相，但他並非龍圖閣大學士，更非謚文正。（謚文肅）包拯之所以獲得如此佳譽，幾與三國的諸葛亮媲美，都是由於小說、戲劇家所塑造，把他們讚美、誇大、編造、渲染之所致。

小說家創作小說人物，當然也有一點影子，和許多可乘之機會，抓住機會附會，捏造、渲染。包拯判了許多奇案，就是因爲他判了一個案子，那就在他做縣令的時候，有人盜割了牛舌。牛主人告之包縣太爺。包就命牛主人將牛殺了賣肉好了。又有來告牛主人殺牛，包拯道：你把人家牛舌割了，又來告他殺牛。那告牛主人被包縣太爺一語中的，誣告的人自供其誣告並盜割牛舌的事。包判了此稍具慧敏的案子，此外別無奇案。小說家便根據此點而來。但在電影、戲劇中的包拯，都是宰相任內的事，可知與史實不符了。

包拯權開封府，是在宋仁宗嘉祐元年十二月，所謂「權」即暫兼之意，並非眞除，與清代有所謂「代署」者相同，而非實授。他「權」開封府，爲時一年半，到嘉祐三年六月擢升爲御史中丞，有如今日之監察院長之職，而其地位則稍遜於監察院長。包拯在御史中丞任內，會兩彈三司使，（財政長官）皇帝便命包拯做三司使，旋被歐陽修責駡一頓，結果只做六天的三司使，便升任樞密副使，繼遷禮部侍郎，明升暗降，因此辭而不就，不久便死了。

宋史的評論：說他：立朝剛毅，貴戚、宦官爲之歛手，聞者皆憚之，以包拯笑比黃河淸。兒童婦孺皆知。呼名「包待制」，京師人語曰：「關節不到，有閻羅老包」。舊制凡訴訟不得直造庭下，包拯開正門，使得至前陳述曲直，吏不敢欺。中官勢族，築花園侵佔惠民河，以故河塞不通。適京師大水，拯乃盡毀之，有人持地券向他抗議，他發現自己增加地畝之數，皆審刻奏之，使奸僞無所施其技。又云：拯性峭直，惡吏苛刻，務求敦厚，雖甚嫉惡，而未嘗不推以忠恕也。與人不苟合，不以虛言取悅於人，平居無私書，雖老朋親戚故舊亦不通書信，雖做大官，衣服器用、飲食，亦如百姓。嘗語人曰：後世子孫，有犯貪汚者，不得回家，死不得葬祖墳中。不從吾言，非我子孫也。宋史載其爲官淸廉，仍然忠厚爲心，並不是糊亂殺人。堂堂駙馬，豈可隨便鍘了。小說中所謂龍頭鍘、虎頭鍘、狗頭鍘，乃是小說家的構想，全非史實。更沒有什麼上方寶劍，可以先斬後奏。宋朝自太祖定天下，便下過禁止亂殺大臣的詔令，故有宋三百二十年間不殺大臣。大員犯罪，多發配嶺南（廣東）或海南島，很少被斬首的。岳飛要迎二聖還都，高宗（趙構）當然不安，眼見岳飛節節勝利，韓世忠、劉奇相繼告捷，高宗爲保既得江山，始與秦檜合作，幹掉岳飛的。此乃一個例外。岳飛雖忠，但他沒有政治頭腦，金人可打，則何必强調迎二聖，迎二聖就否定了高宗，高宗不殺你才怪。

以上除了包拯有其人而外，其他秦香蓮、陳士美根本是小說人物。還有一點値得注意的是：陳士美派人殺秦香蓮，乃是採取了「琵琶記」的男主角蔡邕的遭遇之一。蔡伯喈被徒途中，遭楊絿派人暗殺，刺客以蔡伯喈乃是一個無辜的學者，將蔡放了。刺客自己隱去。負心郎故事很多同此一類型。秦香蓮很可能是採取了蔡邕的身世，此在趙五娘一節中也可以參閱。（三、完）

杜甫其人其詩

漁翁

死後，其子宗武病，又流落湖湘而卒。待元和中，武子嗣業自耒陽遷其柩，歸葬於偃師縣西北首陽山。而耒陽城有「杜甫墓」，乃一衣冠塚，爲該縣三大古蹟之一，荒草萋萋，徒供遊人憑弔而已。

唐代大詩人元稹，字微之，時呼元才子，爲杜甫撰墓誌，首寫歷代詩歌之興廢，至唐論李杜之優劣。後之屬文者咸韙之。墓誌中有曰：「至於子美，蓋所謂上薄風雅，下該沈宋，言奪蘇李，氣吞曹劉，掩顏謝之孤高，雜徐庾之流麗，盡得古今之體勢，而兼人人之所獨專矣。」又云：「詩人以來，未有如子美者」。用古代詩人來比擬，推崇讚美無微不至，但事實上並非過於溢美與阿諛。

杜甫的詩，不僅僅在格律之嚴整，與氣魄之汪洋，而處處含有諷刺與規諫，對國家與民族，表現了熱愛的癡情，與風花水月之作有別。所詠：「朱門酒肉臭，路有凍死骨」，以及「前出塞九首」，「後出塞五首」，「新安吏，潼關吏，石壕吏」的三吏，和「新婚別，垂老別，無家別」的三別，感慨淋漓，令人不忍卒讀！

文豪詩人，往往多不永年，像韓愈五十七歲，蘇軾六十六歲，李白六十二歲，杜甫五十九歲，所以隨園老人說：「韓蘇李杜從頭數，那個詩人七十春」。而此老獲活得八十餘高齡以自豪。而今詩人往矣，所遺下千百首作品，猶膾炙於人口，足見其典範長存，精神不死。（五、完）

自由報
THE FREE NEWS

第七八五期

內僑警台報字第〇三壹號內銷證

中華民國僑務委員會登記證僑字第一〇三五號
台灣新聞字第一二二八號
中華郵政台字第一二八二號執照登記爲第一類新聞紙類
（每週出版三期逢星期三、六出版）
每份港幣壹角　台灣每份新台幣貳元
社長：雷嘯岑
督印人：黃行奮
社址：香港銅鑼灣高士威道廿號四樓
20, CAUSEWAY RD 3RD FL. HONG KONG
TEL. 771726　電報掛號：7191
承印者：大同印務公司
地址：香港北角和富道九六號
台灣分社
台北市西寧南路壹零壹號二樓
電話：三〇三四六
台郵劃撥儲金帳戶二九二二

海底探測與開拓海洋（上）

彭樹楷

本年八月廿三日合衆國際電：「美國科學家將於明天把『海底實驗室二號』置於加利福尼亞州拉荷亞附近的海底，由太空人卡本特及九名科學家和一頭名叫『塔非』的海豚，開始一項爲期四十五天的海底探測。卡本特預定留在圓筒形的探險船中，其他人員每次將僅留十五天。……」

海底探測又稱爲「內太空」探測。內太空探測，不若外太空探測千分之一的爲人關注。我們僅由上述這則新聞短訊和「雙子星五號」的新聞報導在當天報紙上所佔篇幅的比例，便可證明其不受重視的程度。可是，海底探測與開拓海洋對於人類的密切關係與長遠影響，卻又不是外太空探測及開發月球與火星所能望其項背的。當地球陸地資源由於國防軍事及外太空競賽與人口膨脹壓力而日趨枯竭時，只有「近在眼前」的海洋寶藏，才能挽救世界性的厄運！這一大責重任，不是太空航行、登陸月球、乃至探測火星所能肩負得了的。因此，願人們冷靜而理智地把眞摯的關懷與祝福，分些給海洋科學家和海底探測人卡本特（他是美國第二位太空飛行員，於一九六二年五月廿四日繼格倫繞地球飛行三圈）！並願我們重視海洋科學和海洋寶藏的開發，藉以建立起實實在在的豐衣足食、兵強馬壯的「國家力量」，國家幸甚，世界幸甚！

筆者不敏，願就海洋研究文獻及新聞報導，就海洋寶藏先作綜合性簡述，再說明海洋生物、海洋藥物，最後就海洋與國防作概括性介紹，藉以拋磚引玉，俾共促國人重視海洋科學，進而掀起開發海洋的高潮。

海洋寶藏

我們在地球上所發現的一百種元素中，海洋科學家已在海水內找到了六十六種元素，并且仍在繼續發掘中。也就是說，陸地上一百種元素所組成的物質，海洋中就可出產六十六種元素所結合的各種物質！十九世紀發現宇宙一切物質是由各種化學元素所構成，但元素是什麼？它們如何及何時開始存在？又是怎樣形成的？這些仍待研究。因而海洋所含元素亦有待探究。不過，由於海洋佔地球面積十分之七達九百餘億畝，因此估計海洋寶藏遠超過陸地蘊藏甚多倍，足可供今日卅二億世界人民食用數千萬至數十億年之久！他們計算假如海洋動物全部上岸，則陸地一切可供食用的東西包括人類在內，祇夠牠們一天的消耗！科學家又估計海洋鑛產量說：海洋中含硼達七兆噸，溴廿億噸，錳十億噸，銅十五億噸，白銀五千萬噸，黃金一千萬噸，以及一、二氧化鋁、氧化鐵、炭酸鈣金屬等。單以白銀和黃金來說，全世界以卅億人口計，每人平均即可分到白銀兩百磅和黃金四十磅！這能不說是一個誘人的數值？特別是國防民生科學工藝及航空器激烈競賽大量消耗了陸地鑛產的今日，海洋鑛產能不說是一個最佳的原料園地？

例如美國用以轟炸北越的B—52戰畧轟炸機，每架成本現已降低爲八百萬美元，幾像是這架飛機完全由白銀製造的代價而且還要貴！又如「北極星」核子飛彈潛艇，每艘達三千萬元；而航空母艦的成本則高達兩億美元，「雙子星五號」太空船成本近四億美元……。這種龐大消耗，使陸地資源迅速枯竭，如果不迅速向海洋求援，則後果實在不堪設想。

海洋生物應用的最早記錄，是海魚的食用，其後便是海草的食用（如海帶），再次便是海洋植物的醫藥用途。但是，直到今日，海岸生物仍未作科學性開發與具規模的計劃使用；特別是海洋生物的醫藥用途，至今尙在學步階段。

利用海洋的養珠工業開始很早，十六世紀即有紀錄，但至今仍未大規模經營。珍珠不僅是裝飾品，而且它還可用來代替鈣質以助長兒童和傷患者骨骼與牙齒的生長與復原，並可用作藥料以醫治發熱病、眼病、肺病、以及「駐顏」之長春藥。此外，有關珍珠的新用途仍在發掘中！

所有上述海洋寶藏的應用，都只限於近海與海面寶藏，因爲人們對遠海及深海的認識至今仍所知有限，其實那兒才眞是寶藏最豐富的地區。目前，美國正積極從事遠海及深海的探測。例如本年四月廿五日香港「工商日報」載四月廿四日美聯社電：美海洋科學家在印度洋海底發現一座[illegible]的山峯。美國海岸和地面勘測隊說：這條海底闊谷比美國境內大峽谷大得多，從印[illegible]島止。又如一九六二年十一月六日，英國海軍「庫克」號海洋探測船，測出目前最深的海洋是位於菲律賓以東的海洋，深達三七、七八二呎，這打破了蘇聯在一九六一年於太平洋馬里安納海所測得的三六、二〇四呎的記錄。美國核子潛艇發現在數百呎深海水中有着不知名的深海巨大動物；英美海洋科學家又先後以電子探測觀察儀，測出數千呎深海下仍有生物存在。此外，科學家相信，深海山脈中的礦藏之豐富，遠超過陸地山脈中的礦產量。至於化海水爲淡水的衆多用途，更是海洋取之不盡、用之不竭的資藏。

天使與魔鬼

死亡進軍

今日與明日

李宗仁的醜態

李宗仁的記者招待會終於在北平如期舉行了，不出本刊所料，幹部之外的新聞記者爲探訪新聞而去的少而又少。原因無他，以採訪李宗仁根本無新聞可採，要知道李宗仁不敢說，說的大家已經在左報上看厭了，誰也不願再去聽；即使沒有政治問題，誰也不願去跑這一趟冤枉路，何況還要去爲國慶捧場，向屠殺兩千萬人的標幟五星旗脫帽敬禮，向殺了自己兩千萬同胞的劊子手振臂高呼？誰有人心，何忍出此！假若生命在戰場上被毛軍俘去，爲了千古艱難惟一死，自不能要求人人皆作烈士；但是自投天羅地網去討下賤，相信有點自尊心正義感的人斷乎不肯[illegible]李宗仁招待會未開之前，我們已知道他說什麼；請柬發出之時，已知道他能請到那些客人了。

一派胡言

總結李宗仁的書面聲明及答覆詢問，重心共有三點：第一，說美國曾企圖在台灣發動政變，推翻中華民國政府，擁他上台；第二，勸海外人士回他看齊，也回大陸；第三，必要時願意赴台去談判和平。這三點實在是文不對題，一派胡言！關於第一點，美前總統艾森豪威爾已經鄭重聲明絕無此事，任何美國現役軍人如有此項行動皆應處死。關於第二點，李宗仁也許以爲他現身說法，對海外人士更有說服力，可是人們不禁要問，既然大陸是這麼好，何以不把你的兒子媳婦，孫子一起帶回大陸去建設祖國，他們仍然躲在萬惡的資本主義爲首國家去生活？既然兒子都不跟你去，別人誰又會去？怎麼美好也是騙人的玩意！稍有常識的人皆不會上鈎的。至於第三點，李宗仁願意去台灣促進國共和談，更是絕世奇談！李宗仁今天已成了中華民國的叛逆，若到了台灣等着他的是軍法審判，這都不必說；人們感覺興趣的是毛共還會不會放李宗仁出來？這一點就大爲可疑。如若毛共肯放李宗仁到香港，港外人士也就相信李宗仁在大陸還有相當的自由；若連這點都不可得，再說什麼調處國共之爭的話，也就等於一個乞丐要人捐百萬金元以作慈善事業，任何人都會嗤之以鼻的。

最妙的是李宗仁竟然罵到過去軍閥割據的事，眞不知道他怎麼有臉說得出！論到割據，任何人也沒有李宗仁割據得久，桂系是誰領導的？光是在廣西割據尙不足，又派了一批爪牙跑到安徽去割據，光是李宗仁競選副總統就由其派去的爪牙送上七千億法幣，都是安徽人民的血汗！李宗仁也許忘了，可是安徽人却永遠忘不了。（何如）

海洋生物

海洋科學家估計，以目前已知的海洋生物，足可供應世界卅二億人口食用六千萬年；如全部取用於海洋，則可維持十億年以上而不必担心人口膨脹壓力及粮食問題。

海洋生物包括動物、植物、微生物在內的海洋生物，其繁殖與生長能力，也不是陸地生物所可比擬的。例如蜉——一種本身不能移動、細小到聚集億萬個才能由顯微鏡看得到的蛙類，便是海洋動物及人類的最佳粮食，而且是最鮮美可口而又極富營養的肉類，牠繁殖特別快，是僅次於海水的第三號取之不盡的海洋資藏！牠可區分爲動物性蜉與植物性蜉兩大類，海洋中大小動物均以牠爲生——大魚吃小魚、小魚吃蝦子、蝦子便吃蜉，大魚小魚也吃蜉；蜉是牠們的主要食粮。如果人類大規模開採蜉類並利用人工方法大量繁殖以供應民生及作爲家畜飼料，即可完全消除人類三分之一半飢餓的情況，並可完全解決因人口壓力所帶來的粮食問題。耶魯大學海洋試驗所所長邁里曼博士預計廿年後，人類即將普遍地向蜉討生活。

自由談

奇特的反共戰畧

馮玉先生

當年韓共與中共無端興兵進攻南韓時，美國奮起協助南韓抗禦，繼即通過聯合國，渙汗大號，明令討伐，判定中韓共政權爲侵畧者，頗有申張正義於天下的氣概。可是，在美國指麾之下的盟軍，雖然打到了鴨綠江邊，却不許轟炸中共的軍事基地，結果還是退守原有南北韓分界綫的卅八度，恢復戰前態勢，從事屈辱性的和談。

北越共黨游擊隊大舉進襲南越後，美國亦義憤填膺，拔刀協助南越實行反共戰爭，美空軍經常轟炸越共不已。可是，美國依然沿襲韓戰的故智，一面聲明戰爭目的祇在保持原有南北越分界綫的十七度地區之安全，希望越共談和，同時禁止空軍轟炸越共巢穴的河內、海防這些重要都市，表示不爲已甚的謙冲作風。

這是原子世紀的新戰畧，酷似賭番攤的方法，押來押去總是在那幾個老數字的範疇之中。麥克阿瑟將軍說過，戰爭的目的在消滅敵人，爲着爭取勝利，不惜使用任何手段。而美國五角大廈的將軍們，對於韓、越反共戰爭策畧，却採取「不求勝」政策，但美國又以自由世界的反共盟主自任，不亦怪哉！

英美主張對全球共黨妥協的最大理由，便係所謂避免核子大戰。但在韓戰時，俄共尚未能製造原子彈，美國獨佔着原子武力的絕對優勢，何以又表示那種卑怯行爲呢！如今不特俄共已擁有核子武器，連毛共亦能試爆原子彈了。再過些時期，中俄共都已具備了核子戰爭的能力，依照它們世界革命的既定方針，決不會讓英美這類資本主義王國安全生存的，一場更劇烈而慘重的核子大戰，終不可免，勝負之數，未可知也。是則英美今日之苟安妥協，適所以養癰貽患，自討苦吃而已。

美國人士似乎確信中俄共必會決裂火拼的，不妨坐收漁人之利。這種一廂情願的情性觀念如果成爲事實，那除非蘇俄人民再度大革命，恢復舊有資本主義社會制度，然這是可以想像的事兒嗎？十五年前，美國誓言毛共係「土地改良主義者」，「與蘇俄無關」，拼命地贊助它奪取中國大陸，而今毛共却是美國的死敵，我不知美國人靜言思之，作何感想？

颱風過門為港帶來豪雨

雨量破三十九年來紀錄

山洪暴發到處水淹損失亦相當重大

（本報訊）在颱風「愛娜斯」向香港推進的一段短時間，九月廿六、廿七兩日，天文台獲得的雨量紀錄共十五點六五吋，其中有十二點八二吋是在一日的時間內紀錄得的。這是在一次風暴中，獲豪雨最多紀錄的其中之一次。港九各水塘已告全部滿溢。

「愛娜斯」今次帶來的十五點六五吋雨量紀錄，在香港並不是最多的一次，據天文台的紀錄有兩次尚要超出這個數字：一次在一八八九年五月三十日，在深夜至翌日上午十時的十小時內，獲得雨量十六點八吋。另一次發生在一九二六年七月十九日，由深夜至上午十時的紀錄是十九點四五吋。

去年颱風「黛爾」的十三點五七吋及一九六二年戰後最嚴重的一次颱風「溫黛」，亦均獲得超過十吋的雨量。

在廿七廿八兩日所獲得的雨量是一九六三年大旱全年所獲得的差不多一半，該年全年的雨量只不過三十五吋。

但「愛娜斯」此次過港，亦做成五人死亡，數百人無家可歸，嚴重洪水泛濫及一些財產損失。

「愛娜斯」於廿八日晚八時在港西一百二十哩掠過，然後登陸中國沿岸，由於整晚均是強風大雨，三號風球直至廿九日晨六時二十五分才除下。

從最後一個報告說，一名約十三歲的男童屍體，於廿八晨九時在青衣島海面發現，使死者人數增至五名。兩名婦女及一名女孩在新界被洪水冲去，另一名男童廿七日在北角斃命。

「愛娜斯」帶來大雨傾盆，港九新界處處水淹，造成損失。如九龍鑽石山斧山道山邊與牛池灣村一帶，山洪暴發，多間漂染廠被冲毀，全牛池灣村二百多間木屋、石屋則被淹，低窪地區水深達八、九呎，水浸過門楣，居民紛紛爬登屋頂或游水逃命，迴圜響起一片呼救聲。全部損失無法估計。損失最重的是鑽石山斧山道數間漂染廠，估計超過一百萬元。

鑽石山斧山道山邊建有許多間漂染廠，規模最大的是斧山道三七二號地段祥元電機織染廠，附近還有天一染廠、楊坤記染廠、同興染廠等。

廿七日晨九時許，一場暴雨過後，山洪暴發，如萬馬奔騰般的從飛鵝山對下之南山上面冲下來，冲至祥元染廠一條大渠時，由於渠道淤塞，因此洪水便轉冲向祥元、天一、楊坤記和同興等多間漂染廠去。當時每間染廠都有工人開工，山洪驟然而至，他們趕快攀登高處逃命，祥元漂染廠的工人甚至攀上機器頂端躲避。一瞬間，洪水把這幾間染廠冲淹了，水深近丈，幾間廠內的布疋、染料、原料等都被水冲走。僅祥元染廠一家的損失就達五十萬元以上。其餘幾家損失也共達數十萬元。

洪水暴發地點的斧山道山邊，有一條大水渠，過去是明渠，最近當局在那裏築馬路，將明渠改爲暗渠，飛鵝嶺山南山各山坑的水都滙集到這條暗渠去。此次由於大雨傾盆，加上渠道被沙泥淤塞，洪水宣洩不去，因此便造成這次慘重損失。

牛池灣村的工廠，住戶損失也很慘重，那裏一間義德染廠被洪水所淹，廠內八十個每個重達四百磅的紗，全被泥水所浸，損失達數萬元。山洪暴發時，該廠的十多名工人均游水逃命，連衣物也來不及帶出。其他許多工廠、住戶也受到相當大的損失，但確切數字未經估出。

另新界農作物損失亦大，特別是菜農，損失約一半蔬菜之多。還有些漁塘的魚給冲走了，個別的損失亦不輕。

美國科學家海底探險熱

（本報特譯）美俄兩國除在太空競爭外，對于海洋深處的神秘領域也不放過（請參閱第一版論文）。蘇俄研究海洋，究竟花了多少錢，誰亦不知道，但美國每年的預算是五千萬美元。最近，已批准一個十年計劃，將耗費七億五千萬美元。

數週前，美國總統詹遜宣佈，將在德克薩斯州奧斯汀港建造一輛新核子潛水艇，進行研究如何改善水雷的發射方法。

海洋地理專家都認為海底的寶藏是取之不盡的，像田中的薯仔，任摘唔嫐。西非附近海岸，已發現價值百萬鎊計的鑽石，其他如金銀，白金等罕見鑛物遍佈海床。海底也有油田的，有時深藏於二千呎之下。

美國有一艘特製的潛水艇，能深入一萬五千呎水底，逗留三天之久。另外有一種測海的深水艇，曾于一九六〇年創下了新紀錄，潛入三萬五千八百呎，比額非爾士峯還高一哩。

水底快艇，名叫飛行號，在一百呎水底下，也能達到時速二百哩。

聯合國最小的會員國

印度洋新國馬爾代夫

本報資料室

今年七月廿六日脫離英國保護而宣告獨立的馬爾代夫，最近已成爲聯合國的新會員國——是聯合國今天爲止的最小會員國。她是印度洋中一個羣島之國，地位剛剛處於星加坡和亞丁的中途，這些地方都是英國在蘇彝士運河以東的重要戰畧基地，自從星加坡在最近宣告獨立以來，英國勢將加緊在馬爾代夫建設軍事基地。

目前，英國在馬爾代夫羣島最南端的阿杜羣島的甘島上，保有軍事基地；英國廣播公司在甘島附近的希塔杜島設立了無綫電轉播站。另外，英國在馬爾代夫首都馬爾貼隣的呼盧爾島上也建有機場。去年四月，馬爾代夫人民在馬爾舉行一次聲勢空前浩大的反英示威遊行，羣衆憤怒地搗毀了呼盧爾的英國飛機場。由於人民的堅決鬥爭，馬爾代夫才於今年七月贏得獨立。顯然取消英國所享的特權，成爲今後馬爾代夫人民繼續鬥爭的目標。

馬爾代夫是一個珊瑚羣島之國，它由十二組珊瑚環礁（在行政上分成十七個島羣）、二千多個小島組成（其中二百個島上有居民），位於錫蘭西南六百四十公里，總面積爲二百九十七平方公里，人口約十萬。首都馬爾的居民約有一萬二千人。大部份居民信仰伊斯蘭教，少數信佛教，這一點同錫蘭、印度不同；他們的言語以僧伽羅語爲主。中國很早就知道馬爾代夫。明代三保太監鄭和下西洋時，曾兩訪馬爾代夫。曾隨鄭和出洋的馬歡所著的「瀛涯勝覽」一書中，有着關於馬爾代夫的記載，內稱馬爾代夫爲溜山國或牒干國。書裏說：居民「皆是回回人，風俗純美，所行悉遵教門規矩。人多以漁爲業，種椰子爲生」。又說：「其馬鮫魚切成大塊，晒乾收貯，各國亦來收販他處。」

「瀛涯勝覽」上述的情況，與今日馬爾代夫人民的生活情形完全吻合，這是島國很少與外面接觸的環境造成的。馬爾代夫在一一一六年就建立了以伊斯蘭教爲國教。當時有一個從北非摩洛哥到達該島的伊斯蘭教教徒巴巴利在馬爾代夫傳教，他把當地的佛教徒改變爲穆斯林。當歐洲殖民者向亞洲擴展的潮流中，馬爾代夫被侵入較晚，那是因爲珊瑚礁對航行具有危險性，和地方貧瘠的緣故。葡萄牙人到達馬爾代夫最早，他們從一五五八年起就盤踞在馬爾島上，但是在一五七三年被富有戰鬥精神的馬爾代夫人民驅逐出境，馬爾代夫人就以逐出葡萄牙人的勝利日，作爲他們的國慶日。現在，他們並以擺脫英國殖民地統治的日子，作爲另一個全國歡慶的日子。英國係從一八八七年開始統治馬爾代夫。一九四八年錫蘭獨立後，英國通過一項條約，使馬爾代夫受其「保護」。

馬爾代夫海濱所產的多色的貝殼，在古代曾成爲印度、錫蘭及許多阿拉伯國家的貨幣。羣島中據說有一個毛拉都島，因爲島上全是磁性礦石，如果輪船靠近它，就會被它吸住而無法開行。

牙醫在美國苦惱重重

——紐約通訊

醫生在香港是賺大錢的職業，特別是牙醫，因爲人手不足，更是「巴閉」。但美國的牙醫，由於各州法律歧異，使這行業苦惱重重，辛酸不一而足。是亦美式生活之一環也，值得報導。

在美國內華達州拉斯維加斯北部地區，居民診視牙病，要輪候達三個月之久。加尼福利亞州，因爲牙醫所收的費用，過於昂貴，那裏的人情願乘飛機飛赴紐約去醫牙，除了交通費用之外，還可以剩下一筆錢。弛拉維亞州每二千五百四十六個居民中，才有一位牙醫，因此他們每年的收入是頗爲可觀的，可是大多數的牙醫皆拒絕將他們每年的總收入數字呈報每三年一次的調查，這個調查是由美國牙醫學會經濟研究統計部門所主持的。據該項報告稱：紐約州每位牙醫平均的年入是一萬四千九百六十六美元，在加利福尼亞州的數字則更高，每年達三萬〇二百七十二美元之多。

現在美國境內共有九萬九千八百九十一名牙醫，爲甚麼他們不能隨意由此州而遷往他州？而其他的醫生、護士及藥劑師却不受此限制呢？原來在這一州所發出的牙醫執照，到了另外一州便完全失效，各州政府，大家爲了容易控制境內的牙醫因爲生意眼光而隨意遷移地址，只有用這種辦法對他們加以控制。但是有些州，因境內的牙醫過於缺乏，無法應付大量居民的需求，於是他們便採取一種折衷的辦法，准許某些隣近州份的牙醫，可以越過州界來該州執業。

由於上述的情形，往往造成了許多人爲的悲劇，每年因此而受害的牙醫，都有過百名之多。例如某位牙醫，他在紐約州經已執業達廿年之久，但是由於他的妻子或兒女，因爲患上某種疾病，醫生便勸導應遷往一些氣候比較溫和的地方，如阿利桑那州去居住，但是這位牙醫是否就能在該州掛牌繼續行醫呢？該州的牌照當局是否會承認他在紐約州的資格呢？當然是不會准許的！因此，該位牙醫必需在阿利桑那州從頭再學習一次，就算他以前已有過行醫的經驗，還是要經過筆試及技術考試及格後，方能申請領牌照。根據統計的結果顯示，該州有百分之六十一此類的申請人不能通過這些考試。雖然阿利桑那州也頗缺乏牙醫，可是由於法律規定，誰又能想出還有其他比較完善的方法？

有些州現已取銷了筆試這一關，他們是承認全國牙醫會所存的成績，所以在這些州份中，技術考試被淘汰的百分比便較爲低些。

拉維醫生曾在佛羅里達州因爲在技術考試中，一項用金箔包裹牙齒的考試中被淘汰出來，可是二十年後，一九六一年，他却在紐約大學、牙醫學院中担任院長之職，而且還担任金箔包裹牙齒這門科目的專任教授。從這個故事看來，豈不是成爲笑話了嗎？

據一位曾經參加過這種考試的人回憶說：「參加考試的人，因爲這種事情對於他以後的前途，至關重要，所以精神上很緊張，加以這種工作必須動作快速，平日在醫務所都是由技師負責，牙醫自己本身是很少參與的，在動作上已經生疏很多。由於上述種種原因的影響，大多數的人都不能在規定時間內完成這種手術，不用說其結果也自然是不及格了。」

史丹利高文是一位很年青的牙醫師，曾在牙醫刊物上對這種不正常的制度大肆攻擊，他並將自己的經驗寫在上面說：「當我由賓尼夕維亞州立牙醫學院畢業後，便想在新墨西州執業，院長曾對此事加以警告說，以前已經有過許多學生，想離開本州往西南各州執業，都遭遇很多料想不到的困難。但是我却不聽他的勸告，因爲我太過於自信及理想了，我是班中名列前茅的優秀學生。事實却與理想相違，結果我果然在考試中失敗了。這就是現在美國的怪現象了，爲甚麼我要在進枝之前，便要選擇好以後執業的地方呢？這種不健全的現象，的確使我大吃一驚。」事後他曾爲此事去信詢問，究竟因何而不及格，但是過了一兩個月還無回音。後來他又向該州政府追詢原因，過了一年後，他收到回信說，筆試及格，但是技術考試却失敗了。於是他便很氣憤地說：「事情已過了一年多了，而且技術考試的成績又無可稽考。」只好自認倒霉。自後他更繼續入窺研院中學習，到現在他已成爲紐約州頂頂大名的牙醫，前往其醫務所光顧的，大不乏人。

除了上述的原因外，另一個造成這種悲劇的是由於宗教上的歧視，一位信奉猶太教的牙醫，幾乎是毫無可能在阿利桑那州通過該項考試。同時外州籍的人，在許多州份中，在參加考試的時候，也是被列爲歧視者之一。

在州與州之間的醫藥協定下，他們每年都有一種默契，相互之間交換牙醫。但是在這種契約下而發出來的牙醫牌照大約有多少，因爲是屬於州政府間的秘密，從來沒有人能夠知道正確的數字。根據數字來看，大約是在百分之一到百分之二之間而已。

美國牙醫學會每年出版一次的年報中稱：「一九二六年全美牙醫訓練計劃所作的調查顯示，全美牙醫，平均每年的收入在一萬五千五百四十二美元之譜。在另一欄中的數字說，平均每一千人便有一名牙醫。」

每州的牙醫考試委員會的委員們，都是用提名的方式而選定的，他們之中大部份是屬於「老行尊」之流，只有百分之十五的委員，是屬於「新丁」；所以可以如此說，該委員會的全部權力皆操諸於老一代的手中，對事物的判斷多數是以自己主觀而取捨的。

猶太人與醫藥和食物

反應懸殊使科學家迷惘

・容鏞之・

以色列科學家對「聖地」六大猶太民族對某些醫藥和食物有不同的反應，感到迷惑。耶路撒冷希伯來大學遺傳學研究所，經過十二年的研究，企圖把猶太民族神秘之點揭發。該研究所最近宣佈：在以色列的「純猶太人」甚少。雖則猶太人在以色列團結起來，成爲一個國家，但猶太人從文化、種族和社團方面，可分爲下幾種：①阿什堅拿森族（來自歐洲中部和東部的猶太人，他們的後裔在以色列和西半球）。②塞化甸族（來自西班牙、希臘、義大利、土耳其和保加利亞的猶太人）。③利芬族（來自敘利亞、黎巴嫩和埃及）。④馬奇卑斯族（來自摩洛哥、阿爾及利亞、突尼西亞和賴比瑞亞）。⑤美索不達米亞族（來自庫德斯坦、伊拉克、波斯和中亞洲）。⑥也門族。最後四種猶太人，被稱爲東方猶太社團。科學家發現，祇有也門族和庫德斯坦的猶太人是「純猶太人」。「純猶太人」已被證實是奇妙的人類實驗室，能夠肯定或否定一連串的科學理論。

癌症、潰瘍和心臟，是現代文明社會最普遍的，但是來自庫德斯坦和也門的猶太人，完全沒有這些病。不過庫德斯坦和也門的猶太人的後裔，與歐洲文化接觸上二十年後，就傾於患上這些病。反過來，致命性的惡性貧血症，腹膜炎和地中海高熱，在東方猶太社團當中，極爲普遍；而移民到歐洲的猶太人，則沒有這些病。還有，當居住在歐洲的猶太人患上腹膜炎或高熱，他們應用現代藥物，就可以痊癒；東方猶太社團的猶太人要是服了這些藥物，病況就會變本加厲。

科學家又重新考慮，親屬間結婚對社會醫學和遺傳上的好壞。實際情形是怎樣？一百名居住在歐洲的猶太人當中，祇有一個人與他們的長親或近親結婚；而東方猶太社團的猶太人，有百分之十九是與近親結婚的。結果歐洲猶太人的子女比較健康，體格強壯，但是較易患上肺癆和血壓高；而東方猶太社團的子女較長命，性活動到七、八十歲亦可，並無龍鍾老態。

來自伊拉克、也門和庫德斯坦的猶太人對豆類和磺安劑甚爲敏感。一名伊拉克猶太母親，以母乳供養她六個月大的嬰兒，她吃了豆，引起貧血病，嬰孩兩個星期就死去。醫生企圖挽救母親的性命，但是現代藥物使她更壞。最後，她的丈夫請教一位「聖人」，那聖人說：病婦必須立即懷孕。醫生們都感到驚訝，因爲此舉與醫學的理論完全相反。但是那婦人的丈夫半夜偷偷走進醫院的房間，以後她的病況就好轉了。一個月內，她可以出院，八個月後，產下一個健康的嬰兒。科學家仍然對懷孕和貧血的關係感到迷惑。醫生的結論是：「荷爾蒙等藥物對東方猶太社團的猶太人，全無幫助，在若干情形下，會使到他們更壞。懷孕的方法，近年來已救會不少猶太婦女，但是男子方面，則仍未有醫治方法。」

歐洲婦人在這方面，恰好是相反，東方猶太社團的貧血類型，是極少有的。有時發生此病，用荷爾蒙等藥物可以製造奇蹟，懷孕祇有使到歐洲婦人更弱。

來自也門和康德斯坦的猶太人，不食牛奶、牛油、乳酪、雞蛋、芝士、糖、啤酒、朱古力、餅、白麪包或糖漿。他們所食的，是蜜糖、肉類、魚、無花果、棗、茄、橄欖油、捲心菜、黑咖啡、葡萄酒、棗酒和粗麪粉造的煎餅。他們的食物與他們的健康是否有關係？醫生指出也門和康德斯坦的猶太人，如果吃着他們傳統的食物，就永遠沒有癌症、潰瘍或心臟病；他們吃了歐洲的食物，癌症、潰瘍和心臟病的比率就增加。醫生用六百隻猪，每一百隻一組，作一項實驗，經過五年研究，吃也門和康德斯坦猶太人食物的猪，比較健康，但是對肺癆和貧血的抵抗力則較爲弱。

科學家從以色列以外研究，發現薩丁尼亞南岸卡拉里地區的居民，着有猶太人的同樣疾病；他們又如也門與康德斯坦猶太人一般，對同樣藥物和豆類亦有敏感。然則薩丁尼亞人是否公元六年一個失落猶太部落的後裔？或居住在歐洲中部的若干以色列猶太人後裔？他們有着西德萊因河兩岸居民的遺傳和性格。是否在公元四年，羅馬人把一批猶太人趕出聖地，來到與萊因河地區的日耳曼部落通婚？因爲在天主教傳入該地區前，該地區已有猶太教。

我們不宜過早下結論，這些科學上的研究，祇是在找尋綫索，解答過去的若干謎，又發展新的方法，來對付未來的性命疾病而已。

三國演義縱橫譚

燕　謀

二氏之批判，我很同意李辰冬氏的說法。三國演義是一部文學作品，當然應以文學的觀點來批判他，不能以歷史和考證的方法來批判他。胡氏的歷史與考證的方法，用之於「紅樓夢」是對的，用之於「三國演義」則不甚正確了。因爲三國演義的本身就是一部通俗歷史，是一部很正確的歷史，而且還有「三國志」、「漢晉春秋」以及裴松之的博大注疏，作爲他的藍本，根本用不着再加考證了，更用不着以歷史的研究方法來研究他。羅貫中他改變了三國史，改變了三國時代許多人物，創作了許多新故事，新人物，歪曲了許多事實，這是中國人看過三國演義的所公認的，所以有許多讀者在爲曹操鳴冤，爲魯肅、蔣幹鳴不平，爲劉備、諸葛亮、關羽、等人而忌妒者，比比皆是。祇要提到諸葛亮，誰不知道他是綸巾羽扇、溫文爾雅、足智多謀的神機軍師？提到關公，誰不知道他赤胆忠肝、大義凜然、威武不能屈的大丈夫？提到張飛，誰不知道他不是火炮性情，大吼一聲斷橋樑的猛將？提到貂蟬誰不知她是位美麗的動物，和迷人乖巧的可人兒？提到劉皇叔，誰不知他是一位仁慈重義的帝王？提到曹操，誰不知他是一個粉面的大壞蛋？羅貫中能創了這些個典型的人物，也就是他的不朽了。中國人不知道孔明、關公、曹操、貂蟬這幾個人物的人恐怕是太少了吧！他們的聲音笑貌，幾乎是活在了中國人的心目中，彌久而難忘。這不是羅貫中的成功麼？

三國演義爲什麼受到廣大羣衆的歡迎

不少人認爲三國演義的大錯，就是把關羽、諸葛亮寫得太好了，把曹操寫得太壞了，爲曹操鳴冤者大有人在。還有一些人認爲三國演義不合史實。這些人既沒有以小說的觀點批判三國演義，更沒有文學的修養來欣賞三國演義。這就根本不值得一談了。

三國演義爲何飽受中國大多數人所愛讀？人言紛紜，有說三國人物衆多的，有說「他寫的時代恰恰是歷史上一個分裂的時代；在這種魏蜀吳爭雄的局面下，自然會有十分熱鬧而動聽的故事的產生。」有說是因爲裴松芝的注疏廣博，頗有小說的意味；使演義採取了，更形「錦上添花」之象。有說三國時代的人才衆多，分配於三國之中，鬥智角力，趣味橫生。這些看法不能沒有道理，但却並不是主要的因素，而祇是些皮相之見。主要的因素筆者以爲有下列三點：

（一）、寫作意識，爲廣大的平民揚眉吐氣：

以三國演義與「三國志」加以對照，凡是寫蜀漢的人物，『三國演義』就特別細緻，而且特別用力，凡事皆寄予同情。凡寫魏、吳人物，就比較粗疏，而且將正史及注疏所引各書之瑕疵儘量暴露無遺，對於蜀漢、敗筆便多不取。（十三）

鬍鬚趣談

亞歷山大曾爲便於打仗令軍隊剃盡鬍子
法王路易七世因爲剃掉鬍鬚竟引起戰爭

嚴爲霖

男人的面上長了鬍鬚，使世界上發生了戰爭，離婚與及死亡——但是身爲男子漢却少不了它！

有人說，男人一生，有兩件東西少不了的是：死亡與納稅。但是大部份男子漢應該在這條單子上，加上一種東西：刮鬚子。

每個男人的面孔上，大概有四十英寸的地方要長鬍子。如以條數計算，約爲二萬六千條。要是男子的鬍子集中在一根生長，其長度約達四十二尺。鬍鬚生長得最濃密的地方是下頜的中部，每平方吋約爲七百五十根；最疏的地方是兩頰的下面，每平方吋不過是將近二百五十根罷了。鬍鬚生長出來最快的時間，是夏天和每天早上睡醒的時候，但鬍子隨人的年齡增加，而作反比例地減緩。

實際上，今天的男子漢整飾鬍鬚，已算十分容易，可是過去有個時期，剃鬍鬚却是他們的最費功夫的大事情。古代人長着野草蔓生似的一下巴鬍子，往往表示這是男子氣概。希臘哲學家提奧尼斯曾向那些刮光鬍子的男人發問：是否想變爲女人？另外一個作家也曾問過：「沒有鬍鬚的男子，很難值得叫他做男子漢，祇有憑他的鬍子，才找出充份證明。」

今天男子漢之要刮光鬍子，是因爲時代欵式，要大家有個光滑的面孔。但這個理由，也不是永遠就是唯一的原因，當年阿歷山大大帝就下令他的軍隊將鬍子刮光，以免和敵人肉搏作戰時，爲敵人所乘，敵人握着了鬍子，露出了咽喉，受到敵人的劍所威脅。

人類對於鬍鬚，有過一個長時期的鬥爭，爲了鬍子有人獲得封賞，也有人爲了鬍子而死亡。查林姆美的宣戰，就因爲另一個國王強迫他們的大使必須刮光了鬍子而起。還有的是，法王路易七世當年因一時高興起來，刮光了鬍子，引起了王后綺蓮娜大怒和他離婚，她指摘說：他有意模仿和尚。後來綺蓮娜再嫁給諾曼第公爵亨利，就因爲他從來不刮鬍鬚，不料竟因此而惹起了百年戰爭。（上）

評介「天籟集」

著者：段宏俊

・洪流・

歷史是無情得近於殘酷的。評論歷史人物不但也是如此，並且也很可能是件費力不討好的事。不過，被評論的人物即或尚未「蓋棺論定」，但因他本身的那個時代已經過去，故而「論定」亦又何妨。

段先生的這個文集，評騭了十四個現代人物。我們不能過於責備作者的酷評，因爲歷史本身就是無情的啊。何況在歷史人物的本身也有其自身的責任？人並非都是聖賢，要求人人變成聖賢，那等於「緣木求魚」。並且也因爲當時客觀環境之不同，而生出觀點之異致，勿寧說那也是當然的事。

何況，以古鑑今，查知過往之非，足定今日之是，所以評論「人物」大有其存在的理由。另外，我們讀書中的雷嘯岑先生的序文，可知本書的作者，曾經歷了一場磨難，却不爲「一時拂逆而喪其所守」，所以該是令人起敬了。處於憂患，不見得每人都能發憤振作，而發憤振作的人，必爲豪傑之士。也唯世間之豪傑，才能徑徑自守，而不墮其心志。更唯有眞豪傑才能在憂患中不忘其本來。

書中所論及的人物也大多如此。而以第一篇的我國國父爲首，題目是「孫中山先生的偉大風範」。國父在創建民國的功勞上，無疑巍巍乎無以上之，但以往却很少有人談到他的風範。他不但是我們中華民國之父，他那種氣度恢宏的襟懷，更非常人所能望其項背。本書的作者給與了國父應得的讚詞，可說是萬古常青，千秋不移的定論。

本書有一個絕大的特點，就是每章的標題，不但都能引人入勝，並且也絕對的貼合書中人身份。第二章的「憂讒畏譏」四字，可爲曾文正的一生寫照。文正既憂道統之不續，更憂人民之水深火熱。或者有人說文正是舊道統的維護者，而是民族之罪人。本書作者對這點也會詳加分析，並且多至六點之多，衡情度理，而爲先賢伸冤，起文正於九泉，應亦會發出會心的微笑。

「羅斯福，民主黨，共和黨」這篇論文，也是精心之作，對羅斯福的評論恰到好處。而作者對美國兩黨交替執政，因而促使國家日就於康樂之途，都有着人所未曾言的精闢見地。作者篇末說：「……我們不必在民主黨與共和黨的友誼上來決定我們的處境是否有利，而是在……創造自己……開拓我們的國運。」

李承晚可說是一世之雄也。也誠如國人所謂：成也蕭何，敗也蕭何。李氏晚景悽涼的種因，假如深究之下，那是脫不了美國人的干係。而李氏也就在美國人的手裏，做了告饑之羔羊。

由杜魯門談到美國的政治家風度，也頗令人嚮往，文中所提到的杜氏小故事，是滿有風趣的。

袁世凱這位民國罪人，他做了八十三天的皇帝夢，但却留下千載負君欺友禍國家的罵名。作者對他有着詳盡的描繪。

希特拉的納粹，在盛時曾席捲了歐洲稱無敵，最後的結局，却只成全了個艾森豪。而作者把艾森豪命名爲「福星」，那也是有他道理的。但做了總統後的艾森豪，好像「運道」與他遠離了！

英國警犬邱吉爾亦已逝世，死後哀榮，那是近世政治人物少可倫比的。但作者成書之際，他還在健康的頑強的活着呢，並且說人們把他埋葬得太早了些。

慈禧太后的專權干政，卒而招致滿清的覆亡，也曾將中夏大國降爲次殖民地的地位，剛愎自用，愚劣不堪，現在只能上電影爲人譏罵了。

馬克思、列寧、史達林、毛澤東，他們共同地引發了現代一個大動亂！從歐洲到亞洲，甚至美洲與非洲，也都有了他們的足蹟。那是爲什麼？孰爲致之的呢？本書的十一及十二章給讀者有個最充滿的答案。

國劇繽紛續錄（二十一）

婆娑生

演猴戲的名角（續）

可是唱金錢豹泗洲城，拿出巴駱和胡理壘不講理的勁頭，就滿擰了！麟甫說：葉三是富連成的少老板，下手多是留科的師兄弟，那有不捧小老板的？日久天長，自然而然就沾上了霸氣，所以盛章落到一個霸猴的渾號。

貪猴——劉鳳奎

與遲月亭同時出名的猴子，還有劉鳳奎。他是三樂社出身，與向小雲、白牡丹（荀慧生）、芙蓉草、朱媛卿，是師兄弟。一直是傍任周瑞安，有時也給俞振庭配猴兒。一次遲月亭陪俞五演金錢豹，俞五喜歡用眞刀眞槍打出手，一叉把遲月亭的耳朵，叉了一下小塊，從此不與他配戲，俞五就改請劉鳳奎。可是劉有一條件，就是貼演金錢豹，要拿雙份的錢，否則就不唱，俞五雖有毛包勁力，在梨園行算是一霸，但對劉鳳奎就沒辦法，照舊加份兒。劉的接叉，踝子，用叉的虎跳，不管跟誰唱，都能嚴絲合縫，所以後來周瑞安，不管劉鳳奎怎樣拿蹻，他都認了。足證劉氏玩藝，確有過人之處。

按此文取材自趙光先生談猴兒生大作，趙光先生談猴兒的名角，可說是言簡意賅，是近年談劇中少見的文章，頗愜我心，因摘錄以示同好。這是對以往的猴戲人物的述評，可入伶史，不可以不讀。——婆娑生

干城幸列公演

國軍文藝活動，於八月十四日，由大鵬劇團揭幕，演出平劇一週，以後每一劇團演出，皆是一週。於是陸光，海光，明駝，復興，大宛分別接演，台北的平劇活動，遂如火如荼，燦爛的獻演，已有一月餘，表演平劇，從此得有場地。但是國光戲院，可容一千四百人，天天滿座，殆不可能，各劇團卯鈞心爭強，推出新戲，以資號召，不甘示弱。除大鵬以外，張正芬排出鎖麟囊，孔雀東南飛，及牟手的十八扯。趙原也排出紅娘，秦香蓮，周仁獻嫂。秦慧芬唱刺虎，穆柯寨，鴻鸞禧，斷合鉢。這些戲皆以前未曾動過，是爲新型，頗足可稱。復興王復蓉更連演三天的香妃恨，大宛李桐春排出全本武松，幾乎有競賽的意味。眞是平劇的新氣象。在初定公演之始，據傳仍照以往的例子，祇限於陸海空勤四單位。我即函請國防部總政治部，希望以公平的原則，也讓其他劇團，如龍吟、天域等，多有演出的機會。近聞似有可能，而他們兩劇團向來未在台北正式演過，也是破天荒之事。（未完）

性氾濫之城丹吉爾

瀛海異趣談

桑雅

沿着摩洛哥、丹吉爾海灘附近的愛絲巴路，是充滿羅曼蒂克的。路的兩旁，擺着疏落的長椅，如果你無聊，閒坐在長椅的一端，你隨時會大享眼福。一名穿着棕色寬袍的女子翩姍走來。那寬袍可能是義大利或法國時裝剪裁的，她底臉部罩着薄絲面紗，薄得幾乎和透明一樣，她底襪子是巴黎最新款的，透過那薄得透明的面紗，你可看到她臉部的輪廓。但沒有人注意她。她就坐在你隔鄰，把袍捲起，整理一下吊襪帶。她底襪頭和內褲間，隔着輕紗，你可看見棕色、柔潤、富活力的肌膚，雖然熙熙攘攘的行人，你來我往，但沒有人注意她。如果她底面紗掉下來，你便可清晰地看到她底面目，但你不敢輕舉妄動，如果你作爲旅遊的人在異鄉，瞪着她，一萬個男人出現，豈不糟糕！這是眞正的事情。幾年前，那現代人擴在報刊上搜集資料，他住在哥倫比亞美國人藝術家譚利和摩洛哥藝術家辦的一千〇一夜酒店。一間純摩洛哥風格的酒店，有人批評酒店的表演節目，爲甚麼不學好來塢由女子表演艷舞呢？他答笑着說：「你知道在摩洛哥的人，雖然大多以色列人，摩洛哥女子很衆，由會表演下落，來表演生甚麼事情？」但再解釋說：「從前有摩洛哥女子會試過，由法國發生大暴動，攻丹吉爾暴徒們就向他一頓。」又說：「一摩洛哥女子可以表演，但祇限於給觀看。」他說：「我曾在哥布比亞夜總會看過摩洛哥女子的性感表演。」他知否認：「那些女子可能是黎巴嫩人，她們穿摩洛哥的服裝罷了。不過，她們的外貌倒有點像摩洛哥人。」

丹吉爾雖然是在北非的西北，但它比埃及、約旦、敘利亞或以色列更直於稱中東。那兒比歐美各地發生同性戀事件還多，尤以青年爲甚。很多西方人士在本土不敢公開幹的雞姦行爲，都在那兒公開幹了。因而大批吉丹爾男童，在街上踱來踱去，過着男妓生活。以前在直布羅陀海峽國際區內，男妓和女妓的數量幾乎均等。

這是一項嚴重的問題，那些幹雞姦的男童，長大後怎麼辦呢？事實上他們不是自願同性戀的，他們爲着生計，把自己賣給富有的摩洛哥人或海外而誤入歧途。或許妓女們幹這種迎送生涯感到厭倦而與行家作同性戀。那些幹男妓的兒童將來可能變態，轉爲女性化。

丹吉爾不僅是主宰雞姦的男妓的天下，同時亦爲男妓滿足女遊客的中心。當男童長大後，他再無吸引男人的本錢，他們便由一些外國婦女收藏起來尋歡。

甚至那些摩洛哥人，他們在性生活裏，寧願把婦人配給男童，她們對青年垂涎欲滴，所以男女雛妓是常見的。根據摩洛哥的法律——宗教律，女孩子在八歲時便可結婚。理論上，她在她第一次月經未來時，是不交接的。但理論上儘管這樣，又有誰能等待呢？豈非笑話！簡單說來，孩童未達青春期已開始性生活了。

如果你住在美麗門酒店，夜間，有人敲門，並推門進房來，她可能很年輕，戴着面紗，衣服樸素。後來她除下面紗，你可看淸她的臉孔，很美的臉孔，看來還不夠十一歲，片刻歡娛的代價等於兩塊鎊包的價錢。

侍者也可能介紹一個丹吉爾人給你，一居，每月代價二十美元，她便替你料理一切家務，陪你逛街，看電影，上館子。那些包月妓女找到「保護者」後，就不再幹零沽的勾當了，如你對她所給的性方面不夠使她滿意時，她會隨時離去的。

丹吉爾可能是現代世界上性氾濫的城市，這地方在不久的未來，沒有改變的跡象。它充滿同性戀，女花瘋和淫蕩。

梁紅玉

「影劇與歷史」之十一

周遊

愛上當兵人的梁紅玉，可算得是一個巾幗英雄，現在將她由舞台搬上了銀幕，這是平劇電影化的一件創舉，風格別具，而又不失平劇的規格，是難能可貴的事。這一創作，是由大鵬劇團演出，由後起之秀的名坤伶徐露担任女主角。徐露小姐初上銀幕，在舞台與銀幕兩種不同的情景之下，是一種難能討好的技藝。徐露被喻爲「文武崑亂不擋」的全材，觀梁紅玉所演出之佳，可知此言之非虛。「梁紅玉」影片在國內外推出，上映之後，亦甚獲佳評。

梁紅玉在銀幕上

南宋是中國歷史上多事的朝代，也是中國國力最弱的時代。北方的金人屢次犯境，邊疆頻傳，南宋官軍調動頻繁，韓世忠與梁紅玉之會晤，是在一個勞軍的舞會上邂逅的，宴飲中推出餘興節目，請了江南名歌女梁紅玉舞劍助興，衆將士見紅玉一表花容之姿，一致共推韓世忠與她共舞，英雄美人，眞如天生一對，獲致衆將士一致掌聲。世忠與紅玉共舞之後，二人各自稱羨對方劍法高明，他（她）倆人心中似有英雄美人相見恨晚之感。一翻熱鬧之後，盡歡而散。隔了幾天，世忠與紅玉在一個巧合環境碰頭了，紅玉與彩玉二人邀世忠到其舍下一叙，共話身世。原來紅玉本也是將門之後，因兵亂流落風塵，但她雖流落風塵之中，卻大有報國之志，許多鬚眉七尺尚不如她呢！這次勞軍宴會，就是她自動請求參加的。她不但要參加勞軍工作，她最終的願望，卻是要從戎殺賊，爲國捐軀。這次勞軍，也許是她從戎的第一步階段。爲求達到她報國的宏願，必須要覓到一個志同道合的軍中伙伴，這次勞軍宴會，也許是一個三生有幸的巧合，一舞難忘，有相見恨晚之感。紅玉慧眼識英雄，她認準了世忠是一個慷慨之材，所以她便一見鍾情，吐露出她的家世及其心願，她的終身大事，就委託在韓世忠身上。不料他們的好事，卻格於軍令，幸而元帥見其志節可嘉，破例照准了他倆的婚事，在軍中一時傳爲佳話。

建炎三年三月，統制苗傅、劉正彥叛亂，勒兵向闕，逼高宗遜位。梁紅玉知悉其情，乃夜奔世忠，共同起兵勤王，高宗始得危而復安，梁紅玉被封爲安國夫人。

建炎四年，金兀朮（金完顏第四子）率兵五十萬衆，長驅南侵，自河南山東，取道蘇北，直迫長江。世忠駐防南京和京口一帶，所部不足十萬，且多係新兵，但是當強敵在前，國亂顯忠臣，民族感情高漲，民心士氣沸騰，每一個不願做亡國奴的人，求生起義，與金兵決殊死戰。

金兀朮以世忠爲南宋名將，有意勸降，命降將杜充前往宋營說世忠。世忠以其爲變節漢奸，不屑與見。紅玉則以爲趁此機會殺掉一個漢奸豈不是好？建議世忠迴避，由她接見，見機行事。杜充先以威脅利誘言詞，期以說服紅玉，勸世忠來降；紅玉聽了火起三千丈，當場痛罵一頓，惹得紅玉性起，要將杜充斬首。諸將乃以兩國相爭不斬來使。乃將杜充逐出帳去。（一）

台大本届中國文學研究所的碩士論文，何世華小姐寫了一篇「關漢卿及其作品」，是十萬餘字，乘其脫稿本，囑予增訂，愧不敢當。經鄭騫教授稱評定，可稱完本。其談「關漢卿在元雜劇的地位」一文，愚以爲頗見精闢，用是摘出，以饗讀者。

中國戲曲的根源，可遠溯至古代的巫祭神之歌舞。唐代以前，僅有歌舞戲及滑稽戲。到宋金二代，始有純粹演故事之劇，如宋代的雜劇，金代的院本。然至今一本無存，由其目錄以觀之，其結構與後世之戲劇迥異，實兼雜有競技遊戲。故純正戲曲，當斷定始自元人雜劇。從現存之元人雜劇本看來，體裁純粹爲代言體，有賓白，有歌曲，

關漢卿的作品

憶玉軒雜綴

滌秋

講求腳色化裝及佈景，具備了登場扮演的舞台藝術，合乎近代戲曲必備的條件。

戲劇所以完備而大盛於元代，自有其特殊的環境背景：一方面由騷賦詩詞等文體，降至元代，已經精華消歇，必須有新的，有活力的文體來代替它，因此「曲」就應運而生。另一方面商業社會發展，都市日漸繁華，一般市民，對於大衆化、平民化的娛樂的需要，刺激了戲劇的興盛。而廢止科舉，輕鄙儒生，文人才士或爲經營衣食，或爲抒懷遣感，乃編寫劇本，組織書會，與倡優交遊，更提高了戲曲文學的價值。

在元代文人劇作家之中，將前代未完成的戲曲，加以改革，由叙事體而變爲代言體，完成元劇的體裁，奠定元劇在通俗文學上的地位的，當首推關漢卿。臧懋循元曲選序說：

「曲家有名家行家。名家者出入樂府，文采爛然，在淹通閎博之士，皆優爲之。行家者隨所裝演，無不摹擬曲盡，宛若身當其處，而幾忘其事之烏有，能使人快者掀髯，憤者扼腕，悲者掩泣，羨者色飛，是惟優孟衣冠，然後可與於此。故稱曲曰上乘，首曰當行。」依此話來看，關漢卿夠得上「身兼名家與行家之長」，他的特曲壇，曠世無及。

三種：

一、時代最早：關氏生長在十三世紀初年，正當元初之際，比其他作家的時代爲早。鍾嗣成錄鬼簿編列的前輩已死名公才人有所編傳奇行於世者，五十六人，即以關氏爲首。寧獻王太和正音譜以前列：氏初爲雜劇之始，故卓以前列。其關氏的作品，無論詞藻意境，都是元曲雜劇早期的風格，所用曲牌及聯套有許多爲中後期所不用的。是可證他的時代較早。王國維元刊雜劇三十種叙錄說：「元劇之名，見於唐宋，雜劇一體，實漢卿創之。」至元（一）

寮國風情誌

滙希

最近寮共居然進攻寮國王都琅勃拉邦，使這小國重又在報紙上露面。這裏介紹一些寮國的風土人情，藉增讀者對這個中南半島內陸國家的瞭解。

寮國原名老撾，是在第二次大戰後與越南、高棉同時脫離法國統治的小國家，它東連越南，南依泰國、高棉，西接緬甸，北近中國大陸，是中南半島上一個沒有海濱的內陸國。全境多山，森林遍地，所產木料甚豐。寮國面積二十三萬六千八百平方公里，人口沒有詳確統計，約估計約三百萬人。寮族是寮國的主要民族，約佔全國人口三分之二，住在湄公河沿岸平原地帶；其他泰族和苗、傜等少數民族多住在小區和高原地帶。我國華僑在寮國人數約有三四萬人。（一）

內版警台報字第〇三壹號內銷證

自由報

THE FREE NEWS

第五八八期

中華民國僑務委員會頒發
台敎新字第三二三號登記證
中華郵政台字第一二八二號執照
登記爲第一類新聞紙類
（半週刊每星期三、六出版）
每份港幣壹角
台灣零售價新台幣貳元
社長：雷嘯岑
督印人：黃行奮
社址：香港銅鑼灣高士威道二十號四樓
20, CAUSEWAY RD 3RD FL.
HONG KONG
TEL. 771726　電報掛號：7191
承印者：大同印務公司
地址：香港北角和富道九六號
台灣分社
台北市西寧南路壹壹零號二樓
電話：三〇三四六
台郵撥儲金戶九二五二

海底探測與開拓海洋（下）

彭樹楷

近十萬種的已知海洋魚類，是海洋第三種取之不盡的又一寶藏。目前人類捕殺的海洋魚類不過數千種，而且又是限於食用。如果擴大海魚捕獲區域，增加海魚種類的食用，以及海魚在工、農、醫藥方面的廣泛用途之研究發展，當可應付人口膨脹的需求，並可據此提高人類的生活水準，增加人類的壽命。

未來的海洋農夫，將可利用海洋播種，以及收穫海洋植物。利用海洋繁殖海洋作物已有可行技術，只是成本仍有待再行降低，便可大規模開展；荷蘭的海洋農夫是這方面的先鋒，他們的拓荒精神和善用海洋的輝煌成就，是世界各國之冠。

研究海洋生物的各方面用途，是富國強民的有效和最佳途徑；我們不能僅限於食用。例如以海帶提煉豐富的維他命A、B、C、和碘質，以紫菜提煉洗潔粉、潤手和潤髮水、制髮膏、亞士匹靈、冰琪淋、朱古力奶、以及其它許多用途，都是已進行多年的事實；此外，以海草製布，以海草提煉炭酸鉀製造火藥等，也是又一新用途的成功表現。可是，除了荷蘭外，就只有挪威人在這方面有一些成就；至於其他國家，至今仍未開作有計劃的、由政府支援的開拓作業。特別是寧肯耗費數百億元從事太空競賽的美國，却只肯每年動用數千萬美元用以發展海洋研究，眞是令人費解的怪事！

海洋藥物

除粮食外，藥物是當今售價次高的物質；特別是某些因原料缺乏的昂貴藥物，更是嚴重地影响人類的健康和傷病的救治。可是，千萬種海洋動植礦物中多含有某種藥物成份却棄而不用，特別是抗生素的豐富資源，更是用之不竭。今日的醫藥界，已研究出不少出自海洋中的藥物原料；軍方也從海洋動植礦物中研究出化、生、放幾劑；可惜他們至今仍未作有計劃的、稍具規模的開拓和提煉工作。海洋科學家估計，如善用海洋，則可降低現今藥物售價的十分之八左右！果如此，那才眞是福祉人類的大好消息。

據研究，下述藥物已有技術從海洋得到原料：各種維他命、抗生素、安定劑、鎮靜劑、催眠劑、鎮痛劑、防癲癇劑、美容劑、消化劑、以及治療胃病的、促進青春健康的等等藥劑，均能從海洋取得提煉原料。例如：凍瘡脂是由石花菜或各種紅海藻中提煉的浮藻、乳劑、製懸浮藻、以及用作培養細菌、黴菌和其他微生物所用的膠狀培養劑，又如雪魚肝油是雪魚的肝淨化的油，包含着極豐富的維他命A B及碘；其它的魚肝油亦爲高貴維他命A的來源，如配以香料，將游離醋酸混合劑滲入魚肝油內，即成一種消除靜脈血管腫脹的治療劑，也是一種無併發症的抑制劑。再如精蛋白硫酸鹽是由海魚的精液或成熟之辜丸所製成，用作肝（素磷脂）過多病患者之注射劑；如混以肝素，可用作抗凝血劑；亦可與治療出血；糖尿病之肝臟精針劑併用。

此外，用途廣泛的海藻在藥物中的價值正日在增高。可用作得自鯨魚的鯨腊與穩定構成各種化學混合物；如鉀、溴、碘早已取自海洋；很多海草毒素的藥物價值正日被重視。海中許多「化石」如魚石脂，可用作治療癩癧患症及各種皮膚病的藥膏製作。它並含有刺激血液循環的防腐和鎮痛作用；另一種化石物質「含「藻土壤」，可用作油、脂、蜜、糖漿液之過濾和炸藥、肥皂等。

爲求提煉廉價的藥物，並擴大藥物的生產供應，便必須從資源豐富的海洋中找原料，並研究提煉海洋藥物的最新設備與技術！

海洋與國防

自由國家在世界海洋佈置了六千二百餘艘軍艦，並有一萬一千艘民用商船從事輸送和貿易工作（漁船在外），維持了自由世界的和平與安全；共產集團在世界海防分佈了四千一百餘艘軍艦，並有八千艘民用商船，從事搶運與間諜任務，使共產鐵幕至今尚未獲得再解放。

所有地面、大氣層，以及太空的武器系統，都因「有其矛亦有其盾」而抵銷了它的效能。如雷達、反雷達、反反雷達；飛彈、反飛彈、反反飛彈等。但是海中潛艇至今却無法對付。因此，美國發展中的新武器便着重於海底兵器的研究。如：即將取代北極星A—3的海神飛彈（射程三千哩，水下發射）；快速運輸艦；海底潛水航空母艦；以及揭開海幕秘密、揚盪潛艇隱蔽的「水電子波」（水下通信、偵察的「水下無綫電」）等等。

在國防軍事上，誰能善用海洋，誰便掌握了新武器大戰的勝券，進而左右國際的命運！至於海洋蘊藏的軍事用途，也是關係重大的又一因素。美國目前正研究從海洋中獲取軍用物質的技術和降低成本的方法，因篇幅攸關，不及詳述。

結語

這個世界進步得很快，唯獨海洋科學發展得太慢。

如今，一些具有遠見的智者和學人，他們感到一個現代國家，一個富强的國家，必有賴海洋的利用。在這方面，荷蘭人是最了不起的海洋功臣，其次便是挪威，美國只能列爲第三，稍超前於英俄兩國。荷蘭人以它狹窄的領土使其全體人民豐衣足食，其成就如同以美國的領土養活三十億人民（美國當然不能以它一國的陸地資源養活全世界的人類，但它如果像荷蘭目前一樣善用海洋資源，它便可以做到這件人人都認爲不可能的事情）。

邁向海洋的途徑是艱困的，但是開拓海洋蘊藏的前途却是光明而又輝煌的。而且，太空航行與搶登月球所賺回却只是「國家面子」，但內太空探測與海洋開發却關係到人類的生活、生存、以及文明！

這一顯明事實，已爲有識之士所領悟。因此，在微少的經費和貧乏的設備與幼稚的技術中，一些不計名利的海洋科學家，正默默地進行不爲世人重視的海洋探險和海洋物質提煉研究。現在，該是政府和民間起而支助他們的適當時機了！

顧此失彼！

沒用的狗才！

今日與明日

陳毅夢囈

毛僞政權的那位「元帥」（現已自動取銷）「外長」陳毅，最近在北平對加入聯合國問題忽然大放了一炮，陳毅本是個專「車大炮」的人，不過這次可眞是一尊特大號的炮，其重心有兩點：第一、聯大要承認當年在韓戰時宣佈毛共軍入韓是侵略行爲，是一個錯誤，必須由大會會員國通過決議，撤銷該項決議案；第二、改組聯合國，容納一批應該加入的國家，驅逐一些不該加入的國家。陳毅並未說明誰該加入，誰不該加入，推測陳毅所說應該加入的國家應該是北韓、北越、印尼、東德，是否有「南越民族解放陣綫」則不得而知；至於應該驅逐的國家，決不止中國一國，大概會有美國、馬來西亞，剛果（利）共和國，南非聯邦，是不是有菲律賓、泰國在內，都很難說。假若聯大眞的接受了陳毅這些條件，聯合國還能不能存在？這是什麼條件？簡直是白日作夢！除非毛共征服了美國，恐怕陳毅這個夢想永不會有實現之日。

毛共的眞意

陳毅的話當然不是陳毅自己說的，他只是一個傳聲筒而已，實際是毛澤東的聲音。問題是毛澤東又爲什麼要說這些話？要說毛共不希罕進聯合國，那麼爲了求取馬拉威一票，甘願賄賂五千萬美元，又是爲的什麼？相信毛共爲拉票而行賄的也決非馬拉威一國，只是其他國家接受了賄賂，不似馬拉威班達總理，不但拒絕接受，反而吵出來，鬧得舉世皆知而已。

毛共花了六億中國百姓的血汗，好不容易買了一部份票路，竟在投票前夕自己斷絕了前路，這筆錢是白花了，成批幹部的精神也白廢了，究竟所爲何來？西方國家還在紛紛揣測其動機，但在我們看來却十分簡單：只因吃不到葡萄才說葡萄是酸的。

毛共雖然花了無數金錢，費了無限人力，但是今年仍無法闖進聯合國。不但今年闖不進，恐怕永遠都闖不進。道理很簡單，毛共所拉得的票數即使多過維護中國代表權的票數，但是美國仍可提出中國代表權是重大問題，必須三分之二的多數始能通過；毛共想取得三分之二的票數，大概是永遠作不到的事。毛酋因此惱羞成怒，才叫陳毅出頭放了這麼一炮。再過幾天投票後可以振振有辭的說，不是聯合國不要它，而是它根本不屑於加入聯合國，除非聯合國能接受了它的條件。

可笑陳毅談話之時，正是法國外長牟維里在聯大致詞聲嘶力竭要求准許「新中國」加入的時候，對此人及其國家以「枉作小人」四字大概再合適也沒有了。（何如）

讀自由

「當伊嘸介事」

馬五先生

李宗仁在美國作寓公時，他偶有親共的言行表示，用意是認定他尚係站在自由陣營的一份子，只以老悖昏庸，偶爾失檢而已。基於同是中華民國公民的大原則，不得不糾正其謬誤，內心上多少對他還潛存着若干愛護的意念呵！

等到他公然投入共區之後，那便是不足掛齒的人渣了，還有甚末研究價值呢？最好是有如滬諺所說：「當伊嘸介事」。中華民國的公民少了一個李宗仁，幷不發生絲毫影响，焉用大驚小怪爲哉？至於毛共利用李的名義，向海外文化界濫事統戰，邀約大家到北平去參加甚末「記者招待會」，更屬無聊的兒戲事情，不值一哂。假使海外反共非共的文化界人士，一致「當伊嘸介事」，不特不加評論，連這項消息亦一律摒棄不屑刊載，那纔是對毛共最沉重的打擊，教他得不着半點宣傳效用，深感心勞日拙的悲哀。如其視爲一項重要問題，紛紛議論，即令一致表示譴責，他亦獲致了一些宣傳作用，咱們反而上當了！

許多事情表面上好像是應有的表示，實際却發生了替別人作義務廣告的相反效果。譬如一個默默無聞的所謂「女明星」，她沒法從藝術上創造自己的聲譽，乃使用旁門左道，跟男人亂搞戀愛，隨時鬧桃色糾紛，甚至於演悲劇，打官司，不惜蔽人聽聞，只要報紙上常常把這類沒有「可讀性」的新聞列出，大事渲染，她的目的就達到了。報紙除了供其利用，徒作義務宣傳而外，有何神益可言呢？毛共今日玩弄李宗仁這套方法，正是此物此志，何必理它？

政治上無論恭維或者打擊一個人，事前總得考慮一下有無必要？是否值得？過去在政治上有若干「豎子成名」的人物，都是一般人不加愼思明辨，隨便讚許或攻擊而然的。尤其是對於攻擊一個人，稍欠思考就容易給他製造成名的機會，往事歷歷，不勝枚舉。所以，我希望今後對於政治上的宣傳策略和技術，必須縝密研究決定，意氣用事固然要不得，掉以輕心亦復不足爲訓也。

說的不做·做的不是說的
台北民選市長高玉樹上台迄今做了些什麼

本報記者台北航訊

台北民選市長高玉樹於本年九月八日，在台北市議會第六屆第四次大會作「施政總報告」時，他說：「台北市是本省第一大城市，也是全省的政治經濟中心，更是我國戡亂時期的戰時首都所在。再進一步看，她還是自由世界在西太平洋反共抗俄的前哨基地。所以她的建設成敗，非但與全台北市百萬市民的日常生活休戚攸關，而且關係着整個自由世界的安危。因之，無論友邦人士乃至千千萬萬嚮往自由的中國人，莫不對本市的各項建設寄以極大的關懷。這是一個多麼重大而艱鉅的任務，所以歷屆市長都希望在他的有限任期之內，能夠緊緊地把握住時間，不敢有一分一秒的浪費，以期在各方面有所建樹。玉樹當然也不敢自居例外」。

高玉樹其人　說話不算數

台北市政建設既關係着自由世界的安危，這是何等重要啊！按理說，高玉樹當然有建設台北市的錦囊妙計與藍圖，使台北市成爲國際水準的知名都市，這是百萬市民所日夜祈求的。如此高玉樹不僅名利雙收，且將留芳百世。然而，現在大家對高玉樹有相當的認識了，那便是他說話的可靠性成問題，因爲根據他以往的「歷史」，「說話不算數」、「缺乏誠意」等記載。如沒有這些「不良」「歷史」的話，人們相信他的政治前途是不可限量的。

舉例來說，他就任市長後第一次在市議會提出「反攻至上，建設第一」，作爲其施政方針與目標。不久，今年五月十七日，他在議會報告施政方針時曾說：「台北市政推行的基本方針，是在改善市民生活與充實反攻能力。從民生的安和樂利，進而培養各種復國的環境；從戰力的充實，再談民生與社會的安定與繁榮。根據此一原則，我曾一再強調重點建設的重要性」。

政績無表現　進步從何來

可是，他認爲台北市的一切建設並不可能都照理想去進行」，爲什麼？因爲「每年的預算有限」，那末只有分年分期來逐步完成了」。至於分幾年分幾期來完成台北市的建設呢？這高玉樹沒有說明。這就是他的聰明之處，可是相反的，從這句的含意中，人們就知道他的一切。

他在今年三月間說：「大街小巷的明溝暗渠，經過機動清潔隊的協助疏濬，大部份已能暢其所流，原來堆滿垃圾的僻靜地區，也都清理乾淨。令人頭痛的到處便溺，也因新做了五十座圓形公廁，而大大減少」，這「許多地方已經改善和進步了」。六個月後，高玉樹又把自己說的「進步」用「人口迅速增加」與「預算有限」輕淡描寫的推翻了。他說：「我的任期已經過去三分之一，並沒有什麼值得驕傲的政績表現，希望在今後的兩年九個月中，能夠把握時機，迎頭趕上」。市政進步當然要政績表現，既無「政績表現」，從何而來的「進步」呢？這就是高玉樹說話「不算數」的事例。

競選時政見　實現了沒有

現在，我舉高玉樹在五十三年四月間競選市長的政見來檢討這個人的言行是否相符？是不是一位他自稱的有抱負的「政治家」？他說：「市政應以廣大貧苦市民的利益爲前提，興利革弊，集中財源，全面實施業務檢查，安定人事，使全市平衡建設」云云。高玉樹眞的「以廣大貧苦市民利益」爲前提嗎？這是一個有趣的問題，下面的事例，便是有力的證據。

第一個事例：凡是有子女在初中唸書的市民都很清楚的事，是初中學生除必購書單中之公民、國文、歷史、地理等標準課本總價不過十五元外，餘如美術課本一本爲一二點一六元，工藝一本七點八元，體育一本九點三元。（合計二九點二六元）美術、工藝、體育，均屬技能學科，重在技能學習，不像國文史地逐句講解，以如此高價所購書本，形同廢紙，連任課老師也認爲無此必要，故從未使用，更談不上講授。這三本書計二九點二六元，以本學年度錄取初一新生一萬一千九百九十三名計算，則台北市民——家長花費了新台幣三十五萬一千〇五十九元四角八分。

其次，博物實驗課本，每本九元三角。試問，初一學生是否眞有實驗？還是教師偶然作一二次示範實驗？（一）

赤崁樓下二三新聞

本報南市記者朱武州

△赤崁樓聳峙於台南市區中心，昔年鄭成功在這裏受降荷蘭侵略軍，遺跡至今比比皆是。最近市府爲吸引觀光客，已大事翻修。按赤崁樓下的廣場連接民族路一帶，每當華燈初上之際，遊人如鯽，好似北平的天橋，也像南京的夫子廟，賣打藥、耍把戲、吃的、喝的、穿的、應有盡有，是台南一景。但嫌凌亂不堪，往往而交通亦成問題——民族路爲南市區主要交通幹綫，有關方面多次說要「整頓」，但一直只聞其聲音，不見動手做。

△台南市自來水廠，每當在街巷內修換水管工程時，其幹法殊不足恭維。因爲他們把道路挖得亂七八糟，過後也不加以填平，而自來水廠同爲市府所屬機構，與建設局爲何不隨時配合修復？好好的柏油路東一塊坑，西一塊坑，行人車輛叫苦連天，成何話說？

△南市稅捐處上年度結算超征，名列省轄市第一，最近監委蒞南市巡視，也大加讚揚一番。南市工商業受天然環境所限，發展遲緩，稅源一向甚感枯竭，此次能收稅如此佳績，確非易事，亦足見事在人爲也。該處長蔣灝且再三勉勵部屬以「服務第一」，但嚴誡「服務」對象爲廣大市民，而非少數富戶云，更屬難得。

△省教育廳曾規定學齡兒童滿五足歲半即可入學，然而南市教育科則不以生日計而要以學年開始算（即每年九月一日止），故雖滿了五歲半，如在九月一日後生者，也會被宰活割掉幾個月，擯諸校外，亦怪事也。該科取締惡性補習，如有這樣認眞，保險會受市民敬仰，但是不然。即如公園路大王牌電扇對面離市長公館不足百尺，便經常晚上公然集體惡補焉！

△南市中山公園，起初的建設允稱美觀，爭奈大功尚未告成，有些地方已開始壞了！這是羣衆不守公共道德？抑是管理欠佳？另又有人懷疑「乃是偸工減料」之結果，未知孰爲正確。

△這次議會進行的第二天，議員炮口直對葉市長，說他把中山路圓環價值數萬元標準鐘，不經過議會審查認可，便擅自拆除了，乃據葉市長答稱，一時炮聲隆隆，係爲了塑立「國父銅像」。假如眞的如此，車站前圓環，何以捨彼取中山路圓環？難免使人懷疑。或云：市長是以「國父銅像」大帽子來報復政敵所立之標準鐘，然乎否乎？未可知也。

美國黑市墮胎風氣盛　每年竟幾達二百萬宗

——紐約通訊

去年，美國數以百計受人尊敬的守法醫生變成了犯罪的施墮胎術者。他們施了成千上萬次墮胎手術。這些手術，在他們所行醫的州裏是被目爲非法的。但他們并不屬於許多靠懷孕少女的痛苦而發達的無牌黑市醫生的範疇。

自一九六四年初以來，風疹流行症橫掃美國。它最初在東部發生，隨後蔓延至中西部和南部，最後打擊西岸和夏威夷。千百萬的美國人都染了此症。

大多數患者只感到輕微的不舒服和疹養，很快就痊愈。但對於無數的初期懷孕的女人，這病症釀成了不少悲劇。

風疹可以使未出生的孩子受到危害。它不是像鎭靜藥陀利杜邁那樣使孩子變成畸形，但能引起盲目、耳聾、精神病、心臟缺陷、骨病及其他毛病。

墮胎事件　層出不窮

據健康問題專家估計，風疹至少會損害二萬個美國嬰孩。

如果不打胎，有缺陷的嬰孩的數目將會更高。因此，許多醫生違反州的法律、社會習俗和他們自己的宗教信仰，進行了非法的手術。

許多州只是在懷孕足以危害母親的生命時，才准作合法的墮胎。在懷孕初期染有風疹的女人，並不能視爲例外。受到危害的不是母親，而是未出生的嬰孩。

爲了免使父母傷心，免使嬰孩過着痛苦的一生，美國許多醫生都同意施外科手術。如果當局嚴格執行法例，這些醫生就可能要從此結束他們自己的事業。

風疹在美國除了引起全國性的生育危機外，也使醫學界多年來感到煩惱的一個問題公開提出來。

一年之內　兩百萬宗

據最近調查，美國每年出現近二百萬宗墮胎。換言之，墮胎率約佔目前的出生率的一半。而在這二百萬宗墮胎中，只有九千多宗是合法的。其餘的墮胎手術，大部份是由黃綠醫生、冒牌接生婆和聲名狼藉的醫生進行，手術費從三百美元至二千美元不等。

每年至少有二萬女人因接受拙劣的墮胎手術而死亡。有數十萬女人在接受非法手術後需要到醫院治療，其「手尾」很長。

在紐約州很難獲得合法墮胎，可以從最近一個例子看出來。一個十一歲的女孩子被父親弄到懷孕。社會工作者把她帶到顧特馬契爾醫生的醫務所。他當時是紐約市一間著名醫院的婦科產科主任。他建議馬上動手術，以阻止亂倫生育的悲劇。但該州禁止墮胎的法例很嚴厲，當地沒有醫院願意批准這樣做。顧特馬契爾最後把這女孩子，送到另一個州的一間醫院去，那州的墮胎法例是比較有伸縮性的。

藥商之女　墮胎殞命

三年前，發過一宗恐怖的事件。紐約州新洛射耳大學一個十九歲的大學二年級女學生，名叫巴巴拉·洛富魯曼圖，長得很漂亮，是一個富有的藥商的女兒。她發覺身懷六甲的時候，她的男朋友便建議和他結婚。事實上，她很渴望和他結婚，但她的父母不贊成這個主意，卻勸她去打胎。

一九六二年六月三日，巴巴拉在懷孕的第五個月，便死在長島的洛斯林格醫生的醫務所的手術枱上。這個醫生用一把外科手術鋸肢解她的屍體，將肉和骨碎片沖落一條陰溝去。他隨即逃往歐洲。三個月之後，國際警探組織人員在法國和西班牙之間的庇里牛斯山的小國安道爾找到他。他解回美國後，被控二級過失殺人罪，現在監獄中服二年至八年的徒刑。

非法墮胎　竟受歡迎

三年前，鎭靜藥陀里杜邁引起的悲劇，曾引起第一次大規模的要求合法墮胎。那些服食這種鎭靜藥的女人，產下了數以千計的畸形女兒童。這樣子十分可怕，被拒絕進行合法墮胎後，如沒有能力或不願意去外國接受手術，就只有兩種選擇：一是產下可能是畸形的孩子，另一是找一個違法的施墮胎術者。

俄克拉荷馬州的醫生亨利·布里安替一個女人施了手術後，孕婦不幸斃命。他被捕。在法庭上他承認進行過五千多宗墮胎手術，非法他也被判四年徒刑。他服了二十五個月刑後獲釋；他出獄後，他的朋友、病人和以前的病人在市廣場上開歡迎會歡迎他歸來。

以前，墮胎是美國婦女很少談的，但今天，她們不但公開討論墮胎，更將墮胎醫生介紹給朋友，而且還要求州和聯邦的立法者使這種「秘密的外科手術」合法化。

呂光博士在美言論　頗受彼邦人士讚佩

（本報華盛頓航訊）名法學家呂光博士此次美國之行，曾在好些地方發表演講，深受美國法界與政界人士之讚佩，對國民外交，貢獻很大。即如他在芝加哥律師公會的演講，非但世界法學會議第二日會議時主席將其講詞全文重行宣讀，且爲伊利諾州參議院列入紀錄。「華美日報」九月廿三日曾就呂博士之貢獻，發爲社論，頗有所建議，而字數不多，特予照錄，以饗台港讀者。該社論題爲「呂光博士與國際宣傳」全文如次：

「呂光博士這次在美國又一次的成就，爲中國爭取了莫大的榮譽，也是實實在在地替國家做了工作。當然，當他回到台灣時，政府或有關團體會對他來一次熱烈的歡迎，表示慰勞之意。誠然，對於在國外具有成就者加以歡迎，固是適當之舉。但是，僅僅歡迎是不夠的，我們希望祖國政府應該從這裏找出怎樣做國際宣傳工作的經驗。國際宣傳應該從文化交流着手，選送一些眞正的人才出來，始能夠在美國社會中樹立威望，獲得美國人的尊敬。

「站在愛國的立場上，我們希望政府不要浪費外滙，讓一些不學無術的人拿着官員護照，到美國來到處碰壁，對於各種團體，根本不得其門而入。這是有關於國家的榮譽，豈可不愼歟！我們瞭解祖國朝野對於促進國民外交，增强中美友誼的熱望，但是，要眞正達成此一目的，應該讓有聲望、有學識的學者，如呂氏多多到美國來，用他們獨到的見解，豐富的學識，與美國一些對遠東局勢存有偏見者辨識，爭取美國社會人士對我們的同情與尊敬。

「我們國家今天到了如此地步，不到國外的人士，稍一不愼，便招致外人的輕視，所以，我們認爲從最好的國際宣傳是從文化交流着手，讓中國學者多多發揮他們的才智！」

瀛海異趣談

紐西蘭土著毛里人

·桑雅·

幾千年前，在南海有一個英雄，名叫茂亞，不知道他是來自何方，但他跟他的弟弟出海捕魚，他所用的魚鈎是畸形的，用他的先祖的顎骨所製成。有一天，茂亞釣得魚神的孫兒東加努所居住的屋子，當他的弟弟看見時十分驚慌，他頻用脚去蹴海水，因此就產生了淚。茂亞更用力猛扯，他不獨扯起那個大屋子，更連着有一大塊土地，——那土地初時被叫做「茂亞之魚」，這就是現今的紐西蘭。

這個有趣的故事，由紐西蘭的土著毛里人，一代傳一代，講述他們的先祖的來處。茂亞是他們最偉大的英雄，一個勇敢的酋長和一個萬能的魔術師。據說他用麻繩繫着太陽，阻止他走得太快，這樣就增加日長。關於茂亞的傳奇故事是太多了。最初的一個是講他怎樣從夏惠基率他的部下與家屬分乘九艘長獨木舟來到那裏，但到今天仍沒有人能確實指出他所自來的地方在那裏。有人相信它是接近薩摩亞的一個海島。在紐西蘭的毛里人中仍有一個名叫夏惠基的民族。

毛里人跟居住在薩摩亞、大溪地和其他南海島的波里尼西亞人相似。他們都有棕色皮膚，黑色頭髮，直或捲曲。語言也類似。他們都有禁忌，認爲冒犯就會招來災禍。毛里人現有許多信奉基督教，但他們仍未完全破除那種迷信。毛里人到上個世紀早期才有紀錄文字。

歐西人士對紐西蘭有認識，開始於一七六九年，著名英國航海家庫克艦長到南海一帶考察，他發現紐西蘭。當他回國後，將他所見的情況報告。他更講及毛里人和他們的風俗。他們有吃人的惡習，他們認爲這樣可使被殺死的人的勇氣和智慧，都會走到吃者的身上，而更加增強。但據心理學家研究，這不過想使被殺死者和他的族人更丟臉。但無論如何，現今在紐西蘭的毛里人，吃人的習慣，早已消滅。

毛里人喜歡文身，作爲一種記號或裝飾。他們在臉上或身體上所刺的花紋，都透入肌膚。他們用鳥骨或沙魚牙齒做刺針。現今文身的風俗也逐漸消失，祇有在年老的毛里人的臉上或身上才可看見。婦女們倒仍在頰上或唇上畧刺一些花紋。從前一個毛里人的臉上的花紋愈是複雜，表示他的地位越高。據說那些花紋並不隨便刺上的，看樣子就可知等級。

像在南海各島的所有民族，毛里人也最愛好舞蹈，不獨當作消遣，更是一種傳統性的儀式。在從前，他們出戰之前或凱旋歸來之後，都舉行跳舞。也有在宗教上的跳舞。最流行的是獨木舟舞，由三四十個少女担任演出，有些蓆坐地上，象徵划槳，其他的站着搖擺身體，象徵波浪的湧伏。各女子所穿的草裙在起舞時相擦發出好似船在水面行走的聲響。又有人擊用樹葉所紮成的圓球，好像槳撥水的聲音。最近有一個來自紐西蘭的毛里舞蹈團到香港表演，備受稱讚。

從前的毛里人男人都是赤着上身，現今他們都穿着衣服。男女都最珍視一件長披衣或長袍，是用紐西蘭獨有的幾維鳥的羽毛編成，一層搭着一層，十分美麗。

毛里人精於雕刻。他們所居住的木屋和駕駛的獨木舟都雕刻得華麗，又還鑲上羽毛和介殼。在屋頂和船頭都放置有一個木雕的人形，據說是他們祖先或保護神明的刻像。每一個部落總有一個大的木雕人像。

毛里人在碰面時，多用鼻子互相摩擦，像我們握手，更同時叫出尖銳的聲音。現今在紐西蘭的毛里人雖散居各地，但大部份聚居於北島的高山地帶，因爲那裏有溫泉。他們可常去洗浴，同時也可利用溫泉來弄熟食物。

白種人到紐西蘭後，毛里人的數目曾一度驟減，照在一九五一年的調查，祇有十萬人。現今人口的數目在增加。他們跟白種人的紐西蘭人受到同樣的待遇，有的在國會担任議員。但是毛里人的種族會議仍是在他們心目中的要事。年輕的毛里人得父老的鼓勵，他們不會數典忘祖，學習雕刻藝術，傳統的舞蹈和詩歌。他們的土語，更是每個人都要能夠說的語言。

三國演義縱橫譚

燕謀

此即小說人物之單純化，亦即作者之題旨，作者之目的。羅貫中之目的，就是站在平民的立場爲不得時的文士揚眉吐氣。他這種旨趣，即深深獲致廣大的讀者的同情與喜悅。茲舉證如下：

三國演義第一回開始三國，蜀漢建國人物，都是平民出身。劉備雖是漢室宗脈，但是他是平民的身份，並無任何爵位，十足是一個織蓆編履之夫。關羽是一個亡命之徒，也是白身。張三爺是十足的屠猪賣肉的屠夫。劉備領徐州牧之後，袁術大罵道：『汝乃織蓆編履之夫。』（十四回）袁術與劉備交鋒，術又罵道：『織蓆編履小輩』！諸葛亮在東吳舌戰羣儒時，席中一人也照罵劉備爲『織蓆編履之夫』（四十三回，）。劉備在陽平關與曹操鏖兵，也被曹操罵是『賣履小兒』。（七十二回）劉備自立爲漢中王，曹操在鄴聞知，大怒道：『織蓆小兒，安能如此！』（七十三回）諸葛亮更是羅貫中心目中最理想的文人，最理想的相才。可是他也是一個十足的平民，實際他就是農民出身，在他的前出師表中，自己就說：『臣本布衣，躬耕南陽』。最多也不過是一個自耕農，曹操罵他『諸葛村夫』。（四十一回）司馬懿也罵他是『南陽耕夫』（同上一百回）。其餘蜀漢將領，除馬超之外，皆爲平民出身。可以說：蜀漢是一個平民集團。曹操本是被貴族集團排擠的人物，他結果是取而代之。孫氏父子本也是被貴族集團排斥的人物，也是想一清君側，結果佔了江東肥沃之區，享盡地利而成帝業。這兩家貴族集團，攪不到一塊，各奔前程，各家都擁有一部貴族部曲。只有劉備是身無立錐之地的白身，連一個縣令也弄不到手，剛弄到一個平原令，便碰到一位貪官督郵向他敲詐，三國演義作者爲了人物單純化，不惜劉冠張戴，把這筆粗帳算在張三爺的頭上。把貪官督郵飽打一頓，爲平民吐了一口怨氣。這一口怨氣也是作者心中的怨氣，讀者照樣同心喜悅。一些平民出身的人物，不得時的文人，自然擁護平民出身的劉備。作者是不得時的智識份子，站在平民的立場來寫三國演義，很自然地同情平民集團，以諸葛自況，因爲諸葛先生也是歷史上平民知識份子際遇最好的一位，一般文人不得志者，心情中很自然地嚮往着有一天他也會被人三顧茅廬，得時主之重用。羅貫中在此心情下，用盡了氣力來描寫他，百二十回演義，直接與他有關者達三十餘回之多，間接與他有關者不計在內。自他出世，直接間接都受到他的影響。他死了，他仍然影響到蜀國以及魏國，司馬懿之不敢寇蜀，以及「死諸葛嚇走生仲達」的妙筆，也就是爲諸葛捧場的。所以李辰冬說「三國演義」是一部「蜀漢演義」，然再縮小範圍，「三國演義」也可以說是一部「諸葛亮演義」，的確是有點道理的。中國歷史上，不管那一朝代，總是平民佔了多數，得時的人是少數，不得時的人是多數。聽說平書的人，也是一般平民，也就難怪聽到劉備吃敗仗的時候，大家都表同情爲之泣下，聽到貴族出身曹操打敗仗的時候，大衆鼓舞高興。（十四）

鬍鬚趣談

亞歷山大會爲便於打仗令軍隊剃盡鬍子
法王路易七世因爲剃掉鬍鬚竟引起戰爭

嚴爲霖

自古以來，以鬍子最長而膾炙人口的是德國布拉諾市長漢斯史坦寧格爾，他留長鬍子達六十三寸。一五六七年某天，他因爲要爬樓梯，不慎脚踏着自己的鬍子而扭斷了脖子。迄今他那把致命的長鬍子，仍保留在布拉諾市博物館內，供人欣賞。

日本東京有個名叫中岡的人，嘴唇四週長着長凡四十寸的鬍鬚，他被譽爲世上最長的美髯公。他和他的家人都以此爲榮。到了他去世時，他遺囑把鬍鬚剃了下來，放在另一具棺材裏，併排殯葬。

歷史上，雖然這一叢面孔上亂草，出過了不少的風頭，但男人的歷史紀錄，刮鬍子的事，遠在鐵器時代即已開始。

人類初期歷史上刮鬍子的工具現在已有發現，有些薄片，被鑑定是相當於今天的剃刀。最古老的剃刀是在庇魯發掘出來，屈指算來，已是三千年前的古物了。那是一塊黑曜石，問題是當時他們刮了鬍子之後，有沒有更發明刮掉鬍子後可以用的潤膚水而已。銅質剃鬚刀也被發現了，那是紀元前一千年之物，薄薄的一片，有手指那麼濶度，大概是使人們於刮鬍子時可以一面接觸到皮膚的原故。

古代的中國人，是不作興刮鬍鬚的，因此出現許多「美髯公」。有些非洲民族則是用燒紅的鐵片，來刮去他們的鬍髭。南海一帶的剃鬚方法，是用兩片火石來拔除髭鬚。因此，破玻璃、尖竹片和蜆殼都會被人們用作刮除鬍子的工具。一六六六年森姆爾拔比斯曾經紀錄，他每天用輕石片來刨除鬍子。

到了一七六二年，法人積奇士波勒才發明了安全的剃鬚刀。但還不是今天的那種刀子。大約到了八十年之後，英人威廉亨遜才發現了彷彿今天那樣的安全剃刀。

到了十九世紀時才出現各式各樣的刮鬍子工具——有一種刨磨式的用脚踏的器械發明了。直至到一九零三年，奇異王帝才發明了今天有把柄的兩面鋒的刮鬍刀片。

第一次大戰時，兩面剃鬚刀片在美軍中由軍部發給。並下令士兵們每天都得刮鬍。一九三六年又發明連續可以使用多次刮鬍子刀片。又過了幾年之後，聶克上校才發明了電剃鬚刀，男子們到了這個時候，才免除刮鬍子時非用潤滑劑或肥皂才能剃清鬍子的麻煩。

（下）

國民大會行使創制複決兩權答問

國大代表聯誼會

編者案：國民大會應否依法立即行使「創制」「複決」權問題，年來各界人士甚爲注意，見仁見智，頗有出入。茲將國大代表聯誼會對本案所持見解，刊佈如次，藉供海內外各界人士參考研究焉。

1 何謂創制權？何謂複決權？

答：①國父在民權主義第六講中說：「如果大家看到一種法律，以爲是很有利於人民的，便要有一種權，自己決定出來，交到政府去執行，關於這種權，叫做創制權。」

②又說：「若是大家看到了從前的舊法律，以爲是很不利於人民的，便要有一種權，自己去修改，修改好了之後，便要政府執行修正的新法律，廢止從前的舊法律，關於這種權，叫做複決權。」

③國父在五權憲法中又說：「民權治國的全部機關，除了憲法上國民大會，五權分治，在中央政府分別由國民代表行使……行使四種直接民權（選舉、罷免、創制、複決）才算是真正的民治國家。」

2 國民大會應否行使創制複決兩權？

答：①中華民國憲法第二十五條「國民大會依本憲法之規定，代表全國國民行使政權。」政權即選舉權、罷免權、創制權、複決權。

②中華民國憲法第二十七條「關於創制複決兩權，……由國民大會制定辦法並行使之。」

③建國大綱第二十四條「憲法頒佈之後，中央統治權則歸國民大會行使之，即國民大會對於中央政府官員有選舉權，有罷免權，對於中央法律有創制權，有複決權。」

④國民大會第三次會議修改臨時條款，更明白規定「國民大會創制複決兩權之行使，於國民大會第三次會議閉會後，設置機構，研擬辦法，連同有關修改憲法各案，由總統召集國民大會臨時會討論之。」

⑤憲政研討委員會爲國民大會是否應立即行使創制複決兩權問題，曾廣徵海內外及大陸同胞意見，結果贊成國民大會立即行使創制複決兩權者，佔百分之九十八點九，主張暫緩行使者，僅佔百分之一點一。

基於上述理由，國民大會之應行使創制複決兩權，實無疑義。法學權威張知本先生曾講：「我們今日只能研究如何行使，不能再談可否行使的問題。」尤屬不爭之論。

3 國民大會行使創制複決兩權，執政黨之態度如何？

答：①國民大會第三次會議，修訂臨時條款規定設置機構，研擬國民大會創制複決兩權行使辦法，召集臨時會討論實施，是執政黨的決策，同時對於行使創制複決兩權辦法之內容，亦有原則性之指示。

②執政黨在九全大會政治報告決議文中指出：全會認爲當前急務，在於國家的政權與治權的行使及分際上，努力求其平衡協調。

③基於上述情形，可知執政黨對於國民大會行使創制複決兩權，乃既定決策，即所以奉行孫中山先生遺敎，其態度是一貫而堅定。（一）

干城幸列公演（續）

原定明駝之後爲大宛。現改爲復興，大宛再接復興，干城即接大宛。此機會甚好，恰是十月三四日開始，海外華僑紛紛歸國，恰看到演出，爲干城足吐一口氣之時。

昨據傳訊，干城所定戲碼，屬於徐蓮芝爲穆柯寨，紅娘，十三妹，荀灌娘，樊江關。周麟昆的麒派戲，有追韓信與徐策跑城。我覺得尚不夠硬紮，尤其穆柯寨紅娘與海光明駝相礙，即蓮芝拿手，但是配搭趕不上慧芬有楊丹麗于金驊，趙原的劉玉麟周金福。而且趙原不演盤夫索夫，爲大鵬有排好未演。慧芬不唱秦香蓮，因海光有演過，既是同行，當然不宜以戲相競。爲了愛護干城，似應變更一下，難道沒有別的戲碼麼？因即貽書定公，爲該隊建議。

蓮芝已學青衣戲多齣，爲解破人家說她不會唱青衣，主張把湘芬曉農所授的醉酒推出（列壓軸）。即不可能，也可唱會審。而將穆柯寨改爲大英杰烈，避免與老師對陣。而在台北要看麒派戲眞少有，麟昆的追信跑城以外，何妨再換一齣描容上路掃松下書（靑衣用唐復美），因桐春有關公戲，所以關戲稍改去。可惜路遙知馬力，臨江驛無法得見，趕快在唱過後去排，下次再來。爲干城慶加列演，特抒鄙見，希望多考慮，不作耳邊之風，奠定將來美譽是幸。

國劇繽紛續錄

婆娑生 （二十二）

正芬的新型

國軍文藝活動中心，第二輪演出，是陸光國劇團承當。戲碼已經開出，皆相當繁重。其有特色者，即排出新的戲，皆首次演出，是可稱也。我認爲這次連續演出，多少帶一些相競性質，在此因素中，必須有新戲推出，方可以一改視聽，否則盡是已經演過的，不無舊書重溫之態。觀衆多在想看較新的戲，無庸諱言。假使儘唱鳳還巢，相信吸引不到太多觀衆，毋須不憚其煩。

正芬的首次演出，是鎖麟囊與孔雀東南飛，皆是程派戲，不過最近慣例，已有好多唱程調梅腔者，亦不必拘守。我認爲戲路並不要泥守故轍，相信她必可發揮其能，大快朵頤的一聽。正榮有新出的斷密澗，還加龍鳳閣陽平關蘆花河哭靈牌，皆勝任愉快的。而程復孿的醉酒，環春的三岔口，連營寨，雙奪太平城，周復嬌的辛安驛，亦極有神采之作。最後八十八扯再見，是北市獨一無二的鬨動觀衆的好戲，因此想到陸光排戲的，亦煞費周章，大用妙算，始列出這如許的劇目。將看後繼者有如何的經綸。（完）

談霓裳羽衣舞曲

·恨海·

霓裳羽衣舞與霓裳羽衣曲辭，創始於唐代。斯舞斯曲，是很足令人神往的。霓裳羽衣舞曲，乃脫胎於「法曲」；而法曲又隋代產物。其音清雅，其器有鐃、鈸、鐘、磬、幢、簫、琵琶等七種。隋煬帝厭其淫，曲終復加解音。玄宗酷愛之，選坐部伎子三百人教之於內教坊，以內教坊置院近於禁苑之梨園，故號「皇帝梨園弟子」。稱法曲爲「梨園法曲」。玄宗又作新曲四十餘首以教之宮人。曾爲楊貴妃生日演奏於長生殿。「霓裳羽衣」則「法曲」九種之一也。玄宗精於音律是人所共知的，故「法曲」爲唐人天才的結晶。法曲中的「霓裳羽衣舞」尤爲唐人天才之另一結晶。唐人之於舞蹈方面的天才，從「霓裳羽衣舞」中作極高度而淋漓致盡的發揮。

霓裳羽衣舞之産生，於玄宗之後則傳說紛紜，而且頗多神話面紗。據「唐逸史」、「神仙感遇傳」、「仙傳拾遺」等書所記：

開元中中秋夜時玄宗於宮中玩月，羅公遠奏曰：陛下莫要至月中看否？乃取柱杖向空擲之，化爲大橋，其色如銀，請玄宗同登。約行數十里，精光奪目，寒色侵人，遂至大城闕，公遠曰：此月宮也。見仙女數百，皆素練寬衣，舞於廣庭。玄宗問曰：此何曲也？曰：霓裳羽衣也。玄宗密記聲調。遂回。却顧其橋，隨步而滅。且召伶官依其聲調，作霓裳羽衣曲。

「集異記」及「仙傳拾遺」等記與「葉法善」一條亦云：又嘗因八月望後，師與玄宗遊月宮，聆月中天樂，問其曲名，曰：「紫雲曲」。玄宗素曉音律，默記其聲，歸傳其音，名之曰「霓裳羽衣」。前者謂玄宗隨羅公遠遊月宮得此曲，後文謂玄宗隨葉法善登月宮得此曲。天上人間的神話附會，而成爲了「霓裳羽衣曲」了。

「開天傳信錄」亦載稱：玄宗嘗坐朝時以手指上下按其腹。朝退，高力士進曰：陛下向來數以手指上下按腹，豈非聖體小不安耶？玄宗曰：非也。吾昨夜夢遊月宮，諸仙娛余以上清之樂，流亮清越，殆非人所聞也。酣醉久之，合奏清樂，以送吾歸，其曲淒楚動人，杳杳在耳。吾向以玉笛尋，盡得矣。坐朝之後，慮或遺忘，故懷玉笛，時以上下尋之，非不安也。力士再拜賀曰：非常之事，願陛下爲臣一奏之。上試奏其音，寥寥然不可名也。力士又奏拜，且請其名。上笑曰：此曲名「紫雲迴」。載於樂章，令太常刻石在焉。

此又謂玄宗自己夢遊月宮而得此曲。「紫雲迴」即「紫雲曲」，亦即「霓裳羽衣曲」也。

以上三種傳說，均籠罩着神迷之面紗。此種神迷之面紗，如能掀開，仍然可得其本來面目。蓋昔時帝王之言行，多半帶有神化，其本身便是說受命於天，爲天之子，皇帝即是「天子」，都是神而化之的人物。而唐玄宗通曉音律是實，喜歡音樂的人，一心嚮往某一名曲，不時手之舞之，足之蹈之，此正如高力士所見：「帝嘗坐朝，時以手指上下按腹」。從玄宗的手指的不時動作，也正如今天的某一音樂家在勤習他的樂器一般神情。亦可以想見，玄宗確是一個極其愛好音樂的皇帝。史籍中記其制樂、導舞甚多，是足可徵信的。（上）

憶玉軒雜綴

關漢卿的作品

滌秋

周德清中原音韻有曰：「樂府之盛之備之難，莫如今時。其備則自關馬鄭白。」皆認爲雜劇之體，至關氏始完備。元人賈仲明弔關漢卿的凌波仙曲說：「璣珠語唾自然流，金玉詞源即便有。玲瓏肺腑天生就。風月情，忒慣熟；姓名香，四大神洲。驅梨園領袖，總編修師首，捻雜劇班頭。」所謂領袖，師首，班頭，亦即戲曲劇作家首腦之意。

第二、作品最多：關氏所作雜劇，據通行本（即曹楝亭本）錄鬼簿著錄五十八本，明鈔本（即天一閣本）錄鬼簿著錄六十二本，錄鬼簿新校注著錄六十六本，太和正音譜著錄五十九本，清姚燮今樂考證作六十四本，傅惜華元雜劇考作六十七本，王國維作六十三本，鄭師百因參證各書，考定爲六十四本。以關氏作劇六十四本而論，即佔元雜劇全數五百三十餘本中的九分之一強。第二名多產作家高文秀，只有三十二本，恰是關氏的二分之一；第三名鄭廷玉，有二十二本，幾近關氏的三分之一。可見關氏作品之多，確乎遙遙領先。可惜現存全本可信者，只有十四本，劇本有三本，使我們對此一偉大劇作家，更加緬懷仰慕了。

第三、關氏最了不起的特色，是他作品題材廣泛，描寫各極其致，爲後代任何劇作家所不及。從他所作雜劇總目及現存劇本內容劃分，大致可分爲三類：

一、歷史故事劇：如單刀會，西蜀夢，哭存孝等。

二、社會劇：如竇娥冤，救風塵，蝴蝶夢，望江亭，非衣夢，陳母教子等。

三、風情劇：如謝天香，金綫池，玉鏡台，調風月，拜月亭等。

或寫名士風情，瀟洒浪漫；或寫英雄氣概，慷慨悲歌；尤其善於描寫女性，從現存元雜劇看來，末本多於旦本。而關氏作品獨多旦本。現存十四本，除單刀會西蜀夢玉鏡台三本是末本外，餘下十一本的主角，都是女性。他寫的女性，有多種類型：有教子成名的賢母如陳馮氏，有貞烈含寃的孝婦如竇娥，有慧黠多情的了環如燕燕，有設計救友的俠妓如趙盼兒，有機智鎮定的命婦如譚記兒，有美貌多才的妓女如謝天香，有大義捨子的村婦如王婆婆，有懷春含情的閨秀如王瑞蘭；無論各階層，各時代的人物，寫來維妙維肖，非常逼眞，遣詞用字都很切合劇中人身份。（二）

梁紅玉

「影劇與歷史」之十一

周遊

一面積極備戰。又得各地農民，漁民等，自動參加游擊隊伍，埋伏在長江兩岸。在此戰役中，紅玉是世忠一大助手！她建議世忠，在中營建立大樓，中間豎立一根大白旗，旗上懸一燈，由紅玉親自擊鼓指揮。世忠見白旗指向，聽鼓起則進、鼓止則退；金兵往南，白旗指南；金兵往北，旗白指北。世忠從紅玉之計，果然大敗金兵於黃天蕩。此一戰役，使南宋偏安之危局轉趨穩固。金兵聽了紅玉之名，有些不寒而慄，並且給她送了一個「蠻婆」的外號。可見她威名之一斑了。

梁紅玉在歷史上

巾幗英雄愛上阿兵哥的，梁紅玉可算得上是一位代表人物，她與世忠的「一段情」，是具有一種傳奇性的。但在正史中，却沒有她的傳記。可能正史簡略，更可能因爲她的出身的關係，史家不給她立傳。這是中國古代史家一貫的作風，不成文法，害了許多的人，使後人惑疑不定，引起爭論。但梁紅玉確有其人，在俞樾的「茶香續鈔」、胡舜申的「已西避難錄」、及錢謙益的「初學集」、「宋會要」、「宋朝南渡十將傳」以及墓誌等文獻，可以找到她的根據。梁夫人與韓世忠的「一段情」佳話，在羅大經的「鶴林玉露」中有記載：「韓蘄王之夫人，京口娼也。嘗五更入府，伺候朝賀，忽於廊柱下見一虎蹲臥，鼻息句句然，驚駭！急走出，不敢言。已而人至者衆，復往視之，乃一卒也。因蹴之起，問其姓名爲韓世忠；心異之，密告其母，謂此卒定非凡人，乃邀至其家，具酒食，卜夜盡歡，深相結納，資其金帛，約爲夫婦。蘄王後立殊功，爲中興名將，遂封兩國夫人」。

「鶴林玉露」所記，有些傳奇性，其實乃是紅玉玩的把戲。紅玉愛上了這位阿兵哥，但因世忠尚沒有功名，怎能把他引回家來！只好編一套說法。這個謎底只有在紅玉心中，外人難以猜透，但總是爲愛世忠而作。其實鬧市中那裏會有老虎呢！不出奇異，老鴇母決不肯收留一個阿兵哥到家的。古人往往以龍爲天子之徵，以「虎」爲公侯之兆，聰敏的梁紅玉却有此一招，難怪她慧眼識英雄，後來相夫教子，成就偉業。他（她）倆的「一段情」只不過欺瞞着老鴇母一人而已。

梁紅玉不僅有才有貌，而且一雙慧眼，眞是超人一等！否則京口地方在南宋時，已是人文薈萃之所，王孫公子拜倒石榴裙下者當不乏人，巨商大賈更是車載斗量，她要從良嫁一個富商或王孫公子，那有問題？當時風氣，正是「淺斟低唱」，以接交名妓爲風流的社會；可是紅玉偏偏深惡銅臭，也輕視百無一用的文弱書生，她要嫁給一個當兵的，可見她認識時代環境，確是一位奇女子也。（二）

寮國風情誌

滙希

寮國因地勢關係，交通困難，全國只有幾公里鐵路，全國公路共有二，八〇〇公里，其中僅有六〇七公里是柏油路，其餘的道路在雨季時泥濘不堪，無法通車。水路交通以湄公河爲主，航空交通寮國在一九五五年建築了五個機場和十七處降陸跑道，寮國與南越航空公司維持永珍及西貢間之交通，國境內有航空線，寮泰兩國航空公司，每日有飛機來往永珍與曼谷，寮國和國泰航空公司同時每星期有一次飛行於永珍及香港之間。

寮國屬內陸性氣候，全年分爲旱雨兩季。旱季即寒季，由十一月至翌年三月，氣候乾燥，由十二月至翌年一月天氣最冷，北部近我國交界的高山上最低溫度是〇下五度；但在其他地區，只穿一件棉背心就可以度過寒冬。南部地區終年不必穿棉衣。四月至十一月爲雨季即熱季，日間溫度極高，約攝氏四十度。

寮國有兩個首都，一是永珍，一是琅勃拉邦。前者是行政中心，後者是國王所駐地。這兩個都城也代表着寮國分合的歷史。寮國在十七世紀時，最分爲永珍、琅勃拉邦兩國，其後至一八二七年，永珍爲暹羅所攻併，到一八九三年，兩地均爲法所佔有，一九四七年二者合組君主立憲國，由琅勃拉邦王室任國王，而行政中心的永珍亦與王都分在兩地。

永珍帶有濃厚的鄉村情調，街道上有很多牛車往來，水牛時在池塘邊滾輾。巨型的建築物除了一些政府機關之外，都不外是古老的佛廟。

每逢廟會，那裏十分熱鬧，有樂隊，拳賽和其他各種玩意。他們的音樂多屬於吹的樂器，在廟會的夜晚，滿城盡是土人所吹的喇叭音。有一種樂器叫九龍簫，吹奏起來，音調極爲柔婉動人。他們的拳賽是用肘擊腳踢，一如泰拳，比之西洋拳擊更爲驚險。還有許家扮成小丑的在街上演戲，十分逗人發笑。

街道上的商店，多數是華僑經營的。每天的清晨，農村裏的人帶來很多東西在市場販賣，叫賣聲，牛車聲極爲喧噪。（二）

內政部台報字第〇三壹號內銷證

自由報

THE FREE NEWS

第五八九期

[illegible]

每份港幣壹角

[illegible]

社長：雷嘯岑

督印人：黃行奮

社址：香港銅鑼灣高士威道二十號四樓
20, CAUSEWAY RD 3RD FL. HONG KONG
TEL. 771726　電報掛號：7191

承印者：大同印務公司
地址：香港北角和富道九六號

台灣分社

台北市西寧南路[illegible]號二樓
電話：三〇三四六
台郵撥儲金戶九二五二

本報特別啓事

本報本期原應於昨日出版，為慶祝國慶節，特改於今日出版。至下期出版期則仍為十月十三日。敬希注意。

掌握機運　開創前途

恭祝中華民國五十四年雙十國慶

欣逢中華民國五十四年雙十國慶來臨，我們在今年慶祝此一佳節，可說具有最足興奮的特殊積極意義。時衡當前的國際情勢，今年堪稱為世界大局的一個轉捩點，也就是我們國家民族前途「貞下起元」的一個大好機會。我們海內外同胞於慶祝佳節，歡欣鼓舞之餘，務必切實掌握當前的大好時機，開創我們國家民族的前途命運。

自從去年十月中旬，毛共舉行原子試爆之後，有些人未明底細，徒惑於其虛張聲勢的表面宣傳，便對毛共產生種種錯覺。其實我們要知道，所謂「原子能」、「熱核能」，在目前已經不算是秘密。很多國家連我們中華民國在內，都擁有原子反應爐，具有核子研究和試驗的技術，也都具有試爆的能力。因此試爆並沒有什麼神奇。只是大家認為製造這些殺人利器的原子彈或核彈，都是極端昂貴的，以人民的血汗所獲致，擲向電光火石的原子試爆中。因此一個核子國家訂了「禁試」的公約。可是毛共卻不理會人民死活，一意孤行，從同胞身上敲骨吸髓，盡其所有，拿去作原子試爆。而大陸同胞之生活痛苦愈甚，更不用說。在政治上，由於民不聊生，怨氣沖天，人心盡失，大陸起義抗暴事件，也從而愈演愈烈。毛共的實際力量，不但不見增大，而且更為空虛脆弱，其核武器，距離完成實用階段尚遠，今後自必不肯半途而廢，仍需繼續向人民搾取。則其經濟政治將更難支撐下去，非陷於窮境地不止。毛共作了原子試爆，原以為從此可以對自由世界大舉政治敲詐勒索，但其所得反應卻異常冷漠，且備受正義呼聲的譴責。毛共還想在較早期間，利用國際姑息主義者一齊「中立化」，以「中立主義」、「中立」實[illegible]南[illegible]

奈仍落得無趣[illegible]臨跡銷聲[illegible]更已走向[illegible]而竭力支持[illegible]大越南戰局[illegible]面又分別[illegible]侵擾馬來西亞[illegible]柬埔寨斯坦[illegible]美[illegible]巴基斯坦[illegible]突尼西[illegible]明加[illegible]在非洲[illegible]策動[illegible]外遊說[illegible]非會議[illegible]大的混亂[illegible]

馬樹禮

縉懷開國的光榮史蹟，發揚先烈的革命精神，海內海外團結一心，再接再厲，勇往邁進，聯合全世界自由國家，撲滅赤禍根源，為民族爭光榮，為國家求生存，為世界策和平。

中華民國五十四年雙十節國慶　蔣中正

今日與明日

印尼政變

印尼部份軍人在共黨指使下發動政變，前後混沌了五日，局面就算初步澄清。就這一次政變的動機來看，是由於共黨迫不及待奪取政權所引起。由於蘇加諾斷喪過甚，多年以來即病骨支離，朝不保夕，印尼兩大力量軍人與共黨都在準備後事；雙方都明白蘇加諾一死彼此決不能和平共存，問題是誰手疾眼快，先消滅對方。

此次政變的近因據馬來亞[illegible]

[illegible]

作風似毛共

印尼共黨此次發動政變，其過程與中共當年在長沙所搬起的馬日事變頗有類似之處。今日的蘇哈圖少將恰似當年許克祥將軍的角色。中共當年在長沙周圍到處殺人放火，印[illegible]

印尼的前途

經過這次政變之後，關於印尼前途有幾點是可以確定的：第一，蘇加諾統治印尼的局[illegible]

[illegible]

……事。像印度……長期受……政者心理方……家……與自大……先進國家……時刻想……中立思想……一般人……但是一……麼？儘管……隨便打……支持毛……印度……變！由印度……矣。

世界雜耍場

[illegible]

……聯合國……幾個強權國家的唯一作用，祇為幾個強權國家的宣講……以及實行出賣弱小民族……國家利益的國際黑市交易場所；附帶的每年招徠世界各地的大批政客官僚，懷着入……

……應……會縮……可不要……再窮……把無……金錢……投入……這們……個政……大府……鼠洞……夫！

馬五先生

中華民國五十四年雙十節

雄我漢數

……端……比方，維……合……文教……配……的……集……籌……物……之……募……人……戰……才……社會……區……前……錢……傷……患……維……持……官……取……策……等……內……及……援……以……支……的……胞……同……人……郵……有……賴……於……我……們……應……響……

嚴家淦敬題

……外一致，戮力同心，盡其貢獻，最後還有一點，值得我們特別注意的。我們應知道我們的敵人共黨，是最狡猾毒辣的。道高一尺，魔高一丈。他們現在已明知在戰場上必打不過我們，因此他們就竭力運用拆後台的手法，利用各民主大國家中的左傾份子，大肆叫囂，擾亂世人的視聽，掣肘其政府的反共政策的施行。目前在美國就有此現象陸續出現。我們必須廣結民主反共人士，奮起與此種惡勢力對抗，務使敵底拆穿其陰謀，強力遏止其兇燄，阻撓以免其禍毒蔓延的大計。因此我們每一個海外同胞，大家更要盡其在我，負起責任，致力口頭或文字的宣傳活動。展開國民外交的活動，這是繫乎我們自以至世代子子孫孫存亡絕續的關頭，不容袖手，不容懈怠的。

茲值慶祝國慶佳節，謹舉上述數端，與我們海內外同胞互勉努力。

說的不做・做的不是說的
台北民選市長高玉樹上台迄今做了些什麼

本報記者台北航訊

假使說有實驗，但是否已到了必須用實驗課本的階段？該書學生真的用了嗎？否則，市民們又花了一十一萬一千五百八十一元四角的冤枉錢了。英語有遠東課本，附有音標教材，還要初一學生買英語發音課本，每本四點五元。就這兩本書來說，一學期如能真正教完，已是難能可貴；然而市教育當局又把環球英語列入參考書單內，每本七點九元。這到底以那一種課本為準呢？十四歲的初一學生有讀三本英語課本的能力嗎？尤其英文習字帖，有的每本三點三元，有的高至一〇點五元，這些加起來，市民——家長們付了二十二萬七百六十三元二角。地理是準標課本，有附圖，已夠詳盡，而市教育局要初一學生買一本本國地圖，每本十五元，又還要買地理暗射圖，僅僅二十五頁，每本六點六元，因此，家長們負担二十五萬九千一百五十六元八角。此外，歷史教科圖每本一二點八元，與時事教材週刊每學期一二點八元。所謂「參考書單」，實際上每一初中生無不訂購。

省立附中初一新生「書單總價」四十八元九角，而台北市立初中一年級新生的「書單總價」為一百十九元八角七分，外加「參考書」八十六元七角，合計為二百零六元五角七分，比省立附中多出一百五十七元六角分，台北市民們多負担了一百九十萬左右。高玉樹所說的「以廣大貧苦市民的利益為前提」的話實現了嗎？

公車票加價 是一意孤行

第二個事例：是和百萬市民日常生活有關的公共汽車加價問題，輿論界民意代表都一致表示反對，而「以廣大貧苦市民的利益為前提」的高玉樹，竟表示要加價五〇%。准此，則台北市民每年要增加一億以上的負担。

高玉樹就任後，對公車處並未盡到應盡的職責，例如：

（一）歷任公車處長之不法報銷七十多萬元，未依法追回完成審計手續。

（二）不合理之短期墊欵多達三百六十九萬多元。

（三）五十三年預算中列有事業外支出過期帳支出八萬元，結果透支二百十八萬七千一百八十八元，達二十六倍之多。

（四）同年度維持費預算列為二千九百六十三萬元，但實際支出為三千二百零六萬元，超支二百四十三萬元。

（五）業務費預算列為一千四百〇五萬元，但實際支出一千五百四十五萬元，超支一百四十萬元。

（六）客車用料預算為一千五百四十五萬元，實際支出一千七百二十萬元，超支一百七十五萬元。

（七）公車處普通票欵收入原預算為一億一千零二十八萬八千六百九十二元，實際收入祇有一億零五百十六萬一千一百九十元，短收五百十二萬七千七百零二元。

由此可知，公車處並未因增加支出而增加收入，相反的營業收入減少，應節省不必要的開支。

加票價原因 為彌補虧損

台北公車調整票價的主要原因，據高玉樹覆該處官文書報告，自四十八年加價後，六年來，票價未調整，而物價提高三三%以上，與公車有關的成本上漲二五%，學生票增至三二．九%，與預算之二八%比較，增加四・九%，致影響全年度收入六百六十萬元。此外，員工之房租津貼，子女教育補助費，加班費調整，又增發二個月薪津。所以支出增加甚多。

同時，折舊成本提高，由四十八年每公里成本一點二五七元增至一點三二二元，增加率為五點一七%；物料消耗成本由每公里之二點〇四七元增至二點三二九元，增加率為一三點七六%。各項成本合計：四十八年每公里成本為五點七三一元，現在則增至七點一七六元，增加率為二五點二一%。

現在五省轄市之公車票價，以台北市最低，只有一元。若與火車每延人公里之〇點一九元，與長途客車之〇點二四元相較，則台北公車只有〇點一四元為最低。基於上述之理由，高玉樹認為公車加價勢在必行，否則，只有向銀行貸欵來彌補虧損。高玉樹以加價來解決公車處虧損的構想與前任市長的作法完全一樣。我清楚的記得，高玉樹未當選市長時，曾經抨擊政府公營事業領導漲價之不當，尤其以增加人民負担來彌補虧損的措施，是落後的觀念而非企業經營之道。過去，他指責別人的話，而今他又蕭規曹隨，如果他還有良知的話，應在午夜捫心自問，對不對？（二）

宜蘭財政一枯二竭
桃園國校三退支票

本報記者袁文德

△僅轄有十二鄉鎮市，擁有二十多萬人口的宜蘭縣，由於連年遭逢災害的結果，經濟情況一蹶不振，地方財政亦因之而赤字纍纍。

宜蘭縣位於台灣省東北部，它雖絕非窮鄉僻壤，但為了：（一）無甚產物，可供輸出；（二）三分之一以上的縣民，以捕魚為生；（三）除二面是海外，山野所佔面積甚寬，平原祇佔其一小部分，影響到農作物的墾植。這些自然環境，再加上「連年災害，疲於救災」，於是便造成此一財源枯竭的現狀了。

據宜蘭縣財政首長對記者說：宜蘭縣府去（五十四）年度的赤字，竟高達一千萬元以上，而今（五十五）年度虛列預算又近七百萬元之譜。同時因為省府對宜蘭縣的歷年補助欵，一向均比照北部地區縣市辦理，而忽畧該縣不僅地方貧瘠，財源枯竭，再加上連年災害的因素，這就使宜蘭縣財政難上加難了。照目前趨勢觀，宜蘭縣府如非對某些不必要的開支及可以「暫緩」的若干建設，實行緊急刹車，以緊縮開支，又或省府對該縣此一嚴重的現狀，特予重視，以特殊看待，而修改補助辦法，則未來宜蘭縣公教人員的薪津發不出之虞，實在不是多餘的。

△宜蘭稅處，因縣府財政短絀，致應撥發該處的稽徵經費，亦同樣受到影響，而使業務推展阻碍良多。

現正值稅處易長，蔣文雄初初接篆視事，人地生疏，勢非充裕經費，其業務難於開展。乃宜蘭縣府從五十五年度七月至九月，先後三月於茲，僅撥該處稽徵經費新台幣七萬餘元，以偌大的一個稅捐處，內部有近二百餘人辦公，負責全縣各項稅政業務，以此些許經費去推展業務，而責成其完成徵稅目標，確乎甚難。但縣府亦出於無奈。為今之計，省財廳應否設法加以補救？

△公庫支票，一年之內，連續發生三次退票紀錄。桃園國校創台省犯罪奇聞。

桃園國校在華南銀行桃園分行開設公欵專戶，專司收受學生註冊費等，乃前任校長陸明器於任內，向商人購買書本等，竟連續於一年以內開發三次空頭支票；此「為人師表」的校長一而再再而三的知法犯法，胆量真是不小，其創公庫支票連續退票三次的紀錄，更可謂「不朽」也矣。

睡眠五十四年突又醒來
菲律賓塔爾湖火山爆發記

馬尼拉通訊

直到今天為止，人類雖已進入原子時代，但是，像地震、海嘯、颱風以及火山爆發這類自然現象所造成的災禍，仍然無法完全控制，甚至有些還根本不能控制。最多也只能通過氣象科學，做一些預測和預防的工作，從而減少一些損失，卻不能將它控制下來；或者使之根本不發生。且有些預測也未必準確，比方，這次菲律賓的火山爆發，在兩星期之前，火山專家曾測出塔爾湖（即火山爆發之處）湖水溫度變高，但卻斷定不會立即有火山爆發的危險。然而，結果卻是火山爆發了，可見科學預測之難。

七千島嶼 上多火山

菲律賓羣島約有大小七千個島嶼，位於太平洋火山地帶。幾乎有一百萬人居住在十二個最危險的火山附近。幾百年來，經常威脅着菲律賓人的生命和財產。近年來，最活躍的火山是在呂宋島極南端的梅獻山，過去三百年來，該處的火山曾爆發過三十一次之多。最壞的一次火山爆發大約是在一百五十年前，當時有幾個鄉村人口全部葬身於火燄之中。

塔爾火山 在湖之央

這次火山爆發的地點是在塔爾湖，其地在馬尼拉西南約五十英里，坐汽車兩小時可達。其地一年四季涼爽如春，為外國遊客常到之處，是僅次於碧瑤的遊覽地。塔爾湖的附近，有個叫塔格達的小城，拔海約兩千英尺。城中設有一座豪華的別墅，供觀賞塔爾火山的遊客下榻之用。最近，旅遊當局還打算從塔格達嶺興建一條到塔爾湖的纜車，以便於遊客對這個著名的火山及其湖上風景作更近距離的欣賞。

塔爾火山拔海僅九百二十四英尺高，位於塔爾湖的中間。火山中間有個大裂口，裏面蓄滿了水，有人稱之為湖中之湖。塔爾湖大約長十英里，寬五英里半。位於湖中心的火山島大約長三英里半，寬兩英里半。在過去四百年來，據紀錄，塔爾火山爆發過十八次。最後的一次是在一九一一年，當時火山溶液噴射所及，竟達一百方哩。遭沸熱溶液而死的達三千多人。自此之後，五十四年來未再爆發過。一般都認為塔爾火山是「死」火山了，不會再噴出火燄了。

萬呎火球 直衝雲霄

沒想到它在前月二十八日淩晨兩點二十五分又忽然噴火，噴出的火球達一萬英尺之高，雖在五十英里以外，亦可看到那熊熊的火光高入雲裏，像一個小太陽。當火山爆發之時，有位羅柏茨上尉正駕着一架子爵機，在離火山地區三十英里以外一萬六千英尺上空飛行，機上有搭客四十人。當時他聽到轟隆一聲大爆炸，接着一片閃光，然後一個火球直衝雲霄。他說，最初他很清晰地看到火球，後來只見天空佈滿了灰塵。

夜半噴火 遇難者多

據未證實的消息說：因火山爆發而遇難的人數在兩千人以上。已證實的消息，有一個農民的家庭在火山最初爆發時，即全家遇難。那些農民的家正位於火山裂口的邊緣。火山島附近五個鄉村據說都被埋葬於溶液和灰塵下面。據目擊者說：島上所有的植物——多數是椰子樹——都被火山溶液所摧毀了。從島上逃出的難民驚魂未定，對於他們所見火山爆發的詳情，言人人殊，並無連貫的說法。大致是說：在半夜時分，忽然發生轟隆的巨響，岩石和灰塵佈滿全島。有一個塔格達嶺的居民說：他在睡夢中被爆炸聲所驚醒，只見天空一片耀眼的光亮。當他最後到達「塔爾觀景別墅」時，俯瞰火山，只見整個火山區籠罩着黑色濃烟，一陣又一陣閃出紅光。據馬尼拉環球電報公司的人說：他們站在他們市中心大厦的頂樓上可以看到火山冒出的火光。

或焚或溺 徒呼奈何

這次，究竟死了多少人還沒有一個確數。死者有兩種情況，一種是直接死於火山溶液薰焗；另一種則是因逃難乘船，船翻之後被溺死的。據一個劫後餘生者回憶他的恐怖情景說：至少有滿載逃難者的汽船二十艘，在企圖逃出火山島時翻船。這些汽船每艘載人二十至四十人不等。如果每船以四十人計，則共有八百人有被溺斃之虞。火山爆發時的情景是恐怖和驚險萬狀的。這裏有引述一個逃出的漁民的談片，以見逃難時的倉皇情況：

倉皇逃生 難顧他人

「我們的房子就在水濱，我們總算都上了那艘靠在屋附近的小船。除了身上的衣服之外，什麼也沒有帶就駛開了。載我們的那隻船是我的隣人的。他跟在我後面大叫，但是，我不理會他，我們只是想到我們自己的安全。無論如何，他還有一隻裝了摩打的小船呀。我們的船沒有摩打，只好儘速搖槳。在我們搖槳的時候，感覺到我們的後面有一股燒灼的熱氣。我們身上的累累燒痕就是這樣來的。我們感覺到一股強烈的風向我們撲來，我們體會到熱溶液在追逐着我們。

「當我們抵達岸上時，我們半行半爬。周圍像是一個沸煲。我們看到有人往大陸上走，只有跟在他們後面跑。在混亂和驚惶之中，我也不知我兩個孩子怎麼樣了。

「我在那個島上生活了三十年，但是，我抱定決心，從此再不回到那邊去了。」

十大詩壇聯合徵詩
定於雙十國慶揭曉

（本報訊）梅林隱鶴詩社、中國詩詞研究院、紅社、雪香別院、白梅社、杏花詩館、雅園、黃花館、綠楊詩社、梅林別館等十大詩壇，於每年雙十日徵詩一次；本年因提前發題，決定於十月十日揭曉。東榜詩題：「岳陽樓懷古」，由老詩人馬之秀、前亞細亞學院院長蘇少博博士評閱。西榜詩題：「白雲深處是吾家」。由中東學院文學院長李卓裕博士、陳麗莊博士評閱。是日除公宴外，分贈梅林隱鶴詩四十週年紀念章各乙枚。又三龍鐵志復興詩教運動三十週年紀念徵詩，詩題「復興詩教感懷」，不限體韻，冠軍獎贈禮券壹百元，亞軍八十元，季軍五十元，由馬之秀、李劍虹、李錦標、李卓裕、張之刁、仁、杜月痕、張之問、宋學淵、陳麗莊、蘇少博諸先生評閱，十月三十一日下午六時截卷。

瀛海異趣談

城開不夜的貝魯特

·桑雅·

間諜鬥智片「〇一七海空殲諜戰」在各地放映都極賣座，影片公司，發行代理與放映的戲院都大有所獲。但感到最高興的人，還有黎巴嫩的現任總統許厚。許厚現在兼任黎國的旅遊部部長，他在未任總統以前就担任旅遊部部長之職，使到黎巴嫩的旅遊業的進步，為世界之冠。「〇一七海空殲諜戰」的英文片名，直譯是「貝魯特的戰鬥」，該片的外景大部份是在黎巴嫩的首都貝魯特拍攝，當地景色多入鏡頭，特別是從直昇機所見的鳥瞰圖，因此可向廣大的觀衆來一個實際的介紹，吸引他們前往一遊。

黎巴嫩被稱做在東方的瑞士，貝魯特便是它的最珍貴的寶石。遊客們無論從海道或空中來到貝魯特，都會有一個很深的印象，在那個城市的前面有美麗的海灣，後面是崇高的雪山。貝魯特是東方與西方相接的樞紐，有最新型的飛機場，所有國際主要的航空綫都會集於斯。過去的城市經已換了新的面目，舊的屋宇差不多已改建成二十世紀格式的高樓大廈，有許多間設備豪華的大旅店，並不遜色於歐美大城市的。當地的社會活動繁忙，各大夜總會多出重金聘到各國的著名樂隊、歌舞團或雜技班來表演，最大的夜總會可比美巴黎的「紅磨坊」與「麗都」，城開不夜，故貝魯特也有「東方巴黎」之稱。

在貝魯特有許多電影院，每天都有放映法國、美國、英國、義大利、西班牙、德國、以及蘇俄和阿剌伯的影片，由這點可見到在那個城市的人口複雜，各國人士都有，照最近的人口調查，約有七十萬。在貝魯特的餐室和菜館林立，各國的菜式都可嘗到，中國菜館也有兩間，生意不錯，市民多是老饕。差不多在每一條街上都有吃東西的地方，侍者多能說英語和法語，故遊客不會覺得語言的隔膜，而感不便。

在城市的南部有平滑的大沙灘，週年可以游泳，有小別墅和公寓租賃。聖喬治灣吸引最多的弄潮者。傳說聖喬治曾在那裏屠殺一條毒龍，故名。現今滑水是在那個海灣最普遍的運動。但遊客們在一個鐘頭後又可到雪山上撬雪，這種情形是在世界上很罕有的，這固然由於地理環境使然，也是交通利便所致。

在貝魯特有許多網球場，市民最愛好這種球賽，常舉行國際性的網球錦標賽，包括台維斯盃的分地區比賽。近年旅遊業也擢升為最發達的事業。在那處政府旅遊局與許多旅遊社都忠誠為遊客服務，妥善之處，無可挑剔。其次為銀行業，一九四五年在貝魯特祇有銀行九間，現已增到九十間。

貝魯特吸引在中東以油業致富的阿剌伯人，照回教的教規是不准賭博，但他們來到離貝魯特不過幾里的黎巴嫩賭場消遣，他們下注之大，常常使人咋舌。在貝魯特近郊有許多豪華住宅，乃外國富人與黎巴嫩新發戶的住區。黎巴嫩的人口，有三分之一在貝魯特居住。

在貝魯特有國立博物院，美國大學博物院，國家圖書館與聖約瑟大學東方圖書館都有極豐富的收藏。貝魯特的文化發達，遠在公元第三世紀，該處已有在世界上的第一間法律學校設立。在聖約翰教堂珍藏有一隻人手，傳說是施洗者聖約翰的手，被尊為聖物。

貝魯特的歷史攸遠，乃是世界上最初有人類居住的地方，最近曾發掘有早期人類所用經磨滑的發火石塊。貝魯特出自阿剌伯語，意即樹林，因為那裏曾出產大量的香柏。黎巴嫩就以出產這種香柏名聞於世。貝魯特曾經受過羅馬人統治，羅馬帝王奧嘉斯達曾派他的女婿做那裏的總督，可見在當時受到注意。十字軍東征時，也曾將它從回教人的手上奪得。一五一六年為土耳其人所佔，直到一九一八年黎巴嫩擺脫土耳其的統治，受法國的保護。現今已是一個完全獨立的國家，它的首都貝魯特在建設上有奇速的進步。

郭嵩燾

李仲侯

郭嵩燾和曾國藩、劉蓉，都是長沙嶽麓書院的高材生。郭別號筠仙，湘陰人。他與曾自幼就極相友好。曾於道光戊戌會式中式賜同進士出身；郭於道光丁酉鄉試中舉，屢試不第，到道光丁未，纔會試中式，改庶吉士。曾於三十歲時，贈郭筠仙的詩：

一病多勞勤護惜，嗟君此別太怱怱！二三知己天涯隔，強半光陰道路中。兎走會須當窟穴，鴻飛原不計西東；讀書識字知何益，贏得行蹤似轉蓬。

無窮志願付因循，彈指人間三十春；一局揪抨廣變幻，百圍梁棟籍輪困。蒼茫獨立時懷古，艱苦新嘗識保身；自愧太倉滕好爵，故交數輩尚清貧。

郭嵩燾小曾國藩五歲，會試中式亦遲曾氏十年；那時國藩服官京師，要逢大比會試之年，纔得與郭晤面談心，但又無力吸引提拔郭氏，中心不免頗為鬱結。直到太平天國軍興，曾氏以在籍侍郎，奉旨出辦團練，纔得有時常見面機會。

相傳曾國藩當時在鄉奉到起用他出辦湖南團練的諭旨，他考慮數日，深感躊躇。因為他看到清室腐敗，勢已難於復振，考慮的結果，決志堅辭。他已把辭職的奏摺寫好待發了，適嵩燾來訪，看到他這個辭命的奏摺，大為驚訝，力勸其不宜發出。他認為保鄉衛國，是讀書人的份內事，應該當仁不讓。曾氏堅執不肯，他祇好請國藩的父親出來共同勸阻，才改寫成拜命的奏摺。這因為郭氏看到洪楊起來的那種作法，前途黯淡，如要講政治改革，恐比滿清更壞；所以不惜苦勸國藩毅然出來保衛桑梓，挽回國運。郭具有政治家識時務的才智，那時促曾出任艱鉅，完全出於他的一種眞知卓見，和一種公爾忘私、國爾忘家的熱誠。

自洪楊起義，離粵東下，江忠源堵擊其師，在蓑衣渡欄腰一戰，就追蹤入贛，向國藩乞援。國藩命嵩燾往隨忠源守南昌。這時太平軍船隱集饒瑞間，並分泊長江上下，嵩燾因陳編水師之議。忠源深韙其說，具疏請敕湖南四川製造戰船百餘艘。後來贛被圍久，船非旦夕可成，就先改造巨筏，列大炮其上，與陸師夾擊，收效甚大。到後堵塞湖口，阻太平軍竄擾的，都是這些大筏。從此湘軍之名，就顯著於世。郭以功授編修職。他本是丁憂回籍，邂逅遇著這場戰爭，回京後，入直尚書房，與滿人肅順深相結納。肅順之推服楚賢，重用曾左諸人以平太平天國之亂，出於他贊助之力頗多。

咸豐八年，郭隨僧格林沁設防津沽，僧要撤北塘防守，嵩燾和他力爭，議論不合，他就拂袖而去，入曾國藩幕府，參軍謀。處了一個時期，同治元年授蘇松糧儲道，不久遷兩淮鹽運使。時庫儲空虛，各軍仰給於淮鹽者數十萬人，他親自製驗，配置各營。（一一）

三國演義縱橫譚

燕謀

寫到「曹阿瞞割鬚棄袍」一回，馬超一鎗刺進大樹，曹操得以逃脫，讀者莫不希望馬超那一鎗把曹操刺一個前後皆通。曹操得以微倖逃脫，讀者亦為之歎惜。這種意識，亦是作者反應時代人心的意識，這種意識，正是元明以後中國人心的意識。在一般社會人心的意識中，痛恨貴族、官吏，作者的寫作立下了這一個大家心目中所嚮往的意識，這自然而然迎合了大多數人的觀感。這是「三國演義」為什麼受到廣大羣衆所歡迎的因素之一。

二、創作人物與中國民族意識相脗合

羅貫中刻繪的幾位主角人物，成為中國人心目中的典型人物，這幾位典型人物，大多數的正派人物，都在蜀漢；反派人物都在魏國，魏國無忠臣。這些也並非是羅貫中造謠，而是根據歷史；劉、關、張、諸亮葛、以及一干蜀中主角人物，出身平民，也是歷史事實，而並非作者改寫歷史。這些人物的行徑，都成為一個典型的人物，再加以單純化，加強其好的一面；一方面把曹操一干壞蛋，也誇大了一些。正好如此，蜀中人物，劉備正代表了中國歷史上的帝王。中國人的平民思萌芽甚早，民貴君輕之說，早見於春秋之前，所謂「仁君」是也。為君要仁，對於劉備，羅貫中正創造了此一中國人理想中的帝王。三國演義之受人們喜歡，不是很自然嗎？關羽在羅貫中的筆下，刻繪成為一個典型的「軍人」，受到廣大的人民所受戴。雖然是羅貫中為他渲染了一些歷史上所沒有的事實，但是在三國史上，他仍不失為第一個忠義的軍人。他的性格，是貧賤不能移，富貴不能淫，威武不能屈；他的秉性忠義，顛沛流離，患難不辭，視死如歸，始終如一的耿介風範，及大義凜然，赤胆忠心精神，實在是令人肅然起敬，受到中國人民的崇拜，頁非偶然。關羽之受到人民的崇拜，並非由於三國演義的渲染，早在演尙未問世之前，已經被人繪圖供奉禮拜了。筆者在「關羽的典型」一節中另有一些交代，在此不必多加申說。關羽的精神，正合符中國民族精神中的忠義智勇，英雄義士的精神，無論男女老幼，對於這樣的人，都是很敬重的。其所敬的不是他這個人的軀體、威風、能於百萬軍中取上將首級的武藝，而是崇敬他的精神。中國人將他尊崇為武聖，並不寃枉。有人以為他實在沒有什麼了不起！這也許是別有一番用心的人。其論調既不中肯，又不高明，以為歷代比關羽強的人太多了，但又舉不出證據來。有人以為秦以來，重義死節的人太多，文武才畧比關羽強的人多的是，如關羽的忠勇，何足以當之！這不過是人云亦云而已。中國人敬重的人，奉之為神靈的人，並不是他的才高百斗，萬人之敵，而是敬重他的精神，也即是敬重他的行為，是否合於中國民族性的精神，這是中國文化傳統下所孕育的民族思想，民族精神。（十五）

國民大會行使創制複決兩權答問

國大代表聯誼會

4　中華民國憲法第廿七條後段對國民大會創制複決兩權之行使，特別加以程序上的限制，其故安在？

答：①中華民國憲法之制定，乃依據政治協商會議之原則而來，三十五年一月，國民政府召集政治協商會議，共產黨及民主同盟和其它黨派堅主三權分立的代議政治，通過「憲草修改原則」，其一對於國民大會決定：「全國國民行使四權，名之曰國民大會。」這就是要把國民大會根本取消，只是由國民行使四權名之曰國民大會而已。

②中國國民黨第六屆中央執行委員會，第二次全體會議不滿意政治協商會議對憲草修改原則，乃決定：「一、制定憲法應以建國大綱為最基本之依據；二、國民大會應為有形之組織，用集中開會方式，行使建國大綱所規定之職權，其召集之次數應酌予增加……。」

③國民黨根據中央執行委員會之決定，遂再派代表與政治協商會議之綜合小組及憲草審議委員會商洽，乃使國民大會成為有形之組織，但創制複決兩權雖為國民大會之職權，竟加上了程序上的限制。

根據上述國民大會行使創制複決兩權加以程序上限制之經過，全出於共匪之統戰陰謀，利用政治協商會議，多方要挾，我政府為冀早日實行憲政，委屈求全，勉予接受，實屬不得已之舉。際茲共匪倡亂，大陸淪陷，我政府厲行反共復國國策，為澈底實現國父遺敎，憲政納入正規，寧能對共匪此項陰謀之限制，不謀迅予解除乎？

5　目前國民大會行使創制複決兩權，應採修改憲法途徑，抑採修改臨時條欵途徑？

答：國民大會憲政研討委員會第二次全體會議決議文有：「建議國民大會循修改動員戡亂時期臨時條欵途徑」之語。惟據各方意見，以修改憲法為宜者佔百分之六十五，以修訂臨時條欵為宜者佔百分之二十八，兩可者佔百分之七，故究應採修改憲法抑修訂臨時條欵，均有待國民大會臨時會之決定。

6　如採用修訂臨時條欵途徑，則臨時條款為臨時性，創制複決權的行使為永久性，是否可行？到戡亂結束臨時條欵廢止時，兩權行使是否亦同時停止？

答：①動員戡亂時期臨時條欵於三十七年解除憲法第三十九條和四十三條關於總統宣佈戒嚴及發佈緊急命令之限制。四十九年修改時又解除憲法第四十七條關於總統副總統連任之限制，似此自可修改臨時條欵以解除憲法第二十七條關於國民大會行使創制複決兩權之限制。

②反攻大陸成功戡亂結束後，臨時條欵自應廢止，但臨時條欵末項之規定「臨時條欵之修訂或廢止，由國民大會決定之。」故反攻大陸結束戡亂時，仍須召開國民大會，才能決定臨時條欵之廢止。國民大會既經召開，臨時條欵決定廢止，是時自可修改憲法，使兩權之行使繼續不斷，不受臨時條欵廢止之影響。（二）

國劇繽紛續錄

鍪婆生（二十三）

難見的哭靈

台灣的劇氛，多在生旦與武生着重，很少見有以老旦戲排出。我常想聽聽行路訓子代哭靈，祇有拜慈溪在電視平劇演出，確是不賴。據說復興的孫復韶，也能唱之，惜未見過。論說台灣老旦一行，應說是王鳴詠獨踞首座，他的戲路寬，幾有四五十齣，不可謂少，以前聽說他將唱目蓮救母，是很大的戲，迄未如願，大概也限於時間問題！

此次明駝接海光的捧，也推出尙未演過的戲，如慧芬的崑腔刺虎，鴻鑾喜，全本白蛇傳，皆足以一振觀衆的耳音，不過鳴詠的行路哭靈，要說是前三輪所無，大快朶頤。更希望他此後多唱，未始不是台灣的李多奎。我曾有看法，劇藝總須要平均發展，因爲現在禁戲在實行，當然要以老旦小生爲輔助，庶可不虞其缺。似乎明駝上劇務人，要多多考慮與抉擇，讓鳴詠多露幾次好戲，豈不甚好！

慧芬初唱崑曲

國軍文藝活動，輪到明駝接仗，慧芬推出貞娥刺虎，鴻鑾喜，斷橋合缽，較之盜盒、生死恨、探母、穆柯寨更好。以前曾有人說慧芬不善於崑曲，而刺虎登場不攻自破，甚爲欣幸。我曾以慧芬受梅氏嫡傳，希望她多推新戲，此次差可小慰。下次倘再值輪，則廉錦楓俊襲人，也可一試（有楊丹麗可無問題於俊劇），又將這次招待外省的奔月一露。因她在台北劇藝的地位不低，總要有些領導性，而這連續活動，也含有幾分競賽性，要與人家所唱不同，也祇有把梅派的多多拿出，才可以壓倒來自匪區的張腔，也是梅派弟子應有的責任。不知對淺見有考慮否？明駝的發揚，全系於她的一身，不必像其餘的改頭換面，掩明眼人耳目。我對她此次唱刺虎，無限的欣賞，更盼將來再唱佳期，琴挑，藏舟，驚夢，皆可與丹麗相配，不勝企望。

復蓉演香妃

復興劇校在文藝活動中心，輪到一期，爲期七日，所演劇目是金錢豹，盤絲洞，盜魂鈴，陸文龍，花田八錯，八五花洞，香妃。除陸文龍由曹復永葉復潤爲主，其餘五天，皆王復蓉主大軸，可以說多是她的拿手。尤其是香妃，爲名伶顧正秋親授，此富有歷史性的好戲，來台所見，也僅顧正秋一人。不意過了十三年，復蓉能接這根棒，也是奇蹟。（未完）

艮園隨筆跋語

彭醇士

吾友王君大任，恂謹士也。事親甚孝，於弟友愛。渡海以來，流寓東墩，與余居相邇，每過其家，太夫人上坐，君與夫人左右翼翼，稱子婆娑其下，意甚樂也！輒歎以爲難得。君好吟詩，讀書不遺鉅細，號博洽，以余一日長，與商榷文字，貲析篇什，往往擣遙，若不自勝。自講學三韓，歸佐國家儲備人才，去余入城，五六年間，學益進，所爲益多，有聞於時。憶曩歲客天津，君鄉人有黃君黎雍者，以詩名海內，嘗寄其松客集，嚮往久矣，始終未得一見。其後識王君惕庵，因轉詢之，不能答。惕庵雖貴顯，詩亦佳，與松客同里，而竟不知，私以爲異。君之詩視松客如何，不敢知，顧年少而學不已，迨其至也，非松客所及明矣。惜惕庵老且死，又不獲覩，不愈可悲乎？而余以鄙劣，辱知當世賢士，昔之未獲交於松客者，而得之於君，其欣悅詎有涯耶！顧君雖樸學，遇事怐怐懇懇，爲人所重。際乘流之便，占拔茅之泰，其功名要未可限，詩固末耳。然則所謂艮園隨筆者，信可喜，皆可觀，抑尤末歟！

談霓裳羽衣舞曲

·恨海·

撅開「霓裳羽衣舞曲」種種神化面紗，從而便可見其眞面目。「樂苑」載：「婆羅門商曲調，開元中西凉府節度使楊敬述（一作忠）進」。郭茂倩「樂府詩集」，且錄中唐李益所作七絕一首云：「迴樂峯前沙似雪，受降城外月如霜。不知何處吹蘆管，一夜征人盡望鄉。」此大約是「婆羅門之曲辭。唐「會要」亦云：「天寶十三載，改「婆羅門」爲「霓裳羽衣。」此可見「霓裳羽衣曲」，係由「婆羅門」改稱的；而「婆羅門」又爲楊敬述所進，其爲人間產品而非天上樂曲，乃是極其明皙的。

再往下探索，更可瞧見「霓裳羽衣舞曲」是如何產生的。唐人鄭嵎所謂：玄宗至月宮聞仙樂，及歸但記其半，會敬述進「婆羅門曲」，曲調相符，遂以月中所聞爲散序，敬述所進爲曲，而名「霓裳羽衣」也。」觀此，似乎是霓裳羽衣曲爲天上樂與人間樂之會合而成。然而所謂天上樂者，祇不過是天才和靈感的產物；所謂人間樂者，由西涼樂舞家採取婆羅門人樂舞風格而製成的作品；二者含作融會貫通，又成另一種優美無匹的樂舞。

王建辭云：「弟子部中留一色，聽風聽水作霓裳；」劉禹錫詩云：「三鄉陌上望仙山，歸作霓裳羽衣曲」；均謂由玄宗所創作，而非月中所聞。玄宗精音律，且爲癖好，因其愛「婆羅門曲」之影響而拔「霓裳羽衣舞曲」，是可能的。正如中國今日的某音樂家，其作品也受到西樂的影響一樣，是不足爲奇的。

後來白居易作「霓裳羽衣歌」以和元微之的霓裳羽衣譜，（歌長不錄），白居易也酷愛此舞，他曾在杭州以此舞訓練歌妓，也曾先後表演過三次；獲得元微之的舞譜之後，再想訓練蘇州妓女作此表演。白氏在其歌中讚美不絕，他之酷「霓裳羽衣歌舞」是可想而知的。

至玄宗時代之「霓裳羽衣舞」的曲辭，究爲何人所作？殊不可考，原辭亦復不傳。「樂府詩集」所錄王建所作十首，至今仍可一觀，其一首云：「弟子部中留一色，聽風聽水作霓裳；散聲未足重來授，直到床前見上皇。」（中）

梁紅玉

「影劇與歷史」之十一

周遊

根據錢謙益的「初學集」的考證云：「……蓋楊國（即梁夫人國封）家本楚州，寓京口也。……蘄王起銀州，積功轉進武副尉，宣和二年，調西師討方臘，部敢勇士五十，隨王以往。楊國於京口，當在此時，王爲裨將，非小卒也。……楊國起家北里，慷慨釋配，識英雄於離亂之中，遂能定國難，奏膚功，豐碑青史，於今爲烈，豈不偉哉！」錢氏的考證，糾正了羅大經的傳奇，以世忠爲小卒之誤。（按楚州即舊山陽，爲今江蘇淮安）據淮安縣志列女傳云：「韓世忠妻梁氏，北辰坊人女。……江淮兵亂，流落爲京口娼家女。……附葬蘇州靈巖山下。」於此可證錢謙益所考甚確。而民間所傳梁紅玉的故事，更非子虛。歷代史家，對女人往往存有一種偏見，壞事多歸於女人。這是不公平的。「宋會要」應當是正史文獻而非稗史筆記可比，其紀有云：「建炎三年三月，統制苗傅、劉正彥叛，勒兵向闕，殺御營都統制王淵及內侍百餘人，迫高宗遜位於皇子魏國公，請隆祐太后垂簾聽政，改元爲明受。時世忠從淮上繞海道歸，與張俊會於平江，謀所以勤王，旋駐秀州。時因事變起於倉卒，紅玉及子被執。時各路勤王之師中，以世忠爲精勁，苗劉等屢欲攏之，共擁新主，派紅玉前往遊說，因此紅玉乃能脫離虎口。

影劇故事中，苗傅之變，紅玉逃出，與世忠共勤王，強調紅玉之智勇雙全，無可厚非。「南宋十將傳」云：「……時世忠妻氏及子爲傳所質，防守嚴密，宋勝非紿傅曰：『今白太后遣二人慰撫世忠，則平江諸人益安矣。』於是召梁夫人入，封安國夫人，俾迓世忠，速其救駕。梁氏疾驅出城，一日夜會世忠於秀州」。影劇故事中，梁紅玉夜奔一節即本於此者。

紅玉詣世忠後，與張俊、劉光世等率師進逼臨安。苗、劉敗走，高宗復辟。不久，又命世忠追討叛逆，亂事平定，高宗核其功以世忠爲最大，授爲兩鎮節度使，並且御書「忠勇」二字表其旌，詔書中有云：「餘杭之難，卿首倡孤忠；朕之復辟，惟卿之功。」等語，可見當時高宗倚畀之重。

梁紅玉也封爲「護國夫人」，同時並給內中俸以寵之。當時臣將，身兼兩鎮，妻臣給俸者，以蘄王夫婦開其先例。

梁夫人不僅知曉戎機，且深明大義，她以公的立場，而還奏了世忠一本，說他「失機縱敵」。此在影劇中都沒有採取。宋高宗復辟，親書「忠勇」二字，以獎勵世忠，惜亦未被採入。「鶴林玉露」載：「蘄王戰兀朮於黃天蕩，幾成擒矣，一夕鑿地遁去，夫人疏奏，言世忠「失機縱敵」，乞加罪責，舉朝爲之動色，其明智英偉如此。」此事其他各籍未見，惟錢謙益說是「爲蘄王諱」之故。如果屬實，梁夫人眞是一位了不起的女中奇人了。

梁夫人死得很早，死時世忠僅四十七歲。「宋會要」賻贈欵云：「少保武成感德節度使淮南東路宣撫使韓世忠，八月（紹興五年）以妻秦國夫人梁氏亡，賜銀絹五百疋兩。」按錢謙益考證，梁紅玉之嫁世忠，在討方臘之後，以時計之，他們夫婦之緣份不過十五年。

根據墓志記載：世忠共有四子，梁氏生有一子，名彥直。另有茅氏、周氏各生一子，白氏無所出。彥直九歲隨父入朝，高宗命他寫幾個字看看，他從容不迫地寫下了「皇帝萬歲」四字。高宗大喜，撫其背曰：「將來必爲令器」。後來累官至龍圖閣大學士，提舉萬壽宮，以光祿大夫致仕。卒封蘄春郡王。（十一、完）

關漢卿的作品

憶玉軒雜綴

滌秋

不論悲劇，喜劇，歷史劇，社會劇，祇有劇中人，並無關氏的「自我表現」，使觀衆隨主角之遭遇，感情變化，而歡笑欷噓。這種客觀、無我的手法，繩之於二十世紀的戲劇標準，也超乎水準以上。

王國維宋元戲曲史說：「元代曲家，自明以來，稱關馬鄭白：……關漢卿一空倚傍，自鑄偉詞，而其言曲盡人情，字字本色，故當爲元人第一。……：以唐詩喩之，則漢卿似白樂天。以宋詞喩之，則漢卿似柳耆卿。明寧獻王曲品，躋馬致遠於第一，而抑漢卿於第十，蓋元中葉以後，曲家多祖馬鄭，而祧漢卿，故寧王之詞如是，實非篤論也。」王氏又云：「元曲實於新文體中，自由使用新言語，在我國文學中，於楚辭內典外，得此而三。」倩爲公允貼切之論。這種新言語，用得最廣泛，最成熟的人，首推關漢卿。他的文章，不尚用典和辭藻華美，完全白描，是元劇本色派作家的領袖，明代韓文靖以之比司馬子長，其地位可以想見。

關氏既能通曉音律，長於歌唱，偶然也粉墨登場。臧懋循元曲選序說：「至躬踐排場，面傅粉墨，以爲我家生活，偶倡優而不辭。」從此看來，關氏是一位職兼編劇、導演和演員的戲曲通才專家。在科舉路斷，像一般文士，走向書會和勾欄，與下層社會接近，漸漸從思想上，感情上，瞭解平民和俳伎，同情他們的生活，通曉他們的語言，對劇場上演的情形，非常熟悉，複雜的生活內容，加上文學的修養，自能巧妙的，恰當的，透過戲劇的形式，把各種社會問題，人類感情理想，呈獻於大衆之前。近人任訥說得好：「漢卿作劇六十餘本，爲作品最富，流品最著之曲家。乃文字以外，復身任聲容，成爲生活，可見曲之爲藝，果欲盡之，非兼文、聲、容三端如漢卿者，不足爲第一流戲曲家矣。」

（三、完）

臺南市稅捐稽征處開征五十四年上期地價稅公告

中華民國（54）年九月十日54、9、10南市稅二字第46067號

①征收日期：五十四年九月十日起至同年十月九日截限爲期一個月。②繳納地點：本市各銀行及分行，合作金庫台南支庫，各信用合作社南區，安南區農會。③該項稅單業經本處派員送達，如因住址變更或其他原因未接獲稅單者，請向本處第二課或本處安南分處申請補發。④納稅義務人接到地價稅稅單後，對於稅單各項記載如有不明瞭之處，請即向本處第二課查詢並請如期繳納。⑤特此公告。

處長　將灝

內僑警台報字第〇三壹號內銷證

自由報
THE FREE NEWS
第五九〇期

中華民國僑務委員會創辦
台灣新字第三三二號登記證
中華郵政台字第一二八二號執照登記爲第一類新聞紙類
（半週刊每星期三、六出版）
每份港幣壹角
台灣售價新台幣貳元
社長：雷嘯岑
督印人：黃行靈
社址：香港銅鑼灣高士威道二十號四樓
20, CAUSEWAY RD 3RD FL. HONG KONG
TEL. 771726　電報掛號：7191
承印者：大同印務公司
地址：香港北角和富道九六號
台灣分社
台北市西寧南路壹零零號二樓
電話：三〇五四六
台郵撥儲金戶九二五二

美俄親善與俄毛交惡之我見

曾道貫

近年以來，蘇俄戴着「和平共存」之假面具，佯與美國親善。中共從而故爲叫囂，詆蘇俄爲修正主義者。實際它們是在彼此明暗運用「和平共存」之美名，企圖麻醉美國及西方國家而已。

溯自第二次世界大戰結束之後，在自由民主各國的一方，即行裁軍復員；而在共產極權一方，反而積極整軍。尤其蘇俄更不遺餘力的發展核子武器及太空科學，以爲將第一顆人造衛星射入太空之後，即可威震全球，嚇倒美國，稱雄世界。詎料未幾，美國在惶急之餘，迎頭趕上；於是蘇俄變更策略，抓住美國天真、坦誠、畏戰、避戰之弱點，即高舉「和平共存」這一法寶，企圖麻醉自由世界特別是美國，鬆弛警惕，以陰謀進行世界革命，期使美國及自由世界落入其殼中，任其擺佈而不自知。須知蘇俄運用「和平共存」之法寶，猶如強盜之戴着觀音大士之面具，而其身後則隱藏着屠刀、炸彈，其狼毒有如此者，「和平共存」云乎哉！

中共竊據中國大陸後，蘇俄在眼紅之餘，午夜思維，設下詭計，乃即一面驅使北韓進攻南韓，以製造韓戰，一面命令中共出兵參戰，以遂借刀殺人之目的。毛共獲到聖旨，心甚竊喜，以爲有其人海戰術之靈丹法寶，決可驅「美帝下海」，乃欣然從命，驅使中國人民作炮灰，實行「抗美援朝」。結果折兵百萬，鎩羽而歸。而亦因此警醒了全球人士，皆知中共是好戰之徒，并經聯合國公斷中共是侵略者，鐵案如山，中共之不得混入聯合國，即種因於此。關於韓戰，在蘇俄方面言，一舉而有三利：折損中共百萬兵力，陷中共經濟於窮困境地，一利也。有中共聽候其差使，驅使中國善良人民，作蘇俄的馬前卒，蘇俄自己則毫毛無損，二利也。美國之人力，物力，經濟，精神，亦均受到相當的創傷，蘇俄樂得更加坐大，三利也。蘇俄用心之毒，於此可見一斑。

年來俄毛罵戰，似甚熱烈，世人多謂俄毛交惡了，乃自由世界之利。但深一層去觀察，當知係彼輩之一項手法。俄毛所表演之互相罵戰，期在欺矇西方，鬆懈反共意志而已。要知共產黨人，心狠手辣，最善做假。它們深知其如罵戰不夠激烈，則不足以儆醒世人，因而像煞有介事的熱烈的罵，澈底的罵。歸根到底，共產黨一家。人們當記得：周恩來曾有言曰：「中蘇兩國團結猶如鋼牆鐵壁。如美帝膽敢進攻蘇聯，等於進攻新中國，新中國不須蘇聯請求，決當出兵援助」。在蘇聯亦有同樣的論調，喧騰於世。是其實故，蘇俄與毛共相依爲命。世人多謂俄毛反目，分道揚鑣，互爭領導地位一點，純屬誤會。反之它們分途向自由世界作侵略活動，則屬事實。它們無論藉滲透、顛覆、或熱戰形式下得來的果實，皆歸屬於共產集團之下。俄毛斷無因革命方法與觀點有小異，而至分道揚鑣之理。原因很簡單，彼輩自知罪惡滔天，一旦力量分散，必然同歸於盡。如毛共在大陸不斷教唆人民，防止國民黨回來報仇，即足證明毛共在人民之前作了無窮的虧心惡事，時慮惡貫滿盈。共黨集團同樣怕世界人民報仇。基此以觀，今日自由民主乃共產極權之鬥爭，乃人類生死存亡之爭，愛好自由人士，應抱有我無共、有共無我之決心與行動，不可稍事猶豫。

美法當年不合力協助越南人民，剷除越共胡志明，以保全越南領土完整，反將越南劃分爲二，無異做了蘇俄第五縱隊，爲其建立據點，以致今日南越之嚴重。此戰已成現代化，美兵已逾十三萬。在美國怕痛挑小打的情形下，前途如何，不堪想像。此一戰爭，顯然是俄毛合力所演成，中共助人力，蘇俄助武力如飛彈等。似此情形，南越之戰，既是彼輩所合串，目的不但在消耗美國之財力物力與人力，同時更是以此小型戰爭，持久的正面在戰場上打擊美國士氣，以期拖垮美國人民之作戰意志。而共產集團之策動美共，從美國內部煽動羣衆示威反戰，亦不可以忽略者。即如美國青年已有逃避兵役之事，便很值得注意。因爲青年逃避兵役，就是人民怕戰的顯明表示，政府失去作戰的依據——人民，縱擁有豐厚的財力、物力以及現代化的優越武器，亦等於烏有。俄毛之另一手法是拉攏法國，拖垮美國，嚇倒英國，從而收拾自由世界。其拖垮美國之法，更爲多在世界各地，製造南越式的戰爭，久之，美國之民心士氣，不打自潰。基此以言，筆者愚見，應以戰止戰，以子之矛攻子之盾。即應速商諸隣近共產政權之自由國家，予以反擊，使俄毛之財力，物力與人力，亦直接受到損傷，并使其民心士氣同樣受到打擊，而造成其內部人民厭戰與叛亂。特別是支持中華民國反攻大陸，以消除毛共這一毒害，最爲要着。毛共消滅後，亞洲甚至於全世界，立告安寧。不此之圖，則自由世界危矣！

患。基此以言，所謂嚇阻政策之屬，寧有效乎？在戰場上不將共黨打垮，休想在和談的會議桌上佔得面子。回憶歷史，無論是國際性的或一國之內的，凡與共黨舉行的任何會議，結果那一次不是吃了共黨的虧？它們蓋用在會議桌上的共黨魔術，一方不斷的恐嚇，一方的欺騙；是以大言不慚，虛僞的恐嚇，險以民主自由之姿態出之，千篇一律。父安所以有驕，不仔細，上當失敗之理！特別是美國，自由國家若不改變對共黨之策略，起而實行澈底痛剿共黨，究能保持多久不爲共黨赤化！即如共黨大言要在世界各地製造更多的南越式的戰爭，又能一點一點的長期，如美國付得起幾個南越式的戰爭呢？筆者深爲美國思之，爲自由世界危！

兩邊入水

轉而之他

印尼反共怒火

今日與明日

自從印尼共黨發動政變，殘殺陸軍六將領之後，距今已經半月，眞相已全部。共黨抵賴，不容參與謀殺的印尼共黨與青年團員已經被捕供出眞象，於是激起了全印尼人民（共黨及親共分子除外）的怒火，到處搜捕共產黨黨員，封閉共黨報紙及本是政府機構而爲共黨掌握的安塔拉通訊社，十月八日耶加達示威羣衆竟把印尼共產黨總部燒毀，片瓦無存，相信印尼共黨頭目若非事前逃過，恐怕想活命也極難。套用陳毅的話正是「善有善報，惡有惡報，不是不報，時候未到，時候一到，一切都報！」（陳毅九月二十九日在北平記者招待會上所說），印尼共黨這次是「時候一到，一切都報了」。

毛共又錯一次

印尼共黨這次暴行，無論是印尼共黨主動，還是毛共唆使，但可以斷定事前一定經過密切的「協商」和坦白的交換意見，始採取行動，因爲其中過程與毛共在民國十六七年所施行者一模一樣，毛共的先進經驗。合發動的政變，奪取政權未成，反而影響了印共本身的地位，短期再想恢復信用從事活動都極難，百分之百是受了毛共的害。

說起來也十分有趣，毛共自認是搞世界革命的能手，斥赫魯曉夫及其繼承人是修正主義。可是毛共幾年來的活動和六二年進攻印度之舉。毛共一把本來聲勢浩大的印度共產黨，一下打入了十八層地獄；當時印度共產黨在國會中是國大黨之外的最大黨派，有餘。自毛共進攻印度之後，印共進退失據，無所適從，分裂成親毛與親俄的兩派。其反對禁試核子條約及試爆核子裝置又害了日共，一貫親共的社會黨及總評從那時起正式宣告同日共分離，不再作聯合行動。這次又害了印尼共黨。這三個亞洲最大共黨，都被毛共害得不能翻身，假若蘇俄據此指毛共是帝國主義特務，也能言之成理。

印尼局勢未可樂觀

不過，印尼局勢也未必眞能好轉，因爲蘇加諾仍想維持超然地位，不願共黨從此垮台，大權全落於陸軍手中，所以希望保全印尼共黨以牽制陸軍的地位。但他在政治上決終不會斷然宣佈反共，在軍事上，印尼陸軍二十年來未曾眞作過戰，其戰力如何也待考驗，是否能一舉撲滅共黨叛亂，不無疑問，若容其立定腳跟，據有根據地，前途也就麻煩了。（何如）

自由談

記得越南在法國統治末期的保大政權時，越共胡志明軍閥攻奠邊府甚劇，當時有若干歐美記者在越南觀戰，瞧着奠邊府居民經常獲得外來的衣服食物救濟品頗多，認爲民衆生活已告改善，越共決難得逞。迨奠邊府陷落後，有位西方記者詫說道：「奠邊府人民的生活水準業已提高了，何以尚不能抗拒共禍呢？」懸在報上看到這項消息，不禁啞然失笑，瞿然興悲。

西方人士根本不瞭解共產主義者實行世界革命的本質及其策畧，但迷信着「貧窮係培育共產主義的溫床」這項學院派的說法，不問何時何地，總是斤斤於提高人民生活程度問題，視爲反共的萬應靈丹，却不知共黨對於他們所要侵佔的地方，決不讓其有從事經濟建設之可能，乃以擾亂破壞爲急務也。不先行使用實力消除共禍，維護人民的安全生存，而專談提高生活水準，殆如急症憑着庸醫，決無倖理。

西方人士對於共黨暴力控制下的地區，即認定當地人民皆已心悅誠服的聽從共黨統治，沒人反抗了。所以表西方人對共黨政權的觀感，可謂牛頭不對馬嘴，不知所云啊！

曾任毛共安全官員而投奔自由祖國的趙福同志，最近寫信給美總統說：「中國大陸的人民，如果得不到外面的援助，在反抗共黨政權的努力上，便不能有太大的進展，因爲他們沒有武器，他們的活動、思想、甚至食糧都被毛澤東的警察和軍隊所控制，他們無法組織起來」。這實況，是一切向西方人士實施「惡性補習」的政治課程，使他們頓開茅塞，增進其對共黨本質深切的認識，以減少誤人誤己的幼稚病，因其宜也，善莫大焉。

歐美人士看共黨

每屆聯合國大會時，有些莫名其妙的政客們，常以「不能漠視擁有六億人口的共產中國，永遠被拒於聯合國組織之外」的理由，譁然辯論所謂「中國代表權問題」，刺刺不休。一九五九年秋間，我與友人邢紀章兄在西德克蘭克福市街上，遇着一個德國人之際，他揚聲謂：「你們是中國人吧？毛澤東那小子把中國弄得亂七八糟了，幹嗎你們還不舉行投票，教他滾蛋呢？」這便是代表西方人對共黨政權的觀感……

馮子先生

說的不做．做的不是說的
台北民選市長高玉樹上台迄今做了些什麼

本報記者台北航訊

不當開支多 人事更浪費

我們現在看看市議會的意見和主張。人事方面的浪費，公車處在四十八年，每輛公車平均配備人數爲五．九六人，至五十三年，則增爲六．三九人，增加○．四三人，若以○．四三人乘五四○輛計，則五十三年比四十八年在人事上增加浪費達二三二人；假定每人年給薪俸二萬元，則全年需四百六十四萬元，增加公車處人事成本負担。又如公車肇事次數，年年增加，據統計：五十三年肇事次數達三一七次，賠償費爲一百六十三萬二千三百五十九元之多。

五十三年行駛率爲九○．七四%，較四十八年之九六%，相差五．二六%，加以五．二六%乘五四○輛，即等於減少二十八輛公車行駛。如每輛公車每天收入以九五一．四○元，若以二十八輛計，則每天減少收入達二萬六千六百三十九元，全年三百六十五天，即減入營運收入多達九百七十二萬元。

乘客比率：已由五五人增至五九人，增加率爲百分之七．二七%。五十三年度運輸收入爲一億八千八百零三萬七千零六十五元，若以增加率七．二七%計算，則五十四年度運輸收入應較五十三年度增加收入一千三百六十七萬多元。

此外，四十八年至五十三年，資產負債表所列，銀行存款等平均爲一千六百四十六萬元。

車輛設備殘餘價值五千多萬元，五年平均折舊計，今年多餘一千萬元。

五十三年決算書所列建設改良擴充固定資產爲二千二百七十七萬多元。以上三筆，合計四千九百二十三萬餘元。每輛公車購價以四十萬元計，可購新車一百二十多輛。而不須加價即可增加車輛而解決營運問題。

假使公車處提高工作效率，減少人事上浪費及不當開支，根本用不着加價。因此，市議員指責高玉樹，強調不增加大多數市民負担，但在市長發佈自來水、公車票不漲價的新聞後，自來水加價了，現在公車票又要大加而特加，增加大多數市民的負担，公用事業一再領導漲價，誰負其咎？

購置物品費 浪費八千萬

第三個事例：是高玉樹就任市長後，一年來市府各項工程和購置材料物品，多以「化整爲零」的議價方式處理，而不登報公開招標，旨在避免稽核程序而浪費納稅人的錢。據市議會指證，市府暨附屬單位一年預算綜合約十三億元，若依照省府命令規定，化整爲零，一切工程和物品由各業公會會員共同公開參加通訊投標，可節省八千萬到一億四千萬元。

例如高玉樹於五十三年七月十三日，以工程管理費（五萬三千元）名義購買一部雪佛蘭八缸四門轎車，冒稱工程車，這部車是高玉樹親戚游賢英的，不久，即七月卅日與八月六日便換車胎四套，十月三日與十一月二十七日支付修理費等二萬九千九百二十元。而這筆購車又被市議會否決，可是素來以民主人士自居而高唱法治口號的高玉樹先生，竟出人意外并未執行市議會議決案。這種因私而放棄其民主法治的基本立場，其精神可欽可佩。

內舉不避親 鷄犬皆昇天

高玉樹在競選時與就任市長的那天（五十三年六月二日），一再強調「安定人事」，結果又是句教人無法相信的廢話。

例如家畜市場黑市課長高三奇，是高市長的助選功臣，也是親族。兒童戲院的業務主任高金葉，是高玉樹的姑媽，因挪用公欵而成爲新聞人物。工務局有額外高級顧問楊玉城，是高玉樹的胞弟，現爲省議員，市議員指爲地下市長，此人非常驕傲，且曾假借他人之名而自抬身價。教育局督學高玉順，是高玉樹的胞弟，曾連昇三級而被議會攻擊。民政局行政科高進益，是高玉樹的族親。衛生局代理局長黃彥次科長，曾代理局長職務，是高玉樹的妹夫。事務股高玉昆，是高的弟弟。自來水廠高玉霞，是高的弟弟。秘書室游小姐，是高的弟弟楊玉城的姨妹。水肥場李清全，是高玉樹的親娘舅。煤氣公司總經理李賜卿，與魚市場黑市副主任陳益勝，是高玉樹的助選功臣，也都是同他有八拜之交的把兄弟。誠如古人說：「一人登天，鷄犬皆仙」。高玉樹這種「內舉不避親」的精神，政府應頒發最佳勇敢獎。但根據公務人員任用法第十六條規定：「各級主管長官對於配偶及三親等以內之血親姻親，在其主管單位，應廻避任用。各機關主管長官，對於配偶及三親等以內之血親姻親，不得在本機關內任用爲直接隸屬機關之長官」。人們希望監察院應該依法調查，如確有事實，依法糾彈，如無此事，也可洗刷高玉樹的寃枉，而澄清各界視聽。（三）

美探險太空與軍事目的

。華盛頓通訊。

美國政府終會決定使用太空來達到軍事目的。八月二十五日，詹遜總統已經宣佈，美國空軍已獲准發射一個有人操縱的、環繞軌道而行的實驗室，以確定人在太空的軍事用途。

關於上述太空實驗室，預料美國空軍在完成耗資十五億美元的試驗後，將就加速發展太空軍事競賽一事，向美國政府提出建議。

直到目前爲止，美國所進行的一切有人操縱的太空努力，全是由美國航空太空局負責進行的。該局成立於一九五七年蘇俄發射第一顆人造衛星以後不久。美國政府當時決定由空軍「控制」十九哩（十九哩）以下的空間，至於十九哩以上的一切有人操縱的太空探測，包括探測月球在內，則交由太空局處理。但是，空軍一向不服這項決定。自從太空局成立以後，空軍及其在國會和工業界的支持者，便開始推動一個宣傳運動，要說服總統和國防部長，使他們相信，在軍事上有必要把那個十九哩的界限提高，起碼是提高到「接近太空」的界限，即在距離地球數百哩的空間內，因爲這是「是適於達到防禦目的的地區」。

因此，早在兩年前，國防部長麥納馬拉便遵照國會提出的建議，即所謂爲了確定「人在太空的軍事用途」，批准空軍進行上述太空實驗室的計劃。這實際上是開始把軍事競賽擴大到太空去。爲了替實施此項計劃打氣加油，衆議院有關政府活動委員會，還於今年六月四日發表一個報告，批評詹遜政府在批准空軍進入太空的時候，表現得「猶疑不決，混亂和拖延時間」。報告建議空軍馬上開始實施上述太空實驗室計劃。報告認爲，發射這個實驗室以便在可能有極大軍事意義的技術方面追上蘇俄，以及軍人在探測太空總計劃中扮演更大的角色，都有「追切的需要」。

有人操縱的環繞軌道而行的實驗室，將由兩個部份組成，一部分是一個「雙子星座號」的太空囊，另一部分是一個長四十二呎、寬十呎的實驗室。當實驗室進入軌道以後，兩位太空人將離開太空囊，在實驗室停留三十天。當他們坐「雙子星座號」返回地球的時候，實驗室仍將在軌道，供另一批太空人使用。按照計劃，將有五批太空人前往使用那個實驗室，而第一批定於一九六八年出發。

發射太空實驗室可以發生多方面軍事作用，其中包括：一、攝影偵察。目前無人操縱的間諜衛星，由於整個拍攝和冲放過程不能全部在軌道進行，因而不夠完善。坐在太空實驗室裏的太空人，既可以有選擇地拍攝「敵人」的目標，又可以在實驗室內把它冲放出來，然後用無綫電拍回地面。

二、衛星觀察。太空實驗室內的太空能夠研究蘇俄的衛星。

三、衛星破壞。太空實驗室內的太空人，能夠把「不友好的」衛星加以破壞。

四、戰爭目的。太空實驗室作爲建造太空月台的第一步，這種太空月台可以用來發動轟炸襲擊，或者是由太空到地面的襲擊，或者是由軌道到軌道的襲擊。這無疑是實施太空實驗室計劃的一大理由，即確定這是否有實際有效的可能性。

當然，這還僅僅是開始。假如證明確有這種可能性，美國政府就可能決定把國家的一部分「報復性防禦網」設到太空去。不過「防禦」和「進攻」的區別往往是難以弄清楚的。因此，專欄作家諾曼．柯辛斯已於九月十一日在「星期六評論報」上寫道，美國軍人把導彈設置於太空以後，就可以「把整個地球置於核大炮之下了」。

非洲后蜂大鬧巴西國

里約熱內盧通訊

華威克．寇爾是一位養蜂專家，九年前他特地從非洲運二十隻「非洲皇后」蜂到巴西進行改良蜂種——不料，却給巴西的原有意大利與德國蜜蜂帶來「亡國滅種」之禍，巴西人民也紛紛遭殃，被狂怒的蜂羣追刺得無路可逃。

非洲后蜂 大隻「優種」

撇開人類的自利觀點，就蜂羣而論蜂羣，則非洲后蜂實可稱爲世界蜜蜂王國中最優秀的種族。

首先，它既係蜜蜂中的大隻佬，而且精力極爲飽滿，勤苦耐勞，能在烈日下整日作長途飛行，遍地採集花蜜——它們所釀集的蜂蜜，平均較歐洲最優良的品種（意大利蜂與德國蜂）還多出百分之三十。

但非洲后蜂的性格暴烈，極易爲人類或其他蜂類所觸怒，而它們說打就打，毫不含糊，無論對方是牛、馬或爲百獸之王的獅、虎，它們一視同仁，加以迎頭痛擊。而且戰鬥起來，當眞是捨身搏命，必將又長又大的尾針刺入敵人體內而後止。

雜交之後 喧賓奪主

「跪地養豬——賺錢份上」。爲了非洲后蜂的蜜度量比歐洲蜂超出百分之卅，雖明知它們脾性極壞，難於侍候，養蜂專家寇爾也將它們傳入巴西，以備和意大利蜂及德國蜂雜交，改良品種；希望它們所產育的下代新種，能具有歐洲蜂的溫和性格而仍保有非洲蜂的頑強體格。

誰料僅僅廿隻非洲后蜂，接種之後，每年竟生下四十五萬多隻雜種蜂——它們的外形，大隻粗壯，和「母后」相彷，但性格暴烈却和「父王」（歐洲種雄蜂）完全兩樣。

九年以來，非洲后蜂雜交所生的列子列孫，作幾何級數的增加，已無慮億萬之衆。它們的戰鬥力強，生殖力也强，完全依照達爾文的「優勝劣敗，物競天擇」進化論原理，和巴西原有的「地頭蛇」（歐洲蜂）發生了爭奪地盤的大開片。

可憐體軀嬌小、弱不禁風的歐洲蜂，怎是牛高馬大的非洲蜂後代的敵手？非洲雜種蜂的後裔子孫在戰場上追奔逐北，所向披靡；而歐洲蜂則望風而逃，一窩蜂、一窩蜂地被非洲蜂屠殺消滅，當眞有了「亡國滅種」之虞。

襲擊飛鳥 追逐人獸

非洲蜂雜交後代的后蜂，其性格猛烈一如它們的祖妣輩，且駸駸然有變本加厲之勢。「她們」每屆生長成熟，分巢自創獨立王國之時，頗能不拘一格，不管那是岩石隙縫、牆壁陰角、樹冠、屋頂、烟突內或廢棄不用的舊汽車內，甚至馬路的交通燈內，它們都能適應環境，構築蜂巢，開始「一面生產、一面「戰鬥」的日常活動。

在一座小城市中，它們已創下襲擊天空飛鳥，刺殺鷄、鵝、豬、狗、牛、馬外加四條人命的紀錄。

鄰近聖保羅的一座小城凱伊拉市，一位居民想用火攻驅走在他烟突中築巢的非洲后蜂，誰料「霎眼間天昏地暗，半空中飛來一大片黑雲，密密麻麻不計其數的非洲蜂，呼嘯而來，狂怒地見人便刺，見狗便追……一個光頭佬的禿頂上霎時間黑刺蝟集，恍如重新長滿了頭髮，痛得他慘呼烈號，滿地打滾」。

不到三小時內，蜂羣刺傷了五○○個市民，田野裏橫躺着鷄隻的屍體，一打以上的狗，外加兩匹篤馬被蜂刺得整整三天反嘔吐，吃不下草料。

空軍總部 也遭「轟炸」

上星期，巴西最大城市、海濱勝地里約熱內盧也發生了蜂羣的「種族暴動」。城中最繁華的大街「里約白蘭柯」遭到蜂羣大隊襲擊，通衢商店紛紛關窗閉門，行人抱頭鼠竄，走避一空。

巴西空軍總部大廈門口，狂怒的蜂羣環繞在一堆懸掛在門拱上假如一顆巨型炸彈——而一聲令下，它們四散開來，頓如炸彈爆發，將武裝衛兵從機關槍巢中逐出，追得他們滿街奔逃，狂呼救命。

一場空襲結果，傷亡數字包括六十位軍民人等被刺傷，狗隻不計其數，過份逞勇對巴士和電車俯衝轟炸作「神風隊」式自殺攻擊的蜜蜂也有上百隻陳屍在地。

「消滅它們！將它們全部殺光！」耶穌會的教士兼養蜂專家尼德耳神甫大聲疾呼的說道：「若不將它們全部消滅，整個巴西將無噍類矣！」

這話自然有些近乎誇張。但非洲蜂蜜的價格，却趁機躍漲了兩倍，原售三角九分美金一榜，現在市上要賣一元美金一榜。因爲據說由於非洲后蜂的蜜難於刮取，而它的營養價值又較歐洲種蜂蜜遠爲高超也。

瀛海異趣談

奧皇后一生苦扮靚

・桑雅・

十九世紀時，奧地利皇后伊莉莎白曾說：「沒有美麗，我認為人生便無任何意義。世事再沒有比臉上泛起皺紋更可怕的了。當臉上泛起皺紋時，那便表示末日無多了。」

伊莉莎白皇后是歐洲著名的美女之一，是一名「愛靚唔愛命」的信徒。她於一八五四年下嫁奧皇法蘭西斯．約瑟夫時，年方十六，她的赤褐色秀髮，琥珀色眼睛，紅潤的皮膚及窈窕的身段，令人嘖嘖稱奇，嘆為尤物。

世間罕有十全十美的人，伊莉莎白亦有一點小瑕疵，那就是一口黃色的牙齒。她的家姑蘇菲亞皇太后，會不留餘地的譏諷她，令她感到異常難堪。她為了掩飾瑕疵，乃極力避免露出牙齒，因此她在講話時僅微張小嘴，即在最開心時也僅抿嘴淺笑而已。

為了小心保養美麗顏容，伊莉莎白確不惜付出任何代價，同時亦出盡法寶。精於騎術的她，每次行獵均戴上三層手套，以保護一雙纖纖玉手。當她到甘伯美亞修道院訪問時，隨行人員中便有一名御用裁縫師，專責每天為她縫製最貼身的衣服和腰封，以維持她那瘦小腰圍的尺度。

長垂及膝的秀髮，是伊莉莎白感到驕傲的美麗標記；倘若那御用理髮師一時不小心，弄斷了她的一根秀髮，她便會赫然震怒，大發雷霆。每天，她光是梳頭便會花去好幾個小時。

為保持健美，伊莉莎白不免要節制飲食及動作健身運動。她每天過磅兩次，留意體重。她自己定下的體重標準是最高一百一十二磅，若她發現體重增加了一兩安士，她便立即節食了。她一生生育過四次，她每次在孩子出生後便不惜捱飢抵餓，務令腰圍回復到十八吋。在她節食時，她不吃固體食物，僅飲橙汁及牛奶，有時則喝少量的肉汁或一些海龍湯。

到了二十一歲，伊莉莎白的身體已因過度「扮靚」而產生不良後果，她的身體瘦弱而帶有神經質，並患上一種憂鬱病，她變得脾氣暴躁及多愁善感，且受到肺病的威脅。再過些時，她終於患上貧血病了，但她依然節食如故。

不論到任何地方，伊莉莎白總要帶齊體操用具，以便每天依時做運動，她的一名近侍宮女形容她勤習運動的情況說：「皇后活像一名馬戲班的賣藝者。」她有時一口氣練習跳繩及啞鈴達四小時之久，不以為苦。到了四十六歲，她更熱愛健身運動了，甚至經常由晨至暮作馬拉松式的步行或馳馬，令她的侍女們疲於奔命。

年歲不斷增加，伊莉莎白亦不斷增加消失美麗的恐怖感，她唯有用盡方法，希望保持曲綫美及容顏美。她常把牛肉漿或搗爛的草莓塗在臉上，據說這樣可保持青春美麗。有一次她到英國訪問，竟要傭人每天到海岸運海水回居所，以便她作熱海水浴。

在高富島上的行宮居住時，伊莉莎白熱愛海水浴，浴罷睡在一張蓋有豹皮及山羊皮的羅馬式大床上，由一名匈牙利籍的按摩師，替她用油按摩全身，使皮膚保持嫩滑。有時，她會睡在一張海草浸濕的床單上，以便吸收海草的水氣，防止腰圍的尺碼有變。

伊莉莎白雖然盡力在美容方面下功夫，但卻因此而弄巧反拙，後來更令深愛她的奧皇，也因討厭她過份「扮靚」，實行冷落她而轉移愛情。她在晚年時，曾漫遊歐洲各礦泉區，目的是保持青春，但結果是失敗了。

一八九八年，伊莉莎白在日內瓦被人行刺畢命，死時剛好六十歲，正患着濕疹病。

晚年時，一名歐洲年少王子見了她，偷偷對她的母親說：「我常聽人說伊莉莎白皇后是絕代佳人，為什麼我眼前的她，竟是如此老醜呢？」

三國演義縱橫譚

燕謀

關羽的精神，正合符了中國民族精神之「軍人」、「英雄」、「豪傑」、「俠義」的精神。他的精神為中國人所樂於接受，所歡迎、所喜歡，由喜愛而敬重，而尊之為神。此正如包拯的「鐵面無私」的精神，執法如山，不畏權勢的精神。此種精神，是在為中國平民洩了一肚子合寃；因此大家尊他為閻羅王，夜管陰來日管陽。關羽之所以受人歡迎敬重，主要因素在此。

張飛在演義中，雖如同水滸中的李逵，作者可以借他口以反應時代人心寃恨，快人快語。但其在歷史上，張三爺卻是一位有國士之風，為一世虎臣的地位。張飛的為人，三國史評他「敬畏君子而不恤小人」，他的勇武，和關羽並駕齊驅，他的忠義，亦足與關相伯仲，看他在古城會的一幕，表現了他忠義，快人快語的英豪精神，在古城上大罵紅臉賊，不仁不義，無始無終。那正是他可愛處；雖然是關羽滿懷憂憤，正待此一訴衷腸之際，卻遇到如此相反的局面，但終於立斬蔡陽之後，兄弟釋疑，然後抱頭痛哭一場。這正把一種異姓兄弟，不同根生的朋友的信義精神，發揮無遺。關公遇害之後，張三爺所表現的強烈義氣，羅貫中眞是寫透了中國人的朋友精神；積極復仇，不共戴天的精神，不計生死利害的犧牲決心，正與桃園結義時的誓言前後若合符節，始終如一，其誓曰：

『念劉備、關羽、張飛，雖然異姓，既結為兄弟，則同心協力，救困扶危；上報國家，下安黎庶。不求同年同月同日生，但願同年同月同日死。皇天后土，實見此心。背義忘恩，天人共戮』。

所立誓言，三國史上固無明確之根據，但在三國史上他們所表現的行為確乎如此。當關羽遇害，劉備、張飛所表現的，正是演義中結義所立的誓言。除張飛之外，劉備決心伐吳為關羽復仇，其餘文武百官，無一不反對的，諸葛亮、趙雲等一般碩臣的諫諍，也難以挽回他復仇之決心和志節。連國家安危都不顧，惶論個人生命。如以今天一般人所謂「大前提」來評論劉備張飛復仇之舉，正是大大的不智，是兩個大傻瓜！然而，卻正因為如此，劉關張之桃園結義，以及劉備、關羽、張飛之所以受人敬重者亦在此。中國人有句古話：「不以成敗論英雄」。他們之受人們崇拜，並不是在於他們的成功，正崇拜他們的行為，不論其行為是成功或失敗，只要他們行為是合於中國人的民族精神，他們就受到人們所崇拜。假若劉備、張飛在關羽死後，沒有復仇的決心，或者是受大臣們勸告而罷，那不但劉、關、張的歷史要重寫，連羅貫中的三國演義的「桃園結義」那一回也決不會有的。三國演義的讀者，可能會減少一半。這是筆者的一點愚見。所以，我認為：劉、關、張之耿介處，不智的行為處，就是他們的偉大處，也就是他們受人敬重處。（十六）

郭嵩燾

李佳俟

提督李世忠坐擁重兵，包攬私鹽，人爭憚之，莫敢伊何；他遣人捕治之，鹽政乃肅。明年署廣東巡撫。太平軍犯粵，郭與總督瑞麟遣將防邊，追敵入詔安，殺數千人，軍威大振。三年金陵克復，罷釐捐議起，嵩燾反復陳說利害，其議始罷。

太平森王侯玉山，避匿香港，官吏不敢捕；嵩燾援萬國公法與爭，執歸後，論斬。瑞麟欲張大其功，以率兵往捕上奏，嵩燾力止，不可。英人大怒，屢移牒詰責。先是毛鴻賓督粵，諸事皆決於幕僚長徐灝之手；瑞麟繼任，灝更專橫。嵩燾恨之。上疏論軍情數誤，請劾逐灝，並自請罷斥。事下左宗棠查辦，左查復，竟說嵩燾跡近負氣，得申斥處分。左郭本是親家，宗棠任湖南幕府時，被官文參劾，禍且不測，嵩燾在京向肅順求解，且與同列潘祖蔭商議搭救，始得無事。至此宗棠竟不為疏解，嵩燾聞之大怒，幾欲與左絕交。遂歲解職，以督撫同城，易生誤會，乃上疏力言其弊。

郭嵩燾在那時，可說是第一個具有世界眼光的人，他的膽識才華，遠出於曾左胡李之上。他不但對湘軍有很大的貢獻，他的學術思想，本出自朱程，而宗法船山，並究心張子之書，以禮為宗，以復性為本，以剛毅正大為學，博極羣書，本末完備，體用兼賅。對於船山之學，尤能洞見底蘊。他著書甚多，所流傳之養知書屋文集廿二卷，在今日讀來，還不失為具有大價值的著作。

在同光間，談維新、談自強，實自嵩燾與馮桂芬開其端。馮氏治經世之學，寢饋顧亭林之說，所著校邠廬抗議一書，風行一時。那時內外大臣所提倡的自強運動，實際自由嵩燾一人鼓吹慫恿而來。那時在朝如恭親王奕訢、軍機大臣文祥，及曾國藩左宗棠李鴻章等，莫不受了他的影響。嵩燾嘗說：西洋入中國，誠為天地之一大變，但得其道而用之，亦應為中國之有利。自天津教案起，羣責曾國藩畏葸誤國，聲名頓挫，獨嵩燾則說：彼辦理教案，則亦天理人情之至矣，而洋人毀之，湖南人尤與毀之，詢以津案本末，無能知者，道之不明，而意氣之激，以不得其平，則亦何詞不可逞，何罪不可誣哉！其見解之開明，持論之公允，決不是為老友而有所阿好也。光緒元年，雲南邊境愚民，殺害英繙譯官馬加禮，副將柏樂文，嵩燾疏劾雲貴總督岑毓英，並主張先把兇手和都司李珍圖等，分別治罪，意在使朝廷自動罷黜岑毓英並先殺兇手以緘英人之口，再和英商談判結案。不料一時輿論大譁，謂嵩燾有意媚外。嵩燾言既不用，後來英使威妥瑪忿然出京，邦交幾乎決裂。最奇怪的，是左宗棠，他對嵩燾此舉大不謂然，竟借故參了他一本。前面已經提過，左本是郭力保重用，竟出此下策，亦可見左的才識遠不及郭嵩燾了。（二）

國民大會行使創制複決兩權答問

國大代表聯誼會

7 依據民意統計，贊成目前國民大會立即行使創制複決兩權與主張暫緩行使兩權的比例若何？

答：①民主政治為民意政治，國民大會代表全國人民行使政權，自應以民意為依歸，故國民大會欲行使創制複決兩權，必先廣泛徵詢全國民意以為決定。

②憲政研討會依據國民大會第三次會議第十次大會決議擬訂廣徵各方意見辦法，以座談、通訊、廣播、啟事等方式，廣徵海內外及大陸同胞意見，其結果統計如下：贊成國民大會立即行使創制複決兩權者，佔百分之九十八點九，主張暫緩行使者，佔百分之一點一。

8 國民大會是否以創制立法原則與複決中央法律為限？

答：①國父在建國大綱第廿四條規定：國民大會對於中央法律有創制權，有複決權。及民權主義第六講指出有治人之選舉罷免權，還要有治法之創制複決權。蔣總統在講五權憲法之要旨說：人民有了政權，即對人的選舉與罷免，和對事的創制與複決。可見創制複決兩權是對於政府事的管理，未嘗加以限制。故對創制權可以創制立法原則，亦可以創制條文。對複決權可以複決法律，亦可以複決政策法案。

②民意之統計：

（A）主張以創制立法原則為限者，佔百分之十九點六，主張應為完整之法律條文者佔百分之三十四點一，主張原則條文並用者，佔百分之四十五點三，其他主張者佔百分之零點九。

（B）主張複決以中央法律為限者，佔百分之十六點三，主張包括重要政策在內者佔百分之七十八點四，主張以特定事項為限者佔百分之四點三，其他佔百分之零點九。

9 國民大會行使創制複決兩權，對當前反共復國國策之影響如何？

答：①國民大會行使選舉、罷免、創制、複決四種政權，乃國父重要之遺教。總統曾訓示我們，反共抗俄最有力的武器是三民主義，國民大會行使創制複決兩權，乃在實現主義，實踐遺教，既可以堅定全國人民信心，也可以表現為實現主義的決心，對國人是一鼓舞，對大陸是一政治號召，以加強民主與極權之對比。

②國民大會行使創制複決兩權，可以防止立法權之專橫與疏忽，使行政權可以發揮更大的功能，使政權與治權的關係不但可以作消極的監督，而且可以變成積極的合作，以建立萬能政府。

③國民大會行使創制複決兩權，可使行政院與立法院求得平衡發展，防止憲法第五十七條所發生之流弊而提高立法、行政兩權之效率。

④國民大會可代表全國民意，隨時把握時機配合政府動員全國人力物力，以達成反攻大陸建設三民主義新中國之使命。（三）

國劇繽紛續錄

姿蓉生（二十四）

復蓉演香妃（續）

此實特別可以誇稱的，爲具有特色，而就把舞台面上，另換一副格局，不能不贊復蓉的聰明，與主持劇務的眼光，排出一些有意義的戲。

香妃一齣，原是名劇家劉豁公所編，以投趙君玉，在上海連演近二十天，盛極一時。後來顧正秋設法講得劇本，在台北永樂戲院演出，亦賓六七天滿座。而復蓉是再傳弟子，在後一輩中担此重任，實是可嘉。沙天香因吳忠叛國，如欲其隨軍同來，必殺之而後可，這與明妃殺毛延壽，同爲古今的烈舉，可作榜樣。此劇動員廿七人，配搭齊整，曹復永的乾隆帝，孫復韻的孝聖太后，趙復芬的皇后，王復琰的蘭兒，張復華的梅妃，其餘林復琦、葉復潤、林復瑜、葛復中、齊復強、毛復海、盤復薇、金復豪、林興玲、張復榮等，幾乎可說傾陣以出，精萃畢呈，是華戲中的夠大觀者。有開打，不僅於說情；有願死，實屬於貞節；哀感動人，允是名劇。

復蓉研習戲劇，好在多有師承，顧正秋、李湘芬、白玉薇等，皆是成功的名伶，因此可說集各家之大成，並不囿於一人，其藝遂臻佳妙。既能允文允武，且到美國去了一年，其心靈即大爲增進現代的智慧，充實她的才技，演出的戲即多采多姿，很少不動人的做作。所以在七八年來，觸類旁通，無往不佳。加以她明眸皓齒，俏眼俊臉，於舞台上極有神采，活潑生動，台風亦好。就此練習下去，將來可躋於名伶地位。沙天香裝扮是回教中武裝式樣，尤見其嫵媚神氣。儘管古來多少能武的偉大女性，但其內心仍包含有一股堅定的愛緒，天香不慕虛榮，甘願受死，其貞如鐵石不可動，也因此劇而傳出，表示中國女性的偉大，因與現代的，大有距離，堪以風世。深望復蓉努力，預測其廿四至廿六的三日中得大成功。

寄望復興聯友

爲了華中劇團已有決定，不再爲民間藝人，以及票社配搭，寫了一文，主張在共同闡揚的原則，理應合力同心，共赴發揚之途，並將原文送呈國防部總政治部作參考。最近與幾位名票研討，認爲自力更生，也並無困難，甚至可以做到將來龍套家人門官，均由票友自己扮演，不必去化五十或一百，只要衣箱場面有着落，一些也不躭心。好在是大家玩玩，並非公演賣錢，爲之心情一舒，是仍可以有戲看也。（未完）

「奧林匹克」史話

劍蓉

「奧林匹克」在一般人心目中，似乎是近些年來的新名詞，其實它的歷史已經有兩千七百三十六年之久了。不過，它的範圍跟着時代發揚光大了不知若干倍。現在它代表的是「世界運動會」，兩千七百多年前它代表的是希臘和巴爾幹半島諸邦國的「競技會」。

那時候的競技會以武技爲主，尤側重於戰場上的武技，如劍術、刀法、槍法、單打、拳攻、人與獸鬥等殘酷項目。尤其是人與獸鬥，最爲殘忍。這事乃古代羅馬運動會有些參加的運動員所遭遇到的，他們如果失敗，他們不是被餓獅吃掉，便是被身上塗上油脂而變成人獸之遭遇。所以今日聞名世界的「奧林匹克」在二千七百年前却是歷史上之最殘忍而又最耗費的巨構。這種運動會，經常舉行在古代羅馬持續有五百年之久。

運動項目中之一項特別節目，係由特拉真大帝所倡行，在費時一百二十二日內便使一萬一千奴隸和罪犯和一萬隻野獸戕身。人困在窮坑中和野獸對打，職業劍客和赤手空拳的囚犯對打，婦人和孺子則拿出來受非人道的殘酷刑——所有這些秩序被稱爲娛樂身心。馬加大帝一年內要花約一百萬鎊買奴隸和訓練買入的奴隸成爲角鬥專材。由於衆多的野獸在運動會中被殺，於是捕捉野獸資入羅馬成了大宗的生意。捕獸被邀羅的人有好幾千。故在古羅馬的「奧林匹克」運動會，不僅是人與人競，而且也是人與獸拼命。但羅馬運動會起初並不是如此，會期是一年一次，不是今日的四年一次。時間是在古希臘曆法年終的一天，會期只一天。及第四世紀被迫而停止前，因爲來參加的單位、人數及項目都一屆比一屆增加，後來便延長到五天。

奧林匹克競技會除發揚黷武主義外，原本是紀念大神宙斯的節日，所以開會前，必須舉行一個莊嚴隆重的宗教儀式。爲了遵四年一屆的開會期限，自紀元前七七六年的第一屆起，直至四世紀（紀元三九四年）被羅馬王奧都西烏斯一世迫令停止之間的一千一百七十年之中，歷經古希臘王朝規定，每四年必開會一次，限期不縮不逾，不爲任何變故所影响而終止或延期，所以在那十二世紀中，都能如期舉行。

希臘古史中，關於各屆奧林匹克競技大會的舉行日期發生事件，各項技藝的優勝者之名氏，如第一屆競走優勝者爲科羅布斯。由此足證在那十二世紀中，「奧林匹克」的特色。在彼時運動項目中，也有駕駛車騎的競賽（今日西片中常見）每贏得一項優勝競賽，得一千鎊。他們之中大部份是奴隸。

當時還有一項特色，至今仍爲世運會中精神之所繫，那就是：凡參加這大會的邦國一致通過，在會期前後若干日中，不論友邦或仇國，一例須放鬆關卡國界上的人口流動限制，以便利於選手及觀衆們赴會。這個約定稱爲「愛克希里亞和平公約」。公約並註明：凡選手及參觀的人，均須以和平友善之態度對待異族，不得有互相仇視之言語或行動。最初大會當局明文規定，不准下開人等入場參觀。（上）

田園詩人陶淵明

流翁

陶潛，東晉潯陽人，一名淵明，字元亮，爲都督八州軍事長沙郡公陶侃之曾孫。其祖父陶茂，爲武昌太守。父名失考，但命子篇云：「於皇仁考，……寄跡風雲」，亦必爲仕宦中人。母孟氏，征西大將軍長史孟嘉第四女。是淵明之家世，固一貴胄子弟也。

時五胡作亂，國勢危殆，政權操諸王謝兩豪族手中，提起「王謝」兩字，就代表富貴之家。劉禹錫詠烏衣巷：「舊時王謝堂前燕，飛入尋常百姓家」。可見當年王導謝安之隆盛。淵明雖生於宦家，而爲少數民族中之「溪族」，陶侃曾被溫嶠罵爲「溪狗」，足徵陶氏不見重於當世。

淵明雖少有壯懷：「猛志逸四海，騫翮思遠翥」，而在兩大豪族當權，根無用武之地，祇能在耕讀中過活，讀「乞食」詩：「饑來驅我去，不知竟何之！」之句，足證明其少年時代生活之艱苦。

飲酒詩：「疇昔苦長饑，投耒去學仕」。由祭酒，而參軍，而彭澤令，皆到職不久，便又辭去。尤以爲彭澤令，即今之縣長，在官僅八十餘天，因郡遣督郵至，吏白應束帶見之，淵明曰：「吾不能爲五斗米折腰」，遂辭去。在仕與隱之間搖擺，最後乃賦「歸去來辭」，開首兩句：「歸去來兮，田園將蕪胡不歸？」末云：「富貴非吾願，帝鄉不可期；懷良辰以孤往，或植杖而耘耔；登東皋以舒嘯，臨清流而賦詩；聊乘化以歸盡，樂夫天命復奚疑」。蓋因晉祚將移，世道人心，俱不可問，故託五斗折腰之說，以歸隱田園。

從此，再也不去嘗做官的滋味，故終身不復出仕，日與一二素心人「過門更相呼，有酒斟酌之」；「奇文共欣賞，疑義相與析」。倒落得個逍遙自在。

所居在江西德化縣西南的「栗里」，據寰宇記：「柴桑近栗里原」，王褘文：「過醉石觀，即陶淵明故居」。又按清一統志：「陶潛宅在德化縣西南九十里柴桑里，此則淵明故居也。」蓋潯陽改郡，屬江州，柴桑其一縣也。柴桑近栗里。後之人，即以栗里爲淵明之故居。

栗里，居廬山南麓虎爪崖下，距溫泉里許，有一陶村，當星子德安公路之旁，村民皆姓陶，蒼松翠柏，茂林修竹，儼然一隱者地，入其境，心曠神怡，低廻流連不忍去。

淵明解組後，初住星子縣玉京鄉，後與廬山道士修靜交好，故改居栗里。從虎爪崖下之小溪而到「濯纓池」，乃援「滄浪之水清兮，可以濯吾纓」之義而名池。有一石鏡，上刻「醉仙濯纓池」五字。（上）

寶蓮燈

「影劇與歷史」之十二

周遊

一、銀幕上的沉香救母

華山高萬丈，層巒叠障，雲烟似海，神話故事，自古流傳。其中以「寶蓮燈」尤膾炙人口，至今不衰焉。

在西嶽華山，有聖母廟，廟中祀聖母神像。三聖母深居洞府，朝夕惟侍女靈芝相伴，長年修煉神燈。燈以蓮花鑲飾，故名曰「寶蓮燈」。藉精靈之氣，可發異彩，有求必應，神力無邊。

一日有書生劉彥昌漫遊山間，偶至廟中小憩，看見聖母神像，驚其艷麗，神爲之奪，乃欣然題詩一首，並戲叩鐘磬。鐘磬之聲上達天庭，爲三聖母聞之，即借靈芝前來探視。見劉彥昌英俊異常，芳心竟爲之動。迨彥昌遊罷下山，途中遇到強徒，將彥昌行囊搶去，彥昌儘力相拒，力不能抗，失足墜於崖下。得聖母前來相救，援回廟中調養。在此調養期中，彼此日久生情，相互眷戀。靈芝深知仙凡通婚乃是違犯天規的，遂極力勸彥昌離去。聖母得知，悵然若失。而彥昌爲情甚繾綣，去而復返，二人再晤，終於難捨難分。遂結爲鴛盟。

不料事爲其兄二郎楊戩所知，立借哮天犬馳往洞府察看虛實。見果有劉彥昌書生在此，確與聖母有仙凡相戀之事。二郎乃將彥昌逐出。聖母怎肯干休，乃使用「寶蓮燈」作法，始將二郎戰敗，奪回彥昌。

維時一年，聖母生下一子，滿月之日，衆仙女都來慶賀，仙樂歌舞，熱鬧非凡。二郎神趁此機會，遣哮天犬潛入洞府，盜去「寶蓮燈」。聖母得仙女前來報告，寶蓮燈爲哮天犬盜去，大驚。於是力勸彥昌攜子返家，彥昌猶不忍離去，聖母乃曉以大義，命其即刻返回凡間，好生撫養兒子，彥昌仍不肯。乃猛蹴一足使之墜下凡塵而去。迨二郎神趕到，彥昌已失所在，盛怒之下，乃將聖母囚入華山山底之下，使之不見天日。

彥昌既失愛妻，日來廟中求拜。靈芝顯靈，勸其回家另娶凡婦，撫育其子。蓋此子乃神仙之種，長成之後，能修成正果，猶可救母出難，而凡人無力圖救。彥昌初仍不肯回去，後經靈芝再三相勸，始頷首而去。

彥昌重返人間，爲子命名沉香，又娶王桂英爲妻，桂英亦生一子，命名秋兒。十餘年後，沉香秋兒已長大成人，而彥昌已垂垂老矣。

沉香與秋兒雖異母所生，但却手足情深。與秦太師之子秦官保同窗。官保倚勢凌人，橫恣無行，素爲一般同窗所不齒。一日，放學後，官保偕友出遊，調戲村女，適爲沉香秋兒所見，仗義相責。路人圍觀，爭相議論，引起毆打，混亂中官保倒地不起，竟告斃命。秦太師知之，大怒，立命衙役漏夜緝捕沉香秋兒。

彥昌聞訊，責問二子。二子爭相承認失手打人。桂英初猶袒護親子秋兒，意欲犧牲沉香。繼念以沉香爲神女之子，留下性命，以便將來救母。終於放棄私情，成全沉香，將其身世歷歷相告，命沉香速遁，而聽由秋兒被捕而去。閤家哀痛之餘，幸由村女及時說出命案眞相，秦官保之死，實乃咎由自取，並非秋兒所殺。彥昌桂英遂據此前往申冤。（一）

談霓裳羽衣舞曲

・恨海・

又據白居易舞歌及王建所作「霓裳羽衣舞」中的舞者，皆女子，其爲唐代女舞的代表作，當推「霓裳羽衣舞」爲翹楚了。漢代也有「陽阿舞」，爲女舞，然唐人的「霓裳羽衣舞」在配樂、佈局、結構及舞藝各方面均在漢人「陽阿舞」之上。唐人此舞，當用之於宮中宴樂之時，而非用於一般之朝廷宴會。此外尚有李肱「試霓裳羽衣曲」，白居易尚有「嵩陽觀夜奏霓裳」及「臥聽法曲霓裳」諸作。（下．完）

寮國風情誌

希滙

那裏又有很多脚踏車，現在已建立一塊脚踏車停車場，駕脚踏車的人如果不想駕它，儘可把它放在那裏，由該場的管理人發回一張排號碼的票，憑票隨時可以取回車子，手續十分簡便。

沿着湄公河的岸上，有很多較新型的建築物，又有天然的美麗風景，好像一塊寬敞的公園。湄公河的河床頗淺，當在旱季的時間，河裏成爲一片廣濶的黃沙，只有一條小水流；可是在雨季時，河水位突升起至二十多呎之高，一條二千六百哩長的湄公河，在那裏蜿蜒達三英哩，許多船艇都停泊在裏面，居然成爲一個港口。

從永珍到琅勃拉邦有公路可通，一路天然風景極爲俊秀，有一望無際的黃金色田陌和崇山峻嶺。有些山巔住着許多苗族，在山腰搭起小屋，櫛比而列，十分整齊。（四）

內版台報字第〇三壹號內銷證

自由報

THE FREE NEWS

第五九一期

中華民國僑務委員會登記
台教新字第三二三號登記證
中華郵政台字第一一八二號執照
登記爲第一類新聞紙類
（半週刊每星期三、六出版）
每份港幣壹角
台灣零售價新台幣貳元
社長：雷嘯岑
督印人：黃行寬
社址：香港銅鑼灣高士威道二十號四樓
20, CAUSEWAY RD 3RD FL.
HONG KONG
TEL. 771726 電報掛號：7191
承印者：大同印務公司
地址：香港北角和富道九六號
台灣分社
台北市西寧南路壹壹伍號二樓
電話：三〇四六
台郵撥儲金戶九二二五二

從印巴戰爭談到東南亞局勢

陳侃

印度與巴基斯坦這兩個鄰邦，最近經過一場「不宣而戰」的劇烈戰爭後，表面上接受聯合國安理會的停戰要求，不再從事大規模的斷殺，但彼此怒目相視，前綫依然不斷的發生小戰，隨時有擴大戰機之可能，原因是和談的基礎幷未奠定，共信不立，即無從產生互信，戰火容易復燃的。

印、巴成仇的基本因素，就是克什米爾問題，這問題於二次大戰結束後即已存在，聯合國早有調解的決議和方案，且已指派第三方面人士進行調解工作。可是，荏苒十餘年，問題始終原封未動，致有今日大打出手的禍事發作，探本窮源，英美兩大國實不能辭其咎也。

如所週知，聯合國是以英美兩大國爲主幹的，對於一切弱小國家的爭端，祇要英美兩國同心協力，公平處理，莫不迎刃而解，過去如中東的黎巴嫩、非洲的剛果動亂，皆由英美利用聯合國渙汗大號，終得化乖氣爲祥和，即其明證。尤其是剛果之役，比利時以舊時的宗主國關係，介入動亂漩渦，而聯合國的和平部隊不顧一切，秉公執行調處工作，完成任務，使俄共集團的滲透、煽動陰謀歸於幻滅，實爲聯合國成立以來對世界和平的最大貢獻。假使英美對印巴之爭的克什米爾問題，有如調處剛果之亂的決心和勇氣，相信東南亞地區今日即不致烽火遍地，危機四伏了。

聯合國解決克邦問題的方法，爲舉行「公民投票」，這原是一極公允而合理的主張。然印度拒不接受，又沒有其他更妥當的意見可言，硬要將那佔有總人口百分之七十以上回教徒的克什米爾，納入佛教國的印度版圖中，可謂橫蠻不講理，由於英國左袒印度，不肯仗義執言，美國也就故作痴聾，聽其自然。尼赫魯持有英國的溺愛庇護關係，不特對克邦問題一意孤行，即對我國的西藏，亦儼然以「大英帝國」的繼承人自居，視西藏爲印度的勢力範圍，而以所謂「麥馬洪界綫」爲護符，妄自矜狂，誤人誤己。美國在內心上是與具有血緣關係的盟邦英國沆瀣一氣的，但表面上對印、巴雙方一視同仁，企圖以軍經援助來購買友誼，從而發揮一些影響力。因此之故，巴基斯坦當初對美國確具好感，如美國遇事忠誠合作，倡導的「東南亞公約」，英國雖持以敷衍態度，巴基斯坦卻毫不考慮的毅然參加。唯有印度尼赫魯標榜「不結盟」的中立政策，一面接受美援，同時又跟中俄共勾結親近，實施混水摸魚伎倆，而且渾忘份際，不知自量，竟以亞洲國家的發言人姿態，招搖於國際間，孰令致之，孰能說不是英國對印度的偏愛所致？

在使世界形成兩大集團對立鬥爭的國際形勢中，任何一個國家沒有中立存在之可能，這是一常識。英美歐然，甚於這其實是中立主義，印度的私圖，發言的總統艾森豪也大加激倡，恭維出中立主義，亦是憑着的聲明，…

不知死活

要援助嗎？

今日與明日

印尼叛軍首腦被捕

印尼叛軍首領安東中校被捕，對印尼來說，自然是福。無論如何大規模的內戰，暫時可以避免了。安東中校帶去的叛軍，共計五個營，兵力不爲不厚，假若負隅頑抗，或者逃入深山打游擊，以印尼陸軍力量，恐怕很難一舉平定；一拖下去，毛共就可乘機而入，運輸人員、彈藥予以接濟，這以來，手尾就長了。即使最後能以牧平，像菲律賓之剿虎克黨，馬來亞之剿馬共，但也勞民傷財，以印尼目前情形，實在不堪支持的。

安東中校被捕之後，印尼有組織抵抗已告崩潰，只是共黨潛伏活動仍不可輕視。即如耶加達一地，在共黨總部就抄出一千多支槍，皆是毛共製造的！印尼共產黨爲什麼要窩藏槍械？毛共這批槍械又爲什麼要運去印尼？這些問題都值得陸軍追究的。因爲印尼共黨窩藏槍械之處決非耶加達一地，此時若不肅清，一旦發生暴亂，再想着手，就難了。

蘇加諾挾寇自重

蘇加諾目前態度仍極曖昧，對印尼當前局勢不肯說一句負責的話。窺其目的，最後仍欲保全共黨與陸軍分庭抗禮，維持均衡，自己可以從中操縱，以過終身總統的癮。

好在印尼陸軍及民衆似乎不會容許蘇加諾如此作，試看全國各地風起雲湧的反共怒潮，示威遊行，焚共黨總部，捕共產黨人，此等情況恐非蘇加諾所能抑制。發展下去，若非蘇加諾隨着潮流，參加反共救國行列，就是被印尼愛國民衆推倒。至於目前的平靜局勢，皆是暴風雨前的平靖，因爲事情並未結束。

就印尼現狀而論，似乎捨反共之外也別無他途可走。蘇加諾一天到晚侈言粉碎大馬，與毛共的「解放台灣」都是一種巫師符咒，除去自我催眠外，實沒有絲毫用處。而印尼的經濟情況也不會比中國大陸好了多少。印尼若不改弦易轍，最後必然是死路一條。而目前卻是改變路綫的最佳時機。只不知蘇加諾肯放下屠刀否？

毛共尷尬

印尼共黨叛亂失敗後，最感到難堪的就是毛共了。對於印尼陸軍之大捕共黨，蘇俄「三巨頭」尚且致信蘇加諾予以阻止，毛共對此過去美國辦了一個共產黨國罪，毛共就要發動幾十萬人示威，認爲是侵害人權，此時印尼共黨被捕數千，毛共又以亞洲共黨的頭目自居，按說應該有所表示，何以竟然縮頭無理，好似沒有這件事？原因無他，賊…（何如）

…英美實遺三其德…

卻菲律賓外，充滿着戰火的烈燄，且無一不是以共黨爲禍首，這些都是拜受英美那套重歐輕亞政策之賜。英美人士爲着掩飾自身對自由世界的愧德，不惜製造若干口實以解嘲，如所謂「在錯誤的時間，錯誤的地點，與錯誤的敵人作戰」，…

…總之：東南亞之災禍，由於共黨的滲透發動，亂是由共黨之坐大釀成，而共黨之坐大，亦由於東南亞各國的中立政策，而東南亞各國之所以採取中立政策，是由於英美之鼓勵，英美之所以鼓勵中立，實由於英美人士自私自利的重歐輕亞觀念。英美人士再不覺悟，亞洲固然危在旦夕，歐美人士亦將被共產主義打倒，…也已！

自由談

粉紅色炸彈

馬二先生

據說台灣的文教、政治界流行着一種新名詞，叫作「粉紅色的炸彈」，意思是指那些經常從外面投寄而來的結婚、祝壽、湯餅之類的粉紅色喜慶帖子，受之者恍若遭到了炸彈襲擊，驚悸不已。

一個普通的公教人員月薪收入最多的亦不過台幣千元，生活極其清苦，人口稍多的家庭，常在借債度日的拮据狀態中。但起碼的社交應酬勢所難免，假使一個月之內接到了各方朋儕親戚們投寄的喜慶帖子三幾張，每處祇送一種極菲薄的禮物，如喜幛等，亦得耗費二三百元，即把原來已經不夠用的收入額去掉了五分之一。此外若逢有上司或直屬長官的喜慶典禮，例應攤派「公份」…

說的不做．做的不是說的
台北民選市長高玉樹 上台迄今做了些什麼

本報記者台北航訊

破壞人事制度 影響績效預算

台北市政府的人事制度，已到了非整頓不可的地步。其紛亂狀態，畸形現象，雖非絕後，恐亦空前。台北市政府由附屬單位調入市府辦理雜務人員，總數達五百多人，其中包括教員、技正、技工、課員、辦事員、雇員、臨時人員與工友等。此非道路傳聞，係有官文書可以按覆的。如工程處一六七人，各中小學一〇六人，清潔隊二四人，工務局二五人，印刷所一八人，水肥會一六人，社會局一七人，各區公所一一人，公車處一〇人，民政局一二人。由此可見，台北市政府不但破壞分官設職的人事制度，而且使所謂績效預算落空；同時，影響多數公務員的工作情緒。尤其趾氣高揚而有背景的少數人員，竟使人事法規奈何他不得。

查各機關之編制員額，原係就工作需要而訂，倘發現原有編制不敷或浮濫，自應遵循正軌加以調整，使人與事能相配合，而後乃可循名核實，以考事功。台北市長高玉樹如認為原有編制不適業務需要，自應依法提請市議會予以修正；各該佔用名額之單位，如謂其本身名額不足，亦應據實提請台北市政府予以擴充編制，以符實際。今高玉樹不此之圖，竟以佔用台北市政府所屬各機關學校之員工名額為能事；被佔用之機關學校的業務，亦從而受到嚴重的影響。據傳大多係用以位置私人，此種行為，實為法所不許。而職司風憲之監察院，自應依法予以糾彈，以維法治之尊嚴。

毛猪統一交易 至今沒有廢止

高玉樹在競選時說：「廢止毛豬統一交易，消除特權，降低肉價」。但事實上，高玉樹就任市長已一年多，毛猪統一交易沒有廢止，舊有特權份子沒有消除，而新的特權份子卻又產生，肉價不但沒有降低，反而不斷地上漲，漲到猪肉比鷄肉貴。尤其現任處長之種種舞弊瀆職事件，層出不窮，高玉樹竟未作妥善之處置，任其逍遙法外，顯有失職包庇之嫌疑。

台北市家畜市場，在本省光復初期係由屠商組織公司經營；由於經營不善，政府於四十年四月間，正式改組為台北市家畜市場管理委員會，並由省府頒佈家畜市場管理規則，於是改為公營。公營的目的，旨在安定民生，穩定肉價，毛猪統一交易，使產銷一元化，消除中間剝削；實行農民共同運銷，藉以發展農村養猪副業，而增稅收，幷使零售商獲得合法利潤。

民國四十四年四月間，家畜市場管理委員會改組成立台北市家畜市場管理處，以求業務之再度加强。不料，該處成立不久，因人謀不臧，弊端叢生，未能負起毛猪調節之功能，以致業務不振，信譽一落千丈。高玉樹於五十三年六月二日就任市長後，而於同年八月一日恢復毛猪統一交易。此在同年七月六日，召開西區承銷人座談會，高玉樹委秘書陳銓勝蒞臨指導，然迄今不但未見改善，且變本加厲。該家畜市場業務課長高三奇，西區代主任蔡錦川，均係高玉樹競選時的功臣，所以他們把持擅權，從中剝削。如毛猪品質，劃分為甲乙丙三級，每將乙丙級之毛猪冒充甲級計算，等於變相加價。如毛猪價格，任由評價員抽籤擺佈，而評價員係由貨主兼代，致發生種種弊端。如西區貨主高成（又名高政雄）、高添福等，係新特權份子，像飽猪隻扣五公斤而只扣二公斤，不應加價時，他們以評價員身份抬高價格，價格相差總在四十元以上。而西區主任蔡錦川不但對特權份子不予處分，且有違法包庇之嫌。蔡錦川對地元猪每隻收管理費二十元，不登賬為十五元，其餘五元則入私囊，顯然觸犯刑章。而高玉樹竟充耳不聞不問。

台北家畜市場 內部弊端叢生

據市議員陳天來質詢時說：家畜市場管理處現任處長，利用職權，將市庫撥付之週轉金一百六十萬元，挪用十四萬元，作為租押處長公館之用。該公館由處長女婿住用，並作處長妻舅楊某買賣毛猪之場所。因此，處長公館之電費用，每月達四、五千元之多，由公家開支，較該處業務課之電話費多出一倍。其他買賣之費用，一概由公家負担。

五十四年家畜市場管理處所列之猪舍修理費九萬多元，與環境衛生消毒等費用十多萬元，據稱已經用完，但事實上猪舍沒有修理，環境衛生也未消毒。這筆錢報銷了。該處長種種不法行為，如管理處上下串通，假藉承銷人的名義，向該處承銷猪肉，以致發生一百多萬元爛賬，既未查究責任，也未送司法機關偵辦。所以台北市民政局張局長曾在業務會報中指責該處長。尤其所謂「處長猪」、「市長猪」、「議員猪」、「主任猪」等等，係指毛猪供不應求時，這些猪就以高價出售；在毛猪充分供應時，猪價下降，他們就買進待價而沽。這種行為顯然擾亂市場操縱肉價。

由於管理處未能改進弊端，所以場外交易猖獗，每天由外縣市運入本市之猪肉，約有五百頭，每頭管理費十六元，則台北市損失五百頭猪的管理費八千元收入，與損失五百頭猪的屠稅收入。此外，按規定每隻猪的捆工費兩元，而該管理處藉詞捆兩次，而收四元。這就是增加成本的原因之一。

由此可知，台北市家畜管理處的弊端，高玉樹本就無勇氣與決心加以整頓改善。為什麼？因為改善之後，他的助選功臣蔡錦川等就無機會作弊。假使有決心與勇氣的話，何以市議會議員們的質詢及所提資料，均未及時澈查處理呢？況這些質詢係來自無黨派之陳天來、宋霖康等人。

總之，高玉樹的聰明與才智，以及適應環境的手腕與技巧，是大家所佩服的。不過，他的缺點是：對待朋友缺少誠與信，而且有「過河拆橋」利用他人的能耐，故招致一般人甚至好友都離之而去。詐術可以騙人於一時，但無法騙人一世，終歸要失敗的。

與張祥傳 盛傳在合作

舉例來說，他為了減少議會的阻力，使自己的施政能順利的得到議會的支持，乃不得不與市議會採取合作的方針。首先，高玉樹與張祥傳之間，私下妥協合作，如這次大會議程所列總質詢為六天，由高玉樹分別向張議長與執政黨方面提出抗議。（四）

屏東內埔鄉長鍾定邦 被指控集體冒領公欵

（本報高屏記者袁文德航訊）屏東縣內埔鄉長鍾定邦等，被控有集體冒領公欵，侵佔朋分化用之嫌；案經有關機關移送法辦，將來案情究竟如何發展，此間地方人士，深為重視。

內埔鄉為配合都市計劃之實施，乃奉省令主辦拓寬道路土地征收補償業務，鄉長鍾定邦，建設課長廖德福，遂將該項業務指派路樹保護員林明富主辦。該林員卿命後，竟勾結產權人鍾善夫之同父異母之兄鍾惠夫（內埔北葉國校教員），將被害人鍾善夫坐落內埔段土地之一九三—一、一九三—一二、一一〇六一、一一〇六二等四筆建地（連房屋），由面積八一坪，虛報為一〇四坪，冒領補償費公欵新台幣六萬餘元。除由林員索取回扣四二、〇〇〇元外，餘欵悉數均為鍾惠夫收為己有，侵佔化用。

據被害人鍾善夫語記者稱：他因父母雙亡，目前與弟妹等三人相依為命，僅依靠其父所遺留的些許房地產，得以維身。此次為都市計劃之實施，內埔省有街道拓寬在即，站在國民立場言，自當響應；但未料鄉公所承辦人林明富竟勾結鍾惠夫，除串通以少報多，冒領公欵，朋分化用外，猶嫌不足，且將我應領得的土地征收補償費亦一併侵佔。因我不甘蒙受損失，乃向屏東地院檢察處舉發。當土地受征戶知曉內情後，即紛紛要求查詢，經發覺實際面積與補償面積不符者多達十餘戶。其中皆以多報少；而凡與之串通者，則皆以少報多，騙取欵項，共同朋分化用。本年五月四日，林明富惟恐事發，乃邀約其兄鍾惠夫、鍾顯夫（豐田國校教員），及我本人，坦承回扣四二、〇〇〇元，除其中一三、五〇〇元已朋分化用外，餘二八、五〇〇元均已交由鍾惠夫、鍾顯夫兩人點收。並聲稱：如此事公開將對我（鍾善夫）不利。是時我一籌莫展，遂再央求地方人士出面追回補償，結果不但未獲分文，且反被驅逐出家門。我因當地無處伸冤，始向監察院提出請願書，要求主持公道，並將不法之徒法辦。

據有關方面證實：當該案在鍾善夫初初向有關機關提出舉發時，不僅鄉長鍾定邦等意圖如該案一旦揭發，即由林明富承辦人一人承担刑責，甚至有些上級機關，亦竭盡袒護之能事；幸中央對此頗為重視，令飭移送法院澈查偵辦，始得有今日該鄉長等鉅額交保候傳的曙光初露。

革新司法是時候了

本報記者劍聲

（一）

今年九月九日律師節，台北律師公會出版的律師通訊，有一篇社論，題目：「自律自清，寄望當道」。這篇批評司法官的文章，頗有火藥氣味。從該文中可以看出現在的司法人員的品德，操守，更可以瞭解司法風氣之所以敗壞的原因。當然，革新司法也是時候了。

該文開宗明義的指出：目前司法界的「好人」是否眞已團結合作？實在令人大感懷疑。甚至道高一尺，魔高一丈，一種劣幣驅逐良幣的現象，依然愈演愈烈，有增無已。」接着，即自我檢討一番：「目前司法界既然缺乏一種強烈的『責任心』與『正義感』，我們要想為人伙義執言主持公道，當然是與虎謀皮格格不入。但我們也不能明於責人，而昧於責己，當此舉世滔滔，物慾橫流之際，我們自己是否都具有獨擇正義感的德性與智能呢？論修養談品德，是不是都命呢？誠如一個地方法院首長在律師界的餐會上所言：每一個行業都可能有少數的不良份子存在，要維護大家的信譽，只有以集體的力量來約束這少數的不良份子。」為此，台北律師公會於最近向全國律師聯合公會提出：擬訂律師倫理守則，以資共同遵守的建議案，旨在「為少數不良份子打一針『防腐劑』」！

該文認為法官玩法弄權，誰也沒可奈何。況任何良法美制，往往抵不過狡黠之徒的「脫法」和「玩法」勾當。任何卓越的指導和監督，也都管不了廣大部屬的為非作歹。何況司法風紀的敗壞，由來久矣，積重難返；而當前的「考核」制度，又是遺棲徒具「公式」，虛有其表，更何望其提供正確資料作為懲獎或賞罰的依據？以致好官我自為之，一切貪婪枉法之輩，依然高踞名位，遊跡於士林之間。尤以司法官原有「終其任」的保障，苟非瀆職有據，（或者任內病死）豈能動他一根毫毛？此所以「貪墨」日增，而司法弄權之手法亦愈高明也矣？奈何，奈何。

今天的司法風氣，如想改善，必須「擒賊先擒王，打蛇先打頭」。像司法部長鄭彥棻所行的「互調」與「輪調」制度，已不足以整飭司法風氣；而殺鷄嚇猴子的辦法更不能奏效。該文很含蓄地指出：「為今之計，似乎百尺竿頭，要進一步採取更有效的措施？」該文未指明但司法界人士却私下議論，多認為：「如欲澈底改革司法，必須令政黨退出司法，而法官也絕對不得參加政黨活動」。

所謂「賊王」，究指何而言？該文直率地指出：「目前法院存有兩種可慮的人物：一是老的幾大『金剛』，（記者按：過去有四大金剛，現在有一位金剛因彈劾而暫停職中，只剩下三大金剛）他們對於巨惡大惡敢於宣判無罪；對於罪證不足的販夫走卒，却常治之以刑。大多數在一審法院「土產包公」（按：[illegible]）他們氣燄高漲，社會關係也很「廣泛」，因而予取予求，庇縱失常，辦案時有偏差。」

（二）

十月三日，全國律師聯合會在台北華僑之家舉行理監事會議，通過一項提案，案由是「如何促使司法人員尊重律師地位，以保障人權而宏法治。」該案是由國大代表瞿宗濤、立法委員陳顧遠等十九人聯名提出的。

話說律師與司法人員原本一家人，為何會如此呢？說來話長，現在只好長話短說。就近因而言，台北地檢處將律師林頌和以教唆[illegible]罪依陸海空軍刑法提起公訴於前，九月底，嘉義地檢處又把劉堂坤辯護人張廷柱律師依偽造文書提起公訴於後，而引起律師界共憤，所以全聯會為此乃推九位理監事進行調查，並推立委陳顧遠常務理事為召集人。這從該提案理由觀之，即可瞭然矣。

其理由：「本會宗旨以促進司法及法律制度之革新與增高律師之地位為重心。（聯合會章程第三條）近年來，司法制度日見進步，[illegible]近者有如嘉義地檢處偵查張廷柱律師案之偏差，可謂有目共睹。該案刻在審判階段，未便多所辭費，但如何促使司法人員尊重律師地位，以保障人權而宏法治，本會同仁責無旁貸。」（上）

瀛海異趣談

無手無足的女畫家

·桑雅·

一七八四年間，一個女孩在英國森瑪錫的一條鄉村呱呱墜地，但生下來便是一個悲劇，她是無手無足的，叫做莎拉．畢芬。在她家裏，一塊銅章，上面刻着：「莎拉是亨利畢芬的女兒，洗禮于一七八四年十月三十一日。」這是一個非凡的女孩子，她的故事，使知道她的任何人都驚歎與敬佩。

她的父親是農場工人，而她生下來已成殘廢了，換上另一些人，已無生存的樂趣了。但莎拉有堅強意志，她不向現實屈服，她訓練自己用口部寫字。後來，她還能繪畫。由于表現太好了，感動了一位名叫刁克斯的先生，他竟然肯付出一筆代價，要求莎拉的父母將莎拉送給他撫養。

以後的日子中，她的才華越來越顯露。她曾經好幾次在遊樂場中表演過，使觀衆口呆目瞪。由于此種公開表演，她的入息可以維持自己的生計。她的表演太神乎其技，人們十分樂意付六便士入場觀看。

她的攤位貼上一張這樣的告示——「各位貴賓留意：畢芬小姐在本攤位表演驚人絕技。她出生時便沒有四肢，今年她芳齡廿五，樣子可人，身高僅三十七吋。她是一個曠世奇才，對于藝術尤爲酷愛。她能夠巧于運用針、剪、筆等東西。她對于縫衣，十分熟練；寫出來的字跡，清麗脫俗；風景畫及肖像，件件皆能。這一切一切，她憑那張咀巴便可應付自如。各位可能不相信世上有這樣事情，入場費只六便士，如有任何觀衆發覺是騙局，我們願意賠償一千鎊。此外，莎拉小姐絕技中之絕技是——在象牙上繪精巧人像。諸君如欲欣賞，每次收費三鎊。」

當時不少人光顧，叫她替自己繪畫，生意總不錯，但莎拉的薪金照舊。幸虧男爵察頓出現，把她救出生天，他原來也是觀衆之一。他認爲她實確是具有天才，乃決心提拔她。

在一個適當的機會裏，他拿莎拉的作品給英皇佐治三世欣賞。佐治三世本人對于藝術一直十分愛好，當知道那些作品是一個無手無足的女子所繪，乃引起無限的興趣。他立郎下令把莎拉召入宮，叫一名宮廷畫家基格教授她，希望她百尺竿頭，更進一步。

果然，她不負君王所望，她的藝術進步神速。這個時候，她與刁克斯的關係已斷，乃正式成爲畫家了。當時，她的風頭甚勁，支持及資助她的人盡是皇室人士，包括維多利亞皇后。于一八二一年，她還榮獲「藝術協會」的金章。

一八二四年間，莎拉與華特結婚，婚後的生活如何，甚少紀載，不過，結果不十分美滿，因爲華特終于離開她。他騙走她不少財物，但她毫無怨言，從不在人們面前說他的壞話。

她便是一個如此仁慈與溫柔的女性。」一個老婦曾與她同居，她回憶說：莎拉那雙藍眼睛太美了。她從不發脾氣的。她的聲調像一個可愛的小女孩哩。」

由于年紀越來越大，她感到精力再也不能支持她創作下去，于一八四零年十月五日，她曾這麼寫給一位贊助人：「我的健康越來越不濟事，我恐怕再也不能咬筆繪畫了。我希望你能原諒我並繼續協助我。我非不爲也，實不能也……」

數年後，她搬往利物浦居住，隣人拉條同情她的遭遇，替她籌欵。這一個運動十分成功，捐助的人包括根德公爵夫人、劍橋公爵夫人等，此外還有不少社會名流。于是，晚年間，莎拉還能舒服地過活直至一八五〇年十月二日壽終正寢。

現在她部份的藝術作品，仍放在利物浦藝術圖書館內，供人參觀。在大部份英國人士的心目中，她代表了女性勇敢的一面。

三國演義縱橫譚

燕謀

中國人心目中的反派人物，羅貫中把曹操寫活了。曹操之奸詐、雄畧，固然有誇大之處，但大多數是有根據的，並非完全爲羅貫中捏造。三國史作者陳壽，撰史接近於當世，而且他的藍本就是「魏書」、「魏史」；魏書、魏史撰於當世，廻護、忌諱者太多，對於曹魏諸多史實，不敢直書，曲意廻護，故寫曹操之奸、多見於吳、蜀二志中，或其他傳，以及裴松之注疏引書中。以曹魏之廻護，而仍能見曹操之奸史，羅貫中之寫曹操爲「奸雄」並非過言。在魏武操之本紀中，亦可見到他的殘暴與奸雄的一面。小說之動人在於生動活潑，故事在於有趣；在穿插羅織中，雖免附會，否則生動就難以做到，引人入勝更談不上了。寫曹操之奸，正代表中國有史以來的反派人物，雖然是「身後是非誰管得」，但今天仍有人「爲魏武鳴冤」的。這可說是在爲古人担憂了！其實曹操之所以成爲奸雄人物的代表，也與中國民族精神有關。沒有奸就沒有忠，沒有忠就顯不出奸。一個人生前得意的，往往死後反而倒霉，生前倒霉的，死後却「走大運」。這郎是後人崇拜他的精神，而不是崇拜他官大。曹操生前是威風八面，挾天子以壓諸候，生殺黜陟之權，帝王無以尚之。『好話說盡，壞事做盡。』死後的曹孟德，却是中國人討厭的人物，這並非是偶然。

女人中的貂蟬、孫夫人，都是各具典型的人物。其餘如周瑜、魯肅、呂布等人物，都是各具典型的人物。其中當然以劉備、關羽、諸葛亮三人爲最成功；他三人整個代表了我中華民族理想中的帝王、軍人、宰相的風範，啓發了人類的向上心靈。由此觀之，羅貫中的思想還不夠高超嗎？小說家的目的，在創造人物，他的一切材料，一切佈局，都是爲這些人物而設，作者能夠恰到好處表現他所創作的人物，才能使那些人物在讀者的心靈上栩栩如生。羅貫中創造了這麼多的生動典型人物，表現了他的意識，而使讀者也得到與作者同樣的意識，那便是讀者所最歡迎的小說，也即是最成功的小說。這是爲什麼三國演義受人歡迎的第二點因素。

三、說話人——三國演義的播種者

其次還有一個因素，是現在的人難以注意及之的，就是三國演義未問世前，三國演義早已流傳在人間了。（十七）

郭嵩燾

李仲侯

那時全國都被所謂清流黨之氣燄所籠罩，每遇外交問題，動輒挾持尊王攘夷之說，鼓動多數無知無識的人，作爲後盾，和戰大計，常被這批人刧持；後來釀成義和團之亂，也是受了這批人的流毒感染。當時稍識外交敵情的李鴻章馬建忠等，都被京官斥爲漢奸，以深明世界潮流趨勢的郭嵩燾，自然更不能免。他曾在奏疏中慷慨陳詞：臣惟洋人之强，與其逼處中國，爲害之深，遠過於前代，而其借端凌藉，乘釁要求，中國之相處，其情事亦絕異於前代。處之得其法，其於各口稅務及學校教育，及練兵製器諸大端，洋人相與經營贊畫，未嘗稍有猜忌；處不得其法，則議論繁多，變故滋生，往往小事釀成大事，易事變成難事，以致貽累無窮。竊見辦理洋務卅年，中外諸臣，一襲南宋之議論，以和爲辱，以戰爲高，積成數百年習氣。其自北宋以前，上推至漢唐，綏邊應敵，深謀遠畧，載在史冊，未嘗省覽；洋人情勢，尤所茫然，無能推測其底蘊，而窺知其究竟。最後歸結於：「天下之大患在士大夫之無識」。他這樣大胆立論，坦率陳言，自然要引起一般人之反感，尤以當時朝中的一班頑固守舊份子，咸目他爲狂士，咸認爲他可殺。

後來因雲南殺馬加禮這一案，英國提出嚴重抗議，幾至決裂。老實說，當時談洋務，懂大體的，除了郭嵩燾外，再無第二人。他對此案，首建曲突徙薪之謀，朝廷既不採用，且引起士大夫無情的抨擊，與論一致指責；幸而光緒能乾綱獨斷，環顧左右，實無其人，不得不借重郭嵩燾以欽差大臣禮部左侍郎總理各國事務大臣的大頭銜，出使英國，緩和局勢。光緒並在派郭使英交涉書中寫明：郭嵩燾幹練忠誠，和平通達，辦理中外事務，甚爲熟悉。那時講談到洋務，眞是冒天下之大不韙，郭在給友人的信中說：曩在京師，吳江相國相戒不談洋務，而鄙人之談如故。至於謗讟刺譏，遍於士大夫，洶洶然不可嚮邇，鄙人之談如故。誠見洋禍已成，與中國交涉往來，亦遂爲一定之局，冀幸多得一人通曉洋務，即可少生一事端。他爲甚麼要談洋務，這已說得很明白。光緒平時看到他談洋務最起勁，始終不爲人所屈服，故遂給了他這門差使。

郭嵩燾準備去英國的時候，想求得隨員十多人，竟沒有一人肯同去，以爲去了就是當漢奸。當時李慈銘覆余樹銘的信，提到這件事就這樣說過：郭侍郎文章學問，世之鳳麟，此次出山，眞爲可惜。行百里者半九十，不能不爲之歎息也。當時王壬秋的紀事，更可反映出當時的輿論，他在湘綺樓日記中寫着（裴）樾岑繼至，言時事，多拂人意，余不欲聞。唯傳郭筠仙聯云：「出乎其類，拔乎其萃，不容於堯舜之世」；「未能事人，焉能事鬼，何必去父母之邦」。筠仙晚出，負此謗名，湖南人至恥與爲伍，余曰：「衆好衆惡，聖人不能違」。郭嵩燾使英，是中國駐外使節的開始，事屬創舉，當時的人，對遣使的意義和重要，都不明瞭，咸認爲：「我之使彼，形同寄生，情類質子，供其驅策，隨其嘸笑，徒重辱國而已。」其時郭嵩燾出使西洋，年將六十，祇有稍懂洋務的李鴻章，說過一句半信半疑的公道話；他在寄沈葆楨的信裏說：「筠老三萬里之行，似尚慷慨。」（三）

國民大會行使創制複決兩權答問

國大代表聯誼會

10 國民大會行使創制複決兩權，是否和立法院行使立法權發生衝突？

答：① 並不衝突，立法院行使的是立法權，國民大會行使的是創制複決權。立法權在訂立法律，創制複決權在改善法律。

② 中華民國憲法第二十五條「國民大會依本憲法之規定，代表全國國民行使政權。」政權即選舉、罷免、創制、複決等權。憲法第六十二條「立法院爲國家最高立法機關，由人民選舉之立法委員組織之，代表人民行使立法權。」

③ 創制權的行使，乃在防止立法權的怠忽。並非可以隨時任意創制法律，而是大家看到了一種很有利於人民的法律，立法院不肯去立，才能用創制權來創制；如果立法院已主動在訂立是項法律，那便不用創制權了。

④ 複決權的行使，在於防止立法權之專橫，如果大家看到一種舊法律，是很不利於人民的，才能行使複決權，並非對任何法律都去行使複決權。

所以國民大會行使創制複決權與立法院行使立法權並不衝突。

11 國民大會行使創制複決兩權，是否省縣應同時行使？

答：① 國民大會行使創制複決兩權，與省縣行使創制複決兩權，在理論上都是應該的；在憲法規定上則各不相涉；是否應同時行使，則並無連帶關係。

② 國民大會行使創制複決兩權，係依據中華民國憲法第二十七條之規定「由國民大會制定辦法並行使之。」並依據動員戡亂時期臨時條欵解除第二十七條對行使程序之限制而行使。

③ 省縣行使創制複決兩權，則應依據中華民國憲法第一百十二條、一百十四條、一百二十三條、一百三十六條之規定行使之。故國民大會行使創制複決兩權，與省縣是否應同時行使，並無關連。

12 創制複決兩權的行使，是否必須先由地方行使，而後中央才能行使？

答：① 中華民國憲法第二十七條後段「關於創制複決兩權，除前項第三四兩欵規定外，俟全國有半數之縣市曾經行使創制複決兩項政權時，由國民大會制定辦法並行使之。」

② 建國大綱第六條「建設之程序，分爲三期，一曰軍政時期，二曰訓政時期，三曰憲政時期。」第十四條「每縣地方自治政府成立以後，得選國民大會代表一員，以組織代表會，參預中央政事。」第十六條「凡一省全數之縣皆達完全自治者，則爲憲政開始時期，……」第二十三條「全國有過半數省份達至憲政開始時期，即全國之地方自治完全成立時期，則開國民大會，決定憲法而頒佈之。」以上均爲規定人民對政權行使之程序，確爲由下而上，由地方而中央。但此爲行使之程序，並非行使之原則。

③ 我國在對日抗戰勝利後，基於全國國民之需要，與世界潮流之形勢，未及完成訓政工作，又因共匪之叛亂，未及全國半數之縣市行使地方自治，即召開國民大會制定憲法並頒佈施行。足見祇有在全國國民需要情況之下，原則可以改變程序，程序並不能凍結原則。我國憲法之制定，國民大會之召開，臨時條欵之訂立，均爲顯明之實例。故國民大會行使創制複決兩權，自不受由地方而中央之限制。（四）

寄望復興聯友（續）

經過有時仔細思量，覺得復興劇校原定改隸國立實驗劇團，但是總統不以爲是，爲何不留民間機構，而從旁輔助，這與歐美國家相同的措施？國家亦何須費若干通貨，來辦劇團？若論勞軍，則各軍均有組織，不必重複。復興既是民營事業，在理應爲民間效勞。日前與振祖兄同車赴台北，經將此意反復商討，應該破除以往內行的陋見，從新的方向去走，才迎合潮流。

抑有言者，吳鳳雲主持聯友劇團，經正秋之相助，也製有嶄新的衣箱，祇須角色得有支配，便可登場。就是希望吳女士基於輔助的動機，每次取費以不超三千爲原則，庶幾聚友們可以常常玩玩。這復興與聯友如能樂從此見，在自身亦得有些微的收穫，於劇藝盡其最大的貢獻，也許今後的劇事，是另闢蹊徑，頓改舊觀。可以免去請他們協助演出，如選定角色，常有這位加三百，那位要四百，外帶零碎，辦一場戲，要用到一萬四五千，誰都玩不起，專在搭桌去動腦經，平劇如何的能興旺？而要求興旺，就要多演；如此情況，如何多演？因作寄望，盼復與與聯友，多加研究，而創出不可磨滅的事跡？

國劇繽紛續錄

娑婆生　（二十五）

勉程復慧

程復慧在藝術館演了一場奇冤報，博得台北各報的洋溢稱頌，此是錦上添花，必有的現象，也是歷來照例的文章，復慧勿以爲滿足。那是愛之適以害之，猶待努力不懈也。因爲獻廷講到，女生終久要回到家庭，走進廚房，所學的技藝，必定要擱起來的。不可不慮之。

幾位至友，同在奎元館吃麪時，談論到復慧的劇藝，多說不錯，但是有一點，還要增加功力。即以一段反二黃證之，似乎後來的衰氣，較開始唱時稍弱。這完全是功力不厚所致。因此到了天氣稍冷時候，必須要每日多喊，每週多吊，才可以養成應付裕如。假使不常喊吊，到了臨時登場，不免心情緊張，而有力不能從之概。一般伶票皆作如是觀。

其次，戲路要純，完全走余派路子，非余派所長的，絕對不唱，切勿旁騖。余派的戲並不少，但是部份有唱做並重的。當年的戲鳳，打魚殺家，何嘗不連唱十數場？即摘纓會，戰蒲關，也是獨到。要大的小的多抓在手。也不能專唱大戲。唱小的可以練嗓子。而唱戲必兼及於做。我看余叔岩的盜宗卷，狀元譜，皆遠非馬連良可及。爲此提示復慧加以注意。（未完）

魏德邁將軍軼聞

諸葛文侯

美國著名軍官魏德邁將軍於二次大戰中期，繼史廸威爾之後，奉命來華担任盟軍中國戰區統帥部參謀長，兼駐華美軍總司令，卓著勛績，爲統帥蔣委員長深加倚畀。大戰告結束，將軍歸國述職，旋於一九四七年（民國卅六年）啣命再度訪華，時值毛共釀亂孔亟，吾國朝野人士緬懷將軍熱愛中國之舊誼，於竭誠歡迎之餘，齊興「公胡不胄」之感。洎是將軍息影林泉，不復出國，間常對中國問題發表精闢見解，爲世所重。本年雙十節前夕，將軍伉儷惠然東來，重訪中華民國所在地之台灣，與吾人濶別十有八年矣，時易勢異，而將軍之丰采猶昔，情誼更稠，不愧爲吾國之患難朋友也矣。

將軍青年時留學德國肄習軍旅之事，成績優異，以第一名畢所業，延譽國際間，德人認爲得未曾有，即此可知其一生在軍事上之成就，夐非偶然；而其命名「魏德邁」之接近德意志人士習慣，殆與學業相彪美也。

在二次大戰期間，美國高級軍官于役中國者，如史廸威爾以偏激傲岸敗事，馬歇爾以剛愎矜夸辱命；唯有魏德邁將軍本其備將之素養，肆應得宜，建樹滋多，使吾國人士長留去後思。此非阿好溢美之言，有事實足資印證也。當年美軍駐中國戰區部隊日常生活耗費之資，依約一例使用中國法幣，而由我方墊付之。迨日本宣告投降後，綜計墊付美軍所用法幣數額爲八十億元，應由美方撥還，然美金與法幣比率須雙方協商決定，將軍慨然謂：蘇俄在戰時接受美國數十億美元援助，然對美國之合作精神，不及中國遠甚。中美道義之交，此戔戔者，焉用計較比率高低爲哉？即以法幣廿元折合美金一元，由駐華美軍總部付還四億美元歸墊焉。蓋將軍深悉我國經過八年抗戰，民力凋敝，度支維艱，乃就其職權範圍，對我聊表資助之意耳。

大戰停止伊始，將軍盱衡國際未來局勢，曾建議先由美軍接收我東三省地區暨旅順、大連港口，俟議和後再交我政府接管，藉以杜塞蘇俄覬覦，消弭後患。然吾國朝野人士認爲八年抗戰，原以保全東三省領土爲基因，而今抗戰勝利，若不立即光復東北河山，將無詞以對全國民衆。即派員向將軍婉達斯意，將軍初聞之，頗感惶惑，於其公廨內徐徐踱步尋思有頃曰：「我知之矣。此係顧全國家面子問題，理有固然，余議可作罷論。唯鄙意仍認爲面子不能挽救國家災難，但願吾言係鰓鰓過慮之談，何幸如之。」將軍之深謀卓見，多類是。維時我國派遣入台灣接收之軍政大員陳儀，會傳令所領國軍，遇日軍向我致敬時，應予還禮，將軍聞訊詫然，指爲戰勝國對俘虜示以平等禮貌，有乖國際通例，期期以爲不可。凡此皆證明將軍對我國之摯愛眞誠，難能可貴。

將軍自一九四七年訪華歸國後，辭却公職，稍事休憩。繼於艾森豪、塔虎脫二人競選總統之役，曾與麥克阿瑟元帥協力支持塔氏，用意即在改變美國遠東政策，遏止共禍擴張，而以消除毛共爲主旨，塔氏競選既失敗，將軍乃實行解甲退役，躬耕隴畝。此次到達台北時，笑語新聞記者云：「我是農夫」，然中國人並不以農夫視之，其熱愛將軍之心情，固不減在大陸時期也。

寶蓮燈

「影劇與歷史」之十二

周遊

沉香離家之後，歷盡千辛萬苦，始得登華山，至廟中拜求母神，靈芝指點前往霹靂大仙處修煉。大仙收爲徒弟，命他去除凡念，再加水火煎熬，使之脫胎換骨，點化成仙。然後疾奔山門，力戰山神，趕至石洞地牢，探視乃母，母子相會，痛思念之苦，血淚交流。但爲巨石所阻，相見而不能相援。無法脫身，沉香乃向二郎神哀求，二郎鐵面無私情，更命哮天犬相逐。沉香不得已，使出渾身本領，奮勇搏鬥，但以寡不敵衆，幾乎被執。幸而霹靂大仙趕到，將寶蓮燈奪回，頓時異光四射，沉香反敗爲勝，猛揮神斧，孝感動天，萬丈高山，竟被斧砍崩裂，山裂母終獲自由。沉香至是道行已成，乃隨母往靈芝同駕祥雲昇天而去。俯視人間，則秋兒已冤情大白，回家與彥昌桂英團聚，天倫之樂融融洩洩。天上人間，各得其所。此一美艷故事「寶蓮燈」，則永爲世人所傳誦。

二、沉香與二郎神

「寶蓮燈」故事，雖屬神話，但其淵源所本，是有其所自來的。在平劇、川劇以及各地方戲劇都有演出；更有小說流傳民間。雖然是神話，但是也是來自人世間的。

中國人的「神」與西方人的「神」，是不可同日而語的。中國人的神是從人間而來，是與人同在，神亦在人間世界。西方人的「神」是在天國，是從天上而來，神不在人間世界。中國人的神，是人人可得而爲之，「人皆可以爲堯舜」，「人皆可以爲聖賢」，古之聖賢人物即今之神人，舉凡有功德於人群社會國家者，皆可成神；殺身成仁，捨身取義者，亦可成神；有特殊本領，爲人民服務者，稱之爲「神人」。所以中國人的「神」，是平易近人，人人皆可得而爲之。西方人的神，是人人不可得而爲之，是超越一切，高不可攀，神聖不可侵犯者。所以同爲「神」，中西是不可相提並論的。

中國人的神是從人間而來之證據，我們可以在中國民俗文學中、神話故事小說中找到許多的證據。「寶蓮燈」，即是一部神話影片，也是一齣雜劇，在中國各地流傳甚廣，同時在小說上——封神、西遊記，都可找到綫索。「寶蓮燈」演沉香劈山救母故事，即是由封神西遊記上所提到的楊戩故事所脫胎換骨而來。如西遊記第六回，觀音說：乃陛下令甥顯聖二郎眞君，現居灌州灌江口，享受下方香火。他昔日曾力誅六怪，又有梅山兄弟。」着他戰齊天大聖孫悟空。二郎「駕鷹牽犬」而來，孫悟空見了二郎說：我記得當年玉帝妹子思凡下界，配合楊君生男子，曾斧劈桃山的，是你麽？」在這一回中，說明了「寶蓮燈」故事的大輪廓。祇不過將楊戩改名爲沉香，楊君改爲劉彥昌。玉帝妹子改爲山聖母而已。（二）

田園詩人陶淵明

漁翁

再沿山上去，有巨石斜臥於谷間，高約丈餘，成不規則之四方形。廬山記：「陶淵明常所居之栗里，有大石，淵明常醉眠其上，名曰醉石。」又史載：「陶淵明棄官歸，時往來廬山中，醉輒臥石上」，亦指此處。

在醉石上面，鐫：「歸去來館」四字。石旁溪水潺潺，名「醉石澗」，附近有「五柳館」，相傳「五柳先生傳」，即在此地寫成。今雖爲茂草，而這一百二十五言短篇文字，猶膾炙於人口。

淵明生於社會動盪，政治黑暗，思想紊亂的時代，不是我先不是我後，恰逢其亂。因此，便夢想一幽靜處以避塵世，而有「桃花源記」之作。桃花源，在湖南省武陵郡，即今常德桃源縣，距城東南三十里許，因地多桃樹而得名。夾岸桃花，中有一溪，溪水盡頭有一洞，豁然開朗，別有天地。所云：「其中往來種作，男女衣著，悉如外人，黃髮垂髫，並怡然自樂。」又曰：「先世避秦時亂，率妻子邑人，來此絕境，不復出焉」。蓋淵明在擾攘時代，作非非想，欲獲得如此仙境，以樂自在；後人遂稱可以避亂之地，曰「世外桃源」。

所遺下的作品，以「桃花源記」，「歸去來辭」，和「五柳先生傳」，爲後人所樂誦，五柳先生傳，用他人口吻，寫自家心情，不亢不卑，實際上爲自己作傳。引黔婁言：「不戚戚於貧賤，不汲汲於富貴」，謂爲無懷葛天之民，誰曰不宜。

所寫詩歌，多屬五言，句句不離田園。歸田詩，有曰：「開荒南野際，守拙歸田園；方宅十餘畝，草屋八九間。」又云：「種豆南山下，草盛豆苗稀；侵晨理荒穢，帶月荷鋤歸。」在庚戌歲九月中於西田穫早稻一首，描寫田家之苦，但不因苦而有所感歎，仍陶然而自得，詩曰：

人生歸有道，衣食固其端。孰是都不營，而以求自安！開春理常業，歲功聊可觀。晨出肆微勤，日入負耒還。山中饒霜露，風氣亦先寒。田家豈不苦？弗獲辭此難。四體誠乃疲，庶無異患干。盥濯息簷下，斗酒散襟顏。遙遙沮溺心，千載乃相關。但願長如此，躬耕非所歎！

（中）

寮國風情誌

滙希

琅勃拉邦是在一個長滿竹子、檳榔和芭蕉樹的山谷之間，皇宮、住宅、商店、花園等建築在湄公河岸上，又有很多佛塔。地方寧靜，氣候涼爽，是一塊避暑勝地。

有一座陡峭的山，山巔建有佛塔，叫做保施。佛塔高聳天空，下面則有很多花[illegible]綠互相輝映，遠望好像一隻美麗的巨指直豎天空，爲寮國名勝之一。山中的居民[illegible]女人們的編織功夫，和男人們的鑄造雕刻藝術都很精美。

琅勃拉邦的皇宮、大殿等，都是寮國古代高度文化的遺跡。有一尊二呎高的金佛，叫做聖勃拉邦，是該國最珍貴之寶，亦即是琅勃拉邦命名的由來。琅是黃的思意，這尊金佛大約鑄造於十三世紀；在古代寮人與秦人戰爭中曾數次被掠去，亦曾沉沒在河裏，很久才被撈起，面部上的黃金已有些剝蝕而使眉眼口鼻不十分伶俐了。

在琅勃拉邦以北的北湖地方，正當湄公河與南烏河的匯合處，有一個大巖穴被利用作爲佛龕，在石灰巖上安置許多佛像，每逢新年（陽曆四月十三日），寮國王親自到那裏用聖水爲佛祖洗禮。那天又是潑水節，除了和尚以外，任何人都可以被潑水，不過潑水的人，總是爲找尋異性作目標的。寮國是產象的國家，在琅勃拉邦佛廟裏及皇宮的象，平時是被遣到森林裏去，任其自由覓食，等到每年新年及其他隆重節日，才到森林再回來，參加慶祝。

南烏河，產魚最多，垂釣也很容易，祇用香蕉、橙或檸檬作餌，便有很多魚來爭吃，是一塊釣魚的好處去。（完）

自由報

THE FREE NEWS

第二九五期

中華民國僑務委員會登記證
台灣新聞紙登記證
中華郵政台字第一一八三號執照登記爲第一類新聞紙類
（半週刊星期三、六出版）

每份港幣壹角
台灣零售價新台幣貳元

社長：雷嘯岑
督印人：黃行審

社址：香港銅鑼灣高士威道二十號四樓
20, CAUSEWAY RD 3RD FL. HONG KONG
TEL. 771726　電報掛號：7191

承印者：大同印務公司
地址：香港北角和富道九號

台灣分社
台北市西寧南路七十號二樓
電話：三〇三六四
台郵撥儲金戶九二二

我們的目標與途徑

—第十三屆華僑節獻詞—

馬樹禮

處於現代這個世界環境當中，國際間的接觸頻繁，關係錯綜複雜，一個國家的强弱盛衰，尤直接影響到國民的利害禍福。這種感觸，對于棲身異地的僑胞，更屬顯著。

我們中國旅居海外的僑胞，人數之衆多，冠於並世各國。由於我們國家積弱已久，這衆多僑胞寄人籬下，其鬱抑之情特甚。因此大家對于祖國的復興昌盛，具有最殷切的期望。愛國行動至爲熾烈。在我國近代歷史中，華僑爲勸助祖國革命建設的事實，偉績豐功，可歌可泣，使人感動不已。

當毛匪竊據大陸之初，國人鑒於其過去叛國禍國殃民的行爲，固多厭惡，但也還有些人對其存有一些幻想，以爲其攫得政權之後，或能「逆取順守」而「與民更始」。誰知毛共始則悍然宣稱向蘇俄「一面倒」，繼而暴政橫施，把整個大陸弄成人間地獄，置數億同胞於水深火熱之中。且更黷武窮兵，對外滲透擴張，始終與民主自由世界爲敵，乃使海內外同胞莫不深切認識，毛共實爲一貫不變的禍國殃民暴徒集團。非徹底將其打垮消滅，則中國永無復興之期。

毛共在大陸十六年來的血腥統治，於民窮財盡之餘，尤復以榨取人民所得的脂膏，投入原子爐，作尖端武器之發展。其主要陰謀，無非妄圖藉此作爲對自由世界政治敲詐勒索的本錢。一般淺見之徒，以爲毛共舉行了兩次原子試爆便是「强大」的徵象。毛共本身亦即利用這點，居然擺出一副「强者」的面孔，狂妄自得。最近匪酋陳毅、劉少奇等，竟肆無忌憚地大放厥詞，說要歡迎美國以及英國、日本、印度、蘇俄一齊前來進攻，說要把他們完全殺光。可謂狂悖絕倫。

毛幫之口出狂妄大言，他們自己何嘗不明白，就武備力量比較，絕對及不上人家，不堪一擊。因此又常常强調大陸人口衆多，拿六億人民作爲其戰爭押注的本錢。其實這些話只能哄騙一下西方少許淺薄無知之輩。我們中國人最清楚，毛共施行其騎在人民頭上的暴力統治之結果，大陸六億人民，不但不是毛共的羣衆，而且是毛共生死對頭的敵人，大家都恨不得食其肉、寢其皮！只要一旦我們國軍登陸反攻，大陸六億同胞，都必揭竿而起，爭爲反共革命作戰的前鋒了。

毛幫之所以不自量力，而公然向美英諸國挑戰，大抵不外下面兩點用心：一方面針對西方國家中一般畏戰者的心理，以戰爭作恐嚇，希冀由這些畏戰者，迫使其政府改變反共政策。另一方面，則想藉此抬高自己的聲勢威望，以緩和壓低大陸同胞的反共情緒，且欲博取海外僑胞的向心。假如毛共此計得逞，未嘗不可苟延其殘喘的。然而實際上，毛共這種耍把戲手段，在過去也許還能嚇唬詐騙一下，現在大家對毛共的底牌已洞若觀火，却不易發生作用了。

不要說毛共並未眞的强大起來，即使它果然强大了，也絕對無補於國計民生，並非國民之福。一個共產主義國家的本質，是以征服世界奴役人類爲目的。其武力不斷擴張，則對人民的榨取愈甚，人民愈感痛苦。蘇俄便是最好的例子。蘇俄經過四十多年的共產極權統治，不惜强迫人民縮食節衣，而從事發展武備。連人造衛星都搶在美國之先發射，都不算不强。但其國內人民生活却無法解決。時至今日，蘇俄卒不得不改弦易轍，要施行所謂「工商利潤制度」。換言之，就是共產制度經不起考驗，而終歸失敗，要轉回頭跟着自由經濟的道路走。

現在毛共常常大罵蘇俄爲「修正主義者」，而自命爲共產主義的「正統」。究其所謂「正統」，實即要堅持史達林獨裁極權的路綫，要繼續奴役榨取人民，不顧人民死活。毛共這樣一意孤行，即使它追上像蘇俄一樣强大，試問對國計民生有何裨益？毛共又常常呼籲海內外的中國同胞，要爲建設强大的「祖國」而貢獻。我們試想想，我們有什麼理由，去擁護這麼一個暴徒集團？我們甘願把它捧起來，讓它倒過來奴役壓榨我們，使我們生生世世做奴隸牛馬嗎？

誠然，那一個國民尤其是居留異國的僑胞，誰不願見有一個强大的祖國？但是大家所需要的，決不是共產極權統治下的奴役制度國家，而是民主自由民生樂利的國度。現在我們的祖國大陸給毛幫共黨蟠踞着，這是我們要建立一個民主自由民生樂利的祖國之唯一障碍，我們必得打倒消滅了毛共，除去這個障碍，然後才能達到目標。而打倒毛共，則唯有我們中華民國國軍的反攻大陸，才是最直捷了當的途徑。我們絕不可能希望毛共自行改變。過去若干西方人士勸我們忍耐等待，意謂訴諸戰爭解決，不如設法導使共黨自動轉變。試看今日毛共大罵蘇俄「修正主義」的頑蠻態度，這些西方人士，當爲有幻滅悲哀之感。

反攻大陸，光復河山，我們具有勝利成功的絕對把握，只要我們海內外同胞堅强團結，一致在我們中華民國政府蔣總統的英明領導之下，反攻號角一响，大陸數億同胞都是站在我們反共陣綫這一邊的，一小撮毛共暴徒豈能抵禦？犂庭掃穴，痛飲黃龍，當可拭目以待，決非虛語。

我們海外僑胞對祖國歷次革命大業，都曾盡了最大的貢獻。年來爲反共復國而作艱苦奮鬥，績效昭然，尤足感佩。現在我們反攻的機運，已經日益迫近，更値一年一度華僑佳節的來臨，謹就當前的情勢，作一概畧分析，指出我們的目標與途徑，以與我海內外同胞共勉互勵，努力邁進。

中華民國五十四年十月十二日

再來一把

驚術

今日與明日

局勢漸明朗

世界局勢到了目前，確已到了水落石出之境。首先是毛共成了公認的大敵。自從毛僞政權建立以來，西方國家有關應付俄毛的問題就分成兩派，以美國政府爲首的一派，主張拉俄制毛，他們的理由在於，蘇俄是西方國家，蘇俄人民也是白種人，蘇俄的經濟情況雖然不佳，也到了勉强可以自立之境，不必再向外侵畧以求生存，因此同蘇俄和平共處是可能的。另一派以法國戴高樂爲首的，認爲西方國家最後的大敵是蘇俄而非毛共，抑制蘇俄之道，只有扶植毛共，毛共愈强大，蘇俄愈不能安枕，對西方的威脅自然就要減少。這兩派也經過一番爭論，未能達成協議，最後只有各行其是，法國之承認毛僞政權，種因在此。但是自從毛共試爆原子裝置之後，「扶毛」一派已經開始動搖，到了最近陳毅在北平對着三百多名記者大放厥辭，要同美英俄印作戰的談話發表之後，毛共成爲舉世之敵的正身已是驗明了，熱心扶毛者一定要自動縮手，改變舊有觀念。

美俄合作

其實蘇俄之不願毛共强大，並非始於「赫修」，即使毛共的爺爺史達林也是如此，其態度比「赫修」還要積極。如史魔命令毛軍入韓，即爲削弱毛共的毒計之一。不過史魔之有心打擊毛共，到是「單幹戶」，並未同西方國家有任何默契，則是事實。到了「赫修」當政，確實同美國取得了諒解，於是美俄聯合制毛的形式逐漸形成。到了最近印巴事件發生後，美俄兩國不但立場一致，而且各自運用壓力迫使印巴停火，毛共雖然用盡方法去挑撥，並無效力。美俄既然對印巴問題可以一致，對毛共問題又何嘗不可一致，有人估計一九七〇年將是美俄軍與毛共作戰之年，雖事涉玄想，但是也難說得很。

清水不能摸魚

二次大戰後世界一大不幸是尼赫魯當了印度首相，由他一手掀起來的混水摸魚的中立主義，爲害世界約達十五年以上。中立主義所以盛行，是因爲美俄兩大對立，相持不下，即使一個最輕的法碼，如柬埔寨的施哈諾，也能在國際間招搖撞騙。但是最近局勢逐漸澄清，美俄敵對成份減少，投機政客混水摸魚的機會也就越來越少。尼赫魯焚骨揚灰之後，蘇加諾又差點毀掉，剩下「一一草擎天」的只有施哈諾了。施哈諾最近訪問了毛共同北韓之後，預備去蘇俄及東歐訪問，却被蘇俄擋了駕，理由是無暇接待。這是國際上空前的事，怪不得施哈諾在緬甸大罵蘇俄有意侮辱了。其實小抖亂如不自覺悟，妄以爲是世界要人，今後被侮辱之事正多哩！何如

日由談

蔣廷黻逝矣！

前任我國出席聯合國首席代表、駐美大使蔣廷黻先生去世了！人莫不有一死，蔣氏以七十高齡，溘然病逝，在他個人除却抱有「但悲不見九州同」的憂國心情外，諒無其他的遺恨，而他的事功彰彰在人耳目，永垂不朽也。

我最敬佩蔣氏的地方，不是他在國內官高爵顯那類事情，而是他在國運阽危之際，表現着那股孤臣孽子的忠貞氣質，足以垂範羣倫——一挽然一些五色瓶子式的所謂高級智識份子。

當一九四九年大陸淪陷後，美國既已發表對華外交白皮書，聲明「一筆勾消援蔣政策」，英國搶先承認毛非政權，以印度爲首的若干非共國家，亦對中華民國表示落井下石或避之若浼的勢利態度。每屆聯大會議時，蘇俄夥同東歐各附庸國家的出席代表，洶洶然否認中華民國的代表權，要求由北平僞政權取而代之，而以南斯拉夫代表一馬當先，表演得特別起勁，美英法各國代表則隔岸旁觀，不發一言。蔣氏處在這種孤危的逆境中，毫不氣餒地據理抗辯，表現着「不信邪」的無畏精神，他在大會席上曾經指着南斯拉夫代表說道：「如果今天排除了我，明天就要輪到你了」，因當時南斯拉夫被史達林托罵爲「帝國主義工具」，諡狄托爲「帝國情報局」，蔣氏此言，使那位小丑式的南國代表啞然若喪，尤屬理直氣壯之詞，難能可貴。

我當時看到這項新聞記載，再反觀某些在香港作政治難民的高等華人那副逢人就誹罵國民黨及其領導人的善變嘴臉——這些人物到了台灣後，又以雙料反共烈士的姿態，招搖撞騙，且說別人不忠貞了——對於蔣氏乃由衷地表示崇敬，永矢弗諼。眞正的忠貞節操，要在危難之秋經得起考驗，纔是實在的，如蔣氏者，當今之世究有若干人値得稱述呢？歲寒然後知松柏之後凋，講究忠貞之義，若不於平時仔細觀察其言行，分析其生活史迹，而僅以表面情形爲衡量的尺度，結果是好龍而眞龍不至，好鶴而鶴皆不舞，所得的盡是些五色瓶子式的角色而已。

蔣廷黻値得人們稱讚的地方，卽是他忠貞不渝、臨難毋苟的愛國精神，「子產而死，誰其嗣之」，至少我個人有此感想也。

馬五先生

台灣公營企業的煩惱
三大紡織公司難於維持
政府決定年底以前出售

（本報台北通信）中華民國政府在台灣除實行土地改革外，對於工商企業的經濟建設問題，亦由舊時的統制政策改向自由經營之路，把若干公營企業如台灣水泥公司等，轉售給民營了，而其成效亦頗佳。現在又決定在本年底以內，將公營的三大紡織公司出售，這三大公司就是「中紡」「雍興」「台北」是也。這三家公營紡織業，連年來受着其他民營同業的競爭影響，以及公營事業內在的束縛關係，如法令限制，手續繁重，營運呆板等先天弱點，每年皆在虧本的狀態中，日積月累，將有不可收拾之勢。

中紡公司登記資本總額為新台幣三千二百萬元，擁有紗錠一萬二千錠，布機三百四十台；雇用職員六十七名，工人八百〇二名，每月生產折合二十支棉紗，約計六百七十件左右，折合十二磅細布約為一萬五千餘疋。截至本年八月底止，對外負債計為新台幣七千六百餘萬元，應收賬款為二千一百萬元（內有一千八百萬元已成呆帳）；存儲紗布約值二千三百萬元，存棉二千餘包連同所存器材，約值二千萬元。收支兩抵，尚不敷三千萬元左右，恰好與原來登記的資本總額相等，再不出售而遷延下去的話，即非破產不可了！該公司目下所定出售價格，估計為新台幣六千伍百萬元。

雍興公司的資本總額為新台幣八百八十七萬元。擁有紗錠二萬三千錠，布機四百四十台；雇用職員六十七名，工人一千名。每月生產紗布總量約為二萬疋上下。截至本年八月底止，對外負債計為新台幣九千萬元左右，又美金三十萬元；現存紗布約值三千萬元，所存原棉係由中國銀行墊款購買，不在上述借償之內。應收賬款有三百萬元之譜。收支兩抵，相差甚鉅。該公司售價估計為新台幣一億零三百萬元，蓋其器材如紗錠等，曾經更新，比較是現代化的。

台北公司資本總額為新台幣一千六百萬元。擁有紗錠一萬三千二百錠，布機二百四十台。現用職員八十八名，工人八百八十五名；每月生產紗布為一萬疋之譜。截至本年八月底止，負債為六千八百萬元上下，另有保稅二千五百萬元。應收賬項中，據說無法收回之數頗大，如本年「合元染織廠」即倒了該公司的貸款幾百萬元，正在依法追訴中。至於現存紗布與原棉若干不詳。該公司售價暫估為新台幣五千三百七十萬元。

綜觀這三大紡織公司的營運狀況，只有雍興公司是從今年上季起，纔宣告虧本的，「中紡」與「台北」早在幾年前就開始虧蝕了。按照行政院規定三公司實際售價時不得低於原有估價百分之五十的標準辦理，即令有人成交，而經濟部尚須拿出鉅額公帑來善後，否則沒法結束；若索價太高，商民將本求利，盤算甚精，又很少願意承買的；如果讓它維持月月虧蝕的殘局，則越陷越深，如何得了呢？現代紡織機器日新月異，且價廉而物美，又可以分期付款，私人若以新台幣五千萬元，即可創辦一所擁有一萬個紗錠，三百台織布機，廠房倉庫全新的小規模紡織企業機構，人工既省，出品又精良，原有這些公營紡織業，無論如何亦沒法與之競爭的。所以，政府決定及早出售，允屬明智之舉，問題在怎樣脫手而已。

社會一般人士的看法，認為與民營似乎困難諸多，若由退除役官兵就業輔導委員會予以接收管理，則不但沒有售價多寡的困擾問題，且可以從事大刀闊斧的整理改進。至於三公司每月生產的布疋，除卻外銷大部分，即可供應國軍需要，自不愁有存貨滯銷之日，可謂一舉而數善備。如此辦法，祗須行政院決定方案，送交立法機關核議通過後，一道命令就把難題解決了。（十月十二日浩然寄自台北）

革新司法是時候了

本報記者劍聲

嘉義地檢處偵查律師張廷柱涉嫌偽造文書案，完全是意氣用事，絕對違法瀆職。查「偵查不公開」，乃刑事訴訟法第二二四條明文規定，此項規定的立法意旨，在限制檢察官濫用職權，否則，違者即構成瀆職罪刑。可是嘉義地檢處在偵查該案時，即公開向新聞記者宣佈該案內容（詳九月十五日台灣各報），此項行為顯然涉嫌省瀆職，否則刑法上的瀆職罪一章，應予廢止。

張廷柱其人，他在十四年前，即民國四十年便在嘉義地院登錄執行律師職務，五十三年十二月間，受任轟動國內外劉堂坤妨害風化案件辯護人，另外兩位辯護人為溫士源、戴桂生，他們在嘉義地院刑庭審理劉案時，在法庭上對嘉義地檢處之追訴內容及偵查措施不當之處，攻擊甚烈，此為正當之行為，也就是刑法第二十二條所規定：「業務上之正當行為不罰」，與「律師接受事件之委託後，應忠實搜求證據，探究案情」以及「不得有矇蔽或欺詐（法院或當事人）之行為」的規定相符。據傳說，在當時，嘉義地檢處曾擬將劉案辯護人張廷柱與戴桂生律師等二人，移付懲戒，後來因故而作罷。不料，劉案在台中高分院審理時，張廷柱律師在刑庭懷疑嘉義地檢處法醫王世宗學歷之情事，因而再度得罪該處，而法醫王世宗隨即向嘉義地檢處控告張廷柱律師有誹謗之罪嫌；正當該誹謗案尚在偵查中時，張廷柱律師偽造文書案首先見報，未及半月，張廷柱案被提起公訴了。

張廷柱偽造什麼文書？嘉義地檢處起訴書說他在卅九年至四十年間，偽造他人印章署押，進而偽造大夏大學畢業證書」，偽造「私立上海法商學院的講師聘書」，向考選部聲請律師檢覈，矇混獲准律師資格云云。

全國律師公會與張廷柱律師，以為該案由嘉義地檢處偵查，難免假藉國家權力挾嫌報復私仇。況張廷柱因病在台北治療，乃一面依法申請延期開庭，一面依法狀請移轉管轄，在高檢處下達移送案卷命令後，嘉義地檢處以迅雷不及掩耳之手段，提起公訴，所以引起全國律師公會理監事的重視與同情，而通過聶宗濤、陳顧遠等十九位理監事的提案，並成立九人小組進行調查，結果如何，容後繼續報道。可是律師與法官之間，已蒙上一層陰影，如果處理不善，很可能導致一場兩敗俱傷的悲劇。因為現在已經有人在追查卅年某司法部長從南京帶到台灣來的十五張空白的任命狀到那裏去了？以及若干法官的問題學經歷證件。同時，張廷柱律師偽造文書案，是否如嘉義地檢處所指那樣，尚須進一步調查；退一步而言，縱然如起訴書所指，但早已失去追訴時效了。因偽造文書罪為三年以下之有期徒刑，追訴時效為十年，超過十年，檢察官即無權追訴了。

（三）

談判了十多年之久的華美軍事地位協定，於今年八月卅一日，在台北由中美雙方簽定了，這個被立法委員經常質詢的懸案，總算告一段落。自從該協定簽訂後，首先提出意見的是法界人士。第十八屆律師節的那天，台北律師公會於是日舉行「司法實務座談」會，律師彭令占就該協定發表意見，並著文評述。文指出：在華美軍地位協定，比較令人注意而成為中美雙方談判的重點者，則在該協定第十四條有關在華美軍或文職單位人員或其家屬之犯罪管轄及追訴等問題。依照該協定規定，我國法院對在華美軍的犯罪行為，雖可部份追訴處罰，但其中所引起的問題甚多，而每一細節，在在都牽涉到我國法權的完整性，有的規定，不但對我建立司法威信係一大諷刺，且值得我國司法當局及國人之反省，對司法獨立審判遭受嚴重影響。

關於管轄權之「捨棄」問題：依照在華美軍地位協定第十四條所附同意紀錄，關於第三項丙欵規定：中國政府對依本條第三項乙欵為兩國均有管轄權之案件，而應由中國法院行使管轄權者，予以「捨棄」，由美國行使。惟在華美軍犯危害中華民國安全及致人於死、搶刧、强姦等案件，我國政府則可將上項捨棄「撤回」。換言之，我國法院對上項案件仍有管轄權。

該協定規定，關於我國法院管轄權的「捨棄」，牽涉到兩個很重要的問題：其一、依照該協定第十四條之規定，我國法院對於在華美軍犯罪，除被害人為美方者或犯罪行為係因執行公務所引起者外，皆有管轄權。惟依該條所附同意紀錄，我國法院竟連一般管轄權亦併捨棄之，僅上述妨害我國安全等少數犯罪為例外。此一規定，是否超出美軍協防之必要範圍，實在值得研究。其二、為管轄權捨棄之撤回須逐案為之，且其表示須有一定之期限，惟在案情未充分明瞭前，勢難表示將管轄權之捨棄撤回，若我國政府未在一定期限內表示將捨棄撤回，則我國法院對該一案件，即將喪失其管轄權。此一規定，對中美雙方之主客地位，似未能充份顯露，我國法院在這種情形之下，對司法威信從何建立？亦屬令人懷疑。（中）

留美學生來函談兩問題
一、邀請留美的教授回國講學問題
二、我出席聯合國代表團陣容問題

主筆先生：

我是從台灣來美國的留學生，我在美國已十年了，所以對美國及聯合國的情形相當清楚。我對下面的兩件事，想報導給公正的貴報做參考，至於是否值得貴報刊載，那要請貴主筆決定了。

（一）二次大戰後，美國因各種工業特殊發展，普遍需要科學人才，但美國自己人才缺乏，因此，我國留學生已獲有理工學位者，均在被著名大工廠搜羅之列。美國各大學因增設理工學院，以應社會之要求，亦向各方搜羅我國留學生中獲有理工學位者為教授。這是特殊現象，並不是因為被聘請的中國人，均如李政道楊振寧那樣的特出人才。我國政府每年化很多錢邀請這批人回去講學，其實這類教授，並不被美國學術界所重視，對國內貢獻，決不會多。

我敢大胆的說，我們國內有很多教授，是被美國學術界真正推重的。但是，目前美國不需要文法兩方面的人才，否則，他們會向我國的台灣大學、東吳大學、東海大學去聘請如沈剛伯曾約農薩孟武呂光顧敦鑄徐道隣等教授來此講學了。我要政府教育當局知道，這裏被美國學府所聘請的教授，並不很多是了不起的人才。至於以他們全是「學人」，邀請他們回國來談政治，或參加政治性質的會議，當然更滑天下之大稽了！

（二）聯合國的各國代表，據聯合國秘書處印的名單，幾乎每國的代表資歷，都是非但在外交界有深久經歷，亦很多是法律專家。我們政府往往覺得國際情勢對我們有利時，代表人選，就隨便選派，這是很大的錯誤。聽說有時為了節省旅費，就派離紐約較近國家的我國外交代表充任，更是大錯特錯。國際情勢隨時可變化，我們要時時警惕，選派的代表，一定要第一流的人才，至少代表中要有一位是國際著名之法學專家。我們派在那些較小國家的外交代表，往往是三流的人才，即能勝任這重大的使命。此地史丹佛大學名教授柯爾博士會經說過這句話：『担任各國駐聯合國的代表，最理想的，是一位（一）仁慈的先生；（二）又是一位法律知識豐富的政治家；（三）也是一位有堅忍力的外交家。』三者中，第二欵最屬重要。

我們今年的聯合國代表團人選，是否第一流？是否理想？要請政府外交當局，憑良心講句真話給人民聽。如不是理想陣容，應請政府及時改派代表，並且要每年都派第一流的人才去充任。

此請
撰安

嘉劍敬上　十月十日國慶日

說的不做．做的不是說的
台北民選市長高玉樹上台迄今做了些什麼

本報記者台北航訊

他抗議的理由是自台北市議會成立以來，市長施政總質詢的日程都是三天，另外三天是各單位質詢，何以這次特別？於是張議長只好接受他的抗議，把總質詢六天裁決為四天。不但如此，張議長還私自向若干大炮議員代他疏通說情。同時，過去在總質詢前，國民黨籍議員都有集會，交換有關質詢的意見，然而這次國民黨籍議員在總質詢前卻沒有集會。

因此，若干市議員們對張祥傳頗表不滿，多數指其「護航」。所謂由宋霖康等連署罷免張祥傳議長職務之說，這完全是一石兩鳥的政治攻勢，說穿了一文不值。那就是儘管罷免案未提出，但卻達到使張議長難堪而失去聲望的目的。在國民黨人看來，罷免案是由高玉樹結拜兄弟宋霖康所發動，足以說明高與張之間，並無合作之事，否則，宋不會發動罷免案的。若作如是觀，則就中了「金蟬脫殼」之計。

其次，高玉樹對市議員們則採取重點個別擊破的方法，在技術上則以個案為主體。例如，若干一向敢言的議員，在總質詢期間，幕前，他以拖延時間的方式來答覆凌厲的攻勢，使質詢者的火氣無法爆發；幕後，他用迂迴戰術來瓦解議員們的門志。何況張議長規定：要等市長答覆某一議員質詢完畢後，如該議員認為不滿意時，始可補充質詢，而禁止中途質詢。（五）

第十三屆華僑節獻詞

·高信·

我全球僑胞，今天（編者按：指明天，即十月廿一日）都以無比的興奮心情，歡渡這一年一度的佳節——華僑節。語云：「每逢佳節倍思親」，我們海外一千六百萬僑胞値此佳節良辰，當必有一番「思親」的感觸。

我海外的全體僑胞是在十分複雜的環境下散處各地，各以不同的方法應付生存的環境，到今天，仍然能繼續生存和繁榮下去，是有什麼基本的生活條件呢？我幾乎走遍了全球各個較多僑胞聚居的地方，覺得他們世世代代都以中華民族的傳統美德爲做人的基本精神，加上時代化的謀生技能，所以能不受時空的限制，繼續生存下去，繁榮下去。因此僑胞們今天的思親，首先就要思念中華民族傳給我們的生活法寶——優良的傳統美德。

近一世紀以來，我們僑胞在海外各地爭生存所發展出來的事業，在東南亞各地有龐大農、工、商各業；在美洲各地則有經營優良的中小工商業；近年旅居海外的學人則在各種學術上有輝煌的成就。這些華僑事業，一點一滴，都是蘊藏着優良的民族美德及現代的生活技能，而後有成。世界上其他民族，尤其和僑胞們相處日久的各國人民，都知道和推崇中華民族的美德，勤勞、節儉、守法、和平等等都成爲外國人歌頌我們僑胞的常用言詞。總之，中國傳統的道德——忠孝仁愛信義和平——是被僑胞們完整地在海外保存着作爲生存的基本條件。美國官方及學術界的調查研究，早就屢次公佈過我僑胞們聚居的「唐人街」爲少年犯罪最少的地區，他們的結論則歸功於深存孝道的中國倫理家庭。我所曾經到過的各僑區，當地人民對華僑社會的觀感，無不像上述美國人所說的一樣。

然而中華民族文化的優良道德之永恒嬗遞與傳達，靠些什麼呢？有靠於中國語言文字與文化之繼續不斷的傳授。而華僑教育便是這種傳授的基本方式與工具，所以我們僑胞今天的思親，就要大力地倡導僑教，發展僑教，使我們優良的民族美德非特有裨于僑社，對于僑居地亦有良好的影響。

發展僑教的方式：一方面是在當地辦理僑校，一方面是多送華僑青年回國升學。這兩點，近十年來都有顯著的進步，尤其是後一點，已有了驚人的成就，在台灣各大專學校畢業後回僑居地工作及往外國深造者已達八千人，而目前正在台灣求學的僑生就有八千餘人之多。

還有一個更重要的關於「思親」的意義，就是我們民族生存根據地的中國大陸已爲共匪所竊奪，我們的田園廬墓已爲共匪所蹂躪，我們僑胞必須在思親心情的激勵之下，竭誠擁護蔣總統的反共國策，以各種方式來支援自由祖國政府的反攻計劃，俾早日收復我們失去的大陸，解救同胞而重建起三民主義的國家。

總之，今日在紀念華僑節的意義之下，僑胞們要團結一致，發揚中華文化，發展僑資事業，支援自由祖國政府反攻復國，才眞正符合這個佳節的思親意義。我們偉大的蔣總統，最近曾向世界宣示對整個世局的卓越政略和戰略，呼籲組織亞洲反共聯盟，以遏阻共匪的擴張，滅絕世界戰火的禍源。因爲目前一切戰禍的火燄，全由共匪所放，必須消滅共匪，世界始有和平可言！這些眞知灼見，我們全球僑胞必須在今天紀念華僑佳節的當兒，必須更加堅決地服膺，而以各種可能的方式去推行，才能消滅共匪，光復大陸，庶使僑胞們自身今後可以安居樂業，並得以「落葉歸根」，重整家園。

三國演義縱橫譚

燕謀

這一大功勞，要歸功於「三國演義的播種者」——說書人，或者說話人。他們早在隋唐時代，便開始把三國故事向民間傳播了，在前面「三國演義是如何寫成的」一節，已經說過了，在此不再重複引述。凡是一種故事，知道的人越多傳播，越有人聽，聽了的人又互相傳播，漸漸流於普遍。但是每一個人所知道的總是有限，大家也只是聽了就算，知道的也只是些片斷，妙在心目中多少有點印象，人如提到三國某人、大概可以知道一點。說書人把它有系統的連綴成章回，說出來人聽，當然更有人喜歡聽。愈是知道的人多，故事愈有人聽。三國演義看過三四遍、七八遍的人多的是，大有百看不厭之感。愈是冷門小說，愈沒有人問津。這一大功，要歸之於說話人，但不是某一個說話人而是自唐代以後的所有說話人。他們是「三國演義的播種者。」在普遍的口碑中聽到了三國故事，再看三國演義的人也就特別多了，興趣也能更濃厚了。三國演義到了如此地步，那還怕沒有讀者？

四、歷史短暫，容易了解記憶

最後一個因素，三國歷史短暫，前後不過六十年，歷史短暫容易記，容易了解。如像漢、唐、宋、明諸朝，歷史悠遠，年歲久長，用一部小說把它寫出，實在難下筆，縱寫成歷史故事，也是粗疏鬆弛，閱者無味。且沒有人能夠大致記憶。看文章大多喜歡看短文章，這是同樣心理。三國時代人物特盛而衆多，以爲這是一般人喜看的原因，其實不盡然的。何以故呢！列國志的人物不多嗎？不熱鬧嗎？何以不如「三國演義」吃香呢！這不是一個證明嗎？

五、三國演義的版本

羅貫中以宋代的「說三分」的「平話」本，又名「三國志評話」爲藍本，以三國志及裴注爲本，演譯成爲第一本散文的「三國演義」，與現行的三國演義稍有不同，文字近於口語，也就相治說書人的「話本」，未分章回，這是第一種本子。到明末，有李卓吾其人，他把羅貫中的「三國志演義」加以評改，大家稱之爲「李卓吾評本」的三國演義。這個本子已不容易見得到，內容如何不得而知。但爲極幼稚的版本可知。以往在中國，文士們都不注重小說這一部門，以爲此乃「小道」，不足觀也的論調，所以關於小說的版本問題，很少人注意。後來到了清朝初年，毛宗崗才把三國演義的原來不分章回的本子，加以修改，分成章回，每回標以對仗句子，加以批評，又把其中的詩詞，完全換改，並且爲了抬高自已身價，硬說明末本爲「俗本」，標榜自已的本子爲「古本」。其實所謂「俗本」就是「古本」，「古本」即是現行本。在我們仍把所謂「古本」者稱之爲「毛本」。而所謂「俗本」稱之爲「明末本」。毛本與明末本有何不同，只要一看「毛本」的十條凡例便知道了，其不同者區區十條而已，沒有多大變動。

現今在台流行的「三國演義」版本，內容都與毛本一樣的。比較可觀的版本，一是金聖嘆批本，內有金聖嘆批，銅版粗字，分上中下三冊是最佳之本。文友書店發行。一是文光圖書公司出版的本子，其所善者，內有注釋，附於章尾，另有每回有插圖，分上下二冊，惟將內中詩詞咏讚刪畧，實乃美中之不足也。一是世界書局印行的本子，內有李辰冬「三國演義的價值」，三國形式圖，三國演義考證一卷，三國地理名詞典，及三國人名詞典等附於卷尾。此外版本甚多，皆不足取也。（十八．完）

郭嵩燾

李仲侯

嵩燾出使泰西，遇到許多挫折，最使他感痛苦的，是人事上的齟齬，他曾給黎庶昌信中說：於開端奉使西洋，頗謂朝廷用人不嫌，區區才力亦尚能堪之。而於其時力舉一劉錫鴻充當隨員，極力遣以副使任之，一意傳會京師議論，以嵩燾爲的，自負能攘斥夷狄，深文周納以相齮齕，不獨區區一生顧力無所施用，乃使中國天獻，發憤嘔血，志氣爲之銷磨，才智爲之遏塞。自古陂佞伏之機，相乘迭見，誠有若然者，而未若劉錫鴻發之暴而施以悖謬至於此也。……使當時在廷諸公稍習洋務，能知今日……，則劉錫鴻之言，尚不足惑衆……嵩燾不敢一一與人辯，則惟有卷懷以退，安身以崇德，以求沒齒無聞焉已耳。始初嵩燾使英，徵求隨員，劉錫鴻百般鑽營出洋，他知道朱石翹和嵩燾最要好，託他斡旋，嵩燾便允其請，派充隨員，而總理衙門則糊里糊塗，竟畀以副使職務，（此事爲各國設使所無，不免非笑，光緒三年乃取銷副使名義調劉錫鴻爲德國公使）不料劉錫鴻出洋後，即與嵩燾決裂，後來檢舉嵩燾十大款、累加攻擊。李鴻章寫給沈葆楨的信中說：筠仙心腸，尚是忠愛一路，惟素性偏急，自出洋以來，爲劉雲生所窘苦，勢難並立。當時劉錫鴻種種行爲乖謬，即隨嵩燾出洋之李鳳苞劉學翊等都嘖有煩言，李鴻章亦爲此事曾函總理衙門，說是：雲生在德，若李監督所云，於大局既無裨補，且與筠仙積怨成衅，咫尺相望，而聲息不通，徒爲外人所竊笑，似屬然宜，望鈞署必有以處之。而總理衙門一味顢頇，不但不加譴責，似還有袒劉之意，致使嵩燾抑鬱成疾，到了光緒五年，連上三疏乞退。

嵩燾出使西洋，爲中國外交進入劃時代的一個新階段，他在歐西三年，眞是拼却聲名爲國家辦事，慈禧太后亦說他所辦的事不少。但挨罵也挨夠了，這確是事實。他自己也說說，衰病頹唐，出使海外，羣懷世人欲殺之心，兩湖人士指斥尤力，爲罪者何事？至摘取其一二言，深文周內，傳會以中其說，取快流俗。竊論洋人之入中國，爲患已深，夫豈虛憍之議論，囂張之意氣，所能攘斥之者？但他對於各方詆謗之事，卻不甚介意，他說：徒若以人言而已，生世不過百年，此身與言者之口俱盡，而功名無顯於時，道德無聞於身，誰毁譽其姓名者？區區一時，實復能乘其猾飄風，須臾變滅，亦無足計矣。由此言之，世人謂他賦性褊迫，少所容納，亦非事實。（四）

國民大會行使創制複決兩權答問

國大代表聯誼會

13 國民大會制定創制複決兩權行使辦法後，在同屆國民大會中可否立即行使是項職權？

答：①三十七年國民大會制訂動員戡亂時期臨時條款，解除了憲法第三十九條和第四十三條關於總統宣佈戒嚴及發佈緊急命令之限制，立即發生效力。四十九年國民大會修改臨時條款，又解除了憲法第四十七條關於總統、副總統連任之限制，並在同週內立即實行，由同屆會議中之國民代表選舉總統副總統。

②由於上面之兩例，自然也可以由國民大會重修臨時條款，解除憲法第二十七條關於國民大會行使創制複決兩權之限制，並由同屆國民大會行使之，又有誰曰不宜？

14 國民大會行使創制複決兩權，應於何時開始最適當？

答：①建國大綱第二十四條「憲法頒佈之後，中央統治權則歸於國民大會行使之，即國民大會對於中央政府官員有選舉權、有罷免權，對於中央法律有創制權、有複決權。」由上可知國民大會行使創制複決兩權，在憲法頒佈後，立即行使，是第一個適當時期。

②選舉權、罷免權、創制權、複決權，爲四個完整之政權，不容割裂，國父在遺教中有詳細之說明。國父說：「人民管理政府的動靜，要有四個權，就是要有四個節制，要分成四方面來管理政府。」可見在行使選舉權、罷免權時，便可行使創制權複決權，此爲第二個適當時期。

③民國三十七年第一屆國民大會時，國民大會有修改憲法之職權，自可修改憲法有關條文，行使創制權複決權，此爲第三個適當時期。

④國民大會所以至今未能行使創制複決兩權，乃因受憲法第二十七條之限制。憲法二十七條限制國民大會行使創制複決兩權，又係依據政治協商而來，政治協商又爲共產黨、民主同盟等黨派，有意破壞政權完整，有意破壞國父創建中華民國之遺教的統戰陰謀。今日我舉國上下，海內海外，在英明總統領導之下，支持政府反共復國之時，自更應清除憲法中共匪遺留之陰謀毒素，以動員戡亂時期臨時條款，解除憲法第二十七條對國民大會行使創制複決兩權之限制，使政權能有一完整之體系，國父創建中華民國之遺教得以實現。故今日在台灣由國民大會開始實行創制複決兩權，應爲最適當之時期。

15 國民大會行使創制複決兩權後，在休會期間是否應設立各種委員會？

答：①國民大會與立法院不同；依據五權憲法精神，行使政權爲民權政治，即所謂主權在民。行使治權，爲專家政治。立法院依據憲法第六十七條「立法院得設各種委員會。」第六十八條「立法院會期，每年兩次，自行集會，第一次自二月至五月底，第二次自九月至十二月底，必要時得延長之。」故立法院休會期間很短，各種委員會隨休會而結束，對業務並無影響。國民大會則不同，假如每年集會一次，時間不會太長，在休會期間，如無各種委員會之組織，則創制複決案之提出，交誰來審查處理？是故國民大會行使創制複決兩權後，在休會期間，必設各種委員會。（五）

勉程復慧（續）

再如羣英會，叔岩絕不唱借東風，所謂諱嚴也。時光不再，極望三年五載中復慧能接爾父這根棒兒。今日台灣有那位生行？眞能有成，可說是鰲頭獨占。復慧其勉之哉！

電視與名票

電視公司顧問姚君，爲增加電視平劇的美景，提出主張，每月請名票唱一次，以示珍貴。但是許多名票因爲公司規格太嚴，不甚樂意。第一非用布景，有沖淡演出者的情緒。第二選配不能如意，以限於經費也。名票演出既不受公司酬報，但總不能完全依從命令，因使許多名票，裹足不前，爲的是唱不好，不必去現醜。

平劇一向有傳統的規例，是象徵的，抽象的，過份重於佈景，輒有畫蛇添足之概。我認爲用布景，不如演狸貓換太子，由大宛劇團主演，則有鏡頭，可以充份發揮效用。

國劇繽紛續錄

姿婆生（二十六）

補記陳鴻年之喪

台北一區，以各軍中劇團均在近郊，而來自大陸的名票亦夥，譚余孫馬楊麒各派唱腔均有，形成劇藝如錦。劇運既盛，而劇評人亦應時而生。就中元老人物，以劉豁公，敖伯言、鄭子褒（一名梅花館主）、劉慕耘（一名落拓青衫），李浮生（一名隴西散人）等，皆一時錚錚。惜乎敖鄭作古，劉李不常寫。而後起者遂以京朝海派之歧異，無形中有了派系，亦近十餘年矣。陳鴻年是近乎京朝派，因他是北平厚德福店東，卒業於警高。來台後供職於市政府，管理兵役徵集，爲人個性耿直，服務十五年，清廉自守，能稱頁吏。惟脾氣特傲，不甚尊重友朋，自視甚高。不幸染有肺疾，又對攝生不甚介意，有時仍喜杯中物。本年六月廿三日因辦公超過十二小時，身體疲累，竟嘔血二盂，次日由派中至友送往馬偕醫院診治，不意醫藥罔效，在七月四日侵晨八時，竟棄世而流逝，年僅五十有一。

十一日鴻年兒入殮之日，我在八時半從北郊出發，適與振祖兄同車，即陪其帶領劇校十二位小弟弟同往。九時十分抵殯儀館，先循禮在靈前鞠躬如儀，旋與各同文周旋。茲謹補記感想。

值得大書的，是梅里小蕙萊生大昭包珊王小弟，此余張孫敖包五六家子女，分列靈前兩邊，向祭者答禮，是極可稱也。尤其梅里爲了乾父之喪，十二日要參加聯考，拋棄書本，來襄大禮，更可嘉許。（未完）

「奧林匹克」史話

劍蓉

一、女人，小孩子。二、奴隸。三、無選手參加之國的人。

至於選手之中，更沒有女人的份兒，違例者可被處極刑。有一屆觀衆席上發現一位化裝爲男人的女客，當被評判員通知治安人員將其逮捕。次日，當她被處極刑一霎那之前，她的兒子到治安機關求情。原來，來求情的「兒子」，正是昨天競技場上的英雄（冠軍）。母親愛子心切，冒險，以身試法，評判員們，都認爲情有可憫，遂請准希臘王下旨釋放。

當時競技場的評判員，除評判競技成績之外，並負責會場中的治安。經此一救不要緊，漸漸地未婚女人、外邦人，都像台北無牌小販一樣，半公開地參觀，律例雖未正式撤銷，但也無人過問了。又過了若干年之後，竟然有一隊斯巴達少女選手來參加競技，這是「奧林匹克」中女選手的開路先鋒。

而已婚女人，直到羅馬時代才有資格入場參觀。

每一項目，只有一個優勝者，只有冠軍一名，沒有如今世運中的金牌、銀牌、銅牌之等級，那時眞是名符其實的冠軍。所得的獎品，是一頂「冠」，一頂用樹葉編成的王冠，不過不是普通的樹葉子，而是被指定的一棵古老且神聖的橄欖樹上的葉子。

彼時運動會的觀衆，也有娛樂節目，有時作賭注，有的搶彩票。在好幾百個強健者的角鬥戰士，在獻技場中展開血腥的搏鬥，羣衆們便下投下賭注，以求結果。

在競技的前幾個星期，角鬥戰士在特別學校中受訓，他們吃最好的食物和生活較照料很妥當。在那些學校遺留下來的有一間，當時那些鬥士和女子的姓名和地址仍可發現潦草地寫在牆上。

獻技場和觀衆間之另一項娛樂節目，是把彩票洒給觀衆，得幸運獎的可以獲一間屋，一套傢俬或一個漂亮的女奴。但亦有愚人獎品。有時換得來一個華貴雕刻盒，當打開時，一羣憤怒的黃蜂飛出。

鸚哥石（下）

匡正

鸚哥石在淡水海山堡，今爲縱貫鐵路往來孔道，坐車中可見。石大數丈，屹立山頭，自下仰觀之，酷肖鸚哥。台民相傳此石能吐毒霧，大可蔽天。鄭成功興軍至此，迷失道路，開炮擊之，毀其鸚頭。又相傳云：此石有靈異，人不可觸石，若人觸之，則生疫疾，六畜多斃，故至今附近居民無敢觸之者。

鸚哥石對面有山曰鳶山，當三角湧之衝，相傳亦有怪異，鄭成功軍以炮擊之，斷痕猶存。此則鶯歌鎮鸚哥石之神話也。據台灣史記載，台灣昔日人口稀少，獐癘尤烈。而南崁以上，山谷叢鬱，窮年陰霧，罕有晴日。康熙五十四年，始設戍兵，而能及期生還者，十之二三而已。其獐癘之烈可知。蓋人烟稠密，則地氣愈和，固非一朝一夕可至。然非鄭氏之開拓，則不能有今日，是其除災禦害，以奠民居，謂之神話也可，謂之口碑亦無不可也。

田園詩人陶淵明

漁翁

生平的嗜好，惟愛酒和菊，「把酒東籬下，悠然見南山」。認爲「酒能祛百慮，菊解制頹齡」。周敦頤愛蓮說：「晉陶淵明獨愛菊」。夫菊，花之隱逸者也。又曰：「菊之愛，陶後鮮有聞」，以表揚陶之高風亮節，空前絕後也。

但是，在五十四歲後，景況日非，不特買酒無錢，甚至向人乞食，觀其所作五柳先生傳：「性嗜酒，家貧不能常得，親舊知其如此，或置酒而招之」。又「淵明九日無酒，出籬邊悵望久之，見白衣人至，乃王弘送酒使也，即便就酌，醉而後歸」，見「續晉陽秋」。

淵明晚景蕭瑟，臨死，還寫好一篇祭文，和三首挽歌：自祭文云：「歲惟丁卯，律中無射……陶子將辭逆旅之館，永歸於本宅。」挽歌：「有生必有死，早終非命促；昨暮同爲人，今旦在鬼錄」。又曰：「荒草何茫茫？白楊亦蕭蕭！嚴霜九月中，送我出遠郊。」認爲生寄死歸，很自然的辭去人世，與愛國詩人陸放翁臨終示兒詩，可謂先後媲美。

陶生於晉哀帝興寧三年乙丑，即公元三六五年，卒於宋文帝四年丁卯，公元四二七年，得年六十三歲。世號靖節先生。葬「面陽山」，在栗里西北十華里，墓畔有「靖節書院」遺址。

淵明死後，批評其作品者，從梁蕭統到現代，不下數百家。蕭統云：「淵明文章不羣，詞采精拔，跌宕昭彰，獨超衆類，抑揚爽朗，莫與之京。橫素波而傍流，干青雲而直上」。見陶集原序。

鍾嶸曰：「陶潛詩，文體省淨，殆無長語，篤意眞古，辭興婉愜」。又云：「古今隱逸詩人之宗也」。見詩品。

蘇東坡曰：「淵明作詩不多，然其詩質而實綺，癯而實腴，自曹劉鮑謝李杜諸人皆莫及也。」見東坡詩話。

顧炎武曰：「末世人情彌巧，文而不慙，固有朝賦采薇之篇，而夕有捧檄之喜者」。又云：「栗里之徵士，淡然若忘於世，而感憤之懷，有時不能自止而微見其情者，眞也」。

世人以淵明志存邱壑，心在田園，「秉耒力時務，解顏勸農人」，「衣食當須紀，力耕不吾欺」，一生優游於畎畝間之時期最長，故稱之爲「田園詩人」。（下·完）

寶蓮燈

「影劇與歷史」之十二

周遊

再看封神第四十四回楊戩條下說：「玉泉山金霞洞，玉鼎眞人門下，姓楊名戩，奉師命特來師叔左右聽命。」「楊戩曾練過九轉元功，七十二變化，無窮妙道，肉身成聖，封清源妙道眞君」。帶哮天犬助陣，立功甚多。以收服梅山七怪爲最著名。」

「封神」四十四回把楊戩這個神奇人物，描繪得出神入化。前面所引「西遊記」，是把他與「寶蓮燈」故事的關係略提一提。次引的「封神」楊戩，是「封神」作者的小說創作人物，也是神話小說的神奇人物。這個神化的人物，是從那裏來的？神話小說的構成中，雖然是許多幻想，但在許多幻想中，總是離不開人間的一切事物，離不開「口碑」與歷史。楊戩的化身是有屍無魂，「駕鷹牽犬」、「七十二變」、「梅山七怪」，他爲何名「二郎」？爲何又名「楊戩」？他的面目白面青年，威風凜凜像誰？他的「清源妙道眞君」是從那兒來的？……我們要研究起來，他的每一種特徵，都有他的來頭，絕不是憑空的構想。由楊戩這個小說神話人物研究起來，小說作家要創作一個生動人物，或典型人物，是相當不易的。神話中的楊戩、哪吒、孫悟空，都夠得上稱爲神話中的典型人物。現代小說中的人物的描劃，要比古代小說容易得多，但是能夠創造一個眞正的典型人物實在談何容易。

二郎楊戩的創作，是「封神」作者揉合了許多水神的總合，以及歷史人物、口碑、神話故事，傳奇、筆記中的事物。茲舉歷代水神以觀其來龍去脈。

一、李冰父子說：以李冰父子死後爲治水之神中是最早之一人。朱子語錄云：「蜀中灌口二郎神廟，當是李冰開堆立廟。今來許多靈怪，乃是他第二個兒子。」二郎廟在四川灌縣城西五里。玉壘關，廟殿祀二郎神，像大殿赫奕，後殿有佩劍，二郎面有三目。神像是李冰夫婦的第二個兒子，所謂二郎，則是李二郎。應該祀的是李冰。至於他之被尊爲神，是因爲他治水有功於民，死後享受人間祀奉立廟，而受膜拜，所以水神是人間的，而並非天國的。因爲李二郎治水民，立廟之後，受人頂禮，因爲廟與神是不可分的，人死後爲神者，總是多能多術有超人本領，中國人稱之爲「神人」。因爲「神」在人們的心目中，便有許多常人所不能的本領，神話也就產生了。

清人劉沅的「李公父子治水記」云：「二公治二渠，公斬潛蛟，約水神、瘞石犀，皆幽顯而特著功能，與大禹治神奸、驅龍蛇，安能先後如是一轍？……非得道於身者，安能如是？……族子張儀築城不就，與鬼谷子交，隱居峨嵋，兼苦水災，乃強鷹公於秦，而任之。公營郡，通地脈，立星橋，治功業非一。……」這是李冰的神話。又云他的「兒子死後，二郎更爲神而化之。……」次及「二郎固有道者，承公家學，而年正英韶，猶喜馳獵之事，奉父命斬蛟，其友七人實助之，世傳梅山七聖。」（三）

姜白石與小紅

·藍潔·

姜夔，江西人，白石道人爲其別號也。幼讀於漢陽，及長，遊學於江西、湖北；詩文清秀，爲時人所賞識，與名詩人蕭德藻結爲忘年交，後以姪女許配之，同負笈浙江吳興苕溪白石洞天側，乃以白石道人爲別字焉。

由於名詩人蕭德藻的譽揚，當時名人如朱熹、辛棄疾、楊萬里等人，均器重不已。於是白石就嶄露頭角。可是，時運不佳，幾次赴試，皆名落孫山。經濟陷於窘困，而以仰仗權貴之贈予而度日。雖然在經濟拮据中，而其豪情萬丈不減往昔，賓客盈門，五花馬、千金裘，呼兒將出換美酒，毫無吝色。因之其名益噪。時教坊樂工皆仰慕其名，從白石求取新詞新曲，時人無有出其右者。

淳熙三年冬，白石自南而北，舟入揚州，自度新曲名「揚州慢」，其詞云：「淮左名都，竹西佳處，解鞍少駐初程。過春風十里，盡薺麥青青。自胡馬窺江去後，廢池喬木，猶厭言兵。漸黃昏，清角吹寒，都在空城。杜郎俊賞，算而今重到須驚。縱荳蔻詞工，青樓夢好，難賦深情。二十四橋仍在，波心蕩冷月無聲！念橋邊紅藥，年年知爲誰生？」是詞一出，即唱遍大江南北。其在金陵江上，又作了述夢的一首懷妻小詞「踏莎行」，在艷詞中，成爲千古絕唱。其詞云：「燕燕輕盈，鶯鶯嬌軟，分明又向華胥見。夜長爭得薄情知？春初早被相思染。別後書辭，別時針綫，離魂暗逐郎行遠。淮南皓月冷千山，冥冥歸去無人管。」此詞尤以最後兩句，乃不朽之名句，姜白石之名，因而紅遍大江南北。

范成大罷相歸蘇，著名詩人楊萬里，爲相邀宴於成大府，爲范府上賓，宴罷，白石即度詞二首以贈范氏，即「暗香」與「疏影」是也。二詞由范府名歌妓小紅唱出，滿堂賓客，咸爲之擊節讚賞。白石亦對小紅歌喉，暗自眷戀傾倒；歌罷清談，小紅面對此仕途潦倒的詞人仰慕不已，名士美人，兩相繾綣。成大早已識破二人之情愫，當白石辭別成大時，突將小紅相贈，白石喜出望外，乃以輕舟載小紅返吳興，於旅途中，白石吹簫，小紅低唱；美人與名士，吳江垂虹橋，一對麗人沉浸於優美之音樂氣氛中，不知年華投老，世途坎坷，在此愛河之旋律中，復又吟出一首紀事之名著。此即有名之「小紅低唱我吹簫」是也。其詞云：「自作新詞韻最嬌，小紅低唱我吹簫；曲終過盡松陵路，回首烟波十四橋」。此亦是白石平生生活最浪漫與清揚之時光。詩人兼音樂家的姜白石，在其飄泊的歲月中，終於獲得了紅粉知己，亦可謂相得益彰，羨煞時人矣。（上）

內僑暨台報字第〇三一號內銷證

自由報

THE FREE NEWS

第三九五期

中華民國僑務委員會頒發
台教新字第三二三號登記證
中華郵政台字第一二八二號執照
登記為第一類新聞紙類
（半週刊每星期三、六出版）
每份港幣壹角
台灣零售價新台幣貳元
社　長：雷嘯岑
督印人：龔行審
社址：香港銅鑼灣高士威道二十號四樓
20, CAUSEWAY RD 3RD FL.
HONG KONG
TEL. 771726　電報掛號：7191
承印者：大同印務公司
地址：香港北角和富道九六號
台灣分社
台北市西寧南路壹壹零號二樓
電話：三〇三四六
台郵撥儲金戶九二五二

迎接科學的挑戰

韋政通

（中央社梵蒂岡九月二十四日合衆國際電）天主教大公會議的一位高級教士今天表示：天堂和地獄等舊的宗教觀念，「在一個星際時代乃是落伍的。」比國剛那慕爾區主教夏路在辯論一件有關『現代教會』的文件時發表此項意見。大公會議已以二千一百十一票對四十四票壓倒的多數通過此項文件。夏路的說法和某些主教先前所提的意見相符合。那些意見說：教會有關現代世界的討論須得考慮太空時代以及甚至在其他星球上有具有理智的生物存在性可能的問題。夏路的論點是：在太空時代，天上樂園的傳統自然觀念，對於現代人類的宗教信仰而言，已是不夠精深的了。

這是一則空前驚人的消息。這消息在全世界幾億的天主教徒心中，引起的震撼是可想而知的。凡是稍有西方宗教常識的人，都知道天堂地獄的觀念，在教義中的重要地位。尤其是向一般人民傳教的時候，父子靈三位一體等核心教義，雖然比天堂地獄觀念更重要，但一般人是不管這些的，一般世人在宗教信仰的過程中，最能直接接受的是善惡報應等因果觀念。天主教的善惡報應說，即以天堂地獄的觀念為中心——現世為善，死後進天堂；現世為惡，死後則打入地獄。這觀念在知識水準較差的人心裏，對他所能產生的影響，比道德、法律的效果要大得多。現在聚在梵蒂岡的宗教領袖們，已正式宣佈這些觀念在科學時代是落伍的，這如何能不引起教徒們的驚奇和失望？同時，從今以後，必得為全世界從事神職的人士，帶來無窮困擾。困擾中較大的是：①天堂觀念既然落伍，今後信徒們的最後歸宿究歸向何處？②天堂地獄觀念既然落伍，就必然連帶着使人想起，難道其他的傳統觀念就不落伍？上帝一觀念的眞實性如何呢？③天堂觀念在星際時代已是落伍，這無異是說天堂這一『傳統自然觀念』是不眞實的；天堂觀念既不眞實，上帝究竟在何處？在這種種的困擾中，勢必使無數信徒對聖經中的一切說詞，興起普遍的懷疑。這是每個傳統的宗教在迎接科學挑戰的過程中，必不能免的現象。這現象對傳統的宗教，的確是一大困境，但每個傳統的宗教不通過科學的洗禮，將永不能獲得鞏固的基礎。蓋科學的勃興，就對人影響來說，是使人從種種迷信中解放，同時又使人理智化的。只有建築在理智基礎上的信仰，在未來的世界裏，才有穩固的地位。目前在梵蒂岡的多數宗教領袖們的決議，是值得讚揚的，他們已為現代科學與傳統宗教之間的結合，在實際行動方面走了第一步。

×××

素有保守之名的天主教，為了適應現代人類的需要，已決心鼓起勇氣，激揚智慧，去迎接科學的挑戰，對傳統的觀念做一些必要的修正，這件劃時代的舉動，重又引起我對我們自己傳統文化的關切。凡是一個中國的知識份子，他都有責任去保存他自己的文化，但不是原樣地保存下去，它必須通過科學智光的刷新。所以我們如眞有心使中國文化傳下去，實須趁早放棄一些不必要的固執成見，採取開明態度，迎接科學的挑戰。開明態度轉變越早，中國文化的生機就越多；否則，就只有等待科學的洪流來埋葬我們了。

我們的傳統文化中，雖沒有天堂地獄等觀念，但並不能因此說我們的傳統文化就沒有需要修正的。在中國古代，賞善罰惡者是原始宗教中的天神觀念。這天神觀念後來逐漸演變為先秦哲學中的天命和天道，這觀念是傳統哲學的重心，在一般人民心中，無異是上帝的律令，它的效果，相當於天主教中天堂地獄的觀念。天主教能將天堂地獄觀念放棄，我們是不是也應該考慮揚棄這些經不起科學考驗的思想？我亦深深知道，傳統哲學中如果把天命天道等觀念揚棄，實無異把傳統哲學的精華全剔除了，甚至可以說是把中國文化中的全部玄學不要了；傳統文化如果把玄學全除掉，還剩下幾何？這眞是不可思議的問題。我懷疑一個歷史悠久包袱沉重的老大民族，能有這樣的勇氣？我對天主教在未來的傳教工作中，是否眞能遵照大公會議的決議去做，保持同樣的心情。理由很簡單，因為從事神職的人士，不可能個個都像宗教領袖們那樣開明，睿智，那樣具有說服能力。

其實科學蓬勃的發展，已有一個多世紀，這問題早就該來了，因為人類的惰性和畏變心理，始終用固拒的態度，蒙騙着自己。拖延到現在，我們似乎無法自欺下去了，我敢說，一切古典的文化，如果不能通過科學的挑戰，很少有可能走向新生，也很少可能繼續保持傳統的威信。科學的光輝，逼着我們從早已習慣的傳統的雲霧和黑暗的天地裏走出來，因為在雲霧和黑暗中生活久了，初見光亮反而不習慣，要它迅速作一個方向取捨的抉擇，當然很難。這便是科學發達很久，而它和傳統之間始終不能作適當調整的淺顯比喻。

現在實該是抉擇的時候了，一個民族的前途，完全寄於這一次的抉擇上。在抉擇的過程中，我們在思想上有一大糾結急待解開，這糾結是：科學方法不能應用到人文領域裏來。這是我們的傳統主義者排斥科學的利器之一，但事實上如何呢？科學方法早就應該用到人文領域裏去了，而且獲得了極高的成效，如實驗心理學即是一顯例。科學方法是一切學科的共法，除非這學科甘願停頓在神話、魔語的階段。只有通過科學方法才能使各門學問趨於理智化，知識化；一切理智化知識化，是科學時代人類追求的目標。我們為甚麼還不趕快拿出勇氣、智慧，迎接科學的挑戰呢？

只差遲早

死亡跟踪

今日與明日

印尼局面仍混亂

印尼局面截至現在仍未澄清，首先是艾地的行跡依然成謎。儘管接近陸軍方面的消息報導艾地已經被捕，但是並未驗明正身，不能確定。依照常理推測，印尼共黨號稱有三百萬黨員，如此衆多人數，竟然掩護不了一個艾地，似乎不太可信。但是看到叛變主角翁東中校束手被擒，帶着手銬的照片，又使人對印尼共黨的眞實力量發生懷疑。照目前情形看，軍方反共是一定要反到底，不僅是主義政見之爭，而且也是生死存亡之爭，雙方面眞到了勢難兩立之地，雅尼等六將領的情況，就是印尼全體軍人的鏡子，想不反共亦不可得了。

毛共抗議

毛共已正式向印尼提出抗議，指九月十六日印尼陸軍搜查僞商務參贊辦公處，打了僞商務參贊李景唐，用刺刀劈開箱子，取去文件。說的活靈活現，按說應不該會有假。而且毛共向印尼提抗議，尚是第一次；過去印尼華僑被囚，被殺，被驅逐，被沒收了上十億美元的財產，毛共並未提過一個字的抗議，此時竟然提出抗議，任何人都不會懷疑是假的。但印尼政府同軍方卻說沒有這回事。合衆社記者特地到現場視察，亦未發現僞機構有被打跡象。此事眞算是一件怪事！由於毛共作風太懷，較印尼亦不如，我們只得假定是毛共造謠，恐怕眞的被搜查，於是惡人先告狀，鬧一頓再說，也許印尼陸軍知難而退，就不敢搜查了。

施哈諾又鬧笑話

柬埔寨的那個元首施哈諾，今年已經四十四歲，就一個人的發育來說，無論如何是成年了。但是不然，其行為言論，最多只能趕上四歲孩子的智力。像這種幼稚病的人，世上尚少有，作為一個政治領袖的，更是空前絕後。

「小兒施」為了出風頭，使世界報紙經常出現他的新聞

法律的紕漏

馬五先生

自由談

中國法律對於究處官吏收受賄賂的罪行，規定「與受同科」，旨在防範於未然，使行賄者知所戒懼，以期達到刑期無刑之目的。用意未始不善，然實際上適所以助長官吏貪污的邪念，不足為訓也。

官吏是人民納稅供養的公僕，他們負有替人民服務的法定義務，而且須以便民利民為服務守則的。因此，民衆向政府中請辦理任何事項，祇要不違悖法令，官吏決不能推宕留難，擅作威福，當事人卽沒有送賄說情之必要，這叫作「法治精神」，也是政治修明的現象。人民因事對官吏致送「紅包」，絕對不是出於自願，而是官吏利用權力機會，作無形之勒索，實迫處此，無可如何，為着事情能夠順利進行，減少麻煩，只好忍痛接受不肖官吏的敲詐。

假使法律上沒有「與受同科」的明文規定，官吏害怕「東窗事發」，人證俱在，自不敢隨便貪取苞苴，以身試法；人民於受到官吏非法勒索之後，亦敢於揭發貪官的惡行，無所忌憚。這樣，官場中的「紅包主義」卽自然而然的可望歸於消弭了。由於「與受同科」的惡法規定，老百姓雖然膺受了貪官汚吏的勒索敲詐，亦唯有忍氣吞聲，自怨自艾，別人若詢及此事，還要竭力否認，以免罹入法網，既失財，又獲罪，何苦來哉！

若謂人民向官吏行賄而無罪，勢必構成刁民陷害官吏的風氣，貽患亦甚。那我就要問：官吏如果奉公守法，廉正不苟，誰敢對他妄行賄賂呢？若有此情，亦可以將行賄者置之於理，教他束身司敗，自作自受，難道說官吏不肯受賕瀆職，還怕有罪過不成麼？

所以，「與受同科」這項法律規定，不特不足以防範政治上的貪風，實際上反而助長了官吏貪污的勇氣與信心，只要手續周到，關防嚴密，卽不愁事情敗露，更沒有人證可尋，何樂不為呢！一般法律的漏洞本來很多，而以這項紕漏的流毒最為深鉅，不悉當代法學家作何感想？吾國士大夫遇事好言歐美如何如何，強調西化主義，可是，西方諸法治國家的法律，似乎沒有所謂「與受同科」的妙諦呵！

法治精神的事實考驗

官民纏訟八年。市長抗傳不到

（本報台北航訊）纏訟已歷八年的台北市長高玉樹被控毀損一案，案經最高法院五次撤銷高院原判決，五次發回高院更審。經台灣高等法院票傳三十次之多，而高氏始終不到庭，法院亦未依法拘提。上月（九月）七日上午十時，是台灣高等法院第三次限令高玉樹到庭應訊之期。計有台灣新生報等八家報館的攝影記者齊集法庭，準備拍照。不料高玉樹仍不到庭，致使各報攝影記者撲了一場空，到十一時後，紛紛離去。

法院開庭時，首先由審判長陳泰謙點呼原告、被告姓名，原告方面喻伯凱已應聲到庭，被告方面：第一被告台北市長高玉樹未到，第二被告前任台北市主任秘書楊濟華亦未到，第三被告台北市前任工務局長林永倉應聲到庭，繼即開始審訊。原告喻伯凱向庭上陳述上訴意旨說：「民國四十五年我在台北市仁愛路一段自費建築的房屋，經工務局與警察局的正式核准而建造的。在被告高玉樹以市府名義公告要拆除之前，業經台灣省政府主席嚴家淦命令停止拆除，依照行政執行法及公務員服務法的規定，下級機關的主官，應絕對服從上級機關主官的命令，本件被告高玉樹等故意違抗省主席之命令，毀損他人的合法建築物，依憲法第二四條的規定，高玉樹自應完全負刑法上的刑事責任。現在本案已經最高法院五次撤銷高院原判決，但第一被告高玉樹經法院合法票傳三十次之多，始終不到庭，不知法院何以不予依法拘提？在法律之前，應該人人平等，所以我請求審判長依法拘提高玉樹到庭後，再行審判。」審判長：「喻伯凱你要求調查的證據，是不是要求調查省主席的停拆命令與省警衛室四五年十月九日的函件？」答「是的。」審判長即提出省主席的停拆命令及省警衛室的函件，提示第三被告工務局長林永倉，林接看後，未加否認。庭上即準備宣佈辯論。然原告喻伯凱即向庭上提出質詢云：「今天是審判長第三次限令第一被告高玉樹到庭，高玉樹置之不理，審判長為什麼不依法拘提？」法官答復說：「我看不必再傳高玉樹到庭，就這樣辯論算了。」原告堅持說：「不行，請問審判長：我喻伯凱三次不到，台灣任何一位老百姓三次不到庭，拘不拘提？高玉樹三十次抗傳不到，審判長亦曾三次限令高玉樹到庭，何以不予依法拘提？法院這樣執法不公，還談什麼法律平等？這樣一來，國家的法律豈不是變成了欺壓小民的工具？成了庇護大官犯法的護符？」經此詢問後，審判長無詞以對，乃叫值勤的法警去找檢察官來。（觀其意思是會同檢察官出拘票）法警第一次回庭報告說：「檢察官說這是自訴案件，他不管。」審判長再叫法警去請檢察官來，不料檢察官走到法庭台上與審判長耳語了幾分鐘之後，終於決定不予拘提，宣佈開始辯論。此時原告喻伯凱向庭上抗議說：「審判長對被告高玉樹拒不到庭，竟不敢依法拘提，就要辯論；這樣看來，司法尊嚴形同廁所，臭氣薰天！」此語一出，庭上的三位法官望着原告不響，當時有一位基隆的攝影記者打開照相機，想替這幕法庭景況拍一張照片，卻被法警阻止了。因為原告拒絕辯論，被告方面的律師也就沒有什麼好辯的了。當即由審判長照例宣佈辯論終結，定本月十三日宣判。

記者特於退庭後，向原告詢問住址，與之聯絡。乃於九月廿六日去訪問原告喻伯凱，據他告訴記者說：在審理的次（八）日已向高等法院提出緊急申請狀，申請事由：「為請求停止枉法裁判，從新調查證據，重開辯論。」同（八）日下午又向法院提出嚴重抗告狀，抗告的事由：「為嚴重抗告司法黑暗，既不依法拘提被告高玉樹，亦不依法裁定何以不予依法拘提之原因？」他將抗告狀底稿出示記者，其中有一段最精彩的措詞，特摘錄如次：「上訴人六次具狀，請求依法拘提高玉樹，不意鈞院（指台灣高院）始終不聲不響；兩次向鈞院提出抗告，何以不予依法裁定？不料鈞院始終不予裁定。似此情形，中華民國之刑事訴訟法，竟變成了欺壓小民的工具，變成了庇護大官犯法的護符。上訴人不為個人的抗告得不到裁定而哀，甚為司法前途之暗淡無光而哭；尸居法官地位之衮衮推事，食國家之薪俸，而不依法執行職務，其將何以自對良心？若諸位法官良心不泯，廉恥猶在，其將何以自容？」等語。據他告訴記者說：「高等法院根據他的申請，已經停止宣判，裁定從新調查，重開辯論。」這樣一來，又必須再傳高玉樹到庭受審。屆時高氏是否應傳到案，這是一個很大的疑問，亦係法治精神的一大考驗也。（遷客寄自台北）

革新司法是時候了

本報記者劍聲

關於偵查不公開問題：

該協定第十四條所附之同意紀錄，關於第九項庚款規定，美國政府應有權派代表列席任何被告出席之初步偵查（檢察官偵查）訊問或訴訟以及審判與上訴之各階段，被告並與其（代表）聯絡。換言之，美軍在華犯罪，應由我國法院管轄時，無論在偵查或審判階段，美方皆得派代表列席旁聽。

查美軍在華犯罪，於審判時，美國政府得派員到庭旁聽，此與我國法院組織法第六十五條規定訴訟之辯論應公開之原則相符，自無不當之可言。惟美方對我國司法機關偵查時，亦得派員旁聽一節，與我國現行刑事訴訟法第二百四十五條規定偵查不公開之原則，自不免大相逕庭。換言之，該協定生效後，我國法院檢察官對美軍在華犯罪案件，不再堅持偵查不公開之原則。

記者按：現在立法院進行二讀會之刑事訴訟法修正草案中規定被告得隨時選任辯護人，包括偵查在內。由於刑事被告經常有被司法警察在偵查中「修理」之情事，所以修正案特別規定例外，被告在偵查中得選任辯護人參與偵查。今在華美軍協定既有此規定，國人對偵查不公開的觀念，亦可能因此而改變，但若究其根源，司法警察與檢察官能辭其咎嗎？由於少數作威作福，因而給我國司法史留下污頁。

關於犯罪是否因執行公務而引起之認定問題：該協定第十四條所附同意紀錄：關於第三項甲款第二目規定：在任何美軍人員或文職單位人員為被告之刑事訴訟程序中，倘需決定所控罪行是否係因執行公務之行為或不行為而引起者，此項決定，應依美國法律為之。美國最高軍事主管當局得向處理該案之中國法院或當局出具有關證書，中國法院或當局應依照此項證書而為決定。

依照該協定第十四條第三項之規定，在華美軍犯罪行為，係因執行公務時所為之行為或不行為而引起者，歸美方管轄。而該同意紀錄復言明前述執行公務一語之解釋，其權限屬於美方，雖我國法院認為有必要時，仍得轉請中美雙方政府討論之，但議而不決時，我國法院勢須受美方解釋之拘束。這麼一來，我國法院審理在華美軍犯罪，顯將無法保持司法權之完整性，如果認為犯罪與否，係屬司法範圍，對其犯罪是否係因執行公務所引起，似應由審判該案之我國法院認定，方見公允。

關於被告之羈押問題：該協定第十四條所附同意紀錄：關於第十五項丙款規定，無論案件歸美方或我方管轄，所有美軍人員或文職單位人員或其家屬之羈押，一律由美軍當局為之；倘如我國法院已將被告逮捕時，亦應將被捕人員交與美國軍事當局，只有經雙方聯合委員會同意之「設備」，方得用以羈押美軍人員及其文職單位人員或家屬。

查被告之羈押，與案件之偵查審判有不可分之關係，因我國刑事訴訟法第七十六條規定被告有逃亡或串證之虞者，我國法院于必要時得羈押之，若我國法院對被告得無羈押權或羈押後仍不能避免被告逃亡或串證之虞時，則法院對該案之偵查審判必將無從進行。該協定規定將執行羈押權劃歸美方，即令被告不致於因此而逃亡，然串證堪虞，我國法院將何以對該案順利進行偵查審判？至謂須經雙方同意之設備，始得作為羈押美軍被告處所，可見美方對我國目前看守所之設備，管理人員素質及管理被告之方法，尚未充分表示信任，殊值得我司法當局及國人之反省。

記者按：司法部長鄭彥棻就任以來，一再強調增進監所設施，提高行刑績效之重要性，每逢國際法界人士來台訪問時，鄭部長即陪同視察我國監所設施，且獲得友邦人士之讚許，而鄭部長對這方面的改進，雖極注意，可是在華美軍協定如前述之規定，無異給國人之當頭棒喝，也是所謂增進監所設施的極大諷刺，吾人怎不痛心擲筆而哭耶！

關於法院之審級問題：該協定第十四條所附同意紀錄：關於第九項規定如被告被判無罪，他造當事人（即指檢察官與原告）不得提起上訴；被告對任何判決不提出上訴時，他造當事人亦不得提出上訴，但關于誤用法律者不在此限。

查我國法院對一般刑事訴訟案件皆採用三級三審制，僅輕微之案件以二審（高等法院）為終審法院。今在華美軍地位協定對我國法院之審級制度，竟澈底推翻，一經初審（地方法院）判決，除非被告上訴，他造當事人無論檢察官或自訴人，皆不得上訴。此一規定，究竟用意何在？實令人難以揣度。吾人為維護審級制度，對此項讓步，似難寄以同情。

最後，彭文極沉痛地呼籲：在華美軍地位協定，雖經簽訂，在其正式成為法律之前，吾人認為其中所牽涉到的原則性問題甚多，與其匆促實施，不如從長計議，以免危及法權。且以審判犯罪為國家主權之一，主權又為國家構成要件之一，若因該協定施行結果，致司法獨立遭受嚴重影響，則國家構成要件，必將隨之而短缺，謀國者其慎之。（下）

說的不做．做的不是說的

台北民選市長高玉樹上台迄今做了些什麼

本報記者台北航訊

又如公車票價調整案，若干人認為議會不會同意，但據記者的觀察，該案一定會通過的。為什麼？君不見外界有四萬元一票之說嗎？這就是高玉樹棋高一着的地方。如不信，過去報載煤氣公司爛賬中不有議員的大名嗎？

府會一家人 不再鬧對立

張祥傳會與高玉樹携手合作嗎？答覆是肯定的。

第一、一個身體不健康的人，是對其事業前途有決定性的影响的。張祥傳雖只有六十三歲，由於他平時不太注意身體的保健，加上他風流成性，所以到了晚年，經過一場死裏逃生的大病，至今身體尚未完全恢復，因而他的政治前途，已從最高峯逐漸下墜，當然，下屆議長人選，有關方面正在尋覓適當人選，為未來的市議長培養聲望，這件事，張祥傳比誰都清楚，所以他會對新聞記者表示，他決定從下屆起退出政壇云云。

第二、張祥傳在政壇活躍了十多年，由於先天與後天之條件不足而受到限制，所以無論經商也好從政也好，始終未建立基礎，尤其他的經濟環境，非常懸劣，到如今依然故我，甚至面臨生活都成了問題，如果不是做議長的話。

第三、在議員們與市民們的心目中，張祥傳三個字已不如以往那麼響亮了，他在議會主持大會時，常與議員們表演對口相聲，他使用議事槌禁止議員發言，議員則拍桌子以示抗議，因為他的學問不比別人高明，他的見解也不比人有獨到之處，他只有靠「老議長」的牌子，倚老賣老，甚至以「議長我不幹啦」的態度來對付議員同仁，所以大家讓他三分。此足見他的聲望和資望都不足以領導議會。

基於上述的情形，張祥傳不得不考慮退出政治舞台，但退休後做什麼呢？做生意要資本，沒有資本根本就談不上。不做生意，何來的生活費？如果說靠兒子，然而兒子自顧不暇；如靠女兒養老，而女兒則遠在國外為生活而依人作嫁。因此，為了將來生活着想，他不得不利用還有二年多的議長任期，來和高玉樹合作，這樣，雙方都有利，據說利多害少。所謂政治立場，那是另一個問題，被認為無傷大雅也。

照目前形勢觀察，在張祥傳任期內，府會之間，喜劇多於悲劇，極少可能發生對立相持不下的局面，這是可以預言的。（六完．九月廿八日寄）

屏東國術會擂台賽

收入不非開支不明

（本報高屏記者袁文德航訊）屏東縣國術會，在運動會揭幕前，於九月二十五、六兩天，假中山公園籃球場舉辦「擂台賽」，並出售門票、票價分新台幣五元、十元兩種。據估計，兩天所售門票總數約六千張左右；若以五元、十元各半計算，其收入亦達四萬五千元。該會自四十四年迄今，已先後舉辦類似比賽七、八次之多，每次皆以響應總統召示，提倡國粹為美名，十餘年來之門票收入，估計為數十萬元，皆憑該會理事長會原祿一紙花帳，即可報銷了事。該會雖有理監事會之組織，因理事長會原祿任二、三、四屆縣議員，故理監事人選，大部份均係其親自安排，其所作所為，縱有少數理監事心不謂然，亦祇有忍氣吞聲敢怒而不敢言。因此，袁劍生、鄭進福等理監事，早經相繼退出；確實是既無人敢與之對抗，更亦無人敢查其收支賬目。該會會員每年得依規繳常年會費二十四元，縣府每年補助二千元，會員又無福利可言。該會凡此收入，究竟作何用途？怎樣用法？誰亦不知道。但主管單位應否查問一番呢？

又，國術比賽，現已列入縣運會項目之一，今後應由教育單位主辦，國術會協辦，並聘請對國術有修養人士，擬訂比賽規則並從旁指導，方才談得到宏揚國粹，達成強身強國之目的。未知有關當局以為如何？

瀛海異趣談

菲律賓鬪鷄風盛

·桑雅·

最近，菲律賓北部的班詩蘭州逮捕了幾個官員，他們被控在不合法定的日子裏鬪鷄。因此，這一成爲爭執的運動，又引起了人們的注意。

在菲律賓，常常有這樣一個問題存在：究竟鬪鷄算不算是一種運動，或者是一種博彩的企業？

多數鬪鷄成迷的人總說鬪鷄是一種運動，雖則參與鬪賽的雄鷄是有被鬪死的危險。而且多數人都以鬪鷄爲博彩的手段，有如港澳之賭狗馬。但是，菲律賓人却決不承認鬪鷄是一種賭博，儘管常有人在頃刻之間一輸就是幾千比索（非幣）。

菲律賓方面，從來不會以兩鷄相殘殺爲理由而認眞設法禁止鬪鷄。

早在四百年前，西班牙人未到菲律賓來時就有鬪鷄的玩意，西班牙人走了以後，鬪鷄仍然存在。而且看來只要是數以百萬計的「鬪鷄迷」存在一天，鬪鷄也顯然就會繼續下去。

防止虐待動物協會看到這種深入民間的習俗牢不可破，也就任其存在下去，而放棄禁止鬪鷄的企圖了。據該協會一位負責人說：「禁止已近於不可能。因爲鬪鷄迷是那麼的多，連很多高級政府官員也好此道呢。」

雖然，菲律賓成立了鬪鷄的規則，但是，西班牙人更將它製成法典，並且還會加以修訂，藉以增加國庫的收入。他們規定了一年有多少天可以准許鬪鷄。

目前，法律規定每逢星期日、假日以及其他特別的盛會經市政府批准，都可以鬪鷄。在菲律賓某些地方，每逢星期六都可以鬪鷄。鬪鷄已成了菲律賓一種全國性的娛樂，類似西班牙的鬪牛。

在這個共有七千個大小不等的島嶼的熱帶國度，差不多每一個城市都設有鬪鷄場。鬪鷄場通常周圍圍有竹籬，在鬪鷄場的外面，另外還有一個用籬笆圍着的地區，以便於雄鷄在參加比賽之前，在那兒爭妍比靚。

鬪鷄的方法很簡單：兩隻受過訓練的雄鷄，脚上都縛着像刮鬍刀那樣銳利的刀片，然後把牠們置於圍有竹籬的四方形場子上，讓牠們鬪個你死我活。凡是活着而出來的雄雞，就算是贏了。要是一隻鷄臨陣逃開，便算對方贏了。若是兩隻作戰的雄雞同時戰死，那麼，比賽就算打個平手，不分勝負。

通常比賽的程序，是由兩隻雄鷄的主人事先議定的，要是不用秤稱，雞的全身都要摸過，然後決定賭局及鬪鷄的時間。另外，則有個莊家，菲律賓人叫着「克利斯多」（Kristo）。莊家走到鬪鷄場的中央，便開始叫人下注。這時候人們便向莊家下注，有的叫出數目，有的則僅用手指表示下注的數目。莊家不用記錄，他對賭家下注的賭金數目都記得一淸二楚。

博彩十分講究信用，只有在勝負決定之後才結賬的。

鬪鷄也有「熱門」與「冷門」之分，因此博彩的身價也就不同。

一經大家下注之後，訓練有素的鬪雄師便在雄鷄的左腿上裝上刮鬍刀那樣銳利的刀片。刀片的長度要看鷄的重量而不同。有的刀大約是六吋長。

在鬪鷄放到鬪鷄場之前，是容許兩鷄互相啄的，藉以培養牠們適當的打鬪情緒。

在鬪鷄圈內只容許三個人站在裏面，那就是兩個鬪鷄師，一個裁判員。鷄的勝負取決爲裁判員的最後決定。鈴聲一響，雄鷄便放出來。只要幾分鐘的時間，打鬪便完。然後再放出一對雄鷄，作另一回合的打鬪。

因爲養鷄者及鬪鷄師都要花相當的時間來訓練他們的鷄，所以，有人認爲他們是不事生產的懶惰漢，但是，對數以千計的鷄主來說，甚至於對全國更大數目的「鬪鷄迷」來說：在照料一隻雄鷄，使之成爲「鬪士」這件事上，却一點也不能貪懶馬虎，必須花上許多心力才行。

郭嵩燾

李仲侯

李鴻章在當時是主張維新自強，頭腦開明，比較具有世界眼光的人，他最推重郭嵩燾，嵩燾也認爲是平生的知己，魚雁頻繁，往來最多。他到歐西閱見日廣，潛心考察，始知西洋所長，不僅船炮，尚有政治制度文化科學，皆當盡力仿行。他寄李鴻章書說：此間政教風俗，博大深厚，似其氣象方日加新。推求其立國本末，其始君民爭權，相繼屠殺，大亂數十百年，至若干年而後定，初非有至德善教，累積之久也。百餘年來，其官民相與講求國政，自其君行之，蒸蒸日臻於上理，至今君主以賢明稱，人心風俗，進而益善。前歲入都，本意推求古今事宜，辨其異同得失。自隋唐之世，與西洋通商，已歷千數百年，因鴉片之禁而搆難，以次增加各海口，內達長江，其勢日逼。究明其本末，條具其所以致富之實，其發明，其用心，而中國所以自處與其所以處人者，皆可以知其簡要。謀勒爲一書，上之總署，頒行天下學校，以解士大夫之惑。朝廷所以周旋遠人之心，固有其大者遠者，當使臣民喻知之。……道天津，亦曾與中堂陳之。及至京師，折於喧囂之口，噤不得發。竊謂中國之人心，有萬不可解者！西洋爲禍之烈，莫甚於鴉片煙，英國士紳，亦自恥其以害人者爲搆釁中國之具也，方謀禁絕之。中國士大夫甘心陷溺，恬不爲悔，數十年來國家之恥，耗竭財力，無一人引爲疚心。鐘錶玩具，家皆有之；呢絨洋布之屬，徧及窮鄉僻壤；江浙風俗，至於舍國家錢幣，而專行使洋錢，且昂其値，漠然無知其非者！一聞修造鐵路電報，痛心疾首，羣起阻難，至有以見洋人機器爲公憤者！曾頡剛（紀澤）以家諱乘南京小輪船至長沙，官紳起而大譁，數年不息。是甘心承人之害，以便吾之脂膏，而挾全力以塞其利源，蒙不知其何心也！辦理洋務卅年，彊吏全無知曉，而以挾持朝廷曰公論，朝廷亦因而獎飾之曰公論，嗚呼！天下之民氣鬱塞壅遏，無能上達久矣！而用其鴟張無識之氣，鼓勵游民，以求一逞，又從而導引之！宋之弱，明之亡，皆此鴟張無識者爲之也。嵩燾楚人也，生長愚頑之鄉，又未一日習商賈與洋人相近，蓋嘗讀書觀理，歷舉古今事變而得之於舉世非笑之中，求所以保邦治國之經，以自立於不敝，沛然言之，畧無顧忌，而始終不相諒，竄身七萬里外，未及兩月，至一參再參，亦遂幡然自悔其初心，不敢復爲陳論矣。由此看來，嵩燾對維新事業，竭盡心力，力主創進，始終不爲社會所諒解。

嵩燾在西洋，曾作過深度的考察，詳細的研究，就是說：西洋輪船槍炮，固然値得中國學習。（五）

不要以興訟爲手段

「欺騙」兩字是否構成誹謗

張笙

今天讀到「聯合報」何凡先生的「誠實爲經商之本」一文，起因是聯合報的讀者凌太太，在第一百貨公司買了件墨藍色的衣料。因店員小姐保證此貨不褪色不縮水，結果下水之後，既褪色，又縮水。於是剪樣請何凡先生主持公道。何先生於是在文裏說：

「問題出在做生意的態度上，答應客人不縮不褪，結果適得其反，這顯然是欺騙。」

如果第一百貨公司要賴，不承認店員小姐的保證，因爲口說無憑，沒有保證書，凌先生和他的太太，以及何凡先生就會遭到第一百貨公司的控告。因爲刑法第三百十三條規定：

「散布流言或以詐術損害他人之信用者，處二年以下有期徒刑，拘役或併科一千元以下罰金。」

凌先生和凌太太及何凡先生，沒有證據，而於新聞紙上公開指摘第一百貨公司「欺騙」，豈不是散布流言損害他人之信用嗎？但第一百貨公司雖明知何先生的指摘無證據，却不與訟，並且還承認錯誤；這倒不能不說是好現象。因爲他欺騙後還知誠實。

最可怕的是「欺騙」證據已落在「公衆」手中，不但不承認欺騙，不關棄僞存誠，而且當人說了他「欺騙」以後，還要告他一狀。說人誹謗了他，破壞了他的名譽。

前些時有位朋友和我說笑話：小偷去行竊，當場被捕獲，並告以隣人，『這是小偷』。於是小偷到了警察局，反訴被害人一狀，說被害人誹謗他，破壞了名譽，因爲被害人說他是『小偷』。這當然不能成立，因爲誹謗要以「謬詐」爲前提，即以不實之事散布於衆，並有誹謗之主觀惡意，才能說是誹謗。既有「行竊」事實，何能逃避他人予『小偷』之惡名？

我在前幾個月，寫了篇與人討論民主與自由的文章。開列了證據，指摘他所說的不實，是「欺騙」聽衆與讀者。不意我所與其討論的那位教授兼律師，是一向主張言論自由，反對壓制，希望以言論對言論，宣傳對宣傳的人，於理窮辭屈以後，竟向台中地方法院告我一狀，說我誹謗了他。現在台中地方法院第五〇二四號傳票在我手裏，命我十月二十日上午九時出庭應審。今後跑法院的麻煩在所難免。由是我想起了何凡先生的大文，凌先生、凌太太、何凡先生比我幸運多了。

我的討論並未違法，告我的人執筆律師，不會不知。我想他祇是以此糾纏，找我些麻煩而已。孔子說：『訟，終凶』，『以訟受服，亦不足敬也』。況且今日司法案件據云每人每月受理五十件以上。吾人又何忍因私利藉司法作手段，而不愧對法庭乎？子曰：『人之過也，各於其黨。觀過，斯知仁也。』故我實犯了孔子所說的『不可與言，而與之言，失言。』的疏忽。但我還是希望他，能做到如孔子所說的：『博學於文，約之以禮』。

國民大會行使創制複決兩權答問

國大代表聯誼會

②國民大會究非立法機關，在集會期間僅能作創制案與複決案之表決，其對創制案之擬訂與複決案之審查，則又非先交各種委員會先行審議不可，此又爲國民大會行使創制複決兩權後，在休會期間必設各種委員會之事實。

③委員會之組織，依世界各國民意機關組織之通例，委員會僅係議院內部組織，只能在大會集會期中有之，但國民大會行使創制複決兩權，與世界各國議會行使立法權不同，其任務一方面要研究既有之法律，是否有不利於人民之處，另一方面要隨時接受全國人民之要求創制很有利於人民之新法律，故休會期間決不能沒有委員會之組織。

16　有些人認爲創制複決兩權是直接民權，應由人民直接行使，不應由國民大會行使，是否合理？

答：①此種見解乃不諳民權主義而然。民權主義中國父說：「在我的計劃中，想造成的新國家，是要把國家的政治大權分開成兩個，一個政權，要把這個大權完全交到人民手內，要人民有充分的政權可以直接去管理國事。這個政權便是民權。一個是治權，要把這個大權完全交到政府的機關之內，要政府有很大的力量去治理全國事務。這個治權便是政府權。」

②政權即選舉、罷免、創制、複決四權，爲人民管理政府之權；治權即行政、立法、司法、考試、監察五權，爲政府爲人民辦事之權。國民大會依憲法第二十五條之規定，代表全國國民行使政權，自應行使人民所行使之權。而人民把他們所行使之權，交給他們自己所選舉之代表去行使，是百分之百的合情合理的事。

17　國民大會行使政權，應以多少時間集會一次較爲合理？

答：①國民大會行使政權，爲集會行使，如集會次數太多，則恐以權害能，如集會次數太少，又有以能侵權之嫌，故宜每年集會一次最爲適宜。

②國父在權能區分中舉例說：「公司股東是有權的人，經理是有能的人。經理是專門家，就是有能。股東必須信任經理，公司才得發達。」但是現在任何公司組織，每年亦必召開股東大會一次，由經理報告一年經營之盈餘，由股東決定未來公司發展之計劃，這樣股東才願投資，公司才能發達。（六）

國劇繽紛續錄（二十七）

姿婆生

補記陳鴻年之喪（續）

我在台北，十五年來弔祭戚友，以祭俞故總裁及亡弟，祇鞠躬六下，此次弔陳翔鞠躬十二下（參加欣賞會雅集二五票房），是生平所未有。

劇評同文公祭，克雲再三推我，我說不夠資格，你爲何不去，始作罷。再參加，將有鞠躬十五下之數矣。而安排此節目，將來也許有例可援矣。是日公祭單位之多，計達三十餘，可見人們對鴻年之敬重。缺憾的是陸光海光明駝未來公祭，似乎他們不知安排。而坤伶僅李湘芬、徐露、古愛蓮、徐蓮芝等幾人。偏偏是票友特多。大鵬、復興、電視三社均到。恐鴻年兄在泉下亦不知票界對其如此之熱烈？

輓聯幾有百付，雅歌集所送中額寫有「人琴永杳」，是鴻年會拉胡琴之故我們的主委始明白。余送之聯，有「商佩弦韋今已矣！」指其生前的脾氣而言。而劉慕老所輓有「若論京朝派，泉下相逢三缺一」；（指冰厂煦人梅花）所謂劇評人，世上可憐十不全。」亦慨而諷矣。

再有幾位在演劇時，曾受鴻年譏評，可是他們並不計恨，照常送禮來弔，無非欽其爽直而服其見解也。

此次哀傷甚劇者，要算劇評家外行人。她以親家與知音之故，倍見傷心。余見其兩眼紅腫，不勝其哀，也是人琴永杳，從此無法討論劇藝，殊不遜於伯牙哭子期，可謂至情動人。

父子與父女

攻

最近國劇公演，有三次是很不尋常的表現，是兩次父子同台，一次父女同台。而這三次，竟非常出色。端賴幼子與幼女，非常聰明，把舞台的畫面，造成很夠生動，我始深信欲求振興平劇，培植幼苗，是不容忽略。其中桐春與復長合演十八羅漢鬥悟空，當然家學淵源，又當別論。

電視公司請名票李東園演行善得子（砵砂痣），當認子一場，所邀飾玉印（一名天賜），原定胡小妹（寶亭之女），後來李的次子仲雄頗想一試，經過二週排練，代胡登場（胡女酬報照送），結果不差。東園在天津會與長子明揚（唱淨），演碰碑、烏盆計、刺王僚等戲，此爲第二次父子同台。

國劇欣賞會請胡少安演出兩晚，計哭秦庭、烏盆計、鐵蓮花，不意演後的成果，鐵蓮花（一稱掃雪打碗）爲第一，而哭秦庭以排練時間不夠太亂，場子太贅累，服裝不合理爲較差，烏盆計不很對工，服毒身段是由桌上滾下來，還趕不上從前平漢路局名票汪劍院，尚須研究。（未完）

談現代軍人葉蓬

海角寄談

諸葛文侯

葉蓬字勃勤，鄂省黃陂人也。少時肄習軍旅之事於保定軍官學校，畢業後，從夏斗寅等在湖南組織「鄂省自治軍」，於民國十年夏間進攻湖北，宣言驅逐鄂督王占元，葉氏受任團長職務，旋吳佩孚領軍援王占元，擊敗夏軍，夏退回湘省，受湘軍統帥趙恒惕節制，治軍如故。迨民國十五年國民革命軍北伐時，夏斗寅以功洊升至師長，而葉氏已轉居幕僚地位，據聞係因其胆怯，臨戰每逡巡殿後，未能身先士卒，不宜將兵也。葉氏軀幹短小，性黠慧而具口辯，坐論兵事，頭頭是道，歷戰陣則縮無勇，殆與現代軍人王柏齡有同病焉。

國府奠都南京後，葉以夏軍淵源，因緣時會，嶄露頭角，繼受知於中樞軍部首長，得任武漢警備司令，雖領軍而不上陣，葉氏固優爲之也。民廿一年夏，愚于役「豫鄂皖三省剿匪總部」時，葉氏方在武漢警備司令任內，夏斗寅主持湖北省政，以舊誼對葉多所獎拔。葉於武漢郊垧暨江邊要點，分築碉堡若干座，各摘取蔣委員長訓詞中之字句以命名，用劈窠大字顏於碉堡之上，從遠處一目了然。葉又提倡一種崇敬國家領袖之禮節，於多衆集會或公廨談話場中，凡道及「委員長」三字，即羣起立正，皮鞋後跟響聲砰砰然，忠貞之氣得未曾有。葉有兒在武漢某小學讀書，一日與同學某一中央要人之子發生口角毆鬥，葉聞之，偕護牽兒赴某要員家負荊請罪，自譴家教不嚴，痛悔不置。

越民國廿二年，中日邦交日趨惡化，葉於警備部操坪內，置稻草人形作靶，上書「日本人」字樣，教士兵持槍輪番射擊，並邀來賓參觀。駐漢口日本領事館人員覘狀大譁，指爲公然侮辱，報告東京，向我國提出嚴重交涉，日政府且調派軍艦多艘至漢口示威尋釁，形勢頗緊張，中樞不獲已，姑予葉氏以撤職處分，藉息外侮，旋改任爲津浦鐵路「交警總局」局長，以示體恤。詎葉留戀武漢職位，竟遷怒中樞某大員不加維護，曾遣人暗算某公，於其乘汽車外出時槍擊之，幸無傷害，破其車窗而已，某公愍其愚頑，置不根究。

對日抗戰軍興，武漢失守後，葉與前湖北綏靖主任公署參謀長楊揆一，聯袂入重慶小住，又相率悄然離渝他去，迨汪精衛赴南京通敵主和，組織偽政權，聲言「國府還都」，葉亦實行附逆，初受任爲偽中央軍校教育長，繼回鄂組設「和平軍」，自充總司令，最後僭稱「湖北綏靖主任」，儼然方面大員，然猶不時秘密上書重慶中樞軍部某首長，言將以事實表現不叛國，蓋欺人之語也。日本投降後，國軍孫蔚如部首先入武漢，程潛以「武漢行營」主任視事之初，孫軍將葉扣押，而由中央派駐武漢之治安單位主管人張君負監護之責，張亦湖北籍，對葉頗優待，葉要求勿以普通罪犯相視，張從之。旋中樞電令將葉氏押解至南京究處，程潛即派張君乘飛機遞解赴金陵，送交軍部驗收，參謀總長陳辭修派郭懺出面接洽，謂楊揆一已正法，葉聞訊神色沮喪，即託張君轉達若干私事於其妻，且泫然流淚答謝張氏照顧之情，蓋自知其必不免也。次日，陳總長召見張君詢問葉在武漢情況，張謂葉氏曾輸誠中央，似與一般漢奸有別，陳告以葉並未遵照中央命令行事。未幾，依法置之大辟矣。

葉蓬賦性聰穎，小有才，工媚術，然不學而熱中利祿，昧於大道，故一生絕少事業可言，終以叛逆喪其身，徒貽罵名於後世，此可爲無知軍人昭炯戒也，故記之。

譚國樂

匡謬

提起國樂，確乎令人感慨萬千，因爲眞正中國古代樂器，都成爲收藏家賞玩的古董，而社會上所看到和聽到的都是外來的樂器，除掉國劇而外，所有能聽到看到的一點國樂，則惟有在國劇中去欣賞了。然僅爲國樂中之一部份耳！國劇中不僅保留了一部國樂，而還保留了民族舞。茲就國劇中的樂器談談，以就教於愛好國劇的朋友。

國劇本是歌舞並重，歌則必有樂以伴之，所謂賡歌是也；舞亦必有樂以伴奏，所謂節舞是也。故國劇無用音樂也。隨唱的樂器，自然是以能蟬聯轉變高低音之樂器爲主，例吹彈之絲竹樂器皆是。劇中所用笙、笛、胡琴、三絃、二胡、月琴、嗩吶、海笛等等是也。

至於節之樂器，則皆是聲音簡單，不能發低音者，例如金木革等所製之樂器，皆如此。按吹彈之樂，除賡歌之外，自然也還可以節舞，如劇中所用之大鼓、小鼓、大鑼、小鑼、鐃、鈸、板等等，都是如此。

國劇中所用鑼鼓，固然是用以起止頓挫進退轉旋等之節奏，也應用它幫助表情，大致以鑼表怒，以鼓表驚。

歷代廟堂之舞，都分文舞、武舞，故樂亦有文樂與武樂，如今劇中也分文場與武場面，簡言之曰文場武場。凡吹彈拉各種隨唱之樂器，如笛、笙、胡琴等爲文場，所有擊打的樂器，如鑼鼓等等爲武場，直至今日仍分得很清楚。

漢唐以前之音樂，有許多分別。有廟堂之樂，有軍中之樂，有閨房之樂。廟堂之樂，講求雍穆；軍中之樂講雄壯；閨房之樂講柔和。國劇中之樂則相度情勢，分着把這些樂拿來利用。例如上朝或慶祝，則效法廟堂之樂；元帥點將大閱兵等事，則效法軍中之樂；洞房花燭，或兒女之悲歡離合的細膩的情節，則效法閨房之樂。

廟堂之樂本極古，皆爲三代之樂器，若把那些樂器，如鐘、磬、琴、瑟等等，都搬到舞台上來，不但不容易，且觀衆也不會歡迎。故國劇中，可說是以鑼代鐘，以小鑼代鎛，以嗩吶代簫管，以胡琴月琴代琴瑟，雖未必完全吻合，廟堂之音則相近似。如現在戲中皇帝或大員有飲食情節，則吹牌子，而宮中遇有慶賀事情，皇帝於用膳時，飲第一杯酒，作什麼樂都有規定；第二杯酒第三杯酒，以至上菜等等，無不有特定的樂章，直至清朝末年，尚是如此。戲中飲宴吹牌子，即來源於此。不過彼用笙、管、笛、簫等，此則吹嗩吶，笛或拉胡琴耳。（上）

寶蓮燈

「影劇與歷史」之十二

周遊

又都江堰功小傳亦云：「二郎爲李冰仲子，喜馳獵之事，與其友七人斬蛟，又假飾美人，就婚孽龍，以入祠勸酒。」按這一說在李冰之下亦有「假飾美人，就婚孽龍，以入祠勸酒」。足見李冰父子的神話相互混淆。但是我們可以知道二郎是李冰的二子，因治水斬蛟有功，所以被人尊爲神，血食一方。最可靠的「史記」河渠書記載：「蜀守冰，鑿離堆，辟沫水之害，穿二江成都之中。」太史公只說「蜀守冰」，並未及姓李，更未提他的兒子。但是，我們可以看到一點「封神」楊戩的輪廓，即二郎「喜馳獵之事」，封神西遊上的楊戩出陣之事，莫不是一幅出獵的行狀」。「與其友七人」，「封神」上的梅山七怪，爲楊戩所收，後爲七聖。這幅出獵行狀被「封神」所採取了。而「年正英部」，正是封神上的白面青年二郎楊戩的圖像。哮天犬助陣，正如一個獵人捕捉野獸一般無二。以上只是李二郎的一水神，被封神作者採去了一部份。還有記載李二郎的，如「獨醒雜志」云：「永康軍城外有崇德廟，乃祀李太守冰父子也。太守名冰，秦時人。其地有龍爲孽，太守捕之，鎖孽龍離堆之下。有功於蜀，人至今德之，祠祭甚盛。江鄉人今亦祠之，號曰「灌口二郎」。此與封神、西遊上的二郎，有同一實事。西遊記的第六回觀音說：「乃陛下令甥顯聖二郎眞君，現居灌江口，享受下方香火。他昔日力誅六怪，又有梅山弟兄。」這不是封神作者的好材料麼？至於封神與西遊的二郎楊戩，完全一樣：同姓楊，七十二變，哮天犬助陣，西遊記的二郎有「義結梅山七聖」，封神楊戩則「收服梅山七怪」同。據衛聚賢「封神榜故事研究」考定，「封神榜」成書稍早於「西遊記」，認爲西遊記作者看到過「封神榜」，在西遊記中有很多證據，因文長不必具引。

另外在「堅夷志」卷九二郎廟下云：「政和七年，京師中一小兒，騎獵犬揚言於衆曰：「哥哥遣我來，昨日申時灌廟爲火所焚，欲於此地建立。有司以聞，遂爲修神保觀，都人素畏事之。」觀以上之文，好似騎獵犬小兒是二郎之弟三郎，這又是一種另外的綫索。因爲有二郎必有大郎，甚至還有三郎。下面還要述及。

二、楊煜爲二郎神說：「河南府志」云：「河南府二郎神廟，在府城西關，祀灌州刺史楊戩。楊戩斬蛟築堤過水患，故民爲立廟。」這又是一個灌州郎，是隋朝的灌州刺史。可見自秦代李冰父子治水有功成神之後，以後歷代做灌州刺史者，可能有活水的功績。因爲四川灌縣的都江堰，完全採取古法，若干年後必定增修，且時有大水冲壞之虞。爲灌州刺史者的第一要務就是治水，所以後來治水的官吏都成爲二郎神了。（四）

姜白石與小紅

藍潔

白石雖獲致美人名士之雅喻，然而經濟窘困，始終無法解決，乃力謀仕進，將「大樂議」與「琴瑟考古圖」等音樂專著進獻朝廷，奉詔免解禮部考試，又遭落第。因時人忌妒其才華故也。無已，白石乃以詩、詞換取衣食度日。所難能者，落魄至於此境，而小紅仍然隨侍左右，相依爲命。時好友如蕭德藻、楊萬里、范成大已先後故世，白石乃依張平甫而卜居於臨安，生計雖甚潦倒，然仍不失文人風骨。每逢春秋佳節，白石則借同小紅，行歌於西子湖畔，一如當年，「白石吹簫，小紅低唱」之情景然。他們的行歌，常常吸引不少青年男女的傾慕。

白石終老於杭州客寓，身後幾至無以爲殮，由朋友輩爲之營墓，葬於杭州錢塘門外西馬塍。（下）

內警台報字第〇三一號內銷登記

自由報

THE FREE NEWS

第四九五期

中華民國僑務委員會登記證 台灣新聞字第二三三號登記證 中華郵政台字第一二八二號執照 登記爲第一類新聞紙類 （半週刊每星期三、六出版）

每份港幣壹角 台灣售價新台幣貳元

社長：雷嘯岑 督印人：黃行審

社址：香港銅鑼灣高士威道二十號三樓 20, CAUSEWAY RD 3RD FL. HONG KONG TEL. 771726 電報掛號：7191

承印者：大同印務公司 地址：香港北角和富道九十八號

台灣分社 台北市西寧南路蓬萊街三號二樓 電話：三〇四六三 台郵信箱一二九二號

世界貧富差距與落後地區的經濟開發（上）

宋文明

（一）

在今全世界一百二十多個國家中，絕大多數約九十個左右的國家，被稱爲是落後及貧窮的國家。這些國家包括除日本之外的整個亞洲，除南非共和國之外的整個非洲，整個拉丁美洲及加勒比海地區，甚至也包括東南歐的少數幾個國家。其他被稱爲進步與富庶的國家，大都集中於北美，西歐及東歐這一地區，其全部國家總數，當不會超出四十個。

這些被稱爲落後與貧窮的地區，其人口約佔全世界總人口的三分之二，而其總的收入則只有全世界的六分之一。而另一半被稱爲進步與富庶的地區，其人口只佔全世界總人口的三分之一，而其收入則佔了全世界的六分之五。再就個人的每年平均收入來說，一九六二年的統計數字指出，在這些落後與貧窮的地區，每人每年的平均收入，只有一百三十六美元，而北美地區的平均收入則高達兩千八百四十五美元，西歐地區亦高達一千零三十三美元。在這些進步國家，每人每年平均增加一百美元，而落後及貧窮地區，每人每年平均只增加五美元。（註一）

由這些數字可以看出，今日世界貧富國家之間不僅相差極爲懸殊，而且這種貧富差距還在繼續不斷的擴大。貧富差距的所以愈來愈大，繼續趨於擴大者，主要原因則由於：

（一）由於進步國家在文化教育及科學技術上，遠比落後國家根基雄厚，所以一切科學技術的革新與進展，也遠比落後國家爲迅速。而這種最基本的社會經濟發展條件，絕不是任何一個國家在短期內所能建立的。

（二）落後地區人口增加的速率超過進步國家，致兩者相較，落後地區總所得的增長也遠較進步國家爲緩慢。如一九六零——六三年這一期間，工業先進地區的人口總共增加百分之一點三，而落後地區則增加了百分之二點二。其中尤其拉丁美洲地區，人口增加百分之二點七，而其總生產所得則只增加百分之二點二。（註二）又根據另一數字（註三），至一九六五年六月爲止的五年期中，拉丁美洲的人口共增加百分之十一，而糧食只增加百分之七；但在歐洲，這一期間人口只增加百分之四，而糧食生產卻增加百分之十。

（三）由於落後地區的出口貨物主要爲原料品，而先進國家近年來又紛紛發展人造代用品，減低落後地區原料的進口，所以落後地區的整個貿易量也大爲減少。如根據一項自一九五零至六四年的統計數字（註四），這一期間先進國家所佔的世界貿易量由百分之六十增至百分之六十八，共黨國家由百分之八增至百分之十二，而落後地區則由百分之六十人，共黨國家由百分之八增至百分之十二，而落後地區則由百分之三十降爲百分之二十。

（四）與落後地區對世界的貿易量減低的同時，由於原料品價格的不斷變動，而同一期間落後地區輸出的物價格亦降低了百分之二十五（同註四）。即以迦納一國作例，其主要出口物可可一九五零年的國際價格，每噸爲九百二十八美元，可是至一九六五年，每噸可可的國際價格則只有三百六十四美元，降低率竟達百分之兩百以上（註）。就由於這一主要原因，所以當一九五七年迦納剛行獨立時，其庫存外滙高達四億七千六百萬美元，可是十年不到的時間，其國際收支便發生了極大的赤字。這種情形，同時亦影響到整個落後地區對外負債比例的增加。這種負債在一九五五年爲一百億美元，佔落後地區總所得百分之七，可是到了一九六五年，這種負債便達到三百億美元，佔其全部總所得百分之十五（同註四）。

（二）

由於落後地區與先進國家，貧國與富國之間的這種差距愈來愈大，并且逐漸形成了一種世界性危機，所以自從戰後殖民主義統治開始趨於瓦解，民族獨立浪潮開始瀰漫這一地區之後，世界先進國家集團與落後地區本身，亦已開始考慮採取各種步驟，沒法彌補和糾正這一缺陷。一九五二年一月美總統杜魯門在就職典禮上所提出的著名的「第四點計劃」，其最主要的涵意與目標，便是在以美國的支持，幫助落後地區各國致力於經濟技術的進步，以提高各國的生活水準。同時聯合國所推行的技術援助計劃，以及經濟理事會所屬各機構在亞、非、美落後地區所實施的各種改革與協助，亦都是以促進這些地區的迅速進步，改革各國人民生活狀況爲着眼點。

除此之外，一九五九年底，英國一政界聞人佛蘭克（SIR OLIVER FRANK）爵士，曾公開提出一項「南北計劃」，要求北半球的工業先進國家，共同協力，全面合作，對南半球的世界落後地區集體進行一項大規模援助，以使這一地區能迅速趕上先進國家的水準。他在提出這一計劃時宣稱：「假若說在十二年前，世界的平衡在於使西歐復興，那麼現在這一平衡，便在於建立一種世界工業化的北部與正在開發中的南部之間的適當關係」。佛蘭克爵士曾任哲學教授，牛津大學昆斯學院院長，及英國駐美大使等職。當他提出這一計劃時，他正担任英國勞德銀行的行長。因此佛蘭克的這一重要計劃不僅代表了工業先進國家知識份子的一種理想主義，而且也反映先進國家在經濟上的一種現實考慮。就理想主義而言，如佛蘭克爵士及現主持聯合國技術援助計劃的美國人霍夫曼等，都認爲工業先進國家有一種道德義務要對世界落後各國予以有力援助。就現實考慮而言，他們認爲只有把世界落後地區予以積極開發與現代化，工業先進國家的經濟才有可能獲得更進一步的開展。

斷爪

上當

今日與明日

毛共阻開亞非會議

四個月前，毛共出盡全力搞亞非會議，聲明無條件支持在阿爾及利亞召開二屆亞非會議。當布邁丁上校發動政變推翻了本貝拉政府之後，任何人都看到亞非會議不能如期召開了，只有毛共代表團不死心，陳毅親自跑到阿爾及爾去活動，周恩來則在開羅坐候。到了後來，會議是不能開，非延期不可了，議定在十一月五日召開，毛共更信誓旦旦表示擁護，並矢言一定要把會議開好。而曾幾何時，毛共現在却大力反對如期召開，一定要延期了。毛共之不守信義，翻雲覆雨，於此可見一斑。

毛共的理由

據新華社指出目前召開會議「障礙」有四：（一）未決定反美；（二）未撤銷邀請宇丹出席；（三）未決定拒絕蘇俄參加；（四）許多亞非國家出現了新的緊張情況。

毛共這些理由一望而知是遁詞，因爲前三項事實在上月間已經在，毛共當時並未以此爲開會的條件，周、陳兩酋僕僕風塵在非洲各國奔走，也只是想求得支持，拒絕蘇俄參加，造成反美形勢；至於宇丹是出席問題，根本提都未提過，更不能成爲反對理由。

第四項所謂「若干亞非國家間出現新的緊張和衝突」更不能成爲理由。甚至可以說就因爲有此緊張和衝突，才有需要開會解決，否則又何必多此一會？總不能專爲通過一項反美宣言而去開會。毛共的理由根本上就站不住脚。顯而易見是別有苦衷不能參加會議，只好藉此找下台的藉口。

毛共態度的改變，亞非各國都大爲不解，不知毛共此種忽冷忽熱的態度，究竟是從何發生。實際上，毛共確有不能參加之苦，不得不出頭破壞，作一拍兩散之計。

毛共何以出爾反爾

毛共此時參加亞非會議，第一個對手要遇到蘇俄，這是無可避免的事，因爲蘇俄的參加已成定局，毛共原來的打算操縱亞非會議，誘脅亞非國家成爲美俄之外的一大力量，到此成爲泡影。而且由於毛共向印度最後通牒，致觸各國之怒；而指使印尼政變，又增加了各國的敵意。甚至於由於「援越抗美」口惠而實不至，北越與北韓也爲之離心。預料毛共眞的參加亞非會議，必然變成一個少數，眞正跟他走的「兄弟國家」，不過一個久爲世人所共笑的小兒科元首施哈諾，最多也只能加上坦桑尼亞，剛果（布），馬利等兩三個被收買的國家，但是能起什麼作用呢？毛共算一算盈虧，自然以不開此會爲妙了。（何如）

自由談

敏感與麻木

馬五先生

政治是管理衆人之事，國家治亂興亡與人民禍福利害，皆導源於政治。因此之故，執政者平日對於國計民生事項的心理作用，敏感爲上，麻木不得。敏感就是見微知著，銳意興革，防患未然，制其機先。昔胡林翼在長江沿岸督視戰陣時，瞧着外國汽船鼓輪疾駛於大江中，即痛感外患日亟，憂心如搗，歸而爲之嘔血，這便是對國家大事的敏感作用。美國羅斯福總統於二次大戰前夕，憬悟希特勒納粹主義之禍至無日，而美國人民又以不介入歐洲戰爭爲得計，他就發表「防疫論」的演說，先行造成輿論，說服民衆，然後實行參戰，美國且以「民主國家兵工廠」自任，製定租借法案，大力支援同盟國家，這是對於國際局勢的敏感作用。至於一般有爲、有遠見的政治家，從各種社會現象之中，觀察到民意向背所在，資因而獲致續效者，古今來史證繁多，不勝枚舉。

最壞是麻木不仁，得過且過，一方面滿足於現實狀況，罔知振作，同時卻不願勤求民瘼，檢討庶政得失，加以改進，漸漸地形成強固的惰性觀念，認爲現有的一切措施，已畢盡治國平天下之能事，自我陶醉，惡聞缺失，大家習成風，報喜不報憂，上下交相騙，而國危矣！歷觀史乘，每當國家衰敗之秋，一些秉國鈞的君主，未嘗不想勵精圖治，祇因平時文武百官麻木成性，苟安自娛，下情壅於上達，構成了一種封閉的政治社會狀態。如明崇禎時，流寇四起，亂象環生，而地方彊吏與京朝大臣，皆諱言亂事，報稱爲「狐火狐鳴」的「癬疥之疾」，且隨時僞造情報，說某處股匪已告肅清，某地官軍大獲勝仗，終致陷於魚爛土崩之境，無可挽救。讀史至此，莫不掩卷太息不置也。與其敗於麻木，毋寧失之敏感；有時敏感縱或過分，雖鮮裨益，亦無大害，唯有麻木不仁，則絕對敗亡，決無倖理。猶之乎常常檢查身體的人，總比那得了癌疾而隤然罔覺，一旦疾發即臥床待死者，幸運多矣。個人如此，國家亦然，爲政者其念之！

監察院第二次選副院長
會場一片叫罵聲吵鬧聲
問題出在「問題票」儼然還有下文

（本報記者台北通訊）監察院於十月十六日舉行第九百二十次會議，選舉行憲後第四任副院長。這是第二次選舉；選舉結果，和九月六日第一次選舉一樣，國民黨提名的候選人張維翰得三十九票，因一票之差，未超過半數而未當選。另外一位應選人仍爲于鎭洲，得三十三票。

這一次選舉會議，是監察院有史以來最惡劣的一次，議場中有叫罵聲，有拍桌子的吵鬧聲，還有人在議場內兜圈子大喊大嚷，議場秩序紊亂極矣，主持會議的院長李嗣璁只好用議事槌鎭壓了。採訪新聞的記者，監察院的職員以及來賓，莫不搖頭嘆息。

當天選舉的經過，台北各報都有詳細的報導，這裏不再重複。現在記者所要敍述的是「法」的問題。首先談談廢票的問題。依照監察院監察委員互選副院長投票及開票辦法第十五條規定，廢票之認定，由開票監察員共同決定，認定後當衆宣布。什麼是廢票？凡是（一）不用大會發給之選舉票者；（二）未加圈選者；（三）圈選兩名或兩名以上者；（四）不圈在候選人姓名上端，致不能確定被選舉人者；（五）記入其他文字及符號者；（六）圈後加以塗改者——都是廢票。

這次監察院選舉副院長，出席委員七十八人，投票結果，原先張維翰得三十七票，于鎭洲得三十一票，另外有十張廢票。這個時候（十月十六日上午十一時二十分），監察委員陳葵仙、毛以亨、陳達元首先提出廢票問題，即大聲吵嚷；因此，開票監察員陳慶華、王枕華、王冠吾、侯天民、宋英等五人，共同會商決定廢票問題。

這十張廢票中，經五位開票監察員決定的結果，其中有四張廢票，認爲有效，因爲投票人在該選票候選人姓名上端，不是蓋的圓圈，而是蓋四方型的圈，所以認爲有效。並經開票監察員王冠吾正式宣布。這四張認爲有效的廢票，張、于各得二票，因此，張維翰由三十七票增爲三十九票，于鎭洲由三十一票增爲三十三票。尚餘六張廢票，由開票監察員侯天民宣布：空白票一張，同時圈選張、于二人者一張，圈選于鎭洲而在張的姓名外面加一圈者一張，圈張維翰而在右上角有筆跡者一張，圈于鎭洲另有暗號者一張，圈張維翰票的中間染有紅色暗號者一張。

問題之發生，就是最後的這張廢票。假定這張廢票認定有效的話，則張維翰得四十票，即超過票數的半數而當選。這張問題票監察院極可能重開一次院會來討論，目前雖無定論，理上所有準備，未來的一場論戰一定很精彩，至於誰勝誰負，要看雙方是否遵守法規所定的廢票標準而定了。從目前形勢觀察，擁張維翰的要想獲得戰果是不容易的一件事。爲什麼？因爲屬於張派之陳達元因未經愼重考慮後果而失言，致將自己非法──妨害投票的證據給對方掌握住了。

監委陳達元除在議場公開宣稱檢舉某監委在副院長選舉投票時，有舞弊不法事實外，並致書監察院長李嗣璁要求把有關某監委舞弊經過的資料，送刑警大隊偵辦。

據陳達元說：「我領到選票後，與陳訪先一塊去投票。我看到某監委投票以後，跑到陳訪先的投票處去，用手在陳訪先原先圈了張維翰的票上去擦。隨後，某監委又與陳訪先向主席要求換一張票，但因爲大家都表示反對換票，所以陳訪先又投下去了。這張票因爲被某監委一擦，已經成了廢票，對選舉發生很大影響。這件事是我親眼看見的，而且選票還有某監委的手印，可以查考據。像這種舉動，類似威脅，所以我要檢舉他。這張廢票，現已封存起來，我要求刑警大隊去鑑定一下，看看是不是某監委的手紋」。

監委陳達元這一說，有人認爲他已觸犯妨害投票罪嫌，蓋自由競選，公開活動，秘密投票，爲民主政治中選舉所不可缺少的三大要素，因此，我國刑法第一百四十八條規定：「於無記名之投票，刺探票載之內容者，處三百元以下罰金」。

所謂刺探投票內容，係指用非法的方法，妨害他人自由行使法定之政治上選舉的無記名投票上刺探其票載之內容爲要件。據陳達元自己說：「這件事是我親眼看到的」，這件事係指「某監委用手在陳訪先原先圈了張維翰的票上去擦。」那麼，陳達元不是投票開票監察員，爲什麼可以去看陳訪先圈選？縱然陳達元是投票開票監察員，也只能檢舉某監委妨害陳訪先選舉投票，而不得刺探陳訪先選票票載之內容。否則，即觸犯刑章。

同時，監察院這次選舉副院長之投票，既有舞弊情事，假使有確實的證據，依法應該宣佈這次選舉無效，重行投票選舉，因爲陳訪先一票影響選舉有相異之結果。

基於上述，陳達元檢舉某監委妨害陳訪先投票，原來是想幫張維翰的忙，殊料此一檢舉，反而幫了倒忙，可能全部選舉無效。自己親眼看到陳訪先選票票載內容，而涉嫌妨害投票，使監察院的聲譽也受到損害。

據監委陳葵仙在議場中大聲的叫喊說：「那張圈張維翰票的中間染有紅色暗號者一張（廢票）是我投的。我圈選後並請示主席認爲有效，何以現在變成廢票」？從這一段話中觀察，第一、陳葵仙似乎缺少選舉常識。在台灣這十幾年來，政府各種選舉不下數十次，選票上不得留有任何記號或暗號的。例如，圈選某甲的印色複印到某乙的姓名上端，選務所即曾宣佈無效。第二、陳葵仙的話可笑。選票圈選後而請主席認定有效與否，那麼，投票開票監察員究司何職？假使主席認爲該選票有效，那這位主席不但侵權，而且是一位不明事理的糊塗主席了。

最使人發噱的是：民社黨籍毛以亨委員，脹紅着臉，拍着桌子，大嚷大吵，直着嗓子叫：「這張票有效」。「誰說無效」？「表決，表決」！且到發言台去發言，結果被張一中、王澍林等委員轟下來。

（十月十七日寄）

緊張的南羅得西亞問題

·本報資料室·

最近非洲南羅得西亞的局勢又趨緊張了。南羅得西亞的白人總理史密斯在倫敦和英國政府談判獨立不果，宣佈南羅得西亞的白人移民政府將在最近自行宣告獨立。這一宣佈引起非洲國家嚴重不滿。非洲團結組織的三十六個國家醞釀採取集體行動，以阻止羅得西亞白人政府片面獨立。本月底將在加納首都阿克拉舉行的全非洲腦會議，也將研究成立羅得西亞流亡政府和有關措施。

南羅得西亞原是英國的一個領地。羅得西亞這個名字是一八九五年由英國命名的。因爲英國殖民冒險家羅得西所創辦的英國南非公司，曾根據英國政府授予的特許狀對這個地區實行統治。當時分爲南羅得西亞和北羅得西亞。後來英國又將這兩處地方和尼亞薩蘭合併，稱爲中非聯邦。中非聯邦解散後，去年十月北羅得西亞宣告獨立，改名爲贊比亞。接着尼亞薩蘭也宣告獨立，稱爲馬拉維。只剩下南羅得西亞還在白人統治下。在近年非洲各地高漲的民族主義浪潮衝擊下，津巴布韋人（他們否定南羅得西亞這一國名，復名津巴布韋。津巴布韋是南羅得西亞的一處古跡，位於布拉瓦約城以東三百公里。非洲語「津巴布韋」是石城的意思），也不斷掀起要求獨立的運動。在這種情況下，南羅得西亞的白人統治集團害怕南羅得西亞非洲人也受到民族獨立運動的影響，企圖用「獨立」和「民族合併」等好聽名義來籠絡非洲人。

問題是南羅得西亞「獨立」後，究竟是建立非洲人多數統治的眞正的獨立國家，還是建立仍舊由少數白人統治着絕大多數非洲人的國家。如果讓後者實現，那就是第二個南非聯邦的出現，由一小撮白人打着獨立的幌子，實際上繼續維持着白人變相的統治。

南羅得西亞總共只有四百多萬人口。其中二十五萬白人掌握着政治、經濟、軍事等一切權力。四百萬非洲人則完全處在被統治的地位。這裏土地肥沃，礦藏豐富，加上南羅得西亞是一塊大高原，氣候並不炎熱，更是適宜各種農產品生長的沃土。白人移民在這裏建立了大量的種植園，白人佔據的農場和保留地佔去了這個國家一半的農業土地。據統計，二十五萬白人佔羅得西亞人口不過百分之七，却擁有一千九百四十萬公頃的莊園田地，而佔百分之九十三的非洲人，却只擁有一千四百九十八萬貧瘠土地。在白人經營的礦場和農場工作的一百多萬非洲人，他們的一般工資只及歐洲籍工人的二十分之一。

南羅得西亞的礦藏更是豐富，主要有金、鉻、石棉、煤、鐵和製造氫彈的重要原料鈾。所有這些資源無不壟斷在白人的大公司手中。歐洲人在這裏有如天之驕子，因爲他們享有着一塊比英國本土還要大一半有多的土地，他們建有豪華的別墅，家中僱傭着衆多的非洲奴僕，又憑藉着享受英聯邦特惠稅，將羅得西亞的工、農、礦、畜產、水果每年大量運到英國和英聯邦國家，獲得驚人的利潤。

特別是在政治上，白人統治者效法南非當局，實行殘酷的種族歧視政策，現行的種族歧視法令達六十多項。非洲人上街必須持有「通行證」，他們甚至在街上拾起一塊石頭也會被視作「公開行兇」而遭到逮捕。殖民當局豢養着大量軍隊，修建了許多監獄，裏面囚禁着數以萬計的非洲人。

羅得西亞白人當局宣傳所謂「種族合併」的口號，在一九六一年頒布了羅得西亞憲法，接着又在一九六三年年底導演了立法議會選舉的把戲。但是根據這部憲法的種種限制，四百萬非洲人中僅僅有六萬人可以參加選舉。而在立法議會六十五個議席中，二十五萬白人佔有五十個席位，四百萬非洲人僅佔十五席。以財產、收入和教育情況爲基礎的選舉法，剝奪了絕大部分非洲人的選舉權。而史密斯就是堅持要求在「現行憲法」和選舉權的基礎上進行「獨立」。

針對史密斯的意圖，十月十一日津巴布韋各個民族主義政黨領導人在達累斯薩拉姆發表聲明，表示非洲人民決不在少數白人統治下過日子。如果史密斯殖民政權在南羅得西亞爲他們自己宣佈「獨立」，津巴布韋非洲人民決心奪取政權。聲明說：「我們可能沒有現代化的武器，但我們將利用斧、矛、弓箭、石塊——我們能拿到手的任何東西和殖民者鬥爭到底。」

有關稅制上的幾個問題

本報駐台記者張健生

關於國民所得與租稅負担問題，是否合理，乃是研究財稅者最感到興趣的問題。立法委員黃煥如對這個問題曾作了一項統計，認爲我們的國民稅負比美國重，而國民所得却比美國少。

租稅負擔 超過所得

先說美國。美國一九六五年的人口爲一億九千餘萬人，國民所得約六千一百餘億美元，平均每人所得達三千二百廿一美元；國民租稅負担，中央聯邦政府與地方稅合計爲一千六百八十餘億美元，平均每人稅負爲八百八十餘美元，約佔國民所得百分之二十七點五。

根據行政院主計處五十四年統計手冊，五十三年國民所得約七百六十八億五千六百萬元，平約每人所得爲新台幣六千零三十元，折合美金一百五十元，僅佔美國國民所得二十一分點五之一。而國民租稅負担，中央及地方稅課收入計一百已十九億餘元（據行政院長施政報告，計征起淨額一百四十九億七千六百九十二萬餘元），約佔國民所得百分之十九（如按照行政院長報告數字計算，估國民所得百分之十九點五），平均每人稅負爲一千一百七十元左右。由此可見，國民租稅負担，則達美國百分之六十以上，顯見過重。

稅目繁多 重複課徵

嚴院長於九月二十一日在立法院報告：謂五十三年國民生產毛額高達一千零三十四億餘元（而中央銀行年報記載：五十三年國民生產毛額爲九百四十三億三千一百萬元，相差達九十億元以上），較諸主計處五十四年四月編印之統計手冊所載，五十三年國民生產毛額爲九四三億餘元，相差九十一億餘元。不知根據那些因數增加如此之鉅？嚴院長謂係包括自用住宅設算租金，查房屋，租金早已計入國民所得，毫無收入之自用住宅，既無交易收支行爲，不能課征所得稅，似不能計入每年國民所得，徒資誇張，並降低所得稅之比重。

現在我們的稅目有二十二種之多，因此，黃委員主張簡化稅目，避免重複課征。

依照中央及地方各項統一條例第二章規定：有（一）所得稅，（二）遺產稅，（三）印花稅，（四）貨物稅，（五）證券交易稅，（六）土地稅──包括都市地價稅，及田賦徵實條例，（七）營業稅，（八）房捐，（九）契稅，（十）屠宰稅，（十一）使用牌照稅，（十二）筵席及娛樂稅，（十三）特別稅課之戶稅，（十四）臨時稅課之防衛捐，暨（十五）菸酒專賣收入，（十六）立法院新通過之電燈電力費臨時捐，（十七）地方教育捐，與完全屬於中央之（十八）關稅，（十九）鹽稅，（二十）礦區稅，（廿一）關稅帶徵防衛捐，（廿二）港工捐等。

（一）

瀛海異趣談

夫妻鬥氣怪招舉隅

·桑雅·

幾乎每一對已婚夫婦都會發生小爭吵，有些祇是在茶杯中興風作浪，瞬間化為烏有，另外一些人，會吹起較大的風暴。

西西里島一名丈夫，指太太與別的男子調情，於是，每天晚上，他把繩子一端綁在自己的足踝上，另一端綁在她的足踝上，兩口子過了一段相安無異的日子，直到妻子控告丈夫虐待罪名，這個善妒的倒霉丈夫要過八個月的牢獄生涯。

在法國的高朗米亞地方，有一個丈夫以鐵鏈把嬌妻鎖在椅子上，他這麼做，並不是為防止她作出牆紅杏，而是為了確定她是躲在家裏和處理家頭細務。

但是，丈夫與妻子之間，也並不常是丈夫才如此討厭的。

在蘭開夏有一名家庭主婦，為了丈夫不交足家用費，她便買了一包使人發癢的藥粉回來，散放在他的床鋪之上。當她發覺這一噱頭對丈夫不能發生效果時，她搬走他睡房裏所有的傢具，把洗衣機擲到泥沼去，把他的晚餐拋出花園之外。

倫敦一名易怒的妻子，倚賴女子最陳舊的武器——她的一張咀吧，對抗丈夫，她不顧一切的咒罵，使他受不了，他只好把自己鎖在睡房之中。但仍不能避過她的怒氣，她用球棍擊毀房門，在晚上彷彿放機關槍般連續漫罵不休，使他睡眠不得。她還跟他上班，在寫字樓罵個痛快。他去吃午餐時，在餐館中她一樣不肯放過咒罵的機會。

但在法國的南特斯，有一個妻子卻因絮絮不休的談話而置自己於死地。她不是一個咒罵者，她嗡嗡地叫，有時激怒，日以繼夜，如是者廿七年。最後，她的嗡嗡叫聲使丈夫忍無可忍，他企圖射殺自己，子彈由他的臂部穿過。接着，他原是為了要對她恐嚇，把手槍指着她的妻子，「砰……」她倒斃在地上了。他被控謀殺罪名，但陪審員考慮到他有喋喋不休的妻子的環境，他獲輕判入獄五年。

有些妻子，以皮鞭對待丈夫，在根州有一名兇惡的太太，揮動五條鞭子，鞭撻她的丈夫。她的解釋，真是有史以來最奇異的一種，她說：「她充滿着神聖的榮耀。」她虔誠的信奉着宗教的期間，她受神的感召，懲罰她不幸的夫丈，她以為她的丈夫已和另一個羅敷有夫的女子熱戀着。

一名米蘭的妻子，她對她丈夫懷着同樣的惡意，但選擇了不同的方法，來對待她的丈夫。她跑到外邊去，僱了十一個孩子，佯稱是她自己的孩子，聯羣結隊，浩浩蕩蕩開往她懷疑已移情別戀的丈夫的辦事處去，當然，她不需作任何擾亂了。

另外還有一位西班牙丈夫，為了恐嚇嬌妻，使她的理智清醒過來，他自己特製了一個木偶，穿了他自己的衣服，在寓所內的去污水管上「掛臘鴨」一般吊起來，他掩人耳目的自殺方法太好了，他的妻子嚇昏了，被送到醫院救治。

夫妻之間，在婚姻生活中，完全沒有齟齬少之又少，但絕少有德克薩斯州一雙夫婦弄出的花招。這位妻子刺傷了丈夫的手臂，接着強迫他飲雪水。他以為對付這麼一個太太，只可以智取，不可以力敵，他逃入私家車裏；她追了出來，持着一個熱騰騰的牛油煎盤，向他擲去。到了這般田地；他發怒了，他把太太擊倒地上。此事驚動了鄰居，趕到現場，但這雙夫婦向人解釋「只是家庭中的爭吵」而已。

當然，夫妻間有了糾紛，那一方到了忍無可忍的地步之時，大可以一走了之，這裏有一個逃走的笑話。

有一位丈夫，他帶太太到本地一間戲院內，這裏正有一位著名的魔術師在登台表演，魔術師玩着一套「隱身術」，請求一位自願者上台，給他作隱身表演，這位丈夫作了毛遂自薦，魔術師把一張大毛毡蓋着他，口中念念有詞，這位丈夫登時不知蹤跡，當再念念有詞，要他再出現時，這位丈夫拒絕了，弄到魔術師出盡洋相。後來，這位失蹤的丈夫寫了一封信給魔術師道歉說：「這是我唯一能逃離太太的方法。」

郭嵩燾

李仲侯

而它的政治制度和一般文化也都值得學習，所以他曾舉日本為例，勸李鴻章擴大留學範圍，迎頭趕上西洋。他這種最進步的見解，對溝通中西文化，實具有重大的作用。他曾說兵者末也，各種創制皆立國之本也。實屬一針見血之論。他這樣說，已完全指出了當日談洋務運動者所犯的一個最大的毛病。他促李鴻章積極提倡西洋文化、建設新中國的主張很多，在他的全部著作及書牘中，幾乎隨處可見，可惜李鴻章的思想還是落後一着，沒有完全採用幷好的去實行。

到了後來戊戌政變，康梁一班人所提出的，幾完全與郭嵩燾的見解相合，他不知不覺做了他們思想上的前導。

嵩燾出使西洋，在職期間，一切費用皆自己開支，取於公家的，不過廉俸館租二者而已。他嘗說：廉者君子以自責，不宜以責人，惠者君子以自盡，不宜望於人。其人品之純正可知。出使歐西，他對中西文化的交流固具有極大之貢獻，就其對外交方面的成就，據後人評論，關於建立使領事制度和對外交人事的行政二者而言，均值得稱道。

先言使館制度之形成和發展，郭嵩燾出使英國，為中國派遣常駐使節之始，其後陳蘭彬奉派為駐美西秘三國公使，容閎為副使，光緒二年派何如璋為駐日欽差大臣，張斯桂為副，常駐日本，光緒三年以各國使節無副使之例，為外邦所譏笑，乃調英副使劉錫鴻為駐德公使並兼駐奧荷大臣，同年駐英公使郭嵩燾兼使法國，至此中國駐外使館幾次第成立。出使章程，亦應郭嵩燾首次出使之需要，於光緒二年八月頒布，九月又訂定出使各國隨帶人員章程，使館制度至此大備。使館經費亦由總理衙門奏准動支海關六成洋稅支應。使館人員，計出使大臣一員，副使一員，（後被取消）參贊二員，繙譯四員，隨員醫官四員。出使以三年為期，俸給待遇，欽差大臣頭等一二品充，月給俸薪一千四百兩。（六）

評介「戊戌、辛亥、五四」

——自由人文集第一集——著者：左舜生等

·洪流·

這個文集包括作者十八人，全部二十七篇文章，共分作四個單元，而以「戊戌，辛亥，五四」，為整個集子的名字。那篇文章是左舜生先生寫的。左先生是學人而從事政治活動者，在他的筆下，時常是負有一個特別的任務，而非普通文人的筆墨，而是在一個文人論政與論史的任務下，來表示他個人的襟懷。

戊戌在近代我國的歷史上，有着它應有的意義，康梁之失敗，間接的為以後的辛亥與五四開闢一條坦途。毫無疑問的，戊戌是以日本明治維新為藍本的。但一則以成一則以敗，那就不是一個單純的成敗問題，而要牽涉到甚廣與甚大的國人思想主流了。根據在國人心理上的傳統，以及環繞在傳統四周的頑固派份子，可以說是戊戌未能成功的主要原因。頑固派份子為了鞏固個人的權威，以延續一家一姓之香煙，他們於是出之以暴力。六君子之成仁取義，正是那拉氏以及她四周那些頑固份子的傑作。但三年後乃有拳匪之亂，大好河山，幾乎因此而瓜分之禍。列強們為了在中國的均勢的協調，未進一步的實行瓜分，實在可以說是幸運了。在那種情形下，劉坤一、張之洞在東南首倡東南自保，如果以一個傳統的眼光來看，那是大逆不道的事，不過東南地區未曾受到外人的蹂躪，在以「祖宗家法」為念的老婦人那拉氏來講，那是功多於過的。張劉等人的敢於與外人訂定東南自保的協定，一來是鑒於外人的船堅炮利，再者是義和團的無用，歸終一句話，多少也含有媚外或是懼外人的想法作祟。東南自保，雖然在當時暫能相安，卻也正好為後來的辛亥人士給以一針強力的注射。也使外人覺到中國這個紙老虎不過如此；如果不是列強在均勢的這個觀念上，無法調解，未能找出一個妥協辦法來，那就滿廷早已成為歷史名辭了！

戊戌之失敗，主要原因是為袁世凱之告密而起；而在辛亥革命之役，又被袁氏撿了一個大便宜。我們如果對革命前實不加厚誣的話，實在來說，經十次失敗，以迄武昌首義之成功，黨人有的以為革命已成，天下無憂，那還會顧及到革命黨人與袁氏思想的無法統一，歸終乃有二次革命，以及軍閥割據的慘禍。袁世凱不愧為巨奸大憝，政治投機到已是絕響，千不該，萬不該，他帝制以自為，八十三天的洪憲夢，只有埋葬自己。

袁氏下世之後的世局，是個無頭腦的軍閥羣起的局面，可怪的是外人竟未趁機要求新的權益，也可能是他們的第一次世界大戰，打昏了他們的頭腦，而無暇顧及到中國的爭奪此一，而軍閥又都是槍桿主義，出一團糟的打來打去，打不得真正的名堂，老百姓也只得坐觀狼虎鬥了。

古語說：「得民者昌，失民者亡。」而軍閥之連年爭戰，既無得民之心，當然也就沒有失民之痛，故此他們全是以一己之權力為依歸而戰鬥，遂又惹起現代國史上一個大題目，五四運動。所以，將五四分為政治與文化的雙重意義，那是不會錯的；至於近日五四又被共產黨徒作為他們的宣傳口實，攫取五四之果，那全是騙人的玩藝，他們改造不了歷史的！

集中其他十七位與廿六篇文字，都是擲地有聲之作，筆者不另一一介紹了。

國民大會行使創制複決兩權答問

國大代表聯誼會

③ 建國大綱第十三條「各縣對於中央政府之負担，當以每縣之歲收百分之幾為中央歲費，每年由國民代表定之，其限度不得少於百分之十，不得多於百分之五十。」這很明顯的規定了國民大會應每年集會一次，因為中央預算必須每年訂立，而經費之來源，係以每縣歲收中百分之幾為中央歲費。而每縣究應納多少為中央歲費又必須依據每縣當年實際情況而決定，故只有由每縣人民自己選出的國民代表方能定之，這不就是說明了國民大會行使政權應該每年集會一次嗎？

④ 國民大會在中央代表人民行使創制複決權之對象，為憲法及中央法律。立法院每年集會兩次，為期配合，則非每年集會一次不可。

18 國民大會行使創制複決兩權後，是否可以隨時提出創制案，或複決案？

答：① 國民大會行使創制複決兩權，視立法機關立法之情形而定，如立法院所立之法均有利於人民，則創制複決兩權自無從行使，否則隨時可以提出，不至走上濫用權力之途，亦不至於以權害能。此即權能劃分制度之精華所在。

② 國民大會行使創制複決兩權，在憲政研討會第二次全體會議通過之「國民大會創制複決兩權行使辦法草案」中第十條與第十四條，有詳明之規定，故對創制複決案的提出，必須依照第十條與第十四條之規定。

19 今日國民大會能否行使創制複決兩權之關鍵何在？

答：① 國民大會未能行使創制複決兩權，主要之關鍵在受憲法第二十七條後段的限制。今日國民大會要行使創制複決兩權，祇要代表自己萬衆一心，解除憲法第二十七條的限制即可。

② 以前國民大會不能行使創制複決兩權的關鍵在敵人，今日國民大會能否行使創制複決兩權的關鍵在自己。

③ 祇要我國民大會代表同仁，有共同一致的認識，有堅定不移的決心，在表決通過國民大會行使創制複決兩權時，都贊成通過，任何阻力，均不能阻止國民大會行使創制複決兩權。

（七·完）

父子與父女（續）

鐵蓮花之好，得力於定生，由乃女胡小萍扮飾，完全像眞；再加周金福的馬氏，遂成三位一體，比以前的整齣爲緊湊。此父女同台，也得好評與好果。

李桐春在文藝活動中心，演出十八羅漢鬥悟空，這是極新鮮的戲，可以說是給觀衆開一次洋葷，十足表現海派的高潮，而且多唱吹腔，不用皮黃，那是李少春排出此戲，以對付李萬春的收大鵬。雖是姓李，但不是桐春家的戲，同姓不宗，萬春與少春爲郎舅，恐怕四十以下，而未到過上海的，沒有看過，如何明白。此戲桐春自飾猴子（悟空），以乃子復昆配哪吒，兩下開打，又是父子同台。復昆在復興劇校肄業，武工不弱，且面目淸秀，身上機動，活潑可喜。自張復建離校，繼起有毛復海葛復中等，但三五年後，復昆當能接踵而起，未可限量。此次演哪吒，與其父對陣，並不見弱，此堪爲李氏賀，下一代已有可傳之人。

國劇繽紛續錄

姿婆生（二十八）

國劇欣賞會的成就

吾國自遜淸滅亡，民國締造以來，政府對於審查和管理戲劇的機構，迄無很完備的組織。渡海以還，敎育部始有編審委員會，聘請了若干深通劇藝人士，担任其事，每月酌致車馬費，但十年以來，也無成就，未有如何的表現。五十三年七月，敎育部贊助，由立委曲直生、吳延環、張大夏等，組織國劇欣賞會，聘請富於劇藝人士，約有四五十人，均爲義務職，不支薪給，大家爲了劇藝改進，頗感興奮。在成立之初，外間人士以爲必無多大收穫，不予重視。迄今已有一年，前據會議報告，頗有成就，足資欣慰。

欣賞會內分兩組，（一）研究委員組，（二）演出委員組。研究委員約計二十二位，一年來的工作，約有三端：（一）辦理敎育部委託審查劇本事項，已完成審查而報呈者，有翟國瑾的楊娥，倪搏九的花蕊夫人，（與尚小雲原本不同）高戈平的芙蓉屏，孫雪岩的玉鐲緣。正在審查的，有毛家華申請的韓信出世。（二）修改舊本，已完成有申克常修改之戰太平，張大夏修改之雙姣奇緣。（三）協助研究，如曹曾禧所飭改之班超部份的場子，唱詞。李金棠所演秦瓊之起解一場唱詞，大多推敲完成。其他較小的修改，不及備舉。（未完）

河南墜子與靠山調

恨海

南南墜子當然發源於河南了。河南地方甚大，因此有其派別之分，亦因此有腔調之不同。此種玩藝兒之特色，是伴奏的樂器十分別緻，上半部像亞子，下半部是胡胡，用右手拉弓子，左手上下按工尺字，同時脚底下踩一個小梆子，伴奏的時候，手脚一齊動，如果沒經過專門訓練，非得手忙脚亂不可。唱的人手裏拿兩條長板打拍子，也有敲打銅鈸的。

將河南墜子傳入天津的是喬清秀，她在民國十五年首入天津，泰康商場歌舞樓演唱，碼列中場（後面、有于瑞鳳、王佩臣、金萬昌、張壽臣、劉寶全。）因其口齒清楚，唱得好，玩藝兒唱得別緻，一炮而紅。當時此伶以「蓋河南」和「墜子大王」做號召。其餘雜要園之主持者，一見觀衆歡迎，於是乃四處物色墜子角色，於是唱河南墜子之藝人，便大批入天津，墜子便在天津風靡一時，成爲河南墜子的鼎盛時期；甚至玉堂春茶園自開場到散場完全唱河南墜子，成了墜子大會。

繼喬清秀而大紅者，爲董桂枝，她的腔調與喬不同，喬是「輕鬆風趣」，董則「悽涼哀怨」。董伶尚有一點與喬不同者，則爲一男一女合唱，董伶的男配角名叫「大老黑」。嗣後墜子便有單擋與雙擋之別了。以後著名之墜子藝人，天津有程玉蘭、武艷芳。北平有姚俊英、馬忠翠。馬小蓉墜子的題材很多，像三國的節目，有「徐母罵曹」、「河北尋兄」、「走馬薦諸葛」、「哭祖廟」、「連營寨」、「鳳儀亭」；列國節目有「火焚綿山」、「伯牙捧琴」、「密澗遊宮」；通俗故事則有：「馬前潑水」、「玉堂春」、「祝英台」、「哭長城」、「韓湘子度林英」、「藍橋會」、「王二姐摔鏡架」、「呂蒙正趕齋」、「小黑騾」等等。

靠山調，又名「天津時調」，盛行於天津，此一「時」的階段，只是始自民初年，到民國三十年便因不「時」而式微淘汰了。至於名「靠山調」的原因，則不得而知。其實天津近水，並不靠山。女性大半唱手都是靑樓中人，內容亦皆靑樓故事，如「妓女悲秋」、「妓女告狀」、「妓女作夢」、「哭五更」、「光棍哭妻」等等，調子激昂悲悽，兼而有之，非有好嗓音與氣力不能唱。享盛名的有「時調大王」秦翠紅，外號人稱「棒子麵」，形容其認眞賣力，實大聲宏亮之意。有名的還有高五姑、趙小福等。民十年前後，到二十年左右，天津雜要場還有一場時調，後來因爲內容貧乏，調子單純，而且費力不討好，聽衆不感興趣，學者亦渺渺無幾，使因而逐漸被淘汰了。這玩藝兒就唱給天津人聽，北平的觀衆都聽不慣，更談不到南下了，所以，現在談起來，已成陳迹了。

譚國樂

匡謬

軍中之樂，昔本謂之「吹鼓」；而今日之婚喪等事，作樂的人名曰「吹鼓手」，此一名詞即本於是。漢唐以後，用鼓吹爲鹵簿，後世便成了各衙門的儀仗，於是社會中婚喪等事亦用之，最爲普遍。所以戲中亦採用之，不過鼓吹照例用歲栗，今之戲中則用嗩吶，大致音節有相似之處也。古來軍中之樂，象武之武，多用金革，故戲中武將登場、起霸、交戰等，亦均用鑼鼓，猶存古意也。

現在之講音樂者，謂西洋音樂皆複音，中國音樂皆單音，這話固有道理，不過他所說的，祇是現在的音樂，並非中國古代之音樂也。就現代音樂而論，固然都是單音，但加上鑼鼓，便算複音。若講到眞正古樂，則大概都是複音，如琴、瑟、笙、箏、簫等皆是。近世戲中所用音樂，大致皆係單音，但大多數皆來自外國。有人謂俗樂乃由燕樂嬗變而來，其實是淵源於隋唐所採取的西域之樂，其與古代之雅樂、燕樂，雖然不能說是毫無關係，但其關係也是微乎其微了。如舊唐書音樂志中，曾謂周隋以來，管絃曲多用西涼樂，鼓吹舞，多用龜茲樂，破陣舞皆大鼓，雜以龜茲之樂，聲振百里，動蕩山谷云云。是皆爲現代戲劇中樂器之來源也。因金革等樂器，來源於鼓吹，故亦有許多排子，如上天梯、急急風、長錘、冲頭、奪頭、陰鑼、水底魚、紐絲、幾錘頭、冷錘、鳳點頭、望家鄉、回龍頭、哭頭、倒板頭、撲燈蛾、亂錘、尾聲等名目，皆爲常用者。此亦約與絲竹樂器之曲牌意義相同，不過稍簡單耳。此種牌子，大致乃淵源於龜茲樂及唐代之鼓吹，當然也有後來所增益者，年代久遠，時有變化，不易詳考了。

古代的樂號爲八音，即是金、石、絲、竹、匏、土、革、木，如今祇可得五音了。石之一種，祇有懸磬，然祇廟堂樂用之。土之一種，祇有塤，亦祇廟堂中尚有。匏之一種，祇有笙，然自唐以來，便改爲木製了。按舊唐書音樂志云：「今之笙竽，並以木代匏而漆之」云云，便可爲證。此大致也是各種樂隊，採用國外之樂，而中國之樂器不能合奏，自然不能應用，而又不知變化，遂致廢棄了。

音樂隨唱，是世界歌舞劇的通例，惟獨中國的音樂則有特別之點，文場音（絲竹之屬）於隨唱之外，往往另奏一段，名曰「過門」，崑腔中無此組織，皮簧、梆子中，則都有之；有時角色唱完一句或半句，音樂即單奏一段，歌者可以藉此稍事休息，且於音樂的組織，亦覺濃淡合適。在西洋音樂中，雖無過門，亦有與過門相似之處。

武場音樂（金革之屬）於音節和身段之外，於開戲之前，先打三回通，這大概就是古人擂鼓三通之義，一則以之齊集演員，二則可以招來觀衆也。紅樓夢傳奇凡例中說，絲竹之聲哀，不可無金鼓以震蕩之，即指此也。（下）

寶蓮燈

「影劇與歷史」之十二

周遊

三、楊磨二郎神說：杜光庭「水記」云：「楊磨亦有神術，能伏龍虎，嘗於大江鬼側抉水田，與龍爲誓。今有楊磨江，或訛爲羊麻江。」（輿地廣記引）趙昱二郎：據「龍城錄」云：「趙昱字仲明，與兄冕俱隱靑城山，事道士李鈺。煬帝拜爲嘉州太守。是時犍爲潭中有老蛟爲害，昱持刀入水，左手執蛟頭，右手執刀，[illegible]文帝賜封神勇大將軍，廟食灌口。」此地之嘉州即今之樂山，與犍爲同在岷江邊，在成都南，灌口在成都西北，不是嘉州的轄地，不能及於灌州，而他所斬的蛟，是犍爲的蛟，不是灌州的蛟，他怎能到灌口二郎廟？可見在四川及其他各地治水有功的人，都稱之爲二郎神，都進二郎廟享受人間香火。

趙昱在「三教搜神大全」中的清源妙道眞君傳中更有評細的記述，傳云：

清源妙道眞君，姓趙名昱，從道士李鈺隱靑城山，煬帝知其賢，起爲嘉州太守。郡左有淸源二河，內有犍爲蛟，春夏爲害，其水汎漲，漂淹傷民。昱大怒，時五月間，設舟船七百艘，甲士千餘人，夾江鼓噪，聲動天地。昱持刀入水，有頃，其赤石崖奔吼如雷，昱右手持刀，左手執蛟首，奮波而出。時有佐昱入水者七人，即七聖也。公斬蛟時，年二十六歲。隋末天下大亂，棄官隱去，不知所終。後因嘉州水漲溢，蜀人見靑霧中，乘白馬，引數人鷹犬彈弓獵者，波面而過，乃昱也。民感其德，立廟灌江口，奉祀焉。俗曰『灌口二郎』。太祖封神勇大將軍。明皇幸蜀，加封赤城王。宋眞宗朝，益州大亂，帝遣張乘崖（詠）入蜀治之，公詣祠下求助於神，果應驗。奏請於朝，追尊號曰『淸源妙道眞君』。

觀上「三教搜神大全」所載，雖然是楊昱，但其形貌狀亦如李二郎，也完全是一幅行獵者的模樣。治水與斬蛟也一樣。其後封爲「淸源妙道眞君」，這是封神榜上楊戩的封號。可見「封神」作者也採取了「三教搜神大全」，而且其他的封神人物採取「三教搜神大全」的更多。（五）

民族舞探源

匡正

由於人類學、社會學與藝術研究的發達，使我們知道舞蹈、音樂、詩歌在原始時代是三位一體的藝術，而舞蹈的起源最早。原始的舞蹈祇重節奏，詩歌與音樂不過是一種節拍的點綴，往往是有音無字的。

舞蹈、音樂、詩歌三位一體的形情，在禮記、樂、詩經中都有記載，如禮記檀弓篇裏說：「人喜則斯陶，陶斯詠，詠斯猶，猶斯舞矣。」詩序裏也說：「詠歌之不足，不知手之舞之足之蹈之。蓋心內發，感物而動，不覺自運歡之至也。此舞之所由起也。」後來舞蹈、音樂與詩歌漸漸分離，除了它的共同點節奏仍爲這三者保有以外，舞蹈儘量向姿態方面發展，音樂盡量向和諧方面發展，而歌唱儘量向意義方面發展了。

詩經中風雅頌均有舞的記載，三頌中提到舞字的共有三次：（一）「魯頌」有駜篇：「振振鷺，鷺於下，鼓咽咽，醉言舞，于胥樂兮！」（二）「魯頌」閟宮篇：「萬歲洋洋，孝孫有慶。」（三）「商頌」那篇：「庸鼓有斁，萬舞有奕。」

由於社學、人類學、與藝術起源的知識，我們知道古代人類獲得獵物或祭祀時是要歌舞的。在小雅裏還有多次的記載：（一）「桑扈之什」車牽篇：「雖無德與汝，──舞式歌且舞。」（二）「鹿鳴之什」伐木篇：「坎坎鼓我，蹲蹲舞我。」（三）「桑扈之什」賓之初進篇：「舍其坐遷，屢舞僊僊，亂我籩豆，屢舞斯斯，側之俄，屢舞傞傞。」這三篇所記，都是飲宴的舞詞，在古代社會宴飲時是要跳舞的。

不但雅裏有舞，「國風」裏也有舞的：（一）邶風簡兮篇：「簡兮簡兮，方將萬舞，碩人俁俁，宮廷萬舞。」（二）鄭風大叔於田篇：「叔於田，乘乘馬，執轡如組，兩驂如舞。」（三）齊風猗嗟篇：「舞則選兮，射則貫兮。」在這三篇中，除了「大叔於田」裏的舞字是形容詞外，「簡兮」和「猗嗟」兩篇，則無疑的是一種舞詞。這種舞的性質雖不可知，但李辰冬先生則認爲：「從『公庭萬舞』的詞看來，好像是一般的羣衆舞，或宮庭舞，不過不要把宮廷舞看得太嚴重，實際上，在古代社會的宮廷舞，也就是普通的羣衆舞。」（一）

內政部台報字第〇三壹號內銷證

自由報

THE FREE NEWS

第五九五期

中華民國僑務委員會頒發
台敎新字第三三三號登記證
中華郵政台字第一二八二號執照
登記爲第一類新聞紙類
（半週刊每星期三、六出版）
每份港幣壹角
台灣零售價新台幣貳元
社長：雷嘯岑
督印人：黃行富
社址：香港銅鑼灣高士威道二十號四樓
20, CAUSEWAY RD 3RD FL. HONG KONG
TEL. 771726 電報掛號：7191
承印者：大同印務公司
地址：香港北角和富道九十六號
台灣分社
台北市西寧南路壹零零號二樓
電話：三〇四六二
台郵撥儲金戶二九二二二

世界貧富差距與落後地區的經濟開發（下）

宋文明

這種要求協助落後地區的經濟技術進步，以縮短世界貧富國家距離的壓力，終於也促成了一九六四年春天聯合國貿易及開發會議在日內瓦的召開。這一由全世界一百一十九個國家所參加，而連續進行了八十五天的重要國際會議，特別强調經由貿易而實行援助的宗旨。最後并通過亞非、拉美國家所提決議，要求工業先進國家每年以一百一十億美元援助落後地區，并將這一會議變爲一項聯合國所屬的常設組織。而亞、非、拉美七十八國，也在這一會中宣佈組成一個新的經濟集團，以尋求一項公正的新經濟秩序。

以上這種種作法，就在指出要想縮短世界貧富國家之間的距離，以加速落後地區的經濟發展，就必須要從加强工業先進國家對落後地區的經濟技術援助，及擴大兩者之間的貿易來着手。要加强工業先進國家對落後地區的經技援助，一是增加各先進國家政府對落後地區的援助經費，二是增加各先進國家民間財團對落後地區的私人投資。爲了要增加這種私人投資及擴大私人企業在落後地區經濟開發上的作用，已有美國等好幾個先進國家的企業界開始組織起它們自己的經援服務機構。至於要擴大落後地區與先進國家之間的相互貿易，一是以各種鼓勵與優待辦法，擴大落後地區對先進國家出口貨物的數量及種類，二是穩定這種出口貨的國際價值，以保證落後地區國家的固定收入；祇有先有了這種固定的國際收入，落後地區才可增加先進國家的機器進口，以促進生產。

不論是增加先進國家對落後地區的經技援助，或擴大兩者之間的貿易，其最主要的目標，便在設法保證落後地區國際收入的絕對增加，擴大其經濟發展的速度，累積財富，不斷提高人民生活水準，終於逐漸縮短與先進國家的貧富差距。先進國家對落後地區經技援助愈多愈快，雙方貿易的擴增愈大，愈有利於落後地區，則縮短兩者間這種貧富差距所需的時間，亦愈將減少。至一九六五年止的估計，落後地區在經濟上完全趕上西歐，將需時八十年，要趕上美國，將需要一百年，可是先進國家若以其總所得百分之一來援助落後地區，這種時間可減少一半。

（三）

增加先進國家對落後地區的援助與投資，擴大落後地區對先進國家的輸出及穩定價格，雖爲縮短兩者間貧富差距的最主要的手段，但根據最近年來的各項資料，其實施情形並不理想。茲舉數例如下：

（一）在經援方面：自一九五零至六五年的十五年內，先進國家雖對亞非美落後地區提供了五百五十億美元的經援款項，但自一九六四年起，這種經援開始逐漸減少。尤其在美國一方面，這種減少更爲顯著。這種原因，一是由於美國自戰後以來長期實施援外的結果，致在國民心理上已對此造成了一種厭倦。二是有些先進國家連年遭遇國際收支不平衡，對援外熱心亦大爲減低。這種情形便表示，除非國際局勢發生重大變動，迫使先進國家非大力援外不可，這種來自先進國家的援助數量，可能將繼續減低，或其所能維持的數量，遠不足應付落後地區經濟發展的實際需要。

（二）在投資方面：根據一九六四年美國新聞週刊一項報導，在一九五六年時，先進國家對落後地區的私人投資爲其對外總投資的百分之四十三，而到了一九六四年，這種比例只佔百分之二十九。在另一方面，在南美委內瑞拉，美國在其石油業的投資雖多達二十億美元，但其所僱用的勞工人數，則只爲該國總勞工人數的百分之一點四。這表示不僅先進國家對落後地區的私人投資正在普遍減少，而且這種投資在某些方面，也不能解決一個國家的眞正的問題。

（三）在擴大出口及穩定輸出品價格方面：上述第一節三四兩點的統計數字，已指出落後地區在此方面損失極大。另根據一九六五年六月美時代週刊的一項報導，從一九五八至六四年，拉丁美洲輸出物的價格只增加了百分之三十二，而輸入工業品的價格卻增加了百分之五十六。在這種一進一出之間，落後地區吃虧更大，外匯儲存益形減低，對外負債額亦不斷增加。

由這數項舉例來看，不論增加援助與擴大貿易，假若只就現有這種情形繼續下去，而不作有力的更張，則落後地區的經濟開發似不能大步前進，兩者的貧富差距可能更要加深。所以如何使先進國家採取重大行動，積極擴大對落後地區的援助與投資，以及如何使落後地區的對外貿易產生更有利的效果，爲落後地區帶來更大財富，便成了未來世界能否保持一有效和平的重要關鍵所在。在這諸種作法中，任何一項作法都不能偏廢。若先進國家只增加援助與投資，而不穩定落後地區輸出物的價格，則這種價格下降的損害，將使一切外來的援助與投資，結果都化爲烏有。若只能穩定這種輸出物價格，而先進國家若不予以援助與投資，同樣亦不會使落後地區的經濟開發有重大起色。所以現在要解決這一問題，一是要先進國家予以大量的援助與投資，二是要落後地區大量的開展對外貿易，并穩定輸出物的價格。除非作到「大量的」增加，這種作法將無法對現狀有所改觀。

爲了要先進國家大量增加援助，落後地區已提出一項每年一百一十億美元的數字，這比現行六十億美元的援款約增一倍。因落後地區認爲，現時各先進國家每年消耗於軍費者，共達一千兩百億美元，共佔其總所得的百分之九，若將來裁軍獲得協議，以其總所得的百分之一，拿來援助落後地區，應該不會有何困難。但問題在於這種裁軍協議何時方能出現？假若這種裁軍協議遲遲不能達成，先進國家對落後地區的援助是否也能予以增加？

（下轉第四版）

官從血路

今日與明日

宇丹胡說

聯合國秘書長宇丹，昨天竟然發表公開演說，呼籲准許毛僞政權進入聯合國，認爲非如此不能解決裁軍問題，促進世界和平。當此聯大即將投票決定所謂「中國代表權」問題時，宇丹作此混帳之言，爲毛共幫腔，事小，侮辱中國事大，我們萬不能置之不理，也不能僅以抗議了事，一定要在安理會中追究責任，予宇丹以懲罰，禁止其以後再胡言亂語。

小人哉宇丹也

當前世界所有人類，包括新幾內亞蠻族及喜馬拉雅山上雪人，都有資格發表言論，贊成或反對毛僞政權進入聯合國，只有一個人是斷乎不可的，就是宇丹。

宇丹是聯大秘書長，受僱於一百十七個會員國，是全世界人類的公僕，宇丹應當作什麼事，說什麼話，聯大憲章都有明白規定。中國是聯合國發起國，安理會常任理事國，每年支出大筆會費（宇丹年薪四萬即從此處來），中國是宇丹的主人之一，宇丹不滿意這個主人，儘可不幹，斷沒有呼籲把主人趕走，換個匪盜來當主人之理。此理十分淸楚，我們應當向安理會提出，假若沒有結果的話，等到宇丹任滿再謀聯任時，我們應投否決票趕他滾蛋。聯合國席位可以不要，民族正氣不能不伸。

宇丹如此討好毛共，有什麼代價呢？只換得毛共的屢次破口大罵。印巴衝突時，宇丹飛去調解，被毛共罵了一頓，指宇丹是美帝國主義走狗代言人，不配調解國際糾紛。最近要在阿爾及利亞召開的亞非二屆會議，本來已對宇丹發出邀請，目前卻成爲毛共反對的焦點，指宇丹參加爲四大障礙之一，要求大會一定要撤消對宇丹的邀請。將來如若毛共不出席會議，也是因爲有宇丹在。毛共之恨宇丹已到深惡痛絕之境，宇丹竟然厚顏無恥呼籲准毛僞政權加入聯合國，罵他是小人還算客氣，實在是個賤人，生有賤骨。

賤格何其多

說到宇丹不由得又想起印度。印度這三年來總算被毛共欺侮苦了，死了無數的人，損失了無數的武器金錢，都還不算，當印巴戰爭激烈時，毛共突然提出最後通牒，對印度擺出用兵姿態，爲巴基斯坦助威；最近又有三名印警，被毛共越境捉去，交還了三具屍體。平情而論，抗戰前日本人對我們尚未欺侮到如此程度，稍有血氣，安能忍受？但是印度出席聯大代表卻信誓旦旦宣佈：「雖然中印發生糾紛，我們仍然投票贊成中共加入聯合國。」人而如此，安如禽獸！何亞洲賤胚之多也！（何如）

自由談

官民構訟感言

馬之先生

台灣有個老百姓孫某，最近因爲做股票生意蝕去了本錢一萬多元台幣，乃向法院控告行政院長嚴靜波先生，要他賠償損失，理由是行政院爲着整頓股票市場的不正常情況，頒佈了一道「當前證券市場改進原則」的法令，孫氏認爲這是使他蝕本的所由來，非教行政院長賠償不可。法院依法受理，行政院長以被告地位聘請律師出庭應訴，結果是原告敗訴，還要負担訴訟費，偷雞不着蝕把米，此之謂也。

這是中華民國肇建以來罕有的官民構訟事件，不管誰是誰非，總表現着法治國家的精神，證明咱們中國確實大有進步了。假使行政院長認爲原告無理取鬧，不屑應訴，法院亦將無可如何，不了了之，君不見若干官吏因案被法院傳訊而抗不應命的事情，所在多有乎？一般人覺得官吏與人民對簿公庭，未免有損尊嚴，依然是官尊民卑的封建落伍思想，可哂可鄙。如今嚴院長一反舊習，遵循法紀以行事，這是值得讚美的。

談到台北的股票市場情形，年來風波迭起，怪象環生，而其結果盡係升斗小民受害酷烈，獲致暴利者即爲極少數的不法之徒，這些人藉着大量金錢，勾串不肖官吏，操縱玩弄，興風作浪，構成「大魚吃小魚」的譸張爲幻局面，而小民苦矣！這種情形不僅台灣有然，全世界的資本主義社會莫不皆然。香港過去風行一時的買賣黃金——粵語叫作「炒金」——市場，就不知害死了若干的升斗小民，而養肥了一些昧良作惡的奸商市賊！

我不懂經濟學，一生亦未幹過投機性的——股票、黃金這類買賣。只認爲資本主義社會有些在表面上看來很冠冕堂皇的作風，實際是給少數資產階級利用爲非法集中財富的手段而已，與民生問題不相干。台灣過去未曾創設「證券交易所」，經濟建設照樣進步，那些發行股票的企業公司，亦并不因爲沒有股票市場而營業不振。搞投機事業的內在因素，就是少數人實行「依法作惡」的不法勾當，這種資本主義社會的黑暗面，爲甚末讓它殘存而不加以唾棄呢？我希望台灣的「證券交易所」關閉爲上，否則爲害無窮，可斷言也。

農會職員不得兼職之省令

反應不佳能否實施成問題

本報駐高雄縣記者鄭約

台灣省政府五四年七月二十六日府農組字第五〇〇〇號命令：一、農會聘任人員（包括總幹事及工作人員）應一律專任，不得兼任其他職務，其爲民意代表，應擇一辭職，否則予以解聘。（二）應於本年改選新理事會成立以前，辭去民意代表職。

上項命令於八月初由各縣市政府轉達各區、鄉、鎮農會後，便激起了一股抗議的熱潮。因爲全省每一個區、鄉、鎮都有一個農會，而每一個農會都有多或少的會員是兼任民意代表的，他們當然不願意「擇一辭職」。他們甚至認爲，省府的上項命令是違法的。除依據法律觀點，提出許多疑義報請政府懸示外，並透過民意機構及輿論界，呼籲省府收回成命，以保障他們的權利。其所持的理由如后：

一、民意代表爲依據憲法當選之無給職，何能謂之兼職？其釋義有何根據？

二、本省實施地方自治以來，各社團工作人員，均有任職民意代表者，唯獨農會工作人員受此限制，實欠公平。法律之前應否人人平等？

三、法律以不溯及既往爲原則，此乃法治基本精神。就職農會職員在前，依法當選民意代表于後，且選舉前並無任何法規加以限制，今竟以行政命令強迫辭職，此無非剝奪人之自由權。該項命令用權超越憲法，確嫌過濫，若無指明法規依據，伊誰甘服？

儘管省農林廳於九月再度重申前令，要貫徹農會職員不得兼任民意代表的命令，但比例不小的農會職員，勢必根據上述理由力爭。各地農會改選在即，新理事會成立時，省府如以行政命令強迫兼任民意代表的農會職員辭職，其時所可能出現的局面是什麼呢？如被強迫辭職者不肯接受，則最終祇有鬧進法院。果如此，則不僅各地農會呈現一片混亂，各地法院也增添許多繁忙，政府、人民亦必耗費無數時間和金錢。而設若再產生了如下的結果，一個新的問題又待解決，即：如被因行政命令強迫辭職之農會工作人員向法院提出訴訟，獲判勝訴復職，則該訴訟時間仍應付給薪給，但若農會理事會或代表會不予承認，其賠償責任究應由農會總幹事抑或主管官署承担？訴訟復訴訟，混亂再混亂的連環情景，其後果更就不堪想像了。

省府命令農會職員不得兼任民意代表的用意，是徹底整頓農會，因爲各地農會虧損者頗多，農會兼職人員不能集中精力、時間於其內工作，又是農會虧損的因素之一，命令其擇一辭職，用意本極良好。但若不顧及當前環境，勉強實行，是否明智，值得研究。

徵諸一般人士及各縣市農會主管單位（農會輔導課）的意見，他們也多認爲省府上項命令，未免「操之過急」。因爲現在所有農會職員兼任民意代表者，都是就任農會職員在先，當選民意代表于後，他們在選舉前及競選時並沒有受到任何法規的限制，政府也沒有明令或暗示他們在當選後必須擇一辭職；否則他們必會在二者之間決定取捨，不致化了許多時間、精力、金錢去換取一席不能終滿任期的民意代表。「不敎而殺」總是不應該的。整頓農會固屬當前急務，至少也該先修正法規，使一切合情、合理、合法，並讓這些已成事實的農會職員兼任民意代表者，兼滿他們的任期，就誰都沒有異言了。

赤崁樓下風風雨雨

本報記者朱武州。

△台南市「孔廟」創建三百週年紀念暨各界慶祝教師節大會，於上月二十八日假此間延平戲院舉行，與會者有省教育廳長張錫卿，市議長林金興，及各界首長等。大會典禮開始時，以主席葉市長未能適時到場，乃由教育科長張進謀代爲主持，當全體肅立唱國歌時，葉市長方大搖大擺漫步至主席台前，歡聲再由彼擔任主席，與會人士感驚奇：到底誰是「正牌主席」？

△公園路一沈姓女子，往市府謁見葉市長請願，陳情有關公園路拓寬事，竟被葉市長不高興的拒說：「沒時間，要開會！」拒絕了。

△本屆市議會大會，怪象百出，不但有兩位火性大的少年議員，一語不合，外出對手，年議員們亦動輒捶桌打椅，拍胸瞪眼，使議會像是演「羣英會」。

△市議會進行時，政府官吏均乖乖按時坐上被詢席，老實得很；旁聽席上市民閒聊謂「十年風水輪流轉」。然而議員諸君卻慢條斯理，姍姍來遲，會議進行約一小時，卅六位議員，到者不足廿人。殊可慨也。

△南市議員中，各行各業者應有盡有，歷次開會，都較他縣市突出。可惜沒有電影公司來攝電影，讓人們看一看活生生的民主政治第一課。

△教育科長張進謀於本學年開始召集校長會議稱：「學童絕不可越區入學，否則嚴懲其校長。」又這次議會二位少年議員亦爲此事放對，但彼在議會答詢時却又稱：「學童越區入學是難免的事。」然則，如何是好呢？

△興建體育館籌備經費十萬元，不請專家來研究設計，假藉觀摩他縣市體育館爲名，由議長爲首，遊山玩水，浪費公帑一萬餘元。主辦人員——社教股長更胆大包天，指定買五〇CC機車，而擅自以高價買一五〇CC機車，結果白天不敢駛出見人，晚上兜風，致輿論譁然，人言嘖嘖。沒有搞出啥子名堂，東扯西拉，不明不白的已弄出去四萬多元，奈何之哉！

△建設局土木科確實有些不像樣子，公開的違章建築，只要來頭大，可以不理。民五十二年間，安平路港段二小段，地號二二九之一汾陽木材行老闆，係前省議員黃業親弟，修建房屋公然竊佔大排水溝，且申請一幢變爲三幢，事隔這樣久未見處理，街頭巷尾議論紛紛，但土木科「秋風過耳」，有如「不聞」，而實行「不問」。

△台南縣議會質詢縣長修繕職員宿舍情形，劉縣長首先表明他本人在任內絕不建縣長公館，國家多難，需要建設，民族待舒，個人享受應予放棄。可謂陽春白雪了。但不知那些唯恐不能「擴而大之」浪費公帑者，亦能見賢思齊否？

△十一月十一日爲廿屆司法保護節，保護會爲慶祝成立廿週年，開放保護會所供各界參觀，屆期並召開大會頒發服務十年以上績優人員獎狀。台南區分會績功人員計有：常務執行委員張齊斌、陳宗臬、莊彭年；常務監察洪秦南；幹事鄭天降、洪振祥；輔導員陳清汗、林放、洪添龍、江甲寅、穆玉山、楊德勝、吳江溪。

有關稅制上的幾個問題

本報駐台記者張健生

臨時稅捐變爲正稅

其中最顯著者，係重複課征之稅，有特別稅課之戶稅與臨時稅課之防衛捐。政府現正準備廢止統一稽徵條例，將戶稅與防衛捐分別歸併正稅，避免苛擾，減少逃欠。現經立法院修正歸併者，有所得稅，地價稅，田賦徵實條例，牌照稅，筵席及娛樂稅等五種。正在審議修正者，有營業稅，房屋稅，關稅法等。經過此次修正後，統一稽徵條例即可廢止，戶稅防衛捐即可全部取消，此爲簡化稅目之進步。不過臨時稅捐變爲正稅，照理說，稅率應酌量降低，使臨時負担變爲永久負担，得到適當的調節，由於政府偏重財政目的。多未注意及此，已修正之各稅法，類多有此缺點。正待修正之稅法，行政院與立法院，應加注意，以免過分加重人民負担，影響經濟發展。

其他如電燈電力費臨時附加之捐，到期應取消。如都市地價稅與房屋稅之如何歸併爲財產稅，避免土地之重複課徵。如營業稅如何改爲一次課徵，糾正依行爲課徵之多次重複。或者仿照英美各國稅制，根本取消營業稅，達到眞正簡化之目標。因爲既有貨物稅及營利事業所得稅與牌照稅，營業稅顯係重複，再多次課徵，更嫌苛擾。如屠宰稅、筵席及娛樂稅等，亦應考慮裁併。最好連同營業稅、貨物稅一併改爲消費稅，簡化稅目，降低稅率，便利稽徵，藉以適應戰時需要。

理財準則　取消苛雜

減少間接稅，加重直接稅，這是立法院若干委員歷年來的一貫主張。可是事實如何？請看看黃煥如委員的質詢：英美各國主要稅收，爲個人所得稅與法人所得稅，其他如關稅貨物稅等，所佔比重均微。就美國而言，一九六六年美國政府預算總收入爲九百四十四億美元，其中個人所得稅收入達四百八十二億美元，佔總收入五一．一〇%。（二）

民命攸關漠視不得

嘉義公私交通機構　僉應迅謀整頓革新

（本報記者袁文德嘉義航訊）在台省素有「公車老爺」、「老爺車公司」雅稱的嘉義「公車」與「客運」，有關交通當局如若再行熟視無睹，任其自生自滅，爲所欲爲，而不迅速謀求徹底整頓與革新之道，則賴以代步的縣民就不但苦不堪言，連生命也是堪憂的。

嘉義縣營的公共汽車與民營的客運汽車，其使命，無疑都是專司縣境交通，解決縣民「行」的問題的，雖然在另方面，它們亦都是以營利爲目的。照說：五十餘萬縣民的嘉義，其中賴「車」以代步的佔絕大多數，在以賺錢爲目的而言，確實是應該力求生意興隆。而在改善營運業務的責任上言，更是應該不斷地做到車輛的汰舊添新，及力求保障乘客生命安全，方是「公車」、「客運」應有的作爲。然不幸的是，這兩個負責解決縣民行的問題的交通機構，竟因人謀不臧、管理失當，而致造成種種問題，如公車處的（一）冗員充斥；（二）營運不良，債台高築，甚至面臨倒閉；（三）車輛逾齡，無力汰舊添新等嚴重情形。尤其是那「公車」與「客運」相互媲美的「梅山」、「白河」驚人大車禍，更造成悲慘的不幸後果。這畢竟應該誰來負責？怎樣負法？

嘉義縣營公車管理處，基於人爲的種種因素，在歷屆縣長與歷任該處處長的督導、指揮下，始終是在瀕臨倒閉的邊緣上掙扎，主要的因素，當然是首在縣府無力執付資金，所謂巧婦難爲無米炊的歷任處長，縱然是有滿腸子的生意經，但在既無資金，又在人情包圍的人事制度下，豈能有所爲？於是縣府乃提出復興計劃，請求省府托管，或貸予鉅額資金。而省府既不願派員接收代管，即在資金的貸予方面，亦遲遲不決。而同時嘉義縣議會「爲謀求縣民福利」計，亦始終反對公車開放民營。因此，公車處亦就在此種種因素的束縛與困擾下，苟延殘喘，不活要死了。

說到嘉義汽車客運公司，幾年前的民雄大車禍，其悲慘事實，想起猶有餘悸，然該公司顯然並不把它當一回事。乃嘉義縣民對公車的梅山車禍，漫罵指責，哀哀呻吟之聲猶在耳際之時，該客運公司竟又於九月十一日黃昏時分，在白河公路頭前溪發生驚人大車禍，釀成十五人死亡，十七人受傷的慘劇。

這些車禍發生後，雖然在肇事原因上，都有了明確的鑑定，足供交通界參考借鏡，死傷人員亦分別獲得若干的補償與撫卹，表面上的善後處理，可算「功德圓滿」了。然而在道義上的責任，與良心上的譴責，豈能因事過境遷，而隨之消失？爲防範未然，所謂前事不忘，後事之師，省府主管交通當局，除應對嘉義公車資金問題，作如何協助解決而外，尤其對於「公車」與「客運」的那些人謀不臧的種種弊病，更應時時督導改進，指導營運，爲民衆謀福祉，是刻不容緩的，且亦是責無旁貸的。不知省政主持者以爲何如？

瀛海異趣談

紐西蘭溽暑賞雪景

．桑雅．

當每年十二月紐西蘭的盛夏屆臨的時候，一位紐西蘭遊客儘管渾身大汗，但在幾小時的路程以外，他便能找到一條清涼的溪流或是山頂的積雪，去避避繁暑。因此溽暑賞雪成爲紐西蘭的特別風光了。

紐西蘭距澳洲並不太近，不如一般的想像，最近的地點也相隔一千二百英里。紐西蘭有南北兩個主島。它的最大都市奧克蘭和首都威靈頓都位於北島之上。這個島長四百六十五英里，寬一百七十英里，土著莫利人聚居於此。南島長約四百五十英里，寬一百七十五英里。那裏有崇山峻嶺，山上有冰川，盛產羚羊。山間有葱翠的山谷，溪澗中多鱒魚，有人稱這裏的風景爲南太平洋的瑞士。

北島上有一個著名的雨林。在龐大的蕨草、苔蘚和藤蘿中間，盛產着白色和紅色的蘭花。此外還有一片片黑壓壓的松林，松樹的品種不一，有高僅二尺的侏儒松，也有參天的高果松。林中有掩映的田地和繞膝的牧場，也有生矮樹的沙漠。北島的風景，瞬息多變，各各不同，而其中尤聳動的景物是熱泉區。

在那裏有天生的噴泉，熱氣騰騰，也有溫泉、沸池、小溪和寧靜的鄉村。那裏還有戶外的土耳其浴池。

北島是莫利族聚居的地方。紐西蘭共有莫利族十八萬五千人，其中百分之九十六均居北島，尤其是在熱泉區左近。紐西蘭總共有人口二百六十萬，莫利族僅佔總數的百分之七。

莫利人是大洋洲民族之一種，和夏威夷、徹摩亞及大溪地人同出一源。他們約在一千年前乘獨木舟從大溪地和拉羅東加前來，把他們的新居叫做白雲長島。

第一個發現紐西蘭的西方人是荷蘭人亞伯爾．塔斯曼。他在一六四二年發現了南北二島。當時島上居民繁殖。到一七六九年英國的航海家占士．庫克又來到該地。

到十九世紀初年，西方捕海豹和鯨魚的冒險家以及教士紛紛湧至。莫利族人對外來者最初很爲歡迎。但那些新來客不久就露出他們狰獰的面貌，巧取豪奪，於是發生一系列的血腥戰爭。在戰爭結束前，莫利族人被屠殺殆盡，只剩餘四萬二千人，南島再見不到他們的蹤跡了。

目前莫利族聚居的中心在羅托魯亞，居民只有二萬一千人。每年遊客來此參觀者甚衆，至少有二十五萬人。羅托魯亞地方的特點是盛產硫磺，遠遠就能嗅到一個刺鼻的氣味。附近的溫泉不下一千個之多。這裏的溫泉有醫療價值，所以有病的人趨之若鶩。

華加在羅托魯亞南二英里，它在噴泉谷的邊緣，噴泉沸騰，不可勝數。當地的婦女就用噴泉烹飪或洗滌。

羅托魯亞設有現代式的旅館和酒樓，但沒有夜總會。但莫利人善歌，每週晚間舉行音樂會幾次。

在奧克蘭附近有著名的威托英山洞，洞中流螢聚處，不下億萬，閃爍生光，照耀如白晝。

在南島方面，基督教堂（地名）是一個羊毛集散地。四山之上均爲羊羣放牧，遠望開去有如棉田一朵朵的棉花。這裏也是美國南極探險隊的航空根據地。

昆士頓是旅遊名勝地點，此地有湖山之勝，山巔積雪皚皚。從昆士頓乘飛機可達米爾福海灘，該地風景秀麗，但雨水奇多。

南島的南部是喜歡漁獵者的天堂，喜歡研究鳥類的科學家可以看到鸚鵡、鬥鷹、鶉鴞、杜鵑和企鵝等等。幾年前在昆士頓西南的泰蘇湖附近山谷中，有人發現了一種史前的鳥類，名叫諾托尼斯，現已加以保護。這種鳥有一雙紅腿，紅嘴，渾身生有光澤的翠羽。

基維是紐西蘭的國鳥，現在在兩島上生存的只有五種。這種鳥無翼，只有在夜間出外。就連紐西蘭土著能見到基維鳥的人也爲數不多。基維鳥的確是一種奇鳥，它渾身生了毛，沒有羽翼和尾巴，它生有像貓的鬍鬚，鳥嘴細長，尖端生有鼻孔。這種鳥在奧克蘭動物園中保養了幾隻，惟有在夜間方能夠看到。

紐西蘭的地方是會令遊客時時感到驚奇的。紐西蘭的氣候良好，最適宜於人類居住，因此在那裏的居民，很多都是高年的老壽星。

郭嵩燾

李仲侯

二等二三品充，月給俸薪一千二百兩；三等三四品充，月給俸薪一千兩；副使俸薪月支七百兩；頭等參贊官月給俸薪五百兩；二等參贊官月給俸薪四百兩；頭等繙譯官月給俸三百兩；二等繙譯官月給俸二百兩；三等月給二百兩，隨員月給俸薪二百兩。當嵩燾出使之初，請在上海設文報局，專司使臣通訊聯絡之責。至中國設立駐外領事館，遠較各國在華設立領事館爲晚，光緒四年二月十九日在星加坡設立領事，是爲中國駐外領事館之始，正領事月給俸薪銀五百兩，隨員月給薪俸僅一百六十兩。此後舊金山，橫濱，神戶，大阪各領事館，相繼設立。其次，就外交人事行政說：郭嵩燾有很高的見解，他主張外交與內政應等量齊觀，使才與將相並重。他在奏疏中說：臣惟出使絕國與將相並重，英國，各國相援爲例，正慮此後出使，歲必加多。臣以爲考求洋務，期使中外諸臣必宜留意，而出使則盡人可以差遣……，朝廷以息事安人爲心，奉命出使，誰敢不盡力？應請以後遴選當時所急者，不過折衝樽俎一日之間，實不逮西洋緊要關係之萬一。伏願皇上考擇人才，勤求方略，期使中外諸臣勿存薄視遠人之心。嵩燾又看到中外關係已成一定之局，不應深閉固拒，而應該講求應付之方，儲才待用。他在奏議中又說：將來海道開通，中國商人，能赴各國設立行棧，有可經理之事，漸次遴派大員充當公使駐紮，自不可少。此時出使通好，委無關係，而既經奉派使臣，依照常例，由禮部開列二三品以下堂官，年歲不滿五十者，聽候遣派，亦與尋常出使同等。務使廷臣相習爲故常，不致意存輕重，而於洋務事實亦不能不加研究，以求備國家緩急之用，甚爲裨益多矣。原來當時的人，對駐外使臣，甚爲輕視，一般頑固守舊的士大夫，更有所謂：「今世正士，誰善外交」？「焉有正士而屑爲此者」！的問答。即以郭嵩燾而論，就爲「京師士大夫所賤聞」。然而他竟不顧一切，欣然拜命出使，毅然任之不辭。他在晚年回憶往事說：（七）

評介「制度的魔力」

．洪流．

——自由人文集第一集——著者：宋文明等

文集的編纂，大致分來應有兩種方式，一種是以人爲經，一種是以內容爲依歸。凡以人爲經的，大半都是某一人的部份或全部作品，蒐集在一起，不論其爲散文，或是論說，集在一起；另一種就是內容要一致，譬如：歷史性的文字，不論作者爲誰，也可以集在一起。前一種的好處是使人明瞭一個作家的思想，後一種可令人明瞭一個問題的多方面看法。編輯人要對讀者負責，應該要有編輯的方針，萬不可隨便雜湊，因爲那是對讀者的虐待。

這套自由人文集似乎就有這個毛病；但由於每一篇文章都是有價值的，所以也就不見其蕪雜了。

本集的首篇是宋文明先生的「鼓勵大胆而危險的思想」。看篇名已經使人目炫神移，在現時期的保守情況之下，怎能容許大胆或是危險思想之存在？但讀者諸君，且請沉靜下心情，仔細的讀下去，方知宋文明先生的大胆有大胆的道理，危險也有危險的原因，斷非是共匪的思想走私，亦非是使人上斷頭台的思想。宋先生所鼓勵的乃是「使有頭腦有思想的人們，能擺脫一切傳統和心理上的壓迫，充份發揮其想像，爲這個世界提出我們今日所不知道的創造性發展」。

生爲我們現在這個年代的人類，肩負之重，超乎人們的想像之外。尤其是作爲中國人爲然。但束縛總是危險而不健康的。

我們認清這種危險之來由，就要大胆的痛下針砭，刀割、斧鋸之不暇，爲何還要鼓勵呢？宋先生所說乃是鼓勵思想，而非是思想。現實存在的病症，應於割除，但在割除之先，必要診斷。而在診斷之先，乃有意思之存在。這割除或是診斷的意思，就是思想。我們要鼓舞這種思想之勃起與發皇，斷不要目之爲危險。無論如何說法，思想或是背思想永遠是好的，也永遠是對的。萬不能斲傷青年人的思想，給與一定的模式。青年人的思想容或有不成熟的成分，只能出之以誘導，斷不可目爲邪僻；因爲只有不成熟的探索，也才有成熟的機會，絕沒有一朝就發現成熟的事實存在的理由。

社會在進步不息，青年人的腦力也非靜止的，故而鼓勵他們多貢獻一些新而又健康的思想是必需的。現在我願抄一句本書第六頁布勞恩博士（Dr. Braun）的話：「我寧願看到一個人成爲叛徒，不願看到一個人成爲奴才。」

再有人類社會的制度，往往是有意無意的在抹殺人才，而跟隨制度而起的則是法令千條。因爲制度的建構是以人爲基礎的，因人而設事，因事而制法，循循相因，則法令如毛，就是專門學法用法之人，也未必全盤瞭然，遑論不學法，不知法的百姓人等？於是乎當朝者，率先倡導，下層人等繼起效尤，因而委員會所在多有，規則規程漫天飛舞，不肖之徒乃可趁此夾縫，大快其私慾，而守法者，反倒無所適從。在本書第一七五頁徐道鄰先生的「論制度之魔力」之章內，有更詳盡的說明。

國民大會行使創制複決兩權有關問題總結論

國大代表聯誼會

前言

國民大會爲實現國父孫中山先生遺教，根據動員戡亂時期臨時條欵之規定，與國民大會第三次會議第十次大會決議，成立國民大會憲政研討委員會，研擬國民大會創制複決兩權行使辦法，及有關修改憲法各案。集全體代表之精神智慧，經一年又六個月之時間，完成「國民大會創制複決兩權行使辦法草案初稿」，並公告半載，廣泛徵求各方意見，獲得各方熱烈反應，其中贊同行使者達百分之九十八點九；主張暫緩行使者僅佔百分之一點一。旋於五十一年十二月十六日全案咨請總統訂期召集國民大會臨時會討論實施。現臨時會召集期近，而查國民大會憲政研討委員會第二次全體會議決議文中，對於創制複決兩權之行使有關「集會問題」、「行使範圍」與「完成立法程序」諸大端，均有待國民大會臨時會審慎研討決定。本會有鑒及此，就有關問題，分別從長研究，作成結論，俾供臨時會之採擇。尚望全體同仁一致支持。茲將「國民大會行使創制複決兩權有關問題總結論」分述於後：

一、集會問題

結論：國民大會爲行使創制複決兩權，應規定每年集會一次，於六月一日起自行集會，會期兩週，必要時得延長之。

理由：國民大會代表全國國民行使政權，爲集體行使職權之機關，所以必須依法集會，並須經大會會議決定，方能行使國民大會之職權。過去配合總統任期，每六年定期集會一次；今後爲行使創制複決兩權，自應針對政府年度施政，與立法動態，每年至少集會一次，加以檢討，獻可替否，以盡天職。否則有名無實，於國是無補。此其一。世界民主國家之國會會期，每年至少一次，國民大會爲政權機關，相當於民主國家之國會，其會期規定一年一次，至爲合理。此其二。國父手訂建國大綱第十三條：「各縣對於中央政府之負担，當以每縣之歲收百分之幾爲中央歲費，每年由國民代表定之……」故國民大會應每年集會一次。此其三。根據廣徵各方意見之統計，主張國民大會應每年集會一次者佔百分之九十以上；又國民大會憲政研討委員會各研究組結論亦絕大多數主張國民大會一年集會一次。此其四。至於集會方式，民主國家之國會多自行集會，我國立法院亦不例外。蓋集會爲代表與議員之天職，國民大會既有固定會期，屆期代表應自行出席會議，毋待召集也。此其五。

國民　會組織問題

結論：國民大會主席團應依法行使職權，開會時主持會議，閉會時掌理會務。

國民大會設置各種委員會，由國民大會代表自行認定組織之

（上）

國劇欣賞會的成就（續）

以前台北市民間社團公演平劇，初時爲抽收娛樂稅百分之三十五，再加印花稅百分之五，每次演出，如售券成果尚佳，則如許稅欵，以及演出用費，至少佔百分之八九十，所餘無幾。如成果不佳，或至賠累，於是相率不敢爲之。欣賞會輔導公演，一年中，連不售票的晚會，總計二十六次，不售票的有十次。此十六次，售票總收入，計八十四萬六千餘元，所繳印花稅祇四萬四千餘元，演出者收穫在八十萬元以上，嘉惠劇團不少。其中趙培鑫兩晚洪羊洞，有十六萬。金素琴兩晚別姬，有十三萬。李金棠的秦瓊、楊家將，有八萬。趙源周金福合演四晚，有十一萬六千餘元。合在五十萬左右，對他們的幫助，實是空前，以往所未有也。就以上的記錄，欣賞會是大有成就，而對未來劇事，具有燦爛的遠景，可以預卜。

前次會議場中，朱滌秋曾經提出，以往各劇團因缺乏劇本，相率依照錄音，競相摹仿。現在欣賞會已陸續編有劇本，應請教育部分發各軍中劇團，漸次排演，以期統一教材。否則如某劇團的「毋忘在莒」，根本刪去黃金台，而將姜女抬高，正角幾乎使人看不出田單復國，金台拜帥，邊配，尚未弄清；因此火燒熱鬧，火牛破燕，大開打，全無，這毋忘在莒，各演各的，也不太符合歷史，是應注意的。

國劇繽紛續錄

姜婆生（二十九）

欣覩復古

國軍康樂競賽，恭祝總統壽，於原先之國光戲院舉行，首日由海光承之，演出興唐滅巢。以前各劇團演時，多排珠簾寨解寶收威，此次則演飛虎山與雅觀樓，此實是以淨及小生爲代表。不過民初年間，李克用實是紅生或淨，來充任之。七年前，在閩侯郭公鐸兄家，獲得解寶一唱片，是桂榮壽以淨應工，唱太保傳令一段，有片可證，因已交軍中警察兩電台播過。今海光亦以代表競賽，而由淨角飾李克用，因飛虎山原本如此，也可以說復古，看後認爲是欣覩也。

當自華安登廳祝章壽出來，大家以爲必有珠簾寨，從人叢擠去，到國光照購四票進場，遇見趙原，問他是否登場，他說不夠資格。已知無珠簾寨，打賭算贏。正見趙君麟的黃巢，在台上耀武揚威；繼而陳元正的晉王上，在飛虎山中，他很賣力，玉麟的安敬思，不過小試身手而已。迨至雅觀樓，玉麟大施身手，並加耍旗；不過以前看包丹亭的演出，並無耍旗，是南方增添的嗎？玩也極佳，惜乎脫了一手，大概與計分無關，從來未有無老生、沒旦角的戲，此爲首次。

譚鼓

燕謀

鼓是我國古老民族樂器，它的名目也非常繁多，有答臘鼓、毛員鼓、都曇鼓、侯提鼓、齊鼓、腰鼓、羯鼓、鷄婁鼓、担鼓等十餘之多。國劇舞台上有堂鼓和單皮鼓。古代的金鼓都是很重要的樂器，帝王平日的宴樂中離不了它，作戰用兵更不可少。所謂「金鼓齊鳴」，那正是形容緊張激烈的場面。帝王宮廷宴享，在殿角安置四鼓，有應鼓、額鼓、鷩鼓、雷鼓，都是彩畫的鼓，並載以車輪，又以珠翠裝飾。唐代段安節在他的「樂府雜錄」中說：古代帝王的儀仗隊稱爲「大全仗」，這種樂隊要用鼓一百二十只；太后、皇后及太子的儀隊，稱爲「小全仗」，用鼓七十面；公主的儀仗隊，稱爲「大半仗」，用鼓四十面；最小的儀仗隊是諸侯的，稱爲「小半仗」，用鼓只有三十面。由此可見古代帝王是如何講究熱鬧場面，也可見鼓在樂隊中的重要性。

唐南卓在他的「羯鼓」一文中紀錄了當時流行的鼓曲名，達百餘首，可惜只留存一些曲名而已。曲譜已經失傳了。現代尚流行的「梅花大鼓」和「京韻大鼓」，可能還是當時的鼓曲孕育出來的。

在單皮鼓和堂鼓兩種，現在僅見於平劇及各地方戲劇中了。單皮鼓又稱小鼓，它是用豬皮蒙在木圈上製成，因爲只蒙一面，所以名之爲「單皮」。中間的鼓心才是發音部分。鼓心分「大臍」和「小臍」兩種，大臍發音低，小臍發音高，均以鼓心平整爲好。單皮鼓在戲曲樂隊中，起着指揮的作用，所以樂隊中，放單皮鼓的位置，又稱爲九龍口，管絃樂演奏曲牌過門時，必須以鼓點爲「入頭」，而打擊樂器的演奏，又必須以鼓點的「底鼓」爲入頭（俗稱戴領子）。同時單皮鼓在演員演唱時，要打出「板眼」，點在樂隊演奏過門時要「打統」（俗稱打過門），過門有了好的鼓點加以襯托，會使曲調的節奏和旋律鮮明活躍，顯出抑揚頓挫的明朗藝術氣氛。因此演員都喜歡請熟悉自己風格和唱腔曲調的鼓師。楊寶森曾聘請名鼓師杭子和他的哥哥楊寶忠操琴，這樣配搭才算得是「珠聯璧合」，許多聽衆也許就爲這一檔好的配搭而來的。

藝旦

悔海

夫「旦」本歌伎之名，台灣以之稱妓女，而加之以「藝」，風雅典贍，非他地所可企及也。

考「旦」雖見於元曲，然此非旦之語源。晉書樂志云：「但歌四曲。自漢世無絃節，作伎最先唱，一人唱，三人和。」是但歌不被管絃，凡能但歌者，即謂之「旦」。淮南子說林訓云：『使但吹竽』。註云：『但，古不知吹，人以徒歌，故云。』不知吹爲旦之本義也。元人創戲劇，棄人留旦，與生相偶，則所謂戲也。章太炎「新方言」云：「今傳奇有云旦者，起自元曲，則所謂作伎最先唱者，本是但字，直稱其人爲但，猶云使但吹竽矣。」各地方戲劇角色中之旦，亦爲取歌伎之但而來也。「棄人留旦，與生相偶」，然則，此電影中之所謂男女主角歟！

開國趣史

周正

當辛亥革命浪潮風起雲湧之際，滿清王朝看看非起用漢人無以挽救其末運，於是乃將洹上釣徒的袁世凱起復，使之來對付革命勢力。當袁世凱重抵京師，南通狀元張季直（謇），特以一電致袁，略謂：「今共和主義之號召，沛然莫遏，激烈急進之民，至流血以爲要求，殷殷望治之情，可憐尤復可敬。爲滿計，爲漢計，爲藏回計，無不以歸納共和爲福利；宜以此順大人之德，謝帝之位，爲中國開億萬年之根基，爲祖宗留二百載不刊之遺愛。」此一通達時務之電文，出諸於狀元先生的手筆，可謂語重心長了。翁同龢早年曾謂張季直有霸才，觀此則不僅有霸才，而且有遠識矣。不意此一電文，竟被袁氏作爲威迫清帝退位的藉口，更從而攫取大權，是亦季直始料所不及的。

迨滿帝遜位詔書下，袁氏即電南京臨時政府表示贊成共和，電云：「從此努力進行，務令達到圓滿地位，永不使君主政體再見於中國。……」中山先生得袁氏此電，信以爲眞，即向南京臨時參議院表示，爲期早日和平建設共和國家，不惜以全體一致的票數，選舉袁氏繼任臨時總統，並親撰一電以相賀：「查世界歷史，選舉大總統，滿場一致者，僅華盛頓一人，公爲再見。同仁深幸公爲世界之第二華盛頓，我中華民國之第一華盛頓。統一之偉業，共和之幸福，實基於此。務請得電後，即日涖南京參議院受職。共和萬歲！中華民國萬歲！」此一電文，足以表現中山先生之讓德高風，而于袁氏期望之殷，推崇之至。是何等眞誠！不料袁氏就任總統後，不久即食言而肥，妄思僭稱帝制，爲子孫千秋萬世計，卒致身敗名裂，憤悒而終，誠愚不可及也。

其時國人厭惡帝制，嚮往共和，已屬人同此心，心同此理，即如康南海素來主張虛君共和之人，也因勸阻袁世凱恢復帝制一事，上萬言書，其中一段頗覺有趣云：「慰廷總統老弟：追昔強學之會，飲酒高談，座以齒序，公呼吾爲大哥，吾與公兄弟交也。……公自審其才，上比曾左李諸公，應遠遜之，而地位乃爲羿浞王莽，勢變之險如此，尚不急流勇退，擇地而蹈，是自求禍也。……今公對清室則近篡位，爲不順；對民國則反共和，爲不信。致天怒人怨，不助不祐，不吉不利！公之近狀，必無幸免……自公爲總統以來，政權專制過於帝者：以共和之國，而可以無國會。無衆議院，雖德帝不能比焉。權威之甚，可謂極矣！」以康氏不贊成共和之人，乃更有此舉，而措詞亦嚴正，亦詼諧，乃至於咒罵之，可見當時風氣。可爲修史者多一資料也。

寶蓮燈

「影劇與歷史」之十二

周遊

五、鄧諱遐二郎神說：杭州府志：「清忠里二郎廟，神姓鄧，名諱遐，字應遠，陳郡人也。自幼勇力過人，氣蓋當時，人呼之爲樊噲。桓溫以爲參軍，數從征伐，歷官將軍，數任太守，號爲名將。襄陽城北，水中有蛟，數出害人，諱遐持劍入水，蛟繞其足，諱遐揮劍截蛟數段而出，自是患息。鄉人德之，爲立祠祀之。以其嘗爲二郎將，故尊爲二郎神。」這個二郎神是杭州的二郎神。以上皆爲灌口二郎。除李冰父子外，都是隋代的刺史。

六、竹王第二子爲二郎神說：主此說者，爲蘇雪林，其在「論九歌少司命」一文中云：「由少司命轉變的幾位神，有文昌帝、二郎神、趙玄壇、趙玄郎、保生大帝、三官。我認爲二郎是竹王的第二子。華陽國志云：「有竹王者，興於遯水，有一女子浣於濱，有三節大竹流入女子足間，推之不肯去，聞有聲，取持歸，破之得一男兒，長養有武才，遂雄夷狄，氏以竹爲姓。……（唐蒙）奉斡見夜郎侯……因斬竹王，置牂柯郡，以吳霸爲太守……後移濮阻城，咸怨竹王非血氣所生，求立後嗣，霸表封其三子列侯，死配食父祠，今竹王三郎神是也。」

竹王有子三人，大郎即夜郎，三郎即「山海經」上的「三天子都」，二郎非血氣所生的竹王二郎。此一「非血氣所生」的二郎，也被封神作者採取了。封神的楊戩即是非血氣所生。他是有魂無屍，哪吒是有屍無魂，喚魂者喚不到他二人。此一構想即本此來。

七、楊戩二郎神說：這是歷史上有傳的楊戩，他才是一個眞正的楊戩，但非二郎。封神作者，從宋代以前的各地水神，貫注在這一個官楊戩身上，才算將一個神奇人物創造成功。這一個宋代楊戩雖是官，但却是一個神奇人物，封神作者不僅僅是用他化名，而且還採取了他的神奇，如他善游水、能變化。宋人楊戩，胡適之與黃芝岡二氏曾經考究過，黃氏在其「中國的水神」第四二頁說：「胡適認說楊戩被認爲二郎神，是宋時宦官的楊戩，被東京人呼爲二郎神（因爲善游泳。）這根據却不能從宋史楊戩傳裏尋出。或許胡適有他的根據，我以爲不當便遽簡單的看過去了。」（民間文藝創刊號）

呢？楊戩究竟是一個什麼人物？他的歷史，老學庵筆記中有他的記載。宋史楊戩傳云：「楊戩少事掖庭，主掌後苑。……鎮海、鎮東、清河三鎮……由檢校少保至太傅。宣和三年死，贈太師吳國公。」這個宦官的官職曾做過節度使、太傅，官位不小，並受封吳國公。（六）

世界貧富差距與落後地區經濟的開發

（上接第一版）

爲了要擴大落後地區的對外貿易并穩定其輸出品的價格，聯合國除了決定每三年召開一次全世界貿易會議外，已成立了一個由五十五國參加的開發與貿易常設機構，每年舉行定期會議兩次，隨時檢討各項世界貿易問題。由於亞、非、拉美落後地區國家，在這五十五國組織中，佔有卅七席的絕對多數，所以這一組織對世界貿易問題的商討，無疑義是偏向落後地區的。尤其對於落後地區輸出物價的穩定，將會予以更大注意，隨時提供對策，設法避免招致不良後果。不過，這一組織所作決議對於其他一方是否具有嚴格的約束力量，自屬一大疑問。

（四）

總之，今日世界先進國家與落後地區之間的貧富差距，已經到了相當嚴重的地步。若對這一情勢不積極予以糾正，在未來時日內，這一貧窮差距可能還要加深，對世界和平安全的不良影響亦將與時俱增。尤其在這一廣大的落後地區，除了少數的邊遠或孤立地區之外，絕大多數已獲得政治上的獨立，並已互相連結一起，實行集體發言，在國際關係中的影響力量正在增大。在這種情形下，若聽任落後地區長期陷於貧窮，僅爲世界共存事實所不許可，而且亦爲這些國家的本身所不能忍受，非設法予以消除不可。

要消除落後地區的這一歷史包袱，縮短與先進國家之間的貧富差距，最理想的途徑，便是一如經由經援及貿易途徑，從國際合作與和平進步中求循序實現。但若這種方式最後證明無法達成這一目標，則整個落後地區本身，便有可能要出現兩種衝擊力量：企求强力改變現狀，這種强烈的衝擊力量，一是以暴力革命改變各國社會經濟秩序，嘗試以集體主義的生產方式迎頭趕上他國；二是一面倒向共產集團，重建新的國際合作關係。所以自從一九六四年聯合國在日內瓦召開國際貿易與開發會議，七十八個落後國家共同發出吶喊，要求改變這一情勢以後，這種貧富國家間的差距問題，確已使整個世界走進了一道新的十字路口。

註一：聯合國秘書長宇譚所提一九六五年經濟報告

註二：聯合國手冊

註三：一九六五年七月美新聞週刊

註四：一九六四年三月美新聞週刊

註五：一九六五年七月美新聞週刊

（完）

內僑警台報字第〇三壹號內銷證

自由報

THE FREE NEWS

第五九六期

中華民國僑務委員會頒發台教字第二三二號登記證
中華郵政台字第一八二號執照登記為第一類新聞紙類
（每星期三、六出版）

每份港幣壹角
台灣售價新台幣貳元

社長：雷嘯岑
督印人：黃行奮

社址：香港銅鑼灣高士威道二十號四樓
20, CAUSEWAY RD 3RD FL. HONG KONG
TEL. 771726　電報掛號：7191

承印者：大同印務公司
地址：香港北角和富道九六號

台灣分社
台北市西寧南路壹壹叁號二樓
電話：三〇三四六
台郵撥儲金戶九二五二

美俄海底爭霸（上）

彭樹楷

在不到十年的時間，由於科學和技術的進展及發明，產生了兩件前所未有的驚人事件：一是美俄太空競賽所帶來的科學工藝；一是核子飛彈潛艇的服役和成軍。

這兩件事，對所謂現代戰爭，發生了極大的影響；特別是來自海洋無法抗拒的戰力，更是控制世界左右戰局及掌握勝利的王牌，故剖述之。

海洋戰力現況

由於太空軍事用途易遭致國際譴責，加上電子技術抵消了太空軍事能力（如反衛星、反飛彈、太空電子反制等），所以使美俄雙方同都重視海洋戰力的培養和運用。下述係美俄海洋戰力現況——

美國：美國海軍現正將艦艇總噸位大量縮減，逾齡艦艇經棄置不用，且以大批船隻讓渡與盟國或友好國家；然就噸位、性能、訓練各方面觀察，美國的艦隊仍佔世界第一位：海軍人數六十五萬七千人，陸戰隊十九萬人——和一萬左右預備役員額；艦艇約一千艘，其中半數為作戰用，現役艦隊總噸位約為三百八十二萬六千噸，以及海軍飛機共約九千架。其中並未包括新建及造艦計劃下的新型艦艇如La Fayette級北極星飛彈潛艇SSB，Thresher型攻擊潛水艇SSN，飛彈核子動力巡洋艦DLG，飛彈巡洋艦DGL，飛彈護航驅逐艦DLG，Raleigh級攻擊用直昇機飛機母艦LPH，海洋科學研究艦AGOR（共四艘），海洋測量船AGS，攻擊用船塢艦LPD以及Hanley型北極星飛彈潛艇母艦等。此外，核子動力航空母艦企業號CVA-N65和核子動力巡洋艦長堤號，亦未予計入上數中。

上述美國海上戰力，主要分配於在地中海的第六艦隊（防區為大西洋），計攻擊用航空母艦六艘、防潛航空母艦六艘、飛彈巡洋艦四艘、巡洋艦二艘、輕巡洋艦及驅逐艦一四一艘，飛彈潛水艇九艘，潛水艇七六艦，總艦位約一百廿萬噸，其次便是太平洋戰區的第七艦隊，計攻擊用航空母艦十六艘、防潛航空母艦四艘、飛彈巡洋艦四艘、巡洋艦三艘、輕巡洋艦及驅逐艦一一五艘、飛彈潛水艇七艘、潛水艇五十艘，總噸位約一百一十萬噸。其他尚有未經公佈的艦艇，故實際戰力配備當不止此數。至於第一艦隊，則以美國西海岸為基地，經常以訓練為主要使命。

第七艦隊作戰區域，包括一部份太平洋和印度洋，從白令海峽延伸至澳洲南部。第七艦隊區分為六個特遣部隊和五個特遣支隊。第七七特遣部隊是以打擊部隊為骨幹，包括三艘攻擊用母艦，上載飛機二百餘架，二艘巡洋艦與兩個輕巡洋艦及驅逐艦中隊（核子飛彈潛艇及潛艇是否配屬於此部隊，則未見公佈）；第七三特遣部隊係後勤支援部隊，有六艘運油艦，四艘彈藥補給艦，若干修理艦，給養補給和牽引艦；第七二特遣部隊係負責巡邏任務，包括若干艘外圍雷達艦和以台灣為基地的偵察機；第七五特遣部隊係負責西太平洋方面的作戰任務，並隨時準備迅速支援第七二特遣部隊及協助第七六特遣部隊所領導的兩棲作戰；第七六特遣部隊又可稱為「兩棲作戰部隊」，其主要任務為負責運輸駐於日本的第三陸戰師與海軍飛行隊，兵力包括二艘攻擊用直昇機母艦、攻擊人員運輸艦、貨物運輸艦、兩棲作戰用的登陸艦艇等。此外，屬於第七艦隊的五個特遣支隊，其任務包括防潛作戰、遠程預警、挖泥、救護、訓練等。

又據較新消息，美國由於越戰及亞洲局勢，其海軍人數及艦隻數目與噸位，均在迅速增加中；許多二次大戰期間舊艦已修復或改裝後服役或大量分配於盟邦；另海軍飛機及人員亦不斷增加及換新裝備；各型飛彈與武器系統也日有裝配；各型新艦造艦計劃也在加速推動。以上均將於另篇「美海[illegible]力的發展」中詳述。

蘇俄：蘇俄在二次大戰期間，便積極建設海軍，現已成為第二海洋武力國，其艦隊以五百艘以上的各型潛艇為骨幹組成海洋打擊兵力，計組成四個艦隊和四個江防艦隊：波羅的海艦隊、北海艦隊、黑海艦隊、太平洋艦隊；四個江防艦隊是：多瑙河江防艦隊、聶伯河江防艦隊、裏海江防艦隊、黑龍江艦隊。

蘇俄海軍人數遠較美國為少，約達五十萬人，並包括約四千架海軍飛機駕駛和機械人員在內；總噸位約一百六十萬艇，包括巡洋艦約卅艘、驅逐艦約一五五艘、炮艇快艇掃雷艇佈雷艇共約二千一百艘、登陸艦一五艘、潛艇五百艘、小潛艇二百餘艘、潛艇母艦二十餘艘，此外可能有核子飛彈潛艇六至十艘[illegible]

……權構成威脅；但自由世界反潛技術在近年來進展神速，此在後文另述。

導入歧途

兩收俱傷

今日與明日

亞非會議可能流產

亞非會議的外長會議經過延期之後，雖然勉強召開，但到會外長並不到半數，因此，西方國家估計此一會議有流產可能。本來在外長會議召開前，已有四十七國通知阿爾及利亞準備赴會，人數已超過全部的四分之三，按理大會沒有開不成之理，假若有了變化，就是因為毛共施展了新的破壞手法所致。

這次會議召開對毛共無利，已經眾所周知；但毛共竟然能破壞會議，也確實出乎意料。於此可見毛共作事之不擇手段，實較蘇俄更甚。

威脅利誘

毛共此次破壞會議的手段，仍然是沿襲威脅利誘的手法，在亞洲接壤的國家因受到毛共恐嚇，尼泊爾王已聲明不出席會議，緬甸也表示模稜兩可的態度，假若絕大多數國家出席，緬甸宇溫可能扮出一種無可奈何的態度赴會，至於巴基斯坦則可能拒絕赴會，柬埔寨施哈諾已變成毛澤東的聽差，自然更唯毛共馬首是瞻。非洲方面一貫受到毛共援助，當政人物也都有私人津貼的如坦桑尼亞，剛果（布），馬里，幾內亞都已表示拒絕赴會，且要求大會延期。就人數而言，主張開會的自佔多數，但是附和毛共的皆一批好事之徒，在各個地區都有控制力量，所以這批人一齊起而叫囂，就頗足以左右大會的決定。假若大會真個流產，毛共在國際統戰中收買的一群伴當，確實發揮了作用。

後果如何

假若此次亞非高峯會議真個流產，表面看來自是毛共的勝利，但前途是福是禍，亦自難說。

亞非會議流產後對毛共不利之點有二：

第一，毛俄之間的衝突，到此算是達到高潮。在此以前，毛俄之間雖然時有爭吵，但都是共產黨的會議或一些共黨外圍團體的會議中發生衝突，畢竟是在蕭牆之內相鬩；只有這次卻把鬥爭帶到鐵幕之外。尤其是亞非會議，出席國家超過聯大會員國之半，而出席代表又都是各國最高負責人，在這種場合，毛共因為不能阻止蘇俄出席，竟然硬把會議鬧散，此次經過，蘇俄自然難以容忍，相信下面一定要擬好報復手段，所予毛共打擊，也許超過一九六二年撤退專家的事。

第二，毛共雖然鬧垮了亞非會議，但大多數國家對毛共所為一定大起反感，相信毛共今後在國際進行統戰，再想多拉攏，除去少數被收買的政客，一批同路人也最更了，而亞非會議則可能從此開不成了。（何如）

誰在對青年開頑笑

自由談

最近我國政府在台灣舉行司法官特種考試的國文試題：「孔門四教以文為首，而四科以文居末，試申其義」。據說全體考生十九皆不明題義，當場嘩然互相詰詢。事後有報紙撰社論抨擊此一試題是開青年們的玩笑，認為太陳腐而不合時代潮流，殊不足取。

實則這項國文試題很不錯，應試者如果是外國人，那當然不容易瞭解——研究漢學的洋人亦皆懂得的。既是中國的知識份子，祇要他在學校肄習社會科學，讀過國學課本的，對於儒學四教（文行忠信）與四科（德行，政事，語言，文藝）這種極普通而淺顯的義理，應該能知能言，不成問題。這題目并不僻晦，亦不艱深，藉此可以測驗一般考生的國學程度如何？也可以省察他個人對於辨析義理的智慧究竟怎樣？司法官是要為人民聽訟斷獄的，讀書太差，義理即不通達，一旦身居法曹，寧不誤盡天下蒼生乎？如今有許多法官把自由心證弄得一氣，判案失出失入，使人民對法律喪失信心，根本上就是一般法官讀書不通之故。所以，這次考試司法人員的國文題目甚為恰當，無可非議的。假使應考的是些技術人員如會計、航海之類，又當別論。

今人因為提倡科學，後談西化主義，乃視本國固有文化如土苴，要把線裝書丟到毛廁裏去，甚至認為用毛筆寫中國字亦是腐敗頑固思想，以致大學畢業生竟有不會寫封交際應酬信札，亦別字連篇，文理欠通者，更視本國的歷史知識，更視為無足重輕的末務，數典忘祖，恬不為怪。這樣的教育方針若不改進，那才真是對後輩青年開頑笑，大可不必反對共產黨摧毀本國固有文化，而其漢字拉丁化的主張，亦係進步的革命措施了，反共云乎哉！

現代青年人的聰明才智遠較前輩為優越，他們在求學時期的課程負擔，也比舊時讀書人沉重多了。要現代一般的青年人皆專心致力於經史子集之攻讀鑽研，也沒有必要。但起碼的國學知識如孔門「四教」「四科」的涵義，肆習社會科學的青年，應該瞭解才對，[illegible]

馮五先生

物資局被稱為「商閥」
郵政局內竟有「衙門」

本報記者台北航訊

台灣物資局是一個什麼性質的機構，外界人士眞是莫測高深。既不同於其他公營事業，又不同於一般商業。物資局又是官辦的商店，但又不同一般商業的經營方式。局裏面的設施有些衙門化，裏面的辦公人員有些官僚化。煌煌數層樓的高樓大廈，人員衆多，事情少少，上辦公時，在辦公桌上，女職員可以織毛綫，男職員則看報紙。只有少許商品點綴其間。如有申請購買分期付欵者詢問，總愛理不理的態度。局裏冗員不知多少。如以上辦公時那樣閒散觀之，實在是一個浪費公帑的機構。

據記者探悉，該單位中的職員，許多都是有背景的人物，視該單位工作如「金飯碗」，薪高事少。只要打了進去，穩如泰山。

物資局的生意做的並不多，但却具有一般商人所沒有的權威。就是說高興賣就賣，不高興就不賣。

該局代銷或承銷政府物資，或受商人委託代辦分期付欵的物品，該局一貫作風是「生意做不做，薪水照拿」。因為有國家的預算。因此該局職員態度之惡劣，眞是使人顧而却步。

有一天（十月上旬）就出了一個不大不小的皮漏。有一位中國青年黨的工友去辦理脚踏車的分期付欵，該局承辦職員接了申請單一看，便很不氣的說：「青年黨不賣」。該工友便質問道：「青年黨為什麼不賣？青年黨也是中國三大政黨之一，是一個團體，為什麼不賣？」該局職員說：「不賣就是不賣」！雙方因此爭吵起來。

隨後記者詢問那位姓洪的工友，是何緣由。那姓洪的工友說：「物資局代理幸福牌脚踏車分期付欵，刊出廣告，無論機關團體個人，均可申請分期付欵購買。上個禮拜六，我來申請兩部脚踏車，該局承辦人說「青年黨不賣」。我問他為什麼理由不賣，該局職員說：「不賣就是不賣」。隨後該局某處長答允可以申請購買，但找該承辦人填單申請，詎料該員竟不受理，並且說：「處長答允賣給你，你去找處長買好了」。今天又來就是為了此事而來，因此發生爭吵。

據該姓洪的工友說：「物資局申請配銷東西，都有暗盤，要送紅包才能辦好；我們沒送紅包，所以故意刁難」云云。

對於物資局的惡劣印像，記者早有所聞，一般稱該局為「商閥」。該一機構本早該裁撤，但因某些大員有後台，靠山硬，至今仍穩如泰山。局裏作風，愈來愈形惡化。其他公營事業雖然也同樣經營不善，但尚未惡劣到如此地步。

台灣省郵政局的郵務，十餘年來，突飛猛進，為各界人士所知。但該局有一個衙門化的單位，實令人感到美中不足─一個辦理公共關係的單位，竟如同衙門。該公共關係組不設在人們容易找的地方，却設在郵局的另一樓上，外面去接洽事務的人，竟要填會客單。新聞紙類辦理登記也在該組。記者曾代辦一次新聞紙登記，不悉門道，後來問清楚，才知道是公共關係組辦。走進公共關係組大門，却被門警擋駕，並要我填寫「會客單」。我十分詫異的問道：我是去辦公事，不是去會客，為什麼要填「會客單」？門警說這是上面的規定。眞是豈有此理的規定！但為了達成任務，我又填了會客單。要填的表的內容眞是令人笑掉大牙。「所會何人」？本來是辦公事而來，偏要我填會客。我問他「會什麼人」一欄如何填法，填誰？他說填「公共關係組」；眞是令人哭笑不得。辦公事還要填會客單，恐怕天下少有這種機構，我尚屬第一遭碰到，報導出來，相信讀者也會感到奇怪吧！

（周燕謀）

所謂「天堂」與「地獄」問題

天主教教務協進委員會

九月廿五日，台省各報刊載有「中央社梵蒂岡廿四日合衆國際電」稱：「天主教大公會議的一位高級教士今天表示：天堂和地獄等舊的宗教觀念，「在一個星際時代乃是落伍的」。該電又稱：「比國那慕爾區主教夏路在辯論一件有關「現代教會」的文件時發表此項意見。大公會議已以二千一百十一票對四十四票壓倒多數通過此項文件」。……又稱：「夏路的論點是：在太空時代，天上樂園的傳統自然觀念，對於現代人類的宗教信仰而言，已是不夠精深的了。」」

以上這段電文，由於外電傳遞的含混不明，極易引起誤會，危害天主教會的基本教義。

頃接九月廿五日梵蒂岡教廷宮報的「羅馬觀察報」，對此一事件，即本月廿四日的大會經過情形的公報原文，譯述如次，以明事實眞象。

「第二屆梵蒂岡大公會議第四期會議，今晨舉行第一百三十五次會議，對「教會在現代世界」草案之序文及導言討論結束後，即着手審查該草案之第一部份，並繼續對「教友傳教」草案舉行投票。

嗣後，對於「教會在現代世界」草案，是否應當對其每一部份進行討論事，於昨日所舉行之程序性質投票，亦由秘書長費里奇宣讀投票結果。共計投票者二一五七人。贊成者二一一一人。反對者四四人。廢票二張」。

對於「教會在現代世界」CHURCH IN THE MODERN WORLD之序文及導言，今日發言者共六人。

……第六人為比國那慕爾教區主教夏路ANDRE CHARUE。

夏路主教說：「在聖經內世界一語，含義如此廣而且繁，絕非「序文」和「導言」中寥寥數行所可表達，故不無引入誤解之重大危險。在舊約內「世界」一語，往往指為「天HEAVEN和地EARTH及其所包羅之一切」，乃指其所以顯示天主之上智與光榮的宇宙UNIVERSE。在創世紀第二章，「世界」乃表示天主所委託給人類的大地，在此大地，基督來臨，「建立其帳幕」。此一語且亦表示天主所鍾愛之人類的大家庭，而天主聖言即為此人類獲得大地之光明。最後在新約內，「世界」一語，乃指已投入罪惡並在「斯世之王」所引導下而在黑暗中行走的人類。「啓示」似在表示光明與黑暗的鬥爭。無疑的，要在草案內申述此一神學上的廣泛意義，實屬不易。但是，至少應當採取一種方式，以表達天主對全人類的愛，和基督對於人類的救援。故似應將此一草案交予一些聖經學專家們去研究。」

綜上羅馬觀察報的官方報導所稱：

第一，「中央社梵蒂岡廿四日合衆國際電」所述，顯有錯誤。因為比國夏路主教所提出之修正案，絕未觸及「天堂」及「地獄」的字句，亦未指有「天堂」與「地獄」之含義，更未涉及「太空時代」「星際時代」和「天上樂園」等字眼。夏路主教說：現在所討論的「教會在現代世界」（非各報所譯「現代教會」）中，「世界」一語在舊約中，為「天和地及其所包羅之一切，亦即所謂「宇」」是也；世界又指「大地」；而在新約中，「世界」又指為「人類」。故在「教會在現代世界」草案中的「世界」一語，在「序文」和「導言」的寥寥數行中，不足以充份表達舊約和新約中所稱的「世界」一語，在神學上的廣泛意義。因此，夏路主教提出請求修正。

第二，「合衆國際電」所謂大公會議以二千一百十一票對四十四票壓倒的多數通過夏路主教等對「現代教會」（原文為教會在現代世界）所發表的意見更屬不當。因為大會當日由秘書長費里奇（FELICI）所宣佈的投票結果（指二千一百十一票對四十四票事），並非指夏路主教等（共六人發言）所提出的修正案投票，而是前一天（廿三日）對該草案程序問題的投票。

第三，夏路主教所稱，在舊約中的「世界」一語，指「天和地及其所包羅之一切」。此所謂「天」乃指整個宇宙而言，並非如合衆國際社所謂的「天堂」或「地獄」（HEAVEN和「地」EARTH，天堂與地獄之存在，乃天主教的基本教義，此處恕不詳釋）。所以合衆國際社所謂「天主教大公會議的一位高級教士表示：「天堂和地獄等舊的宗教觀念，在一個星際時代乃是落伍的」之說，是毫無根據的。

有關稅制上的幾個問題

本報駐台記者張健生

法人所得稅收入二百七十六億美元，佔總收入二八・五〇%；個人所得稅與法人所得稅收入合計七百五十八億美元，佔總收入八〇%以上。而消費稅（包括貨物稅）收入九十八億美元，佔總收入一〇・三八%；其他收入九十四億美元，佔總收入九・六二%。

反觀我國的情形，恰恰與美國相反。黃委員說：我國五十五年中央總預算稅課及專賣收入，共為九十億零二千二百餘萬元，內直接稅收入，包括綜合所得稅營利事業所得稅在內，計十一億七千一百萬元，佔稅課收入總額一二・九八%，較美國相差六倍之多。間接稅七十八億四千一百萬元，佔收入總額七八・〇二%，超過美國四倍以上。

這種違反理財準則的結果，以致偷漏逃欠，流弊百出，人民稅負加重，而稅收不能比例增加，妨害經濟發展，影響社會繁榮。必須先從修正所得稅稅率着手，改變偏重小戶放縱大戶的觀念，將十萬至二百萬以上的稅率，依照累進的原則，合理調整；糾正營利事業所得稅萬元免徵之錯誤觀念與解釋，改為萬元起徵，減輕中小商人的負担，使有錢者出錢，稅負才能公平。則所有一切繁雜苛擾之間接稅目，以及各種稅捐，逐步取消，建立直接稅制，使稅源穩定，而不受戰時影響。

財稅措施　不可思議

舉例來說，我們財稅機關有許多措施是不可思議的。有些不法的措施，竟出自行政院的行政命令，不但違法，而且違憲。據立委王學超質詢：中國石油公司代徵貨物稅之辦法，係由財政部呈經行政院所核定之行政命令，而此命令則與中央法規制訂標準法規定相抵觸，亦即不能免於以行政命令變更法律之嫌。

（三）

屏東行政「企業化」
實際成效七折八扣

（本報高屏記者袁文德航訊）屏東民選縣長張豐緒為實踐競選及就職諾言，於五十四年六月二十九日以「（五四）屏府人乙字第四〇三六一號」令公佈「職員出勤簽到注意事項」一種，並自七月一日起正式實施在卷。實施以還，近將四月於茲，其成果得失究竟如何？是值得檢討的。

九月十六日屏東縣議會六屆四次大會揭幕，縣長張豐緒「施政總報告」時，他說：「現在，本人首先報告在推行行政企業化工作上所採行的辦法所獲致的成果，以及未來的希望。這是一份完全可以解釋為「精神的」工作，它不需要預算，但需要努力與進取的精神。本人不論在競選以及就職的諾言中，曾將此列為首要。推行這項工作的目的，簡單的說，在提高辦公效率，樹立廉能政風，力除為人所詬病的敷衍塞責，推拖刁難的惡習。在這項工作上，我們已作了兩件事：一、加強查勤，二、在本府門口懸掛了人民申請案件時限一覽表。對於沒有按時上班或無故不到的員工，以書面通知人事室分別處理；對於申請案件已逾時未會處理的，申請人可據以查詢，這兩項辦法的實施，相信對本府辦公效率的提高，其效果當可在縣民的切身體受中獲得評論。誠然，已實施的辦法已不能說十全十美，但已能令人滿意；使我們欣慰的是：我們已經在不斷的希望自己作了此項工作，不停的改進，然是對此工作不停的加以強化，以及不停的求進步」云云。

根據張縣長在議會的這段簡明扼要的施政報告，似乎屏東縣府行政工作，確已邁進了「企業化」的境界，但事實績效究竟如何？且看下例：

十月六日下午二時四十分左右（是日正是縣議會六屆四次大會閉幕次日），有某科室職員，在新聞股辦公室以電話向本府其他科室連絡，未及五分鐘，遂相繼離去，至眷舍雀戰。此原屬不值一提的些許小事，但如與縣長在議會所提出的施政報告內的所謂「行政企業化」─「加強查勤」相對照，那麼縣長的這項「施政總報告」，是要打個七折八扣的。

更有人說：某科有五位以上的職員、除了簽到外領薪津 [illegible]

瀛海異趣談

法國裸體島李雲特

·桑雅·

在多數的裸體天堂，性慾是一件禁忌的事情；但是在法國的李雲特島來說，一切聽其自然。因此，這個裸體島確另有一番風光。

法國美女奧狄蒂和她的男友來到此島的海灘，她搶先跑過去，把東西放下來，說：「就在這兒好嗎？」張開了太陽傘，四顧而望，盡是赤條條的男女，全身祇披着一條遮掩重要地帶的三角布。奧狄蒂一聲不响，把一雙玉臂伸[illegible]「過頭笠」了。頃刻，她祇穿一塊白色的三角布，站在男友跟前，她是赤裸了。她的乳峯尖挺，一把碧姬芭鐸似的長的秀髮，披在粉肩上，身體的其他部位，都是富有彈力的，令人看了呼吸也加速了。她站着，天真地笑，驕傲地展示着她那豐滿的肉體。

海灘許多人都掉過頭來，欣賞奧狄蒂的那副愛神似的美妙肉體。在一般天體會不容許有此貪婪的目光的；即使兩個男女面對面脫衣服，亦不例外，因為這些舉動太過刺激。第二條例是永遠不得凝視他人的肉體；這是天體主義者的標準教條和態度，雖然大家赤條條，好像肉虫一樣，但是要擺沒有對方存在的樣子。

但是在李雲特島則不是如此。奧狄蒂小姐是初到貴境，當然惹人囑目，何況她的肉體也太惹人注目？除了在海灘的女人坐在一旁，眼睛冷冷地瞪着，現出妒忌的神色，男人均不放過欣賞可愛的奧狄蒂。

她開腔了：「好啦，怎麼你不脫衣服？」奧狄蒂相當明白裸體島的規矩，她告訴男友：「倘若你到此地來，而不脫光衣服，他人認為你來裸體島的目的，不過是偷窺女人的肉體。」

你或記得已故風流男星愛路扶連記載遊歷李雲特島的，你所感到興趣的可能是：大家脫光了衣服，有者不客氣地在露天沙灘公然造愛，旁若無人。如果你不也肉帛袒裎，少不免走上愛路扶連的舊路，不脫衣裳的人，乘遊艇在附近偷窺，結果是捱如雨點似的石塊擲來。

距離土倫與聖特魯柏滋半途中的海外十英里，有三個島嶼——波克洛斯、波克魯斯及李雲特島。奧狄蒂哼着一首小調：「噢，他們在法國南部不愛褲子。」

裸體島并沒有鋪砌妥善的道路，除了一兩家酒店，到處沒有自來水設備，電燈是自己用電機發出的電力。住宿的價錢眞貴，尤其在夏季，單人房日租廿至廿五美元。島上的法律規定，裸體有最大限度的暴露，最小限度的遮掩，三角地帶一定要遮起來。女人雖然有一條帶子用一塊布把下體遮着，但是不少女人所用的布，寬不及十分之一英寸，有等於無，抑且這樣的暴露，比眞正的赤裸更惹人想入非非。

那天奧狄蒂認出一個瑞典的大胸脯女星，姑諱其名罷，她曾在羅馬拍過不少電影，她全身祇有一條三角形的鑲花邊狹窄小紗布，懸掛在「禁區」，其實禁區隱約可見。其他的女人所謂穿了衣服，也不過是象徵式的罷了，她們的上衣隨便披着，酥胸是突出來的。總之眼花撩亂，目不暇給。

沒有一些小聰明，在裸體島消遣十分吃虧。一個可愛的紅髮女郎，三角地帶披帶一片心形的飾物，她通過一間喫啡室時，惹起人們一陣狂笑。為什麼呢？因為她披的是一片紅色的布。別人的下體比她穿得更少，為何不惹笑？奧狄蒂悄悄地告訴她的男友：「這是在歐洲的不成文規矩，表示這條「單程路」此時是「路不通行」，因此你要明白這個常識，以免碰釘」。

郭嵩燾

李仲侯

當初遣使時，廷臣皆視此為大辱，李子和制、馮展雲學使正言切論以阻其行，嵩燾答言，數萬里程途，避而不任，更有艱鉅，誰與任之？他顯犧牲個人的榮譽，忍受責難的痛苦，他為中國外交界，披荊斬棘，闢出了坦途，為後來無數的外交家樹立了榜樣，這種捨己為人的精神，多麼偉大。到了光緒十七年三月廿日，他在病中寫下他的絕筆：吾在倫敦所見東西兩洋交涉利害情形，輒先言之，以為關係國體，行之又至簡易，不憚越職言之，而一不見納。距今十餘年，使節重重，西洋情事，士大夫亦稍知之，不似從前之全無知曉；而已失之機會不復可追，未來之事變，且將月伏日積而不知所窮竟，鄙人之引為疚心者多矣！他這種忠誠謀國的精神何等感人，雖在百世後，猶當令人佩服。

可是嵩燾出使西洋後的一切觀感，在今日我們看來，雖是一種進步的見解，但在當時人的了解卻完全和我們兩樣。當他出使期中所著的一本使西紀程，其中附帶論及西洋眞正富强之源，他說：由於政教修明，風俗淳厚，百姓家給人足，豈有百姓困窮，而國家自求富强之理？今言富强者，一視為國家本計，與百姓無與。這本是孔子百姓足君孰與不足的意思，因為書中有近於頌揚泰西之語句，就引起大部份的國人不滿。自從這本書發刊後，更有人加以咒詛，編修何金壽就罵他：「有二心於英國，欲中國臣事之」！王壬秋閱後說：「殆已中洋毒，無可采者」！李慈銘越縵堂日記則說：「閱郭嵩燾使西紀程，紀道里所見，極意誇飾，大率謂其（英）法度修明，仁義兼至，富强未艾，寰海歸心，其尤悖者，云以夷狄為大忌，以議和為大辱。自南宋始西洋立國千餘年，政教修明，其有本末，與遼金崛起一時，倏盛倏衰，情形絕異。今無故懸一和字，以為劫持朝廷之資，誠不意宋明諸儒，議論流傳，為害之烈，一至斯也！嵩燾為清議所賤；迨此書出，而通商衙門為之刊行，凡有血氣，無不切齒。何金壽編修上疏嚴劾，有詔燬板，不而流布已廣矣。伊為此書，又是何肺肝；而為刻者，又是何心哉！當時的王壬秋、李慈銘，都是知名的學者，而對嵩燾之醜詆痛罵備至，其他更可知矣。

極奇怪的，尤其是我們湖南人更反對郭嵩燾最力。據牛運之雨窗消寒錄說：光緒二年郭侍郎嵩燾將使英吉利，值鄉試，湖南舉人訛言洋人將至，請兵迎擊；又榜於道，欲毀嵩燾家，久之寂然。讀這段紀載，可見當時湖南的智識份子都對郭嵩燾不滿，認為郭之出使，是湖南人的奇恥大辱。後來郭嵩燾歸國，請假回鄉，我們湖南人看到他坐了小火輪船回來，羣起譁然。（八）

評介「自由、容忍、安全」

·洪流·

——自由人文集第三集——

民主生活的表現方式，在於自由；而自由的要務，乃在於容忍他人的自由。自由并非絕對自由自主的行動，它也有一定的範疇。也就是在他人的自由範疇裏，要減少個人的自由行動，或是絕對的容忍個人的自由不侵犯他人的自由。這話說來像是老生常談，但眞能做到如此地步的又有幾人？通常對於容忍他人自由的這一觀點，都是抱着懷疑的態度。以為，自由就是由自，可由其自己任意而為；但不知道中間就滲雜了幾種制裁的犯罪行為。刑事上的犯罪，民事上的侵權行為，以及行政罰都是公權力或私權力對於妨碍他人之自由的制裁，這裏且存而不論。犯罪，即在道德上對於未經發覺的犯罪的心理制裁，那已經構成為個人的最大重担。如果，對於犯罪不感覺這種重担的話，他不是犯罪狂也將是白痴式的愚人。社會對於狂人，有法令去制裁，而對於白痴的精神病患者，那是社會安全政策的範圍，強迫醫療，免費診治，這都說明社會的溫暖，而非是人類的無情。共產黨人連這種先天的惻隱之心也抹殺了，他們認為那是社會的渣滓，毫無利用的價值，任其自生自滅，已經是最大的容忍了。

社會上人與人的接觸是絕對不能避免的事。在現代社會裏，為人首先要做到的就是容忍。容忍街市上汽車的煩囂，容忍生煤污染的空氣，容忍法律的限制，容忍行政命令的規定，甚或還要容忍銷貨員的不速登門造訪。因為市聲、法律、命令，以及商業行為都是構成人類生活的一環，缺一不可。人類已經沒有獨善其身的可能。再說人類本就是一個互助的社團，離開互助，人類便無法生存。

自由在張佛泉教授的大著：自由人權中將其別為二義，一個是人的外部行為，一個是人的內中的思想。我們通常所講的自由乃是第一義外部行為，不論其為故意或過失的行為與行動，都要在自由的範圍內去自由，不然就是妨碍到他人的自由，也就是不能容忍他人之自由的自由。不是個人自由越界，就是侵犯他人的自由。個人越出自由的範圍，法律與道德都會給予制裁；惟有對于他人自由的容忍，那就不是一般人所能達到的境界。而這種容忍他人自由的涵養，在政壇的人物，更是絕對的需要。孫中山先生說：政治是管理眾人之事，這個定義的內涵裏就有容忍的義務存在。管理眾人之事，當然應該不是一種主奴的管理；如果是主奴的關係，不論管理者為主為奴，被管理者之為主為奴，那都是片面的服從關係，現代的政治乃是雙方的，不是單方發動即可的。如果，管理者為主，那是獨裁政治的當然結論，狂夫與獨夫之所為，希特拉、史達林等人可為其代表。

國民大會行使創制複決兩權有關問題總結論

國大代表聯誼會

理由：國民大會必須開會方能行使職權，但在閉會期間，自有許多會務亟待處理。據國民大會組織法第五條規定主席團之職掌有三：（一）關於議事程序事項。（二）關於國民大會行政事項。（三）本法規定其他事項。第七條規定有各種委員會之組織。第十二條規定：「國民大會設秘書處，置秘書長一人，副秘書長二人，其人選由主席團提請大會決定，承主席團之命，處理全會事務。秘書長副秘書長因故出缺，其繼任人選未能依照前項程序產生時，得由總統派員暫行代理。」可見主席團於國民大會開會時為主席，及主持行政，而閉會時，秘書處仍復存在，主席團必須掌理會務，秘書長方能有所秉承。立法意旨至為明顯。國民大會行使創制複決兩權之後，其對象之法律範圍，非常廣泛，自需要常設各種委員會，俾便對創制複決案提出後分別加以研討整理，然後提出大會討論。此為處理技術上必經途徑以免耽誤大會時間，減輕大會之負担。

三、創制複決兩權之範圍問題

結論：國民大會創制複決兩權之行使，有關創制案，應1，創制立法原則，2創制法律條文，3，國民大會所制定之立法原則，立法院應於規定期限內完成立法程序，如立法院逾兩會期仍未完成，國民大會對直接以條文創制之。凡經國民大會創制複決之法案，逕請總統公佈，即成法律，其效力與憲法第一百七十條規定之法律同。

理由：國父手訂建國大綱第二十四條規定，國民大會對於中央法律有創制權、有複決權。又在民權主義第六講說：「如果大家看到了一種法律，以為很有利於人民的，便要有一種權，自己決定出來，交到政府去執行，關於這種權，叫做創制權，這就是第三個民權。若是大家看到了從前的舊法律，以為是不利人民的，便是有一種權，自己去修改，修好了之後，便要政府執行修改的新法律，廢止從前的舊法律，關於這種權，叫做複決權，這就是第四個民權。」依據國父遺教，國民大會代表人民行使政權，是要充分行使而未有限制的。復根據五十一年廣泛徵求各方意見結果，屬於創制範圍意見，其中主張創制立法原則者僅佔百分之十九點六；而主張應為完整之法律條文者佔百分之三十四點一；主張原則與條文創制並用者佔百分之四十五點三；屬於複決範圍意見者，主張應包括憲法第五十七條第二、三兩款重要政策在內者，佔百分之七十八點四。基於理論與事實需要，及各方多數意見，國民大會創制複決兩權應充分行使自無疑義。

附說明二點

一、國民大會憲政研討委員會第二次全體會議決議文中，建議國民大會循修改動員戡亂時期臨時條款為行使創制複決兩權之途徑。惟查各方意見，主張以修改憲法為宜者佔百分之六十五，主張修訂臨時條款為宜者，佔百分之二十八，兩可者佔百分之七。故究應採用修改憲法抑或修訂臨時條款，均有待臨時會之決定。如採用修改憲法，已有修改憲法草案，可資依據；如採用臨時條款，則不能不預為準備。關於臨時條款應如何修改，本會正繼續研究中，俾將來提供臨時會之抉擇。

二、國民大會行使創制複決兩權有關細則與技術問題及各種委員會之編制等，本會亦正研究中，俾將來提供臨時會決定。（下）

國劇繽紛續錄

娑婆生　（十三）

觀平劇競賽後

國軍平劇隊在文藝活動中心表演，已屆第五位至大宛為止，原擬干城接演，因自雙十節起，要舉行競賽，每隊一日，依次上演，首由海光開紀錄，演興唐滅巢（僅飛虎山雅觀樓兩齣），他們是以劉玉麟、陳元正代表競賽，故無生旦。次由陸光演富貴壽考，因競賽有恭祝蔣總統壽誕之意。且由周正榮、張正芬、馬維勝代表競賽，也可算尚合式。再由大鵬演木蘭從軍，是表示忠心為國，孝行可嘉，集羣力以捧徐露得獎，特由名伶白玉薇改編後上演。不過忠孝是有，女子從軍也可特書，惟關於反攻復國與總統壽誕，意義尚不夠。其實為何不演梁紅玉，也可捧徐露的。明駝干城均演少康中興，其意義適合現今情況，比較意義為切；所惜明駝劇本是王隊長手編，抑未經詳校，而嫌散漫，聞說慧芬表示棄權，是明智之見。且力爭改演梁紅玉，未獲允准，而所演成績不太理想，是一失策。干城是一貫聯串，平均發展，相當獲好評（絕不是個人偏見），有認為異軍突起者。

此次所聘評判名家，係來自各方，多練達之士，不過筆者前有建議，一切當以客觀來判，切勿心存主見。因為外間傳言，早已內定之說，曾詢某評判員，據告絕無此事，但議論紛紛，我認為應照歐美作風，自由民主，絕對公正，否則中國小姐也不會在英美當選，即此可知。因此筆者非評判員，但亦可以意見奉陳。此次旦角最佳者，恐怕多寄望徐露，惟大鵬所定戲碼，似欠考慮周詳。徐露一切條件均夠格，惟其所演木蘭，前是旦角，後是小生。記得從前亞洲影展，凌波的梁山伯，因演男角而未能得最佳女主角獎，另予特別獎，蓋評判應以其演的角色而定，男歸於男，女歸於女。因此徐露如能得旦角最佳獎，則木蘭從軍應不能再獲團體獎，否則觀眾將，多認為不太公平。干城的少康中興是好壞，有目共睹，他們無代表競賽，則團體獎是否可多考慮，不能一概抹殺，是有望於評判先生矣。

今年競賽已過，如果明年再辦，獎金不妨酌減（不能太多），要分鬚生，武生，青衣，花旦，老旦，淨角，武淨，丑角等八項，方可支配。此次所定，觀眾多在私議，是那位名手所定，如此籠統似不適合也。

電視的曲

崑曲上電視，恐怕是第一遭，胡喬女士奔走兩月，得到老師徐炎老的許可，在十六日排出遊園，佳期，思凡三齣（原定次序），是合大崑曲社幾位女同學所貢獻。（未完）

德明書院第一屆畢業同學錄序

代陳校長作　蔡俊光

本校第一屆畢業同學諸君有同學錄之纂，將付剞劂，主事者請予一言以為序。予與諸君昕夕講習久，今且解攜襟袖矣！予又安能無動於中，靳而不為之辭？惟自大盜移國，陰陽愆度，漫踰一紀，海水羣飛，鍛翮暴鱗，死亡無日；值此鞠凶，愴痛不暇，抑何言哉？雖然，抑何言哉？予非無言也！但懼言之如萬斛泉源，將不擇地而出爾。諸君今既學成，畢所業矣，並稱為士者，其知嚮之所為士者，其義蘊，其肩負，其事，為何如哉？夫士者，任事者也。明古今，辨然不者也。明古今則博學多知，能曉然於成敗得失之所在；辨然不則向善有廉恥，洽然於出處去就辭受取與之間。故端木子問士，聖人告以「行己有恥，使於四方，不辱君命，可謂士矣。」富哉斯言！孟軻氏答王子墊「士何事」之問，先曰「尚志」，後評以「尚志則居仁由義，大人之事備矣。」誠然，仁莫大於以天下憂。故禹思天下有溺者，由己溺之；稷思天下有飢者，由己飢之，皆如是其急，孔子賢之。伊尹思天下之民匹夫匹婦有不被堯舜之澤者，若己推而內之溝中，其自任以天下之重如此，孟子尤數頌之。義莫強於別邪正，誅無道。故陳恒弒君，孔子朝服請討，湯武革命，傳曰『順天應人。』凡此六籍之垂文，實千秋之懿範。是以士風之奮發踔厲與否，大足以繫民族精神之興衰，國家命脈之存亡。稽諸史冊，顯迹斑斑：若漢李膺之志節凜然，強梁褫氣，激揚仁風，所在霧會。宋陳東之慷慨厲行，神姦失色，扶植善類，萬流景從。爰及有明，東林之多士，復社之羣英，排棐清議，式遏寇虐，亦能鼓芳風，扇遊塵，為天下倡。豈有入則佔畢伊吾，徘徊光景，出則峨冠博帶，托命權門，心晁倪，囁嚅趑趄，一如厮役優笑之為人所畜，而敢靦顏稱士者哉？諸君乎！今人心溺惡已深，國命且不絕若綫，吾人亦既為士，將被髮纓冠而往救之乎？抑閉戶而求自安乎？諸君長讀聖賢之書，飫聞師長之誨，自當知所急務矣。昔者，荊伐陳，因其降民使修西門，孔子過而不式，故語門弟子曰：「國亡而弗知，不智也。知而不爭，非忠也。亡而不死，非勇也。修門者雖眾，不能行一於此，吾是以弗式也。」夫聖人之所輕者，猶謂陳之無人也。雖然，蚩蚩者氓，或不足責，惟士則異於是。蓋其立身也弘毅，仁為己任，死而後已。故晉陽之圍急，張孟談曰：「亡而不能存，危而不能安，則無為貴知士也。」趙而出，卒解趙國之難。明于謙丁土木之變，嘆曰：「四郊多壘，卿大夫之恥也。」毅然以社稷安危自任。且夫貞士之心，先憂後樂，今古率同，匡世卹民，窮達無二；而孤忠耿耿，雖傀然獨立而不畏。孟子生乎衰世，四海沸騰，介然而信誓曰：「夫天未欲平治天下也；如欲平治天下，當今之世，舍我其誰也？」其一肩担道之精神，有如此者。茲吾人處此多難之秋，既莫閉其外邪之不入，自當振其內在以爭強，儻人人抱「祭仲存則存矣，祭仲亡則亡矣」之志念，皆以祭仲自況，皆以國事已任，不委責，不畏難，則轉弱而為強，反敗而為勝，因禍而為福，亦猶運諸掌上。詩云：「愷悌君子，求福不回。」其是之謂與？今諸君此同學錄之纂，固將以存其勝跡而求其友聲，俾共赴興滅繼絕之大業，予知必不肯藉為掞翔之薰擾而伍其斯，因樂而為之序如此。

陰曆。陽曆。世界曆

漁翁

曆者，推算日月星辰以定歲時氣節之法也。有陰曆，陽曆之分；陰曆以地球自轉紀日，月繞地球紀月，地球繞日紀歲。而其特異之點在紀月，以月為主，每月屬陰，故名。每年十二月，每月有二十九日、三十日，積三年而一閏，五年而兩閏焉。在一年中，分二十四氣；即立春，雨水，驚蟄，春分，清明，穀雨，立夏，小滿，芒種，夏至，小暑，大暑，立秋，處暑，白露，秋分，寒露，霜降，立冬，小雪，大雪，冬至，小寒，大寒，以便利農人之耕耘收藏。我國以農立國，以沿用陰曆為較方便。

陽曆，現經適用於世界大多數的國家，亦析一年為十二月，每月自二十八至三十一日不等。以日為主，日屬陽，故名。太陽繞地球一週，需三百六十五天又六小時，故以三百六十五天為一年，所餘下六時，積至四年而成一日，即定二月為閏月，每四年加一天。有陽曆歌云：「陽曆便，陽曆便，一拳上好分辨；七個月大，五個月小，惟有二月二十八，四年加一天」。記得此歌，即在手指上亦可以推算月份之大小矣。

可是，陽曆雖便，而不適用於農業國，尤其我國民間。按曆書開宗明義第一頁，旁有十字云：「世界行陽曆，民間紀夏時」。再以清明、端午、中秋、重陽、冬至、除夕而言，為民間最熱烈之令節，沿用已久，不可或改也。

世界上有許多專家，以陰曆、陽曆，皆有缺點，經研究改進，依照預定計劃，而擬訂一種理想日曆，每年也分為十二個月，但四季所含日子相等，命名為「世界曆」。這計劃，把一年分為三部分，每四個月的星期日，都在同一個星期中。例如：正月，四月，七月，十月，每季首月，都在星期日開始，而且都有三十一日，五個星期日；其餘月份，祇有三十日，四個星期日。總計全年有三百六十四天，所餘一天，排在十二月三十日之後，作一年的結束，名之曰「世界日」；這一天，又稱之為「世界假期」。至於閏年日，現行陽曆日曆中每四年的二月二十九日，則改在六月三十日後，每四年一次；這一天，也被定為「世界假期」。

這計劃，起源於一八三四年，意大利人——瑪斯特羅尼，後得國際總商會之支持。但始而阻於第一次世界大戰，既而經國際聯盟及聯合國之研討，意見分歧，築室道旁，議論多而成功少，至今還在理想中，欲求完成普天一致的「世界日曆」，恐非一朝一夕之事。目前世界各國，都潛心研究原子科學競賽，奚暇計及年月日時之曆法哉！

寶蓮燈

「影劇與歷史」之十二

周遊

他的神奇在陸游的「老學庵筆記」中說：「中貴楊戩於堂後作一大池，環以廡廊，扃鑰周密。每浴時，設浴具及澡豆之屬於地上，乃盡屏人，躍入池中游泳，率移時而出，人莫得窺。然但謂其性喜浴於池耳。一日戩獨寢堂中，有盜入其室，忽見床上乃一蝦蟆，大可一床，兩目如金，光彩射人，盜者為之驚仆！而蝦蟆已復變為人，乃戩也。起坐握劍，問曰：「汝何人？」盜以實對，戩擲一銀香球與之曰：「念汝迫貧，以此賜汝！切勿為人言所見也。」盜不敢受，拜而出。後以他事繫開封獄，自道如此。」

由此，我敢相信，封神作者不但看到宋史楊戩傳，而且看到老學庵筆記」。楊戩沒有治水之功，而竟由於小說的流傳，把楊戩之名擴大了，宣揚了；歷史上那樣多的水神，結果沒有一個人得到正位。楊戩的神奇，封神作者得到啟示，楊戩會變，善游泳，此與入水斬蛟有連帶性的關係。再加上宋代以前的許多水神的特性，結果把一個神奇人物創造出來了。我很佩服封神作者的構想，為一個神奇人物，他竟花了這樣大的功夫，看了那樣多的書籍，至少至少神仙傳、搜神記、三教搜神大全、神仙通鑑、老學庵筆記以及各家筆記、傳奇、治水文獻、宋史等書；否則，是不會有此突出神奇的人物。可知楊戩這一個小說神化人物的構想，是一種水神及歷史人物的揉合。創造一個典型人物，實在並不容易。只以此楊戩為例便可思過半矣。

現在來算一算楊戩的一身帳：

一、他是姓楊名戩，採取了宋史、「老學庵筆記」。

二、白面無鬚青年，採取了「三教搜神大全」之「公斬蛟時年僅二十六」，以及「二郎」青年名字。

三、携帶哮天犬助陣，採取了李冰父子治水記、三教搜神大全之「引數人鷹犬彈弓者」

四、楊戩非血氣所生，採取了華陽國志「竹王二郎」的故事。

五、身通七十二變，採取了楊戩傳（宋史）及「老學庵筆記」之「而蝦蟆已復變為人」、以及李二郎之飾婦人，以及其他神仙傳等。

六、楊戩所收梅山七怪，採取了「三教搜神大全」中「入水者七人，即七聖是也」。

七、楊戩的封號「清源妙眞君」是採取了「三教搜神大全」之追尊號曰「清源妙道眞君」。

八、楊戩名「二郎神」的「二郎」，是採取了李二郎之名，楊戩即宋人宦官楊戩。

（七）

民族舞探源

正匡

從以上的考察，我們知道舞蹈是古代社會裏的實際需要的藝術，如祭祀時要舞，宴會時也要舞，打獵以前要舞，打獵以後更要舞，打仗以前要舞，打勝仗以後也要舞，平時遇機會固然要舞，男女求愛時更要舞。如「陳風」的「東門之枌」就是最好的一例：「東門之枌，宛丘之栩；子仲之子，婆娑其下。」「穀旦于差，南方之原；不績其麻，市也婆娑。」婆娑是對於舞姿，是何等美妙的描寫！可見舞蹈在古代社會裏是主要的生活方式的一部，也可說舞的起源，是緣於實際生活的需要。根據齊如山先生的「國舞」一文中，他把中國古代舞分為下述三種：象徵舞，交際舞，美術舞。這種舞最初是為鍛鍊身體而來，在各民族大致相同。各民族的舞，最初與現在台灣山地同胞的舞差不了多少。中國古代的舞也不會例外。

（一）象徵舞：象徵舞，是最初的舞。中國古代的舞，都是有所象徵。如怎樣動作，是意在要象什麼，或想形容表現一種事情，就應當怎樣舞法，使觀者一見便知。最明顯而尚流傳至今的，就是歷代的廟堂舞。如「樂記」中所謂：周朝的舞，一成象北出，二成象滅商，三成象南向出師等等，即是此義。齊如山先生認為這種舞，最初就是勻舞、象舞、皇舞、干舞、人舞、野舞等等。（二）

自由報
THE FREE NEWS
第五九七期
內僑警台報字第〇三壹號內銷證
中華民國僑務委員會頒發
台教新字第三二三號登記證
中華郵政台字第一二八二號執照
登記爲第一類新聞紙類
（半週刊每星期三、六出版）
每份港幣壹角
台灣零售價新台幣貳元
社　長：雷嘯岑
督印人：黃行憲
社址：香港銅鑼灣高士威道二十號四樓
20, CAUSEWAY RD 3RD FL.
HONG KONG
TEL. 771726　電報掛號：7191
承印者：大同印務公司
地址：香港北角和富道九大號
台灣分社
台北市西寧南路壹零號二樓
電話：三〇三四六
台郵撥儲金戶九二五二

美俄海底爭霸（下）

彭樹楷

沒有航空母艦及戰鬥艦的蘇俄海上武力，便不能有效運用海權以控制世界；他那以陸上基地出動的海軍飛機，也無法與美國母艦上飛機的戰力相抗衡。不過，蘇俄那支佔世界第三位的遠洋漁撈隊爲數一萬艘以上的漁船，却不是可予輕視的力量。在全世界每一海域，很少看到蘇俄的水面艦隻，但却常見蘇俄漁船。這些漁船一面以濫捕的不法手段捕魚，一面兼負長程早期預警偵察任務；在一旦戰爭發生時，這些漁船又可動員担任軍事運輸任務。然而，以漁船担任戰時運補任務，却又不易達成使命；這是蘇俄海洋戰力的致命點。可是，由於科學技術的發展，蘇俄可能利用這些遍佈世界海域的漁船，以電子反制干擾美國的陸上飛彈發射與海洋船艇航行及射擊以及干擾飛機航行；這一點，自由世界不可輕視！

海洋戰力發展

由於海洋科學，造船工業，海用新兵器以及太空工藝的進展，影響到海洋國家在海上戰力方面不斷的更新裝配而加强其戰力。例如新艦艇、海用新飛彈、新電子技術、新戰術等。茲分述如下——

美國：在以太空爲最優先、飛彈次優先的建軍政策下，美國並未着重海洋戰力的擴充，其一九六三年度海軍經費僅十七億美元，一九六五年度也僅增至廿億美元，迫使造艦計劃陷於半停滯中，除了核子飛彈潛艇（每艘生產成本約一億五千萬美元）及舊艦翻新外，便只有核子動力巡洋艦、核子動力母艦、核子動力戰鬥艦的代表式建造（每種一艘）。五角大廈偏重飛彈而忽視有人駕駛飛機及海軍戰力，也許是一項極危險的冒險！因爲，假如一種稱爲「反地心吸力網」（Anti——Gravity Screen）的技術發展成功，則陸上固定基地發射的洲際飛彈便將成爲廢物（反地心吸力網是使空中所有物體在該網的作用範圍內，形成失重現象不能下落，然後予以摧毀）；更何况反飛彈的飛彈已接近服役階段，而固定基地又早爲敵方所偵知。

因爲蘇俄强化潛艇的刺激，近數年來美國海上戰力也是朝向這方面發展，並特別着重核子動力北極星飛彈潛艇的成軍；同時研究潛水航空母艇的製造俾便從海中發射有人飛機。在海用武器方面，美國是在現有武器中改良其性能、射程、破壞力和精度；在艦艇方面，則追求全能性、續航力、速率、耐波性、隱蔽性。此外，便是延伸海上早期警報系統（即改良其海空長程雷達系統），加强防潛裝備及戰力以强化反潛作戰的完整系統。

由於蘇俄龐大潛艇隊的嚴重威脅，美國刻正加强下述步驟：一爲嚴密扼守各狹窄水道，[illegible]，如扼住巴倫支海以阻止蘇俄潛艇對付大西洋艦隊；扼住堪察加與千島羣島以阻止其威脅太平洋。其次便是研究發展新的防潛作戰技術和設備，如建立及動員漁船隊和商船隊以期獲得早期預警情報；擴建反潛飛機及反潛用潛水艇；研製深海偵測設備和深海炸彈；創建可以穿透海幕深入海水下數百呎的某型電波（美國電子科學家 Wallace L. Mint 於一九六五年初發現可深入水下一百呎的「水電子」Hydroelectronic，可望用於潛艇偵察、辨識、和魚雷導引以對付敵方潛艇，但因此技術爲國防機密，故發展詳情不得而知）。

美國爲民主集團的領導者，而民主國家又與海洋構成了一個「以海制陸」的整體，所以美國除發展本國的海洋戰力外，並支助全體自由國家發展其海洋武力；這些自由國家在美國支持與援助下，無不在全力推行海軍艦艇更新和商船造船計劃，以期增强整個自由世界的海上戰力，其中特別是積極發展反潛作戰、改良反潛設備方面努力。此外，美國並與英、加諸國合作發展攻潛母艦、水翼船、漂水船、新型聲納、長程雷達、攻潛飛彈、遠距攻擊魚雷等。同時，又計劃聯合各自由國家籌組可兼負軍事任務的漁撈隊和商船隊，以期在戰時能產生統合戰力。

由於蘇俄以潛艇爲骨幹的海洋武力是攻擊性的，所以守勢爲主的美國艦隊，便難免在第一擊中受到潛艇的重創，故加强全世界沿海友邦國家的修艦能力，也是美國海上戰力的另一發展項目；同時，美國又在加强其本國的修護艦之建造和更新裝備中全力以赴，期能於遭受第一擊後的水面戰力保持到最大能力。

蘇俄：蘇俄的海洋戰略是：用潛艇突破民主集團的海上封鎖以窒息自由世界的經濟命脈；用商船隊來推廣海外市場、輸出共產主義的世界性革命和運回必須的物資；用龐大的漁撈隊作監視（平時）和干擾（戰時）工作。

爲推展這戰略，蘇俄海洋戰力的發展方向，乃是：擴建各型潛艇；强化本國與共產集團的商船隊；更新漁船裝備和擴建漁船數目；爭取狹窄水道的沿岸國家；開創北極洋航道（主要的是以核子動力潛艇於冰層下潛航，其次便是以破冰船開道的冰洋艦隊航行於冰洋航道上）——蘇俄對冰洋航道的建築和防衛設施很多，從摩爾曼斯克至白令海峽，建設了十個艦隊根據地，由十五個燈塔與一五〇個無綫電訊站和七七個科學站所組成，其中一部分在陸地，一部分則建在冰層上，所有港口和機場均已完成……。冰洋航道對於世界貿易雖無甚價值，但對蘇俄則與其遠離分遣的艦隊支援聯絡却極爲重要。據情報偵知，蘇俄近年來已在冰洋航道重要港口和基地，設有長程雷達與火箭發射站。不過，自從美國鸚鵡號核子潛艇於一九五八年八月穿過北極冰層成功之後，所有上述蘇俄設備便置於美國核子飛彈潛艇的有效射程之內了，因爲北極區是美俄英加四國距離最近的地區，誰能控制這區域，誰就掌握主動的攻擊力。目前，美俄在北極區均正努力爭取主動權，競爭之激烈，非局外人所能洞悉。

蘇俄急欲向海洋擴張，故急於打通無出路的裏海和鹹海，並衝破被美國扼住的波羅的海及黑海，同時征服北極海的冰層和冰塊以期暢通至大西洋與太平洋。但這均非蘇俄目前能力可望順利達成的任務，然而他正朝此方向發展——此所謂「在天然和人爲封鎖中打開出路」也。

（下轉第二版）

出醜　　危機

今日與明日

印尼共軍叛跡漸著

爪哇中部印尼共黨叛軍已經公開殺人劫掠，與政府陸軍對抗，進行小型游擊，目前來說，自然不足推翻政府，但既然已出現了游擊隊，總是不能輕視。我們固不必說當年井岡山的那一股，就以北越同阿爾及利亞來說，也不過是一小隊人馬，經過五年的時間，竟然推翻了法國的統治。印尼陸軍自不能和法國相比，印尼的地形又特別有利於游擊隊的活動，假若在毛共顧問指導下，逐漸由小而大，發動全面戰爭，印尼陸軍也未必馬上就能加以解決，一旦兵連禍結發展下去，將來的問題可就多了。

毛共外交的窘態

最近毛共外交接二連三的失敗，實在陷入山窮水盡之境，於是由原來熱心擁護召開亞非會議，一變爲拒絕參加；雖然由於印尼代表團人員臨時變卦，亞非會議終於流產，目前看來，毛共似乎如願以償；但也未必還有人邀請毛共派代表出席。另一方面，毛共反俄算是達到高潮，恐怕這次亞非會議散後，毛俄之間將有一場更大鬥爭，目前已有跡象可以看出。所以說毛共此次在亞非會議上雖然盡到搗亂之能事，但後果却也是難料的。

羅德西亞問題

非洲的羅德西亞正要宣佈獨立，引起了舉世的注意。就羅德西亞本身來說，共有四百二十萬黑人，只有二十萬白人，目前白人是執政者，希望成立清一色爲白人主持的政府，這樣以來，自然要引起騷亂。羅德西亞黑人是否肯接受統治，不得而知，但目前非洲已有獨立國三十九個，除去南非之外，其餘三十八國皆係有色人種執政，决不容許非洲再出現第二個南非，則可斷言。因此羅德西亞一旦宣佈獨立，亂事必起，英國政府看得十分清楚，所以從中加以阻止。最初是羅德西亞總理史密斯去倫敦談判，未能得到結果，回去羅德西亞，聲言要自行宣佈獨立，英國首相威爾遜因此飛往羅德西亞與史密斯及當地白人領袖等會談，看情形或可以緩和下來。

史密斯的行動已引起聯合國的反對，託管理事會以八十七票多數通過，要求英國以武力制止史密斯片面宣佈獨立。當然就知識能力來說，白人也許比黑人成熟些，但是要以優等民族自居去統治落後民族，此種日子畢竟過去了！南非雖然成功了種族隔離政策，但已坐在火藥桶上，羅德西亞又何苦蹈其覆轍。（何如）

自由談

政治妄人

星加坡的總理李光耀，原是以左傾作風跟共黨合作而起家的。最近他一會兒表示中立姿態，說英美如果協力要利用星加坡作軍事據點，他就在一夜之間讓俄共集團在星島設置軍事基地，同時又揭露美國外交人員曾經向他行賄的信件；一會兒聲稱共產黨隨時想要謀害他，表示對英國在星島的軍事基地并不急求撤消。

綜合他近年來所表現的言行，仔細研究檢討，知其充滿着矛盾混亂觀念，一派患得患失的心情，昭然可覩，大可與柬埔寨的元首施漢諾媲美爭輝，允屬難兄難弟。自從二次大戰之後，亞洲地區的變化很大，禍亂孔多，政治妄人亦不少，而以東南亞方面首屈一指。初有印度的尼赫魯，揹着左傾前進的中立主義旗號，搔首弄姿，儼然以亞洲發言人自居，終致陷國家於危亡之境。繼有柬埔寨的施漢諾，妄自矜狂，到處賣弄風騷，裝出大國政治首長的模樣，七嘴八舌，招搖於國際間，結果被蘇俄拒其過訪，唾面自甘。現在星加坡的李光耀又是同類型的角色，本身既不健全，羽毛尚在初生之中，却想做國際風雲人物，何其傎也！

這類人的病根即是讀書太少，思想并未搞通。她們以爲談社會主義是最時髦的進步作風，左傾言行是開明思想，只要對美國表示立異的姿態，便有意想不到的效用發生。巴爾扎略描述十九世紀的俄國知識份子，只要滿足了他們的私慾，則一夜之間，他們可以將荒涼的敖德薩，說成爲遍處是柏油路的美麗都市。如尼赫魯，施漢諾，李光耀，乃至於印尼的狂夫蘇卡諾等等，盡係巴爾扎略筆下的畫像主體。

他們誤認左傾的社會主義是新鮮玩藝，夸夸其談，沾沾自喜，却不顧其本國的實際狀况與社會主義建設距離十萬八千里，也不明白所謂社會主義云云，原係西方人彈過了一百年的老調，他們拾人牙慧，自以爲了不起的前進思想，眞是愚妄可哂也矣。

世界之所以動亂不安，多半是由於政治上的妄人作怪，而產生妄人的地區，又盡屬貧窮落後之邦，曷勝慨歎！

馮正先生

基隆市新市長就職記

有人送他一種特別的賀禮

他自已宣佈捐廉俸以獎學

（本報基隆記者李仲候通訊）這次基隆市補選第五屆市長，結果候選人蘇德良多二千六百餘票，擊敗了另一候選人林達聽，所以只能算是險勝。一般傳說，決定這次勝負的二千多票，都是外省人最後看清局面，一齊投向蘇氏，挽回了他的頹勢。可見外省人對他具有好感；過去謠傳蘇氏歧視外省人之說，至此應一掃而空。

十月廿一日蘇氏宣誓就職，觀禮者把一個偌大的中正堂，擠得水洩不通。各方送他的花籃賀品，從市府頭門擺起一直延伸到二樓他的辦公室。其中可看到一件別緻的禮物：有一未署名的市民，用鏡框裝着，送他一把長約三尺的鐵掃帚，並在上面寫明，希望他掃除貪污，革新政治。他就職當天，宣布原定招待各界的酒會取消，把節省的三萬元和他以後每月應得的薪水，一併移作清寒獎學金。這些都是好的表現，好的開端。

是日上午十一時卅分，紫薇山莊的記者招待會上，同業中曾有人問他：何日動用這把鐵掃帚？他很謙遜的回答說：要求他的部屬自清自檢，希望在任兩年多不去揮動它。大家認爲這位送鐵掃帚的，等於是代表基隆市廿七萬市民頒給他的一口「尚方寶劍」，可以先斬後奏，希望他勿過於客氣。至於他將應得薪水捐充獎學金，這樣清標雁德，自可贏得一片喝采；不過這點微薄的薪給，是選民對公僕應有的酬勞，善始者難於善終，凡事不宜矯枉過正。如此冰清玉潔，古人封鮮埋鹿之風，復見今日，豈不民主政治眞要躋於唐虞盛世了嗎？

記者僑寓基隆道地方，快滿十四年，東坡詩：「我本無家更安往，故鄉無此好湖山」。桃源避世，究竟是淵明筆下的太虛幻境。基隆尙不失爲是一個好山好水的去處：山則隨處望之翁翁然四時長青；水則烟波浩森，萬里無際。不過，原初本是一個狹小偪促的港灣，人口從光復時的七萬，澎漲到了今天的廿七萬，譬如原來是一夫一婦的一個小家庭，到了五世同堂後，人口累百，柴米油鹽、衣食住行，樣樣都不夠了。海港是靠水爲生的，有此一口水，纔有今日的基隆市和基隆港，廿七萬人都仰此水以生，大家一齊向水邊擠，自然顯得很擠了。如果遇着一個具有大手腕大魄力的人來主持市政，大刀濶斧，把原訂都市計劃的藍圖，重新勾畫一番，疏導市民向郊區去，向山上走，並把各處新社區，一齊努力興建起來，我想再容納一、二萬人，是沒有問題的。

一般人總說基隆既不得天時又不獲地利，這是不切實際的說法。不錯，基隆是世界有名的雨港，我感覺雨港近年來的氣候轉變了。過去有時八九月即進入雨季，現在陽春十月，仍是麗日中天，有似江南暮秋。建地方面，不但市區內爲私人所有或爲公衆保留的空地，觸目可見，而郊原曠蕩，人烟稀少，地未盡其利，人未盡其才，是基隆當前的兩大缺憾。

美俄海底爭霸

（上接第一版）

蘇俄的建艦計劃，西方不得而知，但他近廿年來出品的艦艇，性能多甚優異，其造船工業已超過英國居第二位。他最新式巡洋艦分爲兩種型式，一爲Tchapaev級，排水量一萬五千噸，時速卅哩，口徑一五〇公厘炮十二門，係雙管炮架；此外尚有小口徑高射炮約卅門。另一種爲Sverdlov級，排水量二萬噸，時速卅哩，除裝備同Tchapaev火炮外，並有魚雷發射管可敷設二百個魚雷。但此兩種巡洋艦均無飛彈發射裝備。蘇俄裝射飛彈的巡洋艦爲五千噸級的Krupnyi型。其江防艦隊主力則爲二千四百噸級的Skoryi型驅逐艦，時速卅五哩，裝配以四門口徑一三〇公厘火炮，若干高射炮和十個魚雷發射管。此外，蘇俄新發展的Tallin級，Kotlin級，Kola級和Riga級驅逐艦，其性能已達到北大西洋公約組織海軍的水準。

蘇俄小型艦艇是僅次於潛艇的優先發展者，例如時速四十哩、排水量六十噸的PA級快艇，裝配火箭拋射器，水面對水面的飛彈發射架以及兩發五三五魚雷。其他新型小艦艇之發展，蘇俄均極爲重視。

以潛艇作爲蘇俄海上戰力骨幹，乃是西方最爲注意的項目。在其五百至六百艘各型潛艇中，四分之三爲新造。新型潛艇分長航程潛艇、中航程潛艇、沿海用潛艇、核子飛彈潛艇四大類，均可在海上巡邏三個月。長程潛艇屬於Z級和F級，排水量二、〇〇〇噸，潛入水中後二九〇〇噸，潛航時速十五哩，活動半徑二五、〇〇〇哩，帶魚雷廿四發；中航程潛艇以一千噸的W級（潛航時速十八哩）分佈最廣，活動半徑一萬六千哩，帶魚雷十八發；沿海用潛艇爲六五〇噸的Q級；核子飛彈潛艇已建成者約六至十艘，其飛彈射程在六五〇哩以內，不及美國北極星核子飛彈潛艇數千哩以上的射程。此外，蘇俄又改裝Z級和G級潛艇以供發射飛彈，據悉約有廿艘左右已服役。

蘇俄現正發展成立一支具有新式修理艦、艦艇基地艦、快速巡洋艦的補給艦等在內的「機動補給艦隊」，以期適應核子戰的作業要求。

蘇俄一切海洋戰力構思的目的，乃是奪取海權優勢以迫使美國屈服。但，由於地理因素，蘇俄先天上就無法成爲海權王國；更何況以它的造船工業和資源難和美國相抗衡，所以只有「望洋興嘆」地高唱「和平共存」濫調，以期鬆懈美國的警覺，俾利趕上美國的海洋戰力，而達成其控制海洋的大願望。

結論

在航空、太空以及核武器對峙局面下，美俄現均將轉向海洋戰力的競爭了，而所謂海底戰（Undersea Warfare）更是競爭激烈。美國繼北極星核子飛彈潛艇服役之後，並宣佈他正發展海底航空母艦、海底運輸艦，海底儲油站（桶）——已試驗成功一種五萬加侖的水底儲油器，係美英兩國合作發展，一人潛艇及無人潛艇；並且，美國在海洋探測、海底通信、敵友潛艇識別方面努力。此外，紅外綫海底偵察敵情，海中音學技術（聲音在海水的傳播特性研究），以及利用潛艇担任太空反衛星作戰等方面，美國亦均在發展中。因此，只要美國繼續掌握海洋武力優勢及主動，則自由世界必可確保安全，並能進而支援鐵幕內人民的反共革命戰鬥！

（完）

有關稅制上的幾個問題

本報駐台記者　張健生

定：「按照貨物稅條例第二條規定：「貨物稅由財政部主管稅務機關所屬稅務機關徵收之」再依同條例十六條規定：「凡應徵貨物稅貨物，國內出產者，應派員駐廠駐場於貨物運出廠場時徵收。其產製廠場帳冊完備具有規模者，得由商人報請該管稽徵機關派員稽核帳冊依法徵收。國外輸入之貨物，由海關徵收關稅時徵收之。」應爲隸屬於財政部之稅務機關、海關」由此可見，貨物稅之徵收，其他任何政府機關依法不得越俎代庖。今石油公司代徵貨物稅，不但破壞稅制，且有藐視法律尊嚴之嫌。而行政院所頒之行政命令，顯然與貨物稅法抵觸。憲法明定：命令與法律或憲法抵觸者無效。由此觀之，行政院顯然侵及立法權，違法違憲。不知行政院本身究係根據何法而組織產生，更不知根據何法而有此特權？

行政命令　似乎違法

若按照貨物稅稽征規則第三條規定：「國內產製之應稅貨物，以該製造廠商或出產人爲納稅義務人；國外進口應稅貨物，以該項貨物之持有人爲納稅義務人。」准此規定，則石油公司應爲納稅義務人；可是依同規則第一〇三條及油氣類貨物稅稽徵辦法第二條規定與行政院命令，公司又具有徵收貨物稅稅務機關，該石油公司集權利義務於一身，誠屬開所未聞的怪事。在世界民主國家的稅制史上，恐亦無此先例。

假定此制合理的話，則凡屬經濟部直屬似石油公司的公營事業如台糖公司應完之糖類貨物稅，如台肥等之中興紙業公司應完之紙類貨物稅，固可仿行，而財政部所屬中央與興等廠應納之棉毛紗貨物稅，更可援例自徵自繳。推而廣之，其餘較具規模或透過關說情託之民營事業，亦可援此辦理。在此力謀健全合理合法稅制之際，行政當局竟有此反常違法之怪現象，至堪慨嘆。

石油公司爲辦理「代征」貨物稅業務需要，得按代征稅款百分之一的限度內，列爲預算，核實具領，但不得按代征稅款內坐扣。石油公司爲經濟部所屬之公營機構，其業務在國內又係獨佔性質，稅課加入價格內，只要依其販賣數量收入，核計稅款，至爲簡便確實，稅務機關派三數人駐廠收足矣。今不此之圖，藉委託「代征」之名，而年耗代征經費四、五百萬元之鉅，能不令人懷疑其居心嗎？據王委員說：「此項「代征費」款之支配，有明有暗，有公有私，頗受各方責難」，也是「成爲罪惡之淵藪，良爲痛心」。

房屋稅率　提高很多

關於正在立法院審議中之新訂房屋稅率草案，立法委員們也認爲不合理。黃煥如委員指出：

第一、評價問題：衣食住行，爲民生四大要素。在台灣，惟有住的問題，相當嚴重。多數軍公教人員，不能配得宿舍，單靠每月一百二三百元的房租津貼，不能解決住的問題；而若干極少數要員，則由公家供給，因而形成待遇的嚴重不平。

（四）

菲大選三日後舉行

三黨競爭益白熱化

馬尼拉通訊

菲律賓總統大選，將在十一月九日舉行。目前，參加競選的三個政黨——執政的自由黨以及在野的國民黨與進步黨，正在展開激烈的角逐。

這三個政黨，都各自推選出總統候選人。自由黨候選人是現任總統馬卡伯加爾，國民黨候選人是現任參議院主席馬科西；進步黨候選人是曼那布斯，他曾是前任菲律賓總統麥格賽賽的紅員。這三個下任總統競選者，正在積極活動，到處游說，爭取選票。

自由黨、國民黨和進步黨，都各自提出了競選綱領，向選民們許下了大量的諾言。各政黨的競選綱領，實際上是大同小異，無非「改善經濟」、「改善人民生活」、「增加社會福利」等等。但是，有兩點情況則是與往年競選不同的：

第一、由於近年菲律賓也有反美浪潮，各政黨在這次競選中，都沒有提出過份親美的口號。特別是近年來菲律賓輿論紛紛責怪美國投資控制了菲律賓經濟命脈，阻撓菲律賓民族經濟的發展，要求抵制美國投資；因此，在這次競選中，國民黨即以「限制外來投資」的口號爲重要法寶，來爭取選民的同情。不久前菲律賓總統馬卡伯加爾在參議院中提出「鼓勵外國投資」法案，即因國民黨議員及其他議員的反對而沒有通過。執政的自由黨雖然提出了「鼓勵外國投資」的口號，但是因爲格於輿情，也不得不加上「反對外國投資享有特權」這一句。

第二、由於非律賓近年糧食生產情況不佳，缺糧問題嚴重，各政黨在競選時都以解決糧食問題爲重要口號。自由黨在近年來，藉着執政黨的地位，實行降低入口食米售價等措施，以博取選民的好感。國民黨和進步黨則攻擊自由黨對糧食生產搞得很差，去前年都沒有達到產量指標。

雖然三個政黨都向選民許了大堆漂亮的諾言，但是，人們對於這些諾言究竟有多少能夠實現，表示懷疑。因爲，國民黨就會攻擊說馬卡伯加爾在現任總統職務內，並未履行他當年在競選時的諾言，包括降低物價、減少失業、實行地方分權等等。

各政黨在競選活動中，使用了種種手段，並且互相攻訐。國民黨攻擊馬卡伯加爾濫用公款，曾用公款數百萬元在海外旅行。自由黨則攻擊國民黨候選人馬科西曾僞造公文及奪地等。

目前，各競選政黨的競爭正日趨白熱化。據路透社十月十日曾報道，馬尼拉的政治專家引述警察人士所透露的消息稱：「受聘於某政客的武裝打手，正謀採取步驟，保證他們的僱主在十一月九日大選中獲得勝利。」路透社報道說：「馬卡伯加爾所信任的一政治領袖人物，因政治原因被謀殺於北部的伊洛哥斯省。」路透社說：「十一月非律賓全國大選時，可能會釀成流血慘劇。」

據此間（馬尼拉）的有關人士根據目前競選情況預測：十一月的非律賓大選，將是自由黨與國民黨對壘之局；而進步黨也獲得某些人的支持，可能獲得相當選票。在目前，自由黨由於可以利用執政黨的地位，在競選活動中稍佔上風。此間人士還預測：無論由那一黨執政，非律賓的現行政策都將不會有根本的改變。

瀛海異趣談

美青少年吸毒成風

·桑雅·

少年犯罪是美國嚴重問題。從前，美國警方認為少年犯罪是貧民區的問題，但今天全美國不分貧富地區，到處都充滿這些犯法者。吸毒成為最普遍的玩意。

五年以來，印度大蔴和其他毒品的吸用，增加得非常驚人。尤其在最富有的郊區和高等學院和大學周圍的地區，發展特別迅速。由於吸毒者的架步是地下性的，吸毒少年的數目無法作準確的統計。但當局確信，今年美國的少年癮君子的數字等於三年前的五倍，而其中半數是來自小康之家的。

少年吸毒的原因，主要是為找尋刺激。前幾年流行的是性派對和喝酒派對，這幾年流行的是吸毒派對。他們組織一種叫做蔴醉品試驗會，拿若干種蔴醉品作「試驗」。這種試驗被認為比性派對和喝酒派對更富有挑釁性。

印度大蔴是三種普通蔴醉品之一。其他兩種是古柯鹼，和阿片莓。海洛英和鴉片都屬於阿片莓。

警方的檔案中充滿有錢人家的少婦淪為娼妓，和飽受教育的男女青年犯了侵犯他人身體及偷竊財物的事例，原因都與吸毒有關係。

美國精神病院專家布萊認為富裕的癮君子充斥的社會現象，是因為他們無意識地追求危險，等於玩火。

許多青年最初是在派對上開始學吸印度大蔴的。他們去參加這種派對，是因為預期派，對上有印度大蔴可吸，於是希望嘗試一下。有些人是在參加派對時，被人用激將法激到參加吸毒，也許更大的原因是：他們不想自表清高，與衆不同。

在全美國富有的、時髦的郊區，吸毒之風已使居民感到駭異，許多年輕人竟說，吸印度大蔴已成為地位的象徵。吸毒者認為自己是「先導者」，對那些不願作吸毒試驗的人居然加以羞辱。

一個二十一歲的女大學畢業生最近對一個心理調查工作者談到她對印度大蔴的反應，「吸了大蔴，聽一切音樂、一切樂器時，都覺得身體內有一副立體聲設備。」

這個少女目前在紐約格林威治村和一個比她大二十歲的男子同居。她是去年畢業前搬來和他住在一起的，而他是跟她有桃色關係的第三個男子了。她擔任秘書的工作，每月付房租五十六元。她返工時，她的伴侶則在那個單獨的房間中繪畫度日。她的家庭背景是小康之家，她是在紐約郊區長大的。

她對調查人員表示，她不是經常吸毒，但她希望知道自己能夠吸印度大蔴。她又說：「我不想進一步去吸海洛英，我有點怕海洛英。」

她的吸毒過程是頗為典型的。毒品推銷者現在又不斷在學校園地和娛樂地區物色新顧客，他們開始吸毒是因為朋友「力助」。吸服印度大蔴的人，很少「獨享」的，常是在派對上「與衆同樂」。

印度大蔴出售的普通單位是一個鎳包，大約可容十二支香烟，每包的售價是五美元。美金一角或二角五分一包的也有出售。印度大蔴通常是放在手捲香烟中或烟斗中吸用，如果不吸烟的人，可以但把大蔴放在口中咀嚼或混在食物或飲品中服食。

在紐約格林威治村很容易購到印度大蔴或海洛英。在許多人擠的酒吧和喫啡室，甚至生面客人也可以向侍者問問，便買到印度大蔴。

由於印度大蔴的吸食已經變成非常普遍，在舊金山已成立了一個稱為「拉馬」的組織，要爭取撤銷法律上對使用大蔴的限制條例，主張印度大蔴的吸用合法化。詩人阿命·京斯堡，還是「拉馬」組織的紐約主要會員呢！

飲食之「道」求「適」而已

·胡資·

飲食之道怎樣才算合理，這是很難說的。一個中年人的飲食，往往需要適度，應該作適當的節制；但矯枉過正，這樣也不敢吃，那樣也不敢吃，成副「衛生佬」「衛生婆」的模樣，那就未免陷於苦趣了。

譬如在英國，主張節食的人們，有下列的支派：蔬食家，衛生學家，自然派和食物改良派等等。按照他們的尺度，通常人所吃喝的，盡是毒素，照理應該老早死了。他們說，吃肉不但虐待牲畜，而且是促短自己的壽命，還有就是浪費金錢，如果拿買肉的錢買硬殼果，那有多衛生呢。

牛津大學的食物經濟專家舒爾茲夫人說，英國人習慣在星期天吃豬膀的如果拿這錢去買之士，鷄蛋和牛奶，結果可以獲得雙倍的蛋白質營養。

英國全國衛生協會現正發起一種運動，反對食品中放化學劑。他們反對鮮果上噴殺蟲劑，和反對在青豆與果醬裏加上顏色。

有些食物改良派的人們甚至宣揚喝牛奶過多，也可以生病。據說，在瑞典有一家牛奶公司，對於職員們，牛奶可以自由供應；結果，據該公司的牙醫說，公司的職員因為喝牛奶太多，牙齒却患了脫牙病，面黃肌瘦，身上感到局部的疼痛。這消息是一家主張蔬食的刊物刊出的。

還有許多衛生家反對服用精鍊的白糖，說精糖把糖裏邊的好東西都排除盡了，只剩下一些渣。吃這種白糖就和吃白麪包一樣的無益。

忌廉蛋糕和雪糕也受到許多人反對。他們也不吃糖醬和肉批，據說這些東西是不衛生的。

食鹽也應該是禁忌品，因為它完全是氯化鈉，對於人體內的原生法有害。

縱使一個人遵循了這些禁忌條例，衛生家還是認為不滿足的。例如做蔬菜，他們怕把其中的營養成份燒去。還有削番薯皮，可以減少五分一的營養成份。還有一些講求衛生的極端派主張一個人應該長期禁止飲食。

像這樣消極的主張，使人們還有些什麼東西可以吃喝的呢？

據衛生家的主張，大多數的鮮果和蔬菜是可以生吃的，但須洗滌乾淨。但他們不贊成吃沙律，因為汁水是損失了。

在英國，現在有好多衛生食品公司興起了。代替白麪包，他們特製一種含有酵母和果汁的黑麪包。他們用蜜代替白糖。他們還用硬殼果製出好多種的點心。

他們主張硬殼果吃生，其中只有栗子一種含澱粉質太多，不很適合。他們最推崇的是花生。他們主張拿花生醬代替牛油。

還有些衛生食品是尋常人很少知道的，像蕁蔴和蒲公英。蒲公英最有益於肝臟。此外海藻是減肥的理想食物。還有一種藥茶，裏邊是不含丹寧酸的。有一種蒲公英喫啡，裏邊也沒有喫啡因。

總而言之，飲食之道不應矯枉過正，衛生家的話，也不能盡信。最近在巴黎醫院發現有兩位相信宗教的太太，她們因為聖經上說，人是用黏士造成，結果她們在食物中拼了黏士吃下。結果她們的面孔都變青了，因為黏士中含着銅質。

郭嵩燾

李仲侯

說他沾染了洋人習氣，許多人集合在明倫堂，要向他聲罪致討，結果把他的坐船打得稀爛，最後放火燒了，弄的他傷心萬狀，哭笑不得。本來嵩燾奉使，初議須每月寫日記一冊，進呈總署，討論西洋政事及應付方略，以資借鏡。不料「使西紀程」中有一二言及中國外交上之失敗，皆無識士大夫狂妄言論所造成，總署為之刊行，遂惹起這些蔴煩。其時清議大譁，嘘聲四起，何金壽抗疏論劾，奉旨燬版，以後復偏藏，殊為可惜。

那時的郭嵩燾，眞是叢垢集怨，罪孽深重，「世人皆欲殺，吾意獨憐才，」究竟人世間，任何天地晦冥，黑白混淆時代，還有些人出來主持公道！當郭嵩燾將使西紀程寄達總署時，被李鴻章看到了，就很表同情。他在光緒三年三月廿六日寄給郭嵩燾的信中說：「閱新聞紙知已順抵倫敦，覲見英王。總署抄寄行海日記一本，循覽再四，議論事實，多未經人道者，如置身紅海歐洲間，一拓眼界也。」郭嵩燾在當時誇獎西洋之文明進步，是否言之過實，後來曾紀澤薛福成繼郭嵩燾之後，出使英法等國，曾薛亦是當時著名的外交家，與郭氏媲美，有三星使之稱，他們對於西洋文明的觀感和所發表的議論，就與郭嵩燾的看法一致。曾紀澤在倫敦寄丁雨生的信中說：紀澤自抵歐洲，目睹遠人政教之有緒，富強之有本，艷羨之極，憤懣隨之。然引商刻羽，雜以流徵，屬而和者幾人？祇得向窮山深谷中一唱三歎焉耳！薛福成在他的日記中寫道：昔郭筠仙侍郎每歎西洋國政民風之美，至為清議之士所抵排，余亦稍訝其言之過當，以詢之陳荔秋中丞，黎純齋觀察，亦謂其說不誣。此次東來歐洲，由巴黎至倫敦，始信侍郎之說，當於議院，學堂，監獄，醫院，街道徵之。曾紀澤薛福成，由於親歷其境，故對於西洋文明的優點深切瞭解，不失是一種經驗之談；而譚嗣同說得更好，他復貝元徵信裏說：郭筠仙侍郎歸自泰西，擬西國於唐虞三代之盛，幾為士論所不容；薛叔耘初疑其言太過，後身使四國，始歎此言之不誣。從前黎庶昌官兵部時，上書言事頗鄙薄洋務，後來出使日本，讀其先後章奏，恍然如出兩人。凡人對於事理，盲目批評，總是皮相之論，一旦親歷其境，體驗有得，又是一回事也。（九）

清代整建水師紀詳

羅雲

一、概論

清代水師有內河外海之別。初期，沿海各省水師，僅為防守海口，緝捕海盜之用；轄境雖在海域，而官制同於內地。迄光緒年間，南洋、北洋鐵艦製成，始別設專門機構以統率之。外海水師，北起自盛京，南迄於閩廣，凡拖繒紅單等船隸屬之；內河水營，則以各省巡哨舢板等船隸焉。奉天直隸山東福建等地之水師船，均屬外海；江西湖廣等地之水師船，則屬內河。至於江南浙江廣東之水師，則係分屬外海與內河。另有因特定用途而練之水師，曰：巡湖水師，巡鹽水師，親兵營，練軍營；同治以後，並增定長江水師，太湖水師之制，其視舊制已更加詳盡矣。其漕河水師營制，始於明代隆慶間，清代畧更其制，以衛卒專司輓運漕粮，以營兵專任護漕，則設城守營，用以守護城池，並分漕院與巡撫為二：漕運總督標下，統轄左右中三營，及城守四營，駐山陽境及漕運重要之地，分別設置兵；淮郡舊為黃、淮二河交注之區，因特建大閘，設河兵及堡夫守護之。河營遂與漕營並重，各有副將參將游擊守備等軍官。河營升遷之例，與爭軍功等，專司填築提防之責，而緝捕之任不與焉。

清代水師之武功，曾盛極一時：守洞庭而平吳三桂，戰重洋而殲蔡牽，下長江而制洪楊軍，東南數千里，威行，鼓，勞臣健將，蹈厲功名，超踰前代。及至海禁大開，鐵船橫駛，舟師舊制，弱不敵堅，遂盡失所恃。此乃時會迫遷之結果，非規劃之疏也。為期國人明其整治水師之梗概，玆特就：（一）整治水師經過；（二）巡規與船制；（三）各省水師實況等三大部份加以紀述之，以饗讀者。尚祈不吝指正，為幸。

二、整治水師之經過

（一）天聰年間：

天聰十年，自寧古塔征瓦爾喀，以地多島嶼，初造戰船，用於征戰，甚著成效。

（二）天命年間：

天命元年，曾以水師循烏勒簡河征東海薩哈連部落。

（三）順治年間：

順治之初，以京口杭州水師分防海口。八年，始於沿江沿海各省，循明代舊制，設提督總兵副將游擊以下各軍官，一如陸營之制。各省設造船廠，定師船修造年限：三年小修，五年大修，十年拆造。十年，以水師克舟山群島，增造戰艦，並擴充兵員。十四年，增設崇明水師總兵官，調撥江寧江蘇安徽各省標兵萬人，分防吳淞江及崇明諸口。十六年，增設京口左右兩路綠水師總兵官。十八年，設吉林水師營，造舟船及划子船。

（四）康熙年間：

康熙八年，增設福建水師總兵官。十四年，改崇明總兵官為水師提督。十七年，設福建水師提督及參將以下各官。廿六年，增設南台水師營，置參將以下各官。廿九年，更定修造戰艦之制；外海戰船哨船自新造三年為始，三年後以次小修大修，更閱三年或大修或改造；內江戰船哨船則小修大修後，更閱三年，仍修治用之。三十四年，令督撫提鎮：凡修理戰船銀兩，不得浮冒核減，致船料薄弱。五十二年，令趕[illegible]等船，於船之首尾刊捕盜各營鎮船名以次編列。五十三年，增設金州水師營，於海島內選諳習水性者充之。五十六年，設松江水師營。（一）

中華民國五十四年十一月六日　自由報　星期六　第四版

電視的三曲(續)

當不絕如縷大家不太欣賞崑曲(因太高深而不懂)，讓本省同胞看看這美妙的音律，與好看的身段，是炎老一手培植出來的成果，我是無限的快慰。茲將演出人員，予以介紹：

遊園——蘇可勝(春香)，王健(杜麗娘)。

佳期——楊美珊(紅娘)，陳新儀(張君瑞)，葉鶯(崔鶯鶯)。

思凡——宋丹昂(色空)。

遊園會在中等學校校長會議晚會，於一女中演過。丹昂的思凡，演過有七八次，最近教師節就在板橋藝專演過，她是斲輪老手，成爲看家戲，無待贅述。獨是美珊的佳期，向是耳聞，十年前，淡江文理學院週慶，我冒了風雨趕到英專山麓去看，是晚也有思凡，她演佳期拷紅兩折，唱詞之佳，身段之妙，眞可說使內行側目。我說：你簡直不像青年票友，而是行家。從此我們常談劇藝，乃知她確有研究。我很想能在不久見之於舞台就更好。

國劇繽紛續錄

姿婆生　(十三)

平劇競賽的看法

我在幾年前，對於國產影片，每年有給獎之事，因其對影片有鼓勵，非常贊佩。可是十五年來，對平劇演員劇本向無給獎，認爲是一憾事。今年國防部軍中文藝活動中心，飭令每個劇團輪流演出，並廢止單獨公演，極爲正當而光明。同時每年亦或有康樂競賽，祇有評定冠軍亞軍季軍而已，並無獎金。今年亦照電影片審查的手續，分出旦角生角武行等等，擇其優勝者給獎，也是明智之舉。並聞規定甚嚴，在劇團服務不夠相當的歲月，不能合格提名。因此李金棠、趙原、古愛蓮、嚴蘭芝等，皆無資格代表。此辦法也近情理。我想一經舉辦，似乎應該每年必有，正與科舉一樣，今科不中，來科再中；國內僅存這些演員，相信三四年後，每位中選是意中事。爲了這樣情形，各團推舉代表人，就僅有下列各位：

旦角：秦慧芬、張正芬、周慧如、徐露

生行：哈元章、周正榮、李桐春、曹曾禮。

其他別的行暫不談。不過照上列名單，那評判員確夠傷腦筋，那位是最佳角色？要以客觀來判，不能心有主觀，就有些辦不通。當然，我不便如何分析，逐項打分，看看如何計算。從前上海辦過四小名旦選拔，李世芳一切多優過張君秋，終以嗓音而屈列第二，也是一例。(未完)

秋風起也談蛇

・晏華・

秋風一起，報紙似乎總要談談蛇。這未必是搖筆桿的朋友對蛇有什麼偏愛，更不見得是蛇店門前「秋風起矣，三蛇肥矣」的「傳統」的廣告有什麼吸引力。所以「敬謝不敏」，大抵還是爲了滿足「外省讀者的要求」吧？

「你是廣東人，啊哈，一定吃過蛇了？」

「——蛇這種東西也能吃麼？」

廣東人對外省去隨著驚奇的眼光送來的問題。好些廣東人敢於像吃魚、吃蟹一樣，滿不在乎地吃蛇，是千眞萬確的事實，然而，也不是所有廣東人都愛吃蛇。更不見得全吃過蛇。至於喝蛇血這種事情，只有一些患病的人，無可奈何才去試一試的。

筆者是「老廣東」，可是細細憶起來，也只嘗過茶杯那麼小的一盅蛇羹，它裏面到底有多少蛇肉，還難說得很吶。

然而蛇這傢伙，到底値得一談。

人和蛇的交往，歷史長得恐怕很難計算了。一向人們對蛇的評價，一直是毀譽參半。

見它那斑駁的皮，看那白膩膩的牙齒，不少人是退避恐不及，就是舉石便打。「見蛇不打三分罪」，看來硬是要置蛇於死地了。試翻翻外國一些故事書，比如頗有點名氣的「伊索寓言」，對蛇就不存在多少好感。可是事實有另一面，對蛇大加恭維，並且近於崇拜的，至少在古代並不乏人。法國十九世紀有一位學者，曾經試圖用馬克主義的觀點去分析宗教現象，在他的著作裏便提到不少「崇敬」蛇的事情。據他說，墨西哥人和埃及人都曾經把蛇當作神看待；埃塞俄比亞人認爲人類的母親是蛇；希臘人說亞力山大大帝是蛇的兒子，他的母親是蛇。尤其出乎意料的，某些東方學者甚至斷言，佛教不是別的，只不過對蛇的變相的崇拜。

十九世紀的歐洲人，對中國的了解還很膚淺，不然的話，他們大概會指出中國漢民族古代的一個基本單元——夏族的圖騰龍，不過是藝術化的蛇；而中國神話裏的著名人物女媧與伏羲，竟是人首蛇身的角色！在崇拜蛇的先民看來，蛇是聰明智慧的動物，而且彷彿同治病也有什麼關係。公元前一千四百九十多年，在埃及執政的女王哈特社甫斯特，王冠上就裝飾着一條神采奕奕的眼鏡蛇，以象徵「王」的智慧。古希臘「醫神之子」「阿斯克雷比亞，被描繪成爲手執纏繞着一條蛇的手杖的人物；而外國一種很常見的醫學的標誌，就是一隻被蛇纏繞着的藥杯！至於認爲吃過蛇肉會變得格外聰明，那在外國，簡直是太流行的「耳食之談」了。

先民對蛇的種種奇談怪論，看來無非是對蛇缺之深刻的了解。他們可能因爲蛇會置人於死地而爲之震懾，但在偶然的機會發現蛇可以治好某些疾病，於是又不無好感。恐懼與討好的混合，結果便產生了對蛇的崇拜。許多原始拜物教就是這樣形成的。這在我們看來，倒不成其爲什麼値得大驚小怪的事了。

平心而論，蛇既可怕又不可怕。被毒蛇咬着，性命非常危險。在這點上它的確有些可怕。然而，生物學者告訴我們，有毒的蛇只佔蛇的家族的六分之一，比例不算大。而毒蛇又決不主動攻擊人類。原來那蛇毒是幫助蛇進行消化的物質。一條被割去了胆囊的毒蛇，照樣可以存活相當長一段時間；如果把它的毒腺搞掉，飽食以後很快便嗚呼哀哉了。「聰明」的蛇是不願意隨便耗費它的毒液的。

掌握了蛇的規律的人，就有對付蛇的自由，即使面前就有一條毒蛇也不會害怕。

一些蛇店的「老行尊」說：熟悉「蛇性」，謹慎小心地對待它，決不會被蛇咬着；被蛇咬着的，往往是麻痺大意的人。

寶蓮燈

「影劇與歷史」之十二

周遊

封神的楊戩，即採取了以上種種特殊水神及歷史人物的揉合。這種揉合，便成爲小說所創作的人物。所以封神上的楊戩，並不是宋代的宦官楊戩，也不是李二郎，或某一個二郎神。

至於「寶蓮燈」故事，乃是脫胎於「封神」上的楊戩及「西遊記」上的楊戩。他的身世，由觀音及孫悟空口中說出，他是玉帝的外甥；由於玉帝妹子私自下凡，配婚楊君，後來因冒犯天規，囚於桃山下，生下一子即是楊戩。楊戩乃是仙女種子，修成道法，曾用斧劈山救母。此一故事脫胎爲「寶蓮燈」，三聖母就是玉帝妹子所化，楊戩就脫胎了沉香，楊君脫化了劉彥昌。其次楊戩在「寶蓮燈」中，是玉帝的角色，鐵面無私，正是玉帝處罰妹子囚於桃山的脫胎。在中國陝西省就有二郎神刀劈華山的故事，劈山目的亦是救母。在貴州省亦有李二郎桃山救母，那很可能是被西遊、封神作者所採取了。貴州戲，(一種神戲，)專演李二郎挑山救母。

這些神話被封神、西遊作者收入之後，又附會到華嶽神女——三聖母與沉香劈山救母，這都是中國的孝順傳統精神所衍出的。

「寶蓮燈」在平劇中也有全部演出。劉彥昌娶桂英爲繼室，在打死官保之後，後母愛自己所出之秋兒，罪責推在沉香身上，顯出繼母兩樣心的表現。「寶蓮燈」搬上銀幕還是近年的事。平劇、川劇則早有此劇的演出，起於何時則不可考。(八．完)

英雄劉備非等閒

周燕謀

劉備爲三國「英雄」人物，由不可一世之奸雄曹操口中表出之。誠不誣也。或曰：劉備之所以受人崇敬，爲人同情，以其爲漢室裔冑故也。但作如是觀者差矣！何以故？曰：與劉備同時之漢室宗脈者多矣，如幽州牧劉虞、荊州牧劉表、豫州刺史劉岱，以及益州牧劉焉劉璋父子等，皆漢室苗裔也，且各雄踞一方；而彼等又何以不受時人崇敬與後人同情，而偏偏崇敬與同情一介市井販履織席出身孤窮之劉備，此將何以爲解？如論劉氏宗脈中較爲親近可考者，則劉備不如劉虞等多矣，何以無人目之爲英雄，受人崇敬也？英雄之名，豈可因劉備爲漢室苗裔而得之歟！

劉備自幼受人重視，「善下人，喜怒不形於色，好結交豪俠，少年多附之。」備之叔父曾謂：「吾宗有此兒，非常人也。」劉備幼師事名儒盧植，即此已決非一般市井小兒可比。劉備初集納英雄時，便爲巨商張世平、蘇方二人見異，多與之金帛，以招募義兵。其後劉備左右始終共患難之人，亦多屬一時俊傑碩彥，非無因也。諸如：

一、獲得肝胆相照大義凜然的關張死心事奉，至死不移。此二人除劉備外，恐無人可馭，而劉備却能得其死力焉。

二、北海孔融、公孫瓚均傾慕劉備，與之深深相結。二人亦皆漢末名臣，孔融尤爲高傲，常譏曹操，曹征備時，他曾曰：「以至不仁伐至仁，焉得不敗」！而致見殺。

三、陳登乃漢末名賢，有儁才而輕天下士者。登曾曰：「雄姿傑出，有王霸之畧，吾敬劉玄德」。

四、徐州牧陶謙，臨終以徐州相託，並謂別駕麋竺曰：「非劉備無以安此州也。」

五、曹操表備爲左將軍，禮遇而尊重之，出則同輿，坐則同席，以當代英雄視之。曹操雄才大畧，乃敬重劉備如此，豈儀來者耶？

六、劉備兵敗奔袁紹，紹遣將遠道相迎奉，身去鄴二百里與之相見。這在袁紹一生，以如此「禮數」待人，似爲僅有。

七、劉備南依劉表，表自郊迎，以上賓禮遇之。難道亦祇因彼此「五百年前是一家」而然？

八、諸葛高曠之士，劉備却能使其「鞠躬盡瘁，死而後已」。曹操、孫權有否此種能耐，固未可知也。

九、益州法正、孟達、張松傾心獻策；其後彭羕、劉巴輩，亦盡心力輔佐蜀漢。是何故歟？

十、孫權敬畏劉備，至進妹以固好，雖云「政治婚姻」，到底亦足見劉備之非等閒人物。

以上皆當時之負重望者，其敬重劉備如此，證明劉備確具有吸引力，因能使天下英雄爲之傾倒。此乃劉備成功之基本因素；其爲後人喜歡，亦在乎此。三國之形成，稱天時、地利、人和三者；天時地利，運氣好則雖中人之才亦可坐享其成，人和非以自身健全確立大信於天下者不可。劉備赤手空拳，縱橫天下，處處受人崇敬，勝而不驕，敗亦不餒，顛沛流離而人不忍棄，正是他得人和所使然。

劉備之偉大處而尤爲曹、孫所不及者：曹是野心家，亂世之奸雄，挾天子以令諸侯，「奉辭伐罪」，口號響亮，但與本心背違；孫權自守之徒，殊無遠大謀畧。劉備則有復興漢室，撥亂反正，扶危濟傾之志。及後曹丕篡漢，始效法光武，意欲中興漢室。劉備在隆中語諸葛亮曰：「漢室傾頹，姦臣竊命，主上蒙塵。孤不度德量力，欲信大義於天下。」此確劉備之抱負也。劉備如何對付竊命姦臣，他說：「今指與吾爲水火者，曹操也。操以急，吾以寬；操以暴，吾以仁；操以譎，吾以忠。每與操反，事乃可成耳。今以小故失信於天下，吾不取也。」此乃劉備復興漢室的基本作風。他本欲先打倒曹操，輔佐天子，澄清朝政，江南應可傳檄而定。不幸遇到強硬的對手，未得遂其志。郝經曰：「昭烈天資仁厚，守量弘毅，以復興漢室爲已任……顛沛之際，信義愈明，故能終繫景命，誠信大義於天下。任賢使能，使諸葛亮以死自效，復見洒落三代君臣高光，爲不亡矣！」

民族舞探源

正匡

以後才進化到羣舞，成爲廟堂舞。書中所記的雲門、咸池、大韶、大夏、大護、大武等等，歷朝祭天祭孔，都是如此。不過是各朝的舞法不同，名目不同而已。直到淸朝仍然如此。大概分之，爲文舞與武舞兩種：文舞，執籥秉翟；武舞，執干執盾就是了。天子、諸侯、大夫等，又各不同。天子用八行，每行八人。此名曰八佾。諸侯用六人，名曰六佾。等而下之，越下便越少。舞此名者曰佾生。這種舞，廟堂上的舞法，只是齊整，沒有什麼花梢的地方。國劇中利用這種舞的很多，那便花梢多了。

(二)交際舞：交際舞，古代最多，但有許多的情形，與西洋的交際舞不同。子可與父舞，父亦可與子舞；臣可與君舞，君亦可與臣舞。總之，夫妻、兄弟、朋友等等，都可交相爲舞。不過這種舞法，似乎都有名目，但都未能傳於後世。如漢高祖的大風歌舞，即是百姓舞於君前的一種。

(三)

內僑警台報字第〇三壹號內銷證

自由報

THE FREE NEWS

第五九八期

中華民國僑務委員會頒發
台教新字第三二三號登記證
中華郵政台字第一二八二號執照
登記爲第一類新聞紙類
（半週刊每星期三、六出版）
每份港幣壹角
台灣零售價新台幣貳元
社長：雷嘯岑
督印人：黃行賢
社址：香港銅鑼灣高士威道二十號四樓
20, CAUSEWAY RD 3RD Fl., HONG KONG
TEL. 771726　電報掛號：7191
承印者：大同印務公司
地址：香港北角和富道九六號
台灣分社
台北市西寧南路壹壹零號二樓
電話：三〇三四六
台郵撥儲金戶九二五二

本報特別啓事

爲紀念國父百年誕辰，本報本期及下期，儘可能多刊有關國父之文章，祈讀者特別注意。

發揚革命精神　爭取最後勝利

——紀念國父百年誕辰向僑胞獻詞

高信

今天是我們國父孫中山先生的百年誕辰，海內外同胞一致熱烈慶祝，來對這位偉大的革命導師表示崇高的敬意。國父致力革命事業，可以說是以海外華僑社會作爲主要的根據地，僑胞擁戴國父，遵從國父的領導，因而得到『華僑爲革命之母』的讚譽，今天躬逢這一個紀念日，自然特別感到興奮。尤其是時當今日，大陸淪胥，世局劇變，海外僑胞面臨困境，對國父的偉大思想和當前反共鬥爭的歷史任務，當有更深切的體認。

國父遺教博大精微，至善至美，但其思想淵源，完全出自中華文化的優良傳統。國父說：『中國有一段最有系統的政治哲學，外國的大政治家還沒有見到，還沒有說到那樣清楚的，就是大學中所說的格物、致知、誠意、正心、修身、齊家、治國、平天下那一段話。』又說：『仁愛是中國的好道德』。總統蔣公闡述國父的哲學思想說：『國父之全人格，乃以仁愛爲基本。民生爲宇宙大德之表現，仁愛爲民生哲學之基礎，其他一切道德，皆不外由此演進，完成仁愛之用而已。』

三民主義是救國主義，其目的在於『促進中國之國際地位平等，政治地位平等，使中國永久適存於世界。』歸納起來，三民主義所追求的就是自由、平等和博愛的，是以中國固有道德『仁愛』爲其基本精神的。國父倡導革命，雖然是以『救中國』爲最切迫的目標，但他絕對不是偏狹的國家主義或民族主義者，所以他曾說：『我們不但要恢復民族的地位，還要對世界負一個大責任，』中國對世界究竟要負什麼責任呢？現在世界列強所走的路，是滅人國家的，……所以，我們要決定一種政策，要扶傾濟弱。』在國父遺教中，我們處處都可以領會到關於『天下一家』『世界大同』的訓示。由此，我們可以明白，三民主義是反對帝國主義，同時亦與共產主義大異其趣。國父在民生主義中說得清清楚楚，他稱馬克思是病理學家，而非生理學家，他認爲人類之進步是和平、互助，並不需要階級鬥爭。

共匪竊據大陸已十六年，它所進行的政策，對內是毀滅我們固有的優良文化，破壞倫理綱常，殘殺同胞，奴役人民，劫掠財產；對外則以所榨取的人民膏血作賭注，從事滲透顛覆，以使亞洲、非洲、中南美洲許多國家，陷於恐怖、混亂，造成史無前例的悲慘局面。共匪暴虐不仁，黷武好戰，眞是中華民族的蟊賊，也是世界和平的罪人。

共匪罔顧人民死活的舉行原子試爆之後，野心更爲熾盛，態度亦越趨狂妄。它積極煽動越共的叛亂，它鼓勵蘇加諾摧毀大馬，它連續襲擊印度，它挑撥巴印戰爭，它慫恿印尼政變，它公開聲明要推翻泰國政府，它加強美洲和非洲的顛覆活動，它揚言『反美』不辭一戰，它恐嚇日本和英國，它冀圖拆散聯合國而另行組織自己領導的國際機構，它又爲着爭取共產集團的領導權而與其老祖宗蘇聯交相詬詐。世界人士到了今天，都已明白認識了共匪的猙獰眞面目，都已知道共匪不但是亞洲禍亂根源，而且是毒害全世界全人類的巨憝。共匪殘暴瘋狂，四面樹敵，業已自陷於孤立困鬥、失道寡助，必然敗亡之路。

然而尚有少數見識膚淺意志薄弱的人士，看到共匪在國際間張牙舞爪，面目猙獰，竟對其發生進步強大的錯覺，這不但是愚昧無知，而且將導致極危險和不幸的後果。暴政必亡，歷史上有數不盡的例子。第二次世界大動亂初期，希特勒、莫索里尼和日本的軍閥們，當時何等氣燄高張，神氣活現，可是轉瞬間都烟消雲滅，死無葬身之地。匪酋們今天所作所爲，正是和上述希、莫同一類型，而其結局亦必然同一命運。

就華僑的切身利害和事業前途來說，共匪更是我們的死敵。共匪殺害奴役了我們的父母兄弟，侵奪毀滅了我們的田園廬墓，使僑胞們受到無家可歸的悲痛。現在又向外滲透顛覆，赤化僑居國家，如其野心得逞，僑胞將無處棲身。僑胞們，我們絕對不要受匪特的愚弄，絕對不要聽到他們的宣傳而發生幻想，以爲共黨奪取政權之後，自己可以得到共匪的『照顧』和援助。事實告訴我們，共匪一心一意進行階級鬥爭，心目中是從來不分華僑非華僑的；在共匪推行其侵略陰謀時，它會不惜甜言蜜語，騙取僑胞作爲侵略的工具，可是一旦陰謀得逞之後，僑胞不但財產難逃劫掠沒收的惡運，甚至被拘禁驅逐，而陷入走投無路家破人亡的慘境。印尼、古巴、北越、緬甸千千萬萬僑胞的遭遇，就是明顯的例子。

到了今天，我們每一個人都已看得明明白白，共匪是中華民族，是海外華僑，亦是全世界人類的共同敵人，我們必須消滅這一個萬惡的魔鬼，然後才能救己救人，使大家共同生存發展，從而獲得自由幸福的生活。

（下轉第四版）

吃勿消

飢餓邊緣

今日與明日

印尼情況漸明朗

印尼軍民反共情緒仍在持續高漲，並未因爲蘇加諾的禁止而鬆懈，最近有兩件表現得十分清楚：第一件事是棉蘭人民示威，趕到中共駐棉蘭領事館，把毛共旗子扯下，硬在毛共旗桿上掛上印尼國旗。毛共一個領事向當地軍區司令交涉，要求發還『國旗』，軍區司令不理。毛僞『外交部』已向印尼提出抗議，要索還『國旗』，仍未得到答覆。棉蘭在過去是印尼共黨重要據點之一，今日却成了反共的重要基地，以此例彼，可知共黨的力量實在是假的。第二件事是印尼陸軍已偵出艾地藏匿之區，正展開全面搜索，相信不久即可落網。據綫人報告，艾地尚有衛士十人，掩護他到處流竄。號稱三百萬黨員的印尼共黨領袖，此時只剩了十名衛士，眞是不能想像。看情形蘇加諾想組新共黨也是白費心機了。位列世界第三，鐵幕外最大的印尼共黨，覆滅得如此之易，雖曰人謀不臧，誤信了毛共的鬼主意，但此中也實有天意存焉。相信將來任何共產黨的覆滅，都要走這條路。

毛共痛苦萬狀

印尼陸軍大規模淸共，舉世人心爲之大快，只有毛共主要份子，尤其是毛澤東本人眞是椎心泣血，痛苦萬狀。

因爲印尼共黨的覆滅，對毛共言目前有兩大打擊，一是赤化東南亞，從此成爲夢想，舉世親共國家，除去無知的施哈諾之外，幾乎全部驚醒，對於毛共『鄉村包圍城市』的政策，是徹底幻滅了。一個是在國際共黨鬥爭上少了一個重要幫手，雖然阿爾巴尼亞仍然忠心追隨，但阿爾巴尼亞人口數量，自不能與印尼相比；至於越共、韓共雖已同毛共合得，而且兩個共黨已經取得政權，但在份量上也不能與印尼共黨相比。更重要的是在國際共黨大會上，俄共可以把導致印尼共黨覆滅的責任，全部推到毛共身上，即使在目前情況下，不會受到國際的處分，但是毛共犯了這個重大錯誤，自然要影響到它在共黨國際的地位。

印尼華僑處境困難

隨着印尼陸軍淸共的喜劇，也帶來了排華的悲劇，印尼尚存的一百五十萬華僑，又臨到掃地出門的危險。回憶一九六〇年印尼大舉排華，吞沒了將近十億美元的華僑財產，且把一部份華僑趕回大陸過着悲慘的生活，許多人因耐不了勞改之苦已困頓而死；此日印尼反共又把華僑作代罪羔羊是不公道的！我們要向舉世國家呼籲，勸告印尼當局分淸是非，中共不是中國，華僑也不是共黨，愼勿爲淵驅魚，中了共黨之計。（何如）

輪渡豈可加價

香港的公共交通事業，藉口公務人員增加了待遇，據近日消息，天星輪渡公司一馬當先，亦醞釀要求加價，已將加價計劃呈請主管機關核示，準備增加百分之五十光景。這項輪渡費用，跟鹽、米糧價格的普遍性質相同，不論貧富都是同樣負担，無一倖免的，我以市民一份子，首先就要表示强烈的反對！

一般商品價格之增減，是根據供求律而然，在自由競爭的原則下，不無若干理由可說。至於在政府統制之下，且享有專利權的公共企業，除非實際上大蝕其本，即不能隨便加價。天星輪渡公司每年皆盈利幾百萬元，有賺無蝕，憑何理由要增加市民的渡海費用呢？若說是爲要增添設備，則一條汽船的造價幾何？使用的年齡多少？有數可計，也有時間可考，更有器材可憑，主管機關容易查核，決非資本家片面之詞，即可使人信服的事。

如果認爲香港公務人員待遇增加了，一般的物價稍有波動，公共交通事業自不妨隨之加價。那我們大多數市民的收入幷未增加，亦就可以根據近年來新建若干處渡海碼頭的事實，要求減收輪渡收費額，因爲渡海碼頭既然增建了許多，輪渡公司的收入相應增多了，基於爲市民服務的公共交通職責，這項要求幷不過份，理由亦很充份。公共交通事業反而乘機漲價，這道理絕對說不過去吧？

資本主義社會有許多不合理的黑暗面，而以資本家昧着良心唯利是圖的作風，尤爲突出，因而逼出馬克斯的共產思想，他以憤世嫉俗的心情，創發偏激理論，指斥資產階級的一切措施都是「剝削」行爲，非予以剷除不可。這恰恰投合了社會上大多數貧寒人民的胃口，以致共禍乃如時疫然，在全世界到處竊發，爲害不知伊於胡底！資本家讀書未通，祇知道財富可貴，但求倖利發財，盡情享受，一旦縱有禍事來臨，儘可遠走高飛，到別處安然作寓公，却不瞭解曲突徙薪的義理，更未想到英美現在已經不是純粹資本主義社會這回事。只憑其一孔之見，不顧一切的乘機追求財富，眞是「其智可及，其愚不可及也」！

香港輪渡公司的加價要求如實現，電車、巴士公司必然「照辦煑碗」，一律看齊，於是乎物價自然跟着上升，靜言思之，這對於一般市民的生活威脅多麼重大啊！

馮乙先生

監察院副院長選舉檢討

有人担心監察院進入多事之秋 張維翰強調親愛精誠和衷共濟

——本報記者張健生

行憲後的監察院第四任副院長，經過一場有聲有色的競爭，在第一回合中，副院長候選人張維翰和于鎮洲「交戰」的結果，雙方「打」了一個平手，張維翰並未因提名而獲得勝利，于鎮洲也未因「孤軍奮鬥」而敗北；所以才有第二回合。在第二回合中，由於調人張其昀、谷正綱、周至柔與張寶樹等見風轉舵，調處有方，才得達成任務，張維翰始順利當選為副院長。

于鎮洲競選 到底為什麼

記者為了使大家瞭解監察院副院長選舉為什麼會發生問題？于鎮洲為什麼要競選副院長？為什麼不參加第二回競選？這些問題，都涉及到根本問題。

因為中華民國憲法第九十條規定「監察院為國家最高監察機關，行使同意、彈劾、糾舉及審計權」。凡是各級政府機關的公務員，上自總統，下至鄉鎮公所的自治人員，都是行使監察權的對象，易言之，每一位監察委員對違法失職的公務員，有權提案糾彈，此乃憲法所賦予他們的職權，神聖不可侵犯。有一位監察委員對我說：例如，監察委員應不應參加所隸屬的政黨舉辦的各種訓練，這就是一個值得商榷而有趣的問題，假使監察委員都參加所隸屬政黨的訓練，是不是影響其職權的行使？我們從憲法第一零三條規定監察委員不得兼任其他公職或執行業務觀之，便可以瞭解這個道理。憲法禁止監察委員兼任公職或執行業務的目的，就是為了監察權行使，不受外界影響。像國大代表既可出任官吏又可以執行律師或會計業務，立委雖不得兼任官吏，但立委也可以在國立大專學院執教，或出任公營事業機構董監事和董事長，更可以執行律師或會計業務。

因此，支持于鎮洲的監委們，大家有一個共同的看法，就是在憲政體制下，任何政黨提名該黨籍監委參加監察院各種委員會召集人的選舉，以及正副院長的選舉，是不是適宜，不影響監察權的行使，與憲法精神符不符合？在這個前提下，大家，為了維護憲法的尊嚴，為了下一代着想，為了民主憲政，為了自由法治，為了平等待遇，乃作了痛苦的決定，共同推舉于鎮洲競選副院長。他們亦明知道這是一場艱苦的奮鬥。（一）

屏東農田水利會長 藍家精違法引用妻弟 省水利局飭迅予解聘

（本報高屏記者袁文德航訊）屏東農田水利會長藍家精，因違法引用妻弟劉漢家為組員兼事務股長一職，抑易姓為黃漢家，意圖欺矇上級等情，歷經本報五十三年十月十九日（第三八四期），五十三年十二月十九日（第五〇六期），五十四年五月二十六日（第五五〇期），先後揭露後，監察院曾深表重視，並電飭據實查報。省水利局頃經銓敘部函釋：認為藍家精任用妻弟黃漢家為組員兼事務股長一案，仍應受人事管理規則第五條規定限制，並令飭迅予解聘報備。地方人士聞悉詳情，對本報公正、客觀、大公無私的報導，及政府此舉，深表讚許。

據省水利局五十四年十月二十六日水人字第（4597）號函畧稱：「一、前奉監察院五十四年一月三十日監台調字第三一二號代電，囑查明屏東農田水利會長藍家精任用妻弟劉漢家為事務股長一案；經本局以五十四年二月十一日水人字第五六八九號函屏東縣府查明實情，並呈奉建設廳五十四年十月十八日建人字第五二三五七號令開：二、三、據呈報屏東農田水利會會長藍家精任用妻弟劉漢家為組員兼事務股長疑義一案，經轉請銓敘部函復：「（一）五十四年八月二十八日建人字第三八二一〇號函，為某甲為機關長官，某乙為某甲之妻弟，嗣某乙自願與某丙為養子，乙更姓為丙姓，某甲可否任用某乙為本機關內職員疑義一案，諒悉。（二）查公務人員任用法施行細則第十四條規定：「本法第十三條所稱『三親等以內血親姻親』，依民法親屬篇第一章通則之規定，至養子女與本生父母及其兄弟姊妹之關係，依司法院釋字第二十八號解釋文第二項：「養子女與本生父母及兄弟姊妹原屬民法第九百六十七條所定之直系血親，與旁系血親，其養父母之關係，縱因民法第一千〇七十七條所規定，除法律另有規定外，與婚生子女同，而成為擬制血親，惟其與本生父母方面之天然血親仍屬存在。同法第一千〇八十三條所稱養子女自收養關係終止時起，回復其與本生父母之關係者，係指回復其相互間之權利義務，其固有之天然之血親自無待於回復」之釋意而言。某乙雖被某丙收為養子，並更姓為丙姓，但與其本生父母之天然血親既仍屬存在，從而與己身出於同源之血親（兄弟姊妹）關係，自亦相同，是則某乙仍為某甲妻弟，不因某乙被人收為養子而異。因此某甲任用某乙為本機關內職員，仍應受公務人員任用法第十三條規定之限制。」該屏東農田水利會長藍家精任用妻弟黃漢家為組員兼事務股長一案，仍應受水利會人事管理規則第五條（水利會會長及主管不得引用配偶及三親以內之血親、姻親為同一單位之職員）規定之限制，應即着該藍會長迅將黃漢家解職，層報本局備查」云云。

據該會的幾位代表對記者說：有關主管當局對該案的處理，雖在時效上未能把握，然能亡羊補牢，終算是好的。惟希望有關當局能嚴加督飭，將該案作澈底處理，決不可半途而廢，徒具公文形式。

國際局勢變化日趨對我有利

王洪鈞

這年以來，沉悶已久的祖國人心日趨振奮。五十四年國慶，總統七九華誕和國父百年誕辰紀念三大慶典，接踵而至，誠然使海內外彌漫着歡騰氣氛，最可鼓舞人心者，仍為反攻大陸的客觀形勢正在加速形成。這種情形與民國三十四年日本軍閥投降前那些時候，頗為相像。

國軍反攻大陸收復失土「解救億萬同胞的戰爭」，絕不可能是一個孤立的戰爭，也絕不會是一個不必要的戰爭。倘非大陸人心極端痛恨中共，反攻戰爭不能獲勝；倘非民主國家深受中共侵略威脅，我們也很難發動反攻戰爭。換句話說，反攻復國之戰，應是世界人類保衛自由和平的共同戰爭。反攻大陸勝利，中共政權被推翻，世界人類自由和平庶幾可以保存；倘然我們沒有機會反攻，或反攻不能成功，世界人類亦將永遠失去自由。

因此，我國反攻復國之戰與國際局勢的變化息息相關。

看，至少在過去十二個月內，國際局勢的演變正在日趨對我有利。下面是幾件顯著的事實，每件事情與其他幾件都密切相關，這就構成了一個有利於我國反攻的客觀局勢。

一、俄國經濟政策的變質，鬆弛了對西方的緊張關係。

俄國奉行馬列主義，以赤化世界為目的，必然與西方國家處於敵對的地位。尤其在韓戰以後，俄國竭力發展原子武器，更造成美俄原子軍備競賽，雙方都生活在一場毀滅性的原子戰爭終將不免的假設之中。

但長期角力的結果，俄國在軍事上固然沒有佔先，在經濟上則已精力枯竭。史達林死後，馬倫科夫上台立刻就放鬆日用品的生產。赫魯雪夫更是放鬆了經濟政策，甚至主張生產管理權的下放；在國際上則倡言和平共存，以鬆弛原子軍備的經濟壓力。到柯錫金與布列茲涅夫於一九六五年底取代赫魯雪夫後，竟允許公開討論經濟改革。乃有俄經濟學者李普雪等提出以利潤為標準及廢棄集中計劃領導制等觀念。更重要的，這種利用資本主義方法實行經濟改革的試驗，早在去年春季便已在兩家工廠內開始。

今年九月二十九日，俄共中央委員會在一連三天的會議中，終於通過俄總理柯錫金所提的新經濟政策，其主要內容便是以利潤、銷貨術、分紅及個人責任為基礎的劇烈經濟改革。這個重大的變革，將在明年春天俄共第二十三次大會上通過，而逐步全面實施。

俄共經濟制度的向右轉，證明共產黨的理論在基本上已經破產。儘管俄共經濟政策的改變可能非出於自願，可能僅欲暫時實施，但共產主義在基本觀念上的錯誤祇給俄共留下兩條路，一是經濟的澈底崩潰，一是逐漸走向社會化資本主義。

在這種趨勢下，俄共政權欲求自保，似祇有走上利潤刺激生產，麪包與大炮並重的政策。儘管俄共不會放棄赤化世界的目標，但其積極侵畧性已大形消失，自然使俄國與西方國家關係趨於緩和。由於俄國的衰弱，西方國家深切瞭解俄國挺身參加毀滅性原子戰爭的「臨界點」必然降低。

二、中共與蘇俄繼續分裂，使他們之間發生利害衝突。

照俄共世界革命的策畧，世界共產黨國家必須祇有一元的領導。但在一九四八年，首先分裂了南斯拉夫，多中心開始出現。十年以後，中共實行第二個五年計劃想加速工業化，並在同時企圖積極建立原子工業，指望俄國予以全力支持，竟被俄國拒絕，中共與蘇俄從此交惡。一九五九年，俄取消與中共訂定的「國防新技術協定」；一九六〇年開始，中俄共互相公開叫罵，繼之以行動上的各行其是，以迄於今。（上）

有關稅制上的幾個問題

本報駐台記者張健生

所以許多軍公教人員，對新訂房屋稅率高低，評價標準，免稅範圍等項，非常注意。過去地價評估正時，因亂地價評估，授權政府自訂辦法，結果發生重大偏差，把十年未估價之地價，一旦全部照黑市提高，台北地區，有些地價，甚且超過黑市，普遍加重人民負擔，不僅攤販與一般自用住戶最感威脅，許多公共建設，亦因地價飛漲過鉅，財源無法籌措，受到嚴重影響。如房屋係民生主要素之房屋稅，既提高稅率，又自然大家談虎色變，火上加油，又那樣偏高估價，如何訂定房屋評價標準，至為重要。

第二、稅率問題：修訂房屋稅稅率，規定1營業用房屋，最低不得少於其房屋現值百分之三，最高不得超過百分之五；2住家用房屋，最低不得少於一·五％，最高不得超過百分之三；係採彈性規定，與現行房捐條例硬性不同，原房捐條例規定住家用稅率為千分之六，加防衛捐戶稅，共為千分之十三點八，比新稅率最低額千分之十五，少千分之一點二，比最高額千分之三十，則增加千分之十六點二，達一倍以上。營業用房屋捐，共為千分之三十二，比新稅率最低額千分之三十，少千分之二，但比最高額千分之五十，則增千分之十八。一律照最低稅率課征，稅收絕對有增無減。財政部說：「此次修訂房屋稅，目的在加強建立以直接稅為中心的稅制，奠定將來地方稅逐漸以財產稅為重心」，又說：「實際稅收尚有減少」。不知係根據何項標準計算？財政部說：此次改為財產稅，可以防止出租房屋「匿報」、「短報」、「逃稅漏稅」之弊，則稅收當然有增無減。何況將戶稅防衛捐均變為正稅，亦可減少戶稅之鉅額逃欠，而財政當局竟說稅收尚有減少，必須提高稅率，此種說法，似非改進稅制之光明態度。

房地產稅 理應合併

第三、名稱問題：房屋稅是否與地價稅合併，改為財產稅，避免土地與房屋重複課征……市價，房屋所在地之優劣，直接影響房屋現值之因素，地段等級因素，固影響地價，亦影響房價」。此足充分證明房屋與土地不可劃分。所以各國財產稅，均包括房屋土地。政府既強調「地方稅以財產稅為重心」，而又不肯把地價稅房屋稅合併為財產稅，顯屬自相矛盾。如認為房屋現值（市價）必須根據地段等級，房價與地價不可分開，為求房價公平，避免土地重征，惟有根本將房屋稅與地價稅合併為財產稅，且不但避免發生重征，並減少土地與房屋價值雙方評估，又可減少稽征經費。除此而外，無他途可循。

如此政策 自相矛盾

第四、政策問題：政府雖在政策上決定「以財產稅為地方稅中心」，可是在執行方面，又以地價與房屋分別課征，何以？政府所持理由：1地價稅為省稅，房屋稅為縣市稅，稅源不同，不能合併。這種理由根本不成立，因為在原則上，省稅和縣市稅均為地方稅，稅源就範圍而言，只要修改財政收支劃分法，即可解決。2都市地價稅係遵照孫中山先生平均地權之遺教所訂，有實施都市平均地權條例之特別法，有總統指示以其收入專辦社會福利事業，並事實上不能與房屋稅合一併云云。查國父遺教是立法委員黃煥如說：「土地改良物必須單獨征稅之規定，地價稅與房屋稅合併為財產稅，決不違反國父遺教。」政府既以所得稅與財產稅為建立直接稅制，何以要把土地與房屋分別課征，重複課征，豈不自亂步驟嗎？誠不知道是什麼政策！（五。完）

國父的家世源流

·中原·

關於國父孫中山先生的家世源流，初見於美人林百克之孫逸仙傳記，謂國父自述其祖籍原在東江之Kung Kun村，遷居中山才數代。據開智書局的譯本，上述Kung Kun村被譯作龔公村，這是隨便音譯的字。惟因有此記載，遂有人以爲，國父上代係由東莞所遷出。後經羅香林教授多方考證，證明國父所述之舊家剛所在地，實爲紫金忠壩之公館背村。羅教授於民國卅一年著有「國父家世源流考」，根據其歷年蒐集所得之資料，包括羅氏族譜，祖墳墓碑等，旁徵博引，尋求實證，獲致結論如下：

「國父之家世源流，自其入粵始祖友松公於明永樂年間自閩遷粵紫金後，至國父適傳十八代，世以耕讀爲業。自其入粵，以鼎標公一支，當開基於忠壩公館背，俱住紫金忠壩，故國父嘗稱其家廟在東江之公館村（Kung Kun）。自其十二世祖連昌公於清康熙年間由紫金遷居增城，未幾復遷中山縣涌口門村，越二傳，至十四世祖殿朝公，又由涌口門村遷居翠亨，至國父本身，適傳五代，故國父嘗謂其幾代祖皆住翠亨。」

上溯國父之遠世源流，則唐以前俱住陳留，爲中原世族。自唐僖宗時黃巢變亂，其遠祖縉公始以領兵抵禦之故，遷居江西寧都，歷五代至宋，子孫繁衍，散佈於贛南閩西，元明之際，始由贛閩遷粵，國父之入粵始祖友松公，即自福建長汀河田遷粵紫金之一支。

又國父上代在粵一再遷徙，亦有其背景。十二世祖連昌公之遷居增城，乃與其上代曾參加抗清義師有關，蓋義師解散，故里受迫，其子孫遂轉徙外地。至其上代由增城遷居中山涌口門村，則與順治康熙間清廷迫令粵省瀕海遷界及復界有關。

由於羅教授上項考證，使我們獲知，國父之上代，原係由中原輾轉遷徙之客族。（關於客族源流，羅教授另有專著，考證甚詳）。蓋客族南遷一般路綫，皆係由河南到江西，由江西入福建（閩西），再到廣東。亦有由贛南逕遷粵東粵北者。國父入粵始祖友松公於明永樂間定居紫金忠壩，其地原係廣東長樂縣，長樂即今之五華，清朝屬嘉應州，嘉應州爲客族聚居地。又據國父胞姊妙西姑太太談述：國父之祖父敬賢公醉心風水，屢事墳工，國父之尊翁達成公亦好風水，終年養一來自嘉應州之風水先生，各祖先墳地皆由其尋覓改葬。可見國父之祖若父雖遷中山，仍與嘉應州之客族人士相往還。

羅教授在「國父家世源流考」書中，還提起一項値得注意的事，即太平天國的洪秀全，其先世由粵東嘉應州遷出，其遷移之年代與背景，和國父上代自紫金所遷出者略相似。洪秀全上代由閩遷粵豐順，明初再遷嘉應州石坑堡，明末清初，粵省抗清義民蠭起，花縣舊地亦被義民所據，迨清兵平定其地，始建置花縣，招引粵東農民墾殖，洪秀全之十一世祖乃自嘉應州遷往。國父上代在紫金忠壩，明末清初該地有鍾丁先義士起義抗清，公館背有孫大食公隨同起義，以驍勇善戰著稱，後因兵敗散走，忠壩孫族遂亦受影響而遷移。國父十二世祖連昌由紫金遷增城，後復遷中山，可見都和清初粵東反清復明運動有關。

花縣後來出了洪秀全，創建太平天國。中山縣誕降國父，推翻滿清，建立中華民國。論時代背景，可謂一脈同源。上代爲反清復明之義民，後裔乃爲民族運動之鬥士，到了國父，遂卓然爲軼倫領袖，世紀偉人。

國父在越南

鄭增厚

國父六次至越南之經過

國父第一次至越南，爲民國紀元前十二年，時値義和團事變，外侮孔亟，而國父謀推翻滿清政府之心亦愈切，後偕宮崎寅藏由日本回香港，策劃惠州起義，惟未能登岸。宮崎寅藏乃轉往星加坡，旋爲康有爲黨誣陷下獄。國父即於是年五月二十五日（西曆六月二十一日）假道西貢往星加坡營救。此行爲過境性質，且不露身份，故無甚足述。

第二次至越南，爲民國紀元前十年。時惠州革命失敗，國父乃轉向海外活動，欲聯絡海外志士及籌募餉械，以爲大舉之計。適法屬印度支那總督韜美（Paul Doumer）託法國駐東京大使，邀請國父前往越南相見，初以事未果，至是年十二月，縱貫印度支那之鐵路工程完成，舉行通車典禮，並在河內開一博覽會，以資慶祝。是月九日（西曆一九〇二年一月七日）國父乃自日本啓程，十五日（西曆一月十三日）抵河內，適韜美已離越回國，然亦得與其秘書長哈德安接待，且與當地愛國華僑聯絡，在河內成立興中會，其後欽、廉、河口及鎮南關諸役，俱得其助力，故此行不能謂爲全無收穫也。國父此次至越南，亦逗留甚久。至民國紀元前九年六月初（西曆七月下旬）始離河內赴西貢，轉往暹邏及星加坡，計時已在半年以上矣。

民國紀元前七年，國父由歐返日，於六月五日（西曆七月七日）經星加坡過西貢，此爲第三次至越南。以行色匆匆，未有耽擱。後同盟會在東京成立，國父復由日本赴南洋各地籌欵，是年九月九日（西曆十月七日）國父再經西貢，此爲至越南之第四次。至翌年（民國紀元前六年）一月二十日始離西貢赴星加坡。是年五月，國父復由日本再赴南洋各地籌設同盟分會，八月曾途次西貢，於二十二日（西曆十月九日）離去，此爲國父至越南之第五次。

民國紀元前五年一月二十日（三月四日），國父偕胡漢民及汪精衛等，自日本往星加坡轉河內，設立機關，策動滇、桂、粵三省革命，此爲至越南之第六次，亦爲最後一次。鎮南關一役失敗後，即被迫離境，不復再來矣。

國父在越南之外交活動

國父第二次至越南，爲應法國印度支那總督韜美之邀，查韜美與國父似初不相識，但彼爲一極有氣魄之殖民地總督。（一）

國父與曼谷一座古廟

·李劍民·

泰國民族是一個虔誠信奉佛教的善良民族，因此，這個國家也就被人稱之爲佛國了。

在一個信奉佛教的國度裏，佛寺林立，殿宇巍峨，這自然是不足爲奇的事了。筆者去年二月間來到泰國，在這段時間裏，幾乎所有過境的朋友，陪他們去參觀寺廟古蹟的要求，祇要時間許可，必然會提出，地主之誼不能不盡，于是導遊寺廟便成爲我們這種半個曼谷通，招待過境客人的義務了。

曼谷市內的佛寺，總數約四百座光景，若以一般普通遊客的眼光來看，其中最有參觀價值的，自然要算玉佛寺和臥佛寺了，因爲這二所佛寺的建築偉大，且在泰國建國過程中，有其歷史意義故也。可是，筆者却特別喜歡市中心區一所不大受人注意的古廟—龍蓮寺。這座佛寺的建築設備和平日遊客情形，當然無法跟玉佛、臥佛二寺去作比較的，但站在我們中國人的立場，它却具有値得紀念的特殊意義，因爲國父孫中山先生第一次南來泰國倡導革命，就在這座古廟的廣場，對旅泰僑胞講述其手創的三民主義，作爲其在海外宣傳革命的場所啊！

爲了廣泛蒐集國父當年在泰倡導革命的事蹟有關資料，筆者曾拜訪過好些僑賢先進，據若干位當時曾經傾聽國父演說的老僑領云，因爲當時泰國政府對國父的奔走革命採取不預聞態度，致國父不能不假借名義，以專賣丹膏丸散的江湖客身份進入泰境，當夜幕低垂之後，他便背着一隻藥箱，在龍蓮寺的廣場出現了。每見有當地警察走近時，他便從藥箱裏取出仁丹來叫賣，僞裝得維肖維妙，從未被警察發覺過。當警察離開之後，他又開起藥箱大聲疾呼，鼓吹革命，號召僑胞一致奮起，共同担負救國救民的責任了。每晚演說的時間大約是由六點鐘起至八點鐘止，這樣連續進行了十天左右，然後他又悄悄地離開了泰國，不知到什麼地方去繼續宣傳革命主義了。

在筆者訪問的僑賢先進中，有一位年近八十的老華僑曾感慨而憤激地對筆者這樣說：「國父當年倡導革命，是要大家提高民族警覺爭取國家獨立；要大家推翻君主專制，實行民主政治；要大家通過民生主義的步驟，互助合作，去實現全國人民生活富裕安定的理想。眞想不到朱毛匪幫竟利用國府經過八年長期對日抗戰，正値千瘡百孔之際，蠭起叛亂竊據大陸，挑撥人民淸算鬥爭，雷厲進行三反五反，澈底摧殘人性，弄到今日國家支離破碎，生民塗炭的境地，想起來眞令人切齒痛恨！好在我們的民族救星最高領袖蔣總統于政府播遷台灣之後，生聚教訓，勵精圖治，經過十多年的堅苦奮鬥，現在已把台灣建設成三民主義的模範省，堅強的反共保壘了。仁者無敵，暴政必亡，自古便有許多例證，希望海內外全體同胞振奮革命精神，在蔣總統英明領導之下，精誠團結，一心一意，去爭取反攻復國勝利的早日來臨。我的年紀雖然老了，但爲了後代，爲了國家民族，我們一定要各盡所能，貢獻出所有一切，以犧牲的革命精神去完成時代所賦予我們的使命。」

是的，「仁者無敵，暴政必亡」，這是歷史的鐵則。筆者値此國父百歲誕辰的時候，願意將一位老華僑所說的話，紀錄下來轉告讀者，更願意以此作爲筆者本人此次從事蒐集國父革命事蹟的一點心得。

國父北上及在平逝世紀實

·趙超·

民國十三年冬，十一月十三日，午後一時，自廣州大本營（河南士敏土廠故址）乘永豐艦出發，全城文武官員，及外賓到艦相送外，有民衆代表學生代表約百餘人，又民衆及學生列隊恭站兩岸者，數以萬計，聯義社，海員工會，機器工會等社團，更僱小輪十餘艘，縱艦相送，沿途大放鞭炮。將抵車歪炮台附近，時値潮退，爲砂擱淺，國父登指揮塔詳示航道，得越坦途，艦長（歐陽琳）以次，無不五體投地。五時後，艦抵黃埔寄碇，國父未登陸，軍校校長蔣中正，教育長王柏齡，及上校主任何應欽等登艦覲見。夜半潮漲，再鼓輪赴香港。十四日午前九時抵達，港政府派警察總局局長及陸海軍官員制服佩章，代表到艦歡迎，並請問升禮炮事。國父命超轉達謝意，謂感謝貴總督盛意，及有勞各位，太客氣了，我即轉輪，無意登陸，請不必升炮，謝謝。隨即轉登日郵船「春洋丸」，日駐穗總領事佐佐木，及駐港日領日僑，又同志山田純三郎（烈士山田良政胞弟），港各界代表等二百餘人，先在該輪佇候，（旅港同志及社團分僱小輪多艘，於拂曉先越港口歡迎，隨艦燃放鞭炮），延至正午十二時方啓輪。航行四十餘小時，至十六日午前十一時抵滬。到碼頭歡迎者，除同志外，有外賓民衆學生數萬人，（各租界警察加崗警衛），途爲之塞，車行甚緩，沿途店戶均升旗燃炮，其熱烈情況，得未曾有。駐滬凡六天，十七日午後三時，往南京路「精益」配眼鏡，是國父第一次配眼鏡也。因河北兵變後，仍未通車，輪船亦少，大部份隨從，先後由輪赴津，國父則於二十二日午前，乘日郵船「上海丸」轉神戶。隨從赴日者有夫人宋慶齡，及李烈鈞、戴季陶、黃昌穀、黃惠龍、馬湘等。滯留神戶六天，日人頭山滿君及犬養毅代表，及我國留日陸海軍士官全體學生，約七十人，遠道來迎。頭山滿君領一富商某，同寓旅館，與國父會談數次。二十五日，國父在某學校演講亞洲民族應共同携手，歷數小時，方畢其詞，（黃昌穀會紀錄）。該校大堂僅可容千人，聽衆竟達三倍，前列坐地後列站立恭聽。十二月一日，自神戶乘「北嶺丸」赴津，四日午後一時抵津，歡迎民衆，倍於滬地。段執政代表許世英，徐樹錚，張作霖總司令代表張學良，暨當地軍民首長及外賓。而日租界當局，除到碼頭外，更令警察局，全體動員防護，轂擊肩摩，途爲之塞。三時方抵日租界旭街張園，（張彪之別墅，段執政借來招待國父作行館）。

國父稍休息，於四時三十分往河北曹家花園訪張作霖。正擬首途，爲記者團所包圍，時天陰欲雪，微雨，國父站在車前，記者爲拍一照（長衫馬褂，右手持手杖，左手捧毡帽），萬不料此一照像，即爲國父最後之遺容也。國父與張作霖談約五十分鐘，回行館後，至夜半，國父覺頭重，身熱，胃部劇痛，即延德醫克禮大夫診治，未甚見效。至耶穌聖誕，接各地來電及賀片甚多，國父大悅，隨分頒隨人員各銀元三百，作冬衣裝備之需。及元旦夜，且能起床命副官馬湘，衛士李榮扶至客廳，與諸同志談笑，（在座有汪精衛、王正廷、葉恭綽等八人）。迄二十日（夏曆十二月十二日）專車晉都，克禮大夫、許世英、徐樹錚、張學良等亦相隨。抵站歡迎者，有段執政府代表，內務總長龔心湛（注意，國父在倫敦使館蒙難時，龔爲高級館員，主張以最毒害對國父者）。

（一）

國父率艦南下護法經過

陳鐵庵

民國六年，北洋軍閥張勳毀法叛國，解散國會，國父由滬偕同海軍總長程璧光，統率艦隊南下護法，參眾兩院議員雲集廣州，開國會非常會議，選舉國父任陸海軍大元帥，同時選陸榮廷、唐繼堯為副元帥。陸唐二人，缺乏革命勇氣，仍持軍閥作風，不願就職，國父貫澈護法主張，開府廣州，設大元帥府於河南士敏土廠。就職伊始，特任章炳麟（太炎）為秘書長，許崇智（汝為）為參軍長，伍廷芳為財政部總長，廖仲愷為次長，唐紹儀為外交部總長，郭泰祺為次長，居正為內政部總長，葉夏聲為次長，徐謙為司法部總長，胡漢民為交通部總長，程璧光為海軍部總長，林葆懌為次長，張開儒為陸軍部總長，崔文藻為次長，李烈鈞為參謀部總長，徐紹楨為衛戍總司令，委任連聲海為秘書兼印鑄局長，又於同志中委任馬湘、黃惠龍、陳鐵庵、呂仕標等四人為侍從官。馬黃陳呂四人，早年參加國民革命工作，護法軍興，即奉委此職，馬黃頗諳英語，因此馬陳編為一班，黃呂編為一班，均常駐帥府，輪流侍候大元帥，晝夜不休，風雨無間。斯時有某參軍，進言大元帥，畧以四人侍從，每日服務時間太長，未免過於辛勞，擬請增加人數。大元帥答以馬陳黃呂四人年少精幹，體魄強健，各有所長，堪以勝任，毋庸增加人數，某參軍乃辭退。所有侍候大元帥親近人物，如廚師歐玉，理髮邱鳳池、林耀光，及僕役黃祥等，均忠實同志也。大元帥府成立之初，由福軍調來步兵一營，編為衛士營，營長胡新負責警衛帥府。又於同志中選二百餘人，俱屬強壯青年，為侍衛隊，委盧振柳為隊長，從事訓練，成為勁旅。各部總長未到任前，派次長代理部務，如財政部廖仲愷，內政部葉夏聲，外交部郭泰祺等是也。又如秘書長參軍長因另有任務，迭有更調。當時有外省籍歹徒二人，住於某酒店，偽造大元帥委任狀四出招搖售賣，事為帥府探悉，將歹徒拘捕，當場搜出偽造文件，囚於衛士營；大元帥派朱大符（執信）、蕭萱（紉秋）、葉夏聲（競生）三人負責審訊，經秘密研訊十三天，以證據確鑿，犯人直認偽造文書不諱。承審員以案發生在革命政府所在地，實屬罪無可逭，擬處以極刑，簽呈大元帥，批示未便照准，發交廣州市警察局監禁。據此一事，便足見大元帥心地仁慈，不以酷刑治天下。大元帥自就職後，計劃發展護法軍事，乃陸榮廷非特不為助力，更嗾使粵督莫榮新，對護法軍事，諸多阻撓，且拘捕崔文藻。莫榮新破壞護法尤為顯著。民國七年春初，大元帥親乘「同安」「豫章」兩軍艦，駛至河南鴨墊關附近河面，炮擊督軍署，向莫榮新警告。（上）

國父革命史料憶述

文斛

國父一生獻身黨國，志貫日月，豐功偉績，中外同欽，茲逢百齡誕辰紀念，謹將老同志譚尚武等回憶錄撮要分述于後：

△以愛國華僑回國參加革命工作為例，證明革命黨人目的要求純潔崇高——憶我國二次革命失敗後，尚武適旅居加拿大沙城，目睹當時黨人多失信心，爰集志士，倡議重建黨部，繼組織「革命華僑敢死先鋒隊」，回國參加革命工作。至民五年，袁氏謀叛稱帝，隨奉國父電召回國討袁，軍次山東，改編為「革命軍東北軍華僑義勇團」，居正總司令任命夏重民同志為本團團長。迨袁氏失敗，共和恢復，北京政府派曲同豐前來招編，衆未敢決，乃抵滬晉謁國父請示。國父承面諭：「北京有千年帝制史，封建色彩濃厚，官僚腐化，恐你們華僑青年，易為分化。」隨公讌我們團員於上海法租界「隨園」，在座有黨國先進張人傑、胡漢民、朱執信、鄧仲元、許崇智諸同志，及蔣總裁等，席上國父演說：「世人有謂革命黨人無飯食始來做革命工作，又謂為了升官發財而來做革命工作，試問你們過去在海外是否無飯吃？今日有官做未？發到財未？此種種侮辱我革命黨人的謠言，已由你們回國工作而洗滌一乾二淨，也證明了革命黨人目的要求之純潔崇高」云云。——譚尚武同志憶述。

△借艦炮轟莫榮新事，氣結程總長羞慚無地——憶國父率海軍第一艦隊來粵，成立大元帥府後，尚武任侍衛。當炮轟觀音山役，國父集合海軍將校於大元帥府公讌，解釋時局問題，席上國父演說，有云：「為了懲誡莫榮新，因此向程總長商借戰艦，開炮轟擊」等語。程璧光起立辯稱：「大元帥謂向我商借戰艦，其實我不知情」。大元帥即起立解釋：「事屬緊急，故此拿程總長戰艦開炮」。語畢，衆皆鼓掌。程氏又謂：「我身為海軍總長，真是羞慚無地矣！可惜還張發刀不夠利，否則，我要當堂自殺了！」語畢，衆人又喝倒彩。——譚尚武同志憶述。

△爭取關餘，義服洋使——粵海關關餘，向繳交北京政府，但國父帶同衆參兩院議員來粵開府後，已認定北京已非合法政府，該項關餘，應就近繳交我護法軍政府方合，曾派宋子文交涉無效，反謂集八國艦隊前來廣州白鵝潭，卸除炮衣，向我耀武揚威。國父即公讌各國領事於大元帥府，嚴正宣佈：「北京乃非法政府，如果你們將關餘給他，則我全國國民絕不公認。今日你們艦隊前來，我只當作來看熱鬧而已。我限你們一星期內撤退，否則，我不負保護責任！」正義凜然，聽者動容。後經美國從中斡旋，終獲解決。——譚尚武同志憶述。

△辛亥革命成功時，國父在美籌餉——武昌革命成功時，國父確在美國。當時，據革命先進林光漢同志（前美國支部長）所述：三月廿九日一役失敗後，國父毫無餒志，一本其不折不撓之大無畏精神，積極向海外籌欵，以鼓勵國內同志繼續努力，非革掉滿清之命不可。在辛亥革命成功之一星期，國父尚在美國各埠加緊進行向僑胞籌募軍費，剛行抵積彩，由林光漢、朱卓文兩同志歡接國父於市姐鏟大酒店，互商籌餉事宜，隨由林、朱兩同志陪同國父赴芝加哥埠，任務完畢，乘火車往新雷埠，車中突有報童跑上車廂，大聲叫嚷：「中國革命，武昌起義成功！」國父即買西報一份一看，果如報童所言，大家精神振奮。當時車上中西人士雖目注國父，諒多不識此一華人就是倡導民主革命之導師。——余鑽庚同志憶述。

△國父病逝北平，泰國僑胞同感哀傷——國父病逝北平，噩耗傳至泰京，僑胞同感哀傷，時蕭佛成老同志即召集僑領追悼，席上素以「大丈夫流血不流淚」自詡之蕭老，竟泣不成聲，使在座人士，深為感動。——黎凌觀同志憶述。

國父旅澳概況

貞士

月日不居，星移物換中，今年是國父百年誕辰紀念了。在這國步多艱的今天，想起國父的偉大功勳，堅忍卓絕的精神和聰慧仁厚的人格，舉凡全國同胞，莫不緬懷先哲，衷誠敬仰這一代偉人！

國父在澳門從事革命和醫務工作的時間雖然不多，卻留下光輝的史實，給這方圓六英里的小半島以無限的榮譽與不可磨滅的紀念。

澳門和大陸接壤，北部沿着二丈多闊的夏灣河為界，一衣帶水，雞犬之聲相聞。在明正德九年（一五一四）葡人東來貿易，藉口貨物給雨水淋濕，請求將澳門作為晾曬地方；至明嘉靖三十六年（一五五七）竟視澳門為海外管治區域，築牆作界，復正式派遣官吏處理政務，每年僅納地租五百兩，開外人在我國租借地方的先河。外人既有立足地點，很快的西方人士便陸續東來，把他們的天文、數學、地理、曆法等科學介紹給我國，同時基督教、天主教也順利的發展，而且受着特別的尊重。澳門既和廣東省中山縣（舊稱香山縣）毗連，鄉民經常與外人接觸聯繫，思想較為開明，更富於冒險性，國父自幼受着外來環境影響，更目睹滿清政府頑無能，喪權辱國，官吏的作威作福，欺壓人民，養成堅忍不拔的品格，智慧明辯的才能和精巧科學的頭腦，這種性格從少年時代所作所為，如破除迷信，抗拒清吏、海盜，竊毀腐皮，溪邊濯足等等少年軼事，都可以證明一切。

據史實記載：國父最初到澳門是清光緒五年（一八七九），六月間隨母楊老太夫人往檀香山見他的長兄眉公（德彰），那時不過是十三歲。再次路過澳門是赴港讀書的時候，已相隔十三年了。

從故老和國父近親的口述，國父是愛好澳門的。他曾出錢建屋，也曾住過峨嵋街口一間大屋，可惜那所房屋在二十年前拆毀，今已建成新厦，史跡湮沒，無復從前的景象。國父在賣草地街開設的中西藥局，亦屢經人事變遷，也痕跡不存，無可印證了。（上）

國父頌

稚英

第一章——歷代哲人誕生

泱泱中華，文物大邦，山川壯麗，歷史悠長。背倚葱嶺，雄峙世界之屋脊，面臨滄溟，浩瀚澎湃之汪洋。鍾靈孕育，哲人誕降。國父孫公，秉賦非常，其性至中至和，其氣至大至剛。有卓絕聰明，抱崇高理想，具無畏魄力，懷博愛心腸。集智仁勇於一身，作全人羣之榜樣。猗歟國父，儀型萬方。仰巍峨之氣象，顯人類之榮光。

第二章——救國救世思想之建立

繼承中國文化之傳統，旁採西方學理之菁英，貫通融會，集其大成。創三民主義，立五權憲法，謀國家民族之自由平等，致人類社會的幸福和平。猗歟國父，邁古超今。闢政治思想之新境，實世界人類之救星。

第三章——革命建國之豐功偉業

既立宗旨，首倡革命，登高一呼，萬方響應，仁人志士，萃聚羣英，前仆後繼，爭為先登，愈挫愈勇，奮鬥犧牲。浩氣凌河嶽，光輝照日星。腐敗滿清帝室卒推倒，新建中華民國慶功成。結束數千年君主專制之制度，開創亞洲共和民主之先聲。

第四章——哲人其萎精神永存

致力國民革命之目的，為求三民主義之實施。國家社會建設完成，始可獲得久安長治。惜全功未竟，痛國父長辭。內憂外患，紛乘迭至，共黨肆虐，赤禍蔓滋。演成人類浩刧，舉世震撼危疑。對此時代痼病，誰能療治！惟我三民主義，方是良醫。猗歟國父，灼見真知。精神不朽，終古昭垂。

第五章——努力實踐真理寶典

三民五權，大道康莊，建國寶典，濟世慈航。台灣建設，實事昭彰，實踐遺教，成績輝煌；耕者有其田；繁榮工商；文教既普及，武備復精強；選舉自治，民權申張；民生樂利，富裕安康。復國建國，前途光昌。

第六章——邁進三民主義世紀

猗歟國父，羣倫欽崇。偉大學說，真理所宗。古今無匹，四海從風。三民世紀，無間西東。大道之行，天下為公，以建民國，以進大同。造人類之福祉，延萬世於無窮。

發揚革命精神 爭取最後勝利

（上接第一版）

現在我們盱衡全局，覺得形勢演變已達到了轉捩點，反共鬥爭已進入了有利的階段。就國際而言，共匪恣睢暴戾達於極點，民主國家亦就到了不容再隱忍姑息的地步；就匪區的情況而言，大陸六億同胞不堪共匪的魚肉凌辱，抗暴鬥爭正日益擴大；至於自由祖國，十餘年來我海內外同胞在蔣總統的賢明領導之下，勵精圖治，無論在政治、軍事、經濟、文化各方面都有長足進步，反共力量正臻於空前強大的境地。無論共匪如何囂張跋扈，窮兇極惡，在民主國家的合力圍剿之下，亦必然無法逃避歷史上『暴政必亡』的鐵則。

僑胞們，祇要我們堅定仁愛必能克服橫暴，三民主義必能戰勝共產邪說的信念，遵奉國父遺教，發揚傳統的革命精神，勇邁無前，予共匪以無情的打擊，我們一定可以消滅這人類的蟊賊——共匪，而獲得最後的勝利。這樣，我們今天紀念國父百年誕辰才有真實的意義。

國父百年誕辰

楚望

嶺表鍾靈氣。神州發曙光。手開新世紀。身是大醫王。至道承周孔。雄謨契武湯。修仁來越雉。撥亂去秦狼。五院輝良制。三民秩舊章。弘才搜澗梓。實業廣田桑。薄海偏多故。中原企小康。入嗟梁木壞。寺感碧雲荒。易簀言何摯。傳衣緒轉昌。圖南諸將奮。直北萬旗張。符璽通重譯。車書告一匡。國方遺教踐。鄰竟禍心藏。籍馬紛蘅茝。屠鯨厲斧斤。八年倭勢熸。九域漢威揚。不謂來蘇喜。翻成却曲傷。當關眉盡赤。誓海胆同嘗。正氣誰能禦。妖氛自速亡。式憑黃帝魄。長護翠亨鄉。百歲逢弧旦。千門奉瓣香。名兼三不朽。壽紀萬無疆。白日依僑郡。黃花念故岡。收京行告廟。鍾阜鬱蒼蒼。

國父訪馬六甲小記

林聯登

民國紀元前某一重陽佳節，國父孫中山先生乘馬來聯邦火車自星加坡來馬六甲。該鐵路自淡冰到馬六甲之支綫，係於該年初完成通行者。彼時之馬六甲與外地之交通，除火車外，唯賴海輪。道路之往還，以牛車為主，郵遞亦極遲緩，由星洲來函需四天方能抵達，故消息之傳遞，每成明日黃花。國父於是日午後二時抵呷，前往車站歡迎者有呷地之重要同志沈鴻柏、呂文采、程文岳、洪英豪、林武院、陳炳坤、龍遊舜等約三十人，另有蕨坡劉靜山君歡同志來參加。（一）

內備警台報字第〇三壹號內銷證

自由報
THE FREE NEWS
第五九九期

中華民國僑務委員會頒發
台教新字第三二三號登記證
中華郵政台字第一二八二號執照
登記爲第一類新聞紙類
（半週刊每星期三、六出版）
每份港幣壹角
台灣零售價新台幣貳元
社長：雷嘯岑
督印人：黃行蕎
社址：香港銅鑼灣高士威道二十號四樓
20, CAUSEWAY RD 3RD FL.
HONG KONG
TEL. 771726　電報掛號：7191
承印者：大同印務公司
廠址：香港北角和富道九六號
台灣分社
台北市西寧南路壹壹零號二樓
電話：三〇三四六
台郵撥儲金戶九二五二

實行三民主義以報國父
——國父百年誕辰獻詞——

馬樹禮

近世科學文明發展迅速，世人耽於物質享受之追求，而道德藩籬日趨破失，遂使共產邪說暴行，得以氾濫流毒於天下。我們認爲，欲遏阻此一惡浪狂瀾，必須積極發揚中國固有文化傳統精神，而發揚中國固有文化傳統精神，尤須實行國父的三民主義。世之有遠見者，亦必同具此種認識。

中國固有文化傳統精神，與國父的三民主義，這兩者之間，究有什麼關係呢？

國父孫先生創造三民主義，倡導革命，他曾申明其革命思想行動，乃屬「順乎天理，應乎人情，適乎世界之潮流，合乎人羣之需要」的事。我們從這幾句話中，便可了然於國父的學說，是直接承傳中國文化的正統，且加以融會貫通，發揚光大的。當然，我們在這裏也要附帶說明：我們通常所謂中國文化傳統，乃以孔孟儒家之道爲宗。今國父所承傳光大的，亦就是儒家的一貫精神。

「順天應人」兩語，出於易經，其爲儒家之說，當無疑義，這是大家所共喻的。至於「適乎世界潮流，合乎人羣需要」之言，儒家經典中雖無具體提及，但與儒家之說的精神，則是適應相通一致的。

晚近一般人對儒家經典，未加深切研究，動輒以耳食爲知，盲目反對。他們往往誤指儒學爲食古不化，不能適應於現代之需要。事實上此類指責，適與儒學眞諦相反。儒家是最主張適應時代精神的。孔子曰：「君子而時中」。此「時中」之義，就是要隨着時代而適應的道理。「中」者中道，意爲事物之「恰到好處」，過與不及，皆不得謂之「中」。譬如吃飯，適如其量之謂中，未飽或過飽，都對身體有礙，那便失乎中道。然所謂恰到好處之中道，每常因時間之遷移而有所變化，某一事物在某一時期是最好的，但時移世易，則未必仍然適用。即以吃飯言之，平時吃兩碗而飽，若在病後體弱，即不能按照常量而一成不變。故「君子而時中」，是要隨着時間需要而變化適應之。不特此也，有時看到舊的行不通了，還要拿出革命精神來，革而新之。孔子在「大學」中，即強調「新民」主義，引「湯之盤銘」曰：「苟日新，日日新，又日新」，就是此意。

由是觀之，國父倡革命，言「順乎天理，應乎人情，適乎世界潮流，合乎人羣需要」，實爲「時中」與「新民」之義的一種最切當之銓釋。其爲直接承傳儒家之學，當無疑義。抑有進者，我國很久以來，一般人雖尊儒道，卻多迷失了先聖的微言大義，尤其不知「時中」之理，更諱言「革新」。直至我們國父孫先生出，始以其天縱的睿智之資，加之以博學多聞，遂能融會貫通，發其奧義，集其大成。是以國父實爲千古之下重振儒家統緒的一人。

國父自少就立志履踐儒家「新民」之義，故號曰「日新」（後乃以二字之諧音逸仙爲號）。這且勿具論，現在我們再從國父所著的三民主義中，略舉一二，以見其與中國文化正統儒家之說的淵源關係：

國父在民族主義裏，強調中國文化的優越，說：「中國的文化，比歐洲早幾千年」，「歐洲之駕乎我們中國之上的，不是政治哲學，完全是物質文明……中國沒有的東西是科學，不是政治哲學。」因此，國父舉出：「中國有一段最有系統的政治哲學……就是「大學」中所說的：「格物、致知、誠意、正心、修身、齊家、治國、平天下」的那一段話。把一個人從內發揚到外，由一個人的內部做起，推到天下爲止。像這樣精微開展的理論，無論外國什麼政治哲學家都沒有見到，都沒有說出。這就是我們政治哲學的知識中獨有的至寶，是應該保存的。」

國父又基於儒家「擇善而從」的精神，對于處理事物，認爲「大凡一種思想，不能說是好不好，只看他合乎我們用不合我們用。如果合我們用便是好，不合我們用便是不好。」儒家的「敬天、事天」，「爲天地立心」這一觀念，國父也是照樣保存於其思想之中。他仿着孟子「天將降大任於斯人也」的語氣說：「天既付託重任于中國人，如果中國人不自愛，是謂逆天。」

國父尤其再三殷着意特別強調的，認爲「要恢復民族地位，便要先恢復民族的精神。」「除了大家聯合起來成一國族團體之外，就要把固有的舊道德先恢復起來。」於是國父將所要先恢復的舊道德，經過整理，列爲「忠、孝、仁、愛、信、義、和、平」八個項目，作爲我們每一個人立身處世的準則。

國父的民權主義，雖則擷採西方近代的民主選舉制度，但他認爲民權的基本精神，也在中國儒家中早有其基礎，曾說：「孔子說，『大道之行，天下爲公』，主張民權的大同世界。又『言必稱堯舜』，就因堯舜不是家天下。孟子也說：『民爲貴，社稷次之，君爲輕』；又說『天視自我民視，天聽自我民聽』，又說『聞誅一夫紂矣，未聞弒君也』。」

國父主張服務的人生觀，「人生以服務爲目的」，這也是淵源于儒家「爲生民立命」，「任重致遠」，「霖雨蒼生」的觀念，要對天下蒼生負責任，而不計較個人的利害的。所以國父不惜毀家流離奔走，從事十次革命。諸先烈不惜洒鮮血，擲頭顱，爲國家民族而犧牲，便是服膺國父此種基於儒家「取義成仁」之教的事實表現。

國父的民生主義，開宗明義，便標出是「人民的生活、社會的生存，國民的生計，羣衆的生命」。民生主義的兩大策略爲「平均地權與節制資本」，強調「社會上大多數人之利益」，強調「互助合作的方法」而反對奪取鬥爭。這些都可說是從儒家所主張的「養民之道」，而予以「現代化」，適應「時中」之義的。

（轉下第二版）

無動於中

婦人之仁

今日與明日

聯大代表權

聯大正在開會討論所謂「中國代表權」問題。這本來是不成爲問題的問題。中國是聯合國創始國，當年簽字於聯合國憲章的中國政府依然存在，至於這個政府的辦公地址，在南京抑在台北，均無損於這個政府的合法性。至於中國內部出現了漢奸土匪的政權，那是中國內部的事，與聯合國絕無關係。這如一個大家庭被土匪佔據了主房，這一家的父子兄弟退到一門角落裏仍在抵抗，決心把強盜打出去，恢復祖業；此時忽然來了一位縣官，硬指強盜佔了主房，就是這個家庭的主人，至於眞正的主人，雖然持有地產契約，納稅收據，縣官却指爲不合法，要主人遷出去。世間事有沒有這個道理？按說是不會有的；可是，不幸得很，今日聯大會議就在討論應不應該驅逐主人離家的問題。

沒有公理必然大亂

一個世界缺乏了正義和公理，必然要大亂。自有歷史以來，人類道德之低落無過於此時。二次大戰前，意大利併吞阿比西尼亞，日本製造滿洲國，要算是最缺乏公理的時代，但是國際間的道德標準却高於此日萬倍，意大利因爲侵阿，受到國聯領導下的經濟制裁，損失不貲，滿洲國直到二次大戰爆發，從未得到任何一個國家承認。可是今日的毛共僞政權，論其本質尚不如滿洲國，論其行爲則還兒於德意日，但居然有十一個國家提議讓它入聯合國，代表中國政府，而且也會有四十幾個國家投贊成票！人類道德墮落到如此地步，世界安得不亂？

許多附毛國家投贊成票的理由，是說毛僞政權已控制了絕大部份領土主權，中國政府所統治的土地不過總面積的千分之三，人口也不過千分之十五，因此應該承認毛僞政權是中國合法政府，准其加入聯合國。這一點理由以法國代表吵得最起勁。在這裏我們不由得要問戴高樂一句：二十五年前你在倫敦組織自由法國時，有沒有一寸土地？一個人民？爲什麼中國仍然承認你那個政權代表法國？一個政府是否合法，要看它能不能代表大多數人民的意志，並不在於它實際統治了多大地區及多少人口；我們即使今天只剩下一個澎湖，我們仍是中國合法政府，決不是一班宵小所能改變的。

再看提案的十一國，除去蒲隆地是由於莫名其妙，誤搭賊船之外，其餘的國家，那一個不是長期被毛共收買？那些元首總統之流，又那一個不是受到毛共的豢養？所謂支持，說穿了不過如此！有這麼多的渣滓當政，世間眞是快到末日了。（何如）

自由談

談議會的質詢權

民意代表在議會中，有向政府各部門的行政首長提出質詢之權，這原是憲法上明白規定的，亦是民主政治生活應有之義。

可是，就民主憲政的眞諦而言，行使質詢權應以在野黨的民意代表爲主體。因爲質詢的內容都係屬於政見政策問題，在野與在朝的立場不同，見解各別，在野黨藉此權力以監督、鞭策在朝的政務官員，使他們有所警惕，發生制衡作用，進而增益行政績效。至於在朝黨的民意代表，對於執行本黨政策的政務官員之施政報告，立場相同，原則一致，常常是表示共鳴支持，不惜爲「護航隊」，以發揮政黨政治的效能，偶有歧見提出質詢，亦只是枝節末務而已。在野黨議員却不能作行政首長的護航隊，否則不成體統了。這是一般議會政治的常軌。

議員在議會行使質詢權，亦有一定的限度與分際，不好隨便亂來的。如果不分青紅皂白的每事問，有如惡姑對待小媳婦的情形，認爲對方的一舉一笑、一言一行，都是看不順眼，非指斥一番不可，那就輒出了憲政軌範，不足爲訓。若夫藉質詢權以發洩私人恩怨好惡心情，甚至作爲徇私圖利的手段，這便是斲喪議會政治的機能與信譽，此風決不可長！

議員行使質詢權之際，有時候感情衝動，發生吵鬧現象，這倒是常見的事，用不着詫異，祇要大家動嘴不動手，自屬無傷大雅。在這種場合中，且可以測驗一般號稱爲高級知識份子的修養程度如何。英國名人邱吉爾以首相地位，某次在下議院作施政報告後，有在野黨議員起來質詢，罵他「無恥」，邱翁從容答曰：「謝謝你的指教」，乃使對方感到啼笑皆非，再也不好嚕囌了。這是所謂「紳士風度」，我認爲吾國的議員和行政官，都有學習之必要吧？

行政官員到議會作施政報告，接受質詢，他們是以公務人員的身份，代表政府發言，個人的人格尊嚴，跟民意代表是一樣的。如其視之如罪犯，坐在議會席上有若待訊的囚徒然，殊與民主憲政的義理大相違悖，官員們儘管忍氣吞聲，無可如何，却毀損了民主生活的優越性，使不得！

吾國實施憲政之治已有年所了，就議會政治的現實情形加以檢討，其中以行使質詢權之病態最爲突出，故畧述所見如此。

馬五先生

監察院副院長選舉檢討

有人担心監察院進入多事之秋　張維翰強調親愛精誠和衷共濟

──本報記者張健生

而且是很難獲勝的；尤其于鎮洲更清楚，這是跳崖，但為了對事情有個交代，只好往下跳，而不考慮任何後果。于鎮洲這種不問收穫，但問耕耘的精神，在第一回合中充分表露出來，使朝野人士括目相看，使若干人士鼓掌喝采。而關係方面有過這次經驗，也深深體會到硬來不足以使監察委員信服，應該因勢利導，應該如何使大家心平氣和，恢復冷靜，才是正當的道路。所以在第二次投票後（十月十六日以後），幾位「魯仲連」──調人也批評處理這件事的人，有些地方是不當的。某次會議上，有人說某些首要應該「引咎辭職」，以謝黨國。

第一回合　雙方平手

在十月十六日，第二次投票前夕，有若干委員建議：延期選舉。但未為若干首要們所接受。因而張維翰又未當選，使問題進入高潮。當時，社會上，有人竟主張張維翰一張有記號的廢票宣佈有效。這不但干擾選舉，而且根本就沒有考慮後果。假使此例一開，今後省縣市議會副議長的選舉，鄉鎮縣轄市民代表會正副主席的選舉，如發生類似情事，即已經選舉監察委員認定無效的廢票，提大會討論後乃認定有效，還不是天下本無事，庸人自擾的主張嗎？

幸而于鎮洲方面──聯絡中心的委員們堅決的反對，才沒有成為創例。首先不同意的是于鎮洲，他對同仁們表示：如果就自私而言，我們贊成這樣做。若就公益而言，我們應該反對到底。這不是為了個人，而是為了愛護監察院和政府的聲譽，為了愛護張維翰未來的處境，所以反對。

這個意見，獲得調人的支持，所以關係方面很順利的同意。因而情勢急轉直下。所以監察院程序委員會立即召開臨時會議，決定加開臨時院會的日期。

臨時院會　討論廢票

十月二十八日，監察院召開行憲後的第十二次臨時會議，討論該院第九百二十次會議：關於副院長選舉第二次投票開票結果，因在場委員對廢票發生疑問，如何處理？因為主席李嗣璁當時沒有宣佈結果。

那天，首先由五人監察小組委員王冠吾報告廢票處理經過。王委員的報告，相當技巧，他以「疏忽」二字來說明「錯誤」的發生，並誠懇地表示願意接受大家的批評。他一再說明：「嚴格的說，應該無效。非圈選之票，于、張二人，各有二張。由廢票而認定為有效的選票，確非圈選，理應宣佈無效」。至此，監委張岫嵐、曹德宣、丁淑蓉與劉行之、李正樂等為圈選的「圈」字而展開一場辯論，前者主張：用木栽方型蓋的四張票應該作為廢票；後者則持相反的意見。青年黨籍監察委棄時修建議大會，應尊重監察委員的認定，否則，豈不是院會的干涉開票監察委員的職權嗎？

記者按：凡是以朱墨作圓形者，或屈曲綫成圓形者，或以絕緣金屬綫捲成圓筒形者，謂之圈。說文通訓定聲：「今詩文所用圈點，謂其形周如圈也」。

接著，主席李嗣璁院長宣佈十月十六日第二次投票選舉副院長的結果：「依照監察院監察委員互選院長副院長辦法第四條第一項之規定：院長副院長之選舉，均以得出席人數過半數之票數者為當選。本年九月六日本院第九一七次會議互選副院長，投票結果，無人得出席人數過半數之票數。嗣依照同辦法第十二項之規定，於十月十六日本院第九〇次會議，就得票數較多之首二名張委員維翰及于委員鎮洲舉行第二次投票。當日出席委員七八人，過半數為四十人，投票結果，張委員維翰得三十七票，于委員鎮洲得三十一票，仍無人得出席人數過半數之票數，依照同辦法第四條第二項之規定，應重行選舉」。於是，所謂「問題票」乃告一段落。而第二回合至此結束，于鎮洲方面沒有輸給對手。（二）

交通部長沈怡表示　台電視可開放第二家

立委對以往只准一家經營　曾迭提質詢認為沒有道理

（本報記者台北航訊）交通部長沈怡鄭重表示：「台灣電視電台可以開放第二家，交通部主管部門，現正鄭重考慮，並與其他各有關部門協調」。沈部長這番話是在十月廿九日列席立法院答覆女立委王長慧等口頭質詢時說的。

關於電視問題，去（五十三）年七月間，立法委員張九如等十八人聯名提書面質詢，今年十月二十六日，女立委王長慧等八十二人聯名提出書面質詢，同月二十九日，王委員再度在立法院院會中口頭質詢。過去，行政院對此項質詢，都避重就輕不作正面的答覆，因而引起立委們的不滿；亦因此，使這個問題引起各方面的注意。

女立委王長慧質詢說：「人不可無信」。政府與人民之間，尤其講究「信守」之道；否則，將使法紀蕩然，令之推行，亦必隨之而大打其折扣。交通部於民國五十二年七月，公佈「設置及管理電視廣播等規則」。自應為公佈之日生效，此即為政府與人民之間的信約，除非人民違背該規則，不然，人民有申請設立電視公司的權利，交通部則沒有不准設立的理由。可是交通部對人民的申請籌設電視公司，却不受理，以頻率之干擾為理由而批駁不准。最近，交通部答復說，頻率可增至兩家。足證非頻率問題。如此作法，豈非「自毀其約」乎？她指出：台灣電視公司有許多節目太過陳舊，一架電視機價欵八、九千元，由於政府保護政策，人民沒有選擇的自由，我們都知道，自由中國就是容許人民有選擇的自由。大家競爭，才有進步。有比較才會改進。自由中國十多年來，強調建設，標榜進步，可是獨對電視，限制其發展，妨害進步，這是什麼政策？現在，台灣電視公司廣告生意已做不完，工商界如做廣告，須找門路，說好話。此種現象，益足以說明台灣經濟發展，工商業之活躍，何以又不許新的電視公司成立，以應需要呢？為保護一家公司利益，而忽視大多數人的需要，實為嚴重的錯誤。

王長慧委員毫不保留的指責，有關方面封鎖質詢電視公司的新聞措施為不當。她說：「此一問題，是社會大多數重視的問題，聽說我們的書面質詢，付印分發後，有人跑報館講人情，希望不要見報。就是怕社會上知道此一真相。因為持有特權是不合理的，亦得不到社會諒解的。否則的話，就應公之於社會，讓人民來公斷，因為社會對這個問題定有公論的。她問：如此硬性保障特權，維護專利，又將何以自解？

王長慧委員等八十二人在書面質詢中說：電視主管單位祇許一家設立電視台，任其壟斷到底，這是不是背棄了民有的主旨呢？而台灣電視公司有省股、商股、日股在內，致使本體複雜，經營詭異，既可託詞私營，抗避政府的審核監督；又可借名公營，要求一切公營事業所享受的權利。政府且不能充分管理。該公司亦不易獨自經理，自然更談不上人民共治。這不是背棄了民治的原意？日商股份既高達百分之四十，則其勢力已大量侵入我國現代宣傳工具的臟腑之中。日本各種廠商產品，都可不斷播映，而未經醫藥專家驗證的日產藥品，亦得宣傳欺世，而不讓其他電視公司對之發生制衡作用。這是不是背棄了民享的本義呢？而今主管電視有關單位中極少數人，竟視電視台為禁臠，為不可分我杯羹的禁臠，痛心不痛心呢？

該質詢痛責交通部過去的答復為「推諉搪塞不負責任」之詞，「實在令人遺憾」。我們「須知競爭才有進步，比較方見高低，保障獨佔，維護特權，適是造成社會的固步自封，不求長進」的措施。

國際局勢變化日趨對我有利

王洪鈞

七年的長期衝突，幾可說明中俄共關係已難恢復，共黨陣營的雙中心對立態勢十分顯明。中共一直攻擊俄國為馬列主義的修正主義者，企圖與西方合作，放棄了世界革命。俄國則還擊中共是教條主義者，企圖將蘇俄帶進原子戰爭，而從中漁利。非但在言辭上，在實際問題上，如非洲局勢、越南戰爭、印巴衝突，以及古巴問題，中俄共都採取了對立甚或競爭的立場。

曾有人認為祇要赫魯雪夫下台，中俄共可以修好。此一假設已不存在。從去年年底迄今，中俄共關係仍在繼續惡化當中。尤其在中共公開宣佈其進行世界革命的策略之後，美國首都甚至傳出消息英國和美國曾討論「蘇俄和西方圍堵中共的平行政策」。

三、中共發展核彈及狂言世界革命成為世界公敵。

中共在去年十月十六日爆炸第一顆原子裝置，本年四月十四日又舉行第二次核爆。儘管在第一次核爆後，第二次、乃至第三次核爆皆在意料之中；儘管專家估計中共欲完成原子彈的製造尚需三、五年時間，完成長程投射系統尚需十年或十五年的時間；但美國朝野認為中共原子試爆不足為懼，最危險者乃毛澤東之原子戰爭思想。蓋毛酋始終認為一場世界性核子戰爭之後，西方國家及俄國均將毀滅，中共仍可倖存。因此，美國軍事當局早在策劃對中共作戰之戰略。甚至傳說英美兩國已經擬定聯合行動轟炸共區目標之計劃。

造成西方國家聯合制共趨勢之另一原因，為中共在國際上走投無路之際，曾透過各級共酋不斷鼓吹以暴力發動世界革命，使西方國家深感中共對世界和平之緊急威脅遠超過俄國。

四、美國在亞洲漸採取堅定之政策，使中共窒息瘋狂。

韓國戰爭，使美國與亞洲之戰後關係日趨密切。越南戰爭中，美國之不撤退政策，更使中共感到窒息。越南戰爭在本質上，即為赫魯雪夫早於一九六一年所公開宣稱的「解放戰爭及人民革命」。美國深知中共如在越南戰場獲勝，則亞、非及拉丁美洲各地，皆將發生越南式之「解放戰爭」，終使美國面臨被困的態勢。因此，美國自一九六一年後，即不斷加強對越南之援助，且不惜戰爭之升高，以阻遏中共對越南之侵略。

美國總統詹森、國務卿魯斯克及國防部長麥諾瑪拉，一再揭示支援越戰之目標，為協助越南人民保衛自由，為防止中共一旦佔領越南及東南亞所不能避免的大戰危機，並證明自由世界有充份實力可以戰勝共產國家所發動的「解放戰爭」。

美國此一原則似已不斷延伸而適用於亞洲各地。自韓國以迄印度皆已在美國支援之下可。中共侵略目標指向何處，必遭遇美國之強大兵力。除非中共終將放棄其侵略意圖，不然，終將與美國面臨直接之軍事衝突。

五、中華民國在亞洲之地位益受自由世界所重視。

中華民國在三十八年，中共竊據大陸之初，國際地位極為低落。但，歷經我國十六年之努力，中華民國在自由亞洲已建立空前重要之地位。尤其在中共狂瘋好戰之眞面目為世人識破後，民主國家領袖非但認清中華民國強大國軍為牽制中共之重要力量，且逐漸相信唯有使國軍反攻大陸，方可能觸發大陸億萬人民之全面抗暴行動，而一舉摧毀中共政權；且唯有一民主自由之中國存在於亞洲之上，方可保障亞洲之自由及世界和平。

以上五個事實，也可視為一種形勢的五面，已明白顯示今日之中共已陷入內外包圍、四方夾擊的態勢。國際局勢的逐日演變，又說明最適當的反攻時機正在一步步的走近。（下）

實行三民主義以報國父

（上接第一版）我們上面所舉的，不過是國父在三民主義中，有關承傳中國固有文化之一二，已可見其一斑。在國父其他言論著作裏，更隨處表露了其對於儒家文化的深厚淵源及其對于儒家之教的眞誠愛護。

國父創造最完美的三民主義，作為我們建國救世之寶典。我們國人過去之未能切實奉行，可以說由於對三民主義未夠深切瞭解。一般自命為「新頭腦」者，「醉心新文化，便排斥舊道德」（亦國父語），以為三民主義提倡恢復舊道德，就識為「落伍」；尤其包藏禍心的共產黨，更視為「不澈底」。另外一班以維持中國固有文化自命者，則又以三民主義擷採融會了西方的學說，便認為未必適合我國的需要。他們這兩類人都對三民主義有所懷疑，故不熱心奉行，以致三民主義遲未實現。

時至今日，我們應大徹大悟。僅恃西方的物質科學文明，固不能救中國救世界，僅知表面上維護中國文化，而不明「時中」之義以適應現代者亦然。三民主義之可貴，乃在於確能針對當前的時勢環境，而提供一種最適當的解決方法。將總統曾說：「現代的世紀，就是三民主義的世紀。」旨哉斯言！我們要加緊努力奮鬥，早日促使三民主義世紀之實現。

恭逢國父百年誕辰紀念，我們對國父這位曠代無倫的偉人，除了以最虔敬的誠心，加以歌頌之外，大家更要悉心研究國父偉大的主義學說，努力奉行，以實現國父救國救世之宏願。（完）

中華民國五十四年十一月十三日　自由報　星期六　第三版

國父收復粵海叛艦經過

·陳鐵庵·

國父辭去大元帥職赴滬後，軍閥與官僚，朋比為奸，割據廣東，視為私有地盤，仇視革命同志，日甚一日，政治腐敗，粵人敢怒不敢言。國父旅滬，據各方報告，為拯救粵人，光復革命策源地之廣東，乃令駐閩粵軍返旆，又令李福林、魏邦平兩軍起義，驅逐軍閥莫榮新，不二月，粵軍克復惠州東江一帶，環繞廣州市之數十縣地區，義軍蠅起，莫榮新等軍閥，知大勢已去，紛紛逃離粵境。暨各社團士紳等，紛電上海迎國父回粵主持大計。駐粵北洋艦隊悉數來歸，投效政府。民國十年，國會議員選舉國父為非常大總統，於五月五日就職，準備提師北伐。

民國十一年春，孫大總統據報粵海北洋艦隊，暗與北方軍閥勾結，蓄懷異志；為清除反側，掃蕩革命障礙起見，命長洲要塞司令陳策，黃埔水魚雷局長馬伯麟，航空局長朱卓文，海軍將校溫樹德、孫祥夫，暨廣東海軍諸同志等密議於總統府（當時鐵庵任黃埔水魚雷局副局長，亦奉召參加），共謀收復碇泊黃埔及省河兩處之北洋叛艦十數艘，並定於某日（月日忘記）發難舉事，以孫祥夫同志先乘坐天字碼頭前往黃埔之海軍差遣船「合安」號為發難起點，朱局長卓文、陳機師慶雲等負責駕機投擲炸彈。周天祿同志暨「寶璧」艦担任對付海琛艦，陳司令策在長洲新西崗炮台，馬局長伯麟及鐵庵在舊西崗炮台；該兩台均安置二十四生的大炮壹尊，所負任務為控制威脅「海圻」、「海琛」、「肇和」三艦。在密議當中，孫大總統面諭策略：命水魚雷局負責製造手擲炸彈十枚，彈型要細小，爆炸聲要響亮，放出黑烟濃厚，而炸力以不致破壞太大為原則。孫大總統意欲降伏叛艦，而不傷毀國家財資，用意深遠。鐵庵遵指示如數製成，分發各方工作同志領用。

部署大致告竣，於是日上午先由長洲要塞司令部宣佈，大總統一時蒞臨檢閱，各官兵不准外出，各守崗位，並預備禮炮迎迓，並升掛滿旗慶祝。時屆一點鐘，孫祥夫等搶得合安差遣船，駛近三大艦，同時機師陳慶雲駕機飛臨黃埔上空，將炸彈數枚，故意拋擲海面，盤旋良久飛去。斯時海圻等艦知有事發生，用機槍及小鋼炮向長洲各台猛射，台上用望遠鏡見合安船上各同志將船疾駛入魚珠村海灘登陸，而海圻三大艦不斷集中火力向我方射擊，彈如雨下。鐵庵覩此情形，處於千鈞一髮之際，遂鼓起革命精神，親自發放二十四生的大炮一響；陳司令策在新西崗炮台，繼續發放二十四生的炮一響，海圻、海珠、肇和等艦即豎白旂投降。

馬局長、陳司令、溫樹德諸同志會商，決定對付各叛艦投降辦法：（1）令各炮台士兵將炮改裝實彈，以各叛艦為目標。（2）令各叛艦於四點鐘以前將槍炮撞針及重要機件悉數繳出，由我方派出炮台及水魚雷局官兵登各艦監視，須依時辦到，方准投降。各叛艦主要人員，立刻答復，遵照條件辦理。

此次奉令收復叛艦，自發難以至成功，祇費數小時，即將灣泊黃埔河面之北洋艦海圻等十數艘完全收復。鐵庵等幸不辱命，遂成任務，仰賴大總統德威，指示有方，各同志計劃週詳，勇於用命，輕襲取勝，故收效迅速也。

此次密謀收復叛艦計劃及支配工作同志，胡漢民先生於事前，未有預聞，於發難時始知之，趨謁大總統，以收復叛艦工作者均屬本黨精幹有為同志，倘失敗犧牲必巨；意欲勸止。正談論間，大總統接獲報捷電話，隨將聽筒交與胡先生，聽到捷音，相與歡笑，並嘉許工作同志勇敢云。大總統亦以此次收復北洋叛艦出力同志論功晉級，委任溫樹德為海軍總司令，吳志馨為海珠艦長，周天祿為海軍軍衛司長，孫祥夫為海軍陸戰隊司令，陳策為江防司令，馬伯麟為長洲要塞司令，陳鐵庵為長洲要塞司令部參謀長兼各炮台上校總台長，其餘廣東海軍同志分別委為艦長等職。

國父在泰奔走革命事略

—李劍民—

周日東同志係海南島文昌縣人，現年已屆八十四歲，早年參加革命工作，對黨國貢獻至多。今年適值國父百年誕辰紀念，筆者為蒐集國父早年在南來泰國倡導革命之事蹟史料，乃特走訪周老同志，請求就其記憶所及，口述國父當年在泰策動華僑支援祖國革命情形。

據周老同志云：滿清末葉，泰國華僑社會，雖有人不滿清廷之腐化昏庸，高喊「反清復明」口號，但為烏合之衆，既無健全之組織，亦無革命之目標，行動幼稚，祇貽笑外人而已。有識之士，認為欲推翻滿清復漢，非有偉大人物出來倡導不為功；事有湊巧，民國紀元前五年，即西曆一九〇七年，國父在越南指揮欽廉河口鎮南關起義失敗，偕同胡漢民等由越來泰，主持同盟會之成立及指導組織僑團。斯時若干深明大義，而熱心革命之僑胞，如王德重、黃亮初、梁挺英、林格蘭、馮裕爵諸先生表示贊成，毅然加盟，以林格蘭烈士之住宅為臨時行館，對國父敬謹招待。當時曼谷華人區耀華力街後面有「同樂閣報社」之設，該社為一般華僑午日集中活動之場所，國父逗留曼谷期間，旦夕蒞臨，會晤各界人士，灌輸民族民權思想，暢論推翻專制建立民國之革命道理，進而吸收革命同志，積極展開革命工作。國父同時指示瓊、潮、廣、客各屬僑領，聽設法組織同鄉性質之團體，加強同鄉之聯繫，以便進而組織全僑性之中華會館，進行國民外交工作，統一領導僑運。國父且再三叮囑各僑團，所定僑團名冊，必須向當地政府申請註冊，取得合法地位，使能在進行各種有關業務之活動時，不致抵觸當地政府之法令。當時革命工作正在開展，處處需要經濟上之支持，故國父曾策動同志在觀音亭巷同樂戲院及三角路石龍軍路兩處戲院籌募革命經費；由於革命思潮已經深入人心，當時慷慨解囊熱心贊助者極為踴躍。國父並指示將同樂閣報社改組為華暹日報，指派蕭佛成、陳景華二同志共同負責出版業務，作為泰國地區推動革命之宣傳機構。該社社長梁某，國父曾命其改名為「社長」，以符事實。梁某當即遵命更名為「社長」。至今泰國僑社知當年追隨國父從事革命者有「梁社長」其人；至于其原來之眞實名字，則無人知曉，且亦無從查考矣！

國父在泰從事革命活動，工作進展極為迅速，聲名因而遠播；結果招致清廷向泰國政府提出抗議，要求予以制止。泰國政府于是通知國父，必須在接獲通知後之七天內離開泰國。

這位八十四歲的革命老人最後對筆者說：「國父當年在泰國逗留的時間雖然不長，但他向僑社散播下了革命的種子，在旅泰華僑的心坎裏孕育了革命的精神，後來很多泰國華僑參加革命行列，就義成仁，回國協助國父推翻滿清，全是受了國父來泰倡導革命的鼓勵和影響。國父在旅泰華僑的腦海中，留下的國父印像是永垂不朽的。」

國父在越南

·鄭增厚·

下車伊始，除改革越南的行政系統及賦稅制度外，復銳意經營地方建設，如河內橫跨紅河之大橋，縱貫印度支那之鐵路及西貢之新港口等，皆由彼一手完成。詆之者謂為擾民，譽之者謂為利民，至今仍爭論不休；然越南之現代化，固由韜美任內開始也。時值義和團事變後，法國對滿清政府已深感不滿，以國父為亞洲最有前途之民族革命領袖，因中越國境相連，故韜美欲相與結納，為預留地步計。國父亦欲與彼商洽，順道參觀河內博覽會。不圖韜美過於銳進，譽之者多，而嫉之者更多，故爾不安於位，且未能在越南與國父謀面。然千里神交，法國人之知有國父，實由韜美始。而中國革命黨與法國當局發生外交關係，亦由韜美始。

後國父由日本乘法輪赴南洋各地籌餉，途次吳淞口，有法國軍官布加卑上校，曾登輪求見，對中國革命事有所探詢，並表示仰慕之意。至回程時，復相遇於香港，與國父再度晤談，表示法方願以餉械相助。此或受韜美影響歟？

惟國父後由南洋赴歐洲，則因韜美在法國國內已當權，又傳有法國資本家願借鉅欵與中國革命黨謀大舉，故欲得其助力，共策進行。事雖不成，然鎮南關及河口諸役，法國當局不但予黨軍以優容，而炮隊亦由法軍担任，此則國父在越南所從事外交之活動不無成效也。

然有一事頗值一述者：國父至越南，原欲獲得法國當局之助力，以策動滇、桂、粵三省革命，故除與法國當局及當地華僑聯絡外，尚未在當地與越南之革命黨通聲氣，此固形格勢禁使然，亦因不願刺激法國有以致之。惟在國外初次與越南革命領袖接觸，亦不甚投契。原民國紀元前七年，國父在日本正籌組同盟會，越南革命領袖潘佩珠因犬養毅之介，在橫濱致和堂相晤，潘氏因受康、梁君主立憲思想影響，故國父為之開喻，且勸越南革命黨加入同盟會。並謂：中國革命黨成功之時，即舉全力援助亞洲諸保護國獨立，而首先著手于越南。而潘氏雖認民主共和政黨為完全，其意則反欲中國革命黨先援越南，越南獨立之時，則以北越借與革命黨為根據地，可進取兩廣以窺中原。是以兩次會談，俱不得要領。惟事後潘氏亦自承兩方當日不無誤會，而以後越南革命黨窮急之時，則藉賴中國革命黨為多也。當時潘氏的意見尚且如此，而越南國民黨又尚未興起，宜乎有此脫節現象矣。且革命亦須有步驟，不應多自樹敵，以當時中國革命黨勢力之微弱，若照潘氏計劃行事，則難免受清廷與法國之夾擊，其何以堪？此雖小事，亦可見國父與越南革命之關係，故一併述之。（二）

國父北上及在平逝世紀實

·趙超·

及各部總次長等文武高級官員百數十人，警察總監朱琛以次總動員，外賓有俄國大使加拉罕（當時只俄國先將公使升格為大使）率其文武官員十餘，各國公使及代表數十人，均制服佩章，民衆學生，萬人空巷，甚至攀登樹上及屋頂者，觸目皆是，實為北京有史以來空前熱烈之歡迎場面。車抵前門站時，雨雪逾寸，歡迎者歡呼聲若巨雷，國父先駐節於前門外商所辦之六國飯店，執政府賃定五樓全座為招待所。翌日超與汪君商決，只要五樓東南角之一小部，餘盡退回。計十有七天。

國父抵京後，以病故民政各機關派汪精衛，軍事各機關派超代表，報聘。國父在都，日常除克禮大夫診視外，更延中外醫師多人診斷，衆醫相商，蒙國父採納，決於二月六日午前入協和醫院，翌日施手術（約八九日割口復原）。又於二十四日午前遷入行館，（在西城鐵獅子胡同十號顧維鈞公館，執政府預借來的），當時有國內名醫，及日本歐美醫師，以私人或學會名義，針對病狀，貢獻處方者，不知凡幾。而美國之煤油大王駱斐爾先生，因是懸獎五百萬金元，為發明治療「癌」特效藥。又京城名國醫陸仲安大夫，每晨必到行館診視。二月二十四日午前（約十時）簽署遺囑。三月十二日寅時（是日整日陰晴，氣候在冰點下數度），遂離塵世而歸天國矣。嗚呼！

國父殂謝，天尚未曉，諸同志以遽丁大變，均哭不成聲，（惟宋夫人、何香凝、汪精衛哭聲獨高）。同志周之貞患肚瀉多日，總長葉恭綽患胃病嘔吐，聞耗扶病來奔。而陳璧君亦於六時帶領其隨從曾仲鳴、陳耀祖輩，微露得意狀，初次出現於行館（查伊等本尾隨北來，惟到行館尚屬首次）。

國父飾終典禮，關於行館佈置，商由許世英君率領執政府派來招待人員負責辦理。汪精衛發言，要尊重國父家屬意見，哲生君以哀痛逾恒，無從作答。何香凝忽自宋夫人房出，轉達宋夫人意旨，高聲曰，要行基督教儀式。哲生君點首。繼又稱，先生生前說過（？）要如列寧那樣製殮，希望遺體可以久留云。衆同志以彼言出不恭，豈有用夏變夷之理，舉坐愕然！旅即竊竊私語，因製然後殮，在寒帶或可暫留，且所謂製，必須大解剖，取出內臟，有所不忍。因國父身份屬於黨，更屬於國，非徒屬於一家，家屬意見固當尊重，惟衆意似不應忽。惜哲生君仍默不言，莫衷一是。何香凝固執着所謂宋夫人語，一如國父遺囑云（？）至此，衆遂不再發言。僅另推定隨國父北來之武官五員，及李朗如、李蟠、馬超俊共八員，恭挽國父遺骸，重返協和醫院防腐。

十二日上午九時許，段執政聞報，立令停止辦公，並通令全國下半旗誌哀，各閣員前往行館弔唁，即派柏文蔚、王來為政府治喪代表；又即發出明令：「前臨時大總統孫文，倡導和平，肇我中夏。辛亥之役，成功不居。仍於國計民生，悉心擘畫。宏模毅力，薄海同欽。本執政宿慕耆勳，亟資匡濟。就職伊始，敦勸入都。方期克享遐齡，共籌國是。天胡不憖，遽奪元勳。軫念鼎臚，彌深愴悼。所有飾終典禮，着內務部詳加擬議，務極優隆，用符崇德報功之至意。此令」。

十四日午前，國父遺骸，除由美醫師施行大解剖外，行館同志推戴恩賽，及超恭視施術（檢出心臟肝膽腸胃，而膽與肝，似滿佈鐵銹色黃斑點。膽囊內更積有三顆多角形灰白色之結晶物。大者如銀杏，分別盛入大小數瓶，浸以酒精），民國十八年奉安秣陵，開會向協和醫院取回附葬云。（二）

中華民國五十四年十一月十三日 自由報 星期六 第四版

翌日莫榮新發出佈告，略謂：龍濟光運動海軍炮擊督軍署，擾亂治安等語。大元帥即令代參軍長黃大偉向報章發表聲明，以海軍炮擊督軍署，此舉乃大元帥用以懲戒莫榮新破壞護法軍事，並非龍濟光所爲。從此軍閥對大元帥積怨日深，集合西南二三省軍閥及腐敗官僚無聊政客，秘密組織政府，預備投降北京非法政府；大元帥據報，尙疑信參半，某日下午，適爲馬湘、鐵庵二人值班，馬湘因私事離開帥府，僅鐵庵一人當值，大元帥爲探究軍閥動態，着鐵庵追隨外出。鐵庵當時僅佩有自衛曲尺手槍一桿，由帥府乘明山差遣輪渡河，前赴隄岸國會議員招待所，訪議長吳景濂。抵步時，議員謝持等迎於客廳，吳議長適赴宴於東隄，聞訊即返招待所，見大元帥談約一時許，至深夜十一時，大元帥始沿長隄步行，泰然自若。其膽量之豪可以想見。

國父率艦南下護法經過

——陳鐵庵——

大元帥訪晤吳議長後，畧知軍閥等組織政府，設七總裁內定 國父、岑春煊、伍廷芳、陸榮廷、林葆懌、唐繼堯等以期推倒大元帥府。孫先生雖爲總裁之一，但以此輩多屬軍閥官僚作風，不願同流合污，忿然辭大元帥職。着馬湘、鐵庵入房面諭，會同林秘書煥庭三人，將所有書籍物件，檢拾妥當，裝原箱，附寄上海寓所。當時莫悉原因，又不敢請示所以，惟有遵命辦理。未幾，大元帥不用我等隨侍，祇偕同朱執信先生乘三井洋行電輪離開帥府。[illegible]先生前來對我們云：孫先生已辭大元帥職赴上海矣！[illegible]同志，前曾隨大[illegible]生爲消滅護法大業之障礙，而炮擊督軍署，懲戒莫榮新，軍閥們如果孫先生離去，向我等尋仇報復，雖勝不武。我等爲護法而來，縱因護法而犧牲，亦屬光榮事。葉先生甚爲嘉許，一笑而出。林秘書煥庭亦說我等工作，隨給馬湘鐵庵每人白銀五拾元，另大元帥府未經發行面額壹百元軍用票一張，留爲紀念。溯自民國六年大元帥府成立，以迄民國七年，服務於帥府同志，職位不論文武，等級不分高下，均爲義務職，津貼交通零用費，俱無發給，帥府祇供膳食，一餐而已。參加歷次革命同志，生活享受，屬本分事，不足爲異。從此大元帥府遂告結束，護法大業功敗垂成。號稱南下護法之艦隊，仍歸林葆懌統率。曾追隨大元帥炮擊督軍署之「同安」艦長溫樹德，「豫章」艦長吳志馨二人早已被免職，軍閥器量之小，仇視護法人士，可見一斑。民國六年迄今已屆四十八週年矣，經此長時間，護法人士及經歷事跡，倘微有出入或遺漏之處，願參加護法之役老同志賜于指正或補遺之。幸甚。（下）

隨侍國父片斷回憶

趙超

民國十三年，國父在廣州舊址廣東大學（此乃國父手定之名，民十四後始改爲中山大學）演講三民主義時，每次超均侍從恭聽，並未聞有民生主義即是共產主義之言。及民國三十五年[illegible]後，復員[illegible]城，特訪當時任速記之黃昌穀君就正之，伊亦稱書面確無如此記述。故斷坊間所售國父全集或單行本，必係民國十四年間（當時容共爲人）將原版竄改爲「民生主義就是社會主義又名共產主義，即是共產主義」者矣。又張繼、謝英伯、馮自由、鄧澤如、林森、劉成禺、林直勉等十餘人與國父討論容共政策，爲衆人中抨擊共產主義最力者，故國父反面張君曰：李大釗、譚平山輩來見，所介紹，汝未盡了解吾意，何因執乃爾？後又由張君等聯函約超代爲請示，超候國父神情最愉快時，即以張君等咸懷疑先生同情共產主義，請先生啓示（吾黨同志均稱國父爲先生）。國父頗不悅，反詢曰：我每次演講，你不是都有隨去聽嗎？超立正不動，因國父不悅，即是明顯表示，不覺衷心詞，露微笑。國父即詢，[illegible]超答，已領悟先生非同情共產主義。國父再問何以知之？超答：如先生贊同共產主義，必加以褒好評語，或且表示可以同情研究，更或參加，今反是，因悟先生未有同也。國父聞言亦笑。旋啓示曰，民生主義是包括外延，社會主義是內延一少部而已。你可轉告他們各位，倘再不了解，可以再來問。因此[illegible]傳者，確也。

民國十三年春，國父草就建國大綱初稿，飭超送胡秘書長漢民着簽陳意見。胡公研討多日，未加原稿隻字。某日，親行面稟，指原稿中，關於府的各條，報稱多餘多餘，此滿清架床疊屋駢指機構，無須乎……國父曰：滿清政制乃集宋、元、明、滿制大成，頗具相當理由，非點綴可比。胡仍堅稱可不必。國父沈思久之，卒刪（近年來實施後，以無府制，諸多不便，故於各府暫設專員缺以補之）。於同年四月十二，自行繕正，令庶務科長陸華顯製版爲（陸乃烈士陸皓東胞弟也）。

國父自民國元年，在總統任內，及民六護法任大元帥，軍政府，非常總統府，而至大本營，關於人事任免，凡簡任以上或薦任主管之任命狀，雖軍書傍午，均親行簽署，然後印發。即民國三、四年間，總理中華革命黨時，所有海內外支分部長副及評議之委任狀亦然。秘書韋玉曾以先生太忙，何不刻一章，交掌印代蓋，可省不少時間爲請，國父曰：銀紙亦每張簽名的，應省，固可省，惟此不可。國父對於人事之不肯苟假如此。

民國十二年夏，廣州商團團長陳逆廉伯將叛（陳乃英商滙豐銀行之買辦），某日上午前，廣州市民蓬保證處長李紀堂謁，市民對其業務措施極度不滿，着即停止工作。畢，忽囑超曰，令永豐艦升火（艦長是歐陽琳）超即請示：大元帥何往？國父不悅曰：我有公事外出，問……問什麼？超立正回報，大元帥公出，參軍應知之者。超再請示，是往黃埔否，必須永豐，國父反問何故？超對，國父現在商團專門製造不利我政府之謠言，外傳北洋艦隊要逃，永豐是該艦之一，向少升火，若一旦升火，誠恐謠言更熾。且永豐升火，頗費時間，抵達後，如遇退潮，不能靠岸，參軍以爲改乘別艦較便。國父內心喜悅，曰：你意思是何艦？對以：江防艦隊之江固艦如何？（艦長是招桂章），國父曰：好，那就江固吧。國父一向如此，倘他人陳述理由較充分者，無不俯順也。（上）

國父旅澳概況

貞士

國父二十七歲，光緒十八年（一八九二），在香港西醫書院畢業，在校勤奮向學，期中各科成績優良，從他的同學陳少白和江英華的記述中，便可知梗概。陳少白說：「孫先生求學的用心，實爲我所僅見。在雅麗學校讀書，平時無論什麼學科，都是滿分。到了二十七歲畢業的時候，其中一科是九十幾分（據筆者查爲九十六分），校中董事教員考試官，就爲他開了一個會議，覺得這個學生是本校最好的學生，學科中大都是滿分，祇有一科稍欠缺些，似乎是美中不足，會議結果，使他得到全部滿分，就送給他幾分，所以在畢業證書上是註明滿分的」。江英華說：「一八九二年，余與孫先生同時畢業於雅麗醫院，余年二十一，孫先生二十八，同班中三十餘人，僅吾二人及格而已」。

基於學業成績特優，港澳人士爭相挽聘，難怪一出社會工作，便譽滿杏林。後來得到澳門紳士曹子基、何穗田、陳賡虞們願意出資相助，國父遂在澳門賣草地街設立中西藥局，懸壺問世。爲着贈醫送藥，需欵度支，由吳節薇在鏡湖醫院藥局揭銀一千四百四十兩，作爲生息贈藥之用，那筆借欵至民國八年（一九一九）悉數本息清還。這種仁心仁術，濟世爲懷和負責任守信諾的精神，令人欽仰不已。

澳門原有一間鏡湖醫院，爲華僑所辦，以前一向用中醫中藥施診，自國父在澳行醫後，請該院兼用西醫西藥，並願義務相助，不受薪金；經僑領盧焯之介薦，竟獲得醫院破例應允。國父精於解剖學，對剖症與助產兩科最爲擅長，助產器具是在香港考取醫照時爲英國政府所贈。國父在鏡湖醫院初試手術，即爲一病者割去大如鷄蛋的砂林，親友圍觀，大爲驚服。每遇有重要外科割症，業師康德黎親由香港來澳門相助，每讚國父診斷明確，手術熟練。由是求醫者日衆，業務發達，所得診金藥費，都用作交結官紳，聯絡會黨之用，以爭取革命的助力。

國父行醫濟世，聲譽日隆，嗣遭葡籍醫生的妒忌。最初禁止國父，不許爲葡人醫病，後來更令各藥房不准爲國父配方。因之醫業大受影響，迫不得已遷往廣州雙門底聖教書樓掛牌行醫，並設東西藥局于洗基。其外診金，也像在澳門一般，隨施贈送，若難產服毒急症，不論貧富，一邀即至。當時官紳民衆，無不知孫醫生之名。

國父在澳行醫，開澳門西醫治病之先河，鏡湖醫院爲紀念此一代先哲，於民國三十六年該院新門樓落成，在門樓上用三合土批盪「紀念國父孫逸仙先生」字樣。共黨竊據大陸後，該院爲附匪份子主持，重新將門樓拆建，改爲「紀念孫中山先生」。可見共匪氣量之狹窄，即數字之微，亦毫不放過。

國父離澳後，爲宣揚革命，爲國事奔走，直至革命成功，推翻滿清，成立中華民國，被選爲臨時大總統，以至大局既定，纔於民國元年（一九一二）五月中旬回家一行，順道經過澳門，駐節於盧氏娛園，距前在澳門行醫時已十八年頭了。嗣後繼續致力於革命事業，即從未還鄉。（中）

國父與曼谷演說街

李劍民

曼谷是泰國的首都，一個建築相當入時却到處滿佈着古代佛廟的城市。在車輛交通尚未十分發達之前，幾乎每一條街道都環繞着一條丈許寬的小溪，溪流平靜無波，聽不見山溪那種潺潺的聲響。溪上那些一點也無美觀可言的小舟，便是一般市民用以運送貨物及日常來往的主要交通工具。但在最近十年來，城市的人口日益增加，車輛亦日見擁擠，隨着時代的進步，那一條條的小溪便都填上了砂石泥土，跟原來的街道砌接起來，而築成了今日寬濶的大馬路，過去「東方威尼斯」的雅號，因此也就在人們模糊的記憶中慢慢地被遺忘了。

必然所有到過曼谷的人，都會知道曼谷市內有一條「耀華力路」，因爲那是一條全市商業最旺盛而且幾乎所有商店老闆都是中國人的街道。路的中段有一條並不很長的橫街，這條具有特殊意義的小街，它的泰文街名如何叫法，似乎從來都沒有人去理會過，五十多年來，大家祇知道那是「演說街」。

是五十四年以前的事了，滿清政府昏庸無能，喪權辱國，在「我爲魚肉，人爲刀俎」的民族危機中，國父孫中山先生起而倡導革命，集結海內外仁人志士，從事推翻專制政體運動。當他第二次南來泰國，爲革命奔走而對旅泰僑胞宣傳革命主義時，便在曼谷街頭巷尾，到處發表演說，大聲疾呼，要海外僑胞提高民族警覺，發揚固有的民族精神，在三民主義最高原則的指導下，互助合作，共同爲推翻滿清建立民國而犧牲奮鬥。

由于國父口才流利，風度翩翩，故當年其在曼谷街頭發表演說，到處均受到廣大僑胞的熱烈歡迎。當他說到「革命救國，人人有責」的時候，聽衆即一陣陣報以熱烈掌聲，一致表示願爲革命後盾。據云國父當年在曼谷逗留期間，演說次數最多而聽衆亦最爲踴躍的地方，便是上面所說的那條耀華力路中段的橫街。當武昌起義，革命宣告成功之後，附近一般居民回憶起當年國父在街上宣傳革命演說的情形，便不期然而然地異口同聲叫出「演說街」這個名字來，叫的人越來越多，很快地便從耀華力區擴展到全市，甚至整個泰國。相沿日久，今天連泰國人也把這條國父曾在那裏演過說的街叫做演說街了。國父精神感人之深，眞可謂至極矣！

國父百年誕辰

宗孝忱

鬧誕遠追三代英。百齡何與千秋名。
珠江餞別靈猶在。庚嶺留芬國有榮。
獅睡一呼羣出匣。鷄鳴衆志已成城。
光華日月無彊旦。銅像巍峨免壽能。
上書相國若無闇。碩畫明明在救民。
一士隱懷伊尹任。滿朝庸讓武王仁。
揭筆雲起同歸漢。蹈海天憐不帝秦。
大命由來勞苦備。好憑俎豆慰靈辰。

國父訪馬六甲小記

·林聯登·

國父將蒞呷之消息，始於當天上午十時由郵獲悉，否則此間之同志必可全數參加也。其時馬六甲尚無汽車行駛，吾僑之富有者多自備馬車，乃以馬車載國父與諸同志前往河邊街（即大鐘樓街）吾同志所組織之「嘛喇呷中華閱書報社」稍歇，並茶敍焉。當時該社之社址頗寬敞，國父即於社內向各同志發表倒滿革命之、建造三民主義共和國之演說，聽者極爲動容。此後吾僑之加盟者與日俱增，籌餉輸將亦日見踴躍，所募之捐欵，或滙交庇能鄧澤如同志代轉。或滙保鄉，螺所生同志於是日下午五時，假座當時最著名之酒樓「醉瓊林」（在無牙那也街）歡宴國父。席間國父除勉勵諸同志努力宣傳及贊助革命外，並欣慶得一覩聞名已久之古城而與諸同志歡敍於一堂。晚七時，諸同志再至車站歡送國父，汽笛一鳴，國父即兼程前往芙蓉。當時馬六甲係英國之殖民地，對於吾僑之愛國行動，甚表不滿，處處予以阻碍，對於主幹同志，輒予威嚇，關於宣傳品及函件，常加扣留，此間主持人沈鴻柏君時常受警告，但不爲所動，依然進行不輟。其對外聯絡郵件，爲避免殖民地政府之耳目，由國父賜假名「林海秋」，所有郵件，幸得收轉無碍。劉瑚山君與蔴坡諸同志，於是晚下榻於「米郊商務」（當時吾僑米商之公會，其會址現改爲馬六甲市政局），翌日方歸去云。（二完）

內政部登記證台報字第〇三壹號

自由報

THE FREE NEWS

第六〇〇期

中華民國僑務委員會登記證台僑新字第三三三號登記證
中華郵政台字第一二八二號執照登記為第一類新聞紙類
（半週刊每星期三、六出版）

每份港幣壹角
台灣零售價新台幣貳元

社長：雷嘯岑
督印人：黃行書

社址：香港銅鑼灣高士威道二十號四樓
20, CAUSEWAY RD 3RD FL.
HONG KONG
TEL. 771726　電報掛號：7191

承印者：大同印務公司
地址：香港北角和富道九六號

台灣分社
台北市西寧南路壹壹零號二樓
電話：三〇三四六
台郵撥儲金戶九二五二

對一封讀者投書的感想

雷嘯岑

本年十月廿日出版的本報第五九二期，刊載若國留美學生嘉釗的一封投書，暢論兩大問題，即邀請留美學人回國講學暨我出席聯合國代表團陣營問題是也。這是留學異域已逾十載的知識青年一種愛國心情表示，我們頗為重視而贊許之，亦願發表所見，表示共鳴焉。

嘉君認為現時在美國各大專學校執教鞭的中國學人，并不是盡如楊振寧、李政道被外邦特別爭取的第一流人才，我政府每年耗費大量金錢，邀請他們回國講學，不會有多大的貢獻，至少以他們全是學人，就邀請他們回國談政治問題，參加政治性的會議，那更是滑稽之事了。這意見我們很有同感。邇年來，政府邀請旅美學人回國講學的，都是屬於理工方面的科技知識，而其時間又很短暫，如果旨在使旅居外邦的學人跟祖國發生親密關係，增加政治上的團結力量，固無不可，若說藉此以促進科學發展，那就未免離題太遠，近於幻想了。縱說是作一二次學術性的專題講演，不能產生多大實際效用，即令久居台灣，而咱們的科學教育設備貧乏，社會基礎亦不健全，生活條件更不相適應，亦必然感覺無用武之地，若教李政道、楊振寧回到台灣來主持長期科學發展事業，我敢斷言其束手無策，爽然若失也。發展科學有其一定的層次和條件，不是隨便可以倖致的。若國旅居異域的學人，東西各國皆有，并非完全集中在美國，而我們總是向美國邀請學人回國講學，似乎亦非十分合式的作法吧？

談到邀請旅居外邦的學人回國談政治問題，誠如嘉君所言，乃是「滑天下之大稽」，不特對於本國的實際政治情況完全隔膜，昧然莫明底細，即對於自己國內的社會結構和文物變遷，更茫然不知人間何世！[illegible]三年前在陽明山舉行的文教會談，筆者曾是敬陪末座的一份子，[illegible]因此而益信政治性的會議中，交換、協商現實政治問題的，預會的人不但平日對本國政治問題很留心，而且要有實際經驗，當談起問題來，才能言之有物，得中肯綮，至少亦不致於不落邊際。記得上述陽明山文教會談分組討論中，曾有兩位「海外學人」發言各佔一小時以上，[illegible]密切；從無一語涉及如何改進本國的文教問題，使在座恭聆雅教的人，我倦欲眠，紛紛退席。這便是邀請海外學人回國談政治問題的例證，像這種情況的政治性會議，除却供應報紙上的新聞資料外，對實際政治有甚末益處呢？現在政府將要召開「反共建國聯盟會議」，且已派遣大員周游列國，跟旅居海外的各界人士交換意見，共策進行。如果這項政治性會議必須實現，[illegible]兩個條件：一須其人對實際政治問題有相當的瞭解，二須其人在社會上具有若干號召能力。「學人」并非不可邀請者，必以上述先決條件為銓衡標準，李政道、楊振寧原係蜚聲國際間的學人，如果請他們回國來談論反共救國的實際政治問題，他們不特不發生興趣，而且感到煩擾。當年愛因斯坦健在美國時，以色列國會議請他回祖國去作總統，他只付之一晒而不答復，眞正的學人每每如是。若就實際政治關係與作用設想，與其邀請素來不過問政事的學人參預政治性會議，即不如糾合平日好談政治的政客們聚首一堂，交換意見之為愈，實是懂得政治的人，諒以愚言為不謬也。

談到外交陣營問題，其性質跟內政有別。外交人員固然以才智之士為上選，但聲譽的關係更重要，同樣的一項使命，於折衝樽俎之間，如果這個外交使節平日在國際上具有聲譽，受人尊敬，即有事半功倍的效用可期。過去四十年間，咱們政府派去參加各種國際會議的代表，總不外是伍廷芳、顏惠慶、王寵惠、顧維鈞，這班人即因他們在外交界卓著聲譽，別人不敢輕視。大陸淪陷後，蔣廷黻担任我國出席聯合國的首席代表若干年，他在國運顛屯、形勢孤危之秋，工作亦幹得有聲有色，見重於世，就是他的才學表現非凡，博得自由世界列國外交家的崇敬贊許所使然。對日抗戰期間，我國駐美大使胡適的績業亦特別受到駐在國各界人士的好評。蔣胡二氏都不是職業外交人物，而其成就迥異尋常，適證明外交官是否勝任愉快，幹出相當的成績，乃與其本身在國際人士觀感中是否具有不平凡的聲價，殆有密切關係——尤其是弱國的外交，這關係更重要。老油條式的外交官固不足以語此，僅係「外交世家」人物而無聲望，亦很難達成預期的任務，若夫初生之犢的新進人才，縱然賦有不畏虎的[illegible]，然在國際外交戰場上，鬥智不鬥力的縱橫捭闔之[illegible]先當「列兵」則可，教他居於將官的地位，即未有不失望的。然，如前述伍廷芳等人，亦無例外的是經過了青年外交官生活，而且他們并不盡係學者，但他們在外交界的聲譽，卻是從「科班」中憑着能力逐漸創造起來的。

因此之故，我們對於留美青年學生嘉君所述關於我國出席聯合國代表團陣營的觀感，認為值得注意。我們絕無私人好惡的意念，但覺得代表團的陣營不夠強健，現時在國內外具有聲望的外交人才不是沒有，值茲非常時期，應該儘量驅策利用，教他們隨份報國，有以自見。目前我國外交據點以美國為主，日本次之。但我們認為英國雖跟我國沒有正式邦交，然英國的國策是反共的，且對自由世界的影響力未可漠視，似可採取國民外交方式，派遣素為英人所重視的學者專家去活動，未始無益。對法國亦然。至於中東國家的國民外交工作亦不宜驟廢，祇要得其人，即不會白費的。總之：外交使節之銓選條件，須以適才、適事、適地為標準，在甲國有表現者，改在乙國便碌碌無所短長了，此例甚多，不待贅述，謀國者幸愼思而明辨之，庶幾有[illegible]！

害人不淺

今日與明日

最佳禮物

正當海內外所有中國人歡慶國父誕辰前夕，一架俄製共機伊留申二十八型噴射轟炸機，在駕駛員李顯斌、領航員李才旺、電務員廉保生三人共同計劃下，安然降落桃園機場。此訊傳出，登時海內外歡騰，各界慶祝大會更添了熱鬧氣氛，某報一幅畫，標題為「及時趕到」，眞眞是一點不假。這架飛機趕到時太及時了！想是國父在天英靈的默佑，使他們平安抵達，到達時間又是這樣的湊巧。

值得注意之點

毛軍的正式軍機來歸以前已經有過兩次，第一次是撞毀在花蓮港外，是不知姓名的義士；第二次是劉承司；這是第三次了。這次所以有異於前者，是三人合謀逃出。任何人都知道，在共區父子夫妻都不敢說心腹話，你怕我打報告，我怕你作特務，而這三位戰士，籍貫分屬於河北、山東、四川，沒有鄉誼，更沒有戚誼，三人一定各自受到監視對方的命令，竟然敢合謀串通逃跑，而且籌劃經年，消息未會外洩，三人之意志堅強固不可及，最重要的還是彼此均能坦誠相見，推心置腹，這一點更大於駕一架飛機。因為少一架飛機無損於毛，多一架飛機亦無益於我，重要的是藉這次事件考驗出大陸青年仍然充滿人性，曉得人與人應該如何相處，人與人要說人話，人不應該害人！只要人人都能覺悟，則毛共即使有五千萬精兵，也可以在一夕瓦解。因為三個人可以在一起商量逃走，則三百人、三千人，甚至三百萬人都可以商量一起逃跑！這點才是毛共的致命傷。因為共產黨的統治辦法是要人發揮獸性，一旦人都保持了人性，世界那還有共產主義呢？

毛共心勞日絀

對於毛軍不穩的情形，我們要等劉承司、李顯斌等逃出來之後才知道，毛澤東、劉少奇等人可能早就知道。但是他們也沒有辦法把現在的兵都裁掉，即使可以，重換一批還是同樣心情，除非換的官兵不是眞人而是木偶。否則眞人沒有不反共的。因此毛澤東就想歪主意，拼命編鬼話造偶像以欺騙青年。大家都記得早兩年的「雷鋒」，鬧了多長時間，糟蹋了多少紙張宣傳；不但雷鋒為人達到眞善美之境，那篇雷鋒日記更是最好的教材，以後編成話劇，拍成電影，編造的活靈活現！最近可能覺得雷鋒厭了，又編出一個王杰，王杰日記剛剛出籠，馬上王杰故事出版了！可是結果如何呢？又有李澤浩的「你追我趕」，就有劉承司、李顯斌等振翼東飛！目前還只有飛的才能走，一旦陸地上能接觸，毛澤東到時恐怕祇剩下雷鋒王杰兩名衛士了。（何如）

自由談

知識即是煩惱

西方哲人有言：「知識即是煩惱」。這話在青年人的觀感中，或許不會表示同意，然在中年以上的智識份子看來，即覺得殊堪玩味了。

人類愈進化，生活方式即日趨複雜，文明亦隨之發展，人與人之間為着求生存的關係，接觸頻繁，問題多端，彼此皆得運用知識來應付。知識越高的人，對於事理的瞭解特為透闢，是非得失之道了然於胸。可是，人類的生活行為有若萬花筒，各有所見，亦各有圖，很難符合理性的尺度，不如意的事十常八九。尤其是政治問題，此亦一是非，彼亦一是非，你說民主憲政適合時代要求，他說君主專政亦有許多優點，諸如此類的爭議，一輩子也得不到共同的結論，吵吵鬧鬧，或替古人担憂，或為今人辯難，大家言之成理，持之有故。於是乎，知識份子的煩惱大作，書空咄咄，無可排遣，推究本源，就是多知多識所使然也。

人類由於科學知識發達，已具有戲天縮地的技能，把那自生民以來即認為玄妙莫測的太空秘幕亦予以揭開，各個行星的本體皆有方法觀察明確，而人類登陸月球并非神話的事兒了。因此，人世間一向信奉上帝主宰着人類生死禍福的宗教徒，大為吃驚之餘，更增加了無限的煩惱，上帝安在？天堂何存？所有新舊約聖經，豈不是變成了廢紙嗎？這項知識發達的結果，使全球人類的宗教學說皆宣告破產，無法善後，煩惱之大，匪言可喻。

科學萬能之說，已成定論。但人類生活完全科學化以後，一切人文思想學說皆視為無足重輕的空疏之見，人類的未來生活現象是否比現在更美滿幸福呢？這又是令人煩惱憂思的大問題，誰也不敢肯定的解答。

所以，人生在世，總是生活於煩惱之中，知識越多，煩惱愈甚，靜言思之，何苦乃爾！要想逃避這種相迫而來的煩惱，只有抱定沙士比亞所倡導的人生觀：「不做甚末，不說甚末，不想甚末，亦沒有甚末」，回到初民社會那種「不識不知，順帝之則」的渾噩蒙昧境界中，才是人生最大的享受。否則縱然貴為君王、總統，富甲於全球，還是在煩惱圈中討生活哩！

自由報

監察院副院長選舉檢討

有人担心監察院進入多事之秋　張維翰强調親愛精誠和衷共濟

本報記者張健生

第二回合　順利當選

十月二十九日，監察院舉行第十三次臨時會議，重行選舉副院長。出席委員七十四人投票結果，張維翰得五十二票當選副院長，其餘得票人爲于鎮洲、孫玉琳各得二票，陶百川、蕭一山、李正樂、陳志明、曹德宣、陳大榕、陳嵐峯等各得一票，另有廢票十一張。

張維翰當選了副院長，而且他競選到底的精神，確實使人欽佩；可是因選舉而引出的許許多多的是非，並未因張之當選而結束。因爲定于十一月六日舉行的年度總檢討會中，據說有些委員還是要提出來檢討的。儘管張在當選後對新聞界强調：他今後將本着「親愛精誠，和衷共濟」的精神，來彌補這次因選舉而生發的裂痕，但從他的言詞間作深入的觀察，恐非如此輕而易舉。

人們担心着，今後的監察院，恐怕是多事之秋。爲什麼？可以舉一事例來說明監察院派系間的暗鬥情形。在十月十六日第二次投票前夕，屬於于鎮洲方面的幾位黨外監委，因不滿某一要員干涉監察院的選舉，而擬提案討論，且主張糾彈。此一事件，如果不是曹啓文委員等從中勸阻，這個後果是相當難堪的。現在，誰能保證這幾位委員不在檢討會中提出檢討？

損人不利己　于是大傻瓜

有人會問：于鎮洲委員爲什麼不應選到底呢？其中是否因另有文章而放棄呢？在不知內情的人，當然會有此一問。但採訪該選舉新聞的若干記者，是相當清楚的。據說是，于鎮洲本人和支持他的團體，他們的動機，不是爲當選副院長而競選，他們是爲了一個處理，爲了一個原則而支持于鎮洲的。于鎮洲的親友們，起初都說他太傻了，既然沒有當選的把握，何必應選？又有人說于鎮洲太不識時務，爲什麼竟棄政策委員會的副秘書長不做，而做這種既損人又不利己的事。這樣的批評，在今日的環境中不能說不對。因爲：人不爲己者幾希！

監察院就是因爲有這些不爲一己私利着想的委員存在，否則，監察院早就不成爲監察院了。其次，于鎮洲如在第二次投票前放棄應選的話，這個人是有問題的，那就是有始無終。現在，他不參加第二回重選，因爲他一而再可以，再而三的應選到底，豈不是行言不一致嗎？既說不爲當選副院長而應選，又表示爲「眞理正義」而奮鬥，他如應選到底，其目的不是爲當選而是爲什麼？這證明他不是那樣無聊的人？

吳大宇委員　發表轎夫論

最後，我引用吳大宇委員的「轎夫論」作爲本文的結束。他說，從前老爺們坐轎子，起碼有四個轎伕抬轎子，最前面的第一個轎伕，那種「揚眉吐氣」的神氣，簡直叫人不敢領教，他有一種「挾老爺而令平民」的不正常心理；第二個轎伕緊靠在老爺前面，連屁也不敢放一個，如不小心而放屁，當然會受老爺的呵責，甚至連轎伕這個位子也會摔掉，所以它「不敢放屁」；吳委員以第三個轎伕自嘲。他說第三個轎伕在老爺的後面，前面有轎子擋住視綫，什麼也看不到，還要聞臭屁，只好「昏天黑地」的向前跑，死活也不管了；第四個轎伕在最後面，「毫無主意」的抬着轎子，前面的人說走，它只好走，前面的人說停，它也只好跟着停，一點主意也沒有，事實下亦不容許他有主意。這些話不實實在在的很有意思麼？（十月廿八日寄）

（三、完）

爲數逾萬。被人遺忘　英國「流浪者」的生涯

—倫敦通訊—

身穿雨衣　背負行李

如果你坐着汽車到英國各地旅行，在公路上，你很可能會見到這麼樣子的一個人：

不管天氣如何，他都穿上一件油污的雨衣。他的臉上長滿了鬍子，在沒有鬍子的部份，是佈滿皺紋的皮膚。他可能背着一個陳舊的軍用背囊，或者推着一架古老的嬰兒車——車上放着的並不是嗶嗶仔，而是他的隨身行李。

他跟公路上的其他行人的不同的地方是：其他的行人見到後面有汽車來時，往往會停下來，舉起右手，豎起大拇指，要求附搭；但他却永不會如此。他只是一味向前走——以每小時兩哩至三哩的速度向前走。

他是什麼人？他是個流浪者。

如果你偶然向一個流浪者看一眼，你不容看出他的年紀。一個鬍子已花白、背已彎曲的流浪者，他的年紀可能還不夠四十五歲。

每日行程　十二英里

一個英國刊物的記者曾訪問一個典型的流浪者，他請記者喝一杯茶，茶葉是從一些旅行者偷來的，茶壺是從路旁檢到的空啤酒罐。

他說他的名字叫傑克，他說：「我每天跑路不超過十二哩。早上跑三個鐘頭，日落前跑兩個鐘頭。這是指夏天來說。在冬天裏，如果天氣惡劣，我便躲在牧人的小屋中，否則仍然每天跑十二哩路。」

傑克說：一年之內，他跑的路約有四千二百哩。對英國的流浪者來說，十至十二哩似乎是每天的標準流浪路程。

穿州過府　乞討爲生

這些流浪者是英國唯一喪失公權的人，也是被人遺忘了的人。他們的生活，外國人固然不了解，即使是英國普通人民也斷不會十分的了解。

這些流浪者基本上是以乞討爲生，但有時也會做一個短時期的工作，賺些低廉的工資。他們與城市中的乞丐的區別是：城市中的乞丐大都是在一個固定的地區中乞討，而他們却要穿州又過府；前者有些還有組織或被黑社會頭子所操縱，而後者却是漫無組織的各自尋生活。

目前，英國的流浪者有多少呢？確數其實誰也答不出來，英國政府亦從未調查過。但據估計，起碼有一萬人之多。

這些流浪者，他們之間並沒有直接的友誼關係存在。唯一能表示他們之間的友誼的，祇就是一些專用的符號而已。

專用符號　以警來人

這些符號是何時開始使用？何人發明？已不可考。可能是「集體創作」。在鄉村地區，都不難看到這種符號，但在城市却很少。因爲流浪者憎惡城市，他們盡可能避免走經城市；即使萬不得已要走過，也必迅速走過，絕不願意逗留。

流浪者所用的符號，大都刻在門柱上，或寫在路牌上以及墻上。這些符號，有六個比較簡單，每個都代表着不同的意義。

一條橫綫，下面加一個開口的三角形，表示在附近的樹叢中生火是安全的。如果這符號十分新，這就表示有一個流浪者已在附近生好火，並歡迎另一個流浪者前往取暖及燒茶。

如果一個符號是一個黑點外面圍着一個圈，那就表示「危險」，流浪者見到這符號，就不宜在附近停留。流浪者所怕的是警察，只是因此這符號所表示的「危險」可能是附近有警察，亦可能是附近的屋主憎惡流浪者騷擾，會召警作爲恐嚇。

有一個符號就像交义，這表示流浪者在附近不受歡迎。即使說盡好話，或編選出最動人的故事，也不能討得半個便士或少許食物和飲料。

一個像倒寫英文字母W的符號，表示此屋內的主婦性格多疑，但並不吝嗇。如果流浪者所說的故事的確是眞實的以及動人的，那麼她就可能施捨一點錢或少量食物。

一條斜斜的橫綫，下面加兩企的符號，表示畫這符號的流浪者，曾從符號附近的屋主獲得不少好處。

第六個符號像波形，亦像英文Z字母向左斜寫，這便是個警告符號，警告後到的流浪者切勿在此停留。警告的原因可能是附近經常有警車巡邏，亦可能是附近的居民對流浪者十分憎惡，亦可能是此地的地方官對流浪者十分冷酷無情，是流浪者的剋星。

香港癌症逐年猖獗　死亡數字倍於肺病

防癌會苦口婆心勸青年勿吸煙

香港防癌會發言人最近除了勸告青年人不要吸烟之外，特別勸告那些做體育運動的青年學生不要吸烟，因爲吸烟除了引至肺癌之外，對人們的心臟都有不良的影響，而致縮短壽命。

吸煙廿年　便有危險

他說：如果一個青年人在二十歲時便開始吸烟，那麼等他活到四十歲以後，他就可能患上肺癌。因爲從醫學觀點上說，四十歲以後期間稱爲危險期，肺癌的發生，通常可能發生在那些有二十年烟癮的人們。

傳染遺傳　迄無定論

癌症會不會傳染給別人的呢？直到現在，醫學上並沒有任何事實可以證明這個可能性。

現在，癌症是否有遺傳性的呢？直到現在，醫學界人士也還沒有找得出正式的結論。

患癌症的人最初會不會覺得疼痛呢？答案是：癌症最可怕的地方，就是在初期的時候，病人是很少感覺得有疼痛的病徵的，等到他感覺得有疼痛的時候，那或許挽救他的生命已經太遲了。

年逾不惑　便要檢查

怎樣才能防止癌症的發生呢？下列有三個辦法是香港防癌會提供給本港居民注意的：

（一）每年須請醫生作一次全身檢查（包括肛門檢查）。一個超過四十歲的人，更應該決定一個日期前往醫生處檢查。一個超過四十五歲的男子，如果他吸烟比較多的話，他每年就應該作兩次X光的肺部檢查。

危險訊號　共有八個

（二）要緊記着下列八個可能產生癌症的危險訊號：（A）體內任何空腔內，或乳頭有不尋常的分泌和出血；（B）聽覺失靈，同時耳內發生嗡嗡聲音；（C）頸部、胸部或身體的其他部分發現了腫塊，特別是無病的腫塊；（D）經久不愈的潰瘍，特別是舌、口腔疼痛和臉部的潰瘍；（E）大小便習慣突然改變；（F）聲音嘶啞和咳嗽；（G）消化不良，吞咽困難；（H）和痣發生變化，例如增大或因微傷或無故而出血。

以上這種種危險的訊號，如果持續在兩個星期以上而沒有消退跡象的話，那麼就立即要請醫生檢查，看看是否有生癌的可能性。

小病不痊　便應診治

（三）對一些經久不愈的小病，應立即請醫生診治，千萬不要服食一般的家庭藥品，而致延誤了疾病。任何一個超過了四十歲的中年人，如果發現有任何經久不愈的症狀時，必須加以重視，並設法找尋它的病因。譬如，發現有慢性咳嗽和聲音嘶啞的症狀時，就需要找尋出它的原因。口腔和牙齒的衞生，必須愼重加以護理。可能的話，要停止吸烟，或在可能的範圍內少吸一些。

男性生癌　共有多種

保持皮膚清潔，特別是陰莖包皮部分，必須保持清潔。如果是包皮過長的話，應該早些將包皮割除，這樣做可以防止陰莖癌的發生，同時也可以減少妻子產生子宮頸癌的可能性。

在男性的癌症患者中，最常見的是消化系統的癌如肝癌、胃癌、食道癌、腸癌，以及呼吸系統的癌如鼻咽癌、肺癌、聲帶癌等。

女性生癌　四種最多

防癌會發言人說：婦女們也可以患上任何一種癌症，但是最常見的是子宮頸癌，乳房癌，鼻咽癌和肺癌。這些癌症，對於治療的效果來說是有其有利和不利的條件。有利的條件，就是容易診斷。譬如，以子宮頸癌和乳房癌來說，在早期診斷方面是沒有什麼困難的。當癌症仍然局限於子宮頸或乳房內的時候，如果馬上就給予適當的治療，那麼有五分之四的病人，是可以獲得治癒的。至於不利的條件，就是患處沒有疼痛的感覺。因爲早期沒有疼痛的感覺，病人就不會去請醫生檢查，因此當病人發覺有疼痛才去找醫生檢查的時候，那或許又已經太遲了。因爲在這個時候醫生挽救病人的生命，是十分困難的。目前香港每年因癌症而死亡的有二千多人，而其中就有近千個病人，是因爲延遲去找醫生檢查，而致喪失了生命的。

癌症死亡　逐年增多

癌症的死亡人數，在這幾年來已有急劇的增加。它早已超過了肺病的死亡人數，而佔據了因各種疾病而死亡的數字的第一位。遠在一九五一年時，本港因肺病而死亡的數字是四千一百九十名，但在一九五六年已降至二千六百二十九名，一九六一年又降至一千九百零七名，至一九六四年時，則只有一千四百四十四名。恰恰相反，癌症的死亡數字，已由一九六一年的二千一百八十名，增至一九六四年的二千七百四十七名。

國父北上及在平逝世紀實

·趙超·

十九日執政府發出指令六三：「臨時執政府指令，第三百七十六號，令內政部長龔心湛，呈遵議孫前臨時大總統飾終禮節，並擬舉行國葬，以示優隆，繕摺呈鑒由：呈悉，准如所擬辦理。此令」。

國父大殮時，衣黑緞甲種大禮服、大禮帽、皮鞋，用陸形黃色輕便西式棺木。殮畢，由教會執事十餘人，衣黑長袍，捧長白蠟燭前導，同志張繼、李烈鈞及超等十餘人，恭舁至協和醫院禮拜堂，牧師領衆唱詩，禱告，讀經畢，瞻仰遺容，後仍由牧師及執事人等，導出禮堂，奉移至前門中央公園，先由執政府財務委員孔祥熙預爲佈置一切，舉行公祭凡十四日，各國使節均親臨致祭。段執政原定二十四日親臨弔祭，旋稱足疾，未果，（據稱洗腳後，不能穿回皮鞋云）。派內務總長龔心湛代表，暨全體閣員，及執政府秘書長梁鴻志，大禮官黃開文，前國務總理顏惠慶，軍事廳長張樹元，臨時議院院長姚震，善後會議秘書長許世英，京師警察總監朱深，警衞司令鹿鍾麟，憲兵學校校長殷學濂，及各院局主管，各衙門簡任以上，執政府侍從等百餘人，前往恭祭。主祭龔心湛獻花圈，內務部禮官蘇源泉恭讀祭文畢，由總理家屬謝禮，並由李烈鈞致謝詞：「邦國不幸，元首上賓，舉國悲哀，山頹安仰。中山罹病之始，承執政府派員視疾延醫，厚誼隆情，靡不週至。今日開弔，復蒙執政躬臨祭奠，並致哀詞，實深感德。回憶辛亥建國，中山倡之，而合肥和之。馬廠起義，則合肥倡之，而中山和之。是中山與合肥，在民國已往歷史，已有至大之關係，爲全國人所景仰。曹吳亂國，聯合興師，合肥與中山又共扶國難，是合肥與中山在最近歷史，其密切之關係更有異於尋常者。中山與合肥，實爲吾國兩大支柱。茲不幸折其一，後此兩公應負之責任，則合肥一人獨負之。斐沸頻年，四百兆同胞陷於水深火熱者，不獲綏濟須臾，想合肥視民如傷，必有以慰大國長反，及海內同胞者。烈鈞代表致謝，而遠引及此，聊表同人敬慕賢者之意耳，惟合肥察焉」。民衆到祭者，日必數萬。又各國政府、國內各級政府、華僑社團、同志，均有花圈或輓聯（詳國父哀思錄）送達，獨建國陸軍總司令樊鍾秀特製一大素花橫額，橫十餘尺，高五尺餘，當中大書「國父」兩字。其唁電輓聯，均稱國父，是公開稱中山爲國父者，樊氏第一人也。

四月二日天氣清和，又由中央公園奉移至西直門外三十六里之西山碧雲寺，殯儀行列，縱長十餘里。俄大使加拉罕，亦隨衆步行至碧雲寺（全長七十華里），所循路徑兩旁人山人海，異常肅穆。寺內後山石塔，地勢高峻，須要另架木橋，用大車大槓，由侍衞及同志數十人挽靈而上，安於正中之白石塔內。塔特製懸兩扇鐵門，中鑴有青天白日黨徽（門開則將黨徽分爲二）同志們不滿此等作法，特質詢汪精衞，汪答係由執政府孔委員祥熙所設計云。

同日指定黃馬兩副官及隨來衞士組成護靈處，輪流負責護靈。

國父靈櫬奉移西山後，有美籍醫師獻議，欲求遺體保存，應灌以防腐藥油，同志等以其言之成理，故又在京中另尋一具黑色如漆、扣之有金石聲之楠木方形古式巨棺，內可容藥油盈尺，且因天候而更換之。

俄大使加拉罕聞國父噩耗，自行拍電返俄，由莫斯科用急行專車（據稱足要十三天）趕運一滿插銀色紙花，棺底有四孔之巨型華貴棺木來，但不適用。（二十六日午後忽然送到行館，事前無人知之者）。

民國十五年秋，張逆宗昌叛軍抵京，竟欲搗毀國父遺骸，護靈衞士李榮等（黃馬兩副官適返粵）恐遭變故，急速更換最普通極輕便之棺木，於夜間奉移附近庄房，叛軍離平後多日，方始迎回楠棺內。

民國十七年冬，超奉令隨林森、吳鐵城、鄭洪年三專員，晉京迎櫬時，國父遺骸則又更易乙種禮服（藍袍、黑褂、白襯袍、小帽緞鞋、白手套、紙扇），於民國十八年五月二十二日，又換美製古銅巨型方棺，大面鑄有青天白日黨徽，內有長厚玻璃內蓋者。

民國十八年五月二十四晚十一時，迎櫬南下後，（計停在碧雲寺四年又二十二天），將國父原用之甲種大禮服裝入楠木棺內，仍安放石塔中，鐵門外恭勒一碑曰「孫中山先生衣冠塚」，乃民國十八年五月廿五日胡漢民敬書者。（三、完）

國父在越南之黨務活動

國父因得法國當局之諒解，故在越南從事黨務活動，比其他南洋各地爲順利。據傳，國父初次至河內，曾寓法人之三等旅館，因不識當地僑胞對革命之態度，故化名高達生與各人接觸。時有洋服商人黃隆生者，廣東新寧人，平日喜讀香港中國日報，逢人必罵滿州政府。國父因至其店購物，偶與攀談，快若平生，曾致書香港約中國日報主筆陳少白往查，始知國父爲革命黨領袖，遂與結盟。黃氏復介紹楊壽彭、羅纖、曾克齊、甄吉廷、吳梓生、張奐池等人黨。至海防商人之加盟者，則有劉岐山及甄壁等，是爲越南創立興中會之始矣。楊壽彭爲大米商，河內廣肇幫長，後獲法國當局信任，日後國父有事須與法國當局接洽，多由楊氏作媒介；至張奐池則爲華商會館之書記，同担任聯絡及通訊者也。

國父在越南

·鄺增厚·

國父從河內至西貢，初亦易名爲杜嘉諾，自承爲美國報館記者，與僑界接談時事，深獲僑界同情。旋與法國銀行正副買辦曾錫周、馬培生，及僑商李竹癡等認識。有名黃景南者，以販賣芽菜爲業，人稱之曰芽菜祥，當時對國父尤爲傾倒，至當賣財產，傾其所得，投入撲滿中，爲捐助革命之需。國父爲就近策動滇、桂、粵三省革命，復至河內，設機關於甘必達街六十一號，並將興中會改組爲同盟會，而加盟者日衆，除黃隆生、甄壁、楊壽彭、吳梓生、甄吉廷、曾克齊、羅纖及張奐池、劉岐山外，復有王和順、譚黃明堂、關仁甫、林梅林、黃義、黎廣、李娶、李鎮卿、梁秋、高德亮、麥香泉、何海榮、饒章甫、李應生、張邦翰、盧仲琳、張覺楓、林煥庭、陳耿夫、彭俊生、黎量餘、劉海卿、梁建英、梁瑞廷、陳二華、梁恩等數百人。而海防分會則設於台灣街三十二號萬新樓，以劉岐山爲會長，甄壁、林煥庭、陳耿夫等爲幹事。後國父偕黎仲實、胡敎生、鄧慕韓等至西貢籌餉，並出席堤岸永春樓之歡迎會，加盟者有李麟初、李卓峯、劉易初、黃景南、關唐、李亦愚、顏大恨、潘子東諸人，即成立同盟分會，舉劉易初爲會長，李卓峯副之，以劉氏在堤岸平西美拖街三〇四號昌記行爲通訊機關；爲支持革命，各人均醵助巨欵，爲他處僑商所不及，就中以曾錫周、馬培生、李卓峯三人所捐爲最巨。又國父在西貢逗留時，曾到南圻六省宣傳革命，在美拖寓同德客棧，受林俠夢招待，在沙瀝則寓福昌谷米什貨店，受陸東招待。

至鎮南關與河口之役，國父蹤向越南法國商行購槍械，以軍餉不足，多由楊壽彭、梁秋等担保限期償還債欵。黃隆生於河口之役，負責供應糧食於前方。此外，楊壽彭、劉岐山、甄吉延、麥香泉、高德亮、饒章甫、陳二華、梁恩諸人輸送武器或接濟糧食，亦厥功至偉；而堤岸曾錫周及馬培生之飛芻挽粟，更無待言矣。

惜乎鎮南關及河口諸役先後失敗，廣西之滿清官吏法領事要求法國印度支那總督驅逐革命黨人出境，而越南之法國當局亦以革命黨領袖多來自日本，恐日人從中干擾，乃飭一書記護送國父至西貢，轉往星加坡，而黃與及胡漢民等亦先後被迫離越南，楊壽彭與劉岐山等多人，亦相繼被逐出境焉。（三）

郭嵩燾

李仲侯

郭嵩燾生於屈子投汨之濱，賈生痛哭之地，究心於程朱之學，具有王佐之才。他在晚清是一個最進步的學者，是一個具有世界眼光的外交家，他的思想開明，識見總是高人一等。即就曾國藩辭團練一事而言，當日如無郭嵩燾之忠告力勸，把寫好了奏摺，將辭命改成拜命，那有曾國藩後來的一番功業？左宗棠李鴻章又怎能脫穎而出？恐怕連咸同間一段中興歷史都要改寫了。無奈他生非其時，處非其境，曲高和寡，世鮮知音，他自光緒五年使英回國後，即鄉居養晦，杜門掃軌，然猶關心時事，未嘗一日忘懷家國。法越釁開，朝鮮亂作，朝廷應付方略，他都披瀝陳詞，多所論列。嘗言：「宋以來士大夫好名，致誤人國事，託攘外美名，圖不次峻擢，洎事任屬，變故興，還就倉皇，周章失措，生心害政，莫斯爲甚。」其後所言皆驗。晚年他深恨不能再出山爲國家做事，自己所懷抱的政治思想，無從實現，他感慨的在他自己的相片上題了四句話：「世人欲殺祇爲才，迂拙頻遭反噬來；學問半通官半顯，一生懷抱幾曾開」。抑鬱之情可想見。郭氏生於嘉慶二十三年，死於光緒十七年，在世七十有三。他死後，李鴻章在請將郭氏事蹟宣付史館的奏摺中，很沉痛的寫了下面一段：「生平於洋務最爲究心，所論利害皆洞入深微，事後無不徵驗。前後條列各件，外廷多不盡知。病歿後，每與臣言及中外交涉各端，反復周詳，深慮長言，若憂在已。迄今展閱，敬其忠愛之誠，老而彌篤，且深歎不竟其用爲可惜也」。後來梁啓超推崇他和魏源曾紀澤三個人，是爲中國講求西學的先驅者，實非過譽。（十・完）

清代整建水師紀詳

羅雲

（五）雍正年間：

雍正二年，令沿海督撫出洋巡哨。其戰船向由地方官修造者，改歸營員修造。是年設乍浦水師營。三年，以滿州兵丁未習水戰，增設天津水師營，以滿州蒙古兵二千人隸之。四年，以福建水師常駐內地，不耐風浪，浙江水師尤甚，乃更改舊制，各於本省洋面巡哨外，每年應選派船隻，在閩浙外洋，更番巡歷會哨，以靖海氛。五年，以杭州駐防旗兵，抽練水師；江寧駐防旗兵，即以鎮江原有戰船隸江寧將軍，督率旗兵練習水戰。尋令旗兵四千人，悉習水營事務。令江南江西各水師營，於弓矢鳥槍外，增練籐牌、大刀、鉤鐮槍、過船槍、鉞斧、標彈等武器；戰船分大中小三等，後又增練排槍。湖廣水師，每兵千人增鳥槍四百枝。六年，令水師船廠附近省城者，凡戰船造成，在城之提鎮督撫，會同驗看。是年因浙江水師不諳戰務，撥福建水師營精萃赴奉天教練。是年增浙江乍浦水師船用木之丈尺及船身深廣之制。奉天水師亦如之。七年，以旅順水師技藝生疏，乃於福建水師中擇精練之兵，赴浙江教練。尋定浙江戰營。八年，撥江寧駐防兵八百人，隸於乍浦營。旋因各省水師營承修造船之員，逐層需索，迨交收後，復盜賣損毀，各營情形皆然，京口標兵尤甚，令督撫嚴懲之。九年，以文武各官，承修戰船，每多貽誤，弊竇叢生，乃嚴治各員，限期修竣，以除巧脫中飽之弊。十年，令天津水師大小趕增船，所用梗木舵牙及籐篾等具，收存備用。各省戰船設承修官，以前造船之役，由督撫提鎮委副將參將，會同文職道府，領價督修。委都司會同文職府佐，辦料修繕。隸將軍標者，委參領等官辦理。大修小修之年，各營呈報，有司題咨，承修官具冊領價。江南江西湖廣福建浙江廣東等省，於屆修兩月前領銀備料，台灣瓊州於四月前備料，天津山東於八月前備料。各營撥船赴廠，承修官即於次月興工，如期修竣，違者懲之。其船名號各殊，大小異式，皆因地制宜。山東登州膠州南北之二汎，海口趕繒船雙篷船，福建大號趕繒船，及二三號船，雙篷𦩷船，江西南湖營沙唬船，天津大號趕繒船，京口水師船，蘇州狼山川沙吳淞水師船，湖北湖南廣東各水師船之船身大小，木板厚薄，咸釐定制。令道員會同副將等，監視督造。廣東外海內河戰船亦如之。十一年，定修造戰船期限：直隸限四月，福建台灣限十月，山東限六月，江西大修拆造限三月，小修限兩月，江南限四月，湖廣大修拆造限六月，小修限四月，浙江限四月，廣東瓊州限六月，其餘各廠均限四月。十二年，撥江蘇太湖營參將，改設太湖協副將，兼轄浙江太湖營游擊各官，定爲內河水師營。十三年，議定天津福建浙江廣東各戰船所需物料，或按年更新，或越年更新。

（六）乾隆年間：

乾隆元年，議淮江南各廠，拆造及修理沙唬船趕繒船。兩淮廠拆造沙唬船修造趕繒船，於部價外，加津貼銀兩有差，各廠同之。二年，令山東登膠南北二汎額雙篷船趕繒船，屆修之年，亦增津貼銀。三年，撥湖北武昌水師駐漢口，爲漢陽水師營中軍。議准廣東各標營外海戰船拆造，視修工大小，加津貼有差。五年，因沿海各省戰船板部，有缺少至十之二三者，或侵蝕修船銀兩，或賃與商人謀利，令督撫嚴懲。又諭浙江繒船拆修，視江蘇省之例，船廠船視江蘇省沙唬船之例，量加津貼。五年，復申禁沿海戰船缺少賃用之弊。六年，以台灣遠隔重洋，修造戰船仍循舊制。（一）

平劇競賽的看法（續）

就前述的顧慮，我的看法，祇可以那齣戲爲最佳，而主演此齣的角兒爲最佳，此齣屬於那劇團，即是冠軍屬之。倘逐項細分，則難期美滿的理想。再如舞台的佈置，與燈光的配合，幻燈的有無，這皆易於判定，獨是演技，極難嚴格的適合。或有建言者，不如平分秋色，較切實際，而落得皆大歡喜，亦是可取。不過辦法已定，不容變更，但此淺見的看法，也不過姑作參考，到明年再作計議也。

祝壽獻唱

吾人在今日處於生活安定的環境，當然感到深受蔣總統的德被，才能如此。每年在他老人家壽誕，總有一番慶祝，是表示萬民感召，薄海臚歡。今年是蔣總統七秩晉九大壽，論慶祝慣例，等於做八秩，尤其興奮。雅歌集友不後於人，因爲停止清唱，已近半年（爲了天熱），禮應慶祝，以表微忱，遂約教育部國劇研究社同人，於十月卅日在中山南路教部禮堂，舉行聯合獻唱，藉以祝嘏。

是晚七時開始，陸續來到的名票，約有一百四十餘人，由教部張次長劉司長李總幹事分別致詞，強調已決定提倡國劇，支助票友等語，全場鼓掌。晚會至十一時結束，共唱廿九節，生旦淨俱全。茲摘記較特殊的各齣如下：

國劇繽紛續錄（三十一）

姿婆生

生角方面：如孫雪岩的狀元譜，李嘉有張昭泰的珠簾寨，李的熙天水關，彭修芹的上天台，張瑪莉常志誠的八義圖，李懋竹的一戰成功，董翰章的戰樊城，權瑛的文昭關，關文蔚的摘纓會，張瘦碧的清官冊，多近乎余派的路子。屬於馬派的，祇有李淑嫻的胭脂寶褶，王明良的十老安劉。

旦角方面：很少來集的段承潤唱鳳還巢，沈蘐也唱此戲的前面一段。劉月雲從未到過，唱八義圖，田學文的太眞外傳；宋丹昂唱天女散花，她隨梁老師同來，此僅第二次。羅倫張道和合唱坐宮，以及與趙之杰合唱武家坡的潘美娜，謝紛友的三娘教子，皆很有研究，極富音調。

小生方面：此次有三節，爲歷次所無，計李景嵐的羣英會，徐宗達的楊宗保，程亮的轅門射戟，可說是集大成了。三位的唱腔宗派不同，實是特色。老旦有李望錦的釣金龜，淨角有李德財的萬花亭。丑角名票林向榮來了，因宣在念白而無唱工，遂未獻晉，不過上週在教部唸夜審潘洪，極有聲色。（未完）

綺霞曲

顧翊羣

爲美京燕江公會恭祝民國五十四年國慶聘請戴綺霞女士上演貴妃醉酒與宋十回兩名劇作

秋來華府盛冠蓋，天高氣爽浮芳靄。笑語盈盈飛閣中，香風陣陣珠簾外。燕江公會五週年，團結精誠志氣堅。爲慶宗邦雙十節，從教海外亮朱紘。舞袖歌衫誰比得，綺霞戴氏嬌顏色。宏揚國粹洗元音，傳習新聲來異域。梨園世系本名家，生長青溪喚若耶。阿母丹山鳴老鳳，多年才藝冠京華。憶昔春申驚四座，新鶯嚦嚦入破。弓腰蓮舄正當行，阿母解顏阿姨賀。一舉成名迴不羣，鵾絃擅板日紛紛。嵯峨俠骨能仁寺，妙舞輕歌小上墳。那知轉眼浮生變，麻衣素燭高堂奠。祇因弱妹賴匡扶，掩淚重歌大登殿。從茲挾技遍東西，名宿周郎競品題。紅玉金山驅兀朮，項王垓下別虞兮。卅年菊部推魁首，弟子相傳手復口。組班教戲瘁心胸，處世持身爲兼守。滾滾俄驚來赤潮，梁崩棟裂盡滔滔。埸來寶島隸軍部，馬祖金門頻慰勞。今夕華都人似玉，貞元重唱雲間曲。霓裳舞出醉楊妃，閻宋終兒懺城獄。此時滿座盡春風，鼓掌歡呼禮岳嵩。何意中華好身手，竟教巾幗蓋英雄。吁嗟乎秦女韓娥當代少，喜奎隱去靈芝老。我風騷重振賴傳人，顧綺霞長壽考。

隨侍國父片斷回憶

趙超

憶民國四十年十二月上旬，香港商界聞人王棠先生逝世，港中各報多有述其生平事畧，於民國元年曾充 國父參軍長乙節，於史實頗有出入。事關革命史實，特詳述如次。

國父於辛亥十一月十三日（即民國元年元旦），自海外歸國，馳赴南京，經中外輿情之擁戴，遂於元旦正午，宣誓就大總統職（吾國元首宣誓後始視事，自 國父始），府內設秘書、參軍、度支、審計等處。至參軍處之創設，係仿法國總統府制，簡派若干上級軍官爲總統府參軍（並非高級參謀），以備有關軍事之諮詢，及服特殊任務者。當時有同志喻毓西、黃大偉兩君，自本夫、李綺庵等三十人，亦於此時，自願充衛士（自美洲隨侍 國父回國者僅朱卓文一人而已），以隸於參軍處。和議成， 國父辭總統職時，參軍亦只數員，並未派定何人任參軍長也。當時到府請纓之僑同志，皆忠貞之士，赤誠效命，絕非斤斤於名位而來，事人員，故未嘗與喩黃之列。當時同寅中，若識王先生者，均能憶之。又查民國六年，護法之大元帥府成立，仍有參軍處之組織，參軍長乃許公崇智，許公率隊出發東江，由黃大偉暫代，及 國父任軍政府首席總裁時，參軍長爲何公克夫。逮民國十年，大總統府亦置參軍處，徐公紹楨任參軍長，迨徐公出任粵省長，會派呂超任參軍長代理。民國十一年大本營時代，朱公培德以黨衛軍司令兼參軍長職，至民國十三年冬， 國父赴燕京，辭去兼職，超以參軍代理處務，率副官四員及衛士十七人隨侍北上。超追隨諸先進之後，忝列 國父侍從，亦遂餘職，對於歷屆參軍處之組織，始終未見有任命王棠先生爲參軍長之事。回溯 國父領導全民革命，推翻滿清，創建民國，所有用人行政，選賢任能，悉本天下爲公之眞誠，而銓衡人事之至爲嚴格。至爲香港商界聞人，迹其居官行事，尚有爲世所稱道者，甚不必以區區之參軍長一職，而軒輊其間耳。（下）

國父旅澳概況

貞士

國父於民國七年（一九一八）斥資興建房舍一座於文第士街一號（昔日之龍甲村）。民國二十年（一九三一）冬，附近火藥局爆炸，發生了強烈的震動，牆壁破裂，門窗也損毀了許多。民國二十一年（一九三二）重加改建，但一般僑胞仍然認爲這是 國父故居，哲生先生奉養他的親母盧太夫人入內居住，她直至民國四十一年（一九五二）九月七日病逝，享年八十六歲，營墓於舊西洋墳。爲着她的賢淑感召，經常有人賫送鮮花致祭，以示崇敬。

國父紀念館二樓右房爲她生前居室，所有傢具什物，都像平時一樣陳設，來保存那簡樸無華的氣質，使遊者想念起 國父生活簡樸，而太夫人亦儉約持家，絕不踵事增華，他們這種儉德，足爲後人矜式。她的住房裏的說明是：「盧太夫人字慕貞，籍隸廣東中山縣六區外學鄉，爲檀香山僑商盧耀顯長女，年十八于歸 國父，結褵於翠亨村里第，時 國父年方十九，婚後三月赴港皇仁書院深造，值中法戰爭後，憤清廷腐敗，以篤志革命，改造中國爲己任，家政一一委之於太夫人。太夫人孝敬賢淑聞於鄉黨。迨清室既屋，隨 國父遊歷大江南北。 國父生平豐功偉績，要以太夫人內助之力爲多。晚年頤養澳門故居，分甘自娛，篤信基督教，任浸信會佐，懷慈抱和，口碑載道，年登大耋，至民國四十一年九月七日病逝故居」。

自從盧太夫人逝世後，迄民國四十七年（一九五八）冬，政府以該屋向爲僑胞景仰所在，遂改爲澳門 國父紀念館，並於翌年四月一日開放，供世界各地人士自由參觀。澳門政府亦定爲旅遊勝地之一，年中到館瞻仰的達十餘萬衆。館內支銷費賴文化團體捐獻，數年以來，籌措雖萬分困難，幸得賴以維持。

館內陳設簡單，大部均屬民國七年 國父在廣州任大元帥時所用之木製傢具，及在澳門藥局內之零碎用品。其他是盧太夫人日用器皿和親自縫製的「揹帶」（揹孩子的帶）、繡花鞋等；手工精美，最爲遊客所欣賞。

該館爲紀念 國父致力革命創造共和，特將有關照片分四室懸列，附有中英文說明，苟詳細閱讀一遍，有若重溫一篇近代史。在館內值得注意的，是 國父生前老友日人梅屋饒贈的 國父銅像，全國祇有三尊，一在北平，一置南京，現時矗立在花園內的一尊，原安置於翠亨村，當日宼侵華，乃遷移到澳門。銅像是日人牧田祥哉所塑，神氣姿態，均臻佳妙。先生結婚時的「建華」字架和聘馮百礪先生爲大元帥府參議的親簽名字，都是不可多得的寶貴紀念品。由於院長于右任親題「澳門 國父紀念館」的橫匾，寫來龍騰鳳舞，在今天也算是值得紀念文物之一了。

館內 國父文物雖不多，但世界各地遊客們進內參觀和瞻仰 國父遺像時，無不流露崇敬的誠意，而一般同胞更深感 國父精神的偉大。

今年是 國父百年誕辰紀念，百年，這是一個悠久的日子，但 國父的精神和創建民國的功勳，却永垂不朽，反而更加光輝。 國父雖偉大的相貌，也很像活生生的站立在我們前面，指示我們重建康樂富强的國家。（下）

西施

「影劇與歷史」之十三

周遊

中國第一古典美人西施的故事，現在由文學作品，戲劇舞台，而又躍登第八藝術的銀幕，是最近轟動影壇的事。關於西施美人的一生，兩千數百餘年來，在歷史家、小說家、戲劇家和詩人的筆底下，不知增加了多少想像，潤飾了多少色采；而今他活躍在第八藝術的銀幕上，更將是多采多姿，有聲而有色了。加以「若論破吳第一功，黃金只合鑄西施」的評價，她在越國反攻復國的光輝史頁上，是一個不折不扣的巾幗女英雄呢！

西施在文學和藝術上，她是一位女主角，可是她在「勾踐復國」史上却是一位無名英雄。據聞西施小姐銀幕上的活動並不太多，這是編導處理得恰如其份。所以我們如果在歷史觀點來看「西施」的內容，正是一部整個的「勾踐復國」；若以時代意義來衡量，「西施」這名稱還不如「勾踐復國」一名片好。我們談西施，絕不能把勾踐復國分開；西施美人之能脫穎而出，是因爲勾踐復國的時勢所要求，而勾踐復國則又起因越國在會稽戰敗之恥，及三年奴役之辱；而會稽之戰，又是導源於吳越二國的世仇。欲窺西施的全豹，必須要從吳、越兩國結仇構怨開始。銀幕上的西施也是如此，是很正確的。

距今二千四百年前，正是中國歷史上的春秋時代，其時正是封建解紐，周王的宗祖權江河日下，諸侯競雄爭霸，戰亂不休的時代。吳國是太伯之後，姬姓，與周王同姓。吳王闔廬當國，擁有今之江蘇省及其附近之地。越國乃是祝融氏之後，芊姓，越王允常當國。吳越二國在地理上是毗鄰之邦，但是這兩國相處很不友善。在周景王八年（公元前五三七年）楚靈王欲稱霸諸侯，聯合了陳、蔡、許、沈、越等國，會盟於項，（今安徽靈邱縣）因其時楚國勢大，諸侯尊爲霸主，吳國甘敗下風。由於越國也參加了楚國的同盟，因此吳國對於越國非常仇視。

周敬王十四年，吳王闔廬也想在東南稱霸，乃聯合了蔡唐等國，攻打楚國。攻楚的大將是古代名將伍子胥；他本人是楚人伍奢的兒子，伍奢被害於楚靈王。伍子胥乃奔吳，子胥善用兵，在吳立下不少大功，爲吳相國。吳王五戰而下楚都（楚都郢，即今之江陵縣東南），楚昭王出亡雲夢（今湖北安陸縣），子胥追楚昭王鞭屍三百以出氣。伍子胥攻打楚國也是爲了報仇。今日所謂「鞭屍」運動的出處即在此。（一）

民族舞探源

正匡

又如禮記所載：「仲春之月，令會男女於斯時也，奔者不禁，其；無故不用令者，罰之。」此即交際舞的證明。

（三）美術舞：美術舞三代已有之，周代尤盛。如書中所記，齊人饋女樂一羣的情形，當然就是後來歌舞隊的來源。以後就愈發達起來了。到了漢朝，又吸收了許多外國舞，一直到南北朝，舞風都很盛。唐朝尤其發達。如：一、漢朝之白紵舞、鞨袖舞、折腰舞、掌上舞、巾舞、花舞、大小垂手舞、雲翹舞等。二、三國時之白紵舞、鐸舞。三、六朝時之公鳳舞、鞞舞。四、隋朝之康衢舞。五、唐朝之劍器舞、霓裳羽衣舞、柘枝舞、轉風舞、掉袖兒舞、字舞、杯盤舞等。名目繁多，據今日尚存有名目者，約四五百種之多，但多只有其名目，沒有舞的姿勢。（四）

自由報
THE FREE NEWS
第一〇六一期
內僑警台報字第〇三壹號內銷證
中華民國僑務委員會頒發
台教新字第三三三號登記證
中華郵政台字第一二八二號執照
登記爲第一類新聞紙類
每份港幣臺角
社長：雷嘯岑
督印人：黃行書
社址：香港銅鑼灣高士威道二十號四樓
20, CAUSEWAY RD 3RD FL. HONG KONG
TEL. 771726　電報掛號：7191
承印者：大同印務公司
台灣分社

固有道德與現代社會

韋政通

在目前，我們的輿論界，教育界，我們的各級官吏，和子女們的父母們，面對着惡劣的社會風氣，在消極方面，總是慨嘆固有道德的喪失，在積極方面，則有個必然的歸結——固有道德的提倡。另一方面，我們國家的財經政策，教育政策，却在加速促成我們社會的現代化。似乎很少有人會想到：固有道德的提倡，對我們走向現代化的過程上，將發生怎樣的影響？這個問題，也許不是一個固執傳統的知識份子所肯想、所能想的，因爲他們對新思潮的價值不是全部抹煞，就是出於貶斥的態度。說來也眞可憐，在台灣有那樣多提倡固有道德的人，但對恢復固有道德的，必須加以解決的幾個問題，却很少人肯下工夫去探究。十年以前，陳康先生發表「恢復固有道德的問題」一文，該文會提出四個問題：①固有道德的範圍。②道德概念的內容。③每一個固有道德是否仍然適合現時代？④怎樣使人遵行這些適合時代的固有道德？陳先生對這些問題雖沒有做較詳細的探討，但也已很簡易地提出了他的根本看法。陳先生認爲，要提倡恢復固有道德，必須發展人的理性。他說的理性，是指邏輯思考的技能。很顯然，他提倡的是一種蘇格拉底式的行爲——用知識指導人生。儘管陳先生在文首就聲明暫不涉及固有道德應否恢復的根本問題，但從此文中所已獲得的結論看，實已暗示了固有道德不應恢復的涵義，因爲蘇格拉底式的行爲，我們的固有道德中是不具備的。

在這裏，我只準備指出，在固有的道德傳統中，有一些觀念，在實行到現代化社會中去的時候，勢必引起的衝突；也是把陳文中所提到的第三個問題，做部份的解決。

固有道德與現代社會之間勢難避免的第一個衝突，是現代社會中的人，普遍以追求幸福爲生活主要內容，而固有道德規範下的人生，是以實現善的價値爲生活的主要內容。在中國傳統的思路中，人如要實現價値，首先必須排除追求幸福的意圖，孔子教人「謀道不謀食」，和讚揚住陋巷的顏回，就表示在固有道德一開創的階段，就爲中華民族定下一條不健康的人生道路。這種把滿足欲望和表現人生價値視爲衝突的思想，是技術不發達，和貧乏的農業社會很自然的反映。如果一旦社會結構、社會條件改變了，這種固有的思想，也必須跟着修正，本是很自然的事。可是在實際的演變中，人的觀念，常常趕不上社會的進化，於是產生了社會的問題。近代以來，差不多每一個民族，都渡過這個階段，從傳統種種觀念的束縛中掙脫出來，由被動地配合社會進步，轉爲主動地督導社會的進步。一個國家進步的速度，就決定於這個轉變過程的快與慢上。檢討近代各國社會演進的歷史，可以看出，愈有悠久傳統的民族，愈難擺脫傳統觀念的束縛，社會的進步也愈遲緩，如印度和中國。由於科學發展的一日千里，原來進步的越發進步了，原來落後的也越來越落後，由落後而生自卑，而自鄙，而自暴自棄，眼看着人家走遠了，自己欲追無力，於是只好回過頭來，企圖抓回早已失落的光榮，藉以虛飾普遍自卑的心理。一切傳統主義的誇大狂，和固有道德的提倡者，都是在這種心理的轉變下產生的。當這種病態心理定型以後，當傳統的空氣瀰漫以後，他們乾脆不追趕了，掉過頭來開始斥責現代社會的進步，只代表一種物化的文明，現代人的生活，是一種沒有精神內容的生活，要拯救現代人生的墮落，只有恢復傳統的精神文明。於是本是時代的落伍者，現在又搖身一變成爲未來時代的先知了！於是自卑自鄙的心理，經過這一轉變，又可以自尊自大了！我們目前的傳統主義者，和提倡固有道德者，就正陷溺在這種虛妄的，不知人間何世的自尊自大的心理狀態中！

我不忍對他們再多加指摘，我只希望爲我們過去的一代在思想上造成的錯誤，以補過的心情，多少做點糾正的工作。因此我不得不指出固有道德與現代社會之間的一些衝突，使我們已經夠遲緩的現代化的進程中，減少部分不必要的阻力。譬如推動現代化社會最有力的幸福觀念，我們絕不可再以傳統中的禁欲思想依據加以排斥。我們必須承認，一個能相當滿足人幸福要求的文化，是一切高級文化培養發展的基礎，過去人類文化的失敗，就是因爲忽略了這一基礎。所以文化發展越高，越有悖於人性！近代文化和一切傳統文化最大的一點不同，就是在先建立這個基礎，這才是眞正重人（把人當人）文化的開始。在這個意義上，我認爲近代文明是爲人類文化的發展開闢了一個新紀元。

固有道德與現代社會之間的第二個衝突，是現代社會的經濟開發，主要目標是鼓勵人們的消費，並提高人們的消費的。美羅斯托教授（Prof. W. W. Rostov），在他一本論近代經濟發展的名著中，就是以一個國家的消費程度，來判斷一個國家經濟開發的程度——現代的程度。這種思想，和我們的固有道德影響下的經濟觀是衝突的。中國以農立國，所以經濟思想自始至終是停滯在消極的形態。它的特色是節流而無力開源，所以最高的理想是均貧，「不患寡而患不均」。在這一思想影響下的社會，人人不能不以節儉爲崇高的美德。爲了要達成節儉的目的，最徹底的辦法是提倡禁欲思想。在人類史中，把禁欲思想發揮到極致的佛教，其所以能在中國發生，那樣巨大的影響，這應是一個主要的原因。

在近代文明中，它的重大成就之一，就是由科學技術的不斷改進，而促進了經濟的加速開發。由於經濟的開發，和消費的提高，才使人的幸福獲得相當的滿足。這是人類文化走向健康道路的起點。近代文明以前的一切成就，都只能算是人類在長期的探索中，痛苦中，所經歷的前備階段；人類未來的發展，是無法從過去的紀錄中測知的，因爲人類到現在才眞正選擇了他自己多方面的創造力，從來沒有一個時代的人，能像現代人對自己有那樣大的信心。（如果站在宗教的立場，和泛道德主義的立場，看法可能正相反。）

（下轉第二版）

險象環生

各散東西

今日與明日

共印駁火

在中國西藏與錫金王國的邊境上，毛共軍與印度軍隊又發生衝突，據報告印軍死一人，毛軍死二人。這是毛共罕有的戰報，報告自身損失大過敵人。

共印駁火，本身並無任何新奇之處，因爲在那塊不毛之地，四無人烟，更無樹木，毛軍同印度軍隊有時相距只有數十碼，面面相對，偶然有人的子彈走火，就是戰爭，原無奇怪；奇在聯合國正在辯論中國代表權問題，而印度代表又必然投票贊成毛僞政權進入聯合國，毛共此時竟然同印度駁火，才眞是不可思議。看情形毛澤東是認定了聯合國可以打進去的，印度人稍微還有一分人性，這次應該不會再投票贊成毛僞政權入聯合國，但可以預料的是，印度代表不發言則已，一發言必然又說，雖然中共軍打死了我們的人，我們還是贊成他加入聯合國。

羅德西亞獨立

羅德西亞總理史密斯不理會英國的勸告，竟然宣佈獨立，並要求英國總督離境，其大胆作風實不可及。但此舉却替世界帶來紛擾，使西方國家尤其是英國陷於進退維谷之境。

以少數白人統治多數黑人的國家在非洲原有一個南非，但南非成爲自治領時，非洲只有三個獨立國，絕大多數黑人皆受到白人統治，自然顧不到南非；今天非洲已有三十九個獨立國，除去南非之外，是清一色的有色人種國家。這些國家已對南非用盡了壓力，怎會容忍在非洲再出現第二個南非？無論史密斯的胆子如何之大，即使羅德西亞內部也沒有絲毫反抗，但外來的壓力實在不易抵抗。尤其是一些激進國家已在呼籲出兵，蘇俄同毛共也在大聲疾呼要對羅德西亞用武，羅德西亞流亡黑人領袖已在外國宣佈組織政府，今後問題將更爲複雜。

英國深感爲難

目前最感到焦灼的是英國政府。事實很顯然，羅德西亞片面獨立，將成非洲各國攻擊的目標，政治方面的攻擊還容易招架，軍事行動就難以抵抗。如若非洲各國聯合組織「十字軍」進攻羅德西亞，英國斷不能置之不理，坐視二十萬英國移民成爲屠殺的對象；而且插手就同非洲各國處於敵對地位，背上帝國主義惡名。所以威爾遜首相事先飛往羅德西亞阻止其獨立，英國朝野對此問題均感焦灼，而世界各地反英運動已經展開，英國處此夾縫中實在難以自處。不料昔日富庶殖民地今日却成了沉重的包袱。（何如）

挺經說

昔曾國藩教人以「挺經」，認爲這是他自己一生事業成就的基本潛力。

挺經的涵義是：有人挑着担子在田坎間的羊腸小道上行進中，忽一空手漢迎面而來，路面無法容許兩人同時通過，論理，那位空手漢應該退後幾步，讓挑担人先過去，但空手漢昂然不睬，前行如故，硬要迫使挑担人走下水田裏先讓他通過。於是乎，挑担人乃挺立在狹路中不動，彼此對立僵持着。時當正午，適挑担人的兒子由家裏送飯來給父親果腹，他就吩咐兒子道：「你回去告訴媽媽，把晚飯預備好，亦送到這兒來，老子要挺立到明天呢！」這便叫作「挺經」。表示一個具有丈夫氣概的人，決不作無理的退讓示弱，也不能稍遇困難就氣餒，碰着强權主義即低頭。

咱們湖南有句傳統的流行諺語，說是「老子就不信邪」，正可作挺經的確切註解。

挺經的觀念既不是橫蠻不講理，也非意氣用事，一是皆以正義公道爲對人接物的準則，義之所在，理所應爾，雖泰山崩於前，亦無怯畏縮之意，古人所謂「見義勇爲」「臨難不苟」是也。這種不信邪的精神發展昇華結果，便構成抱不平的人生觀，正義感油然常存，對着邪惡黑暗的環境不但不屈服，還要盡力予以抵抗，使社會上充滿着正氣，大衆受到這股正氣的薰陶，崇善惡惡，尊賢而黜不肖，國家即自然而然的進入昌盛之境了。曾國藩生當衰敗腐惡的亂世，使用「挺經」精神來創造事業，雖係對症下藥，而費力特甚，操心至危，然其成就的影響於後世者亦特大！

湖南人自曾氏以後，百餘年來，很少以工商企業起家者，一般人士不是拿筆桿，便是拿槍桿，筆桿與槍桿是不信邪的，拿算盤就得信邪啦！凡屬打抱不平的革命運動，總少不了湖南人，這就是受着挺經精神的影響。所以，湖南人在「開啓的社會」（Open Society）中，多少令人覺得可愛可喜，而在封閉的社會」（Closs Society）中，就到處令人認爲可惡可怕了。

咱們全國人如今一致從事於反共救國之役，面對着兇惡的敵人，非有「挺經」精神不爲功。只要大家都有「老子就不信邪」的志氣，邪惡的共黨政權，一定可以剷除的！乃作挺經說如此。

馬五先生

香港火警增加得厲害
平均差不多每天十宗
財物損失接近千萬。傷亡三百餘人

（本報訊）香港的火警已成爲一個嚴重影響工業生產、居民生命財產的問題。據消防事務署最近發表的一九六四至六五年度年報裏透露，該年度發生的火警三千五百零四宗，較上年度增加了百分之七十；因火災造成的財物損失約九百七十七萬一千五百九十九元，較上年多損失五百三十萬元，增加率百分之一百二十。

下面是年報裏列出的該年度各月份火災損失的數字：一九六四年四月二六，八六五元；五月二，五八八，三三一元；六月二七四，五四七元；七月一，三三五，六一五元；八月二，○二七，四六四元；九月三六，九二九元；十月一三一，七三五元；十一月四五五，二四二元；十二月一，五八○，七七四元；一九六五年一月六三二，七六二元；二月六四二，五七○元；三月三八，七六五元。

從這些數字裏可以看出，該年度損失百萬元的月份就有五月、七月、八月和十二月，其中最慘重的還是一九六四年五月。如果按照過去的習慣來區分，由四月至十月是火警的「淡季」，十一月至三月才是火警的「旺季」。那末，該年度火警所造成的損失是違反「常規」的。因爲正是在「傳統的」所謂火警淡季中，所造成的損失最大，遠遠超過火警「旺季」。即使以火警發生的次數來作比較，去年度火警「淡季」和「旺季」也是相差不遠的。四月至十月共發生火警一千七百一十二次，其中大火有十二次；十一月至三月則發生火警一千七百九十二次，其中大火佔七次。

上面的一系列數字旨在說明，如果再機械地區分火警的「旺季」或「淡季」，這將是不合理的了。冬季由於天氣比較乾燥，較易惹火，這是事實；可是夏季也不應該對防火稍有鬆懈。正是由於人們麻痺大意，去年度的夏季便造成慘重的損失。

火警造成損失最大的首推多層工廠大廈、貨倉和船隻。在總損失九百七十七萬元中，工業界的損失爲六百五十萬，幾佔百分之七十。此外，有一家貨倉發生大火損失爲一百五十餘萬元。

如果以全港三百六十萬人口計算，則平均每人去年度的火警損失爲二元七角七分，遠遠超過前一年度。不過，消防事務署長郝士仍認爲有「一絲安慰」；他說，與英國的每個人口損失十八元來比較，香港是「少得多」了。

香港的火警大小共分七種。第一種是小火，用滅火筒就可以救熄；第二種是一級火警，開噴射器○至五條；第三種是二級火警，表示樓宇處在特別危險的狀態，如危險品貨倉火警就列入二級火警；第四種爲三級火警，開噴射器五至十條；第五種爲四級火警，開噴射器十一至二十五；第六種爲五級火警，開噴射器二十六至五十條；第七種是慘劇性的火警，將總動員全部的消防力量。

下面是該年度七種火警的統計數字：一級火警及小火共千三百二十七宗；二級火警三十一宗；三級火警一百二十七宗；四級火警十五宗；五級火警四宗。慘劇性的火警幸而沒有發生。

引起火警的原因有多種，其中最普通的是亂擲烟蒂、火柴或不小心處理未熄的烟蒂，其次爲電綫洩電起火。前者所造成的火警一千二百一十一次；後者所造成的火警也有一千零五十五次。造成傷亡最多的火警是打瀉火水爐或油燈，共傷亡八十八人；其次爲不小心處理烟蒂、火柴而造成的火警，傷亡六十二人；再其次爲電綫洩電火警，傷亡四十九人。該年度火警造成的傷亡共三百一十六人。

消防局長郝士在他的年報裏特別提到不要讓「今日的兒童」變成「明日的烟鬼」。由於亂擲火柴、烟蒂每每成爲火警的起因，如果吸烟的人越來越多，很明顯地，這種起因的火警數目也會越來越多。

郝士在他的年報裏，提出一個如何對付那些因個人的不小心而造成廣大居民生命財產受到威脅的「引火人」的問題。郝士將這些引起火警的人和駕駛汽車的司機作比較——司機如果因己身的不小心傷害途人，他是要受法律的懲罰的；可是目前香港還沒有一條法例規定是否應對引起火警的人，也提出檢控。郝士認爲，「引火人」是應該對自己的行動負責任的！

固有道德與現代社會

（上接第一版）

雖然如此，我並不認爲現代社會人提高消費以後，固有的節儉觀念全無義意。在未來，節儉在個人生活中仍將有其價值，這因消費的提高是無止境的，無論經濟開發到甚麼程度，總不能使人與人之間的消費量一律平等。我只是認爲，如果仍像傳統社會那樣，把儉當做人格的表徵時，才會與現代社會之間發生衝突。

固有道德與現代社會之間的第三個衝突是：現代社會是一種開放的社會；而固有道德中的尊卑觀念，閉鎖的道德觀念，君子羣而不黨觀念，以及烏托邦式的平等社會的理想觀念，都構成走向開放社會的障礙。

所謂開放社會，J．艾倫在他編輯的「開放社會」一論文集的序言中，曾作如下的解釋：「根據已有的定義，開放社會是一種社會生活秩序，大家珍視人類尊嚴的價值，並且普遍共享一切價值——其中尤以權力爲最。」所以開放的社會是一種能充分享有民主自由的社會。這種社會表面看起來很散，但它比任何傳統社會，任何有嚴密組織的極權社會，都來得凝固，都經得起變故。

我們固有道德影響下的社會，因強調尊卑觀念，是權威教條橫行；因道德停頓在閉鎖狀態，所以個人與社會脫節；因主張君子羣而不黨，結果無形中助長了專制帝王的統治；因提倡烏托邦式的理想，以致知識份子都沉醉在虛妄的美夢中，而不能爲現實生活求得一點進步！這都是代表閉關社會的幾個特色。這種社會經不起艱難危險的衝擊。表面上的安靜，並不是凝固，而是一種僵化。如果我們仍要提倡這方面的固有道德，那勢必妨碍進步，在現代社會中形成嚴重的衝突。

固有道德與現代社會間的第四個衝突是：現代社會是一個重知識的社會。因重知識，所以凡事信仰人的理智，不信權威、偶像，不信任何被附有神聖意味的禁忌、教條。倫敦大學的卜模教授，在他「開放的社會及其敵人」一書中，即曾以一個社會是否能允許理智的批判，和是否能有理智的批判，來判定這個社會是閉關的還是開放的。中國的固有道德，是開始就排斥經驗知識的，所以重直覺不重理智，行爲的主宰完全決定於直覺的一念，而不必假藉於知識程序的裁可——這是孔子式的行爲。與重知識的蘇格拉底式的行爲完全不同。在孔子式的道德體系中，也強調發展人的理性，但這理性是先驗的，與蘇格拉底所宣揚的邏輯，知識意義的理性不同。因只重視先驗的理性和直覺，這使中國知識份子，自始就缺乏理智的批判能力，這是中國傳統社會充滿禁忌教條，普遍崇拜偶像的主要原因。如果我們提倡固有道德，仍像古人把道德與智識視爲不相容，這將產生兩個結果：不是固有道德的提倡毫無意義，就是爲現代社會在思想方面帶來無謂的騷擾。

指出這些衝突，我並不因此就認爲提倡固有的道德即全無意義；我要提醒傳統主義者，和提倡固有道德者的是：所提倡的內容必須至少是與現代社會不相悖的，至少是無害的。其實在固有道德中，也會有過許多符合現代社會要求的觀念，如孔子的先富後教；孟子的有恆產而後有恆心；荀子的「養人之欲，給人之求」；中庸的「道並行而不相悖」；司馬遷的富、利觀念；王充的「讓生於有餘，爭生於不足」；李覯的「人非利不生」等等。如果我們仍想在傳統中吸取智慧、營養，這些在傳統中被泛道德主義扼煞的觀念，現在如重新予以發展，作系統的發揚，將有助於我們現代化的工作。同是「固有的」，我們爲什麼不能根據需要，重新抉擇，一定要固執傳統的思路，而厚彼薄此呢？（完）

羅德西亞少數白人統治下 當地黑人過的是非人生活

——本報資料室——

未到過南非的人，也會知道那裏公開實行「種族隔離」政策，非洲人遭受到種種的歧視。但沒有到過羅得西亞的人，很難想像得出羅得西亞的非洲人，在當局標榜「多人種協調」政策（Partnership）之下，所受的非人待遇。

居住地區黑白分明

在羅得西亞，和在南非一樣，白人是不把非洲人當作「人」看待的。索爾茲伯里擁有許多十層、二十層樓的新型建築，和許多華麗到令人難以想像的別墅，這些房屋的主人——當然都是白人——那種神氣十足的種族優越感，使人一看到就會覺得：羅得西亞非洲人鬧革命是不可避免的事。在索爾茲伯里，白人根據「土地分配法」，把風景優美、交通方便的地方統統列爲白人住宅區，非洲人除了充當白人的僕役、侍者以外，任何人不准闖入白人區。也不准在白人居住區外面遊蕩。非洲人的住宅區被劃在距市中心十餘公里的地段，比白人的墳場還要遠，他們只能在特定的區城內居住。一塊很小的居住區住着四、五萬人。

一間小房住十六人

索爾茲伯里非洲人住宅區多半是又擠又窄的徙置房屋，一間十呎丁方的小房，住着十六個人，據說還不是最高紀錄。徙置屋分兩種，一種是高層的住宅，一種是獨身者住宅，建築材料惡劣，環境衛生很差，一到達這裏，猶如進入另一個世界。

雖然索爾茲伯里有許多豪華的餐廳，但是一般非洲人都過着牛馬不如的生活。一個在工廠裏作了二十年工的老工人，每月工資只得二鎊多一點，他每週還須要付出相當於收入百分之五的稅。但是他住的房屋每月租金卻高達接近四鎊，他的老妻被迫在小菜市場上擺賣果菜，女兒充當白人女傭，他們一家人只能以玉蜀黍粉爲主食；這位女主人說，雖然她付這樣高的租金，不久前他們的親戚來住了一天，她就因此被控告「未得許可擅自留外人住宿」，被判罰款八鎊十先令。

千奇百怪的選舉法

在政治上，羅得西亞標榜「多人種協調」政策，實際上等於完全剝奪了非洲人的參政權。根據一九六一年英國頒佈的羅得西亞憲法，非洲人可以參加一共設有六十五個議員席位的立法議會選舉，但是羅得西亞的選舉法卻把選民列爲兩個等級。六十五個議員中五十個白人議員來自「上等選民」（白人），其餘十五個非洲人議席來自非洲人「下等選民」。選舉法對於選民的教育程度、財產等又有許多限制和規定。例如「上等選民」的資格是：每年收入七百二十鎊或相當於一千五百鎊的財產，年在二十一歲以上。「下等選民」的資格是：一、每年收入在二百四十鎊以上，並擁有相當於四百五十鎊的財產；二、每年收入一百二十鎊，擁有二百五十鎊的財產並曾在中學受教育兩年以上者；三、年在三十歲以上，每年收入一百二十鎊，同時擁有二百五十鎊的財產並受過小學教育者；四、年在三十歲以上，每年收入一百八十鎊，同時擁有三百五十鎊以上財產者；五、擁有一定數量的部落並居於部落領袖地位者。

做個選民難如登天

由於上述嚴格的限制，要想獲得做一個「上等選民」的資格實在難上加難。據一九六二年九月十五日所發表的選民數字，「上等選民」中（白人人口廿二萬除外），非洲人總共只有二、二○人，歐洲人則有八萬七千三百四十五人，其他人四三○人；「下等選民」中，非洲人一萬○八百七十五人，其他籍人三一人。[illegible]一個僅有兩個鎊的普通非洲工人，要想做個「下等選民」，也是[illegible]。

在經濟上，根據一九三一年實施的「土地分配法」，羅得西亞土地分配情況是：[illegible]有百分之四十五．八的貧瘠山地，其餘的百分之五．六的森林，百分之七．八的未分配公地，實際上也是由白人執政的政府控制，白人在這裏經營大規模的農場，主要栽植菸葉等經濟作物，非洲工人受着殘酷的剝削。

公眾場所在隔離

在社會上非洲人受到的歧視更嚴重。儘管羅得西亞沒有像南非那樣制訂法律公開禁止非洲人進入白人餐廳、酒店，但社會習慣上是不准非洲人涉足這些場所的。非洲人和白人子女受的教育也是隔離的。最令人不能忍受的是，當局可隨便加一個罪名逮捕任何非洲人。最近英國首相威爾遜抵達索爾茲伯里和南羅得西亞總理史密斯談判「獨立」，被囚在監獄中的非洲民族領袖恩科莫暫時被釋放，與威爾遜會談。許多非洲人聽到恩科莫暫時被釋放的消息莫不興高采烈，去歡迎他，結果數百人因此被捕，並被控以「擾亂治安」的罪名，被罰入獄二年至五年。

瀛海異趣談

意大利娼妓愈禁愈多

·桑雅·

娼妓的存在是個社會問題，儘管世界上有許多大都市諸如東方的日本首都東京以及西方的意大利首都羅馬，都曾先後實行禁娼，然而變相的娼妓仍然存在，甚至經過若干時日，一度禁止的娼妓又公開出現於大街小巷，像是「野火燒不盡，春風吹又生」。何況那些雜草根本就沒有徹底燒過？羅馬就是這樣的情形。

早在十年之前，意大利有位叫梅林的年老的寡婦，大發善心，利用她在意大利參議院參議員的地位，鼓吹禁娼，一有機會就在參院的議會上大發議論，主張將妓院一律關掉。但是，政府看在每年兩千萬的娼妓稅份上，總是遲遲不肯下禁令，而那些男議員對於這件事，跟他們本身要樂有關的案件，也顯得毫不熱心。可是，那位老寡婦議員卻怎麼也不甘心，她一定要想辦法，使得她的禁娼主張能夠實現。由於她的苦口婆心，到處奔走活動，總算有了結果，政府的拖延戰術和種種藉口已告詞窮，而那些男議員們儘管並不熱心，也只好勉強附和。終於通過了一個全意大利禁娼法案。

那位老寡婦議員眼見自己的主張實現，當然十分開心。然而，曾幾何時，她的開心化爲烏有。首先，是她那個選區的男性選民們不滿意她提倡禁娼，在另一次選舉時，不再投她的票。結果，使她失去參議院的議員席位。更壞的是擺脫妓院羈絆的一萬八千名妓女，多數不願從良，進「再教育所」去新生；而仍然跑到街頭拉客，重操皮肉生涯。這一來，對她們反而比以前更爲便當，因爲在她們無需向警方登記，或接受強迫體格檢查。萬一在誘人做那件事時當場被捕，不過坐牢八天了事。因而，意大利醜業反而比以前更加生意興隆，操此業者越來越多。

今天，在梅林女士的禁娼法案實行還不到七年，意大利全國靠出賣皮肉爲生的妓女估計有二十萬人。單是米蘭一地就有約四千企街妓女和八千應召女郎。最近米蘭有兩個鴇母爲了爭奪一個十三歲的女仔，竟大打出手。在羅馬方面，在馬路上拉客的妓女有一萬二千人。在豪華公寓中充應召女郎者更不計其數。有位羅馬的旅館老板說：「在城中歷史性的地區，流鶯密集，你得橫衝直撞，才能從脂粉叢中殺開一條出路，到達紀念物前。」在意大利另一城市都靈，有阻街女郎三千人，應召女郎九千，那位都靈市長格羅素慨乎言之說：「正經的男女不再在我們「優美」的馬路上漫步了，也不再到公園去了。」言下之意，這些好去處，都給野女人霸佔了。

由於娼妓的復熾，公衆不滿之聲又遍全國。參議院只得於不久前將「梅林法案」加以修正，表決通過。這樣一來，當女人的行爲被認爲是「胡鬧和令人討厭時」，可以「請」妓女隨時走開，如果她們不肯走開，將予拘捕，監禁四個月，並罰款一百三十五元；而不像以前那樣，監禁八天和罰款三元半了。在法律上，今後仍將禁娼，並且曾因「公開勾引男子性交」而被罰款過的女人，每隔十五天要實行體格檢查一次。

這些的新措施，預料意大利衆議院不久即予通過。已經有些街邊女郎表示：「對於新的限制，並不太討厭。」有個妓女說：「我並不在乎體格檢查。我担心的倒是顧客。」有些妓女甚至希望立法委員們再進一步，再把她們送回妓院。有個妓女長嘆一聲說：「我已厭倦了企街這種鬼把戲。在一座漂亮的溫暖的屋子裏，我就不必風露立中宵而受那些僞君子的侮辱了。」而許多體面的意大利人也有同感，他們認爲除非意大利國會根本廢除「梅林法案」，使妓院再行恢復，否則，要使妓女不出現於意大利的街頭，那是根本不可能的。其實，「梅林法案」不廢除已是廢除，因爲今天意大利全國各城市已廣泛地存在娼妓，所謂禁令，徒然具文而已。

國父在越南

鄢增厚

國父在越南之社會活動

國父在越南主要的爲僑事外交及黨務活動，然對華僑社會風氣之改良，亦不遺餘力。以前河內、海防及西貢之華僑團體組織，多爲洪門或三合之「堂口」，堂號竟有二十八個之多。國父初至，乃爲之聯成一氣，使其加入會籍。在河內海防，先後有瑞武精廬、炮懷堂、瑞廬等，爲法政府解散及拘捕黨員後，復分爲興中社、講學社及衛生社。西貢堤岸一則有興仁社等，此爲閱書報社，俱受國父影響而成立者也。至堤岸廣肇幫人，初亦有地緣關係之組織，並以「堂」的名義出之，經國父開導以後，始化零爲整，成爲今日各縣之同鄉會，大有助於僑社之團結焉。

每年例有遊神之舉，所費甚鉅，自經國父開導後，由李卓峯倡議停止，將堤岸穗城會館每年遊神之支出，撥作教育經費，創辦穗城學校以作育人材。其後各幫亦相繼開設學校。至今者穗城學校學生人數已逾數千，成爲堤岸僑社歷史最久之學府，此亦得國父開其風氣所致。

至於越南華僑之報紙，亦與國父的開導有關。民國前七年，已有黨員在西貢辦報紙，後有法人犖大烈者，曾在潮州傳教，略通漢文，後至西貢，以華僑居民衆多，乃創辦一漢文報紙，嗣以營業不振，乃轉讓與華僑經營，主其事者固曾受國父革命思想之薰陶者也。故國父第三次過貢，曾致函星加坡陳楚楠，有「西貢人心已大開，同志在此已設一報館，藉通聲氣」等語。

以上所述爲國父在越南當日之大略情形，至其在河內策動鎮南關及河口諸役，則多有紀述，且叠見史冊，不再多贅。（四·完）

歷史翻案一大事
發現新大陸者非哥倫布

十月十二日是哥倫布發現美洲第四百七十三周年紀念日。成爲絕大諷刺的，是在這一天竟公開展覽出一幅地圖，證明發現新大陸的不是哥倫布，而是北歐人里夫。這一地圖上的大翻案，本來早幾年已有人做過，只是拿出真憑實據來證明此事，這還是第一次。外電都紛紛發出專電，報道其事。可是，香港報紙很少報道出來的，大抵電報來的時間不巧，成了漏網的「大魚」吧。茲就路透社有關的此事的報道，述如下：

路透社的電訊，是十月十一日從美國康涅狄格州紐海文港發出的。原電電文大致如下：

耶魯大學於今天（十一）在這裏宣佈：「新世界」唯一現存地圖之戲劇化的發現，使人們知道北歐的探險家比哥倫布（發現新大陸）早了四個世紀。

學者們歡呼道一宣佈，認爲道是本世紀製圖上最令人興奮的發現。這張地圖清晰地畫出格陵蘭及加拿大大西洋海岸的部份。

耶魯大學圖書館長德姆斯．泰尼斯說：這張地圖總結地證明了大胆的北歐長船駕駛者橫渡大西洋，並且早在哥倫布於一四九二年在聖薩爾瓦多有名的登陸之前，這些北歐人已探險到聖羅倫斯海灣。

有人買到了這張地圖之後，經英美專家花了八年的緊張研究，才確定了它的真實性；認爲它是哥倫布之前，唯一現存的「新世界」地圖。

這張地圖的發現是很偶然的事情。那是一九五七年一位書商拿了他在歐洲購得的一本中世紀書稿兜售給耶魯大學圖書館，那個書商購買這本手稿，是出於一種好奇心而已，並沒有想到它在學術上具有多麼重要的價值。

那本用上等犢皮裝訂的書，其中對中世紀傳教士遠征蒙古韃靼帝國有着饒有興趣的記載。當時，耶魯的學人注意到那本手稿中夾有用褐色墨水畫在羊皮紙上一張摺着的地圖，大約長十一吋，寬十六吋。耶魯的學人將地圖打開一看，看到了一張歐洲、非洲和亞洲地圖。最令人驚異的，是這張地圖對格陵蘭有極其準確的勾繪。而且地圖上還有畫得模稜爲粗率的「葡萄地」，這是北歐人當時給美國取的名字（因其地多野生葡萄）（Vineland）。地圖上還註着一傳奇人物，說是這地方是「畢雅尼和里夫發現」的。北歐的探險家里夫．艾里克遜，一生存於第十世紀或第十一世紀。現在學者們所存疑的是：這張地圖是否是第一張美洲地圖？這就要看地圖上日期怎樣？地圖製圖的本身並未簽名，亦未載明製圖的日期。不過，學者們可以推定附帶的手稿爲第十五世紀中葉之物。

但是，現在有一個問題，那就是：經專家作校續密的研究之後，對於附在被裝訂於手稿之內的地圖，引起懷疑。不過，很偶然的機會，另一本手稿又到了耶魯大學專家的手裏，原來這張地圖和兩本手稿，本來就是裝釘在一起的，後來不知什麼時候被分開了。

耶魯大學圖書館的湯瑪斯·E·馬斯頓和英國博物館的兩名專家（一名喬治·潘特，另一名R·A·史基爾頓）已共同擔任這個重大而謹慎的任務，要確定地考證這張地圖。這張地圖現已屬於耶魯大學，由一位無名氏買主捐贈給耶魯大學的。館長泰尼斯說：他把這張地圖列爲「現代最令人興奮的珍藏品」，其價值超過耶魯圖書館所收藏的古品特別是「古騰堡聖經」（Gutenberg Bidle）和「拜埃詩經」（Bay psalm Book），後者是在美國印刷的第一本書。幾十年前在拍賣時耶魯圖書館以十五萬一千美元的代價購入的。

清代水師整建紀詳

羅雲

其福建各船廠，與泉道之泉廠，與興泉永三府協辦。汀漳龍之漳廠，與汀漳龍三府協辦。鹽法道承修之福建廠，與延邵建三府協辦。七年，裁江蘇黃浦營兵，改爲提督水師右營。八年加福建三船廠津貼銀。十二年，加台灣船廠運費。十四年，令外海內河水師戰船哨船修竣後，承修官以船身丈尺及器具報有司毋損。十五年，以閩浙海洋綿亘數千里，遠達異域，所有海外商船，內洋貿船，藉水師爲巡護，尤恃兩省總巡大員，督務弁兵，保商靖盜，而舊法未盡週詳，自二月出巡至九月撤巡，爲時太久，乃令各鎮總兵官每閱兩月，會哨一次，其會哨之月，上汛則先巡北洋，後巡南洋；下汛則先巡南洋，後巡北洋。定海崇明黃巖溫州海壇金門南澳各水師總兵官，南北會巡，指定地方，蟬遞相聯，後先上下，由督撫派員稽查。至澎湖台灣水師，則仍循前例。十六年，令福建三江口營，大小戰船，按季整洗。十七年令各省水師除江南省沙唬船巡快船，福建省彫結船，輕便易使，廣東虎門協營，沙礁迂曲外，其沿海各省戰船，一律製備頭巾插花，借助風力，以資巡哨。巡船則仿民船，隨時整修。五十四年，以外海內河戰船，舊例酌留一半，爲捕盜之用，其餘各船，次第屆期改造，咸令展期三月；福建浙江江南山東各省，咸展期半年。五十五年，以搜捕海盜戰船拙滯，允水師將弁之請，仿民船改製戰船，以期迅捷。五十八年，因廣東海盜充斥，自南澳至瓊崖千有餘里，水師戰船，雖有大小百數十艘，僅能分防本營洋面，不敷追捕，致商船報刦頻聞，歷年捕盜，俱賃用東莞米艇，而船隻不多，民間苦累，乃籌欵十五萬兩，製造二五〇〇石大米艇四七艘，二〇〇〇石中米艇二六艘，一五〇〇石小米艇二〇艘，限三月內造竣。五十九年，以浙江定海縣之舟山外有五奎山，外洋船隻皆於此寄泊，實爲海濱要區，爰於定海鎮標內酌撥弁兵，更番戍守。六十年，以沿海戰船過於累重，不便捕盜，每屆修造，需費尤多，通令各督撫屆修造之年，俱仿商船之式改造，以所節浮費，爲外洋捕盜之用。

（七）嘉慶年間：

嘉慶二年，浙江戰船俱仿民船改造，山東亦然。其餘各省沿海戰船，於應行拆造之年，一律收山，仿民船改造，以利操防。五年，諭各省水師，向設統巡總巡分巡及末汛各員，出洋巡哨，奉行日久，有以千總等代巡之弊，嗣後令總兵官爲統巡，副將參將遊擊爲總巡，都司守備爲分巡，遇有事故，以次代巡，不得以微員擅代。山東水師，向未有統巡等職名，亦一律行之。九年，因各省師船，向遵部頒定式，僅能就近海巡查，不能放洋遠走，多改雇商船，出洋捕盜，廷臣建議，戰船改商船制度，以收實用。旋諭江蘇省濱海之區，屢有盜刦，所有舊式戰船，令彊臣仿廣東福建浙江之例，即行改製。十一年，諭沿海彊吏，當乾隆五十五年，曾嚴飭統兵官實力訓練舟師，乃日久玩生，兵操駕事宜，全不練習，遇放洋之時，雇用舵工，名爲舟師，不諳水務。嗣後通飭所轄各營，勒期訓練，一切帆舵各技，務皆嫻習，其最優者，不次擢用，惰者懲之。廿一年，規復天津水師營汛，以閩浙兩廣兩江各省所裁，遵舊制募足額數，改隸天津水師分營管轄。二十二年，增設天津水師總兵官，以專責成。

（八）道光年間：

道光四年，諭福建彊臣：前以閩省戰船遲重，駕駛不便，曾淘汰十五艘，其餘俟拆修之年，令承修官仿同安梭船式，一律改造。嗣後閩洋米艇緝捕，仍不得力，其已改造之勝字六號米艇八艘，無須淘汰外，所有屆修之捷字三號一艘，悉行裁撤。（三）

祝壽獻唱（續）

是夕，票界到者甚多，申克常、任博悟、張兆槐、王慎良、郭勇盛、祖雄、何懋昌等，最後馬慶琳來到，胭脂寶褶珠簾寨，均是他所操拉。因無人唱程派，以致林萬鴻、應再寧均甚悶熱先行。吳家兄亦因此故，未曾動手，不無抱歉。而雅歌集自觀光飯店退席後，迄無場所，自此以後，各位集友如需吊嗓時，可請移玉教育部劇社，時加切磋。誠如乘社長到司長所云，非常歡迎，從茲有會唱之所，幸甚。是爲記。

國劇繽紛續錄

姿婆生（三十二）

如聞綸音

光復節的前夕，適是星期，警察電台例有平劇欣賞節目，此次爲「隋唐傳唱片集錦」，從紅拂傳起，至十道本止，包括有寶馬，三家店，虹霓關，斷密澗，鎖五龍，御菓園，凡有八齣；可說每齣精采，爲近今少有。因此播送平劇要用技巧來做，我嘗言直播某角所唱，是不太完全動聽。就以寶馬來講，簡直有如綸音，嘯天製作，確是高明。而姜薇小姐原籍北平，從前不管平劇，自經識技，對於每齣報道，既清捷悅耳，而娓娓動聽，一些無疲之音，令人快慰。康中海的連串灌製，絕無罅隙，皆是不凡之點。

寶馬開始，是伶界大王譚鑫培所唱西皮慢板「店主東帶過了黃驃馬」，眞蒼老，伶界是可奉爲圭臬，因他的秦叔寶，唱來能說前無古人後無來者。配梅氏的琴，王拴的店家，眞是神絕之音。次接由言菊朋唱這段慢板，已聽到摹仿譚派，極有神似，約在百分之八十；即以黃驃馬一句腔音，譚則極渾厚，言氏些微帶傖，然已是難得了。再次由夏山樓主接唱各句散板，則腔音較響，但仍不離譚氏軌轍。末尾由叔岩唱要鐧這段流水，誠如姜薇小姐所說，空靈透剔，極饒韻味，也是絕唱。從那時起到現在，誰能勝之！此段之好，在尺寸恰到，氣口微妙，配合要鐧猶如聞音而想其境。秦叔寶由他們四人而永傳，比三家店的二黃，是高明得多。依聽後所感，是譚余言夏的序次，一點不饒人。在寶島而聽到此戲，豈非如聞綸音，到那裏去尋？爲感嘯天姜薇中海的努力創造，爰爲此志感。

海嶠雲談會

國父最後經過

日本記

諸葛文侯

民國十三年冬十一月，國父孫公應北京段執政祺瑞之邀請，由廣州北上商洽國是，道經日本神戶小住之大概情形，時人已有紀述矣。茲篇所述者，乃愚個人當時身經目擊之若干事實，藉彰孫公偉大崇高之風範，聊誌不忘云爾。

國父抵神戶後，下榻「東方飯店」（Oriental Hotal），愚與民黨同志安徽湯志先（現居台灣）江西張鼇蒼（已去世）三人，受國民黨東京支部所屬全體黨員推舉爲代表，馳往神戶歡迎總理，并向本黨理論家戴天仇（季陶）先生叩詢對於國共合作問題之基本方針。蓋留日黨員間，因有共黨份子滲入作祟，內部常起糾紛，而中央正執行容共政策，諸多顧忌也。

愚等於孫公抵步之次日，乘火車到達神戶，即赴「東方飯店」晉謁總理，據副官馬湘言：孫公方與日本老友頭山滿閉門談話中，未便通報，囑在廊下稍候。未逾五分鐘，李協和將軍適從廊下走過，驀見愚等即謂：「你們是來歡迎總理嗎？」答曰然。李急叩總理居室之門，入告有東京同志代表三人在門外候見，孫公隨即出至走廊與愚等逐一握手，垂詢各人學業後，具言此次北上與段執政商談國是之唯一主張，即爲召開國民會議，徵詢全民意見以爲今後建國圭臬，最後含笑告語愚等：「國民會議中，有你們學生代表參加，你們今後努力宣傳國民會議解決國家問題的重要關係，以期成功，就是貫徹本黨革命宗旨」。和顏悅色，殷殷鼓勵，愚等唯有感奮耳。

越日，神戶各界日本人士在當地商業學校大禮堂舉行「歡迎孫中山先生大會」，人山人海，擁擠殊甚，凡未能進入會場之若干人，皆蹲伏窗外，且有攀登屋簷間，屏息以靜聽孫公之丰采言論者。愚以上海新聞報駐日通信員身份，事前領得入場券，幸未被擯於場外。孫公登壇講演「大亞洲主義」，暢論中日兩大民族合作之必要，由戴季陶翻譯日語，戴氏日語極流暢，發音亦準確，聽衆大悅焉。是夕，神戶文教工商界公宴孫公於東方飯店大廳中，愚以記者資格，忝被邀約參加，孫公即席致詞，仍由戴先生任舌人。孫公談到中日原爲兄弟之邦，目前老兄家道中落，迭受外人欺侮蹂躪，淪爲奴役生活，出門常須替若干豪富主人（指世界列强）効提傘之勞，老弟（指日本）已興家立業，眼見老兄於廣衆之前，爲人司提傘賤役，內心諒有慚疚，即應設法援助，以敦友于之誼。全場聞之歡笑不已，亦有揚聲以日語答「當然」—阿他里馬—一句者。

孫公於啓節北行之先夕，在行館—「東方飯店」—餐廳招待由日本各地區來到神戶之國民黨員近百人，對黨務與時局問題，剴切訓示，愚猶記憶其劈首致詞云：「本總理此次應邀北上之目的，不在獲取政權，是要以和平方法解決國事」，意態莊重而慈祥，允符領袖風度。時宋慶齡著鐵青色綢質旗袍，四邊紅色小條，髮結圓髻，配以皙白之肌膚，穆然靜坐於燈光之下，顯示其格外娟秀之姿。散會後，愚趨前叩問「夫人對國事意見作何觀感？」彼謂「我不懂政治，你去問總理好了」。自孫公下世後，彼乃蛻變而爲高談政治之前進女政客，不亦怪哉！

十二月一日，孫公與隨員李烈鈞，戴季陶，黃昌穀，馬湘暨夫人宋慶齡一行，乘「北嶺丸」直航天津，愚等追隨中日一大羣人士之後，趨赴碼頭恭送，鵠立於朔風凜冽之海邊約半小時，船上鳴鑼數聲，表示啓碇在即，登立頭等艙甲板上之送行人士，相率魚貫下船，水手正擬撤除跳板之際，忽聞遠處有一着短裝之華人，揮手大呼「總理，總理」不輟，急馳而來。孫公立命水手暫停撤除跳板，且待該人到來一晤。比接談，據言係在大坂作理髮師之國民黨員，閱報得悉總理駕臨神戶，特告假馳來叩見，別無他事云云。孫公以親切態度，溫語慰勉有加。於時，愚在旁覲狀聞言，深受感動，認爲得隸此偉大領袖之下，忝爲黨員一份子，一方面感覺榮幸，同時亦願摩頂放踵爲領袖所指導之革命事業而竭力奮鬥，雖死無悔也。

日本社會一般民衆，對戴天仇之名聲極其崇拜，愚與同志張鼇蒼君在神戶時，曾赴一街一商店購買皮箱一只，一條囑其送至「東方飯店」賬房代收。該店主審視愚等片刻，怡然指張君曰：「閣下得非戴天仇先生乎？」蓋張君身材短小精幹，與戴氏相伯仲，而其日語亦流暢，該店主或許會在「歡迎孫中山先生大會」中，聆及戴氏之譯言，乃誤認張君爲戴天仇先生矣！

孫公在神戶發表「大亞洲主義」之演說後，日本各報紙競事評論，歷十數日不息，而以東京「朝日」、「日日」兩大報尤爲勤力，若干著名之政論家皆撰文發抒所見，贊否論旨皆有，唯均不免具有僭越感，認爲孫公固可敬佩，然中國軍閥橫行割據，政治不上軌道，人民缺乏過問國事之能力，「大亞洲主義」殊難實現也。愚

西施

「影劇與歷史」之十三

周遊

楚昭王派了申包胥到秦國求救，在秦庭哭了七日七夜，秦國始發兵助楚。另一方面，鄰近的越國知道吳王深入楚國，國內空虛，於是乘機攻吳，而吳王闔廬次子夫概，發動一次政變，自立爲吳王。闔廬前後受敵，迫不得已乃放棄楚國，回師平亂，擊走夫概。越兵亦退，夫概奔楚。吳王闔廬以越國助長吳國政變，深切痛恨之，因此時存報復之心。

周敬王二十二年，越王允常死，勾踐繼位。吳王闔廬以其新喪，有機可乘，伍子胥深表反對，吳王闔廬不聽忠諫，率太宰伯嚭及吳國精銳部隊，向越國進軍。兩軍戰於檇李（即今浙江嘉興縣附近），結果吳王闔廬被越國大將靈姑浮砍傷手指，幸得吳將專毅救回。不久吳王闔廬因傷不治身死，遺命夫差毋忘國仇家恨。如此一來，吳越兩國的國仇家恨愈結愈深，最後演變成水火之勢。

夫差繼位之後，仍以伍子胥爲相國，伯嚭爲太宰。子胥忠直有爲，善於用兵，夫差敬畏之。伯嚭原亦是楚人，爲楚大夫伯州黎之子，於魯昭公元年，伯州黎被楚靈王所殺，伯嚭奔吳，和伍子胥的遭遇相同。而此人爲人工於心計，嫉賢妒能，却因善於承迎取巧，頗得夫差歡心。

夫差果亦不忘國仇家恨，整軍經武，厲精圖治。他爲了警惕自己，命令一個內侍，站在朝房門口，每當吳王上朝，那內侍就高聲叫着：『夫差！你忘記勾踐殺你父親的血嗎？』吳王聽之維謹道：『不敢、不敢忘！』

越王勾踐探聽得吳國在積極訓練軍隊，心存戒懼，乾脆給吳國來個『先下手爲强』，欲趁吳國軍隊尚未訓練成熟，解決了吳國，以免後患。可是越王的主張却不爲范蠡贊同，而且深表反對。越王固執了自己的主張，起兵攻吳。吳王夫差也抱定雪恥復仇的決心迎戰。吳越兩軍在夫椒地方展開大戰（太湖附近），越軍大敗，一直退到會稽山，收拾殘兵，只有五千了，被吳軍圍困在山上。越王後悔之至，召集范蠡、文種商議，結果越王採納了范蠡的建議：『忍辱負重，等待時機的轉變，再圖光復』。於是派文種爲特使，前往吳軍請降。文種到吳軍先賄賂太宰伯嚭，託吳王說：『古之伐國者，服之而已。今已服矣，又何求焉』！夫差允其請降，但唯一條件，就是要越王到吳國爲人質。（二）

鄭板橋其人其畫

漁翁

唐玄宗時，鄭虔爲博士，工書畫，嘗自寫其詩並畫以獻，玄宗署其尾曰：「鄭虔三絕」。入清有鄭燮者，亦工書畫竹，書法以隸楷行三體相參，古秀獨絕，詩近香山放翁。時人以其家風紹述，而亦以三絕稱之。

燮字克柔，揚州興化人。興化鄭氏有三：一曰「鐵鄭」，一曰「糖鄭」，一曰「板橋鄭」。燮以鐵糖過俗，而喜板橋之名，因以爲號。時人亦呼板橋而不名。

板橋幼穎悟，讀書饒別解，粹有文名。康熙入邑庠，雍正舉於鄉，乾隆成進士。板橋家固貧，落拓不羈，在未騰達前，曾一度爲人課子弟，賦教館詩云：「教館本來是下流，傍人門戶度春秋；半饑半飽清閑客，無鎖無枷自在囚。課少父兄嫌懶惰，功多子弟結冤仇；而今幸得青雲步，遮却當年一半羞。」把教書之苦衷，說得痛快淋漓。

板橋恃才傲物，獨立特行，不與世俗浮沉。曾一度出宰山東范縣，該邑某寺，有僧尼私通，地方人以其有傷風化，即縛之入官署，請求懲處。鄭以僧曠夫，尼乃怨女，空即色，色即空，旣不願甘棄紅塵，不如任其還俗，使有情人成爲眷屬，乃賦詩以代判云：「一半葫蘆一半瓢，合來一處好成挑；從今入定風波寂，此後敲門月影遙。鳥性悅時空即色，蓮花落處靜偏嬌；是誰勾却風流案，記取當年鄭板橋」。

鄭不善應酬，故以縣令終身，爲官十年，僅七品耳。罷官後，有以「三絕詩書畫，一官歸去來」贈之者。雖宦遊十載，而不名一文，終落得兩袖清風，「一肩明月」，乃徉徉於「二分明月」之揚州，此地爲古九州之一，畫於周代，即今之江蘇江都縣，隋唐時爲我國商業經濟最繁榮區域。

由於揚州居大不易，乃鬻書畫爲生，有一首寄弟四言詩云：「學詩不成，去而學寫。學寫不成，去而學畫。日賣百錢，以代耕稼。免謁當途，乞求官舍。座有清風，門無車馬」。亦名風雅。表現其眞性情、好品格，爲一般文人所不可企及。

所鬻書畫，經規定潤格：大幅六兩，中幅四兩，小幅二兩，條幅對聯一兩。並申明凡送禮物食品，總不如白銀爲妙。觀其所賦：「宦海歸來兩袖空」，「落拓揚州一敝裘」等句，其窮困蓋可知矣。（上）

自由報

THE FREE NEWS

第二〇六期

內儎警台報字第〇三壹號內銷證

中華民國僑務委員會登記證
台教新字第三三二號登記證
中華郵政台字第一二八二號執照
登記爲第一類新聞紙類
（半週刊每星期三、六出版）
每份港幣壹角
台灣零售價新台幣貳元
社長：曾嘯岑
督印人：黃行富
社址：香港銅鑼灣高士威道二十號四樓
20, CAUSEWAY RD 3RD FL. HONG KONG
TEL. 771726　電報掛號：7191
承印者：大同印務公司
地址：香港北角和富道九六號
台灣分社
台北市西寧南路逸莊零號二樓
電話：三〇三四六
台郵政劃撥儲金戶口二五二

兵役法令又到修改的時候了

·南天·

兵役制度在台灣實施以來，要算是最成功的一種制度。因爲法的本身健全，合法，合情，合理，立法的人和達官顯要都能率先奉行，台灣同胞又有守法的良好習慣，一般執行法令的役政幹部更能重法守法，不偏不倚，公正嚴明，以往雖也有極少數不法之徒鑽法令漏洞，一經發覺查實，司法機關都能以迅速果決的行動，公平處斷，從嚴治罪，故能平服人心，昭信人民，今日建有良好的役政制度基礎，不是單方面的，更不是偶然的。

十餘年來在正常的征召訓練和大量儲備之下，兵役制度已在「金門八二三炮戰」時發揮了它的最大功效，奠定了我們反攻必勝的信心。但天下沒有十全十美的法令，更沒有平戰兩時都能適用的制度。現值我們反攻的前夕，首須動員軍事作戰，因此人力的供求，軍隊兵員的充實，勢非有龐大的人力動員不可，那末我們這一平時制度必有很多不能適應這一需要，茲舉其大者如左：

一、區劃補充兵有無必要

補充兵區劃，本是爭論很久的問題。有人說「既有優待扶助，就不應再辦役種區劃」。又有人說「區劃補充兵一方面顧慮獨負家庭主要生計責任者能對父母侍親盡孝，在家生產繁榮地方，一俟原因消滅即行應征服役，並非免役，二方面政府財源有限，如不區劃補充兵勢必增加開支，政府負担不起」。眞是仁者見仁，智者見智，所以這些年來即係依據兵役施行法第三十七條第二欵「依役男體位及家庭經濟狀況區劃之。」又征兵規則第二十八條一欵「凡體位判爲甲乙等者，役種區劃組應依兵役法三十四條之規定，一律區劃爲適於服常備兵及補充兵現役」二欵「已區劃爲適於服常備兵現役之及齡男子，因負家庭生計主要責任，不能維持當地最低生活，擬請改劃其他役種者，應具申請書，檢具有關證件，向鄉鎮公所申請，由鄉鎮公所調查並簽具意見，轉擬縣市政府，交征兵檢查委員會之役種區劃組，依據鄉鎮公所所簽意見及其他佐證資料，按役種區劃標準及其實施細則之規定，予以區劃。」但鄉鎮公所亦係僅憑戶籍及財稅資料轉錄調查，如有狡猾家庭暗中放高利貸，財稅機關沒有他的資料，一時調查不出來，而他並非眞正的貧困之家，若一旦准其區劃補充兵，則近隣大譁，甚有吃上調查不實的寃枉官司，所以區劃補充兵最難辦，而也容易舞弊的。

補充兵之征集依據兵役法第十六條之區分如左：

一、現役：以適合常備兵役之超額男子，徵集入營者服之，陸軍爲期三個月至六個月，海空軍及特種兵爲期三個月至一年，期滿退伍。

又同法第三十七條第一欵「緩征原因消滅者」。

再兵役法施行法第十八條「依兵役法第二十一條之規定，常備兵補充兵現役缺額以補充兵、國民兵遞補時，依左順序行之：

一、補充兵現役

二、依法應征補充兵現役者

三、依法應服國民兵現役者

這些年來即本此旨行之，深得一般窮苦民衆好評！譽爲一大德政，前秦修好處長亦認爲此一措施頗有自得。但本（45）年八月內政、國防暨台灣省政府三單位爲應時事及軍事需要特會衛訂頒「仁愛計劃」一種，依據兵役法第三十一條「常備兵，補充兵平時現役補缺，依本法三十七條規定應補行征集者遞補之……」首對二十六年次升體位役男及區劃補充兵二十六年次至三十四年次役男不論原因是否消滅，一律補征陸軍服役一年四個月。台灣省府幷針對該二六年次役男家屬貧困者訂頒濟助辦法，按月發給濟助金（最高四口三百四十元）以維持其家庭生活，政府對出征軍人貧困家屬顧慮不爲不週到。但二六年次役男年已三十，多已結婚生子，負担甚重，不是少數金錢可以解決其困難的。更有少數家庭父母雙亡，其妻去世，遺下子女三四個全棄他一人照顧，如去服役，遺些子女交誰照護？這不是金錢可以解決得了的。少數家庭應准其綴征，以免發生不幸的事件。在法固屬不許，在情在理是可以同情的。區劃補充兵當初本有一大德政，

沒想到今天除了政府增加一筆不小的開支外，還給役男本身及基層役政單位帶來極大的困擾。

既然如此，無論就目前的反攻情勢看，或人力動員看，以往區劃的補充兵原因尚未消滅即須補征，今天再辦區劃補充兵實在是多餘的。在未反攻大陸以前，此時此地，大可不必多此一舉。因爲政府對人民首重立信，有了信，人民才可以遵從信守，不致傍徨無主。民無信不立，何況一個政府，更要堅持這一立場。朱毛匪幫之覆亡無日。就是它們的欺詐誘惑，殘殺制壓的鬼蜮伎倆完全給中外人士一戳穿了，暴露出它們一幅卑鄙無恥的嘴臉，成了衆矢之的，焉有不亡之理。

、徵兵及齡應否修改

按兵役法第四條「男子年滿十八歲者爲國民兵役及齡，年滿十九歲者爲常備兵及補充兵現役之征兵及齡，即經過身家調查，體檢，抽籤，合於甲乙等體位者按抽籤號梯次征集入營。至於未及齡的男子想提前入營，除了少數中學生投考各軍事學校以外，那些國校畢業的社會靑年只有望營門而興嘆，役政單位是不收的。因此有不少靑年以往升學考不取，謀職未服兵役不要，讀大學夜間部未服兵役不收，成了社會上的浪人，甚至有人誤入歧途，加入社會不良組織，飲酒，打架滋事。所以國防部爲適應社會需要特於五十三年開闢了一道方便之門，年滿十五歲以上的社會靑年及後備軍人都可以志願入營，惟須服役四年（後備軍人二年）有人覺得過長，今（45）年仁愛計劃更給予青年莫大的方便，即未及齡役男（36、37）提前入營服役，不增加年限陸軍二年，海空軍三年，軍種可以自由選擇，不受抽籤限制。所以深合社會青年需要，大量踴躍提前入營，這一新血輪注入軍中將爲無比堅強的骨幹。惟此新的措施，並無法令依據，必須經過詳細的宣傳和鼓勵，使能明瞭此一意義，出於他們自動自發；如果他們不志願提前，你就不能勉強他。現在爲適應軍事需要，無妨考慮將兵役法征兵及齡男子改爲年滿十七或十八歲，兵役義務宜早不宜遲。

（下轉第二版）

誰要惹禍上身

渾然無覺

今日與明日

聯大投票結果

二十屆聯合國大會終於舉行了所謂中國代表權的投票，結果是四十七票對四十七票，二十國棄權，另一國缺席，兩國放棄投票。此項紀錄是自從聯合國發生投票以來，紀錄最低的一次，對我國來說不能不承認是外交上一大挫折，除非一年以內能反攻大陸，徹底摧毀毛僞政權，否則明年又要舉行投票，到時假若再少了幾票又何堪設想！因此，應該從早作一個檢討，預籌對策。

不能諱疾忌醫

在這次投票之前，日本外務省估計我國可得十票多數。日本人的情報相當正確；半年前就曾對聯大投票問題作過普遍調查，所作十票多數統計，自有其可靠性，結果竟然一票也未多。據說日本外務省大感震驚。其實震驚的又何止一個日本，凡是與我友誼深厚的國家，如非、泰、澳、加、哥倫比亞都大感錯愕，不知明年前如何對付此種投票。美國更是憂心忡忡。

日本人所估計的十票多數，約略言之，當指伊朗，喀美隆，千里達，智利，塞浦路斯，乍得，盧安達，黎巴嫩，沙特阿拉伯，利比亞，更爲重要的是與我有邦交，我國且派有農耕隊幫助改良稻種，深受彼邦歡迎的塞拉勒窩爾（台北譯獅子山國），竟然在兩次投票中均支持毛僞政權！他這一個國家就削弱了我們兩票。因爲上列十國只是棄權，塞拉勒窩爾竟然投了毛幫的票，此消彼長，無形中就替毛幫增加了兩票。

痛定思痛澈底檢討

上列各國中最值得注意的是伊朗。伊朗是中東反共柱石，伊朗王且曾訪問台北，中伊邦交一向敦睦，何以伊朗會來這一手？我們外交當局事前究竟知不知道？到底我們駐伊朗大使吳南如事先有沒得到一點消息？假若他根本不知道，也沒有報告，請問我們設這個大使在德黑蘭作什麼用？提起這位吳大使，據伊朗來人說，他根本就未見過伊朗首相同外長，甚至於司長也見不到面，日日在館內閉門高臥，不理門外治亂。大家都記得此公當新聞局長時就同報界鬧過許多衝突；一個同本國人都處不好的人，却派到外國去折衝樽俎，焉有不誤事之理？希望外交當局萬不能再馬虎過關，立法院更應提出質詢，先拿這位吳大使開下刀，也爲外交官預者戒。

至於像塞拉勒窩爾那種鬼國，我們要這個朋友幹什麼！應當馬上自動宣佈絕交。命令大使下旗回國，我國聯合國席位可以不要，民族正氣同國家體面却不能不要。（何如）

聯合國的沒落

馬五先生

聯合國對中國代表權問題的投票，正反兩方各得四十七票，另二十票棄權，打成平手。幸好此前先有一項決議，肯定這是「重要問題」，「必需三分之二票數取決」，否則立刻就有麻煩，說不定要來個再投票，就更加尷尬難看了。目前這結果已經是很尷尬了。首先自然是我們中國感到尷尬；其次，竭力支持我們的美國，何嘗不該觸目驚心，很感到尷尬難看？然而，必需明白指出，所謂「中國代表權問題」，居然一年一度的出現於聯合國大會，本身便豈有此理；這次的表現，更簡直是聯合國自己開自己的玩笑。中華民國是發起創造聯合國的「四強」之一，中華民國現亦爲聯合國最重要機構的安全理事會五個「常任理事國」之一，中華民國目前不但存在，世界上大多數國家亦還承認中華民國的存在，同我們有外交關係，中華民國的代表權根本不成其爲問題，沒有理由把它鄭而重之堂而皇之的提出來討論。要不，豈但是對中國的侮辱，實在乃是對聯合國的侮辱——共產集團及少數親共媚共莫名其妙的中立國吵着要捧毛共入聯合國，不足爲怪，因爲它們是一邱之貉的壞東西，根本不必理會。認眞根據聯合國憲章，該排除出去的，正是以蘇俄爲首的那幾個共產政權。

而尤其胡鬧的，第一，毛共是聯合國有案可稽的「侵略者」，檔案猶存，決議亦幷未撤消，竟就有這麼些國家要抬它入會了，這不是自打嘴巴？第二，毛共曾經發爲狂囈，說是除非聯合國糾正錯誤，實行改組，否則打轎子來接它它亦不願進去聯合國了。換言之，眞把毛共抬進聯合國了，聯合國也就面目全非，甚至根本完蛋了，這麼些國家豈不簡直是在自拆聯合國之台？

事實證明，今天的聯合國，已成告朔之羊，沒落了，貶值了，尊嚴盡失、威信掃地、名存而實亡了。完全值不得把它當一回事了。

台灣企業界二三事

招商局沉疴待救　電視公司要增設　西施影片將蝕本

（本報台北通信）喧騰已久的交通部所擬整頓招商局計畫——即新設營運機構專負發展航業之責，原有的招商局機構，依然存在，作爲一般舊人的生活根據地，旨在使招商局不再有「坐吃山崩」的險象環生，而舊有人員亦無失業之虞。這原是交通部長沈怡苦心孤詣、兼顧事實的一種妥協方案，但提到立法院審議時，大遭抨擊，認爲無濟於事，不予通過。行政院看到這種情形，急忙將原案撤回研究，最近決定了比較澈底的幾項辦法，命令交通部切實遵行，大要是：（一）招商局原已負債十二億新台幣，在案這筆債務是由國庫放出的，今後准予停息，另核減六億元債欵，名義上由政府補助該局資金六億元，實際即係減免了一半的債務負担，俾該局喘得過氣來，加強業務進行，達成有賺無蝕的期望。（二）原有大小職員五百餘人裁去十分之八九，只留用學有專長的少數技工，努力推進業務，過去坐領乾薪的情況不許存在。（三）交通部原訂另組新機構計劃，應毋庸議。這是大刀闊斧的作風，較原來的敷衍政策進步多了。問題就在裁汰冗員一事能否做到？那般舊人在招商局多具有悠久歷史，且自認爲具有勞績的，他們盡屬來自大陸上的各省人士，一旦被裁，生活即大成問題，想改行亦不容易，除非政府再支出鉅額欵項，像軍人退役一樣，給被裁的人一筆退休金，作爲別謀生計的資本，否則很難着手裁員工作，而這項工作又是招商局能否起死回生的關鍵所在。所以，該局未來的董事長和總經理位置，誰也望而却步，不敢問津，社會上紛紛議論，認爲若要貫徹政府整頓招商局的既定政策，最好是請蔣經國先生暫行屈兼招商局董事長職務，把裁汰冗員這項工作辦妥，然後交給別人負責整理業務。因爲蔣先生担任國防部長一年多的期間，以硬派作風節約三軍之間的若干費用，替國庫減省了一億元新台幣以上的數字，績效卓著，除他以外，目前黨政軍各方幹部諸公，無論那一位出任艱鉅，終將沒法完成任務的。

台灣電視企業，只有一家公司獨佔專利，由於沒有競爭之故，節目貧乏呆板，毫無改進。全部商業廣告，百分之九十以上都是屬於日本商家所供應的。電視器材亦由這家公司壟斷市場，別人無從染指。最近台省工商業鉅頭林挺生等，曾向立法院請願，說他們數年來進口了一萬多部電視機，在台灣竟沒法銷售，電視企業若不開放，殊非促進工商企業之道。立委們頗以爲然，乃對交通部長沈怡大事質詢，言之成理，持之有故，使沈氏不易招架，祇好以「頻率」關係爲解嘲之資。但立委中亦有深諳電視頻率本質者，認爲若在台省南部大都市高雄新設一家電視公司，並不發生「頻率」問題，沈氏當場唯有答以原則上自可開放，候與專家研究後再行酌辦。看情勢，台省增設一家電視公司似無疑問了，現時各方面有志於此項新企業者，紛作招股承辦之準備，即立法委員中亦有熱心此道之人，他們希望獲得交通部的核許，能夠從事電視企業，則不愁生活發生威脅了。據記者觀察，將來新添的電視公司，一定是官商合營的成份居多，任何人要想獨享其成，絕對辦不到，利之所在，誰亦見着心癢，眼紅的，不信由你，這是亂世的必然現象，無可避免也。

電影名導演李翰祥的「國聯影片公司」，與台灣製片廠（省營企業）合作拍製「西施」影片，規模宏偉，耗資在三千萬元新台幣以上，最近這影片已在台灣正式映演了。據票房紀錄成績看，並不理想，至多只能獲致一千萬元左右的收入。國聯公司只負製片責任，該公司每月開銷約需港幣五十萬元（等於新台幣四百萬元）不得不拍製一二部鉅片，藉資維繫號召，至於影片上市後的賺錢或蝕本，固無聯帶責任。但台灣製片廠却不能漠視其後果，否則耗費了鉅額公帑，民意機關必不放鬆，勢必提出質詢，指摘該製片廠經營失策，在議會中沒法交代。因此之故，近日「西施」影片在各報刊登的廣告中，一面註明將總統嘉獎「西施」影片之成功，同時特別摘錄名政論家陶希聖對此影片所加的優良評語，表面上令人發生影片牽涉政治的感覺，實際是在替台省製片廠消弭，將來可能遭受的責難，因爲總統既予以嘉獎，則耗資多寡，皆屬無關宏旨之事，民意代表亦就不便嚕囌了。這一着，來得相當聰明，普通的商家是想不到的。欲知究竟如何，且聽下回分解罷！（十一月十六日浩然於台北）

兵役法令又到修改的時候了

（上接第一版）

三、應否准其緩征

現在人所詬病的小學惡性補習，大專激烈競爭，如細心研究起來，形成這一現象的原因，兵役法令即有下列數項助長的因素：（一）服役不平：高中畢業考不取大專時，就要應征常備兵現役，陸軍二年，或海空軍三年，如果闖進了大專院校的大門，就不要服常備兵現役了，而祇須等到大專畢業後服預備軍官役一年四個月即行退伍。有此優厚待遇，誰不向大專院校激烈競爭呢？

按兵役法第九條，預備軍官，以左列人員，依志願考選受八個月以內之預備士官教育，並視必要分發軍事機關部隊見習四個月以內，期滿合格者服之：

一、曾服常備兵現役期滿，成績優良者。

二、曾服補充兵現役期滿成績特優者。

三、曾在公立或已立案之私立高中以上學校畢業，或具有同等程度及專門技能者。

由上文看來它的主要精神在於現役常備兵或補充兵成績特優，或依志願考選，而不是今天現行所有大專畢業學生無論是否合格一律列爲預備軍官，在營時間太短，軍中生活尚未習慣，幹部學術是否修得？軍中役用效益如何？值得懷疑。因此預備軍官制度值得檢討改進：（一）預備軍官應依兵役法第九條之規定必須經過考選合格者服之；（二）預備軍官任期不得少於二年（受訓一官年服務一年），以示兵役義務平等。

第二在校學生緩征問題：現在高中高職在校學生，尚有年齡限制應准緩征，兵役法第三十六條「應受常備兵現役或補充兵現役徵集之役齡男子具有左列情形之一者得予緩征：

公立或已立案之私立高級中學及其同等以上學校在校之未畢業學生。」

現行大專院校並未規定入學年齡，對讀大專院校學生似不應予以緩征，任其拖延逃避，征兵及齡應即入營服役，由校發給保留學籍證明書，退伍復學即可。現在美國大學教育即是如此。

第三師範在職緩征問題：現在範師競爭勝於大專，一方面是求職容易，一方面畢業後還有三年在職緩征，如果三年滿了考進師大即有五年時間（師大畢業後服務一年征訓預備軍官）可以緩征，倘考進其他大專院校也有四年時間緩征，更可以不服常備兵役，只服一年四個月大專預官役了，師範，師大（師專同師範）有此緩征優待，故亦成了青年競爭的目標。以前師範人才不夠誠恐影響國校師資，如此優待未可厚非。現在國校人才已有人滿爲患了，似無緩征之必要。師範，師專，師大學生畢業後分發服務，取得該單位保留底缺證明後，應即征服兵役，期滿退伍再爲復職。不損於教育，亦不影響兵役，較爲合理公平。

我們是法治的國家，兵役是國家的大法，一切措施皆應經過立法才易推行，以上係舉其大者，藉以拋磚引玉而已。（完）

法國最著名的犯毒組織

名叫科西嘉聯盟亦稱法國黑手黨

——巴黎通訊

法國有一個龐大的地下販毒組織，名叫「科西嘉聯盟」，也被歐洲黑社會的「行家」稱爲法國黑手黨。它的會員有數千之衆，差不多全是科西嘉出生的人，或科西嘉血統的人，他們大部分是從科西嘉移居法國的。

生產毒品輸往美加

科西嘉是地中海一個多山的海島，屬法國領土，離法國南岸約一百哩，離意大利約五十哩，有「美麗之島」之稱。這是約二百年前拿破崙的誕生地。今天，這個島本身實際上沒有有組織的犯罪。當地的「科西嘉聯盟」是一個慈善組織，以食物和衣物賑濟貧民，又貸欵去救助瀕臨破產的商店。但在法國本土，「科西嘉聯盟」却是一個著名的犯罪組織，包庇開娼聚賭、走私、勒索種種不法的勾當。它的主要「業務」則是生產毒品，以輸往美國和加拿大。

據估計，通過美國東岸海港偷運入美國的全部非法毒品中，有百分之八十是由「科西嘉聯盟」經手的。其餘的百分之二十，則由西西里島的黑手黨經手。所有這些走私毒品到了美國之後，即由美國黑手黨包辦在全美的批發工作。

馬戲團的著名小丑保羅．鍾成了這種販毒勾當的間接犧牲者。他今年四月在紐約曼哈頓一間酒店被人謀財害命。事後緝獲的兩名兇手，供認行兇的動機是爲了需要錢去吸毒，而他們一向拿來「頂癮」的海洛英，是「科西嘉聯盟」的一間「藥廠」的產品。

名都馬賽毒廠如麻

在「科西嘉聯盟」大本營的所在地馬賽及其附近的山區，這些「藥廠」有幾百間之多。大部分的「藥廠」只是一間房間的實驗室，「藥劑師」就在裏面用煤氣鍋爐和乾燥器，將生鴉片提煉爲純海洛英。這些「提煉廠」如果遭警探破獲，即有另一些新廠迅速起而代之。

提煉一磅海洛英，需要十磅鴉片。據估計，馬賽的毒品廠每年的產量是一噸。這些白粉被美國癮君子稱爲「H」（海洛英的英文字的第一字母是H）。這噸毒品銷往美國和加拿大，可值一億美元左右。紐約是這些東西的主要市場，因爲紐約的癮君子估計有五萬人。

美國聯邦禁毒局在馬賽派駐了好幾名特務工作人員和維持着一個密告者網狀組織。他們的主要任務是把要偷運往美國的大量毒品的情報預先通知華盛頓。過去兩年，單是在紐約的肯尼廸機場，就檢獲價值二百多萬美元的純海洛英，都是根據在馬賽搜集的情報而截獲。

「科西嘉聯盟」的鴉片的來源地，是土耳其和黎巴嫩，因爲這兩國可以合法地種植鴉片，供醫藥之用。土耳其去年生產卅噸生鴉片，但國際警察組織通過合法途徑只查出其中十四噸的蹤跡，其餘十六噸給「科西嘉聯盟」購去。大部分的鴉片是由「科西嘉聯盟」自己購置的船隻偷運出土耳其，然後又偷運入馬賽，一到馬賽之後，立即分配到許多地下「提煉廠」去。大多數的「提煉廠」，像上面所說，是一個房間的實驗室，富有「機動性」，如果風聲緊，可以迅速拆除裝備，轉移新陣地。但也有一些「提煉廠」的規模很大，例如有一座矗立在山頂上，俯瞰全市，就着大海的豪華別墅，實際就是一間毒品製造廠。

警探去年破獲這個架步時，搜出二百公斤鴉片，在馬賽的價值是四十萬美元，但如果運到美國，則可值三百六十萬美元。

人馬衆多不易破獲

這架步被破獲的第二天，有四名密告者給科西嘉槍手所殺。但事實上，這四人中有一個是向警方提供過有關山頂別墅架步的綫索。其後還有幾個密告者不是遭人殺害，便是莫名其妙地失蹤。

法國里維拉度假勝地尼斯，去年爆發了驚人的流血衝突事件。「科西嘉聯盟」的人馬，因包庇一羣從別地新到的妓女與皮條客，跟當地的一個娼妓組織在市中心大開片，雙方用手提機槍、獵槍和手槍作戰，結果共有十人死於槍下。里維拉一個最高身價的妓女被人先施酷刑，繼而殺害。警察增援部隊從巴黎和馬賽趕來，協助里維拉的警察制止繼續流血。事後二百多名妓女、匪徒和皮條客被驅逐出城。

「科西嘉聯盟」的最高首領覺得販毒生意沒有這般麻煩，而且獲利更豐，最後同里維拉的娼妓組織簽字休戰。

「科西嘉聯盟」目前正在考慮同西西里黑手黨訂一個合作同盟，使這兩個組織可以增加收入和擴充勢力。

屏東二三事

本報記者袁文德

△屏東縣府主計室副主任藍家鵬職司「總務秘書」，是否違法？地方人士提出了疑問。

張豐緒縣長於五十三年六月二日接篆視事後，派定了十三位秘書，佐理縣政，其中以藍家鵬掌理總務秘書一職（按藍家鵬當時原職，係高雄縣府主計室副主任，經情商借調屏府服務），負責主核財政、主計稿件，及監督指導事務工作。張縣長於借調目的已達，爲使一切工作與生活方便計，乃呈請省府將藍家鵬原職調屏，任職總務秘書。

某人事官員語記者稱：「主計人員不得兼任非主計工作，省府曾於四十八年冬字第四期公報」公告實施在卷。而藍家鵬本職既爲縣府主計人員，竟兼理非主計工作（總務秘書），不僅於法不合，何況他與縣長之間，又有三等血親姻親之關係存在呢？（一）

瀛海異趣談

英國最特出的玩家

·桑雅·

英國倫敦在十七世紀有一位最狡猾的玩家，畢生至少誘惑過二百八十九位各色婦女人數。這個好色之徒，名叫森姆．柏比斯。他的太太對于他經常不在家工作深信不疑；他玩女人最了不起的手段是去欣賞五個與人身大小的裸體女塑像，而其中一個塑像，是個眞玉的眞女人，把他太太也蒙在鼓裏。柏比斯的私人日記，現在已經過修改的一部份，供英國不少學生研讀。

柏比斯的府第，所用的女傭人也是肉感動人的，以當時來說，他眞是夠大胆，當他的妻子分居後，派一個律師回來找他在文件上簽字，結束婚姻，入門口第一個印象，是看見穿暴露款式的衣裳，是個肉彈型的十九或廿歲的女傭人，朱唇濕潤似是剛才與人熱吻過。柏比斯與第一個太太仳離，不過是卅五歲吧，他是個哲學家，後來又曾從政，以外貌而言，并不英俊，又是個瘦子，有一副魔鬼的嘴臉。他毫不躊躇地在文件上簽字，律師勸告他說：「太過愛好接近女色及縱慾，比較時疫還糟，勿謂我不警告你。」柏比斯對于這些話是不耐煩的，他站起來，躬送客了。說得透澈些，電影明星玩家愛路扶連的作風，也不過是師承這位英國花公子的手法罷了。他也是燕瘦環肥兼收並蓄的，他的色霉程度確得人驚，從十六歲以迄六十歲的女人，他都要出引誘的手段。

柏比斯比較任何人更勤于上教堂守禮拜，但是他的主要目的是向女人吊膀子。他常發生婚外的性關係，事後流淚懺悔不已，而且發誓下次不再違犯；可是這些誓詞頂多遵守廿四小時，過後，他又故態復萌了。這個狡猾的玩家，最妙是忍受不了他人的犯姦，有一次他的老朋友約翰克烈特，在牛津郡強姦了一個女子，他努力去追捕。這個滑頭的情色之徒，出盡八寶引誘女人，最喜歡用淫畫，把女人弄得無法自持。他自己的私人圖書館，藏有猥褻畫與妖精打架圖，共七百多冊。據他的私人日記描寫說：「我把其中一部書做藍本，與情婦鏡安娜嘉爾依樣畫葫蘆，她居然願意由我擺佈，可見我的妖精打架圖的力量是巨大的。當她欣賞其中一冊法國的作品，還未看完最後一章，她已主動要我與她造愛了。」

柏比斯身長五英六寸，眼睛不好，要戴上一個眼鏡。別的人以爲他是有道德的公民，值得受崇敬的人士，很少人知道他有此醜行。尤其是他的性慾胃口特大，這是有特殊原因的。據說，柏比斯在年少時，曾施過腎臟手術，而內臟受了影響，以致腦筋永遠想着怎樣去引誘女人。

他的確因爲太早年施腎臟手術以致性慾強烈，但是他不能傳子接宗的，他與數百女人發生肉體關係，沒有一人得孕。柏比斯的父親是一個窮裁縫師，他是第五兒子，出世，一切正常，後來在劍橋的聖三一學校唸書。後來以享受女色爲渡日生活的人。他兩度結婚，縱慾的起點，是他對第一任妻子莉絲的不滿意，他開始出去玩女人，她并不反對，反正二人已各走極端。

他在日記內描寫在外面胡混的有一段的文字如下：「我聽說一個體面健美的女人，像一隻船在航行着，如果不是順風駛裡，我奉勸男人不要做船主。」施腎石手術之後，他更認爲妻子莉絲是個不夠份量的女人了。此後，柏比斯大胆地攪各式的女人，紅伶、娼妓、吧女、貴婦，無所不有。最妙是他欣賞威爾碧克夫人的五個雲石裸像爲詞，常出夜街，其中一個塑像是眞人，是他佈置的詭計，無論她做出什麼姿勢，柏比斯總知道那一個是肉做的。

後來他在英海軍做很大的官，是絲毫不減他的興緻的，黃花少女亦合胃口，一個是十六歲的織女，仔是少女威廉，其中一個是柏比斯與安妮史坦班的妹妹，後來是奎克教領袖。

過了卅三個春秋，柏比斯與安妮史坦堅拿女士結婚將就木，立下遺囑，給妻子每年生活費二百鎊。遺囑內說：「好女人是值得多給她錢的，可是經驗告訴我們，女人太好，愛她們，討好她們，經常對她們說假話，這是尖頭鰻應有的手段。」云云。

燕臺菊萃序言

滌秋

燕台菊萃，是唱兩絕的名家陳彥衡所編訂，第一集是四郎探母曲譜，完全是譚唱詞句，即公主爲王瑤卿，蕭后是陳德霖，四夫人是時小福（慧寶之父），所以哭堂的一場，四郎與夫人對唱的快板，有如坐宮與公主對唱一樣的有六句，眞可說是五十年來標準的劇本。尤其會弟的元板末句「因此上，喬裝改扮，回宋營，黑夜裏探望娘親嗎！」（現在有減去三字的）而見娘後去會妻的末句，「兒到後面看一看，嬌妻的面，兒的妻，受苦的女嬌釵，啊呀兒的娘，哦兒去去就來」眞是一氣呵成。（現在也有減詞）我認爲時代日新，變體更多。

此集之可貴，有凌霄漢閣主（徐君）序，由海昌許姬傳繕書，非常精細，以及彥衡自敍，黃霖書。印刷製版皆丹徒柳一屋（現供職中央銀行）任其勞。此書印成，約在民國十七年，迄今有卅七載。余承古調獨彈客贈一冊，又荷故友陳湘潭兄借閱，深覺此書之可珍，因彥衡在每段均有眉批，亦知譚氏對此戲有改革，其他各位亦如是。容俟昭關印完，再予拓印。茲將凌霄、姬傳、彥衡三序先予刊布，藉供愛劇人士的參考，與讀者的欣賞。

凌霄漢閣主序

四郎探母一劇，寫母子之愛，夫妻之愛，手足之愛，公私之義，新舊之情，將情、理、法，三層，於衝突之環境，委曲周詳，情義並茂。其歌曲文詞，呼應自然，結構完密，非祇劇本之上選，亦天地間有數之妙文也。

劇中主腳，以楊延輝之生，與公主之花旦爲兩大。四夫人乃此劇惟一之青衣，因只別家哭堂一場，數句唱白爲重要。蕭后亦花旦，並非主要；自德霖以其鏗鏘之嗓調，莊嚴之身步，廣致盛譽，始爲觀衆所注意。近時演此劇，無論何班，必延德霖；即求其次，亦必孝儂，以其爲孔子之顏回也。于是蕭后一腳，成陳派之專行矣。

延輝自是正生風格，奎派字正腔圓，聲宏實大，確是正生格調，宜爲正宗。卑人夙嘗持論，習京調正生者，無論爲譚，爲孫，爲汪，或自立宗派，必從奎派入手，不止探母爲然。猶之習書，必於率更（歐陽）平原（顏眞卿）奠其良礎，乃不易之理論，坦蕩之途徑。然後各就天賦，揣摩劇情，從而變化運用，庶不以浮靡澆薄誤入歧途。譚鑫培氏即首致力於奎派，從而脫化，故圓而能厚，峭而能堅，益以悲劇擅長，聲調抑揚，緣情善感，正如永叔行文，一唱三嘆，絲絲入扣。以如此繁複之唱做而舉重若輕，自然到格，誠爲逸品。惜化多年，廣陵響絕，前塵回首，不勝人間天上之思矣。（一一）

美國富翁與股票地產

胡資

根據最近美國雜誌的統計，美國目前擁有百萬元（美元，下同）以上身家的百萬富翁，大約是九萬人。換句話說，百萬富翁在美國總人口中佔二千分之一左右。但是，這些富翁佔有的股票，相當於全國股票的三分之一。這多少證明，美國社會正在向着富者愈富、貧者愈貧的兩極發展。

這些百萬富翁總共擁有多少身家，這是很難確實知道的，因爲許多富翁除了依法繳交地產稅、物業稅、所得稅等可資稽查外，不少身家是無法以數字統計出來的。而且還有相當一部分富翁是懂得偷稅、漏稅的。不過，僅僅根據可資稽查的納稅表統計，這九萬個百萬富翁一共擁有二千五百億元以上的財產。

有一個有趣的事實是：愈有錢的富翁，投放於股票上的財產就愈多。根據最新的統計，身家在十萬元到二十萬元者，投放在股票的佔財產的百分之三十五；身家在二十萬到五十萬元者，股票佔財產的百分之四十五；身家在五十萬到一百萬元者，股票佔財產的百分之五十五；而身家超過百萬元者，股票佔財產的百分之六十五以上。同時，股票在財產中所佔的比率，還在繼續增長中。

百萬富翁的財產，以公司股票的形式保持者最多，價值在一千六百億元以上。這個數字還是根據一九六一年納稅表的統計。自一九六一年以來，美國股票漲了許多，因此，百萬富翁目前掌握的全部股票，其價值當會大大超過一千六百億元。

爲什麼有錢人如此中意股票呢？是貪每年的分紅嗎，不是。他們主要還是看中股票總是年年上漲，而且極少受到通貨膨脹的影響。在有統計數字的最新一年裏，有三百五十五個百萬富翁每年有一百萬元以上的收入，其中百分之五十五就是依靠販賣股票和地產所得的利潤，主要是出售股票所得的利潤。

當然，股票的分紅也給富翁們帶來相當可觀的收入。例如在那批年入百萬元以上的有錢人中，百分之四十一的收入就是分紅。

除了股票外，地產也引起富翁們的很大興趣。根據統計，百萬富翁們的全部身家，有百分之六點七是投放在地產上。他們之所以願意把大量金錢投放在地產上，同把更大量的金錢投資於股票一樣，是貪圖地產常漲，而且也不易受到通貨膨脹的影響。此外，百萬富翁把百分之八點五的身家，放在購買聯邦政府和地方政府的證券上，這主要是貪從證券上所獲得的利息，無須繳納聯邦所得稅。

百萬富翁的身家從哪裏來呢？當然不是從天而降。從薪水積累起來的，只佔極小的一部分。最大的一部分主要是從依靠炒股票、炒地皮以及從直接、間接動腦筋所得的大量利潤和分紅。

清代水師整建紀詳

羅雲

十年，令直隸浙江福建統兵官增撥哨船，梭巡南北洋海面。是年定水師人員一年試驗之制，各統兵官隨帶出洋，親加考驗。又嚴定改用外海水師人員之制，其外省世職，及陸路呈改人員，有才具可用，或曾立功勛者，由督撫保薦。十三年，整頓浙江省水師，增造澗船舢板船。十五年，以各省水師廢弛，憚於出巡，致盜案叠出，嚴飭水師提鎮，實力訓練緝捕。十八年，以各省戰船，每屆修造之年，承辦各員，冒領中飽，不能如式製造，或以舊代新，或操駕不勤，馴至腐朽，令統兵大臣核實辦理。十九年，令督撫提鎮，禁將弁扣索之弊，並甄汰劣員，如有呈改招募，不得瞻徇。二十年，以各省戰船修造草率，並有遲延積壓各弊，福建船廠所修成字四號大船，甫經拆造，即致破壞。自道光六年至二十年，積壓各船至三十艘之多，承修各員，悉予懲治。各廠應修之船，一律嚴催。其水師各船，巡洋之餘，各提鎮大員，飭將弁操練燂洗，毋任久泊海濡。又因廣東虎門海口，爲海防中路要區，以西境之香山，東境之大鵬，爲左右兩翼。嘉慶十五年，設水師提督，節制各路。香山副將所轄水師，兵力稍厚，大鵬參將所轄弁兵，僅九百餘人。道光十年又分爲二營，其所轄大嶼山及尖沙咀洋面，爲夷船聚泊之所，乃擇要建炮台二座，與水師相依護，以澄海副將改爲大鵬協副將，移駐九龍山，增額設水師，兼守炮台，增造大號中號米艇四艘，快船二艘，在水師各協營，抽配弁兵，巡緝洋面。廿一年，以外夷船堅炮利，舊設外海水師，強弱不敵，等於虛設，擬改水師爲陸師，專防內地。尋以海盜滋擾，全恃水師緝捕，廣東之虎門，爲外海藩籬，尤藉舟師之力，乃定議緩裁。二十二年，以海上用兵，專恃炮火，令各疆臣訓練弁兵，一律以施放炮位有準，爲弁兵去取準則。又以海上用兵二載，閩粵江浙水師迭致挫敗，令四川湖廣等省，採購巨木，速製堅船，駛往閩浙等省，防守海疆。尋因各省戰船，如快蟹拖風，撈繒八槳等船，僅能用於江湖港汊，新造之船，亦止備內河巡緝，難於海上衝鋒。惟潘仕成捐資新製之船，堅固適用，炮亦得力，並仿美國兵船，製造船樣一艘，又仿英國中等兵船之式，調取各省工匠，改造大船，其例修之兵船，一律停造，以資挹注。並以船炮圖說，飭江蘇、福建、浙江三省督撫詳勘，何者利用，由廣東省製成，分運各省。又因湖北省所轄長江千餘里，舊設宜昌鎮標，荊州漢陽各水師營戰船，不能載炮，廣東匠役何禮貴，曾爲外洋造船，能造火輪，及各式戰船，飭赴湖北，擇何項戰船，利於長江駕駛，即就海船之式，量爲變通。褡泰擬造之開浪船，於海戰未宜，罷之。二十三年，飭沿海各提鎮，於每歲出洋及巡洋事畢，所經歷情形，悉以上聞。三十年，因浙江省水師廢弛，飭有司整治船炮，嚴禁好民接濟海盜。並令沿海將領，按時出洋會哨。又令山東疆臣以三汛師船，四縣水勇，合而爲一，統一專員，往來策應。並於扼要島嶼設置大炮。

（九）咸豐年間：

咸豐元年，以長江轄境綿長，令張亮基購置船炮，擇要駐守。三年，調廣東外海水師，拖罟戰船，及快蟹大扒等船百艘，統以大員，由海道馳赴江寧，助剿洪楊軍。是年江忠源疏請廣製戰船，以靖江面。旋令兩廣督臣，以廣東拖罟船式，咨行四川湖廣各督撫，或在本省，或在湖北武昌一帶，迅僱工匠，造水師船百餘艘，每船載兵五十人，於三個月內竣事。兼飭湖北湖南二省，購船募兵，與長江下游艇船，協力防江。旋以所購民船不合用，乃收買江船之巨者，仿廣東船式，安置炮位，與廣東所募紅單船，及僱用拖罟船，駛赴江南助剿洪楊軍。又以廣東內河及濱海各廳縣，均有捐造緝捕快蟹船，道光間，江海捕盜，悉藉其力，船頭藏巨炮，旁列母子炮，勇丁咸技藝精練，洵水戰最長；令各船由海道至長江會師。（四）

國劇繽紛續錄

鑿婁生（三十三）

羅倫卓絕

最近藝術館有一台好戲，前已報道，王英老的洪羊洞，李淑嫻羅倫的三娘教子。洪羊洞當予另述；不過這齣教子，在淑嫻來講，等於初寫黃庭，不必費力，不意事態演變，有出意外。因爲淑嫻的嗓音響亮，調門比青衣爲高，不能並提。是日馬慶琳琴師，爲遷王春娥拉同樣調門，爲一之驚。青衣而唱C半，實是少有，羅倫居然頂下來，眞是劇壇的奇跡，任何那位唱三娘，多到不了那調門，可見盡力以赴，也表示她的卓絕，亦爲淑嫻增顏色。而兆槐擂鼓，發音更吐出了許多張腔，餘音繚繞，特別好聽。

三軍的劇社

大家知道陸海空三軍有三個劇隊，是陸光、海光、大鵬。但他們從軍的幹部，也有三個劇社，等於票房，爲平常練習消遣之需。在陸軍的名曰忠誠，在海軍的名曰忠義，在空軍的名曰忠勇。不過空軍還有一個空軍之友，是多一單位。空友一名二五，由來歷史已久，幾乎有卅年。忠勇因是徐王民英夫人領導，已演明場四五次，比較活躍。忠義在南部不太熟悉，現在談談「忠誠」。

忠誠原設在總統府後面，陸軍福利社之內，現在移至杭州南路二段二號陸軍服務社（原是陸軍官餐廳）。自從今年七月，因爲康樂機構，遂改名爲「陸光國劇研究社」，與陸光平劇隊並不相連，各自獨立。其內部主持人物，略爲報道：社長是政戰部少將副主任陳茂銓，副社長梁筠少將，李俊彥上校，徐翠柏上校；總幹事婁華堂上校，副總幹事曹瑞平；總務王允咸中校，劇務關怡筅中校，皆是總知名之士。他們也曾演過明場二次，惟限於部中同人觀摩，不招待外賓。近以紀念國父百年誕辰，與雅歌集聯合舉辦獻晉茶會，與社會人士初次交接，特布置禮堂，以供來賓觀賞，亦表示軍民一體，共同爲平劇發揚，意義與教育部國劇社，正復相同。愛好平劇的名票，盍興乎來。

談秋千運動

雲軿

秋千是中國古代一種很普遍的體育運動，特別是流行於兒童和婦女們之間，每年在清明、寒食節左右，盪秋千的風氣尤其盛行。

秋千又寫作鞦韆，亦作千秋。據「湘素雜記」說：「許愼『說文』後序徐注云：『詞人高無際作秋千賦，序云漢武帝後庭之戲也。本云千秋祝壽之詞也。語訛傳爲秋千。後人不審本義，乃旁加革字爲鞦韆。』案秋千非皮革所爲，又非車馬之用，不合從革。」徐注中所說的詞人高無際是唐時人，他的賦全名爲「漢武帝後庭秋千賦」，序文中原來是這樣說的：「秋千者，千秋也。漢武帝祈千秋之壽，故後宮多秋千之樂。」這便是秋千這種運動起源的記載，這是公元前二至一世紀漢武帝在位時的事了。

漢武以後，秋千運動，至唐而益盛。五代人王仁裕的「開元天寶遺事」說：「宮中至寒食，競以秋千，令宮嬪輩嬉笑爲樂，帝呼爲半仙之戲，士民相與做之。」

秋千既然成爲盛行一時的體育活動，因此一般畫家和詩人常取爲繪畫的題材；如唐人張萱有「秋千圖」（見「佩文齋書畫譜」），五代人杜宵有「鞦韆士女圖」（見「繪事備考」）。就是一般詩人亦常對它加以詠頌。如杜甫「清明」詩說：「萬里秋千習俗同。」「十年蹴鞠將雛遠」又韓愈「寒食直雨」詩說：「不見紅毬上，那論綵索中。」原註：「北方寒食日，用秋千爲戲，綵索即謂秋千。」又白居易「寒食詩」亦說：「一抱膝思量何事在，痴男騃女喚秋千。」唐人嗜愛秋千之甚，由此已可見一斑了。此外，王建「秋千詞」一長歌一首，對於秋千的描畫，尤見淋漓備至，茲亦引錄如下：

「長長絲繩紫復碧，嫋嫋橫枝高百尺。少年女兒重秋千，盤巾結帶垂兩邊。身輕裙薄易生力，雙手向空如鳥翼。下來立定重繫衣，復畏斜風高不得。傍人送上那足貴？終賭明月聲自起。回回若與高樹齊，頭上寶釵從墮地。眼前爭勝難爲休，足踏平地看始愁。」

在這首詩裏，彷彿把一個喜歡秋千的女孩，在運動時的姿態和她的心理，全都活生生的、淸淸楚楚的告訴我們了。

宋代詞人，對於婦女所樂爲的秋千運動極喜描述，如蘇軾的「蝶戀花」說：「牆裏秋千牆外道，牆外行人，牆裏佳人笑。」張先「靑門引」說：「隔牆送過秋千影。」晏幾道「泛淸波編」說：「長安道，秋千影裏，杜鵑聲中，誰放艷陽輕過了？」畫家張擇端的「淸明上河圖」，繪有當時東京（開封）貴族院邸，院中有秋千架，一女坐其中，二女各立前後，作送迎之狀。可見宋代婦女對於秋千運動，是多樂爲的。

到了元代，此戲仍盛，按馬臻有詩句說：「院落鞦韆誰家女，彩繩攔起過牆高。」又如在張昱「廬陵集」的「宮中詞」內，亦有一首吟詠千秋的詩：「[illegible]拭汗胭脂，綠雲背綰未會閑；相扶相攜還宮去，笑說秋千架下來。」「元詩紀事」卷三十二，也收有楊鵬翼詠「鞦韆」的七律一首：「日轉華簷樹影偏，謝家庭院殘紳仙；綵繩斜掣纖纖筒，畫板輕承步步遠。弄玉未升雲漢上，綠珠先墮舞樓前；不知小徑殘紅裏，明日何人拾翠鈿？」在張昱的宮詞」以外，這首可說是詠秋千運動的第二首好詩了。此外，明人王問有「當窗美人理紅線，並給鞦韆招比親」之句。明代江南第一才子唐伯虎亦繪有「鞦韆圖」一幀，見殿本「佩文齋書畫譜」及卞永譽「式古堂書畫考」，據此，似可證明秋千這項戶外運動，在明代仍是爲一般婦女所嗜好的。

降至清代，這項運動，又在宮庭之中三度風行。如朱彝尊「日下舊聞考」一書，即「引析津志」：「清明寒食，宮庭於是節最爲富麗，起立絲索秋千架，自有戲蹴秋千之服。全繡衣褶，香囊結帶，相立對蹴。綺筵新進，珍饌甲於常席。中貴之家，其樂不減宮闈。達官貴人，豪華宅第，以此爲除祓、散懷之樂事，然有無各稱其家道也。」雖說如是，但自清宮中再盛此戲以後，民間相率倣效，於是在寒食清明時，婦女必戲秋千，似已成爲一種定俗。

從體育的觀點看來，秋千除了具有暢娛心志的功用以外，還可幫助血液的流通，肌肉的鬆弛，以及培養一般人對於飄蕩運動的興趣；此外，也可藉之以訓練對於搖擺動作的適應，凡是山居和遠海的人，平常更常提倡這種運動，慣於盪秋千的人，無論是乘搭飛機或乘坐輪船，總是罕有暈嘔之苦的，

西施

「影劇與歷史」之十三

周遊

越王勾踐臨行前，曾勉勵他的國人，悔恨自己的罪過，又葬死者，問傷者，養生者，弔有憂，賀有喜，送往者，迎來者，去民之所惡，補民之所不足。留文種治越國。然後親率宮士三百人入吳事之，越王夫妻爲夫差駕車養馬，范蠡等皆服賤役，雖然君臣皆同爲奴，而其君臣之禮不廢。吳王有病，勾踐爲之檢視大便而治其疾。這是忍人之所不能忍者。一方多賄賂伯嚭，使在吳王面前關說。服了賤役三年，使吳王夫差放心將勾踐釋放回越國。雖然有相國伍子胥表示反對，但那時好大喜功，志得意滿的吳王夫差是不採納忠諫的。越王勾踐回國之後，念念不忘會稽戰敗之恥和在吳三年之忍辱，苦心沉思了幾天幾夜，與范蠡、文種商定了一個反攻復國的國策，作爲奮鬥的方針。

在作風方面：身先示範，以身作則。他爲了怕自己忘了國恥，每日臥則以薪，三餐粗食，三嘗豬苦胆。以這種自苦的方法來警惕自己。越王夫婦親耕親織，非親自所耕不食，非親自所織不衣。於是上行下效，舉國一致都實行克難節約的戰時生活。

在內政方面：他認爲越之復興，首先必須安定社會，加強生產。以戰敗之後，人口大減，乃有計劃的獎勵生育，規定壯年男子不得取老婦，老年男子不得娶少妻，女子十七不嫁，男子二十不娶者，要處罰父母。女子懷孕要向政府報備，由政府給予獎勵。如生男孩，政府獎以一頭狗、兩壺酒；生了女孩，政府獎以兩壺酒一頭豬；如果家有三子，兩個由政府照養；家有二子，政府照養一子。又設立養老院、育幼院、殘廢院，經常收容窮苦無依百姓，生老病死，都有政府爲之幫助。由於社會工作做得好，不但社會安定繁榮，而且四方之人皆歸之。

越王勾踐在吳國作了三年的奴隸，知道吳王這個人是好大喜功、驕奢淫佚的人物，尤其喜歡小殷勤。因此他在外交方面，表現恭順柔弱，每月遣使向吳王問安，表示念念不忘他的大恩大德之意。他知道吳王喜歡穿美衣服，派遣了大批人去採葛，織成細布進獻吳王。在尙未進獻之前，吳王也就知道了，這當是伯嚭受了越王之賄賂而作的。吳王覺得勾踐之恭順，於是遣使予以嘉獎，將以前越國割讓給吳國的土地，歸還給越國。因此越王又恢復了固有的國土，復有今日浙江全省之地。（三）

鄭板橋其人其畫

漁翁

畫以竹蘭爲多，題畫竹云：「忽焉而淡，忽焉而濃，究其胸次，萬象皆空。」題畫蘭云：「葉自短，花自長，蓄其力，揚其芳，花在室，香滿堂。」每繪一畫，必有所題，計題畫竹五十六則，題畫蘭十五則，題蘭竹石二十三則，蓋亦畫中有詩，詩中有畫，合詩書畫而冶爲一爐，不讓王摩詰專美於前。

鄭之文藝，正如其生活一般，奔放自由，乃是一天眞浪漫主義者。但文章爲畫所掩，每畫蘭竹，不離不接，濃淡疏密，自爾成局。有淸一代，以詩文書畫兼擅者，咸推重於板橋，非過譽也。

可是，雖生活不濟，以鬻畫爲業，鄭却不喜豪富，縱或踵門叩請，亦寸縑尺幅而不與，天性使然也。揚州有一豪家求畫蘭，而不成全局，題曰：「寫來蘭葉並無花，寫出花枝沒葉遮；我輩何能購全局，也須合撫作生涯。」

鄭別無嗜好，惟愛杯中物，所需之費，泰半付諸酒肆中，有詩云：「年年畫竹買淸風，買得淸風價便鬆；高雅要多錢要少，大都付與酒家翁」。畫幅間，常用一印曰：「十年縣令」，「七品官耳」。又一印云：「康熙秀才」，「雍正舉人」，「乾隆進士」，因此，時人以其浪漫不羈，而目之爲狂士。

鄭一生，雖官僅七品，而名噪一時。由貧而稍富，復由富而漸貧。觀其自序云：「板橋遊歷山水雖不多，亦不少；讀書雖不多，亦不少；結交天下道人名士雖不多；亦不少。初極貧，後亦稍稍富貴；富貴後，亦稍稍貧。」可見不善事生產，視富貴若浮雲也。

世人所重視板橋之畫者，以其寓有警惕、諷刺、規諫之深意在，與山水花月之作有別，畫上所題，至爲動人心目。讀在濰縣衙署畫竹一幅呈巡撫，有曰：「衙齋臥聽蕭蕭竹，疑是民間疾苦聲；些小吾曹州縣吏，一枝一葉總關情。」把地方父母官愛民的心情，躍然於畫圖中爲更有意義。

有以天地之大，水陸草木之多，爲何僅畫蘭竹相間，板橋曰：「蘭有幽芳，竹有勁節，德相似也；竹歷寒暑而不凋，蘭發四時而有蕊，壽相似也。」又曰：「四時不謝之蘭，百節長青之竹，萬古不移之石，千秋不變之人，寫三物與大君子爲四美也」。觀此，則更表現板橋之高風亮節。

居揚州十餘年，畫蘭竹千萬幅，乃曰：「十載揚州作畫師，長將赭墨代胭脂」。按胭脂爲女子粧飾之用品，板橋用此字眼，不免好事風流，與杜牧之「十年一覺揚州夢，贏得青樓薄倖名」，後先媲美。揚州爲名區，又得文豪大家之點綴，生色不少，人因地名，地由人傳，文豪名勝，往往並垂於不朽，而板橋墨跡流傳，已成爲近代藝術作品之典範。

王漁洋以板橋負民社之任，用非所長，使之斑淸華，選玉堂，擒詞綴藻，相與鼓吹休明爲盡善，所評誠然。

（下）

民族舞探源

匡正

古代留存有舞姿的只有燉煌、鞏縣、雲岡、武梁祠等處的雕刻畫像，以及宋元的古畫，其中雕刻繪畫的舞姿不少，但也不過是姿勢而已，舞法更不可得詳知了。

宋人周密之「癸辛雜誌」中，曾有下錄一段文字：予嘗得故都德壽宮舞譜二大帙，其中皆新製曲，多妃嬪諸閤所進者。所謂譜者，其間有：

（一）左右垂手：雙拂、抱肘、合蟬、小轉、虛影、橫影、稱裹。

（二）大小轉攛：盤轉、叉腰、捧心、叉手、打場、攙手、鼓兒。

（三）打鴛鴦場：分頸、回首、海眼、收尾、豁頭、舒手、布過。

（五）

內版警台報字第〇三壹號內銷證

自由報

THE FREE NEWS

第六〇三期

中華民國僑務委員會創設
台教新字第三二三號登記證
中華郵政台字第一二八二號執照
登記爲第一類新聞紙類
（半週刊每星期三、六出版）
每份港幣壹角
台灣零售價新台幣貳元
社長：雷嘯岑
督印人：黃行實
社址：香港銅鑼灣高士威道二十號四樓
20, CAUSEWAY RD 3RD FL.
HONG KONG
TEL. 771726　電報掛號：7191
承印者：大同印務公司
地址：香港北角和富道九六號
台灣分社
台北市西寧南路壹壹零號二樓
電話：三〇三四六
台郵撥儲金戶九二五二

三個問題（上）

日輪挽作鏡，海水掐作盆。照我忠義胆，浴我法臣魂。九死心不悔，塵刧願猶存。爲撤虛空界，何人共此論。（明藕益大師詩）

·彭樹楷·

戰爭、人口和日趨嚴重的世界性水荒，爲今日全體人類的共同問題，困擾着我們這不幸的一代，震撼了全世界每一個有人類義務心和歷史責任感的人們——

我們將如何解決戰爭與和平的爭鬥？

我們將如何解決人口膨脹的壓力？

我們將如何解決日益嚴重的水荒？

我們，似乎不及上代祖先的聰明——不爲已獲得的而歡欣，卻爲尚屬遙遠或習以爲常的「憂慮」；因爲，我們太關心自己，太關心別人，更是太關心我們的億萬代子孫！使我們不願、不忍也不能退出困擾。

我們或將就木，我們遲早總要死去；但，歷史不可能輕易刪除我們的所作所爲！我們的子孫將非常公正地審判我們的所作所爲。因此，我們應善予處理我們人類的共同問題，特別是關係重大的戰爭、人口和水荒三大問題！

戰爭問題

每次戰爭的雙方，都各有其充足的理由所產生的共同結論：應該打！

每次戰爭雙方的目的，都是：爲了和平。

可是，「和平」的日子卻是如此短促，而戰爭卻一次比一次兇狠、殘酷！

（1）自有歷史記載的年代——公元前3,600年以來，人類共發生大小戰爭14,531次，並不包括小部落及短時局部性衝突。這期中五千年來共有292年是所謂「和平」的時期；平均每一年有2.6次戰爭；每經29年的戰爭，才有一年時期的所謂「和平」。

單以二次大戰說，全部兵員傷亡者共達59,460,000人，內死亡者22,060,000人；全部戰費（直接用於作戰之國防軍事總戰費）合計共達一萬一千五十四億美元（內同盟國方面爲六千八百五十億餘元）。以上兩者均不包括民間統計（無統計資料，但估計人民傷亡及財物損失，均超過上數）。

可是，二次大戰後二十年來，世界發生了五十次以上的戰爭！這竟畢是人類健忘？還是人類本性好鬥？

（2）一九四四年後的戰爭記錄：

（一）西半球——1944—46年，武力政變及企圖政變者爲阿根廷、巴西、委內瑞拉、聖薩爾瓦多，叛變或企圖叛變者爲瓜地馬拉、波利維亞。1947—49年，武力政變及企圖政變者爲尼加拉瓜、委內瑞拉、哥斯達黎加、聖薩爾瓦多、厄瓜多爾，危險及叛變者爲哥倫比亞，零星戰爭的爲波利維亞。1950—52年，武力政變及企圖政變者爲海地、阿根廷，危機的小戰鬥有波多黎各，叛變者爲波利維亞，零星戰爭的爲哥倫比亞。1953—55年，武力政變或企圖政變者爲瓜地馬拉、巴西、阿根廷，叛變者有巴拉圭，危機者爲英屬戰亞那、哥斯達黎加，戰爭者爲秘魯和厄瓜多爾邊界衝突，以及哥倫比亞被圍之零星戰。1956—58年，戰爭者爲古巴、海地、尼加拉瓜和宏都拉斯邊界衝突，政變者爲海地、尼加拉瓜、宏都拉斯、瓜地馬拉。1959—61年，戰爭者爲古巴、多明尼加，政變者爲聖薩爾瓦多，叛變者爲巴拉圭、波利維亞，危機者爲阿根廷、美國—巴拿馬、巴西、多明尼加。1962—65年，戰爭者爲多明尼加、古巴，政變者爲幾亞那、阿根廷、秘魯，叛變者爲幾亞那、瓜地馬拉、委內瑞拉，危機者爲美國—多明尼加、古巴和蘇俄—美國。

（二）非洲——1947—65年，發生戰爭的爲馬達加斯加、干亞、苗苗、阿爾及利亞、喀麥隆、伊索匹亞、索馬利亞、索古拉、盧安達烏倫地，政變者爲蘇丹、突尼西亞、伊索匹亞等。

（三）遠東——1946—65年，戰爭者爲印度與巴基斯坦、印尼革命，中國戰亂、越戰、西藏抗暴、游擊戰、馬來亞共黨韓戰、澳緬邊區游擊戰、菲律賓的虎克黨、共匪與印度爭界、共匪與緬甸邊界衝突、共匪與蘇俄邊界零星短暫接觸、印尼殖民地叛變之戰、寮國之戰、尼泊爾內戰、牙、金馬炮戰，武力政變者爲緬甸、韓國、泰國、越南。

（四）中東——1946—65年，叛變者有伊朗、伊拉克、敘利亞、黎巴嫩、約旦，武力政變者爲埃及、伊拉克、巴基斯坦、土耳其、敘利亞、葉門，危機者有約旦、科威特，戰爭者有巴基斯坦、塞浦路斯、馬斯喀特與阿曼、蘇彝士、葉門與亞丁、伊拉克，以色列與敘利亞邊界衝突，以色列對阿拉伯各國。

（五）歐洲——1946—65年，發生戰爭者爲希臘共黨游擊戰、英法聯軍對埃及的蘇彝士戰爭，蘇俄對匈牙利的抗暴作戰，英國對穆穆族的肯亞之戰，美國的參與柏林危機和空運、法國對越南（越盟）、英國對馬來亞共黨、荷蘭與印尼、法國對阿爾及利亞叛軍、英國對伊拉克、美國和黎巴嫩對叛軍，武力叛變或企圖叛變者爲匈牙利、羅馬尼亞、捷克，叛變或企圖叛變者爲東柏林、波茲南、法國（戴高樂執政）、葡萄牙等。

人，一半是獸性，一半是神性；是我們先祖的野蠻好鬥性格，到我們所謂文明的一代，依然沒有多少顯明的改善。現代人類的頭腦，使戰爭的工具和技術大爲進步——進步到只要卅分鐘的時間就可一次戰鬥便毀滅整個人類；進步到使整個人類隨時都處在「戰綫」上——這是指滲透、顚覆、情報、宣傳、文化、經濟戰等在內的「政治戰」而言！於是，生在這一代的人們，便無時無刻不在戰鬥之中了！這種無時無刻不在戰鬥中的生活，緊張、刺激、夠味，但並不好玩，尤其並不樂觀，甚至是危險萬分！

菩薩怕因，衆生怕果；誰種下戰爭的因？誰將承受戰爭的果？我們的上一代及先祖，已爲戰爭的世界奠定了難以動搖的基礎，我們要在一個過去認爲不可能的環境中致力於充實人性的和平生活，其艱難程度乃是空前的！

顧而之他

無法立足

今日与明日

羅共調解越南戰事

最近突然傳出一個消息：羅馬尼亞將出來調解越南戰爭。消息驟聽來，頗令人難以置信，因爲羅馬尼亞是東歐小國，在世界上固然沒有國際地位，即使在共黨衛星國中地位也不如波蘭、捷克，羅馬尼亞同亞洲方面更向無淵源，更不能負起調解越戰的責任。所以消息一經傳出，美國國務院即首先否認。但世人對此問題卻多抱寧可信其有之觀點，認爲此項消息是相當可靠的。似乎美國方面越是否認，大家越以爲是眞的。

空穴所以來風

大家所以相信羅共出頭調解爭端的消息是眞的，是根據許多事實，加以綜合而下決定。首先是美國參議院民主黨領袖曼斯菲爾率領一個議員代表團去莫斯科及東歐訪問，在莫斯科與蘇俄總理柯錫金長談數小時，到布加勒斯特又同羅共首領齊奧塞斯庫會談一次；雖然曼斯菲爾率領的代表團訪問許多國家，但重心顯然在蘇俄同羅馬尼亞。

其次，就當曼斯菲爾在羅馬尼亞時，匈牙利政府突然宣佈願意調解越南戰事。羅馬尼亞之調解越戰，尚是西方國家揣測之辭，羅馬尼亞同美國均未承認，匈共此次挺身而出，卻是十足的毛遂自薦，若非事件眞的在暗中醞釀，匈共可能未必敢出頭的。

再其次，就當羅匈兩國要調解越戰時，突然東德報紙公佈了一項內幕消息，指毛共目前已無力以物資援助北越，更不敢派軍參戰。所舉雖是事實，但恰在此時提出，足見別有用心。

曼斯菲爾是美國國會內妥協派，一向主張在越南退縮；蘇俄乘曼斯菲爾來訪發動和平攻勢，既可爭回越戰主動權，又可鼓動美國左翼勢力，一舉兩得，因此可以想像這項和談，實際還是蘇俄推動的。

毛共如何

今天越戰和戰關鍵仍在毛共，毛共不肯和，要胡志明單獨出面同美國談和，也是不可想像的事。蘇俄所以要羅馬尼亞出頭，就因爲羅馬尼亞是東歐共黨國家中唯一未同毛共鬧翻，在俄毛爭執中保持着中立地位的。

毛共因爲想在蘇俄後門燃一把火，一向對羅馬尼亞特別客氣，一般估計，羅馬尼亞出頭毛共也許不致於一口拒絕；其實這是一個皮相看法。我們記得不結盟國家提出調解越戰的建議，尚且被毛共痛罵了一頓，何況一個羅馬尼亞？其[illegible]成是可以預料的。（何如）

自由談

國際騙術

馬五先生

一個小小非洲的新興之邦所謂獅子山國也，在兩個月之前，曾派遣外交大員到台灣正式訪問，咱們政府除竭誠招待外，答應派遣農業技術專家工作隊，赴該國協助其改進農業生產事宜，并彼此簽署技術合作協定，詎料該國在聯大會議對所謂中國代表權問題舉行投票時，竟爲毛共僞政權張目助勢。這是頂拙劣的國際念秧術，可哂亦復可鄙！

自從毛共政權僭立以來，初由於英美之不顧聯合國憲章與正義是非，藉聯合國的中國代表權問題，自作聰明，說非說是，企圖與毛共從事妥協勾當，而國際兩大陣營乃呈現着混亂狀態；繼由於英美妄想利用俄毛內部關於世界革命的理論爭執，聯俄以制毛，美國更贊美中立主義，而國際反共陣營間的思想和言行，更陷於光怪陸離，莫可究詰的情況中；於是乎，一般不夠立國條件的，又要以新興國家招搖於世了，所謂自由之邦，乃乘機行詐騙技術，標榜中立主義，牟致雙方的物質與金錢援助，希望混水摸魚，左右逢源，尤以印尼的蘇卡諾，柬埔寨的施漢諾表演得最起勁，受騙最多的就是美國。敎猱升木，此之謂也。展氣所趨，連星加坡的李光耀亦如法泡製，一面攻訐美國曾經向他賄賂，同時又由美英支持他的政權進入聯合國。而獅子山國媲美爭輝。聯合國的本質已成了一種人多口雜的、專門瞎胡鬧的大雜院，擾亂世界則有餘，維護和平則不足，推究本源，都爲姑息自利政策，爲厲之階。

至於非洲那些新興國家，大多數都是些「暴發戶」，文化落後，產業貧乏，政治人才尤其說不上。近幾年來，我們政府對於非洲的外交工作特加注意，費力不少，不惜負着「吃黑飯」的聲名，委屈結交，以期收穫「得道者多助」的效果。但在這次聯大投票表決所謂中國代表權之際，非洲的十一國邦國，竟有三分之二棄權，還有剛剛得到我們經援的獅子山國也，且投我們的反對票！「行有不慊於心，則反求諸己」，我不知道兩月前咱們外交當局與它商洽技術合作與貸款問題時，是否以聯大投票這回事作交換條件呢？

美國大少爺家資富厚，被國際騙徒敲詐勒索，固不在乎，咱們卻不能隨便受騙。尤其是受到一個不成玩藝的甚末獅子山國的欺騙，物質損失算不了甚麼，國譽的關係太大了，而今而後，對於「吃黑飯」的外交工作，非全盤檢討不可吧？

省議會「戶警合一」的看法

——本報台灣中部記者熊徵宇

台灣省議會三屆六次大會的民政質詢，從十五日下午開始，到十八日上午結束，歷時三天的日程中，與會的近四十位議員們，在各個質詢的問題上，有兩個中心議題，值得我們談談。

第一個是「戶警合一」問題；第二個是社會福利問題。

「戶警合一」問題，發言的議員很多，討論的時間很長，化了近兩天的光陰，那些紛紜的意見，有兩位議員的發言，可以認爲具體。

行政事務不可分割

高雄籍的女性省議員余陳月瑛，要求政府對將來可能實施的「戶警合一」制度，作審慎的考慮，俾免抵觸憲法，有違民主精神。

她說如果自治機關的行政事務權，可以隨便分割，把民政業務移給警察機關接管，那末教育廳豈不是可以和國防部合併？而民政廳也可以併於警務處。

她強調：若果這樣做，那簡直是實行民主政治的一個大笑話。

警務處長周中峯對這個問題費了不少的言詞，他一再強調：如果將來決定實施，一定依照法令，不抵觸憲法，不違背民主精神。

周處長說：基於戡亂時期的教訓經驗，爲保障國家的安全，使作奸犯科者無隙可乘，達成反共復國的使命，自以實施「戶警合一」制度爲宜。

違背國父的遺教

但是周處長的話，不能爲省議員們所接受。他們認爲他所說的一切理由都是「強詞奪理」，在民主政治的原則上站不住。

所以討論這個問題時，周處長面對三十多位嗓門很高的省議員們，是非常吃力的一場舌戰。

嘉義籍的省議員吳泉汝，文章做得特別大。他說：專制極權的國家的內務行政以警察爲主體。民主法治的國家，則以民政爲主體內務。前者爲警察國家，當以蘇俄和戰前的納粹德國爲代表，故名之爲「警察國家」，警察權無所不至，無所不管。後者以英美爲代表，採分權多軌的形勢，所以只有各邦警察而無中央警察。英國中央雖有警察官署，但對地方並無指揮監督之權。我們是民主國家，當以英美爲榜樣。

他說：從國父遺教建國大綱第八條來看，戶政爲自治事項之一，自無與警政合一之理。如果合一，就違背了國父遺教。

須要周詳的考慮

綜合議員們的意見，認爲：戶籍行政是一件牽涉很廣的複雜問題，應否改制，該有周詳的考慮。中華民國是一個民主國家，台灣已經實行地方自治，戶籍管理關係人民權益，由民政機關主辦比較適宜。不應輕言改制。如果必須交警察機關主辦，須先取得法的依據，以免執行時涉及違法乃至違憲的問題。

蔣淦生談福利

台北市的省議員蔣淦生，質詢社會福利措施時說：要推行社會工作，應該走向社會各階層去，發掘問題，掌握問題，解決問題，必須革除以往由請求到批覆，近乎施捨的被動做法。

他認爲社會處所推行的社會福利事業，是一種點綴的社會工作公式。不然的話，台灣省一千三百萬人口，只設六個工作區，而每個工作區只派駐一個人辦公，而每區兩百多萬人內，所有的貧民和需要政府幫助的，一個工作人員，怎末弄得清楚？而全省分爲六區，每區一個人辦公，又如何展開工作？

屏東二三事

本報記者袁文德

地方人士提出此一疑問，據說是因藍家鵬不僅參與了地方派系，同時還有人事上的抉擇大權，所以才引起多數人對她不滿的。

△台灣省水利局第七工程處劉定志處長，前些日子被該處職員向治安機關檢舉瀆職，此案正在司法機關調查中。

據說：劉定志處長被人檢舉，涉嫌貪墨、瀆職疑案，金額約新台幣七十餘萬，其報銷方式，以冒報人工工資及差旅費。至於案發原因，據說是由於該處長獨吞，造成分贓不均，起了內鬨，才向治安機關提出檢舉的。

眞相究竟如何？現正在司法機關調查中，一俟記者訪查確實後，再作詳盡而有系統的報導，以饗讀者。

△校長在二樓辦公，一堆糞便在三樓走廊，時隔日餘始被察覺，不亦怪哉。

屏東縣立長治中學，介壽大樓二樓左側爲校長辦公室，隔壁係教室。記者於十一月二日上午九時二十分許，因事往該校介壽大樓三樓圖書館（理化室），無意中發覺圖書館後走廊邊積有糞便一堆，其處距女生教室祇不過一公尺餘。據情理推斷，該糞便至少是在學生上學前所有，當時已第二節課上課，圖書館職員未發覺，老師也未看到，怪哉。

同時從該糞堆觀察，決非十六歲以下人所能有，最奇妙的是其位置是在三樓，校長在二樓辦公，且又正是在校長辦公室的頂頭，還中間是否有甚蹺蹊呢？（二一完）

英國女性人多財廣壽命長

——倫敦通訊——

去年冬，愛丁堡的一間新銀行開幕。這銀行的裝飾全是靑色的，燈光是柔和的，地板鋪上厚地毯。顧客有咖啡招待。這是英國第一間這類銀行，祇爲女人而設的銀行。如果婦女銀行出現於女性化城市的巴黎，或尊重女權的美國，不足爲奇，却出現於男性化的英國，才是怪事！

冷酷的數字的事實（不是說三七——二二——三五的三圍數字），英國却是女人的，女人逐漸接管了英國。英國的女人，花費大量的硬幣，購買美國罐頭及製成的食品，以節省廚房的時間；她們費了許多千萬元，購買外國白報紙，以印製她們的「羅蔓蒂克」雜誌，而這些雜誌沒有教導讀者怎樣照料她們自己或怎樣料理家務；她們費了無數的金錢，購買外國衣物，藉以自炫。

一位專長於貿易事務的工黨議員說：如果我們能夠削減女人所要求的非必要的奢侈品，去年冬當不致有財政的危機。這或許言之過甚，但也差不多了。

英國女人比男人長命，人數比男人多；英國有二千八百萬女人，祇有二千六百五十萬男人。且她們控制着金錢。她們不祇購買大部份的零售貨品，而且擁有英國的半數金錢。

據中央新聞局公佈，地方稅務局所搜集的消息，揭示一九六一年（目前所得的最新數字），英國私人財富共計五百七十二億五千一百萬鎊，其中屬於女人所有的共二百三十一億零九百萬鎊。她們擁有比男人更多的政府及地方政府的證券（女的擁有一十九億四千八百萬鎊，男的共一十億八千四百萬鎊），女人擁有較多的建築公司的股份和按金（共計一百六十三萬四千鎊，而男的有一百四十五萬六千鎊）。她們擁有幾乎相等的公開上市的普通股份（女人們有四十八億四千三百萬鎊，男人四十九億零一百萬鎊之比），但擁有較少的非公開上市的股份（女人有八億六千九百萬鎊，男人有五十五億八千三百萬鎊）。

但是，雖然她們比較富裕，但她們所買的人壽保險較男人的少，祇是一十一億七千七百萬鎊與五十三億八千三百萬鎊之比。她們擁有較少的商業資產，祇是一十一億八千七百萬鎊，而男性則有三十四億八千七百萬鎊之比。奇怪的，她們擁有較少的家庭用品，祇有五億五千九百萬鎊，男子反而有一十四億零二百萬鎊之比；物業也較少，爲三十九億五千八百鎊與七十三億四千七百萬鎊之比。這些是她們的物質的財富。她們還擁有英國的二千六百五十萬男子人口的百分之九十九，其餘的百分之一，也被她們控制着。

自英國婦女獲得投票權以來，在理論上男女是平等的。其實，英國的女權高於男權。除了他們自己的衣物、香烟、酒，以及交通費用之外，數以百萬計的英國男人，對於他們入息的支配，從無發言權。男人曾經是決定買甚麼房子或汽車的主人。但現在的市場研究家報告，婦女通常決定她們的住宅。對於購買汽車，有着與男人相等的發言權。這些研究家並報告，現在的女人，甚至決定男人的服裝。

女人的薪金比男人的低嗎？據中央新聞處報告：「工業女工的平均每週入息，一般的說，比較男工的低些。一九六三年十月的製造工業及主要的非製造工業的僱員入息的比較數字如下：年齡十八歲及以上的女工，八鎊八先令三便士，年齡廿一歲以上的男工，十六鎊十四先令十一便士。這差別的是由於工作不同，女工多數是非熟練或半熟練工人。在其他方面，男女却是同工同酬的，例如醫生、牙醫、物理治療家、幅射專家、教師、新聞記者、廣播員、建築師、公使、國會議員、法官及律師，在醫院工作的藥劑師、公務員、地方政府及多數國營工業的技工等。」

英國的女人，現在成爲了天之驕子，是商人的顧客對象。每晚的電視廣告，都是以女人爲對象的，因爲她們是肯花錢的。英國，女人逐漸的管理國事。女人的票有決定性作用。在過去幾年來，她們甚至侵入貴族院。一個貴族院議員聽到卡爾達女勛爵快要進入貴族院，嘆息說：「我初到貴族院的時候，看見許多愚蠢的老年男人；現在，它看來似乎將被許多聰明的老婦人控制着了。」

公衆往往同情罪犯　美國警察殊不易做

——紐約通訊——

「今天，在美國作一個警察，不僅要對付罪犯，也要對付一部份公衆，因爲他們爲了某些原因，竟然同情罪犯而站到他們的一方，聯合對付警察。」這番話是紐約市警察局長莫爾菲所說的。他是全美國司法人員的普遍意見。

莫爾菲是根據事實有感而發的。在他發表了上述意見之後還不到一個星期，又有事實證明他所說非虛：當三名警察在逮捕三名扒手時，竟然遭到一羣不懷好意的人叱罵。當警察把那三名嫌犯拉到一輛警車去的時候，那羣聚集在一起的人更走近用腳踢警察，並向他們噴唾沫。

像這樣侮辱警察的人不僅限於紐約市，有些人也不僅限於用腳踢和唾沫，且看下面一個難以令人置信的例子：

芝加哥有兩個便衣警探，當他們正在街上行走時，聽到有人大聲呼喊：「那個人正在用瓶刺人啊！」那兩名警探立刻循聲走上前去，看到兩名男子，其中一人正手持一個打破了的啤酒瓶。兩名警探於是拔出手槍，命令那兩名男子把酒瓶丟在地下。「好，你來拿去吧！」那名男子嚷道。那兩名警探便走近他的身邊，其中一名警探欲把他手上持着的破瓶拿開，不料就在這時，警探竟被對方襲擊，被他用破瓶砍刺臉部。

當那個警探受傷倒地的時候，另一名男子又用腳踢他，後來那兩名男子終於被捕獲，被解往法庭受審。當該案開審時，法官竟然撤消了對兩名被告控告的罪名。法官解釋原因說：「那名警探在想拘捕兩名被告時，是用不着拔槍的。當一個市民遇到兩名持槍的警探走近身邊時，他會怎樣辦呢？」

法官這個判決，曾引起警方的不滿，因爲法庭並不支持他們對罪犯的生死鬥爭。事實上，美國警察對付那多如牛毛的罪犯，有時候確是感到頗爲棘手的。罪案數字之多，美國是冠於全世界其他各國的。罪案數字的不斷增加，有許多原因，諸如貧困、貧民窟、失業、失學、道德的缺乏以及對治安當局的漠視等等，都是造成罪案不斷增加的原因。這些問題，都關乎美國的社會風氣，要解決並不是易事。至於警察，他們的職責是維持法律和秩序，預防罪案的發生。但是，他們却成了被攻擊的對象。

根據美國許多司法界人士的意見，認爲麻煩是始自最高的司法機構——美國高等法院。自一九五七年以來，便通過了一系列可爭辯的法例，這些法例全部都是維護嫌疑罪犯或被告的。姑不論這些法例的目的是什麼，而如此一來，却使警方人員工作起來加倍困難。時日拖延下去，犯罪的浪潮便洶湧起來，安全的威脅一年比一年爲甚，直至目前，白天在街上行走也並不安全，入夜後，公園更成了盜賊和歹徒橫行的區域，居民多數裹足不敢前往散步乘涼。

美國公衆並不與警方合作，許多市民都懷着「不惹麻煩上身」的心理，當見到一宗罪案發生時，會視若無睹，急步走開。因此，許多殺人犯便能消遙法外，盜賊就明目張胆的「做世界」，被害人的呼救命聲，旁人却充耳不聞。人與人的關係就顯得那麼冷漠無情。

被損害的不僅是一般正當的平民，連警察也不能倖免。去年一年內，紐約市便有三百六十七名警察在拘捕疑犯時被襲擊。由此證明，公衆並不協助警方人員執行職務。

在這樣的情況底下，美國的警察的安全便大受威脅。既然連維護治安的警察也「自身難保」，一般平民的安全也就更可慮了。

遠東銀行擠兌說　政府聲明無其事

滙豐保證無條件支持

（本報訊）日前有報紙曾發表消息，謂遠東銀行如何如何，引起衆人注意，担心年初擠兌事件又將發作。但據廿五日港府新聞處消息：一對於若干報章所載與遠東銀行有關之消息及謠言，政府已感到不安。政府已獲香港上海匯豐銀行主席及總經理桑第斯保證，該行對遠東銀行無條件支持之保證仍然有效，並且有充足之現金以十足支付任何存戶之提欵。」又記者昨今兩日均會親到遠東銀行香港仔分行、灣仔分行等地採訪，在這兩家銀行門前，並未曾發現有什麼與往日不同的現象，營業仍如常態。

瀛海異趣談

歐洲幾個落魄帝王

·桑雅·

在歐洲各名勝地點，散處着各國流亡王室，他們度着醇酒婦人、宮室車輛的奢靡生活，眞應了李後主的一句話：「夢裏不知身是客，一晌貪歡。」

在各國君主中，最有錢的應推沙地阿拉伯國王沙德，而最寒酸的是保加利亞前王西蒙二世，但他自從和西班牙富婆結婚後，境況也很充裕了。

在窮富兩極端中間，還有羅馬尼亞的親王卡羅爾，他現已繼承前王卡羅爾的遺產三千萬鎊），和國際知名的花花公子阿爾巴尼亞的前王勒卡。這一班人對於復辟的幻夢多數還沒有覺醒。現在唯一不作復國之想的只有六十三歲的沙地阿拉伯國王沙德。他如今蹈坐在雅典宮殿式的旅館裏，用眼鏡遮着陽光，四面簇擁着侍衛和妻妾（據某記者報道，國王有妻妾二十三人），他還有兒子四十七人，女兒四十六人。

這位國王成天把玩着他鑲嵌寶石的匕首，每天吃六餐香蕉和雪糕，他每年花用經費兩千五百萬鎊。埃及總統納塞爾叫他是「壓迫百姓的一條老色狼」，他也滿不在乎。

在旅館的停車場上，他停有卡廸臘克牌汽車三輛，葉域里維拉牌三輛，白色契夫羅勒牌一輛，邁塞拉廸斯牌三輛，還有三〇〇號慕希廸斯牌兩輛。供他手下差遣的共有六十人之衆。

一向有歐洲「笑癡」的花名的王恩伯圖，有一次在康城請了一名跌打醫生替他醫治受傷的膝蓋，在痊癒後，他問那醫生要收費多少。那醫生的答覆說：「恩伯圖陛下是一位國王，診金是兩千法郎。」恩伯圖又問他說：「如果我是平民呢，你又收費多少？」醫生說：「那麼只要收一千法郎夠了。」

恩伯圖搶着說：「那麼你稱呼我做先生吧。」

恩伯圖在一九四六年經意大利公民投票，被驅逐出境，不許再行回國。他在葡萄牙的卡斯開斯置有別墅一座，時常在那裏接見意大利的保皇黨人，談起葡萄牙，是歐洲流亡王室薈萃的地方，又叫做「歐洲王室的墳墓」。這些王室住在那裏，既不須納稅，而且僱傭人代價很廉，所以流亡帝王們都以葡萄牙為樂土。

恩伯圖在流亡王室中是環境較佳的一個。他的父親曾在倫敦一家保險公司裏保險一百五十萬鎊，所以他有利息可用，生活得十分優裕。他對於意大利的政情還時刻關心。

葡萄牙也有一位名義的王室繼承人，他是布拉根薩公爵杜亞特。他是出生在奧地利的。

在不久以前，羅馬尼亞的卡羅爾親王曾在巴黎一家書店裏做裝訂工人。他原來一個錢也沒有。但後來法庭承認他是羅馬尼亞前王合法的兒子，他才得到一筆遺產。

現在他在英國擁有兩所麗大的住宅，在塞克藍萊地方，他有一所房子有四十個房間，是專門供他招待來賓用的。

二十七歲的保加利亞前王西蒙，當他成年的時候，曾經發表聲明，想要復辟，但這聲明被保國共黨政府所禁止。

西蒙是一九四六年被廢掉的。他有一次曾下命令叫他手下的郵票部發行一本紀念甘廼廸的郵票，他想借此刮一筆。但結果無人理睬，集郵家也不肯予以承認，西蒙只好偷雞不着蝕把米了。

另一個前王阿爾巴尼亞的二十六歲的勒卡。他曾在英國讀過陸軍軍校。身長六呎八吋。他的嗜好是曬太陽和駕駛帆船。他過的是豪華的生活。他身邊常帶着一把手槍，據說這是他本國的風俗，凡是能拿槍桿的兒童，表示他是勇敢的。

在流亡的王室中，還有一位巴黎伯爵亨利，達艮。他是法國斷頭國王路易十六世的子孫。據說，這人和戴高樂很有一些關係呢。

答封神演義的考證問題

·周燕謀·

從十一月十六日的中央日報副刊拜讀到一篇寄自美國阿里桑那州的「遠作」，題目是「關於『封神義演』的考證問題」，是針對拙作「透視封神演義創作的時代背景」而發的。起初我以為是一顆珠玉，拜讀之後，使我這一顆希玉之心歸於幻滅；想不到一位正在外國鍍金的「學人」，遠道飛鴻來探討問題，却不但走錯了路，可以說連方向都沒有摸着。

研究前人作品，應該走什麼路？我想這是一個研究作品的人應具備的知識。簡單明白的說，研究前人作品，有兩條路可走：一條是走作者生活之路，一條是走作品本身的路。可是「劉文」舍此兩條大道而不由，却偏偏走的「拾破爛」的小道，拾得一些前人的破銅爛鐵，以新瓶裝了舊酒來搖幌一下。

我以為，凡是作者生平有詳細資料可資憑藉的，最好從它們入手。藉作者生平資料，我們去了解他的人生理想，他實踐理想所遇遭到阻碍是什麼？他的感觸是什麼？他的情感由何而發？然後可以追究他的寫作意識。眞正的作品，莫不是作者對當時社會的反映，儘管他為創作的自由，而將距離放在歷史上，然作者的實際感觸，仍逃不了當時社會刺激的。可是，封神演義的作者，正如「劉文」中所承認的「到現在仍無正確的答案」。因此，我的拙作才改走了其次一條道路。因為作者生存期間不詳，而且各說紛紜，徒滋困擾。故無論作者為何時人，而他的作品中，用文字所表現的，借歷史人物的故事所構成，或用神話人物的故事構成的。在作品中，都可以找得綫索的。如果舍此兩條大路而不走，跟在拾破爛的後面走，所獲得的也不過是破爛中的破爛而已。

「劉文」所提的三點反證，一是封神演義明版無疑的問題，二是封神與西遊的先後問題，三是封神作者是陸西星的問題。我拜讀了「劉文」的三大問題之後，感覺正在鍍金的劉先生，對於中國小說史比我更陌生了一點。「劉文」首先否定「封神演義」不是創作，「劉文」以為前有「武王伐紂平話」的藍本，這封神演義就不是創作了。那麼西遊記之前有「大唐西域記」、大唐三藏取經詩話」、和元人長春眞人邱處機所作的「西遊記」，也都不是創作？「三國演義」之前，有陳壽的「三國志」和「三國志平話」，那麼「三國演義」也不是創作了。如果以此來衡量中國小說、那豈不太究枉了！三國演義之前雖有三國志，但羅貫中整個把三國人物的面目變了，入物的個性改變了，把事實誇張了，附會了，歪曲了、改正了；一部封神演義，是以歷史人物和神怪人物故事，作爲作者表達理想的材料，他也正如羅貫中的三國演義一樣、不惜儘量誇張、改變、附會、補充。其中除了幾個商周主要的歷史人物外，其他大部分的神話人物和故事都是作者採取其他的竹頭木屑來重新創造的。一個作者他改變了歷史、附會了故事、捏造了人物，敢於推翻歷史，敢於反抗時代，敢於依據自己的情感，而重新創造出一個完整的、動人的新天地，你能說他「不是創作」嗎？（一）

燕臺菊萃序言

滌秋

陳君彥衡，為今之譚學專家，又善胡琴，閑工尺，所編探母曲本，坐宮至回令，生腳悉準譚詞，公主習從瑤卿，太后則以德霖為鵠，唱腔賓白皆備，工尺細密，無愧精心結構。而譚氏之藝，亦微陳君莫能傳。復由姬傳以精楷寫成，印工雅緻美觀，即將出版，不脛而走，當在意中。著者尚擬源源續訂，先後付梓，甚盛傳也。姬傳欲將皮黃完全訂譜，俾繼武崑腔，而茲事體大，卑人將別有論列；茲以探母一本，亟待刊行，遠道馳書促序，先綴數語，以答雅懷。揮汗匆匆，未能盡所欲言也。（民十九七月凌霄漢閣主序于萬籟蕭寂之舊京）

許姬傳序

吾國戲劇自元時崑曲大盛，綿延數百年之久。迨滿咸同間，程長庚輩以皮黃號召於京師，異軍特起，別樹一幟。當時所謂四大徽班者，人才傑出，朝野趨之。根基既定，歷久不衰。降至晚近，老伶凋謝，餘緒浸衰，日暮途遠，良可慨已。

夫崑曲雖衰，而婀娜餘音，不絕如縷。其最大關鍵，厥為文字之流傳。彼詞藻賓白之雅馴，與夫宮譜之準確，足以長留天地。傳奇之無宮譜者，浩如烟海，姑勿具論。即如前之納書楹，近之遏雲閣，集成曲譜，與粟廬曲譜等，編訂精詳，搜羅宏富，咸令人興審美之觀念。

皮黃之所以岌岌可危，即在無準詞，無準腔，無宮譜，無固定之唱法，以訛傳訛，愈趨愈遠。所有精微奧妙，萃於少數老伶之身，往往秘定非其人勿傳之，一旦挾其絕藝而逝，後來者末由望其肩背，雖有美才，不免望洋興歎也。

彥衡世丈吾師，旅京四十年，所見名伶名劇既夥，記憶尤強，於老伶譚鑫培之劇，過目不忘，嗜之成癖。譚氏偶有疑問，就丈商榷，輒迎刃而解，視為畏友。譚之北氣行腔，如魚龍，變化莫測其端。而丈與名琴手梅雨田嘗戲以工尺譜出，不爽毫釐，積久然。同人堅請就記憶所及，一一錄出，以廣流傳，定名為燕台菊萃。先成四郎探母一劇，自坐宮迄回令，如譚鑫培之四郎，陳德霖之太后，王瑤卿之公主，李順亭之六郎，謝寶雲之太君，均一時之選。將來各劇陸續付印，彙為大觀。啓前人之戶牖，示後學以準梁，亦盛事也。又丈於拙書有嗜痂之癖，又以不佞幼習崑亂，略諳宮譜，必須手書付梓，以免手民之誤。而鄙性疏懶，若非吾師鞭策之勸，難期蕆事也。頃寫探母全劇竣，略述緣起於端。吾書僅藉名劇而獲傳，亦吾之幸已。是役也，印刷製版，尤為繁瑣，蓋柳君一座獨任其勞也。（庚午潤六月杪，許姬傳甫漫識。）（二）

清代水師整建紀詳

羅雲

是年，曾國藩試造師船於湖南，以規模過小，乃就廣東之拖罟船快蟹船二種，參酌造製，先造十艘，續增二三十艘，以能載千斤之炮為度。至拖罟船則由兩湖督撫，如式製造。四年，令廣東賃用之紅單船二七三艘，並修治十九艘，統以武員，駛入長江。是年洪楊軍竄擾東南，水師不敷剿堵，下游惟廣東江單拖罟等船，漸集瓜州，上游惟曾國藩新造戰艦，自湖南順流而下，已達武昌。其九江安慶等處，尚無戰艦。令張亮基、駱秉章購置江船及釣鈎等船，以裕瑞、夏廷樾於四川採購材料，與駱秉章商辦。旋駱秉章以四川造船，江險而途遠，水程不便，仍在湖南購料製造。兩湖紳士丁善慶，遵曾國藩所定之式，已成大板艇五十號，長龍等船亦次第完成，調赴長江以剿洪楊軍。在江南取勝者，以紅單船拖罟船二種為最，體勢雄壯，置炮最多，而能順風，不能逆風，宜江面寬濶，不宜港汊。在湖南取勝者，以舢板船、長龍船、快蟹船三種為最，往來輕便，搜捕尤宜。而風急水湧，一下難於遽上，勢散而力單，令湖南水師，沿江攻剿，與江南水師會合，各用其所長，以期制勝。六年，以曾國藩在江西所造戰船，最為得力，令福建選擇將弁，率工匠赴廬州仿造，所需洋炮，在上海撥欵辦解。是年胡林翼以長江水師，自五年春間，回駐武漢以後，戰艦無多，乃與駱秉章協商，督率船炮局各員，盡力籌謀，水師復振。湖南紳局，所製戰船器械，交至營中者，凡三百餘艘，火藥四十餘萬斤，炮子一百四十萬斤，炮二百門，續運六百門，配置各師船，自武漢至九江，所向克捷。惟長江水戰，上下游不同，武漢以上利用輕便戰船，潯皖以下江面漸廣，利用巨艦。秋冬風勁宜巨艦，春夏宜小艇。船炮之大小，宜因時因地而損益之。請令兩廣督臣，盡易舊式炮位，以利東征。八年，以天津原設水師，道光年間先後裁撤，乃籌復設，以重海防。令福建廣東疆吏，各抽調大號戰艦，備齊炮械，由海道駛赴天津，設水師三千人。十年，令清淮籌防局籌欵，為防湖水師常年經費，增設淮揚水師營，以保兩淮鹽場，兼佐陸軍。蕪湖孤懸水中，令曾國藩籌設寧國水師，以攻蕪湖，為克金陵之張本。增設太湖水師，為克蘇州之張本。

（十）同治年間：

同治二年，諭沿海督臣，舉水師將才。又令曾國藩所部內江水師，都阿興所部揚防水師，有勝外海水師之任者，多舉以聞。四年，在山東省仿長江戰船之式，造長龍舢板船，於黃河水性，駕駛合宜，以水師泊黃、運二河，防堵逸寇，必須分段防守，而地勢綿長，不敷調遣，復由山東增造長龍船並增舢板船十艘，以武職大員督領巡防。五年，改造江南海口之紅單廣艇三十艘，合原有廣艇凡四十艘，分防海口。六年，整頓福建台灣海防，增置龍漕等船。七年，曾國藩議改水師之制，以江南水師向分外海內河二支，外海水師六千七百七十六名，武員一百八十人，內河水師八千零二十一名，武員一百三十三人，船艇數則近稽道光二十四年江南舊例：水師船二七五艘，朽壞居多，別造舢板船一三五艘，大拮船一二艘，約計各船不過載兵二千數百人，而額定之兵數尚有萬餘人，徒費餉項；有水師之名，無舟楫之實，宜大為變通，講求實際。江蘇水師其營制餉章，悉仿長江水師之例。外海之紅單廣艇，亦略增其餉與李鴻章、丁汝昌諸臣，協力籌辦，期於外防與內盜並謀，舊制與新章兼顧，俟章程既定，沿海福建、廣東各省水師，均可酌改行之。八年，部臣定議，從曾國藩所陳，改江蘇水師，為內洋、外海、裏河三大支，以資控禦。裏河水師以原設提標右營、太湖左營、右營、及增設淞北、淞南二營，為五營。隸提督統轄，舢板船每營船艇數不等，一律興修，不得缺額。所有太湖七營，改為裏河五營，其裁員歸併提標序補。（五）

國劇繽紛續錄

姜婆生　（三十四）

國父誕辰雅集

雅歌集在慶祝蔣總統壽誕以後，又承陸光國劇研究社的邀約，在國父誕辰，於杭州南路陸軍服務社忠誠堂，舉行茶會獻藝，藉表崇敬景仰。到了來賓達一百七十餘人，禮堂佈置非常堂皇，紅燭高燒，壽字中懸，幾如從前故都的盛大堂會，賓客稱贊不止，皆曹副總幹事瑞平提調之功。是日雅集頗有特徵，因爲兒童戲院介壽堂有戲，來到的名票，要唱後匆匆離去，故極緊促，但精采百出，並無稍懈。

首先是沈灝老偕吳梅夫人來到，請其一唱，他說就走不唱。結果幸有申克常負責司琴，吳梅夫人原定唱汾河灣，後改鳳還巢。亞老興至，自動接唱桑園寄子，多是非常動聽。

繼而章遏雲女士，偕香港名票洪劍雲蒞止；遏雲在進門即說，我今天不唱，當爲請洪君一唱。羅七雲、張貴補中兩位亦到，未幾高華兄亦來，程派名票如此之多，乃無司琴的名票，心中焦急。過半小時，林萬鴻來，大爲釋然。洪君要實秋唱，高華說，你唱我也唱，結果圓滿，洪君唱「春閨夢」，高君唱「汾河灣」，腔音曲折巧妙，的是難得。洪君在慶祝事畢，即回香港，算得佳話。

胡學傑兄挈愛女胡錦賢姬來，她是驪珠的掌珠，在靜修校中曾經登台。進門，胡兄說好，你有這種活動，不通知我，隨即告罪。我說，沒有別的，請錦姬唱一段。錦姬說不會唱，我不答應，始唱「鴛鴦劍」，由大偉學傑分司京胡二胡。女兒唱，爸爸拉，也是佳話。

名畫家而兼名票田學文兄（一名田父）自新莊趕來，他特約徐春甫自台中回來，趕這一場，由徐司京胡，陶孝司二胡，唱少有的四本太眞外傳，梅味十足，極爲動聽。其後反二黃由沈讓接唱。中研院楊希牧唱洪羊洞，台肥陳廷屏唱釣龜，皆名琴茅重衡操琴。所惜中研院劇社茅澤霖因病未來，否則大可一聽紅梅閣的李慧娘在房中自思自嘆。

二五票房的名票趙之杰唱一戰成功，潘美娜唱字由鋒，孫若蘭唱雙冠誥，羅倫唱三娘教子，李懋竹唱珠簾寨，尚有王英老、王家偉、董翰章、劉文良等，因人多而未唱，爲的多是老友，但這五段已極精采。（未完）

廈門夢痕

劍蓉

藍色的海，像一張無邊的地毯，鋪在它的腳下，處處碧波盪漾，暖和的海洋氣候，給終年披滿綠葉和鮮花，四季如春，呈現出一片南國富麗的景色……

有「海上花園」之稱的廈門，是東南沿海的一個天然良港，居於香港與上海航綫中心，遠通日本、菲律賓和南洋羣島。港灣深濶，風平浪靜，水位最低時，萬噸以上巨輪仍然出入無阻。這個從海底火成岩生長起來的美麗海島，古時島上人烟稀少，是白鷺棲息之所，又因地形如鷺，又有鷺島、鷺江、鷺嶼、鷺門之稱。宋代島上產有嘉禾，一莖數穗，遂名爲嘉禾嶼。明朝洪武年間（公元一三七八年，）有江夏侯周德興築城於島上，號「廈門城」，是廈門稱謂的開始。嘉靖年間，以爲通商港口。明末民族英雄鄭成功率兵駐守金門、廈門兩島，把原名「中左所」的廈門改名爲思州。辛亥革命後，曾改設思明府。到民國二年，府制廢除，仍舊設縣。到民國二十二年，才正式設立廈門市，一直到現在。

廈門風景極佳，「海上花園」眞不假。市內除了中山公園，市外的鼓浪嶼，山明水秀，草木叢雜，普遍優美的天然環境外，不知何時，爲人們選出廈門八景。計有洪濟觀日、陽台夕照、五老凌霄、萬壽松聲、虎溪夜月、員當（兩字均竹頭）漁火、鼓浪洞天，鴻山織雨等。

在廈門八景之中，最令人難忘的是「鴻山織雨」。此景在鴻山寺旁，從廈門市到南普陀寺去，鴻山織雨就是必經之地。在車上遠望其上，一塊巨石，中刻「鴻山織雨」四個大字。由於地形的關係，每逢下雨，在巨石前面的雨絲，會像織布一般互相交織，非常奇觀，故曰：「鴻山織雨」。這是多麼的富於詩情畫意的名稱！前人有詩詠曰：「鴻上雨勢太離奇，左右憑風作態吹；莫是天人誇巧織，故牽雨絲與風絲」。眞是寫得恰如其景了。

鴻山織雨岩上，有座古剎，名鴻山寺，前有塊廣場，場上稀疏地立着幾株老榕樹。廣場的南端，離廟門四五十步地方，即爲刻字「鴻山織雨」的巨石。石前的雨絲，不論風從那方吹來，絕不會從一個方向落地，而是由左右兩方斜落而下，從廟門看去，有經有緯，一方是由上而下，一方是由左上而右下，左右交織成趣，奇景因此而得名，良非偶然也。有人以爲雨絲交織而落，是因爲那塊石頭含有某種礦物質，有磁性，再加上石的輻射性，形成弧狀的原故。這說法是不便爭論的。

當地鄉民傳說，刻着「嘉興寨」，是當年鄭成功駐兵的地方。附近有個叫「龍喉」的山洞，深不知底，據說此洞，可通山腳下的海面，但是從來也沒有人敢去嘗試過，說起來倒是一個秘密。

鼓浪洞天。鼓浪嶼是廈門的衛星島，所謂鼓浪洞天之所在，也是當年鄭成功反清復明的練兵之「水操台」。這水操台在日光岩頂。鼓浪嶼最高山峯的日光岩，山麓岩邊建有一座廟，名叫「日光寺」。寺院的東南部是佛殿，西北部是紀念鄭成功的「延平郡王祠」。沿石階而登山，山腰上有一石刻，刻着「鼓浪洞天」字，這是廈門「八景之一」的中心。再上去是「古避暑洞」，山頂便是鄭成功的「水操台」。三百年前，延平郡王攻台之前，在此操練水軍，所以會以此爲水軍操練之所者，係因其居高臨下，可遠眺四顧。也確是古時練水軍的好地方。

每屆秋後，站在水操台上東望，廣濶的廈門灣口，碧海青天之下，萬頃波濤洶湧，澎湃的浪潮推漲前進的時候，一條條更是如同銀龍，前後相繼。金風拍岸之聲，鼓浪齊鳴，海空振聲，更如鬼哭神嚎，頗覺恐怖緊張。此情此景，即是「鼓浪洞天」的景象。遙想當年民族英雄鄭成功在此練兵的心情，也正如此鼓浪洞天的澎湃熱烈，是可想而知的。

段祺瑞的安福俱樂部

胡資

所謂安福俱樂部，是用俱樂部的名義的一個政治集團。

民國七年五月間，段祺瑞系的王揖唐，利用巨欵，糾集政客，在北京的安福胡同，召開了大會。他們爲了避免用「政黨」的詞眼，所以定名爲安福俱樂部，作爲段祺瑞的智囊團而出現於當時的政治舞台，並以徐樹錚爲首腦。它的內部機構頗爲龐大，有幹事部，有評議會，有政務研究會，有各地的分部。幹事部下又分文牘、交際、游藝等五課，課下有股，儼然自成「王國」，而以評議會的權力最大。一些重大差使的調動，即都出評議會的預定。同時，爲了保持「俱樂部」的幌子，又在游藝課中設立打球、奕棋、彈琴、書畫、園藝等項目。在國際上，它的靠山是日本帝國主義，如經費一項，就是通過曹汝霖向日本「借」來，而由王揖唐上下其手。可見王的親日賣國，原有其歷史根源。

這時各省正在選舉議員，王揖唐便密派爪牙，於各省設俱樂部分部，這些分部雖不全用「安福」字樣，實際却是它的外圍組織，如浙江的澄廬，江蘇的雅園等。結果，所謂參議院議員、衆議院議員的名額，多半由安福系所包辦。王揖唐自己也沐猴而冠，成爲衆議院議長，而副議長一職，爭奪結果，只得讓與以奉督爲後盾的劉恩格，參議院議長則爲財閥梁士詒，這就組成所謂安福國會。

而這一國會的產生，除了政治上相互結託、牽制之外，主要依靠於行賄，成爲名副其實的「政以賄成」。在選舉之前，安福議員每人各得支票三百元。這些支票，並非銀行印製，却是一種特殊形式，中書「憑票支現洋三百元正」九字，左鈐「安福俱樂部」印，右鈐「一任重致遠」之章，領款地點即在俱樂部的會計科，據說曾發至四百萬之多。至於議員之當選亦復如此；如各省每區即發了二萬五千元運動費，因而各縣會發生浮報選民現象，甚至出現小學生排隊由前門而入，投票後由後門走出，再進頭門的活劇。這些行賄的款子，則由段祺瑞在日本「借欵」中提出一千萬元作爲基金。因此，所借外債就系把持政局時期，所借外債就有數億元，並使我國東北的礦產、各地的交通等權利，都淪入日本之手。此外，還用販賣鴉片嗎啡等辦法，來增加安福系經濟上的力量。

安福系的種種倒行逆施的罪惡，即在北洋軍閥內部，也惹起了不少的聲討，方的安福系之名，[illegible]來爭取各方的支持。如直系首領曹錕，與吳佩孚之流，曹錕通電文中有「北洋原係一體，何嘗有皖直之分」等語，乃既思以直系的首領，這些話更是直系閥的首領，己是直系閥的首領，這些話允許段系繼續把持政權，而是直系首領，他的電文中竟有「居奉鄭之地，敦李郭之觀之舉」及「應天順人，效李郭不可誅」等語，不僅一派胡言，而封建復辟的色彩更加明顯了。

西施

「影劇與歷史」之十三

周遊

不久，吳王夫差大興土木，營建宮殿。越王早有情報，於是趕快挑選巨木獻給吳王。費了五年之工，這座「姑蘇台」，始告完成。站在台上可以眺望百里之外，確可謂當時最豪華的宮室。可是吳王建造姑蘇台，耗費了不少民脂民膏，弄得民窮財盡，怨聲載道。在一般的說法，以爲「姑蘇台」是因有了西施，而造的，其實是先造姑蘇台之後，始有進獻西施之事，專爲西施所建者是「館娃宮」。

越王文種進獻布帛、巨木回國始。越王以爲計劃進行很順利，又連續作第三次的貢獻。越王與范蠡、文種謀商，還沒有聲色，既有了美宮室，尚必須美女珠玉充實其中，使吳王盡情在裏面陶醉。這迎合吳王夫差的口味，因此越王的主張，獲得范蠡、文種的一致贊同。越王就命范蠡主持選美的工作。西施小姐就在越王反攻復國的策下脫穎而出。被選入國的美人，政府以重金禮聘之，又爲她們換了新裝，更顯得光艷照人了。

西施小姐出生在山明水秀的地方。浙江諸暨縣城南門外，有一條名叫浣江的碧水，這條河流的水碧綠清澈，最早名叫若耶溪，後來又改名爲苧蘿江，在這碧綠的江岸有兩個施姓的村子，一個叫東施村，一個叫西施村。那江邊的崖石都叫苧蘿山。西施小姐生長於天生麗質，貧苦的農家，父親在耕種砍樵，母親忙於紡織。她十來歲就幫助母親在河邊浣紗了。太平寰宇記說：越州諸暨縣屬的苧蘿村，居民夾若耶溪而居，全村俱姓施，溪東之村爲東施家，溪西爲西施家。「瑯嬛記」說西施不僅美，而且體生異香。「拾遺記」說西施是名夷光，鄭旦名修明。這些都是文學家生色的筆墨。只有「太平寰宇記」較爲可信。如唐代大詩人李太白云：「西施越溪女，出自苧蘿山；秀色掩古今，荷花羞玉顏。」「秀色掩古今」，是多麼有份量的詩句，不僅是吳王見了喜愛，范蠡會爲之鍾情；也可以說任何男人，都會爲之傾倒的。西施之被發現，在復國的大史上扮演十分重要的角色，確微妙而又能並非偶然。

美女僅有美麗不過只是一個花瓶而已，不能擔任特別的任務。越王勾踐選美進獻的目的，一方面是以美色迷惑吳王，另一方面是要她負起政治情報的任務，何能僅憑一個小家碧玉或村姑，擔此重任？越王責成范蠡擬定三年的訓練計劃。她們的科目，一面教導其歌舞，一面訓練她們的舉止風雅，傳授其應對技術和文學藝術，更要使她們在各方面都有動人的表現；是政治軍事情報的蒐集和傳達。這是一種訓練非常嚴格的養成教育，可以說。尤其是三年的時間，當不會中斷。要一個小姐，一學就成，既美麗又聰慧，西施就會。范蠡與西施朝夕相處，傳授美麗年輕的西施，范蠡漸漸地生了愛苗，然而爲了國家的利益，他們沒有讓這份情感發展下去，儘量抑制在內心深處。（四）

民族舞探源

正匡

（四）鮑老擢：對巢、方勝、齊收、舞頭、舞尾、呈手、關賣。

（五）掉袖兒：拂、躦、綽、覷、攝、躐、捽。

（六）五花兒：踢、盂、刺、顛、繫、搠、梭。

（七）雁翅兒：靠、挨、　、跨、閃、纏、提。

（八）龜背兒：踏、躦、才、摺、促、當、前。

（九）勤蹄兒：擺、磨、捽、抛、奔、抬、攧。

以上所錄的，如「左右手」等，當然是各該舞的總名。下邊所註的雙拂等等，即是該舞的姿勢。齊如山先生因爲那份譜，是在文字中，惟一較詳細的記載，故曾加注釋，收入「國劇身段」中，擇錄一節如下，以見一斑。（七）

內儎警台報字第〇三壹號內銷證

自由報

THE FREE NEWS

第四六〇期

中華民國僑務委員會頒發
台教新字第三二三號登記證
中華郵政台字第一二八二號執照
登記為第一類新聞紙類
（半週刊每星期三、六出版）
每份港幣壹角
台灣零售價新台幣貳元
社長：雷嘯岑
督印人：黃行督
社址：香港銅鑼灣高士威道二十號四樓
. 20, CAUSEWAY RD 3RD FL.
HONG KONG
TEL. 771726　電報掛號：7191
承印者：大同印務公司
地址：香港北角和富道九六號
台灣分社
台北市西寧南路壹壹零號二樓
電話：三〇三四六
台郵撥儲金戶九二五二

三個問題（中）

·彭樹楷·

可是，由於互毀性戰爭利器的不能達成戰爭的目的——勝利，所以以殺戮為戰爭的手段，便蛻變為以競賽壓制對方贏取歸心的新境界——包括政治、經濟、教育、科學工藝和福祉全民的種種措施之競賽，俾獲致與情贏取民心——美國的「大社會」和蘇俄的經濟改革便是明顯說明。

當然，永遠消除戰爭，這是永遠辦不到的；不過，在極權國家邁向民主政治、資本國家朝向經濟平等之際，一個福祉全民的新態勢乃孕育而成，並將因而發展到「大同世界」的最高境界！此乃時代趨勢，非任何國家所能抗拒得了的。好戰成性的毛共，公然邀請美俄英印等國共同對之作戰，狂妄至此，眞不可理解，其必遭時代淘汰，是絕對無可疑的！

人口問題

本世紀開始時，全球人口總數共十五億；一九六三年增加一倍達三十億人；一九六五年六月卅日止，又增為卅三億人。美國芝加哥大學社會學系系主任Prof Philip M. Hanser說：「一九七五年，世界人口將超過卅八億；而在三〇〇〇年時，將會跳過六十三億！並且，其中將有百分之七八的人口集中在都市中。」他又說：「人口最大膨脹處在亞洲；在本世紀內，亞洲的人口將可能增加到廿五億人，那便是一九五〇年時代的全世界總人數！」另據資料統計，在一九六二年一年之內，全世界增加的新生人口為六千六百八十多萬，這數目比今天的加拿大、緬甸、古巴、柬埔寨、丹麥、以色列、意大利的人口合計還多些！以台灣來說，一千二百萬人口每年增加的人口是四十多萬，等於一個高雄市。

這種迅速膨脹的人口壓力，嚴重地危及世界的安寧。

聯合國公佈的調查資料；此刻，世界上有一半人口營養不良；五分之一強的人口屬於飢餓，五分之二強屬於貧窮；在營養水平之上的人口僅五分之一強。上述這種比例，目前正作非常不利的變化。

雖說科學家曾竭盡心力在政府支助下謀求減輕人口壓力，但因陸地資源之利用已達飽和狀態而收效不大。有些國家公開鼓勵節育或是暗地贊同國人節育，也只能稍為減緩日益加重的人口壓力，而並不能從根本上解決了這個問題。

「上山下海」是兩條解決人口壓力的路。但，山道崎嶇、海路茫茫，非有大智者領導，大勇者奮進則不易推動。例如以佔中國大陸面積十分之九的山地和高原來說，養活數十億人該是沒有問題的。可是，山地交通、水利、電訊、農業、牧業、工業、以及山地教育文化等的配合進行，便不是輕易的事；台灣橫貫公路及山林開發艱困緩慢的情形便是說明。再，中國大陸一萬一千多里的海岸綫之近海開發，更是可以供應民生解決人口壓力。其他各國情形亦然——因為世界仍有極多山地和高原未經開發，更有廣大海洋寶庫仍為處女地也！

隨著人口增加所帶來的問題，除了糧食外，還有許多生活必須的項目，其中以居住、交通、教育、醫藥衛生以及職業問題最為重要。

所以因人口膨脹帶來的問題，都與地球上的陸地面積有關——在未大量開採海洋食物前，需要耕地或牧地增加糧食，居屋向高空發展也有其極限，而且居屋愈高，所需要的空間愈多，以容納交通工具和空氣調節；教育所需的教室大致與居屋情形類似，如以廿萬學童計，便應增建最少四千間教室；其他如圖書館、操場、保健室、辦公室等均未計入。至於職業，雖與陸地面積無直接關係，但是如果不是「上山下海」，則其他職業均將因人口膨脹，競爭激烈而不易解決。台灣很多幹了十多年「額外雇員」的公務人員以及大學畢業與初中競考郵務員等事便足說明。至於醫藥衛生，那更是費時費錢而又不易立即見效的工作，目前最貴的民生日用品應是藥物及看醫師，如不謀求革命性對策以解決藥物資源，則人口膨脹壓力，將使醫藥衛生更感難以應付最低所需。

目前，世界人口才卅三億，便已經感到不勝負荷的壓力；到廿一世紀初葉，根據現在人口自然增加趨勢估計，便將到達一百廿億人，那就是我們今天所要飼養、教育的四倍人數！如果我們的糧食不能配合增加（除開發海洋生物外，人類絕不可能憑藉今日生產技術在地球陸地上增加糧食以配合人口的增加率），我們便不可能得到安寧的生活——即使你有再大的權勢，也不能抗拒風起雲湧的飢民的動亂！「民以食為天」，吃飯都成了問題，其他一切便都成了難以解決的棘手問題了。

人是可以能夠改變自己處境的，矢志加上奮鬥，就是改變自己處境的條件；但，這在解決人口壓力方面，卻需要很多自然的因素配合。例如耕地面積擴及山地與沙漠（以人力化沙漠為綠州）並包括海埔新生地乃至在近海造陸等，都需要氣候的配合。今人已能控制氣候如人造雨等，但亦須適當自然條件才行（在沒有雲層的地區就不能造雨）。又如人類將做到人造生命（動、植物），但必須克服眾多人為困難如道德、法律、習慣、社會秩序等。例如人們並不習慣食用人造油脂和其他食物便是說明。

消除一切野獸、家禽、飛鳥以節省糧食，而將海產動物取代肉食是可行的解決人類糧食的辦法，但是這樣勢必影響人們情緒（生活情趣）使人感到空寂單調；更何況澈底消除一切野獸等也不易辦到。毛共在大陸消滅狗隻結果，使人民因懷「舊」而更恨共黨便是近例。因為人非單為飲食物質生活的動物！

任由戰爭及瘟疫藉以減輕人口膨脹壓力，除道德等不談，單就減輕人口壓力言，也不易收到良好效果！世界上只要有一個能生殖的男人和女人，世界便終又將遭到人口膨脹的壓力！除非把整個人類完全消滅，人口問題仍將存在。

根據科學家分析，海洋潛力，如予全部開發利用，即可解決人口壓力；但那也是有時間性的，超過那一時期，地球上仍將無法負荷那繼續膨脹的壓力。

海洋學家估計海洋生物及礦物，可供今日世界上卅餘億人口食用六千萬年；六千萬年以後就要另想辦法。

無能為力

大海茫茫

今日與明日

毛軍襲殺印兵

就當印度代表在聯合國投票堅決擁護毛偽政權的後兩日，毛共軍又在西藏同錫金邊境擄回印度三名士兵予以槍殺，然後宣佈印軍三名越境開槍被擊斃，着印軍搖白旗領回。此事眞像如何，不必研究，只有一點可以確定的，毛共軍實在沒有必要殺死這三個印度兵，據毛方自己公佈，三名印度兵越境開槍，不受警告，毛軍不得已開槍擊斃。印度兵僅三人竟敢越境向毛軍前哨開槍，而且在毛軍還擊後還要硬拼到底，至死方休，這三人簡直變成電影上的鐵金剛了！明白印度人個性及其戰鬥力的，都知道這是絕不可能的事。不過，毛軍打死印度兵倒也心安理得，不必說僅僅打死三個，就算掠回三百人在邊境用機關槍射死，印度代表明年仍然會在聯合國高呼：「雖然中共殺了我們幾百人，我們還投票贊成他加入聯合國。」

曼斯菲爾的活動

美國參議院領袖曼斯菲爾率領的代表團由蘇俄東歐到了緬甸，最近又要到柬埔寨。對於曼斯菲爾的活動，舉世都很注意。不過，若作深一層看，也是政客自我宣傳的一種手段，美國現任副總統韓福瑞任參議員時就曾經去莫斯科訪問過赫魯曉夫，當時的態度比今天的曼斯菲爾還左；可是，他當了副總統，也堅決主張轟炸北越了。因為這是大勢所趨，任何人也無法扭轉時代潮流。一時的譁眾取寵，並不能眞的改變歷史的前進。

不過曼斯菲爾的活動，對於堅決反共的自由國家不無影響。尤其是曼斯菲爾此次所訪問者皆是共黨及左傾國家，眞正反共的自由國家，如中菲泰越則過門不入，卻要低首下心去訪問柬埔寨，不惟使自由國家洩氣，也助長了親共國家的氣焰，是最愚蠢的。

施哈努又發狂言

曼斯菲爾最不該的是要訪問與美國已斷絕邦交的柬埔寨，使小兒科施哈諾又增加了自我宣傳的機會，曼斯菲爾未到，施哈諾已開出恢復邦交的條件：第一、要美國提出書面保證，保持柬埔寨領土的完整。第二，以後泰越軍隊如傷柬人一名，美國要賠輾路機一架。第三，越南軍隊如再侵犯柬邊，責任也須由美國負起。施哈諾這種條件只像是五歲小兒的口吻，難為曼斯菲爾竟然要去同他談判，究竟能談出什麼結果，眞是天曉的事！廣東話「擺架來丟」，看見曼斯菲爾的活動，只有這四個字是最好的評語了。（何如）

自由談

談廢除死刑

英國國會通過廢除死刑，業經英王簽署施行，成為正式法律了。這是世界表現文明法治精神的[illegible]，值得注意。

吾國學者李聃在兩千多年前，即闡述「民不畏死，奈何以死懼之」的義理，孔孟倡言王道，亦以不嗜殺人為主要條件。祇有韓非法家者流，才主張嚴刑峻法以求治。可是，咱們中國立國已在三千年以上，而死刑始終未能免除。現在英國雖然明令廢除死刑，亦依然附有「劫殺行為除外」的但書。這可見人類文明無論怎樣進化，有時候還要幹出「可殺」的罪惡行為。英國人民素有「紳士派」的傳統性習，教育既普及，產業亦發達，應該可以徹底廢除死刑了，然猶不免有劫殺事件發生，而需要以死刑繩其後，其他各國之不能免除死刑，殆屬理有固然矣。

我總以為刑罰之寬嚴與人性攸關，人性本惡，其善者偽也。人類由於生活環境與教育程度的影響，每每能夠把惡性勉強抑制，時當政治清明，生計安定，人們皆抱着恥居下流的觀念，大家懷刑守法，社會上亦有公道是非存在，犯法的行為相應減少了。一到動亂之世，人們的生活不正常，社會生計亦艱困，大家皆為着求生存的關係，於是乎惡念滋生，惡性竊發，任何罪大惡極的勾當亦悍然為之而無所顧忌。試看台灣社會上近年來發生的劫財殺人案件，光怪陸離，匪夷所思，這不是「人性本惡」的鐵證嗎？

因此，吾國先賢所倡「治亂國，用重典」之說，實屬未可厚非。諸葛亮治蜀以嚴峻，適當劉璋闇弱、疲玩之際，對症下藥，如果他為了煦煦之仁，大著煦煦，為了局，常常表揚沒有不好的人，台灣常見之俗。事所應爾，尤其是但對於階級一般壞人的義惡劣份子，若不嚴加懲治，社會風氣還是不能改善。行政上據亂之世卻非使用嚴刑不可，承平之世，仁政效術也。因為人性本惡，英國廢除死刑，仍然不免懷疑，高度文明的英國將來的結果，竟是否好處多於壞處呢？但我究……

馮三先生

初臨貴境者會疑心身在華夏

日本「中華料理」多得可觀

川粵京滬均齊備。豆漿油條亦有之

名手雲集嘆觀止。外國餐館盡低頭

近年的香港人士，對日本已逐漸熟悉。我想，今天的日本，予一個「初臨貴境」的香港旅客，引爲異趣的，也許不是一些在圖片上早已看熟了觀光名物，而是到處觸目皆是的各式中國菜館。連姑蘇城下的「留園」，西子湖畔的「樓外樓」，都紛紛出現於眼底，那裏像置身異域？如果是一個西方遊客，那末，他從滿眼所見到的「Chinese Restaurant」的霓虹燈之多的角度看去，更有理由可以懷疑自己所乘的班機，是飛錯了航綫。即是一個小別東京三、五載的人，一旦重訪，令人「刮目相看」的，不是近年新添的東京鐵塔，或者最快時速可達150KM以上的「夢之超特急」；又將感到「中華料理」，如「雨後春筍」一般的，愈來愈多了。

有一個笑話，說一個旅客在東京問路，交通警察答以「你一直往前走，看見『中華料理』，朝右手轉彎，再看見『中華料理』，往左首轉彎，就到了。」

其實，這不但不是笑話，實際上只有過之。如新橋車站門前十字路口，舉目四望，前後左右，有一的是「中華料理」，有一條街上毗連有幾家，也是常事；倘若你照交通警察指示的走法，有時可能還會無所適從呢。

「中華料理」在日本，戰前早已有之（當年稱「支那料理」），戰後一律改爲「中華料理」或「中國料理」，但在戰後，其發展的速度，着實驚人。質量之高，數與量之多，不論以「三把刀」時代的從前「中華料理」，已不可以道里計。

蓬勃聲勢　遍及市區

早年素負盛名的銀座街，如今已日見疏落，不及「中華料理」的光管，那末琳瑯滿目了。向有「夜間內閣」之稱，爲「達官貴人」所流連的高級酒色之場赤坂藝伎館「料亭」，見到同地區一家又一家興起的「中華料理」店蓬勃聲勢，也爲之黯淡減色。

現在東京的熱鬧地區，如銀座、赤坂、新橋、新宿、淺草等地，固然是「中華料理」店林立，近年連郊區的中野、目白、吉祥寺等處，甚至到東寶攝影場去的世田谷砧町汽車路兩旁，和當年在「日清戰爭」中，把勒索了我國的賠款一部分所建造的日本最大監獄——巢鴨監獄。（一）（航訊）

術可「長生」人所同欲

德醫生尼漢斯門庭如市

・波恩通訊・

長生不老這回事，眞的存在的嗎？或只是一種傳說呢？在數世紀以來，不少科學家努力嘗試如何想出一個良方，與「老病死」對抗，希望眞的把它們克服。在小說中，哈格德的「她」及希爾頓的「已失去的水平綫」，其主角都是象徵青春永在，不受時空的影響。但除了這些寫作上的幻想，還有任何根據呢？

最近，有一個人自認能夠有本領把壽命延長，他說：「我有把握替人們增壽十年以上。」這人是誰呢？是八十一歲的保羅・尼漢斯教授。他是德皇佛德力三世的孫兒，他仍保持精神矍鑠，健步如飛，看上去不過是三十開外的人吧了。

他所主持的診所，曾有甚多世界著名的老人光顧的，其中包括已去世的邱吉爾，和現猶健在的毛姆，甚至連教宗庇爾士十二世也前往請敎他們高見。他的增壽方法是將懷孕動物殺死，然後立即從其胚胎取出細胞，注射入人體內。由此類推，抽取動物正常腎部細胞來補生病腎部，抽取動物正常心臟細胞來補生病的心臟等等，甚至患性無能，也有方法醫治，這是新陳代謝的原理。

尼漢斯教授認爲，性對於人類這麼重要，長生之術也應在這方面着手。最近一位同性戀病患者前往尼教授處求治，事後他對人說：「現在我的胸部已開始長毛了，每天要剃兩次。」不少醫生也採用尼教授的醫治方法來治理受原子彈遺毒的病人，成績相當美滿。

尼教授的診所的門，是電流控制的，每位訪客都要先受檢查淸楚。如果病人晚上光臨，必須預先約妥在汽車頭燈作暗號。病人入內後，便獨自困于一房間內，他是看不見其他病人的。他離開那房間，走廊上站滿女護士，作爲監視，不容許他看見其他病人，或其他病人窺見他。尼教授認爲病人要單獨處理，病人與病人間無需互相結識。

一個美國大亨瞞着妻子，匆匆忙忙，往歐洲渡假，因此，他的妻子認爲這是往見尼教授的最好機會。事實上，她的丈夫也是尼教授的病人。兩人同一時間，同一地方接受治療，但兩人懵然不知。

治療的過程是這樣的——首先開始的地方是屠場——這個屠場每週中有四日半，是專爲蒙特里斯居民供應肉類的。但凡是星期四下午，屠場便變成了實驗室，裏面不是凶神惡煞的屠夫，而是兩名身穿白袍的壯漢，他們等待主角來臨，然後，「正戲」上場了。

不久，一架車及拖車出現了，鑽出車廂的是尼教授及其助手，拖車上面是一頭母羊。把羊拖入屠場後，便立即開刀，把這未出世的羊胎取出，然後在一小時內，移植于人體內。通常在這種情形下，約有廿多名觀衆，他們是來自各地的醫學界人士。手術過程只需十分鐘，血淋淋的胎盤便取出放在器皿內，然後立即搬上車，踏油離開屠場，朝着他的診療所風馳電掣。抵達後，他連升降機也不搭，兩級跳成一級般，飛步上三樓，他們純熟的技巧，馬上把那胚胎裏各部份的細胎分開，心啦，腦啦，眼睛啦，分妥後，便與病人注射，有些要一連注射五次的。

注射費用，十分昂貴，五百鎊至一千鎊不等。在短短兩小時內，尼教授與助手們跑上跑落，一口氣注射了十次之多。於是，大家計算一下之後，便不會懷疑尼教授不是刮了粗龍，一日平均七百鎊的話，五十針不就是三萬五千鎊。兩小時內搵這麼多錢，確叫人咋舌。然而，尼教授是否拿這套東西來賺錢呢？

事實指出尼教授並不是一名棍騙之徒，第一，他出自名門望族，三十年前，他還未發明這個長壽方法，已是家財百萬，他的別墅非常華麗，位于日內瓦湖畔，別墅內私藏了名畫無數。其次，如果他同情病人的遭遇，是可以不收費用的，代價是診斷前後的照片及接受專家訪問的文章，這些不過是刊于一些醫學雜誌上，作爲宣揚他這個增壽良方。

他的太太歐羅拉是英國人，是一位律師的女兒，她比他年輕廿歲，嬌小玲瓏，樣子娟好，現在，他們已有一女，兩名孫兒。歐羅拉是尼教授最好的「樣本」——她已超過六十歲了，但看上去，只不過四十左右，她對記者說：「我的青春是丈夫賜給我的。」

尼教授最近發表這番話：「我沒有這麼大本領，能夠返老還童，我畢生致力，不過是增加人體的活力。我花了這麼多時間研究，已足證明我的態度是嚴肅的」。

現在尼教授每天都接到近百的信件，是寄自世界各地，求他增進壽命的人。

美新興企業—海水化淡

——紐約通訊——

人己兩利　於是勃興

放眼以觀全世界，好多地方，都存在着水荒問題。特別是美國。這些年來，美國的西南部從德薩斯州到加利福尼亞州，連年都鬧水荒。現在，連美國的東北部經過連年的天旱，也在爲水的問題而愁眉苦臉。沿海灣海岸綫各州，都面臨着水荒的威脅。

在這種情形之下，不少人正在研究海水化淡問題，既立志爲大衆解決水荒，成功了亦可致富成名，所謂人己兩利也。歐美各國的一部份的新發明，均由此而來。

且談美國的海水化淡，現在已由研究階段進而爲設廠提煉階段，預料不久之後，海水變淡水，將成爲美國一項新興企業。

現在已有幾家大牌的美國公司在搞這項新興企業。諸如「威士丁豪斯」、「通用電器公司」、「蒙山多公司」以及「道化學公司」都在把這門工業當作大生意經，建立和設計提煉海水工廠。有的則在推進研究方法，研究如何用較低的成本，將海水化爲淡水。

規模大小　各有不同

上述這幾間著名的大公司以及其他幾十間公司，都以爲這是有利可圖的潛在的大市場；因此，不惜工本在這方面花大錢。而美國聯邦政府鑑於目前天旱的嚴重，以及若干州的水荒，因此，也把提煉海水列爲一個優先的計劃。

目前美國許多州都在搞其規模大小不同的海水化淡計劃。以洛杉磯爲例：洛杉磯正在考慮一個三億美元的海水化淡工廠的計劃。這計劃預定一九七〇年完成。到時候，每天從水龍頭中都可以流出一億五千萬加侖的化淡海水，足以供應一個七十五萬人的城市的需要。

再說紐約市，官方正在談論一個規模更大的工廠，計劃每天生產兩億五千加侖的淡水，設廠成本約達五億美元。最近，美國紐約州已要求「美國機器和鍛冶」公司在長島建立一個工廠，每天化淡一百萬加侖的海水。

佛羅利達州的大城市基威斯特也在着手一項計劃，要建立一個工廠，每天化淡水兩百五十萬加侖。

不分公私　加緊進行

據美國一家化學公司的負責人說：「有關海水化淡的工作步伐，無論是在工業和政府兩方面都在加緊進行。它可能導致一項整個的新興工業。涉及的業務以數十億美元計。」

據說海水化淡的成本也在不斷減低。按一九五二年，聯邦海水化淡計劃開始之時，海水化淡的成本每一千加侖須費四元，今天則已減至大約一元。現在正在設計大工廠，有的是用核子能發電的。預計到一九七〇年每一千加侖的化淡成本大致可以減到二角五分到五角。這樣，就接近天然淡水的價格。按現在美國消費者所付的水費，每千加侖大致在兩角五分到四角五分之間。到一九六七年美國內政部海水管理局預料每年花三千七百萬元的研究費。原子能委員會也準備從現在起到一九七五年花費兩億美元，用在海水化淡有關的核子工程方面。

水量消耗　舉世皆增

目前，美國全國對水的需求正在迅速增加，住家、農民和工廠每天水的消耗總共三千六百億加侖之多。比起一九四〇年水的消耗量增加了三倍。據一項研究說：到一九八〇年美國每天水的消耗量將達六千億加侖。

美國[illegible]水耗的增加確不僅[illegible]方面都感到不同程度的增加[illegible]。據[illegible]一項調查指出[illegible]十四個地區需要加[illegible]淡水[illegible]。美國國外的一些大化學公司也[illegible]外建築海水化淡的建造材料和機器。美國某大公司正在協助以色列建立一座大規模海水化淡工廠，即一例。

宜蘭學生助農收割　有的學校做法很差

（本報記者宜蘭劃訊）宜蘭縣今年秋割稻禾，適逢連綿下了七天雨，使一些前已割好的稻禾，只好存儲打穀倉裏，讓它再生稻芽，再亦無有補救辦法了。十一月十九日，日光才與還些穀倉的稻禾見了面，但農民沒有一個不嘆息的。就在此日，整個宜蘭縣的農民，那個不大忙特忙的起來整頓倉穀及搶割收成自己田地的稻禾呢？主因是深怕明日或則後天可能還來一場大雨。

政府當局省教育廳及青年救國團，亦立即下令宜蘭縣各中等學校學生，必須協助農民搶割工作，以利今年收成。我們知道省教育廳及救國團此道命令，是爲幫忙宜蘭縣農民，使其減少損失，因宜蘭縣前幾年一直受風災的影響，年年欠收成；由此可知，那個農民不興奮的歡迎學校多派幾個學生往自己的農田來協助搶割稻禾？

但有人以爲政府此道命令並不怎樣完整，特別是有的學校竟利用此命令來專門完成與學校有關係的農田稻禾的搶割，而却輕視了一些沒有關係的農民。宜蘭縣農民當知道政府沒有此協助搶割的命令下來時，[illegible]市公所及各學校希望派學生協助搶割，但多落空而返。

記者爲了此項問題，亦去過幾個學校看看，究竟比如宜蘭縣一該商業職校校長黃椿雲，是一位「好好先生」，對校務素來並不大理，是訓導主任李坤福負責，訓導管理由李坤[illegible]方法差，[illegible]管理，此次宜蘭縣正值秋割之際，又適好省教育廳下了協助搶割稻禾之令，李坤福一大把抓住此令，[illegible]學生爲他個人賣命。十一月十九日，李坤福下令學生往郊區壯圍鄉協助搶割[illegible]本身有關係的朋友親[illegible]田工作，一直至下午黃昏時，才放工回家。就在此日，一羣羣的農民往宜蘭市公所，申請派學生協助搶割，市公所指派[illegible]人數少之少，有一甲[illegible]來回田地的農民，分配二人——三個學生。農民苦苦哀求市公所再分發學生，但市公所說它沒辦法[illegible]等語來安頓農民。農民以爲少總比沒有好，並不氣餒，又[illegible]協助搶割分配的學校要求學生，但到宜蘭商職校的農民，皆敗興而歸！見校長者說不曉得，見訓導主任者就話了，李坤福說：「混帳，莫名其妙的市公所！」

然而究竟誰莫名其妙呢？（長慶筆於十一月二十二日）

瀛海異趣談

肯尼亞揮淚殺大象

・桑雅・

東非肯尼亞是一座天然的動物園，這裏萬獸滙集，世界上的珍禽異獸應有盡有。保護野獸原是肯尼亞的國策，但是這一國策最近就要自我違反了，在世界著名的查博自然動物園裏的五千頭大象已被宣判死刑。肯尼亞政府爲什麼要這樣做呢？

一九六三年肯尼亞獨立時，肯尼亞第一任總理肯尼亞塔在首都內羅畢演說，他說：「我們國家的自然資源——野生動物和廣大的森林就是我們貴重的資產，肯尼亞政府將用一切手段加以保護。」

肯尼亞查博地方的國家野生動物園廣六萬二千平方公里，裏面有各式各種的動物。牠們受到「國家自然動物保護聯盟」的刻意保護，如要進入園中打獵，必須先向當局領取「准獵證」，以便限制殺生。整個肯尼亞每年在「正當防衛」的前提下所殺野象不過五六百頭。

但是野象大量繁殖的現象到了去年已經越來越嚴重了。由於野象受到政府的保護，牠們成羣地侵入動物園四周的農田，向海岸移殖，肯尼亞政府制訂的海岸農地開墾計劃大受影响。人們只得用野火來驅趕象羣回到野生動物園。但是象羣太多，獸蹄所到之處，大片綠化園地被毀。加上當地居民只准許用野火驅象，許多森林、草原被焚至一片焦土，這一來更加助長象羣的來去自由，更嚴重的是象羣賴以生存的樹根等植物更加短缺了。

據肯尼亞鳥獸保護官凱姆・瓦甸說，一頭大象每十二小時要踏平一百公斤的草木，一頭象須要佔據五平方公里的土地。現在整座查博野生動物園的樹木草源已變成光禿禿的不毛之地。一九六二年九月，英國陸軍的飛機曾載動物專家查博上空進行調查，發現在包括動物園在內的四萬一千平方公里的地區內總共有一萬五千六百多頭野象，比前此推測五千頭多出兩倍多。象的糧食問題引起恐慌，如果再不處理，任由野象繼續繁殖下去，對於人的危害將不可估計。在這種情形下，肯尼亞政府決定將其中五千頭野象處死，至於怎樣行刑和怎樣處死的象，也在著手準備之中。

但是這樣大規模的處死大象卻遭到了國內各方面很大的反對，首先遭到政府反對黨的強烈抨擊，並且把這個問題帶到國會中引起激烈的辯論。

繼而肯尼亞報紙「東非標準報」和其他幾家報刊最近數月來連連刊載讀者投書，主張挽救這些大象的生命，有人主張乾脆奉送外國，有人主張將大象賤價出售外國，假如世界上每一個國家的動物園都來索討，都可無償贈送。這樣處置辦法總比處死好。

最後，肯尼亞國家野生動物園協會主席穆罕默德・希特，特地組織了一個調查委員會再度調查大象繁殖的情況，結論是：「大象如果不殺死，也會餓死，因爲野生植物樹木和草原大量被野象消耗。野象橫豎都是死，事情就是這樣擺在面前非加以緊急處理不可了。」

現在肯尼亞政府考慮的是怎樣集體屠殺這一大批野象。肯尼亞政府爲專門管理野生動物而設的「鳥獸部」已受命担任這一執行死刑的任務。這個部決定先設立一座罐頭工廠，準備兵丁保護動物園四週的農氏，總之採取這些措施，處處如臨大敵，完全是爲了安全着想。

肯尼亞政府一向歡迎外國遊客到該國打獵，最近五年來已有百萬遊客到過肯尼亞觀光過該國的國立野生動物園。肯尼亞獨立後感到不能過分倚靠發展旅遊事業來充實國本，於是製訂了發展農林墾殖事業的計劃，但是這一計劃遭到野象的破壞，不得不忍痛殺生。不久之後，遊客們在查博的草原上每天將聽到連串的槍聲，五千頭野象將倒在那裏的刑場上。

答封神演義的考證問題

・周燕謀・

關於日本內閣文庫所藏的「封神演義」是否明版的問題。提到此一問題，我想到劉先生在美國所研究的是什麼？劉先生的大作，不僅沒有看到過日本內閣文庫所藏封神演義的影子，而且連「封神演義」與「西遊記」的通俗本都沒有詳細的看過一遍。「劉文」所肯定日本內閣文庫的封神演義是眞的明刻本的根據是什麼？是根據一篇推廣發行的序文，該文爲邗江李雲翔撰。這不是原序。序文說：「……余友舒冲甫自楚中重資購有鍾伯敬先生批閱封神一冊，尚未竟其業，乃託余終其事，余不愧續貂，刪其荒謬，去其鄙俚，而於每回之後，或正或反，或以嘲譏之語，以寫其忠貞俠烈之品，奸邪玩頑之態，於世道人心不無喚醒云爾。語云：「生爲大柱國，死爲閻羅王」，自古及今，何代無之？而至斬將封神之事，目之爲迂誕邪？書成，其可信不可信，又在閱者作如何觀，余何言哉！」道是日本內閣文庫封神演義上李雲翔的序，注意此序的地方，是序後沒有年月日，第二是沒有原序——長洲褚人穫序。

再看褚序云：「……一般詭異，以之消長夏、祛睡魔而已，又何必究其事之有無哉！又何必論其文之優劣哉！」康熙乙亥年午月望後十日長洲褚人穫題於四雪草堂。（此爲封神演義之原序）

乙亥年，即康熙三十四年。西遊記最早的刻本，前面是尤侗序，署「康熙丙子」。按康熙丙子，是康熙三十五年，晚封神演義一年。我說日本內閣文庫所藏的封神演義是僞託，其證有說：

按李雲翔序太空洞，而反覆言「可信不可信」，是在書的銷路上打算盤。褚序（原序）論武王伐紂之可不可，是怕此書道所忌。按日本內閣文庫封神演義的封面，孫楷把他錄出，在此封面上便有可靠的證據。封面全文如下：

右側：「批評全像武王伐紂外史」

正中大字：「封神演義」。下面細字：每部定價紋銀二兩。

左側細字簡說：「此書久係傳說，苦無善本，語多俚穢，事半荒唐，評古愚今，名教必斥，茲集乃「？」先生考訂，批評家藏秘冊，余不惜重資購求，鋟行以供海內奇賞，其可羽翼經傳，爲商周一代信史，非徒資悅探瑰而已。識者鑒之。（「爲商周一代信史」可笑）左下細字爲：「金閶書坊舒冲甫識」。

封面上完全是推銷書的廣告，序文以得到鍾批爲號召。因鍾伯敬評書有名，而舒載陽是明萬曆時蘇州書商，刻書甚多，名望甚大，偽託其名，以提高該本的身價。在封面的「茲集乃　先生考訂批評家藏秘冊」。先生上空一字，孫楷第說「名字削去」，原文當是「茲集乃鍾先生考訂批評家藏秘冊」。將「鍾」字削去，就是因當時人指責其僞託爲鍾評之故也。此其僞託證據之一。

其次是該刻本李序沒有年月，分明是魚目混珠，以提高該書爲古本之身價，此其二。

第三，「劉文」肯定日內閣文庫封神爲明版，究爲明何時的刻本？何人所刻，何所梓行？根本沒年月日可考據，只說是明版，刻上明版的字樣就是明版了嗎？研究作品應從作者和他的作品兩條大路，作者不詳，就應研究作品，舍此二途不由，只一眼去看張三說如何，李四說如何，如此連孫楷第也得受騙。

批評家和書商，勾通以提高書的身價例子很多，如三國演義的本子，到了清朝，毛宗崗（序初）把明李卓吾的三國演義本子加以刪改，併加以批評。他爲抬高其身價，硬稱明末李卓吾的本子爲「俗本」，而說他自己這一本是「古本」。封神之僞託爲明本，託鍾伯敬批評者，正與此如出一轍。只人云亦云，而不去多讀一下作品，只有受騙的一途。（二）

燕臺菊萃序言

滌秋

陳彥衡自叙

虞山王石谷遇烟客廣州，得飽覽前人名迹，遂成千古畫家。余嘗以之擬戲界之譚鑫培。譚氏親炙長庚、三勝、二奎、九齡諸人，兼收博採，捨短取長，遂成一時名角。蓋其於前輩之字句、音節、身段、神情、無不研究精純，斟酌盡善，洵可謂舊劇生角之全材也。

余昔在平，每喜觀譚氏之劇，時梅雨田爲譚操絃，引宮刻羽，不爽分毫。暇時輒與擇譚劇之精者，仿崑曲例，譜以工尺，綴以板眼，以存其眞。而當時與譚氏合演，類多名伶，製調選聲，迥殊凡響。藝其專長，未容湮沒，並附錄焉。日久不覺裒然成帙；友人羅君亮生見之，以爲此舊劇中之廣陵散也。亟宜出之，以公同好。因囑許子姬傳，陸子籍鏐兒子當年評加板勘，餘付印工，名之曰燕台鞠萃，以餉世之嗜舊劇者。

夫工尺板眼，不足以盡唱工之能事。然未有不明工尺板眼而能深造者也。工尺者，高下之所由分；板眼者，急徐之所由判。高下分則抑揚具，急徐判則頓挫生。明乎此，唱之能事，思過半矣。姬傳浙右世家，能文善書，邃於音律，此編乃其手書付印，名伶佳劇，藉名筆而益傳，亦藝林一韻事也。（庚午三月，陳彥衡識，黃絜書。）

右三篇序敍，均是名家手筆，現在均已作古。而彥衡蓄意印燕台菊萃，初擬爲十餘冊，乃民十八書成。民二十，他遄返成都，迄未歸上海。越七載而病逝故里，此志終未得償，惜哉！滌秋附註。（三）

清代水師整建紀詳

羅雲

馬新貽續議九江水師營，改城守營，設陸汛四處，鄱陽營改陸汛二處，洞庭水師營，改龍陽城守營，岳州水師營的留水兵，隸陸路管轄，荊州水師營，酌留弁兵有差。九年，諭定安等以寧夏各營，運餉艱難，增造炮船，由黃河運送，所有大小戰船三十艘，編爲一營，設統帶等官。十年，沈葆楨以外海兵船製成，應簡知兵大員，督率操練。尋以福建水師提督李成謀，爲兵船統領。是年曾國藩以江南水師章程初議十四條，嗣由馬新貽等增爲廿五條，乃刪減歸併定爲廿一條，外海六營，以次巡哨，內洋五營，分定汛界，裏河五營，分定汛界，淞南營，淞北營，太湖左營，太湖右營，分定汛界，改船。水師營所遺陸汛，移併留防京口三營陸汛。炮臺分別管轄，改定轄營，及營設守備要汛，多留陸兵。定將弁處分則例，規定各船數，酌定外委員數，酌定裁缺薪粮營官，建衙署地方，各營座船之數，官兵額定數目，書吏名數，兩蓬旗幟等費，官兵糧額，各船酌用槍炮數目，各船酌用火藥槍炮彈，綜計餉項之數，下部司核議行之。十一年，丁寶楨調撥福建省所製安瀾兵輪，赴山東洋面巡緝，瑞麟調撥福建省小號兵輪，赴奉天海口巡緝。

（十一）光緒年間：

光緒四年，裁去廣東輪拖巡水勇二千三百餘人。五年，以各省舉辦水師，奉天、直隸、山東、江蘇、浙江、福建、廣東次第辦兵輪，編制水師，而沿海各省形勢不同，操法不一；吳淞口爲南北海疆適中之地，乃命江南提督李朝斌，爲外海兵輪統領，各省大小兵輪，定期在吳淞口會操。六年，以新置蚊炮船，便利合用，續向外洋購置數十艘。募福建、廣東沿海精壯之民爲水師，分北洋各海口。七年，以奉天旅順口，原有旂營艇船朽壞，弁兵疲弱，悉行淘汰，歸陸師巡防，別以快炮防海。時丁汝昌由英率艇返國，爲中國水軍航外海之始，乃擢丁汝昌爲水師提督。八年，以江南形勢，先海後江，朝議擬以長江水師提督駐吳淞口，狼山、福山、崇明三鎮標隸之，以江南提督移駐淮徐，改福建水師提督爲閩浙水師提督。尋左宗棠、彭玉麟議覆，以海外不外戰守二端，戰宜厚集兵力，守宜因勢設險，仍循舊制爲宜。福建水師自裁兵加餉後，實存水師六千九百餘人，旂營水師三百餘人，各營拖繒艍龍等大小戰船，實存四十艘，台灣澎湖戰船六艘，大小兵輪十艘，宜聯合浙江省水師會操，官制則仍循其舊。九年，以廣東內河綿長六百餘里，僅有小巡船二十餘艘，不敷分佈；內面淺，大船難於行駛，乃於二處，各增設淺水兵輪船。十年，試造尖底舢板船，分佈海口，旋以船質弱小罷之。十一年，彭玉麟日亟，議設水師總統於吳淞，分設二鎮，一駐直隸大沽，凡盛京、直隸、山東、江南各海口戰船隸之；一駐福建廈門，凡浙江、福建、台灣、廣東各海口戰船隸之；兩鎮每年週巡海口，會哨是爲南北洋水師建議之始。十二年，議裁減浙江沿海水師、劉秉璋，以舊額戰船二百五十餘艘，洪楊軍亂後，購造不及半數，光緒八年裁水師船十三艘，停修舊船三艘，已符裁兵三成之數，惟巡洋之紅單船十一艘，不在額定裁減之例。十四年，因台灣疆土日闢，改安平水師副將，爲台東陸路副將，改鹿港遊擊爲安平水師遊擊，任新設地方鎮守之職。十五年，以福建內河水師，共九十八艘，頻年裁撤，實存三十艘，每船配置水師六人，專任巡緝內洋。十六年，於湖南選鋒水師中前後左右營內，撥一千六百餘人，分防省城及岳州等處。撥長勝毅安水師四百餘人，分防辰州沅州常德等處。撥澄湘水師三百餘人，分防衡州等處，以專責成。是年因奉天遼河下游，舊有巡船，上游則僅有陸路部隊，未有水師，乃增置長龍炮船一艘，舢板船八艘，於練軍內選撥弁勇，梭巡遼河上下，及省南之洋河。（六）

國父誕辰的雅集（續）

忠勇票社趙福東偕愛女菊英來到，請唱春秋配的南梆子，是初次聽到，覺得很不錯。名票林向榮唱夜審潘洪，唸多於唱，非常有勁。杜文超兄久不來，亦唱一段戰樊城，斫輪老手，當然不賴。徐宗達唱羣英會，與丁邦揚的白門樓，是異曲同工，各有其妙。高熾昌的奎派文昭關，張道和李雋文的二進宮，季君良的登殿，張君玉的焚王宮，均以時晚未唱，台肥名票也有二三位未唱，很覺憾事。

陸光劇社有彭榮耀的烏盆計，劉紀良的盜馬，趙恆銘的六郎招親，王安騏的昭關，孫心源的武昭關，王元春的金水橋，皆是續紛並呈，都很有功夫。所惜曹瑞年因司報月，遣法門寺未唱，也覺美中不足。

是晚雅集，文武場相當齊整，應爲各次所少見。文場有巾克常、張兆槐、林萬鴻、鄭大偉、高瑞華、徐春甫、郭入俊、張國才、、趙振德、徐國華諸君。武場有王有熊、林鵬遠、陳鼎章、羅榮、韓聯鈞、孫心源、紀請仁諸君。且多有辭謝別處約會，來襄盛舉者，實在熱忱可貴。爲紀念國父而有此集，亦台北市獨一無二的創舉，長留記憶。

國劇繽紛續錄

姿孌生（三十五）

少康中興的本

在歷史上能夠重復山河，再造國家，祇有少康中興，勾踐復國，田單復國及光武中興，皆是成功而延續國祚的。自從蔣總統昭示毋忘在莒（即田單復國）而勾踐復國、光武中興也有片幕的演出。按少康中興，確有一演的價值！

前年端節在永和鎮德老家中吃粽子，余叔通兄見告，爲適應時代需要，擬即編少康中興，編好即送交劉豁老審校，豁老亦當面允許。事隔一年，每有晤值，即催交劇團排出，心想一看此戲。上月王組長粘野過訪，詢以競賽推出何齣，據告爲少康中興，深以爲詡；因知叔通之稿，以訪豁老，猶在案頭，正已校過三分之二，何以台中即演！粘對出示劇本，知爲丁仲所編，而閱鷄農所言，並知經高宜三兄所刪潤，惟有一場，宜三主張增補，因已演過，暫從緩議。近今在劇院晤某君，詢以近況，據云：正在趕排少康中興，余即告以此齣之費事，因有三位旦角，多是青衣，而有不短的唱詞。他亦以此爲很困擾，但決定推出，無法變更。如此則知少康中興，將有三個本子。叔通所編，與干城所演，每場登場人物均不同，而結尾也異。但不知另一本子，是否與此兩本有相似之處，更不知是那位名家的手筆。這三色的少康中興本，相信將來也許是余氏本子，比較完整，是否如此，姑待覘證。

記報人蕭鐵先生

·林嘯松·

最近徵信新聞刊出方以直先生「記蕭鐵先生」之作，拜讀之餘，甚多感觸。爲追思蕭先生生前曾相過從之誼，特就記憶所及，將往事略予記述。

筆者認識蕭先生是在三十八年年底，當時筆者適由瓊來台，任職台北掃蕩報編輯，派編地方通訊版。因該版編校排印工作，係在白天進行，晚間並無重要活動，工作份量在編輯部工作分配上，比較國際電訊與省市新聞各版編務，實際上却要輕鬆一些；因此按編輯地位而言，似屬次要。蕭先生主編掃蕩報副刊期間（刊名似爲「新壘」現已記不清楚），正任職中國廣播公司編輯主任，職責重大，工作十分忙碌，幾無暇兼顧掃蕩報副刊編務，曾一再向曹社長先鋭暨許總編輯君武（以後爲周雪生、易君秋兩位先生繼任總編輯）薦友自代，均未獲邀允；報社乃指定由筆者協助蕭先生，蓋編輯部認爲副刊與地方通訊，均屬白日工作，可以配合辦理。筆者與蕭先生既不沾親亦不帶故，在新聞文化事業工作歷程上來說，蕭先生當時已頗有名氣，尤其新聞界人士，鮮有不知其名者；而筆者僅是初出茅廬，能夠追隨其後，藉以學習其編作技巧，自屬幸事。後來筆者才知道蕭先生是新聞先進程曉華先生的至交，由于筆者曾在海口市和平日報（以後改稱海南日報）工作，担任過該報編輯，於程氏誼屬部曲，因此蕭先生在工作上頗多照應與指導，也曾去過蕭先生府上見過他的夫人張氏女士（寓所似在新公園內，中廣配住），他們夫婦對筆者均頗友善。

編輯日報副刊，說起來很容易，但做起來殊不簡單。就以審稿而言，每日收稿數十件，其中可用文稿，並不太多，百分之六十以上形同廢紙，必須編者寄返作者，或委婉函復作者，而比較出色的稿子，大半均由蕭先生親向名作家訂索得來，偶有不合副刊風格者，蕭先生也會婉還或請其斟酌修改後寄返備用，亦往往因此開罪朋友，然而這又有什麼辦法呢？好在蕭先生對人坦誠，開明，決不矯作虛飾，對事任勞任怨，勇於守分負責，他的朋友對他亦頗能諒解。

蕭先生對於筆者每日處理稿件所作之初審工作，最初頗不爲意，不甚重視，認爲筆者的文藝修養不夠，發稿內容以及稿件去留，完全由其主裁，筆者亦頗能虛心學習，不敢稍事辯解。蕭先生是有才氣的，作事也十分幹練。

筆者除了料理文稿外，其次就是要代他看好副刊的大樣，他的要求是必須逐字逐句的閱讀，不能馬虎，更不能稍有錯別字句，其作事認眞程度，予人以不能不負責苦幹到底。也唯有如此，才能爭取到蕭先生的友誼與信任。

有人說蕭先生的脾氣急進，是一個頗難伺候的人，其實，他是具有湘鄂人的性格，作事認眞性急，好勝心強，容易暴露個性，但他對朋友總是眞誠好義，向來是直來直去，不拘形跡的，可說是一個大大的好人。

筆者在蕭先生麾下參預編務工作，達三、四個月之久，相處相當融洽。可惜好境不常，掃蕩報內部人事紛擾，層出不窮，社長、總編輯同時去職，筆者不久亦離社他就，於淒然中離開台北，掃蕩報至今尚欠發我數月薪給；當時的社長正是蕭贊育先生，總編輯爲易君秋先生，他們對於我這位廿二、三歲隻身來台的青年，毫不考慮其個人前途，也未顧念其生活環境，自然這並不是指責他們不夠長者風格，事實上報社人員衆多，如何能夠顧全週到？數月之後，掃蕩報奉命停刊，同事星散，因此筆者與舊日同事絕少聯繫了，殊爲遺憾！蕭先生逝世惡耗亦未獲聽聞，最近讀方以直先生「記蕭鐵先生」大稿，始悉蕭先生已不在人間了！豈上天不願佑護良善，抑或蕭先生以聖潔的情操不願久留這混濁的世界？追思之餘，誠令人傷感之至。

蕭先生生前痛恨共匪至極，其在天之靈當必佑助吾人光復大陸，以解救同胞的苦難，完成中興復國的使命！

西施

「影劇與歷史」之十三

周迺

訓練美女的工作三年有成，於周敬王三十四年（民前二四八六年），在一次全國同胞熱烈的歡送之下，西施和鄭旦等八位美女，由相國范蠡護送起程。有的記載，說由越入吳，在途經三年的時間，而范蠡已和西施發生肉體關係，且在途中生子，這是不可信的。由越入吳，交通工具再不方便，也不用三年的工夫，由浙江的諸暨到江蘇的蘇州，縱讓西施小姐步行也不會要三年的時間。發生關係生子不但范蠡不會去做，在那種舉國一致，臥薪胆，雪恥復仇氣氛下，確是不可能冒此大不諱的。西施入吳的路綫，是沿水路而行的，由紹興到杭州、嘉興、吳興，轉到了蘇州。當時的杭州、嘉興、吳縣是屬於吳國的領土，流行的是「吳儂軟語」，即清脆悅耳的蘇州話。西施本來是說浙江話，到了吳國境內，范蠡又教西施學習蘇州話，而且又換了吳國的衣著，侍女也換了吳國人。西施一到吳國就會講蘇州話，這也許是她獲得吳王喜歡的第一個印象吧！

我們不能否定范蠡和西施有一段愛情的說法，可是他們都有雪恥復仇的決心，刻苦自勵的精神，他們的目的是在重建國家，那怕是犧牲自己的生命也是心甘情願的。西施本是農家之女，本來就是樸實無華的，她接受神聖的使命，扮演和自己身份不相稱的角色，負担起這樣艱鉅的任務，其內心是相當沉重的，她同樣由於對自己故國的熱情，勇敢地獻身給復國的大業。西施就在此種心情下，進入姑蘇台。

吳國的首都——蘇州城，也是當時最繁華的城市，姑蘇台是吳王新建的離宮，是當世最輝煌的巨構。蘇州這座城池建築也是相當雄偉，它是吳王闔閭時代創建的國都，當時參與規畫建造的人是伍子胥。城的面積周圍四十七里，有水陸城門十二座，在二千四百多年前，能夠建造這樣雄偉壯麗的城市，談何容易。後人稱蘇州爲「天堂」，未始不與此有關。後來司馬遷曾經遊過蘇州，他看到宮殿的壯麗，大爲稱讚，太史公親自登過「姑蘇台」，眺望五湖，他很感慨地說：「宮室盛矣哉！」可見這不是臆度之說。

西施到了這個雄偉的大城，住在美麗堂皇的姑蘇台上，加上她的姿色，和她的歌舞，一時博得吳王夫差的歡心，得意滿懷，范蠡在進貢儀節上，是有一翻盛況的，吳王即刻接見了范蠡，范蠡對待吳王的一切都是依計劃而行，見了吳王說：「東海下臣勾踐，感激大王的大恩，未能親自率領妻妾來侍候大王，特在國內選了美女八人，派小臣送來，以便侍候大王」。（五）

看雙姣奇緣後

馬五先生

我對皮簧戲劇素來愛好，但有「三不主義」，即不看應景的戲，不看新編的戲，不看主角程度缺乏水準的戲。因此，自本年十月以來，台北各個劇團雖然不斷地公演平劇，也很少欣賞。

十一月廿三日夜間，復興戲劇學校在「藝術館」公演平劇，大軸戲爲雙姣奇緣——從拾玉鐲到法門寺——主角由王復蓉與葉復潤分任之，乃臨時買票前往一觀。

王復蓉女士初飾孫玉姣，扮相很俊俏，一出場即吸住了觀衆的視綫。她演拾玉鐲的若干做工亦頗細緻，且能表現着一個閨閣幼女的天眞活潑性情，允屬難能可貴，嗓音宏亮而圓潤，可與「大鵬劇團」的台柱徐露相伯仲。據深諳此道的老友黃少谷兄說，王女士的唱工刻意摹擬顧正秋，她合徐露二人常到顧家請益云。至於她演此戲的做工，關係名伶白玉薇所教的。但是夕演孫玉姣的動作中，有兩點尚須注意：一爲趕鷄的身段和姿式失之粗率，也不夠俐落；我看過小翠花演這齣戲，其姿式之美妙，殊堪稱讚也。二爲坐在房中開始做繡鞋時，拉絲綫不宜拉得太長，否則不中繩墨了。曹復永的傅朋亦不賴，無論扮相、做派與唱工，皆差強人意，在台灣平劇界的小生人材，只有劉玉麟和他算是夜佼者。

王復蓉後飾宋巧姣，唱工較多，她的嗓音始終充沛而不衰竭，在大佛寶殿的一段西皮慢板，完全走的梅派路子，我尤欣賞她最後那段二六，不蔓不支，一氣呵成，沒有相當功力是辦不到的。她的唸白更字字清析，絕無尖團錯亂之病，即係不懂戲情的人亦聽得清楚，明白。她現年纔十九歲，已有這種成就，確係戲劇界後起之秀，若再得名師指導提攜，必能躋於名伶之列。

葉復潤飾鄖塢縣令，身段與做工皆可，只惜倒嗓之後尚未完全復元，唱來有時吃力而不討好，「在馬上」那一大段的慢西皮轉二六，未能一氣呵成，唱到「教衙役將人犯一齊帶定」之際，衰竭之音畢露，最後「闔龍潭與虎穴」一句翻唱高腔，更不自然了。我認爲他還是多加休養以待嗓子復元爲上，如果將來竟變成了麒派老生喉嚨，豈不可惜！齊復強[illegible]道白與唱工皆[illegible]，尚須勤力學習纔行。唯一見長之處，就是唸狀一折。趙復旭前飾劉媒婆，後去賈桂，大致尚夠標準，唯有唸狀詞的尺寸殊不合，如能尋得卅年前上海高亭公司所灌老伶工蕭長華的這段留聲片，多聽多習，即知其妙諦所在了。狀詞要訣，是循序由慢漸快，高低抑揚很自然，若全部皆以急切之聲收場，最後以纔慢吞吞、氣平平的聲調唸出，末了乃狂叫一聲完事，則味同嚼蠟矣。（十一月廿四日於台北）

帝王多子

·海恨·

歷史上最早的多子父親，恐怕要數周文王了。「封神演義」上說他有一百個兒子。封神第十回「西伯燕山收雷震」：「[illegible]百子，今止九十九子，[illegible]正成百子之兆。」[illegible]「我等九十九子何用？」[illegible]九十九子，雷震子乃燕山所得，共爲百子。」[illegible]「太姒嗣徽音，則百斯男」[illegible]十子，衆妾，則宜百子也。可見也是信而有徵的了。

戰國時齊國的田[illegible]

張[illegible]，也有兒[illegible]

[illegible]兒女共百人。[illegible]北史載馮跋[illegible]

[illegible]外國人王[illegible]多子的[illegible]十八個，可以說是世界上多子的冠軍。[illegible]兒女共計三百[illegible]十個兒子[illegible]

內政部台報字第〇三壹號內銷證

自由報

THE FREE NEWS

第五六〇期

中華民國僑務委員會登記證 台僑新字第三三二號登記證
中華郵政台字第一二八二號執照登記爲第一類新聞紙類
（半週刊每逢星期三、六出版）
每份港幣壹角
台灣每份新台幣壹元
社長：雷嘯岑
督印人：黃行富
社址：香港銅鑼灣高士威道二十號四樓
20, CAUSEWAY RD 3RD FL.
HONG KONG
TEL. 771726　電報掛號：7191
承印者：大同印務公司
地址：香港北角和富道八六號
台灣分社
台北市西寧南路壹壹零號二樓
電話：三〇六四六
台郵撥儲金戶口二三三六

三個問題（下）

・彭樹楷・

六千萬年是一個漫長的年代。因此，解決人口問題，向海洋進軍乃最佳途徑。可是，海洋探測與開發，卻又不是某一國或數國所能辦得到的，必須所有國家共同參與才行。因爲這個緣故，國際海洋學會乃有大規模海洋探測四年計劃的實施（今年起到一九六八年止，我國亦派「陽明」號海洋探測艦參加）。

國際海洋探測和經濟、人才、物質援外工作，都是福祉全民減輕人口壓力之舉，也是人類適向「天下一家」的「世界大同」境界——證明我們這一代人的遠大眼光和廣濶胸襟，這是歷史上最重要的一頁，値得欣慰。同時，這也證明「人是可以改變自己處境的」；人類的人口膨脹問題，人類必能設法謀求解除的方法。我們這一代鐵肩重任爲人類未來辛勞業已奠定良機，但却需要領導者的熱誠支持——拋棄個人及自己團體的狹窄思想，多多爲人類全體及後代子孫貢獻心智和力量才是！

人類的歷史是一部繼續克服困難，解決問題的歷史。人類先祖業已征服了權勢專制和獨裁而伸張了正義與民主，征服了部份自然和地球及資源。我們上一代及先祖，已爲我們今日新的生活環境奠定了基礎，我們便得在這基礎上致力充實並發揮才是！讓我們的政治、外交、經濟、工業和科學一齊動員，接受不斷增加的人口膨脹之挑戰並力予克服和贏取最大的勝利！

水荒問題

由於國防民生科學及太空工藝的突飛猛晉，由於人口膨脹壓力的日益嚴重，使得陸地淡水大量而迅速的消耗之結果，造成了世界性的普遍缺水和水荒。

一九六四年美國東北部的大旱災使美國開墾局（Bureau of Reclamation）再定一九六五年進行大規模人造雨及控制天氣，並在各地及龐大的科羅拉多蓄水系統實施造雨解決嚴重的水荒。加州旱乾最重情形使美國不得不興建海水工廠提煉淡水及噴洒防蒸發的化學劑……。美國甚多都市的缺水情形，雖經改善給水系統及開拓新水源，但仍趕不上工業發展和人口膨脹的需要。

南非苦旱影響民食，政府調撥火車運水以救苦旱，要亦可想見其嚴重情形之一斑。

在每年枯水季的台灣，目前正值嚴重缺水階段，台電呼籲用戶節約用電（因水庫缺水也），自來水廠請公衆不要浪費滴水，政府撥專欵供農村掘灌溉用深水井及飲用的「簡易水井」……。

澳洲正値五十年嚴重的水荒。

東南亞甚多國家正忙着整理河流以擴大供水區。

薩哈拉及中東的長期乾旱情況極爲惡劣。

韓國及日本、印度等國的乾旱，空前嚴重。

香港一向缺水，在海水工廠未完工前，水荒將繼續。

巴西趕建水壩救旱。

伊拉克以死刑對付損毁灌溉水利系統者。

加勒比海的盧巴島完全靠海水化淡水維生。

蘇聯的人造海 Tsymlyanskaya 使西伯利亞高氣壓發生了一點點影響，但仍不能解決西伯利亞的乾旱。

毛共大力攪水利，糧食仍歉收，周恩來不說是人民公社暴政原因，却說是天災，可能一半是真的（此間氣象統計大陸年雨量較往年減少；台灣的基隆是出名雨港，今年下雨天和降水量較去年爲少——說明天氣有着反常的巨大變化）。

以上幾則新聞摘要，便可看出世界性水荒的嚴重情形。

因此，美國總統詹森籲請世界各國重視水荒的問題（十月五日國際電），並成立「美國水利資源委員會」。

因此，首屆「國際水文學座談會」將在華盛頓召開，集世界各國專家，研究世界性水荒問題及擬訂對策。

因此，聯合國教科文組織邀請世界各國展開整體性的「國際水文學研究」、建立世界的水文站網，用地圖標示世界氣候情況，研究降水量及地下水與河川生態學，並測量水質和預防汚染以及分析水的自潔能力，俾開拓世界水源以解決世界性水荒問題。

這些專家們，在開拓新水源中，除建有抽地下深水井，改良現有海水化淡水工廠外，並可能涉及溶化冰雪取水，大規模人造雨其中特別是控制氣候，以重新合理的分配世界各地降雨量，理論與技術均沒問題，所考慮的只是國際協調與共同參與工作的配合而已。例如蘇俄正努力將其乾寒的北方溫暖起來，人造海及溶化北極冰帽計劃已在進行，但這勢必影響其他鄰國的氣候與降水；美國設計重新分佈世界各地雨量，按人口與當地水源希望每人每年可分到三萬加侖的降雨，是否能獲得多數國家的贊同呢？一九六五年七月至十一月，美國首次從事控制太平洋颱風的研究工作，如果實施起來，勢必嚴重地影響北半球廣大地區的氣候，因而影響農作和人民生活環境。這種利於甲而有害於乙的控制颱風，如未協調，則國際紛爭起矣！

水荒是事實。越來越嚴重也是事實。謀求解決水荒的許多方法及技術業經發明，因而解決水荒也將無重大困難。可是，世界性的水荒，必須全體人類的合作，這就棘手了！因此，卓越的國家領導者，高智的哲學家，富有人類義務和歷史責任感的全體世界公民，便必須在解決世界嚴重水荒的總目標上攜手合作！如此，我們這一代幸甚，人類億萬代子孫幸甚！

結論

只要有人類存在，戰爭必不能根絕，人口膨脹壓力絕不致消除，水荒也難以獲得治本的對策。這是前人悲觀的看法。

人類必將因心智的成熟，科學藝技的發展，共同需要的迫切，一定會摒棄狹隘的觀念和自利的作法，而邁向大同世界的境界。

心智的成熟使人類認清人類共同的責任；科學藝技不獨使地球面積縮小到如共居斗室，並使新武器嚇阻了傳統性戰爭；共同需要的自由民主和平康樂生活，以及不明星球飛行怪物的監視地球（詳一九六五年六至十月各中外文權威報刊，如「雙子星」四號就曾遭到四具（下轉第四版）

兵敗如山倒

自取滅亡

今日与明日

艾地死訊

印尼共黨陰謀奪取政權失敗至今已逾兩個月，三百萬印尼共黨幾已全部解體，只有共黨第一書記艾地的行蹤依然未明，目前就有兩個不同的傳說：吉隆坡方面的消息說艾地已偷乘毛共潛艇出走，日本朝日新聞則說艾地早已被捕，在越獄逃亡時，被衛兵擊斃。

兩項消息均經印尼軍方否認，雖然有許多報章仍在紛紛傳說，細想起來皆不十分近情理。

先說前者。姑不論中共未必便有潛艇接運艾地這回事，即使有，艾地已經逃去北平，毛共正好大吹大擂熱鬧一陣，何至於隻字不提。關於後者，似乎也不能成立。軍方眞的捕獲艾地，該只有從速宣佈，可振奮人心，又打擊敵人士氣，一舉兩得，何必要秘密。

不過艾地生死，目前似乎已不太重要，因爲印尼共叛變之初，正是艾地領導，假若眞正有辦法，在那時整個組織尚未崩潰，應該是可以施展的；到今天只剩了少數殘餘份子，而且成了過街老鼠，天地雖大，已無立足之地，再想興風作浪恐怕也難了。

麥南馬拉訪越

就當越南戰局緊張中，美國國防部長麥南馬拉突然飛越南訪問，並到前線各地視察。麥氏此行，越南當局頗感意外，可見是臨時決定的。依麥氏的談話來研究，似乎此行目的尚不限於越南一地，因爲最近兩周來，泰國東北部不斷發生警察人員被共黨擊斃的事，看情形共軍在南越戰場狼奔豕突無功之際，有意要開闢另一戰場，轉移美國注意力；若不事先有所準備，等到泰境再打主意就遲了。估計麥氏視察前線之後，回到華府將向詹森總統提出報告，一旦共軍進攻泰國，將如何應付，大概到那時釜底抽薪之策只有炸大陸摧毀毛共僞組織了。

毛共大感驚惶

毛共雖然日日罵美國爲紙老虎，但是看到美國有意擴大戰爭之後，已經驚惶失措，下令疏散華南各大城市人口，以防萬一。事實上今日大陸已成爲一個火藥庫，即使投下去一根火柴，也會引起全面爆炸，何況美國一動手就是徹底的打擊。

最可笑的是柬埔寨的小兒科元首施哈諾青天白日說夢話，侵略，要求毛共援助。羅瑞卿也大言不慚的說美國侵略柬埔寨，毛共軍一定參戰。人們聽了都不禁要問：既然有這麼大的勇氣怎不正式派兵援越呢？（何如）

自由談

看印尼的亂象

馮五先生

印尼全國各界民衆皆要求蘇卡諾查禁叛亂的共產黨，而陸軍方面且採取了反共的行動。但蘇卡諾始終模稜兩可，含混其詞，他并非共黨份子，事情到了這步田地，爲甚麼還不斷然處置，而猶多所顧忌呢？

印尼共產黨發育於一九一四年——民國三年——初名爲工社會黨，一九一八年正式改稱共產黨，其資格比中國共產黨還老，現在擁有正式黨員三百萬人，外圍份子約在一千萬名以上，散佈於數以千計的大小島嶼上，而以中爪哇爲大本營。印尼共黨與中國的毛共勾結甚密切，毛共曾經替艾地出版過上百萬言的所謂文集。本年九月卅日印尼共黨的叛亂陰謀，毛共是幕後教唆導演人，叛亂如果成功，「印尼人民共和國」即於十月一日創立，跟毛共的汚腥「國慶日」後先媲美，在亞洲四出醜亂，國際局勢亦將爲之改觀。

蘇卡諾事前是同意共黨陰謀的，他沒有料到陸軍首腦人物芮蘇辛，蘇哈托竟能幸免於難，而且馬上指揮其一手訓練成立的精鋭師團大力淸剿共黨。蘇卡諾原想利用共黨政變機會以削弱陸軍勢力，讓他厲行親共政策，藉以在國際上揹着反帝反殖民主義的幌子，招搖闖騙，跟毛共狼狽爲奸，却不贊成共黨將陸軍將領六人予以殘殺。因此，他對陸軍的反共行動只能表示不爲已甚而已。他在內心上雖然不滿共黨的過份叛亂計劃，然害怕毛共要收拾他，只好採取兩面人姿態，希望亂象不再擴大。因爲印尼各地區的島嶼，毛共隨時可以運輸軍火與人員登陸釀亂也。至於芮蘇辛這般軍頭，對蘇卡諾已無信心了，但沒有第二個夠資格的政治人物能夠出來收拾局面，籠罩一切；亦唯有暫時讓蘇卡諾戴着元首頭銜，發號施令，但其權威已消歇大半了。所以，印尼今後的局勢如何演化，就看英美能否獲得陸軍的信任而實行合作，這對亞洲反共前途關係甚鉅。

不過，有一點値得欣慰的事，即共黨利用剛果的親共政權以經營非洲，利用越共和印尼共黨釀亂以破壞亞洲的兩大陰謀，皆已完全失敗了，這對自由世界是很有利的。

談預算制度與執行上的幾個問題

本報台灣中部記者　熊徽宇

十一月十八日那天，台灣省議會進行財政質詢時，省議員們一反常例，把重點集中在主計部門。發言的議員們，要求主計處切實維護預算制度，在編制上要遵守原則，在執行上務須合法。在這個要求上，新竹籍的議員許新枝，在十四點的質問中，提出目前政府預算的編列，有八點不合規定。他指出：

預算跨年　科目重複

一、科目尚有違法之處。比如在銀行預算中，編列得有與業務無關的旅館費，這與預算編列的公開和詳確原則不合。

二、科目多有重複。如同一性質的支出，在多種科目中編列。比如對中央的協助款，除去大筆預算外，尚有對某些部會單獨的協助款編列。

三、跨年度的預算仍然很多。以某些道路工程而言，預算一編就是四五年。

四、預算外仍有支出的情形。比如西螺大橋收益費，從來就沒有列入統收統支的科目。

五、公給待遇不合理。公營事業機構主管的待遇，較之民營企業主管的待遇相差很遠，所以不能使能者在位，而導致人才外流。

六、各機關首長的特支費太少，結果有些首長的公誼開支都報在機關的公費裏，形成變換單據變更科目侵蝕業務費等種種弊端。

七、各機關辦公費太少，應酬費用的標準太低，因而形成不合法的假報銷。

八、因為歲出入的預算編列不實，結果追加減的預算數字隨之龐大。

非法流用　追加太多

在預算的執行上，許新枝指出有四個大毛病：第一是科目流用不當。比如由省議會通過的建築省府職員一百五十棟宿舍的預算，竟非法流用蓋資料館。第二、追加預算的次數多，金額大，而且追加預算沒有重點。例如每年追加預算暨動支預備金，多在三五次，而且數目鉅達億萬以上。像這樣，顯出政府對於歲入的估計不詳，工作缺乏計劃。第三、預備金的動支太隨便。例如今年二月，省府舉行為時一天的行政座談會，竟開支預備金五十萬元。第四、應收未收的欵太多。有很多過了法定年限還收不回來。

行政命令　破壞法規

許新枝在他的詢問中指出，政府對外舉債，多未經議會同意，那末將來還錢時，要不要通過預算？依據規定，每項舉債應該先送議會同意，再報上級核准。

關於公營事業的營運情形，許新枝認為省政府缺乏檢討。他說省政府每年於省營事業決算後，對各省營事業的營運，應該有分析報告送到省議會，才能加強檢討各省營事業今後營運的方針。才有憑藉審查其投資。

在這一專題詢問預算制度的範疇中，許新枝所提出的問題，是很切時弊很具體的，把握住了問題的中心，是一篇出色的質詢。

但是其中有些問題，是一種傳統性的，有些行政命令，硬要破壞法規，省主計處似乎難能改革。而有些問題，客觀的要求和困擾很多，主計處即或能提出辦法，也不見得能夠修正。但是這些問題的所在，和追求改革以適合於預算制度的完整觀念與目標是該有的。

績效跨年　如何並立

我覺得，有些問題，省政府是可以不超越法定範圍的，是可以做得到的。比如跨年預算，與目前所推行的績效預算，是絕對不能並立的。而精確編列歲出入的預算，儘量減少追加，是可以與各有關單位的政策與業務上，事先取得協調的。因為這兩個問題純屬省方，客觀的牽制不多，只要把問題把握得緊，計劃得週密，就不致於有跨年預算的形成與再三追加的產生了。

資料館　效用何在

在預算的執行上，就許新枝所提出的四個大毛病中，我們覺得有兩個毛病，是令人不能理解的：

經過省議會審查通過，建築省府職員一百五十棟宿舍的經費，為什麼要流用蓋資料館呢？我們不了解，主計處當初編製這筆預算時，是存心以這個項目向省議會「過關換將」？還是原意是為三百多戶沒有宿舍的職員們打算？（一）

紐約大規模停電事件紀

受影響的美八個州和加拿大一省　人口計四千萬為全世界以往所無

規模奇大　世界罕見

紐約、巴黎和倫敦這三個著名的城市，最近不夠十天內，都先後發生停電事件。不過，就規模來說，最大的是紐約。紐約的停電事件，使美國八個州的部份地區和加拿大的安大略省大部地區，在短短的十二分鐘內，完全陷於黑漆一片。停電地區的面積約等於整個英國，人口約四千萬。這樣大規模的停電事件，在美國是第一次，在全世界也是極其罕見的。

紐約停電事件開始於十一月九日下午五時十六分。受影響的數十個城市，停電時間由數十分鐘到十多小時不等。紐約市停電時間最長，有些地區超過十三小時，兩天後才全市恢復供電，是恢復得最慢的城市。美國另一著名城市波士頓，也停電五個半鐘頭以上。

身受其苦　數千萬人

由於停電時間正是人們下班趕路回家的時候，交通特別繁忙。單是紐約一市，就有六百三十列地下火車停駛，八十萬乘客被困於火車內。與此同時，摩天大廈的電梯全部停擺，數以千計的人被困於電梯中，處於「半天吊」狀態，要上上不得，要下下不來。世界最高的帝國大廈，甚至要破牆而入，才能把一些人從電梯搶救出來。

停電時間也是航空交通最繁忙的時刻。在下午五時至九時之間，約有二百架飛機由世界各地飛到紐約的甘廼廸國際機場。這些飛機由於甘廼廸機場沒有自己的發電裝備，無法在紐約着陸，不得不被迫飛到其他不受停電影響的城市。航空公司人員說，幸好當時天氣極佳，否則，可能出現可怕的撞機事件。甘廼廸機場由於停電事件，關閉了將近十二小時之久。

紐約失蹤　末日到臨

聯合航空公司機師查普曼，停電期間飛在賓夕凡尼亞三萬三千呎高的晴空。他說，眨眼間，萬家燈火紅紅綠綠的紐約市，突然變成黑漆一片。當時，他驚歎說：「整個紐約市失蹤了，看上去就像世界末日！」

整個停電地區的損失難以計算。不過，以單一城市來說，紐約的損失最為嚴重。單是生意上的損失，估計就在一億元（美元，下同）以上。當然，也有個別行業乘機發財的，例如在停電期間大量藉以照明的蠟燭，一角五分一支的賣到一元以上，藉以代步趕回家的「的士」車資，漲了三倍到五倍不等。

八萬乘客　忍凍過夜

大約有八萬火車乘客被迫在鐵路站挨飢挨凍過夜。比較有錢的人則到鄰近的旅店住宿。因此，停電那天晚上，所有旅館都宣告「爆棚」。也有人因為寫字樓設在樓高百數十層的摩天大廈，由於電梯停擺回不了家，迫得在寫字樓熬夜。其間出現不少插曲，例如有一位經理，因為和他的兩位漂亮女秘書同在寫字樓過夜，他的太太放心不落，每隔十五分鐘，就打一次電話給他，弄得大家徹夜不得安睡。

由停電造成的死亡事件起碼有兩宗。有一個人因為摸黑上樓梯不愼墜梯斃命，另有一人因為電梯停駛，迫得從樓梯走上十一樓，結果心臟病突發身亡。至於被困火車和電梯而昏倒的人，以及一見漆黑就驚得失聲大叫的人，那就多到難以計數。

監獄囚犯　乘機擾亂

在停電期間出現不少乘機搗亂事件。其中最大一宗騷動，發生在馬薩諸塞州的華波爾監獄。該獄的三百二十名重刑犯人，趁黑騷亂，破獄逃跑，恣意破壞眼前的一切東西。結果要出動一百名州兵，使用大量催淚彈，花了四小時時間，才把騷亂鎭壓下去。這次騷亂起碼給監獄造成七萬五千餘元的損失。

總統下令　澈底調查

停電事件發生後，政府十分緊張。紐約市警察總部馬上通過無綫電台，召集五千名輔助警察，並且取消一切警察休假，出動全體一萬五千名警察。與此同時，紐約州長洛克菲勒召集七千國民警衛隊和約五千民防隊員，協助地方警察維持秩序。

正在德克薩斯州牧場休養的美國總統詹森，更是緊張萬分。他馬上同國防部長麥克納馬拉等人舉行緊急會商，並且下令停電地區的陸軍司令，對各城市「提供一切可能的幫助」。詹森同時下令迅速對停電事件進行「徹底調查」。

初臨貴境者會疑心身在華夏　日本「中華料理」多得可觀

川粵京滬均齊備。豆漿油條亦有之　名手雲集嘆觀止。外國餐館盡低頭

戰敗後天理昭彰，被充作戰犯東條、土肥原等集中營的所在地巢鴨，這些冷僻地方，也到處可看見「中華料理」的市招飄揚了。

以往「中華料理」的菜式品種，多限於廣東菜、北京菜而已，近年則花式繁多，越見多姿多采。十年來為香港客跑熟的田村町三鼎足——粵菜館的「新雅酒家」、「中國飯店」，和以「純北京料理」號召的「香港飯店」，以及相去不遠的「新橋亭」，現在依然盛況如前；稱為「全日本第一家正宗川菜」的「四川飯店」又在六本木開了分店；在新興遊樂區的赤坂，有蘇揚菜巨擘的「山王飯店」，以杭州菜獨樹一幟的「樓外樓」，和以「成吉汗烤肉」馳名的「全日本唯一的中國清眞菜館」——「伊斯蘭飯店」。此外還有特別注重中國小吃，首創宵夜的「香妃園」，保有山東老鄉口味的「福祿壽」，在六本木「俳優座」（仲代達矢等經常演出的話劇劇場）的旁邊，又開了一家純粹滬菜的「上海飯店」。不久前，在東京鐵塔下，更有一家豪華富麗，自建中國宮殿式建築的大飯店「留園」的崛起，京菜、粵菜、上海菜、川揚蘇錫點心，口味齊全，規模空前。

技術用料　勝過香港

如果你肯花二、三十分鐘的時間，坐車到稱作東京「門戶」的橫濱，那裏的「中華街」，那更是有味皆備，無吃不全。你可以換換口味嘗嘗福建菜、潮州菜，連小籠包子、油條、豆腐漿，也應有盡有。吃的國粹，確已發揚到「嘆為觀止」矣。

刻下名廚雲集扶桑，烹調技術與用料，都講究過香港，難怪在此情勢下，不論在日本的意大利菜，匈牙利菜，法國菜，俄國菜，包括新式的美國菜，無不在猗歟盛哉的「中華料理」前，望風披靡。「日本料理」對之，自然只有更加「低姿勢」了。

但是這些高級的「中華料理」店，一宴之費，動輒數萬金（日元），兩三人小酌，少不了一張「紅底」；如此奢靡的享受，只不過僅適合腰纏疊疊「旅行支票」的觀光客，和當地的豪商巨宦或撈家之流。

在享樂主義泛濫的今天日本社會裏，固然也有抱今朝有酒今朝醉的實貨，或大企業的高級人馬，公私兩便，得一恣口腹之慾。但，這些終究是少之又少，到底跟一般日本百姓，和正常的華僑同胞無緣。

生意滔滔　吃客滿堂

那末，「中華料理」跟日本社會佔大多數的「庶民」的關係是怎樣呢？「中華料理」對於今天日本人民的日常生活的影響，又如何？

現在且就這方面將所見所聞，略舉數事，以告讀者：

東京神岡區的神保町一帶，是有名的書店街，望衡對宇，鱗次櫛比的盡是書舖子，總數有二百多家，內山書店也在那兒，我們叫它是東京琉璃廠。有一次去淘舊書，一幌已逾中午；反正那兒也有不少的飲食店，「中華料理」尤多，我為趕時間，就隨便走近一家「中華料理」店，那知一踏進門，樓下已吃客滿堂，女侍應生請我上樓，這家館子樓上是和式「塌塌米」，因我見樓梯口已經是陳列了一大攤男女鞋子，恐怕樓上也座無虛「蓆」了，正在躊躇間，一下子又湧進了幾個還穿着工作服的女職員，一面說說笑笑，一面雙腳一搓，一脫，以可媲美雜技團的快動作，去了鞋子，蹬蹬地上樓去了。這下，我知樓上已經絕對無座，趁後面又有人進門的當口，溜了出去，找第二家「中華料理」店，連跑了二、三家，從外面玻璃門看進去，都是「人烟稠密」。走出後看見一家，三個客人吃罷，快進去墊補空位。店堂內坐滿的男女吃客，以白領階級的最多；看來，都是日本的「會社」職員，男的在衣襟上都佩有一隻小徽章，女的在工作時多外加一件罩衫，出外進食，也就不脫了，所以一望而知。那時正是中午，白領階級的午膳時間。（二）

瀛海異趣談

人工受孕在美時興

·桑雅·

人工受孕以及「試管嬰兒」這些名字，我們都聽到過了，前者係用別人的精蟲注射入女體子宮內因而受孕；後者係將精蟲盛在試管內，經過若干時日的培養，即成嬰孩。首先發明試管嬰孩的是一位意大利科學家，好像是三四年前的事情。人工受孕方法，則已有多年的歷史。不過截至現在為止，這兩種得子的方法，離公開推行之期尚遠，在許多地方都視為不可告人的秘密。不少國家視人工受孕為通姦行為，要受到法律的制裁。

這裏，且談談美國的人工受孕情形。在美國，人工受孕也是一個大秘密。施行人工受孕的醫生很少有保持永久紀錄的。許多醫生根本拒絕在他們的職業圈子以外討論這個問題。可是，在美國施行人工受孕的女人卻漸漸地多起來。越來越多的婦科醫生認為這是幫助不孕配偶之最好的方法。

由於施行人工受孕的程序是個大秘密，因此，美國每年究有多少人工受孕嬰孩，無法加以估計。大致說來，在洛杉磯方面，每年用人工受孕而懷孕的，有二百五十宗。著名的加州西林泰納診療所，去那兒求治的無兒女的夫婦，每十對中，總有一對配偶終於接受人工受孕。據霍浦金斯醫院產婦科主任巴恩斯醫生說：該醫院每星期進行一宗人工受孕。紐約蒙特西奈醫院的謝斐醫生除了忙於婦科業務之外，每個月大約有十二個婦女來自世界各地去找他施行人工受孕。據他說：在大城市地區，人工受孕和收養子一樣的普通。

許多專家相信，如果丈夫無生育能力、或者丈夫有遺傳病、或者夫丈和妻有着不可調和的RH血型、因而危及後嗣生命的話，則施行人工受孕，好過收養子。再則，人工受孕能予未來母親以懷胎和分娩的感情經驗，比之收買養子要省錢多了。在美國，收一個養子大致取費一千五百元到三千元。而人工受孕包括婦科照顧和醫院賬單在內，或許還不到一千元。

為了確保人工受孕嬰兒智力和體格正常，許多醫生僱用醫科學生或住醫院者捐精，其實，有些醫生寧願用已婚男子的捐精，因為他們已有一個健康的兒童，足以證明他們的生育力是正常的。而他方面，收養的嬰孩往往來自生殖背景不明的家庭，一般來說：捐精者的體格、種族及頭髮和眼睛顏色跟丈夫是「相配」的。施行人工受孕收費大致是十五元到三十元不等。人們要問：精蟲是怎樣弄出來的？一般是用手淫的方法。有些醫生正在試驗採用精庫，使精子迅速凍結，存儲起來供數年之用。不過，有人懷疑，儲藏久了的精子是否還有生殖的潛能。

接受人工受孕的婦女，要保留每天的溫度紀錄，以便於確定月經期。通常在月經來前後兩三天，較容易受孕。由於不能準確地判定排卵，故在一次經期內，要施行兩次或三次的受孕。每一次人工受孕可以使用不同的捐精，因此，誰也不知道誰是眞正的父親。雖然，醫生限可能的捐精者詳細面洽過，但是，他們自己也許並不知道那一個人的捐精可作某一特定受孕者之用。在有些情形上，由捐精者將捐出之精，留在醫院接受枱上，以後由婦科的護士去收取。將精子注射入子宮內，這個程序僅需五分鐘。根本不需要上麻醉劑。接受人工受孕者最敏感的，還是法律和道德問題。在羅馬天主教的眼裏，人工受孕是一種通姦行為。美國法院對此問題，意見不一致。比方一九五四年一位芝加哥法官判定人工受孕是「不道德的」。妻子的通姦行為，孩子則是雜種」。但是，一九四七年紐約某法庭則裁定人工受孕所生的孩子是合法的。在美國，只有加州一州，合法地位」。為了擬妥法律問題，醫生們往往勸人工受孕夫婦在施行人工受孕之後不久性交。據一位醫生說：「因為無生殖力的男子通常至少有些精液，因此，誰也無法證明丈夫不是孩子的眞正父親。」有時候，在離婚訴訟上丈夫引證人工受孕，作為避免支付兒子養育費的藉口。因為這個原因，有些醫生先要確定人工受孕的捐精者和丈夫的血型相同。這樣，作丈夫的，就難於否認他的孩子的眞正父親了。

答封神演義的考證問題

·周燕謀·

關於「劉文」所稱封神演義作者為陸西星，根據「興化縣志」，但「劉文」又承認「他一生著了十種書，但沒有把『封神演義』列入在內」。封神演義流行中國很普遍，和「西遊記」同為家喻戶曉的神話小說，陸西星的十種書很少人知道，而家喻戶曉的「封神演義」何以不載？而「劉文」所引的「傳奇彙考」「順天時」下的「按封神演義係元時道士陸長庚所作，未知的否？」這仍是一個疑問，對於陸西星的生平仍是無法交代。「劉文」說了不少陸西星有關其他著作，但都與封神演義無關，更用不着再說。「劉文」自己的證據都不能成立，何能推翻我的論證？總觀「劉文」所舉的資料，莫不是「人云亦云」的說法，自己也拿不出證據來，同時也沒有把封神演義詳細一讀，如此怎能把問題弄清楚？如果劉先生肯定了「封神演義」是明代的作品，何不對拙文所舉幾點論據加以推翻？小說是反應時代的東西，作品的作者不詳，而不求諸作品，而去拾衆說紛紜的竹頭木屑，這不但走錯了路，更走錯了方向。

關於「封神演義」與「西遊記」孰先孰後問題，讀者只要一讀「封神」和「西遊」二書可解決。拙文「透視封神演義創作的時代背景」中已有說明，這裏不再多說。另要引證的，是衛聚賢氏所作「封神榜故事探源」（亞洲出版社發行），衛氏對封神演義和西遊之先後問題，以『神仙鑑』和『封神演義』作一比較，其中舉了十事，其所異者九，所同者一。而在同者中，除一殷洪一人外，二書都是採取同一材料，「不同之處」既然如此之多，可知『神仙鑑』作者沒有看到過封神演義。按神仙鑑序說「壬辰春委送大士像於南海，挈拙刻請定於別菴繹堂二禪師，即蒙賜序」。（三）

從小故事看張蒼水其人

·資輯·

明末清初抗清義師的組織者，多半出於士大夫階層，他們擁立以為號召者也都是朱明的宗室，這都是在當時的歷史條件下出現的正常現象。但如果忽視了這中間廣大老百姓的作用，那就不可能眞正懂得歷史，有許多事也將無從索解。像張蒼水那樣能夠屢敗屢起，甚至隻身脫走，回到基地不久就能重振旗鼓的情況，就會覺得十分奇怪。難道張蒼水眞的是神仙一般的人物麼？自然並不如此。

張蒼水戰鬥的一生，與老百姓的血肉關係是十分值得注意的。全祖望為他寫的「神道碑銘」裏曾經記下一些可歌可泣的故事。像順治十六年蒼水會同鄭成功北伐直攻南京那一役，他率水師到蕪湖的時候，「軍不滿千，船不滿百」。但人民因為他們是抗清的義師，「望見衣冠，涕泗交下，以為十五年來所未見」。給予極熱情的鼓勵和支援。這就是他能以少數部隊取得很大勝利的奧秘。也是在那一役的結果，兵敗之餘，蒼水最後身邊只剩下了一童一卒，因為土人的幫助，才走到安慶，去找一位老朋友又沒有找到。這時，「其友有識公者，……遂導公由樅陽出江。」這樣他才得以經由建德、祁門、休寧、東陽、義烏，回到天台。當地的老百姓對他的下落有種種猜疑，以為蒼水不是戰死就是出家作了和尚。「父老多北向泣下者。及聞公至，婦女皆加額，壺漿迎之」。回到天台不久，「樹纛鳴角，故部漸集」。這就是張蒼水屢敗屢起，成為一面抗清重要旗幟的秘密。他的跌倒了還會爬起來，就因為有老百姓給他撐腰。

後來他終於被叛徒出賣而被逮了，解送到寧波。據記載，他「方巾葛衣，轎而入，觀者如堵牆」。寫下這段故事的人不會描寫觀衆的表情和議論，但可以猜想，人們是懷着悲憤的心情，崇敬英雄的眼神迎接他的。當他被解往杭州以後，還有很多人「賂守者求見」。這也不是尋常的事，因為在當時，只要與義師少有牽連，就會引來殺身之禍，但人們還是不怕自己地希望看看他。由此可見，張蒼水在當時，正不愧是吸引了千萬愛國老百姓的一面代表民族正義的旗幟。另外，還有兩個小故事，更生動地說明了老百姓對他的愛護。

當他被囚於寧波時，守者之中有一個「千夫長」，半夜在囚室的隔窗小聲唱起「牧羊記」傳奇來，中間蘇武叱責李陵的詞句，特別唱得音調凄涼。張蒼水聽見了，忍不住「擊節賞之，呼與共坐，倚歌而和」。

當他被俘以後，船過西渡，有一個和尚將一片包着紙的瓦片扔進他的坐船，隨即快步離去。那紙片上寫着一首詩：「此行莫作黃冠想，靜聽先生正氣歌」。張蒼水看罷笑道：「這人看來是王炎午的後身。」

看來那千夫長與和尚都是愛護張蒼水的。他們都為他擔心，怕他堅持不住，故而以蘇武、李陵和文天祥的故事來提醒他，鼓勵他。他們向張蒼水指出，在這個關口，在敵人面前不能存有任何幻想。第三條路是沒有的：不是投降就是死難。這一段曲子和一首詩，正代表了廣大江南老百姓對張蒼水的期望。他終於不曾辜負這種殷切的期許，他選擇了一條光榮的道路。

從這幾個小故事裏，可以清楚地看出，老百姓始終和他是站在一起的。這就是在張蒼水身上表現出來突出的特點。也是使他區別於其他一些抗清義師領袖人物的特點。

清代水師整建紀詳

羅雲

十九年，令提督黃翼升，校閱長江提標五營，上江十三營，下江四營。定訓誡之規，禁陸居，戒嗜好，勤練藝，屏虛文，不得陷綠營之習，日久玩生。閩浙疆臣會議，以浙江省有元凱超武二兵輪，福建省有優波琛航靖遠三兵輪，與沿海水師協力緝捕，而浙省水師船自裁減後，僅存五十餘艘，閩省自馬江戰後，僅存船艇廿九艘，乃在寧波海口雇用紅單船八艘，酌撥弁兵，以靖海盜。二十四年，令江蘇省之外海、內洋、裏河、太湖四支水師，一律酌裁水勇。二十五年，以安徽省江防，在下游者為東西梁山，建有炮隄炮台，在上游者為瀾江磯前江口，及省城之江心洲，咸有炮台，而缺乏之水師，乃撥澄清營炮船廿五艘，及長江水師之蕪湖、裕溪、大通、安慶、華陽各營，聯絡防守。又令長江五省督撫，各派將領，不分畛域，嚴密設防。二十六年，以奉天鳳凰廳沿海一帶，素稱盜藪，曾由北洋撥兵輪巡洋，其支港各處，宜屯泊水師，乃於大孤山、太平溝、沙河三口岸，各造兵船三艘，酌配水師巡緝。三十四年，因浙江杭嘉湖三府，捕匪兵單，於原有水師中，抽練游擊一隊，駐嘉興府，增練游擊三隊，分佈嘉興湖州各河港，以游擊小隊，駐杭州，並雇用上海商人之小輪十艘，曳帶兵器，梭巡水道，以期迅捷。在南洋船塢，造淺水兵輪船四艘，配快炮八門。江蘇亦製淺水兵輪船四艘，協同內河水師，仿西歐各國章程，編為聯隊，以資防剿。

以上所述，即有清一代整治水師之概況也。至其兵額之增減，船械之配置，概以省為單位，隨時編定之，容於第（四）節詳為論列。

三、巡規與船制

清代水師之巡防，規定外海水師，巡防盛京，以協領為總巡，佐領防禦驍騎校為分巡；直隸等沿海各省，以總兵官為總巡，副將以下為分巡，各於所治界內，率水師沿海上下，更番往來，詰奸禁暴。於兩界相交之處，戒期會哨，並以巡緝情形，申報所屬將軍總督提督，委員稽察。若因風濤阻滯，各將到界之日具報。其每歲定期以二月四月五月為始，至九月事竣回營。如有引避不巡，或巡而不遍者，依軍律論處。此制施行至乾隆十五年會加改進：規定各鎮總兵官每閱兩月，會哨一次。嗣於嘉慶五年，復諭各省水師，規定以總兵官為統巡，副將參將游擊為總巡，都司守備為分巡，嚴禁以微員擅自代替。其內河水師巡防之制，長江自四川巫山而東，出三江口至湖廣界，經岳州武昌興國至江西界，經九江江寧京口等處，東至於海，各省將軍總督提鎭，分委旗標弁兵，沿江巡遊，及界而還。

自康熙以後，以外海利用巨艦，內河利用輕舟，故船制屢改。而轄境遼濶，水師兵額時有增加，遇有戰事增艦尤多。舉例言之：征吳三桂之役，命尚善率舟師入洞庭湖取岳州，及鄂鼐統水師，增造鳥船百艘，沙船四百三十八艘，置水師三萬人。征台灣之役，命萬正色，督率湖南浙江戰船二百艘，由海道赴福建，姚啓聖亦修戰船三百艘，水師二萬人。施世驃之平朱一貴，用大小戰船六百餘艘。乾隆間征緬甸之役，命湖廣船匠造船於蠻暮，取道金沙江，以攻緬甸，兼調福建廣東水師助之。李長庚之剿海寇，在福建造大船三十艘，名曰霆船，配置大炮四百門，合浙閩水師全力，轉戰重洋，遂平蔡牽。道光以後，海警頻傳，盜寇猖獗，木質舊船，不敵外洋鐵甲之堅利，同治五年，乃不得不於福建省設造船廠，開始仿照歐美兵輪船式造船。江蘇初設輪船四艘，為開風氣之先。同治十一年，廣東山東繼之各置輪船一艘，奉天置小輪船一艘，均配備水師試用。其後沿海各省，於置購兵輪事，歲有增加，舊式水師戰船，則予分別淘汰。到了光緒中葉，綜合各省外海內河實存師船之數，概如下述。（七）

國劇繽紛錄

鋆婆生（三十六）

「隋唐傳」唱片集錦

電台播送平劇，看來似很簡單，然編製的技巧，實不容易。因為許多電台，均播放某伶的整齣，未加剪裁，唱得好的，固是極好，而唱得較差，便覺平凡。我很愛聽集錦，例如玉堂春，如用梅程尚荀合唱，則音色便有不同的唱腔，異常動聽。北市各電台祇有警察廣播電台常用此法，很得成功，為人稱許。最近他們播送隋唐傳唱片集錦，所採用唱角，可說是空前，而非常突出，為之欣賞不已。亦見費嚙天的製作，煞費苦心，姜薇的講解，亦清晰簡明，啓人瞭解。此集錦自紅拂傳開始，迄十道本為止（時間的限制）包括有賣馬，三家店，頭二本虹霓關，斷密澗，鎖五龍，御果園，共八齣，歷三小時之久。所唱之名伶，有高深不可測度者，斯為名貴。

紅拂傳是程硯秋成名作之一，配郭仲衡的李衛公，侯喜瑞的虬髯客，當在華樂園上演，大家以為用郭，不太合式，宜用小生。誰知演過以後，認為角色支配，太合式，郭的衛公直無人可擬，遂成為他們三人合演的絕作，與蘭芳叔岩小樓的摘纓會相同。最精采的畫面，即無數畫家所繪的風塵三俠店房一幕，紅拂持鏡在窗前梳粧，衛公在窗外刷洗良駒，虬髯客突至，向窗內凝視；衛公怒目相看，紅拂一手持鏡，一手微微擺搖，暗示阻止。此喜瑞的粗獷豪邁，仲衡的英氣勃勃，硯秋的微睇識人，真可叫絕。無怪兩月之間，演出五場，每場爆滿，我亦每場必到。迄今思之，已四十年矣。此戲與大唐開國極有關係，設非虬髯客見太原公子褐裘而來，則李世民又多一強敵，而其用兵，莫測高深。後以兵法授衛公，助唐開基成業，關係非淺。此齣播出，有硯秋的二黃慢板，以及南梆子，並有仲衡、喜瑞的唱腔兩面，確是精品絕倫。

接着播「賣馬」，現在可說是曠世罕有之奏。首由伶界大王譚鑫培唱店主東的一段，由琴聖梅雨田操琴，實為模範之作，凌霄漢閣主曾評為天生無二的秦叔寶，以藝術眼光來看，其身清癯，其神英發，與劇中人適應。次播言菊朋同樣唱這段，味兒能逼譚派，但是總有距離，尚不太大。其餘散板，均由譚派名票夏山樓主唱出，與菊朋在伯仲之間。最後一段耍板，由叔岩担任，把亂彈的閃板垛字的口技，唱得真絕，妙在渾脫空靈，一無琢痕。自從他在百代灌片以後，也無第二人敢灌此片，可知其難。這段集錦，好在一色譚派，余因以名之曰，如聞綸音，亦難得聽到也。（未完）

倫敦攝政公園動物園

胡資

現在動物園的設置以英國為最早，倫敦動物學會在一八二八年春宣布，要在攝政公園設置一所動物園，最初引起了一般社會人士的駭笑，以為這是不能做到的，「文學新聞」並且譏笑它，說那是一種幻想。

說它是幻想倒也是對的。該學會自從一八二六年由史丹福．拉佛爾主持，他一向就有幻想和熱心。他想搜羅珍禽異獸，在倫敦開辦一個動物園，可是這是一種嶄新的事業，沒有成例可資借鑑。巴黎雖然有一個植物公園，裏面也畜養着一些動物，但它的規模是不足道的。

但攝政公園的動物園終於在一八二八年四月二十七日開幕了。參觀的人踵趾相接，公衆被這新奇的事業所吸引。參觀的人越來越多，在十萬之譜。英國各都市如都柏林，曼徹斯特和布列士多爾都紛紛做效，成立動物園。歐陸各國接着也有大動物園出現了。

倫敦動物園在最初三十年中，發展迅速，參觀的人次增加，每年的收入，因此也十分可觀。一八五〇年倫敦動物園第一次展出河馬，這動物是歐洲人以前沒有看到過的，因此轟動一時。這隻河馬的名字叫鰲拜希。

倫敦動物園歷史的第二階段是由亞伯拉罕．巴特勒當主任的時代。他於一八五九年就職，一直任職到一八九七他死的時候為止。他活了八十四年。關於動物他一生有很多著作。在他死後，由他的兒子整理，出版問世。

他積累了很豐富的關於畜養野獸的經驗。他經常觀察一些野獸的習性，他的經驗是非常有價值的。巴特勒特別感到興趣的野獸是大象、犀牛和河馬。現在各大動物園中，都有常駐的獸醫，但在那時候，他還須兼任獸醫的職務。

有一次他養的一隻雌性犀牛，角長得太長，吃飼料時感到非常不便。於是他表演了一個驚險鏡頭，想法把那隻犀牛的牛角鋸下。幸好這隻犀牛似乎很通人性，沒有發出兇性，他用十分鐘就把犀角鋸斷下來了。

河馬鰲拜希小的時候很為馴良，但在兩歲後，性格就變成暴躁。牠看見生人就衝鋒。有一次牠追逐一個工人，用牙齒狠咬鐵籠的鐵棍，把一隻牙齒齊根咬斷。另一次鰲拜希的門牙碎裂。巴特勒又做臨時的牙醫生，冒險替牠把碎牙拔掉。

園中另外有一頭大象金波，臉上生了一個大瘡，裏邊已經灌膿。他特別製了一種利器，替大象在臉上動手術，把膿擠掉，還替他洗淨。這頭大象是身高十一呎，體重六噸的巨物。這手術的驚險更是不言而喻了。

倫敦動物園歷史的第三階段是從巴特勒的死到第二次大戰的爆發。這時期的園是由彼得．米契爾主持，他在園中添置了新的建築物。一九一三年麥賓台落成，一九二〇年又建築了新的水族館。該園聘請的建築師是著名的達西莫斯波頓，他就是新海德公園的設計人。

一九五五年倫敦動物園又開始大規模的建築。首先落成的是動物醫院，最後落成的是象園和犀牛園。這兩個建築是今年三月十五日落成的。瑪嘉烈公主的駙馬史諾登伯爵設計的鳥房，建築費是十二萬鎊。也於今年五月二十四日舉行開幕儀式。

西施

「影劇與歷史」之十三

周遊

吳王夫差見了送來的一羣美女，個個美麗動人，尤其是西施，更為艷冠羣芳，容止高雅。夫差大為驚奇，天下竟有如此的美女！西施鄭旦和一羣越國美女，都是經過三年的訓練來的，早有表演。西施和鄭旦見吳王特別欣賞她們，便異口同聲地說：「臣女西施拜見大王，祝大王萬歲康寧」！說完就優禮跪了下去，拜了三拜。行過大禮，同時，她們身上發出一種清香的氣氛，吳王吸到鼻孔裏，特別感到舒服。有些記載和傳說，就說西施體有異香，每浴後，宮人爭取浴水，用松枝灑在帷幄，則滿室俱香。我相信那並不是杜撰，是西施的作用，也許是在越國就已經特製了一種香料或香水帶去的吧！

夫差對於西施和鄭旦特別寵愛，可是西施尤其特別，妖艷有媚力，更獲得吳王歡心。在姑蘇台上，西施表演歌舞，奏彈高歌，吳王百聽不厭。練了三年工夫，當然非同凡響。

吳王樂得不知所以，也就陶醉在享樂的生活裏。同時西施也享受着王妃的生活。吳王自從有了西施之後，就變得疏懈消沉，雖有伍子胥的忠告，在志得意滿的夫差來說，是不採聽的。每日的「姑蘇台」上，歌舞笙簫，汪洋度的詩句說：「台畔臥薪台上舞，可憐同是不眠人」。越王勾踐在後方臥薪嘗膽，西施小姐卻深入敵後，以她的輕歌妙舞，掩護越國的地下工作人員，這決不是杜撰。吳王的一舉一動，越王很快就獲得了情報。

吳王夫差被西施迷住了，在「姑蘇台」中玩膩了，吳王又在吳京（蘇州）出西門外之西郊靈岩山上，建造一座「館娃宮」。蘇州人稱美人為「娃」，此宮是為西施而造，也即是美人宮的意思。唐詩作「築宮於硯石山」，硯石山便是靈岩山的別名，山岩如城郭，有如廬舍，飛禽走獸，奇形怪狀，不一而足。劉禹錫的春草詩云：「館娃宮外姑蘇台」。這些都是給西施小姐添了註腳。

「館娃宮」造成之後，西施就常住在此，吳王當然不會一天離開西施的。為了西施的高興，又在館娃宮旁造了「響屧廊」，就是把地下挖空，下面放了大甕，再蓋上厚木板，西施和一般宮女們在上面走來走去時，發出錚錚的聲音，所以名之為「響屧廊」。靈岩的山頂上，又為西施造了一座「琴台」，為西施在上面彈琴給吳王解悶之所。山下的平原，有一條直直的小河通往湖中，小河的兩岸，生有香草，侍候西施的宮女經常到那裏採香草。「館娃宮」中，有西施粧台、玩花池、玩月池，後人憑弔那兒的艷跡，詠說：「西施軟舞百花中，十里香飄趁春風」。西施和吳王夫差，就在此度着不平凡的生活。

周敬王三十五年，（西元前四八五年）也就是西施入吳的第二年，吳王靜極思動，他聯合了魯國、邾國、郯國去進攻齊國，結果是師出無名，失利而回。到周敬王三十六年，吳王夫差又準備再打齊國，忽然在越國傳來了消息，這是伍子胥獲得的，據報越國在秘密練兵，如果吳國攻打齊國，越國乘機前來偷襲如何得了！吳王聞訊，半信半疑，於是秘密派人偵探，果然越王在練兵。

但在吳的越國情報人員聞知吳王知道越國練兵的消息和吳國即刻就要起兵先攻越國的消息後，都傳到越國去了。越王本想抵抗，還是文種高明得多，他向越王建議，認為越國目前的兵力還不足抵抗吳國，抵抗也未必能勝，不如將計就計，就說我們所以練兵，是出於自衛。（六）

處誹謗之道

吳文蔚

自由中國近幾年來，常有文人互控誹謗的訟案發生，有的是民意代表與報人；有的是學者與作家，有的作家與作家，學者與學者；且無論雙方所持的觀點如何？誰勝誰敗？誰是誰非？但一鬧上公堂，兩造相辯，被法官傳詢某為張三某為李四，雖說對於雙方的聲望地位，不損毫末，然而那種滋味，在心理上總是有點異於尋常的呀！

筆者平生從未打過官司，偶然經過法院，往裏一望，心裏不禁就自然會生出一種森森然的凜凜之感。對於與訟涉律之事，在自我觀點上，就有點敬謝不敏了。孔子曰：「聽訟吾猶人也，必也使勿訟乎」！朱子治家格言上也說：「居家戒爭訟，訟則終凶」。可能見打官司這種事，古人即有儘可能避免的誥誡了，這是從小的方面的看法。

如果把眼光放遠大一點，就更沒有與訟涉律的必要了。

我們不妨拿藺相如和廉頗的故事為例：藺相如和廉頗，都是戰國時趙國的兩位大員，身負國家之重，一個是上大夫，一個是大將軍，兩人赤心報國，都得到趙王的信任。

趙國雖有此兩位傑出的將相，但國小力弱，常常受到強秦的侵略，兵員犧牲，割地賠款，尚不能滿足強秦的慾望，而停止他的侵略野心。然而秦王覺着老是動兵不得，只好想辦法，乃派使赴趙，說明秦王欲在澠池地方和趙王開一次和平會議。這情形即等於我們在抗戰前日本人向我政府要求的中日提携，中日親善的玩藝兒一樣。

趙王接到通知，考慮再三，覺着不去使不得，去了不得，在無可如何之際，結果還是決定前去，於是挈領藺相如和一般侍從踏上征途，赴會澠池。廉頗送趙王到邊境上，並對趙王說：「王此次赴會，臣計算往返路程與會議時間，總共不過三十日足矣；如逾三十日我王尚未返國，為安定國家計，請允立太子為王」。趙王為防萬一，亦告應允。

趙王抵澠池後，略事休息，即會秦王，數循酒後，秦王已醺醺然，遂提議道：「寡人嘗聞趙王善樂，請趙王彈瑟，以飲酒會歡樂，今兩國和好宴與衆樂何如」。語罷，秦王侍從即送瑟上來，捧給趙王，趙王無奈，只得彈奏一番。於是秦王的侍從便記下一項記錄道：「某年、某月、某日，秦王與趙王會議宴飲，曾叫趙王彈瑟。」（一）

三個問題

（上接第一版）

「飛碟」監視跟蹤飛行為時九十分鐘（主席）所需對策，已迫使地球人類必須和睦相處，協同努力謀求共同的理想生活環境。

「上帝使我們從錯誤中獲得智慧」（Vachel Lindsay）

「如果我們不趨向偉大，就趨於沉淪。」Arthur C. Clarke——英國星際學會

假如人類仍是唯近利和面子是圖，仍是愚昧、軟弱、自滿、懶惰以及好戰，人類就將不能生存在這世上，一枚億噸級核彈便可毀滅半個美國，一艘北極星核子潛艇的十六枚核子飛彈就等於二次大戰全部黃色炸藥的總爆炸量，這是誰都看得明白的事情……。

人是罪惡的動物，殺生欺喜、怕強欺弱、唯近利是圖、唯近利是重、迫害賢良、打擊人才、壓制思想家等等不勝枚舉。

但，凡人均有「佛」性或稱「神」性（理智也），如能「明心見性」，便可「言下頓悟」，進而「立地成佛」！如此，則「極樂世界」或稱「天國」者的美好境界，便將出現人間矣！那時候，以人類的智慧、能力、藝技，一切問題包括戰爭、人口、水荒在內，便均將迎刃而解！這，該是人類全體共同追求的鵠的！不是麼？

內警台報字第〇三一號內銷證

自由報

THE FREE NEWS

第六〇六期

（逢星期三、六出版）

每份港幣壹角

台灣每份新台幣壹元

社長：雷嘯岑

督印人：黃行寶

社址：香港銅鑼灣高士威道二十號三樓

20, CAUSEWAY RD 3RD FL. HONG KONG

TEL. 771726　電報掛號：7191

承印者：大利印務公司

地址：香港北角和富道九十六號

台灣分社

台北市西寧南路[illegible]號二樓

論中國文化與世界

——廣孫科博士之言——

・蔡俊光・

比年以來，予聞名公鉅卿，賢豪儁士，發為救世卹民之論者多矣，無如最近返抵國門之孫科博士於日前參加國大代表歡迎會中致辭之懇摯精闢。其匡謬正俗，一針見血之言，誠足以動人心弦，而為之踔厲奮發者也！孫氏之言為何？據中央社台北上月四日電云：「孫科博士今天上午說，反攻復國的機運日益接近，我們光復大陸是指顧間的事，希望全國上下繼續奮鬥，發揮我們最大的力量。他對一百五十多位粵籍國民大會代表說，將來中國必將進一步成為全世界的領導國家，不需用武力，而是用文化道德。目前美國有很多著名的大學研究中國的語言文化，甚至研究的風氣推廣到中學，這說明了中國的國際地位日益重要。他指出，現在海外有很多華僑青年不識中文，不會說國語，「他們將來一定會悔。」等語。

誠然，夫人皆知孫科博士為我國早期留美學生，平居移氣養體，尤盡西化之能事。然而其人於今日國步迍邅，宗邦文化陵夷，幾陷滅絕之際，竟能獨具慧眼，指出我國步之康莊歸趨，我文化之光明遠景，昂然而作獅子吼，以期喚醒國人尊重本國之文化與道德，好為他日負起領導全世界之準備。其危言危行，謂非有過人之睿知明敏，得乎哉？予行文至此，不禁搖筆擲硯曰：於戲！國父有子矣。吾人須知：今日我國家所處之國際地位日形重要，其興替存亡，豈獨關係吾華六億人口之禍福死生，亦有繫乎全人類之安危休戚。俄十月革命領袖托洛茨基嘗云：「世界政治之鑰在中國」。其人三十年前作此論斷，而況居目前擾攘之世局，事已瞭如指掌乎？斯誠不我欺者也。其次，我文化之優越性，舉世有識之士，無不首肯承認。近半個世紀以來，中經兩次世界大戰之人類大廝殺，血流漂杵，國成廢墟，科技愈進步，民命愈草芥。以是中西文化在相形之下，吾華「以德服人」之王道文化精神，終凌駕乎他人之上，固亦不待智者之辯而後知也。

雖然，世或覺有大惑不解者，偶睹他人上則有升空之火箭，下則有潛水之快艇，原子核子，氫彈死光，紛然雜陳，無不目障口呆。而先為之心死，可哀孰甚！

夫吾人今日致於強調我文化之優越性[illegible]則爭奪廝殺，人且相食，而社會自是迄無寧日，其勢非至彼此同歸於燼不可。吾先哲洞澈此中至理，乃敷五常之教——父子有親，君臣有義，夫婦有序，長幼有序，朋友有信；亦為仁、[illegible]

[illegible]而重為萬方所膜拜也。

三、以立國之條件而言，[illegible]尊不可得也。易傳曰：「天地之大德曰生，聖人之大寶曰位。何以守位曰人。何以聚人曰財。理財正辭，禁民為非曰義。」用此以衡當世，其足以居世界領導之位者，舍我其誰也？詩云：「假哉天命」，道善者則得之矣。

四、以剝復之易數而言，夫剝極而復，天行也。故以言地理，剝象曰：「山附於地，剝；上以厚下安宅。」以言人理，否之上九，傾否，先否後喜。其象曰：「否終則傾，何可長也。」以言天理，五月一陰生，至九月之剝盡，又十一月之一陽復生。復彼西方列強，自十八世紀末葉，英人瓦特發明「蒸氣機」，遂有所謂「產業革命」，器械進步，工業繁興，國力之強，橫行天下，以至於今者，百有餘年。反顧我國，亦自一八四〇年鴉片戰爭起，以迄於今，禍亂相尋，衰敗已極，俯首繫頸，宰制由人者，亦百有餘年。天道好還，盛衰理在。楊子太玄經云：「陰不極則陽不生，亂不極則德不形。」豈虛言哉？然此固可為智者道，難為俗人言也。

上述諸端，其言侃侃如成理矣。卒有客或難之曰：「恃彼氫彈，挾彼死光，舉紐一動，物我偕亡」，尚何優越文化之足云乎？」予瞿然而起，應曰：「吁，固哉！子何見之蔽也？茲且按下熱核子武器已非獨佔問題弗論，即使獨佔其優勢，而操之者仍在人。其人敵乎？友乎？所志固難知也。子不見乎彼國民者，正大有人亟在高唱和平反核子戰爭，謂「寧願投降，不願毀滅」，英之羅素即其著者也。此今之美利堅雖稱戰力特強，猶忍氣吞聲於蕞爾古巴，焦頭爛額於苦鬥北越，而不敢輕於一試之故也。

（下轉第四版）

趕快補充

如在夢中

今日与明日

文化界怪事

最近本港文化界發生一件怪事，某僑賢在本港印了一份以遂不港寶的雜誌，担任編輯職務的某君，因為一月前，到台灣去了一趟，回來」一篇文章，中間只提到台灣經濟軍事進步，人民安居樂業，絲毫未觸及政治，總共二千字的大文中，提到台灣的不到二十個字。當時看的人也未介意，那知竟然引起一場絕大風波，眞為任何人所不及料。

黨魁赫然震怒

原來這篇文章刊出之後，被遠在美國安居逍遙的黨魁看見，赫然震怒，除勒令該雜誌編輯自動辭職外，復在次一期的刊物上大字刊登啟事，除說明該編輯已自動辭職外，並特別聲明該編輯的文章成為廢紙。其態度之凌厲，似較毛澤東有殺不遑多讓。相信某黨魁眞有殺人權力，則某編輯非炮嚮三聲，人頭落地不可。某黨魁是其「一家」事，別人無法置喙。不過在其啟事後面又特別警告台灣，意思若說凡是去過台灣的人，即為海外人士所不齒。未免太放屁豈有此理！大概某黨魁一人就代表了所有的海外人，等於毛澤東口口聲聲代表人民，兩人倒是天造地設的一對，相信若易地而處，其作風也差不了好多。

某黨魁以望八之年，尚有這麼大的火氣，對國民黨及中國政府當局抱着類似殺父之仇、奪妻之恨，究竟是怎麼回事？海外人士到眞感到無法理解的。

希特勒的門徒

某黨魁的黨原與希特勒的黨同名，在當時大家就頗以為怪，因為希特勒是個流氓，某黨魁則據說是個學者，二人本非同類，何以會變成了同黨，實難索解。現在看到他這種獨裁專斷的作風，始知其師承有自，希特勒雖死，但薪盡火傳，猶未致絕種也。

希特勒失敗之後，某黨魁可能是恥與為伍，於是又加上最時髦的民主二字；其實某黨魁的作風，不僅沒有絲毫民主氣味，即算他獨裁也不夠格。

就以這件事而論，即使不滿意某編輯赴台，最多也不過刊登一則啟事，說明某編輯已辭職，今後一切行動，與本刊無涉，別人看了也就知道是這回事了，偏要聲明別人的文章作為廢紙，就忠恕之道而言，不僅不像個讀書人，簡直不像個中國人了。其實廢紙又何止某編輯那一篇文章，黨魁一生，哪件事又不是廢紙。（何如）

談博士頭銜

近卅餘年來，中國智識份子凡到過歐美游學回國之後，祇要在政治或文教界稍具地位的，報紙上皆稱之為某博士，而其本人亦居之不疑，自鳴得意，眞是一大笑話！

歐美各國最高學府的博士學位，對其本國人士亦很認眞考核，非提出夠水準的著述作品，經過專家審定合格，決不隨便授予的。對於外國留學生尤不輕易給以博士學位。美國從一九二七年（民國十六年）才開始對中國留學生頒授學位，然審核極嚴格，決不馬虎。至於各個大學贈送外國某些特定人物以學位，如梅蘭芳在美國演戲後，亦被贈給「文學博士」的銜名，這與外國一些官僚到華府、紐約訪問時，當地市政府每贈以「榮譽市民」稱號的性質相同，是玩弄政治把戲，與學問毫不相干。如果得到外國大學贈送的「博士」頭銜，回國來即昂然以「博士」自居，每逢參預文教界的慶典之際，竟靦顏戴着博士高冠，搔首弄姿，顧盼自雄，殆可謂傖俗醜陋已極，令人齒冷而不忍卒睹。

常在本報撰寫論文的韋政通先生，我曾在「自由談」引中他的高見，稱之為「韋教授」，他立即寫信向我聲明，說他是在中學校執教職，何敢濫負「教授」之名，這便是讀書有得的君子風度，所謂博學於文，行己有恥，殊堪稱讚也。

自民國肇建以來，吾國

馬五先生

談預算制度與執行上的幾個問題

本報台灣中部記者熊儆宇

若果說根本立意屬於後者，那末何以又把那一千五百萬龐大的經費，用於那不必要興建的資料館呢？難道說當初沒有想到省議會有今日的指責？

在某一方面說，省議會儘管指責，但是資料館早已完了工，只要已經做了，議會要說就讓他去說。要是以這種「我自爲之」的態度來應付省議會的反映，那就談不上「崇法務實」；與在績效精神上所標榜的：「在公務計算成本上，使每一塊錢都發揮最高的效用」的原則，相去何只千里？因爲我們看不出那資料館的「效用」在哪裏。

就主計制度而言，功用乃在健全財務行政，加强行政管理能，以及澄清吏治的效能。這制度所提供的貢獻，在於增進立法與監察機關乃至一般人民對行政部門的信任。

如今我們以省議員許新枝所指出的：「經過省議會審查通過建築省府職員一百五十棟宿舍的經費，爲什麼要流用蓋資料館」這一事例來看，豈不大大的違背了積極推行績效預算的原則與主計制度的基本精神。

而且開一天的行政座談會，居然就動用了五十萬台幣的預備金。省政府這樣化錢的大手筆，叫納稅人怎生理解？

劉紹志背黑鍋

但是諸如此類的這些毛病，我們不能都掛在主計處的頭上。因爲主計處所持有的各種法規，固然是在健全財務行政，加理行政管理，追求澄清吏治；但是這也得看政府與官員們的守法精神，多一份崇法，就多一份效能。而有些大佬倌們，認爲法的彈性很大，或者是找種種的藉口，高興起來要花幾文，動動不能動的，做做不該做的，主計處引用一百道法規也「審核」不了。

這不是說主計處無能，也不是不愛惜納稅人的血汗，而是在行政的「權力」衝動的時候，一切的法規制度都不能阻擋，形如騰蛟起鳳，誰也奈他不活！

謹慎從公，儒雅敦厚的劉紹志處長，這回在省議會，受到議員們的嚴詞指責，全是代人受過，他是揹了一口官場常有的黑鍋！

縣市反對刪除預算

在十八日那天主計部門的質詢中，使我們發現兩個預算制度上的問題。

那兩個問題，爲台南籍的省議員李銑所提出。他第一個問題說：

縣市預算經過縣市議會完成法定程序後，依照規定，報請省府備查即可；但屢據各方面的報導，關於縣市報請備查的預算，省府是否有權審核？是否有權刪除預算？其法令依據如何？

最近全省廿一縣市議會議長，聯合申明要求尊重縣市議會職權。省府是否侵犯了各縣市議會職權？

李銑議員的第二個問題說：

去年（五十四）年度，本省地方總預算，歲入歲出，計共列六十億萬元。但就所追加四次預算，及兩次動支預備金共一億八千萬元。

總預算中的六十億萬，協助中央的達卅二億，而本省總預算廿八億萬中，所追加的預算，竟佔地方總預算比率，達百分之七。省政府對追加預算及動支預備金不無浮濫，失去編總預算的意義。

而且所追加的預算，都未事先送省議會審議，顯示藐視省議會的職權，違反權能制衡的民主精神。

根據地方自治綱要

李銑所質詢的這兩個問題，第二個問題說得很清楚，我們不必討論。值得談的是第一個問題。

這個問題，起源於台北聯合報駐省府的一位同業，在十月廿五日的一節報導中，發表一項有關省府審查縣市預算的意見，而引起全省各縣市議會議長，在十一月三日，聯合發表聲明，指責省主計處「濫用省府爲地方自治監督之職權」，對各縣市議會歷年來三讀通過的縣市預算刪剔，而「損害地方自治制度」。

那一指責的法定根據，是台灣省各縣市實施地方自治綱要，第十六條第三欵規定：「審查及決議縣市預算，是縣市議會職權之一」；第四十三條規定：「縣市與鄉鎮縣轄市預算，應由縣市議會、鄉鎮縣轄市民代表會審查通過後公佈之，並分別由縣市政府、鄉鎮縣轄市公所，遞送上級主管機關備查。」

聯合發表聲明的縣市議長堅持其論點說：

如果縣市預算經縣市議會三讀審查通過，省府主計單位還可以刪改，又何必需要民意代表花費精神，在議事堂斤斤計較，爲選民看守荷包呢？不如乾脆把所有預算案，逕請省府有關單位審核，然後直接交給縣市政府執行好了。

羅德西亞原名津巴布韋

——本報資料室——

南羅德西亞以史密斯爲首的白人殖民政府，不顧津巴布韋人民和非洲各國人民的反對，上月十一日悍然單方面宣佈「獨立」。這一行動已經激起了津巴布韋人民的憤怒和非洲各國人民的普遍抗議。

南羅德西亞位於非洲大陸東南部，是一塊大高原。它的一半地區在拔海一千米以上，其餘的一半中又有五分之三拔海在五百米到一千米之間。因爲地勢較高，氣候不太炎熱，各月平均溫度變動在攝氏十五、廿五度之間。

南羅德西亞的礦藏豐富，主要有金、鉻、石棉、煤和鋰等。

南羅德西亞這個名字是英國殖民主義者西塞爾．羅德斯所命名的。一八九五年，羅德斯派遣的侵略軍在佔領了整個中非地區以後，就宣佈這個地區以他的名字命名爲羅德西亞。而把三比西河中游以南的地區稱爲南羅德西亞。

但是，當地非洲人民，他們把自己的國家叫作津巴布韋。津巴布韋在班圖語中是「石頭城」的意思。該城是非洲人民古老文化的一處勝跡，位於布拉瓦約城東南二百五十公里處，建於公元七〇〇——九〇〇年之間，是世界上著名的古跡之一。

古城的內城牆依山而築，用雕鑿平整的方石累成，高約十一米。在內城牆之外還有一道外城牆，長二百四十四米。內外牆之間還有一道彎彎曲曲的通道。古城倚着天然的峭壁，危牆高聳，規模宏偉，形勢險要。登城鳥瞰，那曲折的峽谷和連綿的山脈盡收眼底。好一個「一夫當關萬夫莫入」的天險！

這座古石城由於築得非常堅固，所以到現在許多地方還相當完整。古城的附近曾發現許多巨大的鐵礦坑和鐵製工具，這說明當地人民早已知道了煉鐵技術。這些文物也足以證明在歐洲殖民主義者入侵以前，津巴布韋人民已具有相當高的文化和生產水平。

根據現在的考察結果，約自十三世紀初，在三比西河的羅德西亞一帶，就存在着一個古國，當地人叫它爲「馬卡蘭加」，意即「太阻之國」。阿剌伯人和葡萄牙人後來又叫它爲「莫阿納．莫塔帕」，意即「礦山的領主」。在阿剌伯人和葡萄牙人到來之前，這裏的金屬冶煉業已經很發達，能用鐵製鋤頭，以銅造各種裝飾品。繼葡萄牙人之後，英國人和德國人相繼進入南羅德西亞。自十九世紀九十年代以來，南羅德西亞則一直爲英國的殖民地。目前在法理上，亦仍爲英國殖民地。但因爲史密斯少數白人政權，竟欲變羅德西亞爲第二南非，已經覺醒的津巴布韋人民已經高高舉起民族獨立的火把，看遠一點，那少數白人政權，終歸必然失敗，應無疑問。

初臨貴境者會疑心身在華夏　日本「中華料理」多得可觀

川粤京滬均齊備。豆漿油條亦有之　名手雲集嘆觀止。外國餐館盡低頭

男女學生濟濟一堂

在赤坂閙中取靜的新町，日本的電影作家以集體的力量，近年興建了一座六層樓的「袖珍」大厦，作爲會所（卽稱爲「SCENADIO會館」），劇作家協會，和一些獨立製片單位，都設在那裏，試片室的設備也相當不錯，我去看過好幾次試片。由於時間的關係，常常在該會所的對面一家「中華料理」店吃午飯，幾乎每次都遇到一羣穿着高等學校制服的日本學生（高中、大學預科程度），三三五五的嘻嘻哈哈推門而入，一下子就把店堂裏的位子全部「佔領」，這個要湯麪炒飯，那兒要餛飩饅頭，忙得女侍應生「滿場飛」，好不熱閙。原來舖子對面高坡上正是日本大學的附屬「三高」。我每見到這副情景，不禁使我連想到尖沙咀幾家北京館子的中午時分，也是男女學生濟濟一堂，是同樣的風光。

有一次三個日本學生來我獨踞的一桌「搭枱」，而攀談起來，我問他們周圍有不少的「日本料理」，「西洋料理」的飲食店，還有一家「朝鮮料理」，何以他們都喜歡光顧這家「中華料理」？這班學生哥很天真的說「中華料理」好吃又便宜；並告訴我，其他的學校附近的飲食店，也以「中華料理」的生意最好。

無所不在　真係架勢

還有一次，遇到試片的放映師，已先我在座；以他跟這家舖子裏的伙計們的熟稔程度，不用說是老主顧了。一起吃罷，他說附近還有兩家「中華料理」，比這家更好也更擠。我們坐電梯到樓上，見該處的女事務員，也正叫一客「外賣」的「五目飯」（什錦炒飯），據桌而食。哈，哈，又是「中華料理」。「中華料理」眞有「無所不在」，那末「架勢」。

東京車站八重洲一帶，有「都心」之稱，有名的銀行、大企業大都集中在那裏，故高樓大厦如雲，寫字間的白領階級，較他處自然更多；一到中午，也像香港中環「食晏」時一般，大小餐廳，立時生意興隆起來，先告客滿的又多屬「中華料理」店。

麵點小館　名不虛傳

在八重洲，我有一個早年的老友記，在那裏開設了一家經營電影、電視廣告爲主的廣告公司，我幾乎天天到那裏去盤桓，因爲他自己有一間獨用的「私家房」，可供我休息休息，或打打電話，每每一坐半天；到了午膳時，他必拉了我走好些路，穿過幾次紅綠燈，跑到已屬銀座區的一家小館子，那裏以專賣「中華料理」的麪食出名。那家的麪食的確名不虛傳，比中國人開的一、二流館子，自然又及不上。但，在日本人開「中華料理」店中，定可以說是「刮刮」叫的了。

價較他處稍貴，但如以量與質來說，反覺得其價不高，因爲一碗叉燒麪，麪與澆頭都是十分豐富，足夠一飽，最適合白領階級的實惠主義。所以那裏的顧客亦以附近各大小「會社」的男女職員爲主，但也有些「波士」階級和老饕，因慕名而不遠千里而來」，一如上海弄堂牛肉湯的吸引力。

以「中華料理」的麪點爲號召的，還有一家在新橋三菱銀行支店對面，稱作「餃子舖」，門口招牌卽寫此三個大字，專售鍋貼，附帶賣一些餛飩之類小吃，也經常門庭若市，老見門口有人擠，在裏挨序先買餐劵。因處閙市，從這些吃客的身上衣飾，可以看見各式人等皆有。（三）

屏東二三事（二）

本報記者袁文德

◎台省水利局第七工程處長劉定志，被檢舉涉嫌貪墨瀆職疑案，現正由有關司法機關積極偵查中，其案情發展究竟如何？頗爲此間人士所關注。

據該處幾位職員向記者透露：「劉處長被人檢舉涉嫌貪墨瀆職案，其內情除該處曾負責勘測「力力溪」「林邊溪」的七十餘萬元經費發生有虛報浮領的情事而外，主要的尚有：一、劉定志處長於五十二年到職視事後，逕將一名王劉九蓮的，補爲該處實缺工友，二年來一直從處長代爲按月領取薪津。因爲王劉九蓮從未到處上班，僅是聽處長說，她是住在基隆的，其他同仁一無所知，所以大家懷疑究竟有無王劉九蓮其人？如有，因何不到處上班？王劉九蓮是否是處長公館所僱下女

[illegible]

瀛海異趣談

科威特國小第一多

・桑雅・

科威特元首阿卜杜拉最近逝世了。他是世界最富的元首，近年每年從油稅方面的收入逾一億二千萬英鎊，合港幣十九億二千萬元以上。

阿卜杜拉死後，元首（在科威特稱「埃米爾」，意爲國家元首）由王儲薩巴赫・薩利姆・薩巴赫繼任。所謂王儲，原來是阿卜杜拉的弟弟。這正如阿卜杜拉在一九五〇年繼加比爾而任科威特元首時一樣，也是實行兄終弟及的繼承制度的。

科威特雖然是一個小國，卻有許多世界第一，其中多數同石油有關。

首先，科威特的石油蘊藏量，按人口和國土面積的比例算來，居世界第一位。世界上擁有石油富源的國家很多，例如沙特阿拉伯的石油蘊藏量就比科威特多。可是科威特是一個人口四十六萬、面積只有一萬五千五百平方公里的小國，而沙特阿拉伯的人口則有八百萬，面積爲二百四十萬平方公里。

科威特的石油蘊藏量達八十七億七千萬噸，約佔西方世界石油總蘊藏量的五分之一以上。去年，它產油一億一千五百萬噸，仍是中東產油最多的國家；石油出口的數量也仍佔世界第二位，僅次於南美洲的委內瑞拉而已。

世界上最大的油田是科威特的博爾甘油田。這是說，在一塊不大的面積上，油田最爲集中。據說在博爾甘，鑽探石油時沒有鑽到過乾井。一九四二年，博爾甘油田因第二次世界大戰而停止開採。一九四六年八月恢復採油，石油的產量從該年的八十萬噸增加到一九六〇年的八千一百萬噸。博爾甘的油產，佔科威特全部石油產量的百分之七十五。

在博爾甘附近的艾哈邁迪港，有世界最大的裝油碼頭。科威特十二個油區的原油，通過油管滙集到艾哈邁迪港，再流到碼頭裝進油輪。這裏有南北兩碼頭。南碼頭長約三千九百呎，可泊十艘油輪。北碼頭長二千三百餘呎，可泊五艘油輪；六、七萬噸至十三萬噸的巨型油輪均停泊於此。科威特每年成億噸的原油，絕大部分由這個碼頭經阿拉伯灣運往歐洲、美國、日本。

世界上淡水最貴的國家要數科威特了。儘管科威特油田處處，油香四溢，但人民卻爲有油無水而深感苦惱。科威特是一個沒有河流的國家，無論什麼地方掘井，湧出來的是石油，而不是人民渴望着的淡水。因此，淡水成了珍寶，視同甘露。過去，科威特人用木船從伊拉克的幼發拉底斯河載運淡水充當飲料。這當然解決不了問題。最近幾年來，科威特出現了世界上在目前稱爲最大的海水化淡工廠，利用所產的天然氣，作爲蒸溜水的燃料。這類淡水廠目前已有四座，日產淡水六百萬加侖。此外，科威特離伊拉克邊境十八公里處發現了冰期地下水庫，經過掘井和引水工程，這地下水已自一九六二年起引到首都科威特港，每天可獲六百萬加侖淡水的供應。因此，今天科威特港的居民也大半能喝上自來水了。但是，這樣得來的淡水，費用仍然是世界上最高的。

科威特的豐富石油資源，從一九四六年起正式開採，由美英資本合辦的「科威特石油公司」所包辦。這個公司不但控制油田，還控制着煉油廠、公路、油管、油庫、港口、碼頭和油輪。它的職員大部分是英美人，還有一些印度人和巴基斯坦人，都不受科威特法律的約束。一九六一年，科威特宣告獨立，次年它從外國石油公司手裏收回九千多平方公里的租借地，並且組織了「科威特國家石油公司」，在去年開始鑽探這片土地上的石油，祇是目前規模還很小很小。

答封神演義的考證問題

・周燕謀・

後有繹堂序署「康熙壬辰」。又有「龍虎主人張繼宗」序，署「康熙庚辰」。按壬辰爲康熙二十七年，庚辰爲康熙三十九年。神仙鑑於康熙四十七年已有刻本，而神仙鑑未採取封神，是封神演義爲康熙二十七年以後的作品，此一證。

封神演義第八回說：「楊妃自縊，傳旨用棺槨收停於白虎殿。」又第二十九回說：「西伯文王薨，於白虎殿停喪。」按「明清兩代宮苑建置沿革圖考」，（商務印書館出版）第三十四頁「崇禎朝之皇城及宮闕制度」條下說：「武英殿北，曰仁智殿，俗稱白虎殿，凡大行帝后梓宮靈位，在此停供」。按明代的「白虎殿」，在清代改爲「敬思殿」，是「白虎殿停喪」，可說是明代的現象。但白虎殿既列在「崇禎朝之皇城及宮闕制度」下，則「白虎殿停喪」，最早也只能說是崇禎時代的現象，當不能說到在崇禎以前的「萬曆末年」或泰昌天啓時了。按日內閣文庫所藏的封神演義封面說是泰昌天啓及萬曆末所刊的，可證該本爲僞託無疑了。古籍之刊刻，後人往往假託其古，以提高其身價，有何奇怪！只看版本上的年代，不去研究作品的內容，那是會受騙的。（以上引見衛聚氏「封神榜故事探源」下册二〇二頁）

胡適之先生考證「紅樓夢」，有曹雪芹的一家子可考，故可以走作者生平的路。劉先生也用之於考「封神演義」，則「此路不通」。有「大膽假設」，必須還要「小心求證」才對，否則劉先生簡直是找錯了方向。這種錯誤，正如劉先生沒有一讀明史新刊本，而硬指國防研究院所編纂的「明史」和「清史」爲「明史稿」和「清史稿」一樣。（見新生報十一月八日及十七日三版）沒有把「明史稿」和「清史稿」與新編纂「明史」和「清史」一讀，便妄下斷語，這也如同沒有一讀「封義演義」和「西遊記」便妄加誤認是犯同樣的錯誤。然則劉先生自己走錯方向，反怪別人走錯路了，這豈不是寃哉枉也。（四・完）

蘇東坡嗜食有「經」

胡資

當我出門旅行的時候，每逢到達一個中站或目的地時，總是要當地的朋友帶去有一些地方色彩的小館子，點幾個在當地來說是有特色的菜色，因爲這些有代表性的菜色可能離開了這個地方便吃不到或不可能吃到這樣道地的。有一回，我到杭州旅行，除了醋溜魚和蝦腰鵝之類必定吃一兩回之外，還在小館子裏吃到一些令人難以忘卻的杭州菜，其中一味是東坡肉。

製東坡肉　杭州最精

東坡肉是一個很平凡的菜，大多數館子的菜牌上都可點到，許多家庭都會燒，但愈是平凡的菜往往是最不易燒得好的。一個達到水準的東坡肉是選肉、佐料、火候和烹調方法多方面配合得好的結果，其中一項失去水準，便會影響到整個菜的質量。東坡肉雖然各幫館子都有供應，但以杭州館子做得最好，因爲這是一個典型的杭州菜。我吃過許多不合標準的東坡肉，因而到了杭州上館子就點東坡肉，我想，在杭州的杭州館子吃杭州傳統菜，總不會令我失望的吧。

結果正如我希望的那樣，我吃到的是一切都合規格的、道地的東坡肉。它是用瓦罐盛着燒的，這是標準的燒法。通常的東坡肉都很肥膩，吃兩塊便不想吃了。這個東坡肉汁濃味鮮，香氣濃郁，入口卽化，主要的是它並不太膩，令你不能淺嘗卽止。要達到這個標準得講究材料和技術，按照蘇東坡指出的烹製方法要點是：「洗淨鐺，少着水；待他自熟莫催它，火候足時它自美。黃州猪肉好，價賤如泥土，貴者不肯喫，貧者不解煮。早晨起來打兩碗，飽得自己君莫管。」這樣看來，東坡燒東坡肉的方法主要是「少着水」，「待它自熟莫催它」，那是以文火慢慢煨之，切忌頻頻揭蓋，到了「火候足時它自美」。我不知道杭州館子大師傅燒東坡肉的操作過程，我相信現在的烹法不一定全部依照東坡的古法而有所發展，但東坡方法的基本精神是依然保留下來的，如用一張濕水的蔴紙封密瓦罐蓋等等，這些細節，是燒好東坡肉必須遵守的老方法。

首創製者　原是佛印

其實，東坡肉並非蘇東坡所創造，而是他喜歡吃這個菜並發展了它，「東坡肉」這一個菜名是後來食家給起的。據說當年蘇東坡在杭州做官，和一個叫佛印的詩僧時相往來。這個和尚主持金山寺，他是不戒葷的，大魚大肉照樣吃，而且非常的好吃。他常偷偷地用瓦罐紅燒猪肉，煮的時候，瓦罐上蓋着一塊濕了水的蔴紙，把罐蓋封密。佛印這樣做是恐怕燒肉的香味溢到外面，被到廟來的善男信女聞到了不好意思，這才想出了這個辦法，一直到吃的時候才揭開它。發展到後來，這塊濕蔴紙成了對燒東坡肉有決定性作用的一道工序，因爲肉的原味被封密在瓦罐裏，不會洩漏，文火煨之，保存了肉的原味，而且因爲封密而煮得入口卽化。蘇東坡因爲愛吃佛印的紅燒肉，而且自己也學着燒，總結了自己的經驗寫下一些燒好這個菜的原則、方法，後來人們之用東坡作爲這個菜名稱，不是沒有原因的。

東坡嗜食　常臨佛寺

當年嘲笑蘇東坡過份好吃的大不乏人。他也並不諱言自己愛吃，而且說得坦率而又風趣，這可以在他的詩裏看到。上述那位佛印，常在金山寺煮了紅燒肉招待東坡，有一回，燒好的肉忽然不見了，當然是好此道者偷去吃了。（上）

清代水師整建紀詳

羅雲

（一）奉天：外海繒船一〇艘。

（二）直隸：外海長龍船二艘，先鋒舢板船四八艘。

（三）山東：外海拖繒船一四艘，內河哨船六艘。

（四）江蘇：外海輪船二艘，艇船八艘，內洋輪船二艘，舢板船六〇艘，內河舢板船三八五艘。

（五）長江：舢板船七六艘，督陣船七艘，長龍船一〇艘，巡哨舢板船一二八艘。

（六）安徽：舢板船二八二艘，長龍船一五艘，八團船一艘，槍划一〇艘，護卡巡船十五艘，督陣船七艘，輪船二艘。

（七）江西：長龍船一五艘，舢板船二六三艘，督陣船六艘，輪船一艘。

（八）福建：外海長龍船一艘，舢板船一九艘，小艇十四艘，哨船一四艘，拖漕船三艘，內河炮船三四艘。

（九）浙江：外海釣船二七艘，艇船一二艘，龍漕船一七艘，哨船二艘，快船一艘，內河大舢板船五八艘，中舢板船八四艘，飛划船四九艘，長龍船座船二一三艘，槍船八艘，炮船五艘。

（十）湖北：督陣船八艘，長龍船十二艘，舢板船一八〇艘。

（十一）湖南：督陣船四艘，長龍船四艘，舢板船六〇艘。

（十二）廣東：外海大小輪船二二艘，巡船一四艘，拖船一〇艘，長龍船一艘，扒船一艘，內河兩櫓槳船一艘，平底船二艘，快哨船二艘，快船一四艘，快槳船七艘，沽漕船四艘，櫓船二艘。

清代各省戰船，咸分隸標營，擇地屯泊，以時會哨。外海師船，以海軍規制漸立，僅任沿海捕盜之責。各省內河師船，均仿長江水師舢板之式，惟巡緝等船分巡支河汊港，利用輕捷船，其制少殊耳。

四、各省水師實況

（一）直隸省：

於雍正四年，設天津水師營，都統一人駐天津，專防海口，水師凡二千人。省內各河，均歸陸汛，無內河水師。乾隆八年，增副都統一人，水師千人，大小趕繒船二十四艘，彭仔船八艘。三十二年，以海口無事，徒費餉糧，全行淘汰。嘉慶廿一年，復設水師千人，旋設大名鎮，以水師總兵歸併大名，實存守備一人，參將一人，千總二人，把總三人，水師四九一人。嘉慶十九年，直隸督臣那彥成，以官兵虛設，兵船多朽，疏請裁撤，仍併大名鎮。咸豐八年，以海疆多警，增設海口六營，於大沽南北兩岸，修築炮台，凡大炮台五座，平炮台十座，大炮九九尊，水師三千人；以五百人爲一營，分編左右六營。九年，改爲一千八百人。同治八年，李鴻章疏請酌定營制，設大沽協副將，駐新城海口，防守炮台。光緒元年，李鴻章於大沽北塘等處，增建炮台，購置歐洲鐵甲快船碰船水雷船，以海軍將領統之，不隸舊制協標之內。其內河水師——督標中營，始於同治年間，設管帶官一人，哨官三十二人，水師四七六人，舢板船三二艘，駐三岔河口；親兵總哨官一人，哨官十四人，水師二〇二人，戰船十四艘，駐西沽河口。

（二）東三省：

東三省沿海各口岸，以金州旅順爲最重要。清初卽有水師之制。松花江，嫩江貫注吉林黑龍江腹地，所設水師營汛，由吉林而北，抵墨爾根、黑龍江一帶。至光緒間，旅順築海軍港，屯駐鐵艦，迴殊昔制。其東部之圖們江混同江上，時有俄羅斯戰艦侵軼，非舊制師船，械弱兵單所能抵禦，當可明矣。奉天旅順口，於順治初年設水師營，以山東趕繒船十艘隸轄之，並始編營汛。康熙十五年，設水師協領二人，佐領二人，防禦四人，驍騎校八人，水兵五百人。（八）

國劇繽紛續錄（三十七）

姜嫈生

「隋唐傳」唱片集錦（續）

三播三家店。現在時尚多習馬派，但該台却播放李白水唱行路的將身兒的一段流水，是有道理的。因爲一般唱的多把將身兒唱成走，但而是上路爲有錯誤。裘薇解答，是將身兒爲平聲，應唱高音，而白水如此唱法而成功。從他所授微人。至宿店的那段在三家店的的二黃慢板，仍由馬連良唱，以無人灌過此片，因此有名而泛尚遵。

四播頭二本虹霓關。頭本由青衣泰斗陳德霖唱，共八句；現在多唱六句，或是四句。陳的唱腔雖覺是古老，但八句有八個腔，不重複；由琴聖孫佐臣操琴，也有八個過門，非常之妙。郭曉農兄曾云：此八個過門，實在難學，無人能拉，可知名貴之至。二本的了環，由葦遏雲唱，其時尚未學程，正是紅極一時之際，其那一面是頭本的在陣前一段，因播德霖而未播，這一段簡實與實馬相仿的好。

五播斷密澗。是選天津劉派名票劉叔度與名淨伶工劉永春合唱。這李密與王伯黨，可以驚了現在伶票，也是稀品可貴。六播鎖五龍。因裘盛戎以老生腔唱淨，大爲現今所欣賞，他亦以此片爲傲，祇有播他的唱，亦因旁人很少唱。盛戎唱法與乃父桂仙大異，非銅錘正工也。七播御菓園。是尉遲敬德在國中救李世民事，由名伶金少山唱，即顯出黃鐘大呂之音，非常雄渾而沉厚，現在已無人會唱，更不必言唱得好矣。

八播十道本。完全是馬連良的唱唸，前演褚遂良，後演李淵。實則言菊朋的也有一段宮門帶，唱李淵，借未羅致，連良此戲爲其拿手，故此唱片佔時甚久，約近三刻。當馬氏在大陸演出，很可叫座。因譚氏不唱此戲，故菊朋亦不貼演，以唸白並不較唱爲易，亦人所不願也。警察電台既以集錦稱於一時，頗望其另編其他劇本，如精忠傳，楊家將，包公案，亦未始不可爲之，亟盼其實現也。

少安謀振作

胡少安自離海光後，無官一身輕，應該可以悠遊自在，但是，寓劇團的人，總不想寂寞，尤其他雄心勃勃，頗思振作一番，在民間劇界當然是極好的事，希望成功。最近國劇欣賞會特演三天，聞說收支相抵，尚有盈餘，不過所獲未合理想，此由於班底雜湊，伴奏亦未夠勁，票房紀錄稍差。國劇振興社請演二晚，則伴奏已增進，班底也增強，抄傳略有虧耗，亦無大傷。窺測因素，自從國軍劇團減低票價，今後演出，除非確有票路，則二百一百的票價，絕難達到圓滿，此少安所應考慮的。看老生的唱做，無且角的表現，也難使人滿意，尚其餘事。（未完）

說「皇」與「帝」

·資料·

中國先秦時代，已有「皇」和「帝」、的稱呼，至嬴政建一統帝國，自以爲功德超越古帝王，便合「皇」「帝」爲一而稱「秦始皇帝」。自此以後，「皇帝」便成爲一個沿用的名詞，人們多不再區別皇和帝二字。其實，即使在秦始皇帝合皇與帝爲一詞後，皇與帝二字仍是有其區別的——至少在漢代時是如此——。

●「漢書」會錄載高帝尊太上皇的詔書。蔡邕對此有解釋說：「太上皇不言帝，非天子也」。唐代顏師古作進一步解說：「天子之父，故號曰「皇」；不預政治，故不曰「帝」也」。「三國志」載王肅的議論道：「漢總帝王之號，號曰皇帝。有別稱帝，無別稱皇者。高祖時，其父現在，而使稱皇，則皇是較輕者也。」裴松之注：「漢祖尊其父爲皇，其實，貴而無位，高而無民，比之於帝，實稍輕也。」（上引各家之說，都轉引自清趙翼「廿二史箚記」卷十三「太上皇帝」條的箚注。）由此可見在漢代時，人們對於「皇」和「帝」二字是仍給以一定的區別的。

還有，漢代不論西京或東京，以宗室外藩入承大統的皇帝，對於他們的生前未會居過大位的父或祖，多只追尊爲皇。例如：哀帝追尊其父定陶王爲共皇；安帝追尊其父爲孝德皇；桓帝追尊其祖與父爲孝穆皇、孝崇皇；靈帝追尊其祖與父爲孝元皇、與孝仁皇。只追尊爲皇，而不尊以帝名。兩漢時的學者和禮臣們，都認爲三皇無爲，五帝有事，所以，身有天下的稱爲帝，而生前未正大位的，只能由子孫追尊爲皇。又西漢哀帝嗣位後，給他的現存的祖母上尊稱爲「帝太太后」，給現存的母親上尊稱爲「帝太后」。哀帝給她們的尊稱中不用「皇」字而用「帝」字，是因爲他本身爲帝，以協「母從子」的傳統大義的緣故。（明世宗以外藩入承大統，爲了追尊他的生父與獻王祐一事，而造成政治上的大風波，給嘉靖一朝的國事很大的影響。在今日看來，雙方因爭執而造成的大風波，實是一件至無謂無聊的事，但在昔日這確是一件宗社的大事。人子尊親，是人之常情，明世宗如只追尊他的生前只爲親王的父親爲皇，像兩漢的哀帝等追尊他們的父或祖一樣，是可以爲當時及後世的通達人士同情和諒解的。但他却追尊其父爲皇帝，稱宗，稱廟，耐廟，把一個生前只爲臣子身分的親王，與生前正大位而統治天下的皇帝同樣看待，未免太顧人子之私，而違背大宗之義和紊亂傳統的禮制了。）

從前，歷代帝君，多有內禪的事的，自已尚生存，就將帝位傳給兒子（其中又有傳弟子，例如明英宗之於景帝）。自後涼的呂光起，至清高宗，共有十五君行過內禪。這十五位行內禪之君，都被嗣位之君尊爲「太上皇帝」。劉太公只被尊稱爲「太上皇」，而後世却多了一個「帝」字而稱爲「太上皇帝」，其間是有道理的。劉太公的「太上皇」尊稱，是在他的兒子漢高帝有天下後所給他的，並不是太公自有天下後傳給他的兒子，而獲得這個稱號的。至於那十五位的太上皇帝，則是本爲皇帝，而在自己尚存在的時候，將大位傳給子或弟嗣承的。兩者情形不同。所以，根據先賢對皇和帝二字的解釋，漢家太公只能被尊稱爲太上皇，而後世行內禪之君，則應被尊稱爲太上皇帝。

上古有所謂三皇五帝，皇和帝的字義是有別的。自從嬴政合二字爲一詞後，「皇帝」便成了「天子」的另一稱號，成爲二千餘年來一個固定習用的名詞，迄於後世，人對於皇和帝這兩個意義本來微異的字，已不能而不再予以區別。例如後世歷代開國之主，對於他們的生前未曾有過一日天下的三代或五代祖宗，一概追尊爲「皇帝」（說來，漢家太老實了一些，使那位曾被自己兒子要分一杯羹的太公畧吃一些虧，得不到「帝」的尊號。一笑。）但據上文引述各事來觀，兩漢距古不遠，君臣們尚能知皇和帝二字的本來意義，而在使用時加以區別。

誹謗之道

吳文蔚

藺相如睹此情形，以自己國王被人戲弄，有敗國威，氣憤難平，遂向前數武，大聲喝道：趙王素知秦王好樂，善擊盆，現請秦王敲盆，以悅衆「共賞」。語罷，即捧盆獻秦王。秦王明知藺相如意在報復，怒氣填胸，不肯答應，但藺相如便捧着盆子跪在秦王面前強求，秦王仍是不肯，藺相如此時義憤滿腔，遂大聲喝道：「大王如堅持不敲，我將自刎王前，以鮮血噴濺王之身衣了」。秦王侍從睹狀，欲抽劍將藺相如斬殺，可是經相如瞪目一呵，又把秦王侍從駭縮回去了。秦王見此情形，心甚不快，即持箸在盆上一擊。而藺相如即命趙王侍從取筆速記道：「某年某月某日，趙王與秦王歡宴，秦王曾爲趙王擊盆」。

秦國文武大臣，咸以強國未能佔到上風，心有不服，便倡議道：「請趙王割讓十五城給吾秦王祝福」！藺相如聽後，不甘示弱，昂然應道：「請以秦國咸陽贈趙，給吾趙王祝福」！雙方如此針鋒相對，反復交商，不相上下，直到散會，秦王始終未能實現所欲，而趙國亦因戒備森嚴，佈置週到，未遭任何意外。這次和平會議，雖驚濤起伏，駭浪迭興；終因藺相如的智勇過人，也就不了了之，和和平平的結束了。

趙王回國後，對藺相如智禦強秦，不畏橫暴之舉，甚爲嘉許，特封爲上卿，以酬其功。但對留守在國內的廉頗將軍，沒有表示。因之廉頗很感不滿，且對人說：「我屢衝敵鋒，不顧性命，爲國立功，才獲大將軍這個官位，今藺相如只以動舌張口之小技，竟一躍而在吾上，實在使人不平了。藺出身微賤，當初進官，係屬太監引介，今吾反屈其下，委實令人恥辱。以後遇之，定與難堪」！

藺相如聞之，輒避而不見，上朝裝病，路過彎道，以免衝突。

一次，相如乘車外出，遠望廉頗前來，疾讓路轉彎避之，衆賓睹狀，咸表不快，齊聲曰：「吾儕拋親別戚，追隨上相，惟爲敬仰上相高尚風格；今廉頗將軍，到處誹謗上相，而上相不思報復，反常躲避藏匿，即匹夫亦引爲恥者，上相則不察焉。吾儕不材，即此去矣！」

相如聞之，不禁一怔，問衆賓曰：汝等視廉頗將軍與秦王孰強？衆曰秦王強。相如曰：以秦王之威，吾曾於大庭廣衆之前，使其却胆。吾雖無能，焉懼一廉頗將軍哉！雖然，今趙國之固，強秦不敢肆無忌憚者，以我與廉頗將軍在，如吾二人內鬨，爲私衝突，二虎相鬥，必有一傷，此實爲吾趙之危機。吾所以百般屈辱，竭力忍讓者，係爲趙之宗廟社稷也。衆賓聞之，大爲感動，不禁涔涔淚下！（二）

西施

「影劇與歷史」之十三

周遊

升主張爲了使吳王相信，趕快派人到吳國送禮獻兵，以釋吳王之疑。文種此一着很有遠見，如果以越王的意見，兵戎相見，越國將來反攻的實力便要大打折扣了。

越王派了大夫文種，送了許多禮品，前往吳國，吳王以及朝中大小官員人人有份，只有一個伍子胥不敢去送禮。文種見了吳王說：「東海下臣勾踐，蒙大王不殺之恩，永記不忘。今聆大王倡義師，誅強救弱，將要討伐齊國，特將前王留下武器裝備，前來奉獻，並且訓練了三千自衞軍，情願來效驅馳。」吳王夫差才明白接受了越軍的參戰。越王派了大夫稽郢，帶了三千精兵，助吳攻齊。吳王夫差調兵遣將，大軍待發。可是伍子胥表示反對，吳王很不開心，很想除掉伍子胥，以免制肘，但因子胥爲先王老臣，不好下手。太宰伯嚭知道吳王對伍子胥不滿意，便向吳王建議說：「大王不如將伍子胥派到齊國挑戰，借齊國之刀而殺之，豈不是好！」吳王點頭稱善。於是修下了致齊的國書，算齊國的罪狀，派伍子胥使齊。伍子胥知吳王不可救藥，趁此出使之便，把他的兒子伍封携往齊國，改名爲王孫封，付托給鮑息。齊簡公採納了鮑息的諫議，放伍子胥回國，免中殺害忠良的惡名。

周敬王三十六年春末，吳王夫差親率大軍，加上魯越兩國軍隊，在當時的艾陵（今山東省萊蕪縣東北）地方，大敗齊兵。越將稽郢極力恭維吳軍的強大，吳王夫差滿心歡喜，志得意滿。於是重賞越兵，命使者先回報捷。齊簡公謝罪請和。吳王力主齊魯二國修兄弟之盟，不得相互攻戰。兩國援受了吳王的意見各自罷兵，吳王得勝旋師。回到吳都，太大慶祝一番，百官拜賀吳王的武功。相國伍子胥也在宴會上，始終不發一言。吳王夫差此時是志得意滿，此時勝利已經擺在眼前，當初我要攻打齊國，你百般阻擾，而今勝利歸來，我倒要教訓他一下。吳王夫差這種想法和做法當然是極其幼稚而短視的，好大喜功是他的本性，可是他對子胥的疏遠却是失敗的關鍵。吳王夫差見了伍子胥很不客氣地說：「當初我要攻打齊國，你大加阻擾，今天勝利歸來，你畢竟有何話說呢？」

伍子胥此時氣忿不已，放下了身邊的佩劍，對夫差義正詞嚴的說：「過去先王採納臣下的忠言，所以國家未遭大難；而今大王偏聽小人之言，下納忠諫，後果實不堪設想。」「天要降大難，必先給予一點小的喜悅；臣不忍見大王做越國的俘虜，冒死忠諫，請大王提高警覺。」

夫差却顧左右而言他，不予置理。散朝之後，伯嚭又在夫差面前打了小報告，說臣聽說伍子胥出使齊國，已將其子寄託於齊臣鮑氏，顯然有叛國的異心，請大王當機立斷，不然恐有不利於大王，則後悔不及。

夫差在宴會上伍子胥一席話，已經很不滿意了，加上伯嚭的報告，而且又查有實據，大爲憤慨，決定早日除之，以免後患。於是便遣人送了一把「屬鏤」劍給伍子胥。伍子胥接得吳王的賞賜，明白了夫差的意思，也是他早已料及的事。子胥仰天大笑，對家人說：「吳國不久便要亡了。我死之後，把我的眼睛挖下，掛在姑蘇的東門上，總有一天，我要親眼看到越兵攻進姑蘇城。」（七）

論中國文化與世界

——本文接第一版——

溯我國廣土衆民，豈眞可以一舉而全滅絕之乎？是不可，則九世之仇可復，孰能禦之？夫有之而不用，等無有也，「嚇阻」云云，眞戲言耳。韓非子八說曰：「虎豹必不用其爪牙，而與鼷鼠同威；萬金之家必不用其富厚，而與監門同資。」斯言可細味之！」客語塞，奎然而退。

予爲此文，既不煩喋喋以廣孫博士之言，深知不免乎人之識其爲悖爲狂，要亦無傷也。世固恆見悖者以不悖者爲悖矣。而士有賢俊之姿，必有佯狂之識，內懷必獨見之明，外有不知之毀，或謂之狂，不亦宜乎？此古賢箕子，接輿，范蠡之所不免，何足縈心？但願今日我舉國上下，確切曉然於我國文化正廣泛爲世人所注意，而吾人於重整世界秩序所負之責尤其基重，大家迅即恢復其自信心，自尊心，率勵奮發，並爲匡復大業而努力，如是而已。

內政部台報字第〇三三號內銷版

自由報

THE FREE NEWS

第六〇七期

中華民國僑務委員會登記
每份港幣壹角
台灣零售價新台幣貳元
社長：雷嘯岑
督印人：黃行寰
社址：香港銅鑼灣[illegible]
20, CAUSEWAY RD 3RD FL. HONG KONG
TEL. 771726 電報掛號：7191
承印者：大同印務公司
台灣分社
台北市[illegible]

戶警真正需要合一嗎

·南天·

戶警合一制度，正在台灣省府研究，即將付諸實施。最初見於台灣聯合報一則消息說：「為了嚴密戶籍管理，確保地方治安，鞏固反攻基地起見，經有關單位商討決定，實施戶警合一制度，即將鄉鎮區公所戶籍課人員及經費，一併歸併警察機關」。

省府民政廳的表示為：「戶警合一，尚有許多困難，例如法令的修改，戶警編階不一，戶政人員多為委一，而警員階級較低」。

本（五四）年十月二十三日民族晚報社論「論戶警合一制度」說：「對行政院為改進戶政業務，指示省府收戶政機關併入警察機關，以便統一事權，確保社會治安，加以申論說：「我們也知道戶政業務，除了辦理各項登記之外，其他有關課稅、防疫，國家經濟計劃，人力運用發展，以及兵役行政與地方自治事項，都有密切的關係，固然不限於戶口查記一項工作。

甘為奴僕

此路不通

但由於治安上的需要，警察亦有查記的責任。其中如流動戶口之調查，嫌疑居民之偵查，特種營業之檢查，場廠店舖之開歇，傭工之辭僱，失蹤人口之考查等等，行政院希望戶政機關的業務，人員與經費，併入警察機關之內，在今之的事實需要看來！不失為一可行的辦法……」由於這一戶警合一問題，涉及人民權益和社會治安，關係重大，故成為台灣人民特別重視的政治措施之一。那末戶警應否合一問題，筆者以為應先從根本去探討，究竟是戶籍法令有漏洞？或是戶籍管理不善？？或是戶籍查察不夠？？找出它的癥結所在，然後我們才能贊成或不贊成戶警合一制度。因此茲提供個人淺見於次，并就教於時賢！

現行戶政體系

（一）按現行戶政法規彙編（五十三年十二月出版，劉燕夫主編）戶籍法第三條：「戶籍行政之主管機關：在中央為內政部，在省為省政府，在縣為縣政府」。（二）第六條：「戶籍登記，以鄉鎮為管轄區域，以鄉鎮長兼任戶籍主任，并設戶籍幹事若干人，由鄉鎮長指定所屬自治人員兼任之。本法關於鄉鎮之規定，適用於市之區」。（三）戶籍法施行細則第三條：「辦理戶口查記之機關：省政府應於民政廳設戶政科，縣政府於民政科設戶政股，人口眾多，事務繁劇之縣得經內政部核准，於縣政府內設戶政室」。（四）台灣省改進戶口查記實施辦法第三條：本辦法所稱戶政機關，在省為省政府民政廳，在縣（市）為縣（市）政府，在鄉鎮區（市）為鄉鎮區（市）公所。本辦法所稱警察機關，在省為警務處，在縣（市）為警察局，在鄉鎮（市）區為警察分局（分駐所）。上自內政部，下至鄉鎮區公所，構成一個行政體系，有條不紊，已經發揮了它應有的功能。如將基層戶政單位併入警察機關，有頭無尾，縣市，省及內政部還指揮監督什麼呢？豈不破壞了戶政體制？依法與事實都是不合的。

登記與查記的責任

登記與查記的責任究將誰屬？戶警如何劃分？甲說「我們是管靜態，動態是警察的事」。乙說「行方不明，以及錯漏都是戶政的責任」。根據台灣省改進戶口查記實施辦法第四條：戶政機關依法辦理左列事項：一、有關籍別身分及遷徙登記事項。二、國民身份證，戶口名簿及戶籍謄本之發給事項。[illegible]五、戶籍[illegible]事項。六、國籍之取得及喪失事項。七、其他有關戶籍行政事項。第五條：警察機關依法辦理左列事項：一、戶口查察及協助戶籍動態催辦事項。二、流動人口登記管理事項。三、防制奸宄查緝逃亡事項。

由以上四五兩條規定，很明確的看出，戶政是管靜態，警察是管動態，勿庸爭辯。我們再進一步檢討現在靜態與動態，有什麼缺點？有什麼缺點？茲分述如左：

一、靜態方面：按戶籍法施行細則第十七條末段：「戶籍登記，除於戶口調查時，初次辦理者外，應經聲請[illegible]鄉鎮戶政人員巡迴各保時，隨時攜帶抽查，每月應各報戶查詢一次，並就所屬[illegible]每年終攜帶[illegible]登記簿換[illegible]一次」。台灣人口膨脹，鄉鎮區公所戶政人員，每日案內根本不了，所以抽查一次，[illegible]那能沒有錯漏？況戶籍法申報對房屋出租及鄰里長蓋章，因為就是任何一個人都可以隨便找一個門牌號數申報戶籍登記，他便領得身分證以後，遨遊天下了。尤以在台退伍的後備軍人為最多，外省籍空戶多由此而來。

二、動態方面：（一）依改進台灣省戶口查記辦法第五條：「房屋出租人對承租人，公私僱主對受僱人，應負責查其已否辦理戶籍登記，或申報流動戶口登記；如未依規定辦理者，應通知該管村里長，或轉報戶政機關，依規定申報流動戶口者，應通知該管警察機關。違者依有關法令從重處罰」。第八條：（二）改善流動戶口查記辦法：凡流動人口實施簡化登記程序，人口登記申報，應由警察機關通知原住地戶籍登記，以杜空戶。凡以上流動人口登記，應由警察機關通知，以杜空戶漏洞」。

承租房東，鄰里長也沒有責任，問題就是誰也不知道他登記過的人，其鄰里長，還是他們根本不知道。流動戶口，幾年來亦未見警察機關申報，不負責任的加義務，問題的好處，申報戶口已有了。察人現在警察行政業務日趨重工作的繁，去身工作，凡他們都不得法專心一意推動執行，或他們也不加往往無戶籍人事調動，後警察通報登記整理，例如軍人配合以外，戶籍管理，遲來的都一警察機關也不無漏洞，全無責任。[illegible]戶警聯繫情形，戶警連繫配合如何？我們看了下文就知道。

第十一條：（一）「查記辦法調整警察分局轄區，逐一達到每一鄉鎮（市）區設一警察分局之標準，其未能設分局之鄉鎮，先設分駐所，並充實警察員額，縮小警勤務區，以加強流動人口管理及戶口查察工作。（二）第十二條：「鄉鎮區市公所置戶籍副主任二人，分由當地警察分局局長或巡官兼任之；戶籍主任由鄉鎮區市公所戶籍課長任之，其由巡官或局員兼任之副主任，助理戶籍業務。其主任[illegible]戶籍人員任免升調考核與懲訓等事項（三）第十三條：「以鄉鎮區市公所為聯繫中心，戶口局員或巡官兼任之戶籍副主任負責辦理之」。（四）台灣省改進戶口查記實施辦法第七條：「警察人員兼戶籍副主任主管左列事項：

戴高樂競選受挫

法國總統選舉，戴高樂因為得票未達到半數，不能當選，要等待兩星期之後，與得票次多的候選人米特朗舉行第二次選舉。雖然在第二次選舉時，戴高樂是可能當選的，但對於其聲望打擊，卻也不小。他固然志在必勝，東西方各國領袖也都以為他可以順利當選的，不料卻受到了挫折，以戴高樂好大喜功的個性來說，他雖然勉強競選第二次，許多人都相信，他是很痛苦的。

戴高樂所以受挫，要非一端，主要原因有兩點：一是個人專斷作風，不適合法國人愛自由的個性。一是戴高樂的外交政策，如承認中共政權與美國為難，阻撓北大西洋公約，皆非法國人民所喜。平時大家無方法反抗，到了要選舉時，人民的報復機會來了，所以這次才栽了這麼大的觔斗，一個國家恢復自由的人，也應該受此教訓的。

今日與明日

非洲國家向英國施壓力

非洲團結會議在埃塞俄比亞首都阿的斯阿貝巴開會之後，發表聲明要求英國在十二月十五日以前，恢復羅德西亞在獨立前的形態，取締史密斯的獨立政府，並稱如若此點辦不到，非洲國家即全部與英國絕交。

此種最後通牒，語氣雖然夠強，但卻於事無補。事實上英國即使派兵，也不能在十日內推倒史密斯的政權，何況英國實在沒有出兵的藉口。非洲團結會議調子打的太高，分明是強人所難，完全是意氣用事，並非解決問題之道。更重要者，是在英國拒絕了這項通牒之後，是不是整個非洲國家一致與英國絕交？尤其是屬於英聯邦的國家，真的因此退出英聯邦圈嗎？恐怕未必。到時又將如何轉圜？新興國家的當政者不夠成熟，於此可見一斑。

美國再增兵越南

美國政府決定將在越南增兵至三十五萬人，此一數字與韓戰時的數目相同，但是越南戰場形勢卻不能與韓戰比。當時美國所對付的是毛共軍，今日對付的只是越共軍；但在韓戰是兵對兵將對將的陣地戰，而今則是對付游擊戰，兩次比較各有長短。不過，美軍在越南即使增兵，若無最大決心作徹底解決，恐怕短期未必就能解決越局，再進一步發展下去，最後只有轟炸河內、海防。如若越共仍頑抗到底，最後也只有登陸海防，進攻河內，實行把戰爭帶去北越。目前美國還在試探摸索中，但最後必然是要走向這條路。（何如）

最近美國社會上的一部分羣眾，在華盛頓游行示威，反共反對美軍到越南從事戰爭，大眾闖到了總統府，對外交通亦阻滯了。白宮總統向全國聲明說：游行示威原是人民應有的權利，但相信他們這羣人并非代表美國大多數人的意見，政府并未採取干涉的行動。

旋有右派團體向美國最高檢察署指出示威羣眾中，有手持北越共黨旗幟者，認為這是公然違背國策的叛逆行為，擬予制裁之。最高檢察署卻說，人民有手持任何旗幟以示威遊行的自由權，祇要不妨害社會安寧秩序，誰也不能橫加干涉，否則將構成犯法的罪責，檢察署決[illegible]

而示威，實施，則反對美軍為保護越南的一部分羣眾，更是豈有此理，罪不容誅。然而美國的朝野人士，好似見怪不怪，滿不在乎。一言以蔽之曰：其故安在呢？這樣才算是真正的民主生活，因為民主法治唯一的要着，即係大家尊崇法治，安份守己。民眾游行示威，如果沒有擾亂公共安全，寧秩序的，政府自不必小題大作，有[illegible]

他山之石

美國法律規定，本國內的蘇俄共產黨應向政府登記為「代理人」，美共拒不依法登記，法院乃判處美共二十三萬元罰金，共黨很可能因為繳不出這筆鉅額罰金而日趨衰歇渙散。以上的三樁事情，於民主生活真諦的東方人看來，其是拿着北越共黨旗幟游行，尤其[illegible]一定期以為不可。

[illegible]大戰時，徙滋糾紛。吾國對日抗戰時期，曾派訪英倫，在與英首相邱吉爾談話之際，有人指出倫敦「海德公園」內，竟有國員公然讚揚德國納粹主義，顯係違背英國對德作戰國策，何不逮捕究處？邱翁答道：我們英國講究的言論自由，經濟學家說話，每天要供給他們在公園裏胡言妄語的，如果把這類人提將官裏去，政府讓他們吃飯，他們去肚子餓了，自然就會回家去，何必理他！邱翁這段幽默談話，亦就是尊重人民言論自由的法治精神。咱們若要實現真正的民主政治，朝野上下各色人等，對於上述幾項事實與義理，應該慎思明辨，身體而力行之，則庶幾矣！

馮正先生

談預算制度與執行上的幾個問題

本報台灣中部記者熊傲宇

李銑的第一點質詢，係根據這個過程而發。

省方持有四個條文

主計處長劉紹志，答覆這問題時說：省主計處審核縣市地方總預算，在執行程序上完全依法辦理，決無侵犯縣市議會職權情事。

他說：縣市地方總預算，在左列兩種情形下，依法提出修正方案。

一、依照「台灣省各縣市實施地方自治綱要」第十八條，及「台灣省各縣市組織規程」第四十一條之規定：「縣市議會議決事項與中央法令或省法抵觸者，無效」。

二、依照「台灣省各縣市財政收支監督辦法」第八條規定：「縣市總預算各項支出之編列，應力求其經濟有效，如編列於法不合時，省府得令飭修正辦理追加預算手續」；及同辦法第十條規定：「縣市總預算內之機關經常費，縣市政府事務費的基數，縣市議會經費及事務費基數，警察工作活動費等」，均屬全省統一性，應依省府所規定之支給標準列支，非經報准不得增加。

問題起自形格勢禁

劉處長說：這兩種法規，經省議會審查通過，並報備行政院准予核備存案，同時省府對依據上法之預算，各縣市仍應辦理追加減預算手續，送請各該縣市議會審查通過後執行。

這樣看來，省主計處核審變更縣市總預算，是有絕對法令根據的。那末，何以縣市議會和省方所持的法令各自不同，各有所本，而不能統一？這涉及到一個重要的觀念問題。

本省實施地方自治，由於形格勢禁，在地方自治通則還沒有完成立法公佈實施以前，省政府本身也就沒有組織法，只是根據「台灣省政府合署辦公細則」設置廳處。而縣市地方自治的綱要規定，則是相當完整，於是完整與不完整之間，形成這種態勢。

政務紛繁支出膨脹

預算審查權的爭執，一方面來自定的觀念，另一方面，則導源於這幾年來，省與地方亟力從事於各項經濟建設，與教育事業的擴張，政務紛繁，支出膨脹，而財政支出，確係依照財政收支劃分法所實行的「統籌」辦法。中央「統籌」於省；省則「統籌」於縣市；縣市以下鄉鎮公所則無稅目可以「統籌」，以是鄉鎮財政，捉襟見肘。而縣市預算之人事費與辦公費用，佔總預算百分之七十以上，所餘經濟支出，寥寥無幾。因之每年都無法避免追加預算；而這種追加預算之科目多寡，都是取決於省府的增刪，而這種追加預算，在省府言，稱之為補助各縣市。所以省府也就有權干預整個的縣市預算。

焦點來自統籌分配

但是在縣市方面覺得，地方自治以來，財政一直沒有獨立，所謂「統籌」分配，不過是以地方的財政用之於地方，酌盈濟虛，固為變通辦法，但因統籌的結果，妨害地方自治。

省以統籌所得之欵補助各縣市，所以就有權干預縣市的預算；而這種「補助」，就全省廿二縣市言，只有花蓮、台東、澎湖三縣，確實得到補助，其餘的，都是縣市本身收入的錢，只是以省之助補分配還原於縣市而已，對其固有收入並無增益。

而且，以縣市固有還原收入之欵，轉而補助縣市預算，並施以行政上的種種控制，使地方自治窒息難行。

所以在某種事件與情況之下，縣市議會與政府之間，就很容易發生爭執。

地方自治實施綱要，是縣市有力的支持者。

預算刪增必須公平

由於這些情況的發生和這些問題的存在，我們覺得在此反攻復國朝野備戰的時際，力量意志，均需集中。在目前要求立法公佈地方自治通則是不可能的；但是既然公佈實施了地方自治綱要，省級政府就應當儘量尊重地方議會與政府之權職，藉以養成良好的自治習慣。因為我們政治上的目標，是要把台灣建設為三民主義的模範省。

所以，對於目前縣市自治事項與委辦事項，政府應該作一個徹底的劃分，杜絕許多不必要的紛擾。

而在記者這篇稿所談的中心問題主計方面，對於省議員許新枝所質詢的八點不合規定，與在執行上的四個大毛病，確實值得省府當局與各個部門檢討。要求預算的績效，要求執行上的嚴格，就得立信示信，始能上行下效。

如果嚴於律人，而寬於待己，那自然無法澈貫政令，自然不能令人心服。亦自然非主政者應有的誼。（三）

說到「餃子」，有一次日本友人夫婦請我到他們家去吃飯，我以為一定是吃「屋定」（以蘿蔔豆腐白菜等雜煮的一鍋燴），因為他們知道我不吃魚，在「日本料理」中，對此尚有好感；他說這是他太太的拿手菜，過天請我到他家去試試。

日本學生學包餃

那天去時太早了一點，意外的發現他們夫婦跟兩個小孩子，正圍着桌子在包中國餃子，他笑着說，你為什麼「不守時間」，本來我們打算到吃時才端出來，讓你一驚的。後來吃餃子的時候，他們叫我品嘗「卜」，可打多少分？據說他們平時常吃，小孩子尤喜歡吃，他的太太還向一個華僑朋友處拜過師傅呢。許多日本人家庭，現在也喜歡包餃子吃。

隨着「中華料理」的風行，中國點心在日本也大盛其道，不單單餃子而已。東京的幾家大百貨公司，「三越」，「高島」，「松屋」等的食品部，都有中國點心出售，玻璃櫥裏陳列了蝦餃、燒賣、春卷、饅頭之類；有些賣的在柜面中上，還設一只有玻璃面的蒸汽箱，蝦餃、饅頭都熱騰騰的蒸在裏面，以保持溫度。更還有賣鷄腿、排骨等熟食的，眞是洋洋大觀。這些中國食品，都由當地中國人開設的幾家有名

初臨貴境者會疑心身在華夏 日本「中華料理」多得可觀

川粵京滬均齊備。豆漿油條亦有之 名手雲集嘆觀止。外國餐館盡低頭

氣的「中華料理」店所供應，在牌子上標明何家製品。這些中國點心，很得日本老幼所喜愛，什麼熱狗、三文治等西洋點心，和壽司、羊羹（日本以豆沙仿製，甜的）等日本點心，在對比之下，都顯得十分單調了。

日本主婦津津樂道

在百貨公司食品部前，時時可以看到一些日本主婦，照着孩子小手所指的櫥內中國點心，津津有味的在選購。

最後我再舉一事，也許為香港人所想不到的。「神戶牛柳」近年頗為香港食家欣賞，一客好的「神戶牛柳」，價格要十多元；但在日本，「青島牛肉」，却甚吃香。據說，以前往過中國北方的日僑，咸知「青島牛肉」是中國名種菜牛，更勝「神戶牛肉」（在日本稱為「松坂」牛肉，因神戶是港口根本無牧場，乃其鄰近的松坂地方出產的），經日本的老饕一傳開去，不問吃過的或沒有吃過的，大家都要一快朵頤了。

今天的「中華料理」在日本，的的確確已達到普遍、深入的程度，不論城鄉，無處不有，無處不多，為人人所喜，也是個個可吃。正如「朝日新聞」的飲食特刊上所說：「由於它味道好，花式多，而且豐儉由人，大宴小酌，無不相宜。」

所以決不能從高級豪華的「中華料理」店的風起雲湧，以為「中華料理」在日本，單單使揀飲擇食、酒肉徵逐之徒得到滿足；不，「中華料理」在日本的昌盛，是有着廣大的社會基礎的，它為廣大的日本人民增闢了一條經濟實惠又可口的飲食之道，使無數的辛勞職工，勤奮的學子，操心的主婦得到了方便，也豐富了他們的生活。

源遠流長的中國烹調藝術，是應該為這些理合吃得更好，吃得更飽的人服務，且以能夠為他們服務而感到光榮。（四、完）

美國禮教之鄉波士頓 廿日發生卅宗暗殺案

稍稍涉獵美國歷史者都知道，波士頓是新英格蘭的首善之區。而新英格蘭者，又為北美大陸最早的殖民地，所謂文物禮教之邦是也。

美國獨立戰爭的鐘聲，首先便是由波士頓「茶葉黨」敲響的，因此在某一意義上言，波士頓實在可稱為美國「精神上的首都」與文化聖地（著名的哈佛大學與麻省理工學院便設於該市對河的劍橋區）。

甘迺廸家族便發跡於新英格蘭，而在波士頓「力爭上游」，以厠身古老的波士頓上流門閥社會為榮。由此一端，便可想見波士頓在一般美國人心目中的神秘份量。

撈家一向號稱斯文

流風所被，波士頓的黑社會，在美國各大城市的黑社會中，還算是「斯文個類」。他們撈偏門也只是「文」撈，而不如紐約、芝加哥黑社會的動輒講打講殺地「武」撈。

「文」撈的門道，包括爆竊倉庫，盜賣無稅香烟、洋酒，開賭檔，開私寨靠娼妓皮肉為生，做「大耳窿」放貴利，最多也只是小規模地持械行刦而已。但最近風氣忽然一變，黑社會幫口之間，開槍暗殺之事，接連發生，大開殺戒，連帶也使波士頓市民們大開眼界。原來波士頓市內兩大黑社會幫口，分別以喬治．麥克勞林和卜廸．麥克連為大哥。

喬治與卜廸各撈各的，本來井水不犯河水，連年相安無事。但自從一九六一年，兩人在海灘上為一個女人爭風呷醋，大隻佬卜廸將喬治痛揍了一頓；兩人自此結怨，喬治放出風聲，說要以激烈手段報復。

幾個月之後，警方據報有人在卜廸的汽車暗裝炸藥，擬將卜廸炸死。喬治的兩位兄弟之一，布納嫌疑最重，遭警方傳召查訊。

但在警方尚未查出任何綫索之前，布納便在街頭遭冷槍擊斃——這次自然又是卜廸先下手為強，將布納暗中解決。

沉屍港大斬八塊

這一響槍聲，便如揭開了波士頓地下黑社會的鍋蓋，連珠炮似地爆出了更多的冷槍暗殺行動。

誠如該市警察局長H．F．莫隆尼所指出：「過去黑社會僅以開片毆為滿足，而威脅對方不得採取報復行動，暗殺風氣一開，惡棍們便覺得開槍殺人乾脆了當，而且更容易一次過解決問題。」

在一連串的暗殺行動中，最慘的是F．R．班傑明，此人原是波士頓南市一名惡棍，在汽車尾箱中發現他的屍體，頭部被斬，不翼而飛。

喬治．麥克勞林的死黨，哈勞．漢農被發現沉屍於波士頓港中，屍首頭部還扣有非刑用的繩索。

波士頓南市另一名惡棍威廉．特蘭尼，則被人大斬八塊，分藏在八隻垃圾桶中。（上）

南市工商展覽會 不成格局笑話多

（本報記者曾振軍台南航訊）藉慶祝國父百年誕辰名義，由台南市商會、中新傳播公司、新聞記者公會聯合舉辦的工商展覽會，於上月廿五日台灣光復節，在台南市忠烈祠內揭幕。請來了中國小姐于儀剪綵，參加廠商（陳列展覽的）並不踴躍，大都屬於擺地攤式之流，晝夜呼喊，唯恐貨品賣不出，連攤位租金亦賺不到手。

忠烈祠位居南市中心，本係供奉先烈靈位寂靜勝地，然這次商展主辦單位苗頭不小，居然獲准在忠烈祠舉行，可謂異數。忠烈祠顧名思義乃神聖、莊嚴場所，商展放在裏面，每天打鑼、吹號、唱歌、窮叫亂嚷。難道先烈們英魂還需康樂活動一番嗎？做後代子孫的我們——於心又何忍乎！

新聞記者號稱「無冕之王」，職業清高，素受外界尊重，怎可打着招牌去與商人合作做生意；抑或是為了會員福利，記者忝為一份子，頗覺大可不必，弄不好虧了本又該怎麼辦？那不是「賠了夫人又折兵」？到底我們是要筆桿兒的哩！況南市記者公會創辦迄今約廿載，除年節各摸彩一次外，其眞正潦倒的會員，亦未見實際福利，但商展內代表記者公會的，都是少數大牌記者，挺胸凸肚，儼如商賈。最使人發噱的，上月卅日週末有台北某報記者孔××，當衆批評商展辦得如何糟糕，語涉南部某報記者歐陽××，雙方皆沒有接受批評的雅量，於是演出一場「鐵公雞」，打得鼻青臉腫，參觀商展顧客圍觀看熱鬧者近千人。當時雖經在場警員勸開，兩後是否就此完事，向未可知。

此次商展還有漫長的時間，開幕迄今約有二十多天光景，尚剩下一些攤位。據傳聞：門票收入倒可觀，入場券一元是免稅的，稅捐機關亦怨言嘖嘖，既不收稅，每天尚須派員盡免稅之章，有苦說不出。是否利用記者公會招牌，而取得免稅特權呢？

瀛海異聞錄

倫敦人車擠迫萬苦

·桑雅·

倫敦和世界其他許多城市一樣，面臨着由於人口增長而引起的各種麻煩，特別是住屋不足和交通擠迫的困難。為此，倫敦市當局不得不採取某些緊急措施，其中包括：不准在倫敦建立新的工業和辦公大樓；鼓勵倫敦人搬到三十哩到六十哩以外的城鎮和鄉村；增加泊車費，考慮徵收使用交通擠迫街道的特別路費；擬建一條新地下鐵道綫和來往城郊的工門[illegible]等等。

在最近十年裏，英國的工商業更加集中到大城市。單是倫敦市區交通最擠迫的各個區，就增建了總共有近二十萬人工作的辦公大樓。與此同時，人口也更集中到大城市去，因此不得不相應發展大城市的郊區及其附近的鄉鎮，以便讓在市區無法找到住屋（許多是負不起昂貴的房租）的人搬到那裏去。在過去十年裏，由倫敦市區搬到郊區及其附近鄉鎮的居民，就有六十萬人之多。市區的辦公大樓和居住郊外的人成正比例增加的結果，造成了來往市區和郊外的交通更加擠迫。因此，來往倫敦市區和郊外的工間車輛大大增加了。目前，除星期日和其他公衆假期外，估計每天有一百三十萬人以上要由郊外趕到倫敦市區上班。這些人中約有九成是坐共公車輛入市的，但是自己駕車返工的數量也陸續增加。估計每天有一百萬以上的汽車進入倫敦市中心，其中約三分之一是過路性質，但其餘的三分之二却是整日停泊在倫敦的。因此，市內本身的交通問題也十分嚴重，而且是愈來愈頭痛。

為了解決交通問題，目前大倫敦當局已擬訂出幾項長期計劃，其中包括：加速分散倫敦的辦公室和工業；逐步加强限由郊外坐私家車到市區返工的人數；新建一條耗資十二億元（美元，下同）的公路，避免不必要經過倫敦的車輛駛經倫敦，並方便必要駛入倫敦的車輛；擴大和改善公共交通運輸的系統。此外，當局還希望把大規模的建屋計劃，移到距離市中心三十哩到六十哩的鄉鎮進行。這些計劃的一大目標是希望在一九八一年以前，使一百多萬人搬出倫敦市，以便把倫敦市的人口，控制在目前的水平，即八百萬多一些。

但是，專家們對倫敦當局的這些長期計劃表示懷疑。他們說。要實現這些計劃，首先需要大量的金錢，特別是需要英國政府對這些計劃的財政支持。而今天，英國政府困難重重，許多公共開支也不得不受限制，連私人建築計劃也不受鼓勵，真是談何容易啊！

不過，對於一些無須耗資甚至可以乘機刮龍的計劃，倫敦當局却是不遺餘力的。例如分散計劃的執行就加緊了。自去年十一月以來，已禁止在倫敦建築新的辦公大樓。根據議會通過的一個新法案，只有在特別情況下，才准建築這類大樓。而在倫敦建築新的工業樓字，也已受到管制了。對於增加泊車費這個有利可圖的計劃，更是雷厲風行。按照已經擬出的計劃，汽車停在設有吃角子機的地方，每一小時的收費將由原來的七分增加三倍。

倫敦當局還在考慮另兩個刮龍的計劃，一個是規定每部汽車裝配計算表，紀錄汽車在一定時間內駛經某些地區時應收的費用，藉以「減少」上落班時間某些熱鬧街道的擠迫情況。據說，此項計劃一旦實施，上落班時間經過那些最擠迫的街道，將徵收很重的路費。另一項計劃的規定駕車人士如要駛車經過倫敦市中心，必須領取特別「派司」，每張「派司」的有效期是一年，費用可能達到四百元。

本來，比較能解決實際問題的計劃，是擴大和改善現行的公共交通系統，包括巴士、地下火車和郊區鐵路在內。其中最重要的是建築一條新的地下鐵路，把倫敦市區和北郊聯繫起來，這條鐵路大約需費一億八千萬元。其次是擴大地下火車和工間車鐵路服務，以便容納另外四十五萬上落班時來往市區和郊外的人。但是，擴大和改善公共交通系統的計劃，需要龐大經費。目前財政拮据的倫敦當局看來很難辦到。專家們甚至認為，縱使上述計劃一一付諸實施，也未必能徹底解決倫敦的交通擠迫問題。據說連計劃設計人也承認這一點了。

蘇東坡嗜食有「經」

雖常食肉　也愛吃素

胡資

於是東坡寫了一首詩以解嘲：「遠公沽酒飲陶潛，佛印燒猪待子瞻；採得百花成蜜後，不知辛苦為誰甜。」在「東坡志林」記有蘇東坡說過的一個笑話：有兩個窮漢互相表示自己的願望，一個說，我生平吃飯和睡覺都不足，要是一天發達，吃飽了就睡，睡夠了又吃。另一個說，我吃完了又吃，那裏還有時間去睡。後者完全表現出東坡的好吃本色，這雖然是一則笑話，也代表了他的為人風格和生活趣味。蘇東坡喜歡吃筍，也許在別人來說，吃筍是有點風雅的素食，但東坡却坦白地表示自己喜歡用猪肉炒筍，他有一首詩這樣說：「無肉令人瘦，無竹令人俗；若要不瘦又不俗，頓頓還他筍炒肉。」你看他寫得多麼風趣。

蘇東坡雖然嗜肉如命，但並非一個惟肉食主義者，他也喜歡吃素，有兩個為素食家常提到的素菜可能是他創造的，那就是東坡羹和東坡玉糝羹。關於東坡羹，他這樣說過：「不用魚肉五味，有自然之甘；其法服松、蔓菁、蘆服，皆揉洗數過，去辛苦汁，先以生油少許塗釜緣及瓷盌，下菜湯中，入生米為糝，及少許生薑，以盌覆之。」這裏所說的疏菜即今之白菜、生菜和蘿蔔。這個素菜有點似燴雜菜，可以想像，菜根之香，沒有比他更濃郁的了。東坡玉糝羹主要原料是芋頭，也許你不能想像這種素菜羹有何美味可言，對我來說却是很能體會個中美味的，舊時我有過一段日子在四川北部山居，常挖了新鮮的芋頭煮羹，雖然我的烹調法不等於東坡的烹法，這種山廚野蔬的風味之佳，正如東坡所說「色香味皆奇絕」。不過這種風味不是每天非大魚大肉不可的人所能領畧的。請看看東坡怎樣推崇他的芋羹就可以了解這個素菜的美味了，他說：「香似龍涎仍釅白，味如牛乳更全清；莫將南海金虀膾，輕比東坡玉糝羹。」（下）

「磚」的古今中外

·林朗·

磚無論在古今中外，也不論什麼原料製成，即使是「金磚」，它們的形狀總是四方的（否則就不能叫它做「磚」），極有意思的是：人們往往將一些公正拘謹之士（至少是不肯隨便附和的），稱之為「四方的」，與圓滑的「八面玲瓏」成為鮮明的對照。

「四方的」本來多少還有幾分稱讚之意，經過引伸和轉借，便一變而為「方得像磚一樣」，簡而言之，就成為「磚頭」了。一旦成了「磚頭」，便是說他「呆頭木腦」、「笨拙」、「死板」、「踢一腳滾一腳」……總而言之，「磚頭」與呆子相差無幾，如果說這個外號不意味着這個人是「白癡」的話。

不過也有人情願叫做「磚」，這自然不是風雅的齋名、室號，而是日常使用的名字，據說，後漢書的作者，南北朝時劉宋出名的學者范曄有個名字叫「磚」。這倒不是說他是「四方的」，而是因他母親生他時在廁所分，被一方磚打傷了產婦的頭，母親便給新生的嬰兒，取名為「磚」，以資紀念。可以肯定是范曄本人對這個小名，至少沒有很大的反感，否則他這個名字便不會在史籍中流傳下來。

西方也稱正人君子為「磚」。英國薩克雷的名著「名利場」中便有「林肯是一塊磚」之句。英文中最早以「磚」為讚美詞的據「牛津字典」所錄是一八四〇年的巴蘭。其實，西方將正直的人比擬為「磚」，可以稽溯到亞里斯多德的時代，這個「斯塔采拉佬」（亞里斯多德是斯塔采拉城人，因而在哲學史上，「斯塔采拉佬」便成了這位哲學家的代詞）在他的「倫理學」中給「快樂的人」下的定義是：「一個完整無缺的立方體」，這自然是指磚而言。

直接以「磚」來稱讚人，還見於比亞里斯多德更早的斯巴達的歷史。公元紀元前八百年左右，斯巴達有過一位國王兼立法者名叫萊克斯，他以為在城市的四周建造城牆完全是浪費，因而當時的斯巴達是沒有城牆的，這在當時人的心目中，是與不設防無異的一大怪事。一次，一位外國使節問萊克格斯：「斯巴達為何沒有城牆？」這位國王說：「不！我們有城牆，你如肯和我同去，我可以將我們的城牆指給你看」。於是這位使節在萊克格斯的陪同下，來到斯巴達的練兵場，這位國王指着一行行被檢閱的斯巴達士兵，向他的客人說：「這就是斯巴達的城牆，一個人便是一塊磚頭」。這古老的西方傳說還有其他的說法，總的說來，都無非是我國成語「衆志成城」的另一種表達方式。

「磚頭」守城還見於京戲「空城計」，當諸葛亮坐城樓唱出「城內早已埋下了十萬雄兵」時，飾「老軍」的兩名丑角一個說：「真的，看過去盡是人頭」；另一個跳一下，接句道：「有的盡要磚頭」。這句插科打諢的話生動地襯托出了城真是空的。這說法正好是古斯巴達人的反面——以「磚頭」來比擬「人頭」，拿萊克格斯的話來說，便是在諸葛亮運籌帷幄之下，一塊磚頭就是一名能夠殺退敵人的精兵，這似乎也可以算是東西方有關磚的比擬的又一巧合。

清代水師整建紀詳

羅雲

五十三年，由浙江福建二省船廠，造大戰船六艘，由海道至奉省，駐防海口。金州水師營，隸於城守尉，水兵僅百人。吉林水師營，順治年間設四、五、六品官，光緒十四年增設總管一人，四品官二人，六品官二人。齊齊哈爾水師營，於康熙廿三年設總管一人，四品官二人，六品官二人，造船四、甲、六品各一人，領催八人，水兵二六八人，後增至五六八人，大戰船二艘，二號戰船十五艘；康熙四十年，撥歸黑龍江十艘；雍正間撥歸墨爾根六艘，實存大小戰船二五艘，江船五艘，划子船十艘。黑龍江水師營，於康熙廿三年設總管一人，五、六品官各二人，領催八人，戰船三十艘，水兵四九〇人；四十年自齊齊哈爾撥船增之，凡大號戰船十艘，二號戰船四十艘，江船十艘，划子船十艘。黑爾根水師營，於康熙廿三年設四品官一人，五、六品官各二人，領催一人，由本城協領兼轄，凡戰船六艘，水兵四三人，嗣於雍正間增戰船六艘。

（三）山東省：

順治元年，始於登州府設水師營，領以守備千總等官，凡沙唬船邊江船十三艘，水兵三八六人，駐紮水城；分防東西海口。十五年移沂州鎮於膠州，改膠州水師為陸師。十八年移清鎮於登州，以隸屬城守營之水師，改為前營水師。康熙四十三年，增設游擊二員及守備以下各官，增水師為一千二百人，改沙唬船為趕曾船，數為廿艘，分防東西海口；東至寧海州，西至萊州府，分為前後二營，各專其職守。四十五年以前營水師移駐膠州，巡哨南海；後營水師駐水城，巡哨北海。五十三年裁去後營經制員弁，並裁水師七百人，撥趕曾船十艘赴旅順口，僅存前營水師游擊等官，趕曾船十艘，分南北二汛，以游擊守備分轄兵船之半。雍正七年，每船增兵十人，南汛曾船四艘，北汛居船四艘，北汛增將弁一人。九年，又增居船三艘，增兵一九〇人，每居船共配兵四〇人，南北汛各五艘。十二年增將弁六人，又於成山頭，增設東汛水師，抽撥南北汛趕曾船，雙蓬船各一艘，分配戰守兵，撥南北汛將弁四人，配船巡哨成山馬頭咀一帶。與各汛會旗，總歸前營水師管轄，以本鎮統之。其定制為：①前營水師游擊守備各一人，千總二人，把總四人，外委千總二人，外委把總四人，水戰兵八〇〇人，守兵二〇〇人，趕曾船十艘，雙蓬居船十艘，每船各帶脚船一隻。②南汛駐膠州之頭營子，游擊一人，把總二人，外委千總把總各一人，趕曾船四艘，雙蓬居船四艘，共配守兵四〇〇人。③北汛駐登州府水城，定制同上。④東汛駐魚池，定制同上。

（四）浙江省：

順治初年，置杭州協錢塘水師營，設守備各官，兵一五〇人，鱉子門汛兵七九人，新城汛兵三一人，塘棲汛兵九三人，錢江汛兵七七人，富陽汛兵一五〇人，守防河莊山唬船四艘，運河內河快唬船十一艘，錢塘江渡馬船六艘。雍正二年置乍浦水常營，以定海鎮右營改歸乍浦，設參將各官，水戰兵二四〇人，守兵二七六人，戰船十艘；內洋岑港，轄洋面汛兵三十三人，內洋瀝港，轄洋面汛兵十五人，內洋岱山，轄洋面汛兵六十九人。嘉興協營，設副將各官，駐防府城，兵四三二人，快唬船五艘；海鹽汛兵一七五人，快唬船三艘；乍浦汛兵二一三人，快唬船二艘；敢浦汛兵百人，快唬船一艘；石門汛兵一一〇人，快唬船四艘；相鄉汛兵七六人，快唬船二艘；濮院汛兵六一人，快唬船三艘；新城汛兵四十人，快唬船艘？平湖汛兵九九人，快唬船三艘，王江涇汛兵五六人，快唬船二艘。雍正十年，裁撤快唬船二十艘，改造大號巡船二十艘，小號巡船二十艘，分配各汛。湖州協營，設副將各官，駐防府城兵四七六人，快巡船十六艘。（九）

國劇繽紛續錄

娑婆生（三十八）

少安謀振作（續）

最近聞說少安在招兵買馬，自組劇團，還是好音。據傳他有自知，已商請金素琴，而大姐也閒住無聊，業經首肯。不過素琴很知長期來演，不免影响健康，要其再約陳美麟，也已允隨時相助。至於其他閒散名角，亦多半允可，萬事俱全，只欠東風。所謂東風即衣箱行頭問題，不易解決。蓋以能用者，未必肯借租也。

少安此次辦法極爲新穎，是論場計值，不是每月包銀，就比以往的金馬劇團爲高明。無事的角兒，一月唱三場，得酬一千或八百，也不無小補。因此不感到費用的龐大。但是待人接物，處事理務，必須「和爲貴」，「謙受益」爲原則。做領導人，不是資本家態度，達到沆瀣一氣，庶可發揚而光大，不致半途而中輟。因有一日之雅，故爲言之。

電視的清歌

北市伶票會串，已有二年多未辦，因爲清唱多不願去試。但有特別紀念，仍甚踴躍。電視公司自成立迄今，尚未有大規模的舉辦，此次九三敬軍，來一次票伶大會串，而票友佔三分之二，爲一可喜之事。以其觀念重視票友，不過仍有遺漏。如雪公、英奇、蓟薪、聯馥、味耕、季明、七雲、逸鳳、吳梅、玉英、麗陸、田父、文漢、仲呂、博悟、書芹、規珹、曼雲、嘉有、林永、承潤、玉芳、殿娟、宗達、閣東、季政、韡春、全英、著唐、德良、鳳仙、曼華、鎭宇、嘯天、先禮、倩文、啓英、嚴行、文蔚、羅倫等，約四十人，當然這些全請，那是祇可限於名票而無伶。而青年票友僅張昭平、張昭泰、蕭翔鶴三位，確是俊才不錯，難道其中找不出旦角淨角的人才？就以上的分析，不免有些滄海遺珠，美中不足。也許經辦的執事先生有兩種說法：（一）人太多無法容納，是實情。（二）以各個人比較接近的關係，不太熟的就不請。可是電視公司應做到盡其在我，以示周到。假使有人說，你們瞧不起他們，也未始不可。再本公司自己的社員，如惠羣，再勝，胡喬，爲何也不露？至於名伶方面，就會串的情形，也祇有金棠、渝蘭、愛蓮、復蓉、蓮芝、曾禧、復冰、復䴗、復慧，這幾位到是多采多姿，可惜是不全。這樣敬軍的偉大題目，奈何台北的名伶僅如此，爲何未找素琴、美麟、慧芬、正芬、驪珠、正榮、徐露、方雨、元章、佩瑜等參加？是否她（他）們多有事，不能爲公，也就難了。（未完）

「上帝在那裏」

· 胡子遐 ·

馬五先生：

每期自由報到手，我總是先讀自由談，這就可以表示我敬佩先生的宏論。不過第六〇〇期「知識即是煩惱」一文，我不能不表示一點異見。

誠然近世紀來，科學猛進，人類確已揭開許多宇宙的奧秘；但若就以這點成就，便教「人世間一向信奉上帝主宰着人類生死禍福的宗教徒，大爲吃驚之餘，更增加了無限的煩惱」，就以我這個基督徒來說，決沒有如此。所謂宇宙，浩瀚無涯，人類到現在到底知道了多少？我曾向一位教授先生請教過，我請他解釋大小二字，何種程度？我說：「如果能具體解釋這問題，我就不信上帝；否則請你也信奉上帝」。他的回答是：「所謂大，是大而無外；所謂小，是小而無內」。我說：「我請你講科學，怎麽跟我講起哲學呢」？彼此只好一笑了之。

至於說到「上帝在那裏？天堂又在那裏？」不錯的，聖經曾描繪上帝公義與仁慈，天堂的聖潔與華美；舊約曾紀載所羅門王如何爲上帝建造聖殿，但所羅門建殿完成之後，立刻便發出感歎「上帝眞要住人手所造的殿嗎？」「這不過是爲我民禱告的地方」。耶穌自己傳道的中間，曾指着耶路撒冷的聖殿告訴猶太人：「你們拆毀這殿，我三日內要建造起來」！當時聽到這話的猶太人，都認爲耶穌狂妄，何以他們祖先費了四十六年之久才完成大殿，他能用三天時間就建造起來呢？後來他的門徒才明白，這是耶穌指他死後三日復活，爲上帝另造活的殿宇而言。這極大的奧秘眞理，使徒保羅在寫給哥林的教會信徒書信中，就有淸楚的昭示：「豈不知你們就是上帝的殿嗎」？這是指上帝的教會而言。而教會並不是禮拜堂，而是信徒的聚會。又說：「豈不知你們身體就是聖靈的殿嗎」？這是指信徒個人肉身而言。使徒彼得有更淸楚的解釋：「你們就像活石，被建造成爲靈宮」。以弗所書又說：「有耶穌基督爲房角石，成爲主的靈殿」，「成爲上帝藉着他的靈居住的所在」。因此，今天如果問我上帝在那裏，我的答復「遠處不可知，近處就在人的心裏」。天堂在那裏？「有上帝同在的地方就是天堂」。

現今許多人以爲科學萬能，故而不信有上帝，也認爲人不需要再信上帝。既然萬能，何以就不能安靜這小小的人心？除去人心裏的苦痛與煩惱？反過來說：「我們因爲多明白一點有關神方面的知識，故而不敢不信上帝。由於我們敬畏上帝，就不敢不敬虔自守，因此我們得享受心靈的寧靜，不爲煩惱所苦。「回到初民社會」，「不做什麽，不說什麽，不想什麽：」，事實都是不可能的事。回到上帝前面，只在一念之間，未知先生以爲如何。

民國五四年十一月十八日于台北市

馬五先生曰：我對中外任何宗教，皆未曾皈依過，但認爲任何宗教都是勸人爲善去惡，給人們在精神上一種寄託。佛學家謂心即是佛，與胡君所說上帝就在人的心裏之旨契合，皆爲形而上的精神生活動態，是人類文明的一種內燃力。我指出人類把太空奧秘揭開之後，對舊有「上帝」「天堂」問題，難免發生疑問，因而增加煩惱，乃完全本諸科學觀點而言，然人類生活決不能專靠科學以創進最大的幸福，物質關係必須配以精神作用，纔可望止於至善，否則宗教家所謂世界末日，必然實現。所以，胡君的見解我並不反對也。

處誹謗之道

吳文蔚

此事傳之廉頗，頓時滿面羞慚，甚感無地自容，自己責自己說：「藺相如太偉大了，這都是我糊塗，該死！該死！」遂袒胸露背，負鞭前往，去謁相如，任相如處罰，自責曰：「我粗魯鄙野，不明大體，得罪先生，而先生如此寬恕包容，實該萬死，請先生處之」！相如急扶起他，二人握手言歡，拋盡前隙，從此十分和好，共負趙國的安危。這是一例。

再以郭子儀與李光弼的故事爲例。唐天寶年間，郭子儀與李光弼同任牙門都將於安思順部，二人政見不和，雖同席進餐，輒不交一語。後子儀大用，光弼認爲恩怨之間，隱有殺機，乃趨拜子儀泣淚叩道：「將來我死不辭，未知能請免妻兒否」？子儀聞言，急扶光弼於堂上，驚曰：此胡云乎哉？國難至此，非賴君助，我豈能東征，尚何私怨之可言？」至此，前隙盡除，歡若平生。未幾，子儀薦李光弼爲河東節度使，分朔方兵一萬，歸李光弼指揮，二人計議，合力討賊，大破史思明於九門城南。此爲安祿山造反以來之第一次挫折。賊知朝廷之威望尚存，不敢輕覷，由此賊膽稍戢。此役關係全局至大且巨，同時也奠定了以後收復兩京的基礎，唐室賴以驚而無險，復保社稷之完整。郭子儀之功，實大矣哉！

民國初年，山西有一家報紙當撰文罵北京政府與山西當局說：「袁世凱與閻錫山，厥罪維均」。當時，北京政府秘書長梁士詒見了，曾函囑將該報查封。山西督軍閻錫山覆之說：「該報若僅罵總統，自當遵命；惟其中亦有我，故不敢不留一個批評我的報紙，以作有所警惕之借鏡」。

閻伯川先生對誹謗一事，概持自省之態度以處之，其語人曰：「人謂有毀謗者，吾常不信，不辯，不氣，而反求諸己，借以自省焉，有則改之，無則加勉。我不怕人毀謗我，我只怕我毀謗我自己。叔孫武叔毀仲尼，子貢雖沒說出毀謗些什麼；我想人之毀我，未必比叔孫武叔毀仲尼毀的還重。叔孫武叔沒有毀了仲尼，其人又如何能毀了我」？（三）

西施

「影劇與歷史」之十三

周遊

伍子胥說完，毅然自刎而死。子胥之死，吳國如倒下一根擎天柱，吳王夫差的江山也很快的完了。等到死者回報吳王，並將子胥死前的話禀告吳王，夫差怎會照他的遺言去做，反而將其屍放在馬皮做革囊裏面，沉入江中，吳王纔出了一口氣。

子胥自殺（實際是賜死）後，吳王以伯嚭遞補相國的缺。伯嚭這人前面已有所介紹，他十足是一個小人，見利忘義，十分媚外。所謂小人當道，君子道消，小人道長，國事焉有不敗壞的道理？吳王夫差自子胥死後，更是毫無忌憚，窮兵黷武，實行霸道，積極向北方侵略，挖通邗溝，把長江和淮水溝通，直接通到北方的宋、魯之間，北至沂水，西至宋水。吳王親領大軍北征，邀了魯衛二君爲衛星，會合定公於黃池（即今河南封邱縣），周敬王也派了代表單平公前來監視。吳、晉兩國在黃池僵持得很久，得不到結果。兩國都想效法過去五霸的故事，成爲霸王。

伍子胥死後，越王勾踐已經開始策畫攻取吳國，志在雪恥復仇。不久情報傳來，說吳王親率大軍會盟黃池去了，國內只有吳太子友、王孫地及王孫彌庸等人在都城。吳都中只是一些老弱殘兵。於是越王勾踐就在周敬王三十八年（西元前四八二年），下了總動員令，開始反攻。越王遣了前鋒二千死士，由大夫范蠡和后庸率領，逆水而上，以絕吳師之歸路。吳王太子友迎敵之，被越軍大敗於姑熊夷（即姑蘇的郊外），太子友、王孫彌庸、及大將壽於姚，奮戰而死。王孫地只好退守城池，越王勾踐親率大軍四萬餘，皆屬訓練有術的精兵，逆江而上，直攻吳都城下。見吳軍退入都城，便將水軍駐在太湖，陸軍紮在吳都郊外，派人焚燒姑蘇台，燒了一個多月始燒光。這一當代華麗巨構，吳王費了五年的時間修成的，就這樣一旦化爲了灰燼。這也是驕奢淫佚的報應。勾踐又把吳國的大船，開到太湖，編爲自己的番號。（八）

火柴今古小談

· 資輯 ·

火柴在而今的香港便宜得很，往往還不須花錢去買；買香烟固然附送火柴，有些酒家飯館也送火柴，前者是「與人方便」，後者是「以廣招徠」。總之不必另外花錢。以往卻大大不同。

五十歲以上的人，該還記得淸楚，在四十多年前，通行於國內的火柴，不是現在這樣的黑頭，而是紅頭。紅頭火柴隨便在什麽地方都可以擦得着火，因此，它的危險性很大，衣袋裏有着一盒火柴，如果不小心大力的撞擦一下，就可以爆炸。尤其是夏天穿單衣的時候，袋着一盒火柴行走於烈日之下，一經輕輕磨擦，便會立時爆發。你以爲它的本質太乾燥嗎？卻又不然，一到陰雨天氣，它就會潮潤得擦不着火來，上面的燐頭隨擦隨脫，可能擦完成盒的火柴也擦不出一星火來。

更危險的是：紅頭火柴毒性很大，吞進兩三盒火柴頭便足以致命，在那個時候，往往成爲藉以自殺的毒物。現在的黑頭火柴，大約到民國成立後十年左右才普遍通行，那時候稱爲「安全火柴」，俗又稱爲「文洋火」。除了在盒兩側的沙紙上可以擦着之外，其他任何地方都擦不出火來，即使用力敲擊磨擦，也不會爆炸，吞了它也不會毒死人。因之紅頭火柴就無法立足了，也就逐漸絕跡了。

火柴的發明人，據英文文摘的記載，是約翰·活克先生，他原本是一個習醫者，後來改習化學，對於磨擦生火的物理，可謂研究有素，所以他發明了火柴的製法。

最初火柴的製品是很粗糙的，通行於市場時是一八二七年，一時很受人們的歡迎。不過因爲有時擦不出火，不免使人有未能盡善盡美之感。又過了四年之後，由一個法國學生查理士·素利亞的加以改良，才成爲易於着火的火柴。

我們中國人在沒有火柴以前，最原始的取火方法，當然是「鑽木取火」。漸漸的進化到用鐵片在石頭上打火，稱爲「火刀火石」，用得熟練的人，就和擦一支火柴那麽便利。所以直到第二次世界大戰的前夕，國內有些比較偏僻的地區，人們仍然是常用火刀火石取火的。

打火機雖然新穎豪華，不但使火刀火石更落伍，連火柴的地位也動搖了。然而，在目前，火柴仍然可以立得住足的，這是因爲打火機必須常換電石加電油的條件限制，在它沒有極度使用便利之前，火柴仍然是有存在的必要的。

最後再說說火柴的名稱，叫「火柴」最普遍；其次的叫「洋火」；又有地方叫「柴頭」；叫「洋煤頭」；叫「燐寸」；叫「自來火」。北方人叫得最有趣，叫「取燈兒」，教人有似解非解之感。

自由報
內政部台報字第〇三二號內銷證
THE FREE NEWS
第八〇六期
中華民國僑務委員會頒發僑台發新字第三二三三號登記證
中華郵政台字第一二八二號執照登記為第一類新聞紙類
（每週星期三、六出版）
每份港幣壹角
台灣零售價新台幣貳元
社長：雷嘯岑
督印人：黃行言
社址：香港銅鑼灣高士威道廿號四樓
20, CAUSEWAY RD 3RD FL. HONG KONG
TEL. 771726　電報掛號：7191
承印者：大同印務公司
地址：香港北角和富道九六號
台灣分社
台北市西寧南路壹叁號二樓
電話：三〇三四六
台郵撥儲金戶九二五二

戶警員正需要合一嗎

·南天·

一、戶警業務聯繫事項。

二、請領國民身份證之會核事項。

三、戶籍登記申請書副份之稽核轉發事項。

四、補辦戶籍及行方不明案件之會核事項。

五、戶籍罰鍰案件擬議之會核事項。

六、戶籍人員訓練進修之擬議事項。

七、戶籍人員任免、升調、考核、獎懲之擬議事項。

（五）查記辦法第二十五條，戶警有關業務以鄉鎮區（市）公所為聯繫中心，由警察人員兼戶籍副主任負責，依左列原則辦理之：

一、戶籍機關受理戶籍登記後，應將申請書副份立簿登記，當日送交警察人員兼副主任稽核，並即日分送有關警察派出（分駐）所。

二、警察人員查察戶口，發現錯誤、遺漏，或違反戶籍法等情形，除應催告當事人或戶長申請補正外，另以聯單通知警察人員兼戶籍副主任，依憑以送交戶政人員依法處理。

三、戶警人員處理業務，發現可疑事項，應通過警察人員兼戶籍副主任分別通知之，作迅速之處理。

這是四十五年七月實施的戶政管區與警察區合一辦法，連繫配合不為不周密，其賦予警察副主任的職權不為不大，如為行方不明或對地方治安亦應收到良好的效果。但日久生厭，他們由少來，而於二年前乾脆不來戶政單位執行副主任的職責了，所以行政院於本（五四）年九月即將警察副主任一職明令撤銷了。

現在又為治安問題，擬將鄉鎮戶政人員及經費歸併警察機關，實施戶警合一制度；自這消息傳出後，立即成了大眾茶餘飯後的討論話題，這裏且看看民意代表的反映。

民意代表的反映

本（五四）年十一月十九日大華晚報二版載「戶警合一」掀起風波。因台灣省議會三屆六次大會時，大多數省議員對於正在研究中的「戶警合一」均表示反對，因此民政廳長陳錫卿便成為大會中抨擊的對象，警務處處長周中峯也受波及。省議員們的意見：現行戶籍的行政管轄是由各鄉鎮區（市）公所辦理，二十年來，成績還算不壞，奠立了我國戶政的基礎。如果一旦改為警察機關接辦，勢必引起許多麻煩。同時戶籍管理工作，關係人民權益至鉅，民政機關主辦戶政比較合情，合理，合法。

周中峯處長在省議會答復省議員說：「戶警合一」的目的，旨在使國家的安全更有保障，不但使壞人無漏洞可鑽，而且無形中加強了保密防諜工作，破案率更可隨之而提高。

本（五四）年十一月二十五日台灣日報二版載：「戶警合一」計劃，監委表示反對。」監委葉時修在監察院二十四日檢討會中，大聲疾呼，反對台灣省政府擬議中的戶警合一計劃。葉時修說：「根據省府的計劃，是把現在由鄉鎮公所辦理的戶政，劃為警察機關辦理，人員經費亦同時撥給省警務處。這是不合法的，因為「戶籍法」中規定，應由鄉鎮公所辦理。戶政是民政的一環，不可以劃歸警政。那麼一來，我們便成了警察國家；如果行政院通過了這個計劃，監察院也應該依法提出「糾彈」。

民意代表是人民的代言人，是大衆的呼聲，更是社會的輿論，不應忽視。

得失影响

任何一種法令實施，或是改革，都會遭遇到許多人的反對，戶警合一當然也不能例外。但我們從客觀的事實，加以分析，看看它的得失，是否適合大衆的需要，就可以了。茲再分析如左：

（一）不能因小失大：我們知道戶政的功能，在今日是多方面的，一個法治的國家，什麼都要憑證件，今天，更顯得它的重要了。例如經濟計劃，人力發展，防疫，救濟，就業，出生，各種證明，選舉人名冊等；無一而非戶籍。如果僅為治安而將戶政併入警察機關，豈不因小而失大，忽視了戶政在他方面的功能。這樣，人民申報戶籍，申請印鑑證明，固然要跑警察機關，還有他如主辦地方自治，選舉，民政，辦理稅捐的財政及兵役，是否亦將歸併？或天天跑去警察機關抄資料？這也應是首先考慮的問題。

（二）治安第一：說治安第一，有人說治安搞不好，大家的生命財產都沒有保障。不錯，除了強盜，士匪，共匪以外，人人都需要安居樂業，度其快樂昇平的生活。須知壞人畢竟是千萬分之一，絕大數都是好人，我們不能因萬分之一的壞人，而隨便行使一種戰地的法令，如收復區的戰地，那又當別論。何況今日台灣治安並無不好，不應因少而失大。

（三）便民第一：民主國家的政府是為人民服務的，人民是主人翁，官吏都是公僕。誠如陳副總統說「人民至上，民生第一」。現在民選的地方首長，上任第一課要求「便民第一」，故人民向鄉鎮申請證明文件時，開口要閉口到，辦遲了，吹鬍瞪眼，甚至拍桌吵鬧，戶政人員只有和顏悅色的安慰，即速趕辦。這種人民至上的眞正民主精神，只有到鄉鎮戶政單位才可以看到。如果歸併警察機關以後，這些戶政人員躍身一變而穿上警察制服，掛上一毛三的官階，神乎其神的坐在衙門公案上，擺起警察的架子，似理不理，對人民申請案件，隨便給他拖個兩三禮拜，人民還敢向警察拍桌叫罵催他們趕辦嗎？眞如此，他不以妨礙公務，給關起來才怪咧？因此戶警合一以後，再想作到便民，那是不可能的事，這是可想而知的。

（四）委民畏警：再從一般人民心理分析，警察是人民的保姆，他代表政府給予人民生命財產的安全保障，好人固然都愛他、敬重他，與鄉鎮戶政人員比較，則人民儼然以主人自居，以選舉支持者功臣自大，則寧願與戶政人員共往來，而不願與警察打交道。至於壞人，他們怕警察，躲避警察，所以戶政人員如發現行方不明人民來申報戶籍或補辦戶口校正時，要他去警察派出所蓋個章來（警察通知戶政單位），他寧肯不要戶籍，不去警察派出所請求蓋章來看，戶警合一以後，由於畏警處罰，逃避的可能更多，適得相反的結果。因為有正當職業的人，都有一定的住所，全是好人，只有那些極少數沒有正當職業東跑西闖的壞人才沒有戶籍；壞人就是動的，動的不是戶政的責任，完全要仰賴警察隨時查察，這樣與戶警合一有何關係？即便合一，不去查察，仍然於事無補。

（五）最易引起誤解：戶警合一，雖然對國家安全更有保障，保密防諜工作更爲嚴密，但基於多數善良人民的自身利益，究不若在鄉鎮方便和隨便，且更容易引起誤解，說我們是一「警察國家」。我們能這樣開倒車嗎？

至於如何加強戶政管理，因限於篇幅，留待另文研討。

結論

戶警合一，無論就行政體系，或戶籍查記辦法，或民意代表反映，以及得失影响，其有無合一的必要，讀了上文以後，聰明的讀者，請你自己下個結論！

行不得也

屍海

今日與明日

美毛會不會打起來

據日本方面傳出消息，推測未來幾個月中，美國同毛幫可能要發生正面戰爭。美國增兵備戰，尤其美國可能在越軍事力將超過韓戰時期，決不是專對北越而發，眞正目標，還是在毛幫。這樣推測不為無理，問題在於打仗不是單方面的事，一面磨拳擦掌準備一戰，另一方卻只是嘴動，不肯動手，不肯出手，這樣仗就很難打起來。尤其是美國，向來不先動手打人，一定要等挨了打再報復；而毛幫也不肯動手，所謂大戰怎樣發生？

美國的真意

美國在越南的布署，確實有意迫毛幫出頭，因為美國國內有識之士都感到目前是消滅毛幫的最佳時機，過此不圖，若等其眞正製成原子彈，有了洲際飛彈，到時美國仍然要同毛幫作戰，雖然可以擊敗毛幫，但美國也要受到嚴重損失，到不如趁早下手更好些。毛共頭目當然也看透這一點，所以無論北越怎樣告急，決不敢公開參戰，只要抗議、警告、示威遊行一類的把戲，眞刀眞槍絕對不來；美國雖然擺好架式，也就落空了。

不過這種情形並非一成不變。也許美國有一天迫不及待，先向毛共下手，炸毀它的原子基地。但是却有一個先決條件，美國一定要知道蘇俄的眞正態度。

目前俄毛之間的衝突雖然趨白熱化，幾乎有爆發戰爭之勢，但是美國仍然感到猶疑，因為俄毛之間還有一個軍事同盟條約存在，一旦美毛之間發生戰爭，毛共一定會援引條約促蘇俄出兵，蘇俄到時態度如何，是美國最關切的。假若能了解蘇俄眞意，美國可能會先下手的。

日本消息根據

日本傳出這種消息，並說是軍方研究結果。實際上仍是「自由心證」。要以當年日本軍閥的心情來衡量毛澤東，必然是一個大錯。因為毛澤東缺乏日本軍閥那種硬勁，毛澤東只是鬥嘴，鬥筆而已，它決不敢老虎頭上捫虱，眞正動手的。

另外對於日本傳出此項消息的動機，還有一個另外的看法，大概是造此危言與美國國內左派相結合，促使美國早日在越南停火。因為今日東亞自由國家皆出兵出錢，協助越南抗共，希望美國這仗能打出公理正義來，獨獨日本人想法不同，恐怕引起大戰把日本捲入漩渦，所以乘機造出謠言以促進和談。但結果恐怕還是心勞日絀。（何如）

可怕的形式主義

馬五先生

自由談

凡是注重形式主義的社會，一般智識份子的心性多屬華而不實，虛矯誇誕，說話總是大言不衒，作事但求媚世悅俗，志在譁衆邀譽而已。

若夫一般搞政治的官吏們，一經沾上了形式主義的惡習，那就為害更大了。就行政官吏而言：他們滿腦子裝的都是所謂手續、體制、通例這類觀念，決不從便民、利民方面着想。一項芝蔴綠豆般大的事體，亦非經過若干層級的擬辦、簽註、核議、請示、行的種種繁複手續與程序不可；稍為重要的問題，更是張皇幽渺，像煞有介事的自我緊張，左一個小組會議，右一個工作會報，鬧上一年半載，還是徒託空談，沒有結論。表面上修言分層負責，而實際上大家都不負責，而美其名曰「法治精神」或「憲政體制」！

至於司法官吏的形式主義中毒現象，貽禍尤烈。他們遇事不問內容如何，專講「程序」，但求符合程序，對於實質即無所謂。不管怎樣嚴重的案件，只要在程序上玩弄妥當了，便不妨大事化小，小事化無；反之，即令是微末不足道的事情，亦糾纏擴張，終無了局；受害人含冤莫白，無可申訴，那是活該！

形式主義的一般社會，經浸潤薰陶後，自然形成相習成風，「毋忘在莒」「恬不為怪的口號，隨時高呼「革新、動員、戰鬥」的大標語，然其現實生活卻是奢靡浮華，逸豫苟安，誰也不把那些口號標語放在心裏，眞的當作一回事！

夷考形式主義盛行之所以然，一是人心偸惰，輿論消沉不起作用，以致正義不彰，是非混淆；二是法令滋彰，窒礙扞格；三是政風衰敗，官吏多不能、亦不敢實心任事，而以固位求榮，實行混世主義為主旨。形式主義普遍構成之後，整個社會即陷於麻木狀態之中，好人怵目驚心，力求逃避現實，以期消災遠禍；壞人利用機會，為非作歹，肆無忌憚，而將法律亦負之以趨，成為他的護身符或烟幕彈。

要想復興國家，必先剷除形式主義。欲求剷除形式主義，必須在政治上樹立親賢遠佞、虛僞不齒的作風，使官吏勇於負責，行己有恥，而疲玩的人心即隨之振作了。

談預算制度與執行上的幾個問題

本報台灣中部記者熊徵宇

特別是對各縣市預算的變易刪增以及追加與專欵補助等，該在科目上有公允的認定，在業務上有政策的一定衡量。而對各縣市預算的剔除，應該有一個透過各種角度討論後所形成的標準，絕不能憑藉對於業務的印象，作沒有肯定標準的刪除，就不致引起不平，多生枝節了。

省府化錢　該尊制度

更重要的，是省政當局在財政的支度上，要維護制度，減免廳處之間的偏差，多以「崇法」的事實，多昭信於全省人民，多以不浪費的事實支持「節用」的標榜。

能這樣，省議會自然沒有話說，人心就不會不平，風波自然也就沒有。我們做新聞記者的人，當然也無從寫出這篇報導了。

風雨如晦，雞鳴不已，但願台灣省政的司令台有鮮明的備戰旗幟，把渡海反攻的精神意念，傳佈到每一個角落；滌除那些不該有的政治現象。（三，完）

來函照登

一、本年十一月三日　貴報第二版登載台北航訊報導「郵政局內竟有衙門」消息，以台北郵局設立門衛，規定來賓入內會客或往公共關係室洽辦新聞紙類登記事項，須先辦理會客登記一節；查台北北門口之大廈內，除郵局外並有電信機構，為免局外人隨意出入，合設門衛，由郵電雙方共同管理，行之多年。如有訪客接洽公務進入該廈時，填具簡單之「會客單」，並無慢客之意，亦為目前各機關普遍採行之辦法，此種情形，當邀鑒諒。

二、至於新聞紙類申請登記案件，台北郵局問詢服務窗口亦可辦理。以上情形，敬請　查照惠予披露為荷。

台灣郵政管理局局長曹啓元啓

港廿三屆工展　攤位比賽揭曉

（本報訊）第二十三屆香港工業出品展覽會攤位裝飾陳列比賽，十一日上午十時舉行，工商業管理處副處長陸鼎堂偕同評判員何禮文夫人、則師司徒惠、宋凱沙，再三到各攤位品評，然後會同到聯誼廳核計分數。

他們經過縝密審議後，評定冠、亞、季軍及優異獎名次：冠軍為鼎大華昌金屬製品廠，亞軍永南有限公司（永勝恤），季軍鱷魚恤衫廠；優異獎：淘化大同公司、開達實業公司、邵氏兄弟公司、百明公司、捷和製造廠、九龍麪粉廠、新永福藥行、金錢熱水瓶廠、麥加工藝廠。

香港農展中鴿類出色

共二百隻分七大類頗洋洋大觀

（本報訊）十二月十一日開幕的香港農展會，像往年一樣，展出的品種，包括有農產，家畜，各種菓品，漁產，各類肥料，還有就是白鴿。

在各種展出的產品中，白鴿是被認為最有趣的一種。今年參展的鴿子約有二百隻，包括七大項，據養鴿專家何思寧表示，牠們是觀賞鴿，飛行鴿，賀姆鴿，肉用鴿，瓊鴿，中國肉鴿，中國飛行鴿等。這裏要介紹的，是觀賞鴿。

如果你留心的觀察一下，你會發現在展出的鴿類中，有很多奇奇怪怪的品種，有些色澤美麗，有些動作奇特，有些身上有怪異的花樣，有些根本就不像是鴿子。大約在展出的九十七隻觀賞鴿之中共有三十種不用的鴿子。茲選取其中一些較特殊的，簡略介紹一下：

黑鞍特別：牠的頭部像鸚鵡，咀句句的，一些也不像想像中的鴿子。全身白毛，只有背部黑色，黑鞍也因此而得名。

披巾鴿：這種鴿子最奇特的地方，表現在頸部，頸部的毛特別發達，而且四下裏撒了開來，就像一位婦女在頸部圍了一條巾一般。

囊頭鴿：顧名思義，可以知道這種鴿有囊頭之癖，行動的時候，鴿頭如裝彈簧，彈上彈落，非常之別緻。

禿頭翻跳：這種鴿子，擅於打觔斗，無論是地上或者是在空中，只要牠高興，便會突然的來一個鳶子翻身，姿態美妙。有人笑着道，牠們的遠祖，一定拜孫悟空為師。

灰網東方鶵胸鴿：身上有灰色網狀的羽毛，胸部的毛鶵起，最怪的地方，是頭部有一個尖冠。

紅喜鵲鴿：要是沒有專家特別指明，要是牠的頸部不是有些微曲突，要是牠顏色不是跟喜鵲不同，誰也會說，這是喜鵲，不是鴿子。

雪花肩尾鴿：羽毛作雪花狀，尾部奇特，像是火雞，更像孔雀開屏撒了開來。

棕尼姑鴿：禿頭，有背冠。

灰瑞燕鴿：這種鴿腳毛長達三寸，撒了開來，非常有趣。不過傳種極難，育養者必需先行將牠的腳羽剪去，才能夠進行傳宗接代的工作。

乃兄殺人　人殺其弟

上月底，喬治‧麥克勞林本人，也捲入暗殺行動漩渦之中，因謀殺一名年方廿一歲的銀行職員之罪名被拘控。顯然，他是殺錯了人，誤中副車。

當法庭開審之日，喬治的兄弟「笨齊」在赴法院聽審途中，又遭不知名的暴徒冷槍狙擊，連中六彈，橫屍街頭。

警方認為暗殺「笨齊」者，卜廸的嫌疑又是最重，但在警方尚在調查罪證，未來得及加以拘訊之前，卜廸本人也遭到了「果報」：那是在他度過卅五歲生辰的九天之後，在一條暗街上被人用獵槍打死，全身密佈鳥槍彈孔，儼如斑鳩。

尋仇火併　禍及無辜

卜廸與喬治，兩名黑社會大哥，一遭暗殺，一繫身囹圄，問題並未解決。他倆的死黨消遙法外，仍然互相尋仇，火併不已。

美國禮教之鄉波士頓　廿日發生卅宗暗殺案

兩星期前，喬治的一個死黨在該市查理斯鎮區被冷槍狙擊未中。一星期後，人們便發現卜廸的一個死黨在市北一條掘頭巷中被殺，腦後中彈，完結了這名慣犯的生命。

不到十個小時之後，一名看夜更者便在波士頓北部的隣市利維爾鎮「米奇老鼠酒吧」發現酒吧間侍者雷蒙‧狄斯塔蕭與廿六歲的紙盒廠工人尊‧B‧奧尼爾同被人暗殺身死，死因都係腦後中彈。

酒吧侍者狄斯塔蕭生前是與喬治的一幫黑社會最為接近，他遭敵黨殺死猶有可說。但青年奧尼爾却死得冤枉，他只是進酒吧來買一盒香烟，却因身在現場，遂被兇手一併殺死滅口。可憐他家中尚有嬌妻和遺孤四口，全靠他在紙盒廠中工作養家餬口，遭此飛來的橫禍，都不知此後日子，如何捱過。

連環暗殺　打破紀錄

在短短二十天內，接連發生了三十件尋仇暗殺案件，這不僅是波士頓市的空前紀錄，也打破了美國各大城市的「暗殺速度」紀錄。

波士頓警方被打個措手不及，竟不知如何下手辦理善後並防患於未然是好。

州當局雖下令嚴厲究辦不貸，其實只是官樣文章。人們心中有數，唯一辦法只有聽任黑社會各黨口之間自動解決，火併個水落石出，勝負分明。

波士頓環球報預言：「在一九六五年內，預料將至少發生六十件暗殺案，而警方與法律力量將無法阻止其中任何一件之發生。」

這並不出奇，因為連波士頓市的「第一號榮譽公民」、故總統甘迺廸被暗殺那樣大事件，至今猶屬懸案，只好不了了之。（下．完）

毛共導演印尼政變禍延華僑

——星加坡航訊——

因印尼共黨的「九．卅運動」而造成的印尼動盪局勢，其發展與演變已越來越對國際共產運動，特別是對北平式的共產運動，產生了最惡劣的影響。使到中共與其從前的老友——印尼——之間，不單反目成仇，甚至中共還學習一九六〇年蘇俄老大哥對它的榜樣，斷絕了對印尼的援助，其用意也是和蘇俄當年策略一樣的：「不幫助你這窮小子，看你就不就範」？印尼會屈服於中共的壓力之下，讓印尼共黨捲土重來嗎？熟悉印尼內情的人士以為，如果沒有代表印尼民族主義和伊斯蘭教宗教精神的一批陸軍領袖，在作為中流砥柱，則蘇班德里奧（外長）和蘇加諾之流，是甚有可能屈服於中共壓力之下，與印尼共黨妥協的。

正由於陸軍領袖所採的正確戰略，並不馬上雷厲風行的在全國展開全面的清共，而是各個擊破，逐個逐個軍區宣佈解散共黨；這樣一來，便不至於引起印尼共產黨人狗急跳牆或者困獸猶鬥的行動。這一戰略，不但可以保存了許多生命，減少內戰的可能性。最妙的就是陸軍並未採取血債血償的方式，祇要宣佈退出共產黨，幾乎便馬上不至再有性命之憂。這一恩威並濟的步驟是十分成功的，印尼共產黨今後死灰復燃的機會，已經是越來越告渺茫了。

印尼陸軍的高招還不止此。在每一軍區宣佈解散共黨之前，幾乎都先有羣眾舉行自發性的反共示威。按理，在仍然實施戒嚴令的許多大城市，是不容許示威運動的。但陸軍並未加以阻止；這一來，便顯得陸軍是老百姓的朋友，並沒有干涉老百姓的自由。經過大規模連續性的示威之後，既然老百姓都要求清除共黨，那麼軍區司令所發出的解散共黨的命令，便是俯順輿情的，並非軍事獨裁了。最新的消息顯示，卡里曼丹的馬辰，本月五日有十萬人在街頭示威，要求解散印尼共黨。這應可說是卡里曼丹解散印尼共黨的前奏，相信過不多久，軍方便會採取行動了。

在羣眾示威中所發生的唯一令人遺憾的事，便是印尼羣眾，因為憎恨印尼共黨，致而皂白不分，連帶旅居印尼的華僑也受到池魚之殃。誠然，所有旅居印尼的華僑，連同少數印尼有識之士，都希望示威的羣眾，分清涇渭。如果是反中共，那麼便應該對中共有所表示，却不應以反中共作為幌子，乘機排斥華僑。要知絕大部份手無寸鐵的華僑，都不是親共的，如果他們親共的話，老早便回到大陸去了。他們之所以留戀旅居地，顯然都以為印尼是比較更加理想的居住地方。

印尼人反共是他們自己的自由，旁人絕不應置喙。可惜的是在偉大反共行動中滲入了狹隘的排華行動，因而中共便抓住這點來大做其嚴厲和強硬抗議的文章了。自然，在人道主義的立場上，對無辜的少數民族和宗教團體，進行不分青紅皂白的迫害，都是一定要加以反對的。印尼華僑被害的行為，絕不能寬恕。但印尼人民的憤怒，也應該予以理解。可不是嗎？正由於中共指導的印尼共黨，對印尼軍方領袖犯下了更殘酷的彌天大罪，正當民族主義抬頭的今天的印尼人，其憤怒的情緒，尤其在示威中感情盲目的衝動，既然找不到中共的負責人出氣，華僑便很容易變成代罪的羔羊了。所以追本溯源下去，最應負責的，印尼華僑今日所受的災難，還是居住在北平禁宮裏的那批中共頭目。

一點都沒有錯，所有狂暴的羣眾行動，任何人都應加以反對和抗議。但以中共這個大巫來和無組織的印尼羣眾小巫來比較，則中共的狂暴行動，顯然是比印尼羣眾的狂暴行動，不知厲害幾千百倍的。就以西藏人為例罷，他們就要被中共滅種了。中產階級的農民和少數民族，已被大規模的謀殺，而全國各地，正進行着那種人類難以接受的更可鄙的「革命」行動。

世界人士對於任何地區暴徒所進行的破壞，都一定感到遺憾。但印尼羣眾之搜索各地中華總會辦事處，情形却顯然有些不同。據印尼軍方事後的調查證明那些辦事處曾經是破壞和分化印尼陸軍的總部，華僑的一些商店住宅及其他華僑機構，則被用來收藏那些用來對付陸軍及政府的武器，某些華僑商人對於從事賣國行為的印尼共黨，提供了財政支持。而在印尼共黨總部所搜出的，則是中共供應的武器。正如上面所說的，憤怒的羣眾在示威中是盲目的，感情一衝動起來，便無法分得出誰是無辜和誰是有罪的人了。

中共無可否認地在十月初間，做了一件非常愚蠢的事。那就是被印尼共黨肢解的陸軍將領們舉行民族英雄的葬禮，其大使館和領事館都繼續懸旗。這在當時並未發生亂子，但在民族尊嚴的觀念鼓舞下，印尼不少人都已認為，他們的國家民族是被中共蓄情侮辱了。因而，中共的五星旗，也就成為藐視印尼人，干涉印尼革命及國家獨立的一種象徵。每逢看到那面旗心中便噴出憤怒之火。華僑的遭遇是可憫而應予同情的。但誰為之？孰令致之？顯然的延禍華僑的罪魁乃中共頭目。雖然極少數華僑不免有過牽涉這次印尼政變的行動，但絕大部份華僑却是無辜的，可是他們也受牽累了。北平所作的抗議，乃在其傀儡想以偷偷摸摸的方法奪取政權之後才發出，而這些傀儡的雙手，却又染滿了鮮血！因此，在印尼人的眼中看來，這些抗議便變成不是正義的了。他們在問：如果這次「九．卅運動」的「社會主義革命」在印尼萬一成功了，即使有了更大規模的謀殺，中共是不是會同樣提出抗議呢？

瀛海異趣談

英國的盜屍行業

·梁雅·

他們作為一個小組在十一月潮濕而陰暗的天氣下，快速的和寂靜的勞動着。賓克魯治担任發掘的工作，至於狄克哈湟則鋪開那些油布，并把所要使用的工具集中起來。賓克魯治最後聽見一個棺材蓋咚咚地响着空洞聲音。在不過一分鐘之內，那架破木器就擺在它的位置，那些鐵脚就擠進那個洞穴內壁裏面去。賓克魯治放在突出來那個桿杆上面的重量，使到那架破木器的笨拙刀口把那個棺材蓋的木片粉碎開來。經過三兩下的動作之後，這次發掘工程就宣告完成了。由於那個破爛蓋子被撬了起來之故，狄克哈湟就把那條繩子的活結套在一個冰冷的脖子上。那具屍體就東歪西倒的僵直地被拉了起來。

賓克魯治的那個小刀，就從那個死屍的頸部以至肚臍部份把那些華麗的衣服底層割開來，狄克哈湟則把屍身上面的鞋襪拉脫去。他們把鞋襪放進那個棺材裏面之後，即把那個墓穴再次填好。賓克魯治把那具裸體女屍用帆布捲好，抬在肩膊上面走回那架馬車去，讓狄克收拾那些用具，和弄乾淨那個墳墓。

這個女郎，在生前叫做柏德莉絲亞小姐，可是那是不關重要的，像其他許多女人一樣，她成為毀墳盜屍者們一宗交易的貨品。在她最後受到一些醫科學生外科用小刀的最後刑辱之前，將會像一塊羊肉一樣被人們斤論價。

英國在一八〇八年，人們認為解剖學的研究，對於醫科學生們是重要得很的。為着研究解剖學起見，一個人就需要一具死屍。得到這種稀奇可怕的屍首的唯一來源，就是那些絞台。那些被處決的殺人犯們的屍體，自動的交給那個縣醫官，供作這項用途。

這種需求，很快就追過這種貧乏得很的供應，因此以百計的學生們，就走到法國的醫科學校去接受他們的訓練。英國醫科學校就暗中運動，希望制定法律，增加把屍體供給他們使用，可是這件事情並未有得到成功。在這種情形之下，倫敦的地下社會就聞風興起，在死屍身上打其如意算盤，於是毀墳盜屍的事件，就迭次發生，藉此把盜來的屍體賣給醫科學生，供作解剖的用途。

那些盜賣屍體的歹徒們，知道醫科學校對於死屍的需求逐漸增加起來，他們就利用這種弱點向那些學校多方敲詐，而索取不斷增加的代價。如果一間學校拒絕同他們進行這種交易，轉向其他地方購買這種「貨物」的話，那末那班歹徒就會在夜間走到學校裏面去，把那些由「外路」買回來的屍體手足切斷了去。英國布倫希姆醫科學校校長布魯克斯所遭遇的事件，就是良好的例證。

那個校長布魯克斯拒絕歹徒們敲詐，因此使到他們忿恨起來，他們把兩具腐臭不堪的屍體，堆在那間學校隣近的行人道上。第二天早晨，兩個外出散步的青年女郎發現這件殘忍的行為。那些憤怒不已的市民們就衝入那間學校裏面，把布魯克斯拉到街上去！幸而警察恰好及時趕到，把那個無辜的校長挽救過來。

為着希望改善他們討價還價的立場起見，來自倫敦所有醫科學校的講師們就成立了一個聯合會，拒絕付出那些盜賣屍體歹徒們所索取那種離奇得很的價錢。由學生團體所引起的壓力，證明是不能夠忍受得住的，因此在數個星期之後，他們的聯合會就宣告解體。他們完全受到那班歹徒的擺佈。

那些以盜屍為業的人們，行起事來不會引起公共的注意，他們由三幾個人一組工作着，很少鬧出亂子的。他們當中，有許多曾經担任過那些公共墳場的管理工作，因此他們幹起這門行業來，真可以說是「駕輕車就熟道」。（上）

中國文字應該整理嗎

·周燕謀·

整理中國文字是一個老問題，而且我們歷代先賢，已經做過了若干次的整理文字的工作，也很有成就。整理文字的工作，不僅是文字的本身需要，也是時代的需要。中國文字正式負起了文字的任務，至今最少已經有五千年的歷史；我們如細按其演變的脈絡，文字需要整理，根本就是文字演變的趨勢。所謂倉頡造字，他不過是整理過文字的一人。文字絕不是某一個人所造的，更不是一個地方一個時期內所創造的。它是由許多人和很多的地方各自創造出來的，同時是經過相當長的時間漸漸創造的。經人們的約定成俗，為人們所接受，始可稱為真正的文字。因為我們肯定了文字不是一個時期一個地方所造的，那末文字之要經過整理和規劃，豈不是文字本身需要和時代的需要嗎？自倉頡太史籀而下，秦統一六國之後，感到『言語異聲，文字異形』之混淆不便，有礙政令之推行及教育之普及，乃命李斯整理中國文字，始奠定了『書同文』的局面。到了東漢的許慎，又一次大整理，他將中國文字「分別部居」，使之「不相雜廁」，「據形系聯」，『共理相貫』；中國文字至此，在文義方面「復明其本義」，在形的方面『範以定形』。人們到此始明瞭某字為某字之古文，某字為某字之成體，某字為某字之正篆，某字為某字之俗體。

將浩瀚雜亂之文字，整理出一個頭緒。在許慎的說文解字中，已經就有了一千一百六十三個重文字。許慎的說文解字共收錄九千三百五十三字，重文就已經有了一千一百六十三，但是許慎的說文解字中，將許多同音同義的字分見二部者甚多。後來王筠和朱駿聲二氏，又將許慎說文整理出七百六十四字，連許慎的一千一百六十三，共有一千九百二十七字。重文字佔了九分之二。中國文字最初的統計是漢代的倉頡篇，計有三千三百字，到民國四年的『中華大字典』就繁衍到四萬四千九百零八字。其繁衍的重文如此之多，此即義符文字的特徵，也可證文字並非一人一地同時所造，往往因造字者之心理及環境關係，而有同音同義而異形之重文產生。（一）

皮蛋與杜威的笑話

·慕良·

記得十多年前，曾有人告訴我一則笑話，說是美國的杜威先生，有一次來華訪問時，在某次的筵席上，他初次嘗試到我國皮蛋的滋味，可是吃了以後，他祇知道味道好，對其製法，當然莫名其妙。後來他就去請教他的一位中國朋友，於是便信口答道：「這個簡單，祇要在蛋殼外面塗上一層泥土，然後放在一隻罈子裏讓它自己慢慢去變，祇要時間一夠，它自然而然就會變黑的。」杜威先生聽了，以為這是真話，於是便做了一個「推論」，認為一隻蛋要完全變黑，那無論如何也得一兩百年的時間。所以他回國以後，便把這事告訴他的親友，就是：『中國人做的菜之所以好吃，這完全是他們肯化工夫。比如說：我在中國所吃的一種「黑蛋」，就是花了兩百年的時間，才製成的』。

上面這則笑話，你看了也許覺得很有趣，可是同時也告訴了我們一個事實：就是皮蛋是怎樣製成的，不但外國人對它一無所知，即使我們自己也有很多人對它不甚了解。這下面所述的祇是皮蛋的一些普通常識：

皮蛋最初是何人發明的，歷史文獻中尚未發現有這項記載，不過最初起源於江浙一帶，大概不會有何問題。江浙一帶因為湖沼眾多，魚蝦產量豐富，養鴨者亦因之盛行，所以醃製皮蛋多採用鴨蛋。後來傳至北方以後，才改用雞蛋來做皮蛋。北方皮蛋的品質以平津一帶最佳，而其中尤以北平的松花皮蛋最為出名。

一般人對「松花」皮蛋多存有一種非成是的誤解，認為松花蛋白上的松樹狀花紋，完全是製松花皮蛋所用的泥灰中因滲有一些松柏枝葉的灰燼，而此灰燼經過相當時日以後，便會很自然地印透在蛋白上去的遺跡。可是事實上，這兩者之間根本就毫無關係。而它的真正原因，是由於蛋中所含的蛋白質，經由酵素作用進行蛋白分解，其分解後析出的鹽類，便在蛋白形成松針狀的結晶所致。製皮蛋所用的泥灰中，因含有大量的鹼性特質，其作用不但可防止外界的細菌侵入，而使蛋中的良性細菌及酵素得以順利發生作用，促進蛋白分解；同時更通過蛋殼而與蛋內的蛋白發生化合作用，使蛋白中的灰分、鉀、鈉、氯和鹼性增加，而形成所謂鹽基性蛋白質（即鹼性蛋白）。蛋白分解後，便出生游離酸，阿摩尼亞及硫化氫。硫化氫多產生在蛋黃裏面，它與鐵質和蛋白質化合後即形成皮蛋特有的青黑色。皮蛋的營養成份，除維他命已因遭受鹼性而破壞以外，其餘大致和新鮮蛋所含者相似。同時皮蛋因含有硫化氫和阿摩尼亞，而此等氣體能刺激唾液分泌，故能促進食慾。又蛋白經鹼化後，極易為人體所消化與吸收，所以它的實際營養價值，比之新鮮蛋尤佳。

以鴨蛋三百枚為準（每斤九個至十個）。其中所用材料之配量如下：水十一公斤，石灰二．四公斤，稻草灰，食鹽，純碱各一．二公斤，茶葉末，硼砂各○．二公斤。醃製時先將純碱，食鹽，茶葉末用水煮沸，然後傾入已放有石灰，硼砂和稻草灰的木桶內加以攪拌。放置三十六小時待其完全冷却後，再倒入排好鴨蛋的木桶裏，上面壓張竹籬或草席，以防鴨蛋浮起。這樣，祇要一直保持其溫度在攝氏三十度左右，經過四十至四十五日即可變化完成。

清代水師整建紀詳

羅雲

左營，分防雙林汛，兵五〇人，快巡船三艘；德清汛兵三四人，快巡船四艘；新市汛兵四十二人，快巡船四艘；含山汛兵四二人，快巡船四艘；菱湖汛兵三九人，快巡船五艘。右營，分防泗安汛，兵五〇人，快巡船三艘；長興汛兵四四人，快巡船二艘；武康汛兵二〇人，快巡船一艘；烏鎮汛兵二四人，快巡船一艘；南潯汛兵五八人，快巡船六艘；菁山汛兵一六人，快巡船一艘；梅溪汛兵八〇人，快巡船二艘。紹興協營，設副將各官，水師一八七二人，用衛所之制，設臨海觀海兩衛、瀝海三江兩所。雍正二年，設周家路水師汛，置紹字一二號巡船二艘。順治三年，寧波府設水師營，置參將二人，分左右二營，水戰兵四〇〇人，守兵四〇〇人。十四年設寧台溫水師總兵官及以下各官。康熙九年設水師提督，及左右二路總兵官。七年罷之，設總兵官一人，轄中左右水師三營，兵三〇〇〇人，分春秋二汛，率戰船出洋巡緝。其戰船之數，隨時增改：順治三年，水師左右二營，大小戰船五二艘；九年，定海鎮左右二營，戰船四九艘；十四年，水師左右前後四營，戰船二〇二艘；康熙元年，定海鎮中左右三營，戰船八〇艘，增設哨船二〇艘。嗣經歷年之淘汰，定為：水居船十二艘，犂會船七艘，中號水居船一艘，中號犂會船五艘，沙船七艘，雙篷居船十三艘，唬船二艘，哨船二〇艘。象山城守營，設副將各官，哨船四艘；海口汛兵一五〇人，哨船十艘；雍正四年裁存四艘。昌石營設都司等官，汛兵五六五人，戰船六艘。鎮海營，原設定海水師左右二營，雍正二年，改設鎮海營參將各官，汛兵二三五人，哨船八艘。台州府於順治十四年設寧台總鎮，十五年改為水師提督，尋改總兵，設黃岩鎮標三營水師二七七五人，戰哨船廿五艘。海門駐遊擊等官，前所駐都司等官。右營分防玉環，干江，石龍等七汛；中營分防即磯山、深門、川礁等六汛；左營分防狗頭門、迷江山、土堂門、靖寇門等八汛。溫州府於順治三年設副將各官，十三年改為總兵官，設鎮標中左右三營，戰哨船二二艘。中營水兵六五人，兵一五二人，大小戰船一四艘，分巡二處，一專防三盤口，一專防長沙海洋；左營水兵六八人，守兵一七三人，大小戰船十一艘，分巡二處，一專防鳳山汛，一專防南龍海洋；右營則轄陸地汛兵。瑞安水師營，設副將各官，水兵九八人，守兵一四三人、內外洋巡哨船共十五艘，分巡二處：一專防北洋關，一專防官山洋。玉環水師營，設參將等官，水兵一四五人，守兵二五四人，各式戰船十二艘。左營轄陸地汛兵，右營水師一八四人，戰船四艘，分巡嵌門及長嶼。有外洋一汛，曰沙頭，左右營率水師一八四人，戰船四艘，輪巡洋面。又有江口水師一八四人，戰船四艘。該省于雍正年間曾額定戰船共有六種，曰：水居船、趕繒船、雙篷船、快哨船、六槳船及八槳船等是。

（五）福建省：

順治十三年，始設福建水師三千人，有各式戰船凡百餘艘。康熙廿四年裁撤雙篷船八〇艘，以二〇艘分防台灣澎湖。雍正三年，於福州漳州台灣三地設船廠，製造外海內河大小戰船。七年設泉州船廠，修造各提鎮協標水師戰船，並分配福州廠承修四六艘，泉州廠修四八艘，漳州廠修五二艘，台灣廠修九六艘。乾隆十六年，令三江口戰船，按季洗刷。卅三年裁撤哨船五〇艘。嘉慶四年，各船悉照同安船式改造。五年裁撤內地額設戰船三〇艘，增造米艇船三〇艘，編為勝字號。七年以福寧府陸路鎮標左營改為水師左營，駐三江海口，編新字號戰船十二艘。十年增台灣水師同安梭船三〇艘，編為善字號，分設台灣協標中左右三營。十一年增米艇船八艘，編為捷字號，又增大橫洋梭船二〇艘，分編為集字十號，成字十號，分防內地。（十）

電視的清歌（續）

論劇團祇算古徐勉可代表大鵬，而曹徐也算代表明駝，獨缺陸光海光大宛，似乎不夠。所以那天的會串，是票伶會串，票友多於伶工，這是事實。不過就生行的表現，可說孫余言馬譚五派都有，沒有楊派，爲一幸事。尤其寶蓮燈將相和兩齣，同在場的觀衆，居然有三四人拍手，我說她們聽不到，想惠君淑嫻可以自慰，這是實況，並無揑造。

論戲的方面，唱腔均很高明，均可超過水準以上，是難能可貴。我非劇評專家，不能細爲分析，祇知道是好，不枉電視公司諸君的一番辛勞，確爲事實。我幸蒙民衆服務社的允許，一直放映到十二時三刻，比原來規定多兩小時，使得飽覽。更欣快的是高華的亡蜀鑑，心佛的鎮壇州，東園的雍凉關，皆是想聽的。難得孟明家華兩兄輕易不露，而顯若館主避開碧玉簪，唱三擊掌，很妙。問題在戲目略欠斟酌，而有重複，兩齣蘆花河，是慧姑勝復冰？還是復冰抑慧姑？爲何不請她唱黃派春秋配，不是更好嗎？兩齣紅娘，同樣是蓮芝強，抑復麥勝？爲何不讓復麥唱貂蟬，也不是更好嗎？不知那位戲提調，以後切宜避重複，否則形同比賽，有煞風景。

爲了對電視公司有些偏愛，對於這次會串，表示一點意見，希望參考。下次再辦，宜乎伶票分開，以求十全十美。以藝術爲前提，不可以愛懸作軒輊，發揚國粹，胥有光芒。

國劇繽紛續錄

裟婆生（三十九）

馬林壽誕清唱

十月廿九日，爲馬勇先林向榮兩君華誕，馬林兩位特請吃羊肉，而要在北投寓所，作一次清音雅集，到三十餘人。其中來賓較特殊者，爲吳明、蕭惠方、丁仲、徐英、趙瑛瑛、茅澤霖夫婦，吳重周夫婦，杜敬箴父子，皆不易相會的。尤其美娜若蘭兩嫂，冒細雨而來，倍增唱興。茲約記所唱各節，以志雲泥。文武場均由台肥六廠五位同人担任，極爲整齊。

首由壽翁林君開紀錄唱坐宮，旋由馬老唱穆桂英掛帥，一生一旦，均有極好聽之腔，打破空氣之岑寂。獻廷以太座在國光等候，看少康中興，先唱打漁殺家的搖板。接由茅夫人唱紅梅閣的二黃慢板李慧娘在房中的一段，音色之佳，竟與唱片完全相似，很夠高明。旋接後面的高撥子，尤其出色。高熾老自外地來，唱寶蓮燈的昔日裏，雖門牙脫落，依然跌宕有神。

惠方謙稱感冒而失音，不想唱，經衆友懇請，始唱教子的二黃慢板，張腔十足，恐台灣學張的，以他爲最擅。經商議多次，下次干城劇團再度公演，他以顧問的身份，幫助演出，擬以起解會審東南飛候選，如此則不久將來，可大過聽張腔之癮。（未完）

劉禪非亡國之君

匡正

劉後主諱禪，字公嗣，先主太子，出甘皇后，在位四十年，降魏封安樂公。自來論亡國之君者，皆以劉後主、陳後主、李後主相提並論；實則只觀其庸，而未審其賢也。國脈之續絕，勢也；蜀國至劉禪手中而亡，然其勢必亡，即使非劉禪亦殆不可免。

歷代讀史者，皆以國亡於其手，故爲苛責之，非公論也。論禪之庸者，惟未見其賢也。「庸」者，平也，常也。「庸行」者，常行也。「庸言」者，常言也。史以「庸主」稱後主，此亦非惡名也。比之桀、紂、幽、厲、始皇、煬帝之輩，則賢光多也。後主賢而不能，公論也。陳壽評曰：「後主任賢相則爲循理之君，惑閹豎則爲昏闇之后」。劉禪之「庸」，則惑宦官黃皓一人而已矣。然自東漢諸君，無有不惑宦者，何獨責後主？桓、靈二帝之惑於宦官，禍國殃民豈不更甚？漢家天下之亡，早已種因於桓靈獻三帝。如論「任賢相則循理之君」，尚不如劉禪多矣。王夫之「讀通鑑論」云：「蔣琬死，費褘刺，蜀漢之亡必也，無人故也。」蔣、費死後，惟姜維一人，然維征戰，避禍於外。蜀士登朝參謀者，僅一姦佞賣國之譙周，國無人矣。王夫之云：「管仲用於齊，桓公死而齊無人；商鞅用於秦，始皇死而秦無人。無以養之也。」後主能任用賢相而不疑，張邈上書詆亮，下獄誅死。其任賢、不疑豈不賢乎！李密論後主曰：「後主可比齊、桓。人疑其阿舊君。余謂非阿也。人君之道無他，用人而已。用人之道無他，勿疑而已。孔明之賢足用，後主之用孔明不疑。然則用伊尹即爲湯，用太公即爲文王，何區區之齊桓而震之？先主殁後，不聞後主下一詔，行一事，一則曰丞相，再則曰丞相。以爲形迹無可疑乎？則全蜀之兵孔明主之，在朝之臣孔明黜陟之，鞅鞅非少主臣。漢宣之芒刺，此其時也。以爲時事不足疑乎？則街亭一敗，陳倉再遁之魏之君臣豈無反間之縱？廉頗之亡，此其時也。居可疑之時，操獨信之識，先主家法，孔明忠誠有以致之，而要非後主之賢不及此！且吾以後主不特比齊桓，且勝齊桓。齊桓多寵，管仲不能裁；後主嬪妃之數，董允能裁之。管仲死，勸除易牙，豎刁、開方，桓公不能從；孔明生前勸用蔣琬、費褘、董允，後主能從之。其不顚覆典型也，賢於太甲；其不惑於流言也，賢於成王；其不改父之臣與父之政也，賢於孟莊子。嗚呼！使後主生守文之世，臣如孔明者輔之，致太平與禮樂未可量也。丞相先亡而羣材短命，獨勸降之譙周，老而不死，豈非天哉！：：後人之誤褒孔明，妄議後主，宜其不知爲政歟！」

李密之論後主，可謂平實之論也。所謂君之賢，用人者也；用人何賢？勿疑而已。蔣琬費褘之死，蜀材已盡，惟姦佞漢賊，老而不死之譙周獨存，逼後主而降。蜀之亡，譙周賣之也，罪不在禪也。王夫之「讀通鑑論」：「人知馮道之惡而不知譙周之爲尤惡也……君尙立乎其位，爲異說以解散人心，而後終之以降，處心積慮，惟恐劉宗之不滅，惜矣哉！讀周「仇國論」而不恨焉者，非人臣也。……坐待其吞噬，惟面縛輿櫬之一途耳！夫漢之不可復興，天也。蜀之不可敵魏，勢也。無可如何者也。……當周之時，黃皓陳祗蠱庸主而不顧百姓之疾苦：周塞目箝口，未聞一謇之獻，徒過責姜維，以餌愚民；媚奄宦，爲司馬昭先驅以下蜀；國亡主辱，已乃全其利祿，非取悅於民也，取悅於魏也。周之罪通於天矣！服上刑者惟周，而馮道減也。」觀乎夫之之論亦卓矣。後主非亡國之君，乃循理之主也。賢而無能者，公論也。庸而不殘，惑而不暴，雖齊桓之不若，優於桓靈多矣。嗚呼！劉禪爲「亡國之君」，譙周實「亡國之臣」，尤有餘罪矣。陳壽爲其師立佳傳，謬矣。

處誹謗之道

吳文蔚

譏謗人的人；其第一個目的是使本人知，第二個目的是使本人辯，第三個目的是使本人氣，第四個目的是使本人怕。你如信，便達到了他第一個目的；你如辯，便達到了他第二第三第四全部的目的；不只是達到他全部的目的，而且由於你辯，更激起了他不斷的譏謗，甚至造成攻擊再攻擊。最後兩不相容，相互傷害，我傷害了他，須我抵罪，他傷害了我，我亦受了損，誠屬不智。

人謂有人譽我，譽我者不能益於我。譏我者又何能損於我？我有實際的我，譽譏均不能加諸我。告人譏謗是翻閒話，信人譏謗是聽閒話。涉身處世，應當不聽閒話，亦不翻閒話。不聽閒話能自善，不翻閒話能善人。自處應當不聽閒話，處人應當不翻閒話，以和諧人與人的關係。

俗話說：「宰相肚裏撐過船」，筆者對此諺語，素不甚解。筆者抵台時，晉謁閻先生，閻氏持極堅定的語氣說：「我們一定收復大陸！閻先生接着說：有一天我打開收音機，聽見是匪方廣播，仔細一聽，是劉少奇指着我的名字罵我說：「閻×的殘餘政府，還在作最後的掙扎」！我不管他，由他罵去，我仍然要封鎖台灣海峽」！閻氏說時，態度是十分的從容安祥。筆者此時，才真正領悟到「宰相肚裏撐過船」的話的奧義。

赤匪橫行，神州陸沉，吾人別鄉離井，匆匆已十有六載；無數同胞，日受暴政之苛虐，身處於水深火熱之中！各位學者、教授、作家、報人，都是國家的高級知識份子，顯然的都負有領導社會的作用，在此反攻前夕，我政府首於復國重任，猶恐時無暇給，焉有爲一兩句譏謗之詞，相互攻訐，鬧上公堂，去打官司呢？筆者不才，甚覺此舉有傷元氣，願各賢達，從此罷兵休戰，修養生息，充沛精力，集中智慧，一致貢獻在復國大業，國家幸甚！萬千同胞幸甚！（四·完）

五十四年十一月十一日於台灣慶祝國父百年誕辰之前夕。

西施

「影劇與歷史」之十三

周遊

吳王和晉定公正在爭持霸主名次問題，相持不下，忽吳國都中密使到了，報告越軍圍攻姑蘇，太子友及王孫彌庸戰死。吳王獲悉，暗暗驚慌，爲了保密，他竟將遣來的密使殺掉。可見吳王是一個無道的獨夫。吳王因急於回軍救援，即刻下令即日要與晉軍決戰，以爭霸主。結果晉定公提出一個要求：要吳王取消「王」的地位，以尊宗周王，改稱「公」的諸侯；則霸主就讓給吳國的夫差。夫差因急於回國，只好接受。黃池會盟草草收場，吳王夫差即由水路回師。在中途連續獲得急報。途經宋國，夫差意欲攻打宋國，伯嚭說：回去救都城要緊，怎可攻城？」吳王夫差便把宋國都城焚毀而去。這亦完全是殘暴不仁的獨夫行徑。

夫差大軍，急速回師，意欲給越國個下馬威。越軍早已獲知吳王軍來到，已嚴陣以待，兩軍展開大戰。怎奈吳軍遠途跋涉，早已疲憊不堪，而且內心恐懼，不好的風聲早已在軍中耳語，一見越軍已圍了都城，那有士氣作戰？吳軍經越王的精兵一打就大敗。吳王見勢不妙，意欲保存部分實力，俟機再圖。於是派了伯嚭爲使，去向越王求和，備了豐盛的禮物，以及吳王的求和書。這件差遣，伯嚭做得不錯。因爲越王向吳王求和也是他的交涉，和越國的關係搞得不錯。但是伯嚭的內心是十分沉重的。

吳王求和，越王召集一次會議，討論的結果，採納了文種的提議。以爲吳軍雖敗，尚有不可忽視的實力；另因索取吳國大部財物，使其國庫空虛，又可以犒賞越國的三軍。於是接受了吳王的求和，接收了吳國大批財物，然後班師。

吳王夫差自從越師退後，仍不加介意，照樣和西施在梧宮歌舞笙簫，朝歡暮樂，不理朝政。這樣又苟延了四年，夫差和西施享盡了人間艷福，不知越國正在積極謀之矣。

越國一切都準備好了，就在周敬王四十二年三月（西元四七八），越王勾踐和越國上下一心，第二次動員反攻。在越王勾踐第二次反攻的前夕，有幾種措施是非常值得大書而特書的。

一、內外嚴謹，各守其職：越王勾踐命令夫人，不准干預政治軍事；專事婦女生產工作，迨越王時，夫人不出內寢的屛風。所謂「內政無出，外政無入」。

二、命令守土的大夫，專司內政，從事分配糧食，平均土地，不得過問出征的軍事，和越王的內事。

三、父母年過六十的戰士，使之回家奉養父母。

四、有子四五人皆在軍中服役者，如果不勝，則後代斷絕，於數子中擇一人歸家奉養父母。

五、有目疾的戰士，命其歸家。

六、志行不足以聽命，筋力不足以勝甲兵者，亦命其歸家。

於是下令三軍，命歸而不歸者，令止而不止者，如有違犯軍令者，要處到死刑，妻子賣爲奴的處罰。

（九）

所謂國際性感象徵

瓊威金遜很正派

良譯

當二次世界大戰德國的炸彈扔向英倫的時候，另一種爆炸品，亦扔向距離倫敦約兩小時汽車路程的中等階級的家庭。這就是大肉彈瓊威金遜小姐。她後來名字越叫越多，什麼「大哺乳女郎」啦，「國際的性感象徵」等等，越叫越響亮。她的艷影，深深地竄入到圓顱方趾的人類心坎，連小姑娘也認識了這個可喜娘。她的出身地方，便在倫敦的伊士邦尼。

從許多舞台的和電影界人士的共同認識中，大家都承認她的品質，是很正派，謙遜而又可敬。她的父親，是威金遜窗樹清潔公司的老闆。他下了班的時候，便到當地小樂隊中，吹奏烟斗型的喇叭（昔素風）；她的母親，是個簡單而可愛的家庭主婦。

瓊小姐，在表演職業界中露臉，開始時剛僅十二歲，第一齣戲的劇名是「小紅騎俠」。到了十四歲那年，她站在一塊大玻璃鏡子面前，對着那個裸露嬌體的反影，不禁失聲叫道：「我已不是『小紅騎俠』了喇！」

她以曾經一度受過芭蕾舞蹈訓練的經驗爲基礎，突身於著名的「紅磨坊戲院」做歌唱家。這間戲院，對穿着衣裳是完完全全地下流。有個聰明的導演，一眼看見這朵含苞待放的鮮花，便向她提議，不如改行跳團扇舞。訂明的報酬是，週薪十二鎊。瓊小姐高興異常。不料竟由此竄紅起來，她當時的年紀不過才是十四歲。（一）

內僑警台報字第〇三壹號內銷證

自由報

THE FREE NEWS

第六〇九期

中華民國僑務委員會發給
台救新字第三二三號登記證
中華郵政台字第一二八二號執照
登記為第一類新聞紙類
（半週刊每星期三、六出版）
每份港幣壹角
台灣零售價新台幣貳元
社長：雷嘯岑
督印人：黃行審
社址：香港銅鑼灣高士威道二十號四樓
20, CAUSEWAY RD 3RD FL.
HONG KONG
TEL. 771726　電報掛號：7191
承印者：大同印務公司
地址：香港北角和富道九六號
台灣分社
台北市西寧南路壹壹零號二樓
電話：三〇三四六
台郵撥儲金戶九二五二

遺教應改還是憲法應修

·劉砥中·

一、前言

近日以來，由於時間的迫促，國民大會臨時會勢在必開，而臨時會的主要課題，則為討論修憲以及決定創制複決兩權的行使辦法。而第四任總統副總統的選舉大會，亦將在明春舉行。因此，報章雜誌把這一段時間稱為「政治季節」。

在目前這個處境裏，對於國策的決定，站在全民公意的立場上，只能講公是公非，只問有沒有助於國家大計；決不宜把問題放在少數人的私見上兜圈子，更不應用爭權奪利的態度去處理公務。尤其是所謂「一言而為天下法」的高級知識份子，更不宜因醉心於歐美行不太通的三權憲法，而主張改正國父遺教中認為進步的五權憲法和權能區分制度。甚至把立論的觀點放在立法院或國民大會的本位利益上，犯了主觀主義的錯誤。倘若因五權憲法和權能區分的制度，對某種人的職務上的專政不利，而要改正國父遺教，幷且要在國民黨內作一個改革宗教的馬丁路德，其狂妄和荒謬，已跡延瘋魔，還有什麼學術研究價值呢？

二、我們的看法

國父曾說過：「政府有能，人民有權。政府是開車的司機，人民是坐車的主人。」主人既然將車交司機去開，司機應聽主人的安排，不能漫無目的的開出去兜風，更不能橫衝直闖開去肇禍。政治本身只是一個名詞，也可以把它比作一輛汽車，但我們應承認它是一個有機體，是應該動的物件，而它却是一個龐然大物，假如動輒傷人，動輒得咎，則這個物體便成了市虎。各位想想，市虎傷人害人，是不是應該戢止？車禍不斷傳出，是不是應該修理？是不是應該加上一個剎車和掣扭？是不是也應該讓司機有點戒心？今天我們為什麼要行創制複決權？很簡單的比喻，就是要在汽車上加上一個剎車和掣扭。十幾年來，我們的汽車用久了，司機也疲倦了，且不斷傳出車禍，如再不加上剎車，我們做主人的將受到無窮的災害。因此，時急勢追，在立法權之外，應該加上創制和複決權。

三、我們的理由

現行憲法第廿七條規定，國民大會有修憲權。第一百七十四條幷且詳盡的規定了修憲程序。民國卅七年在南京召開的第一屆第一次國民大會，制定的戡亂動員時期臨時條欵，給國民代表們一種責任，它規定：「第一屆國民大會，應由總統至遲於民國三十九年十二月廿五日以前召集臨時會，討論有關修改憲法各案。」這是一個應向歷史交代的任務，也是應向選民交代的責任，國大代表們不能不負起責任來。因此在四十二年四十九年兩次大會中，國大代表們曾要求討論修憲及行使兩權問題，由於國家環境處於非常時，結果只修改了臨時條欵；規定關於修憲和創制複決問題，成立了一個憲政研討會，分組研討辦法，俟適當時期，召開臨時會，將辦法通過後實行。這也便是向歷史和選民交代的程序。至於有人懷疑現任國大代表的資格和身份，是不是還有權代表人民，只有請他翻閱憲法第二十八條：「每屆國民大會代表之任期，至次屆國民大會開會之日為止」的規定，還有少數不明法理的人認為立委也是人民直接選出來的，應與國民大會分庭抗禮，國民大會無權干涉最高立法權。還說立委三年改選一次更新，國大代表六年改選一次太舊，不能代表新的民意。那麼，我要請他想想：一，立委的任期三年，現在已超過多少年了？憲法裏面怎樣規定的？大法官只能解釋憲法，活生生的把憲法條文變更而鞏固了立委蟬聯的實座，國民大會為什麼不盡責任去維護憲法？二，所有民主國家，由人民直接選出的負責人，有各級議會的議員，也有各級官吏，難道他們都有資格與國民大會爭權嗎？立法委員只能在立法範圍內去工作，人民選出的國大代表應管理不正當的立法，還可創制立法機關不注意的法律，實為天經地義的本分工作，為什麼要遭少數人的反對呢？至於最高二字的含義，也須畧加解釋。憲法內對於五院之權，均冠以最高二字，照直覺解釋，均可不受任何約束，均可自充齊天大聖，為什麼立法院要質詢最高的行政院以及有關各院會呢？為什麼立法院要在其他有關院部的首長更換時予以同意呢？

基上種種理由和依據，足以說明實行創制複決權在憲法上的作用了。至於國父遺教內的國民大會，更是指不勝屈的給了人民無上威權，他不容議會專政，因此確定了權能區分；他畢生革命，便是為爭取自由和民主；他廣泛搜羅資料，實地考察歐美各國民主政治制度，并詳研中外古今各種政治學說的得失，才鑄定了一個五權憲法的範疇，因而使我們享有民權之果。倘若我們今天要否定國父的遺教，則我們的建國何所依據呢？我們的憲法前言為什麼還要說「根據國父孫中山先生之遺教」呢？憲法第廿五條，又為什麼要規定國民大會代表人民行使政權呢？

四、我們的目的

十餘年來，戡亂反攻，準備積極，蔣總統曾大聲急呼說：「反攻以主義為主，武力為從。」而大陸同胞，陷身匪窟，水深火熱，例懸待解，其最大願望，為求自由，為求民主。國民黨領導政治數十年，教育民眾達半個世紀以上，其目標為實行三民主義五權憲法，成為眞正的民治民有民享共和國。大陸同胞之殷殷東望於王師早定中原者，亦無非夢想眞實實行國父之全部遺教，使國家人民躋於富强康樂進入大同之境。倘使創制複決兩權早日實行，大陸同胞亦了解政府，已全部兌現交出了民權，實為一强烈之政治號召；世界各民主國家，亦認為我政府絕對民主，確為得道多助之表現。目前我們的反攻形勢，除軍事還未大張撻伐外，政治應早已登陸：民生主義的土地政策，已用「耕者有其田」及「平均地權」的事實，打垮了荒謬的共產邪說，否定了罪惡重重的人民公社制度。（下轉第二版）

自由談

思想叛徒

所謂「思想叛徒」，是對舊有文化思想以及社會傳統生活習慣表示不滿與反抗的新思潮人物，他們具有「天命不足畏，祖宗不足法，人言不足恤」的大無畏精神，揭櫫新的主張，公開宣傳自己的理想。這好像向着一池靜止的死水，投下一顆水底爆炸彈，因而波浪突起，水花四濺；又如多年寂寂的火山口，忽然噴出烈焰與砂石，以致見者驚駭，聞者詫異。如四十餘年前，有人倡言「打倒孔家店」，劃除「吃人的禮教」，有人主張「非孝」，說是兒女對父母幷無「必須孝順的義務」，有人提出「打倒玄學鬼」的口號等等，盡屬驚世駭俗的離經畔道的言論主張。不管他們所說的是否合理，但對社會人心總不免發生一種刺激作用，而在文化思想上引起新的辯難質疑，無形之中，表現着百花齊放，百家爭鳴的「開啓社會」狀態，其意義是進步的，其影響亦係利多於害。

上述那些在當時認為非聖無法的言論思想，政府并未加以禁制查究，聽其自生自滅，結果孔學到今天依然存在不衰，玄學亦未被打倒，禮教只去其不合時宜的太甚者，而孝道仍為社會大眾所崇奉。然文化思想却趨於解放維新之途，國家亦隨之進步了。這證明「思想叛徒」并非洪水猛獸，而是促使社會進化的急先鋒。粵稽吾國文化演進史迹，秦以前百家爭鳴，光芒燦爛，較西方的文化思想進步多了。迨秦代大帝國建立，以極權主義統制思想，民間除了醫卜星相之書外，以吏為師，不許私人藏有書籍。嗣後歷代專制王朝，相率採取罷黜諸子百家之學，而以尊崇儒學為治道，實際與秦代的統制思想異曲同工。中國立國最古，文化思想發展最早，如今竟被視為「落後地區」，讓西方文明後來居上，咄咄逼人，迫使我們今天還要談全盤西化問題，眞是慚愧甚矣！追本窮源，即係自秦代以來統制思想，不許「思想叛徒」存在所致也。

現在是民主世紀，言論自由列為神聖人權之一，「思想叛徒」，更應該百無禁忌，暢所欲言，你有不聽從的自由，他亦有各抒己見的自由，統制思想的玩藝，便如滬諺所云「談阿弗要談」了！根本上，思想是絕對沒法統制的，秦始皇、希特勒以及共產黨人，皆厲行統制思想政策，結果沒有不失敗覆亡之理。為着促進人類向上發展的文明生活起見，我們將讚許「思想叛徒」之不違，反對云乎哉！

馮玉先生

寮　越

害完一個又一個

大贈送

今日與明日

毛印又衝突

毛共軍與印度軍又在錫金邊境打了一仗，雙方公佈的戰果完全不同，毛幫公佈印軍侵入西藏邊境，打死毛軍一人、傷二人；毛軍奮起抵抗，打死印軍五名，俘虜三名。印方則公佈毛軍侵入錫金境內，印軍被迫應戰，擊斃毛軍三十名。就雙方報導來看，似乎毛幫的消息稍近情理，因為假若毛軍攻入錫金境內被打死三十名再被擊退，則毛軍退時必不可能將屍體全部運走，印度大可以將毛共軍屍體示眾展覽一番，也可顯示得了勝利，今則一具屍體也未見，可知印度戰果是捏造的。

這次衝突印度又吃了虧，似乎沒有疑問。值得研究的是究竟誰越境打誰？可以相信越境的還是毛共軍，乘印軍不防，把邊境三名士兵捉來當作俘虜，印軍發現之後開槍射擊，打死共軍一名。這本是小事，多年來已司空見慣，毛共此時挑釁，目標並不在印度，而是注意到了巴印總統總理即將在塔什干會議，而巴國總統又去美國與詹森總統會談，詹森自然勸阿育布汗總統與印度和解，如若實現，毛共將更感孤立，它不能不趁早出頭搗亂一番。

印尼漸變

印尼總統蘇加諾已經下令免去外長蘇班特里奧在最高作戰司令部的副司令官職位，這是印尼最高權力機構，可以不用經過立法手續，採取任何行動，蘇加諾一向就憑這個組織發號施令。蘇班特里奧一向是親共份子，馬來亞方面還一口咬定他是地下共產黨，此時被免去現職，意味被逐出最高權力機構，即使仍然担任外交部長，也無能為力了。自從共黨在印尼發動政變失敗以來，雖然蘇加諾還想維持舊有體系，一力保全共黨，但在陸軍同人民的強大壓力下，蘇加諾終於不得不向現實低頭，相信全面宣佈印尼共黨非法的日子已不在遠。

尼日利亞總理訪英

尼日利亞總理啟程訪英、商量緩和英國與非洲的關係，本來在阿的斯阿巴巴非洲團結會議，決定向英國提出通牒，如若英國在十二月十五日以前不動手解散羅德西亞史密斯政權，全體非洲國家將與英國絕交。

這種條件英國自不肯接受，事實上也不能接受。英國政府直到今天尚無絲毫表示，非洲國家本身却感到焦急了，據說已有二十國家表示不肯同英國絕交，超過了全非國家的半數以上。這以來所謂最後通牒將變成笑話。尼日利亞總理赴英，實在是找下台的辦法，調解都談不上。（何如）

中國司法史上創舉

執業律師告發現任法官

張廷柱向監察院司法部等告狀

指張耀海偽造文書詐欺及貪污

（本報記者劍聲台北航訊）律師張廷柱頃向監察院、司法行政部、最高檢察署告發嘉義地檢處首席檢察官張耀海偽造文書、詐欺、貪污等罪嫌，各有關機關現已依法偵辦中。律師告發司法官，在中國司法史上尚屬創例。

張廷柱律師在告發狀中陳述：「據嘉義地檢處首席檢察官張耀海自已申報之戶籍，及其向司法行政部親筆填報之司法行政部所屬職員調查表等記載：于民國四年四月二十日出生。民國二十年勞動大學經濟系畢業。按張耀海既係民國四年出生，依其民國二十年大學畢業推算，十六歲大學畢業，十二歲中學畢業，六歲小學畢業。倘張耀海非屬呱呱墮地立即入學之天才，其所報二十年大學畢業，顯屬虛偽不實，自可斷言。查國立勞動大學於民國十六、七年間創設，民國二十年停辦，究竟有無畢業生，尚屬疑義」。

張耀海於四十年一月十八日由大陸本籍地（浙江省建德縣）遷入基隆市中山區民治里港西街六號，其出生年月日記載爲民國「前」四年四月二十日。至四十一年九月十五日向該管中山區公所聲請更正出生年月日爲民國四年四月二十日。

張耀海於四十年十二月十四日所領司法行政部頒發之台補給證字第七十九號律師證書，及四十一年聲請參加台北律師公會所填寫之「律師名簿應記載事項調查表」，在年齡一欄內，都填寫爲民前四年出生。可是張耀海於五十二年向司法行政部填報「司法行政部所屬職員調查表」，則記載爲民國四年四月二十日出生。究係民前四年出生？抑係民國四年出生？二者或居其一，却絕不可能兩者都對。所以張廷柱指張耀海顯有涉嫌偽造文書之罪刑。

關於偽造文書詐欺貪污部份：張耀海於民國四十二年四月十三日，與桃園縣龍潭鄉上林村東龍路九號居民陳招妹之曾孫徐月嬌女士結婚。徐月嬌女士在未與張耀海先生結婚前三年又二十五天，即民國三十九年三月十八日生一女兒，名叫徐美珠。至四十五年一月二十九日，張耀海先生竟認領非通姦所生之徐美珠爲親生女，改爲張美珠。因此，張耀海先生乃得自四十五年間起，按月向其服務機關詐領「張美珠」名義之實物配給。因而被指觸犯偽造文書罪，及戡亂時期貪污治罪條例第五條第二款之詐欺財物罪刑。

律師張廷柱爲什麼要告張耀海呢？據張廷柱說：「這完全是出於自衛」。因爲張耀海對張廷柱在依法爲刑事被告利益而攻擊嘉義地檢處起訴書之不法，竟濫用職權偵查律師張廷柱偽造文書而提起公訴。最近，該地檢處復又偵查張廷柱之誣告案。緣張廷柱於今年七月間，代理省立嘉義農校校長張愷自訴陳阿貴竊佔案件，經嘉義地方法院判處陳阿貴徒刑在案，陳阿貴不服向高院上訴，同時於今年八月間向嘉義地院自訴農校校長張愷誣告。當時既未將張廷柱列爲同案共同被告，又未依自訴程序追加張廷柱爲被告，乃最近向嘉義地檢處另案告訴張廷柱、張愷爲共同誣告，亦殊耐人尋味。按律師代理被害人自訴，乃自訴人之行爲，事實是否眞實，律師初無調查之責。況陳阿貴竊佔案既經判刑，自訴人省立嘉義農校校長張愷自無誣告之嫌。而律師張廷柱代理訴訟，更何誣告之有？依訴訟程序，嘉義地檢處依法應先傳訊告訴人陳阿貴，加以調查；孰料嘉義地檢處張首席竟指派前偵辦張廷柱所謂偽造文書疑案之檢察官楚汝聰偵查，票傳張廷柱到案訊問。所以被指爲假藉職權，有意整肅律師張廷柱。這就難怪律師界羣起而攻之了。（十二月八日寄）

戴高樂身價跌得很厲害

明天能否獲選頗成問題

——巴黎通訊——

從法國國民十二月五日在總統選舉中的投票情形來看，充分表示他們對於那位希望首次投票中便獲得大多數選票的現任總統戴高樂的信心，已經發生了動搖。換句話說，自命不凡的戴高樂將軍在法國選民的心目中，早已打了折扣，使他的萬丈雄心及其聲望從最高的巔峯陡然下降。因爲，戴氏在第一個回合裏面所獲得的祇有百分之四十三點九六的選票，未能當選聯任，而必須等到本月十九日複選時，再與比他輕二十六歲的米特蘭重行角逐。這項突如其來的挫折，是他始料所不及的。

儘管有人估計戴高樂再度競選，將可獲得足夠的票數而當選下屆總統，但對這位七五高齡向以挽救法蘭西自居者的面子來說，顯然是非常難堪的。同時在十幾天的時間裏，選票是否發生變化？亦爲未知之數。正如巴黎「星期週報」的頭條新聞所說：對於懷疑戴高樂總統於首次回合中，能否贏得大多數的報導，將可能騷擾投票人的心理。這就是說，法國報紙的輿論，將對本月十九日再次選舉的態度，可能有極大的影響力。

事實上，外人對於法國的眞相之所以不容易了解，其最大的原因即是法國各報館的內幕重重。單就巴黎一地而言，所有日報共達一百零兩家，而其態度光明正直的實在很少。其中的大多數從頭到尾都有專供出售的新聞欄，例如在二次世界大戰之前，巴黎的報紙便可以接受日本和義大利等外國政府的津貼。當日本進兵中國東北的時候，巴黎各報的言論，多數袒護日本。這不是沒有原因的。又據某一可靠的估計，義大利墨索里尼在一九三五年間，運動法國各報的資金共達六千五百萬法郎。年前，在戴高樂舉行一次龐大的記者招待會之後，巴黎各報對於戴氏個人形態的描繪殊不一致，諸如名叫「咀與爪」的一家小報說戴氏年齡太老，講話前言不對後語。至於巴黎其他各報也有類似的報導，所不同的是認爲戴高樂的行動及談話遲緩，反應不靈，已經充滿了老態的氣息。因此，有人認巴黎報紙，在短期內對戴高樂的好與壞，更會加以渲染至有聲有色，給予選民心理以重大影響而可能不利於戴氏的。

另一方面，法國向來是一個四千七百萬「個人主義」的國家。法國人的性格複雜，令人捉摸不住；誠西格弗里特所說：「不從個人方面去觀察，你就看不到法國的眞相。」不錯，莫勒曾經說過：法國是一個最成功的國家；它的語言，文學和文化，都是各國的知識份子所認爲值得羨慕的。但自第一次歐戰以後，法國人已經發覺單有和諧與文明是不夠的了。在過去六十年間世界上發生了有史以來所未見的重大變化，令到法國那種完美的素質陷於孤立的狀態。在二次大戰前，德國可以希特勒一人爲代表，而代表法國的却有許多人。其間當衆議員的就有六百十八人。他們不祇分成數目繁多的黨派，並且往往互相矛盾，議員們都是個人主義者而非嚴格的政黨黨員。加以法國過去的選舉制度，又兼具英美兩國的特徵，每屆衆議院定期改選一次，而內閣的行政方針，在國會內一旦得不到通過，即告倒台。新的內閣，仍在舊的衆議院監視之下施政，這便是法國政治所以極端不穩的理由來。

因此之故，法國政治一直陷於混亂狀態中。法國第三共和的歷史，到現在也不過九十三年的時光，而其內閣多至不可勝數。截至二次世界大戰前的一九三七年爲止，法國先後更換了九十八個內閣，每個內閣的壽命祇有八個月。尤其是二次大戰後的十三年中，更有二十多個內閣先後垮台，平均壽命還不到五個月。

目前在法國的退任總理還有十八人之多，使外國觀察者往往弄得眼花撩亂，[illegible]。其實那些登台或下台的[illegible]國的文官——各部的常任職員——把政府的經濟抓得很緊，內閣總理祇是名義上的統治者。他們好像「氣候」的記號，正確地記錄某一時期的輿論狀態」罷了。故自第一次歐戰以來，法國政府的重大變遷，實際上祇有六次，跟英國變遷的次數差不多。那便是一九一九至一九二四年間，由國民集團所統治，掌權者爲克雷孟梭，邦恩加雷及財界巨頭。一九二四至一九二六年，赫里歐所領導的左翼聯合，先後掌握兩年的政權。一九二六至一九二九年邦恩加雷以國民同盟再行登台，來挽救法郎。一九三〇至一九三五年，多半帶有了一連串的左翼聯立政府，佛蘭寧和賴伐爾的國民政府時期法蘭西銀行的色彩。接着是杜邁格及一九三六年乃有「人民陣綫」的產生。及至一九五八年，戴高樂開始所領導的第五共和國。

但當一九五八年戴高樂復出的時候，爲什麼會博得法國人民的高度擁護呢？據巴黎若干報紙指出：戴高樂的復出，可說是正當其時。巴黎「星期週報」更說得明顯：「戴高樂一九五八年的復出，恰像一九三六年白魯姆受人擁戴的情況。由於一九三六年間，正當法國多數民主派的政治家的貪污笑罵資料，令到法國廣大羣衆非常憎惡巴黎一大半政客們的貪污，缺乏效率及投機取巧的時候，而白魯姆却能出類拔萃，潔身自愛，尤其對於一些不名譽的事件絕無瓜葛，所以白魯姆成爲法國人認爲鳳毛麟角的人物。

由於第二次大戰結束後的法國經濟問題嚴重，政黨林立有如雨後春筍，法國一方面是百廢待舉，國內政治——一方面是國際共產黨的勢力，各殖民地紛紛起來要求民族自決，產生了一連串的戰爭，使法國弄得焦頭爛額。而戴高樂却首先承認了非洲各殖民地的自決，許多殖民地獨立，解除了法國的危機及戰爭的負擔，因此，戴高樂的聲望也已經幾次達到新的巔峯。

正因爲這樣，使戴氏「個人英雄主義」的色彩也逐漸濃厚起來，乃不惜與美國爭奪北大西洋組織的領導權，並加強歐洲共同市場，同時承認中共政權，使法國於左翼的共產國家中獲得一點點地位，作爲他的驕傲，並能代表一般人的心理，相當得到合力量的支持。

這也就是說，在十九日的再次選舉中，目前的形勢，最低限度他並不具備必勝的把握，至於即使當選他亦已經很失面子，就更無庸論。

高雄縣長戴良慶

免校長職惹官非

立委黃雲煥向政院質詢

認戴挾嫌矇騙於法不合

（本報記者張健生台北航訊）高雄縣長戴良慶因選舉而懷恨林園中學校長吳建亞，致而非法免除吳校長職務，此事爲立委黃雲煥所悉，乃向行政院提出書面質詢。黃委員說：「高雄縣政府於十一月二十七日，派出高級職員及刑警二十餘人到縣立林園中學強制該校校長吳建亞移交。而吳校長之被免職，係高雄縣長戴良慶因選舉懷恨挾嫌矇騙所致，不合法定程序，因而拒絕移交」。該縣立林園中學六十餘位教職員聯名具文，並推出代表張正等四人，到高雄地方法院檢察處按鈴申告，控告縣長戴良慶扣發全校教職員工薪津，致使他們生活發生極度困難，請求依法懲辦。

黃委員說：「查林園中學校長吳建亞連任該校校長業經十二年。高雄縣長戴良慶當選就職後，以其競選時未獲吳校長之竭力支持，曾經兩次呈報台灣政府將其調任縣教育科督學及中教股長，但均未獲省府之批准。最近乃以其大學畢業證件不實，資格不合爲由，報請省府免職。我認爲高雄縣長戴良慶若以選舉恩怨藉故免除吳建亞之職務，並扣發林園中學全體教職員工的薪津，既不適當，又不合法。因吳校長於四十二年奉派爲林園中學校長時，曾按法定程序，層報銓敍部任用審查，經奉銓敍部（43）台地一字一〇〇七八號通知書審定校長准予試用，復經銓敍部四十七年一月二十九日通知書審定合格實授，正式任命校長。而吳校長因成績卓著，屢獲教育部及教育廳頒獎，列爲優良校長之一，其任職資格早已不成問題，其現有職位，自應獲得法律保障，非依公務員懲戒法規定不受懲戒處分。何能忽以證件不實，資格不合爲由，予以免職處分」？

吳校長資格經銓敍部審定係根據公務人員任用法第四條第二款，即儲備登記合格教育行政人員；至於學歷證件當時由於畢業證明書上僅有校印缺少部印未曾採用，故其任職資格已與其學歷證件無關。因此，黃委員質詢行政院應飭令教育部查明事實，公平處理。並令台灣省政府轉令高雄縣政府不得扣發林園中學教職員工的薪津。

遺教應改還是憲法應修

（本文接第一版）

在民生主義經濟政策方面已打了一次大勝仗。如在民權主義政治制度上加上實行創制複決兩權，則匪幫的集權統治將更不攻自破，使全國人民更得到民主自由的精神鼓勵，鐵幕內的人心，將更欣羨於民主自由之可愛，襁負其子而投入自由祖國的懷抱。我想，這個重大的意義，將是高瞻遠矚之明達人士所共喻。希望有權有力明智眞知的謀國諸先生，應該從這些大處着眼，不宜短視爲爭權奪利，使理論與事實的探討，更能接近羣衆；絕不宜閉門造車，削足適履，使憲法被歪曲，使憲法中毒。以此鞏固法統，以此深植國基，我想，這將是目前實行創複決兩權的最大目的了。

瀛海異趣談

英國的盜屍行業

·桑雅·

不過話得說回來，至少有過一個男子就是靠着那些毀墳盜屍的人得同他的性命的。一八三四年四月十五日那天，愛丁堡一家報紙登載了一個叫做約翰麥恩泰爾的男子的故事。這個男子因爲患有突然全身癱瘓的病症，被認爲經已死亡。他在棺材裏面躺了兩天，他充份恢復了他的知覺，但是一條肌肉也不能夠移動過來。他對他自己的葬禮，守喪的一個證人！他聽見所發生的一切事情，包括在棺材放在墓穴時，泥土堆在棺蓋所發出的聲音。在薄暮的時份，那些盜賣屍體的人們發現那些新墳，因此很快的再次把他掘了上來。他和其他數具新近下葬的死屍被包在一塊油布裏面，放在一架木頭車的後面被送到一間醫科學院裏面去，那把解剖用小刀第一下制裂所引起的震盪，使到他恢復他的生命。那個男子麥恩泰爾和那個驚駭萬狀的學生，經過數個星期之後，才能夠由這次事件獲得復元。

那個時候，在倫敦以盜屍發賣爲業的人，在例如都柏林和愛丁堡等其他大城市都同許多學校做着大批的生意。那些死屍，都被標貼爲牛皮或者魚類，像沙丁一樣被塞在裝滿鹽水的大桶裏面，幷經由正常的商船移運到別處去。一八二六年，像這樣的一個大桶，在船上裝運的時候，不知怎樣跌在碼頭上面，桶內的東西就在碼頭工人當中散佈開來。那批「貨物」被追查到倫敦城內貧民窟一個地窖裏面，警察在那裏另外發現卅三具屍體。主持這種不名譽買賣的當事者們，早已逃走了，永遠沒有被人找得出來。

許多自殺身死和意外死亡人們的屍體，有些時候，在等候驗屍官到來檢驗之時，就在當地的醫署被人偷盜了去。那些竊賊，把這些死屍賣給一間學校之後，就會向警方告密，讓警方把那些屍體拿同，以便辦理驗屍手續。那班歹徒的一個同黨，會假扮那個死者的親屬，領到那具屍體，然後把它賣給另一間學校。這種藉死屍歛財的辦法，眞是千古奇聞。

那些毀墳盜屍的人們，由於法律上一種微妙得很的解釋而獲得逍遙法外的，那就是一個屍體並沒有什麼「財產」，因沒有財產，就不能構成盜竊的罪名。法律就是這麼簡單。因此盜竊屍體，雖則是可鄙和可惡的行爲，但是祇在一些陪葬的物品連同那個屍體被盜去的話，才成爲一種重罪。但是，當一個人實際上當塲被人捉住的時候，法官們通常都用另外一些罪名對他進行控訴，那些刑期，很少會超過一年。

一八二八年，英國下議院最後承認盜屍的事情確實存在着，因此任命一個委員會來調查這件事情。同時，許多外科醫生，那時已經開始教育人民，希望排除關於人體解剖的那種害怕心理。經過一個時期，在英國有數間醫科學校就把他們公開開放，邀請任何人參觀人體解剖的各種過程。有許多參觀過這些手續和明白其重要性的人們，就常常把屍體捐獻出來，供作醫學研究之用。

一八二九年，英國的人們對於看到威廉柏克這個人所犯有那種窮兇極惡罪行的新聞，都不禁驚愕起來。這個傢伙，在愛丁堡開設一間小型公寓，他在那裏每隔相當時間就用個枕頭閉住他的住客們的呼吸，令到他們窒息而死，然後把他們的屍體賣掉，供作解剖之用。在他被捕之前，共有十一個人遭受他的毒手。雖則威廉柏克終於依法受到絞刑，可是他所犯的罪行，却使到整個英國都震動起來。最後並使到那個懈懈欲睡的國會在一八三二年八月一日通過那項「人體解剖法案」，使到醫科學校們從那些公共的會館得到合法屍體的可靠供應，並使到這門盜屍出賣的生意永遠停止下來。（下）

香水小談

·梁厦·

喜香惡臭，人之常情。故時髦男女，每喜用香水。這當然是爲了取悅于對方，以香水灑于身上，自己所享受的很少，大部只是別人享受而已。蓮步所過處，香風隨之。嗅之者，只爲他人，自己實享受不到的。香水之製，始自歐美，而法國之巴黎，尤以產香水著稱。而製香水之原料，主要爲酒精，綜合各種香料而成。故香味各種不同。以酒精有揮發性，灑于身上或衣服中，常覺馥郁之氣襲人，嗅之頓覺興奮。

據說香氣有助于性慾，故歡塲人物，尤多喜用香水。中國雖亦產香水，人們總是舶來品是尚，而舶來香水很多是相當名貴的。所以喜用香水的，人都認爲[illegible]。而歐美男女，對于香水，奢侈愛之若生命，名貴香水，百十多元一瓶，視若等閒，以風過處濃香四溢爲快。歐美婦女更多對香水嗜之如命。不僅不可一日無此君，且喜烈濃者，往往香留五分鐘不散。故歐美婦女的閨房裏，妝台上的香水，每林林種種，陳列其間，而香味固各殊。即香水之瓶，也很美觀，形式各異，且有製成動物形狀的，雖屬重金無所惜。而製化裝品工廠，也多方設計，以迎合用者心理。以歐美人嗜畜犬，故犬兒毛上，也常洒以香水。故歐美人用香水，我國實有不及。在公共塲所和舞會之類，更常覺香氣氤氳。有說香水之味，不若花香之自然，有清俗之分。在昔史念祖（品香）文裏說：「蘭幽，法塵囂，近仙。荷以清淨滌悃，近佛。菊如接野人，交以淡勝。玫瑰如讀宮詞，不嫌其濃。幽不掩艷，梅也。蘭之外別樹一幟，清淡如閨秀，水仙也。寒暑各絕，雅堪配荷。水粉澤氣最重，莫于牡丹，然如仙姬靚女，肌膚名貴，天風吹衣，粃糠龍麝，是又天生萬卉之主，示異羣芳也。至若珍珠蘭味淡而韻不永，彷彿弱女。茉莉有意媚人，晚唐佳句。芍藥未能自創，「婢好學夫人，亦取法爭上。」這誠確論，語也倩妙。

若夜來香，對種種花香味兼具，亦屬仙品。記清末樊山嘗有詠香詩云：「嬰人花氣出肌膚，勝傍薔薇挹露珠；愛玩紅粧花閣下，此時還恨海棠無」。「半折輕紅豆蔻枝，芳年剛及破瓜時；時時含吐丁香核，旋被檀郎索口脂。」「嬌爲遺簪坐綠茵，憑肩私語應相親；何須更勸蓮花盛，吹氣如蘭已醉人」。「竟體芳蘭綉被溫，薰衣長感玉人恩；最能操縱情郎處，剛使銷魂又返魂。」以古人取香之法，每喜用薰香法，因那時沒有好香水，故每用香花或燃燒一種香粉，用以薰於衣被。後來漸有挹取花露以製爲香水。據（述異記）說：「香水在幷州，其水香潔，浴之去病」。又江蘇吳縣南有香水溪，俗云西施浴處。然這僅言天然的香水，而不是指有製作的香水。另古人取香之法，還有用香囊，裁香粉料，懸之衣裨內的，如繁欽傳有：「何以致叩，叩一香囊繫肘後」之句即指此。至「香譜」裏，也有說製香水之法，據云：「薔薇水，大食國花露也。今則採茉莉，取其液以代焉。然其水多僞雜。欲試之，常用玻璃瓶盛之，翻搖數四，其泡周三下者爲眞」。則製香水之法，很古已有，只是沒有泰西人士之精耳。

至西方美人，她們對選用香水，很多講究，她們的冠上和標前，都喜綴一些人造的花朵，以綢緞絨之類製成，大足以僞亂眞。花以紫羅蘭、玫瑰、丁香之類爲多，則洒上某一種花的香味，幽香微送，更足誘人。而她們甚至在情書裏也洒上香水，以取悅於對方。故香水在外國用途至大，而銷耗也足驚人。

中國文字應該整理嗎

·周燕謀·

時代息息演進，事物日新日繁，語言也隨之而有新陳代謝。根據我們今天的四萬五千個字中，文字學家已經作過統計，在四萬五千中約有百分之七十八已經廢而不用，見於常用字的二十部字典內，平均不過百分之二十二。此百分之二十二收入通用字典中的字，也並非全是常用字。據教育公佈的常用字數，分爲：最常用字，次常用字和備用字。最常用字本字三、五一六個，其中同音異義字就有四七三個，同字異音有八十七個。次常用字一、〇九五字，其中有五十八個同字異音字，九十六個同字異體字。備用字一、一七六個，其中有一〇二個同字異音，一八五個同字異音字。總計是六千七百八十八字。在這六千七百八十八字中，尚有同字異體和同音異字的問題，眞正純粹的常用字尚須再打折扣。在我們總字數約四萬五千字中，常用字僅佔五千字，其餘四萬字確是一個很大的累贅。這些累贅文字，數千年來可說消耗了中華民族無數量之精力和時間。一個字，你訓過去，我訓過來；在中國古代來說，尚不如此嚴重，因古人讀書，重識字而屬文，進而融貫修齊治平之大道以致用。今日科學時代，人事的頻繁不知幾千萬倍於往昔，加之空間縮小，天涯若毗鄰。我們背了浩瀚的字海，不僅我們自己攪不通，外國人要了解中國和中國往古文化，眞是談何容易。我們要國家富强，要保存我國優美的文字，實在不能再將大部精力消耗於文字上面。減輕國民文字負担，已成爲今日刻不容緩之急務。整理文字不僅是保存中文之要件，而且也是提高國文程度的要途。澈底整理中國文字，確實是我們當代讀書人的時代使命。

中國文字最大的累贅，就是重文太多。在東漢許愼時，他的九千字的說文中，就已有近二千字的重文，今有四萬五千，其中重文自必更多。許愼而後在音韻、訓詁學方面雖有相當成就，但在整理文字方面却沒有人做，各地新字不斷增加，無人統一，新字愈來愈多，因此同形同音同義字日漸增多。僅以說文而言，本爲重文字，而許愼判爲二字，分隸於二部者，平均十九字當中有五字爲重文。平均在每三點八字當中有一重文。這是以東漢時代爲準而比較之，如今日四萬五千字而詳加研究，其百分比必然更大。

如此衆多的重文根本沒有人詳加研究統計，而且這也不是少數幾個人能做得到的事，非由政府來做不爲功。我們字中的重文，泛浮在文字之海中，任人亂用，徒增國民之負担，極不宜令其繼續存在。

我們應該做到統一的語言和統一的文字——纔可以方便傳授經驗，交流知識，更容易傳播我們的歷史文化和固有道德。在「語同音」「書同文」方面做到了，而後始可以意志集中，力量集中，行動協調，步調齊一，堅強團結。國父孫中山先生把語言文字列爲構成民族的基本因素之一，眞是有超人的客觀卓識。在今日國文程度低落的情形下，整理中國文字，尤不失爲一有效可行之途徑。（二·完）

清代水師整建紀詳

羅雲

十三年裁撤中、小號捷字米艇船八艘。十五年裁撤台灣港口營字號船二〇艘，於鹿耳門（今安平港）增守港師船一六艘，編爲知字號，增八槳快船十六艘，編爲方字號。十六年裁撤各營梭船三七艘。道光二年裁撤勝字捷字號米艇梭船共十五艘，餘改爲一二三號同安梭船之式。七年裁撤台灣水師知字方字號船共卅二艘，善字號船九艘，別造白底船卅二艘，編爲順字濟字號各十六艘，分撥台灣協標中左右三營使用。澎湖協標置艋甲營；其外海戰船名號凡十類：曰雙篷船、雙篷艍船、圓底雙篷古船、趕曾船、平底船、平底哨船、平底貢船、雙篷哨船、白旁古船、哨船等是。其內河戰船名號，則分八槳船、六槳平底巡船等九類，茲不詳列。其各船水兵之數，以船之大小爲準。提督標分中左右前後五營，中營戰船九、左右營戰船各八，前後營各十艘。總督標水師左營戰船二艘。金門協標，後改鎮標，左右營戰船各九艘，改鎮後增戰船二艘。海壇協標，後改鎮標，左營戰船十艘，右營八艘。閩安協標，左右營戰船各七艘。福寧鎮標，左營戰船十艘，峯火營戰船十一艘。南澳鎮標，戰船十艘。銅山營，戰船十一艘。台灣協標，中營戰船十九艘，左營十四艘，右營十六艘。澎湖協標，左營戰船十七艘，右營十六艘，艋甲營十四艘。

（六）廣東省：

自順治九年設官兵一千人，嗣設總督標水師，駐肇慶府，分中左右前後五營：中營戰船三艘；左營戰船三艘；右營戰船四艘；前營戰船六艘；後營戰船三艘。水師營，各式戰船廿六艘。四會營，戰船三艘。新會營，戰船四艘，後改爲肇慶城守協標，轄左右營，四會營，那扶營，永安營。並以新會營改隸提標水師之順德協。巡撫標轄水師左右營，增城左右營，廣州協左右營，大鵬營，三水營，前山營，順德協左右營，新會左右營，以各營分隸提督標及廣州城守協。光緒廿九年，裁廣東巡撫，以各營分隸提督標及廣州城守協。康熙元年設水師提督標，駐惠州府，轄四營，嘉慶後移駐虎門，分中左右前後五營，香山協左右營，順德協左右營，新會左右營，永清營，廣海寨營，清遠右營，大鵬左右營，赤溪協左右營，凡大小戰船一一一艘。嗣後裁廣海寨營，以清遠左右營，隸三江口協標；以永清營，改隸府標，又改隸城守協標，並增設赤溪左右營。南澳水師鎮標，左營，各式戰船十艘，屬福建省，右營戰船十七艘。達濠營，戰船十一艘。康熙元年以碣石水師鎮標，於康熙八年展界分中左右三營，戰船十二艘。海門營，戰船十二艘。澄海協，左營，戰船八艘，右營七艘。惠來營，屬陸路潮州鎮標，戰船九艘。年以惠州協右營駐平海所，雍正四年設平海營，隸碣石鎮標。歸善營，城守營，戰船十三艘。饒平營，戰船四艘，黃岡協左右營，分中左右三營，城守營，戰船五艘。北海鎮標及城守營，左營水師八二三人，右營八一一人，戰船四艘。門水師協標，分左右二營，實存僅十艘，於康熙初年設置，嗣於廿三年改設龍門水師協標，乾隆廿年後，舊轄有州營戰船二七艘，後改隸高廉水師鎮標。高廉鎮標陽江營，嘉慶十五年以南韶連鎮左翼兵，移駐陽江，設陽江鎮標：左營戰船十一艘，後改隸高廉鎮標。電白營，戰船七艘。吳川營，戰船七艘。硇州營舊爲乾體營，戰船三艘。雷瓊鎮標，康熙四十二年改爲硇州營，存戰船卅二艘。東山營，戰船廿四艘，康熙廿七年設，分左右二營，戰船十四艘；雍正間增快哨船十艘，嘉慶十五年改稱水師營：左營，水兵八七六人，右營，水兵八八八人。海安營，康熙初年設副將各官，八年改設參將各官，戰船九艘，康熙間裁撤，存哨船三艘。海口營，嘉慶十五年設水師協標：左營，水兵四九二人，右營四八五人；後改參將，俟左右營爲一營。崖州水師協標，中營屬陸路，右營水師戰船六艘。另廣東駐防八旗營水師，乾隆十六年設領催等三〇人，水兵四七〇人，分左右二營，匠役十二人，教習副工兵一〇〇人。（十二）

國劇繽紛續錄

（十四）　娑婆生

馬林壽誕清唱（續）

・接請丁仲唱釣金龜，幾如少安的反串。吳明急欲拉丁去吃餃子，大家環請，他始唱天霸拜山，雖僅八句，大有楊小樓的味兒，此君實多藝也。東園接唱逍遙津寫詔，由丁仲操琴，拉完滿頭大汗，徐丁始踉蹌而行。

杜敬箴兄偕其公子「武」來到，而自美返國不滿兩月的徐英女士，由兩位趙程小姐陪來，經寒喧之下，詢趙小姐，令尊是否秉熹先生，她點首，原來是不見有一年的瑛瑛也。東園勇先均云，杜公子唱得極饒余味，乃請唱沙橋餞別，果然幾可亂眞。繼由若蘭唱玉堂春出場的散板，美娜唱後面的二六轉快板，可說是字正腔圓，非常動聽。

時到六時一刻，導引至另座啖肉，十五斤的牛羊，竟未啖完。七時半再續清歌。由東園次子仲雄與向榮合唱文昭關的前場，東園再唱七星燈，均敬箴司琴，發音甚朗。接着吳夫人唱宇宙鋒的反調，醉酒的四平調，瑛瑛唱鳳還巢春秋配，茅吳兩君托腔甚妙，室中充滿諧音。再接若蘭的雙冠浩的南梆子，美娜的刺湯，這四位坤票，大顯神通，悠揚，好聽。羣請茅瀠霖兄唱草橋關，王之老唱遇后，一淨一老旦，冲淡了這柔和空氣。大家興緻不盡，再請杜公子唱張公道三十五，與爲國家那何曾的兩節，韻味與餞別相同，可稱也。因爲各友多遠居南港新店中壢，而路遠，九時告散會，余乃開聽警察電台所播鼎盛春秋集錦焉。

實至名歸

記得在幾年前，反共藝人李湘芬、張語凡兩位，逃出鐵幕來歸祖國，報紙的頌揚，有如鼎沸，爲嘉其行誼也。最近又有反共藝人譚砥華隨名票趙培鑫同來，報紙雖無如以前的熱烈報導，但欽其意志，也贊佩不止，此是應該的。於是舞臺之士，遂爲加錫，號曰名藝人；惹起某報的反應，因爲譚女士的玩藝，向未看到，聽到，這名之一字，尚待後論。

我在中廣猜謎晚會，聽她唱一段紅娘，音色極佳，也是人云亦云，逢到朋友就講譚女士的唱腔不賴，那知碰了別人的釘子。她說，你知譚女士能唱多少齣戲，我爲之語塞。據告譚祇會五六齣戲，而且多是花旦，極少青衣戲，你看了再捧，不要胡吹過份！因此我捧人也得到一小教訓，當然不能過於趨炎，落到最近發見的傳書：有云，你們要捧人，多捧上天去，地下難尋，成爲天花亂墜。始終認爲暮鼓晨鐘，以後當以自儆。（未完）

靈與肉和不朽業

・惠恒・

在人的心內，靈與肉永遠是在鬥爭着的。從古至今，不少人就利用這題材創造了許多文學作品——小說，詩歌，戲劇，散文，但結論如何？仍莫衷一是。有人主張禁慾，以爲世上一切罪惡由肉體而來，假如能把肉體的七情六慾禁制了，社會自然太平，於是乎衞道之士挺身而出，大喊其非禮勿言，非禮勿視，非禮勿聽之口號。也有更高一層如佛家的色即是空，就以爲凡人能把肉體的潛力勝過了，究竟古往今來，有幾個眞是內外一致的道學家或是得道的法師呢？結果假道學成爲一般人譏笑的對象。「熊爾絲」所述的神父，不但不能把妓女熊爾絲勸說離開金迷紙醉的生活，倒是他本人反爲她的美色所迷了。記得以前在上海看過李健吾的「以身作則」一劇，演至舉人因偷傭準備跟人走的一幕，急起來直嚷：「君子不奪人之所好！」令人忍俊不住。假道學固如是，不足爲怪。

然則縱慾又如何？又有人以爲慾望一被壓抑，心理會形成變態，倒不如任慾望發洩，等到慾望發洩完了，生活也就回復正常了。誰知並不如此，往往因爲放縱，結果不可收拾，終而身敗名裂，而慾依然得不着滿足。於是乎社會的罪惡增加，色情泛濫，則不僅是道學家們聲「吾不欲觀之」便可解決，而竟成了社會治安上的大問題了。然則捨放縱與禁慾二途之外，更有何等善法來另闢途徑呢？我想該是致力於「不朽」之業吧？我所謂不朽，與古人說的立功立言立德微有不同。我以爲人能用精神心思去追求成就一件比肉體之奉更超脫的事，（說得具體一些，就是學術，）則無論成就大小，總與不朽之道，庶幾有點相近了。古來不少學問家和藝術家並非個個像柳下惠之輩，他們祗以精神寄託於研求學問或藝術上而將欲望（除了求知慾）忘却了或淡薄了的。由腐壞的放縱轉入不朽之境，一時找不着最好的例，但就中外文藝史上舉二人來說吧，這就是宋朝的詞人柳永和百年前法國大畫家志婁勒脫。這二人都是一樣地胡混而腐化，但同時一樣把藝傳於後世而不朽。他們都是一生活在妓女羣中，初時固然揮金如土，等到床頭金盡則悲劇隨至，他們竟然要靠妓女們的施捨來過活；柳永的棺木是妓女們集資施予的。志婁勒脫則簡直是妓院中的一條狗，食着妓女們血汗；他並非黑人物向女人搾取，他不過是乞丐而已。論肉體的放縱，柳永和志婁勒脫總算是放縱最澈底了罷，然而他們的人生是無滿足可言。奇怪的是，似乎在他們的人生中有某些東西的興趣更大更深，更有價値，那就是柳永的詞和志婁勒脫的畫。柳詞在吟風弄月之外，遠超了肉體的讚美而發闡了被目爲下賤的婦女們可貴的眞情。而志婁勒脫的畫除了表現社會黑暗的角落之外，更發洩了一己對鴇子的憤恨和對一羣可憐女子的同情。至於他在後期印象畫派中的地位，我不必在此提出，有識者自會評定。同是由肉慾而轉入至情，那是屬於更多的精神因素了。那「奉旨填詞」的柳永，似乎在文學上得到一點滿足，而那斷足貌醜的志婁勒脫，也從繪畫得到生之趣味了。彷彿二人都悟到藝術之不朽，憑這一點澈悟，他們從肉體超脫出來了，淩駕在肉體之上的，雖不成爲靈性的，至少也是理性的，美化的，澄淸的了。

蘇東坡晚年進入禪境，是否有着相似的經驗，我不敢肯定，但由「舊交新貴音塵絕，惟有佳人猶作慇懃別」的生活而進入「不如歸去，作個閒人，背一琴，一壺酒，一溪雲」的境界，我們可以說他已脫離慾境，而入不朽了罷。

吃在武漢之我見

逸雙

・四十年來，我走遍了大半個中國，在武漢居住前後不過二三年，而這二三年却教我夢寐難忘，最難忘就是那些引人饞涎的美味。

武漢的食品，我敢說任何其他地方都難與比擬。先從早點說起，武漢的早點，眞是五花八門，形形色色，如荳皮荳絲，糯米燒賣……之類，早已膾炙人口，不必贅表。値得一提的，還有許多價廉物美的東西。第一是「洒湯粉」，這可說是一種無法形容的食物，外表看來濃濃膩膩，顏色灰敗，絲毫不逗人好感，可是一經入口，立即引起一種鮮美而刺激的感覺，使人久久不忘。賣這粉的店家很少，每天出品不多，供不應求，所以不能普遍爲人所知。第二是發米巴，這是極爲普遍的食品，武漢市上一清早就可以看到一副担子，一只平底鍋。抗戰以前，幾只銅板就可換來二三塊，解決了早餐問題。「發米巴」大約是用米粉調成糊狀，在平底鍋烤成圓餅，撒以糖末，既香脆又衛生。尤其在天寒地凍，雙手僵直之時，捧着兩塊熱餅，一邊吃一邊看報紙，甜美，溫暖，一舉兩得，眞是南面王不易也。第三是「麪窩窩」，和「苕窩窩」，這是兩樣油炸的東西。麪窩窩是用米粉所製，類似此地所賣的油煎餅，祇是炸成窩狀，邊厚而中心薄，味極鮮美。苕窩窩是用紅薯切塊（湖北人稱紅薯曰苕），調以麪粉，下油鍋炸成，中心凹下如窩故名。苕窩窩帶甜味，極爲兒童所喜愛。第四是牛肉湯，武昌有家牛肉湯專家，招牌叫謙記，開業已數十年，凡到武昌沒有不去光顧的，的確是遐邇馳名。抗戰時重慶牛角沱也有家牛肉湯店，借謙記的名做生意，每天也賓客如雲，可惜味道終不及謙記來得淳厚。其他平民化的早點還有糯米粑巴，油炸粑巴，油炸蝦餅，烤紅薯……等，因爲別處也有，並無特色，一概從畧。

談到武漢的家常菜色，最使我懷念的有藕煨湯，油菜苔，魚雜荳腐，荳腐渣，珍珠丸子，荳腐丸子，糟魚，魚丸，臭麪筋，魚麪等。湖北所產的藕易麦爛，入口即化，以之和排骨熬湯，加兩三塊火腿切得厚厚的，的確是鮮美營養，兼而有之，他地不易辦到。油菜在湖北叫做菜苔，有紫白二種，搜其嫩者炒熟趁熱食之，味美無倫。但油菜各地均產，香港也有，但都不及湖北的好。而湖北的菜苔，則以武昌郊外洪山所產的最佳。魚雜荳腐就是以魚的內臟燒荳腐，上海也有如此吃的，但不及湖北人燒的鮮美。炒豆腐渣更是最價廉的菜，在浙江，豆渣多用來飼猪，不拿來佐餐，其實如有好的材料，或者加點其他配料，這是一味極可口的菜。（上）

西施

「影劇與歷史」之十三

周遊

越國戰士，人人甘願爲反攻復國雪恥復仇而戰，不顧回家。於是越王誓師伐吳。吳王夫差亦親率軍去吳都五十里之笠澤抵禦。（時爲魯哀公十七年）越王分小部隊爲左右，形成左右夾攻之勢，其實左右乃是虛張聲勢，勾踐率親信士卒六千人爲中軍。吳越二軍都是水戰。吳王夫差以爲越軍從左右夾攻，以爲左右軍皆爲主力部隊，於是也盡分左右軍以抵禦之。越王中軍乃銜枚潛涉，不鼓不譟，奇襲吳師！吳軍突然遭遇主力，不能抵禦，大敗而退。左右二軍亦相繼敗北。吳軍三戰三北，退守都城。越王並不追趕，凱旋而回。

此一戰，越王何以不追趕兵圍吳都？可能是越王見吳國已有相當準備，其次吳國實力尚不可一舉消滅。這是越王不即時圖吳的原因。

吳國經兩次大敗仗之後，胆怯勢衰，夫差雖然想有所振作，但却找不出伍子胥那樣能練兵打仗而忠實的人了。不久越國傳來了消息，越軍進攻楚國。吳王夫差心中甚爲高興，因爲越楚交兵，越國進攻目標已指向楚國，吳國可以高枕無憂了。誰知這正是越國故意擺一種聲東擊西的戰畧。越國只開了一些小部隊在楚國邊境作小規模的戰鬥。吳王夫差仍然和西施歌舞昇平，夜夜春宵，不加戒備。

又過了一年，就在周元王元年的十一月，（公元四七五年）越王集中了全國的力量，突然發動第三次進攻，大軍直下吳都。吳軍連敗三陣，姑蘇被圍，吳國此時根本沒有抵抗的力量了。可是吳國的都城，建築牢固，越軍一時攻打不下。范蠡獻計，遂在吳都城外築城，環城駐兵留守，作長期圍吳，截斷外援，使吳軍不戰亦因內無糧草，外無援兵無法再支持了。吳王派人找伯嚭爲使求降，誰知伯嚭不知去向。只得派了大夫王孫雄，去作投降使者。

王孫雄到越軍營門，復效昔日越王派文種向吳王求降的故事，用膝頭跪在地上，從越軍營門至越王面前，呈遞投降書，又苦苦哀求一番。越王勾踐有些不忍，意欲接受吳國的投降，仍然保留吳國的都城，讓吳王夫差祀奉吳國的宗廟。但是范蠡却激烈反對。他對越王說了一席中肯的話，范蠡說：「昔日會稽山之敗，是天將越國賜予吳國，而吳王夫差自己放棄，所以我們才有今日反攻的機會；今日天將吳國賜越，我們如放棄了他，將來後悔不及。大王臥薪嘗胆，刻苦自勵，艱苦奮鬥了二十年是爲了什麼？大王難道忘了昔日會稽山戰敗之恥？在吳國作奴隸的大辱了麼？」結果終於拒絕了吳國投降，並要吳王作最後的決戰。（十）

所謂國際性感象徵

瓊威金遜很正派

・良譯・

即使是心地光明的批評家，也不由得要注意到瓊小姐的美妙的三圍。在實際上，當她在「紅磨坊」劇場工作時，關於她的這份特殊的標誌，早已流傳了不少幽默的譬喻。據說她曾三度跑到她的新聞經理那邊，驕傲地對他宣佈：「將我的胸圍尺碼，改爲四十一吋」。稍後，她又說：「把胸圍改成四十二吋吧」。又過了一陣，她再說道：「不如索性改爲四十三吋吧」。這麼的改了又改，好不容易才算滿意。

「紅磨坊」劇場是一間出名的戲院。這間戲院的歷史，可以在女明星烈打希和芙從影的故事中獲得說明。在大戰期內，這間劇場依然營業，雖然曾受到轟炸的影響，但在戰時的情調掙扎之下，倒也能夠苟延殘喘。觀衆絕不計較瓊小姐的衣裳甚且穿着了衣與否，但都來到這地方的人，都喜歡捧她場。

又過了幾年之後，瓊小姐去到高溫片場拍攝「候選者」一片時，湊巧曾在紅磨坊劇場的一舞曲作家華利格連，也參加了工作。他拿出一張瓊小姐十四歲時和一羣朋友在「紅磨坊」跳團扇舞的照片給大家看看。往事如烟，到如今已是風流雲散了。

在紅磨坊的時候，這位舞曲作家，堅決地主張她要嗎便跳團扇舞，否則便跳「康康」舞。曾經有人想過另用其他手法裁去圖利。爲的是，那時候她的照片，已不脛而走，風靡了整個歐洲大陸。她的表演，常常是站在一面大玻璃鏡子後面，跟管絃樂隊在一起演出。首先是讓觀衆中一人拿一根橡皮鎗，射向玻璃鏡子。（二）

內僑警合報字第〇三壹號內銷證

自由報

THE FREE NEWS

第一〇六一期

中華民國僑務委員會登記證台僑新字第三三三號 中華郵政台字第一二八二號執照登記爲第一類新聞紙類（半週刊每星期三、六出版）

每份港幣壹角　台灣零售價新台幣貳元

社長：雷嘯岑

督印人：龔行審

社址：香港銅鑼灣高士威道二十號四樓 20, CAUSEWAY RD 3RD FL. HONG KONG

TEL. 771726　電報掛號：7191

承印者：大同印務公司

地址：香港北角和富道六號

台灣分社

台北市西寧南路壹零號二樓　電話：三〇三六

台郵九二五

我們爲什麼要研讀三民主義

（一）

楊力行

三民主義的力量，過去已經先後推翻了滿清皇朝，打倒了北洋軍閥，更戰勝了日本軍國主義的侵略；現在，又已將台灣建設成爲三民主義的模範省。我們要堅決相信：在不久的將來，亦必能摧毀匪僞政權，光復大陸，拯救中國同胞於水深火熱之中。所以，我們務必切實研讀三民主義，宏揚三民主義，實行三民主義於中國、亞洲，乃至全世界，俾能促進世界於大同，完成國父的志願。

一、引言——從一則笑話談起

台灣省教育廳潘廳長振球，曾於五十四年八月二日，在中興新村台灣省訓練團新址，暑期青年活動中心，三民主義教學研究班的專題報告中，講了一則笑話，他說：「有人曾對他表示：三民主義課可上，也可不上；因爲，美國不教三民主義。」由這笑話來看，我們可以發現還有很多人不瞭解三民主義的重要性，但是，這個錯誤的觀念（Concept）若不澄清，顯然更增加三民主義教學上的困擾。美國學生要讀美國憲法，當然，中國學生也要讀中國憲法，其他各國學生亦然。中華民國憲法的序言就說：「中華民國國民大會受全國國民之付託，依據中山先生創立中華民國之遺教，爲鞏固國權、保障民權，奠定社會安寧，增進人民福利，特制定本憲法，頒行全國，永矢咸遵。」接着在開宗明義第一章總綱第一條又說：「中華民國基於三民主義，爲民有、民治、民享之民主共和國。」因此，身爲中國人民，必須懂得三民主義；否則，就無法瞭解中國憲法。試想：一個不瞭解本國憲法的國民，還能稱得上一個標準的國民嗎？

三民主義是一部博大精湛的學術性著作，一部中國乃至亞洲及整個世界之先知先覺的偉大聖哲所撰寫的思想巨著。他綜用正確的思想方法，合古今中外的學術、思想而完成的最崇高、最進步、最完整的革命理論，是我們應該共同信仰，以建民國，以進大同的寶典。它的內容代表著中國人，甚至亞洲人，乃至全世界人的心聲，祇要大家張開嘴來唸一唸就知道。三民主義教學上最重要的問題，也就是要如何促使學生張開嘴來唸幾遍，甚至好好的看數遍。祇要肯唸，肯看及肯聽老師在課堂上博引國父遺教，旁徵蔣總統有關訓示及新思潮的講述，自會對三民主義發生濃厚的研究興趣。

再說，美國第十六任大總統林肯（Abraham Lincoln）所倡導的「民有、民治、民享」之說，他只是在蓋茨堡著名演說（The Gettysburg Address）的結語中提到：「要使民有、民治、民享的政府，永存於世」而已，並無所謂「三民主義」專書行世，更無所謂完整的「林肯主義」或「林肯學說」可言；因此，美國人及全球人士就無從研究及讀此「主義」了。如果美國及其他各國政治學者要研究我們的三民主義，就非研讀不可了。如所周知，二十世紀是美國領導世界潮流的世紀，至於俄帝所遺的共產主義，已然走上毀滅之途，日趨沒落。未來的二十一世紀，一定是三民主義的世紀，也就是中華民國的新世紀，這是無疑的。蓋新世界大勢所趨，新潮流的激盪所致，任何邪惡勢力，必在三民主義的大纛下屈服，若不信，請拭目以俟之，可也。我寫至此，欣聞國父哲嗣孫科博士在東京說：「著名美國女預言家珍妮．狄克遜太太（Mrs. Jeane Dexon）曾對他說：『中國必定復興，並將領導全世界而不採用武力途徑。』」因此，不但我們要積極研讀三民主義，就是將來全世界熱心救世的人士，亦莫不要研讀三民主義。因爲，蔣總統曾經說過：「三民主義是放之四海而皆準，百世以俟聖人而不惑」的不朽之作也。同時，最近由美來台的美國著名法學教授及孫文學說熱心研究者小林白樂博士，他是國父老友林白樂的哲嗣，亦在五十四年十一月二日的中央日報發表談話說：「三民主義與馬克斯主義大不相同；它是溫和的，它不僅是絕對正確的，也是適用於現在，就是千百年後也還是可以遵行不渝的。它的思想和主張，可以採用於目前世界任何進步國家，至於其他許多新興國家，也可以採行。」

二、三民主義是一部思想巨著

現在，三民主義已成爲我國各公私立高級中學大專院校暨三軍官校等必修科目，不僅每年大專聯考要考三民主義，即其他高普、特考、留學考試等亦均列爲必考之科目，因而國人必修之。爲什麼要必修呢？除前面已說過外，再進一步要明白這個道理，我得先將「主義」說明一下。青年學子在各中等以上學校所學的各門功課，如：數學、物理、化學、生物等是屬於各種科學，而主義究竟是什麼呢？國父在三民主義中一開始就說：「主義是一種思想」。自然是指極爲正確的思想。三民主義便是一部偉大的思想巨著。然則，思想又是什麼呢？思想是思維的產物與結果。是一種視之無形，摸之無體，聽之無聲的抽象東西，可黑可白，可黃可蒼。人爲萬物之靈，其所以異於普通動物的特質，即在於有思想。普通動物均有感覺：如：飢則想覓食，渴則想飲水，鞭撻之覺痛而想逃避，捕捉之覺險而想躲閃；但是，此種表現，純屬本能的動作，而無絲毫有意的考慮。我們可以說：一般下等動物，有「想」而無「思」；比較高級的動物，如：猩猩、猿猴能夠知道用竹竿打落樹上之果實，美洲水狸知道用樹木築堝蓄水，這似乎都經過一番考慮之後而表現出的動作。但猩猩、猿猴和水狸對於這些動作，是知其然而不知其所以然的；這種動物可以說有「想」也有「思」，但不能想其所想，思其所思，仍帶有幾分本能作用，故猩猩與水狸等都說不上有思想。惟人則不然，人爲萬物之靈，人不僅能「想」與「思」，並能思其所思，想其所想，把他所思所想結成體系，使人明瞭其中的道理，傳之他人，播諸遠方。因爲，思想是有感染性與融和性的，某甲的思想，可影響到某乙某丙某丁，甲地的思想也可傳入到乙地丙地丁地。思想之所以有時要加以適當的控制，要統一，就是指的這種思想，即是有條理有系統有組織的正確思想。

妙想天開

找替身

今日與明日

雙子星座的成就

美國雙子星座太空船六號七號在太空的成就，已經破了幾項紀錄，第一是雙星會合，自人類征空以來尚是創舉；第二，七號飛了兩個禮拜，也是人類在太空中停留時間最久的一次；第三，兩星會合之後，各自分飛，七號就替六號照像，也是前所未有的事。這種成就不僅震撼了世界，也威懾了蘇俄，使蘇俄當局感到難與美國爭一日之短長，時間愈長，蘇俄落在後面愈遠，永無追上的機會了。

美國雙子星座征空的巨大成就，表面看來是屬於純科學性的，事實上對於國際政治影響也大。因爲美國的成就愈大，蘇俄就愈不敢對美一戰，美國自可放心收拾毛共。這種互爲因果的連環性，愈來愈明顯。毛共也看到此一危機，最近拼命亂喊準備同美國作戰，正是色厲內荏的表現。

越戰和談

經過美國八個月的狂炸及二十萬大軍進駐之後，越共政權終於同意和談，透過聯大主席范法尼向美國提出四項要求，且不以美軍退出越南爲先決條件。但美國仍認爲不能接受，已加拒絕。范法尼且將雙方函件公佈，這本是鐵案如山，無法狡辯的事。

但毛共却出頭否認，堅決指證沒有這回事。這眞是皇帝不急，急煞太監了。目前形勢很明顯，毛共本身不敢參戰，却一味在大陸示威，遊行，演說，通電，鼓動北越抗美。此種作法對北越究竟有何好處，是有目共睹的事，但對毛共却有益無損，因爲只要毛共不出兵，美國就不可能炸大陸，摧毀毛共核子裝備，毛共正好以隔岸觀火的心情在拍手助陣。但苦就苦了越共政權，胡志明、范文同支持不住非求和不可。相信越共透過有資格人士向范法尼提出條件時，毛共未必知道，所以范法尼一旦公佈此項經過，毛共就忙不迭的代爲否認了。

俄毛在越南鬥爭

美國毅然出兵南越、派機轟炸北越，雖然也有些人不以爲然，但現在可以看出，已獲得軍事政治雙重的成功，俄毛在越南的鬥爭即其中之一。目前北越政權在毛共控制中，蘇俄想插手而插不入，因此蘇俄就想在越南停火，只有越戰停火，胡志明才可以脫離毛共掌握。最近即盛傳東歐波蘭、捷克出頭壓迫北越同意和談，配以北越透過有關係人向范法尼提出要求，大概這是另一個系統，可以想見是蘇俄在幕後安排。毛共最近咬牙切齒要同修正主義鬥爭到底，勢不兩立，大概這也是原因之一。（何如）

自由談

談情報工作

古今中外無論任何一個國家的政府，皆需要有情報工作機構，專司偵查奸宄、防制反側與叛亂的職責，是政府最重要的耳目，關係國家治亂興亡前途甚鉅。

從事情報工作的人，要有儒家的仁恕心腸，法家的嚴正思想，縱橫家的非常手段，游俠雜霸之士的豪俠氣質，而其唯一先決條件就是無私。在無私的作風之下，有時候爲着國家的利害關係，雖殺人亦爲義所應爾，無可厚非，至於採取何種手段，更屬無關宏旨的事。如對日抗戰時期，咱們的敵後情報人員在上海設計剷除通敵叛國的大漢奸傅筱庵和唐紹儀；在河口狙擊投敵主和的汪精衛；這都是符合國家利益之轟轟烈烈的義舉，爲國人同聲讚許的。

幹情報工作者決不宜担任普通行政上的重要職位，即政黨要津亦以不涉足爲上，庶可超於象外，恢恢然游刃有餘，少所顧忌，而情報工作的信譽即不致隱受損害。情報的主要任務既是摘奸發伏，遏制亂萌，以及偵查敵情，保衛國家安寧，則對於政治上一般文武官吏的日常生活，如不涉及叛亂問題或影響社會治安，自不必多所過問，否則大家憂讒畏譏，人人自危，實非求治之道。滿清雍正帝以嚴刻政策治天下，特工遍佈於社會各界，某大臣曾在家聚友玩牌，次日上朝值事，雍正詢其昨夕私生活情形，某大臣據實奏對，帝嘉其誠實，即從袖中取出紙牌一張還諸某大臣曰：「此卿家昨夕所失之娛樂品也」。某大臣惶感謝罪不遑焉。似此作風，雖顯其察察爲明之法術，給臣民以威脅震慴，提心吊胆，然適以彰其苛酷治國之象，非所以正人心、安天下也。

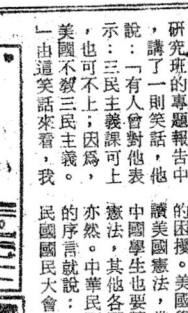

情報工作人員如果不能去私，而摻雜着個人恩怨好惡之見以從事，爲害尤不堪勝言，試看歷史上明代魏忠賢擅權逞威的後果，即思過半矣。所以，最足以懲惡獎善，維護正義，弼成郅治盛業者，殆莫過於情報工作；而最足以殘害國脈，喪失人心，替政府幫倒忙者，亦以情報工作的關係爲特甚，竊結只在公私分明之一念間耳。由是言之，凡屬幹情報工作而卓著績業者，皆可尊爲英雄豪傑之士，而爲世人景仰不置也。

馮五先生

成品精緻·人見人愛
台灣省手工業外銷暢旺
上年逾千萬美元·本年將再破紀錄

台灣手工業產品，種類繁多，大別之，可以分爲十大類：（一）竹製品和藤製品，（二）編蓆，（三）刺繡和手製成衣，（四）地毯地席，（五）玩具，（六）陶瓷器和土石製品，（七）手提袋和髮網，（八）木器傢俱及木刻品，（九）抽繡製品，（十）觀光紀念品。台灣全省，幾乎各地都產竹，在山地更有各種優良竹材。我們通常所見的，有桂竹、長枝竹、麻竹、刺竹、觀音竹、孟宗竹、綠竹、矢竹等多種。在台北、苗栗、南投、嘉義等地區所產的竹材，利用來製作手工業品的最多；在屏東、高雄、嘉義、台中等南部所生產的麻竹，也是手工業產品的重要原料。這些不同的竹原料，經過奇巧的設計，精工製成優美的竹籃、竹簾、手提袋、竹竿、竹屏風、竹烟匣等，廠商大部設在南投及台南兩縣。台灣的藤，雖沒有竹那樣普遍，生長的面積很大，在花蓮、台東和宜蘭三縣，產量最爲豐富。黃藤、竹藤、水藤和花藤等，各種都有出產。而黃藤的產量最多，用途也最廣，由於品質的耐久美觀，日常所見的各種藤器，幾全部由黃藤製造。藤籃、藤包、藤手杖等手工產品，不獨在國內市場很盛行，而且也暢銷東南亞一帶的華僑社會。

編蓆手工產品，日本人極爲愛好，台灣每年銷出數量大有可觀。這些男女草帽，都是用台灣所生產的大甲草、林投草和檜木絲所編製成的。自從民國四十五年起，在大量進口紙捻、玻璃絲、銀葉草、金絲草和棕櫚等原料，加工做出手工業品的重要項目。這些手工編織的人，大多數是農家婦女，作爲一種家庭副業，利用農閒時間，從事生產，藉以增加收入。

刺繡和手製成衣，是我國獨特的精巧手工藝，比較他國的更爲精美，而近年來參照外國各家庭雜誌的圖案，加以改良，使適合外國人的需要，因此各種新式的枕套、餐巾、枕套、童裝、女裝、睡衣、浴衣、游泳衣等，運銷國外，極受歡迎。產量正在日益增加中。

地毯地席，因爲我國的產品，質地堅牢耐用，圖案古雅優美，比較外國的機器製品，良好得多。經過有關機構的加以指導，使我國北平式的羊毛地毯，在台灣從事生產，歐美人士，都喜購用。同時用瑯瑯、芋麻、和海草所編成的地席，銷路也日增月盛。

玩具手工業品，近年經新東方玩偶生產合作社的努力，把我國古裝娃娃、土著村女、國劇人形和五彩木偶，精工製作，式樣奇巧可愛，使美國藝術界人士，大爲欣賞，在外國書報雜誌，有專文介紹，因此新大陸不少婦孺，都紛紛向華僑商店購買。

陶瓷器和土石製品，本來在台灣是很少製造的，原因在原料的缺乏，同時在日治時代，沒有這類技術人員。等到光復後，才有大陸來台人士，雖有大量製造，然品質劣，成本奇昂，幾無法生存。三十八年大陸淪陷，陶瓷工業人才紛紛入台，加以政府極力提倡，就使陶瓷的品質和數量，都有長足的進步。主要產品，除家庭用器皿外，還有花瓶、檯燈、鼓儀等裝飾品，設計新穎，圖案古雅，已經使中上流家庭及辦公處所，樂於購用，並已展開外銷。

手提袋和髮網，在台灣可以說是新興的手工業。手提袋是婦女日常用品，多以竹、木、纖維、藤、草、皮革、塑膠、鐵和其他混合材料所編織而成，式樣不斷在改進，色澤和花式，時在變化，除內銷很旺外，外銷也逐漸增加。至於髮網，原料由國外進口，在台灣加工出口，由於工資低廉，製造技術又優良，因此在國際市場上，頗受重視。這是大宗勞務輸出的一項，前途極有希望。

木器傢俱及木刻品，近五六年來，台灣出口到歐美的，爲數很多。最近在澳洲、東南亞各地，更建立了新市場，需要有日益增加之勢。由於台灣所產的木材，種類很多，頗能迎合各種不同民族的愛好，同時木質優良，既美觀，又耐用。好像花木、檜木、楠木、柚木、肖楠、黃楊木、勾骨仔木、鳥心石、赤皮、樟木等，用以製成的樟木箱、首飾盒、傢俱等，都能和日本貨競爭，而得到勝利。

抽繡製品，抽紗本來是我國汕頭的特產手工品，繡件以湖南爲最優。關於抽紗手工業，台灣爲了拓展外銷，特在民國五十二年，在台北開辦訓練班，訓練專門技術人員，目前已經能製出各種花樣新穎，經久耐用的抽繡品，好像檯布、餐巾、酒巾、手帕、枕套、睡衣、女上衣、男女童裝、圍裙、沙發墊等，外銷情形，極爲良好。

觀光紀念品手工業，由於政府正在大力提倡觀光事業，觀光人士，來台者日益增多，因此也隨着突呈蓬勃之象。好像宮燈、貝殼製品、牛角製品、昆虫標本、珊瑚雕刻、漆器、銅器、樂器、紙花、串珠、蛇皮、畫軸、圖畫、故宮名畫影集等，都受到觀光人士的讚賞。至於利用澎湖紋石和珊瑚鑲製成的新型項鍊、耳環、手鐲、袖鈕、胸針等裝飾品，更受到外國人士的愛好，樂於購買。

以上各種手工業產品，大部都以外銷爲目標，輸出逐年在增加中。依照台灣銀行手工業輸出結滙統計，在民國五十三年，已經到達一千零八十三萬五千六百零二美元之數了，至於今年，正式統計尚未發表，但據有關方面消息，即在九月三十日爲止的輸出數額，已近一千萬美元大關；那末到年終，勢必要超過去年的紀錄很多了。（華僑社稿）

在越美軍兩面作戰
一是共黨一是瘧疾
美軍有句口頭禪：「如果你出去捕捉越共，你也會捉到瘧疾。」

〔華盛頓通訊〕很少人知道在越南同共產黨打仗的美軍，亦同時在和瘧疾作戰。據美國越南援越總部的醫務主任尼爾上校說：「除了女人之外，駐越南美軍談論最多的事就是瘧疾。」當美軍在瘧疾流行的越南，加強他們的行動之際，瘧疾死亡人數，一直就在激增中。

今年最初的九個月，瘧疾對美軍的侵襲率，僅爲每年每千人中有三十八人（第二次世界大戰高至二百六十人）。瘧疾發生的總數共二百一十二宗，其中僅六宗是「良性隔日熱」，其餘都是由那些毒性較重的瘧疾菌所引起。[illegible]腦部或其他器官，可能要到致命的侵襲。越南叢林中，由蚊子運送的瘧疾菌，與越共分擔那裏的土地。事實上，他們是互相支持。越共以阻止噴射抗蚊殺蟲劑而使瘧疾能自由行動。瘧疾也予越共幫忙，因爲它侵襲新開到越南的美軍。他們未患過瘧疾，所以未具有一半免疫性。美軍中有一句口頭禪：「如果你出去捕捉越共，你也會捉到了瘧疾。」

本年十月份，美軍這樣染到瘧疾的有五百多人，十一月的染瘧疾人數也許還要多一點。數以百計的患者，已被送往太平洋各地的軍醫院，因爲軍隊的慣例，把任何在三十天內不能恢復執行職務的人，移往後方，而惡性瘧疾的治療和復原，須時五週至八週。

在醫學上，越南瘧疾最頭痛的問題是惡性瘧疾的出現。這種細菌，對數年前被稱譽爲差不多最完善的抗瘧藥品如哥羅昆是具有抵抗力的。美國軍人每週服預防藥片一塊，內含有哥羅昆三百毫克和另一種抗瘧劑名叫普拉瑪奎四十五毫克。如果他們服了這種預防劑仍然患上了瘧疾，他們很可能是受了一種有抵抗力的瘧疾菌所傳染了。如重劑的哥羅昆，不能使發熱於幾小時內消退，醫生可能改用派拉梅法邁因，在若干較不嚴重的患者，這種製劑是有效的；可是，對若干患者，醫生們不能不恢復使用奎寧。這是最古老抗瘧劑，對於影響腦部的惡性瘧疾，奎寧須用重劑作靜脈管注射，但它本身也就可做成死亡。

美軍，越南雖對防瘧工作嚴格執行，據國防部報告，今年仍有十名美國人，在越南死於大腦或其他的併發症。研究人員正加緊努力尋求新藥。一種似頗有希望的藥品是DDS，通常是用來療治癩瘋的。另一種是效力持久的新磺胺藥劑芬納西爾。瘧疾專家正以志願的囚犯作試驗，以決定應用DDS或芬納西爾，也許與派拉梅法邁因合用，以對付那種對哥羅昆有抵抗力的在東西南各地發現的毒性瘧疾菌。

兵災之餘又逢旱災
印度面臨最嚴重飢荒
估計缺糧逾一千萬噸
·新德里通訊·

多難的印度，現又發生百年來最嚴重的旱災，目前已形成全國大缺糧，甚至有許多地區的人與獸都要受到食水不足的痛苦。

這種慘狀已由印度糧食部長蘇勃拉瑪南於十二月一日向國會提出正式報告。

他指出要防止大饑饉的蔓延，唯有希望靠美國的食糧輔助和平計劃之下，大量輸入穀物來解救。

屋漏連夜雨

他說出更慘的事實，是許多地方食糧已經不足，現在爲了要保存食水，迫得停止耕種。

印度人民的食糧在此情形之下將要大爲減低。

糧食部長指出去年印度的五穀出產曾經造成八千八百四十萬噸的空前紀錄，今年本來預算可以達到九千二百萬噸的，但由於百年來所未有的大旱，這個希望落空了。預料今年最少也差七八百萬噸食糧，甚至所差數額會超出更多。

由於缺乏外滙，印度無法向外國購糧。因爲近來印度對美邦交不甚協調，美國不肯和它簽訂長期的供應小麥協定。美國政府會經指出，要印度保證將盡力達到自給自足，然後肯作長期的供應。

目前，美國每月以六十萬噸小麥輸往印度，而印度的海港設備最多也祇能容納得這個數目。

可是，美國的糧食雖然運到，但印度國內運輸分發的工作，却因印度的制度不好，運輸設備不足，有時竟無法把食糧輸送到災區，而任令大量剩餘的食糧堆積於海岸地區。

缺糧情形重

十一月卅日印度政府發表白皮書敍述因天旱缺糧的嚴重情形，印度全國人口四億八千萬人均將受旱災缺糧的影響而不獲得足夠的糧食。有五省的穀物收成全省甚受影響，另有三省則大部份地區受災。僅有四省的收成勉稱滿意。

在播種季節內，印度全國平均比平時缺少雨水百分之三十至四十，而在需水最甚的九月十月竟然滴雨都無，有些地區的水塘全部乾涸，無水可供灌溉。

印度人的營養本來已經未能達到必須的水準，現在因旱災造成饑饉，將要更加減低了。在通常而言，印度人以米麥爲主食，祇有富人纔能於米麥之外，吃些蔬菜和別的食物。

印度雖然是產牛最多之國，但他們視牛爲神聖，所以很少人吃牛肉。近年雖然政府極力推動工業生產，但却趕不上每年一千二百萬人出生率的增漲。

官方暫時的估計，印度在一年內要缺糧七八百萬噸，但非官方的估計，缺糧額將高達一千二百萬噸。

美大力援助

過去，美國給予印度的糧食援助，最高額達至每年六百萬噸，抵消了印度通常的缺糧額。迄今美國在輔助和平計劃下，已經將價值三十億美元以上的食糧運交印度了，此外，另又已給予印度以六十一億美元的經濟援助。

目前，美國每日仍有約二萬噸的食糧運到，但應付特殊嚴重的旱災饑饉仍然是不足的。據說美國方面已經通知印度，非俟華盛頓方面確信印度已盡力進行增產，否則將重行考慮現行的糧食政策。這是說，美國對於印度這種無底深潭的缺糧情形，不想作無限期的承担。

營養專家的估計，一個人每天最少要有二千三百卡羅里（熱量），纔可以維持良好的健康和工作效能。但印度人在平時每日僅得二千一百個卡羅里，已經不夠標準了，現再因缺糧而縮減配糧額，則人民的健康當然要發生問題。

救急的措施

印度政府當局爲救急起見，已擬有計劃對於兒童、孕婦，有重要性的奶牛和替人工作的畜類，列爲最優先配糧之名單內。

爲了應付因饑饉所產生的疾疫，印度政府不得不徵集大量醫務人員和購儲大量藥品備用。

更令印度當局頭痛的，是巴基斯坦和中共在邊境虎視眈眈；邊疆不靖，吸着大量的軍人，而這些人本來都是經濟生產方面所必需的。

烈嶼有新姿
美妙如仙境

（本報金門通訊）烈嶼似粒有稜的鐵沙，牢牢的塞在敵軍的眼皮裏；在海濤洶湧中，屹立在廈門港外，放着自由的光芒。

沒有來過烈嶼的，在想像中以爲這是個荒島。其實不然。這兒的景緻優美，農產與海產也很豐富，各項建設已經走上現代化。

初蒞烈嶼的訪客，都驚訝於這兒簡直是超塵絕俗的仙境。全島密如蛛網的公路及路旁整齊的行樹，綠油油的田野，炊烟裊裊的村落，都是那麼安靜而生動。

這兒盛產西瓜與花生。島上居民誠摯純樸，熱情親切。這兒還有遠東最大最理想的天然海濱浴場。

每當夕陽西下，海風送涼，你站在龍骨山嶺遠眺大陸河山，會凄然淚下！

瀛海異趣談

英國舊刊物市道好

·桑雅·

目前英國正流行一種「懷舊狂」。凡是一切舊的東西，都像古董一樣，有着價值。像連環圖，和卅年前發行的「無綫電世界」報紙，及「摩托」，及「電影」等報紙，都是為那些收集家渴求的東西。

一位商人說，那些中年人，常常把自己拉回孩提時代的日子，因此造成這種生意蓬勃。別以為只有罕見的郵票，才能值錢，然而一位收藏家，為了要完成其搜集的目的，即使一張五十年前出版，只值半個便士的報紙，也值五鎊，甚至更高。舊雜誌為搜集家所需的東西，市道及價錢都不錯。他們渴求的是戰前的報紙，在第一次世界大戰出版的，如「磁鐵報」、「鑽石報」、「世界大戰學生報」、「自我報」、「摩托報」、「汽車報」、「便士報」、「普通報」、「拳賽訊報」、「摩托訊報」等。連環圖方面，像「古斯漫畫」及「天虹雜誌」，往往為收集家的搶手貨。但這些漫畫雜誌，它們已很罕見了。因為經過兩次世界大戰，它們都遭受「殘殺」的運命。而「磁鐵報」刊着「法蘭李察灰髮」的小說，那是由比里寶德所作。此外哈里和頓底小說，也是很著名的。但這家報紙，在第二次世界大戰早期停刊，通常最高值兩先令至五先令不等。在一九〇八年二月十五日出版一份報紙，當時只值半個便士，現在值十鎊。同時有些謠傳，只要轉手，便售五十鎊。事實上也非不可能。因為搜集者很需要心目中的東西，畢竟遇着又是家境富有的，那會吝嗇這筆錢。竟這樣高價的，卻是少見。「磁鐵報」及「鑽石報」，亦值兩先令至五先令。除非是在一九〇七年三月所印的，則價值較高，因為那時期刊着「湯梅里的小說」，最少值一鎊。

當他的最初小說「半便士奇蹟」，在這份報紙刊登，更為和逐布力」。前者在一九二二年刊完的一份報紙，但在一八九三年的一份，卻值五鎊。「麗克遜」回溯無綫電初興的時代，懷着濃厚興趣的人，誰都購買一個無綫電世界報」。這張報紙在熱狂的一九一一年仍然存在，但目前一些無綫電人士，想知道初期「無綫電的情形」，所以願斥資卅鎊收購一套「無綫電世界」，如果發掘了一八六四年第一版的「Wisden Cricketer AlManack」，那可獲一百鎊的報酬。即使在一八六

[illegible]當時只值六便士，[illegible]原價每份一便士[illegible]（由一八九〇[illegible]）及「Nelson Lee」（一九[illegible]）每份值二先令六便士[illegible]戰前十八年完整無缺的全份[illegible]亦很值錢。由此可見，古老的刊物，是相當值錢的。那些搜集人士，往往出價很高，以搜購過來，所以那些搜集[illegible]「讀者文摘」[illegible]「國家地理」[illegible]「讀者文摘」則值兩[illegible]比登天還難。[illegible]「泰晤士報」[illegible]「倫敦憲報」[illegible]一位很出名的[illegible]物搜集人士[illegible]一千鎊。

火星之謎快可揭開

·林傳·

八十八年前，著名的意大利天文學家．夏巴里利宣佈，他看到了火星上面有許多「運河」。

當年最流行的解說，認為火星中住有精於水利灌溉的火星人。二十世紀初的著名天文學家羅威爾還說，火星「運河」是智慧高的生物為了灌溉那乾旱中的行星而造成的人工水道。

但是，許多科學家們觀察火星時，並沒有報告說發現像是人造或天然的河道網的標誌。

一九六〇年代後期或一九七〇年代初期中，美國計劃射到火星去的一系列高級太空船，應能提供最後的解答。

關於火星運河的爭論，開始時有如一個鬧劇。這問題除了有一些古怪而近於幻想的特點外，在科學上演變成為嚴重而相當受漠視的問題。

早期的西方觀察者們，把月亮中的陰暗地區定名為海洋海灣等。這類定名雖然並不反映他們相信月球面上有水存在，但它們卻成了科學中通用的名稱。觀察火星的人們，也同樣採用傳統通用的命名，而保留「運河」之名稱。

當年米蘭天文台主任夏巴里利，把那些標記叫作「運河」，不足為奇。他當時可能一心想着海峽。

但是英文中的海峽也作人造運河解，指的是人工造成的灌溉用溝渠。

聳人聽聞的人們頗為得意，認為火星有高等智慧的生物，有高度發展的農業以及超級的文明。

科學家們大都不取標奇立異之道。他們本能地拒絕了諸如此類的故事。

夏巴里利幾次三番看到那些標記，不斷改進他的火星圖及圖上的「運河」。他畫成的詳圖，仍然被認為是此中最佳之作。

羅威爾是美國優秀的天文學家，美國西南部阿利桑那州的羅威爾天文台就是他創立的。他在一九一六年逝世前，曾繪畫出七百條運河。他有力而公開地下結論說，那些運河，是有高級知慧的生物所造成的。

許多專家不同意他，但是由於天文望遠鏡有種種限制，現在還不能取得一致的見解。

從地球上看去，火星顯得很小，而要通過地球流動的大氣層去看它，更為複雜困難。不同溫度和不同密度的空氣層的經常變動，影響光綫的通過，而使火星影象模糊。因此，要經過相當長的露光時間攝取的照片，無法顯示出火星表面的詳細情形。

可供觀察的詳細情形，會增加時，大氣層的變動會有短暫的清晰時期。在這類無法預測的短暫時機中（往往只有一秒鐘之久），有經驗的觀察員，可以從天文望遠鏡中看到照片上看不見的許多東西。

這樣憑肉眼觀察的人們，一如夏巴利和羅威爾，在觀察後必須靠記憶來繪出看到的細節部份。這方法的缺點，正如心理學家們所指出的，是人們腦中常存有眼中沒有見到的東西。

近年來許多科學家認為火星上可能有生物，但是火星的生物是屬於微生物或簡單植物類的東西。這種看法並不能推翻火星上有人造運河的見解。以觀察及已知事實為根據的推翻是極有趣的工作。它是科學成長的源泉之一部份。今後數年中的工作，可能會使有關火星「運河」之說，告一段落。

看「國父傳」後感

仲偉廷

日昨應友邀約陪伴英倫專教士去國軍文藝活動中心看了一場革命史劇——「國父傳」，感到無比的興奮。我認為政工幹校師生為了慶祝國父百年誕辰紀念，特將國父的豐功偉蹟，透過舞台的藝術，展示在觀衆的面前，以加強社會人士對國父領導革命史實的認識，是有其深遠的意義。

「國父傳」這個話劇故事雖然不是連貫性的發展，但在幕啟時用倒敍式的手法將國父在民前十七年秋於廣州雙門底王家祠堂成立農學會與鄭士良等商討重陽節起義之事，安排在民前十六年國父在倫敦蒙難之前，是有其啟廸作用的。也是反映當時的青年對滿清政府昏庸無能的不滿。因此我認為政工幹校師生在此時此地將國父革命的史實用戲劇的形式來啟導觀衆緬懷先烈的遺志、效法國父的革命精神，其意義深遠，是發人深省的。

「國」劇導演王慰誠處理劇情有渾厚的魄力，採取畫龍點睛的手法，將情節點綴得生動活潑，緊握住觀衆的心理，因而感人至極。

「國」劇雖然是一個令人刮目相看的革命史實劇，演員的水準雖各個表現不同，都已達爐火純青之境。倘就戲論戲尚有商榷之處。在劇中飾演國父的極弦，雖老成持重，而外型豐度卻佔了優勢，使觀衆為之傾倒。但態度過於嚴肅，刻板而無風趣，使「國」劇在氣氛上稍受一點兒影響。因為國父是人不是神，他的態度是和靄可親，而不是像神那麼莊嚴，穆，使人敬而畏之的樣子。其次在第四幕武昌起義過場戲過於簡略，熊秉坤在楚望台及工程第八營和程定國等在營房前與清兵三言兩語，一個回合就起義成功，使觀衆看了似有一種草率應景之感，有一點近乎兒戲。關於這一點，不知是編劇先生抑或係導演的處理故事的手法，還是另有他的因？總之使人費解。

倘演出期間能注意改進，當使該劇能更臻於理想，使劇情發展更為合理，定更能生動感人。

革命史實劇的編導都是擇其重點闡述宣揚，這是去繁就簡的教育方法。但編導史劇時，反而使觀衆對革命史實的抹煞漠視，這豈不是編導先生們不作用了嗎？這不能不注意的事。

清代水師整建紀詳

·羅雲

（七）廣西省：

廣西水師，舊設駐柳州，後移駐龍州。康熙廿一年，以梧州位居兩廣之中，扼三江之要，分額設兵之半於潯南一帶，設哨船巡防。其後惟梧州、潯州、平樂、南寧、慶遠各府，有經制水師，為數不多。至光緒初年，以離江左江右江，水程綿亙，盜賊充斥，設水師五營。嗣因餉絀，併為三營。旋增募勇丁，凡巡哨船一四〇艘，兵丁一千三百餘人，仍苦不敷分配。乃復設水師五軍，以水程之長短，定師船之多寡：自桂林府至平樂府為中軍汛地，設將領四人，巡船四〇艘，兵五〇〇人；自梧州府至潯州府為前軍汛地，設將領二人，巡船二〇艘，兵三五二人；自平南府至南寧府為左軍汛地，設將領三人，巡船三〇艘，兵三七六人；自慶遠府至武宣府為右軍汛地，設將領四人，巡船四〇艘，兵五三六人；自南寧府至百色等廳河面為後軍汛地，設將領三人，巡船廿八艘，兵四二四人。此光緒季年之制也。其舊有水師，兵船艇數量為：梧州府水師三營，設副將各官，水師千人，戰船五九艘。慶遠府標協左營，兼轄水師哨船二艘。平樂府水師哨船四七艘。廣運營一四艘。六亮營，哨船二艘。大定營哨船三艘。足灘營，哨船一二艘。潯州左營，兼轄來賓江口水師哨船。勒馬汛水師哨船，南寧府隆安縣水塘十八處，哨船一八艘，水兵一四〇人。橫州水塘二十處，哨船三艘，水兵三四人。永淳縣水塘九處，哨船一艘，水兵一〇人。（十二）

白花油酬謝顧客 舉行工展大贈送

——攤位壯偉，雄視會場——

（特訊）白花油每年工展，均有參加，由於白花油功效如神，能治百病，因此中外馳名，有口皆碑，港九人士，均所歡迎，是以每屆工展，該廠攤位，其門如市，應接不暇！

本屆工展，該廠設特大攤位於第二、三、街，瑰麗壯觀、雄視會場，廠主人顏玉瑩氏為酬謝歷年愛護白花油之顧客起見，在工展期內，舉行大贈送，備有精美玩具、原子筆、銀袋、日記簿、日曆、熱水瓶等，凡到工展白花油攤位光顧之遊客，均有贈送，多買多贈，永不落空，工展遊客，幸勿錯過！

昨日白花油主人顏玉瑩氏及其夫人劉崑珠女士到工展攤位巡視，與其工展攤位主持人顏福安夫婦暨全體工姐在攤位前合映：

國劇繽紛續錄（四十一）

婆婆生

實至名歸（續）

最近消息，硯華已準備從白玉薇爲師，她們先後同學，當然收效必大。我相信二三年後，也許有十五齣以上，到那時眞所謂「實至名歸」，不硜硜於現在的享名。從事劇藝的，如讀書一般，要求其博深。同時台灣無荀派傳人，希望能接此捧，絕對可以傲視菊壇，開闢一另外的境界。在此梅程式微張腔亂飛，應該沉着氣，慢慢的來，一齣一齣的推出來，有如章遏雲初來的光景，下月初演出，最好是紅娘，若是櫃中緣未免不夠其派頭。所謂下馬威，必具聲勢，方可令人獲最深印象也。

言可懺

左營寄來一份油印稿，是對某君評與唐滅巢的訴說，局外人不便置喙，祇有緘默。唐不過談到劇評，有一段下列的看法，是否合理，我未自居此列，也不宜辯駁，要請名家論列。其言云：使人聯想到難怪今日台灣的平劇沒落，凋零，和不景氣，瀕臨到自生自滅的邊緣。歸結的說，這種衰敗的因素固多，但主要的原因，就是「腰裏別」太多。過去戲劇圈裏的朋友們，把這些自命高明的戲混混，統稱腰裏別，平素他們傲視菊壇，作威作福，飛揚跋扈，凜凜然不可侵犯，眞兇來兮！

某劇團要公演，機會來啦，請客送票者捧之。捧，捧得天花亂墜，捧得前無古人後無來者。誇，誇得天上少有，地下難尋。不請客不送票者，罵之。准把你罵得狗血噴頭，攻擊得體無完膚，一無是處，半文不値，你叩頭叫禮都不行。心狠手辣，人所震驚。白吃，白喝，白看戲，以一己之愛惡，一飯之得失，違背正義，抹殺事實，能在報屁股上寫點戲劇文章，顚倒黑白，播淆亂視聽，引經據典，有意中傷。爲自吹自擂，自壯聲勢，妙啦！開口賓森，閉口盛戎，信口開河，叫人聽了毛髮豎立，眞是可恨可憐，窮斯濫矣！

我接到此通函後，即貽書某劇團，對其詆評劇評人不甚苟同。首先國軍文藝活動，公演平劇，大鵬劇團並不送戲票，我是萬分感謝，省得每天化三四十元車費，疲於奔命。因爲既不是大名鼎鼎，無須做啦啦隊，天絞盡腦汁寫稿，可以優哉悠哉。以現今情勢，對爲劇評人送票，也有如小小的賄禮，好像無功不受祿？其他劇團也有送的，當然祇好捧場如儀。因此抗言，並非個個如此，所謂有正邪之分也。尤其海光比賽演出，化了五十元與朋友同看。明駝演少康中興，也化了三十餘元，借友共觀。所以這樣的論調，對於專門尋票者，可以言之，不能一概而論。至於評論不當，儘可在報章反駁其所言之非。不宜如此，太失風度，不太切合！該隊復函表示歉意。（未完）

法顯首先發現美洲

達鑑三

頃讀一九六五年十一月四日香港天文台報第四版「美洲不是哥倫布發現」。又讀同年十一月二十日香港自由報第三版「發現新大陸者非哥倫布」。發現美洲者既非哥倫布，究竟是誰發現呢？筆者補充意見如左：查世界各國學者研究中國僧人發現美洲說，始於公元一七六一年，當時法國漢學家德基納 De Guignes）報告文史學院云：「第五世紀時中國僧人已到扶桑國傳教，扶桑國即今日之墨西哥」。自德納基氏提出以上問題後，引起各國學者如戈爾遂（Cordier）、伯希和（Pelliot）、帕拉維（Paravey）、紐曼（Neumann）、高德隆（Gordon）、勒蘭（Leland）、弗萊雅（Fiycr）、文寧（Vining）、克拉卜洛特（Klaproth）、布利側耐德（Bretschneider）、希勒格（Schlegel）……等多人之討論，或主扶桑國不是墨西哥，或主扶桑國是墨西哥，議論紛紜，莫衷一是。二百年來，世界各國學者，大半皆以中國史籍所載扶桑國問題爲中心論點，對於中國僧人發現美洲之說中墨兩國歷史有何事實有何證據，皆未加注意。

筆者爲找尋事實與證據，曾先後假設五個問題：

（一）墨西哥歷史所謂東方神人歸薩克（Quetzalcoatl），究竟是東方何許人？

（二）中國佛國記所謂法顯漂到耶婆提國究竟是今之何國？

（三）墨西哥亞加布谷（Acapulco）所立中國帆船到港紀念碑究竟是紀念中國何人所乘之帆船？

（四）墨西哥壩陵纖太陽廟所立十字教碑究竟是紀念何人傳教碑？

（五）最早發現美洲者究竟是意大利之哥倫布或是中國高僧法顯？

筆者根據中墨兩國歷史與文物，及世界各國有關法顯與歸薩克之史跡，經三十餘年之研究，搏採羣書，詳加考證，均已得到結論：（一）墨西哥歷史所謂東方神人歸薩克，就是中國佛國記所謂漂到耶婆提國之法顯。（二）法顯所漂到之耶婆提國，就是墨西哥太平洋岸之亞加布谷。（三）亞加布谷所立中國帆船到港紀念碑，就是紀念法顯所乘中國帆船到港碑。（四）墨西哥壩陵纖太陽廟所立紀念歸薩克十字教碑，就是紀念法顯宣傳佛教碑。（五）最早發現美洲者，是中國東晉高僧法顯，而不是意大利之哥倫布，亦不是北歐之畢雅尼與里夫。畢雅尼與里夫於公元一〇〇四年始發現北美雲蘭島（Vinland）。哥倫布於公元一四九二年始發現北美巴哈馬羣島。法顯於東晉安帝義熙八年公元四一二年已發現墨西哥，較畢雅尼與里夫早五百九十二年，較哥倫布早一千零八十年。曾舉出種種事實與證據，迭載中外各報。此處限於篇幅，不便詳敘，故略述所見，就正於中外學者。

西施

「影劇與歷史」之十三

周遊

吳王一連派了三次使者請降，都被拒絕了，最後一次，范蠡氣了要斬來使，還是越王止住，並對使者說：「請毋再來請降，孤王就要攻城了。」

吳王一連串的請降，范蠡知道吳國已經不能再戰了。於是增調軍隊，和大夫文種合兵猛攻姑蘇。經過一日激烈的戰鬥，吳軍疲憊不堪，士卒分散，城門失守，越軍攻進吳都。吳王夫差率了一班親信，向北衝出重圍，連夜向山區奔馳，趕逃了三日三夜，駐馬在一個山地。但是突圍的輕裝部隊，沒有糧食，山地人烟俱無，吳王實在無計可施。而且越兵後面趕到，將吳王重重包圍。吳王在山上望見范蠡在軍中指揮包圍攻擊，他竟然情急智生，即刻作書給范蠡和文種，用箭射到越軍陣地，書上寫道：「我聽人說，狡兔殺光的時候，獵犬也就無用了。敵國滅亡了，謀臣也無用了。現在吳國已經一敗塗地，你們爲什麼還不替自己留下退路呢？」

吳王夫差對二人曉以利害，希望能夠獲得一條生路。可是大夫文種也就作書回覆，仍用箭傳書。書云：「上天蒼蒼，若存若亡，越君勾踐下臣文種敢言之：昔天以越賜吳，吳不肯受，是天所反。勾踐敬天而功，既得返國。今上天報越之功，敬而受之，不敢忘也。且吳有大過六以至於亡，王知之乎？有忠臣伍子胥，忠諫而身死，大過一也。公孫聖直說而無功，大過二也。太宰嚭愚而佞言，輕而讒諛，妄語恣口，竟聽而用之，大過三也。夫齊晉無返逆之行，無僭侈之過，而吳伐二國，辱其君臣，毀其社稷，大過四也。且吳與越爲近隣，一切相同，而吳侵伐，大過五也。昔越親戕吳之前王，罪莫大焉，而幸伐之，不從天命，而縱其仇，後爲大患，大過六也。越王謹上青天，豈敢違天之命！」

文種舉了吳王六大罪狀，件件都是說中他的隱處，不由得慚愧不已，老淚縱橫。王孫雄又去作了一次最後的請降，請求越王念其舊情，請保留一個小小的吳國，以守其宗廟。不料越王的命令下來了，要吳王遷居甬江勾章的東邊，帶着五百家民衆，以保留吳國的宗廟。吳王夫差聽了，五百家民衆到越國的南部，那怎能保存吳國的宗廟？那豈不是要我作囚犯嗎？

越王勾踐拒絕了吳王的要求，何況范蠡文種又堅決反對，幾天沒吃飯，奄奄一息，只有懊悔以待斃了。這時他想到了伍子胥的忠諫，可是已經後悔莫及了。於是對左右的人說：「如果是死而有知，我無面目見先王和子胥於地下；我死之後，請你們用三層羅帛，把我的面孔蓋起來罷！」說過，拔劍自刎了。（十一）

故都喜轎

客官

辦喜事用的「轎子」，一清早兒建……所用的：八面大鼓，十面旌旗，一對燈，一對傘，一對龍，一對鳳，金爪鉞斧朝天鐙，迴避牌，開道鑼等，便都來到門口兒了。尤其是所用的轎子，用兩條黃油漆的高板櫈一架，這叫「亮轎」。

在沒有發轎前，辦喜事的附近最熱鬧：所有「打執事」的轎伕，上身穿着藍粗布大領衣，腦袋上戴着黑沿氈帽，正面還插上紅鷄毛兒，腰裏揣着大窩頭，蹲在地上，還大賭特賭，在「押寶」呢。

無論誰家辦喜事，當天一早兒，都有一位不請自來的客人，他一來，先向本家道喜，誰也知道這不是好惹的人，索性掉這種人一「來啦！多辛苦吧」「他也都來了！」他也一站，每逢客人來了，他便仰直脖子，向裏邊喊了：「官客！一位！」或是：「堂客！二位！」

吃在武漢之我見

逸雙

古人說化腐臭爲神奇，湖北人的會吃，的確令人佩服。珍珠丸子在外行看來，似乎就是普通肉丸，滾以糯米，蒸熟即行。可是我敎女傭如此試做，總覺不對味兒。湖北人做的珍珠丸子，有色有香有味，糯米粒粒透明，逼似珍珠，既可佐餐下酒，又可當點心吃，令我長思難忘。豆腐丸子在其他地方也有會做的，此菜成本雖不高，却難做得好吃。湖北人做豆腐丸子，藕丸子、蝦丸子，似乎都另有竅門，不然何以特別鮮美？糟魚和魚丸並非湖北的特產，但因湖北的魚自古有名，做出糟魚和魚丸就分外鮮美，細嫩。魚麪產於湖北嘉魚縣，不知如何製法，品質也有高低，要會辨識。魚麪，可作菜也可作點心。臭麪筋亦非湖北特產，我在南京揚州也吃過極好的；此物之鮮，可說在任何菜餚以上，外行聞味却步，內行嗜之成癖，甚至多日不吃，一經回憶，便覺饞涎欲滴。目前，也有瓶裝出售者，標以南京臭麪筋，味較淡，以視湖北所製，殊有距離。除了這些菜，湖北最出名的是魚蝦。魚蝦的製法很多，不遑細舉。魚的種類，最著名者爲鯉魚，鯿魚和鱖魚，老饕們大概很少不知道的。尤其其中的鱖魚俗稱桂魚或齊花魚，鮮美無小刺，產量豐富，其地位宛如江浙人之嗜吃黃魚，古人長短句中所寫……「桃花流水鱖魚肥，青箬笠，綠簑衣，斜風細雨不須歸。」其情其景，多麼令人神往！至湖北特產的「黃鱔」和「鰍魚」更別有一番滋味。

湖北的糖果茶食種類也極多，我覺得比較特出的是蔴糖、荳糕，和麻化等三數種。蔴糖其實就是其他地方所製的芝蔴糖，但切成薄片狀。好的蔴糖甜而不膩，不粘牙，很是可口。以孝感所產的最好。荳糕特別香甜，不像其他地方所產，吃罷留有酸尾。麻花是兒童最喜歡的食品，湖北的麻花以金牛鎮所產最著名。金牛麻花又以鹹者爲佳，其形細長，鬆脆無比，譽爲全國獨步，絕不爲過。除此以外，我還懷念湖北的落花生。一般說法，花生以南京及廣州所產爲佳，事實上與湖北所產的一比，還是以湖北的爲上。湖北的花生，肥白而又多油，非任何地方所能及，可是名氣不響，默默無聞，大概是無人宣傳的緣故。

香港薈聚着全國各地的菜色，有重辣的川菜，重甜的江蘇菜，重油的揚州菜，重生脆的粵菜，較鹹的北方菜，大盆大碗的湘菜，特別考究火功的閩菜，以及善烹海鮮的寧波菜；就是缺少可愛的湖北菜。以我個人的感想來說，各地方的菜都喜歡用很重搶喉作料，只有湖北菜，着重菜蔬本身鮮味的發揮。重用搶喉作料的菜，使人覺得各菜味道都差不多，吃後口乾舌燥；只有不用搶喉作料的菜才使人有回味，吃了還想吃。可是爲什麼東方之珠的香港，沒有一家湖北館子呢？（下）

所謂國際性感象徵

瓊威金遜很正派

良譯

如果射中了，她便脫去一件身上的衣。於是觀衆要求參加的，越來越多，她的身上褪脫的東西，差不多也到了清光的程度，到了最高潮的當兒，樂隊中的一個人，便脫下了上衣，替她遮蓋着半個身子。

這一套玩意兒，當時算是最新鮮而又夠刺激。因此引起了城中居民的注意。有天晚上，某出名專欄作家，親自到「紅磨坊」參觀，大嘆脫得過癮。第二天，他以整欄地位，將她的演出加以描寫，乘間又加鹽加醋，把這套玩意兒寫成爲十分淫靡的節目，說瓊小姐完全脫得光光地，倒在一個男子的臂膀裏去。這自然是過份的誇張，事實絕非如此。

她的父親，看見這篇文章，氣得暴跳如雷，立刻趕到「紅磨坊」，看個究竟。他看了整場的演出，纔知道並不如報章所刊登的那樣污穢不堪。後來，他找到別家報紙，把眞相澄清了，纔把整個家庭的名譽，挽救過來。

由於對「性」的觀念，在歐洲，認爲裸體是十分正大而健康，比較美國更爲開明。因此，可以了解，瓊小姐的家庭，並不反對她跳團扇舞。（三）

內政部台報字第[illegible]號內銷證

自由報

THE FREE NEWS

第一一六期

中華民國僑務委員會登記證僑台報新字第三二三號
中華郵政台字第一二八八號執照登記為第一類新聞紙類
（逢六、出版三日週刊半年）
香港每份港幣角
台灣每份新台幣元
社長：[illegible]
督印人：黃行雲
社址：香港銅鑼灣高士威道二十號四樓
20, CAUSEWAY RD 3RD FL., HONG KONG
TEL. 771726　電報掛號：7191
承印者：大同印務公司
地址：香港北角和富道九六號
台灣分社
台北市西寧南路壹壹零號二樓
電話：三〇三四六
台郵撥儲金戶九二五二

我們為什麼要研讀三民主義（二）

楊力行

這樣的思想，從何而來呢？前面說過它由思維而來。孟子說：「心之言則思，思則得之，不思則不得也。」所以，思想是存在於人之心裏的，它由心的思維而得，自然也存在於心裏。雖然，詩經說：「他人有心，予忖度之。」但非一般情形。所以，禮記又說：「人藏其心，不可測度也。」怎麼辦呢？他可以用姿勢、語言、文字、行為、藝術等表達出來；而且，思想也要求表達出來。否則，它便失掉功能，沒有必要了。這便是思想自由的由來。

我們每一個人的將來如何？是從他幼時喜歡想的，和不喜歡想的許多念頭來推定，而逐漸塑造成以後的人格。這可引用聖經中的「他心裏怎樣思想，他的為人也是怎樣。」年輕時灌輸給我們的這一句哲理，自然在我們心胸中留下非常深刻的印象；因此，每一個人都宜服膺勿失。

我們要觀察一個人思想的真正依據，就要以其內心的真正思想為基石。至於觀察的方法如何？孔子說得好：「視其所以，觀其所由，察其所安。」「所以」是指此人的主張或抱負，「所由」是指此人的行徑或活動，「所安」是指其所行所為是否為其個人行為之私範，心安理得的終身「由之」而無所損益而已。

至於思想的方法，當然離不開學習，孔子說：「學而不思則罔，思而不學則殆。」便是告訴我們以治學的方法。因為，一切有系統的思想，其基礎皆在有治學的方法。孔子告人以治學的方法既為「學」與「思」，則我們可以推知「學」是蒐求事實，排比經驗；「思」是判斷是非，發見真理。兩者兼顧，才能成為最良好的治學方法。至於博學、審問、慎思、明辨、篤行者，那更是具體而微的，總合的，一貫的治學方法，值得我們躬身力行之。（詳見五十四年十月三日中華民國孔孟學會第二十八次論語研究會，我所發表的「孔子的教學法」專題演講，載「孔孟月刊」第四卷第三期）。

由上分析，我們可以說：「想」是屬於感性的東西，零碎的，偶然的，單調的，無連續性的。比較進一步的「思」是屬於悟性的東西，反覆的，習慣的，較有連續性的。而這種「想」與「思」，卻都是被動性的機械動作。至更進一步的思想，則純屬於理性（Reason）的東西，它是自覺的，主動的，推演的（包括：分析、歸納、演繹和比較四種科學方法），發展的，並極有系統的。惟有進化的人類，才能有這種正確的思想方法。

主義的英文原文為 Ism，如：資本主義（Capitilism）、社會主義（Soialism）、民族主義（Nationalism）等字尾皆有 Ism；翻譯中文即為主義。而科學中　有主義，科學中僅有定理、假設、公理。故主義多不屬於科學，而屬於哲學。主義既多屬於哲學，哲學有：唯心論、唯物合一論、一元論、二元論等，這些亦可翻譯為主義。由此可知，哲學充滿主義，但是，科學卻不需主義。

主義既屬於哲學，其與科學又皆為知識。而科學為客觀真理，以事實為根據，如：物理、化學、代數等，皆以其事實為根據，故為客觀真理，無論在何時何國均為一樣。大家都知道：數學一加一等於二，二加二等於四，古時如此，現在仍如此，將來亦復如此，不因時間、國籍之別而有異。但是，主義則隨時代而不同，如：中古代為君權主義，近世紀為封建主義，近世為民主主義。另方面因國家而有別，如：俄國為社會（共產）主義，行極權政治；美國過去似是資本主義國家之一，時至今日，尚有一般「畧識之無」者仍認美國為資本主義者，其實不然。雖然，美國資源豐富，金元雄厚，國力強大，甲於全球，可是，他決不含有侵畧意味，如：允許菲律賓的完全獨立自主及第一、二次世界大戰之全力援助協約國、同盟國而獲勝，暨戰後迄今的連年不斷以巨額軍經援助許多戰勝、戰敗國的復興和落後地區的軍經建設，此種「助人即助己」的「天下一家」精神與毅力，誠可謂冠絕古今者矣。何能目之為資本主義國家！蓋所謂資本主義者，即「為富不仁」的帝國主義，也就是侵畧主義，亦即掠奪主義，當今的帝國主義像俄帝及大陸共匪等均屬之。

然則，今日美國到底行的什麼主義？施行什麼制度呢？我們可以拿著名歷史學家朱爾斯說的話，加以引證，他說：「第二次世界大戰是靠美國的科學方法和科學管理而完成的。」所謂「管理」為一個綜合性計劃的前提，這便是說：我們須以特殊的努力，來把國家看成整個的東西，戰爭亦然。推而至於其他任何大小事務亦莫不如此。在戰爭方面就是全民總動員的總體戰爭了。因此，我們可以說：美國是一個最重視「管理」的國家，亦就是真正實行民主自由的國家。

國父的治學方法，首重觀察，即科學；次重判斷，即哲學。他說：「人類進化的道理：都是由此兩種學問得來的。」即「行以求知」（Leaning by Doihg）之美國教育哲學的基本理論，亦即「致知在於力行，力行就是革命」的本義。

蔣總統亦曾在「科學的方法和科學的管理」（編在高中公民課本內）一文中，特別強調「技術」（方法）和「管理」的重要性。五十四年十月二十九日在成功嶺大專新生暑期集訓班結訓時訓話，也特別指出：「組織的要旨，即在嚴守紀律，互助合作；管理的要旨，則在以身作則，綜理密微。」明白了組織管理的道理，就自然確切做到對上負責，對下服務的統御領導。美國之軍事、行政、企業等特別重視此一要則，所以能獲得極大的成效也。

美國既施行民主政治，當然實行民主自由主義，因此，有人感到主義不是客觀眞理，沒有研究的價值，其實不然。主義亦是客觀眞理，亦以事實為根據，時代背景即為其根據。封建主義即以中世紀的封建為背景，近世民主主義即以民主為背景。故主義不僅以時代為背景，且以客觀眞理為根據。

意想不到

自尋煩惱

今日與明日

非洲的混亂

非洲團結會議要求英國在十五日以前出兵解決羅德西亞非法政權，否則全非國家就與英國絕交。本欄當時就指出這是一批左傾幼稚政客所擺弄，以少數控制多數，強不通的事要英國合作，英國自然置之不理，最後失面子的還是非洲這些左傾國家。

果然英國對此通牒未作答覆，一批左傾國家當政人物感到無法下台，於是[illegible]首先宣佈與英國絕交，以履行其諾言。[illegible]尼克魯瑪、[illegible]尼雷爾[illegible]坦尚尼亞[illegible]阿聯、蘇丹、馬利、茅里塔尼亞[illegible]等九國，[illegible]分之一弱。[illegible]認為英國對羅德西亞問題態度十分冷靜，[illegible]解決羅德西亞問題，反而幫助了史密斯總理，[illegible]相當高興，[illegible]此更證明羅德西亞的作法是對的。[illegible]九國都受了共產黨的[illegible]。事實上九國不是如此，但以當局幼稚，盲目左傾，則是不爭之事。

政界的好人好事

台灣報紙上常常刊載有表揚好人好事的新聞，仔細查看被表揚的人物，盡係一般尋常百姓，偶有外國傳教士名列其中，算是異數，大多數皆屬於所謂中下層社會群衆，思及「仗義盡屬屠狗輩，負心多是讀書人」這兩句古話，不禁感慨繫之。難道高級知識份子群中，未必就沒有值得表揚的好人好事嗎？我懷着這種疑問的心情，隨時留意觀察，希望得到確切證明，於心乃安。

最近我在北客次，為着某種必要，請朋友領我到當地的「龍山區公所」，依法辦理「印鑑證明」手續。每聞現時台灣各個大小行政機關對於執行[illegible]的聲響，官派十足，遇事刁難挑剔，唯力是視，決不從便民、利民的公僕立場設想，因而我一踏進區公所，就浮起了戒懼恐懼的心情，準備膺受折磨，只看程度高下如何而已。

詎料事出意外，竟遇到了值得表揚的好人好事。那年青的主管人員除了對我們表示謙和的禮貌外，并詳細指導我們如何填寫表格，如何進行應有程序，不到一刻鐘即把手續弄妥了。我感謝之餘，稱許他是個標準的小官吏，都像這位區公所幹事的思想和作風，那麼我們的政治必告清明，行政效率大著，而民主生活亦不讓英美人士獨享盛譽了！據同行的朋友說，他過去在台北市的另一區公所辦理同樣事宜時，曾吃過主管員司不少的排頭，奔走了整天，說盡了好話，嘔盡了悶氣，纔勉強把事情弄妥的。因此，我認定龍山區公所這位幹事，確係今之好人好事，必表而出之，以資激勵。[illegible]公務員，他欣然答道：「我們是替人民服務的，必須給人民以方便。今天我在機關裏作公務員，如果擺架子，打麻煩，明天不幹公職了，也是個老百姓，設身處地，當然亦討厭擺架子、打麻煩的官吏呀！」愚聞其言，更敬其人，乃相信林林總總的政府官吏中，亦有好人好事存在着，古人說「十步有芳草，十室有賢」，信有徵也。

假使各級行政機關的大[illegible]同時認為政風的良窳，實與該機關長官的領導方法息息相關，下屬的腐敗橫惡行為，即反映其領導階層的官僚主義作風，萬無一失。不信，請看看現時的國防部情形，跟其他的大衙門作風是否兩樣呢？「平生不解藏人善，到處逢人說項斯」，本文之作，此志也。

馮正先生

戴高樂再度當選

戴高樂在二次投票中以百分之五十四的票數再度當選法國總統了；本來戴高樂當選是無人懷疑的，但是他得票率如此之低，却出乎世人意料之外。因為戴高樂第一次投票只得了百分之四十六的選票，人民共和黨、中間派候選人勒岡諾得了百分之十六的選票。戴高樂派助選人很[illegible]勒岡諾，認為他爭去戴高樂的選票，[illegible]戴高樂可得百分之六十二的選票。[illegible]勒岡諾已經退出第二次複選，[illegible]就是把戴、勒兩人第一次所得選票加在一起算的了。但第二次所得選票之後，戴高樂只得了百分之五十四，比上次多了百分之八，只及勒岡諾原得票數的一半，其餘一半仍然投了左派的密特朗。即使這一半也是[illegible]戴高樂在演講中聲明不反美，也不破壞北大西洋公約，對外交政策作了重大修改而得來的；可見戴高樂的政策是如何的不得人心，七年一任恐怕未必作得完呢？

北越正式拒絕和談

在毛共壓迫下，北越正式[illegible]拒絕和談；但是北越也不[illegible]是客人[illegible]胡志[illegible]可見[illegible]造謠[illegible]沒有談[illegible]答案[illegible]也不徒費唇舌，於事無補。（何如）

中華民國五十四年十二月廿五日　　自由報　　星期六　　第二版

中央民意代表最近動態

立法委員聯席會議氣煞主席
監委受訓人員累及訓練機關
國大代表會議連綿行市看漲

（本報台北航訊）最近立法院教育委員會與另一委員會舉行聯席會議，研討重要問題之際，大家踴躍發言，各抒讜論，會場秩序頗有凌亂之象，主席鄧翔海正在按照民權初步實行主席職權，而教育委員會素有「大炮」之稱的委員喬一凡起來發言，鄧氏予以制止，然喬委員不服，指摘主席的不是，鄧亦不服，互相責難，「喬大炮」更怒，拍桌抗議，鄧認為受侮，還以拍桌之聲，彼此心情激動，神經大為緊張，剎那間，鄧氏竟昏倒主席台的坐椅上，不省人事，會衆殊驚惶，急將鄧氏送入醫院救治，幸告甦醒，但須休養若干日方能復元，聯席會議亦就不歡而散了。

鄧在醫院對着一般親友說，從今以後，不特不再担任任何會議場中的主席職務，即對政治問題亦看不談論了。喬鄧二位的年齡都已高，喬氏且逾七旬了，然臨事猶不免大動肝火，幾乎鬧成慘劇。從好的方面說，這是表示他們恪盡職責，熱心國事，足見精神矍鑠，老當益壯；就另一方面看，意氣未免太甚。鄧氏事後的感慨陳詞，良有以也。

民意代表原係以說話為天職，在會議發言，對外不負責任的。但最近有一位姓侯立法委員發表一項書面意見，頗為離譜。他對於所謂「兩個中國」之說，認為無關宏旨，且謂蔣廷黻在生時，即對他談過這類的話，拿死人作陪襯，死無對證，更沒有法律責任。許多立委們平日都知道這位「侯爺」的言論風采是怎樣的，大家接到他的書面意見之後，多束之高閣，未加閱覽。繼聞中樞方面甚為驚異，將予查究，而「侯爺」自己亦皇皇然向同仁索還原件，冀泯痕迹，大家這纔注意看看，一致認係荒誕不經之談。數月前，有位監察委員即因在報上發佈這類主張，受到了開除黨籍的制裁，侯立委此舉是否安然無事，殊不可知。

近來立監委員們的流年似多不利，陽明山國防研究院訓練工作，亦由於三位監察委員的關係，奉命暫行停止六個月，切加檢討後再說。原因是前次監察院副院長選舉中，有三位曾在國防研究院受訓過十個月的監察委員，竟未遵從黨的指示，支持本黨提名候選的張維翰，而投了另一候選人于鎮洲的票。日前國防研究院主任擬定第八期受訓人員名冊，呈送院長核定時，奉批示以訓練工作毫無效用，着即停辦六個月，詳加檢討可也。這三位監委能否免於黨紀制裁，尚是未知數，而院長李嗣璁為着副院長選舉問題，亦有「議處」的傳說，因為李氏於副院長選舉中，亦沒有投張維翰的票，違背了黨紀也。

國大代表每年一度的年會，本月廿五日照例舉行後，轉瞬即召開臨時大會（二月一日開幕），依憲法規定，要討論行使創制、複決權問題，跟着又要舉行第四屆大會，選舉總統副總統。所以，近來台北各界人士，皆認為「國大代表」的行市看漲，議論紛紜。立法委員瞧着國大代表從今年七月起，每月增加了公俸一千元，本來亦要援例要求增俸的，但以國大代表行市高漲之故，主張暫時緘默，等到明年三月下旬，國代大會閉幕後，再行計議，相信不成問題。至於監察委員素來鎮靜，唯立委的馬首是瞻，同是中央民意代表，自可「照辦煮碗」，不愁向隅的。（怡庵於台北）

中越兩國經濟合作效果顯著堪為示範

——華僑社稿——

中越經濟合作在這幾年來雙方政府努力推動之下，已有顯著的效果，堪供我國與東南亞各國經濟合作的示範。由於中越加緊各項經濟合作，雙方均獲得利益，所以，我們也樂意與東南亞其他友好國家廣泛進行各項經濟合作，以加強民主陣營的經濟團結，抵禦共產集團的經濟滲透。茲就中越經濟合作經過情形及今後展望略述如次：

中越經濟合作的範圍至為廣泛，惟以農業、糖業、工業與電力等方面效果較為顯著。在農業方面，總計有水利、農田、農會組織、畜牧等項目的工作，並在我國派赴越南技術服務團努力之下，已收到實效；但以越南農民比較保守，農村土地遼廣，要普遍推行，使整個越南的農業均達到改進的目標，則仍有待長時期的繼續努力。况且，農業也是不斷在進步中，為適應人類生活水準不斷提高的需要，以及農業機械的運用，與品種可能不斷改善等等客觀的條件，所以，農業改進研究的工作不但無止境，而且工作的範疇是日趨廣泛的；我國農業技術人員，樂與越南農業人員共同努力推進農業研究發展的工作。

其次為糖業發展方面：其規劃工作已經我國派往人員實地調查，並擬具建廠計劃，刻其機器設備正在日本賠償項下採購，在積極建廠中；其操作技術人員亦早經分批前來台灣各糖廠考察實習；今後開工所需各項技術協助，我國亦樂於再度派員前往。因為日本工業水準雖然較高，惟以地居寒帶，未有甘蔗生產，所以，日本煉糖工業僅限於輸入原糖再加提煉，至於種植甘蔗、壓榨甘蔗，及自蔗汁提煉原糖，則日本尚乏此項經驗；因之，目前越南製造蔗糖的機器設備雖然由日本供應，但今後煉製技術如需我國協助之處，我國製糖技術人員，當可予以各項必需的協助。

第三為工業方面：目前越南全面推進工業建設，所需技術人員多向我國聘請，尤其是華裔籌建之各工廠或與祖國工商界合作，或向國內購置機器設備，或聘請工作人員，數年來國內應聘赴越之技術人員已達數百名，且正繼續增加中。我們以為越南工業繼續發展，所需人材不斷增加，更有待自外聘請。

第四為電力開發：動力乃工業之母，越南工業繼續發展之後，動力供應乃形成供不應求狀況，為支持生產事業之繼續發展，越南政府以全力開發電力，並聘請我國派遣人員前往協助，刻正積極進行擴建中。惟在工業不斷發展，人民生活水準繼續提高之下，工業及家庭用電繼續增加，所以，電力的擴建至為必要。我們除派員協助越南規劃擴建外，更可以增派人員協助擴建計劃之執行。

目前越南一方面要進行剿滅越共叛亂及北越的南侵；一方面又要進行經濟建設，增加國民總生產及提高人民生活水準。在這雙重的要求之下，亟需資金、技術，特別是在抵抗北越侵略及越共叛亂，動員國內人力，實施國內青年皆兵制度，致使一般勞動力缺乏，影響目前生產事業的正常生產，同時，更使有意籌建生產事業者止步，這對於越南經濟建設的進行，影響至大。同時，這幾年來由於越南新式生產事業的不斷建立，熟練技工至感欠缺，所以，我們認為在擴大中越經濟合作的前提之下，除了繼續以上各項有關技術合作之外，並可以增列熟練技術工人大量赴越一節，使目前各生產事業不至於感到熟練工人缺乏，得以充分發揮生產力。同時，這也對於有志籌建各項生產事業者以鼓勵，使之免感熟練工人缺乏之虞。因為，越南戰事的擴大與長期化，使越南人力受到嚴重的損失，尤其是目前及今後人力的損耗至大，今後各項生產事業勢將普遍感到勞力的缺乏，特別是熟練勞工供不應求，對於各項生產事業影響的發展影響至大。所以，我們認為多派熟練技術工人前往越南，協助其各項生產事業的發展，將為今後中越經濟合作重要課題之一。此外，擴大中越貿易項目及金額，亦直接有益雙方經濟之發展，我們仍盼望雙方政府與工商界人士繼續努力推進。

雷鳴遠傳記片「烽火鐘聲」獲讚揚

（本報台北通訊）自由太平洋文化事業公司拍攝經年，耗資千萬的七彩大銀幕影片——「烽火鐘聲」，本（十二）月十七日起在台北國都、中國、遠東三家大戲院聯映。這是中國電影史上第一部傳記片，第一部宗教片，第一部戰爭片。該片是描述天主教雷鳴遠神父參加抗日救國的悲壯故事，劇情至為感人，試片期間，即深獲各界人士好評。該片監製人于斌總主教，曾携該片前往羅馬招待世界各地參加大公會議的主教們，亦獲得他們的一致讚許。

波士頓勒人魔王現形記

紐約通訊

在美國麻薩塞諸州橋水市的州立醫院，留醫的一位病者，經證實為神智不正常；但是他對波士頓警探顯示驚人的正常神智。他憶述柏桃茜住宅的前門，即是在波士頓后灣區的公園路，他說那扇前門洞開着，可是他沒有踏進去。他知道在門前發生了強暴的兇案。警探聽到這個情形，為之奇怪起來。因為這個男子是住在波士頓北郊，除非是他曾到過那家住宅，否則絕無理由他會知道的。即使警探曾在柏桃茜的住宅，逗留幾小時，也無法知道那兇發生了兇殺案。警方人員立刻前往那兒查勘，他們發現前門果然洞開，一切正如醫院那男病人所說的情形一樣。

警探向這男子詢問，除了那扇門之外，還注意到什麼？他說那些聖誕鐘，釘在屋內門上。接着他依着記憶，繪了一幀圖畫，指出聖誕鐘的情形。他的記憶，絲毫沒有錯誤。同時他那幀圖畫，所示室內的聖誕裝飾，使警探們驚訝不已。事實上，一個人無法知道聖誕鐘懸在屋內門上的位置，同時那是在兩年前的聖誕節較早的時候，除非他曾到過這住宅的裏邊。無論怎麼，這男子憶述這間住宅，對於警方來說，是十分重要的事。

這住宅的戶主柏桃茜，是廿四歲幹秘書的女郎，在一九六二年十二月卅一日，慘遭謀殺。她的屍體躺在床上，用一張被子蓋着，只露出小部份的面頰。而她的便服和豹皮般的睡衣，卻緊緊的堆在她的喉部。

驗屍官認為她已經死了兩天，死因由於窒息。她的三隻尼龍襪子，及褲子的一隻褲管，緊緊的繞着她的頸項而且打了個結子。驗屍官要動用手術剪，才能把緊縛的襪子和褲管剪掉。

由一九六二年六月至一九六四年一月四日，在波士頓，劍橋，里因，和羅倫斯等地發生婦女在住宅遭謀殺的慘劇中，柏桃茜是第七位。而且是在上述地區的周圍廿六哩以內。各宗的命案，手法如出一轍，警方將所有這類命案，認為是同一兇手所為。因把這兇手稱為「波士頓勒人魔」。

警方為了要拘捕這個魔鬼，在麻薩諸塞州的三個市鎮，加派警探偵查，同時派出警探遠赴西部加里福尼亞州甚至歐洲以偵查及搜查有關綫索。麻省的律政司鮑滌，還特地組成「勒殺局」，在他的辦公室裏，提名組織醫學和精神治療的委員會，以協助這項破案工作。當局以二千萬元及其他費用，特地聘請精神分析專家赫國仕前來，以看看他的超意識的感悟力，能否分析這個殺人兇手。

赫國仕進行奇怪的心理工作。他從一疊糊口的信封，在裏邊拿出遇害的死者的相片，這些相片就是死者遇害後的軀身位置及姿勢。赫國仕拿出其中一張，作為指引他找尋兇手的照片，然後以指尖在那些相的背面，移動着。他不看相片中人的面孔，他閉目沉思，那些婦女遇害時的情態，終於他陷入自我催眠中，最後描述兇手的大約高度，重量，鼻部形狀，疤痕，及手指上有些「東西」。此外，他說兇手的聲音高而柔和，所幹的職業是挨戶登門的鞋業推銷員。

警方過去較早時，認定一個男子是最可疑的人物，曾到他的寓所把他逮捕，但是經過進一步的調查，發現他並非殺人兇手。但目前波士頓警方認為殺人王的可怖氣氛成過去。他們認為在麻薩塞諸州橋水醫院裏留醫的那病人，是受嫌兇手。這間醫院，羈押着的神經不正常的囚犯。而備受嫌疑的囚犯，就是那個憶述柏桃茜住宅十分清楚和詳細的病者，他即波士頓的勒人魔。

在去年十一月，那個卅三歲的男病人，被送到橋水醫院裏，他因爆門進入橋水區一位家庭主婦的香閨，用她的褻衣把她勒着，推倒床上，將她姦污而被控。及送到醫院檢驗神經，驗出不正常，於是留醫下來。到本年二月他被送到波士頓律師李培理那兒，李培理是專責辦理刑事案的。那病人竟然向他坦白承認自己是波士頓的勒人魔。李培理詳細的偵查這人的家庭背境，獲悉那病人曾任海外非委任官，在德國那兒替美國陸空佔領部份服務，跟一位德國少女締婚，生了兩名兒女。李培理作更進一步的調查，查出這病人，在孩子的時候，曾看見一個婦人，不斷的握窒貓隻，後來也學了她的手法，常常把動物握斃，或是用附釘頭的弓箭，將動物射死。最駭人聽聞的，他曾經成為許多次的色情聚會的「座上客」。在他六歲時，他和一個比他稍長的女童，幹出未成熟的性交行為。當他長大之後，他的行為變本加厲，由於習染不良，學了扒手的妙技，及其他的盜竊本領。當他在美陸軍部服務時，他盡量逃避負責的職務，常擅入住宅，搜掠財物，及施威迫或利誘手段，和婦女幹出性行為。他把自己說成社會上的敵人。李培理要斷定他究竟是否真正的波士頓勒人魔，或欲藉此揚名而已。（上）

瀛海異趣談

印度教的愛情之廟

·桑雅·

英國著名人類學家亨姆柏勒博士，在最近一期的「性學雜誌」上，以「印度教的愛情」為題，報道他參加發掘印度孟加拉灣東北岸坎諾勒地方一座古廟名叫「太陽廟」的，堪稱是世界上頂不尋常的廟。以下就是柏勒博士的報道之譯文。

正像印度其他馳名世界的古廟一樣，「太陽廟」頂飾無數的雕刻與塑像，一層層，一行行，使它成為世界上最富麗輝煌的廟宇之一。而最特別者是所有雕刻塑像，除了一些傳統的式樣以外，餘皆顯出男女色情的動作。

廟旁有巨輪，表示該廟是一輛四輪馬車，奔赴升起的太陽者，也滿刻兩性的圖像。

太陽廟曾多年被埋沒於沙灘中，直到前幾年，英國考古協會決定發掘。工程開始，發現廟頂雕刻與塑像，認為價值重大，遂竭力展開完整的發掘。

「太陽廟」實為印度許多「歡喜禪廟」之一。離此二十哩的浦利地方，有「扎格爾特廟」，香火尚盛，其中雕刻塑像，也正相似；惟不是當地人士，禁止入內，故其中神妙圖形，不為外人所知。印度教稱男性器官為「靈架」；性之大神，稱「施沃靈架」；其雕像有二千餘年歷史，巍然而立的，就是那男性最基本的特徵。而婦人求子，便向它頂禮膜拜。甚至今日，仍有許多新婚或不育的婦人，跨坐這種形象的東西上，以求子嗣繁衍。

這廟宇裏的宗教儀式，因神而施。最主要的是「施沃靈架」，它象徵生命之源，有時代表半男半女。印度教承認最高的神與造物者是「巴拉美希沃」，但它高高在上，不理世事。反之，「施沃靈架」則不論人之大欲，夫妻之大倫，生男育女，諸事都理。

據印度教義，這位專理男女之事的神，也有肉慾，需要滿足；他令世人慾念衝動，也是負責與求子的婦人授胎的聖物。

在印度教的聖畫裏，有這末一段故事：神人拍拉瑪，韋詩奴，華施斯泰等三位，聯袂訪問施沃，見他與妻子正在燕好。客人覩狀，驚異不安；主人却泰然無羞愧，繼續敦倫，狂歡放蕩。客人大怒說：「我們此來，原爲表示敬意，怎麼你公然幹這等事而不臉紅？」他們咒罵他，走了。這一咒，當地把施沃咒死；死時仍在敦倫中。

成神之後，施沃說，羞恥把他殺死。但又補充說明：「羞恥也給我以新生活，以及一種新象徵，就是男性器官，『靈架』。它是雙重的我，它滿足我們最深的慾望，也代表自然的基本力量。」

由於這信仰，印度教信徒樹「靈架」於戶外和廟中。現在發掘出的「太陽廟」頂層層皆男女色情動作的雕塑。廟上壁刻充滿浪漫氣氛。廟牆之上，廟旁的巨輪上，多兩性好合的藝術品。廟內廟外，豎着不少性慾之神的標幟——男性器官上雕塑的神。

「愛情廟」的崇拜儀式如下：將施沃神載於篷車上，拖曳通過街道。「太陽廟」的僧侶在羣衆中指定美麗的女人，獻身於神，而他們就是神的經理人。於是，父母虔誠獻其女兒，實成「廟妓」！丈夫讓妻子為神服務，名曰「神妻」！

著名學者亞伯都拜士，於一百五十年前，目擊此種儀式說，其時人羣之中，大為放蕩，不僅僧侶這樣，人們也放縱濫交。奉獻與神為妻的，身體加特別記號：刺花。她們或在一雙乳房刺一鸚鳥，或在股腿上刺。那不雅觀的東西：「靈架」。

這些女人青春消逝，性感既失，又來一次檢閱，新的「神妻」，於是選出。老的那些，淪泊出來。到處只要她們顯示刺花的記號，便受各該教派的人們尊崇與照顧。

阿月

覃靖

三十八年秋天，我從大陸到台灣來，也和某些人一樣，並沒有縝密的計劃，結果獲得了自由，失去了職業。我住在一間最齷齪的旅館裏，潦倒萬分。每天無所事事，便跑到火車站的閱報欄細讀廣告。我希望它能供給我一只固定的飯碗，即使是粗糙的也可以。

但是我很沮喪。應征的函件寄出去很多，寫的自傳已經背誦得滾瓜爛熟；回信却是寥寥無幾，相約面談更是沒有機會。一直到我從父親手上接過的一小口袋銀元，還剩下最後三枚的時候，才收到一封鄉村衛生所的通知，囑我三天之內，攜帶學歷證件前往應試。

這大概就是天不絕人吧！我于是又一次將那些陳舊的飯票，特別是我以前在中央醫院服務的證明書，從箱子的頂下層，小心翼翼地拿出來，裝進一只特備的信封裏，當天下午按着通知上指示的地址，找到那個衛生所的所在地了。

可是天曉得，那的確是一個相當荒僻的鄉村。鄉村的名字叫做「大里」。我是乘坐唯一的運輸工具——蹦蹦車費二十分鐘到達的。當我下車以後，十多里見方，盡是新生的田野，其中三分之二是蔗田，祇有小部份種着稻禾。村民們散居着，所有的建築物，除了臨河的一座廟宇以外，都是茅草的屋頂和泥土的牆壁。由此，我想到這個鄉村不但荒僻，而且貧瘠。

衛生所就設立在那座廟宇的左側；右側掛着另外一塊招牌，是民衆補習班。很顯而易見的，這個鄉村的各種設施，是正在開拓的階段；但我却喜愛它的寧謐和純樸。

我見到了衛生所的所長，他是一個四十左右、沉默寡言的中年人。但是太可憐了，衛生所裏除了一位臨時雇用做飯的下女以外，他也就是唯一的工作人員。因而他檢審了我的各種證件以後，對于我的投効，就表示歡迎了。

「易兄願意到這裏來幫忙，我眞高興。」他敬烟給我，「你有寶眷嗎？」

「沒有，」我虔誠而有禮地回答着，「這是一長處。我現在失業中，還住在旅館裏。」

說：「那太好了。我們這個衛生所是新奉命成立的，一切設備都不齊全。在這種情況之下，要展開為村民服務，贏得他們的信任，必然要付出高度的熱忱。你沒有家累，這樣的工作是辛苦的，我就更放心了。」

聽了他的這一番話，我心裏也有說不出的高興。人固然想充實生活，意義更重要的，却還是工作；但也離不了麪包。所以我向他坦白地陳述了我的方式：工作不計較待遇，祇要能夠解決食宿問題，就行了。

「這是應該沒有問題的，」他略略蹙着眉頭，說：「雖然我們沒有宿舍，你暫時可以把行李搬來，像我一樣，晚上搭臨時鋪；吃的問題有下女做。你要是認為這樣不方便，將來慢慢地在附近村民家裏租一間屋子，也不會化多少錢。」（一）

跛腳集郵大王法尼拉

·若愚·

距今四十五年前，法國有一位集郵大王，名字叫做法尼拉，他雖然跛了一條腿，仍環遊世界各地，挾鉅資搜集各種名貴的郵票。他手下聘有兩位集郵專家。

有一次，他參加英國倫敦舉辦的名貴的海地島郵票拍賣會時，參加競買的人，除世界各地的集郵家之外，還有英王喬治第五，西班牙王阿爾風蘇兩人的私人代表。

這是一個歷史上的郵票拍賣盛會，當開始時，英王代表先出價四千鎊收買，此時在場的人，聽到這樣的高價，大家都瞠目結舌，一言不發。當主持人宣佈說：「四千鎊——還有人出更高的價錢嗎？」——

「五千鎊……」人叢中忽發出一聲尖銳的叫聲。

此英王代表也不甘示弱：

「五千三百鎊！」

「六千鎊」！法尼拉的聲音更加響亮了。

當時站在英王代表背後的一位集郵商，知道法尼拉是一位集郵狂，便轉告他說：「閣下，請恕我冒昧，此人是世界有名的集郵狂，雖十百倍於此數，但他也在所不惜！」結果，英王代表放棄了爭奪之權，全部名貴的海地島郵票，便落在法尼拉的手中。

在法尼拉的手中。當一八六八年，希臘發行一種價值五個德拉克（希臘錢幣，現相當於一法郎）的郵票，後來發現其中的一枚印錯了，當局即宣佈將這組郵票全部取銷，但有好幾枚已流入民間，給人暗藏起來了，便成了絕世珍品。

一九一四年六月，倫敦泰晤士報以大字標題刊登這位集郵大王獨腳遊歷希臘六百二十個城市村落，為搜購一枚五德拉克的郵票。他並在世界各地報紙上刊登廣告，願出三萬鎊的代價收買。

當他到巴黎的時候，聽說瑞士北部蘇力克城，有人收藏了一枚五德拉克的希臘郵票，他就馬上離開巴黎，前往瑞士。但他剛剛離開巴黎，第一次大戰即已爆發，他於是被迫居留瑞士三年。這期間，他還瘋狂地在瑞士境內搜購郵票，甚至在街頭巷尾截住行人，查問郵票的下落。

一九一七年，他在病中的時候，忽然有位集郵家拿着一大本集郵冊來訪問他。這本集郵冊裏面，一共收集了一千多枚郵票。起初，法尼拉並不把它放在眼裏。但當他翻到一枚德拉克的希臘郵票時，不禁歡喜若狂。不料他因為過度興奮的緣故，兩分鐘後，就與世長辭了。

這位集郵大王死後，當局欲根據他一九〇九年所立下的遺囑，把他的全部郵票，贈送給德國郵政局，但因德國當時是戰敗國，法國政府認為德國是戰敗國，國家所有的財產都要被沒收，以充賠償戰勝國家之損失。便由法國政府接收下來公開拍賣，當時一共賣得十萬萬法郎的巨欵，悉數充作賠償軍費之用。

據說，當拍賣到那枚五德拉克的希臘郵票時，在主持人的背後，似乎聽到一陣尖銳的叫聲：「不要賣它！」令在場的人都為之愕然。

清代水師整建紀詳

羅雲

（八）湖南省：

湖南水師，初設辰州、洞庭二營。康熙廿八年，裁辰州水師，改設岳州水師營，歸岳州營參將兼轄；設守備各官，頭舵戰兵六八人，水步戰兵六五人，水守兵一四八人，分防岳州府城，及東西湖上下江二汎。自雍正至嘉慶，迭有增減；存頭舵戰兵三四人，水步戰兵三九人，水守兵一四二人，戰船一八艘。洞庭水師營，原設洞庭協標，嘉慶二年，以洞庭副將都司，移駐常德，改常德為協；以常德游擊守備，移駐洞庭，改洞庭協為水師營，設游擊各官，戰兵一〇九人，守兵四三六人，戰船一二艘，分防小船及遊巡小船各一〇艘，分駐龍陽縣，及東西湖各汎。承平日久，將弁兵丁，咸居陸地，船敝不修，舊制浸廢。咸豐三年，曾國藩治水師於湖南，造船練兵，以長龍船，舢板船，尤為便利。洪楊軍平定後，至同治八年，裁撤水勇，設長江水師；在湖南境者，設岳州鎮標四營，為岳州營、沅江營、荊州協標營、陸溪營。原設之岳州水師，則歸併岳州城守營；原設之洞庭水師，則歸併龍陽城守營。咸豐軍興以後，常德於省城駐水師二營，湘潭駐水師一營，辰州亦駐一營，另於靖州之洪江亦駐一營。澧州則由常德撥師船駐防。又於岳州安鄉合駐水師一營，不在經制水師之內；此種參差佈置，分地駐巡，乃在與經制水師相輔也。

（九）湖北省：

湖北水師，於武昌府城守營，舊有水師營，設守備以下各官，乾隆二年，撥入漢陽營，任江漢巡防之責。武昌省城守營，內有巡哨船五艘，下游道士伏營，巡江船三艘，漢陽城守營兼轄水師營，戰船六艘，黃州協營，巡江船三艘，蘄州城守營，巡江船二艘。荊州水師營，設守備以下各官，戰船二五艘，巡江船二艘。宜昌府水師營，順治十三年設彝陵鎮，轄水師前後二營。康熙十九年，改為彝陵水師協標，乾隆元年改為宜昌鎮標，仍設水師前後二營，戰船三〇艘，小秋船十一艘。經洪楊軍之亂，舊制無存。同治間設長江水師，其屬湖北省者，為漢陽水師鎮標，轄漢陽營，田鎮營，牌洲營，巴河營，其戰船與兵額，與各省長江水師相同。

（十）安徽省：

安徽水師，有安慶鎮標，壽春鎮標及游兵營，泗州營，均有戰船。順治初年，安慶鎮標游兵營，隸操江巡撫標，康熙元年改隸江南總督標，後改隸安徽巡撫標。安慶鎮標，分防懷寧，桐城，望江，東流，貴池，銅陵及江西彭澤縣等處，有大號船廿二艘。游兵營分防和州，無為，含山，銅城，繁昌，當塗等處，及江蘇之江寧縣，有大小號船廿八艘。壽春鎮標潁州營，哨船二艘。泗州營，抓船四艘。經洪楊軍之亂，師船盡毀。同治年間設長江水師，屬安徽省者，為長江提督標中營，駐太平府，轄裕溪營，蕪湖營，大通營，金陵營，戰船兵額，則與各省長江水師相同。

（十一）江西省：

清初設有九江鎮標水師營，南湖水師營，鄱湖水師營，唬船二〇艘，分防水巡各營。設塘船一艘，康熙元年改九江鎮標為九江協標，水師七七三人，增設沙船三〇艘，水汎巡哨船一七艘。乾隆間，實存沙船八艘，唬船二三艘，後改為城守營。同治八年，裁撤城守營。其南湖水師營，鄱湖水師營，自設長江水師後，亦皆裁撤。長江水師之屬於江西省者，為湖口水師鎮標，轄湖口營、饒州營、吳城營、華陽營、安慶營，船額兵數，亦與各省長江水師相同。

（十二）江南省：

順治初年，設江蘇松江等營水師，各有捕盜小快船四〇艘，常州鎮江等營水師，各有船一二十艘不等。（十三）

警言可懼（續）

爲了這種氣氛，有識之士，提出「不受禁運動」。軍中劇團固無須有此一着，不送票難道怕挨駡嗎！希望他們考慮抉擇，何必每天犧牲不太小的票欵。（每天二十張，一週也要一百餘張）他們演戲，亦爲求票房紀錄，所以以後也可少發此類的贈券，以正視聽，幸甚。

國劇繽紛續錄

姜嫈生　（二十四）

傳說的評判證實

自由世界可貴的是言論自由。我見到的，總盡力之所及講些話，目的就是發揮此自由，而使得一切更美更善。試觀美國狄仁華在台離之時，尚說些「應該自覺」之言。不關他的事，他要說，可是他說話的動機爲愛護中國。所以橋歸橋，路歸路，有人說話，對否莫管，總是好事情也。說到正題——這次平劇競賽。

這次競賽，在雙十節後，即有傳說：國旗獎歸大鵬，最佳旦角是徐露，最佳生角是劉玉麟，（因看到海光演出，以玉麟元正爲代表），就是淨角是那位？丑角是那位？未可知也。這是千眞萬確的事。

等到評判結果發表，一些也不差。不過淨角是王福勝，極合理。丑角缺如，難道許多劇團就沒有一個好丑角嗎？所幸于金驊得獎五千，總算爭回這口氣，點綴而已。不過以余派名票而下海的曹曾麟，竟一無所得，難道他從事平劇不夠一切，還是所演的戲派錯了，否則何以至此？

據另方面傳說，此次評判中，有某某所評，徐露一百分，張正芬零分。這眞奇怪正芬會差到如此！按說決無百分與零分，是否百分即不能再好？零分何以尚能唱戲？此點令人費解！在此佩服慧芬的高明，首先表示棄權，可惜來不及告訴正芬也照辦；所幸猶獲五千元，不無可慰正芬。明年再來，她應該把「天女散花」推出來！

我對這次評判結果，並無異議。大鵬以人力財力夠格，其他亦恰合。不過爲明駝惜，他們並未差到那裏，除金驊而外，僅一獎狀。是明駝應該整軍勵武，以待來年。以後要尊重演者意見，此次慧芬擬演梁紅玉戰金山，豈不大好，似不宜演尚未演過的中興一齣，似乎失算。至於千城則來自田間，當無問鼎的資格。不過傳言也有「競賽完畢的翌晨，召開評判會議，據與會者透露：全體評判委員，主張請主辦當局給千城榮譽獎，以示鼓勵。」但公佈結果，祗一紙獎狀，以致全隊噓，白白努力。事實如此，人們希望，要完全公正。何況隴西散人所言，今年當選，即已無資格再提，作爲過去，一切選舉，均是如此，亦不可不無之，否則來年評判更多困擾，不易處理。

試論姜伯約

匡謬

讀三國史我最受感動者，「姜維傳」是也。蓋蜀之亡國史，盡舉於姜維傳；而姜維一生忠勤，苦幹實幹，歷盡挫折，飽受委曲，其最後一次復國大計，不幸失敗，以致結果遭致剖心之慘死。再則後主之降，死得太不盡情理，蜀國之亡，亡得最慘。此姜維傳之最感人也。

姜維字伯約，涼州上士也。諸葛見而器重之，讚維曰：「姜伯約忠勤時事，思慮精密，考其所有，永南（譙周）季常（馬良）諸人不如也。」又曰：「姜伯約甚敏於軍事，既有膽義、深解兵意。此人心存漢室，而才兼於人。」以諸葛亮之人才高識博，如是推許，姜維之才識可以想象矣。維自入蜀，爲諸葛器重，推薦蔣琬，詣宮觀後主。維亦以師事孔明，欲繼承其未竟遺志，鄭清中原，雖然失敗，實不愧爲一英雄。以成敗而論英雄非善者也。

姜伯約自諸葛死後，一直被蔣琬費禕抑制，不能發展其抱負。蔣琬爲大將軍九年，未曾與魏交鋒一次，且將主力由漢中撤回縣陽。費禕繼琬爲大將軍，整整十年，僅在聲援王平及兩次試探性攻擊外，根本未對魏討伐。維每與軍大舉，費禕常裁制不從，與其兵不過萬人。十九年荀安，使魏國休養生息，此與諸葛亮「漢賊不兩立，王業不偏安」之旨相背而馳。以一萬兵力前去伐魏，如何克敵制勝？諸葛每伐魏，兵至少十萬，然皆不克，一萬之衆何濟於事？等到費禕被魏降人刺死之後，姜維始得大舉。

三國演義有姜維九伐中原之事，是不錯的。費禕在世時，首次試探攻魏，爲延熙十年，維出隴西、南安、金，與魏將郭淮、夏侯霸等戰於洮西，胡王治無戴等舉部落降。十二年，復出西平，不克而還。兩次兵皆不過萬人。費禕死於延熙十六年春，姜維就在是年夏便主動開始五伐中原：首出圍南安，陳泰解圍，糧盡而退。二伐破狄道、襄武二縣，兵少不能久駐，退還；並遷狄道、河間、臨洮三縣人民回漢中。三伐洮西，大破魏將王經，惜有鄧艾、陳泰救援，魏兵甚多，維只好退還。四伐出祁山，與鄧艾戰於上邽段谷，因胡濟會師不至而慘敗。五伐是乘諸葛誕反魏時，魏西方空虛，維大舉出動，越秦嶺，達渭河，鄧艾與司馬望效司馬懿故事，堅守不戰，直至諸葛誕失敗，始廢然撤兵。自回成都。此五伐中原皆維主動者，加前二次已七次戰役矣。

最後二次乃是被動發兵，一爲景耀五年，爲避黃皓陷害，帶兵到前方與敵拼命，抵臨洮與鄧艾戰，又敗。維不敢回成都，留甘肅西南沓中以屯墾爲名。最後一戰乃是迎敵，司馬昭大舉伐蜀，分兵三路，第一路由鄧艾率三萬，至沓中牽制姜維，二路諸緒斷姜維歸路，三路鍾會領十萬大軍由斜谷子午谷駱谷越秦嶺進取漢中。漢中失守，維返救四川，退保劍閣。鄧艾奇襲成功，後主因譙周主降。並且命令他繳械，士兵以劍砍石痛泣。姜維投鍾會營，陰欲利用鄧艾鍾會之間矛盾，以敵攻敵，再以蜀兵制會，而謀復蜀故物。勸鍾會造謠說艾有反意，司馬昭派監車囚鄧艾，中途爲會派人暗殺。維勸會以四川貴州雲南爲根據地，自爲天子。而司馬昭已料到鍾會反，以十萬衆進長安，名爲防鄧，實則爲鍾會而來，鍾會便毅然造反，自爲益州牧，以兵五萬給姜維迎戰，賈充自領十萬與昭決戰。行前姜維勸會先殺被囚魏軍官，會猶豫，旋爲胡烈造謠，說「鍾會掘好坑，要將魏兵坑死」。士兵爲之暴動，將維會齊殺死。姜維原計是勸會殺死囚車中魏軍官之後，再殺鍾會，以恢復蜀國。惜乎此一計，不幸爲一小小胡烈造謠而敗，甚可惜也！讀史至此，能不令人歎息邪！

有人以爲姜維不應出此毒辣手段，萬一不愼連後主也完了。姜維除此之外，又有什麼辦法挽救他的國家？以常理責他非公平論者。姜維之不成功，內則黃皓陷害掣肘，外則碰到強人鄧艾鍾會，否則蜀國將不致亡國，如是之快也。如鍾會在出兵之前先殺魏軍官，則姜維之大功可期也。此即所謂「謀事在人，成事在天」歟！

諸葛亮的著作考

周燕謀

在研讀歷史方面，我有一種「三國癖」的興緻，也寫了一些有關三國史的文字發表過。近來先後在「中副」拜讀了姚季農先生的「我對諸葛亮的認識」，和王渡禽先生的「諸葛亮的生活風範」二文，更引發了我之「三國癖」的興趣。拙文雖然遲在姚、王二先生大作之後，但爲姚、王二先生大作所闕如者。意在以之續貂以成完璧。

在未述諸葛亮的著作之前，我先補充商榷兩點關於王渡禽先生所提及的「梁父吟」和「琴經」的問題。「梁父吟」（亦有作「梁甫吟」），王先生懷疑「梁父吟」是否爲諸葛亮所作而「存疑」，這是很正確的。按諸葛亮傳中，只有「好爲梁父吟」一語，並無其文。此文出自「藝文類聚」卷十九吟部，此文乃傳自唐前，而且傳自諸葛亮以前，非諸葛亮所作可知。在張衡的「四愁詩」有：「欲往從之梁父艱」之句，其下注云：「泰山東嶽也。君有德，則封此山，願輔佐君王，致於有道；而爲小人讒邪之所阻。」此一注解甚合於諸葛亮之志。此梁父爲泰山下之一小水名，水經注汶水注云：「汶水又東逕梁山北，昔諸葛亮好爲『梁父吟』，每所登臨，故俗以梁山爲名。」又蔡邕的「琴頌」云：『梁父悲吟周公越裳武鄉之志。』其有取於此乎？是則今所傳之梁父吟，非諸葛亮所作甚明。

王先生在西康所看到諸葛亮「琴經」的問題。今既有「琴經」之流傳，其說並非無據。清人梁章鉅的「三國志旁證」「諸葛亮傳中，其著作內有「琴經」，注云「見中興書目一卷，今佚」。如此看來，「琴經」是否爲諸葛亮所作，雖不可考，然西康有口碑流傳，其說恐怕是有所本，而且爲時也是很久的事了，因爲中興書目是宋時的作品，而羅貫中未把它寫入「三國演義」中，也是怪事。

「諸葛氏集」目錄內容共二十四篇，陳壽曾經「刪除複重，隨類相從」，編爲二十四篇，凡十萬四千一百一十二字。當時是有其全文的。按諸葛亮的著作——「諸葛氏集」，歷代皆有其目，「華陽國志」後賢志載：「蜀人壽良，亦有諸葛文集，與陳壽本頗不同，今未得聞其概。」陳壽「刪除複重，隨類相從」，當然有別。隋書經籍志」有「諸葛集」二十五卷，又有論前漢事一卷，武侯集誡二卷、兵法五卷；又總集內有武侯誡一卷。（上）

——燕謀先生：大作「新三國」迄今未見到。編輯部啓——

西施

「影劇與歷史」之十三

周遊

一代獨夫就此結局。大夫王孫雄還不錯，當吳王自殺之後，他也自殺以殉，不失爲吳國第二個忠臣。

另外一個吳國的大奸佞伯嚭，在越軍攻進吳都之後，他便隱藏起來，他見吳國大勢已去，沒有隨吳王突圍。以後越軍佔了吳都，他又出現了。伯嚭以爲昔日有恩於越王，今天越國佔領了吳國，他應當是有功的。誰知他的幻想早已幻滅。在文種答覆吳王的書中已經提到過，列爲吳王的第三大罪過。等到越王勾踐到了吳都，第一個開刀的奸佞就是伯嚭。這是他賣主求榮，殘害忠良的下場，死有餘罪。

西施小姐的歸宿，自來就有問題，因爲正史上沒有提到她。而范蠡功成身退後的結局事蹟，正史野乘均有詳細之記載，唯獨她付闕如。

當越王破吳後，回師經太湖時，范蠡便向越王辭退。他的理由是：「君憂臣勞，君辱臣死。在會稽之所以不死者，就是爲了君之憂辱；而今已經雪恥復仇，反攻勝利，我應當隱退。願大王好自爲之。」

越王初不准范蠡辭退，要與他共分國土。最後還是允許了他的辭退。越王勾踐說要與他共分國土的話，可能是試探性的。當越王危急時致范蠡文種書上已經有了啓示，那就是「狡兔殺光的時候，獵犬就失去作用了。」不但獵犬無用，留着牠反而令人不放心。范大夫把越王勾踐的爲人也觀察清楚了，政治權力是無情的東西。范蠡得到允許，就實行他的「五湖問道，扁舟歸去」的願望去了。

當越國軍攻破吳國都城，范蠡親自率領軍隊担任攻城的，城破後西施是不是被范蠡所獲，史籍無徵。史記、國語雖無西施歸宿，而「越絕書」却有「吳亡後，西施復歸范蠡，因泛五湖而去。」另外還有杜牧的詩：「西子下姑蘇，一舸逐鴟夷」。范蠡後來改姓名叫鴟夷子皮。蘇軾的詩云：「他年一舸鴟夷去，應記儂家舊姓施」。另一首：「五湖問道，扁舟歸去，相攜西子」。所謂「五湖」云者，即是太湖之別名。並非五個湖。史記河渠書曰：「於吳則通於三江五湖」。集辭云：「五湖，湖名耳，實一湖，今太湖是也。」王同祖的太湖考也說：「歷考傳記所載，五湖即是太湖。」張勃的「吳錄」說：「五湖者，太湖之別名」。另外虞翻云：「太湖東通長洲松江，南通烏程，西通義興荊溪，北通晉陵隔湖，東通嘉興韭溪，水通五道，謂之五湖。」這說得更清楚。

范大夫在物色美女，訓練西施等嬌娃時，他倆已先有一段情之緣，只是當時是國家至上，復國第一，他們不能貪戀兒女私情。等到壯志已酬，名士美人的重拾舊歡，泛舟隱退，是很可能的。他和西施泛舟的地方是太湖，過了一段「水上人家」的生活。太湖在蘇州西南。范蠡引退，變易姓名，不知所終，係想當然的事。

江蘇的宜興縣，位於太湖邊，宜興縣的西施范蠡遺跡很多，可以作范蠡西隱居之佐證。宜興縣北有「西蠡河」，即因西施范蠡而得名的。在隔湖的南端有「范道舍」，相傳是范蠡隱道居此。縣東十五里又有「東蠡河」，東南流入太湖。（十二）

所謂國際性感象徵　瓊威金遜很正派

·良譯·

「紅磨坊」中人，並不注意到她的特別裸體，有時這小姑娘穿着整齊，出外赴約，人們會向她招呼說：「小姑娘，上那裏去」？或者是：說「請看看這個兒童玩偶呀」！

其後，有個美國塑膠業大王，祖索爾康在某天晚上，看了瓊小姐的表演，也墮入情網。當時，祖的朋友，故意要開他玩笑，打電話給倫敦某報，捏造祖索爾康有意邀請瓊小姐到美國去幫忙，推廣業務的消息，報館編輯立即打電話與祖，請求證實，祖說：「當然是眞的，瓊小姐是多美麗的人兒啊！我這就請她到美國去了」。

以後她到美國，大紅大紫。（四·完）

內政部台報字第〇三〇三號內銷證

自由報

THE FREE NEWS

第一六二一期

中華民國僑務委員會登記證
台僑新字第三三三號登記證
中華郵政台字第一一二八二號執照
登記爲第一類新聞紙類
（每週出版二次星期三、六出版）（半週刊）
每份港幣壹角
台灣零售價每份新台幣壹元
社長：雷嘯岑
督印人：黃行簪
社址：香港銅鑼灣高士威道二十號三樓
20, CAUSEWAY RD 3RD FL.
HONG KONG
TEL. 771726　電報掛號：7191
承印者：大同印務公司
地址：香港北角和富道九號六樓
台灣分社
台北市西寧南路登瀛號二樓
電話：三〇三四六
台郵撥儲金戶號一二二六

我對國大會議的一些觀感

陳侃

國大代表會議自民國卅七年肇端迄今，已歷十八載，正式大會召集過三次，最近又要舉行臨時會議暨第四屆大會了。我們根據過去歷次大會經過情形，站在國民一份子的立場，就觀感所及，竊願提示若干見解以供代表諸公參考。筆者原非國大代表，茲所縷述的事項，都是基於公是公非的客觀心情以立言，絕無私人感情意氣作用存乎其間。

（一）

來年二月初召開的臨時大會，乃是依照憲法規定，專爲研討行使創制、複決兩項民權而然的。此時此事，有的認爲不合時宜，而以憲法上規定必須全國過半以上省區完成了地方自治的先決條件爲準則；有的認爲目前中華民國政府在法統上雖然奄有大陸各省的統治權，但因運厄陽九，遭遇非常變故，實際上的統治區域，暫時祇是台灣省，而台省早已實行民選地方官和各級代議士，自治工作允屬完成了，國大代表當然而且應該行使兩權，毫無疑義。彼此均言之成理，持之有故，殊難肯定孰是具有妥當性的論斷。筆者的管見却以爲立法院隨着憲法而誕生了十餘年，連地方自治通則亦尚未制定，專就法理說，卽令政府仍在大陸上統治着全國，國民代表也無從行使兩權的。若從事實看，行使兩權是以國小而民寡，敎育普及、交通發達，如瑞士等國最適宜，台灣正符合這種條件，實係試行兩權的大好時機，何樂不爲呢！唯一值得考慮的，就是政治上此時應以安定而避免紛擾爲上策，一旦行使兩權，問題必不簡單，且可能引起政潮。因此，我認爲來年的臨時大會，不妨在原則上通過行使兩權的決議，再授權總統於適當時期明令實施之。這樣應幾乎可以減少各方面的爭論，體制上亦說得過去，政府更不用多所顧慮了。

國民大會的議事規則，關於通過議案的表決方式，列有舉手、起立、記名或無記名投票四種。凡是人數衆多的會議，事實上總是表現着少數操縱多數，多數服從少數的不合理情況，此爲民主政治的通病，亦係民主政治最大的諷剌，而舉手、起立和記名投票的表決方式，適所以助長少數操縱多數的極不民主的作風。諸如行使兩權這類重大問題宜付表決時，應該採取無記名投票爲是。國大代表選舉主席團和正副總統，亦係無記名投票的，行使兩權的表決方式，若以舉手、起立或記名投票行之，未免太過草率，不足爲訓。

（二）

每次國民大會舉行時，行政院長暨所屬各部會首長，都要到大會報告施政工作，這是不合體制的非份行爲，非改善不可！憲法明明規定行政院長對立法院負責，與國民大會無關。國民大會的職權是選舉總統副總統，每屆大會時，要總統出席報告六年來的重要施政情形是可以的，敎行政院長及其部會首長到國民大會來作施政報告，不特於法無據，有失體統，亦且擾亂行政系統，浪費時間，毫無裨益可言。國民大會六年才召集一次，平時對政府各部門的行政措施，既不負監督考核之責，集會時聽取行政首長一次空疏無謂的工作報告，用意安在，目的何存耶？還原係立法、監察兩院的法定職權，高高在上的國民大會，似不必降格越職以從事，立法機關對行政首長的政策有質詢否決權，監察機關有糾舉彈劾權，國民大會的職權別有所在，是亦不可以已乎！

每次國大會議中的提案，應有儘有，琳瑯滿目，大而國計民生問題，小至首都市面上衛生淸潔事項，皆在提案討論之列。國民大會是不折不扣的政權機關，六年才集會一次，平日又不過問行政事宜，卽對於政府所訂實施的重要政策，國大代表依法亦不必操心干預，另有其他的民意機關直接負責監督，爾時獻替可否，批判其利害得失。所以，國大會議中對內政外交乃至於雞毛蒜皮般的行政業務，相率提案討論，作成決議，只是送交主管機關參考，幷無絲毫拘束力，更不發生制衡作用，可謂多此一舉，何許予之不憚煩也！如認爲召開一次大會，良非易易，不能僅以選舉正副總統卽告完事，總得對國是表示關心，有所貢獻。那末，大家不妨就創制、複決的職責設想，集中智慧能力，提綱挈領，擇要鈎玄，詢謀僉同，對政府作深中肯綮的興革建議，昭告全民，以期博得輿論同情，見諸實施。例如現行憲法頒佈施行後，國家進入憲政之治已閱十八個年頭了，然過去訓政時期、剿匪時期以及對日抗戰時期所頒訂的許多法令規章，其中與憲法相抵觸或違背憲法精神者，不一而足，而政府迄今照樣援用，立法機關亦未盡整理爬疏之責，聽其採維行使，毫無所謂。國民大會本其創制複決的民權主義，對這類關係國家人民最深鉅的繁複法令，儘可當仁不讓，通盤檢討，何者宜存，何者宜廢，何者應加修正，分別提出建議，送請政府査照辦理。此其意義甚重大，作用極深遠，且無越職言事之嫌，是眞正的複決權力，責無旁貸，以視過去那些包羅萬象、博而寡要的大堆提案，其價值與信譽之高下，爲何如也！

（三）

每次大會時，必選出主席團八十五人，這是古今中外罕有的奇怪事體，不知究係根據甚末理由而有此規定？若以國大代表原有的總額爲四千餘名，乃按照人數比例所致，則自第二屆大會起，出席代表不滿兩千人了，卽應該減去主席團的人數一大半才對。國大全體會議時間，最多不過十來天，每次大會上下午各推出主席一人，也祇有二十位輪值的，其餘的六十五位徒負虛名罷了。虛名如果稍有價值和作用，競爭一下亦可以，像國大主席團這類名義，有何價值和作用之可言呢？不錯，主席團有綜持會議事宜，稽聚各種議案的職權，似乎很重要，實則前者有秘書長料理，後者有提案審查委員會負責，主席團只是總其成而已，名與實都屬空幻的，有甚末重視之必要呢？事實上有些當選的主席團人物，若敎他眞到大會上主持會議，絕對幹不了的，他除卻在總統當選證書上列名以外，毫無作用。因此，筆者認爲國大會議主席人數應該減去一半，而當選的票數亦須增高——至少須有三四十票才像樣，憑着千餘代表中的九張選票就及第，其價值可知矣。

在稠人廣衆的會場中，總是發言盈庭，爭鳴齊放，而實際作用多見其爲劣幣驅逐良幣的現象，對問題眞有學識見解的人，反而緘口無言，敬謝不敏，這情形，到處有然，司空見慣。我希望這次國大臨時會議討論兩權行使問題時，能有一些專家學者發抒敢論，凡是對問題沒有湛深研究的，儘可在表決時表示自已的意志，却不必個個要在演說台上侍候一段，這對會場秩序與社會觀感很有影響，特附一言，冀諒察之。（完）

別讓戰神得勝！

加斯特羅

喇叭之辯

今日與明日

俄毛互控

蘇俄「在國外」周刊，一九六五年第五十一期（十二月十日｜十六日）轉載紐約時報的消息，說是毛共對於蘇俄援助北越共黨的武器彈藥經過中國大陸時，毛共要收取買路錢，而且要以美元支付。因爲毛共需要美元在國外購買物資。

這個消息在鐵幕以外已經流傳了幾個月，蘇俄雜誌最近才刊載出來，顯然有一套很陰濕的手法，因爲毛共若不出頭否認，就坐實了紐約時報的消息正確，若出頭否認又證實了蘇俄確曾軍事援越共，並不似毛共一貫向一些共黨政權所宣傳，俄共對越戰是袖手旁觀。

毛共經過深思熟慮之後，兩害相權取其輕，終於承認了俄共軍事物資曾經援越共，俄毛雙方且簽訂議定書，毛共義務代運未收分文。雖然毛共說來十分理直氣壯，但也上了俄共的當，所以毛共恨恨不絕地罵俄共新領導比赫魯曉夫更壞，我們看來也是如此。

毛共反噬

毛共承認了俄共軍事援越共，自不甘心，於是又發出另一項消息，說蘇俄援助北越物資皆是陳舊武器，破爛貨色，動機不是援助越共，而是藉此控制越共政權以與美國交易。

毛共新華社是十二月二十二日發表這項消息，俄共眞理報二十四日就提出反駁，說明援越物資所以遲緩，是受了毛共的阻撓。雖然未曾明白說出要收買路錢的話，但却指出由於毛共之不合作態度，使一切軍用物資無法順利到達。此事眞象究竟如何？相信卽使把馬克斯、列寧於地獄之中召回來，也無法弄得明白，因爲雙方的話似乎都有一點影子，但都不是事實。雙方之援助越共，都是爲了宣傳，在共黨集團中爭取地位。假若眞的有誠心援助越共的話，毛共軍只要開過鎭南關就可以同美軍打上，那才是眞正的援助，像目前這種空喊口號，而不敢越雷池一步，對越共又有什麼補益？毛共罵俄共是假援越，實際上也只是五十步笑百步耳。

越共的處境

目前全世界共黨頭子處境最苦的不是印尼的艾地（假定艾地尚未伏法的話），而是越共的胡志明。就胡志明本身來說，是希望和解，既可免於轟炸，又可獲得利益。但在毛共挾制下又不能不唱反調；胡志明向義大利兩名訪客透露了一些談和的意見，毛共卽宣傳南越共黨將自組政府；南越共黨是百分之百的毛共附庸，南越如果出現了共黨政權，受打擊的到不是南越政府而是北越的胡志明，胡志明又怎敢違背毛共意旨談和。（何如）

讀自由

美國與蘇卡諾

馬五先生

印尼總統蘇卡諾所寫的一本自傳，最近在美國發行，其中指述他從一九六〇年訪問華盛頓歸來，卽跟美國反目的原因，就是他在華府白宮會晤艾森豪之際，竟在客聽裏坐候了一小時，而艾氏於接見時幷未表示歉意，他認爲有損他的自尊心，非吼叫不可。又埋怨艾森豪和甘廼迪總統都不接受他的邀請而枉駕訪問印尼，使他在國際上的聲望陷於低潮。這些話，當然不假，雖然充分地表現了自卑感與自大狂，平心而論，亦屬未可厚非。

我總認爲艾森豪做了八年總統，對自由世界可謂一無是處，如對英法進軍蘇彝士運河之役，匈牙利人民反共運動之役，艾森豪的作法，都是間接幫俄共的大忙，而直接打擊自由世界的反共勇氣，爲的是滿足個人要做「和平總統」的私慾。他對印尼的政策更是莫名其妙，當年印尼各政黨和一部分軍人實行反蘇卡諾的革命運動之初，白宮原是暗中支持鼓勵的，半途忽然改變初衷，轉而援助蘇卡諾，給以金錢武器，讓蘇氏敉平革命勢力，最後因爲蘇卡諾以兩面人的中立姿態，跟俄共與毛共接近，又對蘇氏訪問白宮時，作出那種違反外交常例的極不禮貌行動，表示其睥睨一切的「大佬」氣概，所爲何來呢？難怪蘇卡諾於怒吼之餘，說是：「啊，美國，你究竟是怎末回事？你爲何不能做我的友人」了。基此種種事實，說艾森豪乃是美國歷任總統中最壞的一人，似不爲過吧？

如今印尼軍人積極表示反共，迫使蘇卡諾不能不改變其左右逢源的兩面人作風。就自[illegible]印尼若[illegible]東南亞[illegible]這時候[illegible]能切[illegible]會。庸[illegible]位了，[illegible]借以全[illegible]統先生，究竟作何打算呢？

看過蘇卡諾自傳的美國人，應該十分瞭解蘇氏究竟是個甚等樣人？憑着美國的實力，對印尼游刃有餘，大可爲自由世界挽住這個陷東南亞於狂瀾的重要據點，何不宜乎？[illegible]這是[illegible]重要關鍵所在，[illegible]以俟之。

增闢水源解決水荒
台灣地下水開發成效卓著
過去七年成績年增米產逾十萬噸
今後繼續努力當必發揮更大效果

（一）地下水是國家的資源，為了有效利用它的經濟價值，台灣省政府決定積極開發，自民國四十七年起，成立地下水工程處，積極開發，已經獲致相當成果。

（二）根據民國四十六年的勘測估計，全台灣省地下水資源，每年可開發的水量為二十九億五千一百萬公噸，其中已開發者為九億五千六百七十萬公噸，約佔總資源的五分之二，尚餘十九億九千四百三十萬公噸，約佔總資源的五分之三，可資開發，所以最先擬定開發一千六百口深井為目標。

（三）台省地下水的開發，自四十七年開工以來的七年中，先後在雲林、嘉義、彰化、屏東、高雄與南投等地區完成深井六百八十九口，受益面積計七萬九千六百六十八公頃，年增加水稻種植面積共計二萬六千五百零二公頃，年改善水稻灌溉面積四萬七千三百七十九公頃，總計年增產糙米十萬九千六百五十七公噸，值新台幣五億七千三百七十一萬五千三百元。

（四）七年來完成的深井，除了農田灌溉方面的實際效益外，在救旱方面，地下水也竭盡最大的貢獻。五十二年間台省發生旱象，為數十年來罕見，但在雲林、嘉義、彰化、屏東等建設深井地區，為救旱關係，其實際灌溉面積，均較計劃的面積為廣，地下水的總用水量與地面水的總用水量比較為五比一；與五十二年亢旱期的缺水情形，經分析比較，幾達二倍。

（五）由於國際開發協會關於地下水的貸款計劃將在本（五十四）年年底結束，省府為謀地下水得以繼續開發及利用，使全省各地的農民，都得享受地下水的灌溉，已計劃在上述的五個地區以外，另擴及南投、新竹、竹南、苗栗、大甲、苑里、豐榮、后里、新海、七星、淡水、宜蘭、基隆、台東、花蓮、新港等十七個地區，計劃開鑿深井九十七口，中型井二百三十七口，淺井一百五十六口，共四百九十口；總工程費共新台幣一億一千三百八十七萬元。由省府依照目前水利工程補助原則，西部地區補助四成，東部地區補助六成計算，共需新台幣五千○一十三萬二千元。貸款金額共需新台幣六千三百七十三萬八千元。全部工程已自本年九月一日起，預定到五十六年十二月三十一日止，分於二年四個月完成。

（一）開發幅度——由政府勘查規劃各地水源，公告其安全水量，劃定深井、淺井與井距，以避免干擾，而期地下水源的經濟有效利用。

（二）開發的投資——在勘定開發區內，民間申請與辦地下水事業，與政府大型的開發計劃可相輔並進，減輕政府鉅額資金的負擔。

（三）灌溉計劃的審查——地下水是農田灌溉的一環，必須視其灌溉區城狀況，配合引水計劃，對水庫、泥圳、渠道內面工，輪流灌溉，水源調劑交換，種植計劃，農地重劃等應全盤加以綜合審定。

（四）訂定作業聯繫辦法——地下水的開發計劃與灌溉，種植計劃，水權登記，電力供應，農地重劃等有關連，各單位應詳訂聯繫辦法，以期目標一致，密切配合。

（五）劃一事權——對於糧食局鼓勵民間鑿淺井的補助，水利局小型灌溉零星淺井的補助，地方政府或農田水利會自辦的淺井計劃，民間自行鑿井計劃等，均以地下水開發計劃為根據，統由地下水機構審查辦理。

（六）加強民間淺井的管理——確保地下水源的安全，嚴禁非經核准擅自鑿井。對於民間私營售水，也將合理核定價格，禁止變相售水，以免淺井的出資人操縱剝削農民，獲取暴利。

（一）售水制度——計量售水制度，是進步的企業經營趨向；但是這種企業化的科學管理制度，現有的水利組織與農民社會的基礎，尚不能完全適應。省府在政策上現已決定將地下水工程處售水的經營方式暫行停止，改為交由水利會自行經營管理。

（二）水費計算——地下水售水事業，本不應以營利為目的，目前所編最低成本預算，仍有部份農民認為負担太重，抗繳水費。政府將再降低鑿井成本，降低營運管理費用，採取大灌區平均負担方式，估售水成本的百分之四十二的電力費用，比照工業用電七折優待，當可降低水費負担。

（三）調整機構——為期水利灌溉事業的統一規劃，省府已決定將原直屬建設廳的地下水工程處改隸水利局，並在該局增設副局長一人，專司其事。地下工程處改組，主管工程開發，不管營運。

（四）尊重民意——今後地下水開發工程計劃，除由水利局重新檢討釐定外，與灌溉區內的計劃，多徵詢水利會的意見。

[illegible]台省人口增加迅速，所需糧食與日俱進，[illegible]以擴大灌溉面積，提高單位生產[illegible]當會發揮更大的效果。（華僑社稿）

屏東二三事

本報記者袁文德

△屏東縣府主計室副主任藍家鵬違法兼任總務秘書一職，經本報六○二期揭露後，不僅引起地方人士的普遍重視，省府主計處也已於日前函飭查報這宗案子。

據地方人士語記者稱：藍家鵬的違法兼長總務秘書，參預地方派系，總搞人事大權，自由報能以大公無私，公正客觀的立場予以揭露，跟着省主計處亦函飭查報，兩均值得讚佩。但表示希望省主計處能夠認眞負責，切實檢查，斷不可等因奉此，虎頭蛇尾，查查了之才好。

△屏東農田水利會長藍家精違法引用妻弟劉漢家為事務股長，經本報連續報導後，引起監察院重視，經查明屬實，函銓敘部解釋，認定確係違法任用，乃令飭迅即免職具報在卷。

乃時已逾月，而該會會長竟對政府命令漠然置之不理，地方人士譁然為怪。他們說：藍家精違法引用妻弟劉漢家事務股長一職，原已屬違法失職，政府理應予以適當處分。政府如姑念其係人民團體，會長又係民選，加以本屆任期亦將屆滿，故僅着將黃（劉）漢家免職具報了事，亦情有可原。乃藍家精竟執迷不悟，藐視政府法令，一再違抗，不理不睬，置政府與法令之尊嚴於何地？因而熱望有關當局對此應速設法處理。

△省水利局第七工程處處長劉定志涉嫌貪墨疑案，經本報先後揭發後，此間各界，均甚為重視。但本案究竟結局如何？目前尚難預卜。

據某君（姑隱其名）於十二月九日語記者稱：劉定志涉嫌貪墨疑案，原係該處職員向刑警隊秘密檢舉的。當刑警隊根據檢舉書內容積極搜集證據，並發現疑竇多處，於簽請局長請求申請拘票，擬採取進一步行動時，局長遂將該案改批交刑事課處理。當案正由刑警隊移交該課之次日，其內情一切經過，即為劉定志所獲悉，因此劉定志得有充份時間作案情變化的處理，並向各有關方面運用各種關係，進行佈置之外，復分別宴請新聞記者，還有向若干記者購買勞軍報之情事。同時地院檢察處負責承辦該案的檢察官，據說迄對案情的偵查未能獲有積極證據，認為苗頭殊堪注意。某君的意見：如果沒有新聞報導對這件案子切加注意，則將予以不起訴處分，而不了了之。

但是否如此？且拭目以觀其後！

波士頓勒人魔王現形記

紐約通訊

李培理攜着所有被勒斃的受害婦女的檔案文件前往橋水醫院，這些遇害婦女，包括史麗莎太太，聶麗絲太太，白麗小姐，艾嘉太太，鄭素雲小姐，蘇菲嘉小姐，柏桃茜小姐，馬莉蘋太太，沈曼絲小姐，柯幗冰太太，鍾妮莉小姐，和馬秀雲小姐。馬秀雲是最後被殺的一位。她與柯幗冰太太，同是十九歲，為受害者中最年青的。最年長的是艾嘉太太，七十三歲。這些婦女，除了柯幗冰太太為剛離婚婦女外，其他的不是未婚，便是寡婦。只有馬秀雲和蘇菲兩人是同房而居，並非是在家裏遇害的，其他都是獨自居住的。馬莉蘋太太和鍾妮莉小姐，住在羅倫斯市，白麗小姐住在里因，沈曼絲太太住在劍橋，其他的全住在波士頓。李培理向那男病者詳查，那病人承認曾幹另一宗案子，但死者的姓名無法說出，他只記得她是個老婦，住在波士頓英聯邦道的一家住宅。他記得這老婦，可能是患了心臟病，因為在向她勒殺之前，她已經驚恐而死。警方對這宗案子一無所知，因為她死時，警方還認為她死於自然情況。所以警方沒有進行偵查工作。可是現在這病者不但說出案子經過情形，同時能夠指出死者的住宅地點，於是警方從這方面，查出了死者的身份。

所有死者的生活均十分正常，她們都喜管理家務，愛好音樂，只其中一兩人喜歡「樂與怒」的搖擺音樂。同時，那個自稱勒人魔的男子，對於這些婦女，事前必定經過長久的偵查，看看是否為他所需的對象。在天氣惡劣的情況下，他無法挨戶登門進行其「勾當」，但他無法壓抑他的內心衝動，於是他在街上閒蕩，而走到他人住宅，逐戶按門鈴，直至看到有單身婦女應門，他詭稱為修理匠，公司派他來修理東西。雖然警方會不斷的在電台或電視台呼籲，警告單身女人在家時，要緊鎖門戶，不要延陌生人入內。但是他卻很少遇到拒而不納的。這個男子憶述在芸芸遇害婦女中，只有艾嘉太太會留難他。最初她不肯讓他進去，他雖然極力說，要替她家裏修理東西，但是她不相信，因為她家裏一切無恙，無須修理。她還發生疑竇。他不得不硬着頭皮，力勸她放心，並且說如不相信他，明日才來。果然她認為他言詞懇切，便從樓上下來，開門讓他進去。

無可置疑，他對婦女，發生濃厚的興趣，他從處女的蘇菲嘉，至年老而矮肥寡婦的艾嘉太太，一樣嗜好。本來色慕少艾的，何以那老醜的寡婦，也成為獵物？他承認在衝動的時候，便飢不擇食，不論好醜，總之是女性，便可以澆落他底焚身慾火的。

在一九六二年六月卅日，那是行將退休的生理治療家聶露絲太太；在波士頓被扼殺，同日任職護士的白麗小姐，於住所中遭勒斃。兩人之死均是同出一轍。住在劍橋的廿三歲沈曼絲太太，被勒人魔用一隻尼龍襪子，緊纏着她的頸部，但是這沒有使她致死，警方發現兩柄染血的刀子在身旁，她身上被斬了十五刀。她的屍體仰躺在住所的二樓。在她祇裸露的屍體上，勒人魔用一件外套給披上。

六十八歲的馬莉蘋太太，住在羅倫斯市，她在住宅裏，遭勒人魔用她底骨柄的肉叉，插進她的胸腔。但頸部沒有緊勒的跡象。

那個病者，堅說沈曼絲太太和馬莉蘋太太是他底「對象」。其他則不大清楚。他說他曉得那十二宗謀殺案，全歸咎於「波士頓勒人魔」的傑作，都是從報章上看到的，並且由此才知道她們的姓名，年歲，住址，職業，生活，習慣，興趣，和討厭的事物，遇害時裸露或是穿着衣服，甚至遇事後為人發現時的躺身位置。至於桃柏茜的一宗案子，只有眞正的勒人魔，才能曉得行兇的經過的。

像五十八歲的柯幗冰太太，亦是為那病者所殺。在遇事前，她自說有着情緒的問題，一方面是醫生囑咐她戒色。但是他不理許多，用兩隻絲襪把她勒斃，拖到床上，扯開她底寬濶的睡袍，於是一具美好的玉體，呈現他的眼前。這宗事件，他憶述起來，歷歷如繪。

最使人驚詫的是他憶述淫辱蘇非嘉小姐的情景，他說把一些私人的東西，扔在房間左角一張椅後的地方。他又說用她的內衣，塞着她的口腔。結果，一如警方所發現的情形一樣。他描述在姦殺白麗小姐時，亦清清楚楚。他說她的客廳裏，放着一座電視機，機上擺着一個年青婦人的相片。他憶述淫辱聶露絲太太時，說出當時想用一條紅皮帶勒她的頸的，但是它突然斷了。警方在那兒案現場找到兩截紅皮帶。只有勒人魔才能把其中的情景說出來的。

這個自稱的勒人魔又說，除了姦殺那些婦女外，並取去她們的金錢和首飾。他並不飲酒，也不吸烟的。但他幹第一宗謀殺案時，只把死者史麗莎太太的一件雨衣拿去。

從種種的證供中，這病者無疑是波士頓勒人魔，警方會將四位婦人帶到橋水醫院，站在這勒人魔的面前，她們一個是住在波士頓，她倖能逃避勒人魔的魔爪。[illegible]可是她們都無法認出住院的勒人魔，警方經過審慎研究後，證實他是波士頓的勒人魔王，他會否被控訴那些謀殺罪？目前尚作法律上的研究中。

（下）

瀛海異趣談

巴黎的下面是空的

·桑雅·

「先生，巴黎的下面是空的，」我的客車司機說。「我們的車子在空心的地面上走，說不定土地會在我們的前面，開了一個大口。」

他望着前面的路，也許是在留神，看有沒有裂縫。

「當局不讓發表這一切消息，但是，巴黎的命數已定。」他說。

「地下坑的柱子已經爛了，地道要塌下去了，我們大家都要埋在廢墟之中了。」

在我的旅館裏，他誇獎我，好像一個勇者讚美另一個勇敢的人。「你眞勇敢，」他說。「這一個地段，是巴黎市區下面最不結實的一段，往下陷就是從這裏開始的。」

第二天早晨，我覺得好玩，就把司機所說的話告訴一個法國地理學家。「但是，你的那個司機是有道理的，勇敢的朋友！」我的朋友說，他也許講得過分了，但是，巴黎確是中空的，有陷下去的危險。自從二百年前當局就設立了一個地下坑道檢查機關，派有專人在那些被廢棄掉的地道裏巡邏以避免災禍。

這位朋友承認，最近倒沒有人因爲房子陷下去而致死亡的。「但是，這種事情以前曾經發生過，以後也可能再發生。」他堅持着說。他幫我安排，叫我跟巡邏人員到巴黎下面的空巷子走一趟。

在盧森堡花園南端街道的下面，我跟着一個嚮導走，他提着一盞燈照着那些在英法百年戰爭（一三三七——一四五三）開拓並廢棄不用的地下道。我們走過「交通中心」，有許多條道路從中心發射出來，走過狹窄的街巷，較寬的大道，走過十字路和寬敞的廣場。我覺得我好像在一座鬼城的街道上走，尤其是每逢一條地下道正跟地面上的路同一位置時，就有路名號碼的標誌，這些標誌，更使我覺得如置身鬼域。

可是，地下道網比上面的街道更加複雜。它有時會令人迷路，至少有一個巡邏員因轉錯一個彎，死在裏面了。當遊客們到地下來參觀的時候，如果久久不出來，靠近出口處就有一個巡邏員吹起號角引導着他們回來。有的參觀者帶來一本電話簿，一路走，一路把標有頁數的書頁扔下來，在回來的路上，他們檢查頁上的數字，證實他們是否已正確無誤地走向出口。

在參觀了巴黎可怕的地下世界後，我簡直渾身發抖。我只有連忙跑到一家酒吧去，喝點酒鬆弛一下，然後再去訪問我的地理學家朋友，承認我相信了他的話。

確實如此：巴黎地面有十分之一的地方是一層薄薄的地殼，蓋在成千成百哩長的地道上面，其中有的，已有千年的歷史。巴黎的大部份地區是用支柱撐着的。

甚至在羅馬時代，建築商們就已發現這裏有石頭可供建築新城之用。公元一千年前後在石堤一帶，蓋了許多新教堂，新寺院，那時，地面上的石塊和石膏不夠應付這些需要。他們往地下去挖石頭，一直到把地下許多地方都挖成蜂窩狀才罷手。

法國大革命即將爆發之前，在門尼蒙頓區，一座小山陷了下去，一年後，一棟住有七個巴黎人的屋子，掉到附近的另一個洞裏去。最後的一個遇難者，在二十五天之後才從離地八十八呎的深處掘了出來。在巴黎的另一面，有一段三二八碼長的街陷到八十二呎深的洞裏去，附近居民大爲驚慌。

當時的法國國王路易十六派探險家去探險，證實了老百姓的恐慌是有根據的。

一七七七年，國王任命了一個緊急委員會，地坑總檢查委員會來勘察坑道，修理支柱不牢的地方，從那時起這工作一直沒有停過。經過——革命，兩個帝政時期，一個公社時期，五個共和政體，戰爭與和平，一組調查隊到地下去尋找未繪好圖表的窟洞，另一組工作隊則把搖搖欲墜的天花板可能使上面的道路或公共建築物坍陷下來的天花板撐好，他們至今仍在保護着公家的建築物，至於保護私人建築，那是屋主的責任。（上）

我們爲什麼要研讀三民主義（三）

·楊力行·

（編者按：本文原刊第一版，本期起移刊本版。）

——在產生的時代中，封建主義在中世紀爲客觀的眞理，民主主義則爲近世的客觀眞理，其所謂客觀眞理的價值與物理、化學上之公理、定義相同。例如：民主主義爲近代的客觀眞理，若不講行民主，那就錯誤了，就變爲獨裁；而獨裁與時代背景不相合，如：主張「工農專政」的俄帝，「人民民主專政」的中共匪幫，及個人獨裁的法國總統戴高樂，印尼總統蘇卡諾和古巴卡斯特羅政權等，都是「掛羊頭，賣狗肉」的假民主。明乎此，我們即可以將主義認爲客觀眞理，當作理化科學一般來談論。

其次是要瞭解主義另有理想價值，國父說：「主義是一種思想」。但是，所有的思想都不一定就是主義。然則什麼思想才能成爲主義呢？我的意思即是理想價值。所謂理想係與現實相對而言，現實爲事實，理想却存在於我人腦中。主義在未實行前爲理想，已實行後則爲制度。談到理想，人人都該有，尤其是青年。理想即是目的，我們要生活得好就該有理想。有理想才有希望，有理想的人，爲人作事方有價值。有理想才能努力奮鬥，發憤圖強。否則，人生將毫無意義，毫無價值。故理想對於人生非常重要。如：舟行大海中，要有舵方能照方向行駛，若無舵則隨風飄蕩，僅能浮於海上。人若無理想，便與此舟相似，故理想爲人生之舵。理想亦即是主義。主義無論實現與否，對個人而言，均可謂爲理想。須知：人人都有理想，有主義。如，商人作生意，似乎沒有目的與主義，其實不然。商人的主義，即俗所謂「發財主義」。擴而言之，即爲資本主義，是以發財爲目的。又，中國自古即有「學而優則仕」的說法，這也就是作官主義。人生最大的希望是富貴，也就是名利，名利雙收最好不過。故人人皆有主義（個人主義）。主義又有成文及不成文之別，如：封建主義、資本主義、民主主義，這些都是成文的主義。成文的主義比不成文的好。因爲，它有目的，有意義。學校教育青年以各種知識，如：物理、化學等，乃希望將來在爲國家民族及社會做些事情，即以學校教育爲手段之目的，即在教育如何做人、處事，爲學此三者都須要有理想，主義就是人生的理想。

三、我們研讀三民主義的理由

主義的種類很多，即以社會主義而言，國父曾在民生主義第一講裏就告訴我們有五十七種之多。現時由於思想自由變化多端，如：所謂法西斯主義、民主主義、共產主義等不下七、八十種，然而，我們所要積極研讀的就只有三民主義。爲什麼？總括言之，其理由有三：

阿月

覃靖

一切的事情就這樣決定。第二天我結清了旅館的賬務，便提着一隻被包和一口箱子，正式到衛生所報到了。

到差以後，最初一段時間，工作非常清閒。村民們都是在貧苦中生活的。他們白晝陪着太陽和風雨工作；夜晚對着月亮和星星娛樂，不論男女老少，身體都健壯得如同田裏的耕牛一般；不是遭遇意外的傷患，決不輕易像城市裏的閒人，讓寶貴的時間，消耗在我們的衛生所裏。此外，我似乎還有一種敏感，這些鄉巴佬對于我們洋郎中也許不大信任。我記得有一次是使我和所長都啼笑不得的。那是一個細雨濛濛的傍晚，我們正在進着晚餐，驟然間，一個佝僂的老嫗，慌慌惶惶地闖進我們的衛生所來了。

她流着縱橫的老淚同我們嘀咕了好一陣子，我一句也聽不懂；幸好所長是老台灣了，經他解釋，我才知道原來是一頭老牛摔傷了前腿，請求我們醫治。

這不是滑天下之大稽嗎？我們不是獸醫；但是我們不能拒絕她的請求。即使我們不爲了展開工作，看到她的那份可憐像，也不能不軟化心腸。事實上在這個鄉村裏，包括所有的農家，一頭牛不僅是他們的全部財產，而且是他們的整個生命。

我們苦無辦法，經過幾次考慮和討論，祇得照着醫人的手術趕到現場，爲那頭老牛注射一針盤尼西林和一針破傷風。好的是那頭老牛的腿骨沒有拆斷，替我們省了很多的麻煩。當注射工作完畢以後，再用一些黃紗布塞住傷口，包紮起來，便全部完成交待了。

隨後那老嫗淚眼汪汪地給我們道謝，并且付給我們五十元醫藥費；所長沒有受領。

事情過了五天，那老嫗又闖進我們衛生所來了。她臉上的愁苦的眼淚換成開朗的微笑，又要補上那五十元醫藥費；所長還是沒有受領。他告訴對方：「衛生所的醫藥是上級配給的，我們的手術費也由上案發給的薪水代埋了。」那老嫗于是笑得闔不上嘴巴，連連不停地說多謝多謝！

這是誰都料想不到的，我們治癒了一頭牛犢的功效，竟遠勝于醫好了一個病人。自此以後，我們的業務展開了。

然而，隨着業務的展開，新的難題又接踵而來。我們的衛生所，總共祇佔有一間屋子，診療室、辦公室、休息室、寢室，甚至連飯廳，全部擠在一道。白天把鋪蓋捲起來，還可以勉強應付場面；到了晚上，隨便來一個患者，簡直就無法轉身。所長屢次將這種實際的情形向上級報告，上級仍然祇答應支給我們津貼，要我們自行租賃民屋居住，因爲這個衛生所還是在試辦階段。（二）

清代水師整建紀詳

羅雲

自康熙七年，查毀沿江海各營出海之船，其內河快船，亦從裁汰。嗣巡撫馬祜、提督楊捷疏請蘇松常鎮四府各塘汛，設水師巡船三二五艘，以靖水盜。雍正元年，江蘇浙江督撫會商，以太湖連跨五省，夙爲盜賊出沒之淵藪，乃於湖濱多口增設水師營汛巡船，分界巡緝。雍正五年，令參將各率水師，會同水師營，分撥京口大小戰船二〇艘，至江寧練習，其駐寧水師，凡滿州蒙古兵千人，設協領四人，佐領防禦驍騎校各十二人，是爲江南水師之始。其任務爲鎮守京口。左右兩路水師，設統兵官二人，分統左右營，各置沙船二八艘，水居船八艘，犂曾船八艘，舵手二二〇人，水手匠役四九二人。康熙廿一年，改隸江南提督，標下分爲中左右三營。三十六年，裁總兵官，設副將以下各官，每營設大小戰船三四艘，水兵四六八人。自雍正二年以後，迭有改撥，每營僅存船十五艘。江南提督水師標兵，設於順治四年，置參將以下各官，分爲中左右前後五營，及城守六營：中營有戰船二〇艘；左營有戰船二二艘；右營有戰船一四艘；前營有戰船二六艘；後營有戰船一三艘；松江城守營，有巡船六艘；金山營，有巡船十三艘；拓林營，有巡船四艘；青村營，有巡船三艘；南滙營，有巡船六艘；川沙營，有巡船十二艘；劉河營，有巡船八艘；吳淞營，有巡船七艘；福山營，有巡船二四艘，後改爲福山鎮標，設總兵以下各官；太湖營，有巡船三二艘，後改爲太湖協標，設副將以下各官；常州營，有巡船二九艘；江陰營，有巡船九艘；靖江營，有巡船二艘；楊舍營，有巡船二二艘。鎮江城守營，於順治十五年設，置鎮守蘇松水師總管兵官，分中左右水師三營，各設大小巡船十四艘，尋改爲參將等官，增巡船爲二三艘。江南督標游兵營，順治初年設，隸操江巡撫標下，設游擊以下各官，有大小巡船廿八艘。康熙元年，裁併入督標游兵營。順治初年，隨操江巡撫，赴安徽省駐防，改爲太平右營，設游擊以下各官。康熙元年，裁併入安慶營。瓜州營，順治二年設，置守備以下各官，專防江北水汛，有巡船八艘。康熙元年改爲參將，併入江南督標。十一年，改爲瓜州城守備，船隻仍舊，其所轄各縣分防水師有：寶應汛，船一五艘；汜水汛，船一四艘；永安汛，船二三艘；高郵汛，船一六艘；江都汛，船一四艘。淮安廟灣營，於順治初年設，置游擊以下各官，有巡船九艘。佃湖營，於雍正十九年由廟灣營分防，設都司以下各官，有巡船九艘。埔城營，於順治三年設，置守備以下各官，有巡船八艘。乾隆十一年，改換船隻，數量仍舊。小關營，於雍正十一年設，係由埔城營分防，置都司以下各官，有巡船四艘。海州營，於順治四年設，置游擊以下各官，有巡船五艘，康熙三年，併入東海營，增設沙號船十艘。東海營，於順治初年設，置守備以下各官。十八年裁撤，康熙十八年復設，其分防之汛地爲：鷹游內外洋汛，巡船二艘；大浦汛，商船二艘；海須汛，巡船一艘；臨洪口汛，巡船二艘；高公島汛，巡船一艘。江蘇撫標左右營，於順治四年設，置參將以下各官，有巡船五八艘。平望營，於順治三年設，置游擊以下各官，有巡船一七艘，初隸提督標，乾隆以後改隸巡撫標，增巡船三艘。福山營，自提督標分防，設游擊以下各官，其巡船十四艘，船數仍如舊制。道光年間，以海疆要地，改爲鎮標，設總兵以下各官，分爲中左右三營。淞北營，原隸督標內河水師。同治十一年，增設副將以下各官，改隸江南提標水師，仿長江水師之制，有舢板船一六艘。淞南營，同治十一年改隸裏河，北協標，增設游擊以下各官，仿長江水師，有舢板船卅七艘。江北狼山鎮標，於順治十八年設，置總兵以下各官，分中左右三營，中營，有巡船十艘；左營，有巡船十一艘；右營，有巡船十四艘。（十四）

歐陽修其人其文

漁翁

唐宋兩代文學，以韓（愈）柳（宗元）歐（陽修）蘇（軾）爲其代表，據茶香室叢談云：「韓如海，柳如泉，歐如瀾，蘇如潮。」就中雖以韓馬首是瞻，而歐得韓稿讀之，亦文冠天下，兼擅各家之長，而又言簡意賅，論理明析，富於說服性，詩賦洒脫不羣，可以追蹤李白，極爲後人所敬崇，對其文章歌賦，每百讀而不厭，影響我國文學，至深且鉅。

歐陽修，宋廬陵人，字永叔，舉進士甲科。仁宗時爲諫官，論事切直。後拜參知政事，徙青州。與王安石不合，以太子少師致仕。嘗判滁州，號「醉翁」，晚號「六一居士」。修自幼而壯，自壯而老，未嘗釋卷，筆不停書，固道德而又文章也。

修生於眞宗景德四年，時父觀爲綿州推官，後調泰州，卒於任，而修僅四歲。母鄭氏，年方二十九，有賢德，攜往隨州，依叔曄處而卜居焉。乃父雖居官多年，因廉而好施與，無有所餘，「故其亡也，無一瓦之覆、一壟之植，以庇而爲生」焉。

因此，家貧不能入學，母親誨之，畫荻作字，敎之讀書。按荻，草名，與蘆同類，南史陶宏景傳：「恒以荻爲筆，畫荻中學書」。歐母畫荻，已成爲歷史上之佳話，今人稱頌母敎者，多引此事。

修十歲，已能文章，但母子皆不能生產，家益貧，嘗借書抄誦。隨州之南，有大姓李氏子好學，嘗遊其家，於故書中得唐韓昌黎文六卷，乞以歸，讀而愛之，爲文爲詩，下筆如成人，無幼稚氣，都官曰：「此奇童也，他日必名重天下」。

弱冠後，攜文謁胥學士偃於漢陽，胥閱之，奇其學，留置門下。旋偕如京師，試國子監第一，補廣文館生。繼赴國學解試，又第一。及試禮部，復爲第一。最後殿試，以甲科十四名入選，名噪一時。胥學士器重其才，乃以女妻之。

修好杯中物，年四十，以兩鬢漸白而以「醉翁」自號。及守滁州，作亭於瑯琊山兩峯之間，而以醉翁名焉。自「醉翁亭記」刊石成，一時爭相傳誦。或言此文用「也」字太多，王荊公曰：「以某觀之，尚欠一『也』字，」聞者愕然！時有范司戶者在坐，曰：「禽鳥知山林之樂，而不知人之樂」，此處欠之。荊公大喜，許爲知言。實則此處果如范言，增一「也」字，意斷，文亦不健矣。荊公名家，何以有此言，誠令人不可解。（上）

試談「霸王別姬」

良

近十幾年來，「霸王別姬」這一曾經轟動過南、北的鉅型舞台平劇，消聲匿跡了許久；去年，才有人想出用換湯不換藥方式申請解禁，擬改以「虞姬恨」的名稱「拗上一票」。以前的不演，由於政府的理由；而楊小樓、梅蘭芳，或者金少山、梅蘭芳、袁世海、李世芳這三組演出的「珠玉在前」，更使若干平劇從業的名旦、名淨或名武生們趦趄不敢輕易嘗試的最大原因。

筆者不諱言沒有欣賞過「楊、梅中毒」的霸王別姬；然而金、梅合作的佳奏，則在上海、南京、漢口也曾看過了好幾次。且由於對此戲的偏嗜，更看過了袁世海、李世芳，金少山、魏蓮芳，孫毓堃、×××，名淨蔣寶印、醉麗君（乾旦，爲徐碧雲門徒，久居漢口，後在成都華瀛大舞台上演），和若干位坤旦、名淨、名武生們演過。光復後來台，民國三十五年在台北市新世界更曾看過名坤旦曹曉秋和「狼派」文武老生李如春演過。

寶島上醞釀再演此戲的幾組人才，則有金素琴、李桐春，徐露、孫元坡，秦慧芬、王福勝等，都沒有機會看到他們上演。如果准由筆者安排部署的話，則恐怕只有拿孫元坡來陪金大姐，或者尚可「差強人意」。

五月十六日，大宛劇團來中興新村貼「霸王別姬」，總算得以「舊夢重溫」。是日，由老伶工名淨王福勝扮演兩場的霸王，自發兵、折旗起就換了李桐春，周慧如飾虞姬。每逢遇到貼演此戲，筆者必都懷抱着「撈稍式」的心情前往；但一看到他們出場，就會感覺「滿不是味」。即賢如魏蓮芳，或者演了燕人張翼德的王福勝和久傍楊氏只是「承乏」才演別姬的劉連榮也都不免；自鄶而下，更不值一談。實在說來，只是「氣魄」不夠渾厚罷了。因爲藝術的造詣，固能因時間積累、師承有自而形成深湛，然而氣魄，則屬於天賦，稍加雕琢即有「畫虎不成」之譏。而且在看過若干遍以後，筆者更深深地覺得，卻或撇開意識問題不談，此戲除了舞台熱鬧，角色衆多（就編排戲劇的原則來衡量，實在就是浪費），霸王的綫條突出，虞姬在步月時所表現的淒涼暨舞劍的眞實功夫和場面音樂伴奏的悅耳以外，就整體而論，實在也沒有什麼値得再度搬演的。如果以旦角爲主，找一位不夠格的霸王或武生，就會十足地糟踏了「戲」；找一位功力悉敵或者接近的項羽吧，又必致把扮演虞姬的角色弄得黯然無光。因爲這齣戲劇情的主、從，就是捧霸王的，而當年的楊、梅合作，在若干形勢上，楊氏更佔了極大的便宜，梅氏捧捧他也無所謂；即至梅氏南下，金少山才由天蟾舞台陪演；貓換太子中的副淨郭槐「脫穎而出」，以後，如在各地演別姬，更非他不可；有時，更要「特加包銀」、「飛機趕場」。金氏的確眞夠得上「氣魄不凡，實大聲洪」八字，扮起來壓賽鐵塔，更有叱咤風雲，氣吞河嶽之概。漢口某位批評家曾經說過這麼一句話：「梅蘭芳在拿金少山的屁股當臉」。相信到過華中的戲迷必有幾位曾經知道此事。所以，就金素琴或秦慧芬的情形來看，她們想排出此戲，確屬失着。

按此戲原名「楚漢爭」，爲依據「千金記」所蛻化、改編而成的皮黃劇，分上下二本，兩晚演全，初由楊小樓、尚小雲合作，因場子冗雜，票房價値不佳而輟演，嗣經梅氏敦請文人改編，再經老伶工的潤色、修訂，才掛「霸王別姬」重新上演。由於楊、梅的珠聯璧合，因而轟動九城，騁至風靡全國。由於「人傑」而「戲靈」，「霸王別姬」總算走了十幾年「紅運」；更十足地顯現我們實在沒有戲劇政策。

在韓信點將，派李左車臥底「吊場」後，次場，則用四大鎧、四龍套、四鐵甲兵站門，加上中軍、旗牌作爲襯托，項羽戴改良的霸王盔，着黑靠（有的更用方靠），掛黑札（最先本不掛髯口，乃由於不夠氣魄，遂加掛黑札），在大鼓吹中出台，場面實在很夠偉大。引子用「粉蝶兒」，原詞：「蓋世無敵，滅嬴秦，廢楚帝，爭戰華夷」。如果角色的藝術修養不夠，坐場詩必不會精彩。四句坐場詩的第三、四兩句：「某與劉邦會奪地，原爲漢佔東來孤霸西」，形勢最與歷史地理的形勢恰相反。（上）

西施

「影劇與歷史」之十三

周遊

又在宜興磬山北麓，有「西施洞」，相傳是西施同范大夫隱居之所。宜興鼎蜀山之陶器，譽爲陶器之都，但其產陶之所，則在蜀山之西的陶山。陶山有天然的製陶土。陶山有「蠡墅」，也相傳是范蠡「之陶」所隱居之所。有人說是山東的陶山，是不可信的。范蠡的封地就是在宜興一帶，國語越語上說：「環會稽山三百里者，以爲范蠡地。」並且有令不准任何人侵佔范大夫的封地；越王又使金工以金畫范大夫之相而朝禮之。可想越王對范蠡隱退後禮遇之隆重了。憑這些遺跡，可得西施小姐的歸宿之一佐證。

總之，西施小姐的歸宿不管如何，她的美麗有如何程度，都不必爭論，她曾經爲自己的祖國復興和富强，獻出了自己寶貴的青春和愛情，其身雖在吳宮，而心實在報越；形雖與之伴，而心常欲沼吳。我們將西施小姐作爲一個愛國的兒女來估價，可以說是蓋棺之論。（十三、完）

諸葛亮的著作考

周燕謀

唐書藝文志作集二十四卷；中興書目有諸葛集十四卷；明楊時偉以王士騏的「武侯全書」二十卷蕪累，更撰諸葛忠武書十卷；清人朱璘有「諸葛武侯集」二十卷，及張鵬翮「忠武志」，又增加白序附錄「武侯文集」，又附故事五卷，網羅極博。將三國志、及裴注各書中有關諸葛亮之表、議、書、論、敎、誡、令、記、碑、銘，各以類事相附，不以文體之次第，爲歷代各家之冠。第一卷有草廬對等六十五目，類皆詔、書、表、議等。第二卷有答將帥、論人等十五目。第三卷有一治國、二君臣、三視聽……至十六陰察十六目。第四卷有將苑、兵權、將材、將器等五十二目，類皆述將兵用兵等經武之作。此外又附有闕佚文目：八務、七誡、六恐、五懼（以上見「諸葛亮集」，今佚）、儒家集誡」二卷，梁書有「武侯儒家集誡」二卷，即隋志總集「武侯誡」一卷是也。今只誡子、誡外生三篇。「論前漢事」，在隋志及唐志均爲一卷，今只存「論光武」一篇。「漢書音」，隋志唐志均列一卷。「琴經」，見中興書目一卷，隋志一卷，今佚。「貞潔記」，隋志一卷，今佚。「哀牢夷國譜」，見華陽國志，今佚，本書作圖譜，誤也。「兵法」，隋志五卷，崇文總目作兵機法，今存四則。「八陣圖」，見隋志及中興書目。「渭南秘訣」，見書錄解題一卷。「行軍指掌」，見宋史藝文志有二卷。「文武奇編」，見中興書目有二卷。「十六條」，見中興書目及玉海。「平朝陰府二十四機」，見文獻通考一卷。「六軍鏡心訣」，見文獻通考一卷。「武侯相書」，見一卷，見通志一卷。「武侯相山訣」，見同上三卷。「大明堂鑑」，見通志一卷。以上各書，雖屬僞託，然大部皆出諸葛亮之手，惟不與陳壽三國志所錄相同而已。間有少數篇目，採蒐錯誤，如羣下上先帝爲漢中王文，乃係李朝造所撰，先帝即帝位昭告上下神祇文，係劉巴撰，他本皆收入集中，今本乃刪之。其中尚有問題的，如「梁父吟」、「後出師表」。「梁父吟」已見前說，「後出師表」，列入卷一，昔人有疑其爲僞託，其信有說。

出師表一文，名垂千古，昔謂「讀出師表而不哭，非忠臣也」之說，可見其感人之深。今傳出師表有二，一爲後主建興五年（公元二二七年）率軍北駐漢中，臨發所上之疏；一爲建興六年十一月再度出師時所上之疏。（中）

史地傳記類　PC0282

自由人（十四）

編　　者 / 陳正茂
責任編輯 / 邵亢虎
圖文排版 / 彭君浩
封面設計 / 陳佩蓉

法律顧問 / 毛國樑　律師
印製經銷 / 秀威資訊科技股份有限公司
114台北市內湖區瑞光路76巷65號1樓
電話：+886-2-2796-3638　傳真：+886-2-2796-1377
http://www.showwe.com.tw
劃撥帳號 / 19563868　戶名：秀威資訊科技股份有限公司
讀者服務信箱：service@showwe.com.tw
展售門市 / 國家書店（松江門市）
104台北市中山區松江路209號1樓
電話：+886-2-2518-0207　傳真：+886-2-2518-0778
網路訂購 / 秀威網路書店：http://www.bodbooks.com.tw
國家網路書店：http://www.govbooks.com.tw

2012年12月復刻版
定價：2500元

國家圖書館出版品預行編目

自由人 / 陳正茂編. -- 一版. -- 臺北市 : 秀威資訊科技,
2012. 12-
冊； 公分. -- (史地傳記類)
BOD版
ISBN 978-986-326-020-2(第1冊 : 精裝). --
ISBN 978-986-326-016-5(第2冊 : 精裝). --
ISBN 978-986-326-017-2(第3冊 : 精裝). --
ISBN 978-986-326-018-9(第4冊 : 精裝). --
ISBN 978-986-326-019-6(第5冊 : 精裝). --
ISBN 978-986-326-022-6(第6冊 : 精裝). --
ISBN 978-986-326-023-3(第7冊 : 精裝). --
ISBN 978-986-326-024-0(第8冊 : 精裝). --
ISBN 978-986-326-025-7(第9冊 : 精裝). --
ISBN 978-986-326-026-4(第10冊 : 精裝). --
ISBN 978-986-326-034-9(第11冊 : 精裝). --
ISBN 978-986-326-035-6(第12冊 : 精裝). --
ISBN 978-986-326-036-3(第13冊 : 精裝). --
ISBN 978-986-326-037-0(第14冊 : 精裝). --
ISBN 978-986-326-038-7(第15冊 : 精裝). --
ISBN 978-986-326-039-4(第16冊 : 精裝). --
ISBN 978-986-326-040-0(第17冊 : 精裝). --
ISBN 978-986-326-041-7(第18冊 : 精裝). --
ISBN 978-986-326-042-4(第19冊 : 精裝). --
ISBN 978-986-326-043-1(第20冊 : 精裝). --

1. 報紙 2. 香港特別行政區

059.92 101021409

讀者回函卡

感謝您購買本書，為提升服務品質，請填妥以下資料，將讀者回函卡直接寄回或傳真本公司，收到您的寶貴意見後，我們會收藏記錄及檢討，謝謝！如您需要了解本公司最新出版書目、購書優惠或企劃活動，歡迎您上網查詢或下載相關資料：http:// www.showwe.com.tw

您購買的書名：____________________

出生日期：________年________月________日

學歷：□高中（含）以下　□大專　□研究所（含）以上

職業：□製造業　□金融業　□資訊業　□軍警　□傳播業　□自由業

□服務業　□公務員　□教職　□學生　□家管　□其它_____

購書地點：□網路書店　□實體書店　□書展　□郵購　□贈閱　□其他

您從何得知本書的消息？

□網路書店　□實體書店　□網路搜尋　□電子報　□書訊　□雜誌

□傳播媒體　□親友推薦　□網站推薦　□部落格　□其他__________

您對本書的評價：（請填代號　1.非常滿意　2.滿意　3.尚可　4.再改進）

封面設計____　版面編排____　內容____　文／譯筆____　價格____

讀完書後您覺得：

□很有收穫　□有收穫　□收穫不多　□沒收穫

對我們的建議：____________________

____

____

____

請貼
郵票

11466
台北市內湖區瑞光路 76 巷 65 號 1 樓
秀威資訊科技股份有限公司　　　收
BOD 數位出版事業部

....

（請沿線對折寄回，謝謝！）

姓　　名：＿＿＿＿＿＿＿＿　年齡：＿＿＿＿　性別：□女　□男

郵遞區號：□□□□□

地　　址：＿＿＿＿＿＿＿＿＿＿＿＿＿＿＿＿＿＿＿＿＿

聯絡電話：(日)＿＿＿＿＿＿＿＿＿＿(夜)＿＿＿＿＿＿＿＿＿＿

E-mail：＿＿＿＿＿＿＿＿＿＿＿＿＿＿＿＿＿＿＿＿＿